Bildwörterbuch

Deutsch
Englisch

von
Jean-Claude **Corbeil**
Ariane **Archambault**

Ernst Klett Sprachen
Stuttgart

DANKSAGUNGEN (QA INTERNATIONAL)

Unser besonderer Dank gilt folgenden Personen, Organisationen und Firmen, die uns bei der Erstellung des neuen *Bildwörterbuches* die aktuellsten technischen Informationen zur Verfügung gestellt haben.

Arcand, Denys (réalisateur); Association Internationale de Signalisation Maritime; Association canadienne des paiements (Charlie Clarke); Association des banquiers canadiens (Lise Provost); Automobiles Citroën; Automobiles Peugeot; Banque du Canada (Lyse Brousseau); Banque Royale du Canada (Raymond Chouinard, Francine Morel, Carole Trottier); Barrett Xplore inc.; Bazarin, Christine;Bibliothèque du Parlement canadien (Service de renseignements); Bibliothèque nationale du Québec (Jean-François Palomino); Bluechip Kennels (Olga Gagne); Bombardier Aéronautique; Bridgestone-Firestone; Brother (Canada); Canadien National; Casavant Frères ltée; C.O.J.O. ATHENES 2004 (Bureau des Médias Internationaux); Centre Eaton de Montréal; Centre national du Costume (Recherche et de Diffusion); Cetacean Society International (William R. Rossiter); Chagnon, Daniel (architecte D.E.S. – M.E.Q.); Cohen et Rubin Architectes (Maggy Cohen); Commission Scolaire de Montréal (École St-Henri); Compagnie de la Baie d'Hudson (Nunzia Iavarone, Ron Oyama); Corporation d'hébergement du Québec (Céline Drolet); École nationale de théâtre du Canada (Bibliothèque); Élevage Le Grand Saphir (Stéphane Ayotte); Énergie atomique du Canada ltée; Eurocopter; Famous Players; Fédération bancaire française (Védi Hékiman); Fontaine, PierreHenry (biologiste); Future Shop; Garaga; Groupe Jean Coutu; Hôpital du Sacré-Cœur de Montréal; Hôtel Inter-Continental; Hydro-Québec; I.P.I.Q. (Serge Bouchard); IGA Barcelo; International Entomological Society (Dr. Michael Geisthardt); Irisbus; Jérôme, Danielle (O.D.); La Poste (Colette Gouts); Le Groupe Canam Manac inc.; Lévesque, Georges (urgentologue); Lévesque, Robert (chef machiniste); Manutan; Marriot Spring Hill suites; MATRA S.A.; Métro inc.; ministère canadien de la Défense nationale (Affaires publiques); ministère de la Défense, République Française; ministère de la Justice du Québec (Service de la gestion immobilière – Carol Sirois); ministère de l'Éducation du Québec (Direction de l'équipement scolaire-Daniel Chagnon); Muse Productions (Annick Barbery); National Aeronautics and Space Administration; National Oceanic and Atmospheric Administration; Nikon Canada inc.; Normand, Denis (consultant en télécommunications); Office de la langue française du Québec (Chantal Robinson); Paul Demers & Fils inc.; Phillips (France); Pratt & Whitney Canada inc.; Prévost Car inc.; Radio Shack Canada ltée; Réno-Dépôt inc.; Robitaille, Jean-François (Département de biologie, Université Laurentienne); Rocking T Ranch and Poultry Farm (Pete and Justine Theer); RONA inc.; Sears Canada inc.; Secrétariat d'État du Canada : Bureau de la traduction ; Service correctionnel du Canada; Société d'Entomologie Africaine (Alain Drumont); Société des musées québécois (Michel Perron); Société Radio-Canada; Sony du Canada ltée; Sûreté du Québec; Théâtre du Nouveau Monde; Transports Canada (Julie Poirier); Urgences-Santé (Éric Berry); Ville de Longueuil (Direction de la Police); Ville de Montréal (Service de la prévention des incendies); Vimont Lexus Toyota; Volvo Bus Corporation; Yamaha Motor Canada Ltd.

The Visual Bilingual Dictionary wurde von
QA International, einem Unternehmen der
Les Éditions Québec Amérique inc. entwickelt und hergestellt.
329, rue de la Commune Ouest, 3ᵉ étage
Montréal (Québec) H2Y 2E1 Canada
T 514.499.3000 F 514.499.3010

ISBN 13: 978-3-12-517966-0

Gedruckt in Singapur.
www.qa-international.com

QA International

REDAKTION

Verleger: Jacques Fortin
Autoren: Jean-Claude Corbeil et Ariane Archambault
Redaktionsleiter: François Fortin
Leitender Redakteur: Serge D'Amico
Grafik Design: Anne Tremblay

HERSTELLUNG

Mac Thien Nguyen Hoang
Guylaine Houle

TERMINOLOGIE

Jean Beaumont
Catherine Briand
Nathalie Guillo

ILLUSTRATIONEN

Art Direction: Jocelyn Gardner
Jean-Yves Ahern
Rielle Lévesque
Alain Lemire
Mélanie Boivin
Yan Bohler
Claude Thivierge
Pascal Bilodeau
Michel Rouleau
Anouk Noël
Carl Pelletier

LAYOUT

Pascal Goyette
Janou-Ève LeGuerrier
Véronique Boisvert
Karine Raymond
Geneviève Théroux Béliveau

DOKUMENTATION

Gilles Vézina
Kathleen Wynd
Stéphane Batigne
Sylvain Robichaud
Jessie Daigle

DATENVERARBEITUNG

Programmierer : Daniel Beaulieu, Éric Gagnon
Josée Gagnon
Anne Rouleau

REVISION

Marie-Nicole Cimon

PREPRESS

Sophie Pellerin
Kien Tang
Karine Lévesque

MITARBEIT

QA International möchte folgenden Personen für ihre Mitarbeit am *Bildwörterbuch* danken:
Jean-Louis Martin, Marc Lalumière, Jacques Perrault, Stéphane Roy, Alice Comtois, Michel Blais, Christiane Beauregard, Mamadou Togola, Annie Maurice, Charles Campeau, Mivil Deschênes, Jonathan Jacques, Martin Lortie, Raymond Martin, Frédérick Simard, Yan Tremblay, Mathieu Blouin, Sébastien Dallaire, Hoang Khanh Le, Martin Desrosiers, Nicolas Oroc, François Escalmel, Danièle Lemay, Pierre Savoie, Benoit Bourdeau, Marie-Andrée Lemieux, Caroline Soucy, Yves Chabot, Anne-Marie Ouellette, Anne-Marie Villeneuve, Anne-Marie Brault, Nancy Lepage, Daniel Provost, François Vézina.

Einführung in das
Bildwörterbuch

Mit über 3.600 Abbildungen in Verbindung mit Tausenden von allgemeinen und fachlichen Begriffen, bietet das *Bildwörterbuch* ein reichhaltiges Wissen, das klar und leicht zu erschließen ist.

INTENTION DES BUCHES

Das *Bildwörterbuch* ist eine Art Bestandsaufnahme aus dem Lebensumfeld des Menschen in der heutigen technisierten Welt, in der alltäglich viele spezielle Begriffe aus den verschiedensten Gebieten Verwendung finden. Speziell entwickelt für den Laien, der aus privaten oder beruflichen Gründen nach der genauen und korrekten Bedeutung von Begriffen sucht, oder anhand der Abbildungen überhaupt erst einen Begriff finden will, verfolgt es das Ziel, viele Fachausdrücke aus den verschiedensten Bereichen, die unsere tägliche Erfahrung ausmachen, in einem Band zu vereinen.

AUFBAU DES *BILDWÖRTERBUCHS*

Das Buch besteht aus drei Teilen: Aus der Einführung zusammen mit dem Inhaltsverzeichnis und der Liste der Kapitel, aus dem eigentlichen Bild- und Textteil sowie aus dem Register.
Die Darstellung schreitet vom Allgemeinen zum immer Spezielleren fort:
Kapitel, Thema, Titel, Untertitel, Abbildung, Terminologie.
Der Inhalt des *Bildwörterbuchs* ist, von Astronomie bis Sport, in 17 Kapitel gegliedert. Komplexe Kapitel sind weiter in Unterthemen aufgeteilt.
Das Kapitel Erde ist z.B. unterteilt in die Themen Geografie, Geologie, Meteorologie und Umwelt.
Die Titel haben verschiedene Bedeutung: Sie benennen die Abbildung eines einzelnen Objekts von dem die wesentlichen Teile erklärt sind (z.B. *Gletscher*, *Fenster*), oder sie bezeichnen die Gesamtheit von Abbildungen, die zur selben Begriffssphäre gehören obwohl sie verschiedenen Objekten angehören (z.B. *Sonnensystem*, *Blattgemüse*).
Gelegentlich werden nur die wichtigsten Vertreter einer Gattung gezeigt.
Die Abbildungen zeigen in realistischer Darstellung Gegenstände, Vorgänge oder Phänomene mit ihren wichtigsten Einzelheiten. Sie dienen als anschauliche Definitionen der angegebenen Begriffe.

TERMINOLOGIE

Jeder Begriff im *Bildwörterbuch* wurde unter Verwendung authentischer Quellen sorgfältig auf dem jeweils angemessenen Niveau ausgewählt.
In den Fällen, in denen mehrere verschiedene Begriffe den selben Gegenstand bezeichnen können, wurde der von den angesehensten Autoren am häufigsten verwendete Begriff gewählt.
Das *Bildwörterbuch* enthält 13.750 Registereinträge, bzw. über 20.000 Begriffe in jeder Sprache.
Das Register listet alle Begriffe des *Bildwörterbuches* in alphabetischer Reihenfolge auf.

BENUTZUNGSVARIANTEN

Auf das *Bildwörterbuch* kann in ganz verschiedener Weise zugegriffen werden:
Ausgehend von der Liste der Kapitel am Ende des Einführungsteils.
Mit Hilfe des Registers kann der Benutzer, direkt von einem Begriff ausgehend, dessen Bedeutung nachschlagen oder seine genauere Bedeutung anhand der Abbildung überprüfen.
Die Besonderheit des *Bildwörterbuches* besteht darin, dass die Abbildungen es ermöglichen, einen Begriff zu finden, auch wenn man nur eine ungefähre Vorstellung davon hat. Außerdem erkennt der Benutzer auf einen Blick viele weitere Begriffe, die zu dem gesuchten Begriff gehören.

FARBREGISTER
Am Rand jeder Seite ist jedem Kapitel eine bestimmte Farbe zugeordnet, so dass ein schneller Zugriff auf den entsprechenden Abschnitt im Buch möglich ist.

TITEL
Der Titel wird auf Deutsch angegeben und darunter, in kleinerer Schrift, folgt der Titel auf Englisch.

UNTERTHEMA
Die meisten Kapitel sind in Unterthemen eingeteilt. Sie werden auf Deutsch und Englisch angegeben.

LINIE
Sie verbindet den Begriff mit dem dazugehörigen Teil der Abbildung. Wo zu viele Linien unübersichtlich wären, treten an ihre Stelle farbige Codes mit einer Legende oder Nummern.

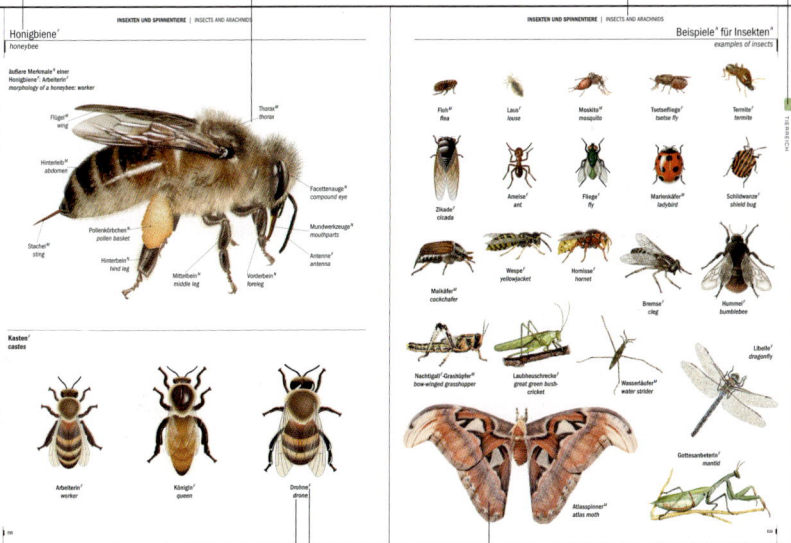

INSEKTEN UND SPINNENTIERE | INSECTS AND ARACHNIDS

Honigbiene
honeybee

Äußere Merkmale einer Honigbiene: Arbeiterin
morphology of a honeybee: worker

Flügel
wing

Hinterleib
abdomen

Pollenkörbchen
pollen basket

Stachel
sting

Hinterbein
hind leg

Mittelbein
middle leg

Vorderbein
foreleg

Antenne
antenna

Mundwerkzeuge
mouthparts

Facettenauge
compound eye

Thorax
thorax

Kasten
castes

Arbeiterin
worker

Königin
queen

Drohne
drone

INSEKTEN UND SPINNENTIERE | INSECTS AND ARACHNIDS

Beispiele für Insekten
examples of insects

Floh
flea

Laus
louse

Moskito
mosquito

Tsetsefliege
tsetse fly

Termite
termite

Zikade
cicada

Ameise
ant

Fliege
fly

Marienkäfer
ladybird

Schildwanze
shield bug

Maikäfer
cockchafer

Wespe
yellowjacket

Hornisse
hornet

Bremse
cleg

Hummel
bumblebee

Nachtigall-Grashüpfer
bow-winged grasshopper

Laubheuschrecke
great green bush-cricket

Wasserläufer
water strider

Libelle
dragonfly

Gottesanbeterin
mantid

Atlasspinner
atlas moth

KAPITEL
Die Kapitel werden immer auf Deutsch angegeben.

ABBILDUNG
Sie dient als anschauliche Definition der Begriffe.

ANGABE DES GESCHLECHTS
Das Geschlecht jedes Substantivs wird angegeben.
F: Femininum; M: Maskulinum; N: Neutrum

BEGRIFF
Jeder Begriff erscheint im Register mit der Angabe der Seite auf der er steht. Er wird auch auf Englisch angegeben.

Inhaltsverzeichnis

Kapitelregister

ASTRONOMIE

Sonnensystem[N]
solar system

äußere Planeten[M]
outer planets

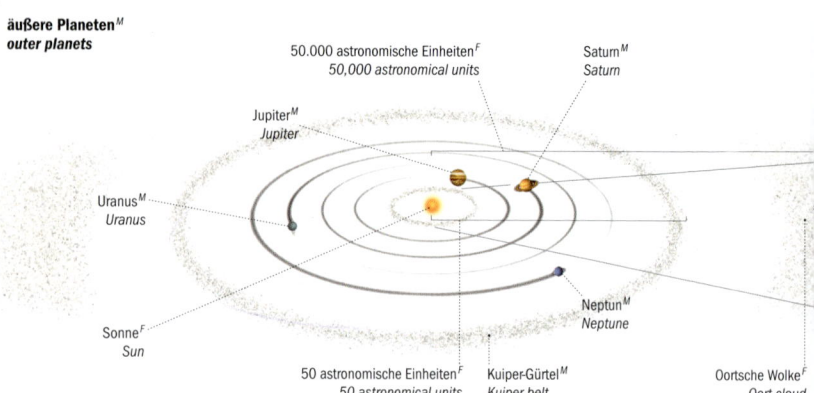

50.000 astronomische Einheiten[F]
50,000 astronomical units

Saturn[M]
Saturn

Jupiter[M]
Jupiter

Uranus[M]
Uranus

Neptun[M]
Neptune

Sonne[F]
Sun

50 astronomische Einheiten[F]
50 astronomical units

Kuiper-Gürtel[M]
Kuiper belt

Oortsche Wolke[F]
Oort cloud

Planeten[M] und Monde[M]
planets and moons

Phobos[M]
Phobos

Ceres[M]
Ceres

Mond[M]
Moon

Deimos[M]
Deimos

Jupiter[M]
Jupiter

Venus[F]
Venus

Merkur[M]
Mercury

Erde[F]
Earth

Mars[M]
Mars

Io[F]
Io

Callisto[F]
Callisto

Europa[F]
Europa

Ganymed[M]
Ganymede

Sonne[F]
Sun

innere Planeten[M]
inner planets

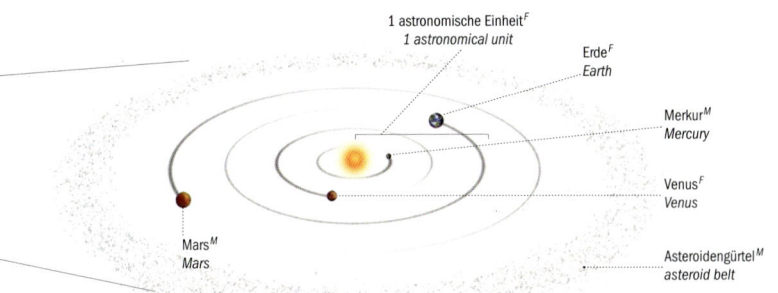

1 astronomische Einheit[F]
1 astronomical unit

Erde[F]
Earth

Merkur[M]
Mercury

Venus[F]
Venus

Mars[M]
Mars

Asteroidengürtel[M]
asteroid belt

Planeten[M] und Monde[M]

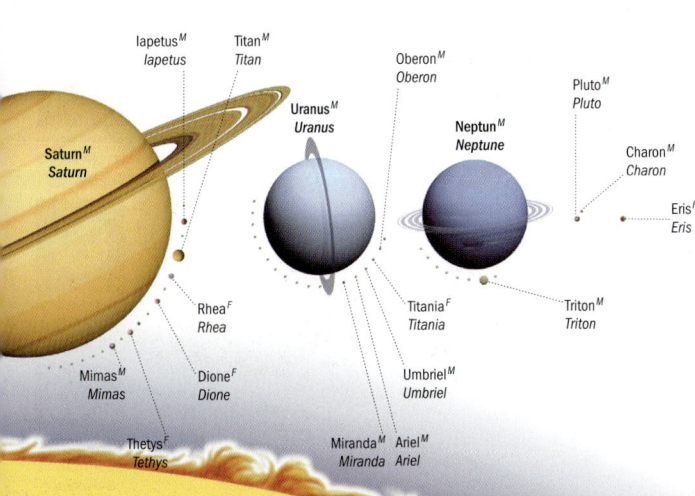

Iapetus[M]
Iapetus

Titan[M]
Titan

Oberon[M]
Oberon

Pluto[M]
Pluto

Uranus[M]
Uranus

Neptun[M]
Neptune

Charon[M]
Charon

Saturn[M]
Saturn

Eris[F]
Eris

Rhea[F]
Rhea

Titania[F]
Titania

Triton[M]
Triton

Mimas[M]
Mimas

Dione[F]
Dione

Umbriel[M]
Umbriel

Thetys[F]
Tethys

Miranda[M]
Miranda

Ariel[M]
Ariel

Sonne^F

Sun

Aufbau^M der Sonne^F
structure of the Sun

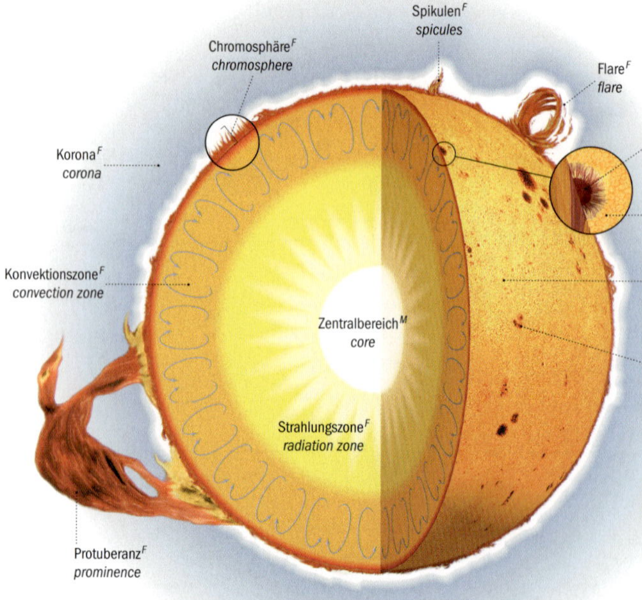

Spikulen^F
spicules

Chromosphäre^F
chromosphere

Flare^F
flare

Korona^F
corona

Sonnenfleck^M
sunspot

Granulation^F
granulation

Konvektionszone^F
convection zone

Photosphäre^F
photosphere

Zentralbereich^M
core

Fackeln^F
faculae

Strahlungszone^F
radiation zone

Protuberanz^F
prominence

Finsternisarten^F
types of eclipses

ringförmige Finsternis^F
annular eclipse

Sonnenfinsternis^F
solar eclipse

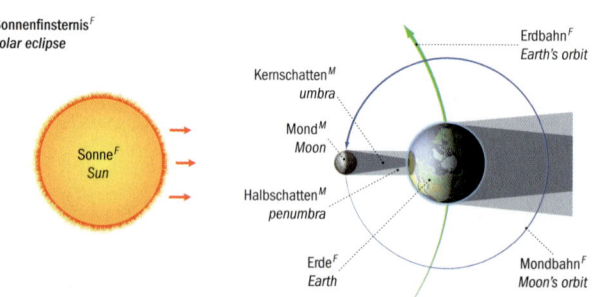

Erdbahn^F
Earth's orbit

Kernschatten^M
umbra

Mond^M
Moon

Sonne^F
Sun

Halbschatten^M
penumbra

partielle Finsternis^F
partial eclipse

Erde^F
Earth

Mondbahn^F
Moon's orbit

totale Finsternis^F
total eclipse

Mond[M]
Moon

Finsternisarten[F]
types of eclipses

partielle Finsternis[F]
partial eclipse

totale Finsternis[F]
total eclipse

Oberflächenformationen[F] des Mondes[M]
lunar features

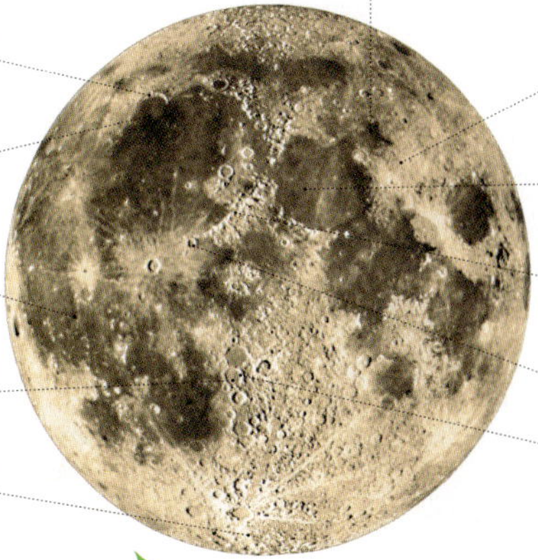

See[M]
lake

Felsen[M]
cliff

Bucht[F]
bay

Ozean[M]
ocean

Kar[N]
cirque

Kraterstrahlen[M]
crater ray

Hochland[N]
highland

Meer[N], Mare[N]
sea

Bergkette[F]
mountain range

Krater[M]
crater

Kraterwall[M]
wall

Mondfinsternis[F]
lunar eclipse

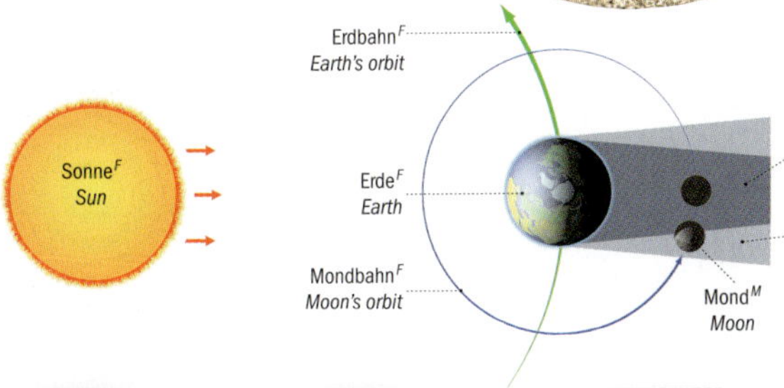

Erdbahn[F]
Earth's orbit

Sonne[F]
Sun

Erde[F]
Earth

Mondbahn[F]
Moon's orbit

Kernschatten[M]
umbra

Halbschatten[M]
penumbra

Mond[M]
Moon

Mondphasen[F]
phases of the Moon

Neumond[M]
new moon

Mondsichel[F] (zunehmender Mond[M])
new crescent

Halbmond[M] (erstes Viertel[N])
first quarter

zunehmender Mond[M]
waxing gibbous

Vollmond[M]
full moon

abnehmender Mond[M]
waning gibbous

Halbmond[M] (letztes Viertel[N])
last quarter

Mondsichel[F] (abnehmender Mond[M])
old crescent

Galaxie^F
galaxy

Milchstraße^F
Milky Way

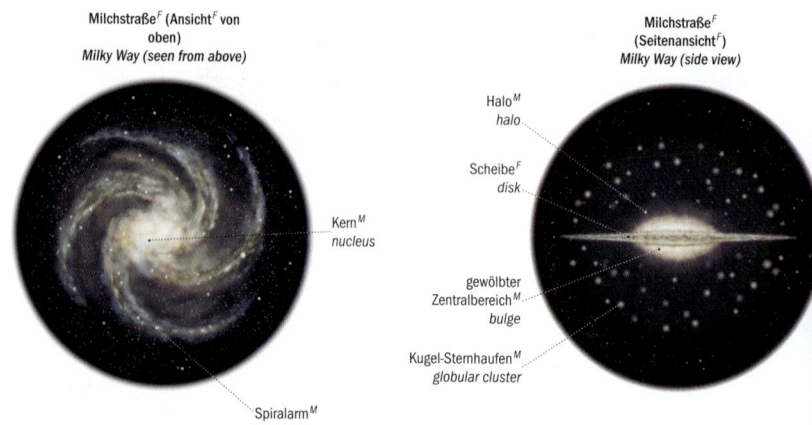

Milchstraße^F (Ansicht^F von oben)
Milky Way (seen from above)

Milchstraße^F (Seitenansicht^F)
Milky Way (side view)

Halo^M
halo

Scheibe^F
disk

Kern^M
nucleus

gewölbter Zentralbereich^M
bulge

Kugel-Sternhaufen^M
globular cluster

Spiralarm^M
spiral arm

Komet^M
comet

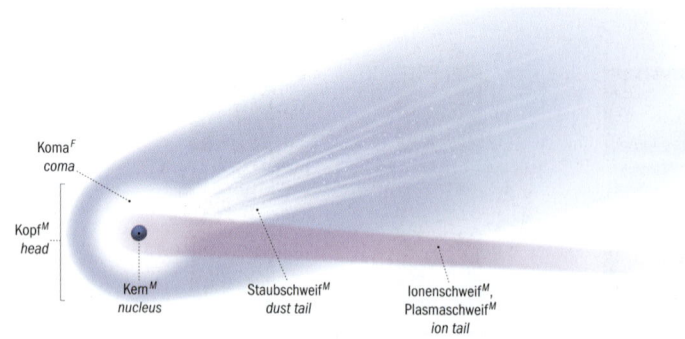

Koma^F
coma

Kopf^M
head

Kern^M
nucleus

Staubschweif^M
dust tail

Ionenschweif^M,
Plasmaschweif^M
ion tail

Hubble-Weltraumteleskop[N]

Hubble space telescope

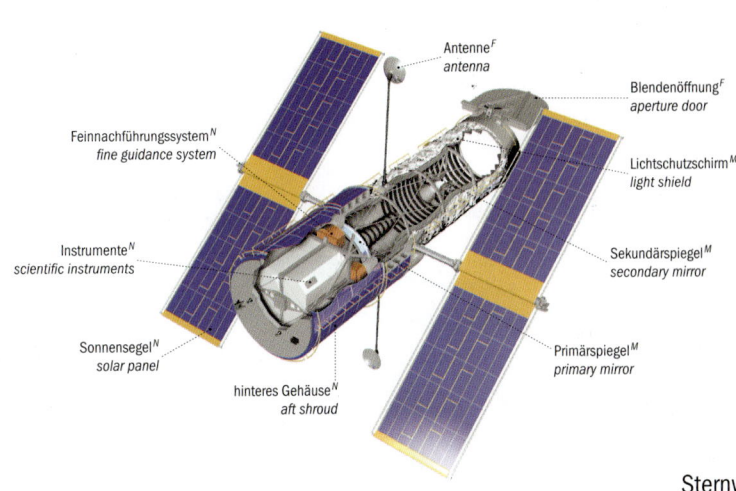

Antenne[F]
antenna

Blendenöffnung[F]
aperture door

Feinnachführungssystem[N]
fine guidance system

Lichtschutzschirm[M]
light shield

Instrumente[N]
scientific instruments

Sekundärspiegel[M]
secondary mirror

Sonnensegel[N]
solar panel

Primärspiegel[M]
primary mirror

hinteres Gehäuse[N]
aft shroud

Sternwarte[F]

astronomical observatory

Querschnitt[M] durch eine Sternwarte[F]
cross section of an astronomical observatory

Sekundärspiegel[M]
secondary mirror

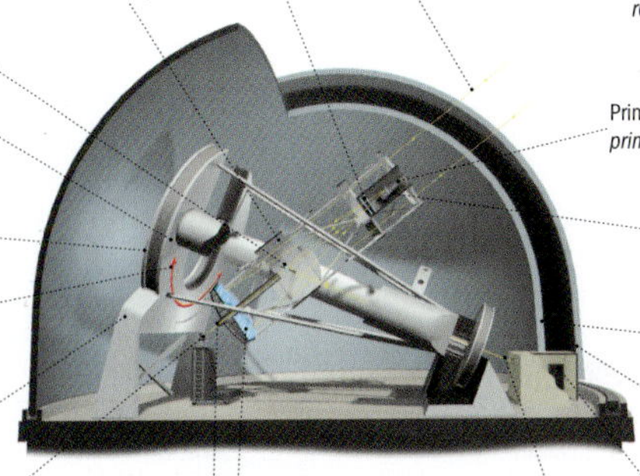

Sternwarte[F]
observatory

Kuppelspaltabdeckung[F]
dome shutter

Teleskop[N]
telescope

Licht[N]
light

Drehkuppel[F]
rotating dome

ebener Spiegel[M]
flat mirror

Primärfokus[M]
prime focus

Hufeisenmontierung[F]
horseshoe mount

Stundenwinkelantrieb[M]
hour angle gear

Primärfokuskabine[F]
prime focus observing capsule

Polachse[F]
polar axis

innere Kuppelhülle[F]
interior dome shell

Podest[N]
telescope base

äußere Kuppelhülle[F]
exterior dome shell

Beobachtungsposten[M]
observation post

Cassegrain-Fokus[M]
Cassegrain focus

Hauptspiegel[M]
primary mirror

Coudé-Fokus[M]
coudé focus

Labor[N]
laboratory

Linsenfernrohr^N
refracting telescope

Suchfernrohr^N
finderscope

Wiege^F
cradle

Tubus^M
main tube

Sonnenblende^F
lens hood

Okular^N
eyepiece

Okularhalterung^F
eyepiece holder

Zenitprisma^N
star diagonal

Scharfeinstellung^F
focusing knob

Azimutfeineinstellung^F
azimuth fine adjustment

Höhenfeineinstellung^F
altitude fine adjustment

Gabel^F
fork

Stativablage^F
tripod accessories shelf

Einstellung^F der
Deklinationsachse^F
declination setting scale

Azimutfesteller^M
azimuth clamp

Höhenfeststeller^M
altitude clamp

Einstellung^F der
Rektaszensionsachse^F
right ascension setting scale

Gegengewicht^N
counterweight

Stativ^N
tripod

Linsenfernrohr^N im Querschnitt^M
*cross section of a refracting
telescope*

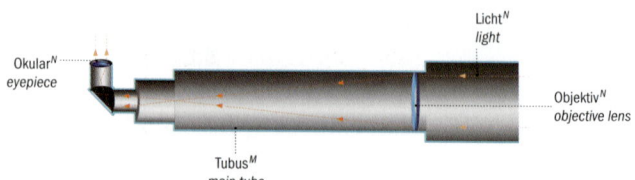

Okular^N
eyepiece

Licht^N
light

Objektiv^N
objective lens

Tubus^M
main tube

Spiegelteleskop[N]
reflecting telescope

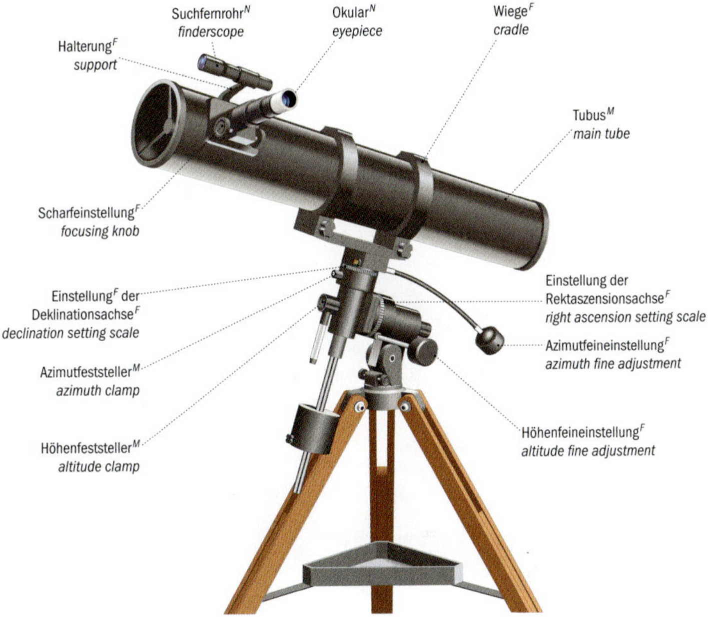

Halterung[F]
support

Suchfernrohr[N]
finderscope

Okular[N]
eyepiece

Wiege[F]
cradle

Tubus[M]
main tube

Scharfeinstellung[F]
focusing knob

Einstellung[F] der
Deklinationsachse[F]
declination setting scale

Einstellung der
Rektaszensionsachse[F]
right ascension setting scale

Azimutfeststeller[M]
azimuth clamp

Azimutfeineinstellung[F]
azimuth fine adjustment

Höhenfeststeller[M]
altitude clamp

Höhenfeineinstellung[F]
altitude fine adjustment

Spiegelteleskop[N] im Querschnitt[M]
cross section of a reflecting telescope

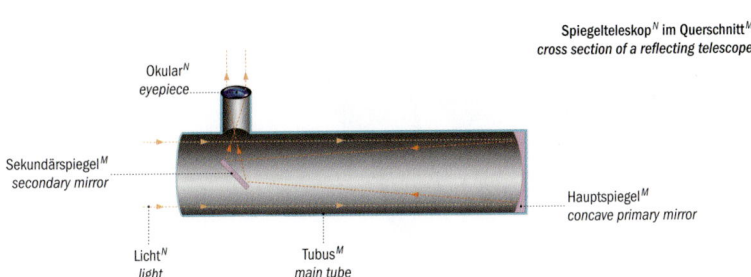

Okular[N]
eyepiece

Sekundärspiegel[M]
secondary mirror

Hauptspiegel[M]
concave primary mirror

Licht[N]
light

Tubus[M]
main tube

Raumanzug^M

spacesuit

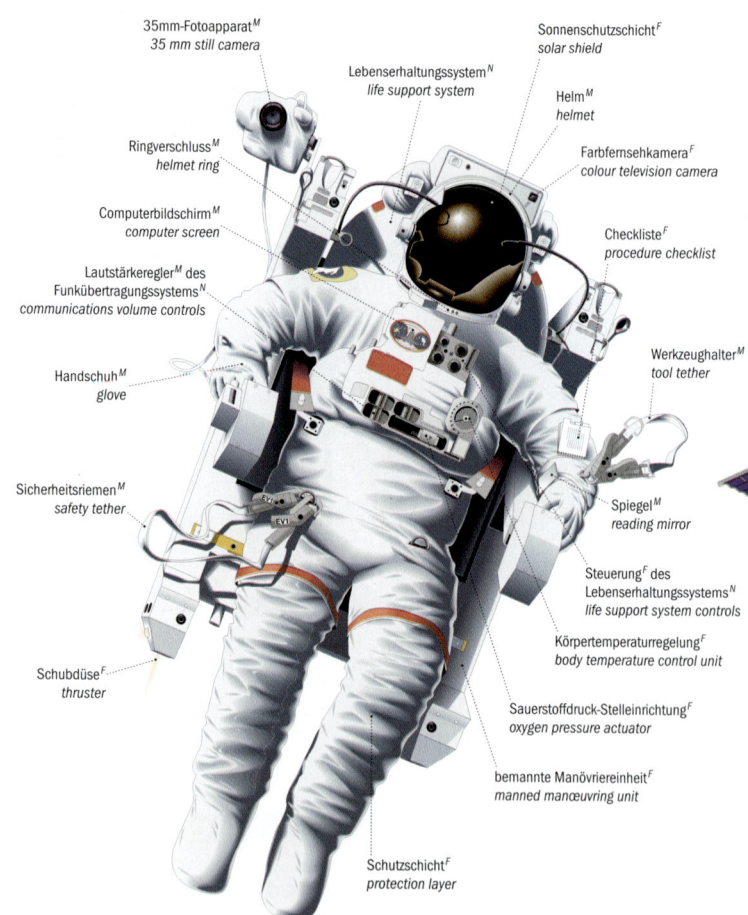

35mm-Fotoapparat^M
35 mm still camera

Sonnenschutzschicht^F
solar shield

Lebenserhaltungssystem^N
life support system

Helm^M
helmet

Ringverschluss^M
helmet ring

Farbfernsehkamera^F
colour television camera

Computerbildschirm^M
computer screen

Checkliste^F
procedure checklist

Lautstärkeregler^M des
Funkübertragungssystems^N
communications volume controls

Werkzeughalter^M
tool tether

Handschuh^M
glove

Sicherheitsriemen^M
safety tether

Spiegel^M
reading mirror

Steuerung^F des
Lebenserhaltungssystems^N
life support system controls

Körpertemperaturregelung^F
body temperature control unit

Schubdüse^F
thruster

Sauerstoffdruck-Stelleinrichtung^F
oxygen pressure actuator

bemannte Manövriereinheit^F
manned manœuvring unit

Schutzschicht^F
protection layer

internationale Raumstation[F]
.international space station

ferngesteuertes Servicemodul[N]
mobile remote servicer

russisches Modul[N]
Russian module

Roboterarm[M]
remote-control arm

Schwerkraftmodul[N]
centrifuge module

Radiatoren[M]
radiators

Trägerstruktur[F]
truss structure

Solarzellengenerator[M]
photovoltaic arrays

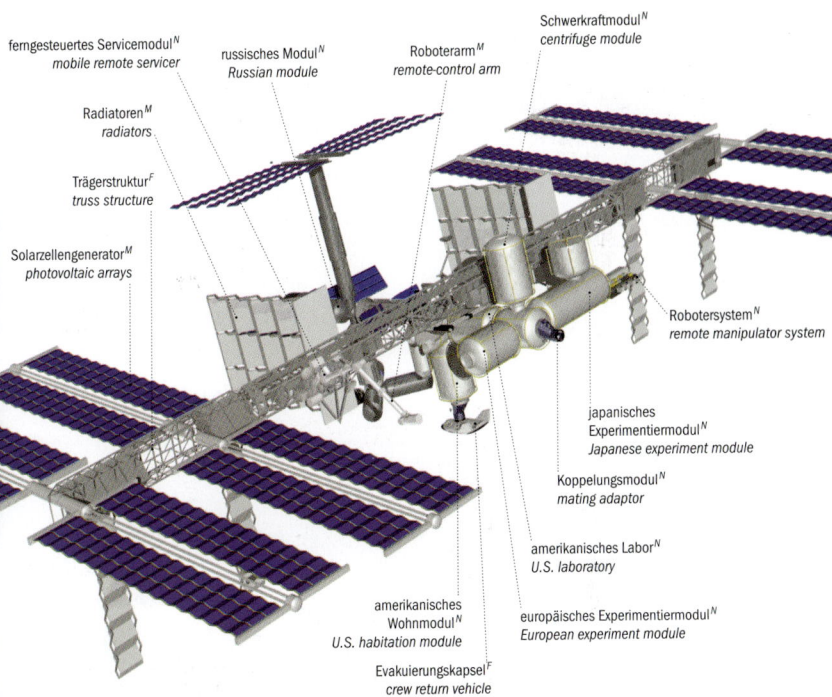

Robotersystem[N]
remote manipulator system

japanisches
Experimentiermodul[N]
Japanese experiment module

Koppelungsmodul[N]
mating adaptor

amerikanisches Labor[N]
U.S. laboratory

amerikanisches
Wohnmodul[N]
U.S. habitation module

europäisches Experimentiermodul[N]
European experiment module

Evakuierungskapsel[F]
crew return vehicle

ASTRONOMIE

Raumfähre*F*
space shuttle

Raumfähre*F* beim Start*M*
space shuttle at takeoff

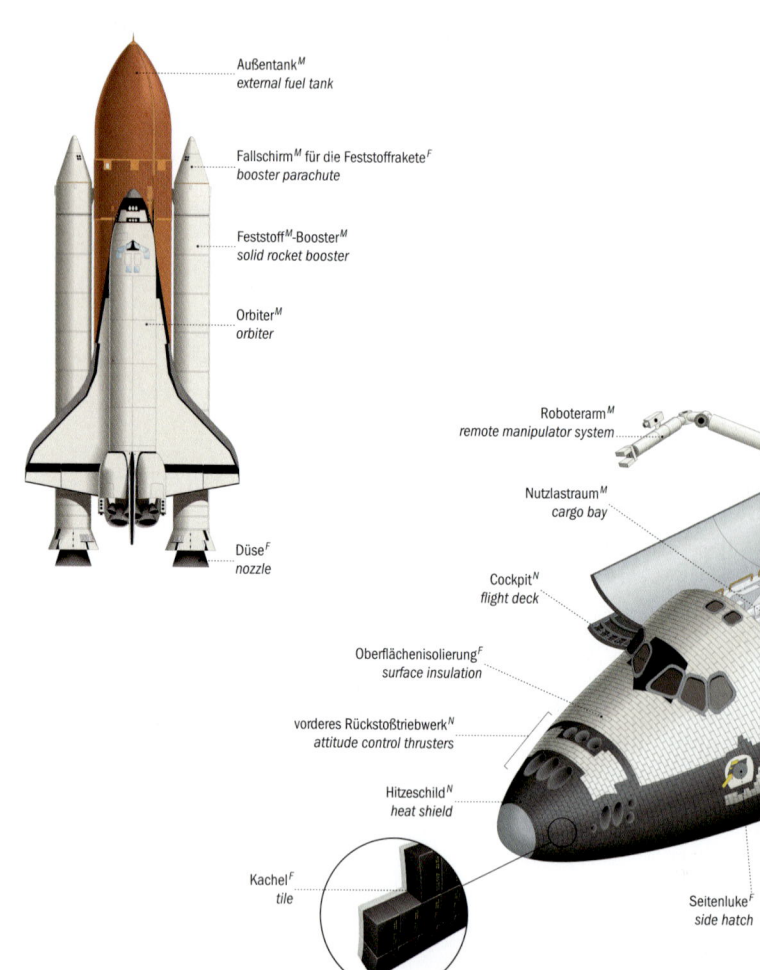

Außentank*M*
external fuel tank

Fallschirm*M* für die Feststoffrakete*F*
booster parachute

Feststoff*M*-Booster*M*
solid rocket booster

Orbiter*M*
orbiter

Düse*F*
nozzle

Roboterarm*M*
remote manipulator system

Nutzlastraum*M*
cargo bay

Cockpit*N*
flight deck

Oberflächenisolierung*F*
surface insulation

vorderes Rückstoßtriebwerk*N*
attitude control thrusters

Hitzeschild*N*
heat shield

Kachel*F*
tile

Seitenluke*F*
side hatch

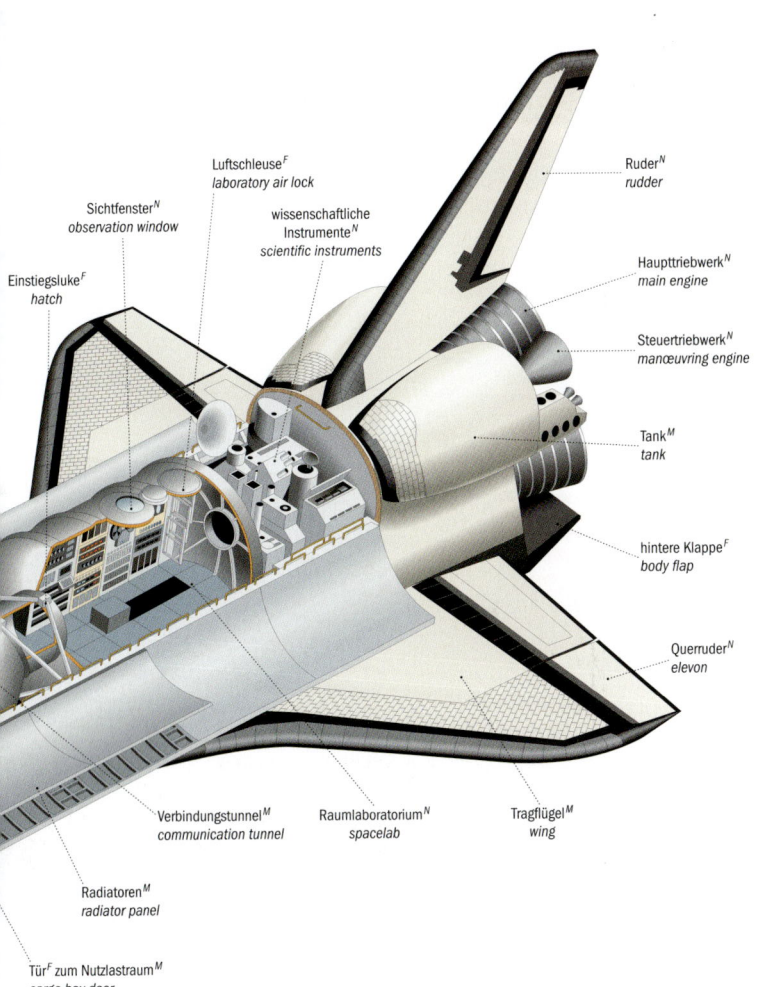

Luftschleuse[F]
laboratory air lock

Sichtfenster[N]
observation window

wissenschaftliche
Instrumente[N]
scientific instruments

Einstiegsluke[F]
hatch

Ruder[N]
rudder

Haupttriebwerk[N]
main engine

Steuertriebwerk[N]
manœuvring engine

Tank[M]
tank

hintere Klappe[F]
body flap

Querruder[N]
elevon

Verbindungstunnel[M]
communication tunnel

Raumlaboratorium[N]
spacelab

Tragflügel[M]
wing

Radiatoren[M]
radiator panel

Tür[F] zum Nutzlastraum[M]
cargo bay door

Lage^F der Kontinente^M
configuration of the continents

ERDE

Erdoberfläche^F
planisphere

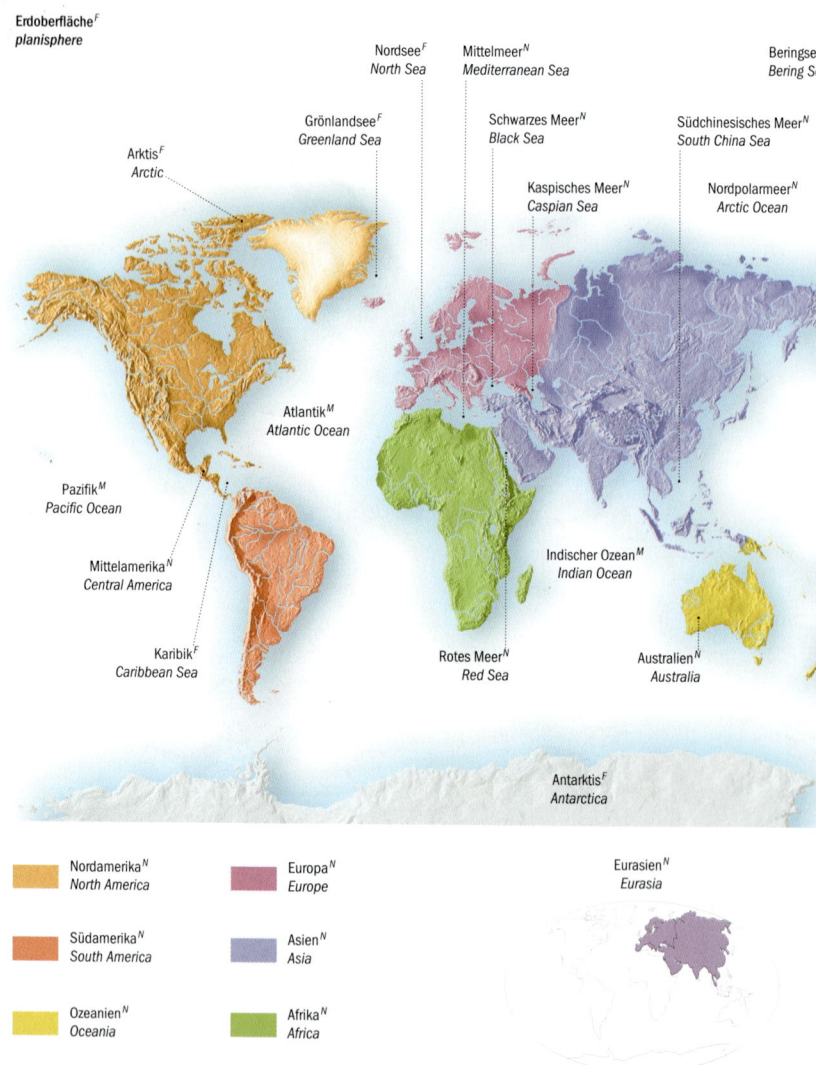

Nordsee^F
North Sea

Mittelmeer^N
Mediterranean Sea

Beringsee^F
Bering Sea

Grönlandsee^F
Greenland Sea

Schwarzes Meer^N
Black Sea

Südchinesisches Meer^N
South China Sea

Arktis^F
Arctic

Kaspisches Meer^N
Caspian Sea

Nordpolarmeer^N
Arctic Ocean

Atlantik^M
Atlantic Ocean

Pazifik^M
Pacific Ocean

Mittelamerika^N
Central America

Indischer Ozean^M
Indian Ocean

Karibik^F
Caribbean Sea

Rotes Meer^N
Red Sea

Australien^N
Australia

Antarktis^F
Antarctica

Nordamerika^N *North America*	Europa^N *Europe*	Eurasien^N *Eurasia*
Südamerika^N *South America*	Asien^N *Asia*	
Ozeanien^N *Oceania*	Afrika^N *Africa*	

Lage^F der Kontinente^M

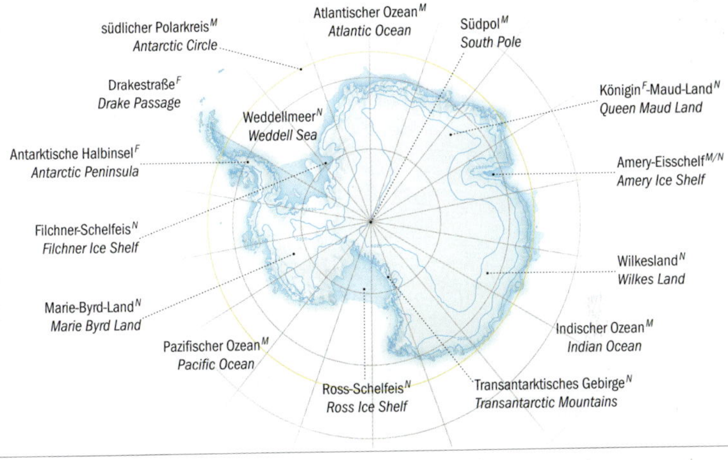

südlicher Polarkreis^M
Antarctic Circle

Atlantischer Ozean^M
Atlantic Ocean

Südpol^M
South Pole

Drakestraße^F
Drake Passage

Königin^F-Maud-Land^N
Queen Maud Land

Weddellmeer^N
Weddell Sea

Antarktische Halbinsel^F
Antarctic Peninsula

Amery-Eisschelf$^{M/N}$
Amery Ice Shelf

Filchner-Schelfeis^N
Filchner Ice Shelf

Wilkesland^N
Wilkes Land

Marie-Byrd-Land^N
Marie Byrd Land

Indischer Ozean^M
Indian Ocean

Pazifischer Ozean^M
Pacific Ocean

Ross-Schelfeis^N
Ross Ice Shelf

Transantarktisches Gebirge^N
Transantarctic Mountains

Ozeanien^N
Oceania

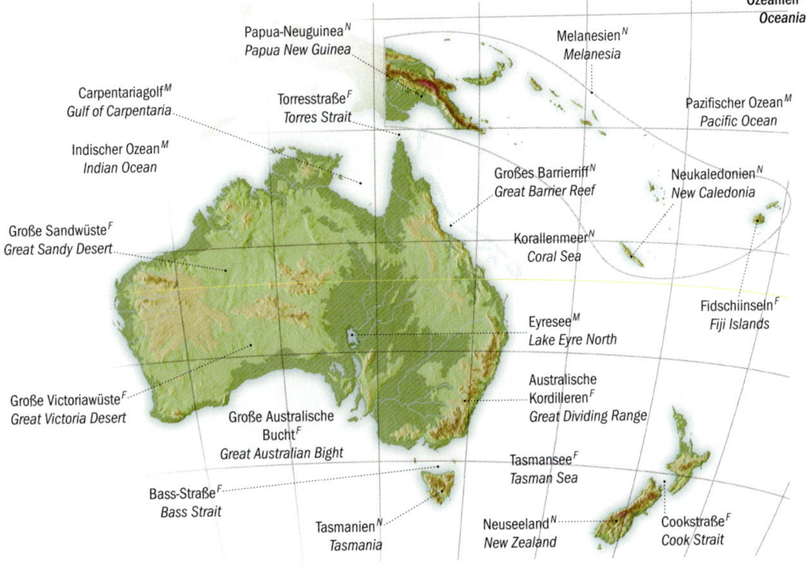

Papua-Neuguinea^N
Papua New Guinea

Melanesien^N
Melanesia

Carpentariagolf^M
Gulf of Carpentaria

Torresstraße^F
Torres Strait

Pazifischer Ozean^M
Pacific Ocean

Indischer Ozean^M
Indian Ocean

Großes Barrierriff^N
Great Barrier Reef

Neukaledonien^N
New Caledonia

Große Sandwüste^F
Great Sandy Desert

Korallenmeer^N
Coral Sea

Fidschiinseln^F
Fiji Islands

Eyresee^M
Lake Eyre North

Große Victoriawüste^F
Great Victoria Desert

Australische
Kordilleren^F
Great Dividing Range

Große Australische
Bucht^F
Great Australian Bight

Tasmansee^F
Tasman Sea

Bass-Straße^F
Bass Strait

Tasmanien^N
Tasmania

Neuseeland^N
New Zealand

Cookstraße^F
Cook Strait

Lage^F der Kontinente^M

ERDE

Nordamerika^N
North America

Beaufortsee^F
Beaufort Sea

Mackenzie^M
Mackenzie River

Hudson Bay^F
Hudson Bay

Baffinland^N
Baffin Island

Beringstraße^F
Bering Strait

Grönland^N
Greenland

Golf^M von Alaska^N
Gulf of Alaska

Große Seen^M
Great Lakes

Neufundland^N
Newfoundland Islan

Aleuten
Aleutian Islands

Rocky Mountains
Rocky Mountains

Sankt-Lorenz-Strom^M
Saint Lawrence River

Grand Canyon^M
Grand Canyon

Appalachen
Appalachian Mountains

Mississippi^M
Mississippi River

Golf^M von Kalifornien^N
Gulf of California

Golf^M von Mexiko^N
Gulf of Mexico

Westindien^N
West Indies

Yucatan^N-Halbinsel^F
Yucatan Peninsula

Karibik^F
Caribbean Sea

Mittelamerika^N
Central America

Landenge^F von
Panama^N
Isthmus of Panama

Südamerika^N
South America

Orinoko^M
Orinoco River

Amazonas^M
Amazon River

Golf^M von Panama^N
Gulf of Panama

Äquator^M
equator

Anden
Andes Cordillera

Titicacasee^M
Lake Titicaca

Atacama-Wüste^F
Atacama Desert

Paraná^M
Paraná River

Patagonien^N
Patagonia

Falkland-Inseln^F
Falkland Islands

Feuerland^N
Tierra del Fuego

Kap^N Horn
Cape Horn

Drakestraße^F
Drake Passage

Lage^F der Kontinente^M

ERDE

Europa^N
Europe

Barentssee^F
Barents Sea

U...
Ural Mounta...

Ladogasee^M
Lake Ladoga

Kola-Halbinsel^F
Kola Peninsula

Wolga^F
Volga River

Bottnischer
Meerbusen^M
Gulf of Bothnia

Nordmeer^N
Norwegian Sea

Dnjepr^M
Dnieper River

Island^N
Iceland

Skandinavische
Halbinsel^F
Scandinavian Peninsula

Ostsee^F
Baltic Sea

Nordsee^F
North Sea

Irische See^F
Irish Sea

Atlantischer Ozean^M
Atlantic Ocean

Ärmelkanal^M
English Channel

Weichsel^F
Vistula River

Alpen
Alps

Schwarzes Meer^N
Black Sea

Iberische Halbinsel^F
Iberian Peninsula

Straße^F von Gibraltar^N
Strait of Gibraltar

Pyrenäen
Pyrenees

Donau^F
Danube River

Balkanhalbinsel^F
Balkan Peninsula

Karpaten
Carpathian Mountain...

Mittelmeer^N
Mediterranean Sea

Adria^F
Adriatic Sea

Ägäis^F
Aegean Sea

Asien^N
Asia

ERDE

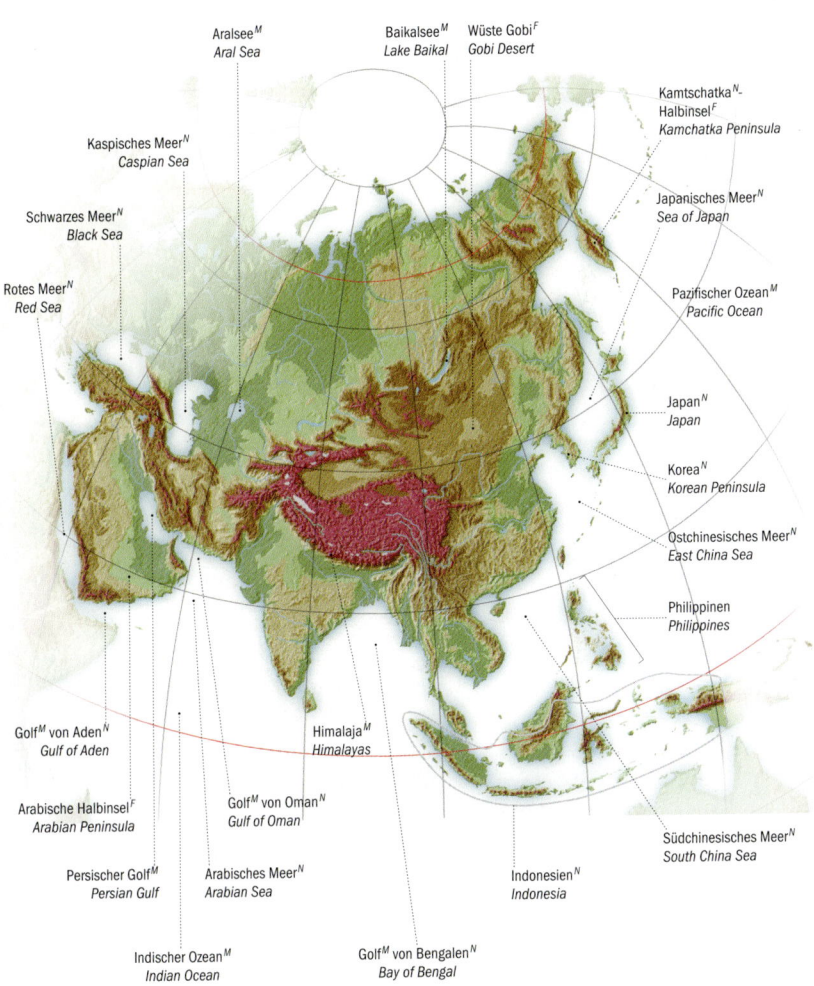

Aralsee^M
Aral Sea

Baikalsee^M
Lake Baikal

Wüste Gobi^F
Gobi Desert

Kamtschatka^N-
Halbinsel^F
Kamchatka Peninsula

Kaspisches Meer^N
Caspian Sea

Japanisches Meer^N
Sea of Japan

Schwarzes Meer^N
Black Sea

Pazifischer Ozean^M
Pacific Ocean

Rotes Meer^N
Red Sea

Japan^N
Japan

Korea^N
Korean Peninsula

Ostchinesisches Meer^N
East China Sea

Philippinen
Philippines

Golf^M von Aden^N
Gulf of Aden

Himalaja^M
Himalayas

Arabische Halbinsel^F
Arabian Peninsula

Golf^M von Oman^N
Gulf of Oman

Südchinesisches Meer^N
South China Sea

Persischer Golf^M
Persian Gulf

Arabisches Meer^N
Arabian Sea

Indonesien^N
Indonesia

Indischer Ozean^M
Indian Ocean

Golf^M von Bengalen^N
Bay of Bengal

ERDE

Afrika^N
Africa

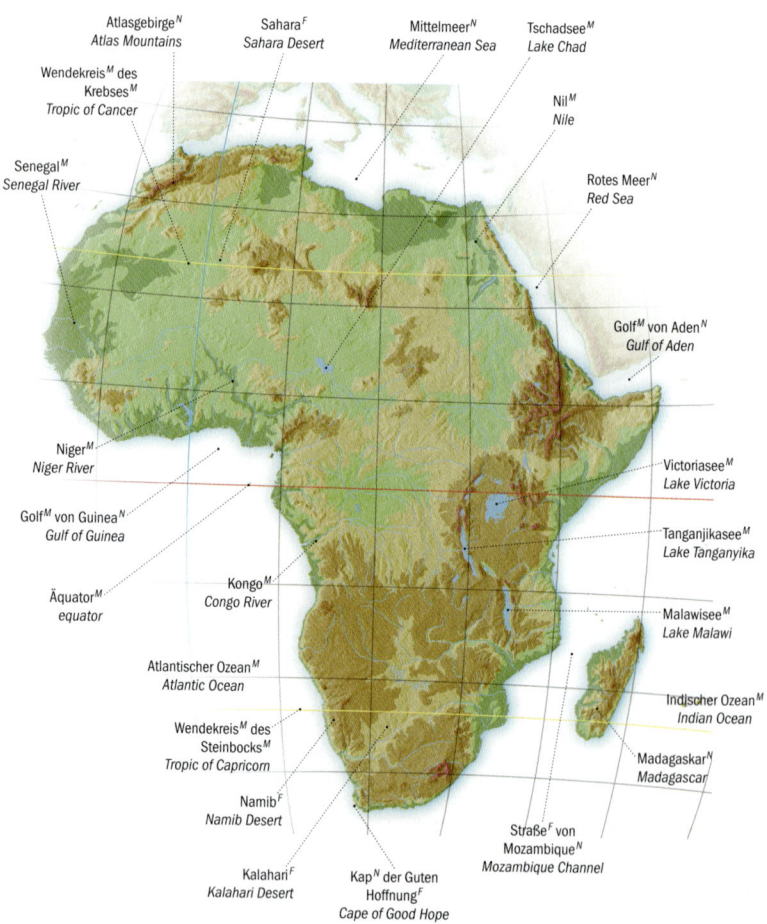

Atlasgebirge^N
Atlas Mountains

Sahara^F
Sahara Desert

Mittelmeer^N
Mediterranean Sea

Tschadsee^M
Lake Chad

Wendekreis^M des
Krebses^M
Tropic of Cancer

Nil^M
Nile

Senegal^M
Senegal River

Rotes Meer^N
Red Sea

Golf^M von Aden^N
Gulf of Aden

Niger^M
Niger River

Victoriasee^M
Lake Victoria

Golf^M von Guinea^N
Gulf of Guinea

Tanganjikasee^M
Lake Tanganyika

Äquator^M
equator

Kongo^M
Congo River

Malawisee^M
Lake Malawi

Atlantischer Ozean^M
Atlantic Ocean

Indischer Ozean^M
Indian Ocean

Wendekreis^M des
Steinbocks^M
Tropic of Capricorn

Madagaskar^N
Madagascar

Namib^F
Namib Desert

Straße^F von
Mozambique^N
Mozambique Channel

Kalahari^F
Kalahari Desert

Kap^N der Guten
Hoffnung^F
Cape of Good Hope

Kartographie^F
cartography

Koordinatensystem^N der Erdkugel^F
Earth coordinate system

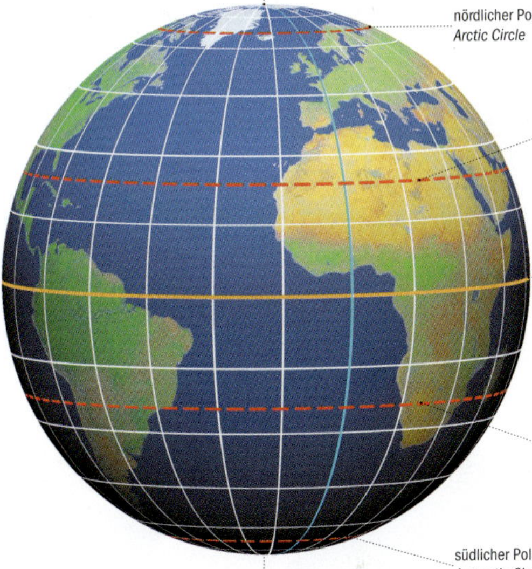

Nordpol^M
North Pole

nördlicher Polarkreis^M
Arctic Circle

Wendekreis^M des Krebses^M
Tropic of Cancer

nördliche Halbkugel^F
Northern hemisphere

Äquator^M
equator

südliche Halbkugel^F
Southern hemisphere

Wendekreis^M des Steinbocks^M
Tropic of Capricorn

südlicher Polarkreis^M
Antarctic Circle

Südpol^M
South Pole

Hemisphären^F
hemispheres

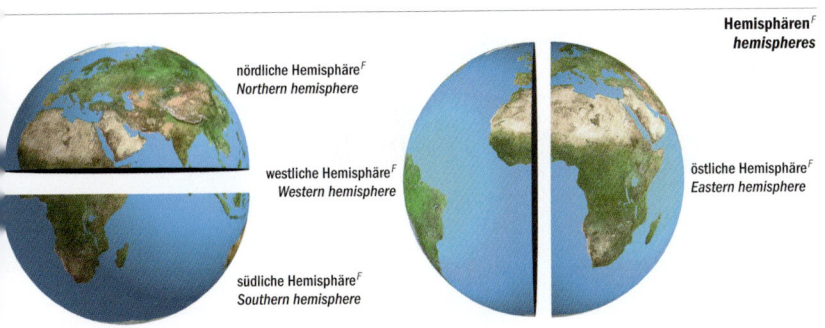

nördliche Hemisphäre^F
Northern hemisphere

westliche Hemisphäre^F
Western hemisphere

östliche Hemisphäre^F
Eastern hemisphere

südliche Hemisphäre^F
Southern hemisphere

Gradnetz^N
grid system

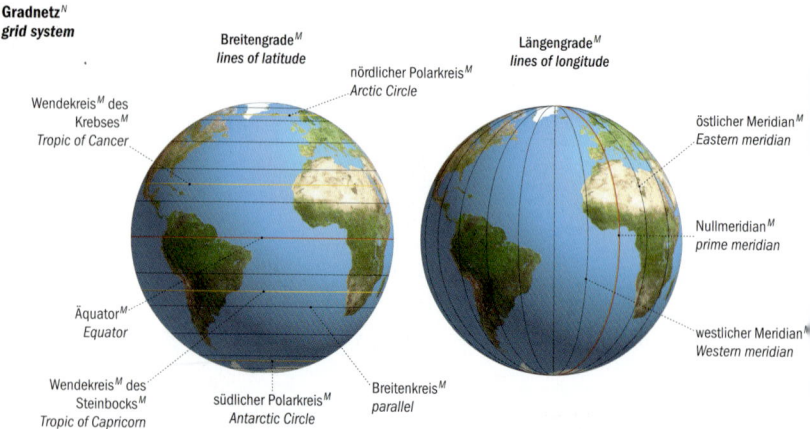

Breitengrade^M
lines of latitude

nördlicher Polarkreis^M
Arctic Circle

Wendekreis^M des
Krebses^M
Tropic of Cancer

Äquator^M
Equator

Wendekreis^M des
Steinbocks^M
Tropic of Capricorn

südlicher Polarkreis^M
Antarctic Circle

Breitenkreis^M
parallel

Längengrade^M
lines of longitude

östlicher Meridian^M
Eastern meridian

Nullmeridian^M
prime meridian

westlicher Meridian^M
Western meridian

Kartendarstellungen^F
map projections

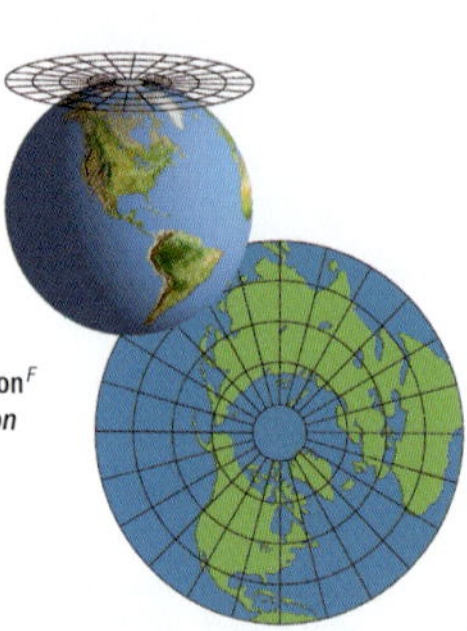

Azimutalprojektion^F
plane projection

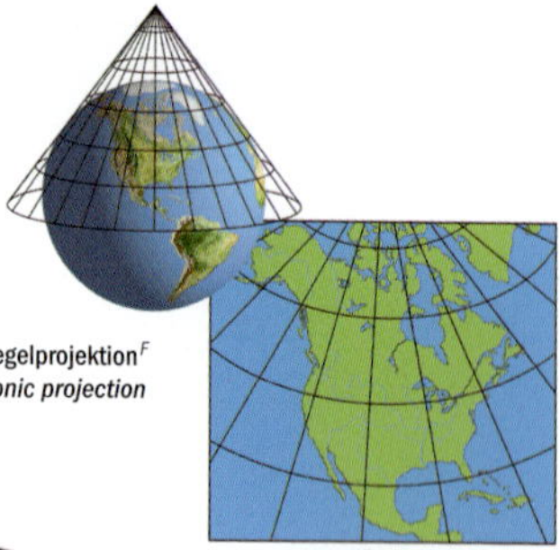

Kegelprojektion^F
conic projection

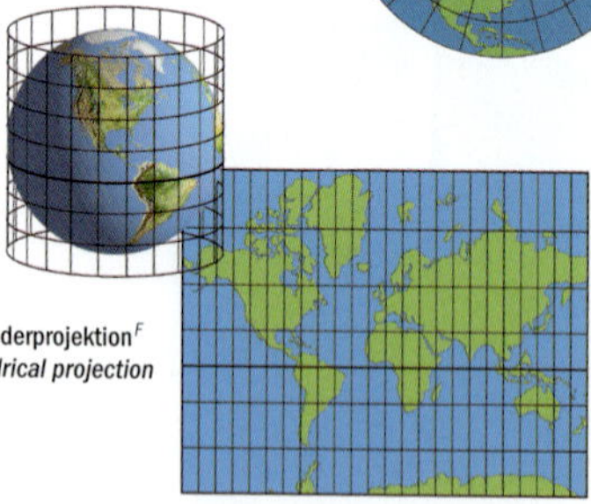

Zylinderprojektion^F
cylindrical projection

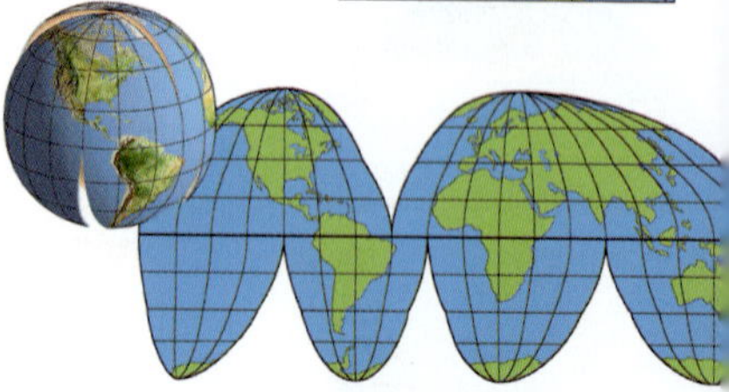

zerlappte Projektion^F
interrupted projection

Windrose*F*
compass card

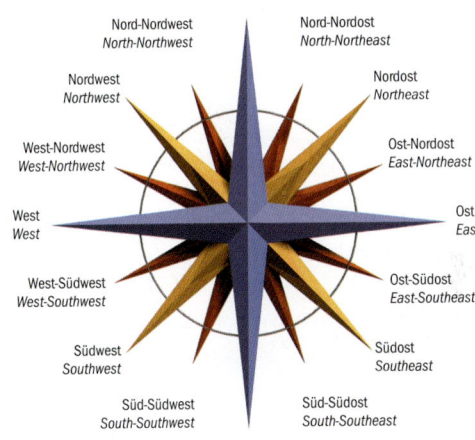

Nord
North

Nord-Nordwest
North-Northwest

Nord-Nordost
North-Northeast

Nordwest
Northwest

Nordost
Northeast

West-Nordwest
West-Northwest

Ost-Nordost
East-Northeast

West
West

Ost
East

West-Südwest
West-Southwest

Ost-Südost
East-Southeast

Südwest
Southwest

Südost
Southeast

Süd-Südwest
South-Southwest

Süd-Südost
South-Southeast

Süd
South

politische Karte*F*
political map

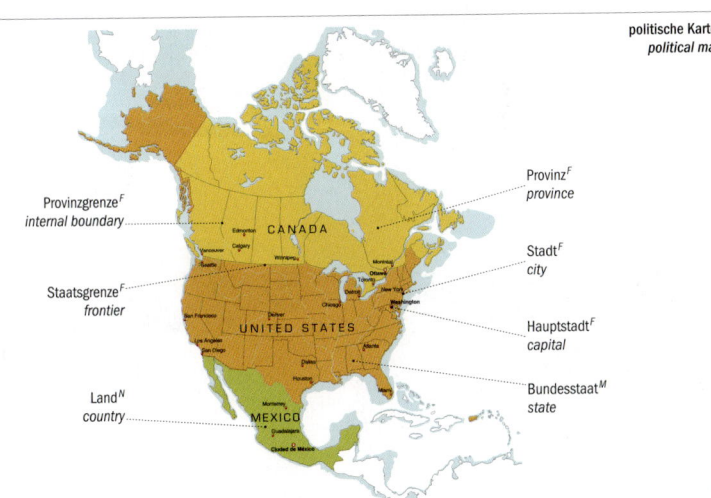

Provinzgrenze*F*
internal boundary

Provinz*F*
province

CANADA

Stadt*F*
city

Staatsgrenze*F*
frontier

Hauptstadt*F*
capital

UNITED STATES

Bundesstaat*M*
state

Land*N*
country

MEXICO

Kartographie*F*

ERDE

physische Karte*F*
physical map

Meer*N*
sea

Meerenge*F*
strait

Bucht*F*
bay

Gebirgskette*F*
mountain range

Insel*F*
island

Ozean*M*
ocean

Prärie*F*
prairie

Gebirgsmassiv*N*
massif

Flussmündung*F*
estuary

See*M*
lake

Fluss*M*
river

Plateau*N*, Hochebene*F*
plateau

Archipel*M*
archipelago

Golf*M*
gulf

Kap*N*
cape

Ebene*F*
plain

Halbinsel*F*
peninsula

Fluss*M*
river

Landenge*F*
isthmus

Kartographie^F

ERDE

Stadtplan^M
urban map

Eisenbahn^F
railway

Bahnhof^M
railway station

Brücke^F
bridge

Park^M
park

Vororte^M
suburbs

Friedhof^M
cemetery

Fluss^M
river

Denkmal^N
monument

Wald^M
woods

Umgehungsstraße^F
ring road

Autobahn^F
motorway

Kreisverkehr^M
roundabout

Stadtteil^M
district

Straße^F
street

Allee^F
avenue

öffentliches Gebäude^N
public building

Boulevard^M
boulevard

Straßenkarte^F
road map

Autobahnnummer^F
motorway number

Straße^F
road

Autobahn^F
motorway

Straßennummer^F
road number

Rastplatz^M
rest area

Flughafen^M
airport

Raststätte^F
service area

Nationalpark^M
national park

Umgehungsstraße^F
ring motorway

landschaftlich schöne Strecke^F
scenic route

Nebenstraße^F
secondary road

Sehenswürdigkeit^F
point of interest

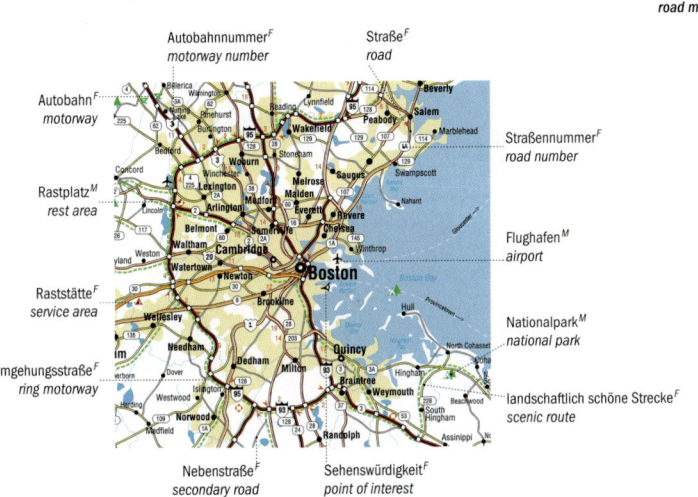

Erdkruste[F] im Querschnitt[M]
section of the Earth's crust

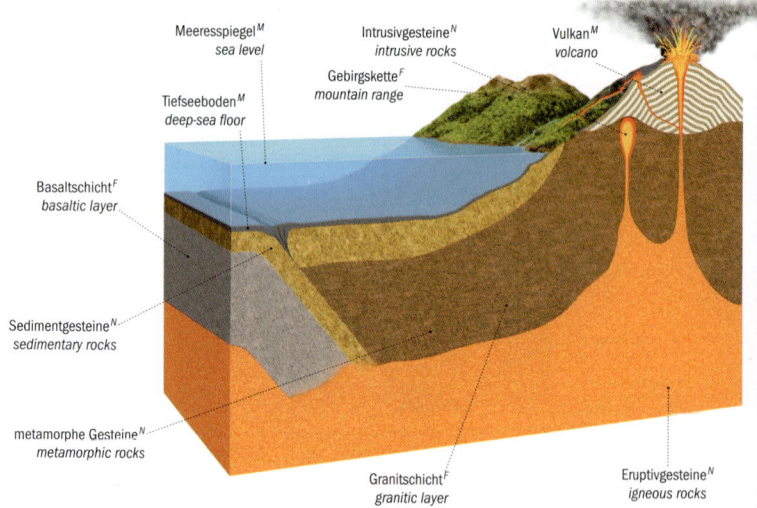

Meeresspiegel[M]
sea level

Intrusivgesteine[N]
intrusive rocks

Vulkan[M]
volcano

Gebirgskette[F]
mountain range

Tiefseeboden[M]
deep-sea floor

Basaltschicht[F]
basaltic layer

Sedimentgesteine[N]
sedimentary rocks

metamorphe Gesteine[N]
metamorphic rocks

Granitschicht[F]
granitic layer

Eruptivgesteine[N]
igneous rocks

Erdaufbau[M]
structure of the Earth

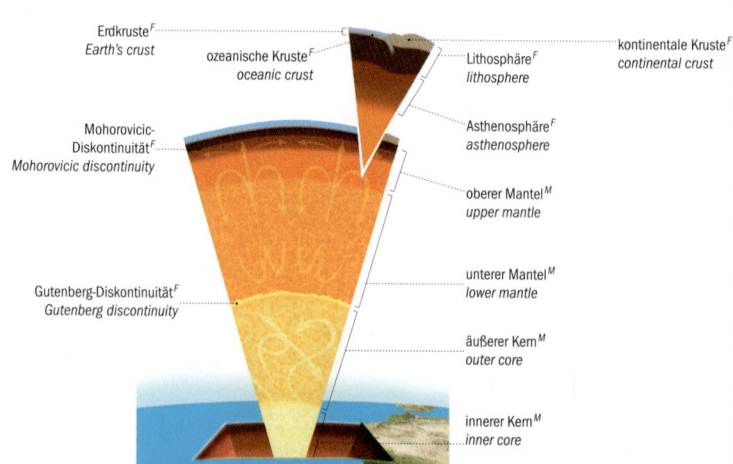

Erdkruste[F]
Earth's crust

ozeanische Kruste[F]
oceanic crust

Lithosphäre[F]
lithosphere

kontinentale Kruste[F]
continental crust

Mohorovicic-
Diskontinuität[F]
Mohorovicic discontinuity

Asthenosphäre[F]
asthenosphere

oberer Mantel[M]
upper mantle

Gutenberg-Diskontinuität[F]
Gutenberg discontinuity

unterer Mantel[M]
lower mantle

äußerer Kern[M]
outer core

innerer Kern[M]
inner core

tektonische Platten[F]
tectonic plates

Nordamerikanische Platte[F]
North American Plate

Cocos-Platte[F]
Cocos Plate

Karibische Platte[F]
Caribbean Plate

Pazifische Platte[F]
Pacific Plate

Nazca-Platte[F]
Nazca Plate

Scotia-Platte[F]
Scotia Plate

Südamerikanische Platte[F]
South American Plate

Afrikanische Platte[F]
African Plate

Eurasiatische Platte[F]
Eurasian Plate

Philippinen-Platte[F]
Philippine Plate

Indisch-Australische Platte[F]
Australian-Indian Plate

Antarktische Platte[F]
Antarctic Plate

Subduktionszone[F]
subduction

divergierende Plattengrenzen[F]
divergent plate boundaries

konvergierende Plattengrenzen[F]
convergent plate boundaries

Transformstörungen[F]
transform plate boundaries

Erdbeben[N]
earthquake

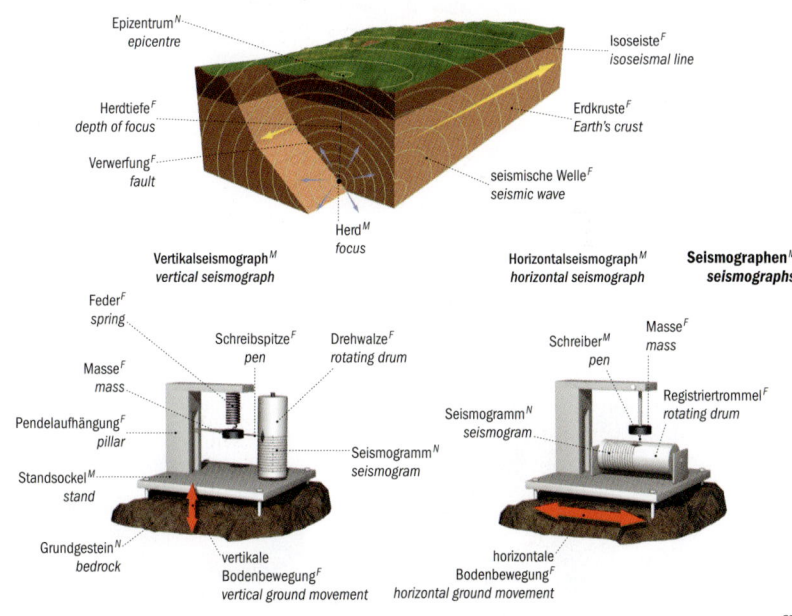

Epizentrum[N]
epicentre

Herdtiefe[F]
depth of focus

Verwerfung[F]
fault

Herd[M]
focus

Isoseiste[F]
isoseismal line

Erdkruste[F]
Earth's crust

seismische Welle[F]
seismic wave

Vertikalseismograph[M]
vertical seismograph

Feder[F]
spring

Masse[F]
mass

Pendelaufhängung[F]
pillar

Standsockel[M]
stand

Grundgestein[N]
bedrock

Schreibspitze[F]
pen

Drehwalze[F]
rotating drum

Seismogramm[N]
seismogram

vertikale Bodenbewegung[F]
vertical ground movement

Horizontalseismograph[M]
horizontal seismograph

Seismographen[M]
seismographs

Schreiber[M]
pen

Masse[F]
mass

Registriertrommel[F]
rotating drum

Seismogramm[N]
seismogram

horizontale Bodenbewegung[F]
horizontal ground movement

Vulkan^M

volcano

**Vulkan^M mit
Ausbruchstätigkeit^F**
volcano during eruption

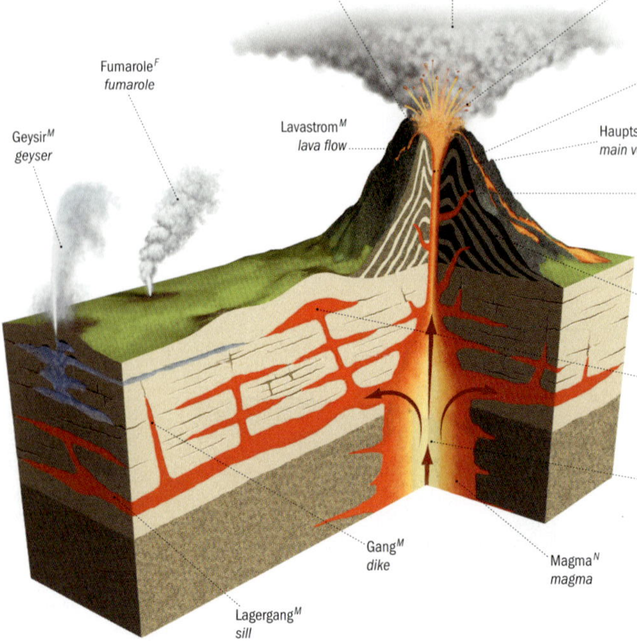

Krater^M
crater

vulkanische Asche^F
cloud of volcanic ash

vulkanische Bombe^F
volcanic bomb

Fumarole^F
fumarole

Lavaschicht^F
lava layer

Geysir^M
geyser

Lavastrom^M
lava flow

Hauptschlot^M
main vent

Seitenschlot^M
side vent

Ascheschicht^F
ash layer

Lakkolith^M
laccolith

Magmakammer^F
magma chamber

Gang^M
dike

Magma^N
magma

Lagergang^M
sill

Vulkantypen^M
examples of volcanoes

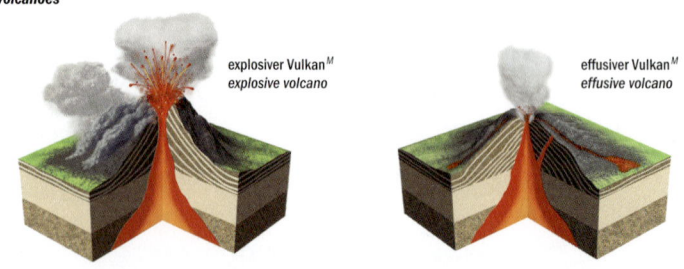

explosiver Vulkan^M
explosive volcano

effusiver Vulkan^M
effusive volcano

Berg^M
mountain

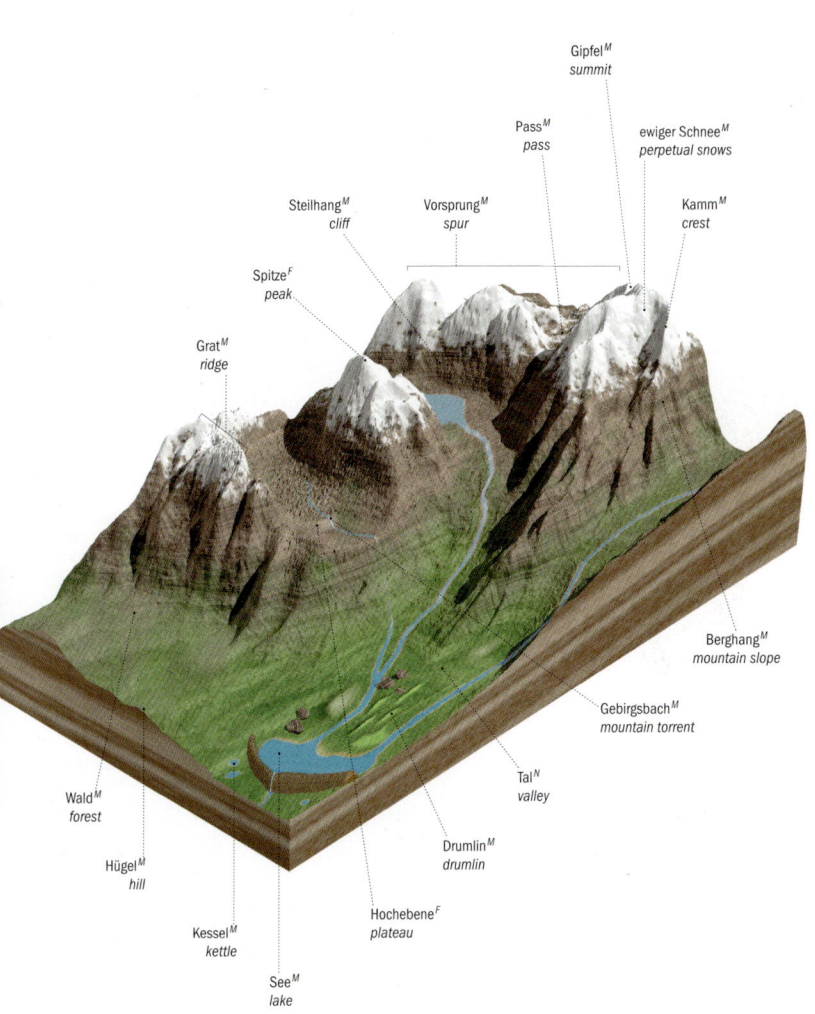

Gipfel^M
summit

Pass^M
pass

ewiger Schnee^M
perpetual snows

Steilhang^M
cliff

Vorsprung^M
spur

Kamm^M
crest

Spitze^F
peak

Grat^M
ridge

Berghang^M
mountain slope

Gebirgsbach^M
mountain torrent

Wald^M
forest

Tal^N
valley

Hügel^M
hill

Drumlin^M
drumlin

Kessel^M
kettle

Hochebene^F
plateau

See^M
lake

Gletscher[M]
glacier

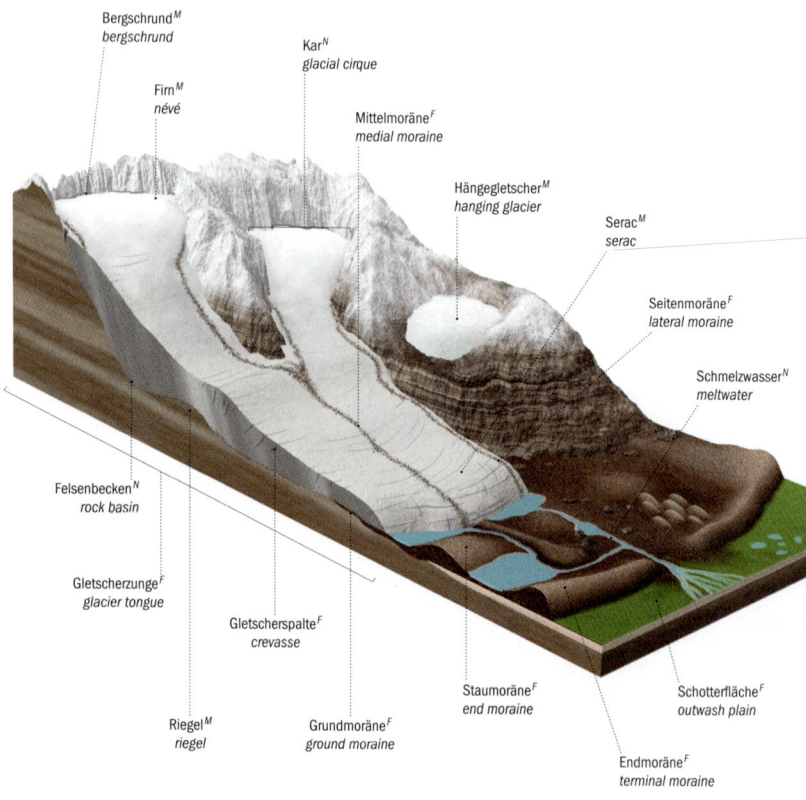

Bergschrund[M]
bergschrund

Kar[N]
glacial cirque

Firn[M]
névé

Mittelmoräne[F]
medial moraine

Hängegletscher[M]
hanging glacier

Serac[M]
serac

Seitenmoräne[F]
lateral moraine

Schmelzwasser[N]
meltwater

Felsenbecken[N]
rock basin

Gletscherzunge[F]
glacier tongue

Gletscherspalte[F]
crevasse

Riegel[M]
riegel

Grundmoräne[F]
ground moraine

Staumoräne[F]
end moraine

Schotterfläche[F]
outwash plain

Endmoräne[F]
terminal moraine

Höhle F
cave

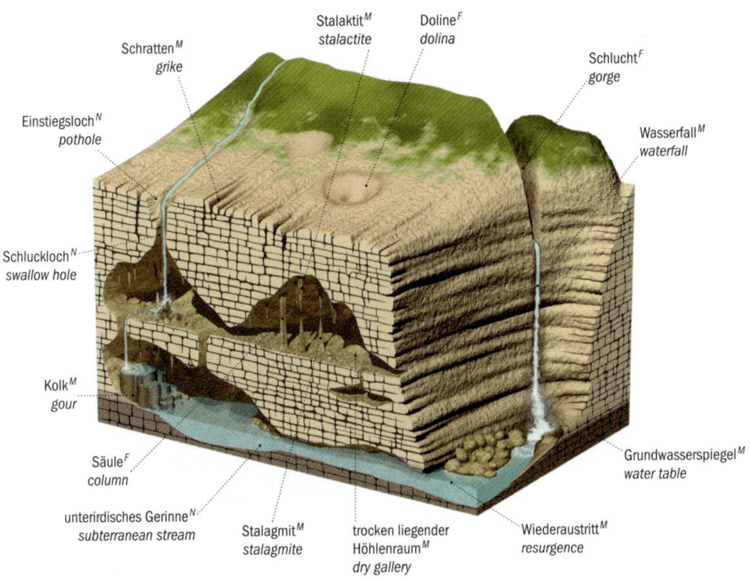

Schratten M
grike

Stalaktit M
stalactite

Doline F
dolina

Schlucht F
gorge

Einstiegsloch N
pothole

Wasserfall M
waterfall

Schluckloch N
swallow hole

Kolk M
gour

Säule F
column

unterirdisches Gerinne N
subterranean stream

Stalagmit M
stalagmite

trocken liegender
Höhlenraum M
dry gallery

Wiederaustritt M
resurgence

Grundwasserspiegel M
water table

Bodenbewegungen F
landslides

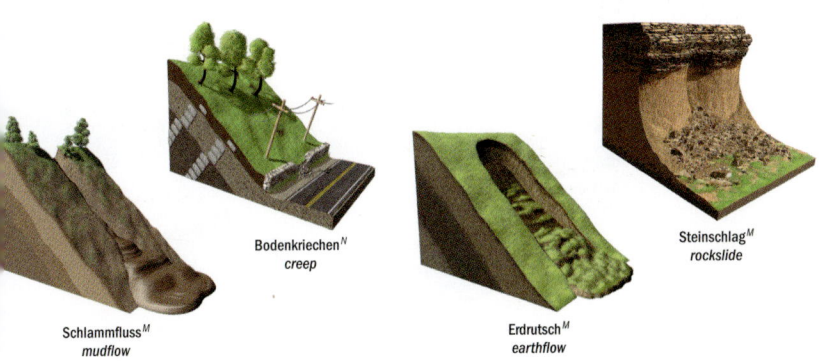

Bodenkriechen N
creep

Steinschlag M
rockslide

Schlammfluss M
mudflow

Erdrutsch M
earthflow

Flusslandschaft*F*

watercourse

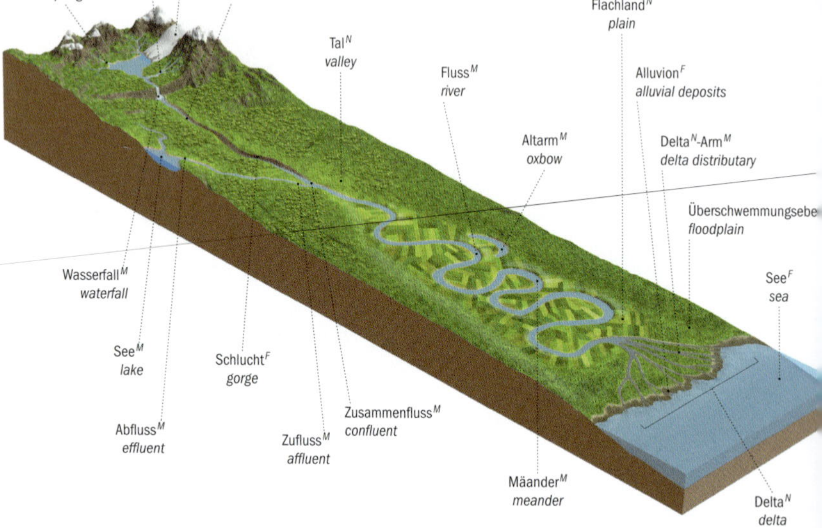

Quelle*F*
spring

Bach*M*
brook

Gletscher*M*
glacier

Fluss*M*
river

Tal*N*
valley

Fluss*M*
river

Flachland*N*
plain

Alluvion*F*
alluvial deposits

Altarm*M*
oxbow

Delta*N*-Arm*M*
delta distributary

Überschwemmungsebe
floodplain

See*F*
sea

Wasserfall*M*
waterfall

See*M*
lake

Schlucht*F*
gorge

Abfluss*M*
effluent

Zufluss*M*
affluent

Zusammenfluss*M*
confluent

Mäander*M*
meander

Delta*N*
delta

Seen*M*

lakes

Gletschersee*M*
glacial lake

vulkanischer See*M*
volcanic lake

tektonischer See*M*
tectonic lake

Altarm*M*
oxbow lake

Oase*F*
oasis

künstlicher See*M*
artificial lake

Welle^F
wave

Wellenhöhe^F
wave height

Wellenkamm^M
crest

Wellenlänge^F
wave length

Brecher^M
breaker

Küste^F
shore

Wellenbasis^F
wave base

Stillwasserspiegel^M
still water level

Wellental^N
trough

Sandbank^F
sandbank

Schaum^M
foam

Meeresboden^M
ocean floor

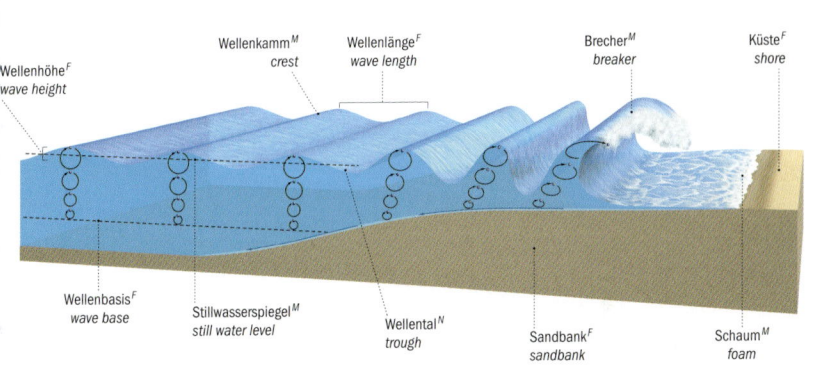

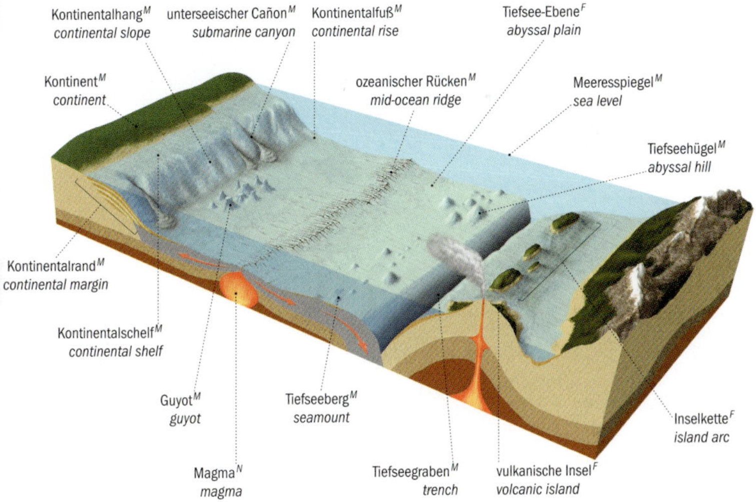

Kontinentalhang^M
continental slope

unterseeischer Cañon^M
submarine canyon

Kontinentalfuß^M
continental rise

Tiefsee-Ebene^F
abyssal plain

Kontinent^M
continent

ozeanischer Rücken^M
mid-ocean ridge

Meeresspiegel^M
sea level

Tiefseehügel^M
abyssal hill

Kontinentalrand^M
continental margin

Kontinentalschelf^M
continental shelf

Guyot^M
guyot

Magma^N
magma

Tiefseeberg^M
seamount

Tiefseegraben^M
trench

vulkanische Insel^F
volcanic island

Inselkette^F
island arc

ozeanische Rücken[M] und Gräben[M]
ocean trenches and ridges

ERDE

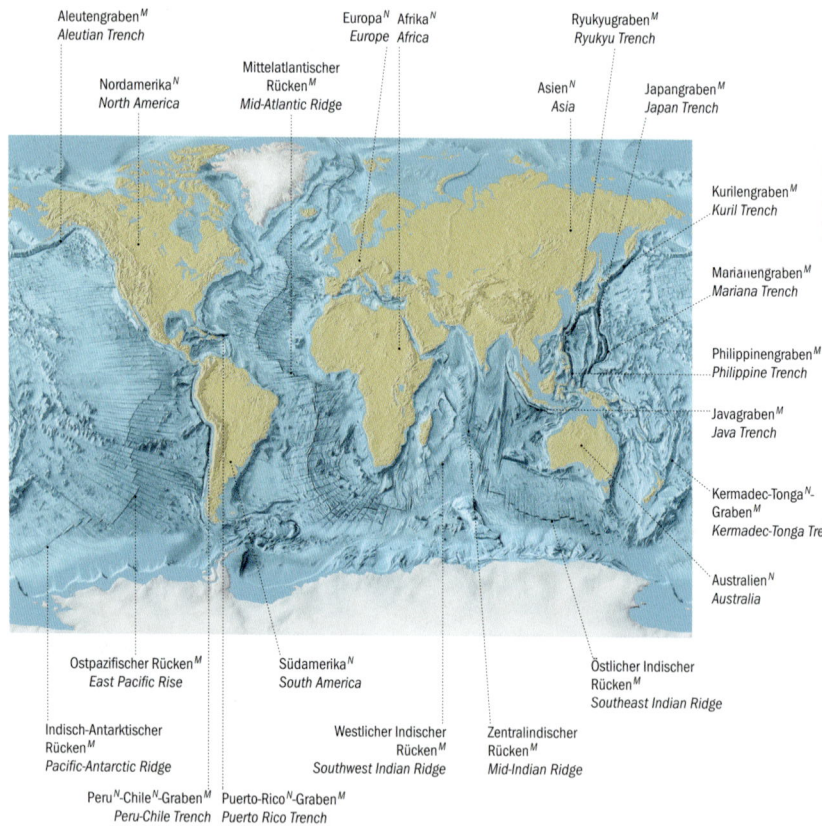

Aleutengraben[M]
Aleutian Trench

Nordamerika[N]
North America

Mittelatlantischer
Rücken[M]
Mid-Atlantic Ridge

Europa[N] Afrika[N]
Europe *Africa*

Ryukyugraben[M]
Ryukyu Trench

Asien[N]
Asia

Japangraben[M]
Japan Trench

Kurilengraben[M]
Kuril Trench

Marianengraben[M]
Mariana Trench

Philippinengraben[M]
Philippine Trench

Javagraben[M]
Java Trench

Kermadec-Tonga[N]-
Graben[M]
Kermadec-Tonga Trer

Australien[N]
Australia

Ostpazifischer Rücken[M]
East Pacific Rise

Südamerika[N]
South America

Östlicher Indischer
Rücken[M]
Southeast Indian Ridge

Indisch-Antarktischer
Rücken[M]
Pacific-Antarctic Ridge

Westlicher Indischer
Rücken[M]
Southwest Indian Ridge

Zentralindischer
Rücken[M]
Mid-Indian Ridge

Peru[N]-Chile[N]-Graben[M]
Peru-Chile Trench

Puerto-Rico[N]-Graben[M]
Puerto Rico Trench

typische Küstenformen^F
common coastal features

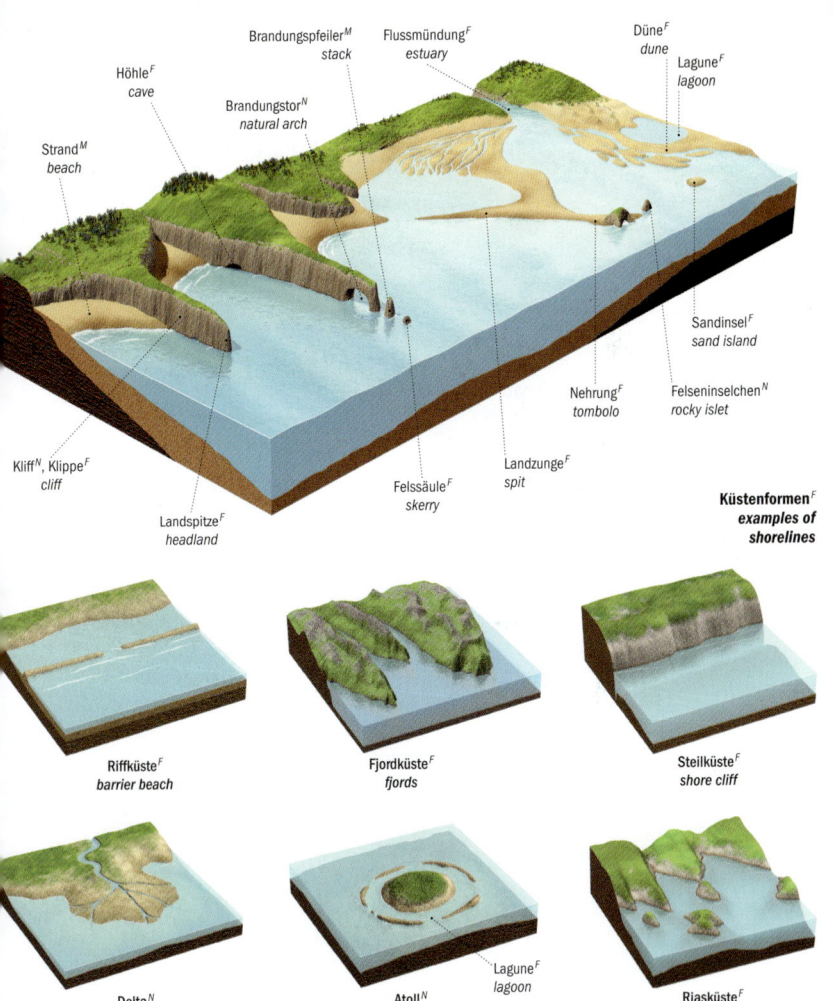

Brandungspfeiler^M
stack

Flussmündung^F
estuary

Düne^F
dune

Höhle^F
cave

Lagune^F
lagoon

Brandungstor^N
natural arch

Strand^M
beach

Sandinsel^F
sand island

Nehrung^F
tombolo

Felseninselchen^N
rocky islet

Kliff^N, Klippe^F
cliff

Landzunge^F
spit

Felssäule^F
skerry

Landspitze^F
headland

Küstenformen^F
***examples of
shorelines***

Riffküste^F
barrier beach

Fjordküste^F
fjords

Steilküste^F
shore cliff

Delta^N
delta

Atoll^N
atoll

Lagune^F
lagoon

Riasküste^F
rias

Wüste^F
desert

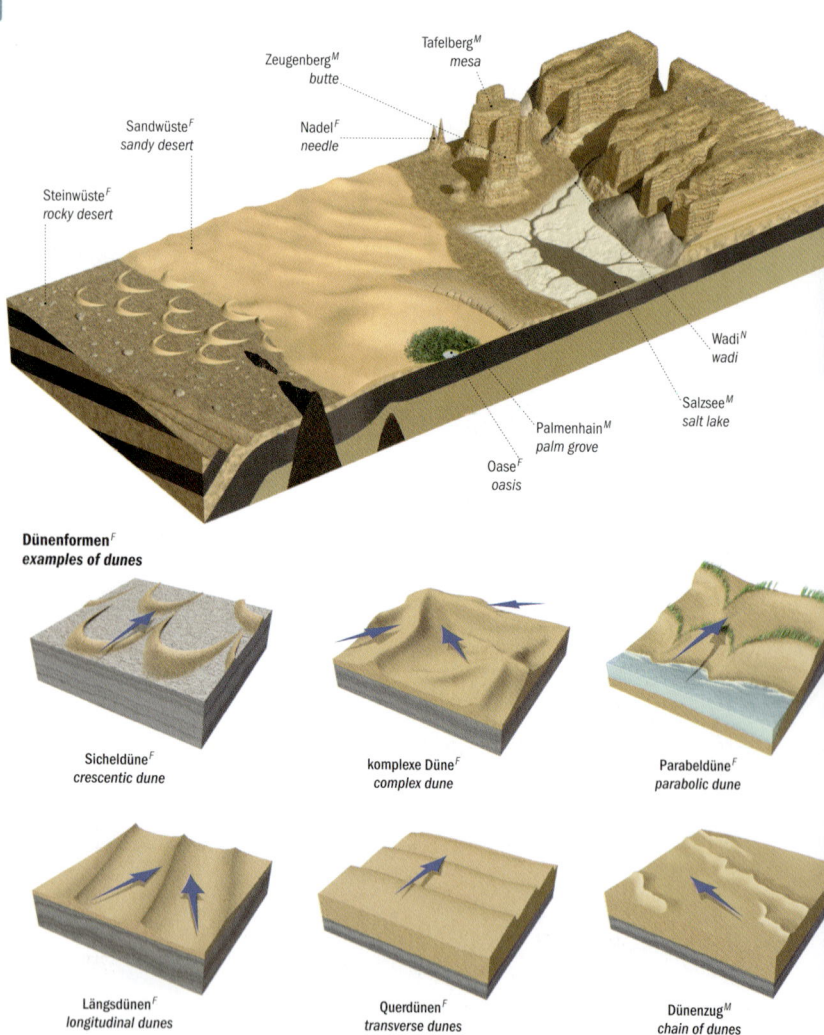

Zeugenberg^M
butte

Tafelberg^M
mesa

Sandwüste^F
sandy desert

Nadel^F
needle

Steinwüste^F
rocky desert

Wadi^N
wadi

Salzsee^M
salt lake

Palmenhain^M
palm grove

Oase^F
oasis

Dünenformen^F
examples of dunes

Sicheldüne^F
crescentic dune

komplexe Düne^F
complex dune

Parabeldüne^F
parabolic dune

Längsdünen^F
longitudinal dunes

Querdünen^F
transverse dunes

Dünenzug^M
chain of dunes

Erdatmosphäre[F] im Querschnitt[M]
profile of the Earth's atmosphere

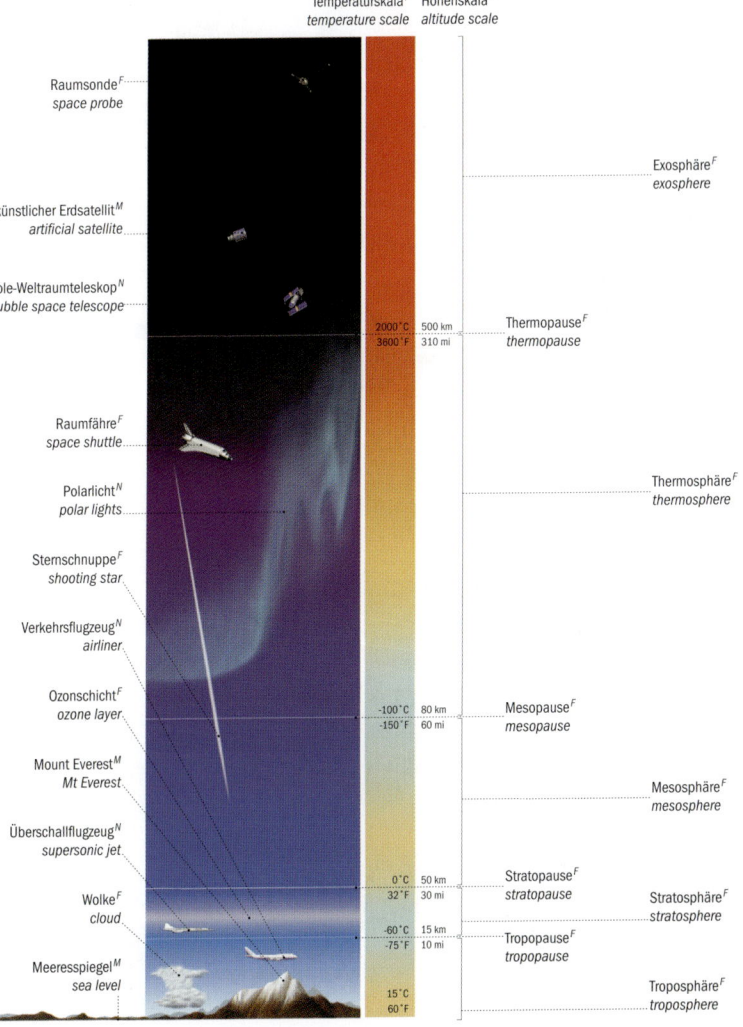

Temperaturskala[F] Höhenskala[F]
temperature scale altitude scale

Raumsonde[F]
space probe

künstlicher Erdsatellit[M]
artificial satellite

Hubble-Weltraumteleskop[N]
Hubble space telescope

Raumfähre[F]
space shuttle

Polarlicht[N]
polar lights

Sternschnuppe[F]
shooting star

Verkehrsflugzeug[N]
airliner

Ozonschicht[F]
ozone layer

Mount Everest[M]
Mt Everest

Überschallflugzeug[N]
supersonic jet

Wolke[F]
cloud

Meeresspiegel[M]
sea level

Exosphäre[F]
exosphere

2000°C   500 km   Thermopause[F]
3800°F   310 mi   *thermopause*

Thermosphäre[F]
thermosphere

-100°C   80 km   Mesopause[F]
-150°F   60 mi   *mesopause*

Mesosphäre[F]
mesosphere

0°C   50 km   Stratopause[F]
32°F   30 mi   *stratopause*

Stratosphäre[F]
stratosphere

-60°C   15 km   Tropopause[F]
-75°F   10 mi   *tropopause*

Troposphäre[F]
troposphere

15°C
60°F

Jahreszeiten[F]
seasons of the year

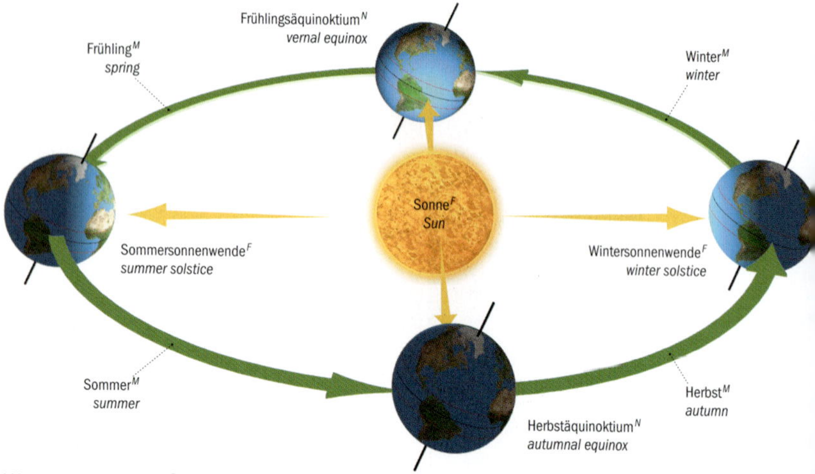

Frühlingsäquinoktium[N]
vernal equinox

Frühling[M]
spring

Winter[M]
winter

Sonne[F]
Sun

Sommersonnenwende[F]
summer solstice

Wintersonnenwende[F]
winter solstice

Sommer[M]
summer

Herbst[M]
autumn

Herbstäquinoktium[N]
autumnal equinox

Wettervorhersage[F]
meteorological forecast

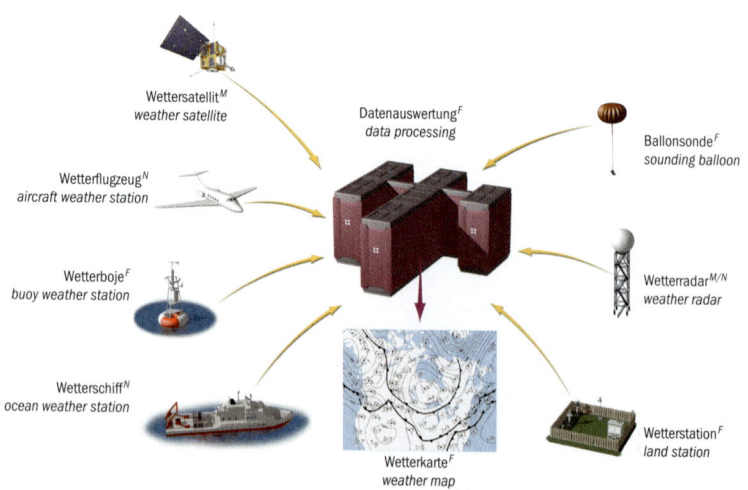

Wettersatellit[M]
weather satellite

Datenauswertung[F]
data processing

Ballonsonde[F]
sounding balloon

Wetterflugzeug[N]
aircraft weather station

Wetterboje[F]
buoy weather station

Wetterradar[M/N]
weather radar

Wetterschiff[N]
ocean weather station

Wetterstation[F]
land station

Wetterkarte[F]
weather map

Wetterkarte^F
weather map

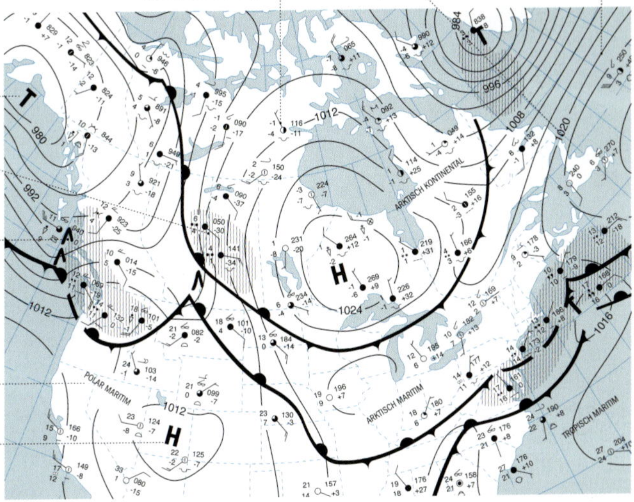

Windrichtung^F und
Windgeschwindikeit^F
wind direction and speed

Luftdruck^M
barometric pressure

Isobare^F
isobar

Tiefdruckgebiet^N
depression

Niederschlagsgebiet^N
precipitation area

Trog^M
trough

Luftmasse^F
type of air mass

Hochdruckgebiet^N
anticyclone

Stationsmodell^N
station model

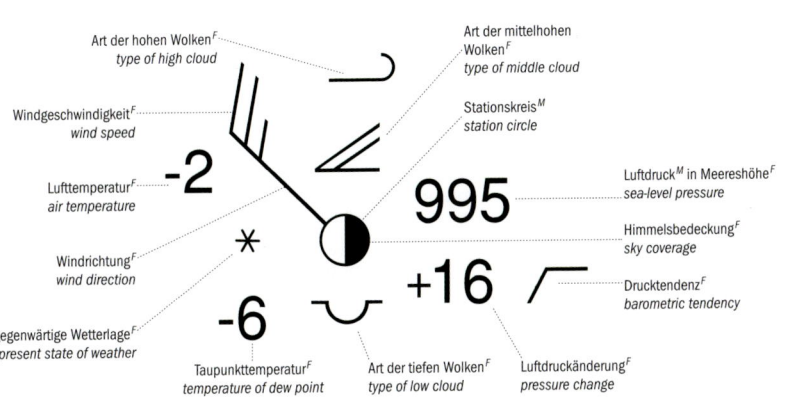

Art der hohen Wolken^F
type of high cloud

Art der mittelhohen
Wolken^F
type of middle cloud

Windgeschwindigkeit^F
wind speed

Stationskreis^M
station circle

Lufttemperatur^F
air temperature

−2

Luftdruck^M in Meereshöhe^F
sea-level pressure

995

Windrichtung^F
wind direction

*

Himmelsbedeckung^F
sky coverage

+16

gegenwärtige Wetterlage^F
present state of weather

−6

Drucktendenz^F
barometric tendency

Taupunkttemperatur^F
temperature of dew point

Art der tiefen Wolken^F
type of low cloud

Luftdruckänderung^F
pressure change

Klimate^N der Welt^F
climates of the world

ERDE

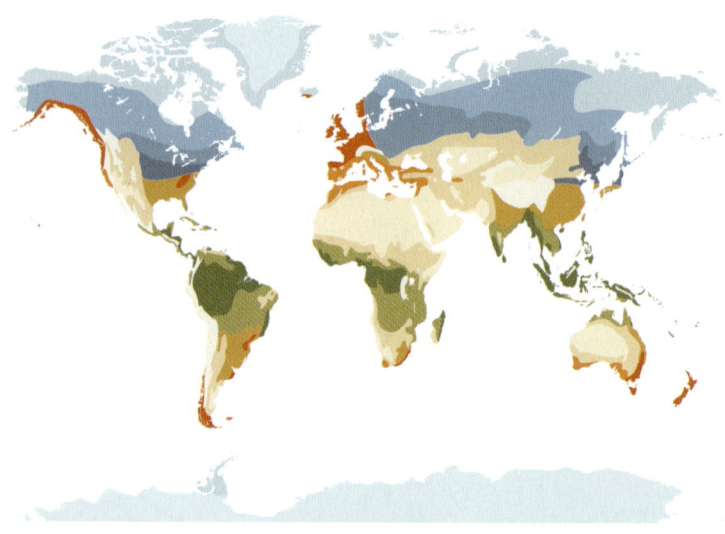

tropische Klimate^N
tropical climates

- tropischer Regenwald^M
  tropical rain forest

- tropisch feucht und trocken
  (Savanne^F)
  tropical wet-and-dry (savanna)

Trockenklimate^N
dry climates

- Steppe^F
  steppe

- Wüste^F
  desert

kaltgemäßigte Klimate^N
cold temperate climates

- feucht-kontinental - heißer
  Sommer^M
  humid continental - hot summer

- feucht-kontinental - warmer
  Sommer^M
  humid continental - warm summer

- subarktisch
  subarctic

**warmgemäßigte
Klimate**^N
warm temperate climates

- feuchte Subtropen
  humid subtropical

- mediterrane Subtropen
  *Mediterranean
  subtropical*

- maritim
  marine

Polarklimate^N
polar climates

- Polartundra^F
  polar tundra

- Eiskappe^F
  polar ice cap

Hochlandklimate^N
highland climates

- Hochgebirge^N
  highland

Niederschläge^M
precipitations

Winterniederschläge^M
winter precipitations

ERDE

warme Luft^F
warm air

kalte Luft^F
cold air

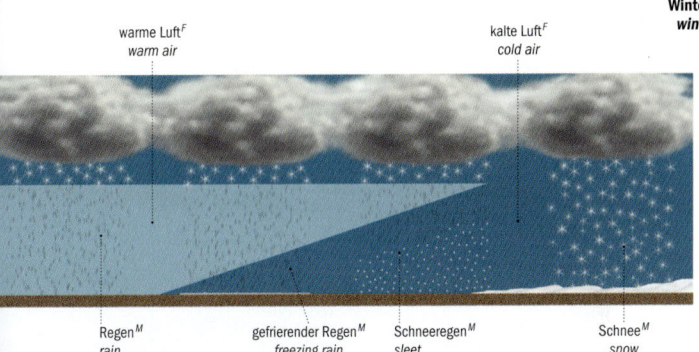

Regen^M
rain

gefrierender Regen^M
freezing rain

Schneeregen^M
sleet

Schnee^M
snow

stürmischer Himmel^M
stormy sky

Wolke^F
cloud

Blitz^M
lightning

Regenbogen^M
rainbow

Regen^M
rain

Tau^M
dew

Dunst^M
mist

Nebel^M
fog

Raureif^M
glazed frost

Reif^M
rime

Wolken^F
clouds

hohe Wolken^F
high clouds

Zirrostratus^M
cirrostratus

Zirrokumulus^M
cirrocumulus

Zirrus^M
cirrus

mittelhohe Wolken^F
middle clouds

Altostratus^M
altostratus

Altokumulus^M
altocumulus

tiefe Wolken^F
low clouds

Stratokumulus^M
stratocumulus

Nimbostratus^M
nimbostratus

Kumulus^M
cumulus

Stratus^M
stratus

Quellwolken^F
clouds with vertical
development

Kumulonimbus^M
cumulonimbus

Tornado^M und Wasserhose^F
tornado and waterspout

Gewitterwolken^F
wall cloud

Wolkentrichter^M
funnel cloud

aufgewirbelter Staub^M
debris

Wasserhose^F
waterspout

Tornado^M
tornado

tropischer Wirbelsturm^M
tropical cyclone

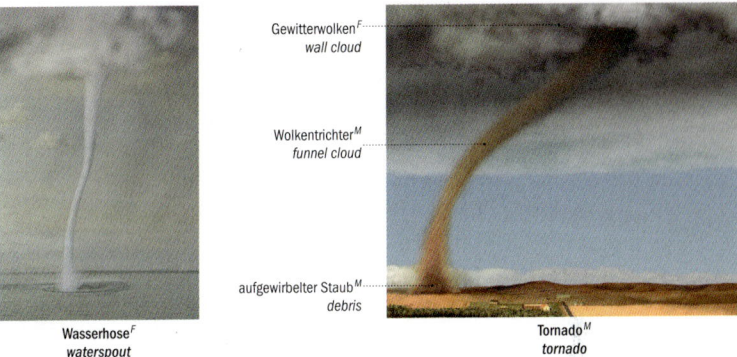

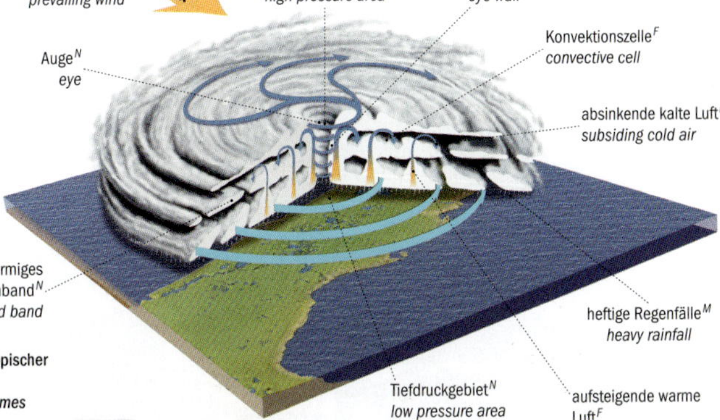

vorherrschender Wind^M
prevailing wind

Hochdruckgebiet^N
high pressure area

Augenwand^F
eye wall

Konvektionszelle^F
convective cell

Auge^N
eye

absinkende kalte Luft^F
subsiding cold air

spiralförmiges
Wolkenband^N
spiral cloud band

heftige Regenfälle^M
heavy rainfall

Bezeichnungen^F **tropischer
Wirbelstürme**^M
tropical cyclone names

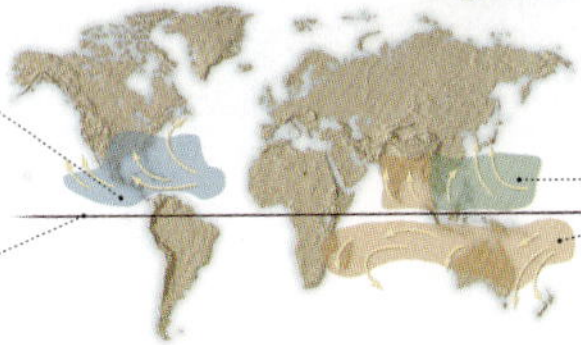

Tiefdruckgebiet^N
low pressure area

aufsteigende warme
Luft^F
rising warm air

Hurrikan^M
hurricane

Äquator^M
equator

Taifun^M
typhoon

Wirbelsturm^M
cyclone

Vegetation^F und Biosphäre^F
vegetation and biosphere

Vegetationszonen^F
vegetation regions

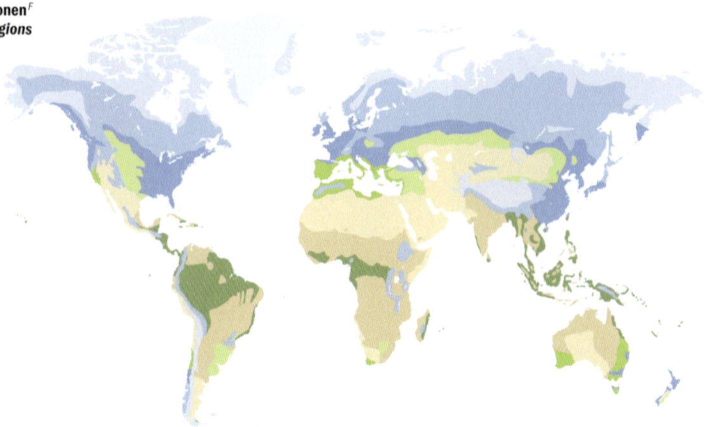

Tundra^F
tundra

gemäßigter Wald^M
temperate forest

tropischer Regenwald^M
tropical rain forest

Wüste^F
desert

borealer Wald^M
boreal forest

Grasland^N
grassland

Savanne^F
savanna

Macchie^F
maquis

Vegetationsbild^N nach Höhenlagen^F
elevation zones and vegetation

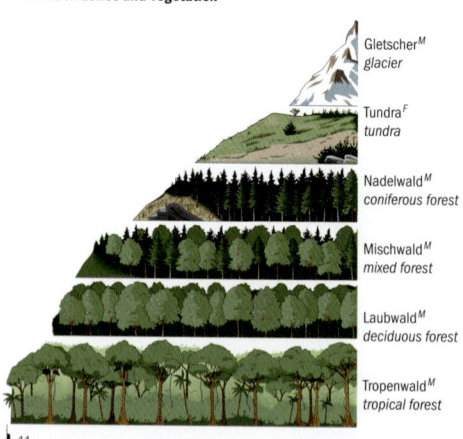

Gletscher^M
glacier

Tundra^F
tundra

Nadelwald^M
coniferous forest

Mischwald^M
mixed forest

Laubwald^M
deciduous forest

Tropenwald^M
tropical forest

Aufbau^M der Biosphäre^F
structure of the biosphere

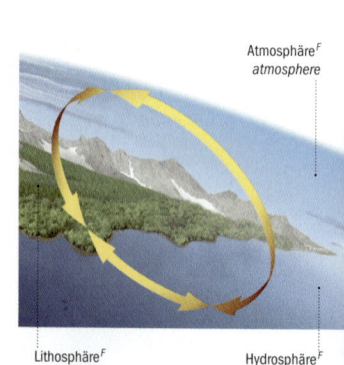

Atmosphäre^F
atmosphere

Lithosphäre^F
lithosphere

Hydrosphäre^F
hydrosphere

Nahrungskette[F]
food chain

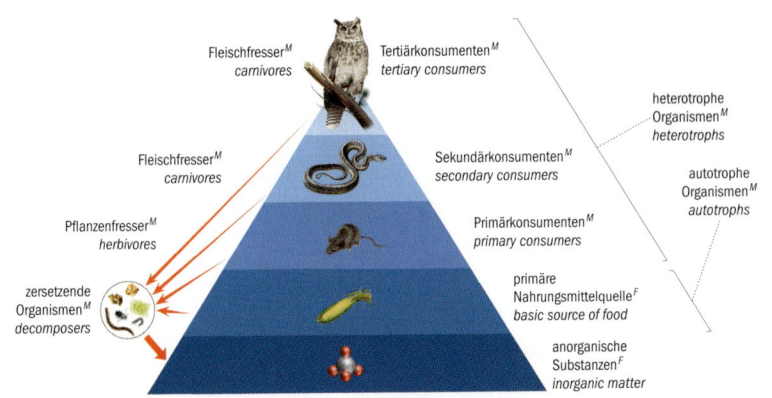

Fleischfresser[M]
carnivores

Tertiärkonsumenten[M]
tertiary consumers

heterotrophe
Organismen[M]
heterotrophs

Fleischfresser[M]
carnivores

Sekundärkonsumenten[M]
secondary consumers

autotrophe
Organismen[M]
autotrophs

Pflanzenfresser[M]
herbivores

Primärkonsumenten[M]
primary consumers

zersetzende
Organismen[M]
decomposers

primäre
Nahrungsmittelquelle[F]
basic source of food

anorganische
Substanzen[F]
inorganic matter

Wasserkreislauf[M]
hydrologic cycle

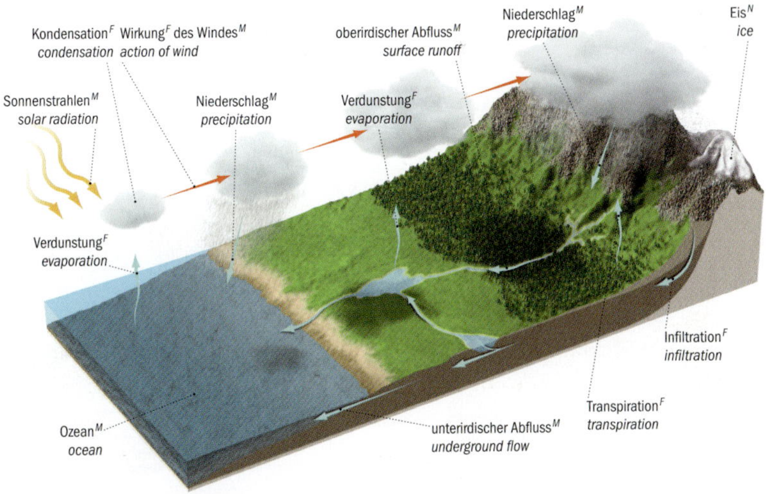

Kondensation[F]
condensation

Wirkung[F] des Windes[M]
action of wind

oberirdischer Abfluss[M]
surface runoff

Niederschlag[M]
precipitation

Eis[N]
ice

Sonnenstrahlen[M]
solar radiation

Niederschlag[M]
precipitation

Verdunstung[F]
evaporation

Verdunstung[F]
evaporation

Infiltration[F]
infiltration

Ozean[M]
ocean

unterirdischer Abfluss[M]
underground flow

Transpiration[F]
transpiration

Treibhauseffekt[M]
greenhouse effect

ERDE

natürlicher
Treibhauseffekt[M]
natural greenhouse effect

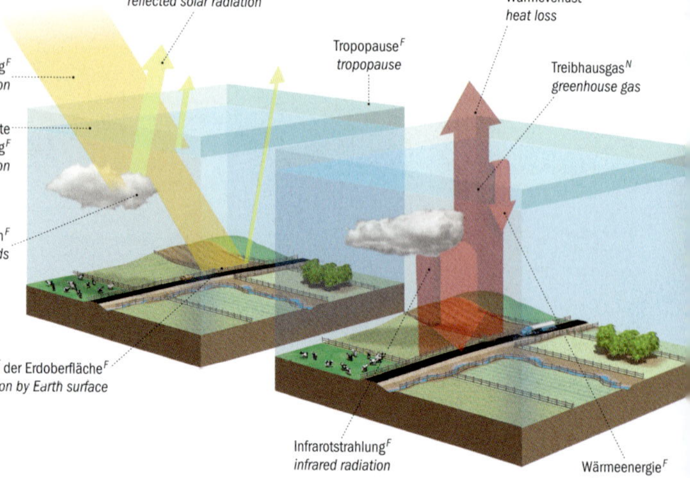

reflektierte
Sonneneinstrahlung[F]
reflected solar radiation

Wärmeverlust[M]
heat loss

Sonneneinstrahlung[F]
solar radiation

Tropopause[F]
tropopause

Treibhausgas[N]
greenhouse gas

absorbierte
Sonneneinstrahlung[F]
absorbed solar radiation

Wolkenabsorption[F]
absorption by clouds

Absorption[F] der Erdoberfläche[F]
absorption by Earth surface

Infrarotstrahlung[F]
infrared radiation

Wärmeenergie[F]
heat energy

anthropogener
Treibhauseffekt[M]
enhanced greenhouse effect

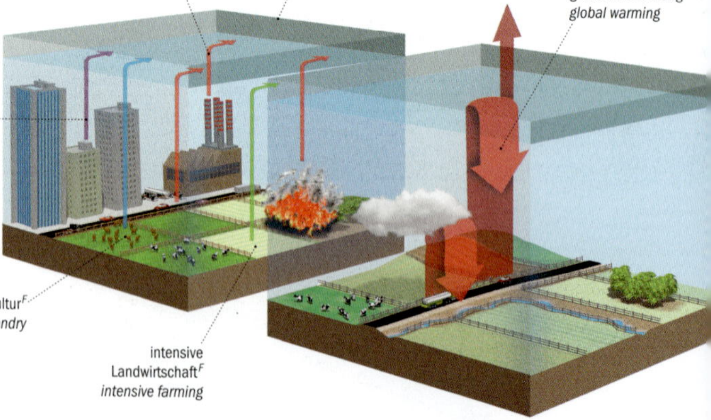

fossiler Brennstoff[M]
fossil fuel

Treibhausgaskonzentration[F]
greenhouse gas concentration

globale Erwärmung[F]
global warming

Klimaanlage[F]
air conditioning system

intensive Kultur[F]
intensive husbandry

intensive
Landwirtschaft[F]
intensive farming

Luftverschmutzung[F]
air pollution

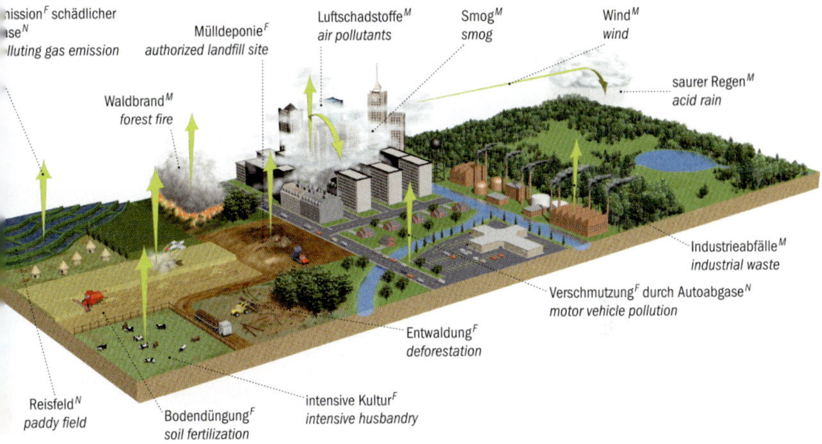

...mission[F] schädlicher
...ase[N]
...lluting gas emission

Mülldeponie[F]
authorized landfill site

Luftschadstoffe[M]
air pollutants

Smog[M]
smog

Wind[M]
wind

saurer Regen[M]
acid rain

Waldbrand[M]
forest fire

Industrieabfälle[M]
industrial waste

Verschmutzung[F] durch Autoabgase[N]
motor vehicle pollution

Entwaldung[F]
deforestation

Reisfeld[N]
paddy field

Bodendüngung[F]
soil fertilization

intensive Kultur[F]
intensive husbandry

Bodenverschmutzung[F]
land pollution

industrielle
Verschmutzung[F]
industrial pollution

biologisch nicht abbaubare
Schadstoffe[M]
non-biodegradable pollutants

intensive Kultur[F]
intensive husbandry

...erschmutzung[F] durch
Haushalte[M]
domestic pollution

landwirtschaftliche
Verschmutzung[F]
agricultural pollution

Industrieabfälle[M]
industrial waste

Einsatz[M] von
Düngemitteln[N]
fertilizer application

Hausmüll[M]
household waste

Mülldeponie[F]
authorized landfill site

Herbizid[N]
herbicide

Müllschichten[F]
waste layers

Infiltration[F]
intrusive filtration

Fungizid[N]
fungicide

Pestizid[N]
pesticide

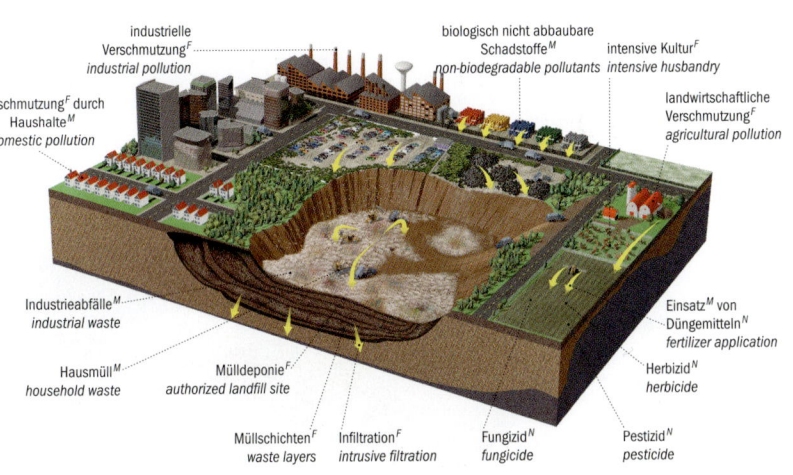

Wasserverschmutzung[F]
water pollution

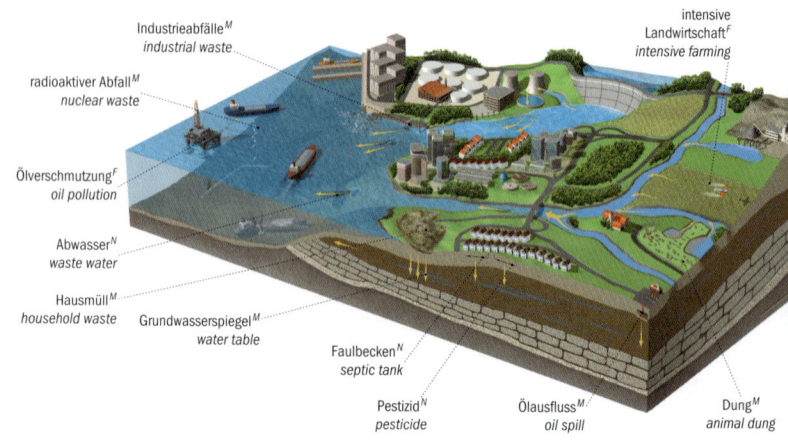

intensive Landwirtschaft[F]
intensive farming

Industrieabfälle[M]
industrial waste

radioaktiver Abfall[M]
nuclear waste

Ölverschmutzung[F]
oil pollution

Abwasser[N]
waste water

Hausmüll[M]
household waste

Grundwasserspiegel[M]
water table

Faulbecken[N]
septic tank

Pestizid[N]
pesticide

Ölausfluss[M]
oil spill

Dung[M]
animal dung

saurer Regen[M]
acid rain

Emission[F] von Salpetersäure[F]
nitric acid emission

Emission[F] von Stickoxiden[N]
nitrogen oxide emission

Atmosphäre[F]
atmosphere

Wind[M]
wind

saurer Regen[M]
acid rain

Wolkenwasser[N]
cloudwater

saurer Schnee[M]
acid snow

Emission[F] von Schwefelsäure[F]
sulphuric acid emission

Emission[F] von Schwefeldioxid[N]
sulphur dioxide emission

fossiler Brennstoff[M]
fossil fuel

Wasserlauf[M]
watercourse

Auswaschung[F]
leaching

Boden[M]
soil

Grundwasserspiegel[M]
water table

Seenversauerung[F]
lake acidification

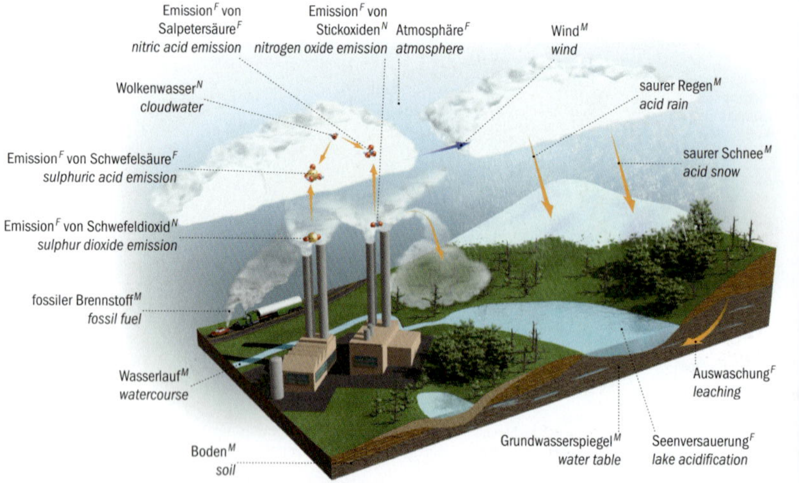

Mülltrennung[F]
selective sorting of waste

ERDE

Sortieranlage[F]
sorting plant

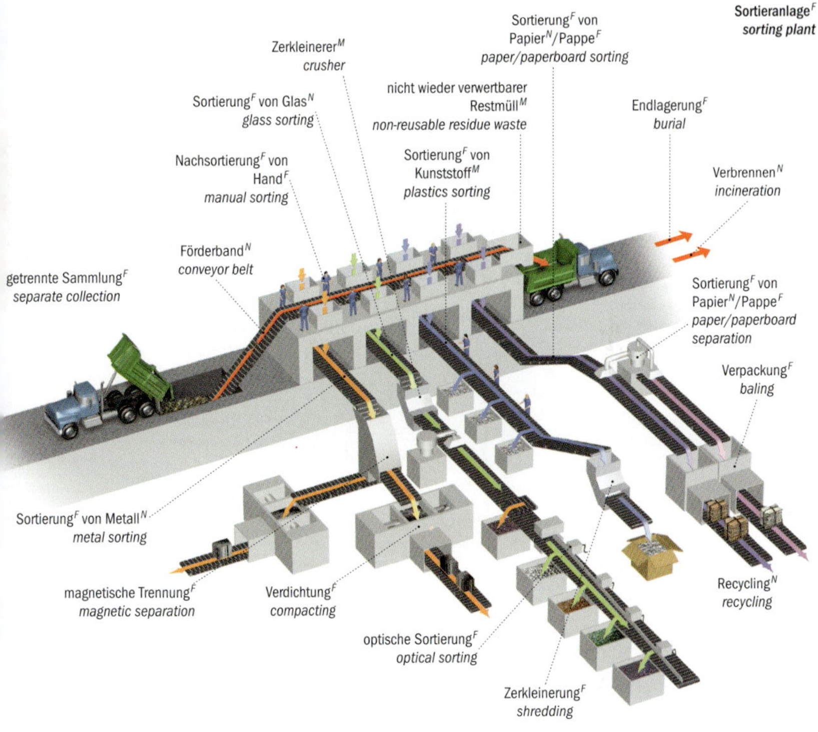

Sortierung[F] von
Papier[N]/Pappe[F]
paper/paperboard sorting

Zerkleinerer[M]
crusher

nicht wieder verwertbarer
Restmüll[M]
non-reusable residue waste

Endlagerung[F]
burial

Sortierung[F] von Glas[N]
glass sorting

Verbrennen[N]
incineration

Nachsortierung[F] von
Hand[F]
manual sorting

Sortierung[F] von
Kunststoff[M]
plastics sorting

Förderband[N]
conveyor belt

Sortierung[F] von
Papier[N]/Pappe[F]
*paper/paperboard
separation*

getrennte Sammlung[F]
separate collection

Verpackung[F]
baling

Sortierung[F] von Metall[N]
metal sorting

magnetische Trennung[F]
magnetic separation

Verdichtung[F]
compacting

optische Sortierung[F]
optical sorting

Recycling[N]
recycling

Zerkleinerung[F]
shredding

Wertstoff[M]-
Sammelbehälter[M]
recycling containers

Altpapier[N]-
Sammelbehälter[M]
paper recycling container

Altglas[N]-Sammelbehälter[M]
glass recycling container

Altaluminium[N]-
Sammelbehälter[M]
*aluminum recycling
container*

Altpapier[N]-Container[M]
paper collection unit

Altglas[N]-Container[M]
glass collection unit

Bioabfallbehälter[M]
recycling bin

Pflanzenzelle[F]
plant cell

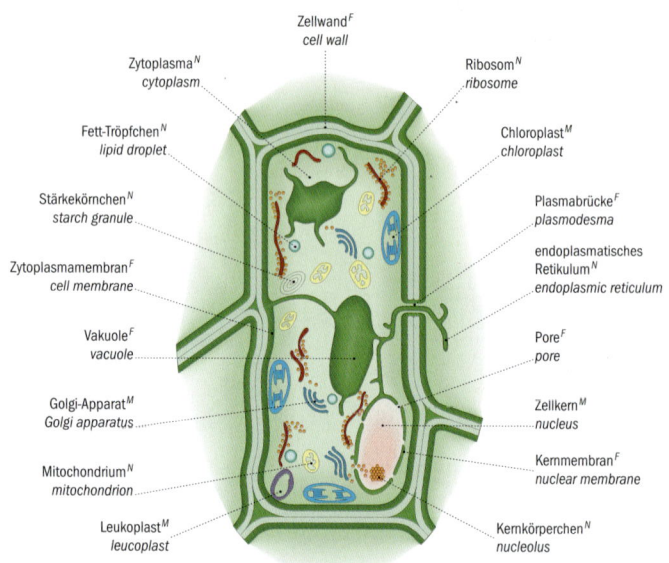

Zytoplasma[N]
cytoplasm

Fett-Tröpfchen[N]
lipid droplet

Stärkekörnchen[N]
starch granule

Zytoplasmamembran[F]
cell membrane

Vakuole[F]
vacuole

Golgi-Apparat[M]
Golgi apparatus

Mitochondrium[N]
mitochondrion

Leukoplast[M]
leucoplast

Zellwand[F]
cell wall

Ribosom[N]
ribosome

Chloroplast[M]
chloroplast

Plasmabrücke[F]
plasmodesma

endoplasmatisches
Retikulum[N]
endoplasmic reticulum

Pore[F]
pore

Zellkern[M]
nucleus

Kernmembran[F]
nuclear membrane

Kernkörperchen[N]
nucleolus

Flechte[F]
lichen

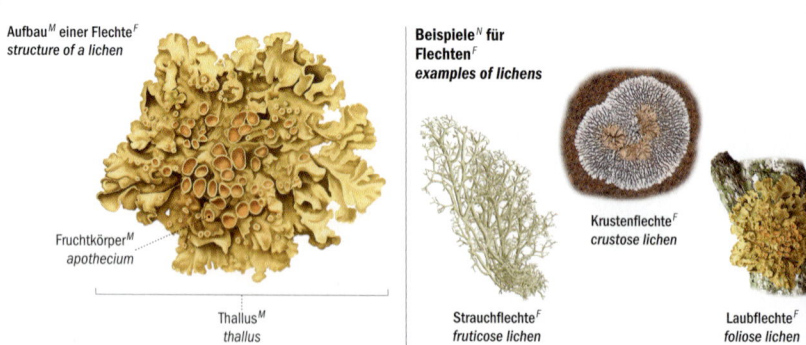

Aufbau[M] einer Flechte[F]
structure of a lichen

Fruchtkörper[M]
apothecium

Thallus[M]
thallus

**Beispiele[N] für
Flechten[F]**
examples of lichens

Krustenflechte[F]
crustose lichen

Strauchflechte[F]
fruticose lichen

Laubflechte[F]
foliose lichen

Aufbau^M eines
Mooses^N
structure of a moss

Kapsel^F
capsule

Stiel^M
stalk

Blättchen^N
leaf

Stämmchen^N
stem

Rhizoid^N
rhizoid

Beispiele^N für Moose^N
examples of mosses

sparriges Torfmoos^N
prickly sphagnum

gemeines
Widertonmoos^N
common hair cap moss

Alge^F

alga

Aufbau^M einer Alge^F
structure of an alga

Rezeptakel^N
receptacle

Beispiele^N für Algen^F
examples of algae

Spreite^F
lamina

Thallus^M
thallus

Haftorgan^N
hapteron

Rotalge^F
red alga

Blase^F
aerocyst

Mittelrippe^F
midrib

Grünalge^F
green alga

Braunalge^F
brown alga

Pilz^M
mushroom

Aufbau^M eines Pilzes^M
structure of a mushroom

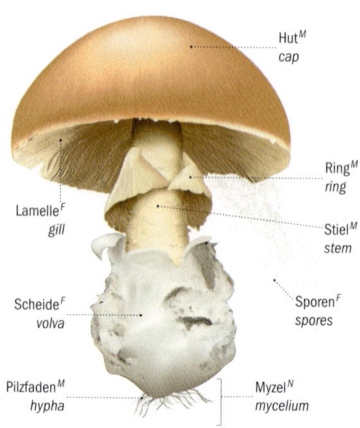

Hut^M
cap

Ring^M
ring

Lamelle^F
gill

Stiel^M
stem

Scheide^F
volva

Sporen^F
spores

Pilzfaden^M
hypha

Myzel^N
mycelium

tödlich giftiger Pilz^M
deadly poisonous mushroom

Giftpilz^M
poisonous mushroom

Knollenblätterpilz^M
destroying angel

Fliegenpilz^M
fly agaric

Farn^M
fern

Aufbau^M eines Farns^M
structure of a fern

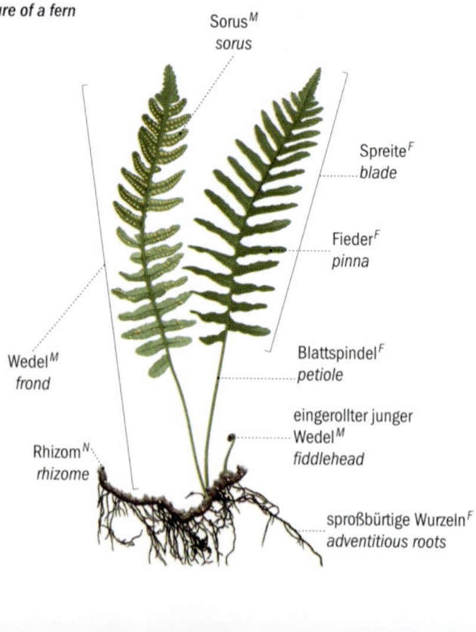

Sorus^M
sorus

Spreite^F
blade

Fieder^F
pinna

Blattspindel^F
petiole

Wedel^M
frond

eingerollter junger
Wedel^M
fiddlehead

Rhizom^N
rhizome

sproßbürtige Wurzeln^F
adventitious roots

Beispiele^N für Farn
examples of fer

Baumfarn^M
tree fern

Stamm^M
trunk

gemeiner Tüpfelfarn^M
common polypody

Nestfarn^M
bird's nest fern

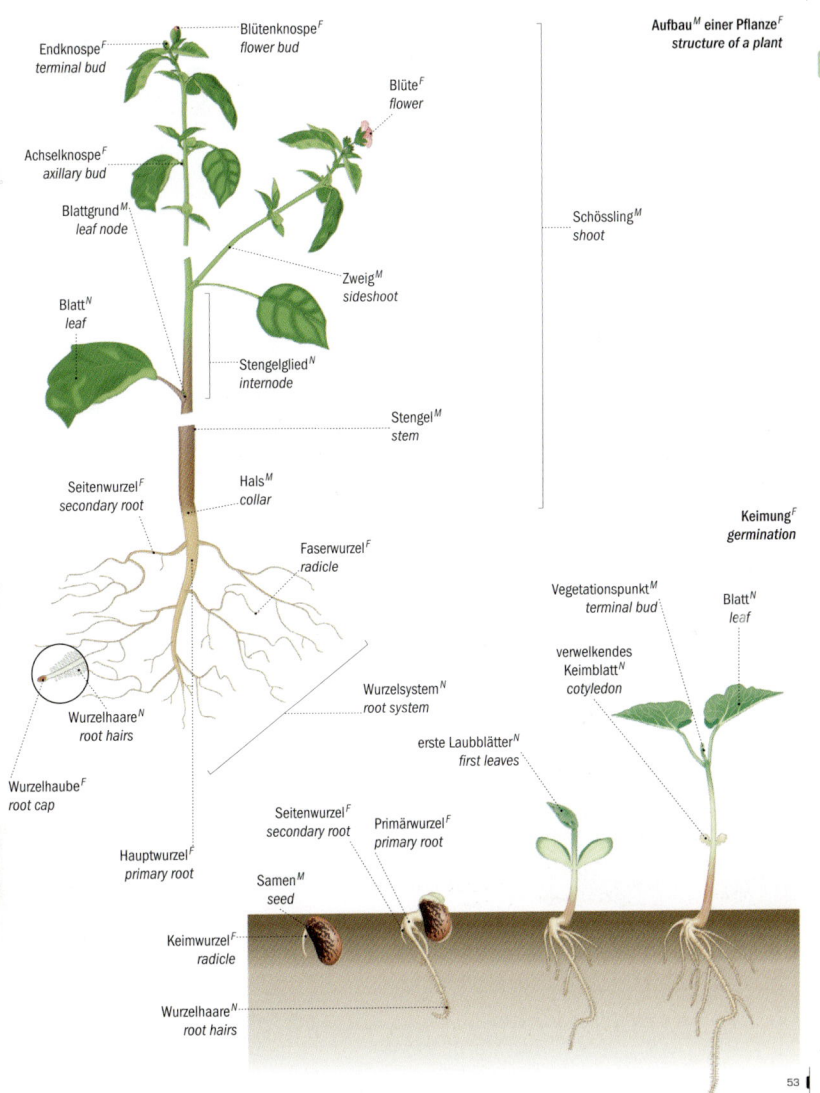

Aufbau^M einer Pflanze^F
structure of a plant

Blütenknospe^F
flower bud

Endknospe^F
terminal bud

Blüte^F
flower

Achselknospe^F
axillary bud

Blattgrund^M
leaf node

Schössling^M
shoot

Zweig^M
sideshoot

Blatt^N
leaf

Stengelglied^N
internode

Stengel^M
stem

Hals^M
collar

Seitenwurzel^F
secondary root

Faserwurzel^F
radicle

Keimung^F
germination

Vegetationspunkt^M
terminal bud

Blatt^N
leaf

verwelkendes
Keimblatt^N
cotyledon

Wurzelhaare^N
root hairs

Wurzelsystem^N
root system

erste Laubblätter^N
first leaves

Wurzelhaube^F
root cap

Hauptwurzel^F
primary root

Seitenwurzel^F
secondary root

Primärwurzel^F
primary root

Samen^M
seed

Keimwurzel^F
radicle

Wurzelhaare^N
root hairs

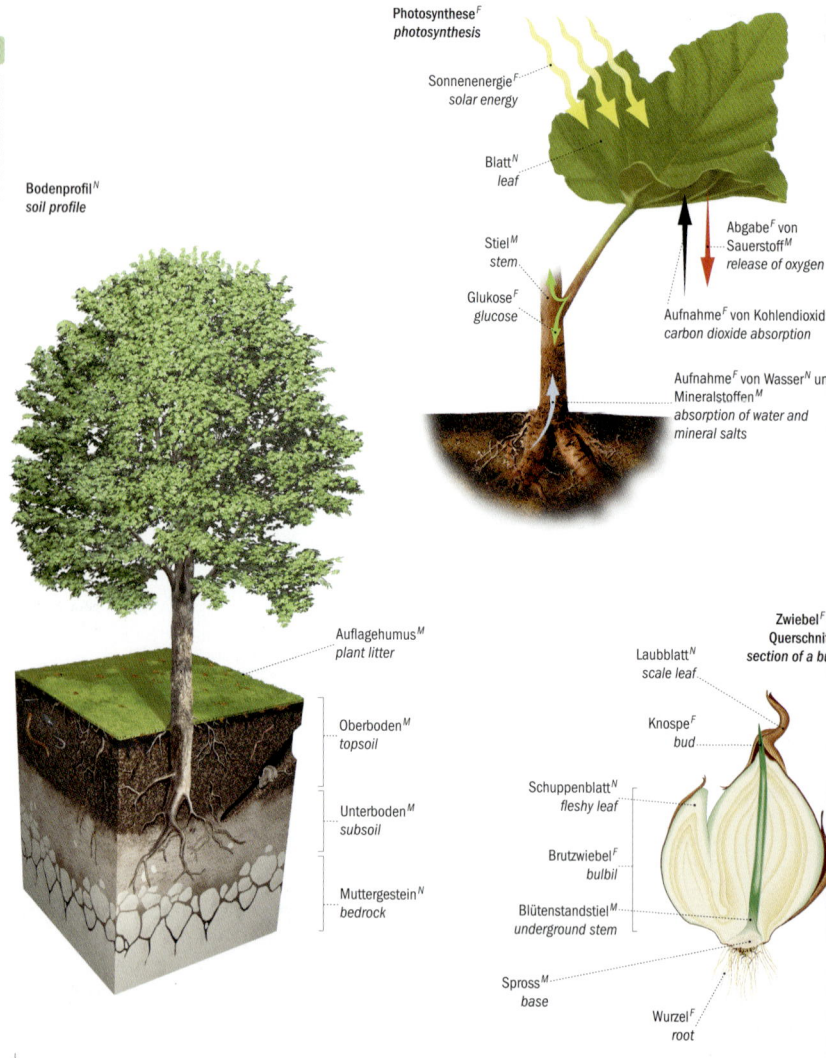

Photosynthese^F
photosynthesis

Sonnenenergie^F
solar energy

Blatt^N
leaf

Stiel^M
stem

Glukose^F
glucose

Abgabe^F von Sauerstoff^M
release of oxygen

Aufnahme^F von Kohlendioxid^N
carbon dioxide absorption

Aufnahme^F von Wasser^N un.
Mineralstoffen^M
absorption of water and mineral salts

Bodenprofil^N
soil profile

Auflagehumus^M
plant litter

Oberboden^M
topsoil

Unterboden^M
subsoil

Muttergestein^N
bedrock

Zwiebel^F
Querschnit.
section of a bu.

Laubblatt^N
scale leaf

Knospe^F
bud

Schuppenblatt^N
fleshy leaf

Brutzwiebel^F
bulbil

Blütenstandstiel^M
underground stem

Spross^M
base

Wurzel^F
root

PFLANZENREICH

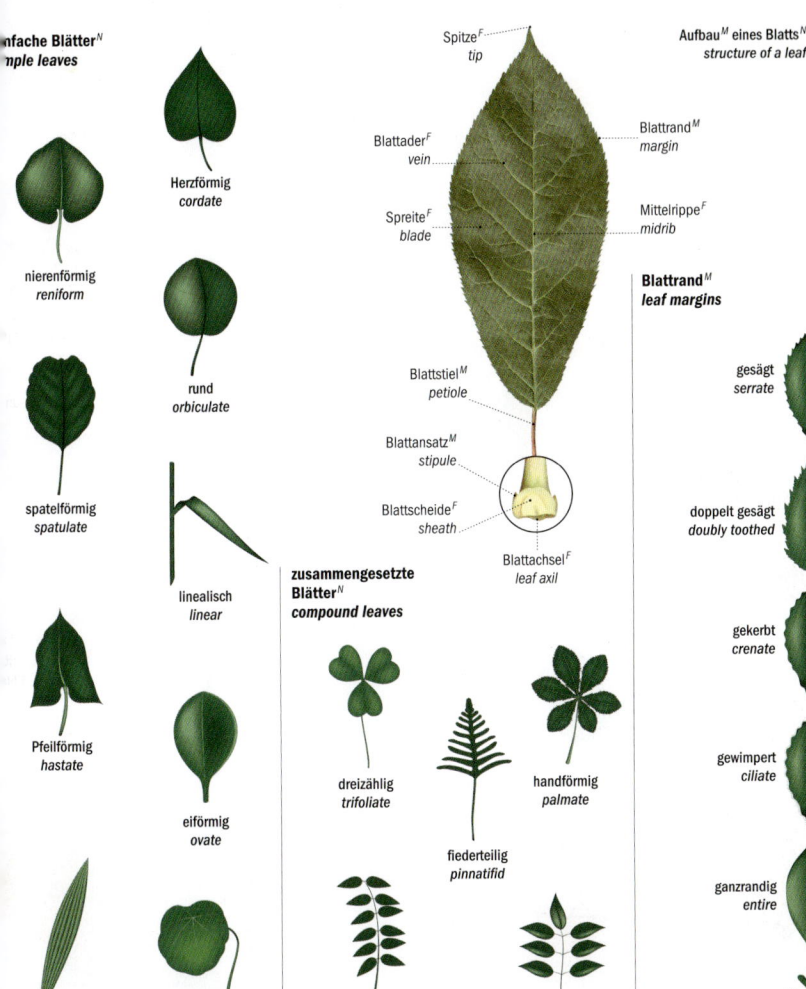

nfache Blätter^N
mple leaves

nierenförmig
reniform

Herzförmig
cordate

rund
orbiculate

spatelförmig
spatulate

linealisch
linear

Pfeilförmig
hastate

eiförmig
ovate

lanzettförmig
lanceolate

schildförmig
peltate

zusammengesetzte Blätter^N
compound leaves

dreizählig
trifoliate

handförmig
palmate

fiederteilig
pinnatifid

paarig gefiedert
paripinnate

unpaarig gefiedert
odd pinnate

Spitze^F
tip

Blattader^F
vein

Spreite^F
blade

Blattstiel^M
petiole

Blattansatz^M
stipule

Blattscheide^F
sheath

Blattachsel^F
leaf axil

Aufbau^M eines Blatts^N
structure of a leaf

Blattrand^M
margin

Mittelrippe^F
midrib

Blattrand^M
leaf margins

gesägt
serrate

doppelt gesägt
doubly toothed

gekerbt
crenate

gewimpert
ciliate

ganzrandig
entire

gebuchtet
lobate

55

Blüte^F
flower

Aufbau^M einer Blume^F
structure of a flower

Narbe^F
stigma

Staubbeutel^M
anther

Staubfaden^M
filament

Blütenblatt^N
petal

Griffel^M
style

Blütenboden^M
receptacle

Fruchtknoten^M
ovary

Blütenstiel^M
peduncle

Samenanlage^F
ovule

Kelchblatt^N
sepal

Stempel^M
pistil

Blumenkrone^F
corolla

Staubblatt^N
stamen

Blütenkelch^M
calyx

Beispiele^N für Blumen^F
examples of flowers

Orchidee^F
orchid

Narzisse^F
daffodil

Mohn^M
poppy

Tulpe^F
tulip

Maiglöckchen^N
lily of the valley

Nelke^F
carnation

Rose^F
rose

Begonie^F
begonia

Lilie^F
lily

Veilchen^N
violet

Krokus^M
crocus

Sonnenblume^F
sunflower

Arten^F von Blütenständen^M
types of inflorescence

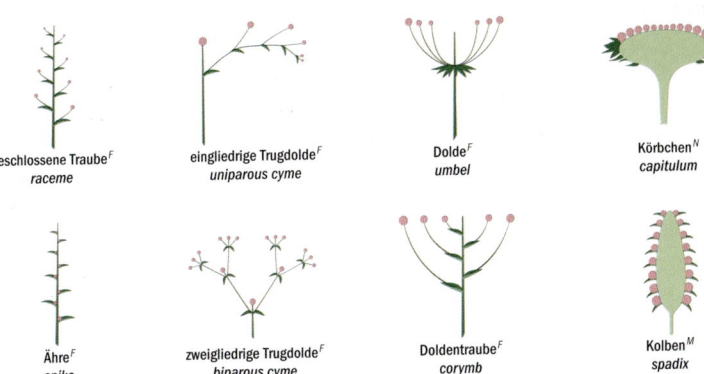

geschlossene Traube^F
raceme

eingliedrige Trugdolde^F
uniparous cyme

Dolde^F
umbel

Körbchen^N
capitulum

Ähre^F
spike

zweigliedrige Trugdolde^F
biparous cyme

Doldentraube^F
corymb

Kolben^M
spadix

Früchte^F
fruits

fleischige Steinfrucht^F
fleshy stone fruit

wissenschaftliche
Bezeichnungen^F
technical terms

Pfirsich^M im Querschnitt^M
section of a peach

gebräuchliche
Bezeichnungen^F
usual terms

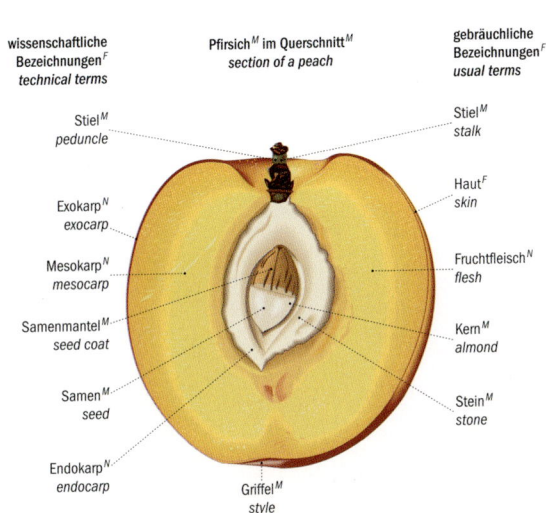

Stiel^M
peduncle

Exokarp^N
exocarp

Mesokarp^M
mesocarp

Samenmantel^M
seed coat

Samen^M
seed

Endokarp^N
endocarp

Stiel^M
stalk

Haut^F
skin

Fruchtfleisch^N
flesh

Kern^M
almond

Stein^M
stone

Griffel^M
style

fleischige Apfelfrucht^F
fleshy pome fruit

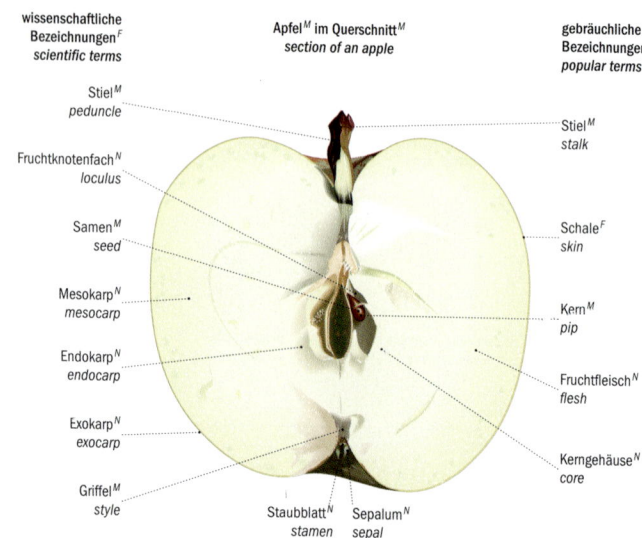

wissenschaftliche
Bezeichnungen^F
scientific terms

Apfel^M im Querschnitt^M
section of an apple

gebräuchliche
Bezeichnungen^F
popular terms

Stiel^M
peduncle

Fruchtknotenfach^N
loculus

Samen^M
seed

Mesokarp^N
mesocarp

Endokarp^N
endocarp

Exokarp^N
exocarp

Griffel^M
style

Staubblatt^N
stamen

Sepalum^N
sepal

Stiel^M
stalk

Schale^F
skin

Kern^M
pip

Fruchtfleisch^N
flesh

Kerngehäuse^N
core

fleischige Frucht^F: Zitrusfrucht^F
fleshy fruit: citrus fruit

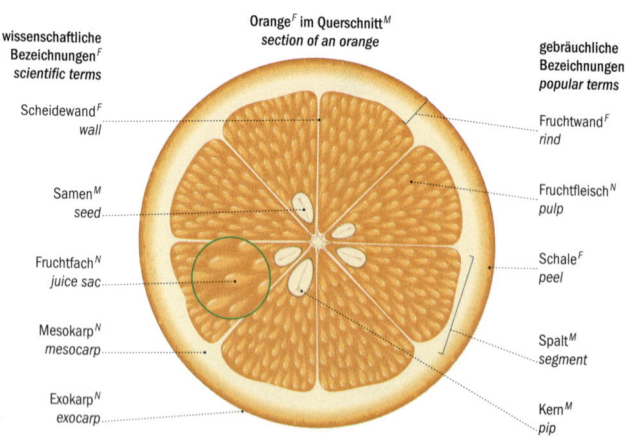

wissenschaftliche
Bezeichnungen^F
scientific terms

Orange^F im Querschnitt^M
section of an orange

gebräuchliche
Bezeichnungen^F
popular terms

Scheidewand^F
wall

Samen^M
seed

Fruchtfach^N
juice sac

Mesokarp^N
mesocarp

Exokarp^N
exocarp

Fruchtwand^F
rind

Fruchtfleisch^N
pulp

Schale^F
peel

Spalt^M
segment

Kern^M
pip

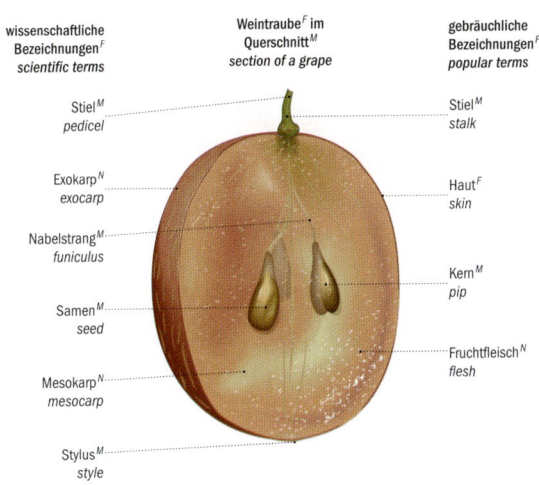

wissenschaftliche
Bezeichnungen^F
scientific terms

Weintraube^F im
Querschnitt^M
section of a grape

gebräuchliche
Bezeichnungen^F
popular terms

Stiel^M
pedicel

Exokarp^N
exocarp

Nabelstrang^M
funiculus

Samen^M
seed

Mesokarp^N
mesocarp

Stylus^M
style

Stiel^M
stalk

Haut^F
skin

Kern^M
pip

Fruchtfleisch^N
flesh

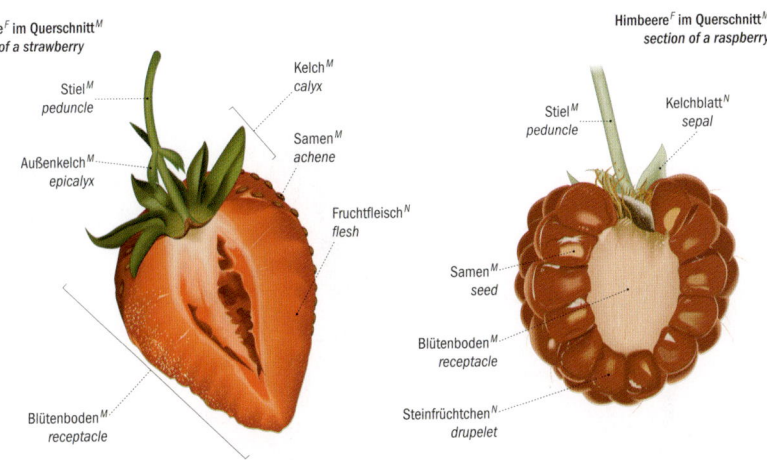

...dbeere^F im Querschnitt^M
...ction of a strawberry

Stiel^M
peduncle

Außenkelch^M
epicalyx

Kelch^M
calyx

Samen^M
achene

Fruchtfleisch^N
flesh

Blütenboden^M
receptacle

Himbeere^F im Querschnitt^M
section of a raspberry

Stiel^M
peduncle

Kelchblatt^N
sepal

Samen^M
seed

Blütenboden^M
receptacle

Steinfrüchtchen^N
drupelet

Trockenfrüchte^F
dry fruits

Hülle^F
husk

Balg^M im Querschnitt^M: Sternanis^M
section of a follicle: star anise

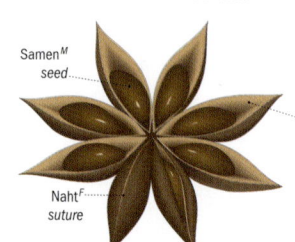

Samen^M
seed

Fruchtkapsel^F
follicle

Naht^F
suture

Schote^F im Querschnitt^M: Ser...
section of a silique: musta...

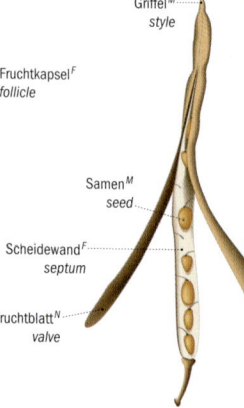

Griffel^M
style

Samen^M
seed

Scheidewand^F
septum

Fruchtblatt^N
valve

Längsschnitt^M durch eine Haselnuss^F
section of a hazelnut

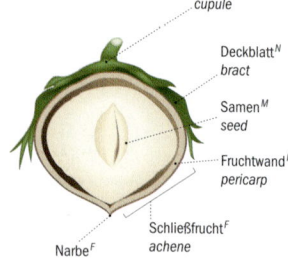

Fruchtbecher^M
cupule

Deckblatt^N
bract

Samen^M
seed

Fruchtwand^F
pericarp

Schließfrucht^F
achene

Narbe^F
stigma

Hülsenfrucht^F im Querschnitt^M: Erbse^F
section of a legume: pea

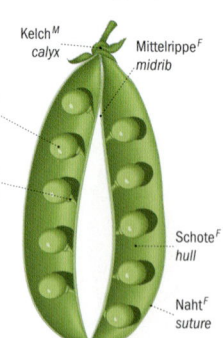

Kelch^M
calyx

Mittelrippe^F
midrib

Erbse^F
pea

Nabelstrang^M
funiculus

Schote^F
hull

Naht^F
suture

Griffel^M
style

Fruchtkapsel^F im Querschnitt...
Moh...
section of a capsule: pop...

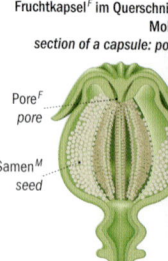

Pore^F
pore

Samen^M
seed

Längsschnitt^M durch eine Walnuss^F
section of a walnut

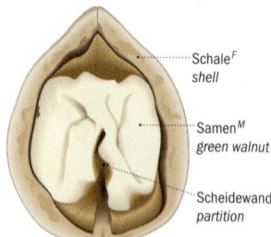

Schale^F
shell

Samen^M
green walnut

Scheidewand^F
partition

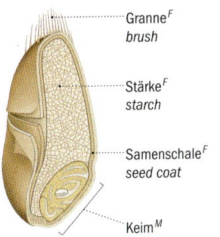

Längsschnitt[M] durch ein
Weizenkorn[N]
section of a grain of wheat

Granne[F]
brush

Stärke[F]
starch

Samenschale[F]
seed coat

Keim[M]
germ

Buchweizen[M]
buckwheat

Buchweizen[M]:
Doldenrispe[F]
buckwheat: raceme

Weizen[M]
wheat

Weizen[M]: Ähre[F]
wheat: spike

Gerste[F]
barley

Gerste[F]: Ähre[F]
barley: spike

Reis[M]
rice

Reis[M]: Rispe[F]
rice: panicle

Hafer[M]
oats

Hafer[M]: Ährchen[N]
oats: panicle

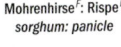

Roggen[M]
rye

Roggen[M]: Ähre[F]
rye: spike

Mohrenhirse[F]
sorghum

Mohrenhirse[F]: Rispe[F]
sorghum: panicle

Hirse[F]
millet

Hirse[F]: Ährenrispe[F]
millet: spike

Mais[M]
sweetcorn

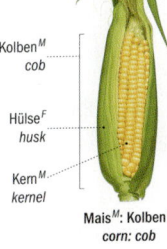

Bart[M]
silk

Kolben[M]
cob

Hülse[F]
husk

Kern[M]
kernel

Mais[M]: Kolben[M]
corn: cob

Rebe^F

grape

Traubenhenkel^M
bunch of grapes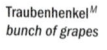

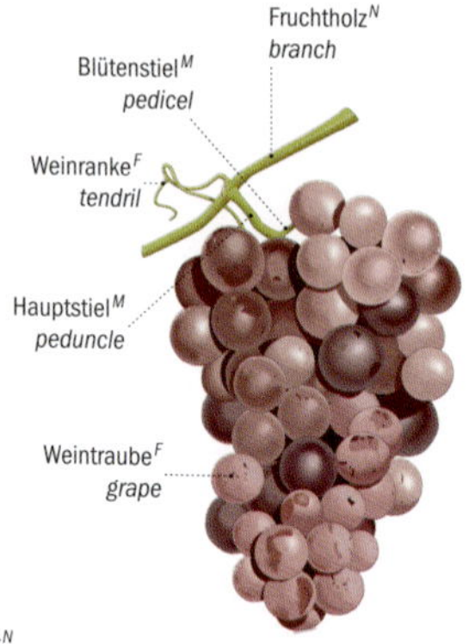

Rebstock^M
vine stock

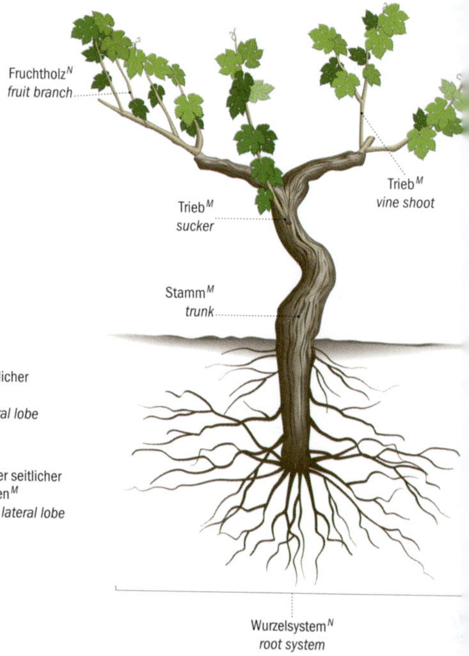

Fruchtholz^N
branch

Blütenstiel^M
pedicel

Weinranke^F
tendril

Hauptstiel^M
peduncle

Weintraube^F
grape

Fruchtholz^N
fruit branch

Trieb^M
vine shoot

Trieb^M
sucker

Stamm^M
trunk

Weinblatt^N
vine leaf

oberer seitlicher
Lappen^M
upper lateral lobe

Endlappen^M
terminal lobe

oberer seitlicher
Einschnitt^M
upper lateral sinus

unterer seitlicher
Einschnitt^M
lower lateral sinus

unterer seitlicher
Lappen^M
lower lateral lobe

Blattstieleinschnitt^M
petiolar sinus

Wurzelsystem^N
root system

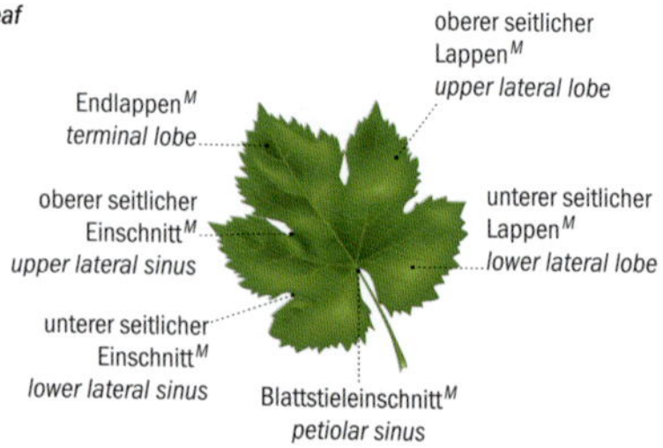

Stufen^F **der Reife**^F
steps to ripeness

Blüte^F
flowering

Fruchtbildung^F
fruiting

Reifeprozess^M
ripening

Vollreife^F
ripeness

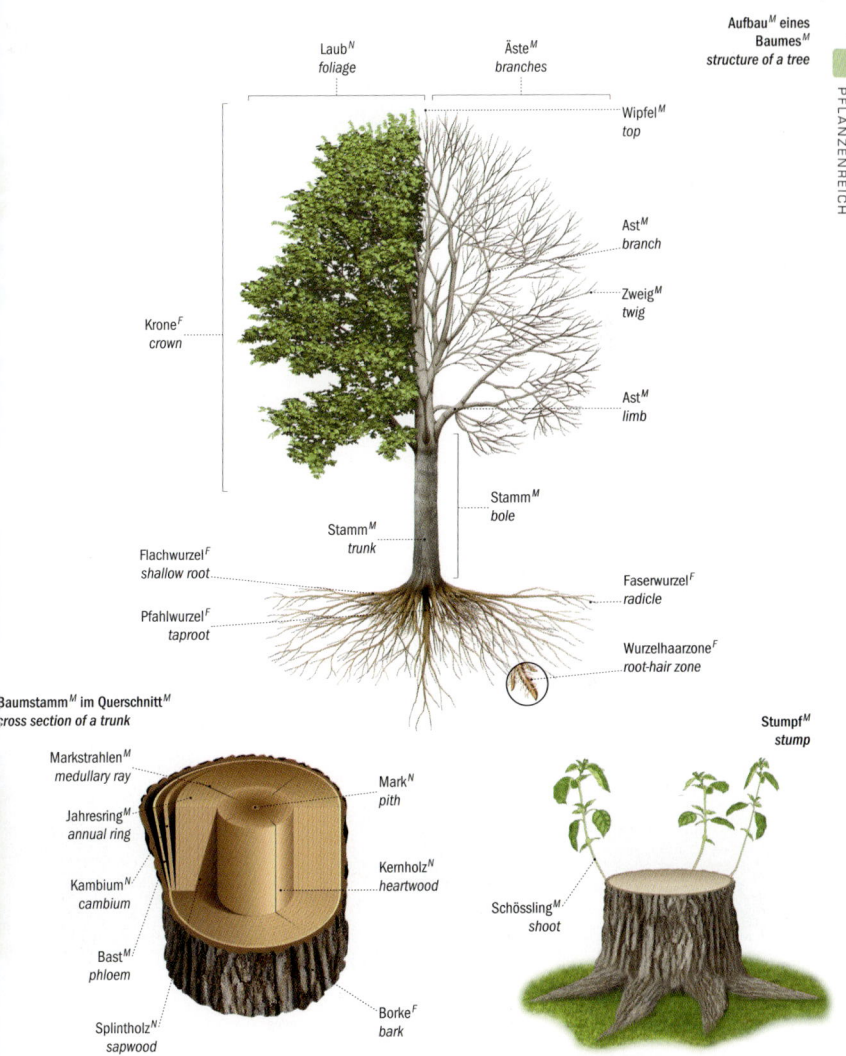

Aufbau^M eines Baumes^M
structure of a tree

Laub^N
foliage

Äste^M
branches

Wipfel^M
top

Ast^M
branch

Zweig^M
twig

Krone^F
crown

Ast^M
limb

Stamm^M
bole

Stamm^M
trunk

Flachwurzel^F
shallow root

Pfahlwurzel^F
taproot

Faserwurzel^F
radicle

Wurzelhaarzone^F
root-hair zone

Baumstamm^M im Querschnitt^M
cross section of a trunk

Markstrahlen^M
medullary ray

Mark^N
pith

Jahresring^M
annual ring

Kernholz^N
heartwood

Kambium^N
cambium

Bast^M
phloem

Splintholz^N
sapwood

Borke^F
bark

Stumpf^M
stump

Schössling^M
shoot

PFLANZENREICH

Beispiele^N für Laubhölzer^N
examples of broadleaved trees

Eiche^F
oak

Birke^F
birch

Trauerweide^F
weeping willow

Pappel^F
poplar

Palme^F
palm tree

Ahorn^M
maple

Buche^F
beech

Walnuss^F
walnut

PFLANZENREICH

Ast^M
branch

Zapfen^M
cone

Pinienkern^M
pine seed

weibliche
Blütenstände^M
female cone

männliche
Blütenstände^M
male cone

Beispiele^N für
Nadelblätter^N
examples of leaves

Tannennadeln^F
fir needles

Kiefernnadeln^F
pine needles

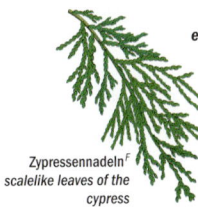

Zypressennadeln^F
*scalelike leaves of the
cypress*

Beispiele^N für
Nadelhölzer^N
examples of conifers

Pinie^F
umbrella pine

Libanonzeder^F
cedar of Lebanon

Tanne^F
fir

Fichte^F
spruce

Lärche^F
larch

tierische Zelle^F
animal cell

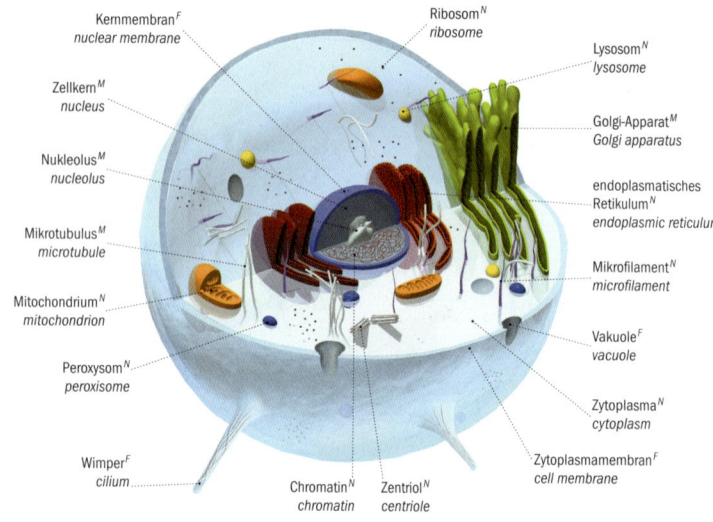

Kernmembran^F
nuclear membrane

Zellkern^M
nucleus

Nukleolus^M
nucleolus

Mikrotubulus^M
microtubule

Mitochondrium^N
mitochondrion

Peroxysom^N
peroxisome

Wimper^F
cilium

Chromatin^N
chromatin

Zentriol^N
centriole

Ribosom^N
ribosome

Lysosom^N
lysosome

Golgi-Apparat^M
Golgi apparatus

endoplasmatisches
Retikulum^N
endoplasmic reticulum

Mikrofilament^N
microfilament

Vakuole^F
vacuole

Zytoplasma^N
cytoplasm

Zytoplasmamembran^F
cell membrane

Einzeller^M
unicellulars

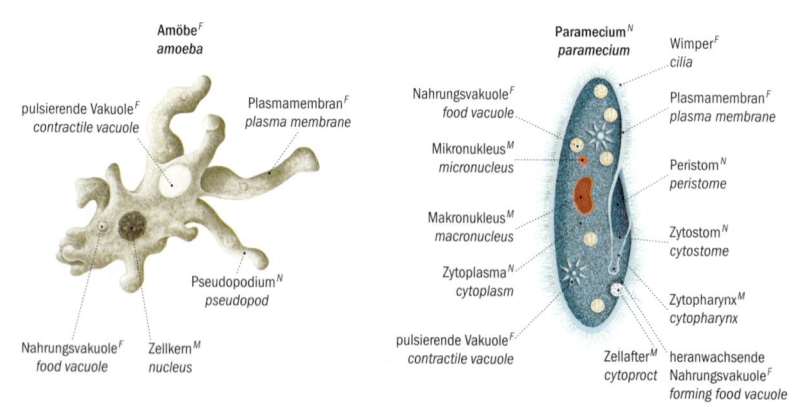

Amöbe^F
amoeba

pulsierende Vakuole^F
contractile vacuole

Plasmamembran^F
plasma membrane

Pseudopodium^N
pseudopod

Nahrungsvakuole^F
food vacuole

Zellkern^M
nucleus

Paramecium^N
paramecium

Wimper^F
cilia

Nahrungsvakuole^F
food vacuole

Plasmamembran^F
plasma membrane

Mikronukleus^M
micronucleus

Peristom^N
peristome

Makronukleus^M
macronucleus

Zytostom^N
cytostome

Zytoplasma^N
cytoplasm

Zytopharynx^M
cytopharynx

pulsierende Vakuole^F
contractile vacuole

Zellafter^M
cytoproct

heranwachsende
Nahrungsvakuole^F
forming food vacuole

Schmetterling^M
butterfly

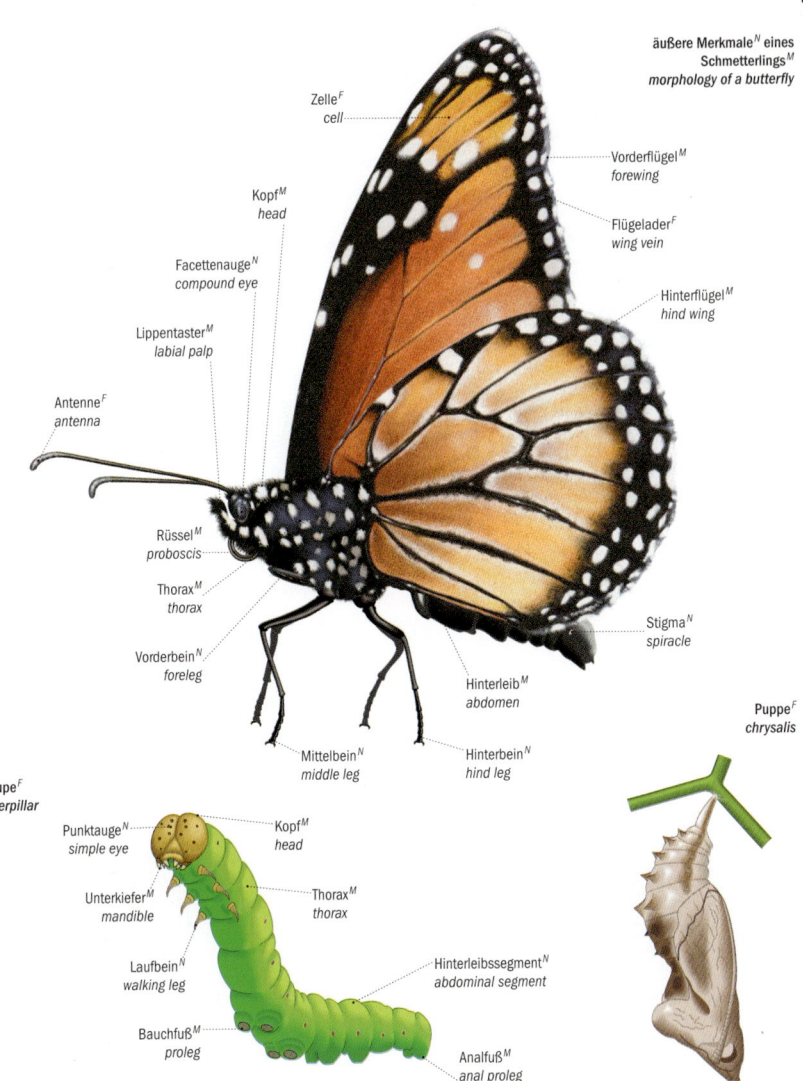

äußere Merkmale^N eines
Schmetterlings^M
morphology of a butterfly

Zelle^F
cell

Vorderflügel^M
forewing

Flügelader^F
wing vein

Kopf^M
head

Hinterflügel^M
hind wing

Facettenauge^N
compound eye

Lippentaster^M
labial palp

Antenne^F
antenna

Rüssel^M
proboscis

Thorax^M
thorax

Vorderbein^N
foreleg

Stigma^N
spiracle

Hinterleib^M
abdomen

Mittelbein^N
middle leg

Hinterbein^N
hind leg

Puppe^F
chrysalis

Raupe^F
caterpillar

Punktauge^N
simple eye

Kopf^M
head

Unterkiefer^M
mandible

Thorax^M
thorax

Laufbein^N
walking leg

Hinterleibssegment^N
abdominal segment

Bauchfuß^M
proleg

Analfuß^M
anal proleg

Honigbiene^F
honeybee

äußere Merkmale^N einer
Honigbiene^F: Arbeiterin^F
morphology of a honeybee: worker

Flügel^M
wing

Hinterleib^M
abdomen

Stachel^M
sting

Pollenkörbchen^N
pollen basket

Hinterbein^N
hind leg

Mittelbein^N
middle leg

Vorderbein^N
foreleg

Antenne^F
antenna

Mundwerkzeuge^N
mouthparts

Facettenauge^N
compound eye

Thorax^M
thorax

Kasten^F
castes

Arbeiterin^F
worker

Königin^F
queen

Drohne^F
drone

Beispiele^N für Insekten^N

examples of insects

Floh^M
flea

Laus^F
louse

Moskito^M
mosquito

Tsetsefliege^F
tsetse fly

Termite^F
termite

Zikade^F
cicada

Ameise^F
ant

Fliege^F
fly

Marienkäfer^M
ladybird

Schildwanze^F
shield bug

Maikäfer^M
cockchafer

Wespe^F
yellowjacket

Hornisse^F
hornet

Bremse^F
cleg

Hummel^F
bumblebee

Nachtigall^F-Grashüpfer^M
bow-winged grasshopper

Laubheuschrecke^F
great green bush-cricket

Wasserläufer^M
water strider

Libelle^F
dragonfly

Gottesanbeterin^F
mantid

Atlasspinner^M
atlas moth

Spinne^F
spider

Spinnennetz^N
spider web

Verankerungspunkt^M
anchor point

Tragfaden^M
support thread

äußere Merkmale^N eine
Spinne
morphology of a spide

Spinnwarze^F
spinneret

Hinterleib^M
abdomen

Cephalothorax^M
cephalothorax

Laufbein^N
walking leg

Auge^N
eye

Kiefertaster^M
pedipalp

Giftklaue^F
fang

Nabe^F
hub

Klebfaden^M
spiral thread

Speiche^F
radial thread

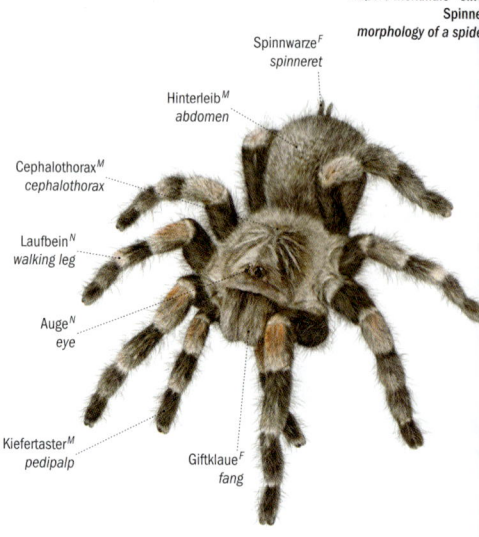

Beispiele^N für Spinnentiere^N
examples of arachnids

Krabbenspinne^F
crab spider

Gartenkreuzspinne^M
garden spider

Skorpion^M
scorpion

Zecke^F
tick

Wasserspinne^F
water spider

Mexikanische
Rotknievogelspinne^F
red-kneed tarantula

Hummer[M]
lobster

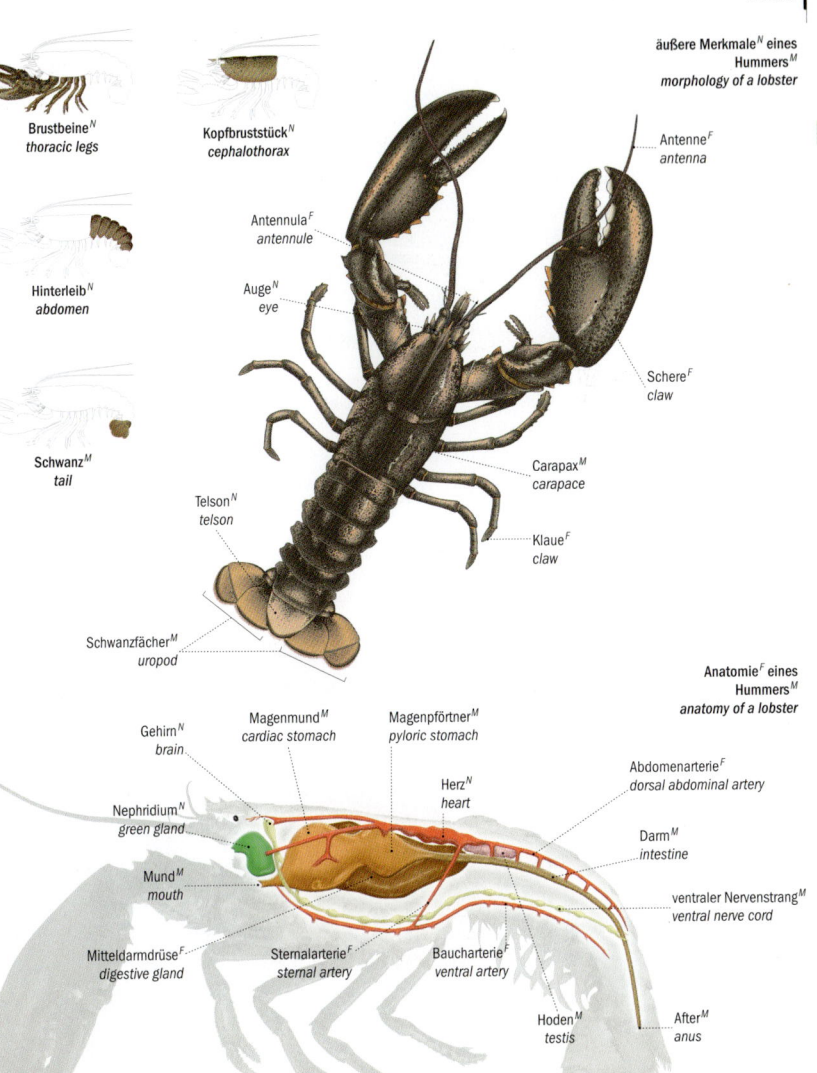

Brustbeine[N]
thoracic legs

Kopfbruststück[N]
cephalothorax

Hinterleib[N]
abdomen

Schwanz[M]
tail

äußere Merkmale[N] eines
Hummers[M]
morphology of a lobster

TIERREICH

Antenne[F]
antenna

Antennula[F]
antennule

Auge[N]
eye

Schere[F]
claw

Carapax[M]
carapace

Klaue[F]
claw

Telson[N]
telson

Schwanzfächer[M]
uropod

Anatomie[F] eines
Hummers[M]
anatomy of a lobster

Gehirn[N]
brain

Magenmund[M]
cardiac stomach

Magenpförtner[M]
pyloric stomach

Herz[N]
heart

Abdomenarterie[F]
dorsal abdominal artery

Nephridium[N]
green gland

Darm[M]
intestine

Mund[M]
mouth

ventraler Nervenstrang[M]
ventral nerve cord

Mitteldarmdrüse[F]
digestive gland

Sternalarterie[F]
sternal artery

Baucharterie[F]
ventral artery

Hoden[M]
testis

After[M]
anus

71

TIERREICH

Schnecke[F]
snail

äußere Merkmale[N] einer
Schnecke[F]
morphology of a snail

Windung[F]
whorl

Gehäuse[N]
shell

Zuwachsstreifen[M]
growth line

Apex[M]
apex

Kopf[M]
head

Auge[N]
eye

Fuß[M]
foot

Mund[M]
mouth

kleiner Tentakel[M]
tentacle

Augenträger[M]
eyestalk

Tintenfisch[M]
octopus

äußere Merkmale[N] eines
Tintenfischs[M]
morphology of an octopus

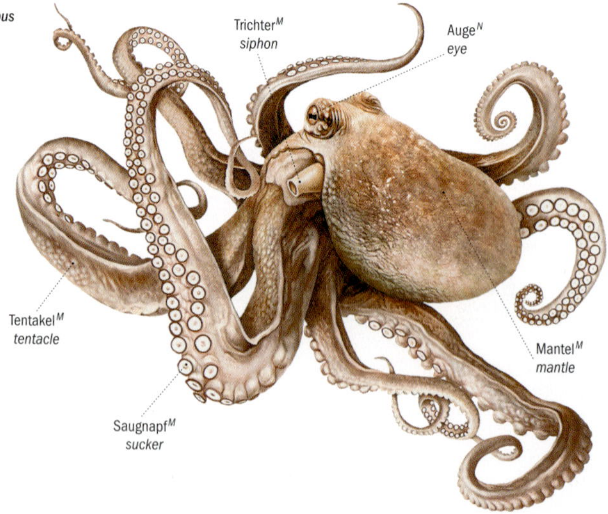

Trichter[M]
siphon

Auge[N]
eye

Tentakel[M]
tentacle

Saugnapf[M]
sucker

Mantel[M]
mantle

einschalige Muschel[F]
univalve shell

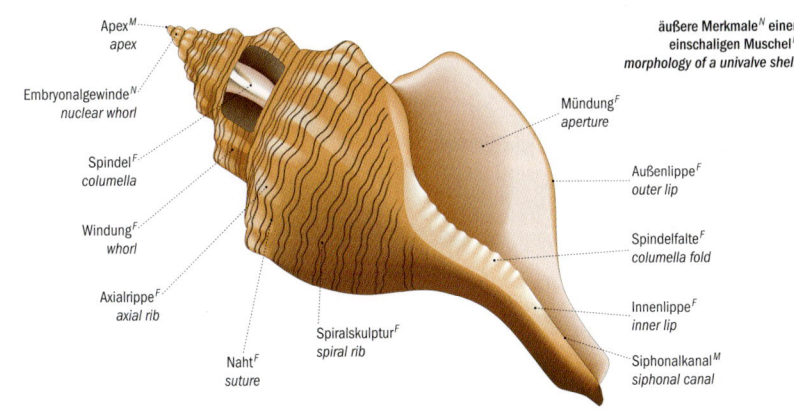

Apex[M]
apex

Embryonalgewinde[N]
nuclear whorl

Spindel[F]
columella

Windung[F]
whorl

Axialrippe[F]
axial rib

Naht[F]
suture

Spiralskulptur[F]
spiral rib

äußere Merkmale[N] einer
einschaligen Muschel[F]
morphology of a univalve shell

Mündung[F]
aperture

Außenlippe[F]
outer lip

Spindelfalte[F]
columella fold

Innenlippe[F]
inner lip

Siphonalkanal[M]
siphonal canal

zweischalige Muschel[F]
bivalve shell

Anatomie[F] einer zweischaligen
Muschel[F]
anatomy of a bivalve shell

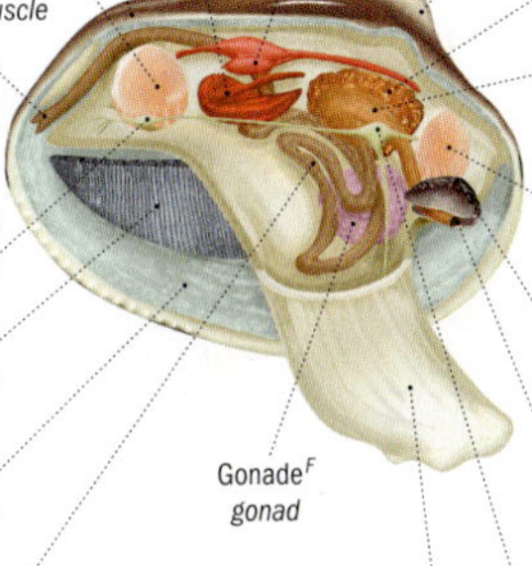

äußere Merkmale[N] einer
zweischaligen Muschel[F]
morphology of a bivalve shell

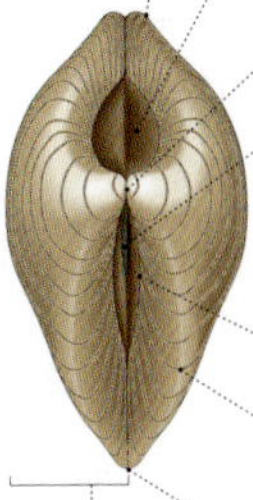

Niere[F]
kidney

Herz[N]
heart

Schale[F]
shell

Wirbel[M]
umbo

vorderes Ende[N]
anterior end

Schloßband[N]
ligament

hinterer Schließmuskel[M]
*posterior adductor
muscle*

After[M]
anus

Eingeweideganglion[N]
visceral ganglion

Kiemen[F]
gills

Mantel[M]
mantle

Darm[M]
intestine

Gonade[F]
gonad

Fuß[M]
foot

Kopfganglion[N]
cerebropleural ganglion

Mitteldarmdrüse[F]
digestive gland

Magen[M]
stomach

vorderer Schließmuskel[M]
anterior adductor muscle

Lippentaster[M]
palp

Mundöffnung[F]
mouth

Lunula[F]
lunule

Wirbel[M]
umbo

Schloßband[N]
ligament

Schildchen[N]
escutcheon

Zuwachsstreifen[M]
growth line

Klappe[F]
valve

hinteres Ende[N]
posterior end

TIERREICH

Knorpelfisch[M]
cartilaginous fish

äußere Merkmale[N] eines Hais[M]
morphology of a shark

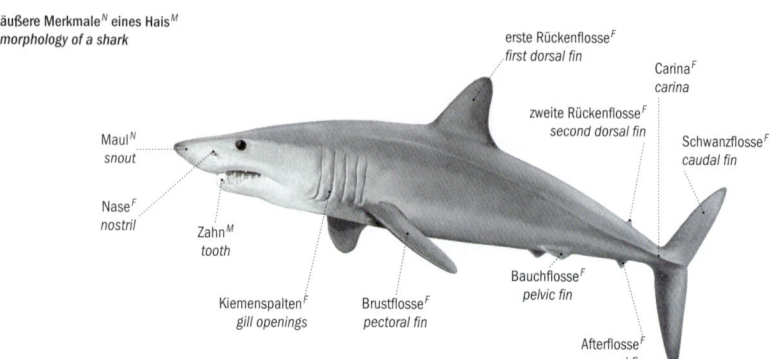

erste Rückenflosse[F]
first dorsal fin

Carina[F]
carina

zweite Rückenflosse[F]
second dorsal fin

Schwanzflosse[F]
caudal fin

Maul[N]
snout

Nase[F]
nostril

Zahn[M]
tooth

Kiemenspalten[F]
gill openings

Brustflosse[F]
pectoral fin

Bauchflosse[F]
pelvic fin

Afterflosse[F]
anal fin

Knochenfisch[M]
bony fish

äußere Merkmale[N] eines Flußbarschs[M]
morphology of a perch

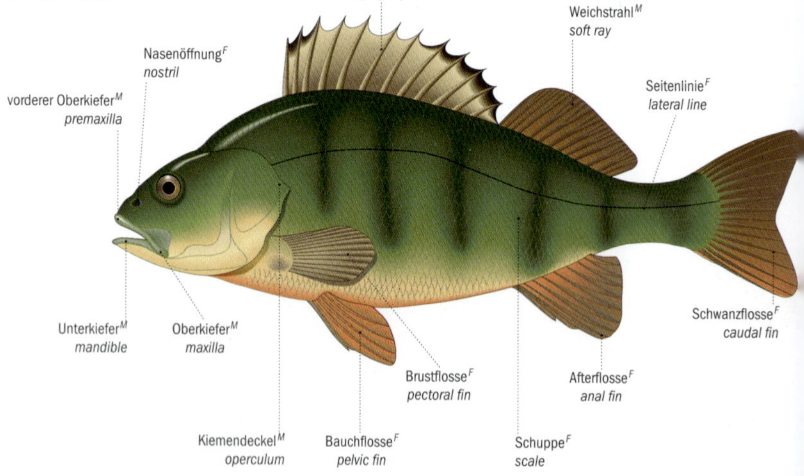

Flossenstrahl[M]
spiny ray

Weichstrahl[M]
soft ray

Nasenöffnung[F]
nostril

Seitenlinie[F]
lateral line

vorderer Oberkiefer[M]
premaxilla

Unterkiefer[M]
mandible

Oberkiefer[M]
maxilla

Schwanzflosse[F]
caudal fin

Kiemendeckel[M]
operculum

Bauchflosse[F]
pelvic fin

Brustflosse[F]
pectoral fin

Schuppe[F]
scale

Afterflosse[F]
anal fin

Frosch[M]

frog

TIERREICH

äußere Merkmale[N] eines
Froschs[M]
morphology of a frog

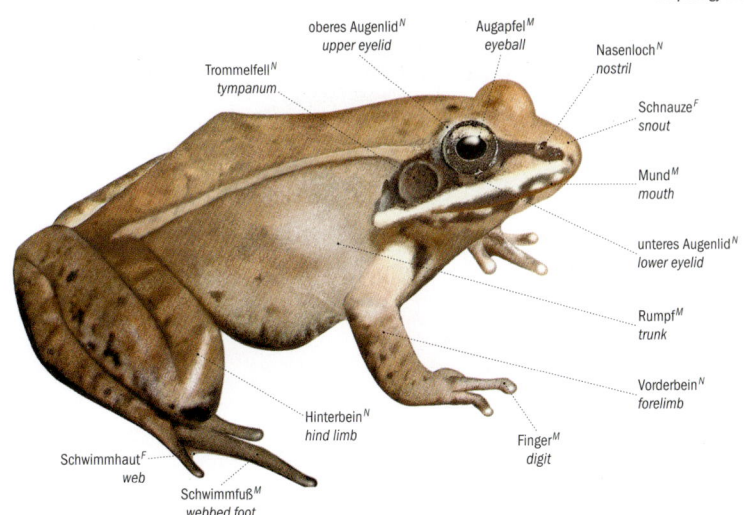

oberes Augenlid[N]
upper eyelid

Augapfel[M]
eyeball

Nasenloch[N]
nostril

Trommelfell[N]
tympanum

Schnauze[F]
snout

Mund[M]
mouth

unteres Augenlid[N]
lower eyelid

Rumpf[M]
trunk

Vorderbein[N]
forelimb

Hinterbein[N]
hind limb

Finger[M]
digit

Schwimmhaut[F]
web

Schwimmfuß[M]
webbed foot

Beispiele[N] für Amphibien[F]

examples of amphibians

Salamander[M]
salamander

Wasserfrosch[M]
common frog

Laubfrosch[M]
tree frog

Waldfrosch[M]
wood frog

Haftscheibe[F]
adhesive disc

Molch[M]
newt

gemeine Erdkröte[F]
common toad

Leopardfrosch[M]
Northern leopard frog

Schlange^F

snake

äußere Merkmale^N einer Giftschlange^F:
Kopf^M
morphology of a venomous snake: head

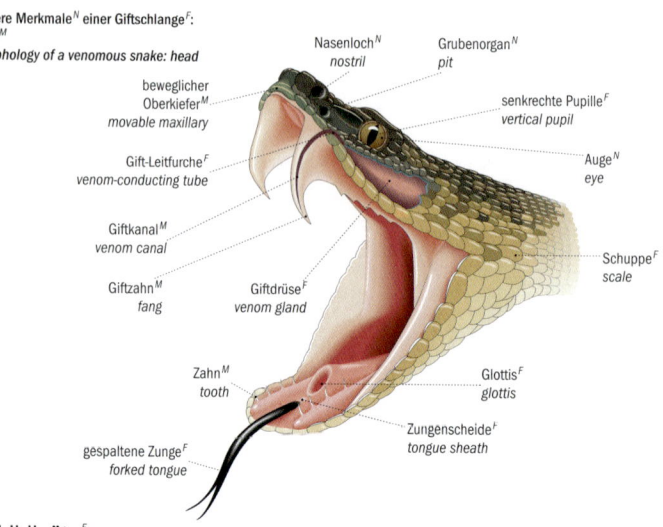

Nasenloch^N
nostril

Grubenorgan^N
pit

beweglicher
Oberkiefer^M
movable maxillary

senkrechte Pupille^F
vertical pupil

Gift-Leitfurche^F
venom-conducting tube

Auge^N
eye

Giftkanal^M
venom canal

Schuppe^F
scale

Giftzahn^M
fang

Giftdrüse^F
venom gland

Zahn^M
tooth

Glottis^F
glottis

gespaltene Zunge^F
forked tongue

Zungenscheide^F
tongue sheath

Schildkröte^F

turtle

äußere Merkmale^N einer
Schildkröte^F
morphology of a turtle

Vertebralschild^M
vertebral shield

Costalschild^M
costal shield

Rückenpanzer^M
carapace

Augenlid^N
eyelid

Pygalschild^M
pygal shield

Auge^N
eye

Schwanz^M
tail

Hornschnabel^M
horny beak

Bein^N
leg

Bauchpanzer^M
plastron

Marginalschild^M
marginal shield

Hals^M
neck

Schuppe^F
scale

Kralle^F
claw

Beispiele[N] für Reptilien[N]
examples of reptiles

Viper[F]
viper

Ringelnatter[F]
garter snake

Chamäleon[N]
chameleon

Eidechse[F]
lizard

Klapperschlange[F]
rattlesnake

Kobra[F]
cobra

Korallennatter[F]
coral snake

Python[M]
python

Waran[M]
monitor lizard

Leguan[M]
iguana

Boa[F]
boa

Alligator[M]
alligator

Krokodil[N]
crocodile

Kaiman[M]
caiman

Vogel^M
bird

TIERREICH

äußere Merkmale^N eines
Vogels^M
morphology of a bird

Flügel^M
wing

Rücken^M
back

Nacken^M
nape

Schnabel^M
bill

Bürzel^M
rump

Kinn^N
chin

Schwanzfeder^F
tail feather

Kehle^F
throat

Oberschwanzdecken^F
upper tail covert

Deckfeder^F
wing covert

Unterschwanzdecken^F
under tail covert

Brust^F
breast

Flanke^F
flank

Bauch^M
abdomen

Schenkel^M
thigh

Lauf^M
tarsus

Hinterzehe^F
hind toe

zweite Zehe^F
inner toe

vierte Zehe^F
outer toe

dritte Zehe^F
middle toe

Kralle^F
claw

Kopf^M
head

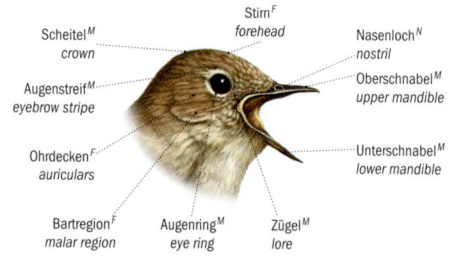

Scheitel^M
crown

Stirn^F
forehead

Nasenloch^N
nostril

Augenstreif^M
eyebrow stripe

Oberschnabel^M
upper mandible

Ohrdecken^F
auriculars

Unterschnabel^M
lower mandible

Bartregion^F
malar region

Augenring^M
eye ring

Zügel^M
lore

Flügel^M
wing

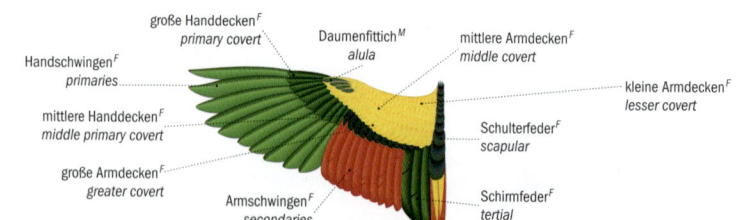

große Handdecken^F
primary covert

Daumenfittich^M
alula

mittlere Armdecken^F
middle covert

Handschwingen^F
primaries

kleine Armdecken^F
lesser covert

mittlere Handdecken^F
middle primary covert

Schulterfeder^F
scapular

große Armdecken^F
greater covert

Armschwingen^F
secondaries

Schirmfeder^F
tertial

Ei^N
egg

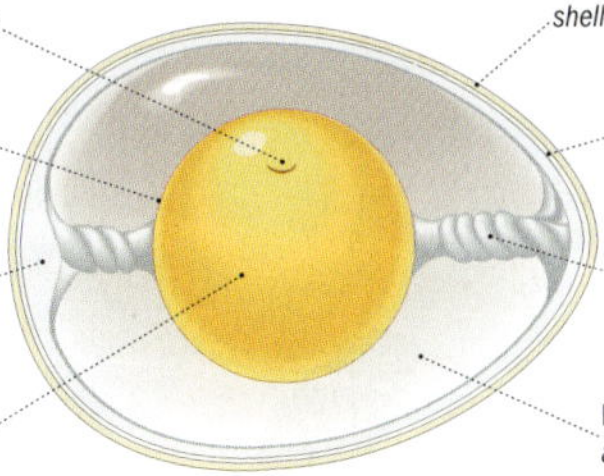

Keimscheibe^F
blastodisc

Dotterhaut^N
vitelline membrane

Luftkammer^F
air space

Eigelb^N
yolk

Schale^F
shell

Schalenhaut^F
shell membrane

Hagelschnur^F
chalaza

Eiweiß^N
albumen

TIERREICH

Beispiele^N für
Vogelschnäbel^M
examples of bills

Wasservogel^M
aquatic bird

Körnerfresser^M
granivorous bird

Raubvogel^M
bird of prey

Insektenfresser^M
insectivorous bird

Watvogel^M
wading bird

Beispiele^N für Vogelfüße^M
examples of feet

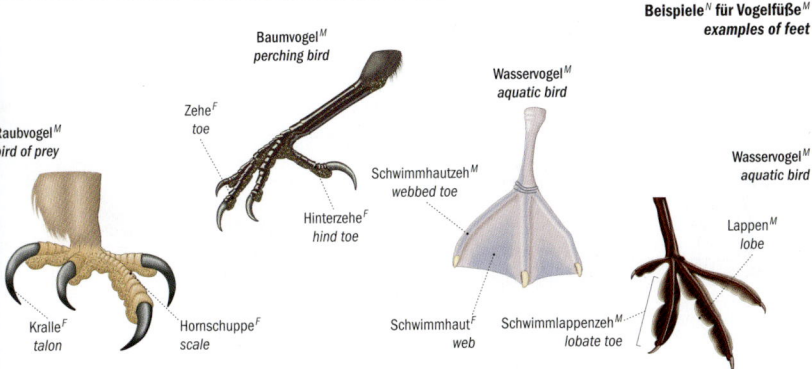

Baumvogel^M
perching bird

Wasservogel^M
aquatic bird

Raubvogel^M
bird of prey

Zehe^F
toe

Schwimmhautzeh^M
webbed toe

Wasservogel^M
aquatic bird

Hinterzehe^F
hind toe

Lappen^M
lobe

Kralle^F
talon

Hornschuppe^F
scale

Schwimmhaut^F
web

Schwimmlappenzeh^M
lobate toe

unterschiedliche Vogeltypen[M]

examples of birds

TIERREICH

Kolibri[M]
hummingbird

Rotkehlchen[N]
European robin

Fink[M]
finch

Eisvogel[M]
kingfisher

Nachtigall[F]
nightingale

Sperling[M]
sparrow

Schwalbe[F]
swallow

Star[M]
starling

Eichelhäher[M]
jay

Kardinal[M]
cardinal

Mauersegler[M]
swift

Rebhuhn[N]
partridge

Kondor[M]
condor

Rabe[M]
raven

Tukan[M]
toucan

Geier[M]
vulture

Ara[M]
macaw

Specht[M]
woodpecker

Pinguin[M]
penguin

Albatros[M]
albatross

Reiher[M]
heron

Pelikan[M]
pelican

Storch[M]
stork

Fasan*M*
pheasant

Uhu*M*
great horned owl

Falke*M*
falcon

Wachtel*F*
quail

Adler*M*
eagle

Huhn*N*
hen

Ente*F*
duck

Taube*F*
pigeon

Hahn*M*
rooster

Truthahn*M*
turkey

Perlhuhn*N*
guinea fowl

Gans*F*
goose

Strauß*M*
ostrich

Pfau*M*
peacock

Flamingo*M*
flamingo

TIERREICH

Nagetier[N]
rodent

**äußere Merkmale[N]
einer Ratte[F]**
morphology of a rat

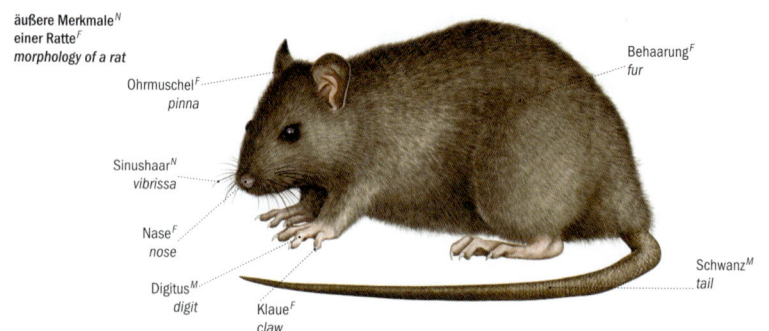

Ohrmuschel[F]
pinna

Behaarung[F]
fur

Sinushaar[N]
vibrissa

Nase[F]
nose

Schwanz[M]
tail

Digitus[M]
digit

Klaue[F]
claw

Beispiele[N] für Nagetiere[N]
examples of rodents

Feldmaus[F]
field mouse

Backenhörnchen[N]
chipmunk

Wüstenspringmaus[F]
jerboa

Hamster[M]
hamster

Eichhörnchen[N]
squirrel

Ratte[F]
rat

Meerschweinchen[N]
guinea pig

Stachelschwein[N]
porcupine

Waldmurmeltier[N]
groundhog

Biber[M]
beaver

Beispiele[N] für Hasentiere[N]
examples of lagomorphs

Pfeifhase[M]
pika

Kaninchen[N]
rabbit

Hase[M]
hare

Pferd^N

horse

äußere Merkmale^N
eines Pferdes^N
morphology of a horse

Mähne^F
mane

Ganasche^F
cheek

Stirnschopf^M
forelock

Flanke^F
flank

Widerrist^M
withers

Nase^F
nose

Kruppe^F
croup

Lende^F
loin

Rücken^M
back

Schwanz^M
tail

Schenkel^M
thigh

Lippe^F
lip

Maul^N
muzzle

Kniescheibe^F
stifle

Hals^M
neck

Nüster^F
nostril

Hose^F
gaskin

Bauch^M
belly

Brust^F
chest

Sprunggelenk^N
hock

Ellbogen^M
elbow

Schulter^F
shoulder

Mittelfuß^M
cannon

Kötengelenk^N
fetlock joint

Arm^M
arm

Fessel^F
pastern

Krone^F
coronet

Knie^N
knee

Huf^M
hoof

Köte^F
fetlock

Gangarten^F
gaits

Schritt^M
walk

Paßgang^M
amble

Trab^M
trot

Galopp^M
gallop

Beispiele^N für Huftiere^N
examples of ungulate mammals

TIERREICH

Nabelschwein^N
peccary

Wildschwein^N
wild boar

Schwein^N
pig

Ziege^F
goat

Antilope^F
antelope

Schaf^N
sheep

Kalb^N
calf

Reh^N
white-tailed deer

Mufflon^M
mouflon

Rentier^N
reindeer

Wapitihirsch^M
Canadian elk

Okapi^N
okapi

Esel^M
ass

Maultier^N
mule

Kuh^F
cow

Zebra^N
zebra

Lama^N
llama

Bison^M
bison

Büffel^M
buffalo

Ochse[M]
ox

Yak[M]
yak

Pferd[N]
horse

Elch[M]
elk

Kamel[N]
camel

Dromedar[N]
dromedary

Nashorn[N]
rhinoceros

Nilpferd[N]
hippopotamus

Giraffe[F]
giraffe

Elefant[M]
elephant

TIERREICH

Hund[M]
dog

äußere Merkmale[N] eines Hundes[M]
morphology of a dog

Stop[M]
stop

Schnauze[F]
muzzle

Backe[F]
cheek

Lefzen[F]
flews

Widerrist[M]
withers

Rücken[M]
back

Schulter[F]
shoulder

Keule[F]
thigh

Ellbogen[M]
elbow

Unterarm[M]
forearm

Knie[N]
knee

Schwanz[M]
tail

Fußgelenk[N]
wrist

Sprunggelenk[N]
hock

Zeh[M]
toe

Hunderassen[F]
dog breeds

Bulldogge[F]
bulldog

Collie[M]
collie

Dalmatiner[M]
dalmatian

Pudel[M]
poodle

Schnauzer[M]
schnauzer

Dänische Dogge[F]
Great Dane

Deutscher Schäferhund[M]
German shepherd

Bernhardiner[M]
Saint Bernard

Katze[F]
cat

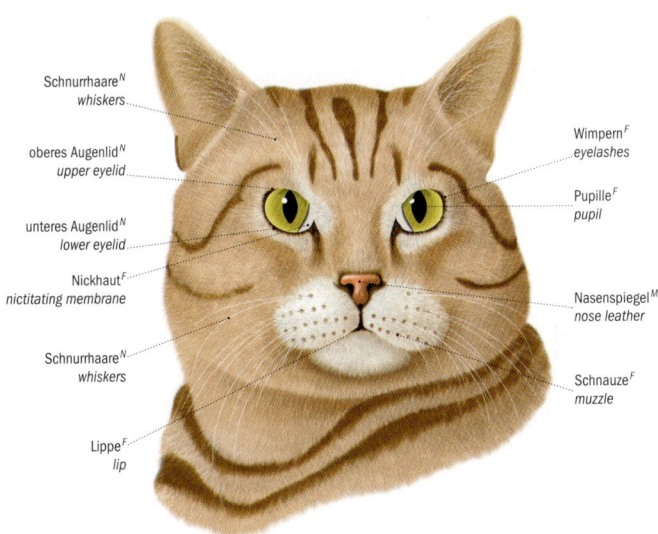

Kopf[M] der Katze[F]
cat's head

Schnurrhaare[N]
whiskers

oberes Augenlid[N]
upper eyelid

unteres Augenlid[N]
lower eyelid

Nickhaut[F]
nictitating membrane

Schnurrhaare[N]
whiskers

Lippe[F]
lip

Wimpern[F]
eyelashes

Pupille[F]
pupil

Nasenspiegel[M]
nose leather

Schnauze[F]
muzzle

Katzenrassen[F]
cat breeds

Siamkatze[F]
Siamese

Abessinierkatze[F]
Abyssinian

Perserkatze[F]
Persian

Maine Coon[F]
Maine Coon

Manxkatze[F]
Manx

Beispiele^N für Raubtiere^N

examples of carnivorous mammals

Wiesel^N
weasel

Nerz^M
mink

Steinmarder^M
stone marten

Marder^M
marten

Fuchs^M
fox

Waschbär^M
raccoon

Wüstenfuchs^M
fennec

Seeotter^M
river otter

Mungo^M
mongoose

Dachs^M
badger

Stinktier^N
skunk

Hyäne^F
hyena

Luchs^M
lynx

Wolf^M
wolf

Puma^M
cougar

TIERREICH

Gepard^M
cheetah

Leopard^M
leopard

Löwe^M
lion

Jaguar^M
jaguar

Tiger^M
tiger

Eisbär^M
polar bear

Schwarzbär^M
black bear

TIERREICH

Delphin^M
dolphin

äußere Merkmale^N eines
Delphins^M
morphology of a dolphin

Spritzloch^N
blowhole

Maul^N
mouth

Rückenflosse^F
dorsal fin

Schwanz^M
tail

Auge^N
eye

Schwanzflosse^F
caudal fin

Brustflosse^F
pectoral fin

Beispiele^N für Meeressäugetiere^N
examples of marine mammals

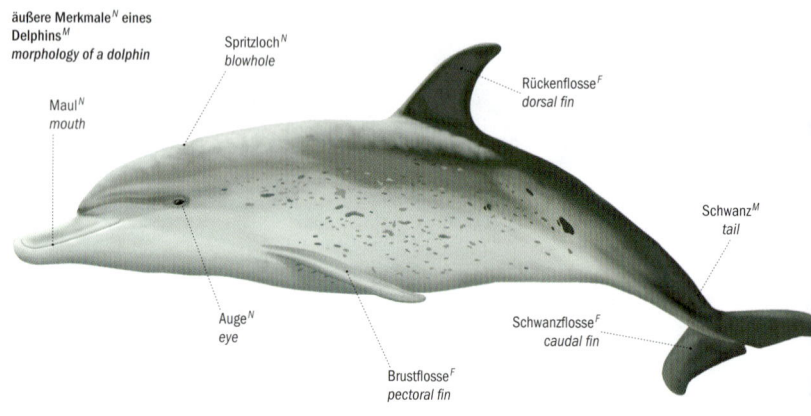

Schwertwal^M
killer whale

Seehund^M
seal

Buckelwal^M
rorqual

Wal^M
whale

Pottwal^M
sperm whale

Seelöwe^M
sea lion

Gorilla^M

gorilla

äußere Merkmale^N eines
Gorillas^M
morphology of a gorilla

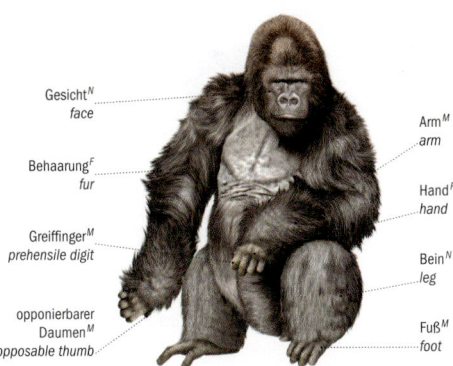

Gesicht^N
face

Behaarung^F
fur

Greiffinger^M
prehensile digit

opponierbarer
Daumen^M
opposable thumb

Arm^M
arm

Hand^F
hand

Bein^N
leg

Fuß^M
foot

Beispiele^N für Primaten^M

examples of primates

Tamarin^M
tamarin

Pinseläffchen^N
marmoset

Pavian^M
baboon

Makak^M
macaque

Orang-Utan^M
orangutan

Schimpanse^M
chimpanzee

Lemure^M
lemur

Gibbon^M
gibbon

Mann^M

man

Vorderansicht^F
anterior view

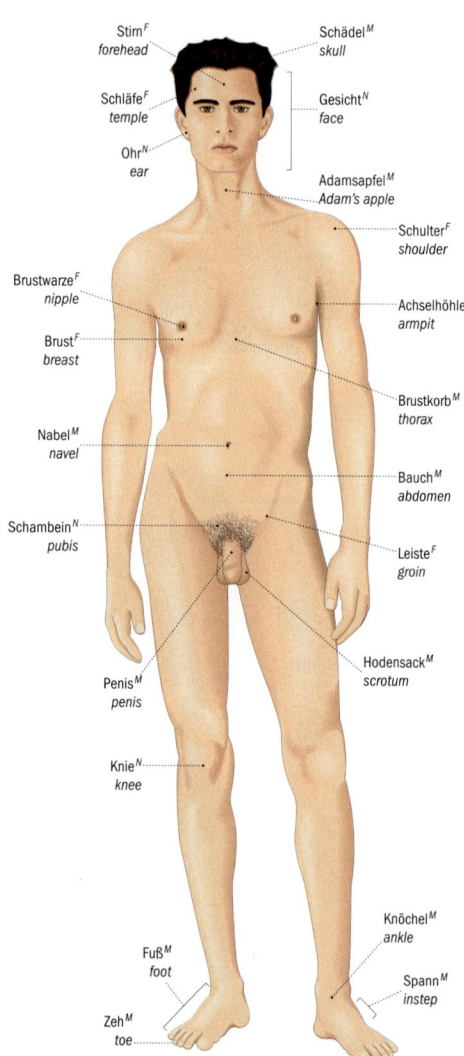

Stirn^F
forehead

Schädel^M
skull

Schläfe^F
temple

Gesicht^N
face

Ohr^N
ear

Adamsapfel^M
Adam's apple

Schulter^F
shoulder

Brustwarze^F
nipple

Achselhöhle^F
armpit

Brust^F
breast

Brustkorb^M
thorax

Nabel^M
navel

Bauch^M
abdomen

Schambein^N
pubis

Leiste^F
groin

Hodensack^M
scrotum

Penis^M
penis

Knie^N
knee

Knöchel^M
ankle

Fuß^M
foot

Spann^M
instep

Zeh^M
toe

Rückenansicht^F
posterior view

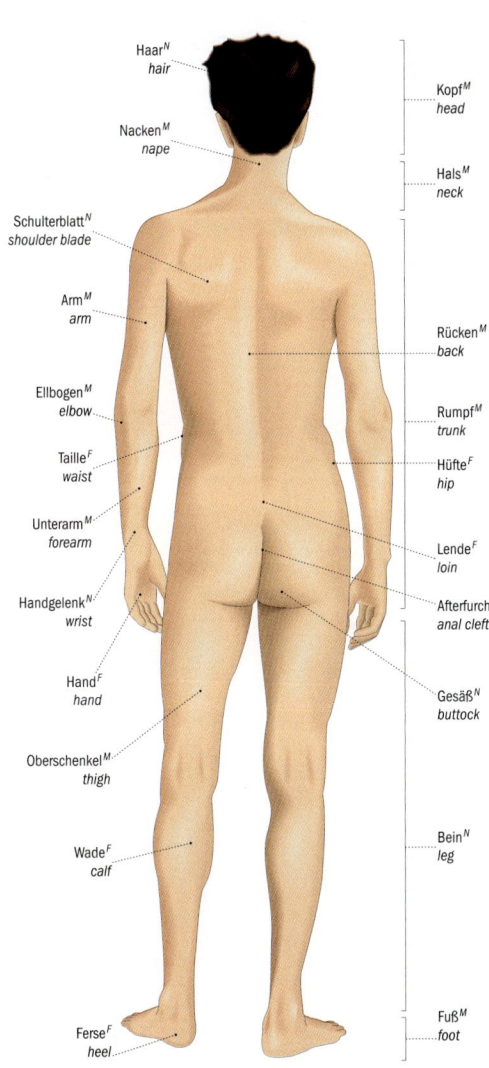

Haar^N
hair

Nacken^M
nape

Schulterblatt^N
shoulder blade

Arm^M
arm

Ellbogen^M
elbow

Taille^F
waist

Unterarm^M
forearm

Handgelenk^N
wrist

Hand^F
hand

Oberschenkel^M
thigh

Wade^F
calf

Ferse^F
heel

Kopf^M
head

Hals^M
neck

Rücken^M
back

Rumpf^M
trunk

Hüfte^F
hip

Lende^F
loin

Afterfurche^F
anal cleft

Gesäß^N
buttock

Bein^N
leg

Fuß^M
foot

Frau^F

woman

Vorderansicht^F
anterior view

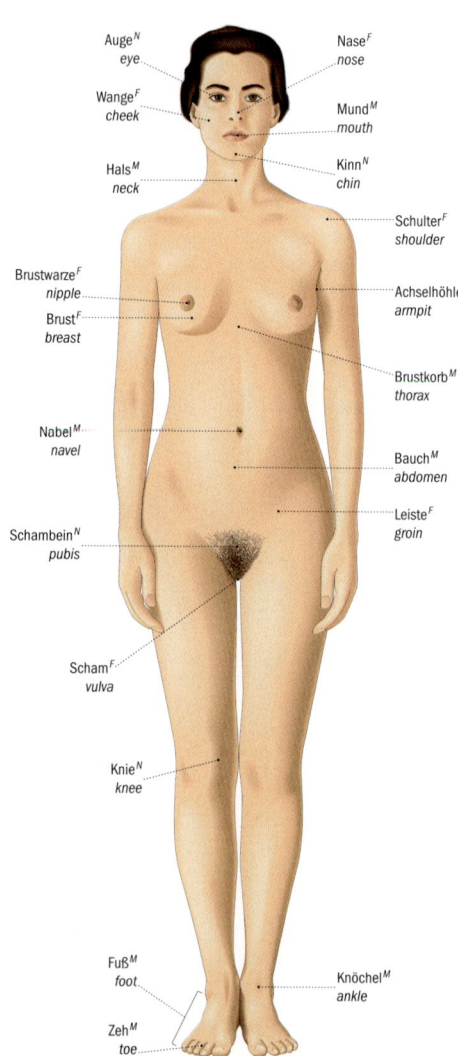

Auge^N
eye

Nase^F
nose

Wange^F
cheek

Mund^M
mouth

Hals^M
neck

Kinn^N
chin

Schulter^F
shoulder

Brustwarze^F
nipple

Achselhöhle^F
armpit

Brust^F
breast

Brustkorb^M
thorax

Nabel^M
navel

Bauch^M
abdomen

Schambein^N
pubis

Leiste^F
groin

Scham^F
vulva

Knie^N
knee

Fuß^M
foot

Knöchel^M
ankle

Zeh^M
toe

Rückenansicht[F]
posterior view

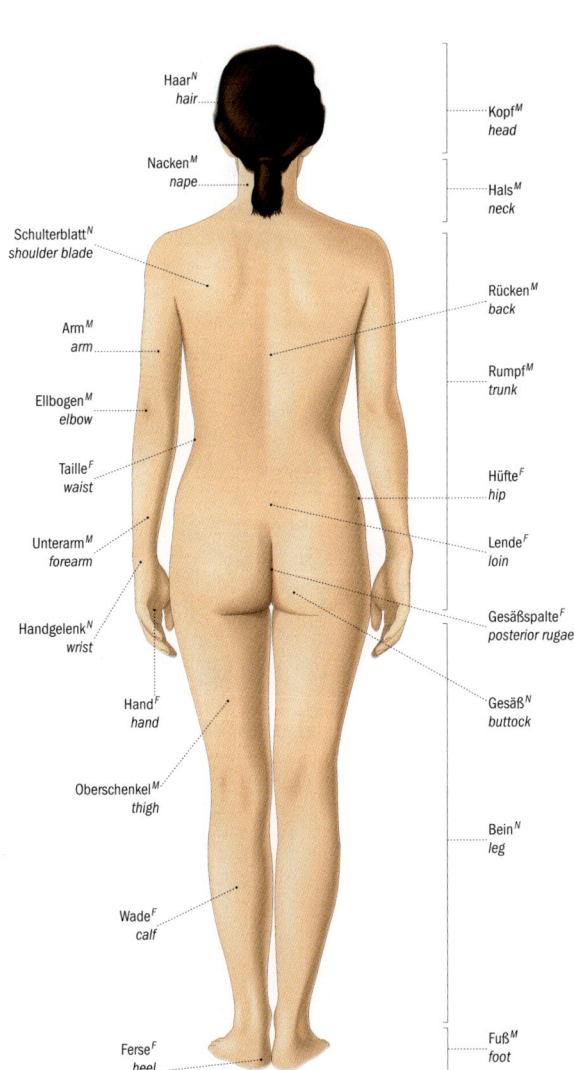

Haar[N]
hair

Nacken[M]
nape

Schulterblatt[N]
shoulder blade

Arm[M]
arm

Ellbogen[M]
elbow

Taille[F]
waist

Unterarm[M]
forearm

Handgelenk[N]
wrist

Hand[F]
hand

Oberschenkel[M]
thigh

Wade[F]
calf

Ferse[F]
heel

Kopf[M]
head

Hals[M]
neck

Rücken[M]
back

Rumpf[M]
trunk

Hüfte[F]
hip

Lende[F]
loin

Gesäßspalte[F]
posterior rugae

Gesäß[N]
buttock

Bein[N]
leg

Fuß[M]
foot

Muskeln ^M

muscles

Vorderansicht ^F
anterior view

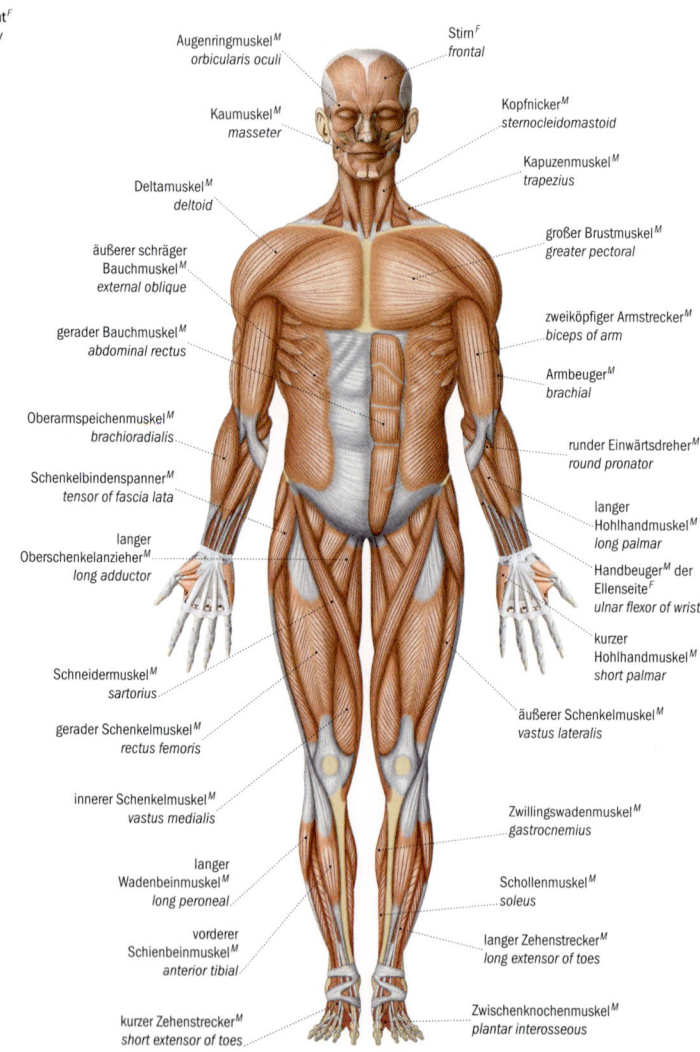

Augenringmuskel ^M
orbicularis oculi

Stirn ^F
frontal

Kaumuskel ^M
masseter

Kopfnicker ^M
sternocleidomastoid

Kapuzenmuskel ^M
trapezius

Deltamuskel ^M
deltoid

großer Brustmuskel ^M
greater pectoral

äußerer schräger
Bauchmuskel ^M
external oblique

zweiköpfiger Armstrecker ^M
biceps of arm

gerader Bauchmuskel ^M
abdominal rectus

Armbeuger ^M
brachial

Oberarmspeichenmuskel ^M
brachioradialis

runder Einwärtsdreher ^M
round pronator

Schenkelbindenspanner ^M
tensor of fascia lata

langer
Hohlhandmuskel ^M
long palmar

langer
Oberschenkelanzieher ^M
long adductor

Handbeuger ^M der
Ellenseite ^F
ulnar flexor of wrist

kurzer
Hohlhandmuskel ^M
short palmar

Schneidermuskel ^M
sartorius

gerader Schenkelmuskel ^M
rectus femoris

äußerer Schenkelmuskel ^M
vastus lateralis

innerer Schenkelmuskel ^M
vastus medialis

Zwillingswadenmuskel ^M
gastrocnemius

langer
Wadenbeinmuskel ^M
long peroneal

Schollenmuskel ^M
soleus

vorderer
Schienbeinmuskel ^M
anterior tibial

langer Zehenstrecker ^M
long extensor of toes

kurzer Zehenstrecker ^M
short extensor of toes

Zwischenknochenmuskel ^M
plantar interosseous

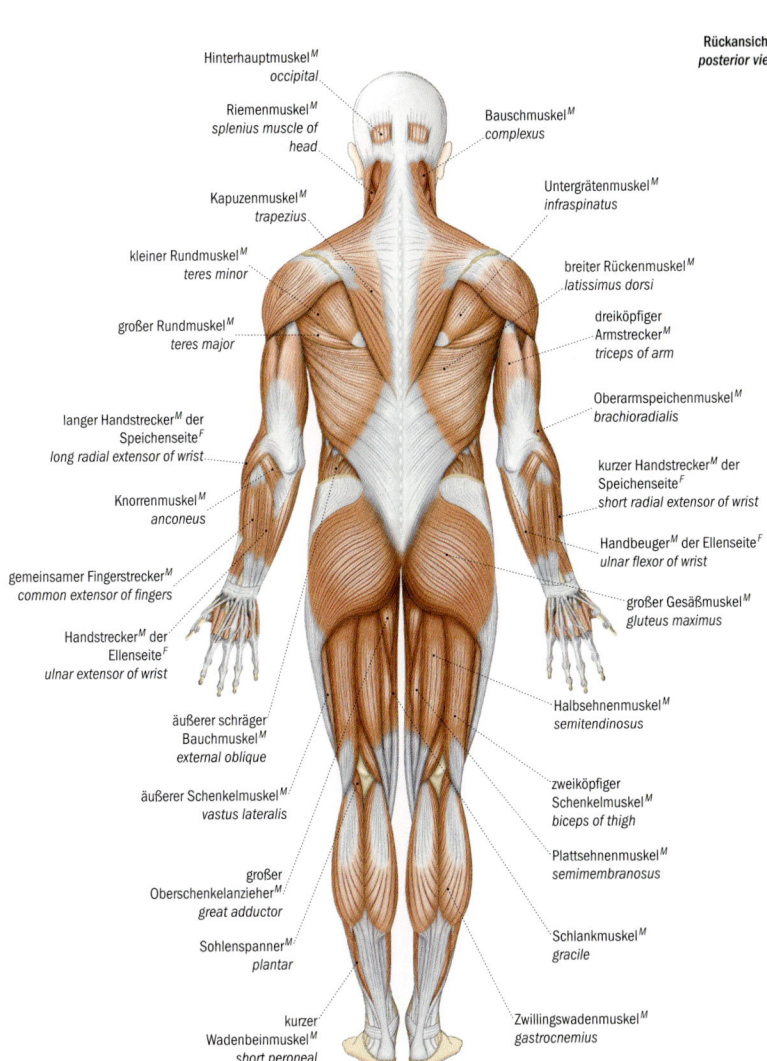

Hinterhauptmuskel[M]
occipital

Riemenmuskel[M]
splenius muscle of head

Kapuzenmuskel[M]
trapezius

kleiner Rundmuskel[M]
teres minor

großer Rundmuskel[M]
teres major

langer Handstrecker[M] der Speichenseite[F]
long radial extensor of wrist

Knorrenmuskel[M]
anconeus

gemeinsamer Fingerstrecker[M]
common extensor of fingers

Handstrecker[M] der Ellenseite[F]
ulnar extensor of wrist

äußerer schräger Bauchmuskel[M]
external oblique

äußerer Schenkelmuskel[M]
vastus lateralis

großer Oberschenkelanzieher[M]
great adductor

Sohlenspanner[M]
plantar

kurzer Wadenbeinmuskel[M]
short peroneal

Bauschmuskel[M]
complexus

Untergrätenmuskel[M]
infraspinatus

breiter Rückenmuskel[M]
latissimus dorsi

dreiköpfiger Armstrecker[M]
triceps of arm

Oberarmspeichenmuskel[M]
brachioradialis

kurzer Handstrecker[M] der Speichenseite[F]
short radial extensor of wrist

Handbeuger[M] der Ellenseite[F]
ulnar flexor of wrist

großer Gesäßmuskel[M]
gluteus maximus

Halbsehnenmuskel[M]
semitendinosus

zweiköpfiger Schenkelmuskel[M]
biceps of thigh

Plattsehnenmuskel[M]
semimembranosus

Schlankmuskel[M]
gracile

Zwillingswadenmuskel[M]
gastrocnemius

Skelett[N]

skeleton

Vorderansicht[F]
anterior view

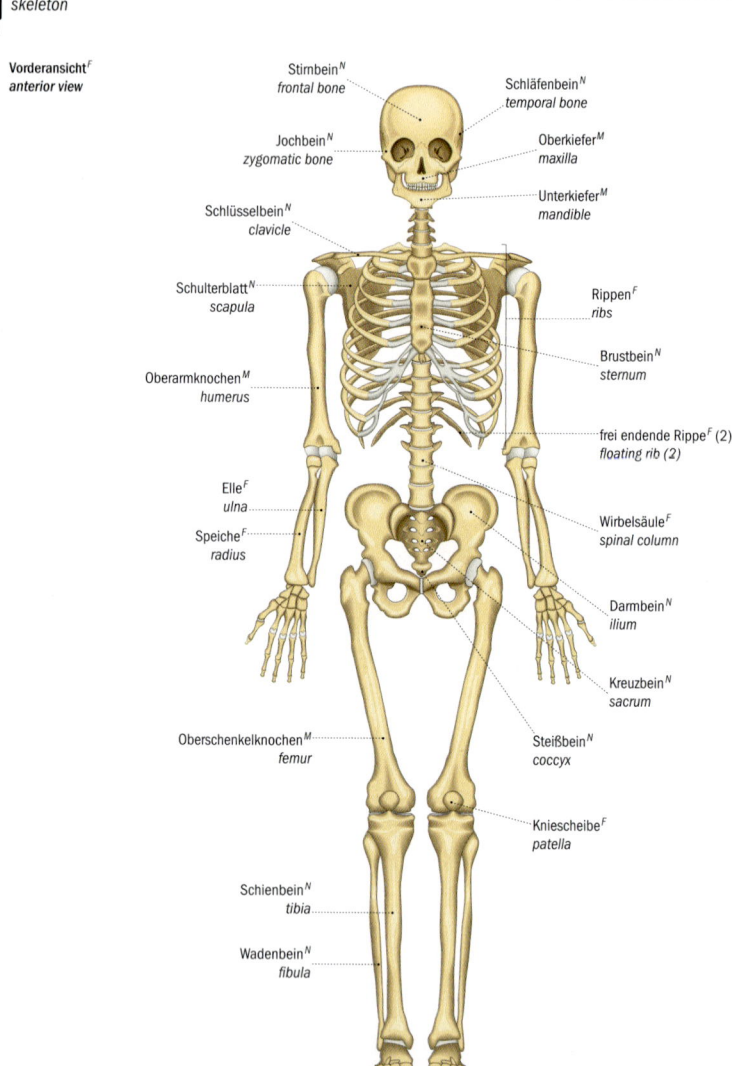

Stirnbein[N]
frontal bone

Schläfenbein[N]
temporal bone

Jochbein[N]
zygomatic bone

Oberkiefer[M]
maxilla

Unterkiefer[M]
mandible

Schlüsselbein[N]
clavicle

Schulterblatt[N]
scapula

Rippen[F]
ribs

Brustbein[N]
sternum

Oberarmknochen[M]
humerus

frei endende Rippe[F] (2)
floating rib (2)

Elle[F]
ulna

Wirbelsäule[F]
spinal column

Speiche[F]
radius

Darmbein[N]
ilium

Kreuzbein[N]
sacrum

Oberschenkelknochen[M]
femur

Steißbein[N]
coccyx

Kniescheibe[F]
patella

Schienbein[N]
tibia

Wadenbein[N]
fibula

Rückansicht[F]
posterior view

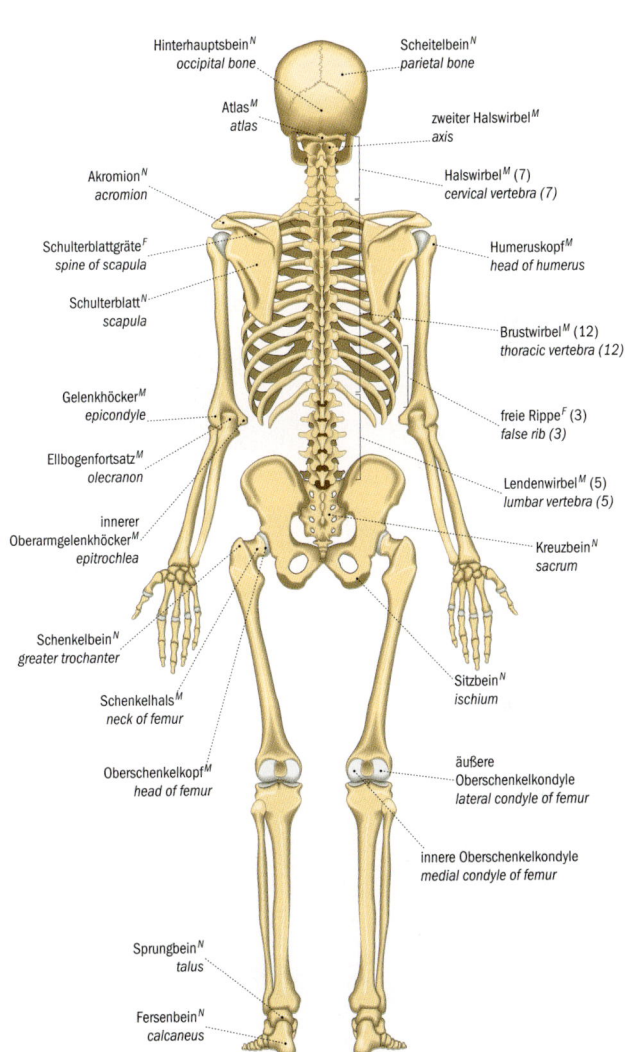

Hinterhauptsbein[N]
occipital bone

Scheitelbein[N]
parietal bone

Atlas[M]
atlas

zweiter Halswirbel[M]
axis

Akromion[N]
acromion

Halswirbel[M] (7)
cervical vertebra (7)

Schulterblattgräte[F]
spine of scapula

Humeruskopf[M]
head of humerus

Schulterblatt[N]
scapula

Brustwirbel[M] (12)
thoracic vertebra (12)

Gelenkhöcker[M]
epicondyle

freie Rippe[F] (3)
false rib (3)

Ellbogenfortsatz[M]
olecranon

Lendenwirbel[M] (5)
lumbar vertebra (5)

innerer
Oberarmgelenkhöcker[M]
epitrochlea

Kreuzbein[N]
sacrum

Schenkelbein[N]
greater trochanter

Sitzbein[N]
ischium

Schenkelhals[M]
neck of femur

Oberschenkelkopf[M]
head of femur

äußere
Oberschenkelkondyle
lateral condyle of femur

innere Oberschenkelkondyle
medial condyle of femur

Sprungbein[N]
talus

Fersenbein[N]
calcaneus

MENSCH

Seitenansicht[F] eines Schädels[M]
lateral view of skull

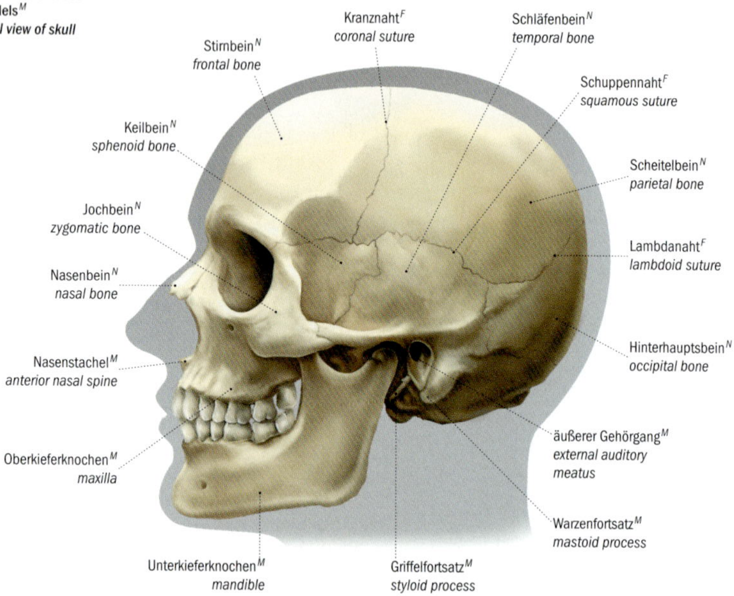

Stirnbein[N]
frontal bone

Kranznaht[F]
coronal suture

Schläfenbein[N]
temporal bone

Schuppennaht[F]
squamous suture

Keilbein[N]
sphenoid bone

Scheitelbein[N]
parietal bone

Jochbein[N]
zygomatic bone

Lambdanaht[F]
lambdoid suture

Nasenbein[N]
nasal bone

Hinterhauptsbein[N]
occipital bone

Nasenstachel[M]
anterior nasal spine

äußerer Gehörgang[M]
external auditory meatus

Oberkieferknochen[M]
maxilla

Warzenfortsatz[M]
mastoid process

Unterkieferknochen[M]
mandible

Griffelfortsatz[M]
styloid process

Schädel[M] eines Kleinkindes[N]
child's skull

Stirnfontanelle[F]
anterior fontanelle

Scheitelbein[N]
parietal bone

Kranznaht[F]
coronal suture

hintere Fontanelle[F]
posterior fontanelle

Stirnbein[N]
frontal bone

Hinterhauptbein[N]
occipital bone

vordere Seitenfontanelle[F]
sphenoidal fontanelle

hintere Seitenfontanelle[F]
mastoid fontanelle

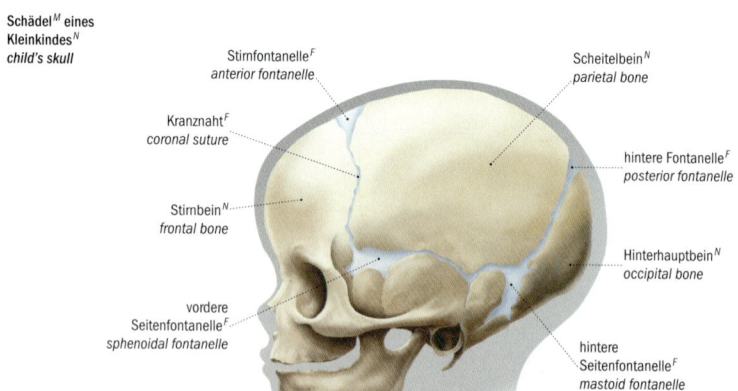

Zähne^M
teeth

menschliches Gebiss^N
human denture

MENSCH

Schneidezähne^M
incisors

Eckzahn^M
canine

vordere Backenzähne^M
premolars

Backenzähne^M
molars

erster Backenzahn^M
first molar

Weisheitszahn^M
wisdom tooth

mittlerer
Schneidezahn^M
central incisor

äußerer Schneidezahn^M
lateral incisor

erster vorderer
Backenzahn^M
first premolar

zweiter vorderer
Backenzahn^M
second premolar

zweiter Backenzahn^M
second molar

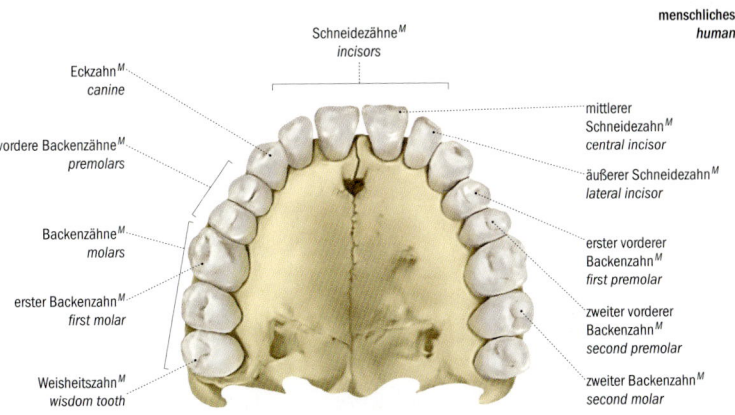

Backenzahn^M im
Längsschnitt^M
cross section of a molar

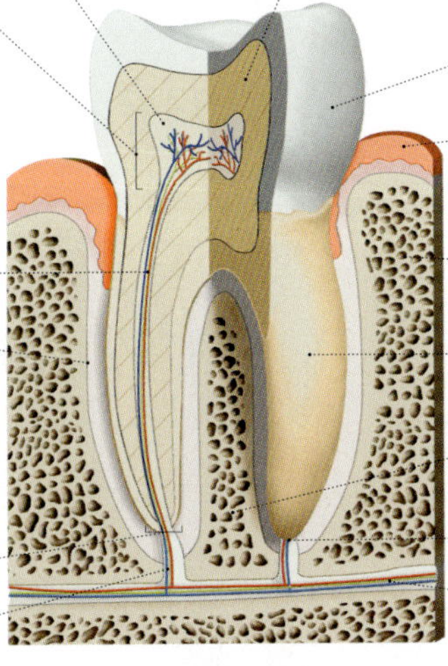

Kronenabschnitt^M der
Pulpahöhle^F
pulp chamber

Pulpa^F
pulp

Zahnbein^N
dentin

Krone^F
crown

Hals^M
neck

Wurzelkanal^M
root canal

Wurzelhaut^F
periodontal ligament

Wurzel^F
root

Zahnfach^N
dental alveolus

Wurzelspitzenöffnung^F
apical foramen

Schmelz^M
enamel

Zahnfleisch^N
gum

Oberkieferknochen^M
maxillary bone

Zement^M
cementum

Alveolarknochen^M
alveolar bone

Spitze^F
apex

Nervengeflecht^N
plexus of nerves

Blutkreislauf^M

blood circulation

**die wichtigsten Venen^F und
Arterien^F**
principal veins and arteries

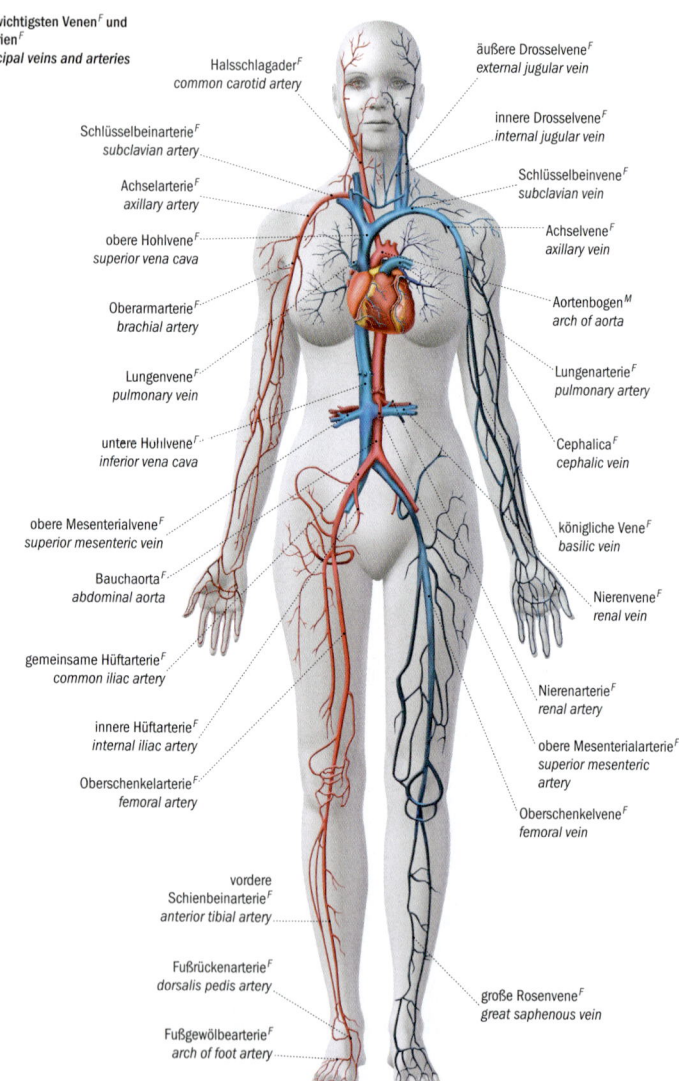

Halsschlagader^F
common carotid artery

äußere Drosselvene^F
external jugular vein

innere Drosselvene^F
internal jugular vein

Schlüsselbeinarterie^F
subclavian artery

Achselarterie^F
axillary artery

Schlüsselbeinvene^F
subclavian vein

obere Hohlvene^F
superior vena cava

Achselvene^F
axillary vein

Oberarmarterie^F
brachial artery

Aortenbogen^M
arch of aorta

Lungenvene^F
pulmonary vein

Lungenarterie^F
pulmonary artery

untere Hohlvene^F
inferior vena cava

Cephalica^F
cephalic vein

obere Mesenterialvene^F
superior mesenteric vein

königliche Vene^F
basilic vein

Bauchaorta^F
abdominal aorta

Nierenvene^F
renal vein

gemeinsame Hüftarterie^F
common iliac artery

Nierenarterie^F
renal artery

innere Hüftarterie^F
internal iliac artery

obere Mesenterialarterie^F
*superior mesenteric
artery*

Oberschenkelarterie^F
femoral artery

Oberschenkelvene^F
femoral vein

vordere
Schienbeinarterie^F
anterior tibial artery

Fußrückenarterie^F
dorsalis pedis artery

große Rosenvene^F
great saphenous vein

Fußgewölbearterie^F
arch of foot artery

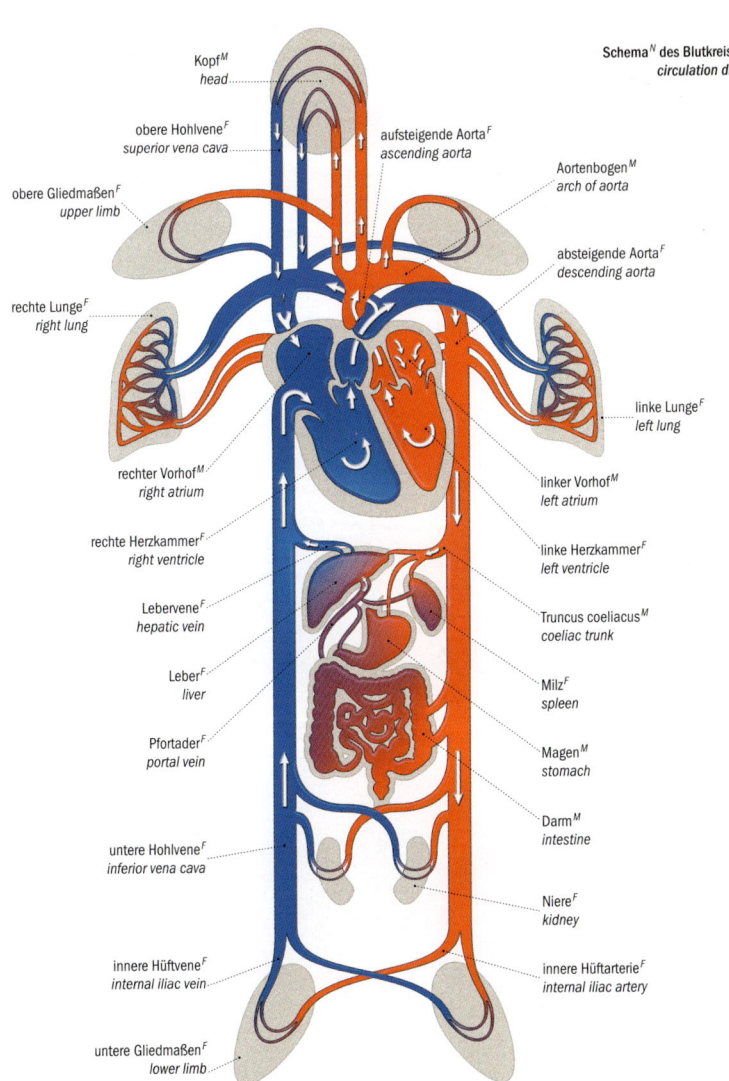

Schema[N] des Blutkreislaufs[M]
circulation diagram

Kopf[M]
head

obere Hohlvene[F]
superior vena cava

aufsteigende Aorta[F]
ascending aorta

Aortenbogen[M]
arch of aorta

obere Gliedmaßen[F]
upper limb

absteigende Aorta[F]
descending aorta

rechte Lunge[F]
right lung

linke Lunge[F]
left lung

rechter Vorhof[M]
right atrium

linker Vorhof[M]
left atrium

rechte Herzkammer[F]
right ventricle

linke Herzkammer[F]
left ventricle

Lebervene[F]
hepatic vein

Truncus coeliacus[M]
coeliac trunk

Leber[F]
liver

Milz[F]
spleen

Pfortader[F]
portal vein

Magen[M]
stomach

Darm[M]
intestine

untere Hohlvene[F]
inferior vena cava

Niere[F]
kidney

innere Hüftvene[F]
internal iliac vein

innere Hüftarterie[F]
internal iliac artery

untere Gliedmaßen[F]
lower limb

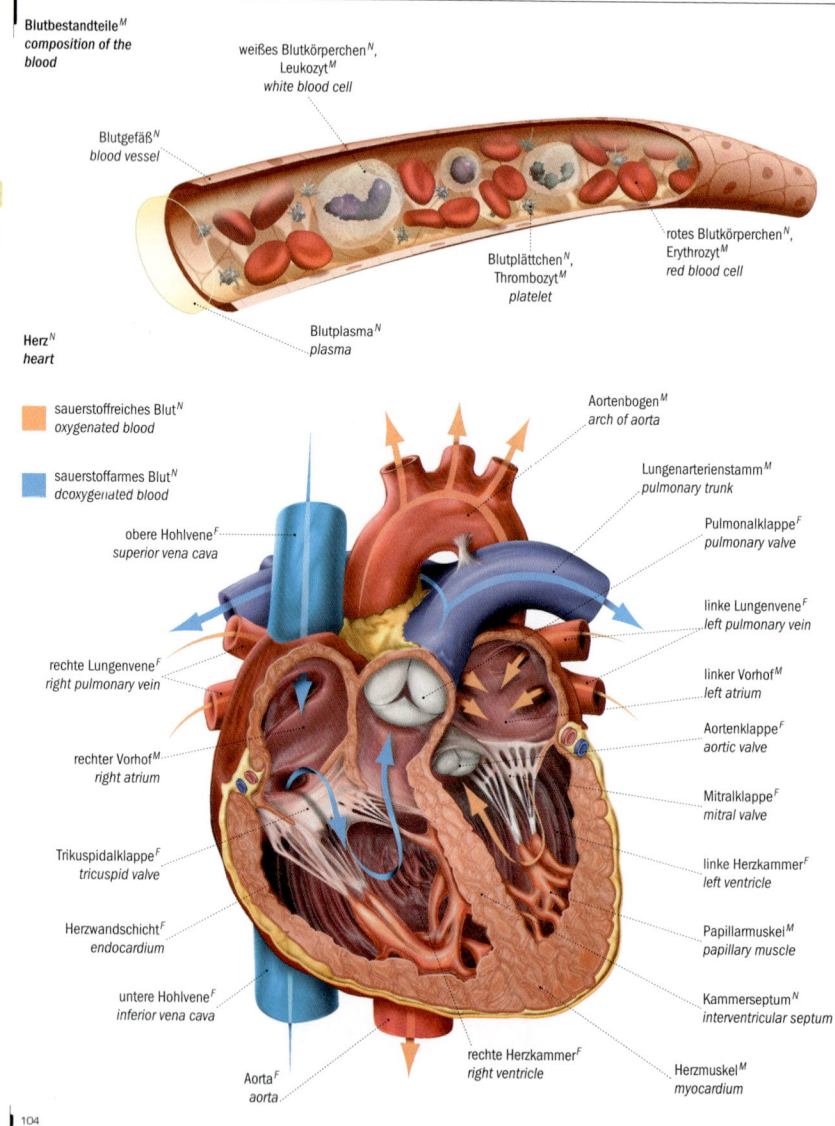

Blutbestandteile^M
composition of the blood

weißes Blutkörperchen^N,
Leukozyt^M
white blood cell

Blutgefäß^N
blood vessel

rotes Blutkörperchen^N,
Erythrozyt^M
red blood cell

Blutplättchen^N,
Thrombozyt^M
platelet

Blutplasma^N
plasma

Herz^N
heart

sauerstoffreiches Blut^N
oxygenated blood

sauerstoffarmes Blut^N
deoxygenated blood

Aortenbogen^M
arch of aorta

Lungenarterienstamm^M
pulmonary trunk

obere Hohlvene^F
superior vena cava

Pulmonalklappe^F
pulmonary valve

linke Lungenvene^F
left pulmonary vein

rechte Lungenvene^F
right pulmonary vein

linker Vorhof^M
left atrium

rechter Vorhof^M
right atrium

Aortenklappe^F
aortic valve

Mitralklappe^F
mitral valve

Trikuspidalklappe^F
tricuspid valve

linke Herzkammer^F
left ventricle

Herzwandschicht^F
endocardium

Papillarmuskel^M
papillary muscle

untere Hohlvene^F
inferior vena cava

Kammerseptum^N
interventricular septum

Aorta^F
aorta

rechte Herzkammer^F
right ventricle

Herzmuskel^M
myocardium

MENSCH

Luftwege^M
respiratory system

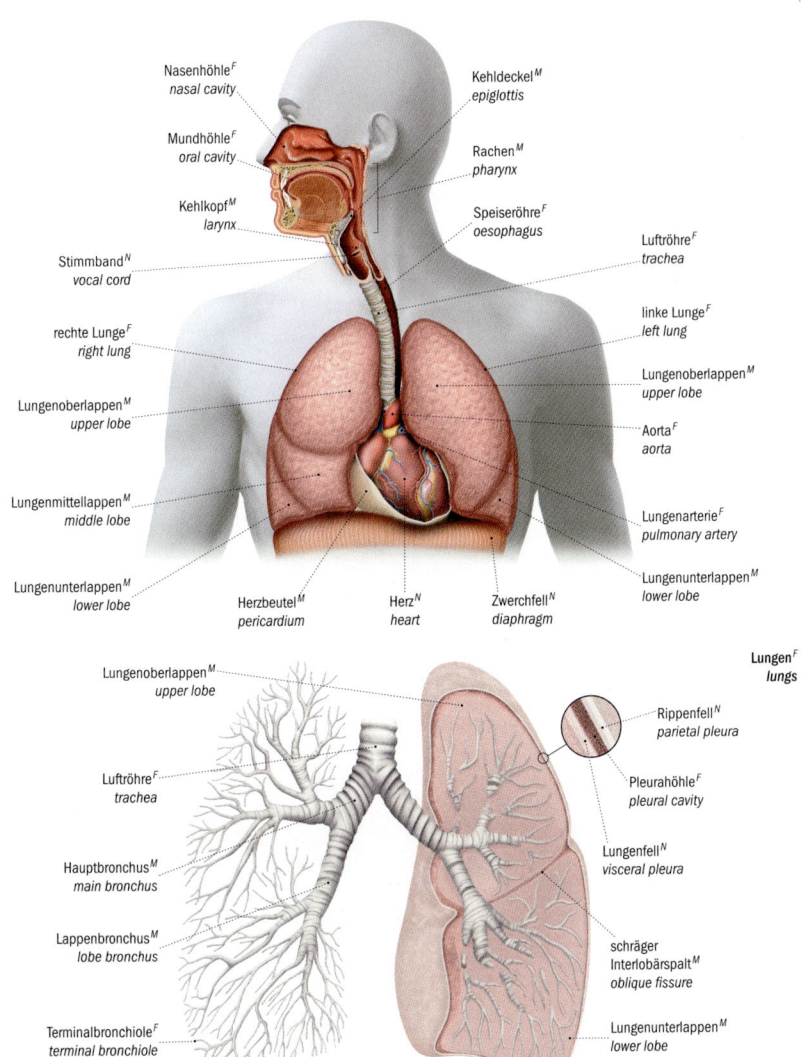

Nasenhöhle^F
nasal cavity

Mundhöhle^F
oral cavity

Kehlkopf^M
larynx

Stimmband^N
vocal cord

rechte Lunge^F
right lung

Lungenoberlappen^M
upper lobe

Lungenmittellappen^M
middle lobe

Lungenunterlappen^M
lower lobe

Kehldeckel^M
epiglottis

Rachen^M
pharynx

Speiseröhre^F
oesophagus

Luftröhre^F
trachea

linke Lunge^F
left lung

Lungenoberlappen^M
upper lobe

Aorta^F
aorta

Lungenarterie^F
pulmonary artery

Lungenunterlappen^M
lower lobe

Herzbeutel^M
pericardium

Herz^N
heart

Zwerchfell^N
diaphragm

Lungen^F
lungs

Lungenoberlappen^M
upper lobe

Luftröhre^F
trachea

Hauptbronchus^M
main bronchus

Lappenbronchus^M
lobe bronchus

Terminalbronchiole^F
terminal bronchiole

Rippenfell^N
parietal pleura

Pleurahöhle^F
pleural cavity

Lungenfell^N
visceral pleura

schräger
Interlobärspalt^M
oblique fissure

Lungenunterlappen^M
lower lobe

Verdauungsapparat^M

digestive system

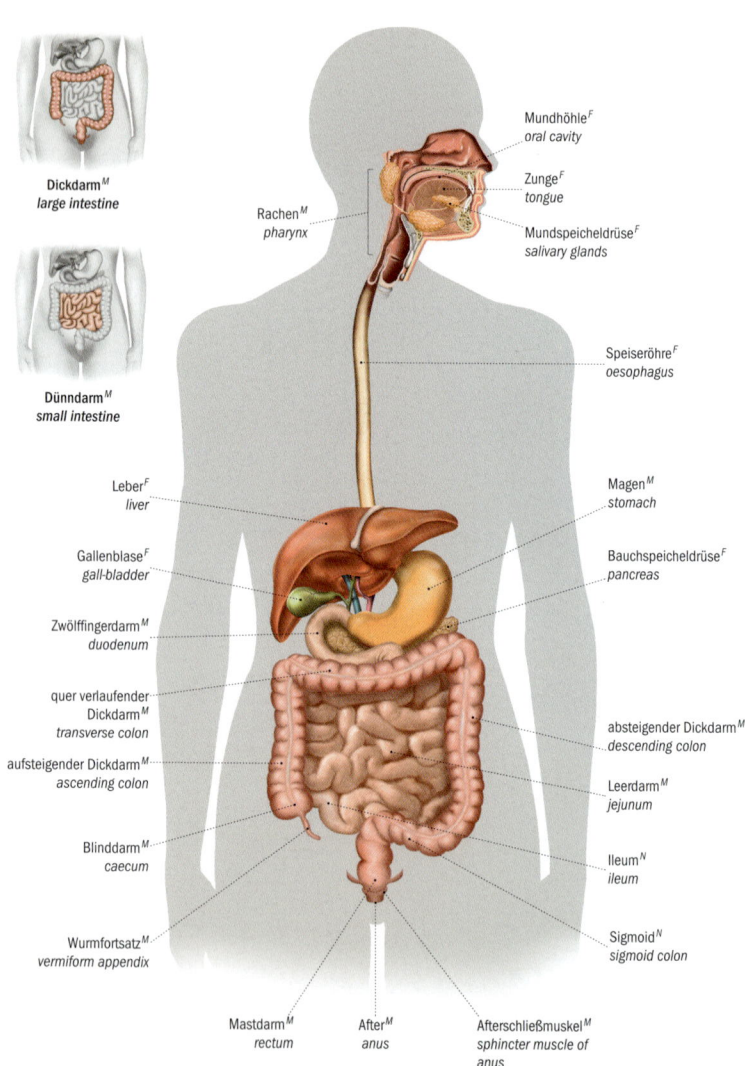

Dickdarm^M
large intestine

Dünndarm^M
small intestine

Rachen^M
pharynx

Mundhöhle^F
oral cavity

Zunge^F
tongue

Mundspeicheldrüse^F
salivary glands

Speiseröhre^F
oesophagus

Leber^F
liver

Magen^M
stomach

Gallenblase^F
gall-bladder

Bauchspeicheldrüse^F
pancreas

Zwölffingerdarm^M
duodenum

quer verlaufender
Dickdarm^M
transverse colon

absteigender Dickdarm^M
descending colon

aufsteigender Dickdarm^M
ascending colon

Leerdarm^M
jejunum

Blinddarm^M
caecum

Ileum^N
ileum

Wurmfortsatz^M
vermiform appendix

Sigmoid^N
sigmoid colon

Mastdarm^M
rectum

After^M
anus

Afterschließmuskel^M
sphincter muscle of anus

Harnapparat^M
urinary system

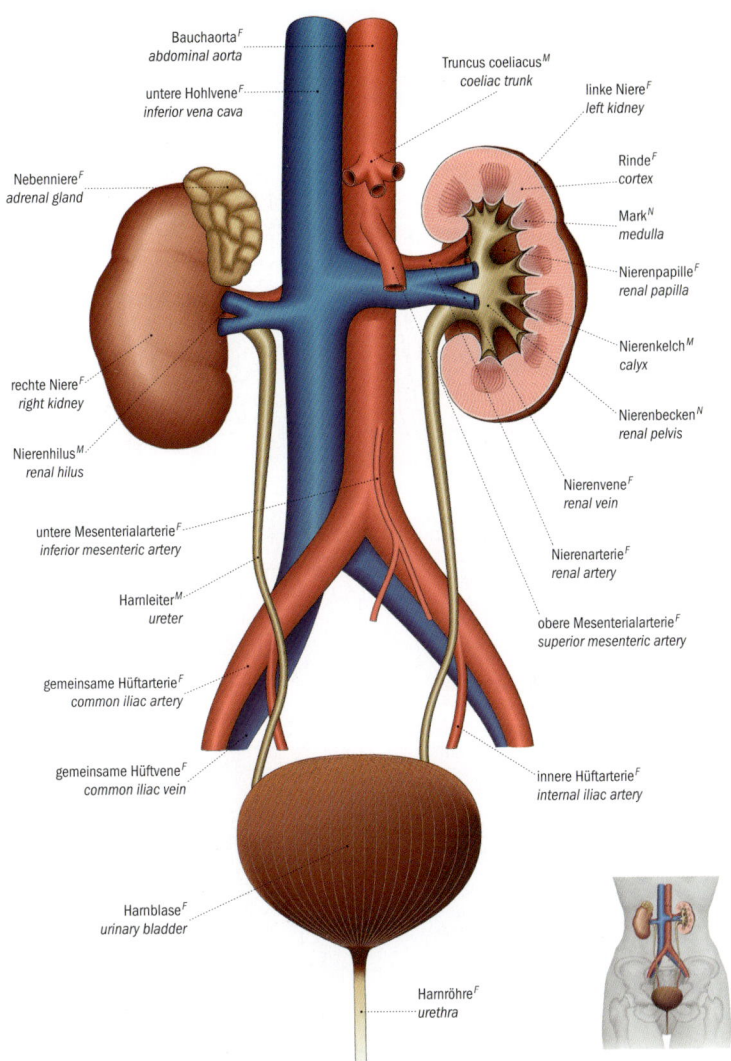

Bauchaorta^F
abdominal aorta

untere Hohlvene^F
inferior vena cava

Truncus coeliacus^M
coeliac trunk

linke Niere^F
left kidney

Nebenniere^F
adrenal gland

Rinde^F
cortex

Mark^N
medulla

Nierenpapille^F
renal papilla

Nierenkelch^M
calyx

rechte Niere^F
right kidney

Nierenbecken^N
renal pelvis

Nierenhilus^M
renal hilus

Nierenvene^F
renal vein

untere Mesenterialarterie^F
inferior mesenteric artery

Nierenarterie^F
renal artery

Harnleiter^M
ureter

obere Mesenterialarterie^F
superior mesenteric artery

gemeinsame Hüftarterie^F
common iliac artery

gemeinsame Hüftvene^F
common iliac vein

innere Hüftarterie^F
internal iliac artery

Harnblase^F
urinary bladder

Harnröhre^F
urethra

Nervensystem[N]
nervous system

peripheres Nervensystem[N]
peripheral nervous system

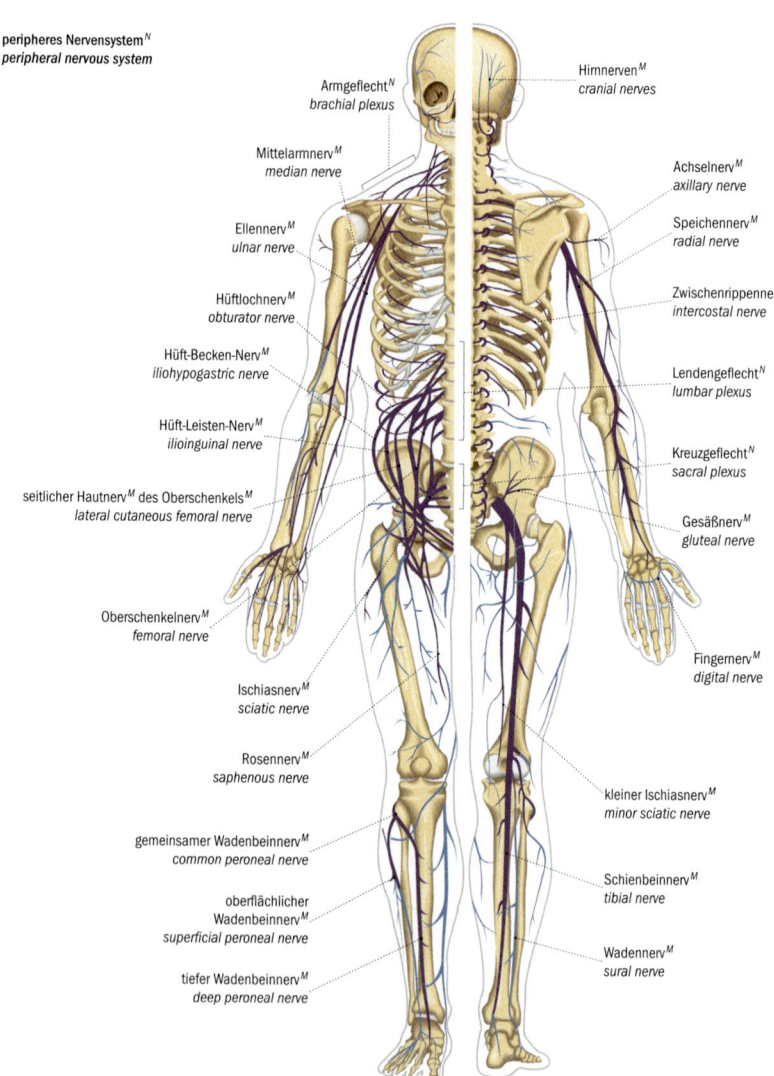

Armgeflecht[N]
brachial plexus

Mittelarmnerv[M]
median nerve

Ellennerv[M]
ulnar nerve

Hüftlochnerv[M]
obturator nerve

Hüft-Becken-Nerv[M]
iliohypogastric nerve

Hüft-Leisten-Nerv[M]
ilioinguinal nerve

seitlicher Hautnerv[M] des Oberschenkels[M]
lateral cutaneous femoral nerve

Oberschenkelnerv[M]
femoral nerve

Ischiasnerv[M]
sciatic nerve

Rosennerv[M]
saphenous nerve

gemeinsamer Wadenbeinnerv[M]
common peroneal nerve

oberflächlicher
Wadenbeinnerv[M]
superficial peroneal nerve

tiefer Wadenbeinnerv[M]
deep peroneal nerve

Hirnnerven[M]
cranial nerves

Achselnerv[M]
axillary nerve

Speichennerv[M]
radial nerve

Zwischenrippennerv[M]
intercostal nerve

Lendengeflecht[N]
lumbar plexus

Kreuzgeflecht[N]
sacral plexus

Gesäßnerv[M]
gluteal nerve

Fingernerv[M]
digital nerve

kleiner Ischiasnerv[M]
minor sciatic nerve

Schienbeinnerv[M]
tibial nerve

Wadennerv[M]
sural nerve

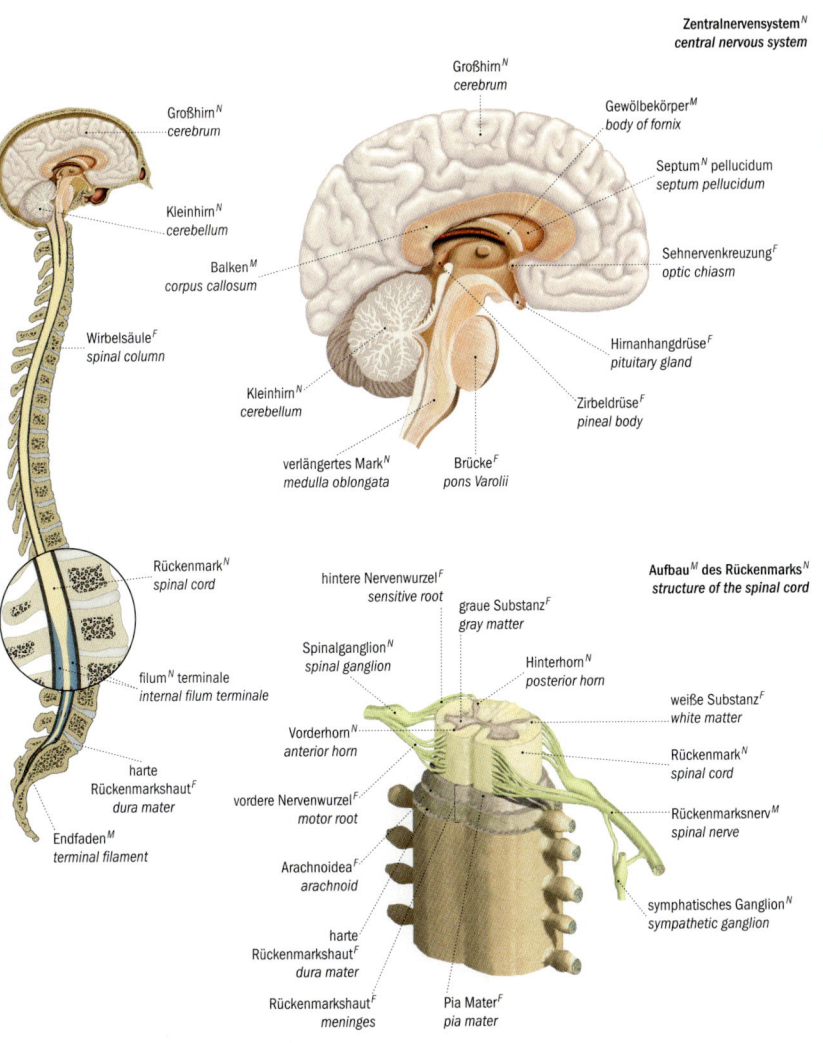

Zentralnervensystem[N]
central nervous system

Großhirn[N]
cerebrum

Großhirn[N]
cerebrum

Gewölbekörper[M]
body of fornix

Septum[N] pellucidum
septum pellucidum

Kleinhirn[N]
cerebellum

Sehnervenkreuzung[F]
optic chiasm

Balken[M]
corpus callosum

Wirbelsäule[F]
spinal column

Hirnanhangdrüse[F]
pituitary gland

Kleinhirn[N]
cerebellum

Zirbeldrüse[F]
pineal body

verlängertes Mark[N]
medulla oblongata

Brücke[F]
pons Varolii

Rückenmark[N]
spinal cord

hintere Nervenwurzel[F]
sensitive root

Aufbau[M] des Rückenmarks[N]
structure of the spinal cord

graue Substanz[F]
gray matter

Spinalganglion[N]
spinal ganglion

Hinterhorn[N]
posterior horn

filum[N] terminale
internal filum terminale

Vorderhorn[N]
anterior horn

weiße Substanz[F]
white matter

Rückenmark[N]
spinal cord

vordere Nervenwurzel[F]
motor root

Rückenmarksnerv[M]
spinal nerve

harte
Rückenmarkshaut[F]
dura mater

Arachnoidea[F]
arachnoid

Endfaden[M]
terminal filament

sympathisches Ganglion[N]
sympathetic ganglion

harte
Rückenmarkshaut[F]
dura mater

Rückenmarkshaut[F]
meninges

Pia Mater[F]
pia mater

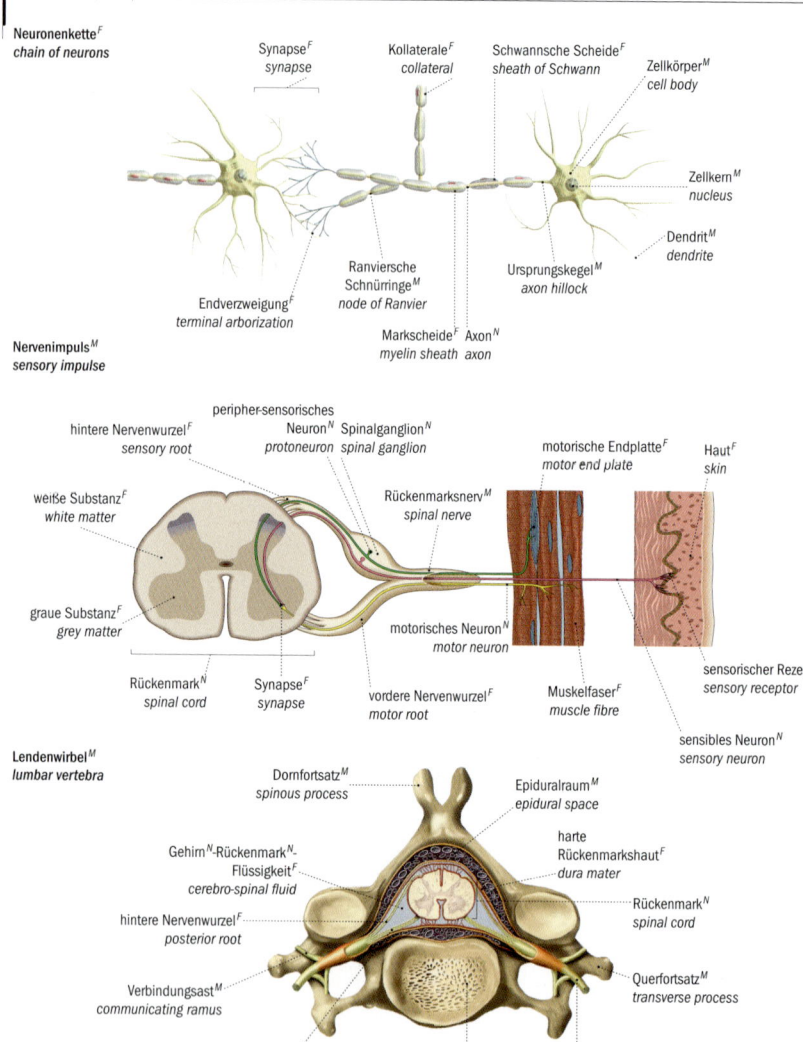

Neuronenkette[F]
chain of neurons

Synapse[F]
synapse

Kollaterale[F]
collateral

Schwannsche Scheide[F]
sheath of Schwann

Zellkörper[M]
cell body

Zellkern[M]
nucleus

Dendrit[M]
dendrite

Ranviersche Schnürringe[M]
node of Ranvier

Ursprungskegel[M]
axon hillock

Endverzweigung[F]
terminal arborization

Markscheide[F]
myelin sheath

Axon[N]
axon

Nervenimpuls[M]
sensory impulse

peripher-sensorisches Neuron[N] Protoneuron
protoneuron

Spinalganglion[N]
spinal ganglion

hintere Nervenwurzel[F]
sensory root

motorische Endplatte[F]
motor end plate

Haut[F]
skin

weiße Substanz[F]
white matter

Rückenmarksnerv[M]
spinal nerve

graue Substanz[F]
grey matter

motorisches Neuron[N]
motor neuron

Rückenmark[N]
spinal cord

Synapse[F]
synapse

vordere Nervenwurzel[F]
motor root

Muskelfaser[F]
muscle fibre

sensorischer Rezepto
sensory receptor

sensibles Neuron[N]
sensory neuron

Lendenwirbel[M]
lumbar vertebra

Dornfortsatz[M]
spinous process

Epiduralraum[M]
epidural space

Gehirn[N]-Rückenmark[N]-Flüssigkeit[F]
cerebro-spinal fluid

harte Rückenmarkshaut[F]
dura mater

hintere Nervenwurzel[F]
posterior root

Rückenmark[N]
spinal cord

Verbindungsast[M]
communicating ramus

Querfortsatz[M]
transverse process

vordere Nervenwurzel[F]
anterior root

Wirbelkörper[M]
vertebral body

Rückenmarksnerv[M]
spinal nerve

MENSCH

männliche Geschlechtsorgane[N]
male genital organs

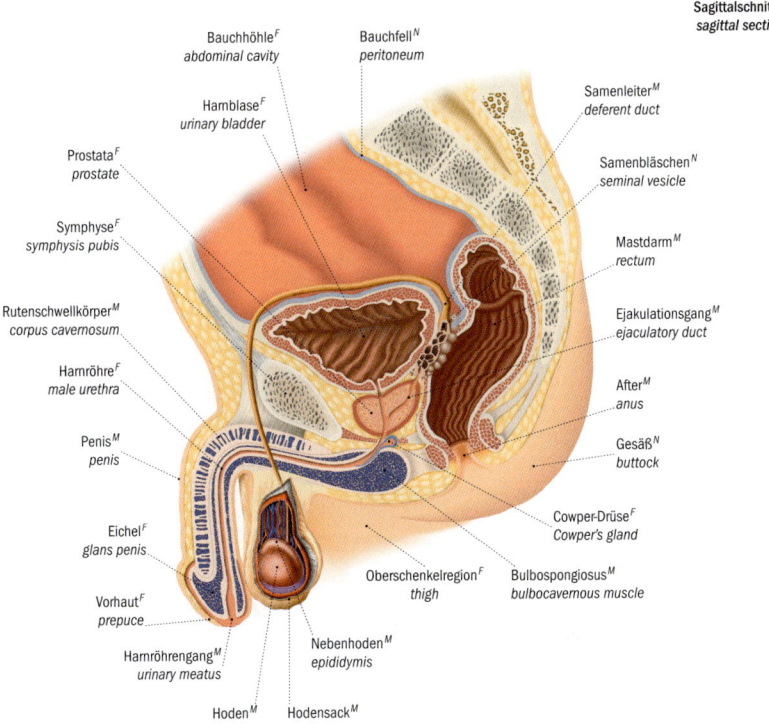

Sagittalschnitt[M]
sagittal section

Bauchhöhle[F]
abdominal cavity

Bauchfell[N]
peritoneum

Samenleiter[M]
deferent duct

Harnblase[F]
urinary bladder

Samenbläschen[N]
seminal vesicle

Prostata[F]
prostate

Mastdarm[M]
rectum

Symphyse[F]
symphysis pubis

Rutenschwellkörper[M]
corpus cavernosum

Ejakulationsgang[M]
ejaculatory duct

Harnröhre[F]
male urethra

After[M]
anus

Penis[M]
penis

Gesäß[N]
buttock

Eichel[F]
glans penis

Cowper-Drüse[F]
Cowper's gland

Vorhaut[F]
prepuce

Oberschenkelregion[F]
thigh

Bulbospongiosus[M]
bulbocavernous muscle

Harnröhrengang[M]
urinary meatus

Nebenhoden[M]
epididymis

Hoden[M]
testicle

Hodensack[M]
scrotum

Spermium[N]
spermatozoon

Kopf[M]
head

Endstück[N]
end piece

Schwanz[M]
tail

Hals[M]
neck

Mittelstück[N]
middle piece

weibliche Geschlechtsorgane[N]

female genital organs

Sagittalschnitt[M]
sagittal section

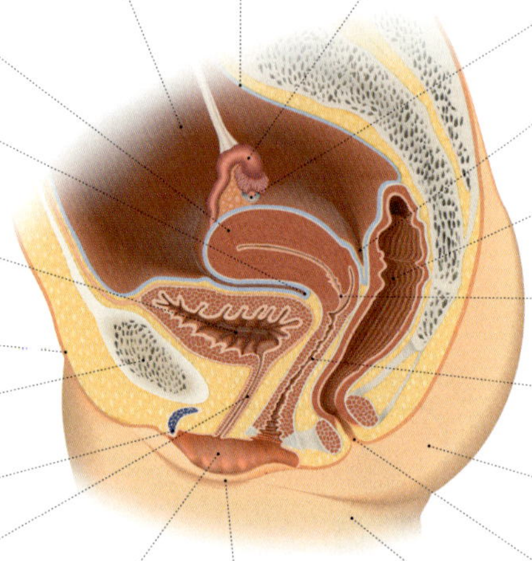

Bauchhöhle[F]
abdominal cavity

Bauchfell[N]
peritoneum

Eileiter[M]
fallopian tube

Eierstock[M]
ovary

Gebärmutter[F]
uterus

vorderer Douglasscher Raum[M]
uterovesical pouch

Douglasscher Raum[M]
pouch of Douglas

Harnblase[F]
urinary bladder

Mastdarm[M]
rectum

Schamhügel[M]
mons pubis

Gebärmutterhals[M]
cervix of uterus

Symphyse[F]
symphysis pubis

Scheide[F]
vagina

Klitoris[F]
clitoris

Gesäß[N]
buttock

Harnröhre[F]
urethra

kleine Schamlippe[F]
labium minus

große Schamlippe[F]
labium majus

Oberschenkelbereich[M]
thigh

After[M]
anus

Eizelle[F]
egg

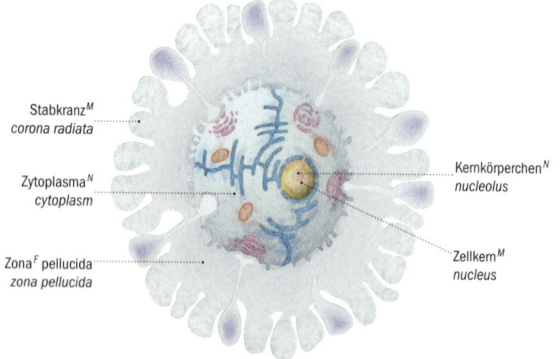

Stabkranz[M]
corona radiata

Kernkörperchen[N]
nucleolus

Zytoplasma[N]
cytoplasm

Zona[F] pellucida
zona pellucida

Zellkern[M]
nucleus

Rückansicht[F]
posterior view

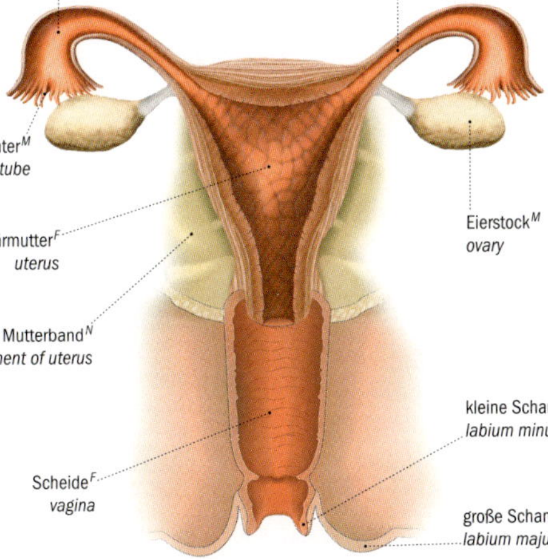

Eileiterampulle[F]
ampulla of fallopian tube

Eileiterenge[F]
isthmus of fallopian tube

Eileitertrichter[M]
infundibulum of fallopian tube

Gebärmutter[F]
uterus

breites Mutterband[N]
broad ligament of uterus

Scheide[F]
vagina

Eierstock[M]
ovary

kleine Schamlippe[F]
labium minus

große Schamlippe[F]
labium majus

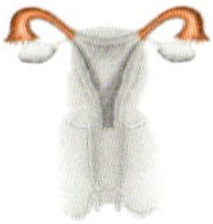

Eileiter[M]
fallopian tubes

Scham[F]
vulva

Brust[F]
breast

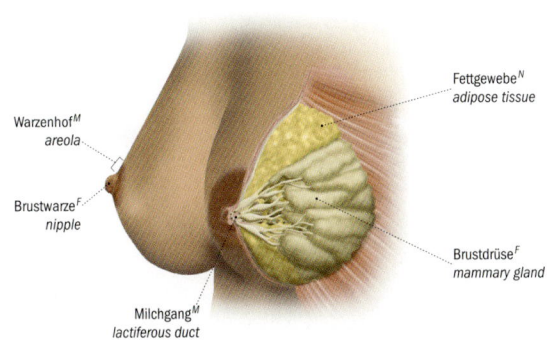

Warzenhof[M]
areola

Brustwarze[F]
nipple

Milchgang[M]
lactiferous duct

Fettgewebe[N]
adipose tissue

Brustdrüse[F]
mammary gland

Tastsinn^M
touch

MENSCH

Haut^F
skin

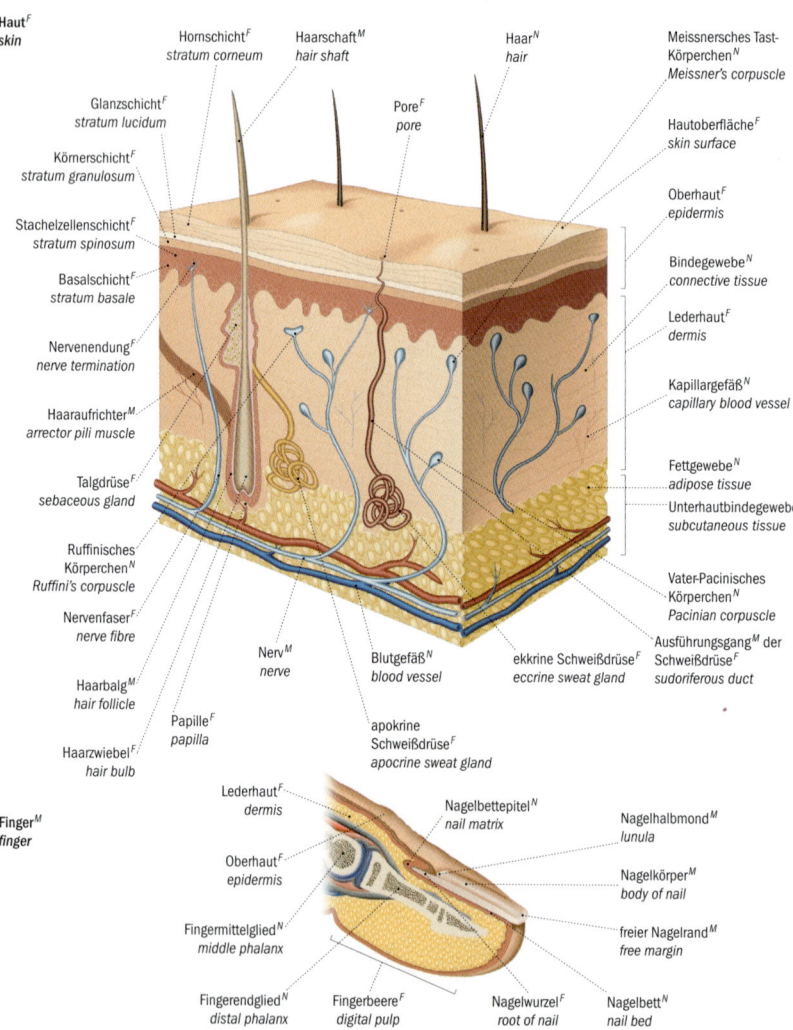

Hornschicht^F
stratum corneum

Haarschaft^M
hair shaft

Haar^N
hair

Meissnersches Tast-Körperchen^N
Meissner's corpuscle

Glanzschicht^F
stratum lucidum

Pore^F
pore

Hautoberfläche^F
skin surface

Körnerschicht^F
stratum granulosum

Oberhaut^F
epidermis

Stachelzellenschicht^F
stratum spinosum

Bindegewebe^N
connective tissue

Basalschicht^F
stratum basale

Lederhaut^F
dermis

Nervenendung^F
nerve termination

Kapillargefäß^N
capillary blood vessel

Haaraufrichter^M
arrector pili muscle

Fettgewebe^N
adipose tissue

Talgdrüse^F
sebaceous gland

Unterhautbindegewebe^N
subcutaneous tissue

Ruffinisches Körperchen^N
Ruffini's corpuscle

Vater-Pacinisches Körperchen^N
Pacinian corpuscle

Nervenfaser^F
nerve fibre

Haarbalg^M
hair follicle

Nerv^M
nerve

Blutgefäß^N
blood vessel

ekkrine Schweißdrüse^F
eccrine sweat gland

Ausführungsgang^M der Schweißdrüse^F
sudoriferous duct

Papille^F
papilla

apokrine Schweißdrüse^F
apocrine sweat gland

Haarzwiebel^F
hair bulb

Finger^M
finger

Lederhaut^F
dermis

Nagelbettepitel^N
nail matrix

Nagelhalbmond^M
lunula

Oberhaut^F
epidermis

Nagelkörper^M
body of nail

Fingermittelglied^N
middle phalanx

freier Nagelrand^M
free margin

Fingerendglied^N
distal phalanx

Fingerbeere^F
digital pulp

Nagelwurzel^F
root of nail

Nagelbett^N
nail bed

Hand[F]
hand

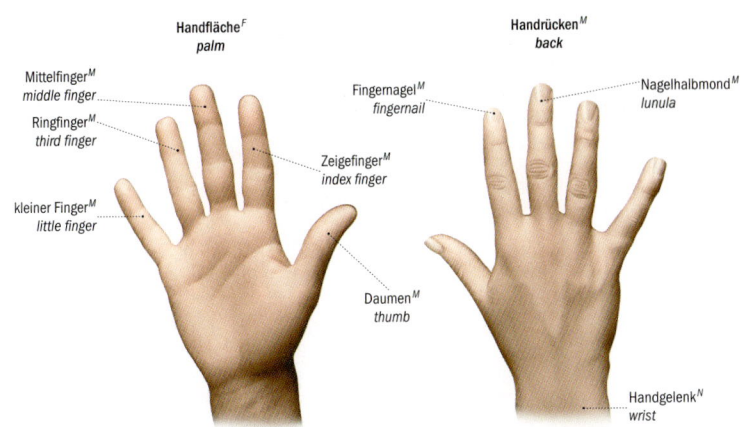

Handfläche[F]
palm

Handrücken[M]
back

Mittelfinger[M]
middle finger

Ringfinger[M]
third finger

kleiner Finger[M]
little finger

Zeigefinger[M]
index finger

Fingernagel[M]
fingernail

Nagelhalbmond[M]
lunula

Daumen[M]
thumb

Handgelenk[N]
wrist

MENSCH

Gehör[N]
hearing

Ohrmuschel[F]
auricle

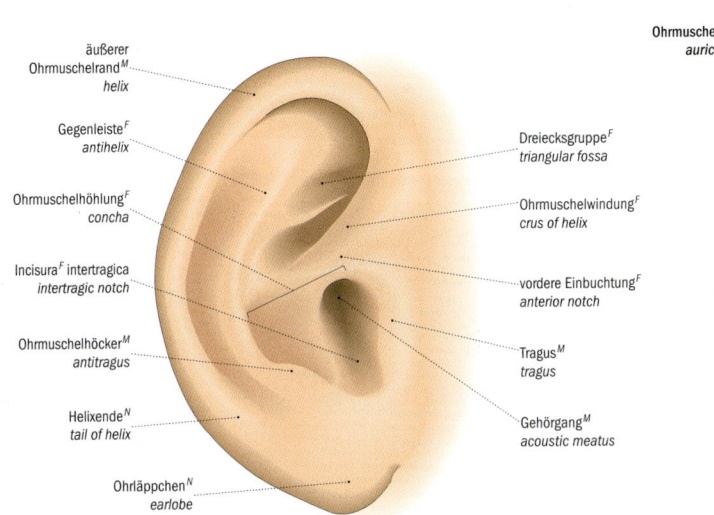

äußerer
Ohrmuschelrand[M]
helix

Gegenleiste[F]
antihelix

Ohrmuschelhöhlung[F]
concha

Incisura[F] intertragica
intertragic notch

Ohrmuschelhöcker[M]
antitragus

Helixende[N]
tail of helix

Ohrläppchen[N]
earlobe

Dreiecksgruppe[F]
triangular fossa

Ohrmuschelwindung[F]
crus of helix

vordere Einbuchtung[F]
anterior notch

Tragus[M]
tragus

Gehörgang[M]
acoustic meatus

MENSCH

Gehör[N]

Aufbau[M] des Ohres[N]
structure of the ear

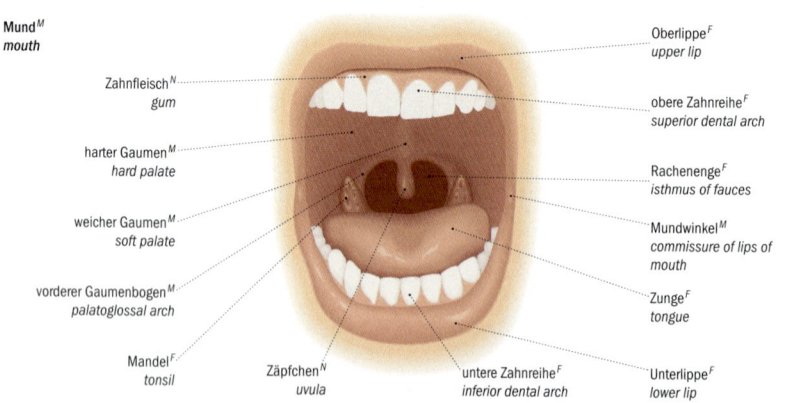

äußeres Ohr[N]
external ear

Mittelohr[N]
middle ear

Innenohr[N]
internal ear

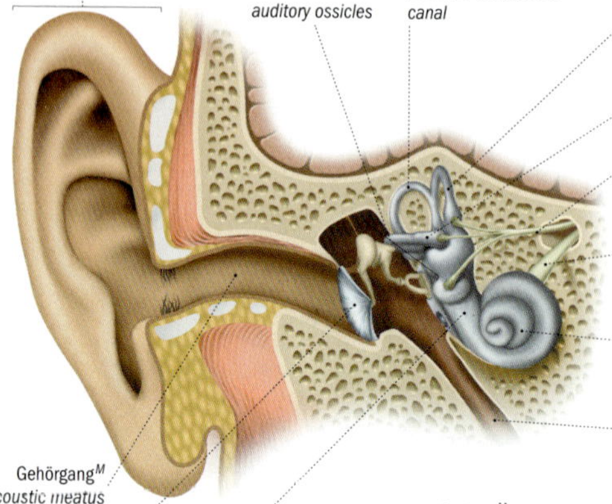

Ohrmuschel[F]
auricle

Gehörknöchelchen[N]
auditory ossicles

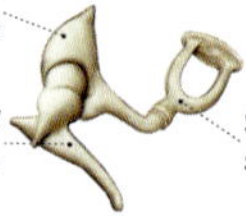

hinterer knöcherner Bogengang[M]
posterior semicircular canal

oberer knöcherner Bogengang[M]
superior semicircular canal

seitlicher knöcherner Bogengang[M]
lateral semicircular canal

Vestibularnerv[M]
vestibular nerve

Hörnerv[M]
cochlear nerve

Schnecke[F]
cochlea

Ohrtrompete[F]
Eustachian tube

Gehörgang[M]
acoustic meatus

Trommelfell[N]
ear drum

Innenohrvorhof[M]
vestibule

Amboss[M]
incus

Hammer[M]
malleus

Gehörknöchelchen
auditory ossicle

Steigbügel[M]
stapes

Geruchs-[M] und Geschmackssinn[M]
smell and taste

Mund[M]
mouth

Zahnfleisch[N]
gum

harter Gaumen[M]
hard palate

weicher Gaumen[M]
soft palate

vorderer Gaumenbogen[M]
palatoglossal arch

Mandel[F]
tonsil

Zäpfchen[N]
uvula

untere Zahnreihe[F]
inferior dental arch

Oberlippe[F]
upper lip

obere Zahnreihe[F]
superior dental arch

Rachenenge[F]
isthmus of fauces

Mundwinkel[M]
commissure of lips of mouth

Zunge[F]
tongue

Unterlippe[F]
lower lip

äußere Nase^F
external nose

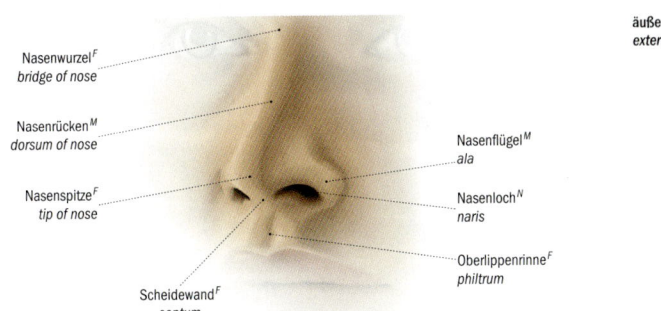

Nasenwurzel^F
bridge of nose

Nasenrücken^M
dorsum of nose

Nasenspitze^F
tip of nose

Scheidewand^F
septum

Nasenflügel^M
ala

Nasenloch^N
naris

Oberlippenrinne^F
philtrum

Nasenhöhle^F
nasal fossae

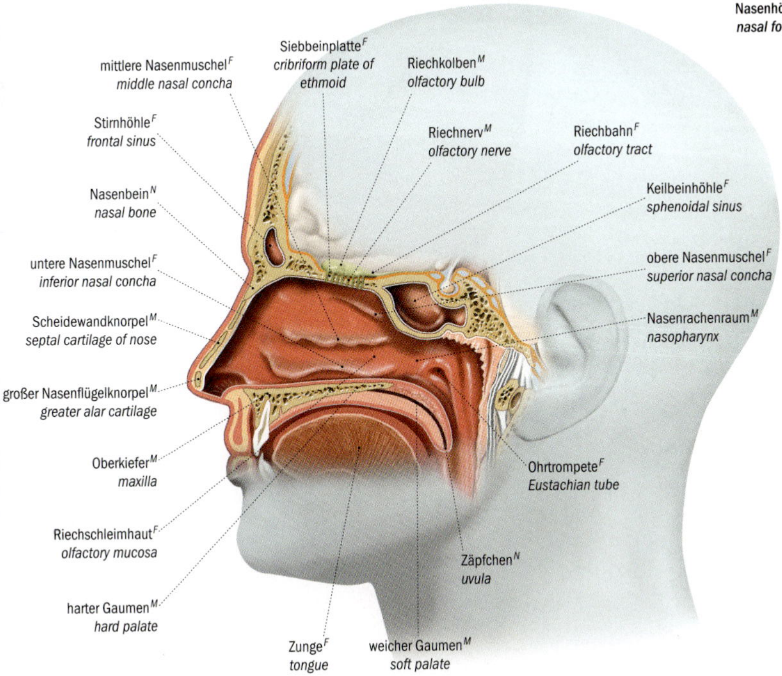

mittlere Nasenmuschel^F
middle nasal concha

Siebbeinplatte^F
cribriform plate of ethmoid

Riechkolben^M
olfactory bulb

Stirnhöhle^F
frontal sinus

Riechnerv^M
olfactory nerve

Riechbahn^F
olfactory tract

Nasenbein^N
nasal bone

Keilbeinhöhle^F
sphenoidal sinus

untere Nasenmuschel^F
inferior nasal concha

obere Nasenmuschel^F
superior nasal concha

Scheidewandknorpel^M
septal cartilage of nose

Nasenrachenraum^M
nasopharynx

großer Nasenflügelknorpel^M
greater alar cartilage

Oberkiefer^M
maxilla

Riechschleimhaut^F
olfactory mucosa

Ohrtrompete^F
Eustachian tube

harter Gaumen^M
hard palate

Zäpfchen^N
uvula

Zunge^F
tongue

weicher Gaumen^M
soft palate

Geruchs-^M und Geschmackssinn^M

MENSCH

Zungenrücken^M
dorsum of tongue

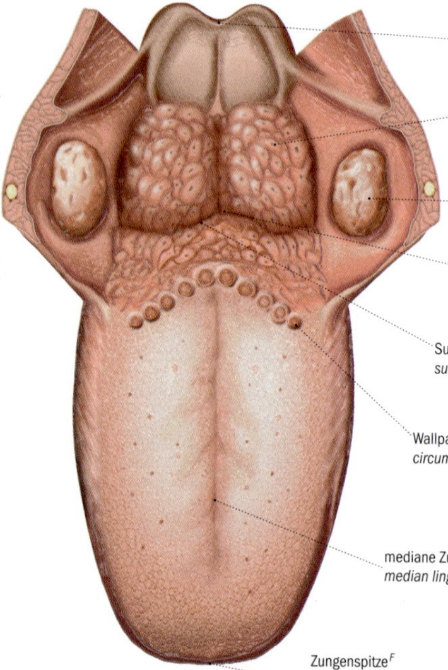

Kehldeckel^M
epiglottis

Zungenmandel^F
lingual tonsil

Zungenwurzel^F
root

Gaumenmandel^F
palatine tonsil

Foramen^N caecum
foramen caecum

Sulcus^M terminalis
sulcus terminalis

Wallpapillen^F
circumvallate papilla

Körper^M
body

mediane Zungenfurche^F
median lingual sulcus

Zungenspitze^F
apex

Geschmacksrezeptoren^M
taste receptors

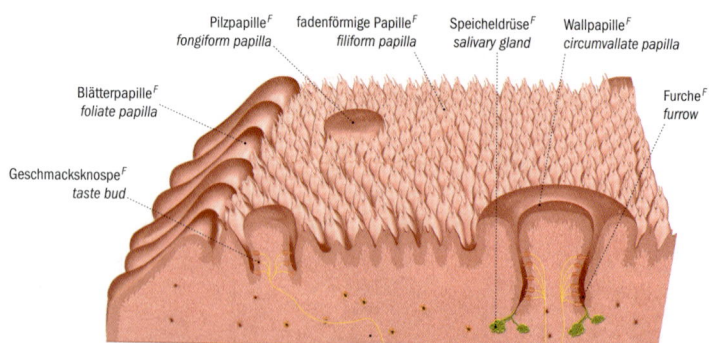

Pilzpapille^F
fongiform papilla

fadenförmige Papille^F
filiform papilla

Speicheldrüse^F
salivary gland

Wallpapille^F
circumvallate papilla

Blätterpapille^F
foliate papilla

Furche^F
furrow

Geschmacksknospe^F
taste bud

Auge^N
eye

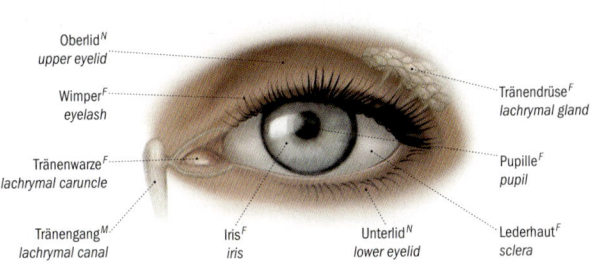

Oberlid^N
upper eyelid

Wimper^F
eyelash

Tränenwarze^F
lachrymal caruncle

Tränengang^M
lachrymal canal

Iris^F
iris

Unterlid^N
lower eyelid

Tränendrüse^F
lachrymal gland

Pupille^F
pupil

Lederhaut^F
sclera

MENSCH

Augapfel^M
eyeball

oberer gerader Muskel^M
superior rectus muscle

Aderhaut^F
choroid

hintere Augenkammer^F
posterior chamber

vordere Augenkammer^F
anterior chamber

Hornhaut^F
cornea

Linse^F
lens

Pupille^F
pupil

Kammerwasser^N
aqueous humour

Iris^F
iris

Lederhaut^F
sclera

Netzhaut^F
retina

Netzhautgrube^F
fovea

gelber Fleck^M
macula

Sehnerv^M
optic nerve

blinder Fleck^M
papilla

Glaskörper^M
vitreous body

Aufhängeband^N
suspensory ligament

Bindehaut^F
conjunctiva

Strahlenkörper^M
ciliary body

unterer gerader
Augenmuskel^M
inferior rectus muscle

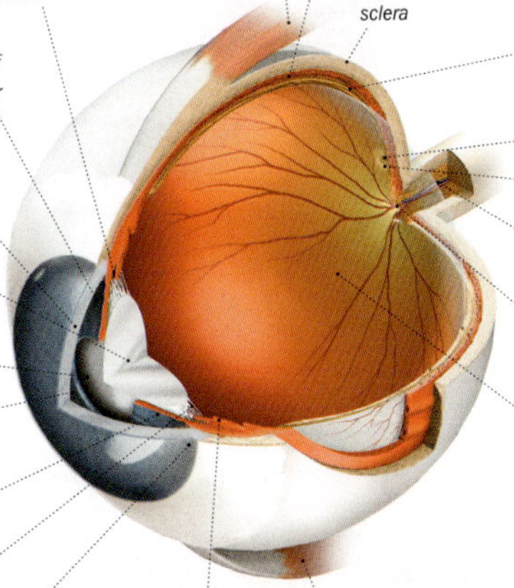

Lichtrezeptoren^M
photoreceptors

Zapfen^M
cone

Stäbchen^N
rod

Supermarkt^M

supermarket

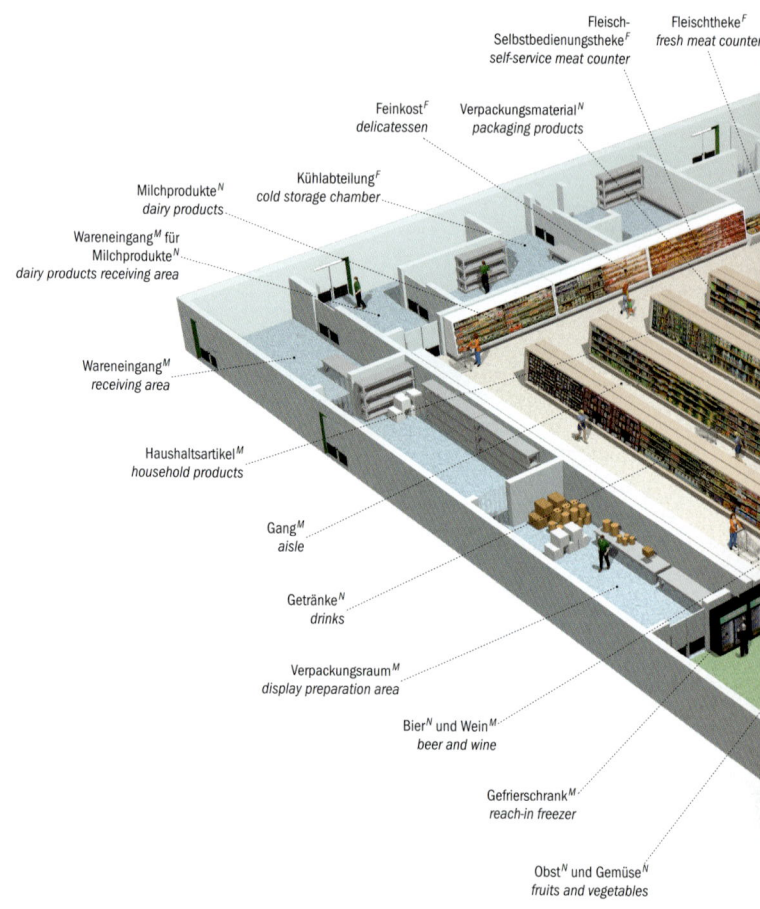

Fleisch-
Selbstbedienungstheke^F
self-service meat counter

Fleischtheke^F
fresh meat counter

Feinkost^F
delicatessen

Verpackungsmaterial^N
packaging products

Milchprodukte^N
dairy products

Kühlabteilung^F
cold storage chamber

Wareneingang^M für
Milchprodukte^N
dairy products receiving area

Wareneingang^M
receiving area

Haushaltsartikel^M
household products

Gang^M
aisle

Getränke^N
drinks

Verpackungsraum^M
display preparation area

Bier^N und Wein^M
beer and wine

Gefrierschrank^M
reach-in freezer

Obst^N und Gemüse^N
fruits and vegetables

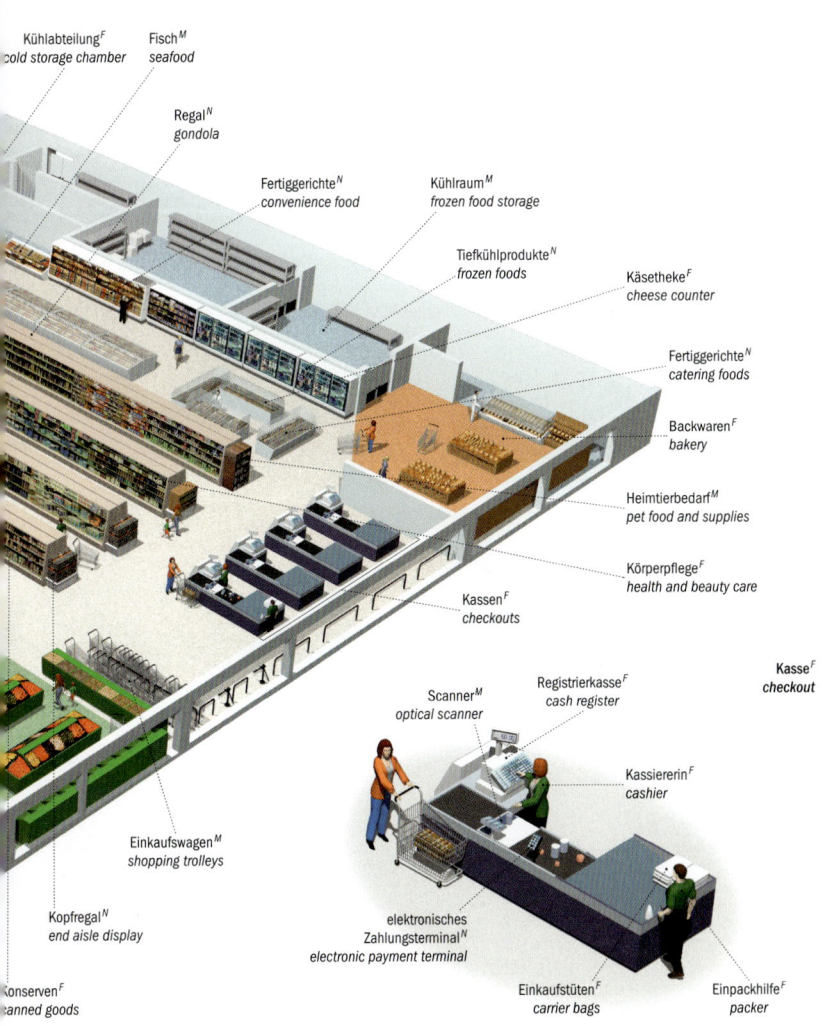

Kühlabteilung^F
cold storage chamber

Fisch^M
seafood

Regal^N
gondola

Fertiggerichte^N
convenience food

Kühlraum^M
frozen food storage

Tiefkühlprodukte^N
frozen foods

Käsetheke^F
cheese counter

Fertiggerichte^N
catering foods

Backwaren^F
bakery

Heimtierbedarf^M
pet food and supplies

Körperpflege^F
health and beauty care

Kassen^F
checkouts

Kasse^F
checkout

Scanner^M
optical scanner

Registrierkasse^F
cash register

Kassiererin^F
cashier

Einkaufswagen^M
shopping trolleys

Kopfregal^N
end aisle display

elektronisches
Zahlungsterminal^N
electronic payment terminal

Konserven^F
canned goods

Einkaufstüten^F
carrier bags

Einpackhilfe^F
packer

Bauernhof^M

farmstead

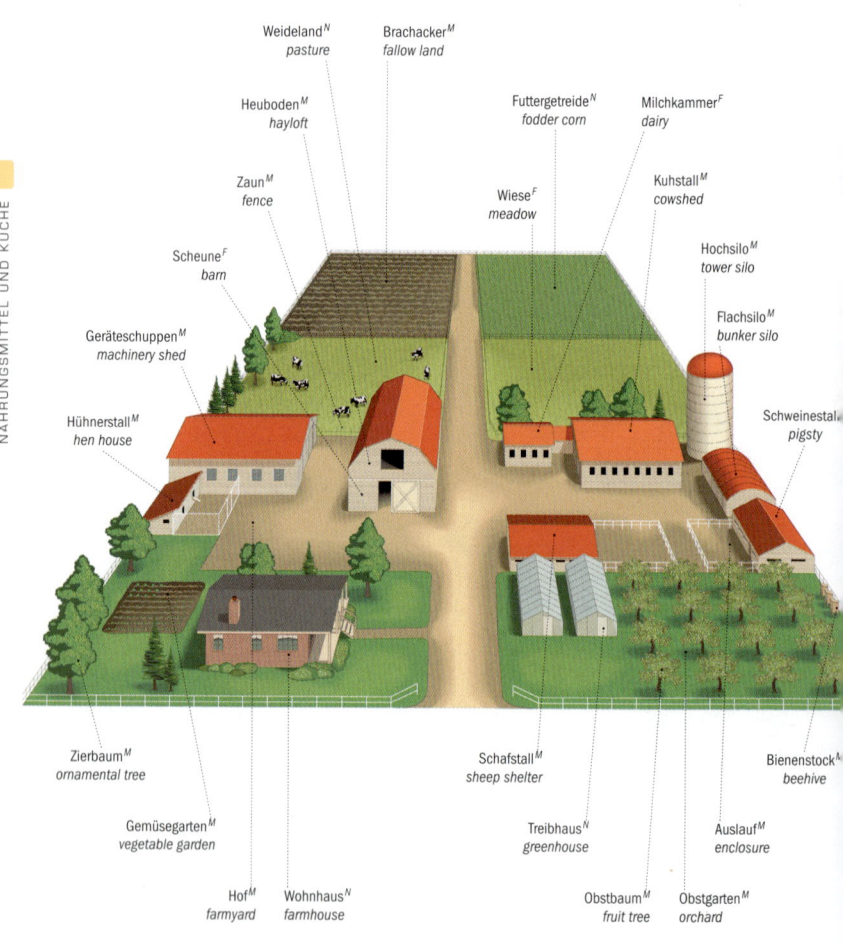

Weideland^N
pasture

Brachacker^M
fallow land

Heuboden^M
hayloft

Futtergetreide^N
fodder corn

Milchkammer^F
dairy

Zaun^M
fence

Wiese^F
meadow

Kuhstall^M
cowshed

Scheune^F
barn

Hochsilo^M
tower silo

Geräteschuppen^M
machinery shed

Flachsilo^M
bunker silo

Hühnerstall^M
hen house

Schweinestall^M
pigsty

Zierbaum^M
ornamental tree

Schafstall^M
sheep shelter

Bienenstock^N
beehive

Gemüsegarten^M
vegetable garden

Treibhaus^N
greenhouse

Auslauf^M
enclosure

Hof^M
farmyard

Wohnhaus^N
farmhouse

Obstbaum^M
fruit tree

Obstgarten^M
orchard

Pilze[M]
mushrooms

Trüffel[F]
truffle

Holzohr[N]
wood ear

Kaiserling[M]
royal agaric

echter Reizker[M]
delicious lactarius

Enoki[M]
enoki mushroom

Austernseitling[M]
oyster mushroom

Zuchtchampignon[M]
cultivated mushroom

grasgrüner Täubling[M]
green russula

Morchel[F]
morel

Steinpilz[M]
edible boletus

Schiitakepilz[M]
shiitake

Pfifferling[M]
chanterelle

Meeresalgen[F]
seaweed

Arame[F]
arame

Wakame[F]
wakame

Kombu[F]
kombu

Spirulina[F]
spirulina

Irisch Moos[N]
Irish moss

Hijiki[F]
hijiki

Meersalat[M]
sea lettuce

Agar-Agar[M/N]
agar-agar

Nori[N]
nori

Dulse[F]
dulse

Gemüse^N

vegetables

Zwiebelgemüse^N
bulb vegetables

Schalotte^F
shallot

Wassernuss^F
water chestnut

Frühlingszwiebel^F
green onion

Frühlingszwiebel^F
spring onion

Knoblauch^M
garlic

Schnittlauch^M
chive

Lauch^M
leek

Gemüsezwiebel^F
yellow onion

rote Zwiebel^F
red onion

weiße Zwiebel^F
white onion

Perlzwiebel^F
pickling onion

Knollengemüse^N
tuber vegetables

Maniok^M
cassava

Knollenziest^M
crosne

Taro^M
taro

Jicama^F
jicama

Süßkartoffel^F
sweet potato

Topinambur^{M/F}
Jerusalem artichoke

Süßkartoffel^F
sweet potato

Kartoffel^F
potato

Stengel- und Sprossengemüse[N]
stalk vegetables

Spargel[M]
asparagus

Spitze[F]
tip

Stange[F]
spear

Bund[N]
bundle

Mangold[M]
Swiss chard

Blatt[N]
leaf

Rippe[F]
rib

Kohlrabi[M]
kohlrabi

Fenchel[M]
fennel

Stiel[M]
stalk

Knolle[F]
bulb

Bambussprosse[F]
bamboo shoot

Kardone[F]
cardoon

Stangensellerie[M/F]
celery

Stange[F]
branch

Farnspitze[F]
fiddlehead fern

Stielgrund[M]
head

Rhabarber[M]
rhubarb

Gemüse^N

Blattgemüse^N
leaf vegetables

NAHRUNGSMITTEL UND KÜCHE

Friséesalat^M
leaf lettuce

Romagna-Salat^M
cos lettuce

Spargelsalat^M
celtuce

Meerkohl^M
sea kale

Riesenkohl^M
collards

Eskariol^M
escarole

Kopfsalat^M
butterhead lettuce

Eisbergsalat^M
iceberg lettuce

Radicchio^M
radicchio

Zierkohl^M
ornamental kale

Grünkohl^M
curly kale

Weinblatt^N
vine leaf

Rosenkohl^M
Brussels sprouts

Rotkohl^M
red cabbage

Weißkohl^M
white cabbage

Wirsing^M
savoy cabbage

Kohl^M
green cabbage

Chinakohl^M
pe-tsai

Pak-Choi^M
pak-choi

Portulak[M]
purslane

Nessel[F]
nettle

Brunnenkresse[F]
watercress

Löwenzahn[M]
dandelion

Feldsalat[M]
corn salad

Rauke[F]
rocket

Spinat[M]
spinach

Gartenkresse[F]
garden cress

Garten-Sauerampfer[M]
garden sorrel

krause Endivie[F]
curly endive

Chicorée[M/F]
chicory

Blütengemüse[N]
inflorescent vegetables

Blumenkohl[M]
cauliflower

Broccoli[M]
broccoli

China-Broccoli[M]
Gai-lohn

Rübenspross[M]
broccoli raab

Artischocke[F]
artichoke

Fruchtgemüse^N
fruit vegetables

Avocado^F
avocado

Tomate^F
tomato

Kirschtomate^F
currant tomato

Tomatillo^F
tomatillo

Olive^F
olive

gelber Paprika^M
yellow sweet pepper

grüner Paprika^M
green sweet pepper

roter Paprika^M
red sweet pepper

Pfefferschote^F
chilli

Okraschote^F
okra

Einlegegurke^F
gherkin

Gurke^F
cucumber

Wachskürbis^M
wax gourd

Aubergine^F
aubergine

kernlose Salatgurke^F
seedless cucumber

Gartenkürbis^M
marrow

Zucchini^F
courgette

Bittermelone^F
bitter melon

Gemüse[N]

Patisson[M]
pattypan squash

Krummhalskürbis[M]
crookneck squash

gelbe Zucchini[F]
straightneck squash

Chayote[F]
chayote

Kürbis[M]
pumpkin

Spaghettikürbis[M]
spaghetti squash

Eichelkürbis[M]
acorn squash

Patisson-Kürbis[M]
autumn squash

Wurzelgemüse[N]
root vegetables

Haferwurz[F]
salsify

Karotte[F]
carrot

Schwarzrettich[M]
black radish

Radieschen[N]
radish

Schwarzwurzel[F]
black salsify

Pastinake[F]
parsnip

Meerrettich[M]
horseradish

Rettich[M]
daikon

Klettenwurzel[F]
burdock

rote Beete[F]
beetroot

Rübe[F]
turnip

Knollensellerie[F]
celeriac

Kohlrübe[F]
swede

japanischer Rettich[M]
malanga

Hülsenfrüchte^F

legumes

Lupine^F
lupine

Erdnuss^F
peanut

blaue Luzerne^F
alfalfa

Linsen^F
lentils

dicke Bohnen^F
broad beans

Erbsen^F
peas

Bohnen^F
dolichos beans

Kichererbsen^F
chick peas

gespaltene Erbsen^F
split peas

schwarzäugige Bohne^F
black-eyed pea

Helmbohne^F
lablab bean

grüne Erbsen^F
green peas

Zuckererbsen^F
mangetout

Spargelbohne^F
yard-long bean

Bohnen^F
beans

grüne Bohne^F
green bean

Wachsbohne^F
wax bean

römische Bohne^F
roman bean

Asukibohne^F
adzuki bean

Feuerbohne^F
scarlet runner bean

Mungobohne^F
mung bean

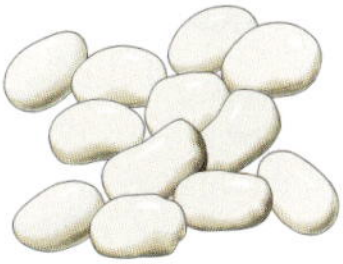

Limabohne^F
Lima bean

Pintobohne^F
pinto bean

rote Kidneybohne^F
red kidney bean

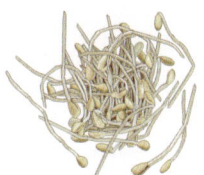

schwarze Mungobohne^F
black gram

schwarze Bohne^F
black bean

Sojabohnen^F
soybeans

Sojasprossen^F
soybean sprouts

Flageolet-Bohne^F
flageolet

NAHRUNGSMITTEL UND KÜCHE

Obst^N

fruits

Beeren^F
berries

Johannisbeere^F
redcurrant

schwarze Johannisbeere^F
blackcurrant

Stachelbeere^F
gooseberry

Weintraube^F
grape

Heidelbeere^F
blueberry

Heidelbeere^F
bilberry

rote Heidelbeere^F
red whortleberry

Physalis^F
alkekengi

Preiselbeere^F
cranberry

Himbeere^F
raspberry

Brombeere^F
blackberry

Erdbeere^F
strawberry

Steinfrüchte^F
stone fruits

Pflaume^F
plum

Pfirsich^M
peach

Nektarine^F
nectarine

Aprikose^F
apricot

Kirsche^F
cherry

Dattel^F
date

Trockenfrüchte^F
dry fruits

Macadamianuss^F
macadamia nut

Ginkgonuss^F
ginkgo nut

Pistazie^F
pistachio nut

Pinienkern^M
pine nut

Kolanuss^F
cola nut

Pecannuss^F
pecan nut

Cashewkern^M
cashew

Mandel^F
almond

Haselnuss^F
hazelnut

Walnuss^F
walnut

Kokosnuss^F
coconut

Esskastanie^F
chestnut

Buchecker^F
beechnut

Paranuss^F
Brazil nut

Apfelfrüchte^F
pome fruits

Birne^F
pear

Quitte^F
quince

Apfel^M
apple

Mispel^F
medlar

Obst^N

Zitrusfrüchte^F
citrus fruits

Zitrone^F
lemon

Kumquat^F
kumquat

Limette^F
lime

Orange^F
orange

Mandarine^F
mandarin

Bergamotte^F
bergamot

Grapefruit^F
grapefruit

Pampelmuse^F
pomelo

Zitronatzitrone^F
citron

Honigmelone^F
cantaloupe

Casabamelone^F
casaba melon

Honigmelone^F
honeydew melon

Zuckermelone^F
muskmelon

kanarische Melone^F
canary melon

Wassermelone^F
watermelon

Ogenmelone^F
Ogen melon

Obst^N

Südfrüchte^F
tropical fruits

Plantainbanane^F
plantain

Banane^F
banana

Longanfrucht^F
longan

Baumtomate^F
tamarillo

Passionsfrucht^F
passion fruit

Kiwano^F
horned melon

Mangostane^F
mangosteen

Kiwi^F
kiwi

Granatapfel^M
pomegranate

Chirimoya^F
cherimoya

Jackfrucht^F
jackfruit

Ananas^F
pineapple

Jaboticaba^F
jaboticaba

Litchi^F
litchi; lychee

Feige^F
fig

chinesische Dattel^F
jujube

Breiapfel^M
sapodilla

Guave^F
guava

Rambutan^F
rambutan

Kaki^F
Japanese persimmon

Kaktusfeige^F
prickly pear

Sternfrucht^F
carambola

asiatische Birne^F
Asian pear

Mango^F
mango

Durianfrucht^F
durian

Papaya^F
papaya

Birnenmelone^F
pepino

Ananasguave^F
feijoa

Gewürze[N]

spices

Wacholderbeere[F]
juniper berry

Gewürznelke[F]
clove

Jamaikapfeffer[M]
allspice

weiße Senfkörner[N]
white mustard

schwarze Senfkörner[N]
black mustard

schwarzer Pfeffer[M]
black pepper

weißer Pfeffer[M]
white pepper

rosa Pfeffer[M]
pink pepper

grüner Pfeffer[M]
green pepper

Muskatnuss[F]
nutmeg

Kümmel[M]
caraway

Kardamom[M/N]
cardamom

Zimtstangen[M]
cinnamon

Safran[M]
saffron

Kreuzkümmel[M]
cumin

Curry[N]
curry

Kurkuma[N]
turmeric

Bockshornkleesamen[M]
fenugreek

Jalapeño-Chili[M]
jalapeño chilli

Vogelaugenchili[M]
bird's eye chilli

zerstoßene Chilis[M]
crushed chillis

getrocknete Chilis[M]
dried chillis

Cayennepfeffer[M]
cayenne

Paprika[M]
paprika

Ajowan[N]
ajowan

Teufelsdreck[M]
asafœtida

Garam Masala[N]
garam masala

Cajun-Gewürzmischung[F]
cajun spice seasoning

Mariniergewürze[N]
marinade spices

Fünf-Kräuter[N]**-Gewürz**[N]
five spice powder

Chilipulver[N]
chilli powder

gemahlener Pfeffer[M]
ground pepper

Ras-El-Hanout[N]
ras el hanout

Sumach[M]
sumac

Mohnsamen[M]
poppy seeds

Ingwer[M]
ginger

Würzen^F

condiments

Tabasco™-Soße^F
Tabasco™ sauce

Worcestershire-Soße^F
Worcestershire sauce

Tamarindenmark^N
tamarind paste

Vanille-Extrakt^M
vanilla extract

Tomatenmark^N
tomato paste

Passierte Tomaten^F
tomato coulis

Hummus^M
hummus

Tahinisoße^F
tahini

Hoisinsoße^F
hoisin sauce

Sojasoße^F
soy sauce

Senfpulver^N
powdered mustard

Senfkörner^N
wholegrain mustard

Dijon-Senf^M
Dijon mustard

deutscher Senf^M
German mustard

englischer Senf^M
English mustard

amerikanischer Senf^M
American mustard

Pflaumensoße[F]
plum sauce

Mangochutney[N]
mango chutney

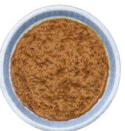

Harissasoße[F]
harissa

Sambal Oelek[M]
sambal oelek

Ketchup[M]
ketchup

Wasabipaste[F]
wasabi

Tafelsalz[N]
table salt

grobes Salz[N]
coarse salt

Meersalz[N]
sea salt

Balsamessig[M]
balsamic vinegar

Reisessig[M]
rice vinegar

Apfelessig[M]
cider vinegar

Malzessig[M]
malt vinegar

Weinessig[M]
wine vinegar

Kräuter[N]

herbs

Dill[M]
dill

Anis[M]
anise

Lorbeer[M]
bay

Origano[M]
oregano

Estragon[M]
tarragon

Basilikum[N]
basil

Salbei[M]
sage

Thymian[M]
thyme

Minze[F]
mint

Petersilie[F]
parsley

Kerbel[M]
chervil

Koriander[M]
coriander

Rosmarin[M]
rosemary

Ysop[M]
hyssop

Boretsch[M]
borage

Liebstöckel[M/N]
lovage

Bohnenkraut[N]
savory

Zitronenmelisse[F]
lemon balm

Getreide[N]
cereals

Reis[M]
rice

Wildreis[M]
wild rice

Dinkel[M]
spelt wheat

Weizen[M]
wheat

Hafer[M]
oats

Roggen[M]
rye

Hirse[F]
millet

Mais[M]
corn

Gerste[F]
barley

Buchweizen[M]
buckwheat

Reismelde[F]
quinoa

Amarant[M]
amaranth

Triticale[M]
triticale

Getreideprodukte[N]

cereal products

Mehl[N] und Grieß[M]
flour and semolina

Grieß[M]
semolina

Vollkornmehl[N]
whole wheat flour

Couscous[N]
couscous

Haushaltsmehl[N]
plain flour

ungebleichtes Mehl[N]
unbleached flour

Hafermehl[N]
oat flour

Maismehl[N]
cornflour

Brot[N]
bread

Croissant[N]
croissant

dunkles Roggenbrot[N]
black bread

Kringel[M]
bagel

griechisches Brot[N]
Greek bread

französisches
Weißbrot[N]
French loaf

Ährenbrot[N]
ear loaf

Baguette[N]
French bread

indisches Fladenbrot^N
Indian chapati bread

Tortilla^F
tortilla

Pittabrot^N
pitta bread

indisches Naanbrot^N
Indian naan bread

Roggenknäckebrot^N
rye crispbread

Blätterteig^M
filo dough

ungesäuertes Brot^N
unleavened bread

dänisches Roggenbrot^N
Danish rye bread

Weißbrot^N
white bread

Mehrkornbrot^N
multigrain bread

skandinavisches Knäckebrot^N
Scandinavian crispbread

jüdisches Weißbrot^N
Jewish challah

amerikanisches
Maisbrot^N
American corn bread

deutsches Roggenbrot^N
German rye bread

russischer
Pumpernickel^M
Russian black bread

Bauernbrot^N
farmhouse loaf

Vollkornbrot^N
wholemeal bread

irisches Brot^N
Irish soda bread

englisches Weißbrot^N
cottage loaf

Teigwaren^F
pasta

Rigatoni^M
rigatoni

Rotini^M
rotini

Conchiglie^F
conchiglie

Fusilli^M
fusilli

Spaghetti^M
spaghetti

Ditali^M
ditali

Gnocchi^M
gnocchi

Tortellini^M
tortellini

Spaghettini^M
spaghettini

Hörnchennudeln^F
elbows

Penne^F
penne

Cannelloni^M
cannelloni

Lasagne^F
lasagne

Ravioli^M
ravioli

grüne Tagliatelle^F
spinach tagliatelle

Fettuccine^F
fettucine

asiatische Teigwaren[F]
Asian noodles

Sobanudeln[F]
soba noodles

Somennudeln[F]
somen noodles

Udonnudeln[F]
udon noodles

Reispapier[N]
rice papers

Reisnudeln[F]
rice noodles

Glasnudeln[F]
bean thread cellophane noodles

asiatische Eiernudeln[F]
egg noodles

Reisfadennudeln[F]
rice vermicelli

Wan-tan-Teigblätter[N]
won ton skins

Reis[M]
rice

weißer Reis[M]
white rice

Braunreis[M]
brown rice

Parboiled Reis[M]
parboiled rice

Basmatireis[M]
basmati rice

Kaffee^M und Tee^M
coffee and infusions

Kaffee^M
coffee

Rohkaffee^F
green coffee beans

geröstete Kaffeebohnen^F
roasted coffee beans

Kräutertees^M
herbal teas

Linde^F
linden

Kamille^F
chamomile

Verbene^F
verbena

Tee^M
tea

grüner Tee^M
green tea

schwarzer Tee^M
black tea

Oolong-Tee^M
oolong tea

Teebeutel^M
tea bag

Schokolade^F
chocolate

Bitterschokolade^F
dark chocolate

Milchschokolade^F
milk chocolate

Kakao^M
cocoa

weiße Schokolade^F
white chocolate

Zucker^M
sugar

Kristallzucker^M
granulated sugar

Puderzucker^M
powdered sugar

brauner Zucker^M
brown sugar

Kandiszucker^M
rock candy

Melasse^F
molasses

Maissirup^M
corn syrup

Ahornsirup^M
maple syrup

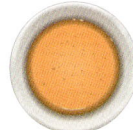

Honig^M
honey

Fette^N und Öle^N
fats and oils

Maisöl^N
corn oil

Olivenöl^N
olive oil

Sonnenblumenöl^N
sunflower-seed oil

Erdnussöl^N
peanut oil

Sesamöl^N
sesame oil

Backfett^N
shortening

Schweinespeck^M
lard

Margarine^F
margarine

Milchprodukte[N]
dairy products

Joghurt[M]
yogurt

Ghee[N]
ghee

Butter[F]
butter

Sahne[F]
cream

Schlagsahne[F]
whipping cream

saure Sahne[F]
sour cream

Milch[F]
milk

homogenisierte Milch[F]
homogenized milk

Ziegenmilch[F]
goat's milk

Kondensmilch[F]
evaporated milk

Buttermilch[F]
buttermilk

Milchpulver[N]
powdered milk

Frischkäse[M]
fresh cheeses

Hüttenkäse[M]
cottage cheese

Mozzarella[M]
mozzarella

Ricotta[M]
ricotta

Streichkäse[M]
cream cheese

Ziegenkäse[M]
goat's-milk cheeses

Ziegenfrischkäse[M]
Chèvre cheese

Crottin de Chavignol[M]
Crottin de Chavignol

Milchprodukte^N

Hartkäse^M
pressed cheeses

Jarlsberg^M
Jarlsberg

Emmentaler^M
Emmenthal

Raclette^M
Raclette

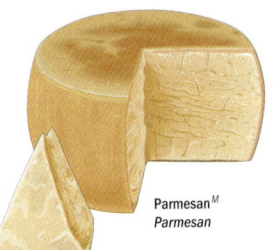
Parmesan^M
Parmesan

Gruyèrekäse^M
Gruyère

Pecorino Romano^M
Romano

Edelpilzkäse^M
blue-veined cheeses

Roquefort^M
Roquefort

Stilton^M
Stilton

Gorgonzola^M
Gorgonzola

Danish Blue^M
Danish Blue

Weichkäse^M
soft cheeses

Pont-l'Évêque^M
Pont-l'Évêque

Coulommiers^M
Coulommiers

Camembert^M
Camembert

Brie^M
Brie

Munster^M
Munster

NAHRUNGSMITTEL UND KÜCHE

Fleisch[N]
meat

Rindfleisch[N]
cuts of beef

Steak[N]
steak

Rindfleischwürfel[M]
beef cubes

Rinderhackfleisch[N]
minced beef

Hachse[F]
shank

Rinderfilet[N]
tenderloin roast

hohe Rippe[F]
rib roast

Querrippe[F]
back ribs

Kalbfleisch[N]
cuts of veal

Kalbfleischwürfel[M]
veal cubes

Kalbshackfleisch[N]
minced veal

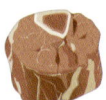

Hachse[F]
shank

Rollbraten[M]
roast

Schnitzel[N]
steak

Kotelett[N]
chop

Lammfleisch[N]
cuts of lamb

Kotelett[N]
chop

Lammhackfleisch[N]
minced lamb

Lammfleischwürfel[M]
lamb cubes

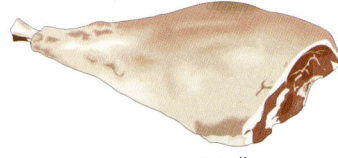

Braten[M]
roast

Hachse[F]
shank

Schweinefleisch[N]
cuts of pork

Spareribs/Schälrippchen[N]
spareribs

Schweinehackfleisch[N]
minced pork

Eisbein[N]
hock

Kotelett[N]
loin chop

Räucherschinken[M]
smoked ham

Braten[M]
roast

Innereien^F
offal

NAHRUNGSMITTEL UND KÜCHE

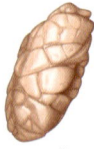

Gekröse^N
sweetbreads

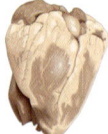

Herz^N
heart

Leber^F
liver

Mark^N
marrow

Zunge^F
tongue

Niere^F
kidney

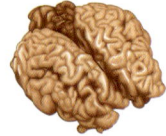

Hirn^N
brains

Kaldaune^F
tripe

Wild^N
game

Wachtel^F
quail

Taube^F
pigeon

Hase^M
hare

Kaninchen^N
rabbit

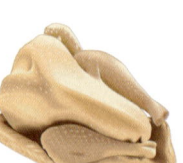

Perlhuhn^N
guinea fowl

Fasan^M
pheasant

Geflügel[N]
poultry

Huhn[N]
chicken

Ente[F]
duck

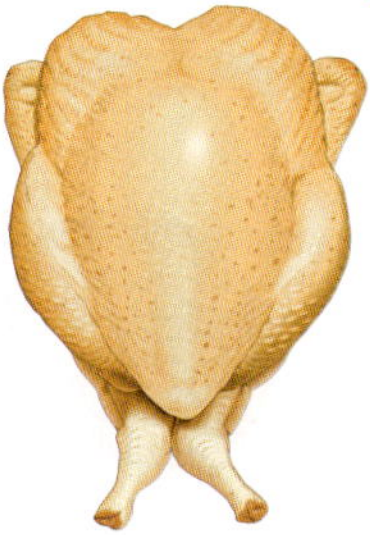

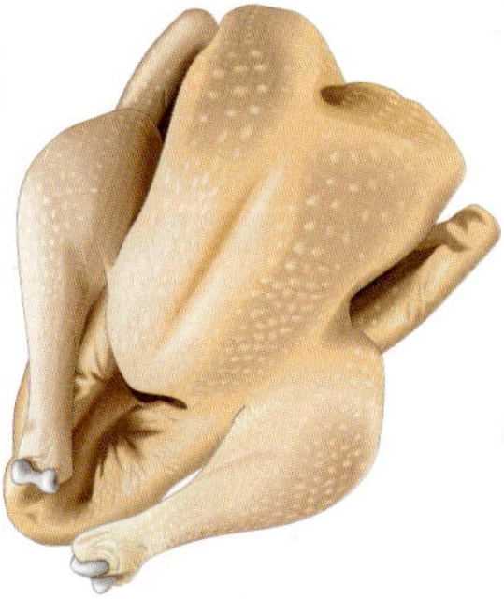

Puter[M]
turkey

Gans[F]
goose

Kapaun[M]
capon

Eier[N]
eggs

Wachtelei[N]
quail egg

Fasanenei[N]
pheasant egg

Gänseei[N]
goose egg

Straußenei[N]
ostrich egg

Entenei[N]
duck egg

Hühnerei[N]
hen egg

Spezialitäten^F

delicatessen

Rillettes^F
rillettes

Stopfleber^F
foie gras

roher Schinken^M
prosciutto

Kielbasa-Wurst^F
kielbasa sausage

Mortadella^F
mortadella

Blutwurst^F
black pudding

Chorizo-Wurst^F
chorizo

Pepperoniwurst^F
pepperoni

grobe Salami^F
Genoa salami

feine Salami^F
German salami

Toulouser Wurst^F
Toulouse sausage

Merguez-Wurst^F
merguez sausage

Kuttelwurst^F
andouillette

Bratwurst^F
chipolata sausage

Frankfurter Würstchen^N
frankfurter

Bauchspeck^M
pancetta

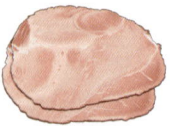

gekochter Schinken^M
cooked ham

amerikanischer Bacon^M
American bacon

kanadischer Bacon^M
Canadian bacon

Mollusken[F]
molluscs

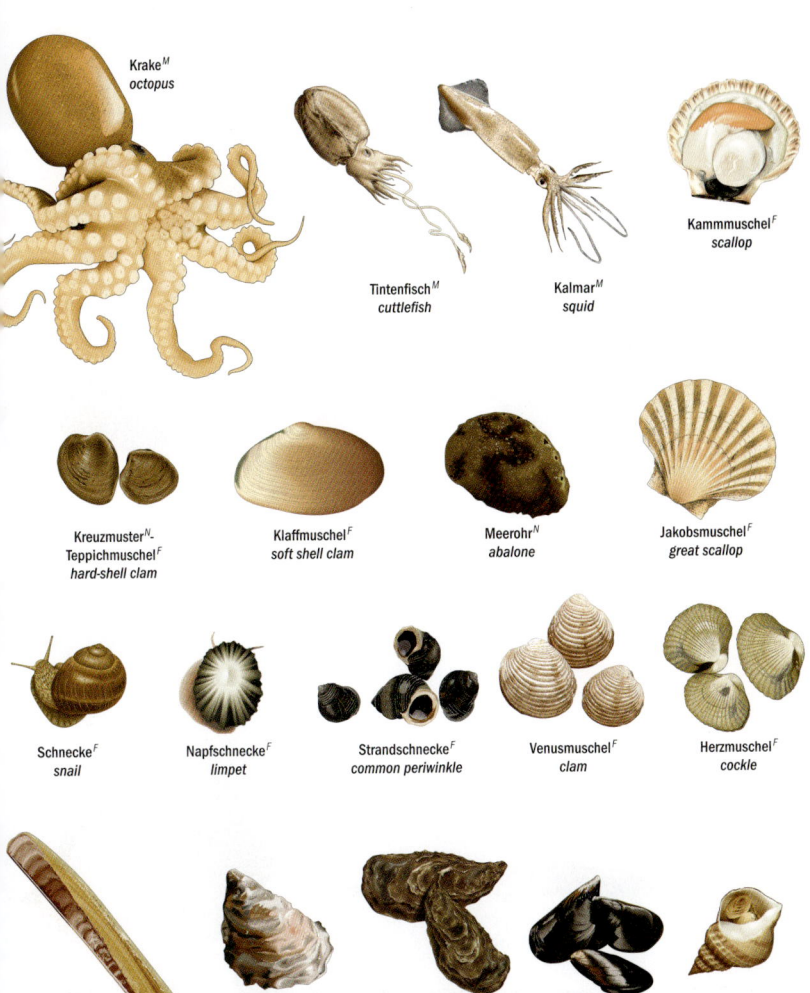

Krake[M]
octopus

Tintenfisch[M]
cuttlefish

Kalmar[M]
squid

Kammmuschel[F]
scallop

Kreuzmuster[N]-
Teppichmuschel[F]
hard-shell clam

Klaffmuschel[F]
soft shell clam

Meerohr[N]
abalone

Jakobsmuschel[F]
great scallop

Schnecke[F]
snail

Napfschnecke[F]
limpet

Strandschnecke[F]
common periwinkle

Venusmuschel[F]
clam

Herzmuschel[F]
cockle

Messermuschel[F]
razor clam

Auster[F]
oyster

Auster[F]
oyster

Miesmuschel[F]
blue mussel

Wellhornschnecke[F]
whelk

Krebstiere^N

crustaceans

Languste^F
spiny lobster

Flusskrebs^M
crayfish

Hummer^M
lobster

Gamele^F
prawn

Langustine^F
scampi

Krabbe^F
crab

Knorpelfische^M

cartilaginous fishes

groß gefleckter
Katzenhai^M
larger spotted dogfish

Rochen^M
skate

Hundshai^M
smooth hound

Stör^M
sturgeon

Knochenfische^M
bony fishes

Sardelle^F
anchovy

Sardine^F
sardine

Hering^M
herring

Stint^M
smelt

Goldbrasse^F
sea bream

rote Meerbarbe^F
goatfish

Makrele^F
mackerel

Aal^M
eel

Knurrhahn^M
gurnard

Meerneunauge^N
lamprey

Schwertfisch^M
swordfish

Knochenfische^M

Barsch^M
bass

Meeräsche^F
mullet

Karpfen^M
carp

Flussbarsch^M
perch

Alse^F
shad

Hecht^M
pike

Zander^M
pike perch

Blaufisch^M
bluefish

Seebarsch^M
sea bass

Seeteufel^M
monkfish

Thunfisch^M
tuna

Rotbarsch^M
redfish

Weißfisch^M
whiting

Schellfisch^M
haddock

Seelachs^M
black pollock

atlantischer Kabeljau^M
Atlantic cod

Forelle^F
trout

pazifischer Lachs^M
Pacific salmon

atlantischer Lachs^M
Atlantic salmon

Bachsaibling^M
brook charr

Heringskönig^M
John dory

Heilbutt^M
halibut

Steinbutt^M
turbot

Flunder^F
common plaice

Scholle^F
sole

Verpackungen*F*

packaging

Beutel*M*
pouch

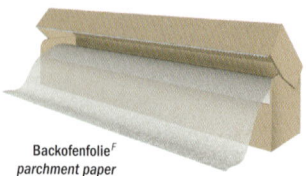

Backofenfolie*F*
parchment paper

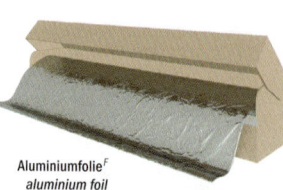

Aluminiumfolie*F*
aluminium foil

Gefrierbeutel*M*
freezer bag

Wachspapier*N*
waxed paper

Frischhaltefolie*F*
plastic film

Netz*N*
mesh bag

Vorratsdosen*F*
canisters

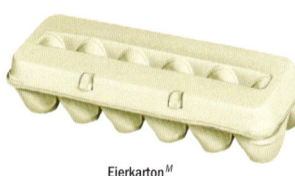

Eierkarton*M*
egg carton

Schale*F*
food tray

Kiste*F*
small crate

Holzkiste*F*
small open crate

Verpackungen^F

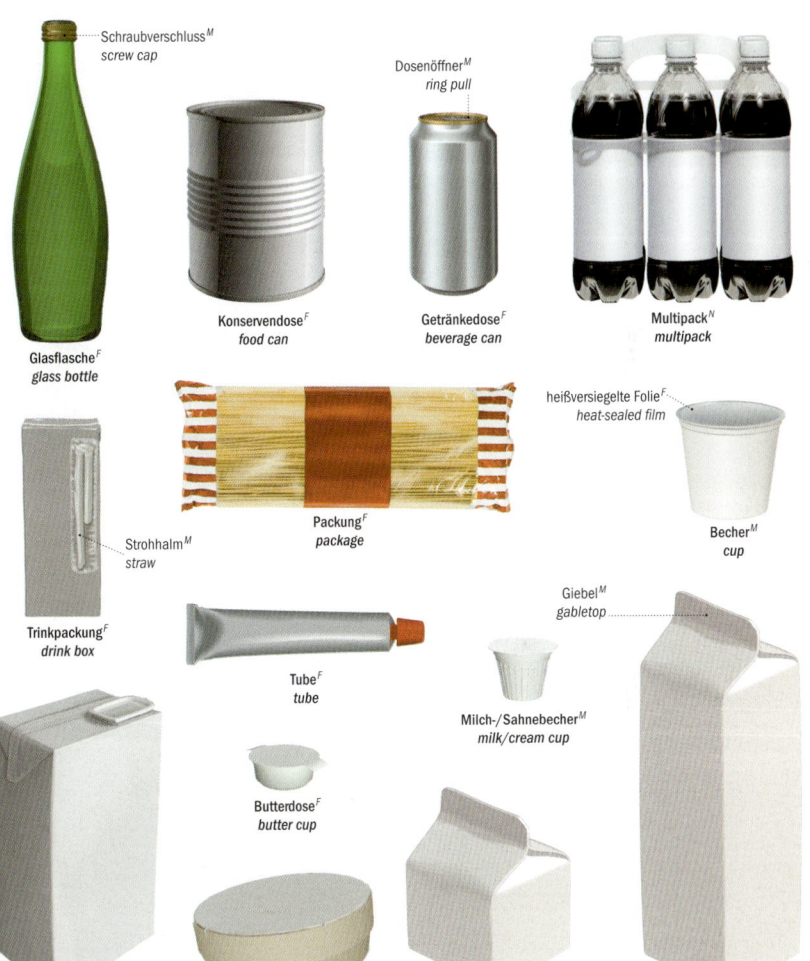

Schraubverschluss^M
screw cap

Dosenöffner^M
ring pull

Konservendose^F
food can

Getränkedose^F
beverage can

Multipack^N
multipack

Glasflasche^F
glass bottle

heißversiegelte Folie^F
heat-sealed film

Strohhalm^M
straw

Packung^F
package

Becher^M
cup

Trinkpackung^F
drink box

Giebel^M
gabletop

Tube^F
tube

Milch-/Sahnebecher^M
milk/cream cup

Butterdose^F
butter cup

Getränkekarton^M
brick carton

Käseschachtel^F
cheese box

Kleiner
Getränkekarton^M
small carton

Getränkekarton^M
carton

NAHRUNGSMITTEL UND KÜCHE

163

Küche[F]
kitchen

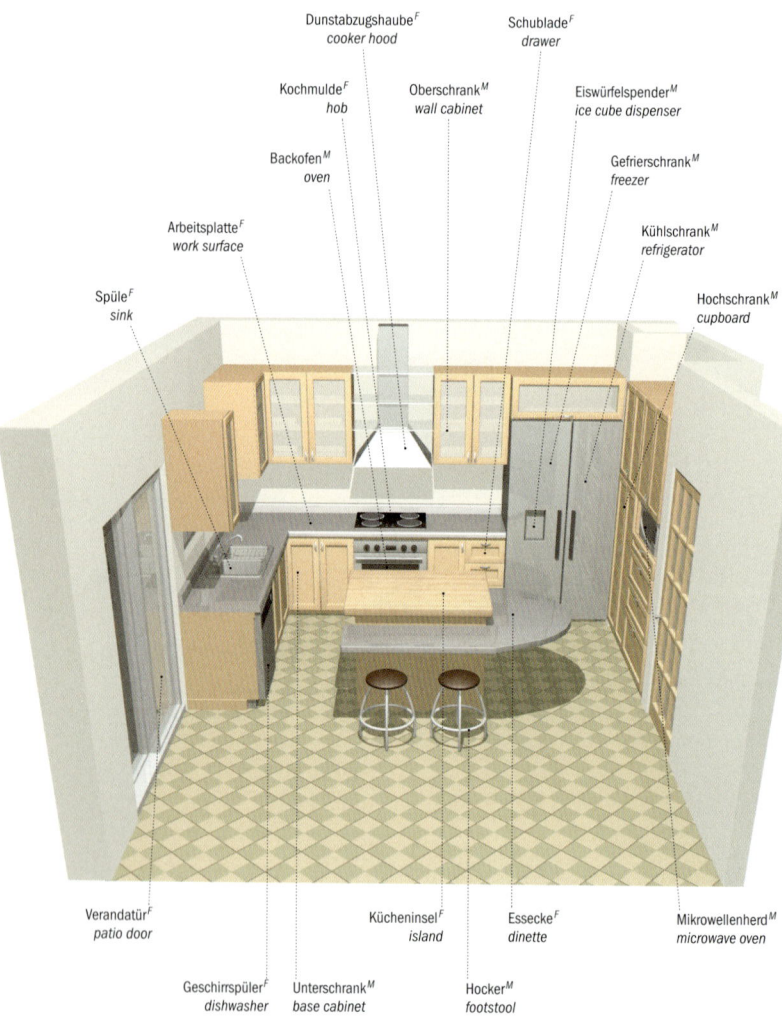

Dunstabzugshaube[F]
cooker hood

Schublade[F]
drawer

Kochmulde[F]
hob

Oberschrank[M]
wall cabinet

Eiswürfelspender[M]
ice cube dispenser

Backofen[M]
oven

Gefrierschrank[M]
freezer

Arbeitsplatte[F]
work surface

Kühlschrank[M]
refrigerator

Spüle[F]
sink

Hochschrank[M]
cupboard

Verandatür[F]
patio door

Küscheninsel[F]
island

Essecke[F]
dinette

Mikrowellenherd[M]
microwave oven

Geschirrspüler[F]
dishwasher

Unterschrank[M]
base cabinet

Hocker[M]
footstool

Gläser[N]
glassware

Likörglas[N]
liqueur glass

Portweinglas[N]
port glass

Sektschale[F]
champagne glass

Kognakschwenker[M]
brandy glass

Elsassglas[N]
hock glass

Rotweinglas[N]
burgundy glass

Bordeauxglas[N]
bordeaux glass

Weißweinglas[N]
white wine glass

Wasserglas[N]
water goblet

Cocktailglas[N]
cocktail glass

Longdrinkglas[N]
tall tumbler

Whiskyglas[M]
whisky tumbler

Bierkrug[M]
beer glass

Sektkelch[M]
champagne flute

kleine Karaffe[F]
carafe

Karaffe[F]
decanter

Geschirr[N]

crockery

Mokkatasse[F]
demitasse

Tasse[F]
tea cup

Becher[M]
coffee mug

Milchkännchen[N]
cream jug

Zuckerdose[F]
sugar bowl

Salzstreuer[M]
saltcellar

Pfefferstreuer[M]
pepperpot

Sauciere[F]
gravy boat

Butterdose[F]
butter dish

Auflaufförmchen[N]
ramekin

Suppenschale[F]
soup bowl

Suppenteller[M]
rim soup bowl

flacher Teller[M]
dinner plate

Salatteller[M]
salad plate

kleiner Teller[M]
side plate

Teekanne[F]
teapot

Servierplatte[F]
serving dish

Gemüseterrine[F]
vegetable dish

Fischplatte[F]
fish dish

Hors-d'Oeuvre-Schale[F]
hors d'oeuvre dish

Wasserkrug[M]
water jug

Salatschüssel[F]
salad bowl

Salatschale[F]
salad dish

Suppenterrine[F]
soup tureen

Silberbesteck^N

cutlery

Messer^N
knife

Klinge^F
blade

Spitze^F
tip

Rücken^M
back

Krone^F
bolster

Griff^M
handle

Schneide^F
cutting edge

Seite^F
side

Angel^F
tang

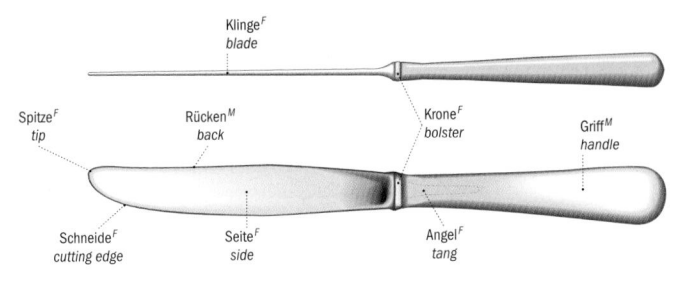

Gabel^F
fork

Rücken^M
back

Griff^M
handle

Hals^M
neck

Schlitz^M
slot

Spitze^F
point

Zinke^F
tine

Wurzel^F
root

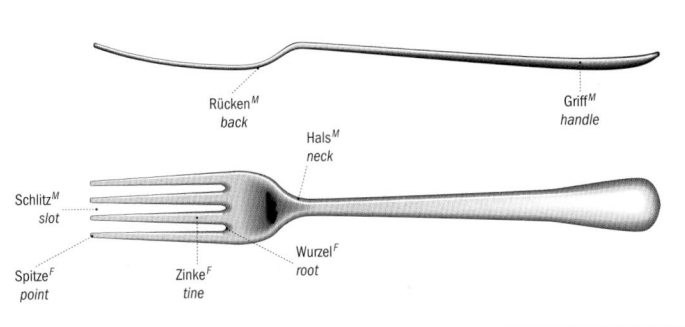

Löffel^M
spoon

Schöpfteil^{M/N}
bowl

Spitze^F
tip

Rücken^M
back

Hals^M
neck

Stiel^M
handle

Laffe^F
bowl

Silberbesteck[N]

NAHRUNGSMITTEL UND KÜCHE

Beispiele[N] für Gabeln[F]
examples of forks

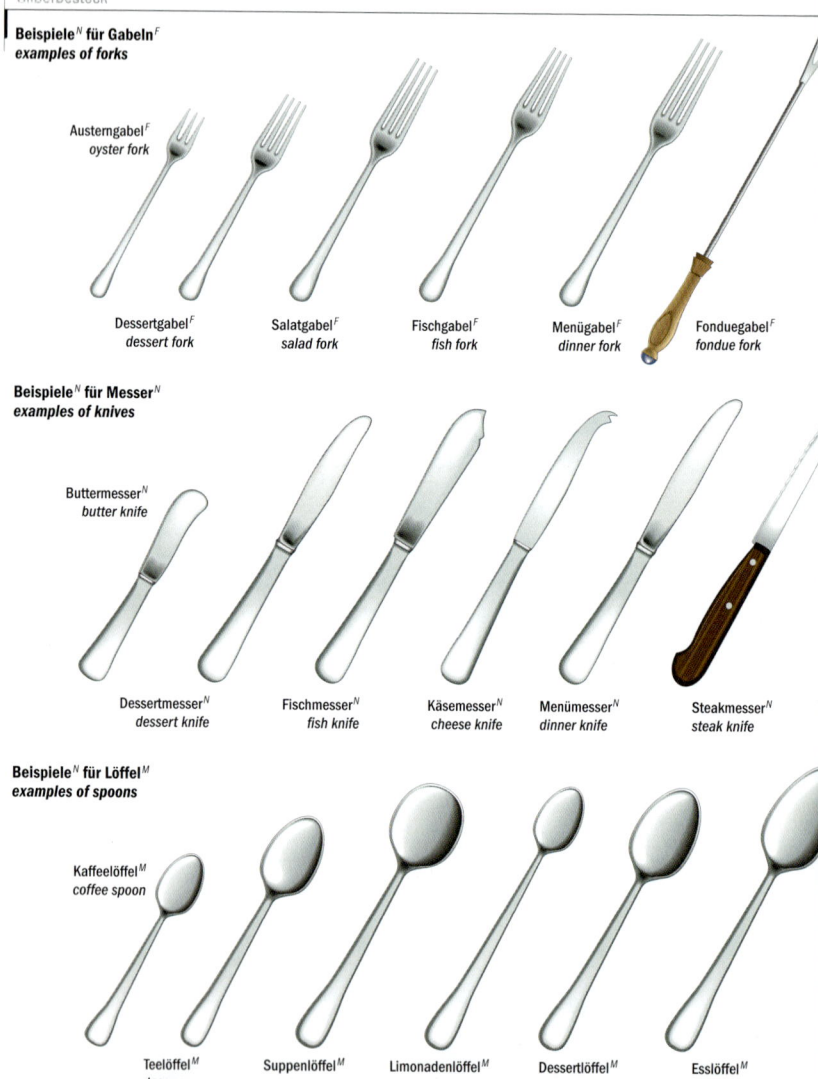

Austerngabel[F]
oyster fork

Dessertgabel[F]
dessert fork

Salatgabel[F]
salad fork

Fischgabel[F]
fish fork

Menügabel[F]
dinner fork

Fonduegabel[F]
fondue fork

Beispiele[N] für Messer[N]
examples of knives

Buttermesser[N]
butter knife

Dessertmesser[N]
dessert knife

Fischmesser[N]
fish knife

Käsemesser[N]
cheese knife

Menümesser[N]
dinner knife

Steakmesser[N]
steak knife

Beispiele[N] für Löffel[M]
examples of spoons

Kaffeelöffel[M]
coffee spoon

Teelöffel[M]
teaspoon

Suppenlöffel[M]
soup spoon

Limonadenlöffel[M]
sundae spoon

Dessertlöffel[M]
dessert spoon

Esslöffel[M]
tablespoon

Küchenutensilien[N]
kitchen utensils

Küchenmesser[N]
kitchen knife

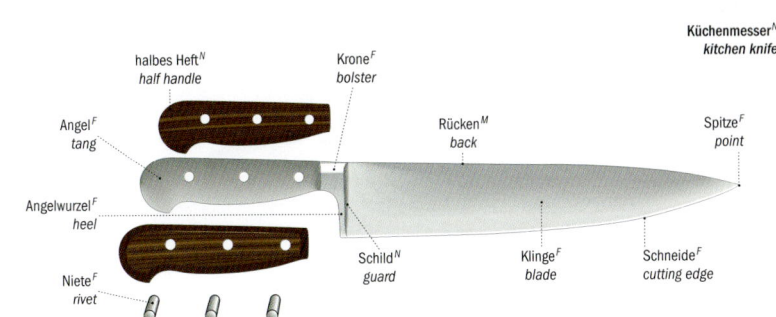

halbes Heft[N]
half handle

Krone[F]
bolster

Rücken[M]
back

Spitze[F]
point

Angel[F]
tang

Angelwurzel[F]
heel

Niete[F]
rivet

Schild[N]
guard

Klinge[F]
blade

Schneide[F]
cutting edge

Beispiele[N] für Küchenmesser[N]
examples of kitchen knives

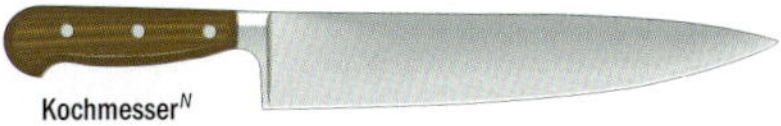

Kochmesser[N]
cook's knife

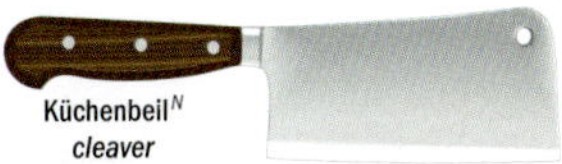

Küchenbeil[N]
cleaver

Brotmesser[N]
bread knife

Tranchiermesser[N]
carving knife

Schinkenmesser[N]
ham knife

Schälmesser[N]
paring knife

Filiermesser[N]
filleting knife

Tranchiergabel[F]
carving fork

Wetzstahl[M]
sharpening steel

Ausbeinmesser[N]
boning knife

Wetzstein[M]
sharpening stone

Grapefruitmesser[N]
grapefruit knife

Austernmesser[N]
oyster knife

Zitronenschaber[M]
zester

Schneidbrett[N]
cutting board

Schäler[M]
peeler

Butterroller[M]
butter curler

Saftrinne[F]
groove

Küchenutensilien[N]

zum Öffnen[N]
for opening

Büchsenöffner[M]
tin opener

Flaschenöffner[M]
bottle opener

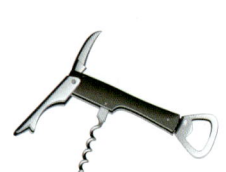

Kellnerbesteck[N]
wine waiter corkscrew

Hebel-Korkenzieher[M]
lever corkscrew

zum Zerkleinern[N] und Zerreiben[N]
for grinding and grating

Nussknacker[M]
nutcracker

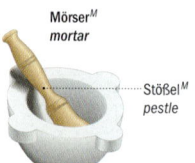

Mörser[M]
mortar

Stößel[M]
pestle

Fleischwolf[M]
mincer

Knoblauchpresse[F]
garlic press

Zitronenpresse[F]
lemon squeezer

Muskatnussreibe[F]
nutmeg grater

Reibe[F]
grater

Käsereibe[F]
rotary cheese grater

Presshebel[M]
pusher

Kurbel[F]
crank

Trommel[F]
drum

Griff[M]
handle

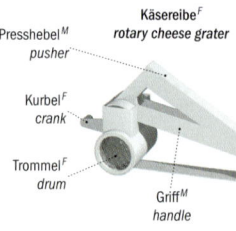

Nudelmaschine[F]
pasta maker

Passiergerät[N]
food mill

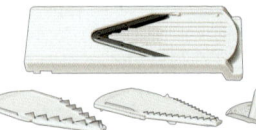

Küchenreibe[F]
mandoline

zum Messen[N]
for measuring

Messlöffel[M]
measuring spoons

Messbecher[M]
measuring cups

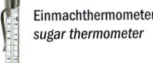

Einmachthermometer[N]
sugar thermometer

digitales Bratenthermometer[N]
instant-read thermometer

Maß[N]
measuring jug

Fleischthermometer[N]
meat thermometer

Backofenthermometer[N]
oven thermometer

Messbecher[M]
measuring beaker

Küchenuhr[F]
kitchen timer

Eieruhr[F]
egg timer

Küchenwaage[F]
kitchen scale

zum Sieben[N] und Abtropfen[N]
for straining and draining

Passiersieb[N]
mesh strainer

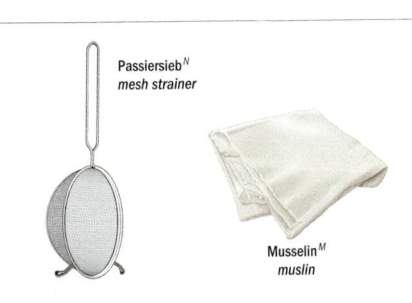

Musselin[M]
muslin

Spitzsieb[N]
chinois

Trichter[M]
funnel

Seiher[M]
colander

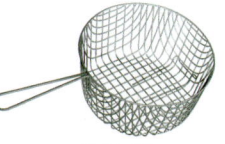

Frittierkorb[M]
frying basket

Mehlsieb[N]
sieve

Salatschleuder[F]
salad spinner

Küchenutensilien^N

Backgerät^N
baking utensils

Garnierspritze^F
icing syringe

Kuchenrad^N
pastry cutting wheel

Kuchenpinsel^M
pastry brush

Rad-Schneeschläger^M
egg beater

Schneebesen^M
whisk

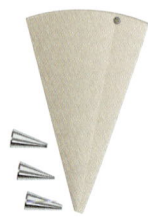
Spritzbeutel^M mit Tüllen^F
pastry bag and nozzles

Mehlsieb^N
sifter

Ausstechformen^F
biscuit cutters

Streuer^M
dredger

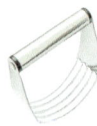
Teigmischer^M
pastry blender

Rührschüsseln^F
mixing bowls

Nudelholz^N
rolling pin

Backblech^N
baking sheet

Muffinform^F
bun tin

Soufflèform^F
soufflé dish

Charlottenform^F
charlotte mould

Springform^F
removable-bottomed tin

flache Kuchenform^F
pie tin

Quicheform^F
quiche tin

Kuchenform^F
cake tin

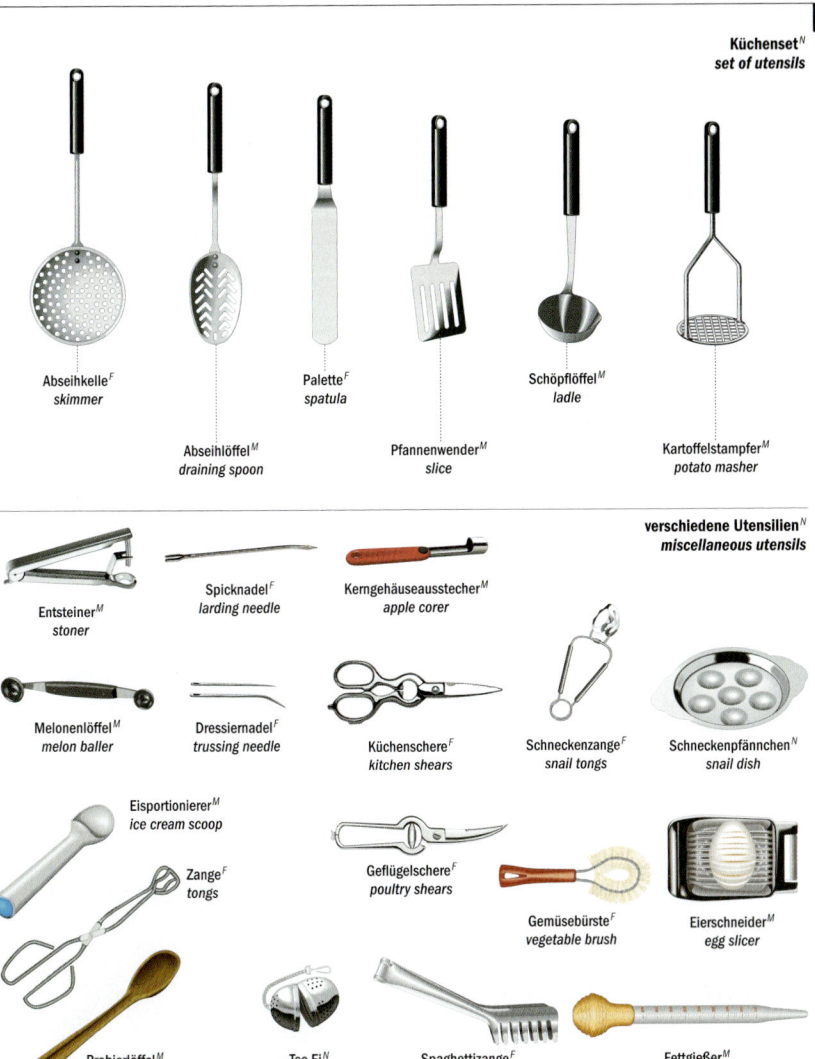

Küchenset[N]
set of utensils

Abseihkelle[F]
skimmer

Abseihlöffel[M]
draining spoon

Palette[F]
spatula

Pfannenwender[M]
slice

Schöpflöffel[M]
ladle

Kartoffelstampfer[M]
potato masher

verschiedene Utensilien[N]
miscellaneous utensils

Entsteiner[M]
stoner

Spicknadel[F]
larding needle

Kerngehäuseausstecher[M]
apple corer

Melonenlöffel[M]
melon baller

Dressiernadel[F]
trussing needle

Küchenschere[F]
kitchen shears

Schneckenzange[F]
snail tongs

Schneckenpfännchen[N]
snail dish

Eisportionierer[M]
ice cream scoop

Zange[F]
tongs

Geflügelschere[F]
poultry shears

Gemüsebürste[F]
vegetable brush

Eierschneider[M]
egg slicer

Probierlöffel[M]
tasting spoon

Tee-Ei[N]
tea infuser

Spaghettizange[F]
spaghetti tongs

Fettgießer[M]
baster

NAHRUNGSMITTEL UND KÜCHE

Kochgeräte[N]
cooking utensils

Wok-Set[N]
wok set

Deckel[M]
lid

Gittereinsatz[M]
rack

Wok[M]
wok

Aufsatz[M]
burner ring

Tajine[F]
tajine

Fischkochtopf[M]
fish kettle

Gittereinsatz[M]
strainer

Deckel[M]
lid

Fondue-Set[N]
fondue set

Fonduetopf[M]
fondue pot

Ständer[M]
stand

Brenner[M]
burner

Terrine[F]
terrine

Fettpfanne[F]
dripping pan

Bräter[M]
roasting pans

Schnellkochtopf[M]
pressure cooker

Überdruckventil[N]
pressure regulator

Sicherheitsventil[N]
safety valve

flacher Bratentopf^M
Dutch oven

Suppentopf^M
stock pot

Couscoustopf^M
couscous kettle

Bratpfanne^F
frying pan

Dampfkochtopf^M
steamer

Eipochierer^M
egg poacher

Schmorpfanne^F
sauté pan

Pfanne^F
small saucepan

Römertopf^M
diable

Crêpe-Pfanne^F
pancake pan

Dämpfeinsatz^M
steamer basket

Wasserbadtopf^M
double boiler

Stielkasserolle^F
saucepan

NAHRUNGSMITTEL UND KÜCHE

175

Haushaltsgeräte[N]

domestic appliances

zum Mixen[N] und Kneten[N]
for mixing and blending

Mixer[M]
blender

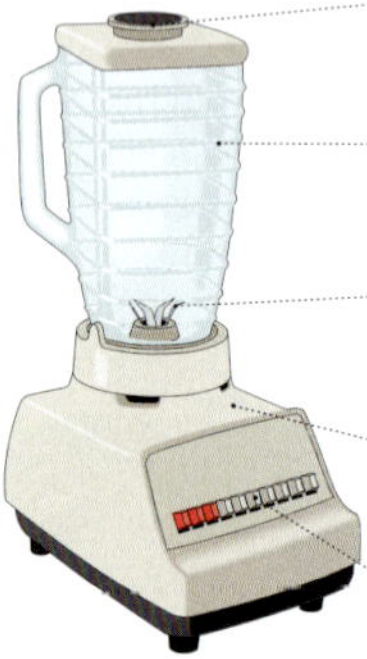

Deckelknopf[M]
cap

Behälter[M]
container

Schneidmesser[N]
cutting blade

Motorblock[M]
motor unit

Drucktaste[F]
push button

Handrührgerät[N]
hand mixer

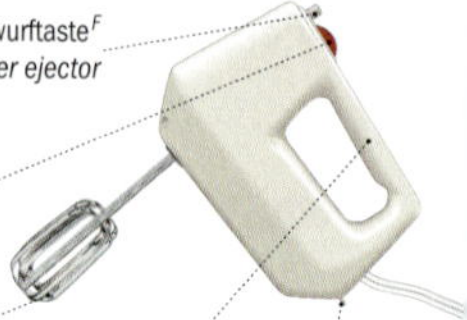

Auswurftaste[F]
beater ejector

Geschwindigkeitswähler[M]
speed selector

Rührbesen[M]
beater

Griff[M]
handle

Heck[N]
heel rest

Stabmixer[M]
hand blender

Motorblock[M]
motor unit

Messerschutz[M]
blending attachment

Tischrührgerät[N]
table mixer

Auswurftaste[F]
beater ejector

Geschwindigkeitsregelung[F]
speed control

Rührbesen[M]
beater

Schwenkarm[M]
tilt-back head

Rührschüssel[F]
mixing bowl

Drehscheibe[F]
turntable

Ständer[M]
stand

Rührbesen[M]
beaters

Rührbesen[M]
four-blade beater

Spiralkneter[M]
spiral beater

Drahtbesen[M]
wire beater

Knethaken[M]
dough hook

NAHRUNGSMITTEL UND KÜCHE

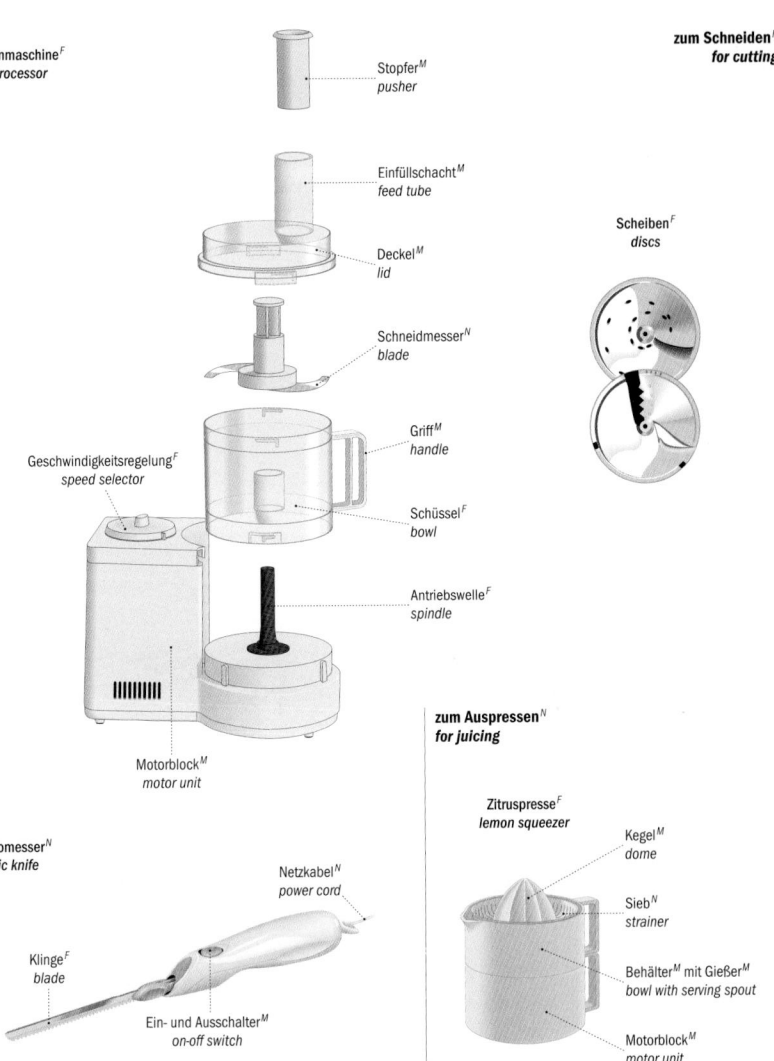

Küchenmaschine[F]
food processor

Stopfer[M]
pusher

Einfüllschacht[M]
feed tube

Deckel[M]
lid

Schneidmesser[N]
blade

Geschwindigkeitsregelung[F]
speed selector

Griff[M]
handle

Schüssel[F]
bowl

Antriebswelle[F]
spindle

Motorblock[M]
motor unit

zum Schneiden[N]
for cutting

Scheiben[F]
discs

zum Auspressen[N]
for juicing

Zitruspresse[F]
lemon squeezer

Kegel[M]
dome

Sieb[N]
strainer

Behälter[M] mit Gießer[M]
bowl with serving spout

Motorblock[M]
motor unit

Elektromesser[N]
electric knife

Netzkabel[N]
power cord

Klinge[F]
blade

Ein- und Ausschalter[M]
on-off switch

Haushaltsgeräte[N]

NAHRUNGSMITTEL UND KÜCHE

zum Kochen[N]
for cooking

Mikrowellengerät[N]
microwave oven

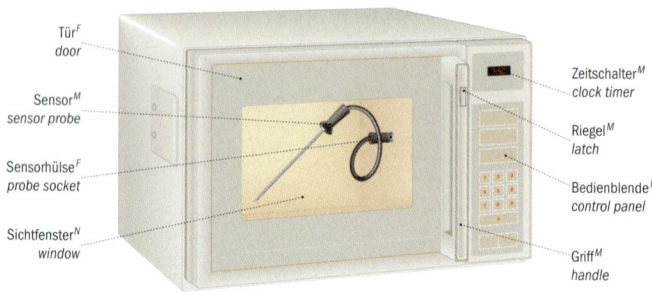

Tür[F]
door

Sensor[M]
sensor probe

Sensorhülse[F]
probe socket

Sichtfenster[N]
window

Zeitschalter[M]
clock timer

Riegel[M]
latch

Bedienblende[F]
control panel

Griff[M]
handle

Waffeleisen[N]
waffle iron

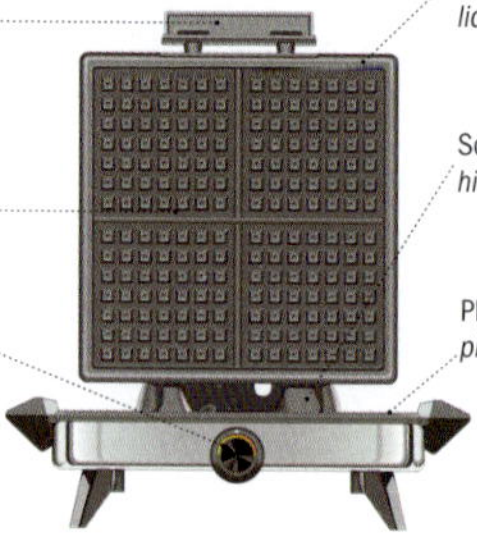

Deckel[M]
lid

Griff[M]
handle

Scharnier[N]
hinge

Platte[F]
plate

Platte[F]
plate

Temperaturwähler[M]
temperature selector

Toaster[M]
toaster

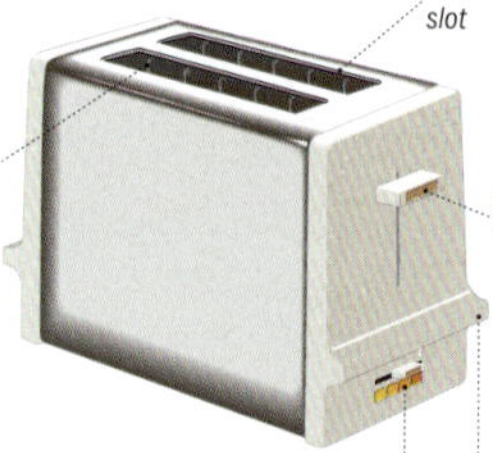

Schlitz[M]
slot

Fritteuse[F]
deep fryer

Brothalter[M]
bread guide

Hebel[M]
lever

Frittierkorb[M]
basket

Regler[M]
rack

Zeituhr[F]
timer

Thermostat[M]
thermostat

Kontrollleuchte[F]
pilot light

Temperaturregler[M]
temperature control

Griff[M]
handle

Filter[M]
filter

Deckel[M]
lid

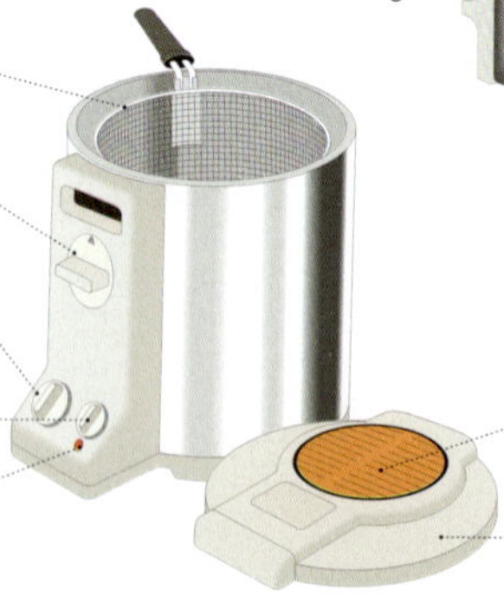

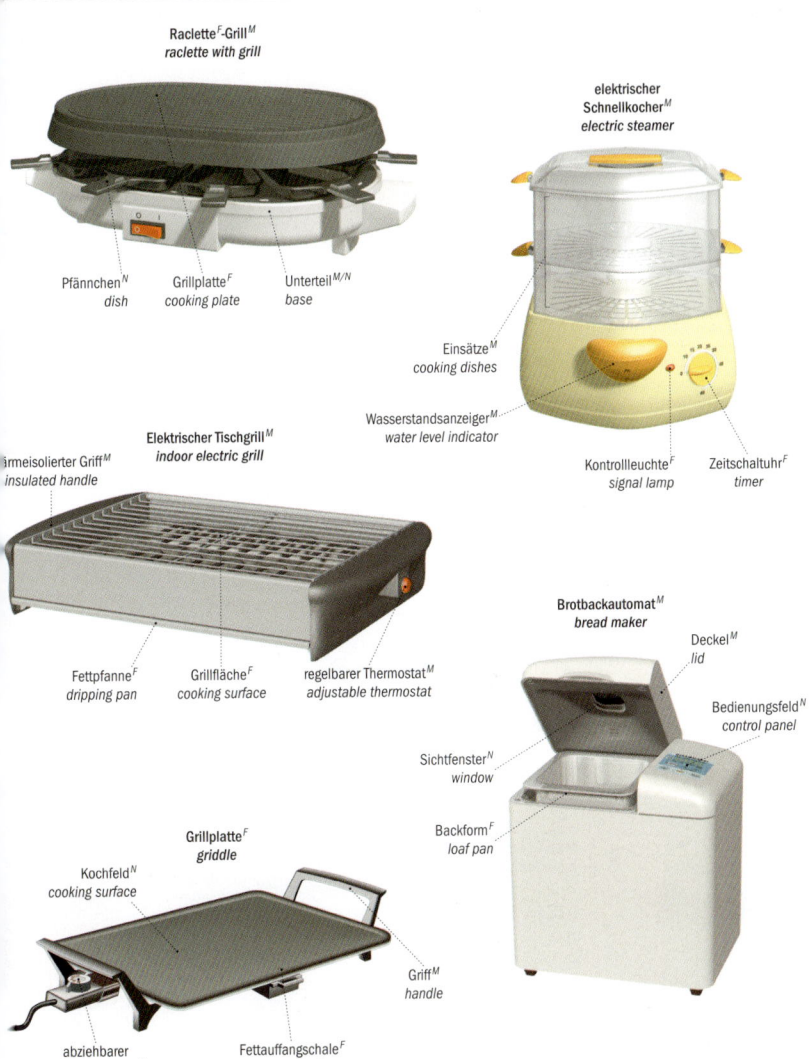

Raclette[F]-Grill[M]
raclette with grill

Pfännchen[N]
dish

Grillplatte[F]
cooking plate

Unterteil[M/N]
base

elektrischer Schnellkocher[M]
electric steamer

Einsätze[M]
cooking dishes

Wasserstandsanzeiger[M]
water level indicator

Kontrollleuchte[F]
signal lamp

Zeitschaltuhr[F]
timer

Elektrischer Tischgrill[M]
indoor electric grill

wärmeisolierter Griff[M]
insulated handle

Fettpfanne[F]
dripping pan

Grillfläche[F]
cooking surface

regelbarer Thermostat[M]
adjustable thermostat

Brotbackautomat[M]
bread maker

Deckel[M]
lid

Bedienungsfeld[N]
control panel

Sichtfenster[N]
window

Backform[F]
loaf pan

Grillplatte[F]
griddle

Kochfeld[N]
cooking surface

Griff[M]
handle

abziehbarer
Temperaturregler[M]
detachable control

Fettauffangschale[F]
grease well

NAHRUNGSMITTEL UND KÜCHE

verschiedene Haushaltsgeräte^N

miscellaneous domestic appliances

Dosenöffner^M
tin opener

Einstechhebel^M
pierce lever

magnetischer
Deckelhalter^M
magnetic lid holder

Schneidklinge^F
cutting blade

Druckzahnrädchen^N
drive wheel

Kaffeemühle^F
coffee mill

Deckel^M
lid

Messer^N
blade

Ein- und Ausschalter^M
on-off button

Motorblock^M
motor unit

Wasserkessel^M
kettle

Pfeife^F
whistle

Griff^M
handle

Tülle^F
spout

Kontrollleuchte^F
pilot light

Boden^M
base

Gehäuse^N
body

Entsafter^M
juice extractor

Stopfer^M
pusher

Eismaschine^F
ice cream maker

Deckel^M
lid

Motorblock^M
motor unit

Sieb^N
strainer

Deckel^M
cover

Einfüllschacht^M
feed tube

Griff^M
handle

Motorblock^M
motor unit

Eisbehälter^M
ice cream container

Behälter^F
bowl

Kaffeemaschinen^F
coffee makers

Kaffeemaschine^F
automatic filter coffee maker

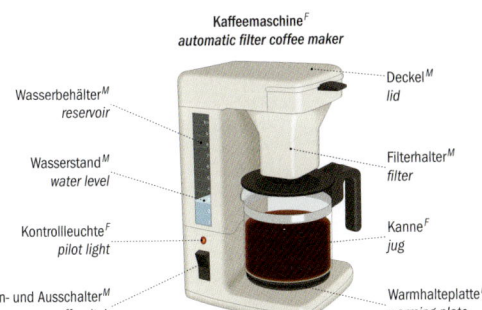

Wasserbehälter^M
reservoir

Wasserstand^M
water level

Kontrollleuchte^F
pilot light

Ein- und Ausschalter^M
on-off switch

Deckel^M
lid

Filterhalter^M
filter

Kanne^F
jug

Warmhalteplatte^F
warming plate

**Neapolitanische
Tropfkanne**^F
Neapolitan coffee maker

Espressomaschine^F
espresso machine

Ein- und Ausschalter^M
on-off switch

Kaffeepresser^M
tamper

Auffangschale^F
drip tray

Aufschäumdüse^F
steam nozzle

Dampfregler^M
steam control knob

Filterhalter^M
filter holder

Wassertank^M
water tank

Vakuum-Kaffeemaschine^F
vacuum coffee maker

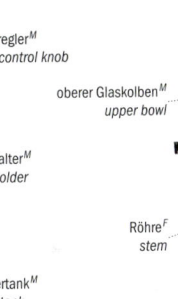

oberer Glaskolben^M
upper bowl

Röhre^F
stem

unterer Glaskolben^M
lower bowl

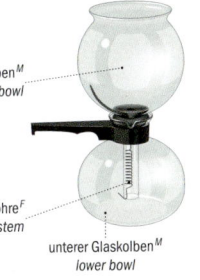

Pressfilterkanne^F
cafetière with plunger

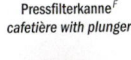

Espresso-Maschine^F
espresso coffee maker

Kaffee-Filterkanne^M
percolator

Tülle^F
spout

Kontrollleuchte^F
pilot light

Außenansicht^F eines Hauses^N
exterior of a house

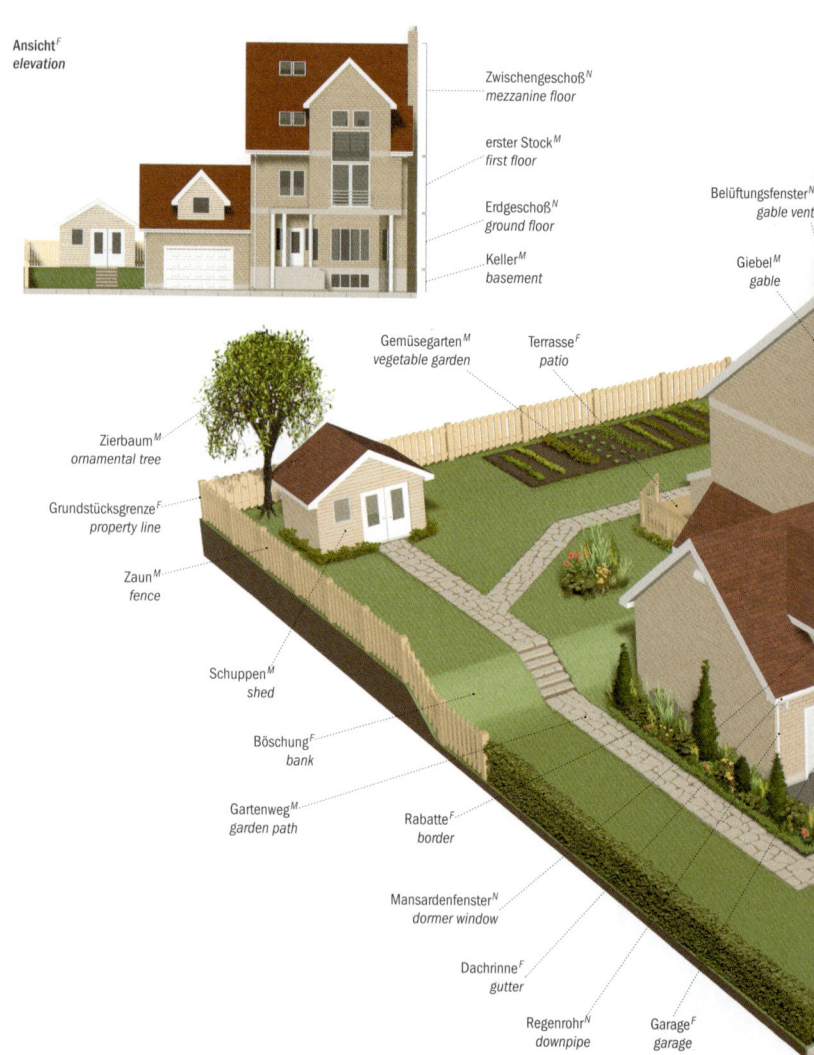

Ansicht^F
elevation

Zwischengeschoß^N
mezzanine floor

erster Stock^M
first floor

Erdgeschoß^N
ground floor

Keller^M
basement

Belüftungsfenster^N
gable vent

Giebel^M
gable

Gemüsegarten^M
vegetable garden

Terrasse^F
patio

Zierbaum^M
ornamental tree

Grundstücksgrenze^F
property line

Zaun^M
fence

Schuppen^M
shed

Böschung^F
bank

Gartenweg^M
garden path

Rabatte^F
border

Mansardenfenster^N
dormer window

Dachrinne^F
gutter

Regenrohr^N
downpipe

Garage^F
garage

...hfenster*N*
...ight

Blitzableiter*M*
lightning conductor

Kaminaufsatz*M*
chimney pot

Schornstein*M*
chimney

Dach*N*
roof

Gesims*N*
cornice

Treppenvorbau*M*
stone steps

Kellerfenster*N*
basement window

Hecke*F*
hedge

Rasen*M*
lawn

Beet*N*
bed

Gehweg*M*
pavement

Vorbau*M*
porch

Zufahrtsweg*M*
driveway

Lageplan*M*
site plan

HAUS

Schwimmbecken[N]

pool

freistehendes Schwimmbecken[N]
above ground swimming pool

Skimmer[M]
skimmer

Filter[M]
filter

Pumpe[F]
pump

Stütze[F]
upright

Wand[F]
wall

eingebautes Schwimmbecken[N]
sunken swimming pool

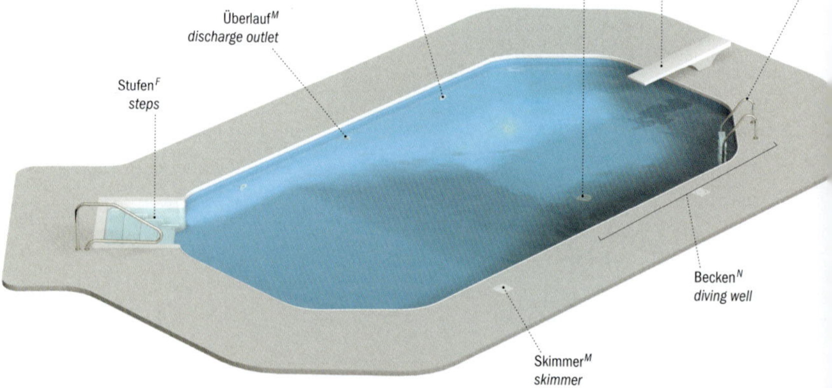

Sprungbrett[N]
diving board

Bodenablauf[M]
main drain

Badeleiter[F]
ladder

Unterwasser-Strahler[M]
underwater light

Überlauf[M]
discharge outlet

Stufen[F]
steps

Becken[N]
diving well

Skimmer[M]
skimmer

HAUS

Haustür^F
exterior door

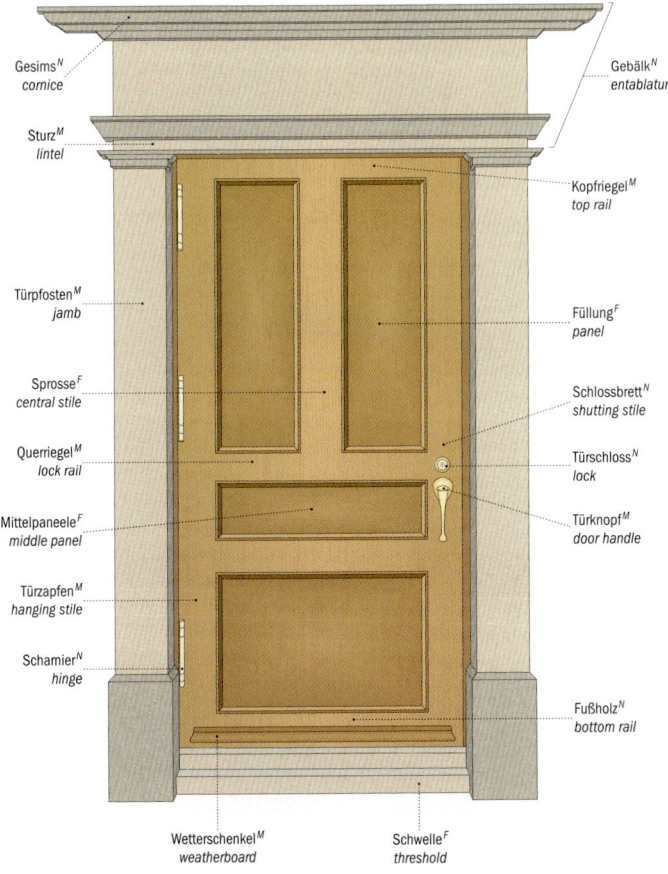

Gesims^N
cornice

Gebälk^N
entablature

Sturz^M
lintel

Kopfriegel^M
top rail

Türpfosten^M
jamb

Füllung^F
panel

Sprosse^F
central stile

Schlossbrett^N
shutting stile

Querriegel^M
lock rail

Türschloss^N
lock

Mittelpaneele^F
middle panel

Türknopf^M
door handle

Türzapfen^M
hanging stile

Scharnier^N
hinge

Fußholz^N
bottom rail

Wetterschenkel^M
weatherboard

Schwelle^F
threshold

Schloss^N
lock

Gesamtansicht^F
general view

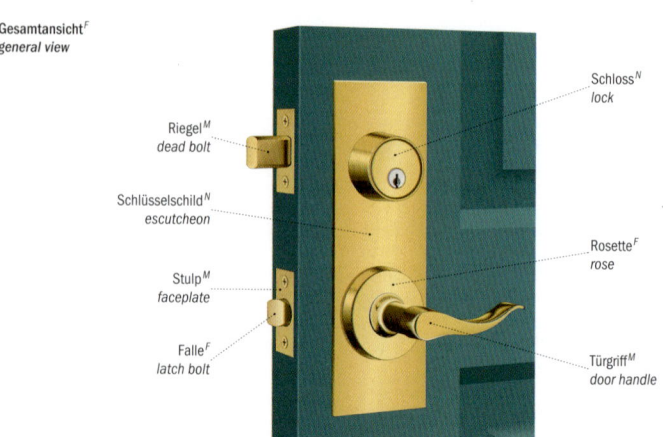

Riegel^M
dead bolt

Schloss^N
lock

Schlüsselschild^N
escutcheon

Rosette^F
rose

Stulp^M
faceplate

Falle^F
latch bolt

Türgriff^M
door handle

Fenster^N
window

Konstruktion^F
structure

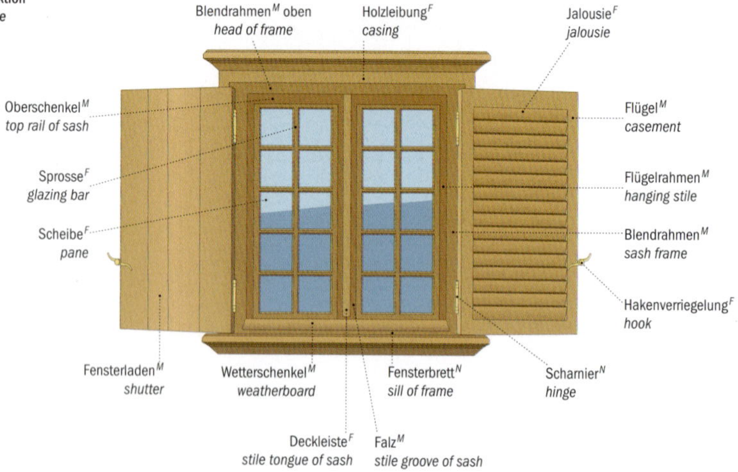

Blendrahmen^M oben
head of frame

Holzleibung^F
casing

Jalousie^F
jalousie

Oberschenkel^M
top rail of sash

Flügel^M
casement

Sprosse^F
glazing bar

Flügelrahmen^M
hanging stile

Scheibe^F
pane

Blendrahmen^M
sash frame

Hakenverriegelung^F
hook

Fensterladen^M
shutter

Wetterschenkel^M
weatherboard

Fensterbrett^N
sill of frame

Scharnier^N
hinge

Deckleiste^F
stile tongue of sash

Falz^M
stile groove of sash

HAUS

Rahmen^M
timber frame

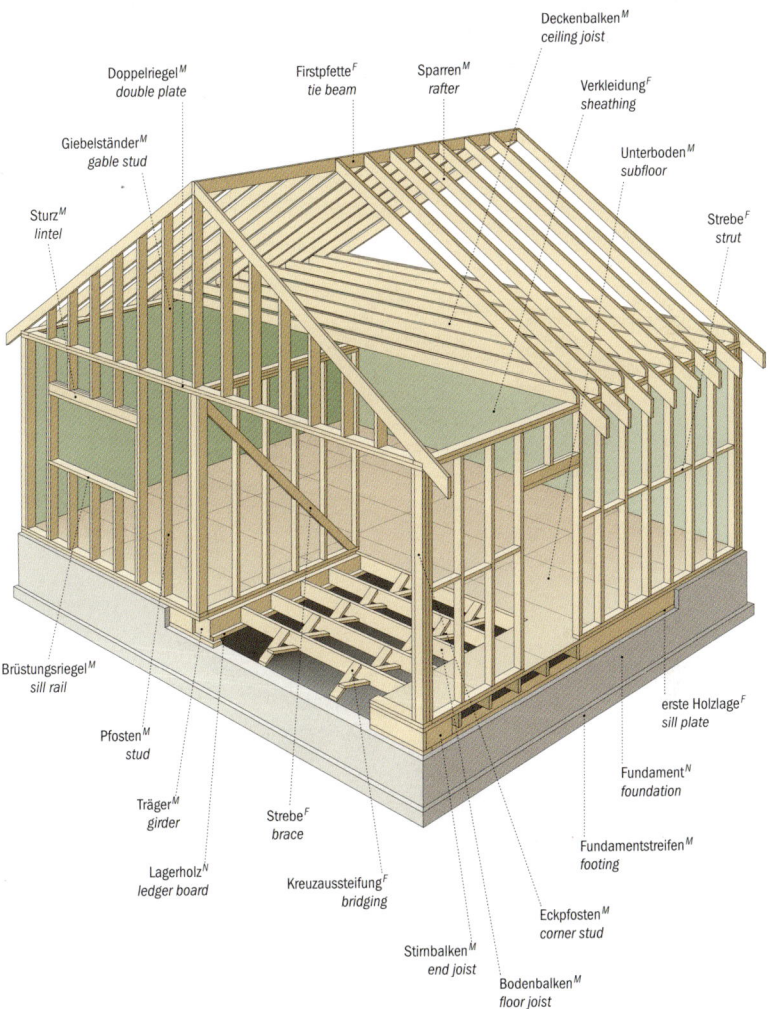

Deckenbalken^M
ceiling joist

Doppelriegel^M
double plate

Firstpfette^F
tie beam

Sparren^M
rafter

Verkleidung^F
sheathing

Giebelständer^M
gable stud

Unterboden^M
subfloor

Sturz^M
lintel

Strebe^F
strut

HAUS

Brüstungsriegel^M
sill rail

erste Holzlage^F
sill plate

Pfosten^M
stud

Fundament^N
foundation

Träger^M
girder

Strebe^F
brace

Fundamentstreifen^M
footing

Lagerholz^N
ledger board

Kreuzaussteifung^F
bridging

Eckpfosten^M
corner stud

Stirnbalken^M
end joist

Bodenbalken^M
floor joist

Haupträume[M]
main rooms

Erdgeschoß[N]
ground floor

HAUS

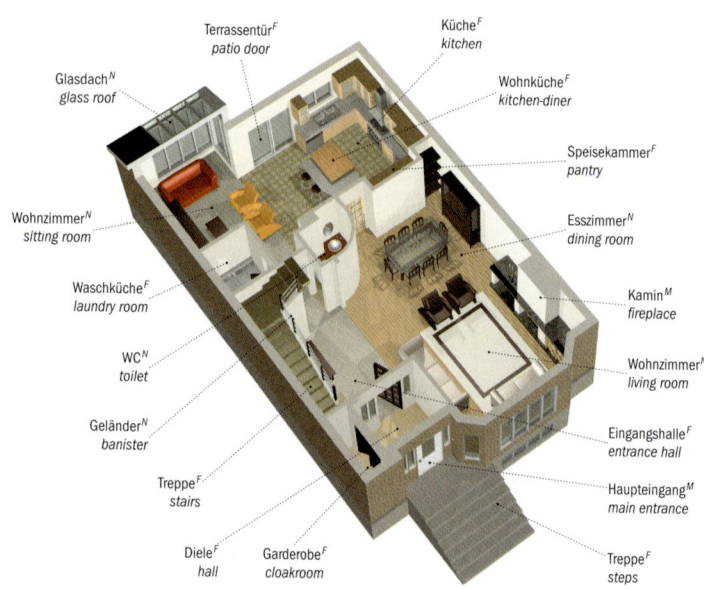

Terrassentür[F]
patio door

Küche[F]
kitchen

Glasdach[N]
glass roof

Wohnküche[F]
kitchen-diner

Speisekammer[F]
pantry

Wohnzimmer[N]
sitting room

Esszimmer[N]
dining room

Waschküche[F]
laundry room

Kamin[M]
fireplace

WC[N]
toilet

Wohnzimmer[N]
living room

Geländer[N]
banister

Eingangshalle[F]
entrance hall

Treppe[F]
stairs

Haupteingang[M]
main entrance

Diele[F]
hall

Garderobe[F]
cloakroom

Treppe[F]
steps

Haupträume^{M}

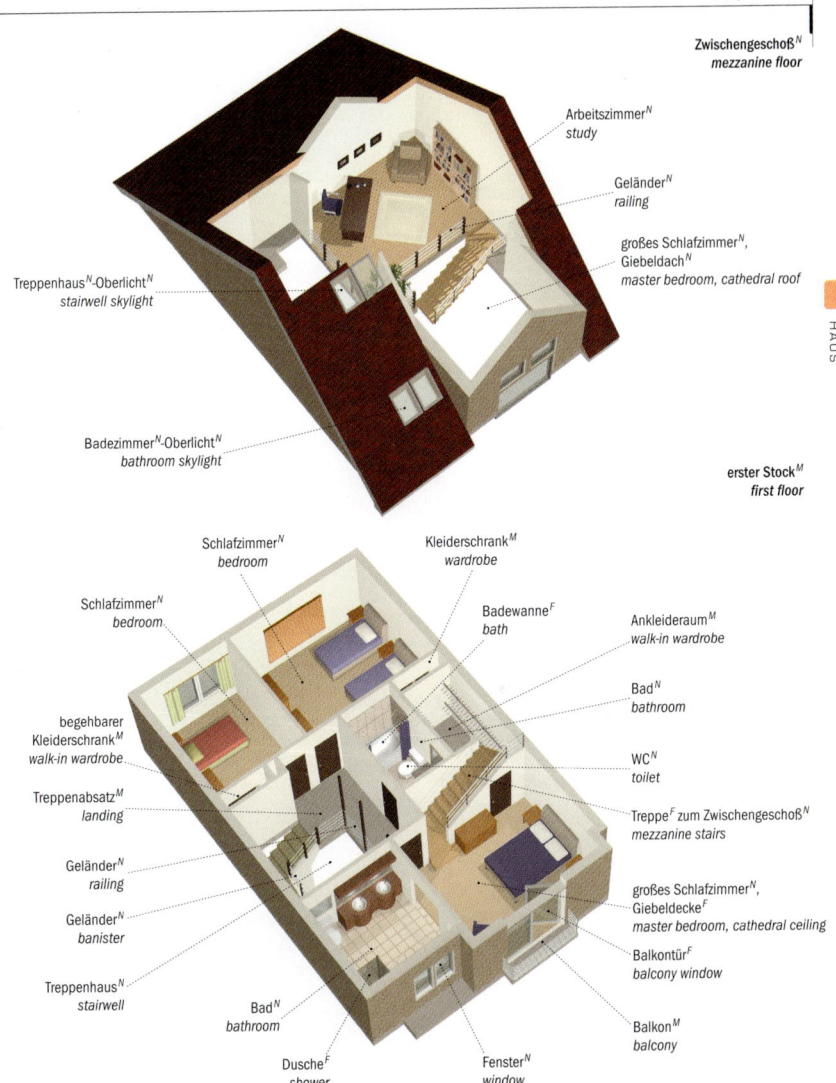

Zwischengeschoß^{N}
mezzanine floor

Arbeitszimmer^{N}
study

Geländer^{N}
railing

großes Schlafzimmer^{N},
Giebeldach^{N}
master bedroom, cathedral roof

Treppenhaus^{N}-Oberlicht^{N}
stairwell skylight

Badezimmer^{N}-Oberlicht^{N}
bathroom skylight

erster Stock^{M}
first floor

HAUS

Schlafzimmer^{N}
bedroom

Kleiderschrank^{M}
wardrobe

Schlafzimmer^{N}
bedroom

Badewanne^{F}
bath

Ankleideraum^{M}
walk-in wardrobe

Bad^{N}
bathroom

begehbarer
Kleiderschrank^{M}
walk-in wardrobe

WC^{N}
toilet

Treppenabsatz^{M}
landing

Treppe^{F} zum Zwischengeschoß^{N}
mezzanine stairs

Geländer^{N}
railing

großes Schlafzimmer^{N},
Giebeldecke^{F}
master bedroom, cathedral ceiling

Geländer^{N}
banister

Balkontür^{F}
balcony window

Treppenhaus^{N}
stairwell

Bad^{N}
bathroom

Balkon^{M}
balcony

Dusche^{F}
shower

Fenster^{N}
window

Parkettboden[M]

wood flooring

Parkettboden[M] auf Zementestrich[M]
wood flooring on cement screed

Parkettboden[M] auf Holzunterbau
wood flooring on wooden base

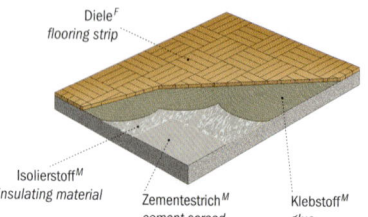

Diele[F]
flooring strip

Isolierstoff[M]
insulating material

Zementestrich[M]
cement screed

Klebstoff[M]
glue

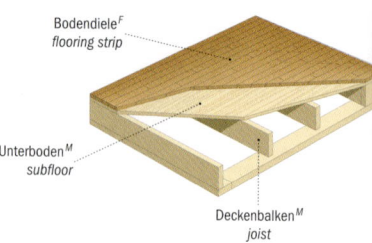

Bodendiele[F]
flooring strip

Unterboden[M]
subfloor

Deckenbalken[M]
joist

Parkettmuster[N]
wood flooring types

Mosaikparkett[N]
inlaid parquet

Stabparkett[N] im
Schiffsbodenverband[M]
woodstrip flooring

Stabparkett[N]
*brick-bond woodstrip
flooring*

Fischgrätparkett[N]
herringbone parquet

Fischgrätmuster[N]
herringbone pattern

Würfelmusterparkett[N]
basket weave pattern

Arenberg-Parkett[N]
Arenberg parquet

Chantilly-Parkett[N]
Chantilly parquet

Versailles-Parkett[N]
Versailles parquet

---

textile Bodenbeläge[M]

textile floor coverings

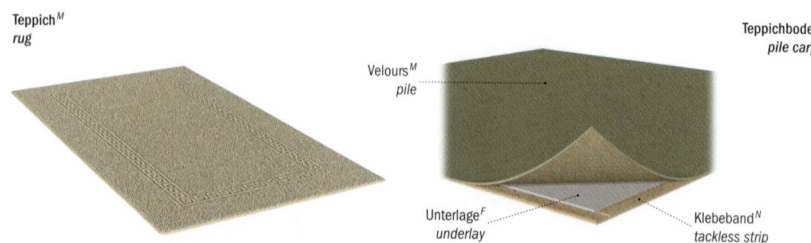

Teppich[M]
rug

Teppichboden
pile carpet

Velours[M]
pile

Unterlage[F]
underlay

Klebeband[N]
tackless strip

Treppe[F]
stairs

Geländer[N]
banister
Kopfteil[M/N]
cap
Krümmling[M]
goose-neck
Handlauf[M]
handrail
Podest[N]
landing
Wandwange[F]
inner string
Treppenlauf[M]
flight of stairs
Freiwange[F]
outer string
Antrittsstufe[F]
bottom stair
Stufe[F]
run
Nut[F]
step groove
Sockelleiste[F]
skirting board
Geländerstab[M]
baluster
Antrittspfosten[M]
newel post

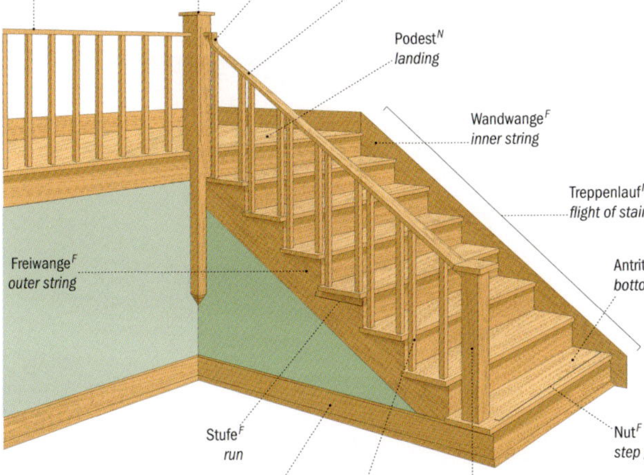

Treppenstufe[F]
step

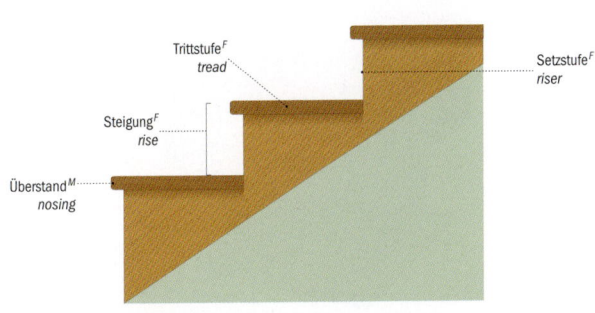

Trittstufe[F]
tread
Setzstufe[F]
riser
Steigung[F]
rise
Überstand[M]
nosing

Holzbeheizung^F
wood firing

Kamin^M
fireplace

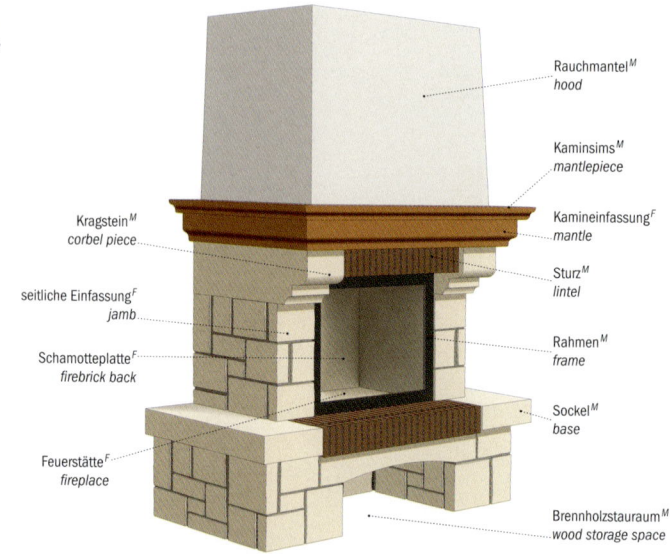

Rauchmantel^M
hood

Kaminsims^M
mantlepiece

Kragstein^M
corbel piece

Kamineinfassung^F
mantle

seitliche Einfassung^F
jamb

Sturz^M
lintel

Schamotteplatte^F
firebrick back

Rahmen^M
frame

Sockel^M
base

Feuerstätte^F
fireplace

Brennholzstauraum^M
wood storage space

Dauerbrandofen^M
slow-burning stove

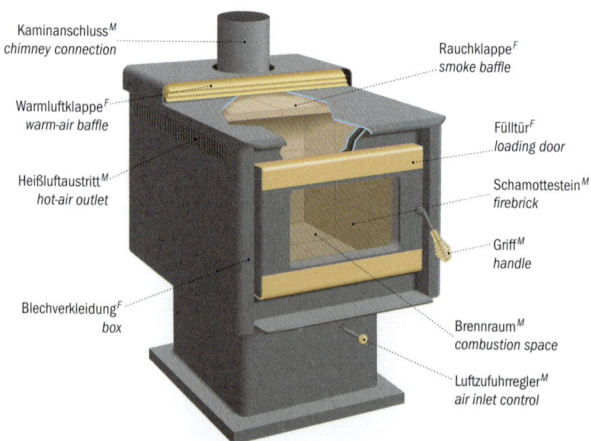

Kaminanschluss^M
chimney connection

Rauchklappe^F
smoke baffle

Warmluftklappe^F
warm-air baffle

Fülltür^F
loading door

Heißluftaustritt^M
hot-air outlet

Schamottestein^M
firebrick

Griff^M
handle

Blechverkleidung^F
box

Brennraum^M
combustion space

Luftzufuhrregler^M
air inlet control

Kamin^M
chimney

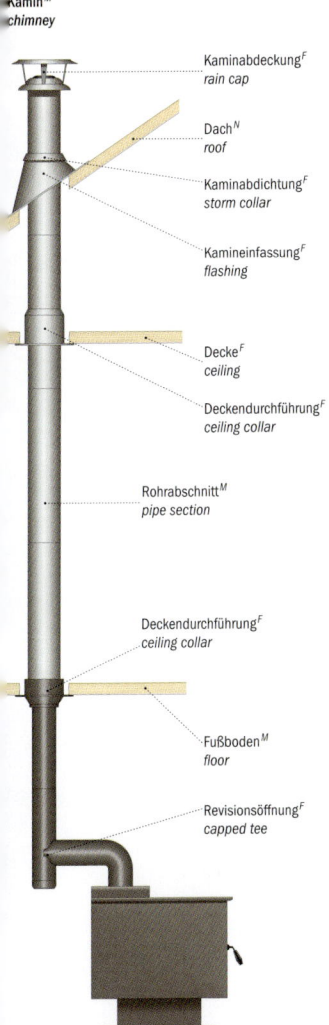

Kaminabdeckung^F
rain cap

Dach^N
roof

Kaminabdichtung^F
storm collar

Kamineinfassung^F
flashing

Decke^F
ceiling

Deckendurchführung^F
ceiling collar

Rohrabschnitt^M
pipe section

Deckendurchführung^F
ceiling collar

Fußboden^M
floor

Revisionsöffnung^F
capped tee

Kaminbesteck^N
fire irons

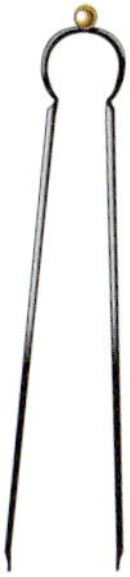

Schürhaken^M
poker

Besen^M
broom

Feuerzange^F
tongs

Kohlenschaufel^F
shovel

Feuerbock^M
andirons

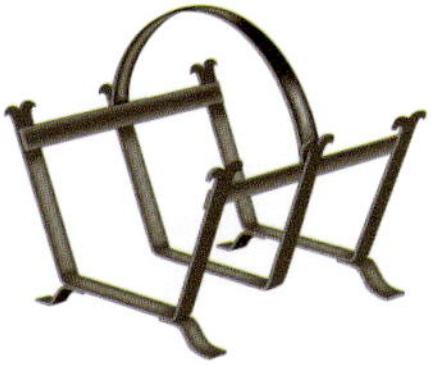

Holzträger^M
log carrier

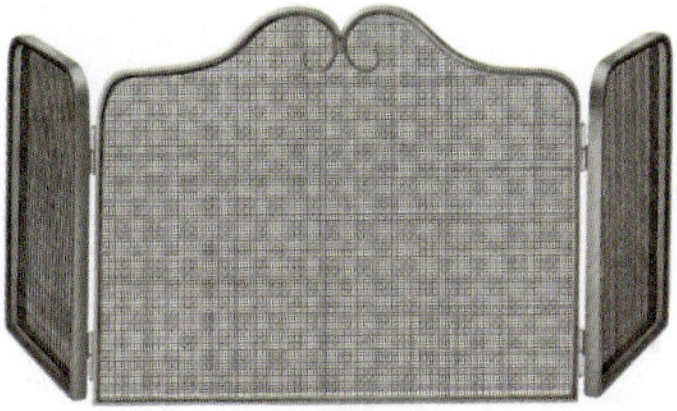

Kamingitter^N
fireplace screen

Sanitärinstallationssystem[N]
plumbing system

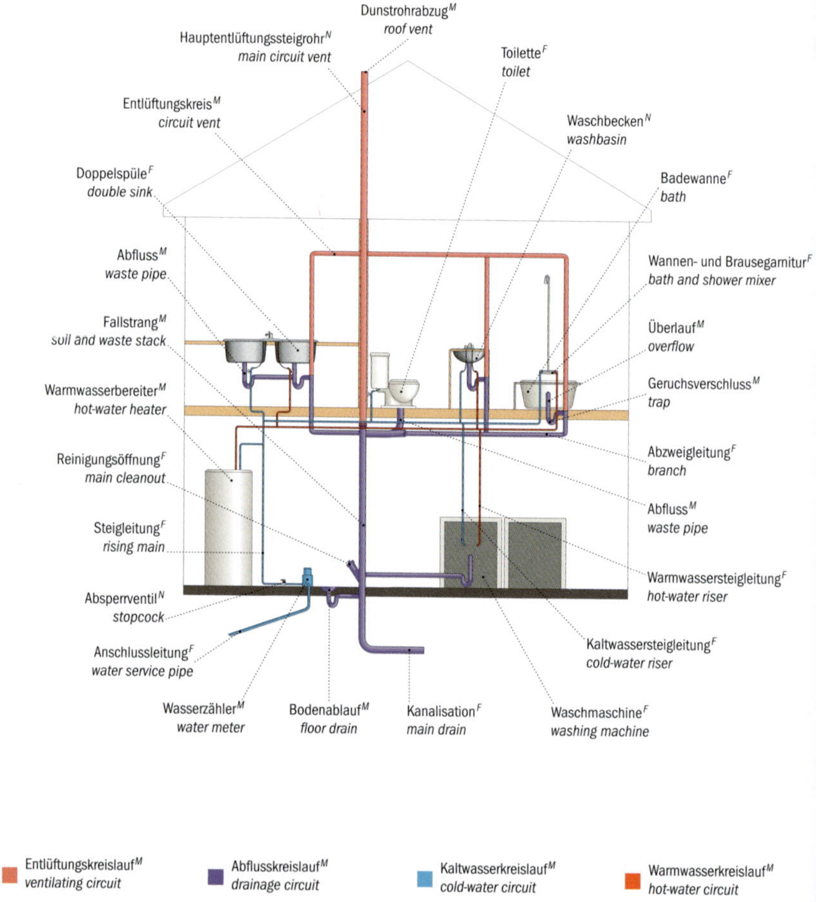

Dunstrohrabzug[M]
roof vent

Hauptentlüftungssteigrohr[N]
main circuit vent

Toilette[F]
toilet

Entlüftungskreis[M]
circuit vent

Waschbecken[N]
washbasin

Doppelspüle[F]
double sink

Badewanne[F]
bath

Abfluss[M]
waste pipe

Wannen- und Brausegarnitur[F]
bath and shower mixer

Fallstrang[M]
soil and waste stack

Überlauf[M]
overflow

Warmwasserbereiter[M]
hot-water heater

Geruchsverschluss[M]
trap

Reinigungsöffnung[F]
main cleanout

Abzweigleitung[F]
branch

Steigleitung[F]
rising main

Abfluss[M]
waste pipe

Absperrventil[N]
stopcock

Warmwassersteigleitung[F]
hot-water riser

Anschlussleitung[F]
water service pipe

Kaltwassersteigleitung[F]
cold-water riser

Wasserzähler[M]
water meter

Bodenablauf[M]
floor drain

Kanalisation[F]
main drain

Waschmaschine[F]
washing machine

Entlüftungskreislauf[M]
ventilating circuit

Abflusskreislauf[M]
drainage circuit

Kaltwasserkreislauf[M]
cold-water circuit

Warmwasserkreislauf[M]
hot-water circuit

HAUS

HAUS

Schiebetür[F]
sliding door

Brausenkopf[M]
shower head

Handbrause[F]
portable shower head

Überlauf[M]
overflow

Brauseschlauch[M]
shower hose

Duschkabine[F]
shower cubicle

Wasserhahn[M]
tap

Spiegel[M]
mirror

Toilettenpapierhalter[M]
tissue holder

Podest[N]
bath platform

Waschbecken[N]
washbasin

Handtuchhalter[M]
towel rail

Spülkasten[M]
cistern

Bidet[N]
bidet

Badewanne[F]
bath

Seifenschale[F]
soap dish

Toilette[F]
toilet

Sitz[M]
seat

Einbauwaschtisch[M]
vanity cabinet

Toilette^F
toilet

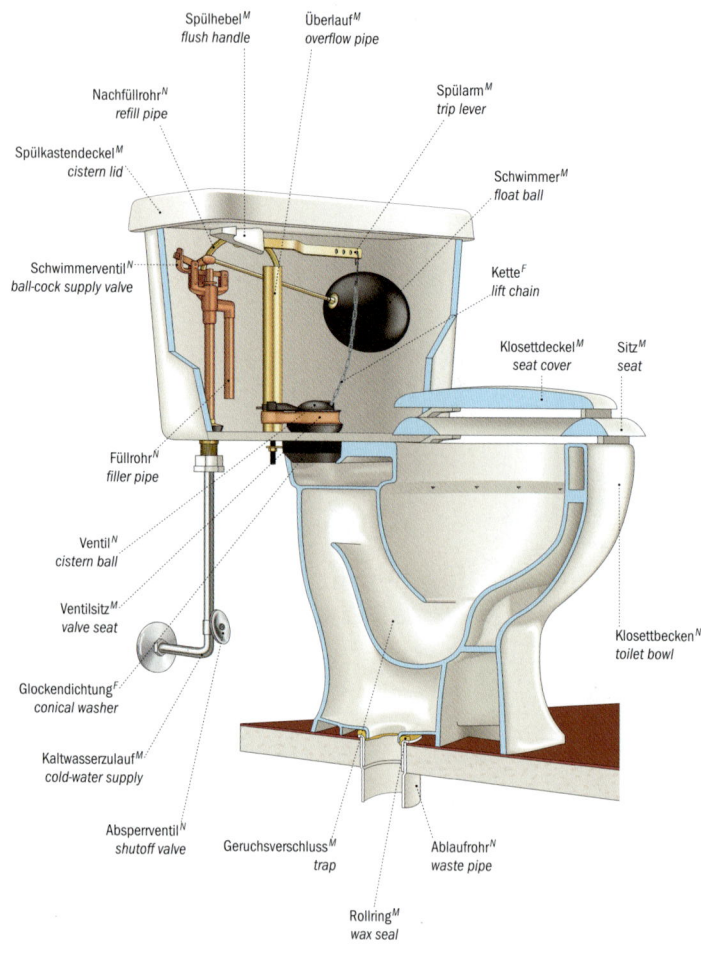

Spülhebel^M
flush handle

Überlauf^M
overflow pipe

Nachfüllrohr^N
refill pipe

Spülarm^M
trip lever

Spülkastendeckel^M
cistern lid

Schwimmer^M
float ball

Schwimmerventil^N
ball-cock supply valve

Kette^F
lift chain

Klosettdeckel^M
seat cover

Sitz^M
seat

Füllrohr^N
filler pipe

Ventil^N
cistern ball

Ventilsitz^M
valve seat

Klosettbecken^N
toilet bowl

Glockendichtung^F
conical washer

Kaltwasserzulauf^M
cold-water supply

Absperrventil^N
shutoff valve

Geruchsverschluss^M
trap

Ablaufrohr^N
waste pipe

Rollring^M
wax seal

Beispiele^N für Anschlüsse^M

examples of branching

Spüle^F mit Müllschlucker^M
sink with waste disposal unit

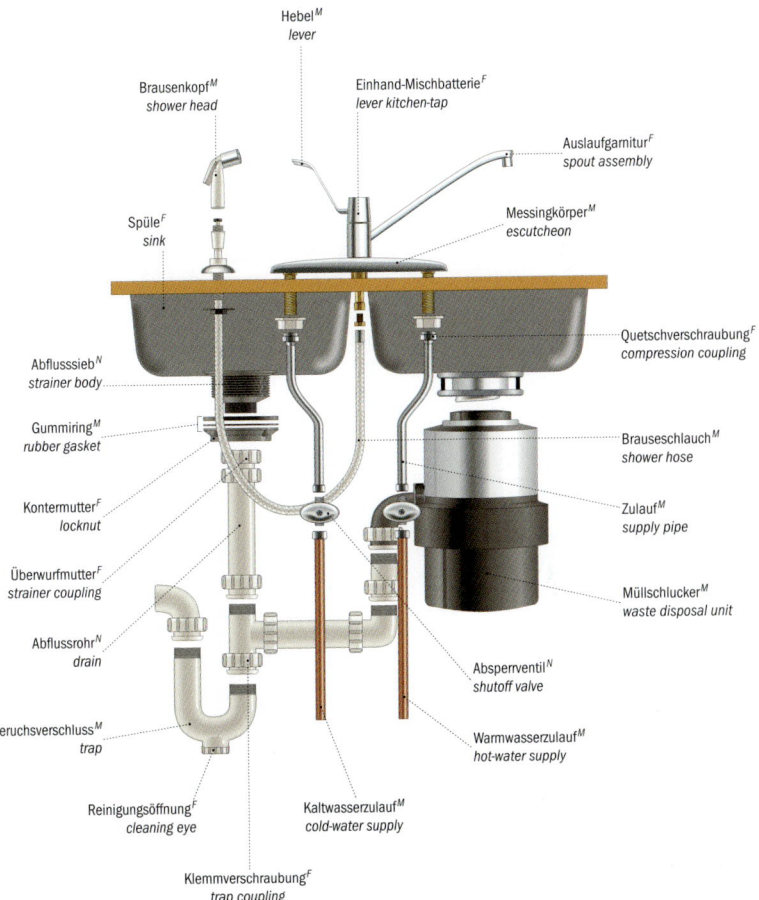

Hebel^M
lever

Brausenkopf^M
shower head

Einhand-Mischbatterie^F
lever kitchen-tap

Auslaufgarnitur^F
spout assembly

Spüle^F
sink

Messingkörper^M
escutcheon

Quetschverschraubung^F
compression coupling

Abflusssieb^N
strainer body

Gummiring^M
rubber gasket

Brauseschlauch^M
shower hose

Kontermutter^F
locknut

Zulauf^M
supply pipe

Überwurfmutter^F
strainer coupling

Müllschlucker^M
waste disposal unit

Abflussrohr^N
drain

Absperrventil^N
shutoff valve

Geruchsverschluss^M
trap

Warmwasserzulauf^M
hot-water supply

Reinigungsöffnung^F
cleaning eye

Kaltwasserzulauf^M
cold-water supply

Klemmverschraubung^F
trap coupling

Hausanschluss[M]
network connection

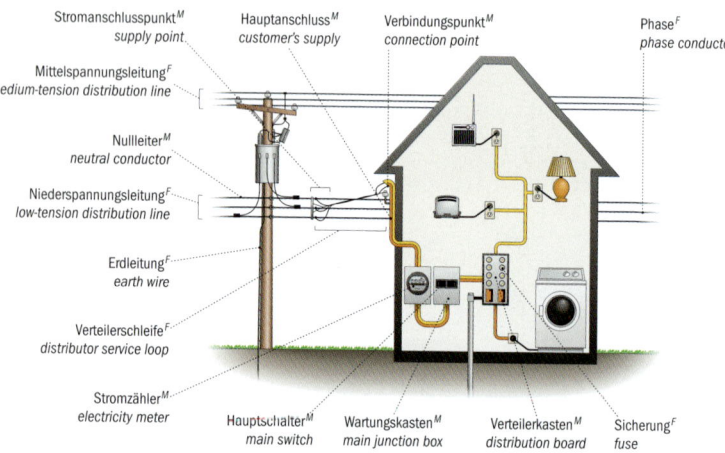

Stromanschlusspunkt[M]
supply point

Hauptanschluss[M]
customer's supply

Verbindungspunkt[M]
connection point

Phase[F]
phase conductor

Mittelspannungsleitung[F]
medium-tension distribution line

Nullleiter[M]
neutral conductor

Niederspannungsleitung[F]
low-tension distribution line

Erdleitung[F]
earth wire

Verteilerschleife[F]
distributor service loop

Stromzähler[M]
electricity meter

Hauptschalter[M]
main switch

Wartungskasten[M]
main junction box

Verteilerkasten[M]
distribution board

Sicherung[F]
fuse

Kontaktelemente[N]
contact devices

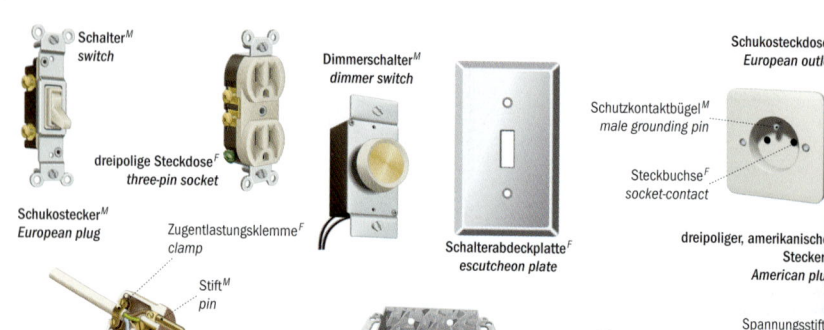

Schalter[M]
switch

dreipolige Steckdose[F]
three-pin socket

Schukostecker[M]
European plug

Zugentlastungsklemme[F]
clamp

Stift[M]
pin

Erdungsklemme[F]
earth terminal

Anschlussklemme[F]
terminal

Kappe[F]
cover

Dimmerschalter[M]
dimmer switch

Schalterabdeckplatte[F]
escutcheon plate

Buchsenhalter[M]
electrical box

Adapter[M]
plug adapter

Schukosteckdose[F]
European outle

Schutzkontaktbügel[M]
male grounding pin

Steckbuchse[F]
socket-contact

dreipoliger, amerikanische
Stecker[M]
American plug

Spannungsstift[M]
pir

Erdungsstift[M]
earthing pin

HAUS

HAUS

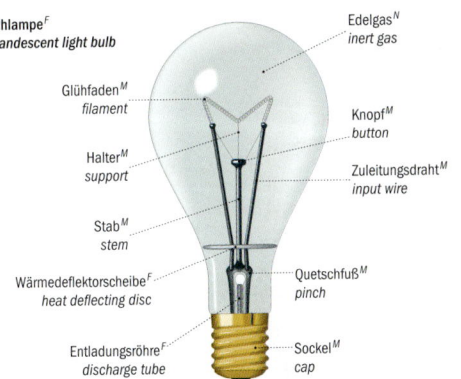

Glühlampe^F
incandescent light bulb

Edelgas^N
inert gas

Glühfaden^M
filament

Knopf^M
button

Halter^M
support

Zuleitungsdraht^M
input wire

Stab^M
stem

Wärmedeflektorscheibe^F
heat deflecting disc

Quetschfuß^M
pinch

Entladungsröhre^F
discharge tube

Sockel^M
cap

Kolben^M
tube

Lampenfassung^F
lampholder

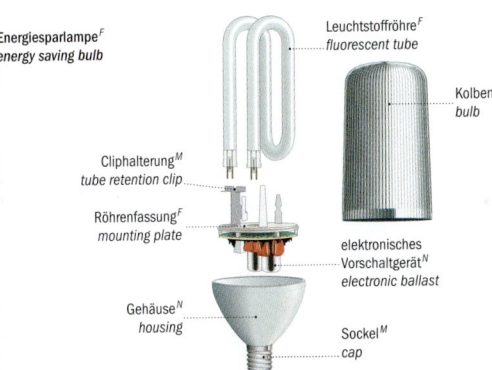

Energiesparlampe^F
energy saving bulb

Leuchtstoffröhre^F
fluorescent tube

Kolben^M
bulb

Cliphalterung^M
tube retention clip

Röhrenfassung^F
mounting plate

elektronisches
Vorschaltgerät^N
electronic ballast

Gehäuse^N
housing

Sockel^M
cap

Schraubfassung^F
screw cap

Bajonettfassung^F
bayonet cap

Leuchtstoffröhre^F
fluorescent tube

Phosphorschicht^F
*phosphorescent
coating*

Stiftsockel^M
pin base

Kolben^M
bulb

Stift^M
pin

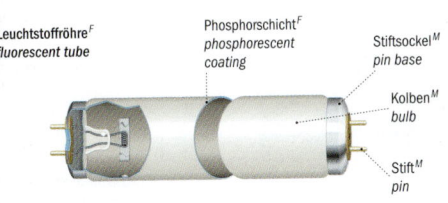

Wolfram-Halogenlampe^F
tungsten-halogen bulb

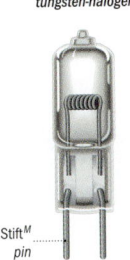

Stift^M
pin

Armlehnstuhl[M]
armchair

HAUS

Teile[M/N]
parts

Palmette[F]
palmette

Patera[F]
patera

Laubwerk[N]
rinceau

Armlehne[F]
arm

Volute[F]
volute

Armstütze[F]
arm stump

Rückenlehne[F]
splat

Basis[F] der Rückenlehne[F]
base of splat

Sitz[M]
seat

Muschel[F]
cockleshell

Bocksfuß[M]
cabriole leg

Akanthusblatt[N]
acanthus leaf

Zarge[F]
apron

geschwungener Fuß[M]
scroll foot

Beispiele[N] für Armstühle[M]
examples of armchairs

Wassily-Stuhl[M]
Wassily chair

Regiestuhl[M]
director's chair

Schaukelstuhl[M]
rocking chair

kleiner Lehnstuhl[M]
cabriole chair

Kanapee[N]
méridienne

Chaiselongue[N]
chaise longue

Clubsessel[M]
club chair

Bergère[F]
bergère

Sofa[N]
sofa

Zweisitzer[M]
two-seater settee

Chesterfieldsofa[N]
chesterfield

Stuhl^M
side chair

Teile^{M/N}
parts

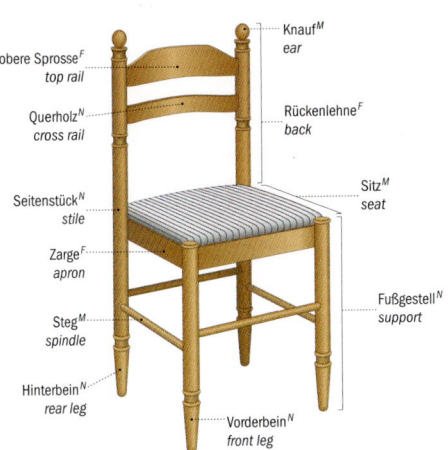

obere Sprosse^F
top rail

Querholz^N
cross rail

Seitenstück^N
stile

Zarge^F
apron

Steg^M
spindle

Hinterbein^N
rear leg

Knauf^M
ear

Rückenlehne^F
back

Sitz^M
seat

Fußgestell^N
support

Vorderbein^N
front leg

Beispiele^N **für Stühle**^M
examples of chairs

Schaukelstuhl^M
rocking chair

Stapelstühle^M
stacking chairs

Klappstuhl^M
folding chair

Liegestuhl^M
recliner

Sitzmöbel^N
seats

Sitzsack^M
bean bag chair

Tritthocker^M
step chair

Puff^M
ottoman

Bank^F
bench

Hocker^M
footstool

Sitzbank^F
banquette

Barhocker^M
bar stool

Tisch^M
table

Klapptisch^M
gate-leg table

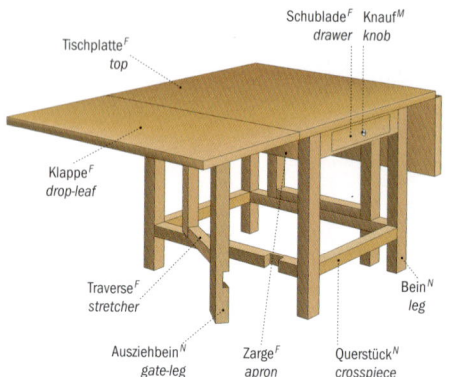

Tischplatte^F
top

Schublade^F Knauf^M
drawer   *knob*

Klappe^F
drop-leaf

Traverse^F
stretcher

Ausziehbein^N
gate-leg

Zarge^F
apron

Querstück^N
crosspiece

Bein^N
leg

Beispiele^N für Tische^M
examples of tables

Ausziehtisch^M
extending table

Tischplatte^F
top

Auszug^M
extension

Satztische^M
nest of tables

Servierwagen^M
serving trolley

HAUS

Aufbewahrungsmöbel^N
storage furniture

Kleiderschrank^M
armoire

Rahmen^M
frame

Tür^F
door

Fries^M
frieze

obere Querleiste^F
top rail

Setzholz^N
centre post

Rautenspitze^F
diamond point

Querleiste^F
rail

untere Querleiste^F
bottom rail

Fuß^M
foot

Sockelprofil^N
bracket base

Kranzprofil^N
cornice

Türfüllung^F
door panel

Anschlagrahmen^M
hanging stile

Schloss^N
lock

Rahmenleiste^F
frame stile

Scharnier^N
hinge

Zapfen^M
peg

Fach[N]
compartment

herausklappbare
Schreibplatte[F]
fall front

Truhe[F]
linen chest

Sekretär[M]
bureau

Kommode[F]
dressing table

Schrankteil[M/N]
hanging cupboard

Fach[N]
shelf

Kleiderschrank[M]
wardrobe

Schublade[F]
drawer

Chiffonière[F]
chiffonier

Vitrine[F]
display cabinet

Eckschrank[M]
corner cupboard

Vitrinenschrank[M]
glass-fronted display cabinet

Büfett[N]
sideboard

Cocktailbar[F]
cocktail cabinet

HAUS

Bett[N]
bed

Schlafcouch[F]
sofa bed

Auflage[F]
futon

Rahmen[M]
frame

Teile[M/N]
parts

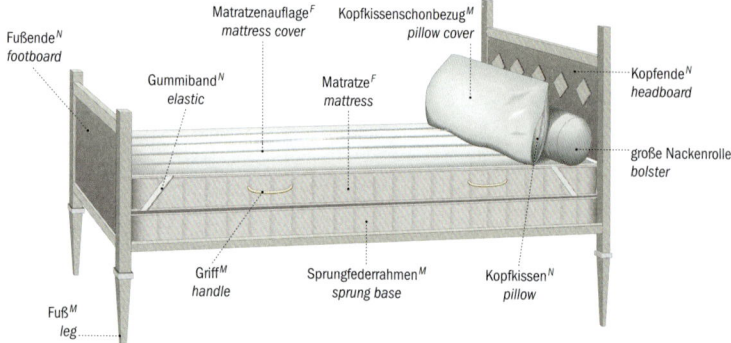

Matratzenauflage[F]
mattress cover

Kopfkissenschonbezug[M]
pillow cover

Fußende[N]
footboard

Gummiband[N]
elastic

Matratze[F]
mattress

Kopfende[N]
headboard

große Nackenrolle[F]
bolster

Griff[M]
handle

Sprungfederrahmen[M]
sprung base

Kopfkissen[N]
pillow

Fuß[M]
leg

Bettwäsche[F]
bed linen

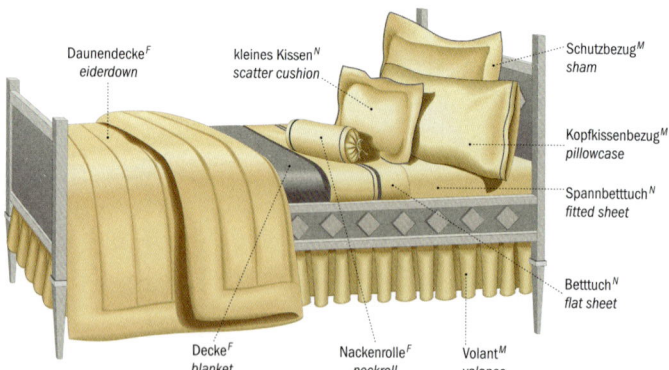

Daunendecke[F]
eiderdown

kleines Kissen[N]
scatter cushion

Schutzbezug[M]
sham

Kopfkissenbezug[M]
pillowcase

Spannbetttuch[N]
fitted sheet

Betttuch[N]
flat sheet

Decke[F]
blanket

Nackenrolle[F]
neckroll

Volant[M]
valance

Kindermöbel[N]
children's furniture

Reisebett[N] mit Wickelauflage[F]
nursery

Wickelauflage[F]
changing table

oberer Abschluss[M]
top rail

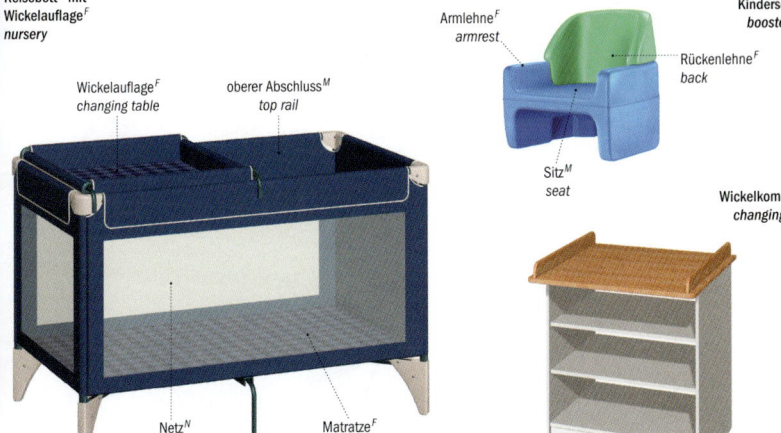

Netz[N]
mesh

Matratze[F]
mattress

Armlehne[F]
armrest

Kindersessel[M]
booster seat

Rückenlehne[F]
back

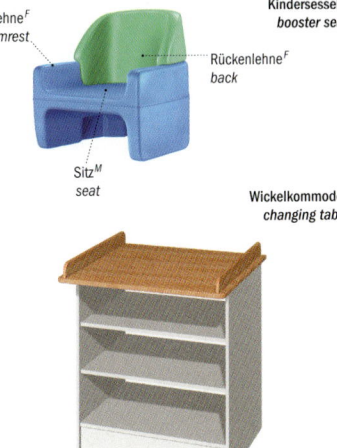

Sitz[M]
seat

Wickelkommode[F]
changing table

HAUS

Hochstuhl[M]
high chair

Rückenlehne[F]
back

Esstablett[N]
tray

Gurt[M]
waist belt

Fußstütze[F]
footrest

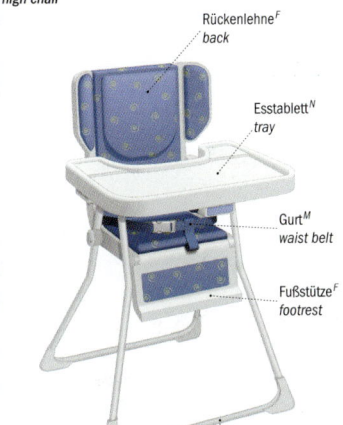

Gestell[N]
leg

Gitterbett[N]
cot

Kopfteil[M/N]
headboard

Schutzgitter[N]
barrier

Sprosse[F]
slat

Laufrolle[F]
caster

Schubkasten[M]
drawer

Matratze[F]
mattress

Lampen^F

lights

HAUS

Deckenleuchte^F
ceiling fitting

Hängeleuchte^F
hanging pendant

Klemmspot^M
clamp spotlight

Halogen^N-Tischleuchte^F
halogen desk lamp

Arm^M
arm

Fuß^M
base

Arbeitsleuchte^F
adjustable lamp

Ein-/Ausschalter^M
on-off switch

Arm^M
arm

Schirm^M
shade

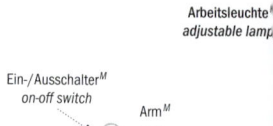

Leseleuchte^F
bed lamp

Feder^F
spring

verstellbare Klemme^F
adjustable clamp

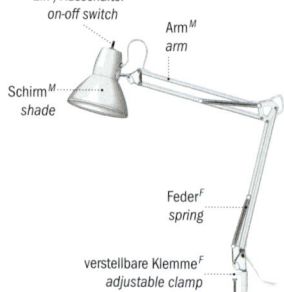

Schirm^M
shade

Sockel^M
base

Fuß^M
stand

Standleuchte^F
standard lamp

Tischleuchte^F
table lamp

Schreibtischleuchte^F
desk lamp

Kronleuchter[M]
chandelier

Teller[M]
sconce

Kristalltropfen[M]
crystal drop

Koppen[M]
crystal button

Mittelsäule[F]
column

Beleuchtungsschiene[F]
track lighting

Schiene[F]
track frame

Transformator[M]
transformer

Befestigungshebel[M]
contact lever

Spot[M]
spot

Wandlaterne[F]
wall lantern

Scherenleuchte[F]
swivel wall lamp

Wandleuchte[F]
wall light

Lampenreihe[F]
multiple light fitting

Straßenlaterne[F]
post lantern

Haushaltsgeräte[N]
domestic appliances

Dampfbügeleisen[N]
steam iron

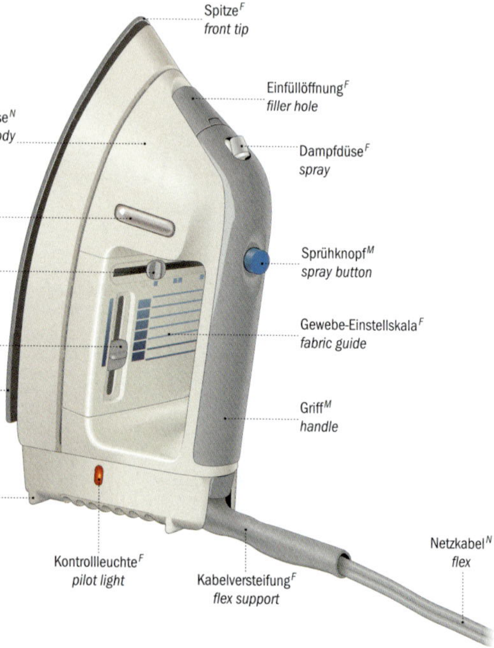

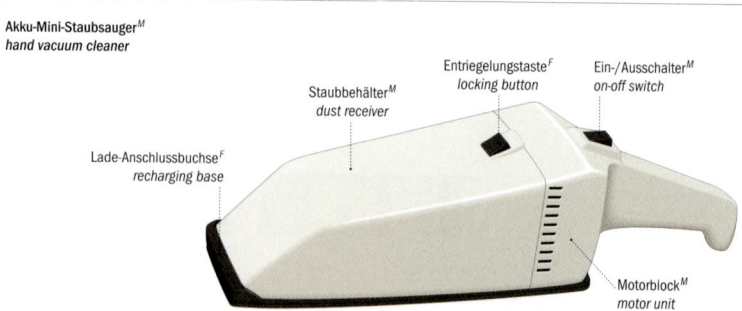

Spitze[F]
front tip

Einfüllöffnung[F]
filler hole

Gehäuse[N]
body

Dampfdüse[F]
spray

Wasserstandsanzeige[F]
water-level tube

Dampfstärkeregler[M]
spray control

Sprühknopf[M]
spray button

Temperaturregler[M]
temperature control

Gewebe-Einstellskala[F]
fabric guide

Bügelsohle[F]
soleplate

Griff[M]
handle

Bügelheck[N]
heel rest

Netzkabel[N]
flex

Kontrollleuchte[F]
pilot light

Kabelversteifung[F]
flex support

Akku-Mini-Staubsauger[M]
hand vacuum cleaner

Entriegelungstaste[F]
locking button

Ein-/Ausschalter[M]
on-off switch

Staubbehälter[M]
dust receiver

Lade-Anschlussbuchse[F]
recharging base

Motorblock[M]
motor unit

HAUS

Handstaubsauger[M]
upright vacuum cleaner

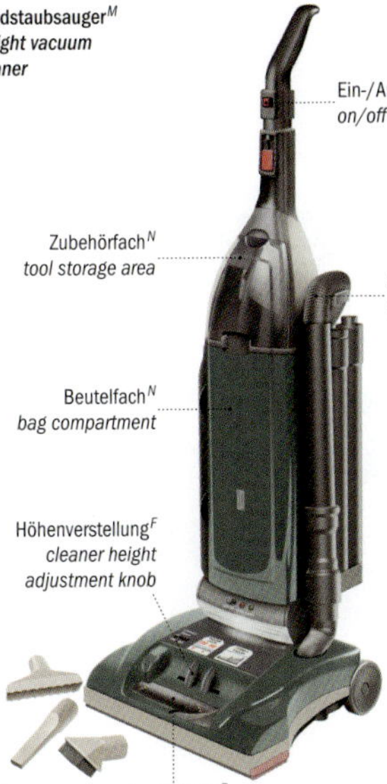

Ein-/Ausschalter[M]
on/off switch

Bodenstaubsauger[M]
cylinder vacuum cleaner

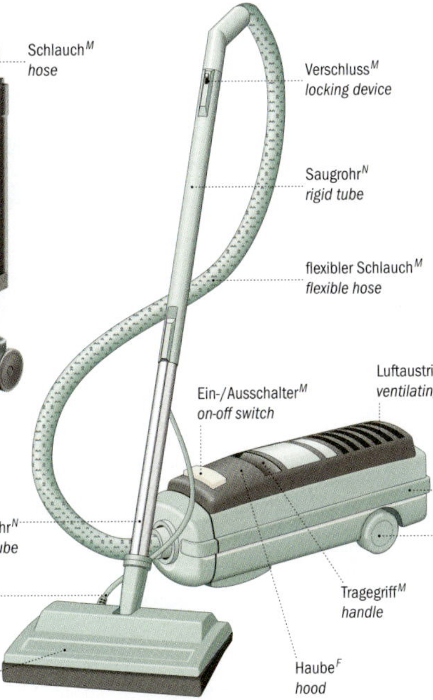

Zubehörfach[N]
tool storage area

Schlauch[M]
hose

Verschluss[M]
locking device

Beutelfach[N]
bag compartment

Saugrohr[N]
rigid tube

Höhenverstellung[F]
cleaner height adjustment knob

flexibler Schlauch[M]
flexible hose

Luftaustrittsschlitz[M]
ventilating grille

Ein-/Ausschalter[M]
on-off switch

Stoßleiste[F]
bumper

Bürste[F]
brush

Lenkrolle[F]
caster

Zubehör[N]
tools

Ansatzrohr[N]
extension tube

Kabel[N]
flex

Tragegriff[M]
handle

Bodendüse[F]
carpet and floor brush

Haube[F]
hood

Saugzubehör[N]
cleaning tools

Polsterdüse[F]
upholstery nozzle

Saugbürste[F]
dusting brush

Fugendüse[F]
crevice tool

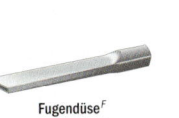

Bürste[F]
floor brush

Haushaltsgeräte[N]

Dunstabzugshaube[F]
extractor hood

Gasherd
gas cooker

Rost[M]
grate

Abdeckung[F]
lid

Filter[M]
filter

Brenner[M]
burner

Kochmulde[F]
hob

Regelschalter[M]
burner control knobs

Kochplatte[F]
surface element

Griff[M]
handle

Bedienleiste[F]
control panel

Heizspirale[F]
tubular element

Frontscheibe[F]
window

Backofentür[F]
door

Anschluss[M]
terminal

Back-/Grillrost[M]
rack

Backofen[M]
oven

Auszug[M]
drawer

Elektroherd
electric cooker

Auffangschüssel[F]
drip bowl

Schutzring[M]
trim ring

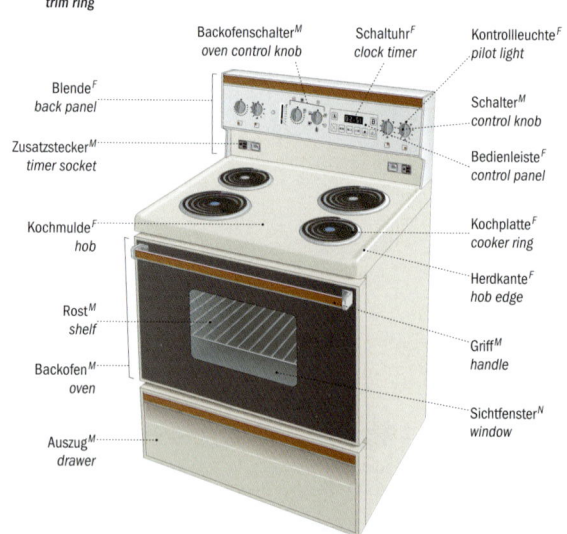

Backofenschalter[M]
oven control knob

Schaltuhr[F]
clock timer

Kontrollleuchte[F]
pilot light

Blende[F]
back panel

Schalter[M]
control knob

Zusatzstecker[M]
timer socket

Bedienleiste[F]
control panel

Kochmulde[F]
hob

Kochplatte[F]
cooker ring

Herdkante[F]
hob edge

Rost[M]
shelf

Griff[M]
handle

Backofen[M]
oven

Sichtfenster[N]
window

Auszug[M]
drawer

HAUS

HAUS

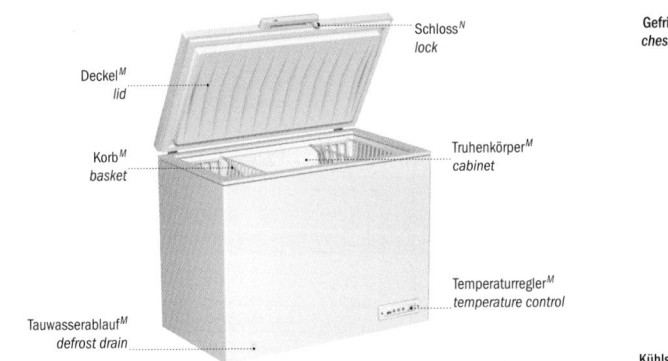

Schloss[N]
lock

Gefriertruhe[F]
chest freezer

Deckel[M]
lid

Korb[M]
basket

Truhenkörper[M]
cabinet

Temperaturregler[M]
temperature control

Tauwasserablauf[M]
defrost drain

Kühlschrank[M]
refrigerator

Eiswürfelschale[F]
ice cube tray

Türstopper[M]
door stop

Tür[F]
freezer door

magnetische Dichtung[F]
magnetic gasket

Gefrierfach[N]
freezer compartment

Griff[M]
handle

Temperaturregler[M]
thermostat control

Schalter[M]
switch

Eierfach[N]
egg tray

Butterfach[N]
butter compartment

Fleisch- und Wurstfach[N]
meat keeper

Rasterleiste[F]
shelf channel

Innentür[F]
storage door

Fach[N] für Molkereiprodukte[N]
dairy compartment

Kühlfach[N]
refrigerator
compartment

Türfach[N]
door shelf

Glasplatte[F]
glass cover

Obst- und
Gemüseschale[F]
salad crisper

Abstellrost[N]
shelf

Sicherheitsleiste[F]
guard rail

Haushaltsgeräte[N]

HAUS

Waschmaschine[F]
washing machine

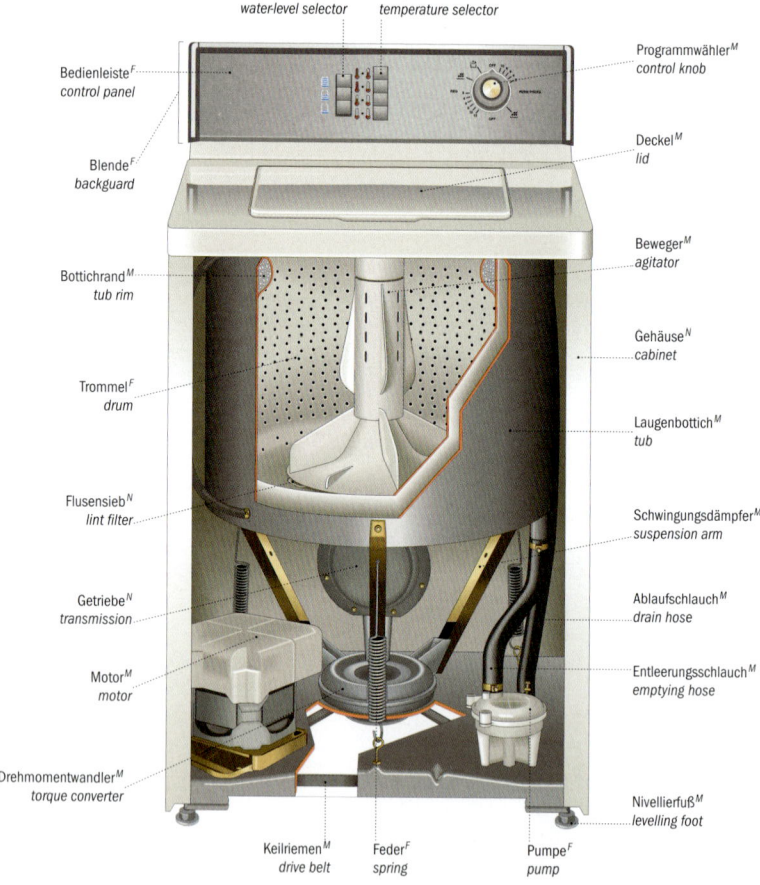

Wasserstandsregler[M]
water-level selector

Temperaturwähler[M]
temperature selector

Bedienleiste[F]
control panel

Programmwähler[M]
control knob

Blende[F]
backguard

Deckel[M]
lid

Bottichrand[M]
tub rim

Beweger[M]
agitator

Gehäuse[N]
cabinet

Trommel[F]
drum

Laugenbottich[M]
tub

Flusensieb[N]
lint filter

Schwingungsdämpfer[M]
suspension arm

Getriebe[N]
transmission

Ablaufschlauch[M]
drain hose

Motor[M]
motor

Entleerungsschlauch[M]
emptying hose

Drehmomentwandler[M]
torque converter

Nivellierfuß[M]
levelling foot

Keilriemen[M]
drive belt

Feder[F]
spring

Pumpe[F]
pump

Wäschetrockner[M]
electric tumble dryer

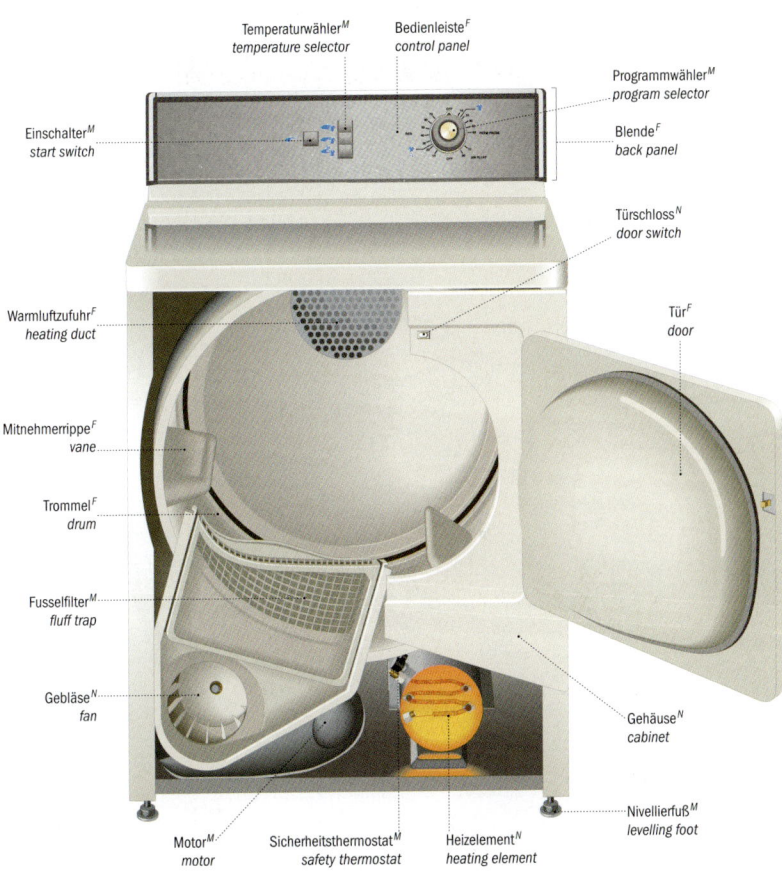

Temperaturwähler[M]
temperature selector

Bedienleiste[F]
control panel

Programmwähler[M]
program selector

Einschalter[M]
start switch

Blende[F]
back panel

Türschloss[N]
door switch

Warmluftzufuhr[F]
heating duct

Tür[F]
door

Mitnehmerrippe[F]
vane

Trommel[F]
drum

Fusselfilter[M]
fluff trap

Gebläse[N]
fan

Gehäuse[N]
cabinet

Nivellierfuß[M]
levelling foot

Motor[M]
motor

Sicherheitsthermostat[M]
safety thermostat

Heizelement[N]
heating element

HAUS

Bedienleiste[F]
control panel

Kontrollleuchte[F]
pilot light

Programmwähler[M]
program selector

Drucktaste[F]
push button

Belüftungsschlitz[M]
air vent

Riegel[M]
latch

Geschirrspülmaschine[F]
dishwasher

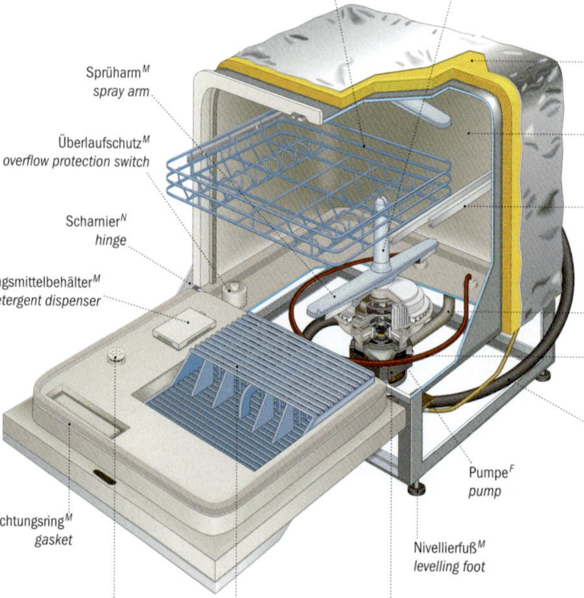

Korb[M]
rack

Wascharm[M]
wash tower

Sprüharm[M]
spray arm

Isoliermaterial[N]
insulating material

Überlaufschutz[M]
overflow protection switch

Bottich[M]
tub

Scharnier[N]
hinge

Schiene[F]
slide

Reinigungsmittelbehälter[M]
detergent dispenser

Wasserschlauch[M]
water hose

Heizelement[N]
heating element

Ablaufschlauch[M]
drain hose

Pumpe[F]
pump

Dichtungsring[M]
gasket

Nivellierfuß[M]
levelling foot

Klarspülmittelbehälter[M]
rinse-aid dispenser

Besteckkorb[M]
cutlery basket

Motor[M]
motor

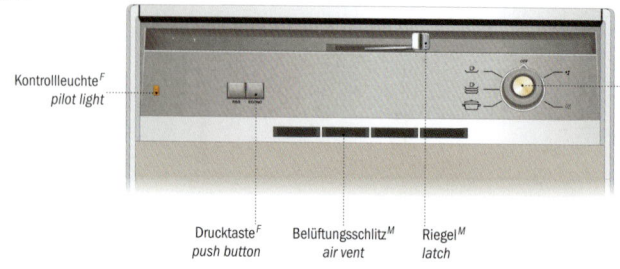

Haushaltsgegenstände^M

household equipment

Geschirrtuch^N
kitchen towel

Kehrschaufel^F
dustpan

Besen^M
broom

Mop^M
mop

Putzschwamm^M
scouring pad

Bürste^F
brush

Bürstenkörper^M
block

Stiel^M
handle

Borsten^F
fibres

Abfalleimer^M
refuse container

Deckel^M
lid

Borsten^F
fibres

Griff^M
handle

Eimer^M
bucket

Ausguss^M
pouring spout

Henkel^M
handle

Klempnerwerkzeuge[N]
plumbing tools

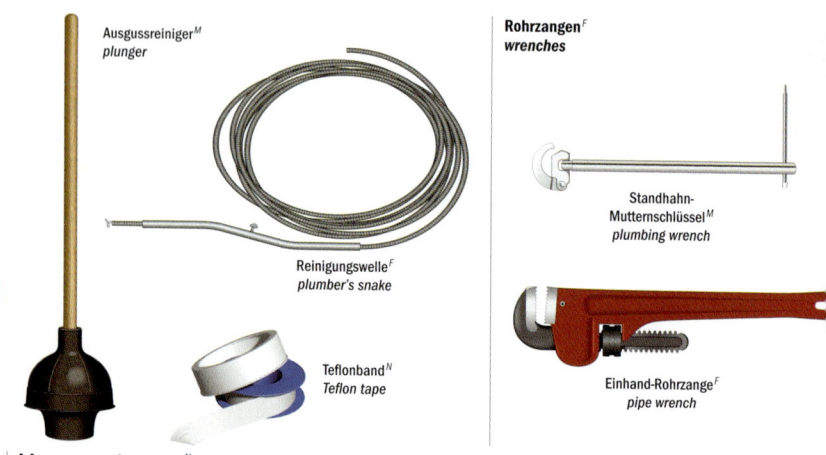

Ausgussreiniger[M]
plunger

Reinigungswelle[F]
plumber's snake

Teflonband[N]
Teflon tape

**Rohrzangen[F]
wrenches**

Standhahn-
Mutternschlüssel[M]
plumbing wrench

Einhand-Rohrzange[F]
pipe wrench

Maurerwerkzeuge[N]
masonry tools

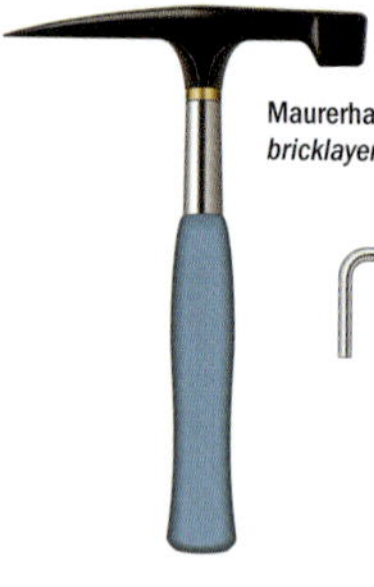

Maurerhammer[M]
bricklayer's hammer

Kartusche[F]
cartridge

Düse[F]
nozzle

Kartuschenpistole
caulking gu

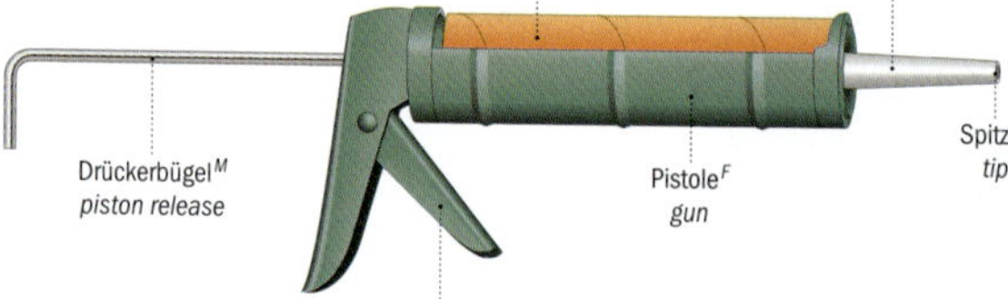

Drückerbügel[M]
piston release

Presshebel[M]
piston lever

Pistole[F]
gun

Spitze[F]
tip

Aufziehbrett[F]
hawk

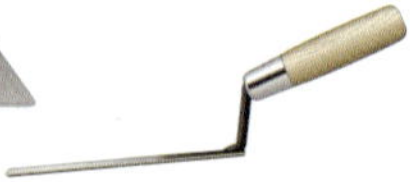

Fugenkelle[F]
joint filler

Putzkelle[F]
square trowel

Blatt[N]
blade

Angel[F]
tang

Griff[M]
handle

Maurerkelle
mason's trowe

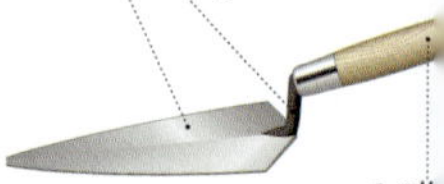

Elektroinstallateurwerkzeuge[N]
electricity tools

Handlampe[F]
inspection light

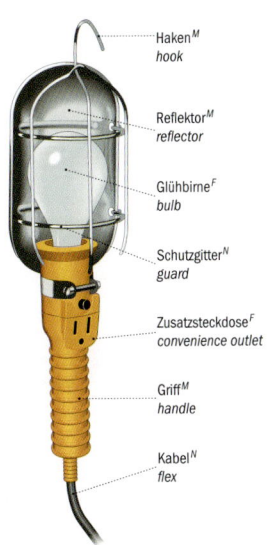

Haken[M]
hook

Reflektor[M]
reflector

Glühbirne[F]
bulb

Schutzgitter[N]
guard

Zusatzsteckdose[F]
convenience outlet

Griff[M]
handle

Kabel[N]
flex

Prüflampe[F]
test-lamp

Kabeltülle[F]
wire nut

Spannungsprüfer[M]
tester screwdriver

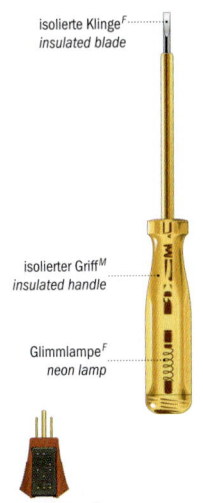

isolierte Klinge[F]
insulated blade

isolierter Griff[M]
insulated handle

Glimmlampe[F]
neon lamp

Steckdosenprüfer[M]
socket tester

Mehrzweckzange[F]
multipurpose tool

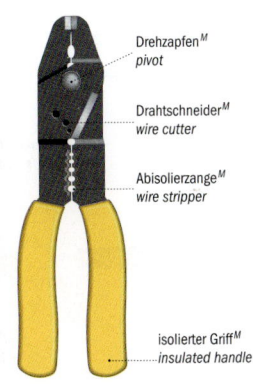

Drehzapfen[M]
pivot

Drahtschneider[M]
wire cutter

Abisolierzange[M]
wire stripper

isolierter Griff[M]
insulated handle

Spitzzange[F]
needle-nose pliers

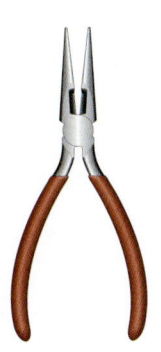

Kombizange[F]
combination pliers

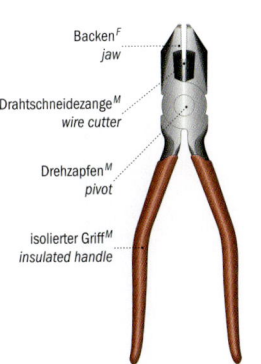

Backen[F]
jaw

Drahtschneidezange[M]
wire cutter

Drehzapfen[M]
pivot

isolierter Griff[M]
insulated handle

Löt- und Schweißwerkzeuge[N]
soldering and welding tools

HEIMWERKEN UND GARTENARBEIT

Lötpistole[F]
soldering gun

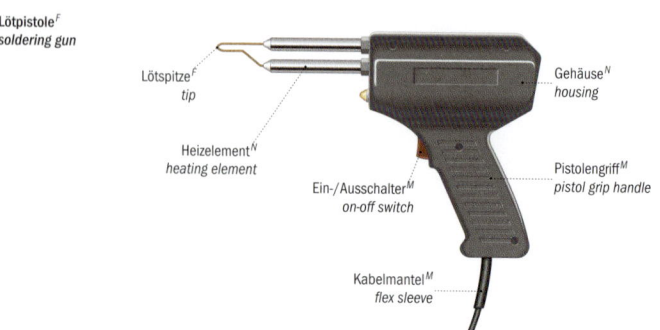

Lötspitze[F]
tip

Heizelement[N]
heating element

Ein-/Ausschalter[M]
on-off switch

Gehäuse[N]
housing

Pistolengriff[M]
pistol grip handle

Kabelmantel[M]
flex sleeve

Anzünder[M]
striker

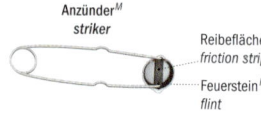

Reibefläche[F]
friction strip

Feuerstein[M]
flint

Lötzinn[M]
solder

Düsenreiniger[M]
nozzle cleaners

Lötlampe[F]
blowtorch

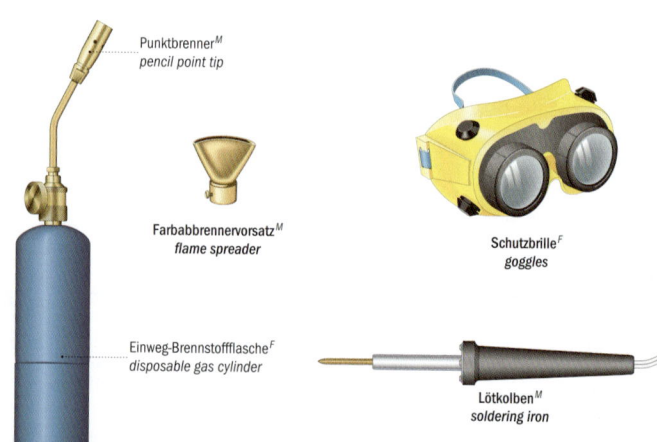

Punktbrenner[M]
pencil point tip

Farbabbrennervorsatz[M]
flame spreader

Schutzbrille[F]
goggles

Einweg-Brennstoffflasche[F]
disposable gas cylinder

Lötkolben[M]
soldering iron

Anstreichen[N] und Lackieren[N]

painting upkeep

Farbroller[M]
paint roller

Griff[M]
handle

Walzenbefestigung[F]
roller frame

Walze[F]
roller sleeve

Wanne[F]
tray

Heißluftpistole[F]
heat gun

Düse[F]
nozzle

Schalter[M]
switch

Schaber[M]
scraper

Griff[M]
handle

Blatt[N]
blade

Rändelbolzen[M]
knurled bolt

Malerpinsel[M]
paintbrush

Griff[M]
handle

Stock[M]
ferrule

Borsten[N]
bristles

Leitern[F] und Stehleitern[F]

ladders and stepladders

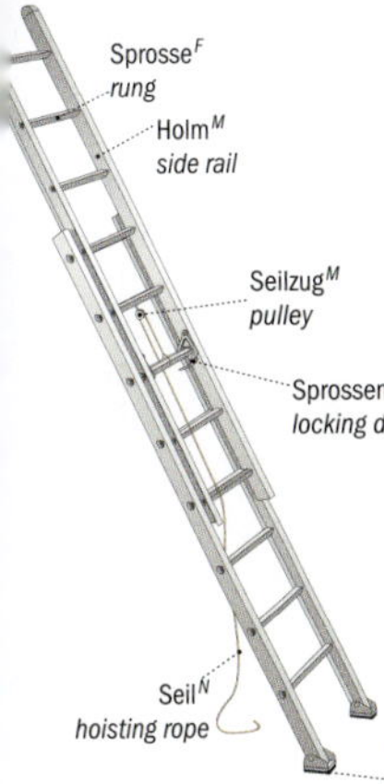

Ausziehleiter[F]
extension ladder

Sprosse[F]
rung

Holm[M]
side rail

Seilzug[M]
pulley

Sprossenarretierung[F]
locking device

Seil[N]
hoisting rope

rutschfester Fuß[M]
anti-slip foot

Trittleiter[F]
platform ladder

Sicherheitsholm[M]
safety rail

Ablage[F]
shelf

Gestell[N]
frame

Plattform[F]
platform

Gummistöpsel[M]
rubber stopper

Tritt[M]
step

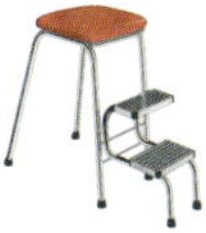

Tritthocker[M]
step stool

Stehleiter[F]
stepladder

Podest[N]
top

Arbeitsbrett[N]
tool shelf

Ausklapparretierung[F]
brace

Stufe[F]
step

Bautischlerei[F]: Nagelwerkzeuge[N]
carpentry: nailing tools

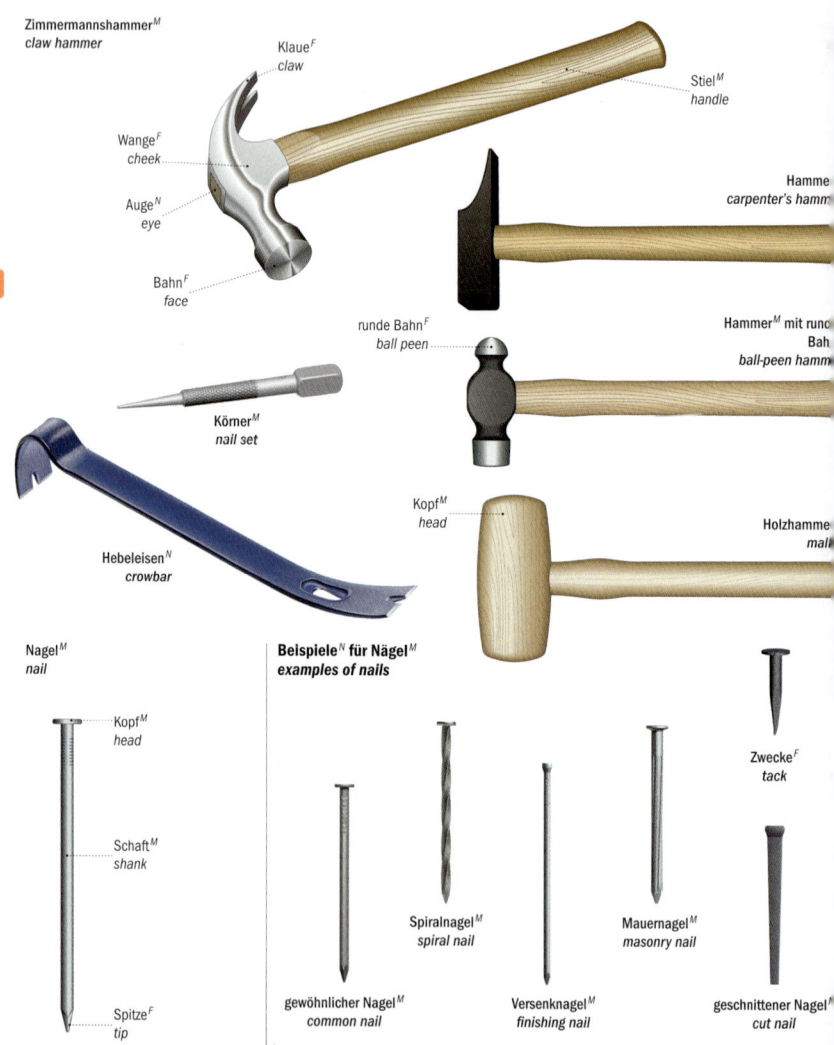

Zimmermannshammer[M]
claw hammer

Klaue[F]
claw

Stiel[M]
handle

Wange[F]
cheek

Auge[N]
eye

Bahn[F]
face

Hamme
carpenter's hamm

runde Bahn[F]
ball peen

Hammer[M] mit rund
Bah
ball-peen hamm

Körner[M]
nail set

Kopf[M]
head

Holzhamme
mall

Hebeleisen[N]
crowbar

Nagel[M]
nail

Beispiele[N] für Nägel[M]
examples of nails

Kopf[M]
head

Zwecke[F]
tack

Schaft[M]
shank

Spiralnagel[M]
spiral nail

Mauernagel[M]
masonry nail

Spitze[F]
tip

gewöhnlicher Nagel[M]
common nail

Versenknagel[M]
finishing nail

geschnittener Nagel[M]
cut nail

Bautischlerei[F]: Schraubwerkzeuge[N]
carpentry: screwing tools

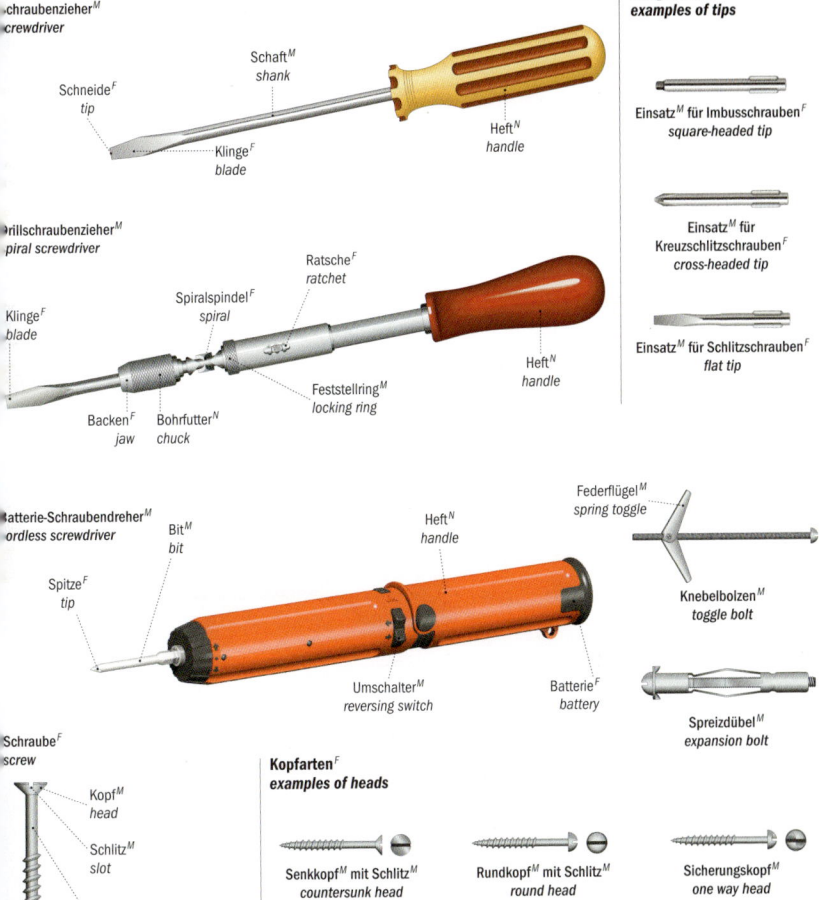

Schraubenzieher[M]
screwdriver

Schneide[F]
tip

Schaft[M]
shank

Klinge[F]
blade

Heft[N]
handle

Klingenarten[F]
examples of tips

Einsatz[M] für Imbusschrauben[F]
square-headed tip

Einsatz[M] für Kreuzschlitzschrauben[F]
cross-headed tip

Einsatz[M] für Schlitzschrauben[F]
flat tip

Drillschraubenzieher[M]
spiral screwdriver

Klinge[F]
blade

Spiralspindel[F]
spiral

Ratsche[F]
ratchet

Backen[F]
jaw

Bohrfutter[N]
chuck

Feststellring[M]
locking ring

Heft[N]
handle

Batterie-Schraubendreher[M]
cordless screwdriver

Bit[M]
bit

Spitze[F]
tip

Heft[N]
handle

Umschalter[M]
reversing switch

Batterie[F]
battery

Federflügel[M]
spring toggle

Knebelbolzen[M]
toggle bolt

Spreizdübel[M]
expansion bolt

Schraube[F]
screw

Kopf[M]
head

Schlitz[M]
slot

Schaft[M]
shank

Gewinde[N]
thread

Kopfarten[F]
examples of heads

Senkkopf[M] mit Schlitz[M]
countersunk head

Rundkopf[M] mit Schlitz[M]
round head

Sicherungskopf[M]
one way head

Senkkopf[M] mit Kreuzschlitz[M]
cross head

Senkkopf[M] mit Imbus[M]
socket head

Linsenkopf[M] mit Schlitz[M]
raised head

Bautischlerei^F: Greif- und Spannwerkzeuge^N
carpentry: gripping and tightening tools

Zangen^F
pliers

Kombizange^F
slip joint pliers

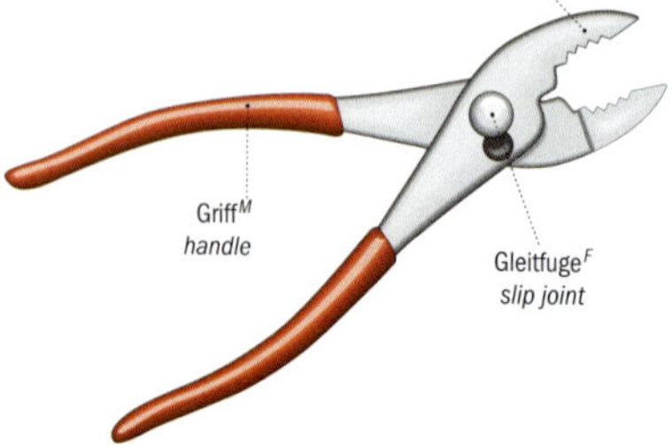

gekrümmte Greifbacke^F
curved jaw

gerade Greifbacke^F
straight jaw

Wasserpumpen-Zange^F
water pump pliers

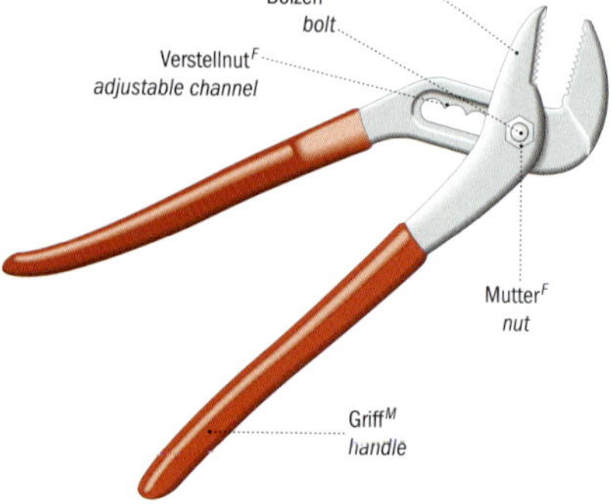

Bolzen^M
bolt

Verstellnut^F
adjustable channel

Griff^M
handle

Gleitfuge^F
slip joint

Mutter^F
nut

Griff^M
handle

Gripzange^F
mole wrench

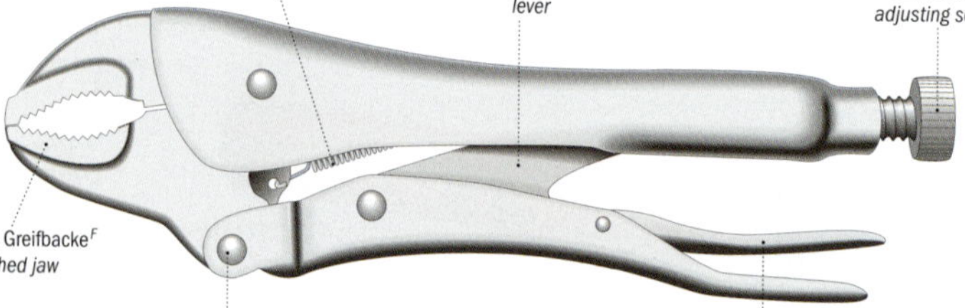

Feder^F
spring

Hebel^M
lever

Verstellung^F
adjusting screw

gezahnte Greifbacke^F
toothed jaw

Niete^F
rivet

Löshebel^M
release lever

Unterlegscheiben^F
washers

Unterlegscheibe^F
flat washer

Federring^M
spring washer

außengezahnte Fächerscheibe^F
external tooth lock washer

innengezahnte Fächerscheibe^F
internal tooth lock washer

Bautischlerei*F*: Greif- und Spannwerkzeuge*N*

Schlüssel*M*
wrenches

feste Backe*F*
fixed jaw

Rollgabelschlüssel*M*
adjustable spanner

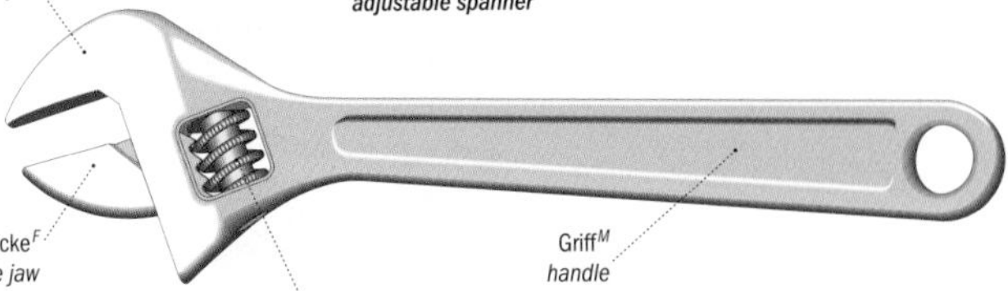

bewegliche Backe*F*
movable jaw

Griff*M*
handle

Rädelung*F*
thumbscrew

Ratschenringschlüssel*M*
ratchet ring spanner

offener Doppelringschlüssel*M*
flare nut spanner

Doppelmaulschlüssel*M*
open-ended spanner

Doppelringschlüssel*M*
ring spanner

Maul-Ringschlüssel*M*
combination spanner

Knarre*F*
ratchet socket wrench

Schrauben*F*
bolts

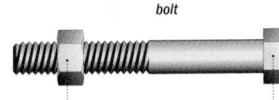

Schraubenbolzen*M*
bolt

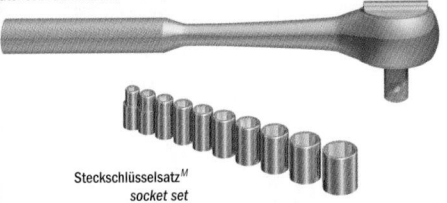

Steckschlüsselsatz*M*
socket set

Mutter*F*
nut

Kopf*M*
head

Muttern*F*
nuts

Sechskantmutter*F*
hexagon nut

Hutmutter*F*
cap nut

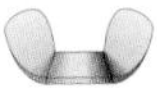

Flügelmutter*F*
wing nut

Schraubenbolzen*M* mit Ansatz*M*
shoulder bolt

Gewindeschaft*M*
threaded rod

Ansatz*M*
shoulder

HEIMWERKEN UND GARTENARBEIT

Bautischlerei[F]: Greif- und Spannwerkzeuge[N]

HEIMWERKEN UND GARTENARBEIT

Zwinge[F]
G-clamp

feste Backe[F]
fixed jaw

bewegliche Backe[F]
movable jaw

Schwenkkopf[M]
swivel head

Spannweite[F]
throat

Stellschraube[F]
clamping screw

Rahmen[M]
frame

Spanngriff[M]
handle

Spanngriff[M]
handle

bewegliche Backe[F]
movable jaw

Schraubstock[M]
vice

feste Backe[F]
fixed jaw

Stellschraube[F]
clamping screw

Schwenkverschluss[M]
swivel lock

Bolzen[M]
bolt

Schwenksockel[M]
swivel base

fester Sockel[M]
fixed base

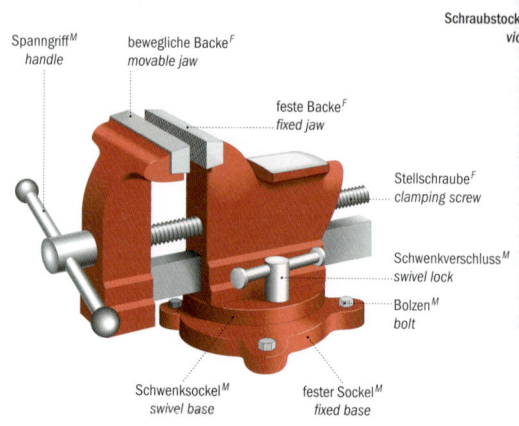

Rohrschraubstock[M]
pipe clamp

Knebel[M]
handle

Spannschraube[F]
clamping screw

bewegliche Backe[F]
jaw

Rohr[N]
pipe

feste Backe[F]
tail stop

Arretierhebel[M]
locking lever

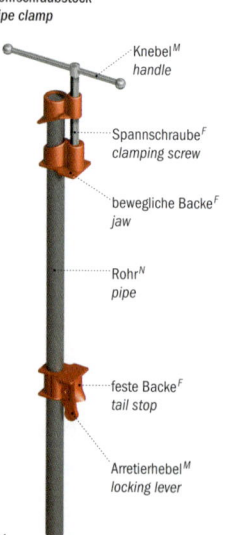

Spannpratze[F]
peg

Backen[F]
jaws

Werkbank[F] und Schraubstock[M]
work bench and vice

Arbeitsplatte[F]
working surface

Kurbel[F]
crank

Fußstütze[F]
footrest

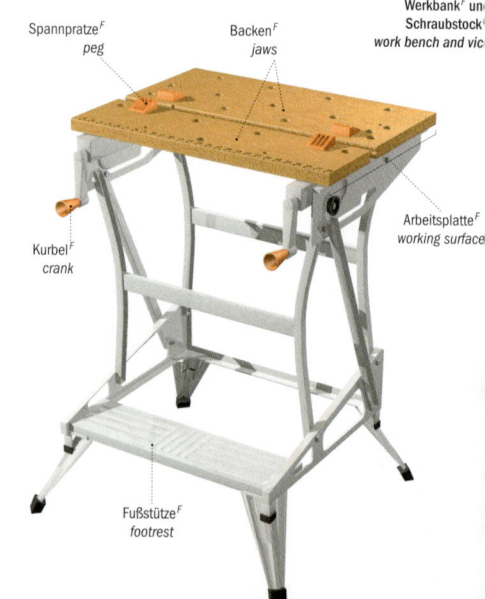

Bautischlerei^F: Mess- und Markierinstrumente^N
carpentry: measuring and marking tools

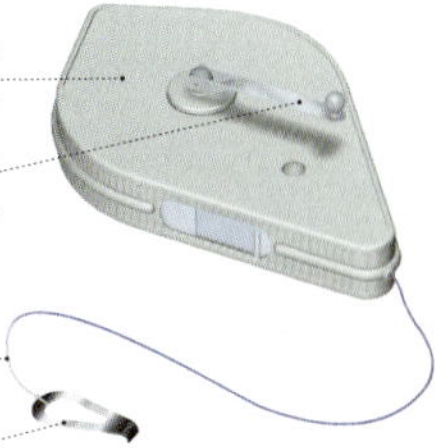

Metallwinkel^M
setsquare

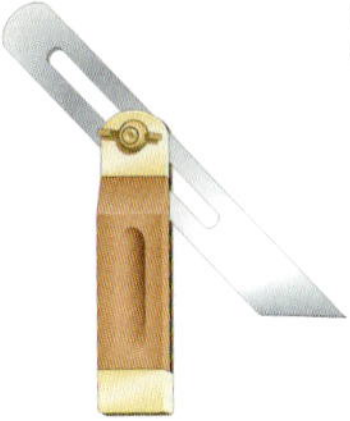

Schrägmaß^N
bevel square

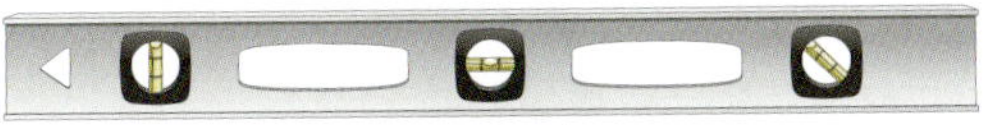

Wasserwaage^F
spirit level

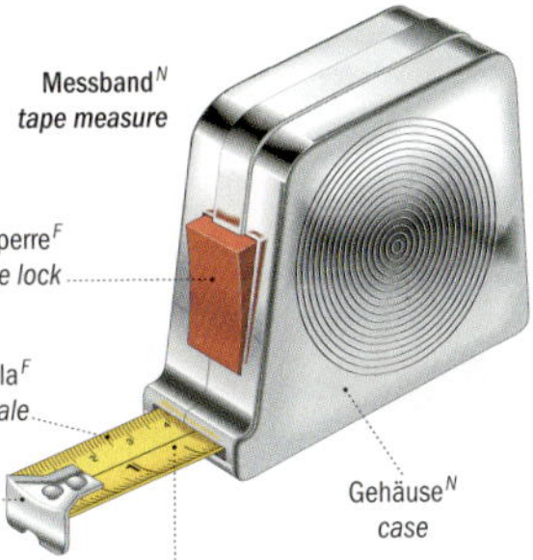

Markierschnur^F
chalk line

Messband^N
tape measure

Gehäuse^N
case

Bandsperre^F
tape lock

Handkurbel^F
crank handle

Skala^F
scale

Schnur^F
line

Haken^M
hook

Gehäuse^N
case

Haken^M
hook

Maßband^N
tape

Bautischlerei^F: verschiedenes Zubehör^N
carpentry: miscellaneous material

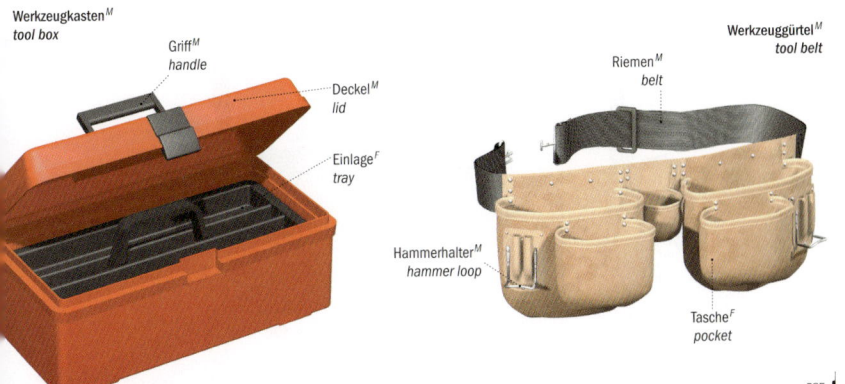

Werkzeugkasten^M
tool box

Griff^M
handle

Deckel^M
lid

Einlage^F
tray

Werkzeuggürtel^M
tool belt

Riemen^M
belt

Hammerhalter^M
hammer loop

Tasche^F
pocket

Bautischlerei*F*: Sägewerkzeuge*N*

carpentry: sawing tools

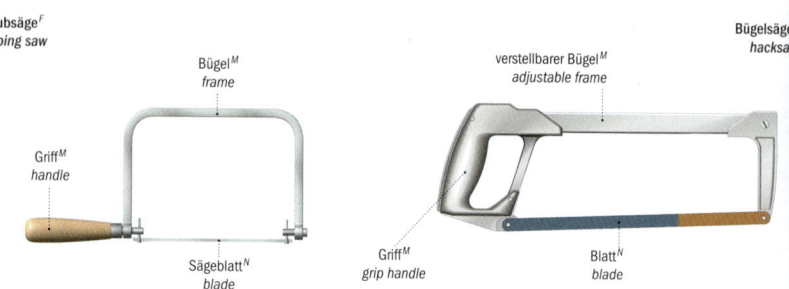

Laubsäge*F*
coping saw

Bügel*M*
frame

Griff*M*
handle

Sägeblatt*N*
blade

Bügelsäge
hacksa

verstellbarer Bügel*M*
adjustable frame

Griff*M*
grip handle

Blatt*N*
blade

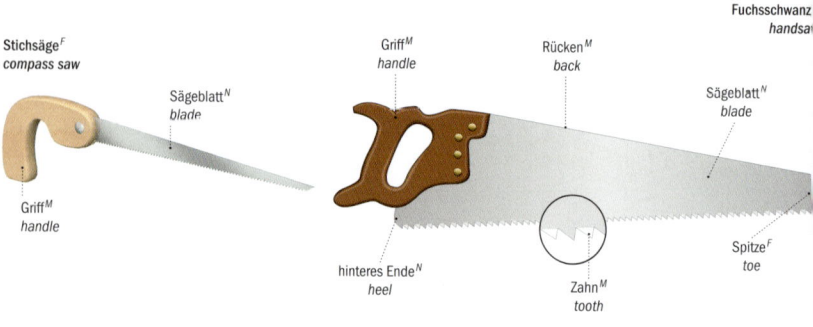

Stichsäge*F*
compass saw

Sägeblatt*N*
blade

Griff*M*
handle

hinteres Ende*N*
heel

Griff*M*
handle

Rücken*M*
back

Zahn*M*
tooth

Fuchsschwanz
handsa

Sägeblatt*N*
blade

Spitze*F*
toe

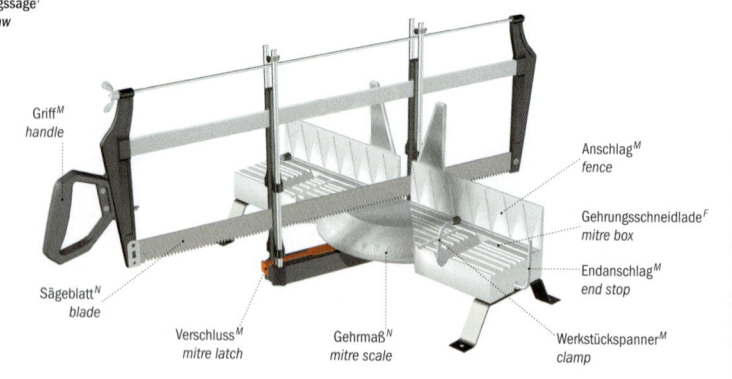

Hand-Gehrungssäge*F*
hand mitre saw

Griff*M*
handle

Sägeblatt*N*
blade

Verschluss*M*
mitre latch

Gehrmaß*N*
mitre scale

Anschlag*M*
fence

Gehrungsschneidlade*F*
mitre box

Endanschlag*M*
end stop

Werkstückspanner*M*
clamp

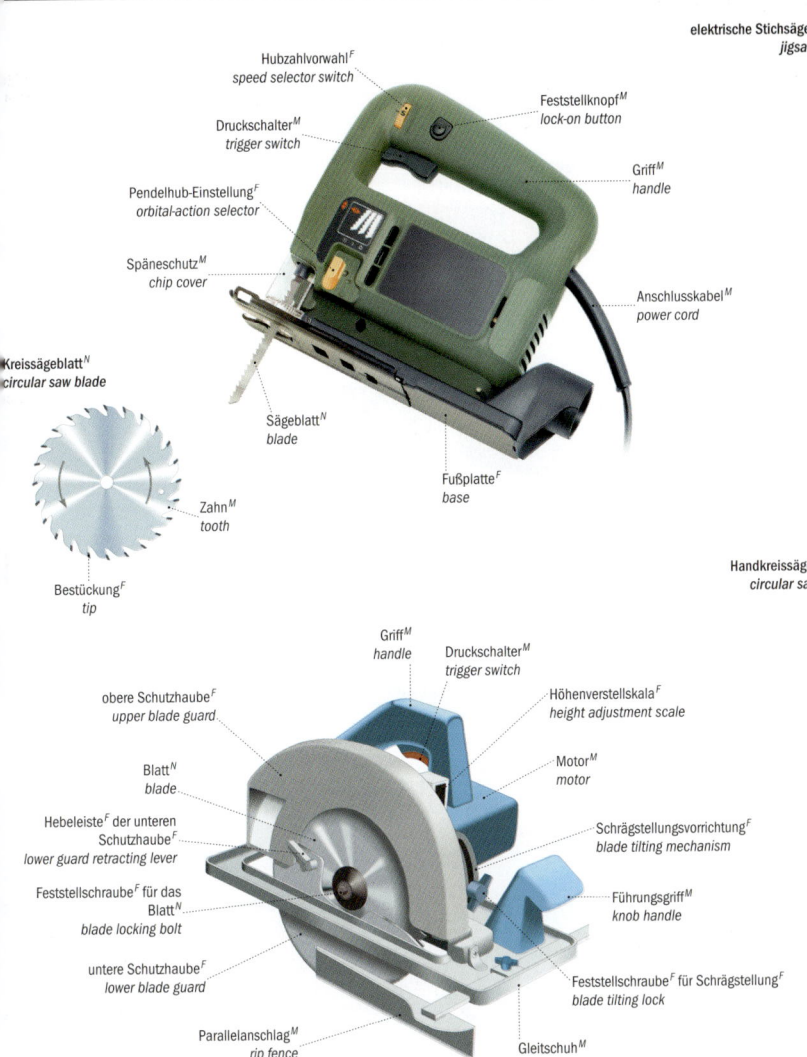

elektrische Stichsäge^F
jigsaw

Hubzahlvorwahl^F
speed selector switch

Feststellknopf^M
lock-on button

Druckschalter^M
trigger switch

Griff^M
handle

Pendelhub-Einstellung^F
orbital-action selector

Späneschutz^M
chip cover

Anschlusskabel^M
power cord

Kreissägeblatt^N
circular saw blade

Sägeblatt^N
blade

Zahn^M
tooth

Fußplatte^F
base

Bestückung^F
tip

Handkreissäge^F
circular saw

Griff^M
handle

Druckschalter^M
trigger switch

obere Schutzhaube^F
upper blade guard

Höhenverstellskala^F
height adjustment scale

Blatt^N
blade

Motor^M
motor

Hebelleiste^F der unteren
Schutzhaube^F
lower guard retracting lever

Schrägstellungsvorrichtung^F
blade tilting mechanism

Feststellschraube^F für das
Blatt^N
blade locking bolt

Führungsgriff^M
knob handle

untere Schutzhaube^F
lower blade guard

Feststellschraube^F für Schrägstellung^F
blade tilting lock

Parallelanschlag^M
rip fence

Gleitschuh^M
base plate

Bautischlerei[F]: Bohrwerkzeuge[N]
carpentry: drilling tools

Akku[M]-Bohrschrauber[M]
cordless drill-driver

Drehzahlschalter[M]
speed selector switch

Schrauberbit[M]
screwdriver bit

Schnellspannbohrfutter[N]
keyless chuck

Drehmoment[M]-Einstellring[M]
torque adjustment collar

Akku[M]
battery pack

Druckschalter[M]
trigger switch

Umschalter[M]
reversing switch

Ladegerät[N]
charger

Akku[M]
battery pack

elektrische Bohrmaschine[F]
electric drill

Typenschild[N]
specification plate

Sicherheitshinweisschild[N]
warning plate

Feststellknopf[M]
switch lock

Gehäuse[N]
housing

Bohrfutter[N]
chuck

Druckschalter[M]
trigger switch

Pistolengriff[M]
pistol grip handle

Backen[F]
jaw

zusätzlicher Griff[M]
auxiliary handle

Kabelmuffe[F]
cable sleeve

Stecker[M]
plug

Kabel[N]
cable

Bohrfutterschlüssel[M]
chuck key

Beispiele[N] für Bits[M] und Bohrer[M]
examples of bits and drills

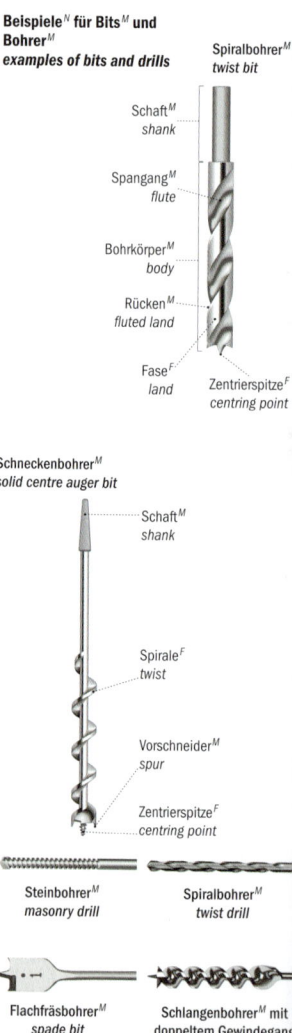

Spiralbohrer[N]
twist bit

Schaft[M]
shank

Spangang[M]
flute

Bohrkörper[M]
body

Rücken[M]
fluted land

Fase[F]
land

Zentrierspitze[F]
centring point

Schneckenbohrer[M]
solid centre auger bit

Schaft[M]
shank

Spirale[F]
twist

Vorschneider[M]
spur

Zentrierspitze[F]
centring point

Steinbohrer[M]
masonry drill

Spiralbohrer[M]
twist drill

Flachfräsbohrer[M]
spade bit

Schlangenbohrer[M] mit doppeltem Gewindegang[M]
double-twist auger bit

Bautischlerei^F: Formwerkzeuge^N
carpentry: shaping tools

Hobel^M
plane

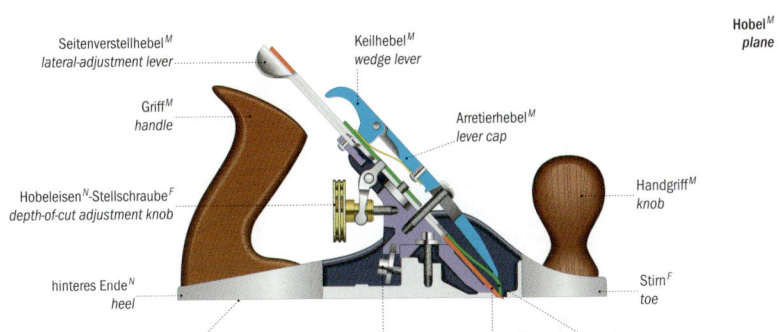

Seitenverstellhebel^M
lateral-adjustment lever

Keilhebel^M
wedge lever

Griff^M
handle

Arretierhebel^M
lever cap

Hobeleisen^N-Stellschraube^F
depth-of-cut adjustment knob

Handgriff^M
knob

hinteres Ende^N
heel

Stirn^F
toe

Sohle^F
sole

Spannschraube^F
frog-adjustment screw

Hobeleisen^N
blade

Klappe^F
cap iron

Exzenterschleifer^M
random orbit sander

Arretierknopf^M
lock-on button

Netzkabel^N
power cord

Gehäuse^N
housing

Griff^M
handle

Staubbehälter^M
dust canister

Schleifblatt^N
sanding disc

Druckschalter^M
trigger switch

Schleifteller^M
sanding pad

Oberfräse^F
router

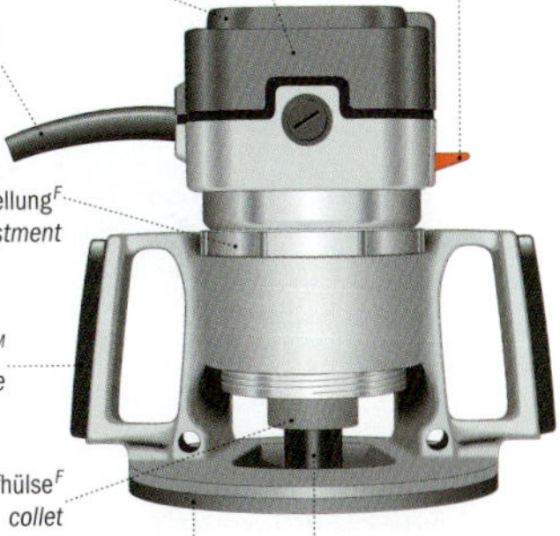

Motor^M
motor

Schalter^M
switch

Kopf^M
head

Kabelmantel^M
flex sleeve

Tiefeneinstellung^F
depth adjustment

Führungsgriff^M
guide handle

Anlaufhülse^F
collet

Fuß^M
base

Werkzeugfutter^N
tool holder

Schleifpapier^N
sandpaper

Flachfeile^F
file

Stemmeisen^N
wood chisel

Ziergarten^M
pleasure garden

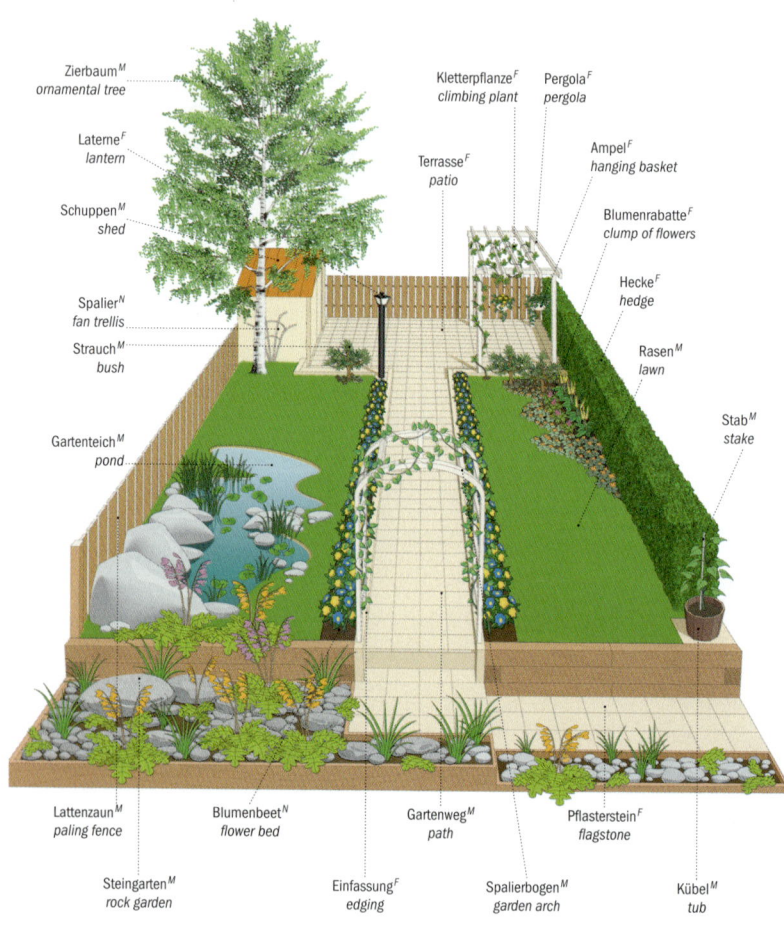

Zierbaum^M
ornamental tree

Laterne^F
lantern

Schuppen^M
shed

Spalier^N
fan trellis

Strauch^M
bush

Gartenteich^M
pond

Kletterpflanze^F
climbing plant

Pergola^F
pergola

Terrasse^F
patio

Ampel^F
hanging basket

Blumenrabatte^F
clump of flowers

Hecke^F
hedge

Rasen^M
lawn

Stab^M
stake

Lattenzaun^M
paling fence

Blumenbeet^N
flower bed

Gartenweg^M
path

Pflasterstein^F
flagstone

Steingarten^M
rock garden

Einfassung^F
edging

Spalierbogen^M
garden arch

Kübel^M
tub

verschiedene Geräte^N
miscellaneous equipment

Kompostkiste^F
compost bin

Mulde^F
container

Schubkarre^F
wheelbarrow

Griff^M
handle

Stütze^F
leg

Rad^N
wheel

Werkzeuge^N zum Säen^N und Pflanzen^N
seeding and planting tools

Pflanzschnur^F
garden line

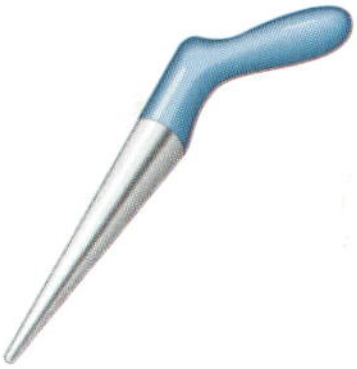

Pflanzholz^N
dibber

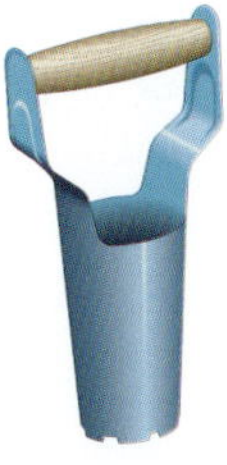

Pflanzlochstecher^M
bulb dibber

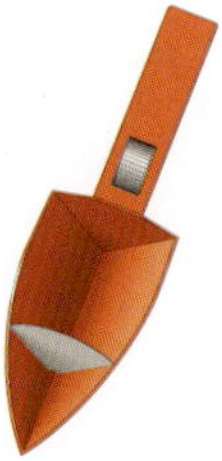

Säkelle^F
seeder

Baumstütze^F
stake

Handwerkzeuge[N]
hand tools

Kralle[F]
small hand cultivator

Pflanzkelle[F]
trowel

Unkrautstecher[M]
weeder

Gartenhandschuhe[M]
gardening gloves

Handgabel[F]
hand fork

Geräte^N zur Erdbewegung^F
tools for loosening the earth

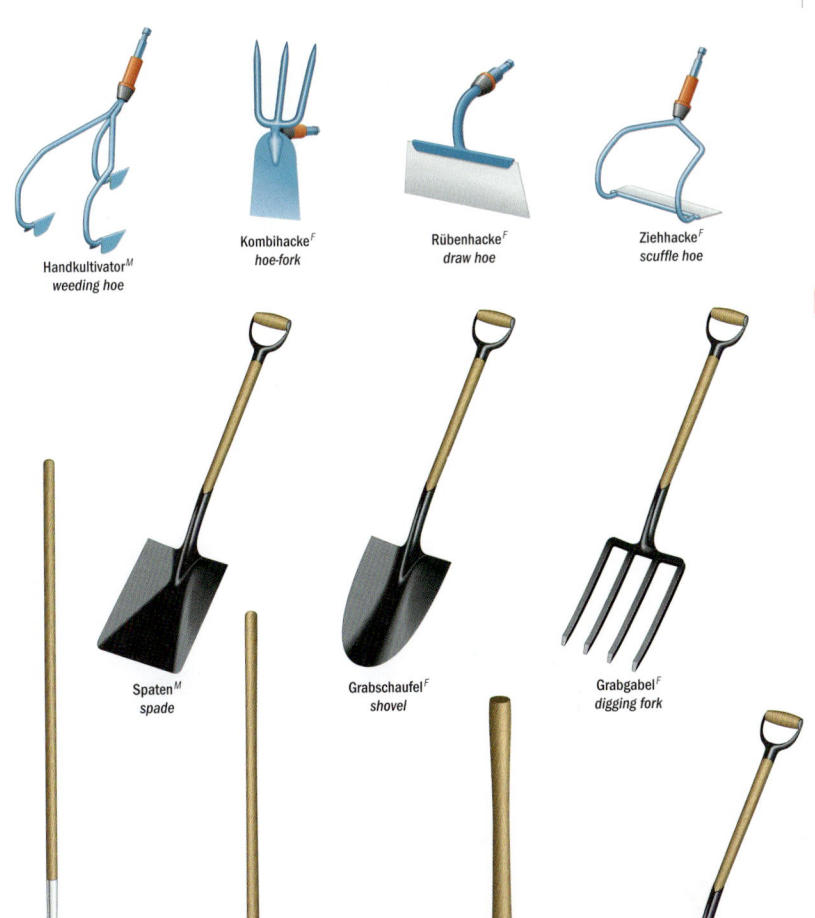

Handkultivator^M
weeding hoe

Kombihacke^F
hoe-fork

Rübenhacke^F
draw hoe

Ziehhacke^F
scuffle hoe

Spaten^M
spade

Grabschaufel^F
shovel

Grabgabel^F
digging fork

Rechen^M
rake

Rodehacke^F
hoe

Kreuzhacke^F
pick

Kantenstecher^M
lawn edger

Schneidwerkzeuge[N]
pruning and cutting tools

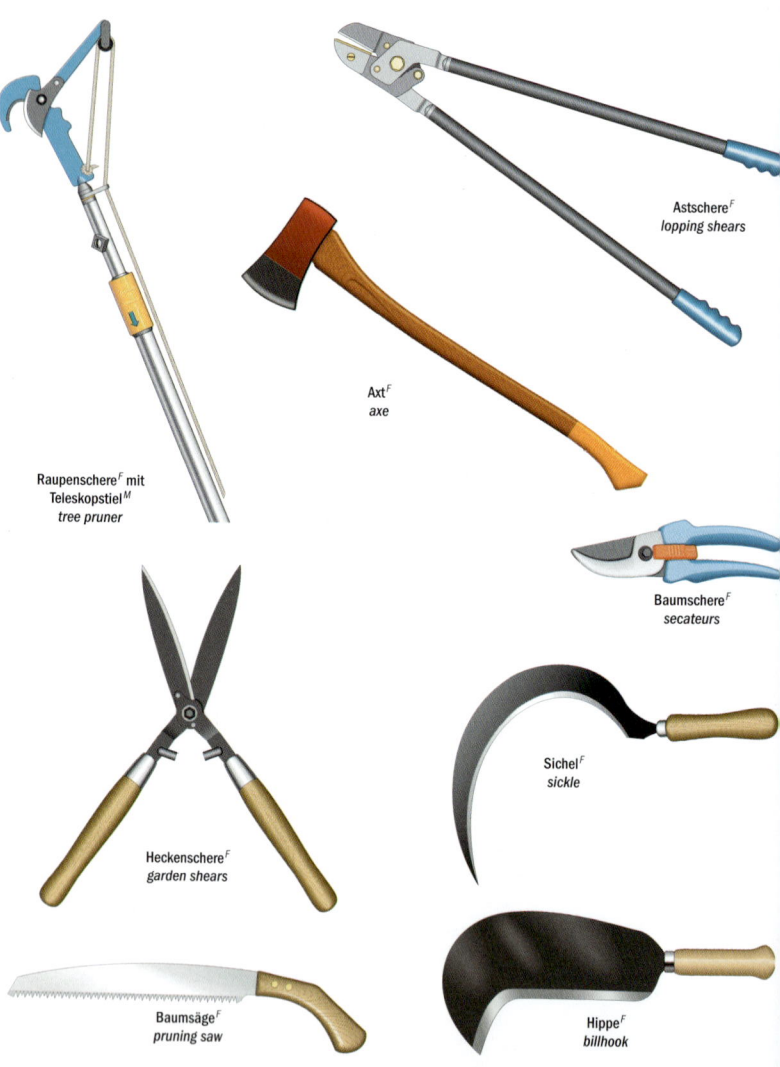

Astschere[F]
lopping shears

Axt[F]
axe

Raupenschere[F] mit
Teleskopstiel[M]
tree pruner

Baumschere[F]
secateurs

Heckenschere[F]
garden shears

Sichel[F]
sickle

Baumsäge[F]
pruning saw

Hippe[F]
billhook

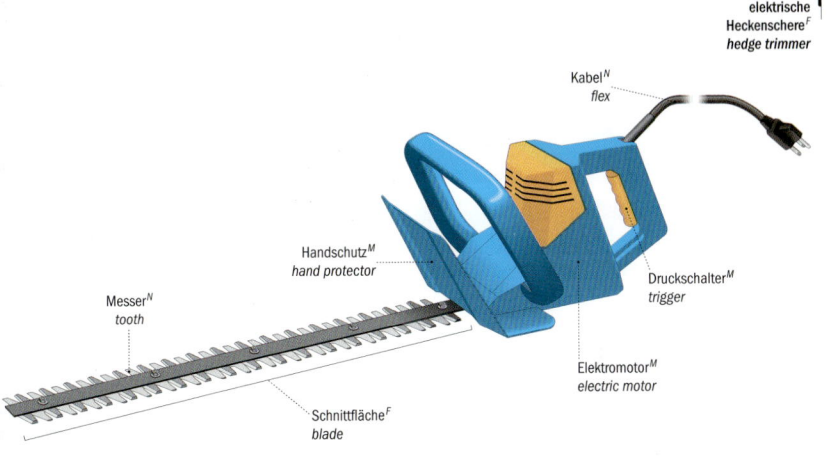

elektrische
Heckenschere[F]
hedge trimmer

Kabel[N]
flex

Handschutz[M]
hand protector

Messer[N]
tooth

Druckschalter[M]
trigger

Elektromotor[M]
electric motor

Schnittfläche[F]
blade

Kettensäge[F]
chainsaw

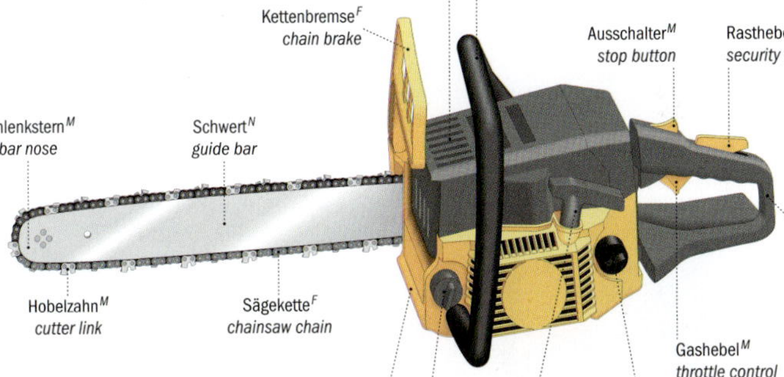

schwingungsdämpfender
Bügelgriff[M]
anti-vibration handle

Luftfilter[N]
air filter

Kettenbremse[F]
chain brake

Ausschalter[M]
stop button

Rasthebel[M]
security trigger

Umlenkstern[M]
bar nose

Schwert[N]
guide bar

Griff[M]
handle

Hobelzahn[M]
cutter link

Sägekette[F]
chainsaw chain

Gashebel[M]
throttle control

Motorgehäuse[N]
engine housing

Startergriff[M]
starter handle

Kraftstofftank[M]
fuel tank

Ölsumpf[M]
oil tank

HEIMWERKEN UND GARTENARBEIT

Gießgeräte[N]
watering tools

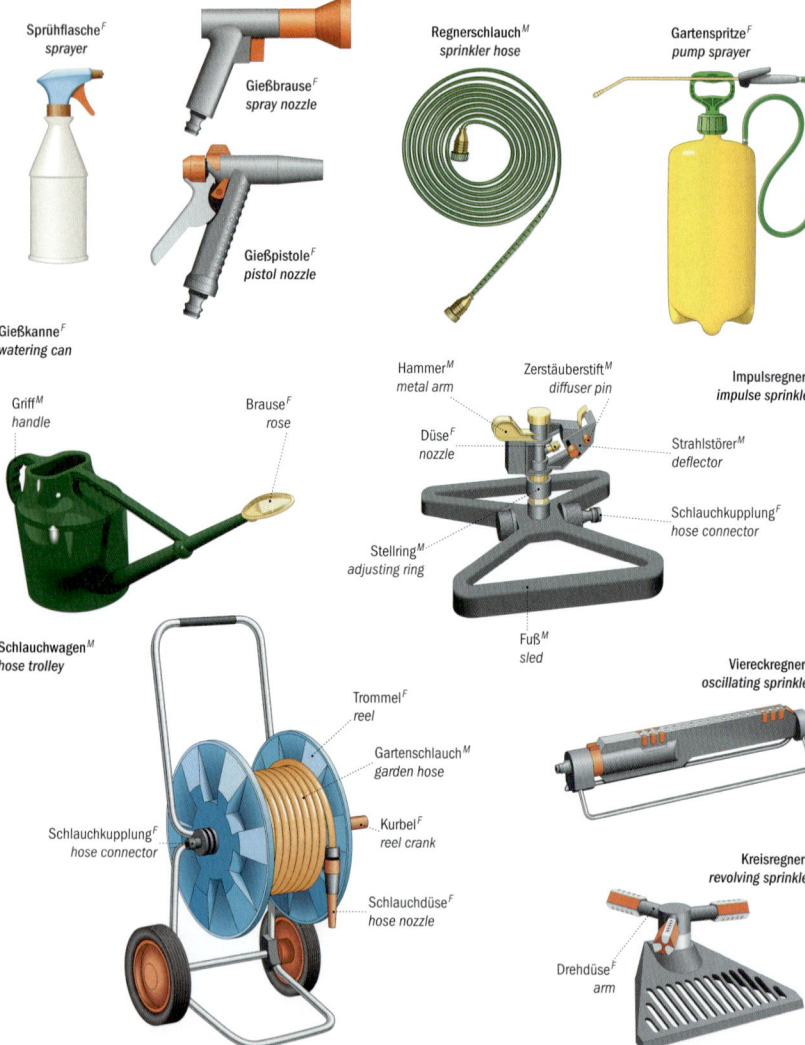

Sprühflasche[F]
sprayer

Gießbrause[F]
spray nozzle

Gießpistole[F]
pistol nozzle

Regnerschlauch[M]
sprinkler hose

Gartenspritze[F]
pump sprayer

Gießkanne[F]
watering can

Griff[M]
handle

Brause[F]
rose

Hammer[M]
metal arm

Zerstäuberstift[M]
diffuser pin

Impulsregner[M]
impulse sprinkler

Düse[F]
nozzle

Strahlstörer[M]
deflector

Schlauchkupplung[F]
hose connector

Stellring[M]
adjusting ring

Fuß[M]
sled

Schlauchwagen[M]
hose trolley

Trommel[F]
reel

Gartenschlauch[M]
garden hose

Schlauchkupplung[F]
hose connector

Kurbel[F]
reel crank

Schlauchdüse[F]
hose nozzle

Viereckregner[M]
oscillating sprinkler

Kreisregner[M]
revolving sprinkler

Drehdüse[F]
arm

Rasenpflege^F
lawn care

Rasentrimmer^M
trimmer

Kabel^N
flex

Rasenbesen^M
lawn rake

Elektromotor^M
electric motor

Schutzgehäuse^N
protective casing

Nylonschnur^F
nylon line

Vertikutierer^M
lawn aerator

Griff^M
handle

Geschwindigkeitsregler^M
throttle

Sicherheitsgriff^M
safety handle

Zündschlüssel^M
ignition key

Grasfang^M
grassbox

Anlasser^M
starter

Motor^M
motor

Einfüllstutzen^M
filler cap

Gaszug^M
throttle cable

Schwadenblech^N
deflector

Zündkerze^F
sparking plug

Gehäuse^N
casing

Motorrasenmäher^M
power mower

KLEIDUNG

Herrenkopfbedeckungen[F]
men's headgear

Filzhut[M]
trilby

Hutband[N]
hatband

Einfassband[N]
binding

Kopfteil[M/N]
crown

Krempe[F]
brim

Schleife[F]
bow

Strohhut[M]
boater

Käppchen[N]
skullcap

Melone[F]
bowler

Fellmütze[F]
astrakhan cap

Zylinder[M]
top hat

Kosakenmütze[F]
shapka

Jagdkappe[F]
hunting cap

Ohrenschützer[M]
ear flap

Schirmmütze[F]
cap

Panamahut[M]
panama

Mützenschirm[M]
peak

Damenkopfbedeckungen*F*
women's headgear

Pillbox*F*
pillbox hat

Wagenradhut*M*
cartwheel hat

Topfhut*M*
cloche

Toque*F*
toque

Regenhut*M*
rain hat

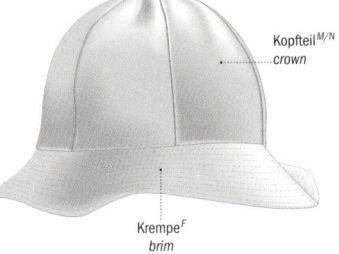

Kopfteil*M/N*
crown

Turban*M*
turban

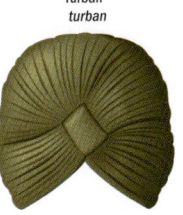

Südwester*M*
sou'wester

Krempe*F*
brim

**Unisex-
Kopfbedeckungen***F*
unisex headgear

Baskenmütze*F*
beret

Kapuzenmütze*F*
balaclava

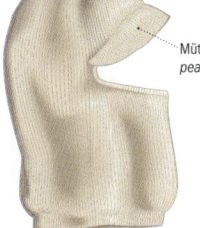

Mützenschirm*M*
peak

Pudelmütze*F*
bobble hat

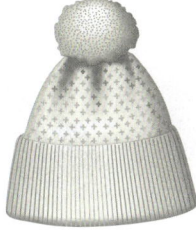

Filzhut*M*
trilby

Schuhe^M

shoes

KLEIDUNG

Herrenschuhe^M
men's shoes

Futter^N
lining

Teile^{M/N} des Schuhs^M
parts of a shoe

Schnürsenkel^M
shoelace

Einfassung^F
cuff

Zunge^F
tongue

Vorderblatt^N
vamp

Fersenhalter^M
heel grip

Naht^F
stitch

Quartier^N
quarter

gestanztes Loch^N
punch hole

äußere Kappe^F
outside counter

Absatz^M
heel

Absatzoberflecken^M
top lift

Gelenk^N
waist

Vorderteil^{M/N}
nose of the quarter

Schnürsenkelende^N
tag

Schnürlochteil^{M/N}
eyelet tab

Laufsohle^F
outsole

perforierte
Vorderkappe^F
perforated toe cap

Schnürloch^N
eyelet

Rahmen^M
welt

Arbeitsstiefel^M
heavy-duty boot

Boot^M
chukka

Überziehschuh^M
galosh

Halbstiefel^M
bootee

Herrenhalbschuh^M
oxford shoe

Schnürschuh^M
lace-up

Damenschuhe^M
women's shoes

Sandalette^F mit
Fersenriemen^M
ankle-strap

Ballerinaschuh^M
pump

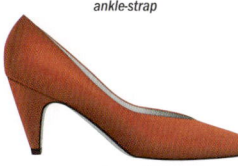

Pumps^M
court

Slingpumps^M
slingback shoe

Einspangenschuh^M
one-bar shoe

Stegspangenschuh^M
T-strap shoe

KLEIDUNG

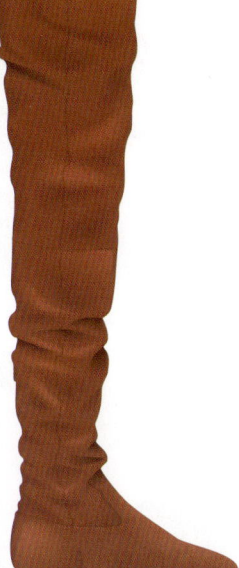

Schaftstiefel^M
thigh-boot

Stiefel^M
boot

Straßenschuh^M
casual shoe

knöchelhohe
Stiefelette^F
ankle boot

KLEIDUNG

Unisex-Schuhe[M]
unisex shoes

Pantoffel[M]
mule

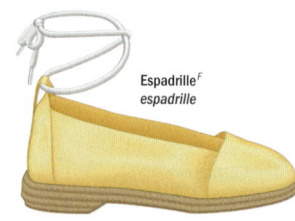

Espadrille[F]
espadrille

Tennisschuh[M]
plimsoll

Slipper[M]
slip-on

Sandale[F] mit
Zehenriemchen[N]
toe-strap

Mokassin[M]
moccasin

Römerpantolette[F]
flip-flop

Pantolette[F]
clog

Sandale[F]
sandal

Wanderschuh[M]
hiking boot

Herrenhandschuhe^M
men's gloves

Handschuh^M-
Außenseite^F
back of a glove

Ziernaht^F
stitching

Handschuh^M-
Innenseite^F
palm of a glove

Keil^M
fourchette

Finger^M
glove finger

Daumen^M
thumb

Innenfläche^F
palm

Naht^F
seam

Druckknopf^M
snap fastener

Öffnung^F
opening

Perforierung^F
perforation

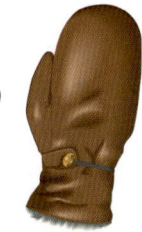

Autohandschuh^M
driving glove

Fäustling^M
mitten

KLEIDUNG

Damenhandschuhe^M
women's gloves

Kurzhandschuh^M
short glove

Langhandschuh^M
wrist-length glove

Stulpenhandschuh^M
gauntlet

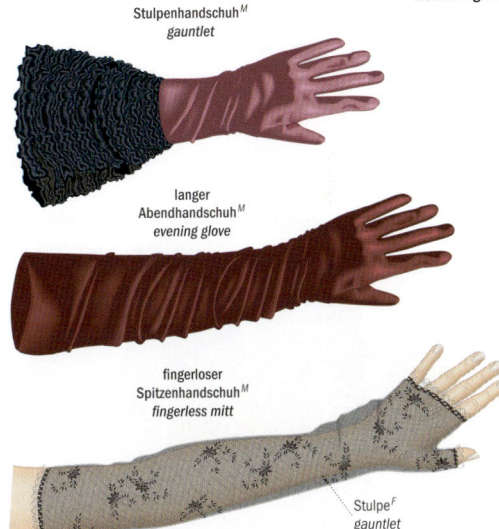

langer
Abendhandschuh^M
evening glove

fingerloser
Spitzenhandschuh^M
fingerless mitt

Stulpe^F
gauntlet

Jackett^N und Weste^F
jackets

Kragen^M
collar

Zweireiher^M
double-breasted jacket

steigendes Revers^N
peaked lapel

Futter^N
lining

Brustleistentasche^F
breast welt pocket

seitlicher
Rückenschlitz^M
side back vent

Ärmel^M
sleeve

Klappe^F
flap

Billettasche^F
outside ticket pocket

aufgesetzte Tasche^F
patch pocket

Weste^F
waistcoat

V-Ausschnitt^M
V-neck

Futter^N
lining

Patte^F
welt

Vorderseite^F
front

Teilungsnaht^F
seaming

Leistentasche^F
welt pocket

Rückenspange^F
adjustable waist tab

Einreiher^M
single-breasted jacket

Revers^N
lapel

Crochetwinkel^M
notch

Vorderseite^F
front

Futter^N
lining

Einstecktuch^N
pocket handkerchief

Rücken^M
back

Ärmel^M
sleeve

Klappentasche^F
flap pocket

Rückenmittelschlitz^M
centre back vent

Hemd^N
shirt

Sattel^M
yoke

Kragen^M
collar

eingesetzter Ärmel^M
set-in sleeve

Kragenspitze^F
collar point

Brusttasche^F
breast pocket

Vorderseite^F
front

Knopfleiste^F
button facing

Ärmelschlitz^M
pointed tab end

Knopf^M
button

Manschette^F
cuff

Schoß^M
shirttail

KLEIDUNG

Kragenstäbchen^N
collar stiffener

Button-Down-Kragen^M
buttondown collar

Krawattenschal^M
cravat

Fliege^F
bow tie

gespreizter Kragen^M
spread collar

Krawatte^F
necktie

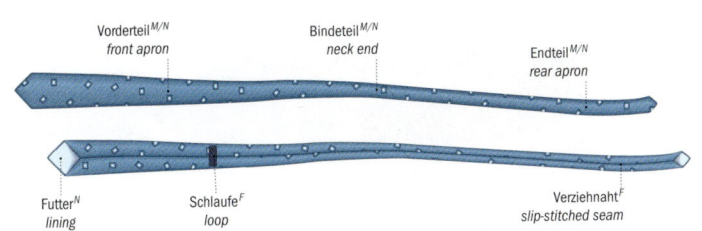

Vorderteil^{M/N}
front apron

Bindeteil^{M/N}
neck end

Endteil^{M/N}
rear apron

Futter^N
lining

Schlaufe^F
loop

Verziehnaht^F
slip-stitched seam

KLEIDUNG

Hose^F
trousers

Bundverlängerung^F
waistband extension

einfache Falte^F
knife pleat

Hosenschlitz^M
fly

Gürtelschlaufe^F
belt loop

Flügeltasche^F
front top pocket

Hosenbund^M
waistband

Bügelfalte^F
crease

Aufschlag^M
turn-up

Gesäßtasche^F
back pocket

Klips^M
brace clip

Hosenträger^M
braces

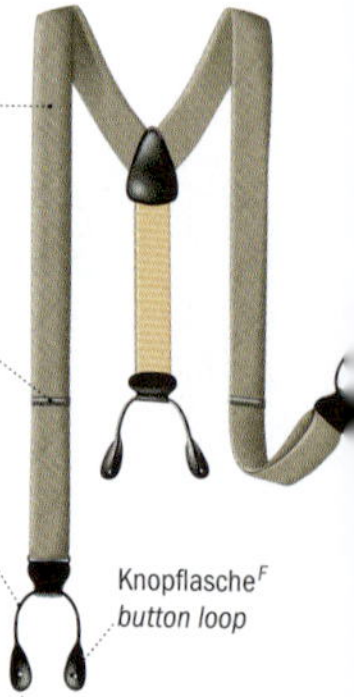

Gummiband^N
elastic webbing

Versteller^M
adjustment slide

Lederstrippe^F
leather end

Knopflasche^F
button loop

Gürtel^M
belt

Zier-Steppnaht^F
top stitching

Gürtelband^N
panel

Gürtelspitze^F
tip

gestanztes Loch^N
punch hole

Gürtelschlaufe^F
belt loop

Dorn^M
tongue

Gürtelschnalle^F
buckle

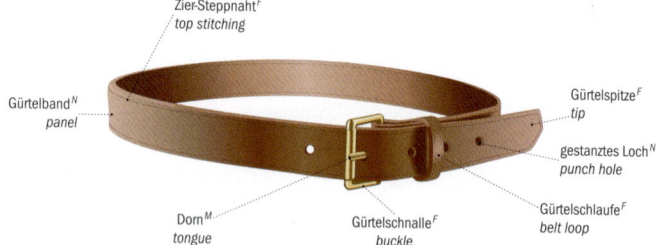

Unterwäsche[F]
underwear

Trägerhemd[N]
vest

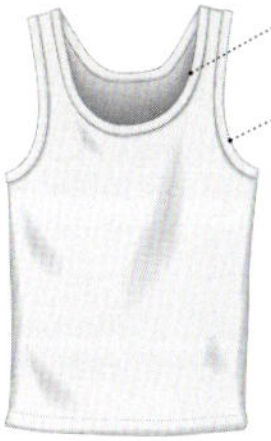

Halsausschnitt[M]
neckhole
Armausschnitt[M]
armhole

Slip[M]
briefs

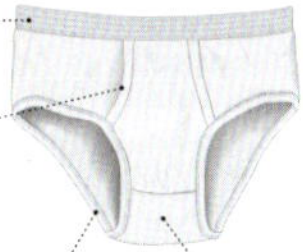

Bündchen[N]
waistband
Schlitz[M]
fly
elastischer Beinausschnitt[M]
elasticized leg opening
Schritt[M]
crotch

Hemdhose[F]
combinations

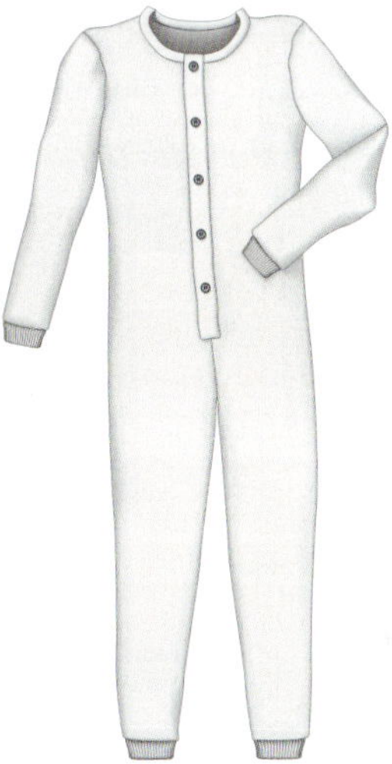

lange Unterhose[F]
long johns

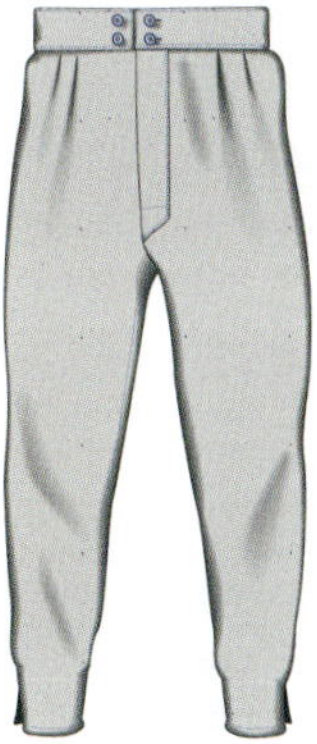

Minislip[M]
mini briefs

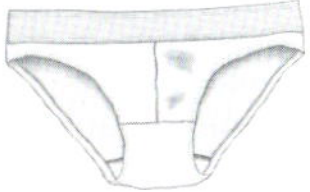

Boxershorts[F]
boxer shorts

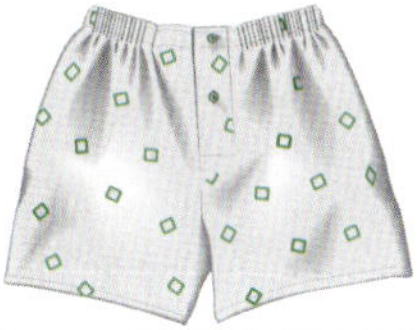

Socken[F]
socks

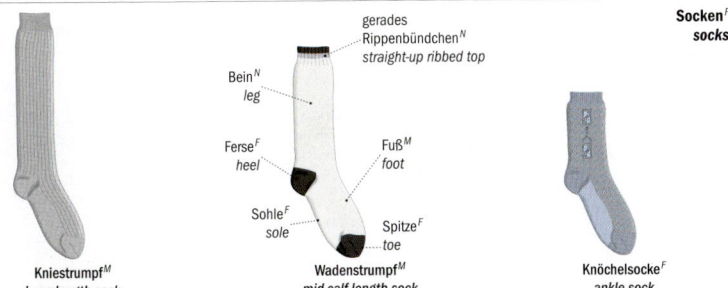

Kniestrumpf[M]
knee-length sock

gerades Rippenbündchen[N]
straight-up ribbed top
Bein[N]
leg
Ferse[F]
heel
Fuß[M]
foot
Sohle[F]
sole
Spitze[F]
toe

Wadenstrumpf[M]
mid-calf length sock

Knöchelsocke[F]
ankle sock

Mäntel^M und Jacken^F
coats

KLEIDUNG

Regenmantel^M
raincoat

Kragen^M
collar

Raglanärmel^M
raglan sleeve

abfallendes Revers^N
notched lapel

Spange^F
tab

schräge Pattentasche^F
broad welt side pocket

Knopfloch^N
buttonhole

Seitenteil^{M/N}
side panel

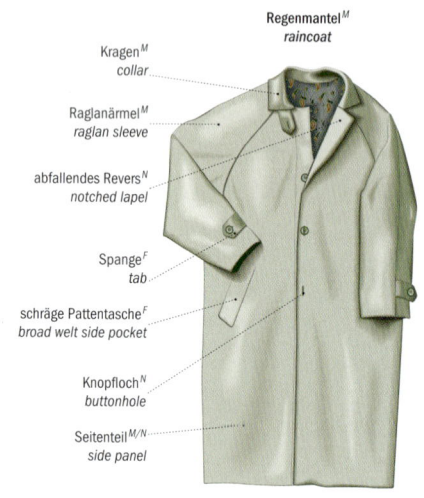

Mantel^M
overcoat

abfallendes Revers
notched lapel

Brusttasche^F
breast pocket

Taillenabnäher^M
breast dart

Klappentasche^F
flap pocket

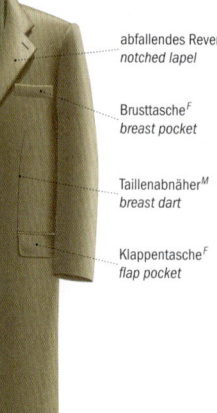

Trenchcoat^M
trench coat

Wendekragen^M
two-way collar

Koller^N
gun flap

zweireihig
double-breasted buttoning

Gürtel^M
belt

Gürtelschlaufe^F
belt loop

Schnalle^F
buckle

Schulterklappe^F
epaulet

Raglanärmel^M
raglan sleeve

Riegel^M
sleeve strap loop

Ärmellasche^F
sleeve strap

schräge Pattentasche^F
broad welt side pocket

dreiviertellange Jacke^F
three-quarter coat

Parka^M
parka

Druckknopfleiste^F
snap-fastening tab

Reißverschluss^M
zip fastener

Lammfelljacke^F
sheepskin jacket

Dufflecoat^M
duffle coat

Kapuze^F
hood

Sattel^M
yoke

Lasche^F
frog

aufgesetzte Tasche^F
patch pocket

Knebelverschluss^M
toggle

Blouson^M
windcheater

Druckknopf^M
snap fastener

Windjacke^F
windcheater

Mufftasche^F
hand-warmer pocket

elastischer Bund^M
elastic waistband

Bund^M
waistband

Durchziehschnur^F
drawstring

KLEIDUNG

249

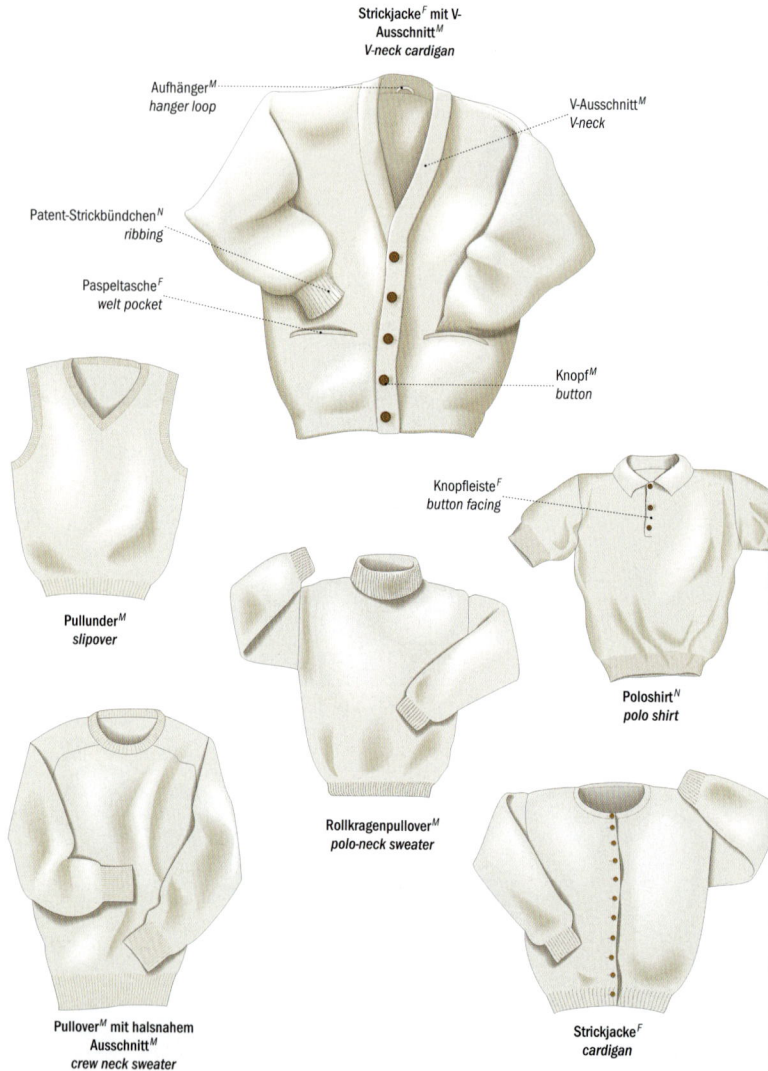

Strickjacke^F mit V-
Ausschnitt^M
V-neck cardigan

Aufhänger^M
hanger loop

V-Ausschnitt^M
V-neck

Patent-Strickbündchen^N
ribbing

Paspeltasche^F
welt pocket

Knopf^M
button

Knopfleiste^F
button facing

Pullunder^M
slipover

Poloshirt^N
polo shirt

Rollkragenpullover^M
polo-neck sweater

Pullover^M mit halsnahem
Ausschnitt^M
crew neck sweater

Strickjacke^F
cardigan

KLEIDUNG

Kostüm^N
suit

Jacke^F
jacket

Rock^M
skirt

Raglanmantel^M
raglan

Raglanärmel^M
raglan sleeve

verdeckte Knopfleiste^F
fly front closing

schräge Pattentasche^F
broad welt side pocket

Mäntel^M **und Jacken**^F
coats

Redingote^F
riding coat

Pelerine^F
pelerine

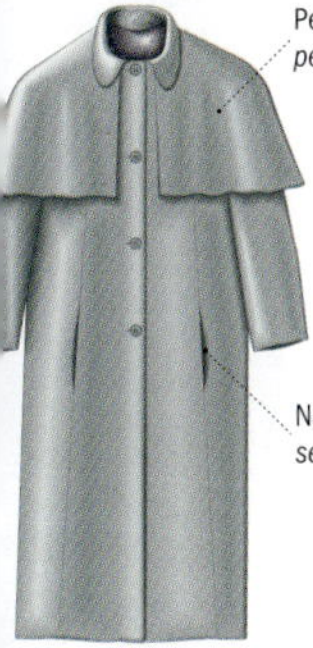

Pelerine^F
pelerine

Nahttasche^F
seam pocket

Cape^N
cape

Durchgrifftasche^F
arm slit

Cabanjacke^F
pea jacket

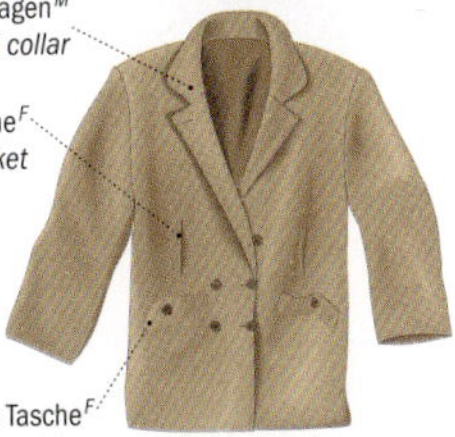

Schneiderkragen^M
tailored collar

Mufftasche^F
hand warmer pocket

blinde Tasche^F
mock pocket

Mantel^M
overcoat

Autocoat^M
car coat

Blazer^M
jacket

Poncho^M
poncho

KLEIDUNG

Beispiele^N für Kleider^N
examples of dresses

Schlauchkleid^N
sheath dress

Prinzesskleid^N
princess dress

Mantelkleid^N
coat dress

Polokleid^N
polo dress

Hauskleid^N
house dress

Hemdblusenkleid^N
shirtwaist dress

Kleid^N mit angesetztem Schoß^M
drop waist dress

Kleid^N in Trapez-Form^F
A-line dress

leichtes Sonnenkleid^N
sundress

Wickelkleid^N
wrapover dress

Tunikakleid^N
tunic dress

Trägerrock^M
pinafore

Beispiele^N für Röcke^M
examples of skirts

Bahnenrock^M
gored skirt

Schottenrock^M
kilt

Sarong^M
sarong

Wickelrock^M
wrapover skirt

Etuirock^M
sheath skirt

Stufenrock^M
ruffled skirt

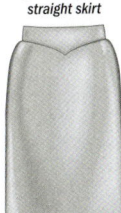

gerader Rock^M
straight skirt

Sattelrock^M
yoke skirt

Kräuselrock^M
gather skirt

Hosenrock^M
culottes

Beispiele^N für Falten^F
examples of pleats

Kellerfalte^F
inverted pleat

Gehfalte^F
kick pleat

Bahnenplissee^N
accordion pleat

abgesteppte Falte^F
top stitched pleat

einfache Falte^F
knife pleat

Beispiele^N für Hosen^F
examples of trousers

Shorts^F
shorts

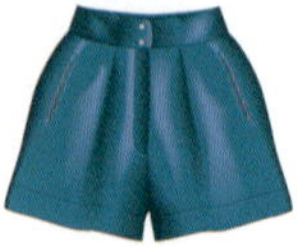

Bermudashorts^F
Bermuda shorts

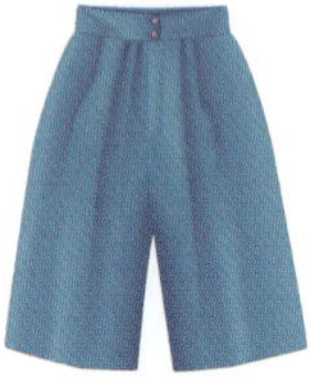

Kniebundhose^F
knickerbockers

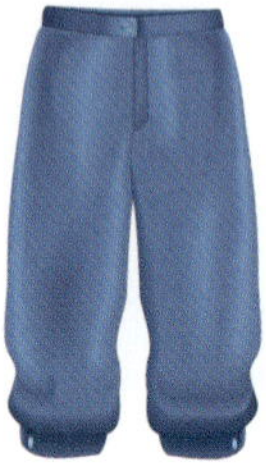

Caprihose^F
pedal pushers

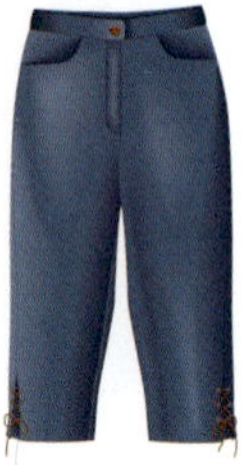

Jeans^F
jeans

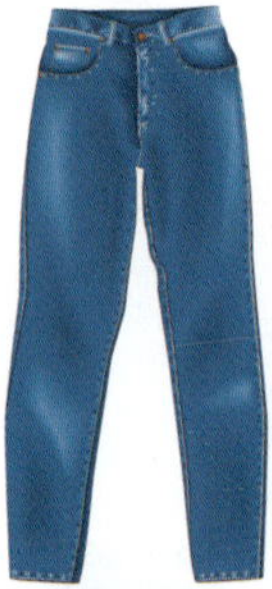

Steghose^F
ski pants

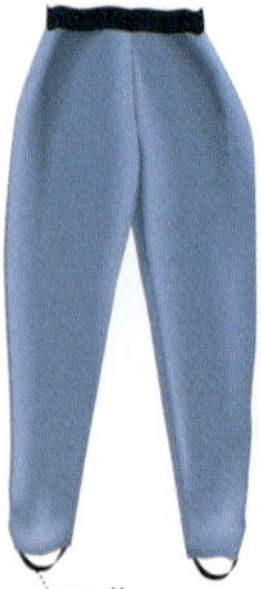

Steg^M
footstrap

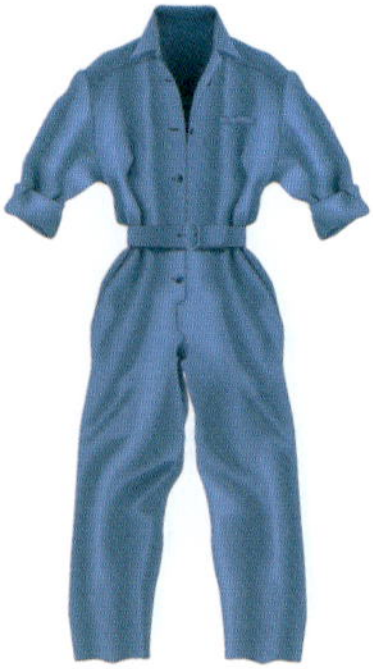

Overall^M
jumpsuit

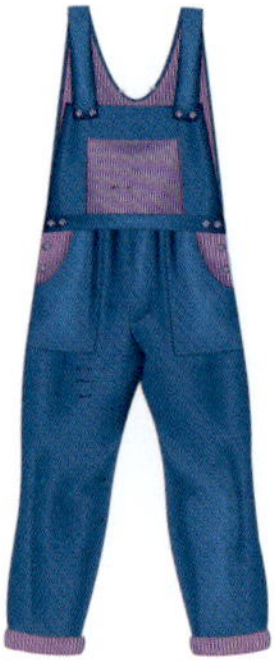

Latzhose^F
dungarees

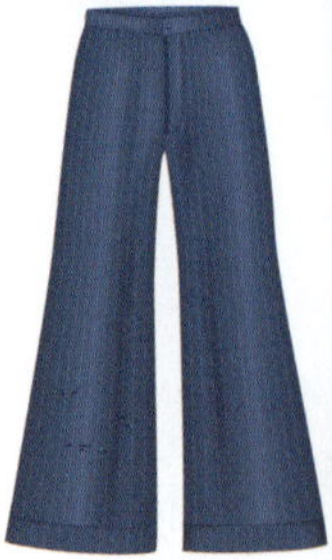

Schlaghose^F
bell bottoms

Westen^F und Jacken^F
waistcoats and jackets

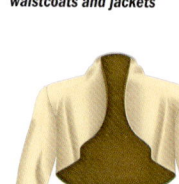

Bolero^M
bolero

Spenzer^M
spencer

Blazer^M
blazer

Safarijacke^F
safari jacket

Weste^F
waistcoat

Twinset^N
twin-set

Pullover^M mit halsnahem
Ausschnitt^M
crew neck sweater

Blasebalgtasche^F
gusset pocket

Cardigan^M
cardigan

**Beispiele^N für Blusen^F und
Hemden^N**
examples of blouses

Bodyshirt^N
body

Matrosenbluse^F
sailor tunic

KLEIDUNG

Schritt^M
crotch piece

Sattel^M
yoke

Kräuselfalte^F
gather

Schoß^M
shirttail

Hosenbluse^F
overshirt

klassische Bluse^F
classic blouse

Kittelbluse^F
button-through smock

Arbeitskittel^M
smock

Wickelbluse^F
wrapover top

Polohemd^N
polo shirt

Tunika^F
tunic

KLEIDUNG

Nachtwäsche^F
nightwear

Nachthemd^N
nightgown

Baby-Doll^N
baby doll

Kimono^M
kimono

Bademantel^M
bathrobe

Schlafanzug^M
pyjamas

Negligé^N
negligee

Strümpfe^M
hose

Kniestrumpf^M
knee sock

Socke^F
sock

Söckchen^N
ankle sock

Kurzsocke^F
short sock

Strumpfhose^F
tights

Strumpf^M
stocking

Overknee-Strumpf^M
thigh stocking

Netzstrumpf^M
fishnet stocking

Unterwäsche^F
underwear

Korselett^N
corselette

Camisol^N
camisole

Teddy^M
teddy

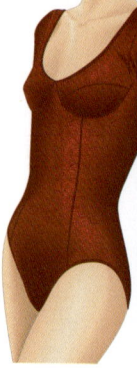

Bodysuit^M
body

Panty-Korselett^N
panty corselette

Unterrock^M
half-slip

Prinzessnaht^F
princess seaming

Vollachsel-Unterkleid^N
foundation slip

Unterkleid^N
slip

KLEIDUNG

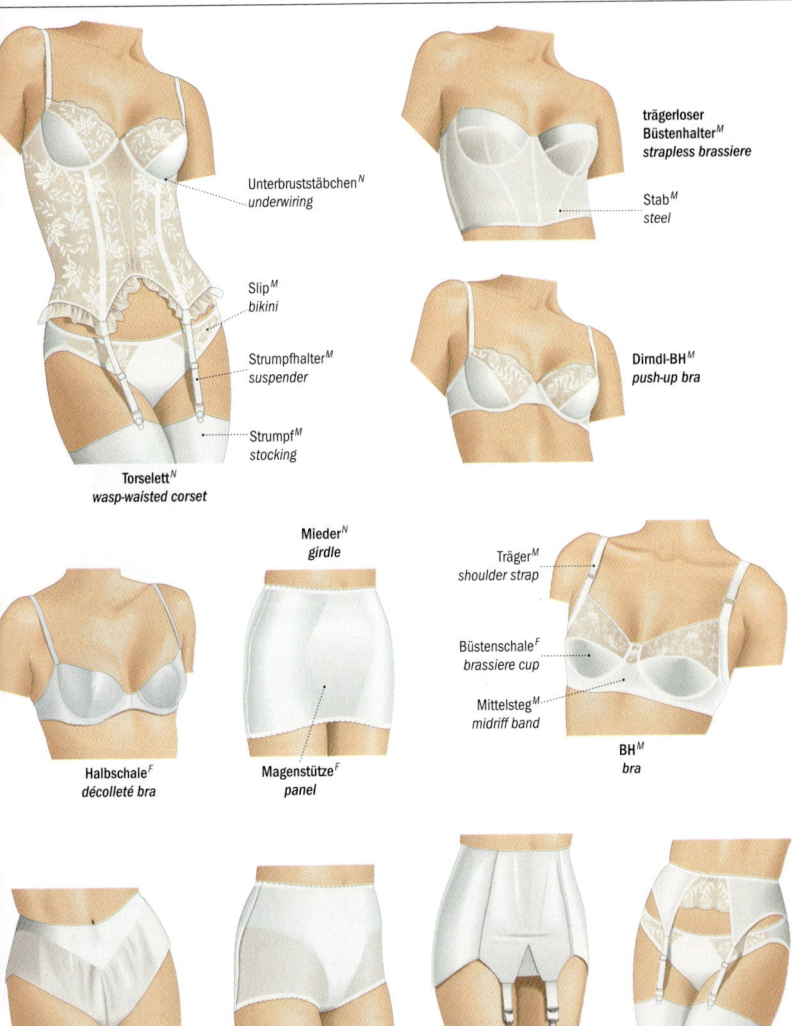

Unterbruststäbchen^N
underwiring

Slip^M
bikini

Strumpfhalter^M
suspender

Strumpf^M
stocking

Torselett^N
wasp-waisted corset

trägerloser
Büstenhalter^M
strapless brassiere

Stab^M
steel

Dirndl-BH^M
push-up bra

Mieder^N
girdle

Träger^M
shoulder strap

Büstenschale^F
brassiere cup

Mittelsteg^M
midriff band

Halbschale^F
décolleté bra

Magenstütze^F
panel

BH^M
bra

Slip^M
briefs

Miederhose^F
panty girdle

Korsett^N
corset

Strumpfhaltergürtel^M
suspender belt

KLEIDUNG

259

KLEIDUNG

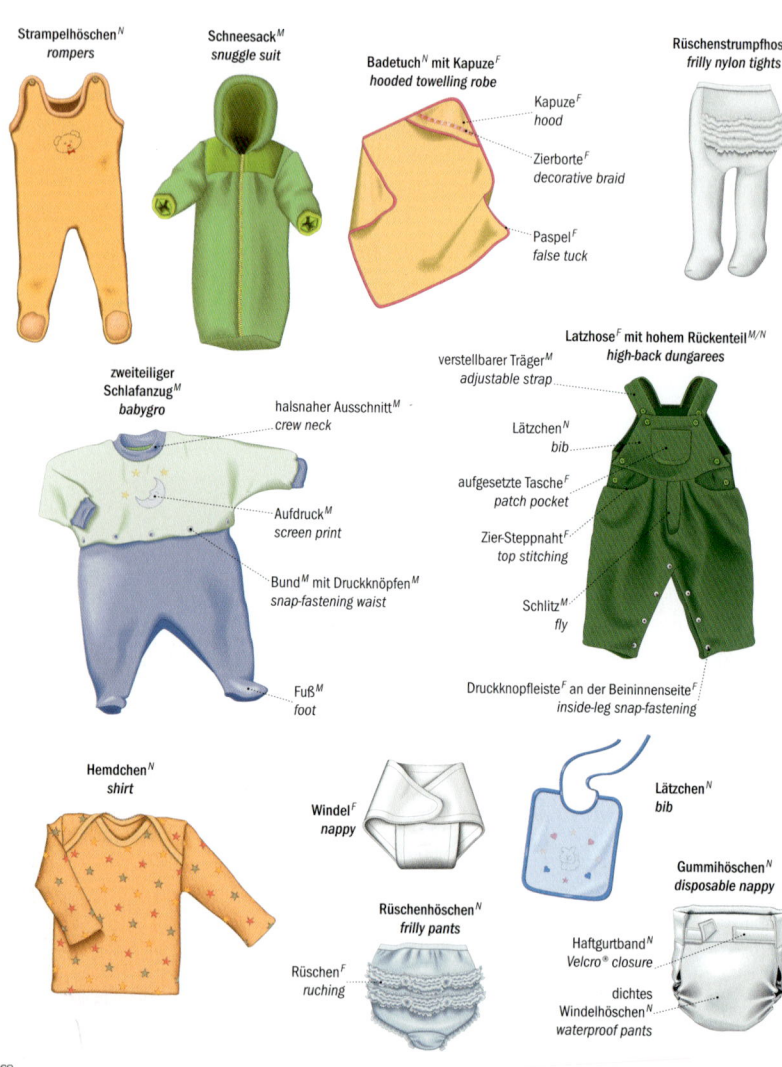

Strampelhöschen^N
rompers

Schneesack^M
snuggle suit

Badetuch^N mit Kapuze^F
hooded towelling robe

Kapuze^F
hood

Zierborte^F
decorative braid

Paspel^F
false tuck

Rüschenstrumpfhose^F
frilly nylon tights

zweiteiliger
Schlafanzug^M
babygro

halsnaher Ausschnitt^M
crew neck

Aufdruck^M
screen print

Bund^M mit Druckknöpfen^M
snap-fastening waist

Fuß^M
foot

Latzhose^F mit hohem Rückenteil^{M/N}
high-back dungarees

verstellbarer Träger^M
adjustable strap

Lätzchen^N
bib

aufgesetzte Tasche^F
patch pocket

Zier-Steppnaht^F
top stitching

Schlitz^M
fly

Druckknopfleiste^F an der Beininnenseite^F
inside-leg snap-fastening

Hemdchen^N
shirt

Windel^F
nappy

Lätzchen^N
bib

Gummihöschen^N
disposable nappy

Rüschenhöschen^N
frilly pants

Rüschen^F
ruching

Haftgurtband^N
Velcro® closure

dichtes
Windelhöschen^N
waterproof pants

Wagenanzug^M
blanket sleepsuit

Rippenbündchen^N
ribbing

Reißverschluss^M
zip

Vinyl-Laufsohle^F
vinyl grip sole

Schlafanzug^M
sleepsuit

Raglanärmel^M
raglan sleeve

vordere Druckknopfleiste^F
snap-fastening front

Rippenbündchen^N
ribbing

Druckmotiv^N
screen print

Druckknopfleiste^F an der Beininnenseite^F
inside-leg snap-fastening

Kinderbekleidung^F
children's clothing

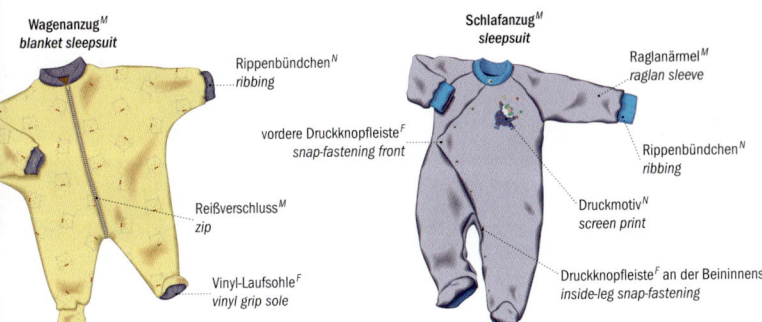

Latzhose^F mit gekreuzten Rückenträgern^M
dungarees with crossover back straps

Träger^M mit Knopf^M
button strap

Lätzchen^N
bib

Schneeanzug^M
snowsuit

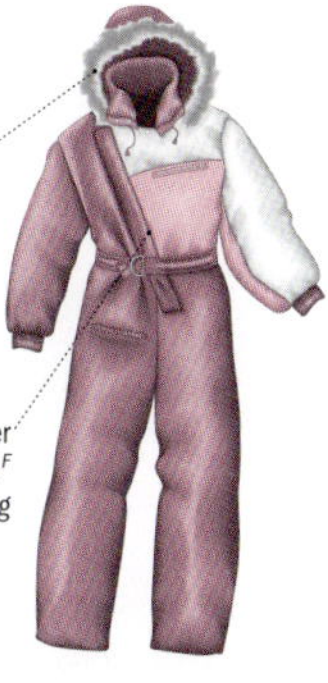

Kapuze^F mit Zugband^N
drawstring hood

Verschluss^M mit verdeckter Knopfleiste^F
fly front closing

Schlafanzug^M in Schlupfform^F
slip-on pyjamas

T-Shirt Kleid^N
T-shirt dress

Spielanzug^M
rompers

Sportset^N
training set

Trägerhemdchen^N
vest

kurze Hose^F
shorts

Overall^M
jumpsuit

Sportkleidung*F*
sportswear

Joggingschuh*M*
running shoe

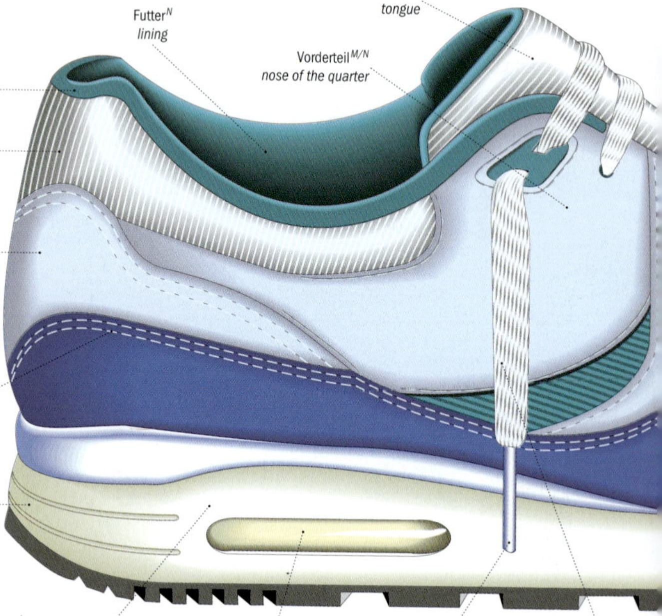

Futter*N*
lining

Zunge*F*
tongue

Vorderteil*M/N*
nose of the quarter

Fersenrand*M*
collar

Hinterkappe*F*
counter

Quartier*N*
quarter

Naht*F*
stitch

Absatz*M*
heel

Zwischensohle*F*
middle sole

Luftpolster*N*
air cushion

Schnürsenkelende*N*
tag

Schnürsenkel*M*
shoelace

Trainingsanzug*M*
training suit

Sweatshirt*N* mit Kapuze*F*
hooded sweat shirt

Sweatshirt*N*
sweat shirt

Trainingshose*F*
jogging pants

Badehose^F
swimming trunks

Badeanzug^M
swimsuit

Sportkleidung^F
exercise wear

Trikot^N
leotard

Öse^F
eyelet

Vorderblatt^N
vamp

gestanztes Loch^N
punch hole

Leggins^F
footless tights

Stollen^M
stud

Laufsohle^F
outsole

Legwarmer^M
leg-warmer

Hose^F
trousers

Shorts^F
running shorts

Anorak^M
anorak

Trägerhemd^N
vest

Schmuck[M]
jewellery

Ohrringe[M]
earrings

Klips[M]
clip earrings

Ohrringe[M] **mit Schraubverschluss**[M]
screw earrings

Ohrstecker[M]
ear studs

Ohrgehänge[N]
drop earrings

Kreolen[F]
hoop earrings

Halsketten[F]
necklaces

Halskette[F] **in Matineelänge**[F]
matinee-length necklace

Samtkropfband[N]
velvet-band choker

Anhänger[M]
pendant

Endlosperlenkette[F]
rope

Halskette[F] **in Opernlänge**[F]
opera-length necklace

mehrreihige Halskette[F]
bib necklace

Chokerkette[F]
choker

Medaillon[N]
locket

Armbänder[N]
bracelets

Identitätsband[N]
identity bracelet

Armband[N]
charm bracelet

Armreif[M]
bangle

Ringe[M]
rings

Bandring[M]
band ring

Herrenring[M]
signet ring

Solitärring[M]
solitaire ring

Verlobungsring[M]
engagement ring

Ehering[M]
wedding ring

Maniküre[F]
manicure

Nagelnecessaire[N]
manicure set

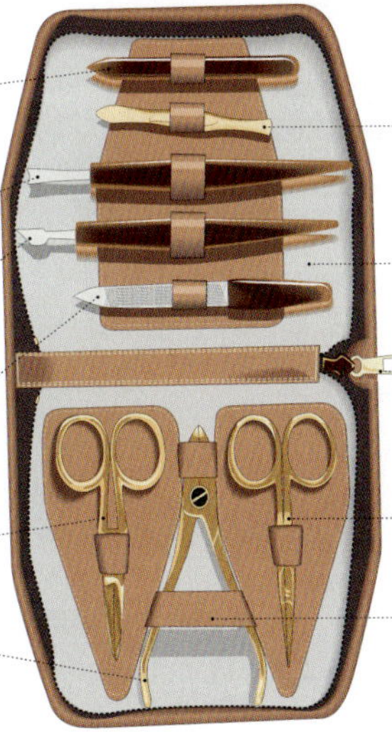

Nagelhautschieber[M]
cuticle pusher

Nagelhautentferner[M]
cuticle trimmer

Nagelhautschaber[M]
nail shaper

Nagelfeile[F]
nail file

Nagelschere[F]
nail scissors

Nagelzange[F]
cuticle nippers

Augenbrauenpinzette[F]
eyebrow tweezers

Etui[N]
case

Reißverschluss[M]
zip

Nagelhautschere[F]
cuticle scissors

Schlaufe[F]
strap

Nagellack[M]
nail varnish

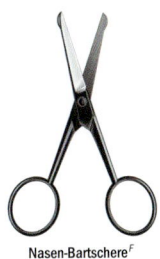

Nasen-Bartschere[F]
safety scissors

Nagelknipser[M]
nail clippers

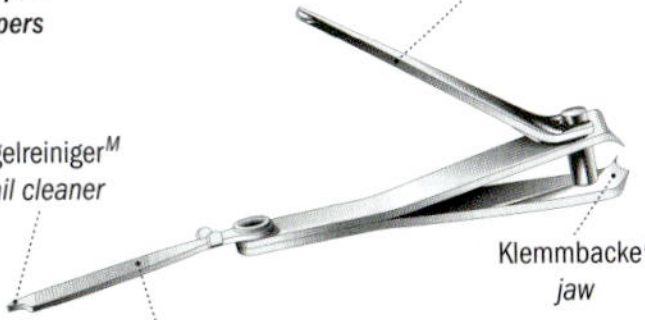

Hebel[M]
lever

Nagelreiniger[M]
nail cleaner

Klemmbacke[F]
jaw

klappbare Nagelfeile[F]
folding nail file

Nagelfeile[F]
nail file

Wildleder[N]
chamois leather

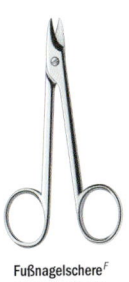

Nagelweißstift[M]
nail whitener pencil

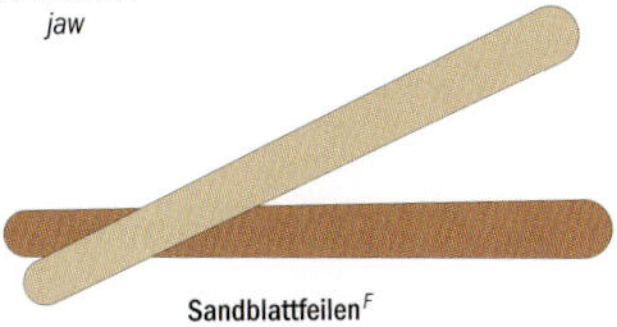

Sandblattfeilen[F]
emery boards

Fußnagelschere[F]
toenail scissors

Make-up[N]
make-up

Make-up[N]
make-up

Fächerpinsel[M]
fan brush

Puderkissen[N]
powder puff

Puderrouge[N]
powder blusher

Rougepinsel[M]
blusher brush

Puderdose[F]
compact

Kompaktpuder[M]
pressed powder

Kunstschwamm[M]
synthetic sponge

loser Puder[M]
loose powder

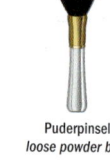

Puderpinsel[M]
loose powder brush

flüssige Grundierung[F]
liquid foundation

Augen-Make-up[N]
eye make-up

Augenbrauenstift[M]
eyebrow pencil

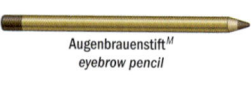

Wimpernzange[F]
eyelash curler

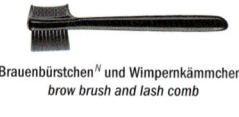

Brauenbürstchen[N] und Wimpernkämmchen[N]
brow brush and lash comb

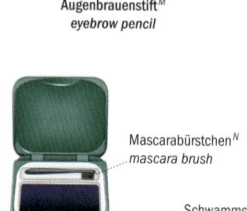

Mascarabürstchen[N]
mascara brush

Mascarastein[M]
cake mascara

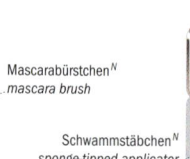

Schwammstäbchen[N]
sponge-tipped applicator

Lidschatten[M]
eyeshadow

flüssiger Eyeliner[M]
liquid eyeliner

flüssiges Mascara[N]
liquid mascara

Lippen-Make-up[N]
lip make-up

Lippenpinsel[M]
lipbrush

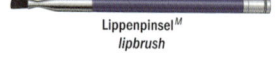
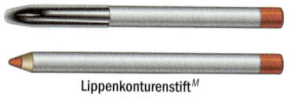

Lippenkonturenstift[M]
lipliner

Lippenstift[M]
lipstick

Körperpflege *F*
body care

Stopfen *M*
stopper

Flasche *F*
bottle

Eau de parfum *N*
eau de parfum

Eau de toilette *N*
eau de toilette

Haarfärbemittel *N*
hair colour

Toilettenseife *F*
toilet soap

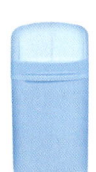

Deodorant *N*
deodorant

Haarspülung *F*
hair conditioner

Shampoo *N*
shampoo

Schaumbad *N*
bubble bath

Waschhandschuh *M*
face flannel

Waschlappen *M*
face flannel

Massagehandschuh *M*
massage glove

Luffaschwamm *M*
vegetable sponge

Badetuch *N*
bath sheet

Handtuch *N*
bath towel

Badebürste *F*
bath brush

Naturschwamm *M*
natural sponge

Massagebürste *F*
back brush

Haarpflege^F
hairdressing

Haarbürsten^F
hairbrushes

flache Frisierbürste^F
flat-back brush

Rundbürste^F
round brush

Drahtbürste^F
quill brush

Skelettbürste^F
vent brush

Kämme^M
combs

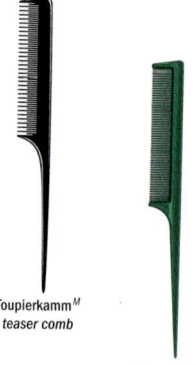

Toupierkamm^M
teaser comb

Haarschneidekamm^M
barber comb

Griffkamm^M
rake comb

Strähnenkamm^M
Afro pick

Stielkamm^M
tail comb

Haarliftkamm^M
pitchfork comb

Lockenwickler^M
hair roller

Wickler^M
roller

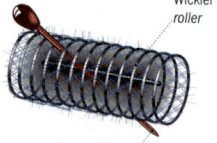

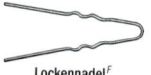

Lockennadel^F
hairpin

Haarklemme^F
hair grip

Haarstecker^M
hair roller pin

Abteilklammer^F
wave clip

Haarclip^M
hair clip

Haarspange^F
hair slide

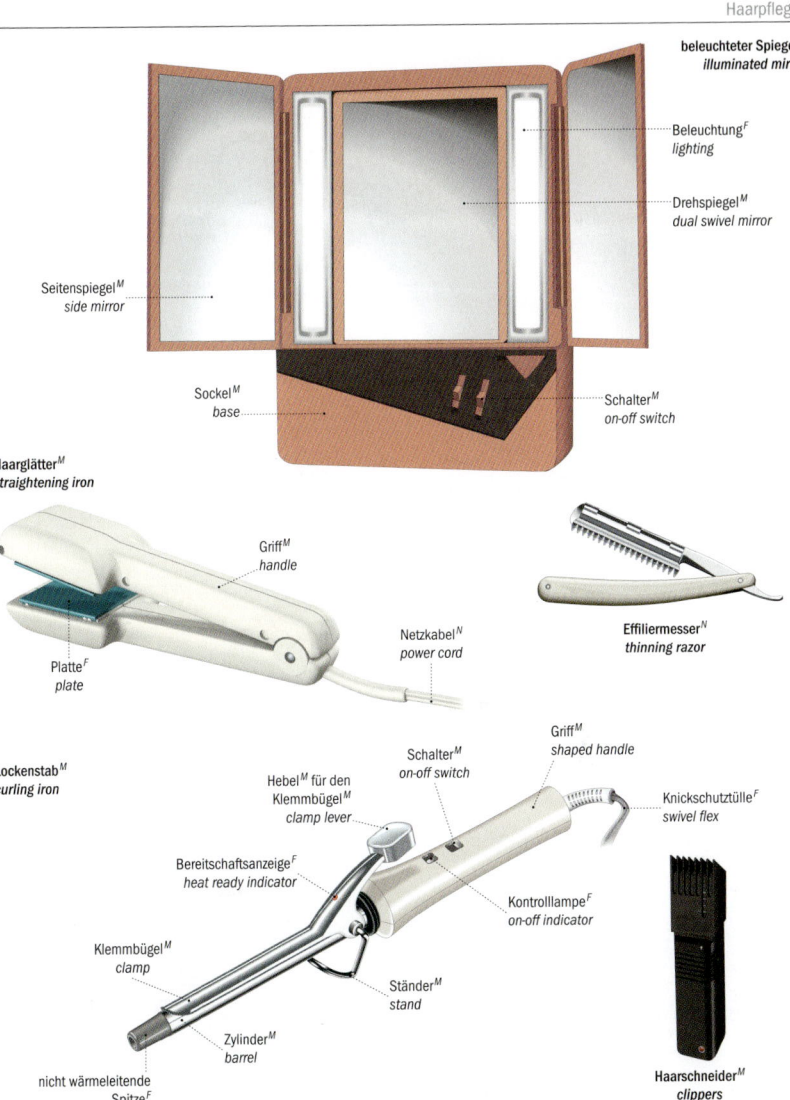

beleuchteter Spiegel^M
illuminated mirror

Beleuchtung^F
lighting

Drehspiegel^M
dual swivel mirror

Seitenspiegel^M
side mirror

Sockel^M
base

Schalter^M
on-off switch

Haarglätter^M
straightening iron

Griff^M
handle

Netzkabel^N
power cord

Platte^F
plate

Effiliermesser^N
thinning razor

Lockenstab^M
curling iron

Schalter^M
on-off switch

Griff^M
shaped handle

Hebel^M für den
Klemmbügel^M
clamp lever

Knickschutztülle^F
swivel flex

Bereitschaftsanzeige^F
heat ready indicator

Kontrolllampe^F
on-off indicator

Klemmbügel^M
clamp

Ständer^M
stand

nicht wärmeleitende
Spitze^F
cool tip

Zylinder^M
barrel

Haarschneider^M
clippers

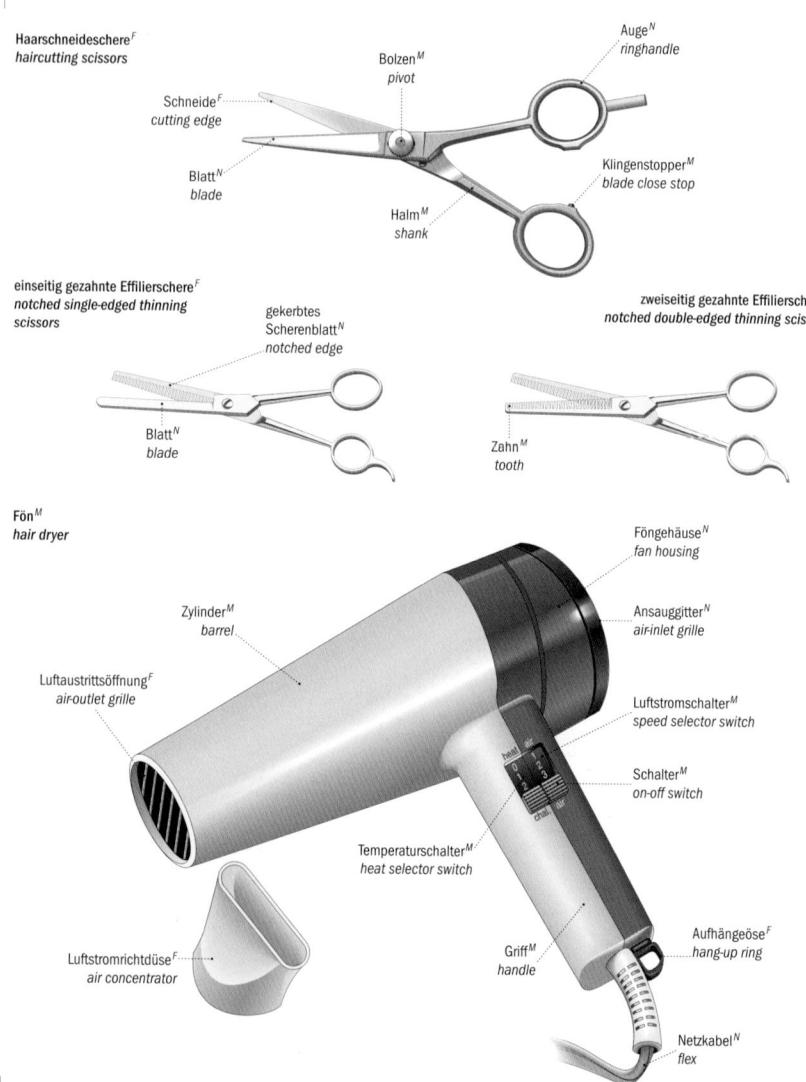

Haarschneideschere^F
haircutting scissors

Schneide^F
cutting edge

Blatt^N
blade

Bolzen^M
pivot

Halm^M
shank

Auge^N
ringhandle

Klingenstopper^M
blade close stop

einseitig gezahnte Effilierschere^F
notched single-edged thinning scissors

gekerbtes Scherenblatt^N
notched edge

Blatt^N
blade

zweiseitig gezahnte Effilierschere^F
notched double-edged thinning scissor

Zahn^M
tooth

Fön^M
hair dryer

Zylinder^M
barrel

Luftaustrittsöffnung^F
air-outlet grille

Föngehäuse^N
fan housing

Ansauggitter^N
air-inlet grille

Luftstromschalter^M
speed selector switch

Schalter^M
on-off switch

Temperaturschalter^M
heat selector switch

Luftstromrichtdüse^F
air concentrator

Griff^M
handle

Aufhängeöse^F
hang-up ring

Netzkabel^N
flex

Rasur^F
shaving

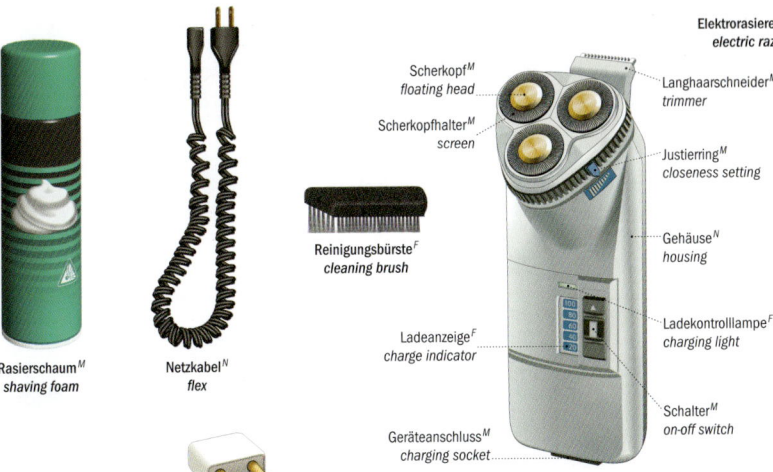

Elektrorasierer^M
electric razor

Scherkopf^M
floating head

Langhaarschneider^M
trimmer

Scherkopfhalter^M
screen

Justierring^M
closeness setting

Gehäuse^N
housing

Reinigungsbürste^F
cleaning brush

Ladekontrolllampe^F
charging light

Ladeanzeige^F
charge indicator

Rasierschaum^M
shaving foam

Netzkabel^N
flex

Schalter^M
on-off switch

Geräteanschluss^M
charging socket

Rasierpinsel^M
shaving brush

Borste^F
bristle

Adapter^M
plug adapter

Rasiermesser^N
cut-throat razor

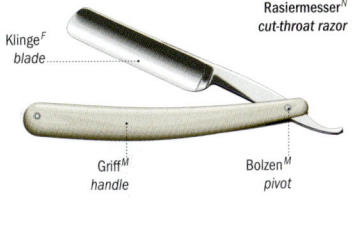

Klinge^F
blade

Rasierwasser^N
aftershave

Griff^M
handle

Bolzen^M
pivot

zweischneidiger
Rasierer^M
double-edged razor

Einwegrasierer^M
disposable razor

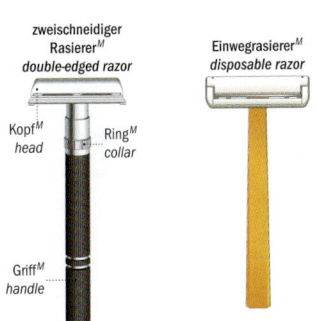

Klingendose^F
blade dispenser

Kopf^M
head

Ring^M
collar

Seifenbecher^M
shaving mug

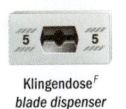

zweischneidige Klinge^F
double-edged razor blade

Griff^M
handle

Zahnpflege^F
dental care

Zahnbürste^F
toothbrush

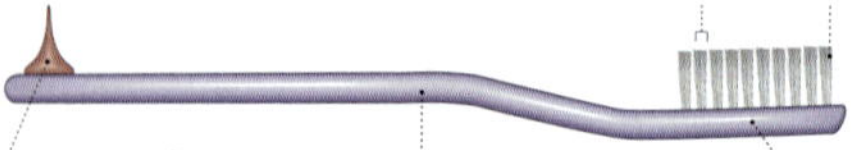

Reihe^F
row

Borste^F
bristle

Massagespitze^F
gum massager

Griff^M
handle

Kopf^M
head

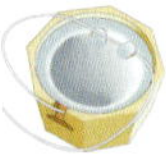

Zahnseide^F
dental floss

Zahnseide^F
dental floss

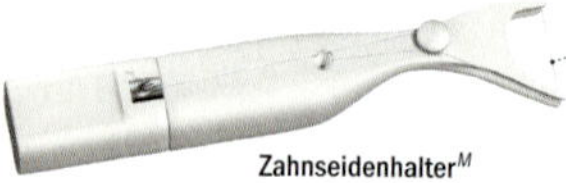

Zahnseidenhalter^M
dental floss holder

Bürste^F
brush

Achse^F für die
Aufsteckbürste^F
toothbrush shaft

Aufsteckdüse^F
jet tip

Zahnpasta^F
toothpaste

elektrische Zahnbürste^F
electric toothbrush

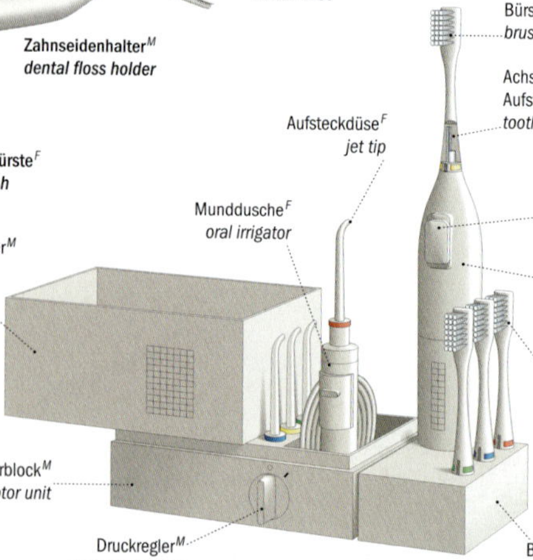

Mundusche^F
oral irrigator

Wasserbehälter^M
water tank

Schalter^M
on-off switch

Griff^M
handle

Zahnbürste^F
toothbrush

Motorblock^M
motor unit

Druckregler^M
pressure control

Box^F für die
Aufsteckbürsten^F
toothbrush well

Mundwasser^N
mouthwash

Kontaktlinsen^F
contact lenses

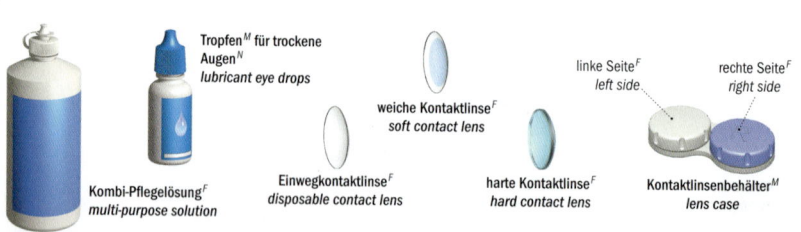

Tropfen^M für trockene
Augen^N
lubricant eye drops

linke Seite^F
left side

rechte Seite^F
right side

weiche Kontaktlinse^F
soft contact lens

Kombi-Pflegelösung^F
multi-purpose solution

Einwegkontaktlinse^F
disposable contact lens

harte Kontaktlinse^F
hard contact lens

Kontaktlinsenbehälter^M
lens case

Brille^F
spectacles

Teile^{M/N} der Brille^F
parts of spectacles

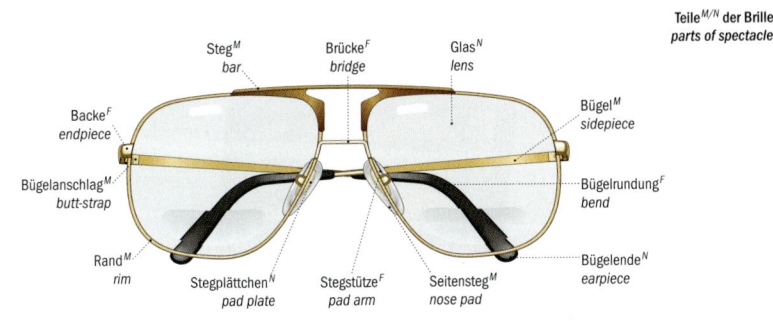

Steg^M
bar

Brücke^F
bridge

Glas^N
lens

Backe^F
endpiece

Bügel^M
sidepiece

Bügelanschlag^M
butt-strap

Bügelrundung^F
bend

Rand^M
rim

Bügelende^N
earpiece

Stegplättchen^N
pad plate

Stegstütze^F
pad arm

Seitensteg^M
nose pad

Beispiele^N für Augengläser^N
examples of spectacles

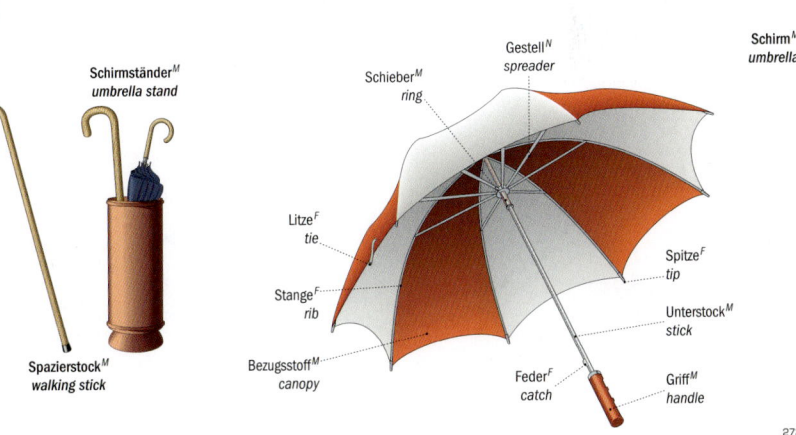

Opernglas^N
opera glasses

Sonnenbrille^F
sunglasses

Halbbrille^F
half-glasses

Schirm^M und Stock^M
umbrella and stick

Schirmständer^M
umbrella stand

Gestell^N
spreader

Schirm^M
umbrella

Schieber^M
ring

Litze^F
tie

Spitze^F
tip

Stange^F
rib

Unterstock^M
stick

Spazierstock^M
walking stick

Bezugsstoff^M
canopy

Feder^F
catch

Griff^M
handle

Lederwaren*F*
leather goods

Aktenkoffer*M*
attaché case

Einteilung*F*
divider

Tasche*F*
pocket

Scharnier*N*
hinge

Futter*N*
lining

Schnappschloss*N*
clasp

Ziehharmonikafach*N*
expandable file pouch

Stifthalter*M*
pen holder

Rahmen*M*
frame

Griff*M*
handle

Zahlenschloss*N*
combination lock

Kollegmappe*F* mit Griff*M*
bottom-fold document case

ausziehbarer Griff*M*
retractable handle

Außentasche*F*
exterior pocket

Aktentasche
briefcas

Lasche*F*
tab

Schlüsselschloss*N*
key lock

Keil*M*
gusset

Etui*N* für Taschenrechner*M* und Scheckheft*N*
calculator/cheque book holder

Druckverschluss*M*
snap fastener

Taschenrechner*M*
calculator

Unterfach*N*
hidden pocket

Kreditkartenfach*N*
credit card wallet

Stifthalter*M*
pen holder

Scheckheft*N*
cheque book

Kreditkartenetui
credit card walle

Geldscheinfach*N*
wallet section

Klarsichthüllen*F*
transparent pockets

Lasche*F*
tab

Fach*N*
slot

Klarsichtfenster*N*
window

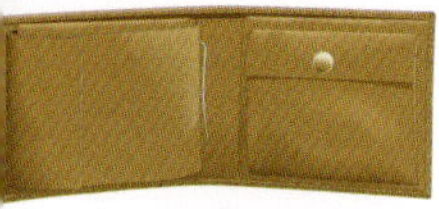

Brieftasche[F]
wallet

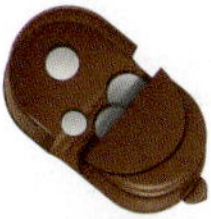

Geldbeutel[M] für
Münzen[F]
coin purse

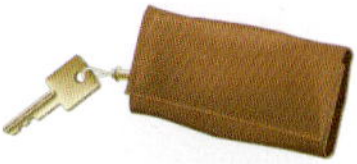

Schlüsseletui[N]
key case

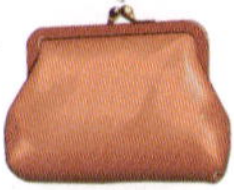

Geldbeutel[M]
purse

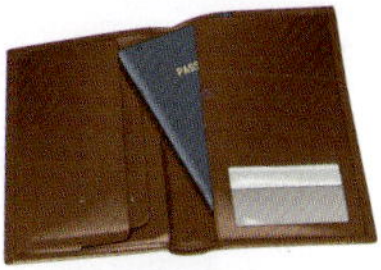

Brieftasche[F]
passport case

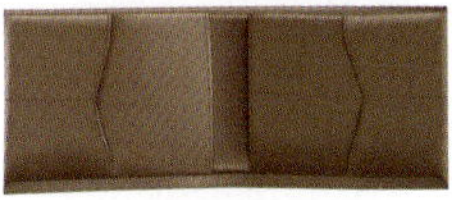

Brieftasche[F]
wallet

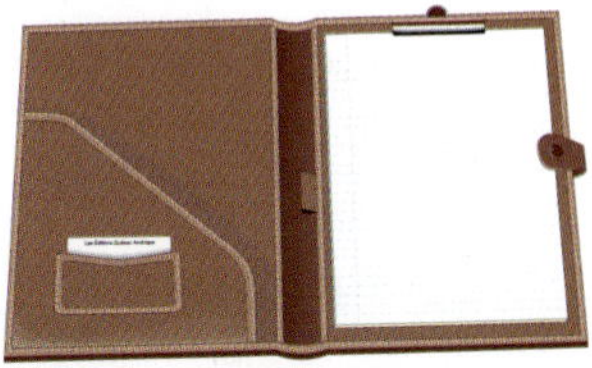

Schreibmappe[F]
writing case

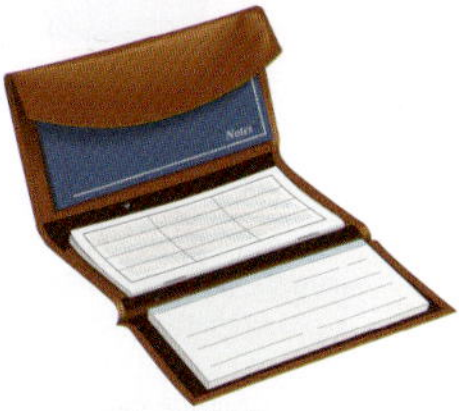

Scheckhülle[F]
cheque book cover

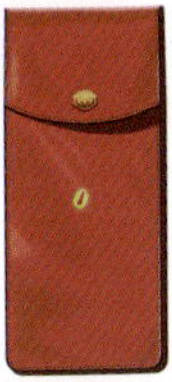

Brillenetui[N]
spectacles case

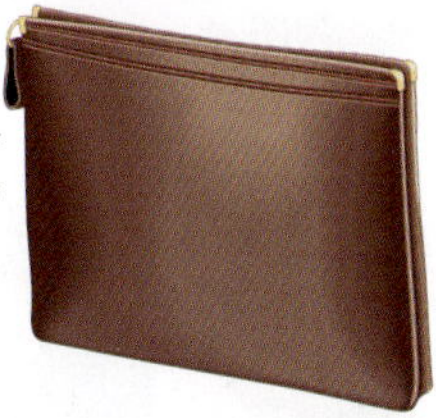

Unterarmmappe[F]
underarm briefcase

Handtaschen[F]
handbags

Beuteltasche[F]
drawstring bag

Öse[F]
eyelet

Zugschnur[F]
drawstring

Vortasche[F]
front pocket

Aktentasche[F]
satchel bag

Griff[M]
handle

Überschlag[M]
flap

Schnappverschluss[M]
clasp

Schloss[N]
lock

PERSÖNLICHE AUSSTATTUNG

Handtaschen[F]

Boxtasche[F]
box bag

kleine Beuteltasche[F]
small drawstring bag

Schultertasche[F]
shoulder bag

Schnalle[F]
buckle

Schulterriemen[M]
shoulder strap

Mufftasche[F]
muff

Umhängetasche[F] mit
Reißverschluss[M]
shoulder bag with zip

Umhängetasche[F] mit
Dehnfalte[F]
accordion bag

Keil[M]
gusset

Einkaufstasche[F]
tote bag

Herrentasche[F]
men's bag

Matchbeutel[M]
duffle bag

geräumige Tasche[F]
holdall

Einkaufstasche[F]
shopping bag

große Einkaufstasche[F]
shopping bag

Gepäck[N]
luggage

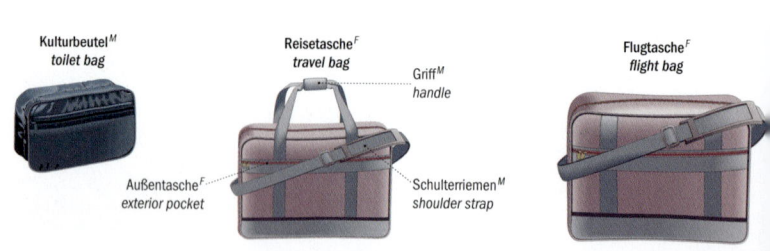

Kulturbeutel[M]
toilet bag

Reisetasche[F]
travel bag

Griff[M]
handle

Außentasche[F]
exterior pocket

Schulterriemen[M]
shoulder strap

Flugtasche[F]
flight bag

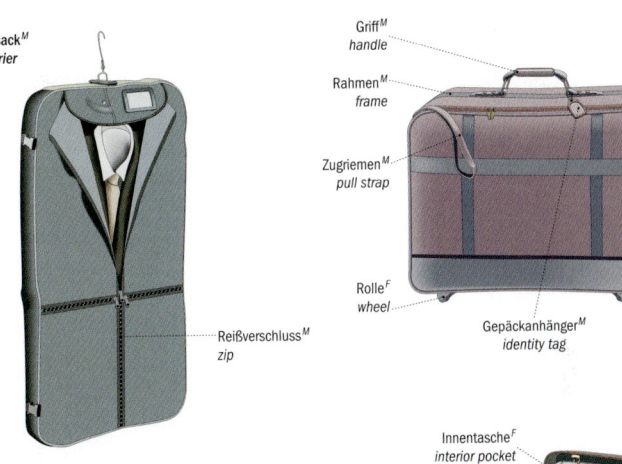

Kleidersack[M]
uit carrier

Griff[M]
handle

Koffer[M]
suitcase

Rahmen[M]
frame

Zugriemen[M]
pull strap

Rolle[F]
wheel

Gepäckanhänger[M]
identity tag

Blende[F]
trim

Reißverschluss[M]
zip

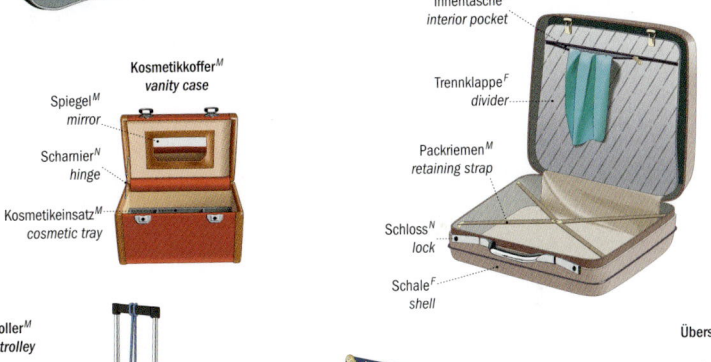

Wochenendkoffer[M]
weekend case

Innentasche[F]
interior pocket

Trennklappe[F]
divider

Packriemen[M]
retaining strap

Schloss[N]
lock

Schale[F]
shell

Kosmetikkoffer[M]
vanity case

Spiegel[M]
mirror

Scharnier[N]
hinge

Kosmetikeinsatz[M]
cosmetic tray

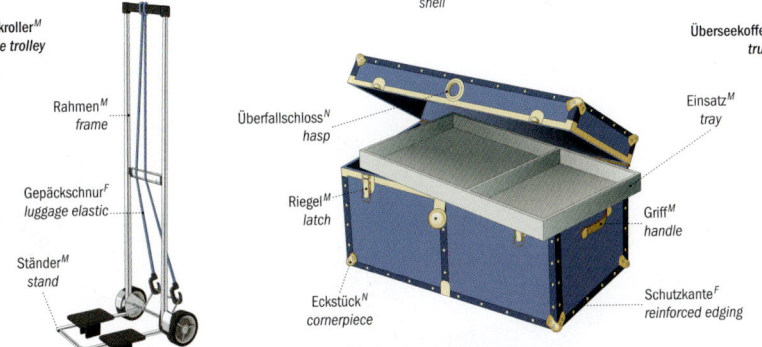

Gepäckroller[M]
luggage trolley

Rahmen[M]
frame

Gepäckschnur[F]
luggage elastic

Ständer[M]
stand

Übersekoffer[M]
trunk

Überfallschloss[N]
hasp

Riegel[M]
latch

Eckstück[N]
cornerpiece

Einsatz[M]
tray

Griff[M]
handle

Schutzkante[F]
reinforced edging

Pyramide^F
pyramid

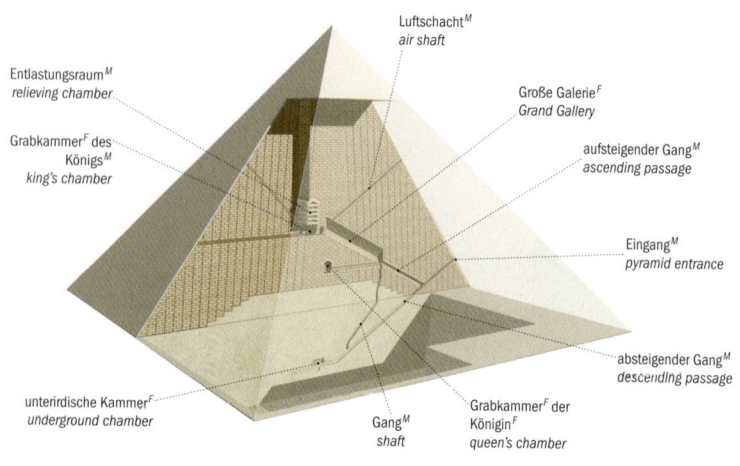

Luftschacht^M
air shaft

Entlastungsraum^M
relieving chamber

Große Galerie^F
Grand Gallery

Grabkammer^F des
Königs^M
king's chamber

aufsteigender Gang^M
ascending passage

Eingang^M
pyramid entrance

absteigender Gang^M
descending passage

unterirdische Kammer^F
underground chamber

Gang^M
shaft

Grabkammer^F der
Königin^F
queen's chamber

griechisches Theater^N
Greek theatre

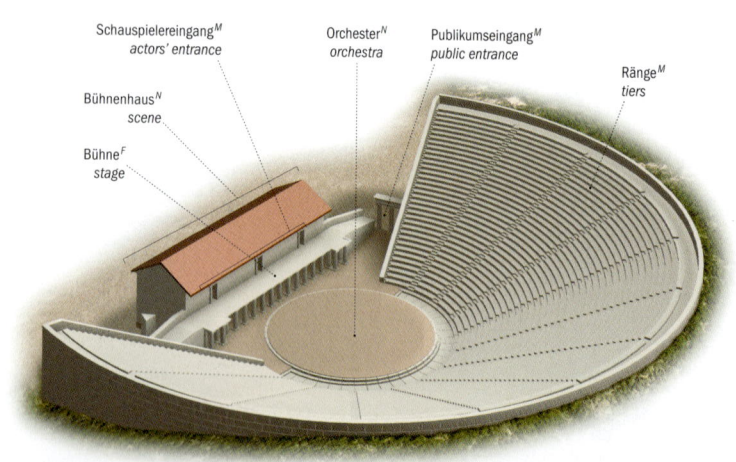

Schauspielereingang^M
actors' entrance

Orchester^N
orchestra

Publikumseingang^M
public entrance

Ränge^M
tiers

Bühnenhaus^N
scene

Bühne^F
stage

griechischer Tempel[M]
Greek temple

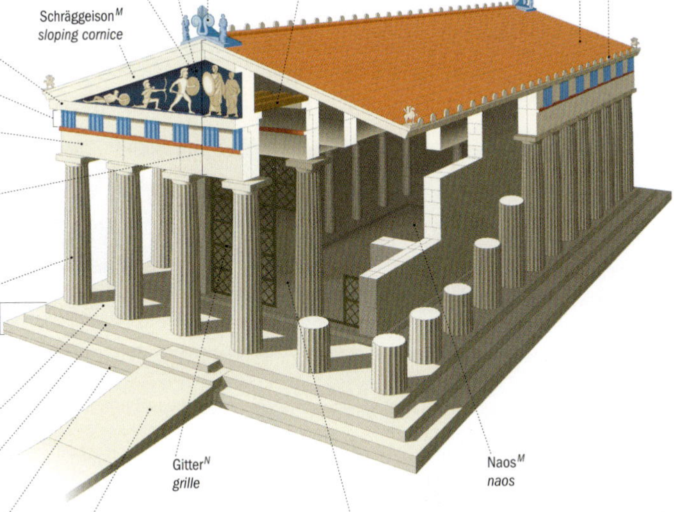

Tympanon[N]
tympanum

Akroterion[N]
acroterion

Stirnziegel[M]
antefix

Giebeldreieck[N]
pediment

Balken[M]
roof timber

Ziegel[M]
tile

Kranzgesims[N]
cornice

Schräggeison[M]
sloping cornice

Fries[M]
frieze

Architrav[M]
architrave

Gebälk[N]
entablature

Säule[F]
column

Krepis[F]
crepidoma

Peristyl[N]
peristyle

Stylobat[M]
stylobate

Gitter[N]
grille

Naos[M]
naos

Euthynterie[F]
euthynteria

Rampe[F]
ramp

Pronaos[M]
pronaos

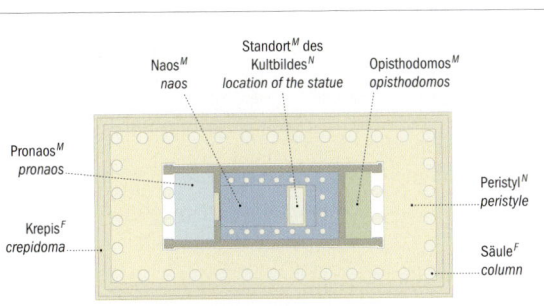

Grundriss[M]
plan

Naos[M]
naos

Standort[M] des
Kultbildes[N]
location of the statue

Opisthodomos[M]
opisthodomos

Pronaos[M]
pronaos

Peristyl[N]
peristyle

Krepis[F]
crepidoma

Säule[F]
column

römisches Wohnhaus[N]
Roman house

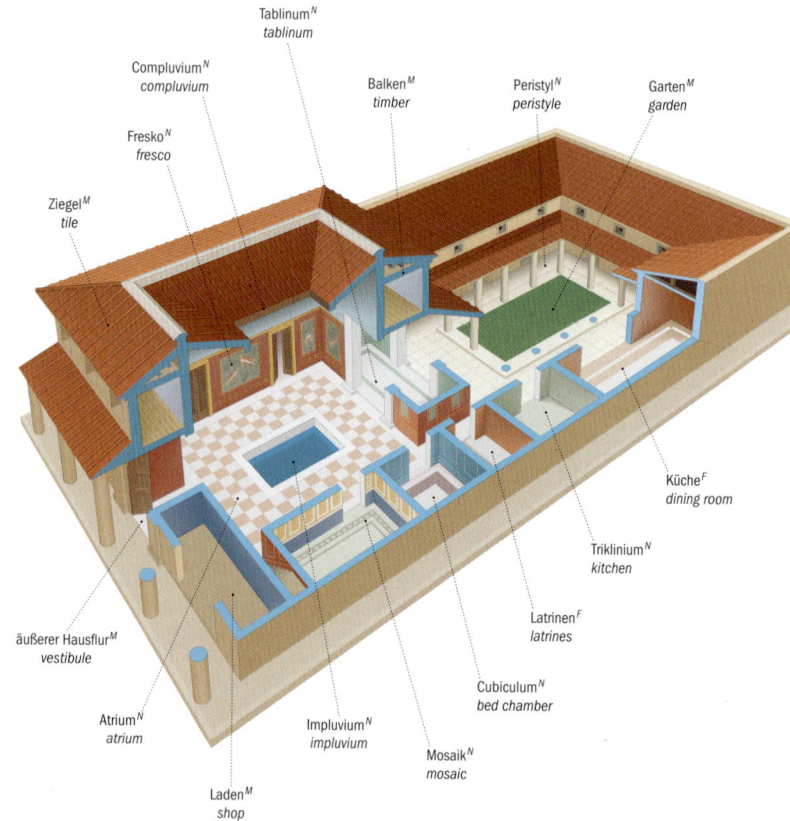

Tablinum[N]
tablinum

Compluvium[N]
compluvium

Balken[M]
timber

Peristyl[N]
peristyle

Garten[M]
garden

Fresko[N]
fresco

Ziegel[M]
tile

Küche[F]
dining room

Triklinium[N]
kitchen

äußerer Hausflur[M]
vestibule

Latrinen[F]
latrines

Atrium[N]
atrium

Cubiculum[N]
bed chamber

Impluvium[N]
impluvium

Mosaik[N]
mosaic

Laden[M]
shop

römisches Amphitheater[N]
Roman amphitheatre

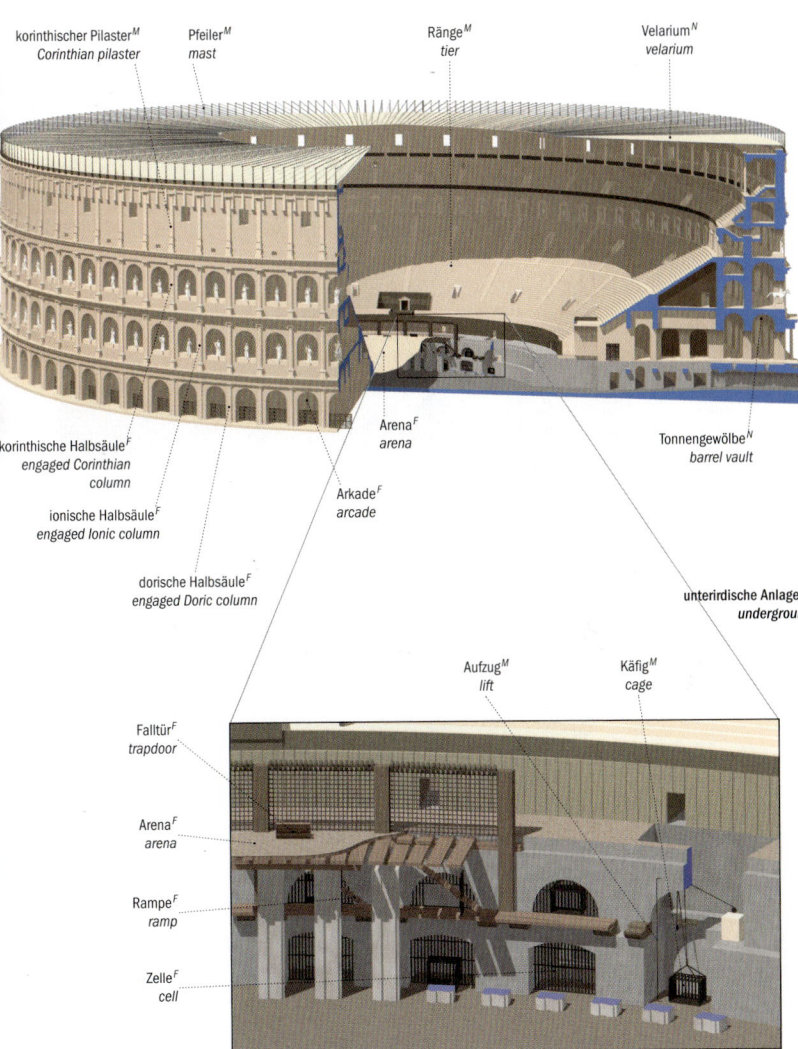

korinthischer Pilaster[M]
Corinthian pilaster

Pfeiler[M]
mast

Ränge[M]
tier

Velarium[N]
velarium

korinthische Halbsäule[F]
engaged Corinthian column

ionische Halbsäule[F]
engaged Ionic column

dorische Halbsäule[F]
engaged Doric column

Arena[F]
arena

Arkade[F]
arcade

Tonnengewölbe[N]
barrel vault

unterirdische Anlagen[F]
underground

Aufzug[M]
lift

Käfig[M]
cage

Falltür[F]
trapdoor

Arena[F]
arena

Rampe[F]
ramp

Zelle[F]
cell

KUNST UND ARCHITEKTUR

Burg^F
castle

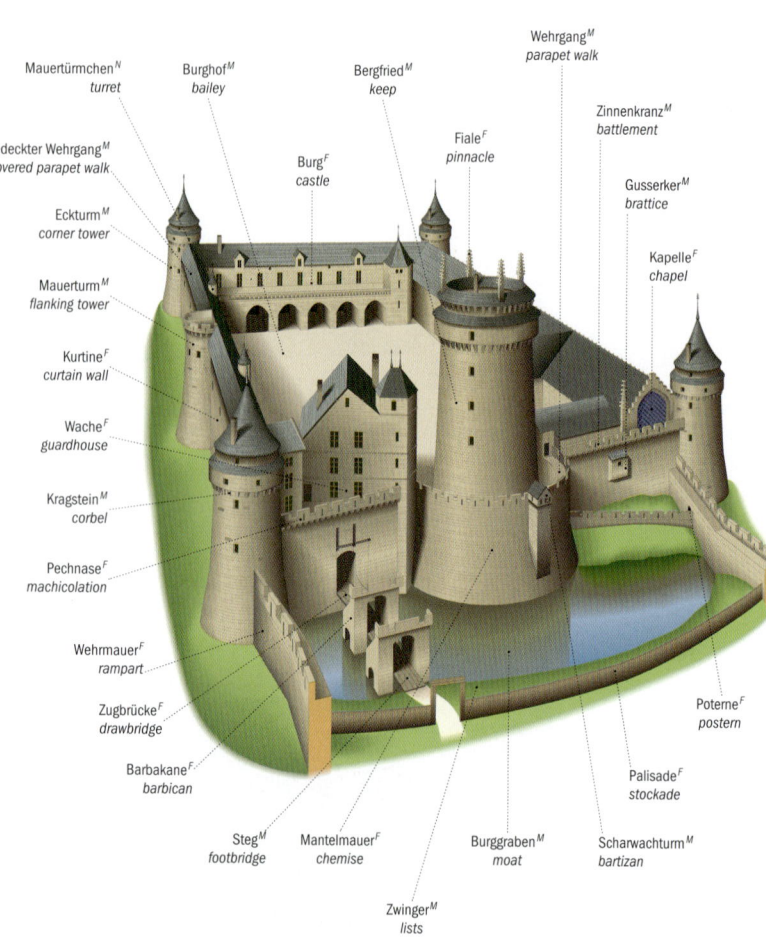

Mauertürmchen^N
turret

Burghof^M
bailey

Bergfried^M
keep

Wehrgang^M
parapet walk

Zinnenkranz^M
battlement

gedeckter Wehrgang^M
covered parapet walk

Fiale^F
pinnacle

Gusserker^M
brattice

Burg^F
castle

Eckturm^M
corner tower

Kapelle^F
chapel

Mauerturm^M
flanking tower

Kurtine^F
curtain wall

Wache^F
guardhouse

Kragstein^M
corbel

Pechnase^F
machicolation

Wehrmauer^F
rampart

Zugbrücke^F
drawbridge

Poterne^F
postern

Barbakane^F
barbican

Palisade^F
stockade

Steg^M
footbridge

Mantelmauer^F
chemise

Burggraben^M
moat

Scharwachturm^M
bartizan

Zwinger^M
lists

Pagode^F
pagoda

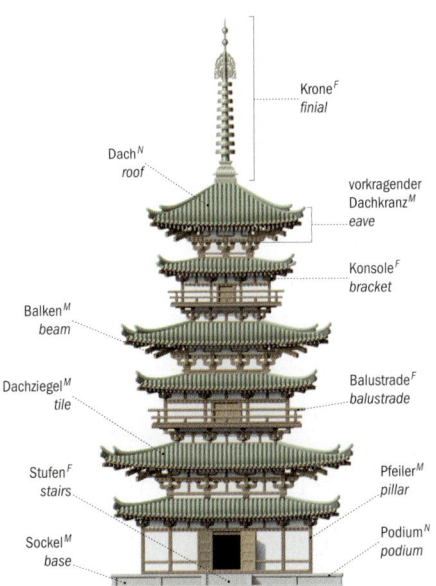

Krone^F
finial

Dach^N
roof

vorkragender
Dachkranz^M
eave

Konsole^F
bracket

Balken^M
beam

Dachziegel^M
tile

Balustrade^F
balustrade

Stufen^F
stairs

Pfeiler^M
pillar

Sockel^M
base

Podium^N
podium

aztekischer Tempel^M
Aztec temple

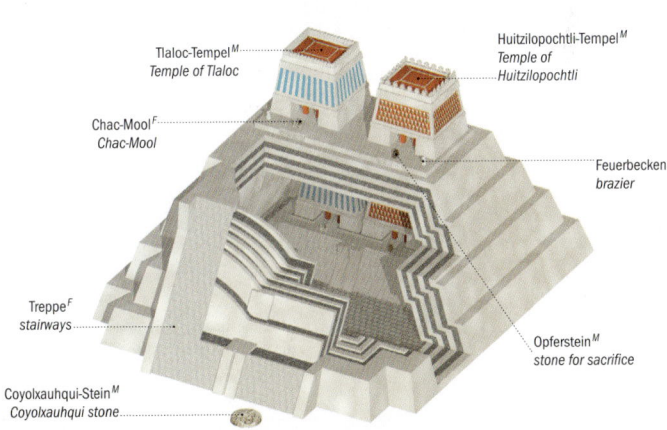

Tlaloc-Tempel^M
Temple of Tlaloc

Huitzilopochtli-Tempel^M
Temple of Huitzilopochtli

Chac-Mool^F
Chac-Mool

Feuerbecken^N
brazier

Treppe^F
stairways

Opferstein^M
stone for sacrifice

Coyolxauhqui-Stein^M
Coyolxauhqui stone

Dom ^{M}

cathedral

gotischer Dom ^{M}
Gothic cathedral

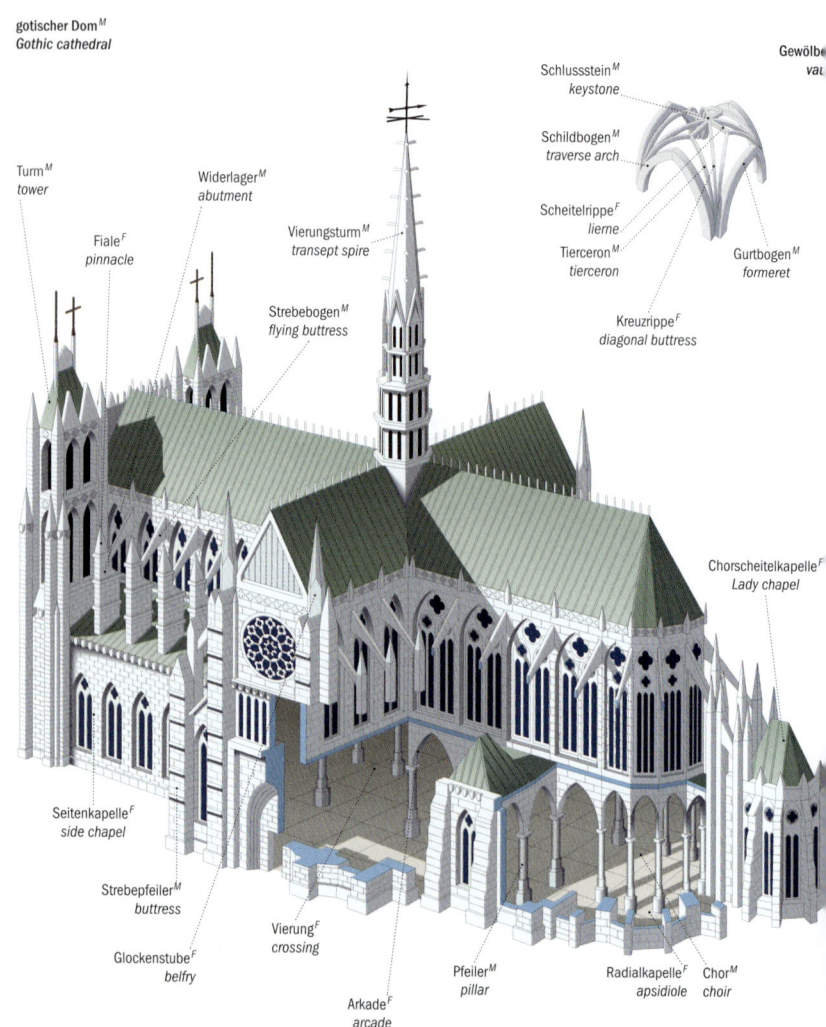

Schlussstein ^{M}
keystone

Schildbogen ^{M}
traverse arch

Gewölbe
vau

Scheitelrippe ^{F}
lierne

Tierceron ^{M}
tierceron

Gurtbogen ^{M}
formeret

Kreuzrippe ^{F}
diagonal buttress

Turm ^{M}
tower

Widerlager ^{M}
abutment

Vierungsturm ^{M}
transept spire

Fiale ^{F}
pinnacle

Strebebogen ^{M}
flying buttress

Chorscheitelkapelle ^{F}
Lady chapel

Seitenkapelle ^{F}
side chapel

Strebepfeiler ^{M}
buttress

Vierung ^{F}
crossing

Glockenstube ^{F}
belfry

Arkade ^{F}
arcade

Pfeiler ^{M}
pillar

Radialkapelle ^{F}
apsidiole

Chor ^{M}
choir

Dom^M

Fassade^F
façade

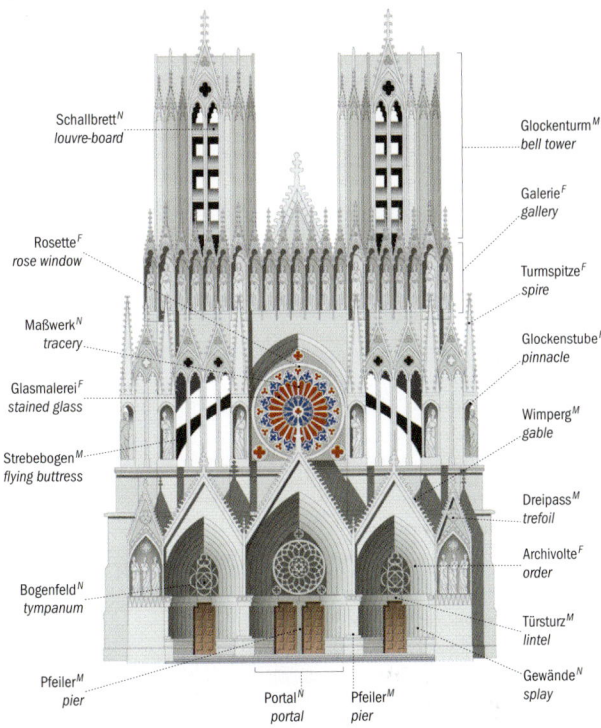

Schallbrett^N
louvre-board

Rosette^F
rose window

Maßwerk^N
tracery

Glasmalerei^F
stained glass

Strebebogen^M
flying buttress

Bogenfeld^N
tympanum

Pfeiler^M
pier

Portal^N
portal

Pfeiler^M
pier

Glockenturm^M
bell tower

Galerie^F
gallery

Turmspitze^F
spire

Glockenstube^F
pinnacle

Wimperg^M
gable

Dreipass^M
trefoil

Archivolte^F
order

Türsturz^M
lintel

Gewände^N
splay

Grundriss^M
plan

Querschiff^N
transept

Chorumgang^M
ambulatory

Radialkapelle^F
apsidiole

Seitenschiff^N
aisle

Chorhaupt^N
chevet

Mittelschiff^N
nave

Chorscheitelkapelle^F
Lady chapel

Portal^N
porch

Vierung^F
crossing

Chor^M
choir

Hauptapsis^F
apse

KUNST UND ARCHITEKTUR

Architekturelemente[N]
elements of architecture

Beispiele[N] für Türen[F]
examples of doors

Drehtür[F]
manual revolving door

Gehäusedach[N]
canopy

Flügel[M]
wing

Bewegungsmelder[M]
motion detector

automatisch
Schiebetü
automatic sliding do

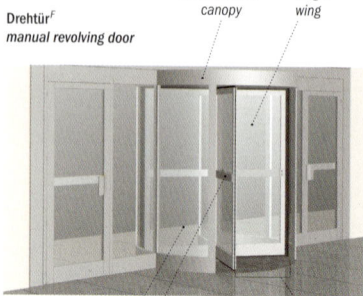

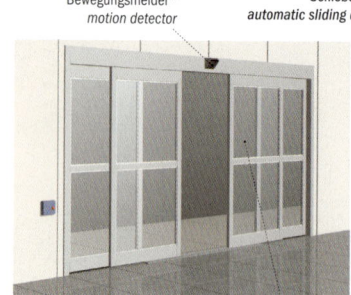

Drehgehäuse[N]
enclosure

Handgriff[M]
push bar

Zelle[F]
compartment

Flügel[M]
wing

Streifen[M]
strip

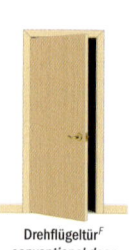

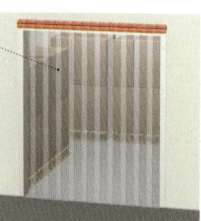

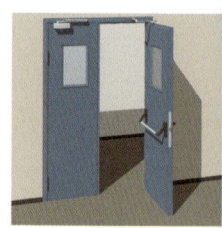

Drehflügeltür[F]
conventional door

Falttür[F]
folding door

Streifenvorhang[M]
strip door

Feuerschutztür[F]
fire door

Harmonikatür[F]
concertina-type folding door

Schiebetür[F]
sliding door

Sektionalgaragentor[N]
sectional garage door

Schwinggaragentor[N]
up-and-over garage door

Beispiele[N] für Fenster[N]
examples of windows

Faltfenster[N]
sliding folding window

Drehflügel[M] nach innen
casement window opening inwards

Drehflügel[M] nach außen
casement window

Jalousiefenster[N]
louvred window

horizontales Schiebefenster[N]
sliding window

vertikales Schiebefenster[N]
sash window

Schwingflügel[M]
horizontal pivoting window

Wendeflügel[M]
vertical pivoting window

Aufzug[M]
lift

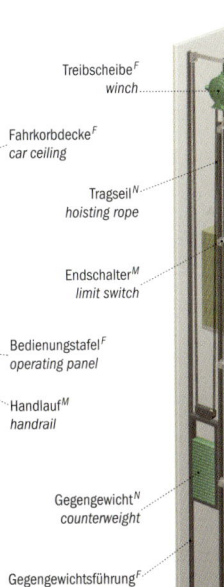

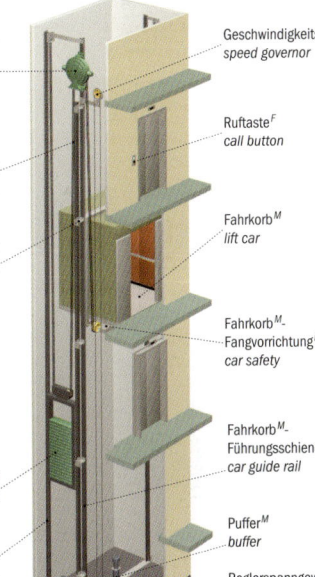

Fahrkorb[M]
lift car

Standortanzeiger[M]
position indicator

Fahrkorbdecke[F]
car ceiling

Treibscheibe[F]
winch

Tragseil[N]
hoisting rope

Endschalter[M]
limit switch

Bedienungstafel[F]
operating panel

Handlauf[M]
handrail

Fahrkorbboden[M]
car floor

Gegengewicht[N]
counterweight

Gegengewichtsführung[F]
counterweight guide rail

Tür[F]
door

Geschwindigkeitsregler[M]
speed governor

Ruftaste[F]
call button

Fahrkorb[M]
lift car

Fahrkorb[M]-Fangvorrichtung[F]
car safety

Fahrkorb[M]-Führungsschiene[F]
car guide rail

Puffer[M]
buffer

Reglerspanngewicht[N]
governor tension sheave

traditionelle Wohnhäuser[N]
traditional dwellings

Iglu[M]
igloo

Jurte[F]
yurt

Strohhütte[F]
(straw) hut

Lehmhütte[F]
(mud) hut

Wigwam[M]
wigwam

Isba[F]
isba

Tipi[N]
tepee

Pfahlbau[M]
pile dwelling

Backsteinhaus
adobe house

Balken[M]
beam

Leiter[F]
ladder

KUNST UND ARCHITEKTUR

Häuserformen^F in der Stadt^F
town houses

zweistöckiges Haus^N
two-storey house

einstöckiges Haus^N
one-storey-house

Doppelhaus^N
semi-detached houses

Reihenhaus^N
terraced houses

Eigentumswohnungen^F
freehold flats

Wohnblock^M
high-rise block

Aufnahmebühne^F
shooting stage

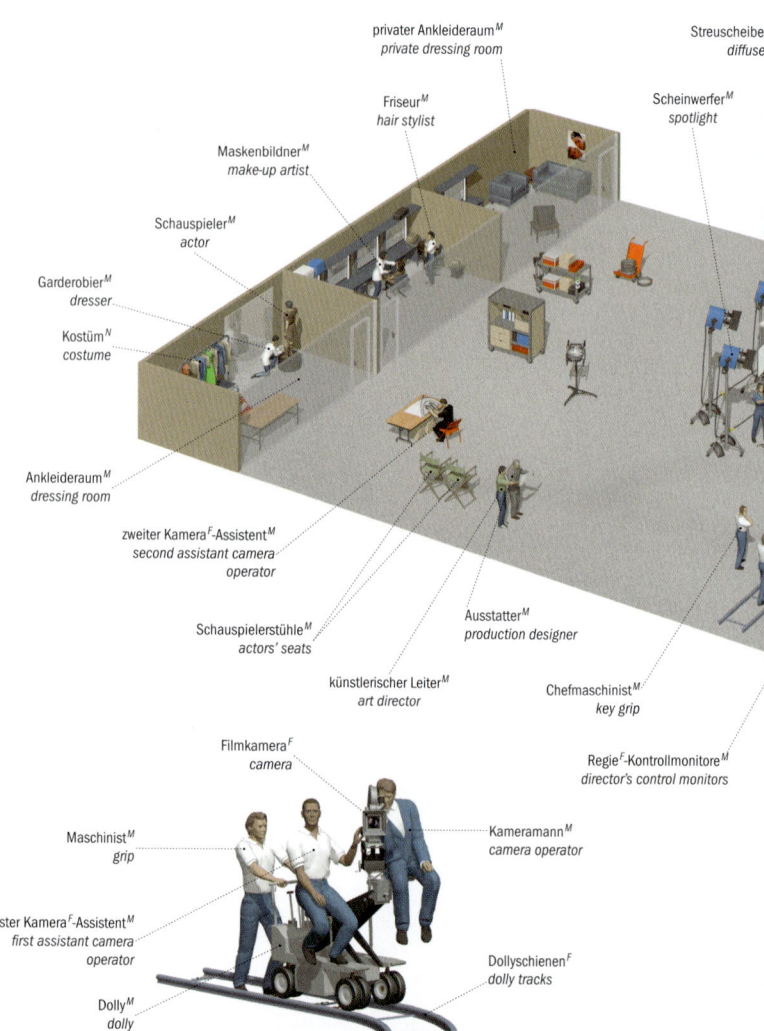

privater Ankleideraum^M
private dressing room

Streuscheibe^F
diffuser

Friseur^M
hair stylist

Scheinwerfer^M
spotlight

Maskenbildner^M
make-up artist

Schauspieler^M
actor

Garderobier^M
dresser

Kostüm^N
costume

Ankleideraum^M
dressing room

zweiter Kamera^F-Assistent^M
*second assistant camera
operator*

Schauspielerstühle^M
actors' seats

Ausstatter^M
production designer

künstlerischer Leiter^M
art director

Chefmaschinist^M
key grip

Filmkamera^F
camera

Regie^F-Kontrollmonitore^M
director's control monitors

Maschinist^M
grip

Kameramann^M
camera operator

erster Kamera^F-Assistent^M
*first assistant camera
operator*

Dolly^M
dolly

Dollyschienen^F
dolly tracks

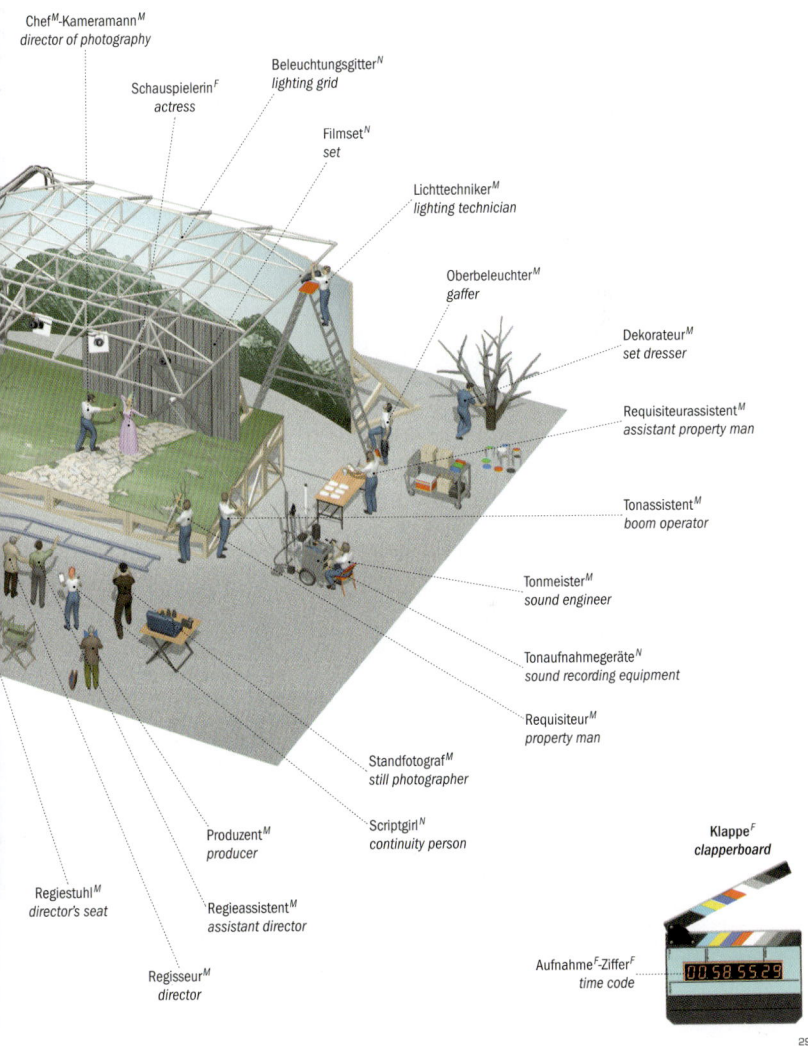

Chef^M-Kameramann^M
director of photography

Schauspielerin^F
actress

Beleuchtungsgitter^N
lighting grid

Filmset^N
set

Lichttechniker^M
lighting technician

Oberbeleuchter^M
gaffer

Dekorateur^M
set dresser

Requisiteurassistent^M
assistant property man

Tonassistent^M
boom operator

Tonmeister^M
sound engineer

Tonaufnahmegeräte^N
sound recording equipment

Requisiteur^M
property man

Standfotograf^M
still photographer

Scriptgirl^N
continuity person

Produzent^M
producer

Regieassistent^M
assistant director

Regiestuhl^M
director's seat

Regisseur^M
director

Klappe^F
clapperboard

Aufnahme^F-Ziffer^F
time code

Theater^N
theatre

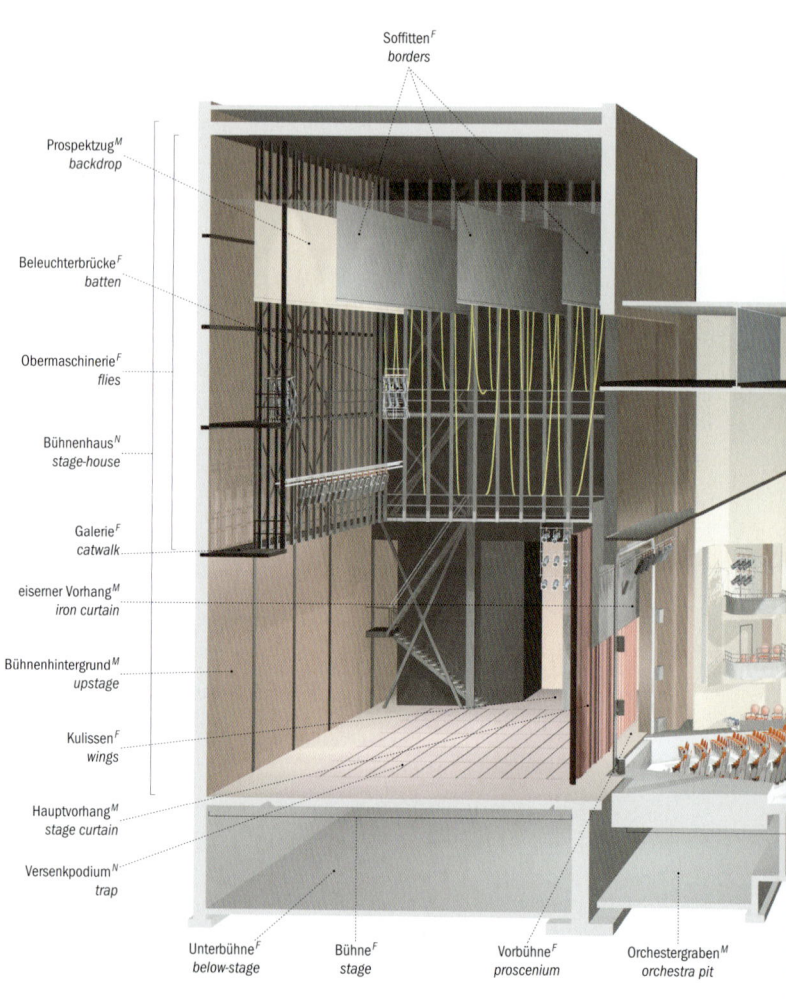

Soffitten^F
borders

Prospektzug^M
backdrop

Beleuchterbrücke^F
batten

Obermaschinerie^F
flies

Bühnenhaus^N
stage-house

Galerie^F
catwalk

eiserner Vorhang^M
iron curtain

Bühnenhintergrund^M
upstage

Kulissen^F
wings

Hauptvorhang^M
stage curtain

Versenkpodium^N
trap

Unterbühne^F
below-stage

Bühne^F
stage

Vorbühne^F
proscenium

Orchestergraben^M
orchestra pit

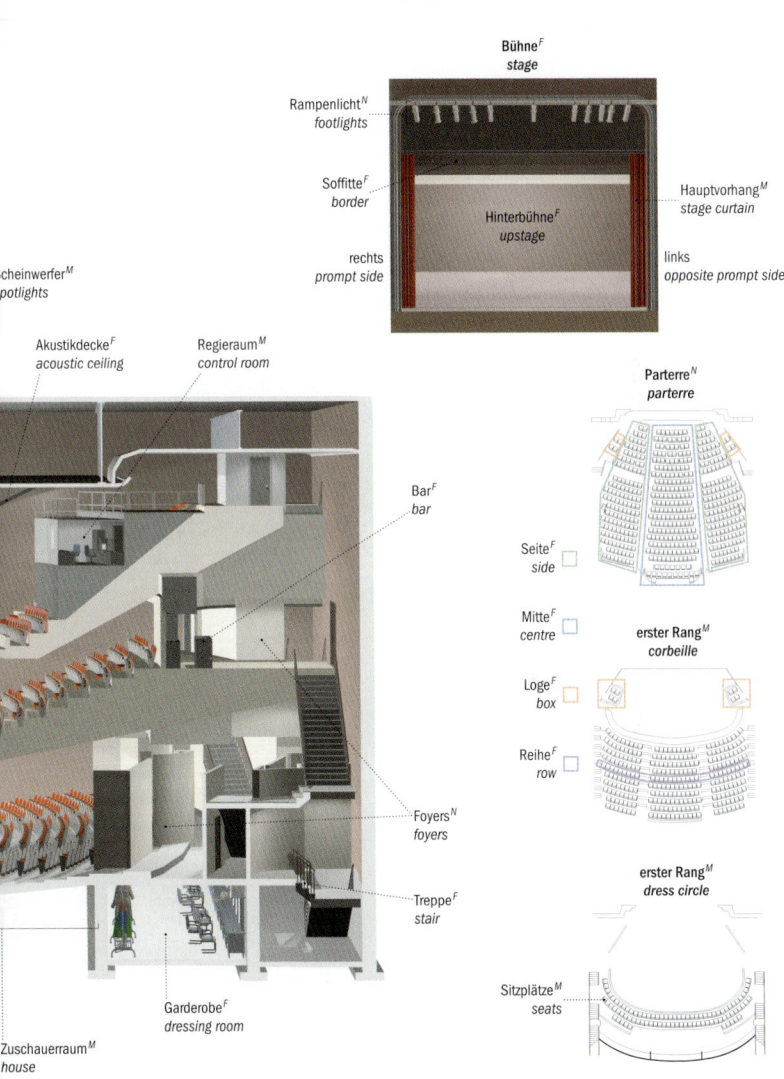

Bühne[F]
stage

Rampenlicht[N]
footlights

Soffitte[F]
border

Hinterbühne[F]
upstage

Hauptvorhang[M]
stage curtain

rechts
prompt side

links
opposite prompt side

Scheinwerfer[M]
spotlights

Akustikdecke[F]
acoustic ceiling

Regieraum[M]
control room

Bar[F]
bar

Parterre[N]
parterre

Seite[F]
side

Mitte[F]
centre

erster Rang[M]
corbeille

Loge[F]
box

Reihe[F]
row

Foyers[N]
foyers

Treppe[F]
stair

erster Rang[M]
dress circle

Sitzplätze[M]
seats

Garderobe[F]
dressing room

Zuschauerraum[M]
house

Kino^N

cinema

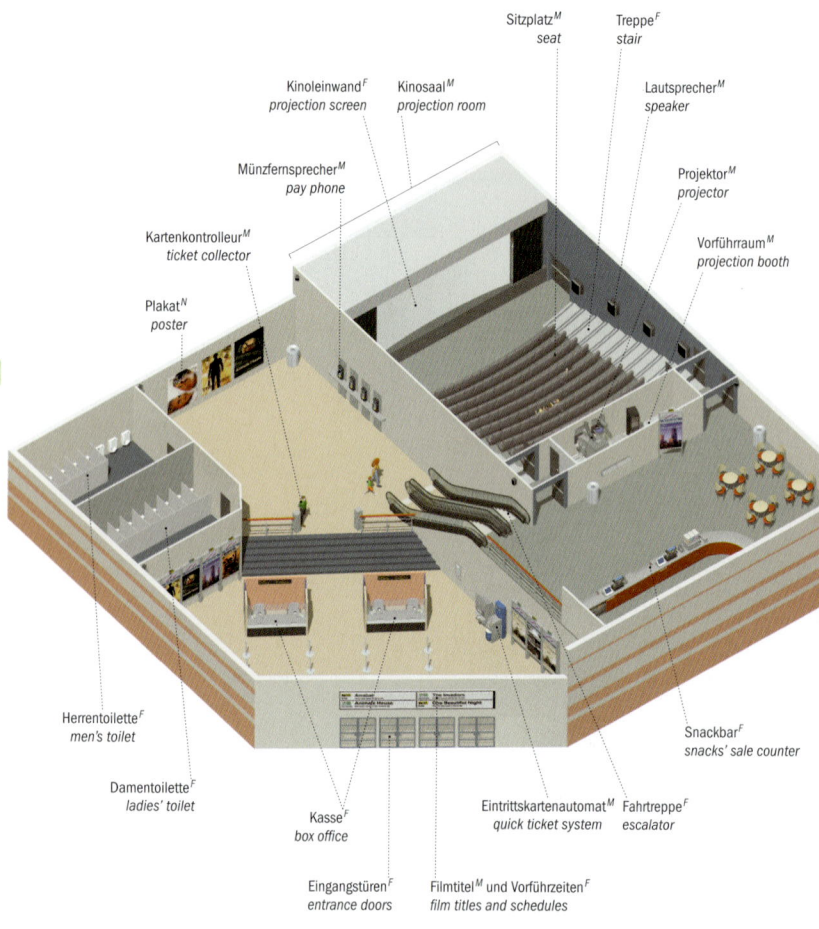

Sitzplatz^M
seat

Treppe^F
stair

Kinoleinwand^F
projection screen

Kinosaal^M
projection room

Lautsprecher^M
speaker

Münzfernsprecher^M
pay phone

Projektor^M
projector

Kartenkontrolleur^M
ticket collector

Vorführraum^M
projection booth

Plakat^N
poster

Herrentoilette^F
men's toilet

Damentoilette^F
ladies' toilet

Kasse^F
box office

Eintrittskartenautomat^M
quick ticket system

Fahrtreppe^F
escalator

Snackbar^F
snacks' sale counter

Eingangstüren^F
entrance doors

Filmtitel^M und Vorführzeiten^F
film titles and schedules

Sinfonieorchester[N]

symphony orchestra

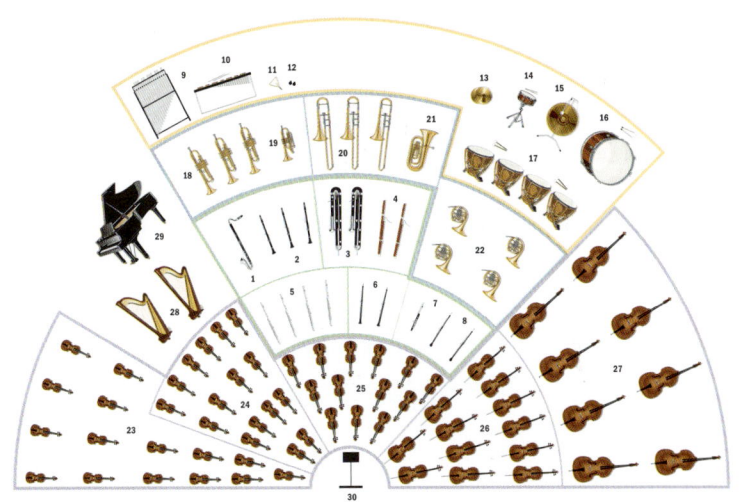

Familie[F] der Holzblasinstrumente[N]
woodwind family

Bassklarinette[F]
bass clarinet

Klarinetten[F]
clarinets

Kontrafagotte[N]
contrabassoons

Fagotte[N]
bassoons

Querflöten[F]
flutes

Oboen[F]
oboes

7 Pikkoloflöte[F]
piccolo

8 Englischhörner[N]
cors anglais

Schlaginstrumente[N]
percussion instruments

9 Röhrenglocken[F]
tubular bells

10 Xylophon[N]
xylophone

11 Triangel[M]
triangle

12 Kastagnetten[F]
castanets

13 Becken[N]
cymbals

14 kleine Trommel[F]
snare drum

15 Gong[M]
gong

16 Basstrommel[F]
bass drum

17 Pauken[F]
timpani

28 Harfen[F]
harps

Familie[F] der Blechbläser[M]
brass family

18 Trompeten[F]
trumpets

19 Kornett[N]
cornet

20 Posaunen[F]
trombones

21 Tuba[F]
tuba

22 Waldhörner[N]
French horns

29 Flügel[M]
piano

Geigenfamilie[F]
violin family

23 erste Violinen[F]
first violins

24 zweite Violinen[F]
second violins

25 Bratschen[F]
violas

26 Celli[N]
cellos

27 Kontrabasse[M]
double basses

30 Dirigentenpult[N]
conductor's podium

traditionelle Musikinstrumente[N]
traditional musical instruments

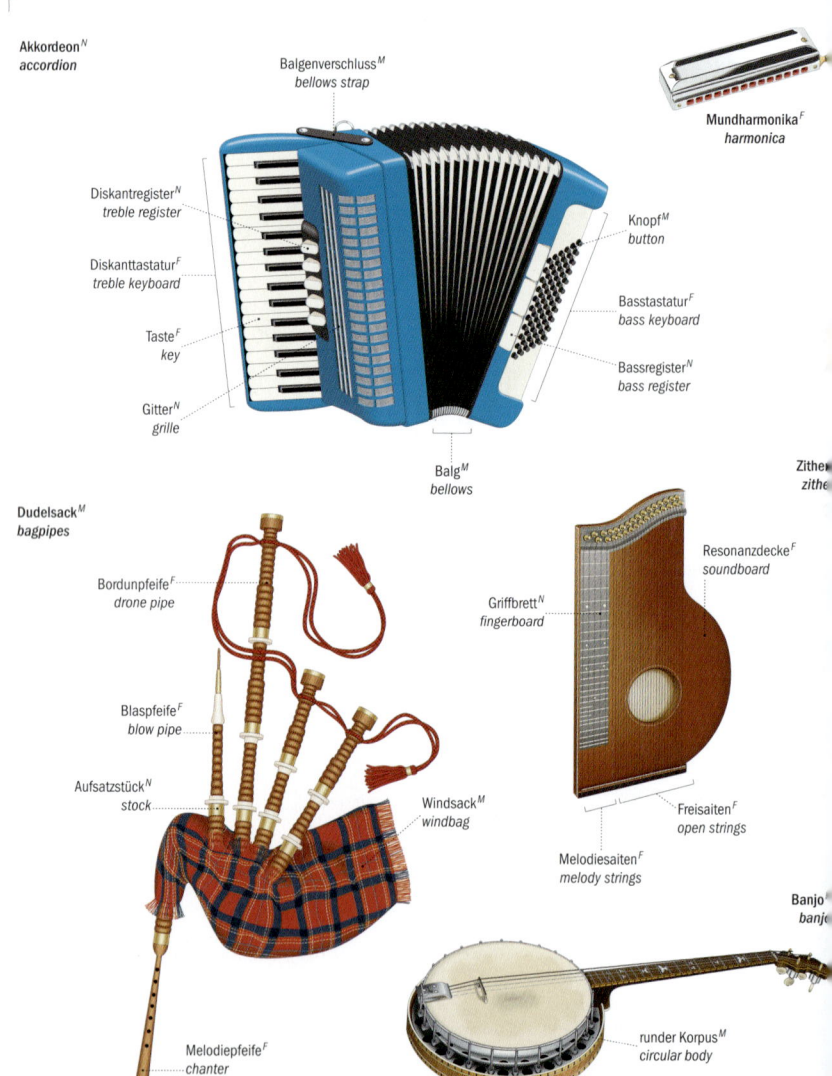

Akkordeon[N]
accordion

Balgenverschluss[M]
bellows strap

Mundharmonika[F]
harmonica

Diskantregister[N]
treble register

Diskanttastatur[F]
treble keyboard

Taste[F]
key

Gitter[N]
grille

Knopf[M]
button

Basstastatur[F]
bass keyboard

Bassregister[N]
bass register

Balg[M]
bellows

Zither[F]
zither

Dudelsack[M]
bagpipes

Bordunpfeife[F]
drone pipe

Griffbrett[N]
fingerboard

Resonanzdecke[F]
soundboard

Blaspfeife[F]
blow pipe

Aufsatzstück[N]
stock

Windsack[M]
windbag

Freisaiten[F]
open strings

Melodiesaiten[F]
melody strings

Banjo[N]
banjo

runder Korpus[M]
circular body

Melodiepfeife[F]
chanter

Kora[F]
kora

Mandoline[F]
mandolin

Balalaika[F]
balalaika

Hals[M]
neck

Saiten[F]
strings

dreieckiger Korpus[M]
triangular body

Handgriff[M]
hand post

Stimmring[M]
tuning ring

Klangfell[N]
snare head

Resonanzkörper[M]
sound box

Steg[M]
bridge

Saitenhalterung[F]
tailpiece

bimenförmiger Korpus[M]
pear-shaped body

Lyra[F]
lyre

Querjoch[N]
crossbar

Jocharm[M]
arm

Rahmen[M]
frame

Zunge[F]
tongue

Maultrommel[F]
Jew's harp

Trommelschlegel[M]
drumstick

Plektron[N]
plectrum

Djembe[F]
djembe

Resonanzdecke[F]
soundboard

Trommelfell[N]
batter skin

Sprechtrommel[F]
talking drum

Resonanzkörper[M]
sound box

Panflöte[F]
panpipe

Spannschnur[F]
tension rope

Musiknotation^F

musical notation

Liniensystem^N
staff

Zwischenraum^M
space

Notenlinie^F
line

Hilfslinie^F
ledger line

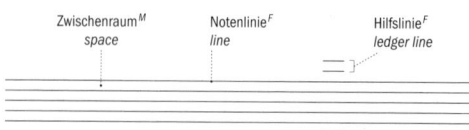

Notenschlüssel^M
clefs

Violinschlüssel^M
treble clef

Bassschlüssel^M
bass clef

Altschlüssel^M
alto clef

Taktarten^F
time signatures

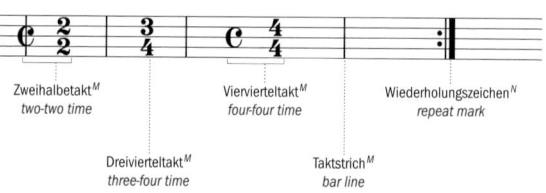

Zweihalbetakt^M
two-two time

Vierierteltakt^M
four-four time

Wiederholungszeichen^N
repeat mark

Dreivierteltakt^M
three-four time

Taktstrich^M
bar line

Intervalle^N
intervals

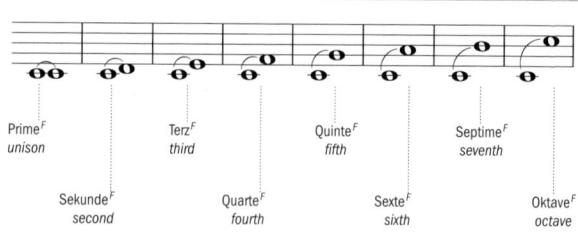

Prime^F
unison

Terz^F
third

Quinte^F
fifth

Septime^F
seventh

Sekunde^F
second

Quarte^F
fourth

Sexte^F
sixth

Oktave^F
octave

Tonleiter^F
scale

C	D	E	F	G	A	H	C
c	d	e	f	g	a	b	c

Musiknotation[F]

Pausenzeichen[N]
rest values

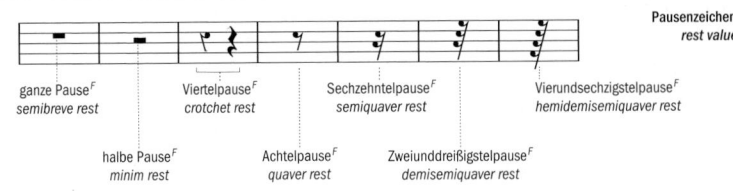

ganze Pause[F]
semibreve rest

Viertelpause[F]
crotchet rest

Sechzehntelpause[F]
semiquaver rest

Vierundsechzigstelpause[F]
hemidemisemiquaver rest

halbe Pause[F]
minim rest

Achtelpause[F]
quaver rest

Zweiunddreißigstelpause[F]
demisemiquaver rest

Verzierungen[F]
ornaments

Vorschlag[M]
appoggiatura

Triller[M]
trill

Doppelschlag[M]
turn

Mordent[M]
mordent

Notenwerte[M]
note values

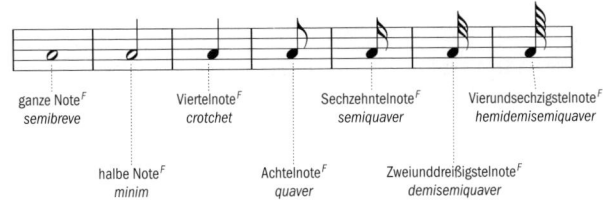

ganze Note[F]
semibreve

Viertelnote[F]
crotchet

Sechzehntelnote[F]
semiquaver

Vierundsechzigstelnote[F]
hemidemisemiquaver

halbe Note[F]
minim

Achtelnote[F]
quaver

Zweiunddreißigstelnote[F]
demisemiquaver

Versetzungszeichen[N]
accidentals

B[N]
flat

Doppelkreuz[N]
double sharp

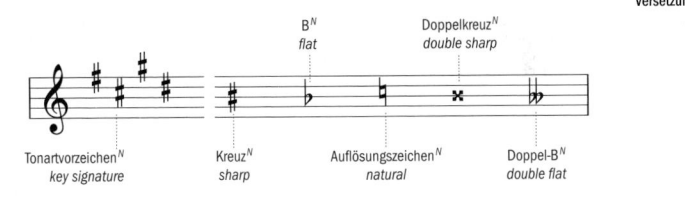

Tonartvorzeichen[N]
key signature

Kreuz[N]
sharp

Auflösungszeichen[N]
natural

Doppel-B[N]
double flat

andere Zeichen[N]
other signs

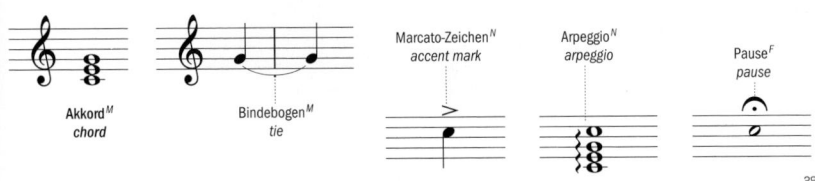

Akkord[M]
chord

Bindebogen[M]
tie

Marcato-Zeichen[N]
accent mark

Arpeggio[N]
arpeggio

Pause[F]
pause

Beispiele[N] für Instrumentalgruppierungen[F]
examples of instrumental groups

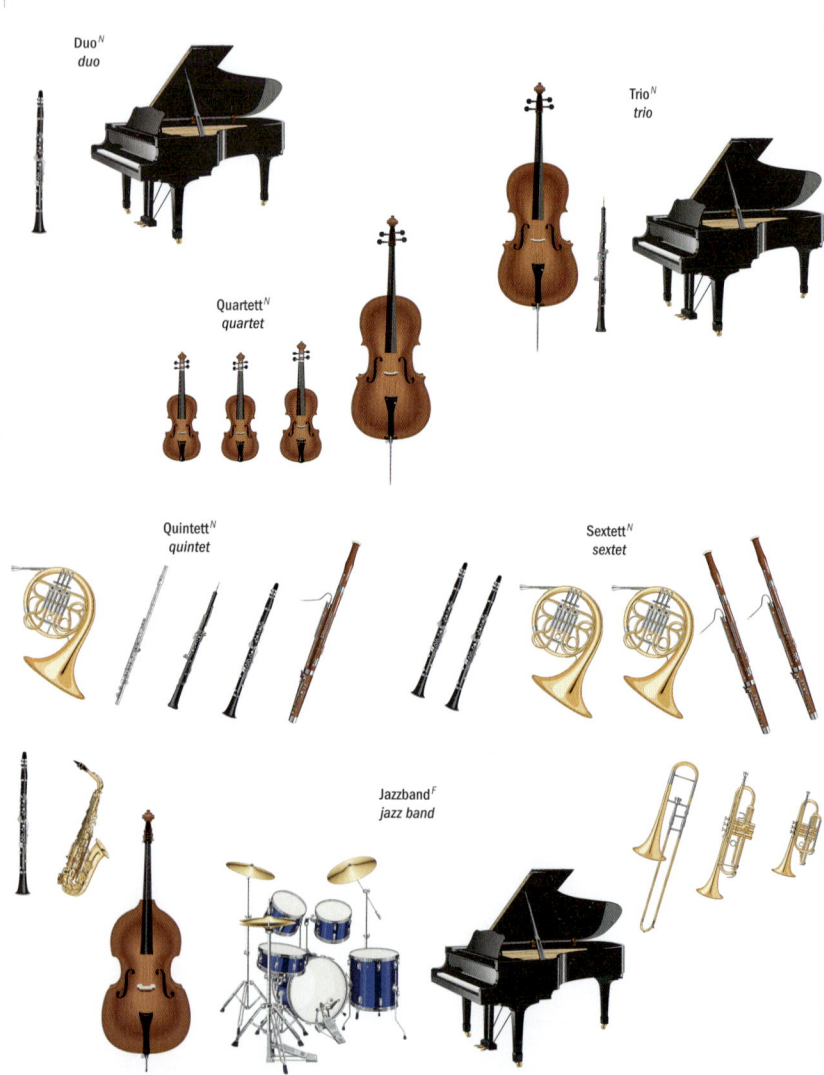

Duo[N]
duo

Trio[N]
trio

Quartett[N]
quartet

Quintett[N]
quintet

Sextett[N]
sextet

Jazzband[F]
jazz band

Saiteninstrumente[N]
stringed instruments

Bogen[M]
bow

Violine[F]
violin

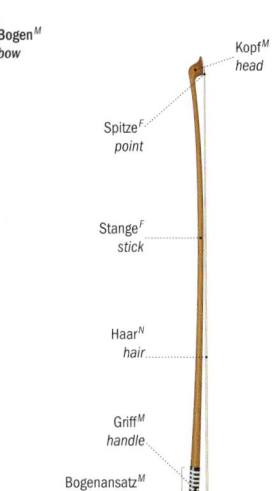

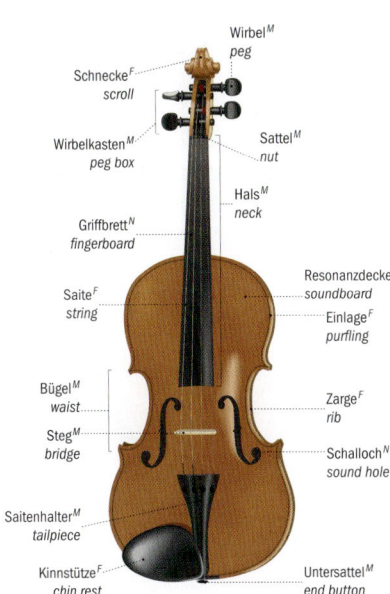

Kopf[M]
head

Spitze[F]
point

Stange[F]
stick

Haar[N]
hair

Griff[M]
handle

Bogenansatz[M]
heel

Frosch[M]
frog

Schraube[F]
screw

Wirbel[M]
peg

Schnecke[F]
scroll

Wirbelkasten[M]
peg box

Sattel[M]
nut

Hals[M]
neck

Griffbrett[N]
fingerboard

Resonanzdecke[F]
soundboard

Saite[F]
string

Einlage[F]
purfling

Bügel[M]
waist

Zarge[F]
rib

Steg[M]
bridge

Schalloch[N]
sound hole

Saitenhalter[M]
tailpiece

Kinnstütze[F]
chin rest

Untersattel[M]
end button

Violinfamilie[F]
violin family

Kontrabass[M]
double bass

Cello[N]
cello

Bratsche[F]
viola

Violine[F]
violin

KUNST UND ARCHITEKTUR

Saiteninstrumente N

KUNST UND ARCHITEKTUR

Harfe F
harp

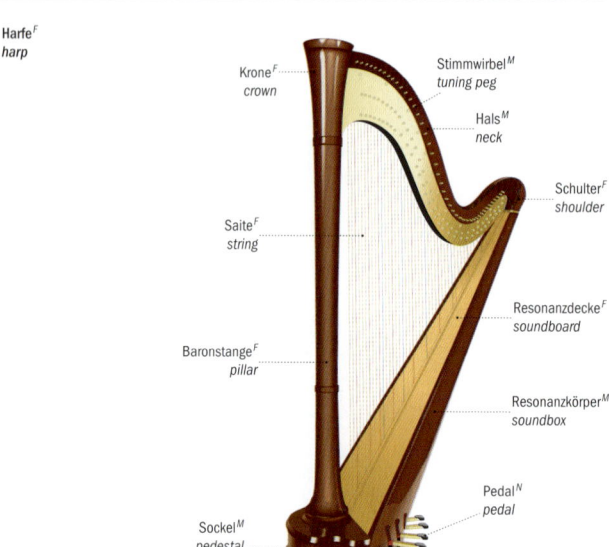

Krone F
crown

Stimmwirbel M
tuning peg

Hals M
neck

Schulter F
shoulder

Saite F
string

Resonanzdecke F
soundboard

Baronstange F
pillar

Resonanzkörper M
soundbox

Pedal N
pedal

Sockel M
pedestal

Fuß M
foot

akustische Gitarre F
acoustic guitar

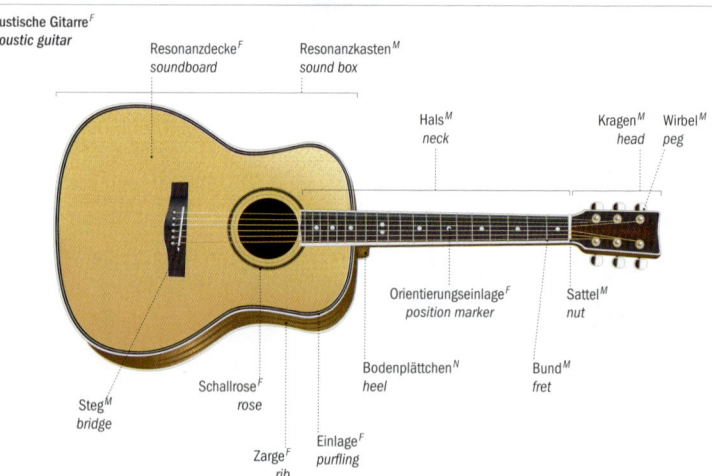

Resonanzdecke F
soundboard

Resonanzkasten M
sound box

Hals M
neck

Kragen M
head

Wirbel M
peg

Orientierungseinlage F
position marker

Sattel M
nut

Bodenplättchen N
heel

Bund M
fret

Steg M
bridge

Schallrose F
rose

Zarge F
rib

Einlage F
purfling

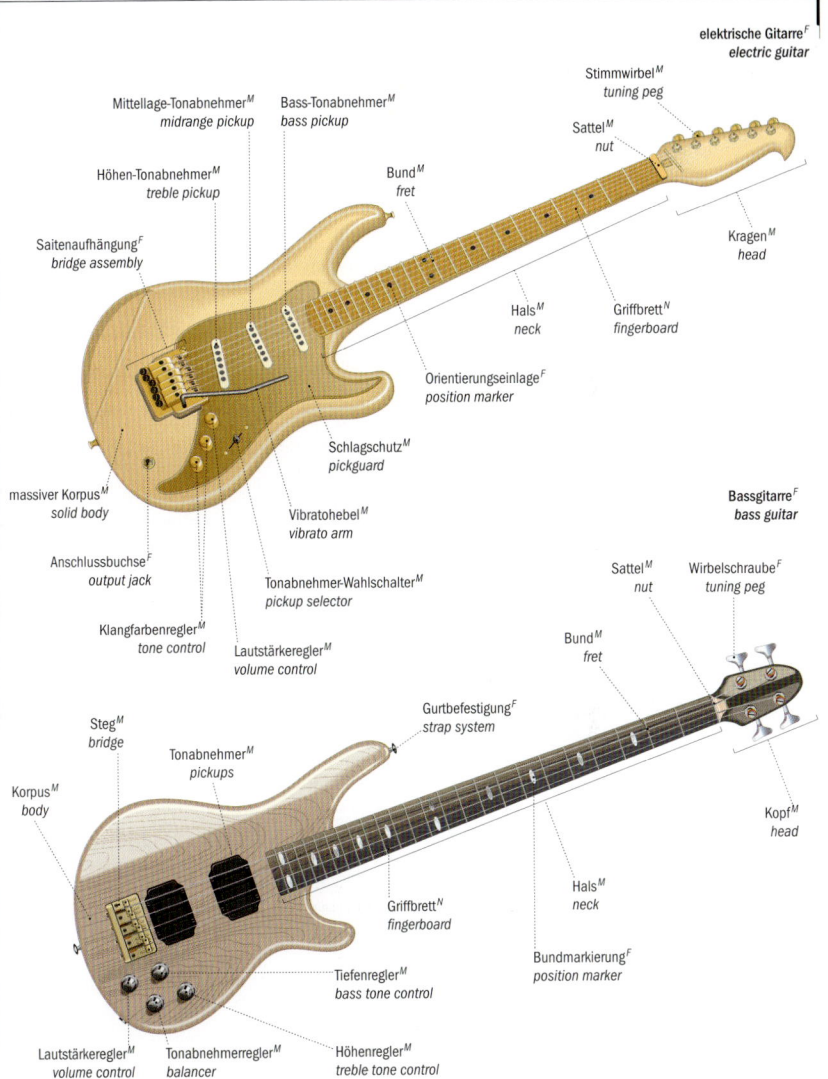

elektrische Gitarre[F]
electric guitar

Stimmwirbel[M]
tuning peg

Sattel[M]
nut

Mittellage-Tonabnehmer[M]
midrange pickup

Bass-Tonabnehmer[M]
bass pickup

Höhen-Tonabnehmer[M]
treble pickup

Bund[M]
fret

Kragen[M]
head

Saitenaufhängung[F]
bridge assembly

Hals[M]
neck

Griffbrett[N]
fingerboard

Orientierungseinlage[F]
position marker

massiver Korpus[M]
solid body

Schlagschutz[M]
pickguard

Bassgitarre[F]
bass guitar

Anschlussbuchse[F]
output jack

Vibratohebel[M]
vibrato arm

Sattel[M]
nut

Wirbelschraube[F]
tuning peg

Tonabnehmer-Wahlschalter[M]
pickup selector

Bund[M]
fret

Klangfarbenregler[M]
tone control

Lautstärkeregler[M]
volume control

Kopf[M]
head

Gurtbefestigung[F]
strap system

Steg[M]
bridge

Tonabnehmer[M]
pickups

Korpus[M]
body

Hals[M]
neck

Griffbrett[N]
fingerboard

Bundmarkierung[F]
position marker

Tiefenregler[M]
bass tone control

Lautstärkeregler[M]
volume control

Tonabnehmerregler[M]
balancer

Höhenregler[M]
treble tone control

KUNST UND ARCHITEKTUR

303

Tasteninstrumente^N

keyboard instruments

Klavier^N
upright piano

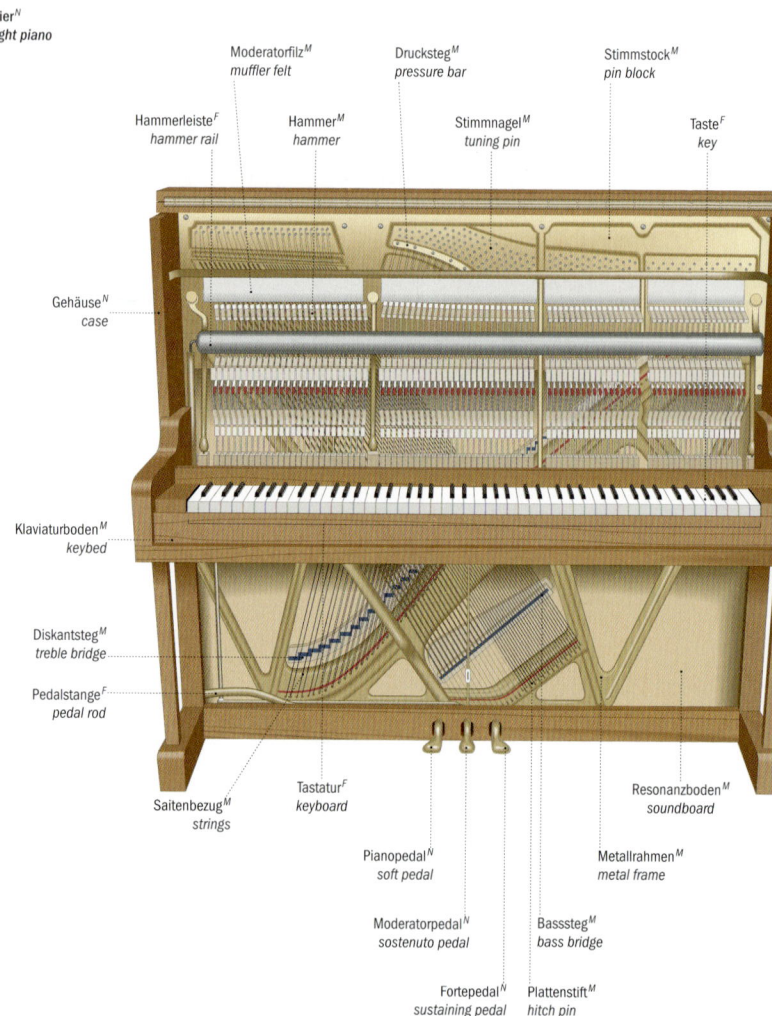

Moderatorfilz^M
muffler felt

Drucksteg^M
pressure bar

Stimmstock^M
pin block

Hammerleiste^F
hammer rail

Hammer^M
hammer

Stimmnagel^M
tuning pin

Taste^F
key

Gehäuse^N
case

Klaviaturboden^M
keybed

Diskantsteg^M
treble bridge

Pedalstange^F
pedal rod

Saitenbezug^M
strings

Tastatur^F
keyboard

Resonanzboden^M
soundboard

Pianopedal^N
soft pedal

Metallrahmen^M
metal frame

Moderatorpedal^N
sostenuto pedal

Basssteg^M
bass bridge

Fortepedal^N
sustaining pedal

Plattenstift^M
hitch pin

Orgel[F]
organ

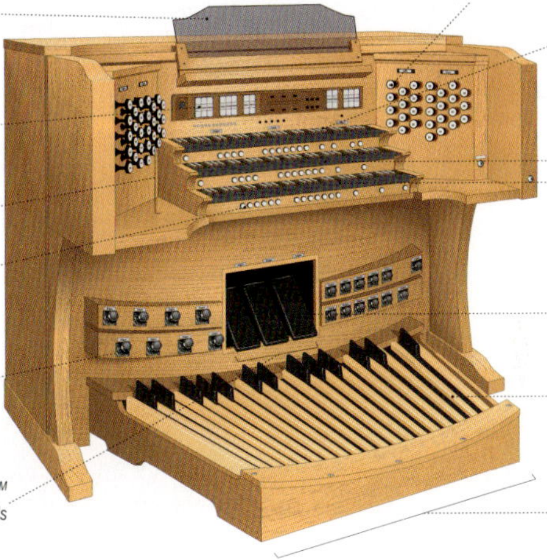

Orgelspieltisch[M]
organ console

Registerzug[M]
stop knob

Notenablage[F]
music rest

Manual[N] für das Oberwerk[N]
swell organ manual

Koppel-Kipptaste[F]
coupler-tilt tablet

Manual[N] für das Rückpositiv[N]
choir organ manual

Manuale[N]
manuals

Manual[N] für das Hauptwerk[N]
great organ manual

Druckknopf[M]
thumb piston

Rollschweller[M]
crescendo pedal

Fußtritt[M]
toe piston

Pedaltaste[F]
pedal key

Jalousieschweller[M]
swell pedals

Pedalklaviatur[F]
pedal keyboard

Zungenpfeife[F]
reed pipe

Lippenpfeife[F]
flue pipe

Schallbecher[M]
resonator

Stimmkrücke[F]
tuning wire

Körper[M]
body

Bleikopf[M]
block

Keil[M]
wedge

Oberlippe[F]
upper lip

Aufschnitt[M]
mouth

Kern[M]
languid

Kehle[F]
shallot

Zunge[F]
tongue

Kernspalte[F]
flue

Unterlippe[F]
lower lip

Fuß[M]
foot

Stiefel[M]
foot

Fußbohrung[F]
foot hole

Fußbohrung[F]
foot hole

Blasinstrumente[N]
wind instruments

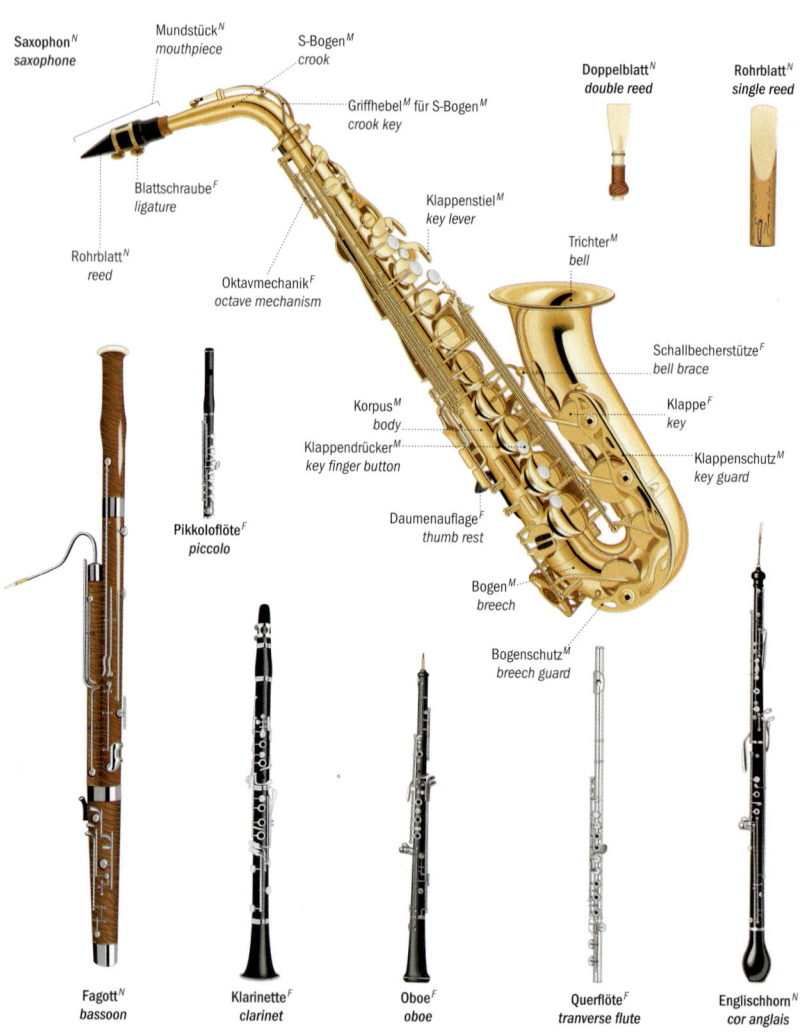

Saxophon[N]
saxophone

Mundstück[N]
mouthpiece

S-Bogen[M]
crook

Griffhebel[M] für S-Bogen[M]
crook key

Doppelblatt[N]
double reed

Rohrblatt[N]
single reed

Blattschraube[F]
ligature

Klappenstiel[M]
key lever

Rohrblatt[N]
reed

Oktavmechanik[F]
octave mechanism

Trichter[M]
bell

Schallbecherstütze[F]
bell brace

Korpus[M]
body

Klappendrücker[M]
key finger button

Klappe[F]
key

Klappenschutz[M]
key guard

Daumenauflage[F]
thumb rest

Bogen[M]
breech

Bogenschutz[M]
breech guard

Pikkoloflöte[F]
piccolo

Fagott[N]
bassoon

Klarinette[F]
clarinet

Oboe[F]
oboe

Querflöte[F]
tranverse flute

Englischhorn[N]
cor anglais

Trompete^F
trumpet

Drücker^M
finger button

Kleinfingerhaken^M
little finger hook

Trichter^M
bell

Mundrohr^N
mouthpipe

Ring^M
ring

Mundstückaufnahme^F
mouthpiece receiver

Mundstück^N
mouthpiece

Stimmzug^M
tuning slide

erster Ventilzug^M
first valve slide

dritter Ventilzug^M
third valve slide

Wasserklappe^F
water key

Daumenring^M
thumb hook

Ventil^N
valve

Dämpfer^M
mute

Ventilbüchse^F
valve casing

zweiter Ventilzug^M
second valve slide

Waldhorn^N
French horn

Kornett^N
cornet

Bügelhorn^N
bugle

Saxhorn^N
saxhorn

Tuba^F
tuba

Posaune^F
trombone

KUNST UND ARCHITEKTUR

Schlaginstrumente[N]

percussion instruments

Trommeln[F]
drums

Becken[N]
cymbal

Tomtom[N]
tom-tom

Schlegel[M]
mallet

Charlestonmaschine[F]
Charleston cymbal

oberes Becken[N]
superior cymbal

Standtom[N]
tenor drum

unteres Becken[N]
inferior cymbal

Feststellspitze[F]
spur

Trommelfell[N]
drumhead

Pedal[N]
pedal

kleine Trommel[F]
snare drum

Bein[N]
leg

Dreifußständer[M]
tripod stand

Ständer[M]
stand

Basstrommel[F]
bass drum

Stellschraube[F]
tension screw

Kesselpauke[F]
kettledrum

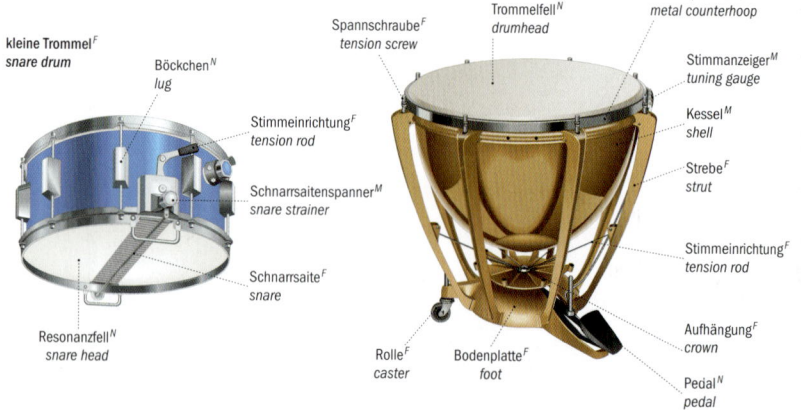

kleine Trommel[F]
snare drum

Böckchen[N]
lug

Spannschraube[F]
tension screw

Trommelfell[N]
drumhead

Metallspannreifen[M]
metal counterhoop

Stimmeinrichtung[F]
tension rod

Stimmanzeiger[M]
tuning gauge

Schnarrsaitenspanner[M]
snare strainer

Kessel[M]
shell

Strebe[F]
strut

Schnarrsaite[F]
snare

Stimmeinrichtung[F]
tension rod

Resonanzfell[N]
snare head

Rolle[F]
caster

Bodenplatte[F]
foot

Aufhängung[F]
crown

Pedal[N]
pedal

Schellen[F]
sleigh bells

Glockenband[N]
set of bells

Sistrum[N]
sistrum

Kastagnetten[F]
castanets

Becken[N]
cymbals

Tamburin[N]
tambourine

Triangel[M]
triangle

Bongos[N]
bongos

Fell[N]
head

Schelle[F]
jingle

Stahlstab[M]
metal rod

Gong[M]
gong

Jazzbesen[M]
wire brush

Xylophon[N]
xylophone

Resonanzröhren[F]
resonator

Stöcke[M]
sticks

Rahmen[M]
frame

Röhrenglocken[F]
tubular bells

Platte[F]
bar

Schlegel[M]
mallets

elektronische Instrumente[N]
electronic instruments

Sequencer[M]
sequencer

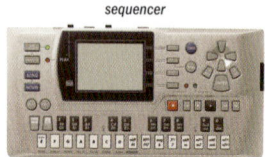

Sampler
sample

Kopfhöreranschlussbuchse[F]
headphone jack

Funktionsdisplay[N]
function display

Diskettenlaufwerk[N]
disc drive

Expander[M]
expander

Synthesizer[M]
synthesizer

Lautstärkeregler[M]
volume control

Feinregler[M] für Dateneingabe[F]
fine data entry control

Diskettenlaufwerk[N]
disc drive

Systemschalter[M]
system buttons

Funktionsanzeige[F]
function display

Sequenzerregler[M]
sequencer control

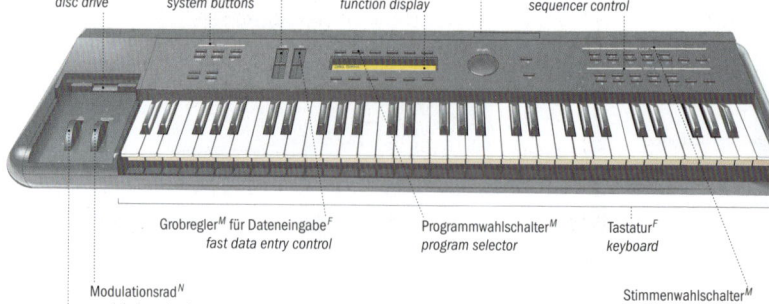

Grobregler[M] für Dateneingabe[F]
fast data entry control

Programmwahlschalter[M]
program selector

Tastatur[F]
keyboard

Modulationsrad[N]
modulation wheel

Stimmenwahlschalter[M]
voice edit buttons

Tonhöhenrad[N]
pitch wheel

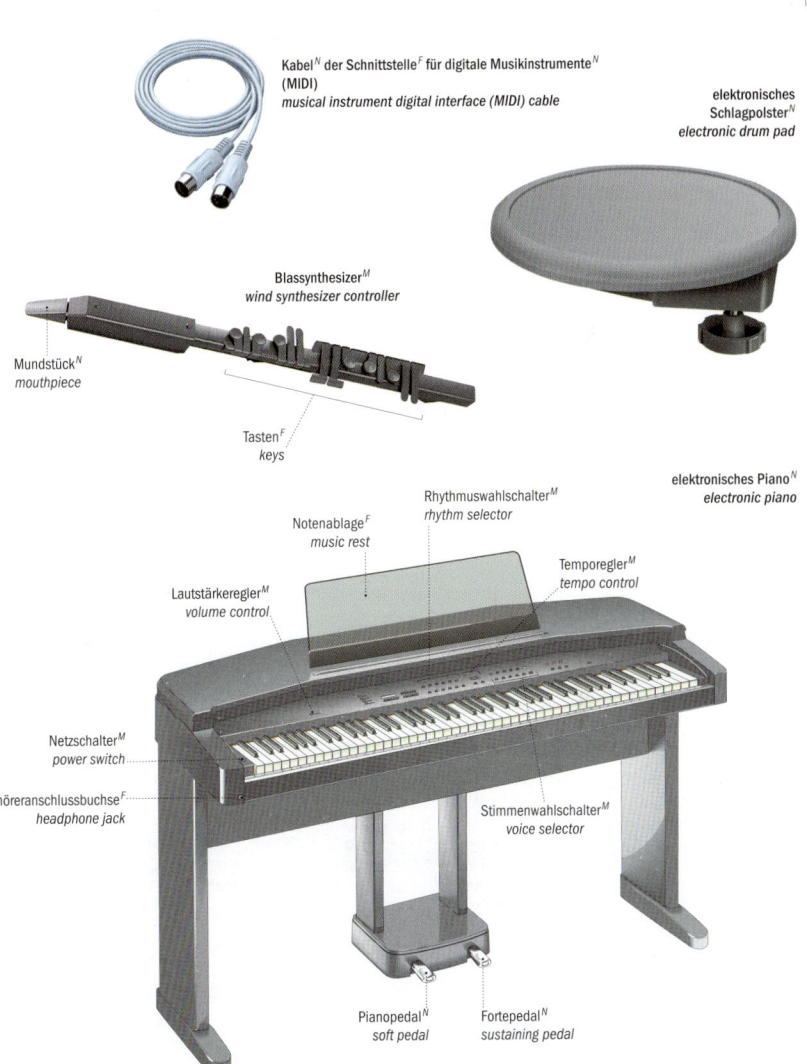

Kabel^N der Schnittstelle^F für digitale Musikinstrumente^N
(MIDI)
musical instrument digital interface (MIDI) cable

elektronisches
Schlagpolster^N
electronic drum pad

Blassynthesizer^M
wind synthesizer controller

Mundstück^N
mouthpiece

Tasten^F
keys

elektronisches Piano^N
electronic piano

Rhythmuswahlschalter^M
rhythm selector

Notenablage^F
music rest

Temporegler^M
tempo control

Lautstärkeregler^M
volume control

Netzschalter^M
power switch

pfhöreranschlussbuchse^F
headphone jack

Stimmenwahlschalter^M
voice selector

Pianopedal^N
soft pedal

Fortepedal^N
sustaining pedal

KUNST UND ARCHITEKTUR

Schreibgeräte[N]
writing instruments

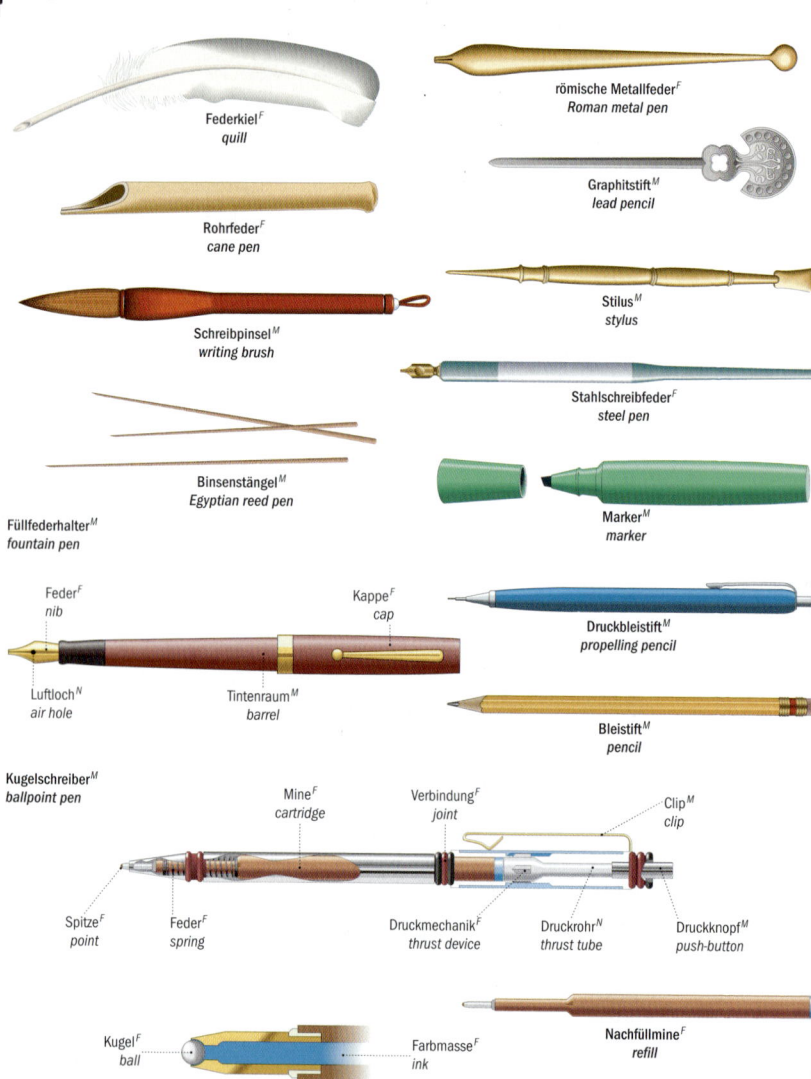

Federkiel[F]
quill

römische Metallfeder[F]
Roman metal pen

Rohrfeder[F]
cane pen

Graphitstift[M]
lead pencil

Schreibpinsel[M]
writing brush

Stilus[M]
stylus

Stahlschreibfeder[F]
steel pen

Binsenstängel[M]
Egyptian reed pen

Marker[M]
marker

Füllfederhalter[M]
fountain pen

Feder[F]
nib

Kappe[F]
cap

Druckbleistift[M]
propelling pencil

Luftloch[N]
air hole

Tintenraum[M]
barrel

Bleistift[M]
pencil

Kugelschreiber[M]
ballpoint pen

Mine[F]
cartridge

Verbindung[F]
joint

Clip[M]
clip

Spitze[F]
point

Feder[F]
spring

Druckmechanik[F]
thrust device

Druckrohr[N]
thrust tube

Druckknopf[M]
push-button

Kugel[F]
ball

Farbmasse[F]
ink

Nachfüllmine[F]
refill

Zeitung[F]
newspaper

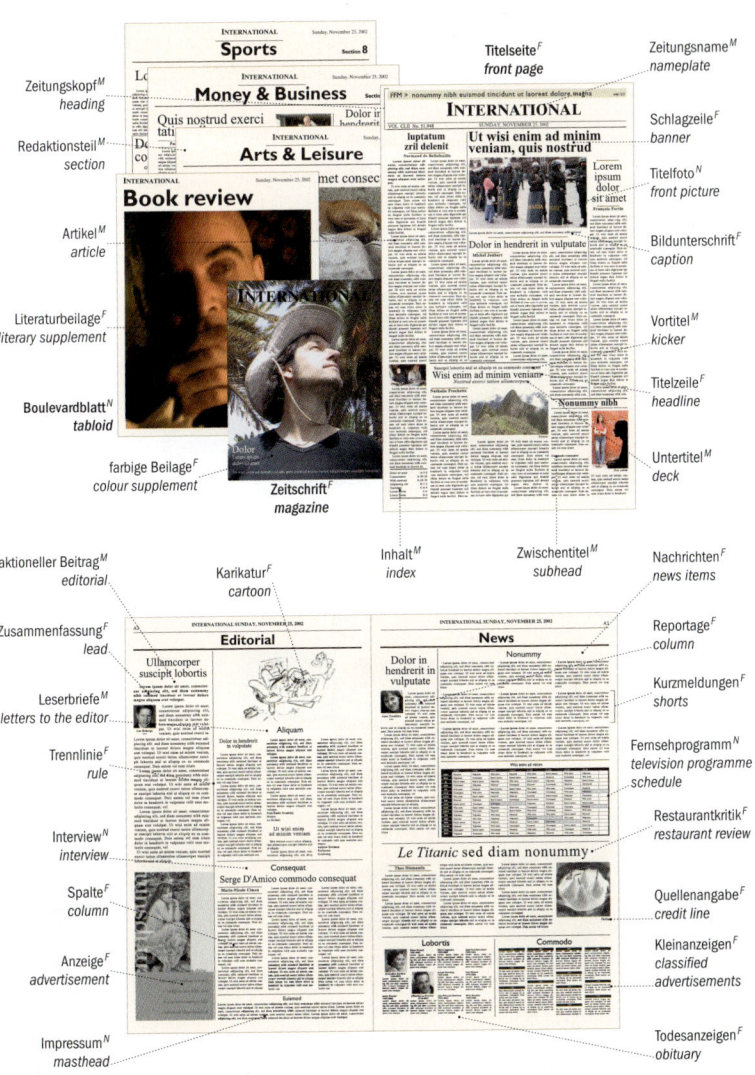

Titelseite[F]
front page

Zeitungsname[M]
nameplate

Schlagzeile[F]
banner

Titelfoto[N]
front picture

Bildunterschrift[F]
caption

Vortitel[M]
kicker

Titelzeile[F]
headline

Untertitel[M]
deck

Zeitungskopf[M]
heading

Redaktionsteil[M]
section

Artikel[M]
article

Literaturbeilage[F]
literary supplement

Boulevardblatt[N]
tabloid

farbige Beilage[F]
colour supplement

Zeitschrift[F]
magazine

redaktioneller Beitrag[M]
editorial

Karikatur[F]
cartoon

Inhalt[M]
index

Zwischentitel[M]
subhead

Nachrichten[F]
news items

Zusammenfassung[F]
lead

Reportage[F]
column

Leserbriefe[M]
letters to the editor

Kurzmeldungen[F]
shorts

Trennlinie[F]
rule

Fernsehprogramm[N]
television programme
schedule

Interview[N]
interview

Restaurantkritik[F]
restaurant review

Spalte[F]
column

Quellenangabe[F]
credit line

Anzeige[F]
advertisement

Kleinanzeigen[F]
classified
advertisements

Impressum[N]
masthead

Todesanzeigen[F]
obituary

Fotografie[F]
photography

einäugige Spiegelreflexkamera[F]/SLR-
Kamera[F]: Vorderansicht[F]
single-lens reflex (SLR) camera: front view

Belichtungskorrekturknopf[M]
exposure adjustment knob

Zubehörschuh[M]
accessory shoe

Blitzkontakt[M]
hot-shoe contact

Aufnahmemodus[M]
drive mode

Display[N]
data panel

Belichtungseinstellung[F]
exposure mode

Programmwählscheibe[F]
program selector

Belichtungsmesser[M]
multiple exposure mode

Ein-/Ausschalter[M]
on/off switch

Empfindlichkeit[F]
sensitivity

Auslöser[M]
shutter release button

Selbstauslöser-Lichtsignal[N]
self-timer indicator

Diode[F] des Selbstauslösers[M]
remote control terminal

Kameragehäuse[N]
camera body

Autofocus-Umschalter[M]
focus mode selector

Objektivauswurf[M]
lens release button

Objektiv[N]
lens

Schärfentiefenknopf[M]
depth-of-field preview button

Objektive[N]
lenses

Weitwinkelobjektiv[N]
wide-angle lens

Teleobjektiv[N]
telephoto lens

Zoomobjektiv[N]
zoom lens

Makroobjektiv[N]
macro lens

Objektivzubehör[N]
lens accessorie

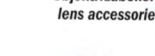

Objektivschutzdeckel[M]
lens cap

Gegenlichtblende[F]
lens hood

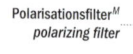

Polarisationsfilter[M]
polarizing filter

digitale Spiegelreflexkamera^F: Rückansicht^F
digital reflex camera: camera back

Hauptschalter^M
power switch

Menütaste^F
menu button

Flüssigkristallanzeige^F
liquid crystal display

Sucherokular^N
viewfinder

Einstellungsanzeige^F
settings display button

Speicherkarte^F
compact memory card

Abdeckung^F
cover

Öse^F für Tragriemen^M
strap eyelet

Bildvorlauf^M
multi-image jump button

Anschlussbuchsen^F für Video- und
Digitalübertragung^F
video and digital terminals

Bildanzeige^F
image review button

Fernsteuerungsanschlussbuchse^F
remote control terminal

Indexanzeige^F-/Zoomregler^M
index/enlarge button

Löschtaste^F
erase button

Vierwegeregler^M
four-way selector

Auswurftaste^F
eject button

Fotoapparate^M
still cameras

Sofortbildkamera^F
Polaroid® Land camera

Mittelformatkamera^F SLR (6 x 6)
medium format SLR (6 x 6)

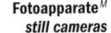

Ultrakompaktkamera^F
ultracompact camera

Kompaktkamera^F
compact camera

Einwegkamera^F
disposable camera

Großformatkamera^F
view camera

KOMMUNIKATION UND BÜROTECHNIK

Satellitenübertragungstechnik[F]

satellite broadcasting

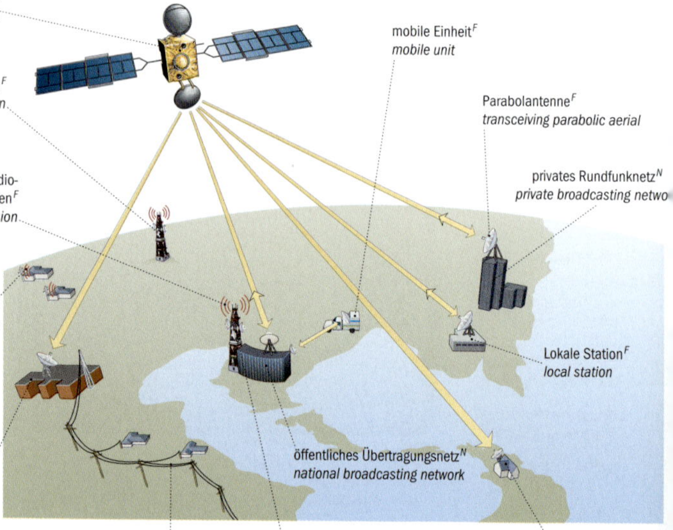

Satellit[M]
satellite

Relaisstation[F]
relay station

mobile Einheit[F]
mobile unit

Parabolantenne[F]
transceiving parabolic aerial

privates Rundfunknetz[N]
private broadcasting netwo

Sendung[F] mit Radio-Wellen[F]
Hertzian wave transmission

Hausantenne[F]
home aerial

Lokale Station[F]
local station

öffentliches Übertragungsnetz[N]
national broadcasting network

Kabelverteiler[M]
cable distributor

Verteilung[F] über Freileitungen[F]
distribution by aerial cable network

Fernmeldeturm[M]
transmitting tower

Satelliten-Direktempfang[M]
direct home reception

Fernmeldesatelliten[M]

telecommunication satellites

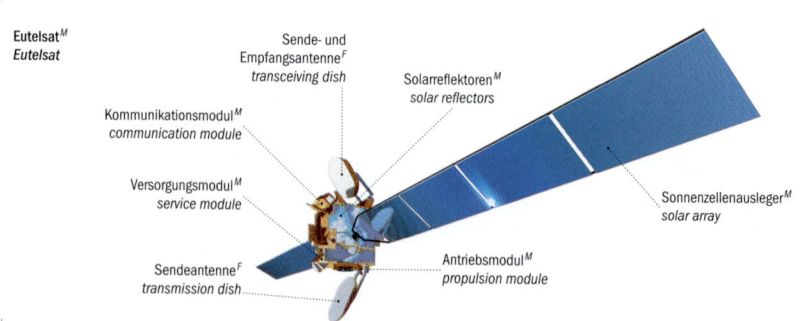

Eutelsat[M]
Eutelsat

Sende- und Empfangsantenne[F]
transceiving dish

Solarreflektoren[M]
solar reflectors

Kommunikationsmodul[M]
communication module

Versorgungsmodul[M]
service module

Sonnenzellenausleger[M]
solar array

Sendeantenne[F]
transmission dish

Antriebsmodul[M]
propulsion module

Telekommunikation^F über Nachrichtensatellit^M

telecommunications by satellite

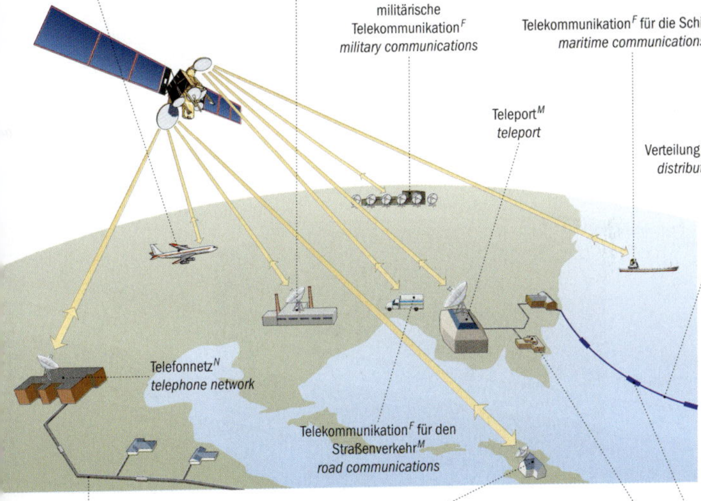

Telekommunikation^F für die
Luftfahrt^F
in-flight communications

industrielle Telekommunikation^F
industrial communications

militärische
Telekommunikation^F
military communications

Telekommunikation^F für die Schifffahrt^F
maritime communications

Teleport^M
teleport

Verteilung^F über Tiefseekabel^N
distribution by submarine cable

Telefonnetz^N
telephone network

Telekommunikation^F für den
Straßenverkehr^M
road communications

Verteilung^F über unterirdisches
Kabelnetz^N
distribution by underground cable network

private Telekommunikation^F
personal communications

Konsument^M
consumer

Relaisstelle^F
repeater

Fernmeldesatelliten^M

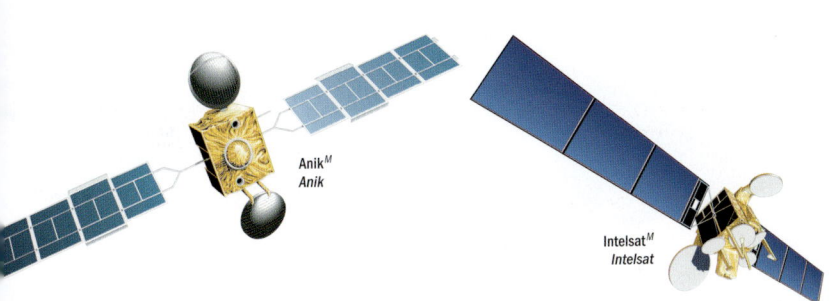

Anik^M
Anik

Intelsat^M
Intelsat

Fernsehen[N]
television

LCD-Fernseher[M] (Liquid-Crystal-Display-Fernseher[M])
liquid crystal display (LCD) television

Plasmafernseher[M]
plasma television

CRT-Fernseher[M]
(Kathodenstrahlröhren-Fernseher[M])
cathode ray tube (CRT) television

Gehäuse[N]
cabinet

Bildschirm[M]
screen

Netzschalter[M]
power button

Bedientasten[F]
tuning controls

Sensor[M] für Fernbedienung[F]
remote control sensor

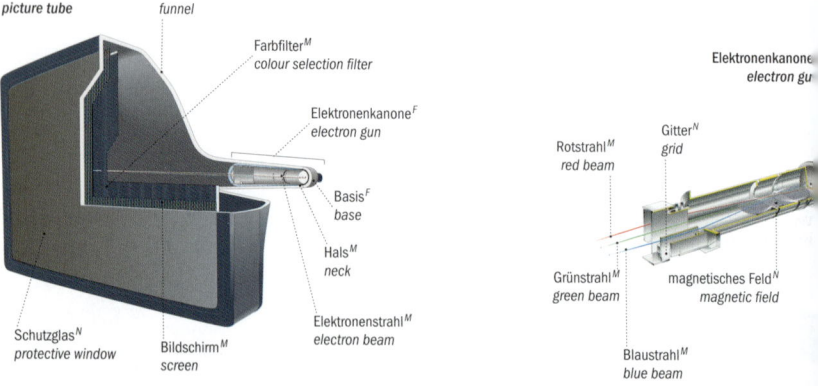

Bildröhre[F]
picture tube

Trichter[M]
funnel

Farbfilter[M]
colour selection filter

Elektronenkanone[F]
electron gun

Basis[F]
base

Hals[M]
neck

Elektronenstrahl[M]
electron beam

Schutzglas[N]
protective window

Bildschirm[M]
screen

Elektronenkanone
electron gu

Rotstrahl[M]
red beam

Gitter[N]
grid

Grünstrahl[M]
green beam

magnetisches Feld[N]
magnetic field

Blaustrahl[M]
blue beam

Fernbedienung[F]
remote control

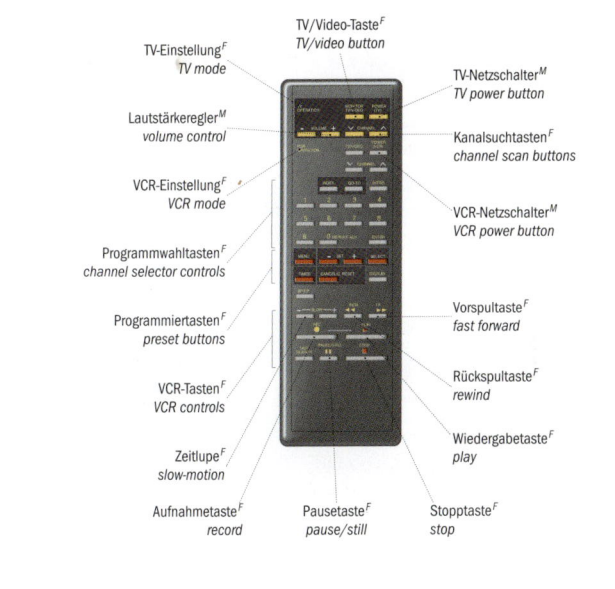

TV/Video-Taste[F]
TV/video button

TV-Einstellung[F]
TV mode

TV-Netzschalter[M]
TV power button

Lautstärkeregler[M]
volume control

Kanalsuchtasten[F]
channel scan buttons

VCR-Einstellung[F]
VCR mode

VCR-Netzschalter[M]
VCR power button

Programmwahltasten[F]
channel selector controls

Programmiertasten[F]
preset buttons

Vorspultaste[F]
fast forward

VCR-Tasten[F]
VCR controls

Rückspultaste[F]
rewind

Zeitlupe[F]
slow-motion

Wiedergabetaste[F]
play

Aufnahmetaste[F]
record

Pausetaste[F]
pause/still

Stopptaste[F]
stop

DVD-Recorder[M]
DVD recorder

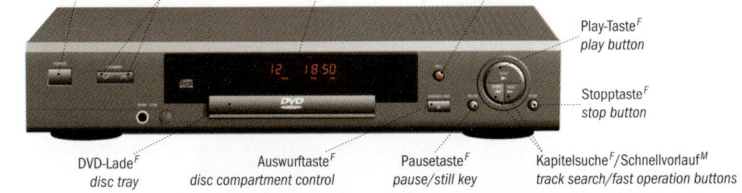

Ein-/Ausschalter[M]
power button

Kanalauswahl[F]
channel select

Display[N]
display

Aufnahmetaste[F]
record button

Play-Taste[F]
play button

Stopptaste[F]
stop button

DVD-Lade[F]
disc tray

Auswurftaste[F]
disc compartment control

Pausetaste[F]
pause/still key

Kapitelsuche[F]/Schnellvorlauf[M]
track search/fast operation buttons

Videokassette[F]
video cassette

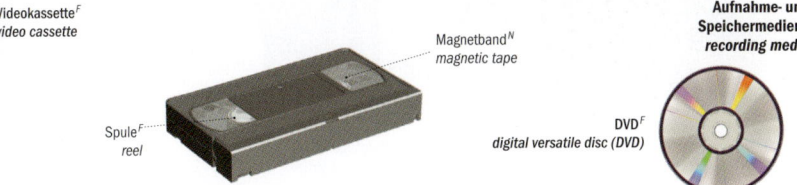

Magnetband[N]
magnetic tape

Spule[F]
reel

**Aufnahme- und
Speichermedien**[N]
recording media

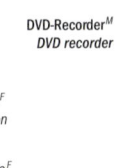

DVD[F]
digital versatile disc (DVD)

Mini-DV-Camcorder[M]: Vorderansicht[F]
mini-DV camcorder: front view

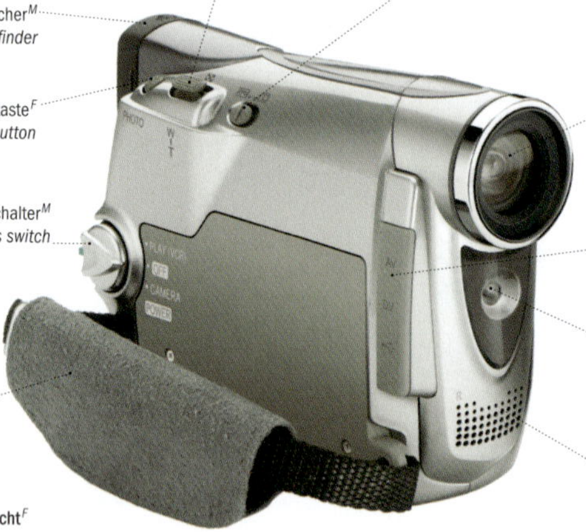

elektronischer Sucher[M]
electronic viewfinder

Fototaste[F]
photoshot button

Haupt-/Funktionsschalter[M]
power/functions switch

Schulterriemen[M]
shoulder strap

Zoomtaste[F]
zoom button

Aufnahmemodus[M]
recording mode

Zoomobjektiv[N]
zoom lens

Anschlussabdeckung[F]
terminal cover

Lampe[F]
lamp

Mikrofon[N]
microphone

Mini-DV-Camcorder[M]: Rückansicht[F]
mini-DV camcorder: rear view

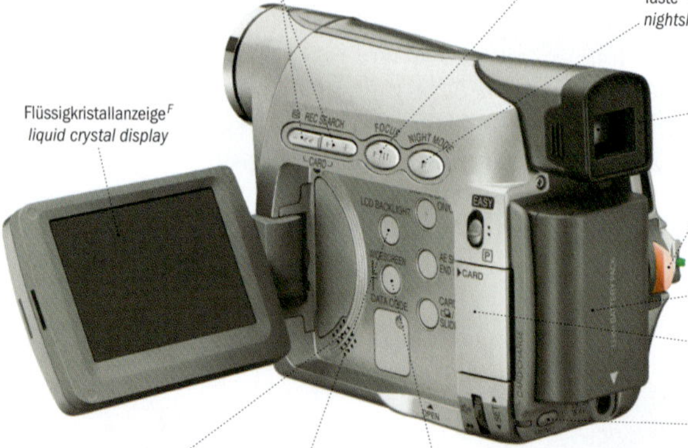

Videobandsteuerungen[F]
videotape operation controls

Fokustaste[F]
focus button

Taste[F] für Nachtaufnahme-Modus[M]
nightshot button

Flüssigkristallanzeige[F]
liquid crystal display

Sucher[M]
eyepiece

Aufnahme[F]-Start[M]-/Stopptaste[F]
recording start/stop button

Akku[M]
rechargeable battery pack

Steckplatz[M] für Speicherkarte[F]
card slot

Menütaste[F]
menu button

Lautsprecher[M]
speaker

Aufhelltaste[F]
backlighting button

Taste für Breitbildfunktion/Datumsoption
widescreen/data code button

Parabolantenne^F
dish aerial

Receiver^M
receiver

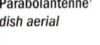

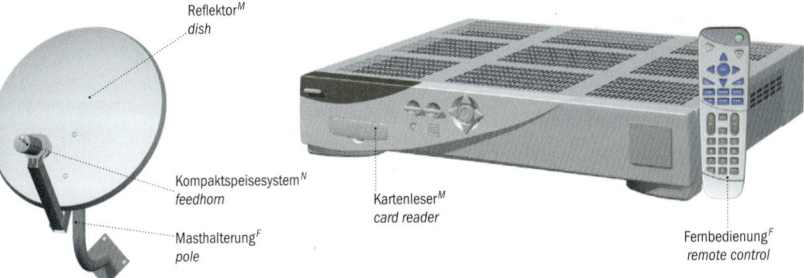

Reflektor^M
dish

Kompaktspeisesystem^N
feedhorn

Masthalterung^F
pole

Kartenleser^M
card reader

Fernbedienung^F
remote control

Heimkino^N
home theatre

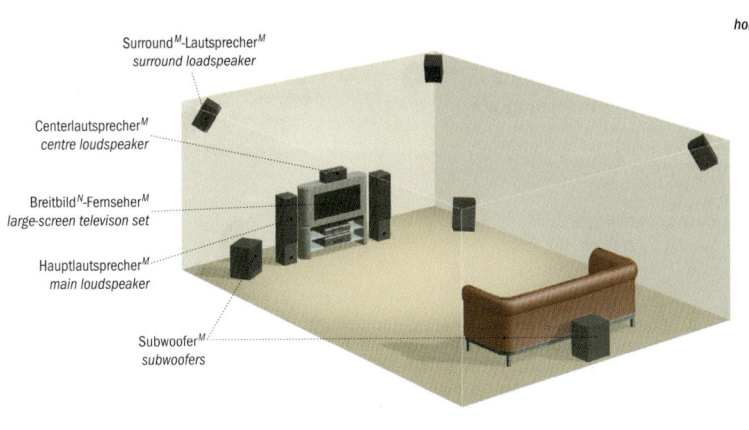

Surround^M-Lautsprecher^M
surround loadspeaker

Centerlautsprecher^M
centre loudspeaker

Breitbild^N-Fernseher^M
large-screen televison set

Hauptlautsprecher^M
main loudspeaker

Subwoofer^M
subwoofers

Videorecorder^M
videocassette recorder

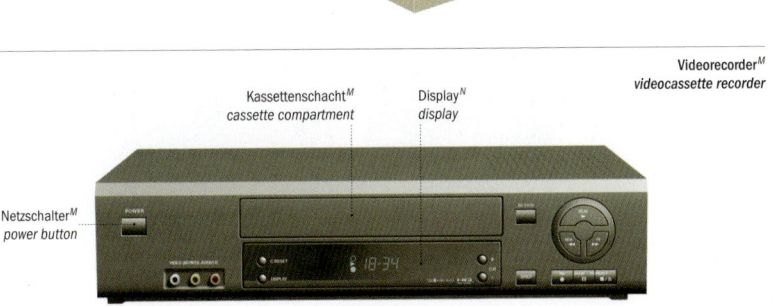

Kassettenschacht^M
cassette compartment

Display^N
display

Netzschalter^M
power button

Tonwiedergabesystem^N
stereo sound system

Receiver^M: Vorderansicht^F
ampli-tuner: front view

Klangwahlschalter^M
sound mode selector

Klangwahlanzeige^F
sound mode lights

Kontrollleuchten^F für
Tonsignalquellen^F
input lights

Kassettenrekorder^M-Wahltaste^F
tape recorder select button

Netzschalter^M
power button

Feldstärkeregler^M
sound field control

Tonsignalquellen^F-Wahltaster^M
input select button

Kanalwahltasten^F für Lautsprecher^M
loudspeaker system select buttons

Kopfhörerbuchse^F
headphone jack

Sendersuchlauftasten^F
tuning buttons

Display^N
display

Lautstärkeregler^M
volume control

Vorwahlsender^M-Wahltaste^F
preset tuning button

Speichertaste^F
memory button

Eingangsschalter^M
input selector

Balanceregler^M
balance control

Bandwahltaste^F
band select button

UKW^F-Wahltaste^F
FM mode select button

Bassregler^M
bass tone control

Höhenregler^M
treble tone control

Amplituner^M: Rückansicht^F
ampli-tuner: back view

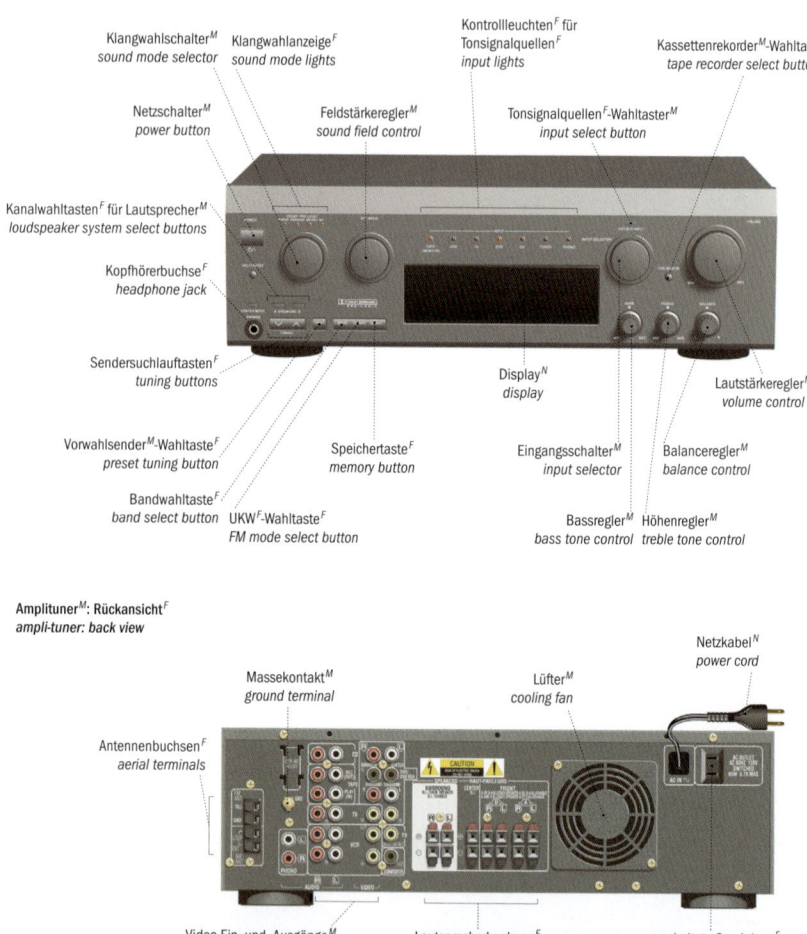

Netzkabel^N
power cord

Massekontakt^M
ground terminal

Lüfter^M
cooling fan

Antennenbuchsen^F
aerial terminals

Video-Ein- und -Ausgänge^M
input/output video jacks

Lautsprecherbuchsen^F
loudspeaker terminals

geschaltete Steckdose^F
switched outlet

Tonwiedergabesystem^N

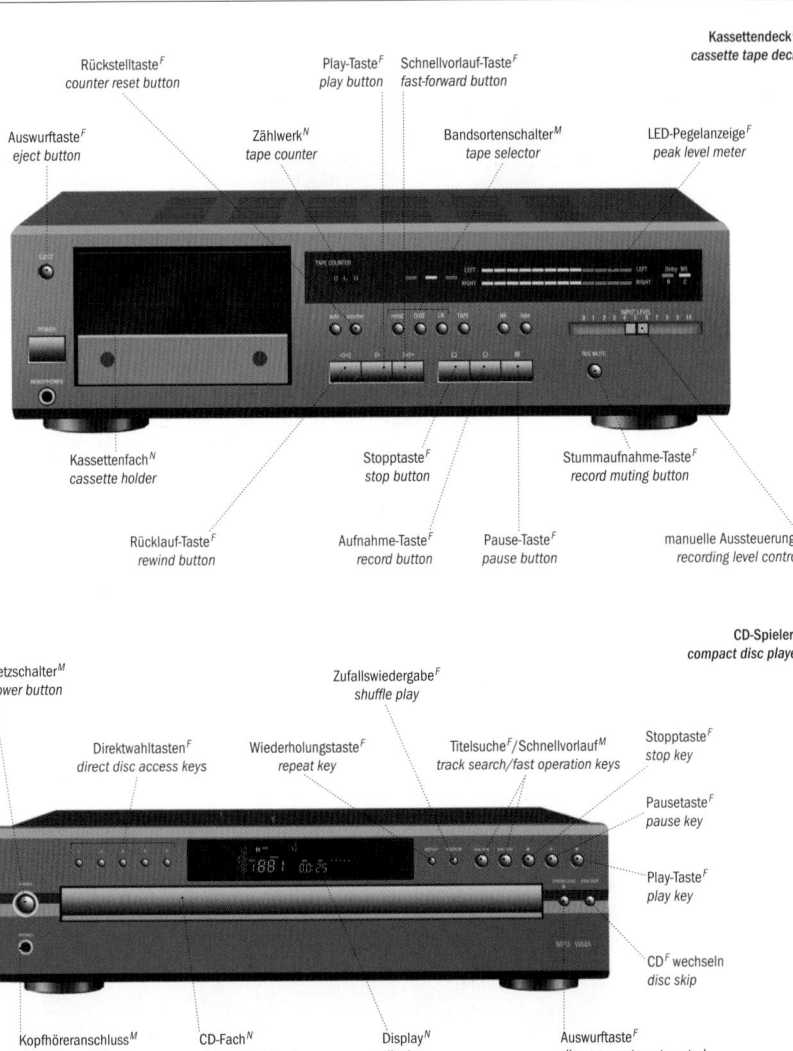

Kassettendeck^N
cassette tape deck

Rückstelltaste^F
counter reset button

Play-Taste^F
play button

Schnellvorlauf-Taste^F
fast-forward button

Auswurftaste^F
eject button

Zählwerk^N
tape counter

Bandsortenschalter^M
tape selector

LED-Pegelanzeige^F
peak level meter

Kassettenfach^N
cassette holder

Stopptaste^F
stop button

Stummaufnahme-Taste^F
record muting button

Rücklauf-Taste^F
rewind button

Aufnahme-Taste^F
record button

Pause-Taste^F
pause button

manuelle Aussteuerung^F
recording level control

CD-Spieler^M
compact disc player

Netzschalter^M
power button

Zufallswiedergabe^F
shuffle play

Direktwahltasten^F
direct disc access keys

Wiederholungstaste^F
repeat key

Titelsuche^F/Schnellvorlauf^M
track search/fast operation keys

Stopptaste^F
stop key

Pausetaste^F
pause key

Play-Taste^F
play key

CD^F wechseln
disc skip

Kopfhöreranschluss^M
headphone jack

CD-Fach^N
disc compartment

Display^N
display

Auswurftaste^F
disc compartment control

KOMMUNIKATION UND BÜROTECHNIK

Tonwiedergabesystem^N

Kopfhörer^M
headphones

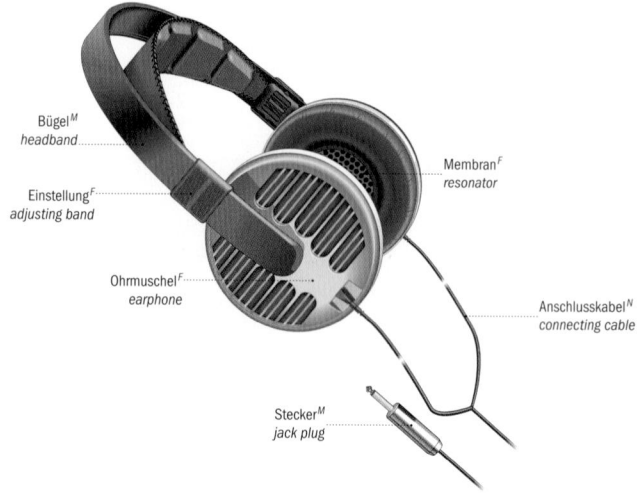

Bügel^M
headband

Einstellung^F
adjusting band

Ohrmuschel^F
earphone

Membran^F
resonator

Anschlusskabel^N
connecting cable

Stecker^M
jack plug

Lautsprecherbox^F
loudspeaker

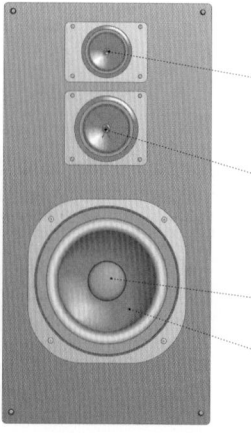

rechter Kanal^M
right channel

linker Kanal^M
left channel

Hochtöner^M
tweeter

Mitteltöner^M
midrange speaker

Abdeckung^F
speaker cover

Tieftöner^M
woofer

Membran^F
diaphragm

Mini-HiFi^F-System^N
mini stereo sound system

CD^F-Spieler^M
compact disc player

Receiver^M
ampli-tuner

Lautsprecher^M
loudspeaker

CD^F-Rekorder^M
compact disc recorder

Doppel-Kassettendeck^N
dual cassette deck

tragbare Tonwiedergabesysteme^N
portable sound systems

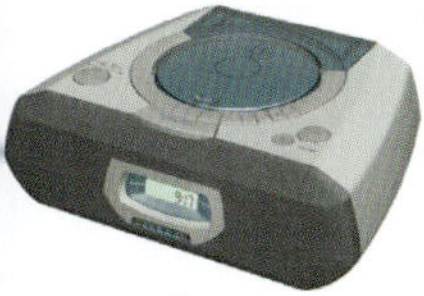

Frequenzanzeige^F
frequency display

Teleskopantenne^F
telescopic aerial

Tragebügel^M
handle

Kofferradio^N
portable radio

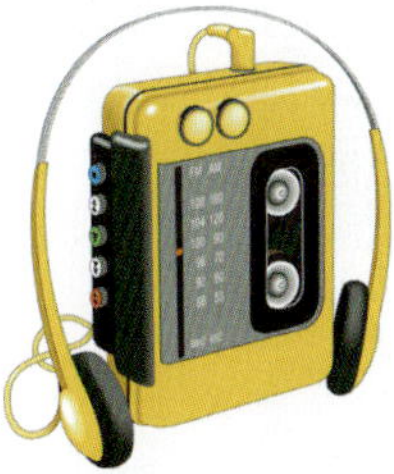

Höhenregler^M
treble tone control

Frequenzwähler^M
tuning control

Bassregler^M
bass tone control

Lautstärkeregler^M
volume control

Uhrenradio^N
clock radio

Display^N
display

Kopfhörer^M
earphones

Walkman$^{M®}$ mit Radioteil^N
personal radio cassette player

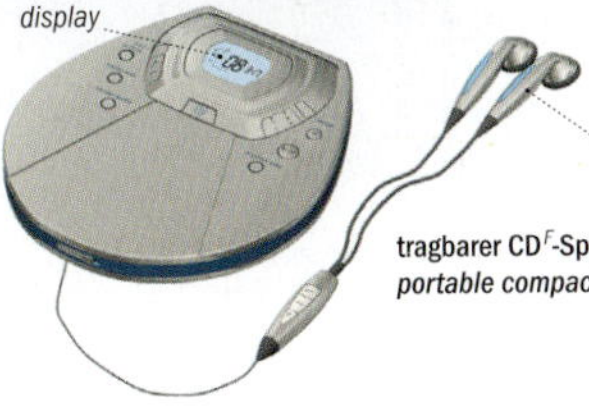

tragbarer CD^F-Spieler^M
portable compact disc player

tragbare Tonwiedergabesysteme[N]

MP3-Spieler[M]
portable digital audio player

Kabel[N]
lead

Klinke[F]
plug

Display[N]
display

Menütaste[F]
menu button

Auswahltaste[F]
select button

Rückspultaste[F]
previous/rewind button

Vorspultaste[F]
next/fast-forward button

Play-Taste[F]/Pausetaste[F]
play/pause button

Kopfhörer[M]
earphones

Satellitenradioempfänger[M]
satellite radio receiver

Direktwahltasten[F]
number buttons

LCD-Display[N]
liquid crystal display

Speichertaste[F]
memory button

Sendervorwahltaste[F]
preset button

Menütaste[F]
menu button

Kategoriewahltasten[F]
category buttons

Displaytaste[F]
display button

Senderwahl[F]
tuning control

Radiorecorder[M] **mit CD-Spieler**[M]
portable CD radio cassette recorder

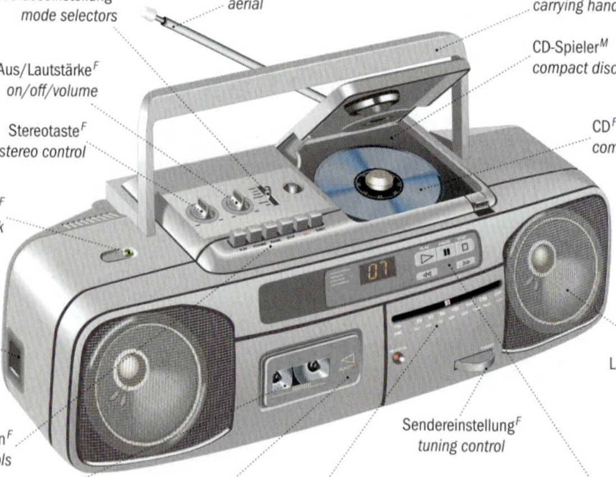

Betriebseinstellung[F]
mode selectors

Antenne[F]
aerial

Tragebügel[M]
carrying handle

Ein/Aus/Lautstärke[F]
on/off/volume

CD-Spieler[M]
compact disc player

Stereotaste[F]
stereo control

CD[F]
compact disc

Kopfhörerbuchse[F]
headphone jack

Netzanschluss[M]
power socket

Lautsprecher[M]
speaker

Kassettendecktasten[F]
cassette player controls

Kassette[F]
cassette

Kassettenteil[N]
cassette player

Empfangsteil[N]
radio section

Sendereinstellung[F]
tuning control

CD-Tasten[F]
compact disc player controls

Telefonieren[N]
communication by telephone

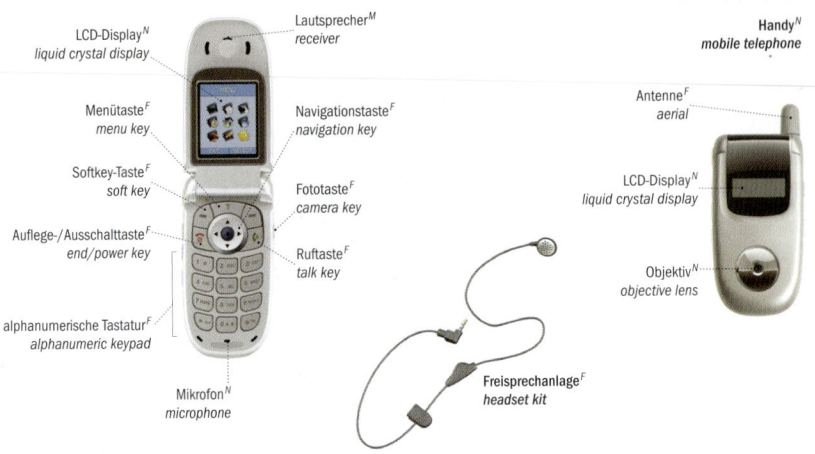

LCD-Display[N]
liquid crystal display

Lautsprecher[M]
receiver

Handy[N]
mobile telephone

Menütaste[F]
menu key

Navigationstaste[F]
navigation key

Antenne[F]
aerial

Softkey-Taste[F]
soft key

Fototaste[F]
camera key

LCD-Display[N]
liquid crystal display

Auflege-/Ausschalttaste[F]
end/power key

Ruftaste[F]
talk key

Objektiv[N]
objective lens

alphanumerische Tastatur[F]
alphanumeric keypad

Mikrofon[N]
microphone

Freisprechanlage[F]
headset kit

Telefonapparat[M]
telephone

Hörmuschel[F]
receiver

Display[N]
display

Hörer[M]
handset

An-/Aus-Kontrolllampe[F]
on/off light

Lautstärkeregler[M] für den Hörer[M]
receiver volume control

Sprechmuschel[F]
transmitter

Displayeinstellung[F]
display setting

Schnur[F]
handset flex

Lautstärkeregler[M] für den Rufton[M]
ringing volume control

Tasten[F]
push buttons

Rufnummernregister[N]
telephone list

Rufnummernregister[N] für automatische Wahl[F]
automatic dialling index

Speichertaste[F]
memory button

Funktionswahltaste[F]
function selectors

KOMMUNIKATION UND BÜROTECHNIK

Telefonieren[N]

digitaler Anrufbeantworter[M]
digital answering machine

Lautsprecher[M]
speaker

Löschen
delete

Vorherige Nachricht[F]
previous

Einstellungen[F]
setup

Ein-/Ausschalttaste[F]
power button

Nächste Nachricht[F]
next

Display[N]
display

Play-Taste[F]
play

Stopptaste[F]
stop

Mikrofon[N]
microphone

Lautstärke[F]
volume

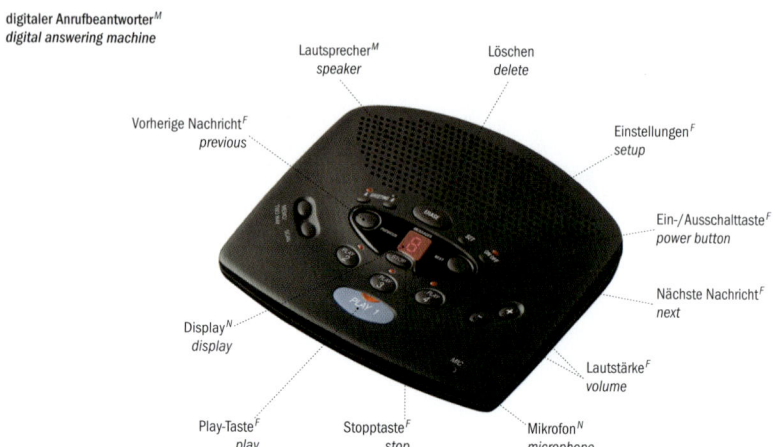

Telefaxgerät[N]
fax machine

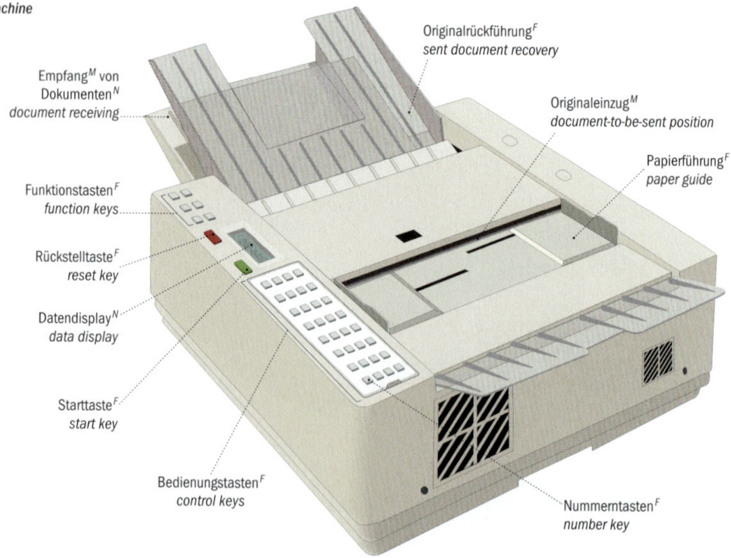

Originalrückführung[F]
sent document recovery

Empfang[M] von Dokumenten[N]
document receiving

Originaleinzug[M]
document-to-be-sent position

Papierführung[F]
paper guide

Funktionstasten[F]
function keys

Rückstelltaste[F]
reset key

Datendisplay[N]
data display

Starttaste[F]
start key

Bedienungstasten[F]
control keys

Nummerntasten[F]
number key

Personalcomputer^M
personal computer

Bildschirm^M
video monitor

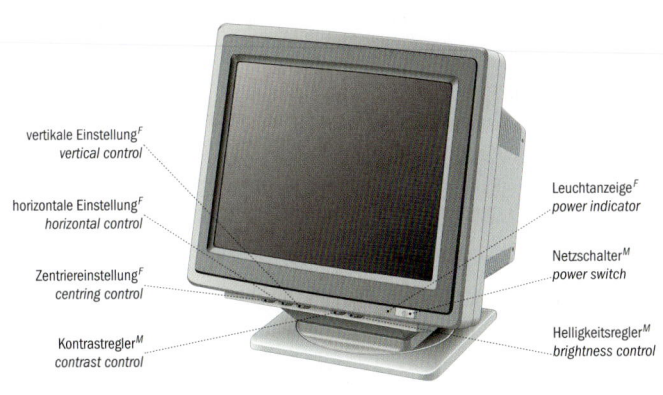

vertikale Einstellung^F
vertical control

horizontale Einstellung^F
horizontal control

Zentriereinstellung^F
centring control

Kontrastregler^M
contrast control

Leuchtanzeige^F
power indicator

Netzschalter^M
power switch

Helligkeitsregler^M
brightness control

Towergehäuse^N:
Rückansicht^F
tower case: back view

Towergehäuse^N: Vorderansicht^F
tower case: front view

KOMMUNIKATION UND BÜROTECHNIK

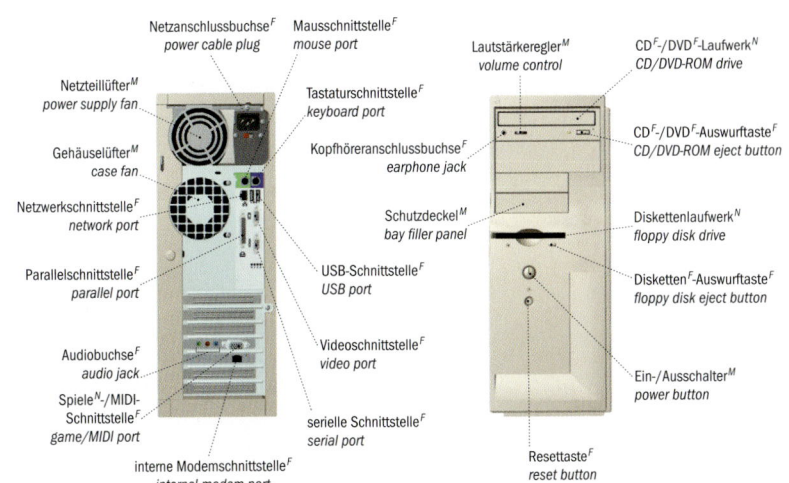

Netzanschlussbuchse^F
power cable plug

Mausschnittstelle^F
mouse port

Netzteillüfter^M
power supply fan

Tastaturschnittstelle^F
keyboard port

Gehäuselüfter^M
case fan

Kopfhöreranschlussbuchse^F
earphone jack

Netzwerkschnittstelle^F
network port

Parallelschnittstelle^F
parallel port

Schutzdeckel^M
bay filler panel

Audiobuchse^F
audio jack

USB-Schnittstelle^F
USB port

Spiele^N-/MIDI-
Schnittstelle^F
game/MIDI port

Videoschnittstelle^F
video port

serielle Schnittstelle^F
serial port

interne Modemschnittstelle^F
internal modem port

Lautstärkeregler^M
volume control

CD^F-/DVD^F-Laufwerk^N
CD/DVD-ROM drive

CD^F-/DVD^F-Auswurftaste^F
CD/DVD-ROM eject button

Diskettenlaufwerk^N
floppy disk drive

Disketten^F-Auswurftaste^F
floppy disk eject button

Ein-/Ausschalter^M
power button

Resettaste^F
reset button

Eingabegeräte^N

input devices

**Tastatur^F und
Piktogramme^N**
keyboard and pictograms

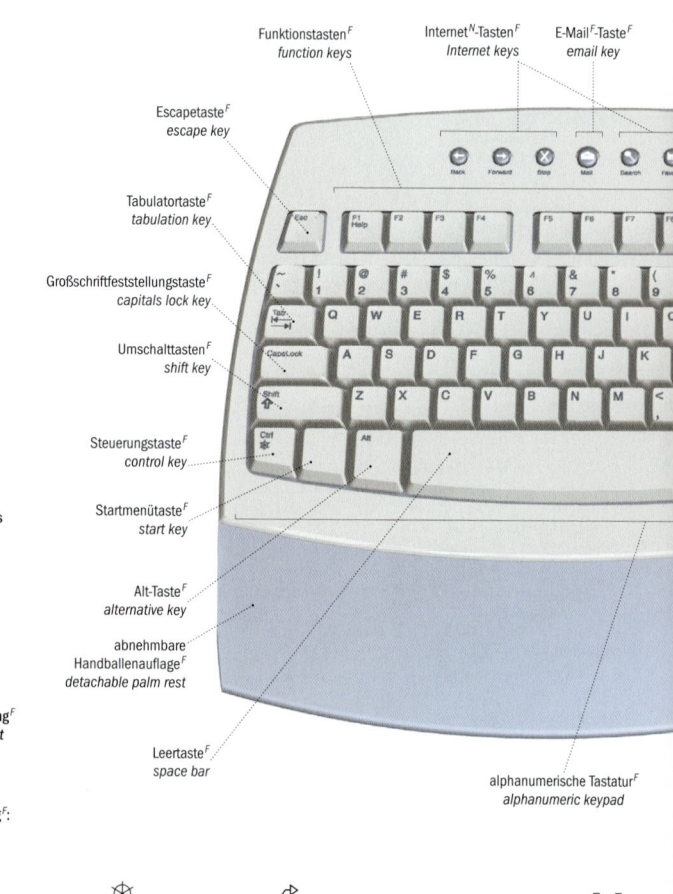

Funktionstasten^F
function keys

Internet^N-Tasten^F
Internet keys

E-Mail^F-Taste^F
email key

Escapetaste^F
escape key

Tabulatortaste^F
tabulation key

Großschriftfeststellungstaste^F
capitals lock key

Umschalttasten^F
shift key

Steuerungstaste^F
control key

Startmenütaste^F
start key

Alt-Taste^F
alternative key

abnehmbare
Handballenauflage^F
detachable palm rest

Leertaste^F
space bar

alphanumerische Tastatur^F
alphanumeric keypad

Abbruch^M
escape

Tabulator^M nach links
tabulation left

Tabulator^M nach rechts
tabulation right

Großschriftfeststellung^F
capitals lock

Alternative^F: Drittbelegung^F
alternate: level 3 select

Großschriftumschaltung^F:
Zweitbelegung^F
shift: level 2 select

Steuerung^F: Gruppenwahl^F
control: group select

Steuerung^F
control

Alternative^F
alternate

Leerzeichen^N
space

geschütztes
Leerzeichen^N
non-breaking space

Taste[F] Druck[M]/Systemabfrage[F]
print screen/system request key

Kontrollleuchten[F]
indicator lights

Taste[F] löschender
Rückschritt[M]
backspace key

Scrollen[N]-Feststelltaste[F]
scrolling lock key

Einfügetaste[F]
insert key

Taste[F] Pause[F]/Unterbrechung[F]
pause/break key

Taste[F] Cursor[M] an
Zeilenanfang[M]
home key

Taste[F] numerischer Block[M]
numeric lock key

Taste[F] vorherige Seite[F]
page up key

Taste[F] nächste Seite[F]
page down key

Eingabetaste[F]
enter key

Taste[F] Ende[N]
end key

numerisches
Tastenfeld[N]
numeric keypad

Richtungstasten[F]
cursor movement keys

Löschtaste[F]
delete key

Eingabetaste[F]
enter key

löschender Rückschritt[M]
backspace

Bildschirminhalt[M]
drucken
print screen

Cursor[M] nach links
cursor left

Cursor[M] nach rechts
cursor right

Cursor[M] nach oben
cursor up

Cursor[M] nach unten
cursor down

Eingabe[F]
return

Pause[F]
pause

Unterbrechung[F]
break

numerischer Block[M]
numeric lock

Scrollen[N]
scrolling

Einfügen[N]
insert

Löschen[N]
delete

Cursor[M] an
Zeilenanfang[M]
home

Cursor[M] an
Zeilenende[N]
end

vorherige Seite[F]
page up

nächste Seite[F]
page down

Eingabegeräte^N

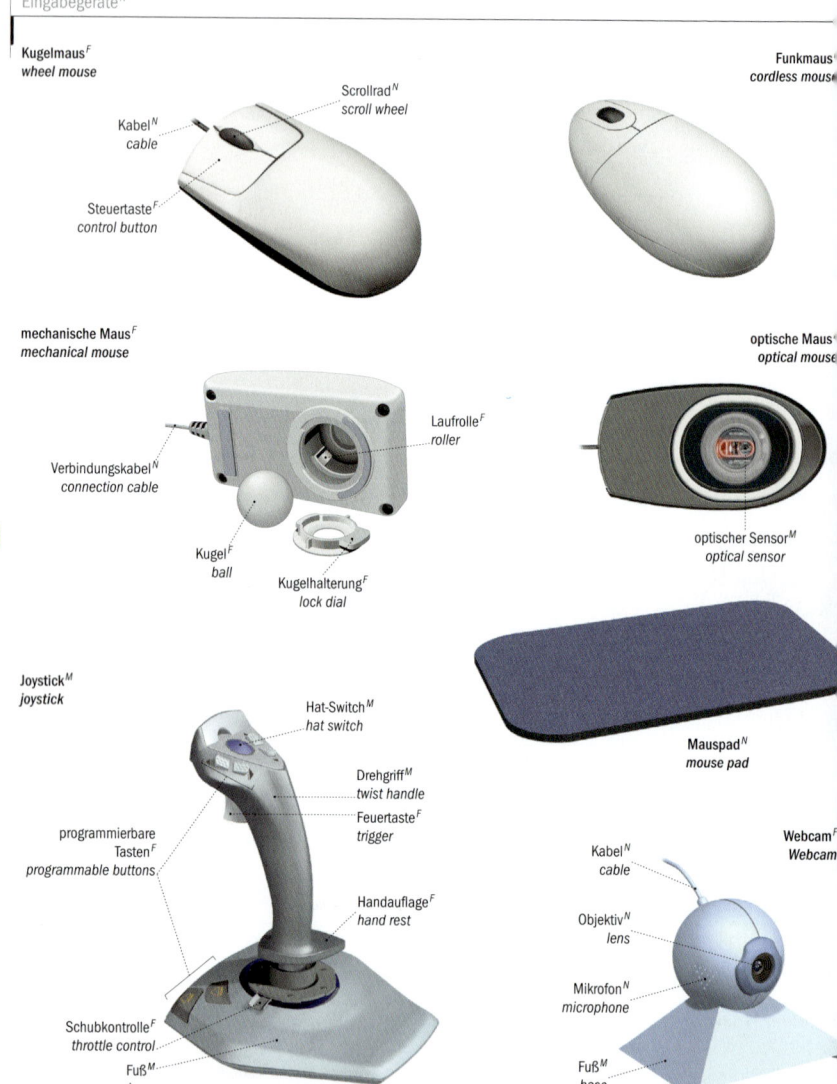

Kugelmaus^F
wheel mouse

Scrollrad^N
scroll wheel

Kabel^N
cable

Steuertaste^F
control button

Funkmaus
cordless mouse

mechanische Maus^F
mechanical mouse

Laufrolle^F
roller

Verbindungskabel^N
connection cable

Kugel^F
ball

Kugelhalterung^F
lock dial

optische Maus
optical mouse

optischer Sensor^M
optical sensor

Mauspad^N
mouse pad

Joystick^M
joystick

Hat-Switch^M
hat switch

Drehgriff^M
twist handle

Feuertaste^F
trigger

programmierbare
Tasten^F
programmable buttons

Handauflage^F
hand rest

Schubkontrolle^F
throttle control

Fuß^M
base

Webcam^F
Webcam

Kabel^N
cable

Objektiv^N
lens

Mikrofon^N
microphone

Fuß^M
base

KOMMUNIKATION UND BÜROTECHNIK

Ausgabegeräte^N
output devices

Abbruchtaste^F
cancel button

Tintenpatronen^F-
Kontrollleuchte^F
print cartridge light

Kontrollleuchte^F Papiereinzug^M
paper feed light

Tintenstrahldrucker^M
inkjet printer

Frontabdeckung^F
front cover

Netzkontrollleuchte^F
power light

Papierausgabe^F
output tray

Ein-/Ausschalter^M
power button

Papiereinzugtaste^F
paper feed button

Papierkassette^F
input tray

Speichergeräte^N
data storage devices

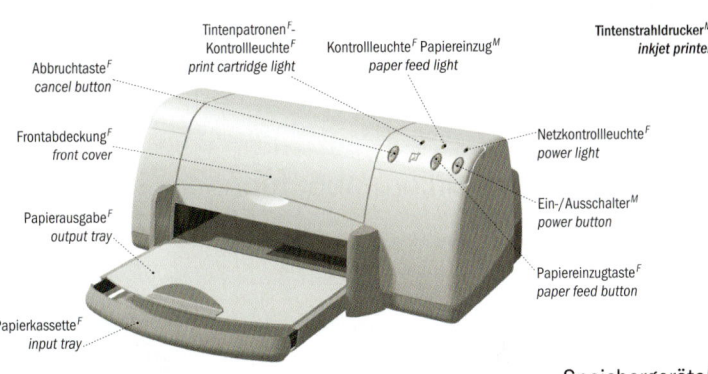

externes Festplattenlaufwerk^N
removable hard disk drive

herausnehmbare
Festplatte^F
removable hard disk

Platte^F
disk

Festplattenlaufwerk^N
hard disk drive

Schreib-/Lesekopf^M
read/write head

Sucharm^M
actuator arm

Kassette^F
cassette

Kassettenlaufwerk^N
cassette drive

USB-Stick^M
USB key

USB-Stecker^M
USB connector

Speicherkartenlesegerät^N
memory card reader

externes Diskettenlaufwerk^N
external floppy disk drive

Diskette^F
diskette, floppy disk

Zugriffsöffnung^F
access window

Verschluss^M
shutter

Schreibschutz^M
protect tab

DVD-Brenner^M
DVD burner

KOMMUNIKATION UND BÜROTECHNIK

Internet[N]
Internet

URL-Adresse[F] (vereinheitlichter
Ressourcenzugriff[M])
URL (uniform resource locator)

Kommunikationsprotokoll[N]
communication protocol

Domainname[M]
domain name

Dateiformat[N]
file format

http://www.un.org/aboutun/index.html

Doppelschrägstrich[M]
double slash

Domain[F] zweiten Grades[M]
second-level domain

Ordner[M], Verzeichnis[N]
directory

Datei[F]
file

Server[M]
server

Toplevel[N]-Domain[F]
top-level domain

Browser[M]
browser

Mikrowellen[F]-Relaisstation[F]
microwave relay station

URL-Adresse[F]
URL

Hyperlinks[M]
hyperlinks

Tiefseekabel[N]
submarine line

Telefonleitung[F]
telephone line

E-Mail[F]-Software[F]
email software

Internet[N]-Nutzer[M]
Internet user

Browser[M]
browser

Modem[N]
modem

Router[M]
router

Standleitung[F]
dedicated line

Tischcomputer[M]
desktop computer

Internet^N-Nutzungen^F

Internet uses

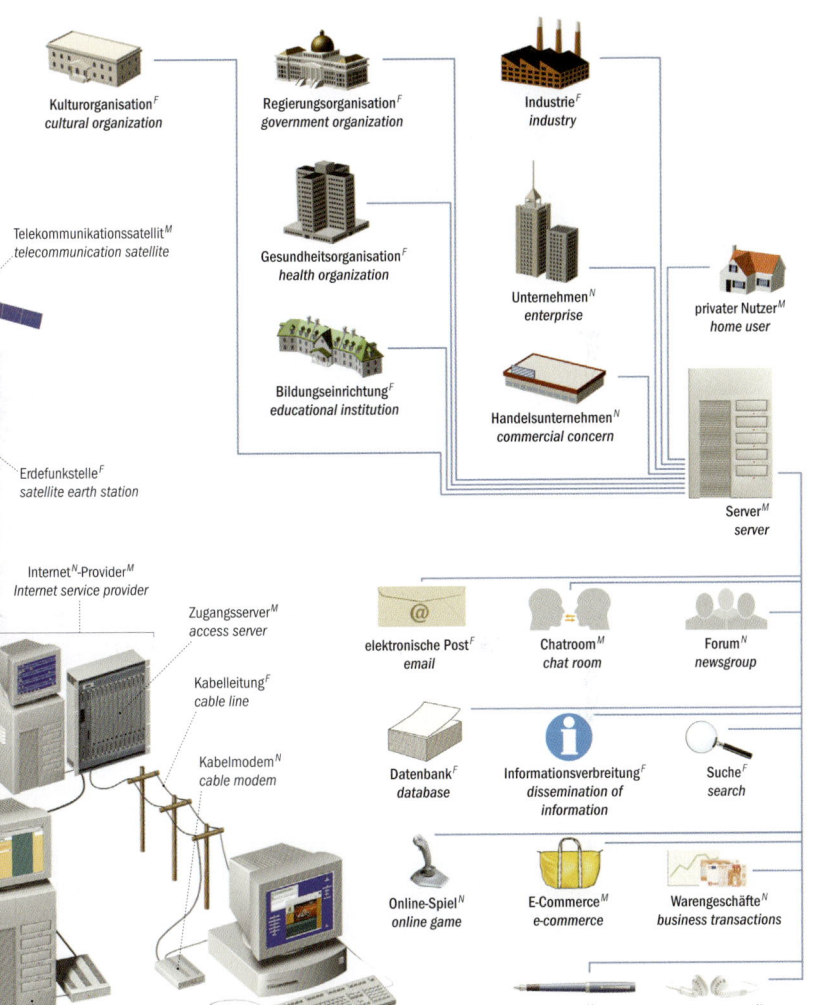

Kulturorganisation^F
cultural organization

Regierungsorganisation^F
government organization

Industrie^F
industry

Telekommunikationssatellit^M
telecommunication satellite

Gesundheitsorganisation^F
health organization

Unternehmen^N
enterprise

privater Nutzer^M
home user

Bildungseinrichtung^F
educational institution

Handelsunternehmen^N
commercial concern

Erdefunkstelle^F
satellite earth station

Server^M
server

Internet^N-Provider^M
Internet service provider

Zugangsserver^M
access server

Kabelleitung^F
cable line

Kabelmodem^N
cable modem

elektronische Post^F
email

Chatroom^M
chat room

Forum^N
newsgroup

Datenbank^F
database

Informationsverbreitung^F
dissemination of information

Suche^F
search

Online-Spiel^N
online game

E-Commerce^M
e-commerce

Warengeschäfte^N
business transactions

Server^M
server

Blog^M
blog

Podcasting^N
podcasting

Laptop^M
laptop computer

Laptop^M: Vorderansicht^F
laptop computer: front view

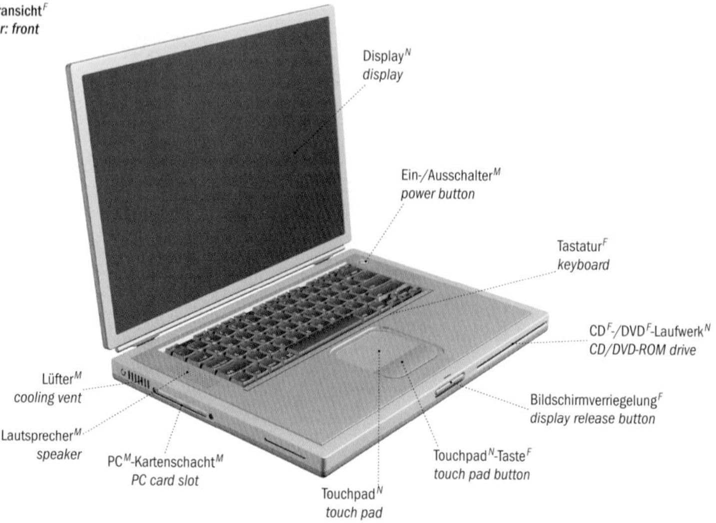

Display^N
display

Ein-/Ausschalter^M
power button

Tastatur^F
keyboard

CD^F-/DVD^F-Laufwerk^N
CD/DVD-ROM drive

Bildschirmverriegelung^F
display release button

Lüfter^M
cooling vent

Lautsprecher^M
speaker

PC^M-Kartenschacht^M
PC card slot

Touchpad^N-Taste^F
touch pad button

Touchpad^N
touch pad

Laptop^M: Rückansicht
laptop computer: rear view

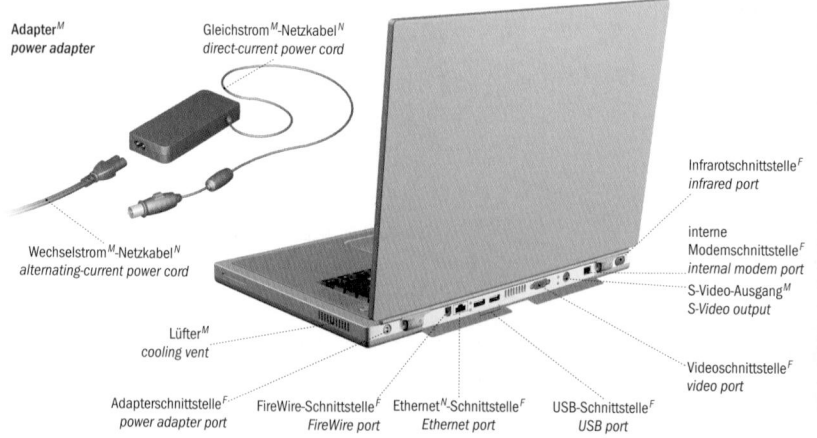

Adapter^M
power adapter

Gleichstrom^M-Netzkabel^N
direct-current power cord

Infrarotschnittstelle^F
infrared port

interne Modemschnittstelle^F
internal modem port

S-Video-Ausgang^M
S-Video output

Wechselstrom^M-Netzkabel^N
alternating-current power cord

Videoschnittstelle^F
video port

Lüfter^M
cooling vent

Adapterschnittstelle^F
power adapter port

FireWire-Schnittstelle^F
FireWire port

Ethernet^N-Schnittstelle^F
Ethernet port

USB-Schnittstelle^F
USB port

KOMMUNIKATION UND BÜROTECHNIK

Handheld-Computer ^{M}
pocket computer

Audio-Ein- und -
Ausgänge ^{M}
audio input/output jack

Sprachaufnahmetaste ^{F}
voice recorder button

Wahlrad ^{N}
dial/action button

Abbruchtaste ^{F}
exit button

Synchronisationskabel ^{N}
sync cable

Netzstecker ^{M}
power plug

Mikrofon ^{N}
microphone

Infrarotschnittstelle ^{F}
infrared port

Kontrollleuchte ^{F} Alarm ^{M}/Aufladen ^{N}
alarm/charge indicator light

Touchscreen ^{M}
touch screen

Anwendungsstarttasten ^{F}
application launch buttons

Betriebsschalter ^{M} und
Hintergrundbeleuchtung ^{F}
power and backlight button

Docking-Station ^{F}
docking cradle

Stift ^{M}
stylus

Schreibwaren ^{F}
stationery

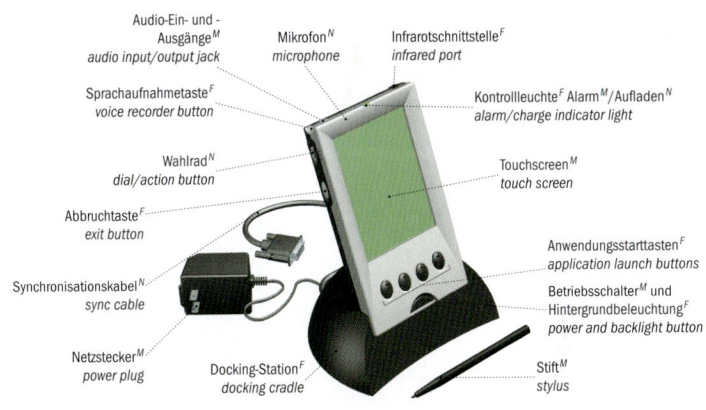

Taschenrechner ^{M}
pocket calculator

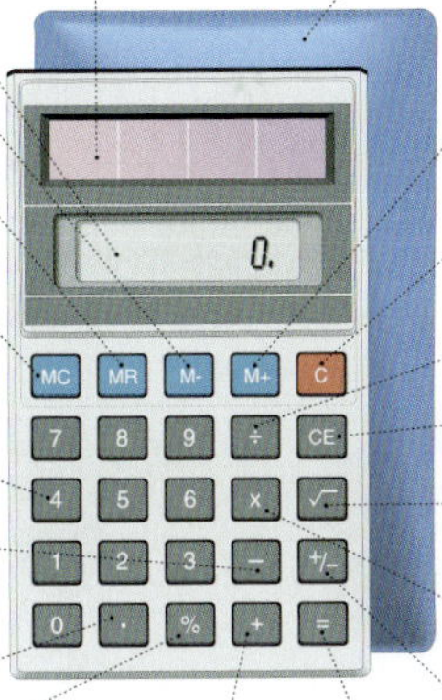

wissenschaftlicher
Taschenrechner ^{M}
scientific calculator

Anzeige ^{F}
display

Solarzelle ^{F}
solar cell

Etui ^{N}
wallet

Speichersubtraktionstaste ^{F}
subtract from memory

Speicheranzeigetaste ^{F}
memory recall

Speicherlöschtaste ^{F}
memory cancel

Tischrechner ^{M} mit
Druckerteil ^{N}
printing calculator

Zifferntaste ^{F}
number key

Subtraktionstaste ^{F}
subtract key

Kommatataste ^{F}
decimal key

Prozenttaste ^{F}
percent key

Additionstaste ^{F}
add key

Gleichtaste ^{F}
equals key

Speicheradditionstaste ^{F}
add in memory

Löschtaste ^{F}
clear key

Divisionstaste ^{F}
divide key

Eingabe-Löschtaste ^{F}
clearentry key

Quadratwurzeltaste ^{F}
square root key

Multiplikationstaste ^{F}
multiply key

Vorzeichentaste ^{F}
change sign key

Schreibwaren^F

für die Terminplanung^F
for time use

Abreißkalender^M
tear-off calendar

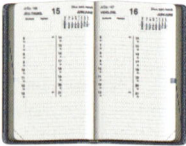

Terminkalender^M
appointment book

Ringbuchkalender^M
calendar pad

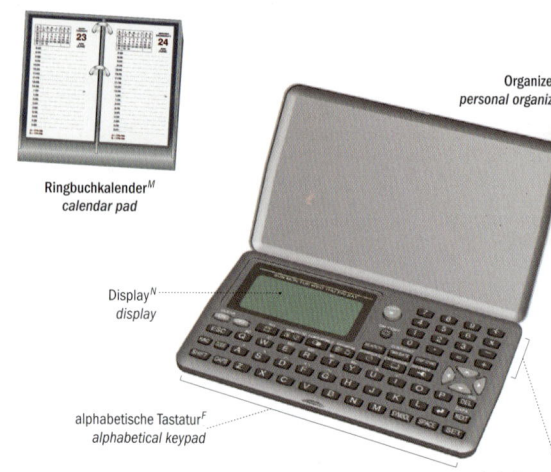

Organizer
personal organizer

Display^N
display

alphabetische Tastatur^F
alphabetical keypad

numerische Tastatur
numeric keypad

Haftnotiz^F
self-stick note

Notizblock^M
memo pad

für die Korrespondenz^F
for correspondence

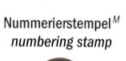

Stempel^M
rubber stamp

Nummerierstempel^M
numbering stamp

Datumstempel^M
date stamp

Stempelkissen^N
stamp pad

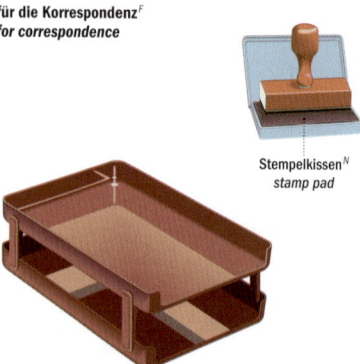

Dokumentenablage^F
desk tray

Drehkartei^F
rotary file

Telefonnummernverzeichnis^N
telephone index

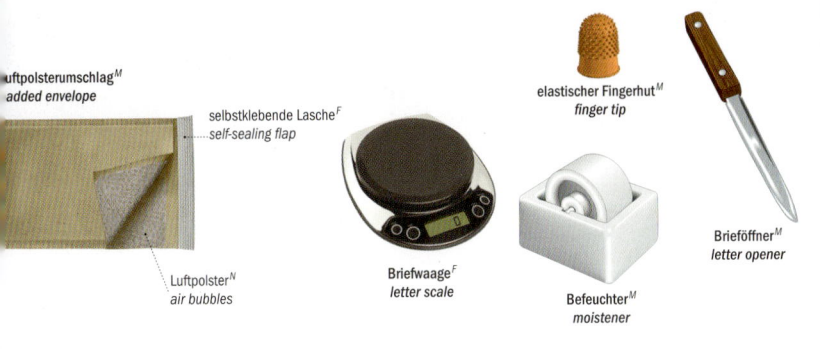

Luftpolsterumschlag^M
added envelope

selbstklebende Lasche^F
self-sealing flap

Luftpolster^N
air bubbles

Briefwaage^F
letter scale

elastischer Fingerhut^M
finger tip

Befeuchter^M
moistener

Brieföffner^M
letter opener

für die Ablage^F
for filing

Registriereinlagen^F
dividers

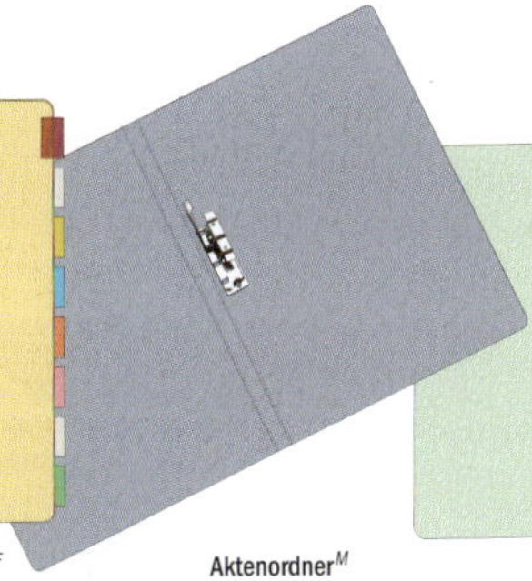

Aktenordner^M
clamp binder

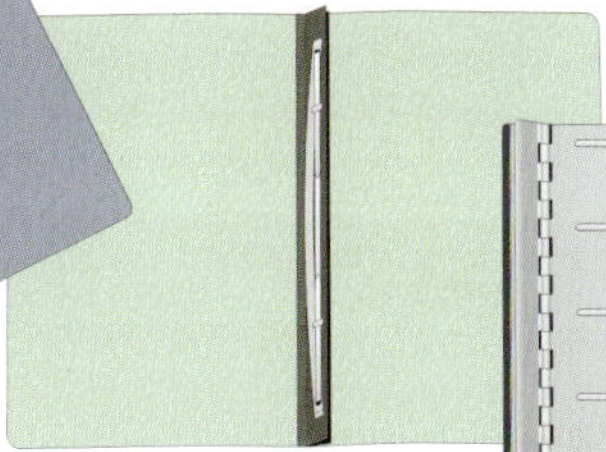

Schnellhefter^M
fastener binder

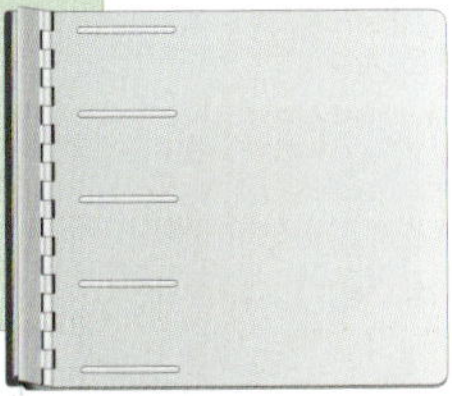

Klemmhefter^M
spring binder

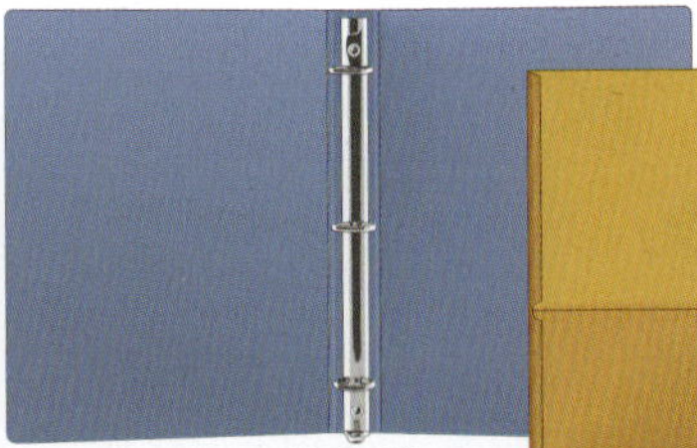

Ringbuch^N
ring binder

Dokumentenmappe^F
document folder

Hefter^M
post binder

KOMMUNIKATION UND BÜROTECHNIK

Schreibwaren^F

Selbstklebeetiketten^N
self-adhesive labels

Reiter^M
tab

durchsichtiger Reiter^M
window tab

Aktenmappe^F
folder

Karteiregister^N
file guides

Hängemappe^F
suspension file

Aktenbox^F
filing box

Spiralringbuch^N
spiral binder

Klemmbrett^N
clipboard

Ringablage^F
archboard

Präger^M
label maker

Spiralheftung^F
comb binding

Locher^M
paper punch

Erweiterungskartei^F
concertina file

Schreibwaren^F

Verschiedenes^N
miscellaneous articles

Büroklammern^F
paper clips

Reißnägel^M
drawing pins

Beutelklammern^F
paper fasteners

Klebebandroller^M
parcel tape dispenser

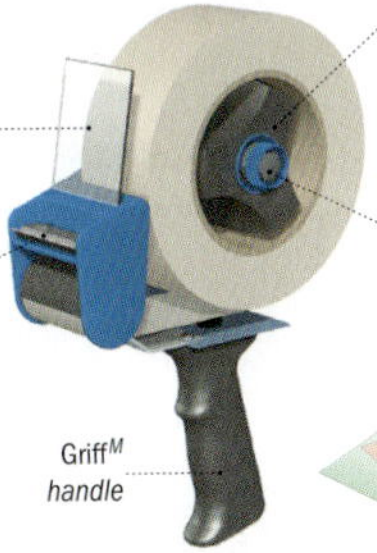

Nabe^F
hub

Bandführung^F
tape guide

Feststellschraube^F
tension adjustment screw

Messer^N
cutting blade

Bleistiftspitzer^M
pencil sharpener

Radiergummi^M
eraser

Dornablage^F
spike file

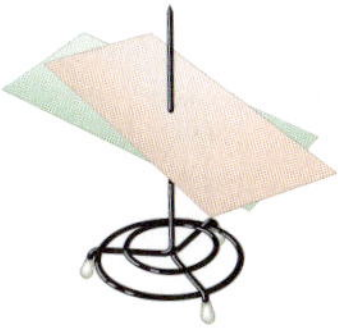

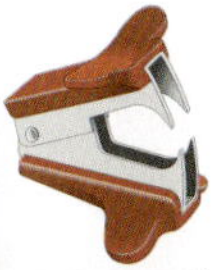

Griff^M
handle

Entklammerer^M
staple remover

Klebefilmspender^M
tape dispenser

Klebestift^M
glue stick

Hefter^M
stapler

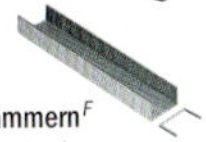

Heftklammern^F
staples

Bücherstütze^F
book ends

Büroklammerhalter^M
paper-clip holder

Magnet^M
magnet

Bleistiftspitzer^M
pencil sharpener

Pinnwand^F
noticeboard

Schneidkopf^M
cutting head

Papierkorb^M
waste basket

Papierkorb^M
waste basket

Anschlagfläche^F
posting surface

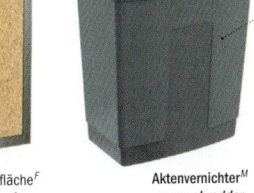

Aktenvernichter^M
paper shredder

KOMMUNIKATION UND BÜROTECHNIK

341

Straßenbau^M

road system

Straße^F im Querschnitt^M
cross section of a road

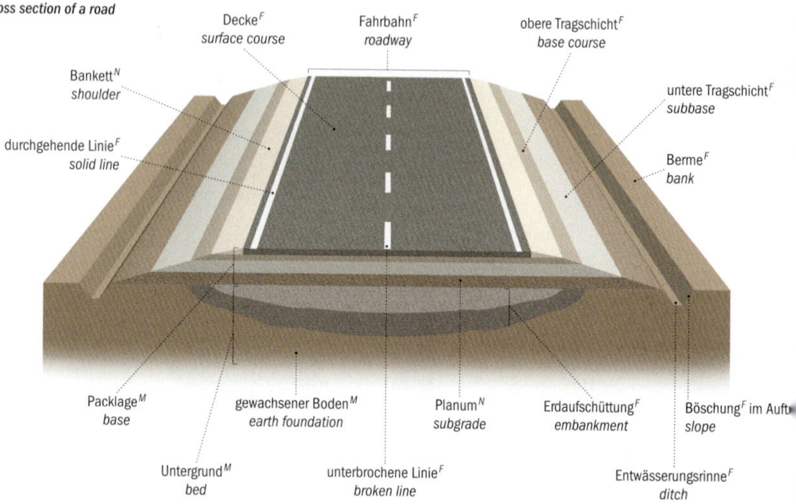

Decke^F
surface course

Fahrbahn^F
roadway

obere Tragschicht^F
base course

Bankett^N
shoulder

untere Tragschicht^F
subbase

durchgehende Linie^F
solid line

Berme^F
bank

Packlage^M
base

gewachsener Boden^M
earth foundation

Planum^N
subgrade

Erdaufschüttung^F
embankment

Böschung^F im Auftr
slope

Untergrund^M
bed

unterbrochene Linie^F
broken line

Entwässerungsrinne^F
ditch

Beispiele^N für Anschlussstellen^F
examples of interchanges

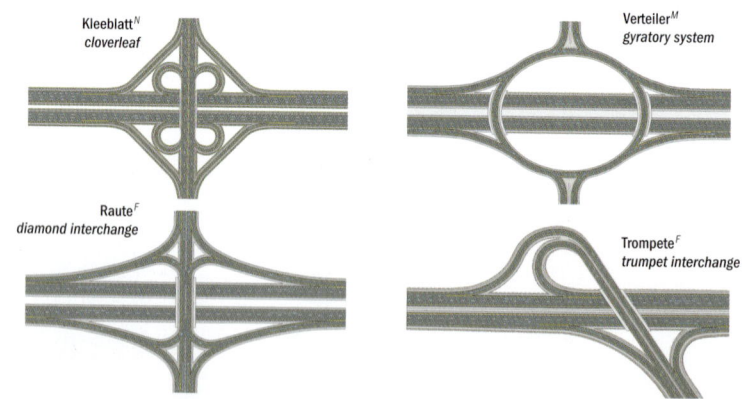

Kleeblatt^N
cloverleaf

Verteiler^M
gyratory system

Raute^F
diamond interchange

Trompete^F
trumpet interchange

TRANSPORT UND FAHRZEUGE

Kleeblatt[N]
cloverleaf

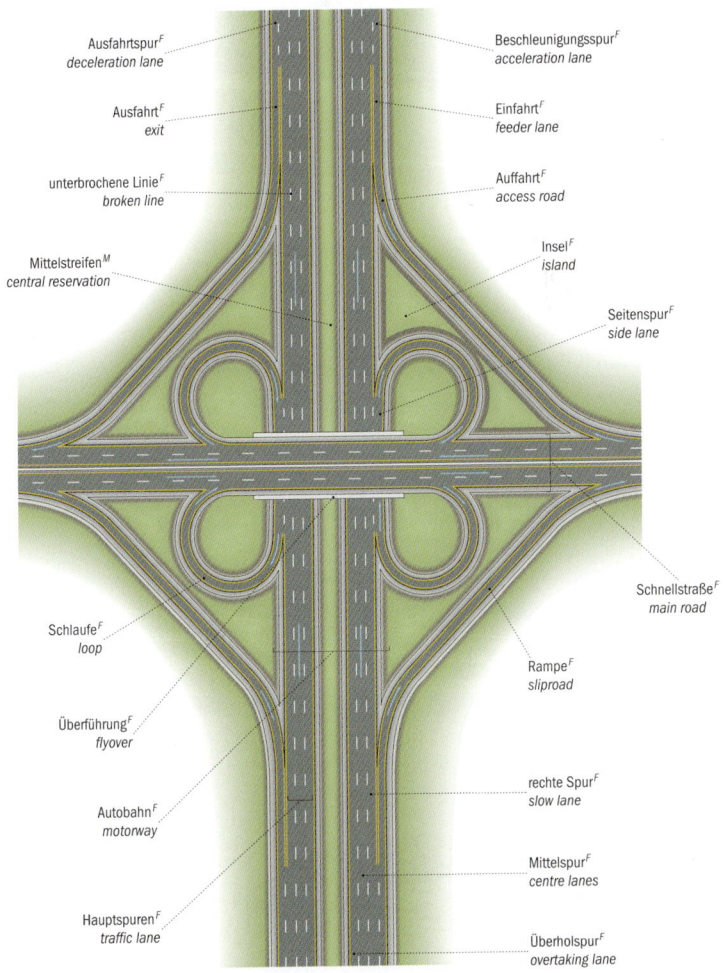

Ausfahrtspur[F]
deceleration lane

Ausfahrt[F]
exit

unterbrochene Linie[F]
broken line

Mittelstreifen[M]
central reservation

Beschleunigungsspur[F]
acceleration lane

Einfahrt[F]
feeder lane

Auffahrt[F]
access road

Insel[F]
island

Seitenspur[F]
side lane

Schlaufe[F]
loop

Überführung[F]
flyover

Autobahn[F]
motorway

Hauptspuren[F]
traffic lane

Schnellstraße[F]
main road

Rampe[F]
sliproad

rechte Spur[F]
slow lane

Mittelspur[F]
centre lanes

Überholspur[F]
overtaking lane

starre Brücken[F]
fixed bridges

Balkenbrücke[F]
beam bridge

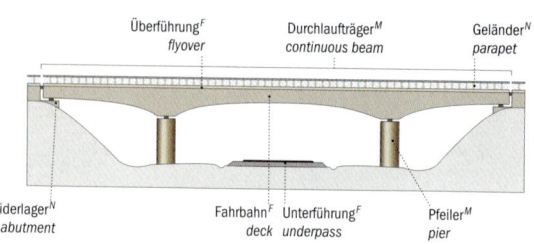

Überführung[F]
flyover

Durchlaufträger[M]
continuous beam

Geländer[N]
parapet

Widerlager[N]
abutment

Fahrbahn[F]
deck

Unterführung[F]
underpass

Pfeiler[M]
pier

Hängebrücke[F]
suspension bridge

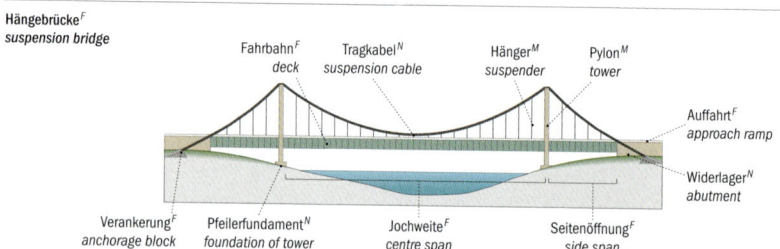

Fahrbahn[F]
deck

Tragkabel[N]
suspension cable

Hänger[M]
suspender

Pylon[M]
tower

Auffahrt[F]
approach ramp

Widerlager[N]
abutment

Verankerung[F]
anchorage block

Pfeilerfundament[N]
foundation of tower

Jochweite[F]
centre span

Seitenöffnung[F]
side span

Auslegerbrücke[F]
cantilever bridge

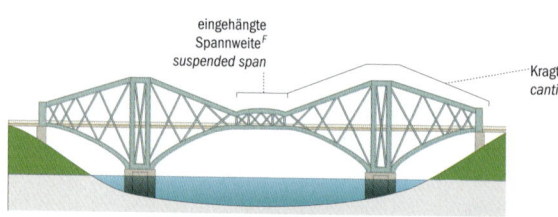

eingehängte
Spannweite[F]
suspended span

Kragträger[M]
cantilever span

bewegliche Brücken[F]
movable bridges

Drehbrücke[F]
swing bridge

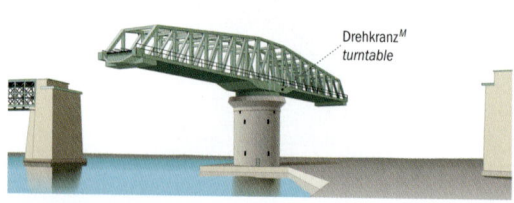

Drehkranz[M]
turntable

bewegliche Brücken[F]

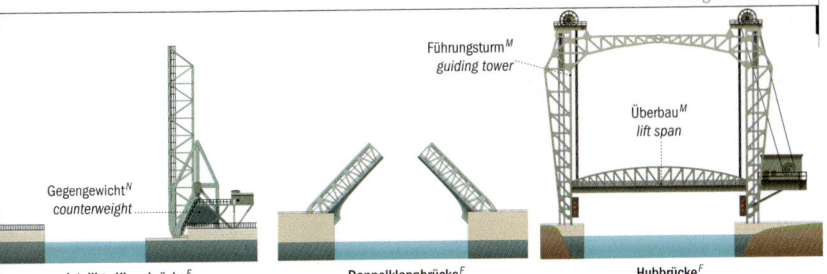

Führungsturm[M]
guiding tower

Überbau[M]
lift span

Gegengewicht[N]
counterweight

einteilige Klappbrücke[F]
single-leaf bascule bridge

Doppelklappbrücke[F]
double-leaf bascule bridge

Hubbrücke[F]
lift bridge

Straßentunnel[M]
road tunnel

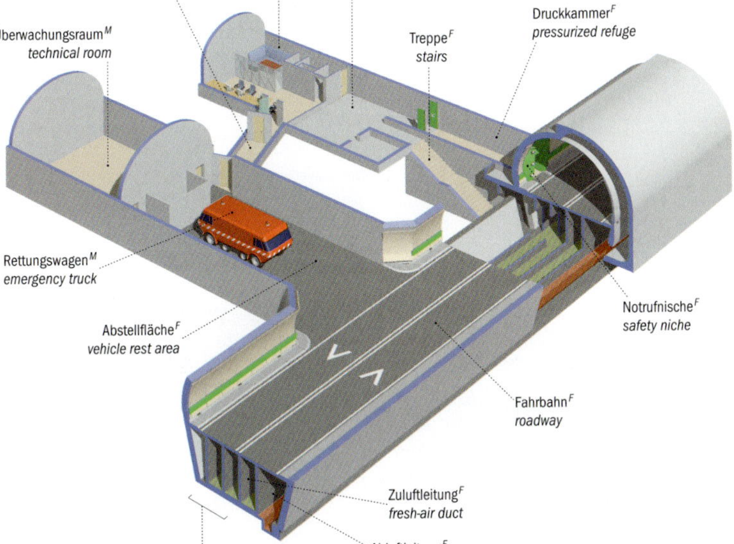

Verbindungsgang[M]
connecting gallery

Rettungsstation[F]
emergency station

Schutzraum[M]
shelter

Treppe[F]
stairs

Druckkammer[F]
pressurized refuge

Überwachungsraum[M]
technical room

Rettungswagen[M]
emergency truck

Abstellfläche[F]
vehicle rest area

Notrufnische[F]
safety niche

Fahrbahn[F]
roadway

Rettungsschacht[M]
evacuation route

Zuluftleitung[F]
fresh-air duct

Abluftleitung[F]
exhaust air duct

Tankstelle*F*
service station

Zapfsäule*F*
petrol pump

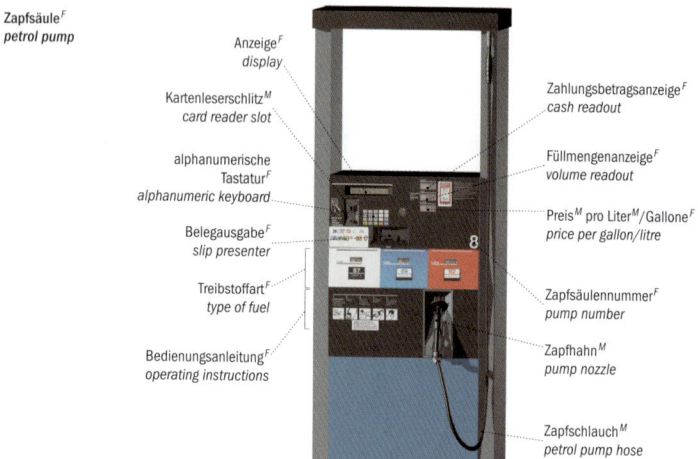

Anzeige*F*
display

Kartenleserschlitz*M*
card reader slot

alphanumerische
Tastatur*F*
alphanumeric keyboard

Belegausgabe*F*
slip presenter

Treibstoffart*F*
type of fuel

Bedienungsanleitung*F*
operating instructions

Zahlungsbetragsanzeige*F*
cash readout

Füllmengenanzeige*F*
volume readout

Preis*M* pro Liter*M*/Gallone*F*
price per gallon/litre

Zapfsäulennummer*F*
pump number

Zapfhahn*M*
pump nozzle

Zapfschlauch*M*
petrol pump hose

Tankstelle*F*
service station

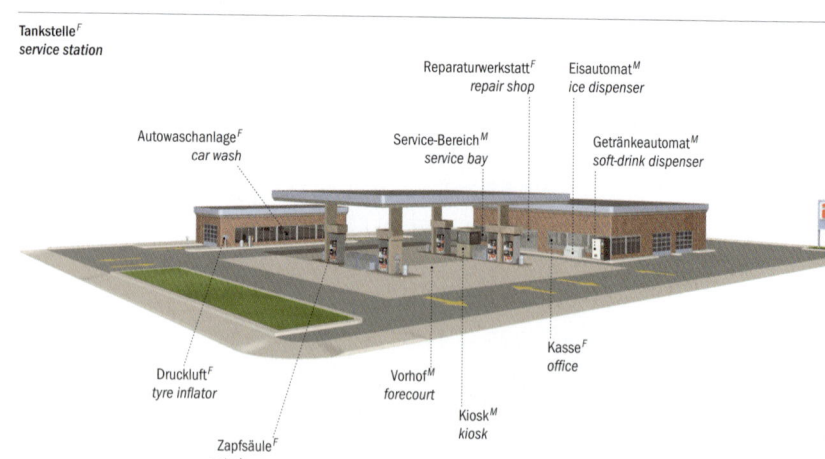

Reparaturwerkstatt*F*
repair shop

Eisautomat*M*
ice dispenser

Autowaschanlage*F*
car wash

Service-Bereich*M*
service bay

Getränkeautomat*M*
soft-drink dispenser

Druckluft*F*
tyre inflator

Zapfsäule*F*
petrol pump

Vorhof*M*
forecourt

Kiosk*M*
kiosk

Kasse*F*
office

TRANSPORT UND FAHRZEUGE

Auto[N]
car

Sportwagen[M]
sports car

Beispiele[N] für Karosserien[F]
examples of bodywork

Kleinwagen[M]
Micro Compact Car

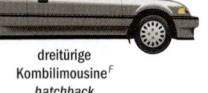

dreitürige
Kombilimousine[F]
hatchback

Coupé[N]
coupé

Kabriolett[N]
convertible

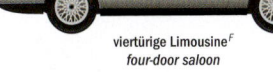

viertürige Limousine[F]
four-door saloon

Kombi[M]
estate car

Minibus[M]
minibus

Geländewagen[M]
all-terrain vehicle

Pickup[M]
pickup truck

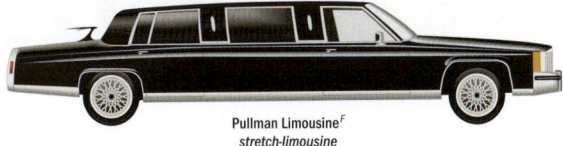

Pullman Limousine[F]
stretch-limousine

Auto^N

Karosserie^F
body

Windschutzscheibe^F
windscreen

Seitenspiegel^M
outside mirror

Scheibenwischer^M
windscreen wiper

Windlaufquerteil^N
scuttle panel

Scheibenwaschdüse^F
washer nozzle

Motorhaube^F
bonnet

Kühlergrill^M
grille

kunststoffummantelter
Stoßfänger^M
bumper moulding

Scheinwerfer^M
headlight

Frontstoßfänger^M
front fascia

Kotflügel^M
wing

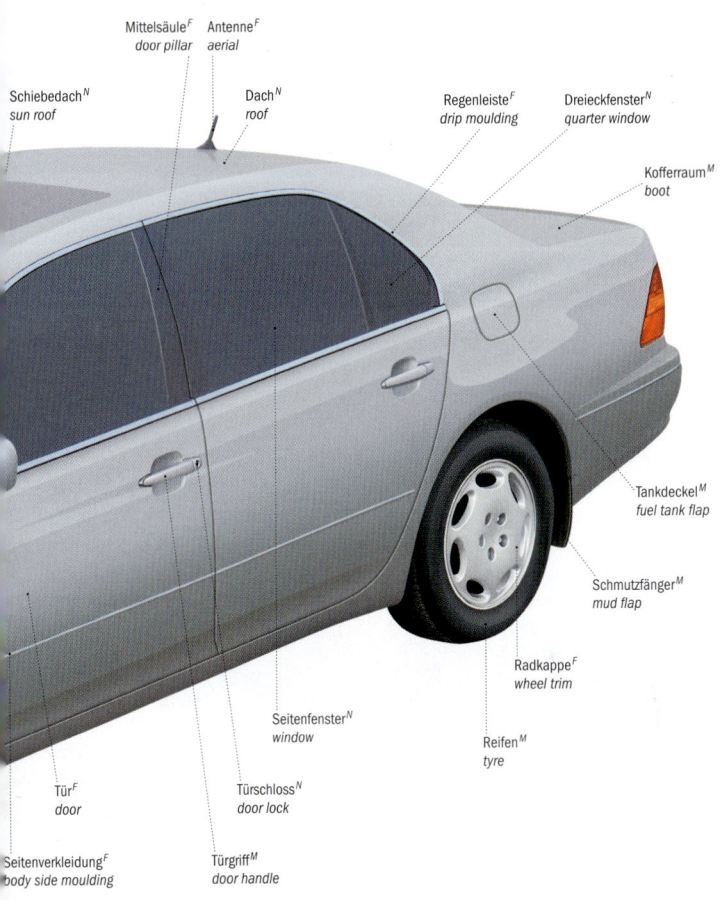

Mittelsäule^F
door pillar

Antenne^F
aerial

Schiebedach^N
sun roof

Dach^N
roof

Regenleiste^F
drip moulding

Dreieckfenster^N
quarter window

Kofferraum^M
boot

Tankdeckel^M
fuel tank flap

Schmutzfänger^M
mud flap

Radkappe^F
wheel trim

Reifen^M
tyre

Seitenfenster^N
window

Türschloss^N
door lock

Tür^F
door

Türgriff^M
door handle

Seitenverkleidung^F
body side moulding

Auto[N]

Kraftfahrzeuge[N]: Hauptbauteile[N]
car systems: main parts

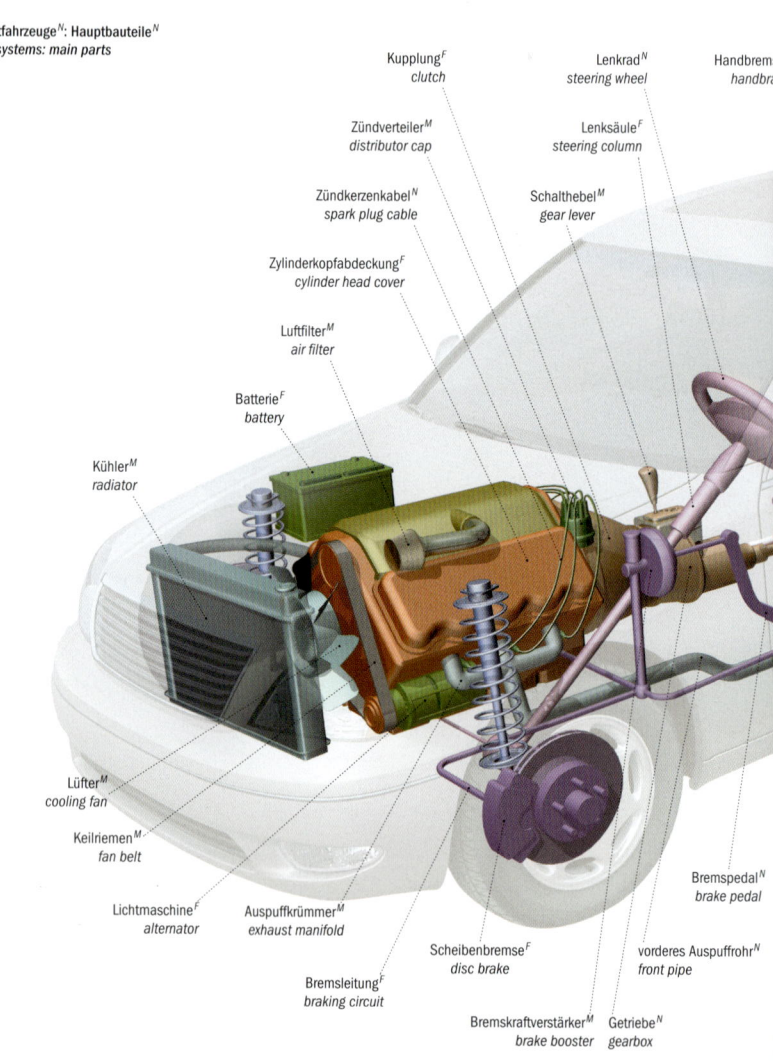

Kupplung[F]
clutch

Lenkrad[N]
steering wheel

Handbrems
handbra

Zündverteiler[M]
distributor cap

Lenksäule[F]
steering column

Zündkerzenkabel[N]
spark plug cable

Schalthebel[M]
gear lever

Zylinderkopfabdeckung[F]
cylinder head cover

Luftfilter[M]
air filter

Batterie[F]
battery

Kühler[M]
radiator

Lüfter[M]
cooling fan

Keilriemen[M]
fan belt

Lichtmaschine[F]
alternator

Auspuffkrümmer[M]
exhaust manifold

Bremsleitung[F]
braking circuit

Scheibenbremse[F]
disc brake

Bremskraftverstärker[M]
brake booster

Getriebe[N]
gearbox

vorderes Auspuffrohr[N]
front pipe

Bremspedal[N]
brake pedal

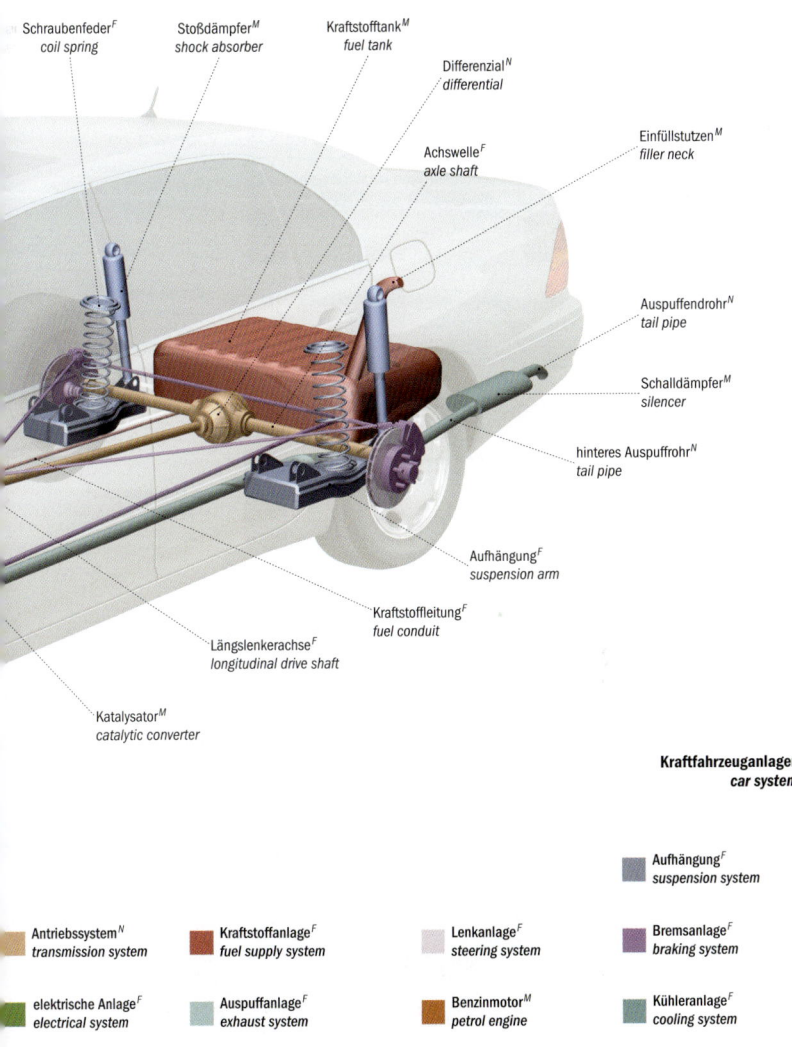

Schraubenfeder[F]
coil spring

Stoßdämpfer[M]
shock absorber

Kraftstofftank[M]
fuel tank

Differenzial[N]
differential

Achswelle[F]
axle shaft

Einfüllstutzen[M]
filler neck

Auspuffendrohr[N]
tail pipe

Schalldämpfer[M]
silencer

hinteres Auspuffrohr[N]
tail pipe

Aufhängung[F]
suspension arm

Kraftstoffleitung[F]
fuel conduit

Längslenkerachse[F]
longitudinal drive shaft

Katalysator[M]
catalytic converter

Kraftfahrzeuganlagen[F]
car systems

Aufhängung[F]
suspension system

Antriebssystem[N]
transmission system

Kraftstoffanlage[F]
fuel supply system

Lenkanlage[F]
steering system

Bremsanlage[F]
braking system

elektrische Anlage[F]
electrical system

Auspuffanlage[F]
exhaust system

Benzinmotor[M]
petrol engine

Kühleranlage[F]
cooling system

Auto[N]

Frontscheinwerfer[F]
front lights

Fernlicht[N]
main beam headlight

Abblendlicht[N]
dipped beam headlight

Blinkleuchte[F]
indicator

Nebelleuchte[F]
fog lamp

Begrenzungsleuchte[F]
side marker light

Heckleuchten[F]
rear lights

Bremsleuchte[F]
brake light

Blinkleuchte[F]
indicator

Rückfahrscheinwerfer[M]
reversing light

Bremsleuchte[F]
brake light

Schlussleuchte[F]
rear light

Nummernschildbeleuchtung[F]
number plate light

Begrenzungsleuchte[F]
side marker light

Wagentür[F]
door

Türöffnungshebel[M]
interior door handle

Fenster[N]
window

Seitengriff[M]
door grip

Sicherungsknopf[M]
interior door lock button

Seitenspiegelverstellhebel[N]
outside mirror control

Armstütze[F]
armrest

Fensterheber[M]
window winder handle

Türschloss[N]
lock

Scharnier[N]
hinge

Türverkleidung[F]
trim panel

Seitenfach[N]
door pocket

Türinnenverschalung[F]
inner door shell

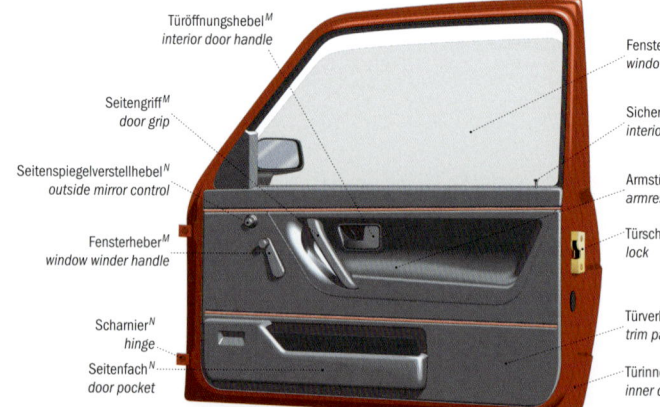

TRANSPORT UND FAHRZEUGE

Schalensitz^M: Vorderansicht^F
bucket seat: front view

Schalensitz^M: Seitenansicht^F
bucket seat: side view

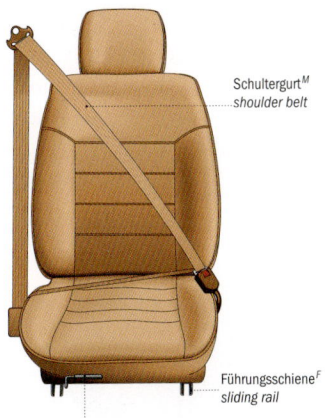

Schultergurt^M
shoulder belt

Sitzverstellung^F
seat adjuster lever

Führungsschiene^F
sliding rail

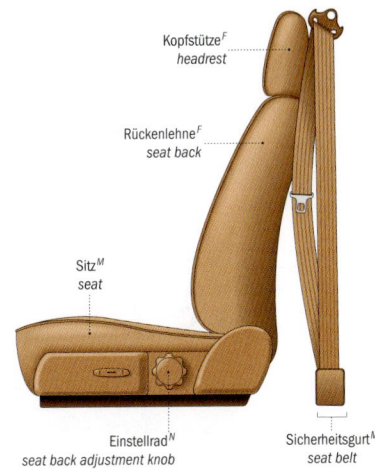

Kopfstütze^F
headrest

Rückenlehne^F
seat back

Sitz^M
seat

Einstellrad^N
seat back adjustment knob

Sicherheitsgurt^M
seat belt

Rückbank^F
rear seat

Armstütze^F
armrest

Beckengurt^M
lap belt

Gurtschließe^F
buckle

Sitzbank^F
bench seat

Auto[N]

Armaturenbrett[N]
dashboard

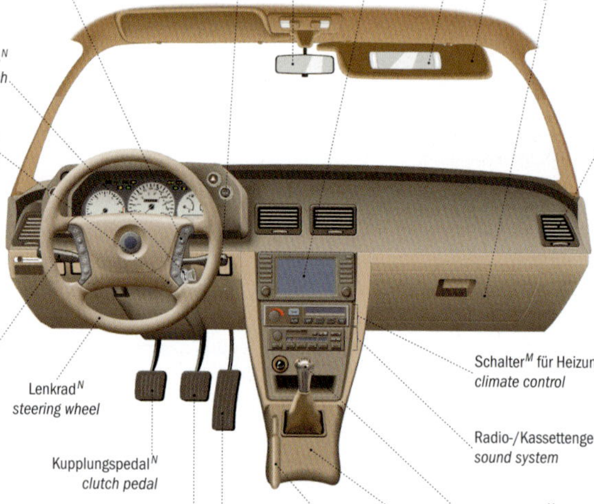

Rückspiegel[M]
rearview mirror

Spiegel[M]
vanity mirror

Scheibenwischerhebel[M]
wiper control

Bordcomputer[M]
on-board computer

Sonnenblende[F]
sun visor

Tempomat[M]
cruise control

Handschuhfach[N]
glove compartment

Zündschloss[N]
ignition switch

Luftdüse[F]
vent

Hupe[F]
horn

Lenkrad[N]
steering wheel

Schalter[M] für Heizung[F] und Belüftung[F]
climate control

Kupplungspedal[N]
clutch pedal

Radio-/Kassettengerät[N]
sound system

Blinker- und Fernlichthebel[M]
dipping/indicator stalk

Handbremshebel[M]
handbrake lever

Schalthebel[M]
gearchange lever

Mittelkonsole[F]
centre console

Bremspedal[N]
brake pedal

Gaspedal[N]
accelerator pedal

Airbag[M]-Rückhaltesystem[N]
air bag restraint system

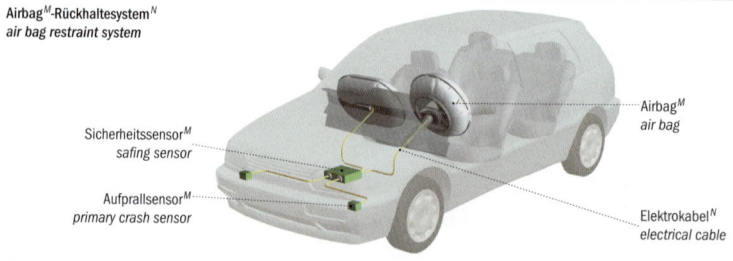

Sicherheitssensor[M]
safing sensor

Airbag[M]
air bag

Aufprallsensor[M]
primary crash sensor

Elektrokabel[N]
electrical cable

Instrumententafel [F]
instrument panel

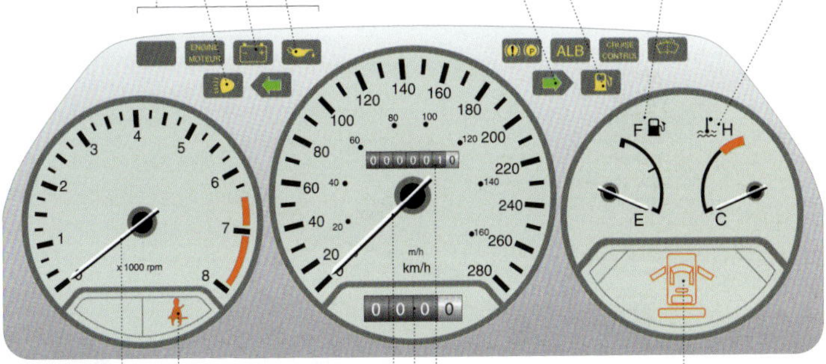

Batterieladekontrollleuchte [F]
battery warning light

Öldruckwarnleuchte [F]
oil warning light

Temperaturanzeige [F]
temperature gauge

Fernlichtanzeige [F]
main beam indicator light

Kraftstoffreserveanzeige [F]
low fuel warning light

Kraftstoffanzeige [F]
fuel gauge

Warnleuchten [F]
warning lights

Blinklichtkontrolle [F]
indicator telltale

Drehzahlmesser [M]
tachometer

Tachometer [M]
speedometer

Kilometerzähler [M]
mileometer

Anzeige [F] "Sicherheitsgurte anlegen"
seat-belt warning light

Tageskilometerzähler [M]
trip mileometer

Warnleuchte [F] "Tür offen"
door open warning light

Scheibenwischer [M]
windscreen wiper

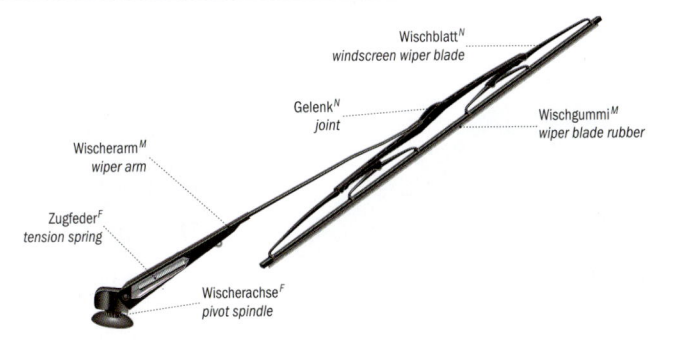

Wischblatt [N]
windscreen wiper blade

Gelenk [N]
joint

Wischgummi [M]
wiper blade rubber

Wischerarm [M]
wiper arm

Zugfeder [F]
tension spring

Wischerachse [F]
pivot spindle

TRANSPORT UND FAHRZEUGE

Zubehör^N
accessories

TRANSPORT UND FAHRZEUGE

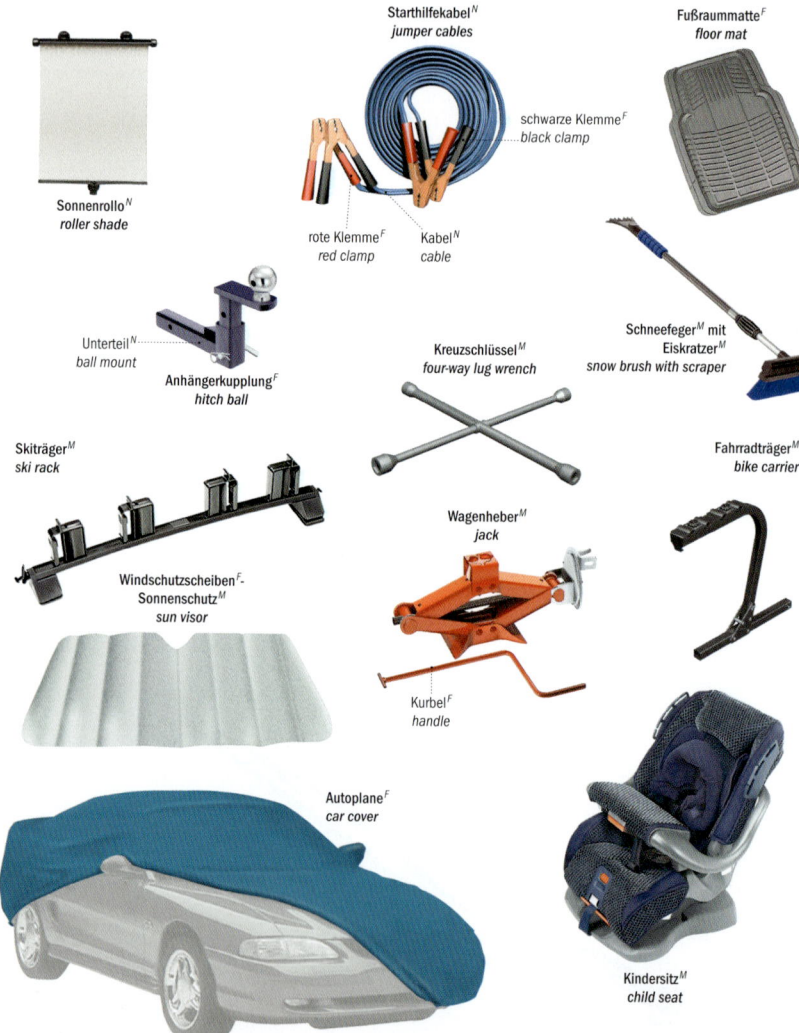

Starthilfekabel^N
jumper cables

Fußraummatte^F
floor mat

schwarze Klemme^F
black clamp

Sonnenrollo^N
roller shade

rote Klemme^F
red clamp

Kabel^N
cable

Unterteil^N
ball mount

Anhängerkupplung^F
hitch ball

Kreuzschlüssel^M
four-way lug wrench

Schneefeger^M mit
Eiskratzer^M
snow brush with scraper

Skiträger^M
ski rack

Fahrradträger^M
bike carrier

Windschutzscheiben^F-
Sonnenschutz^M
sun visor

Wagenheber^M
jack

Kurbel^F
handle

Autoplane^F
car cover

Kindersitz^M
child seat

Bremsen[F]
brakes

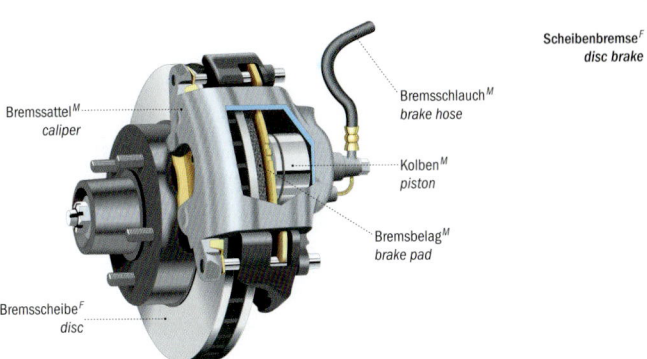

Scheibenbremse[F]
disc brake

Bremssattel[M]
caliper

Bremsschlauch[M]
brake hose

Kolben[M]
piston

Bremsbelag[M]
brake pad

Bremsscheibe[F]
disc

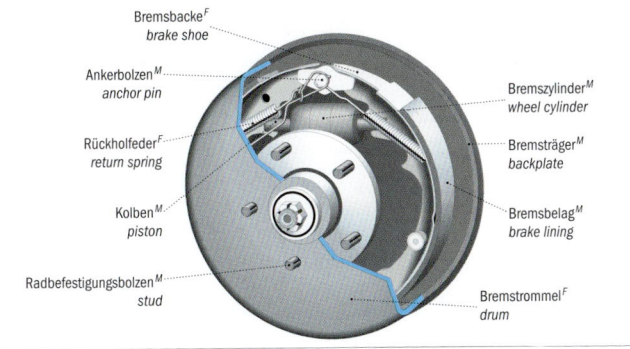

Trommelbremse[F]
drum brake

Bremsbacke[F]
brake shoe

Ankerbolzen[M]
anchor pin

Rückholfeder[F]
return spring

Kolben[M]
piston

Radbefestigungsbolzen[M]
stud

Bremszylinder[M]
wheel cylinder

Bremsträger[M]
backplate

Bremsbelag[M]
brake lining

Bremstrommel[F]
drum

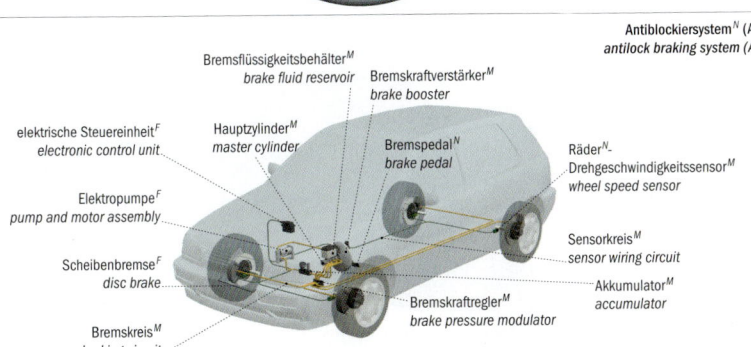

Antiblockiersystem[N] **(ABS)**
antilock braking system (ABS)

Bremsflüssigkeitsbehälter[M]
brake fluid reservoir

Bremskraftverstärker[M]
brake booster

elektrische Steuereinheit[F]
electronic control unit

Hauptzylinder[M]
master cylinder

Bremspedal[N]
brake pedal

Räder[N]-
Drehgeschwindigkeitssensor[M]
wheel speed sensor

Elektropumpe[F]
pump and motor assembly

Sensorkreis[M]
sensor wiring circuit

Scheibenbremse[F]
disc brake

Akkumulator[M]
accumulator

Bremskreis[M]
braking circuit

Bremskraftregler[M]
brake pressure modulator

TRANSPORT UND FAHRZEUGE

Reifen^M
tyre

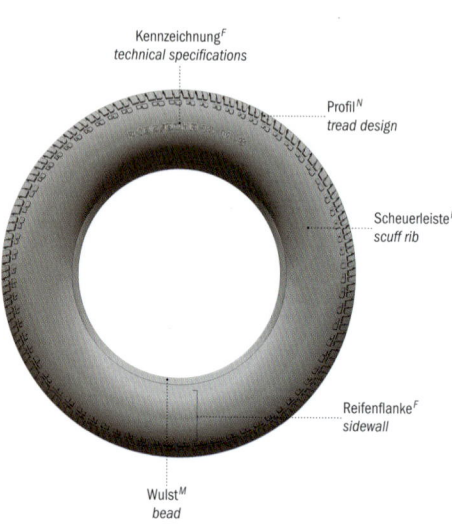

Kennzeichnung^F
technical specifications

Profil^N
tread design

Scheuerleiste^F
scuff rib

Reifenflanke^F
sidewall

Wulst^M
bead

Reifenarten^F
examples of tyres

Sportreifen^M
performance tyre

Ganzjahresreifen^M
all-season tyre

Spikereifen^M
studded tyre

Winterreifen^M
winter tyre

Touringreifen^M
touring tyre

Kühler^M
radiator

Kühlerverschlussdeckel^M
filler cap

Lüfter^M
cooling fan

Temperaturfühler^M
temperature sensor

unterer Kühleranschluss^M
lower radiator hose

Kühlerblock^M
radiator core

Elektromotor^M
electric fan motor

Zündkerze[F]
spark plug

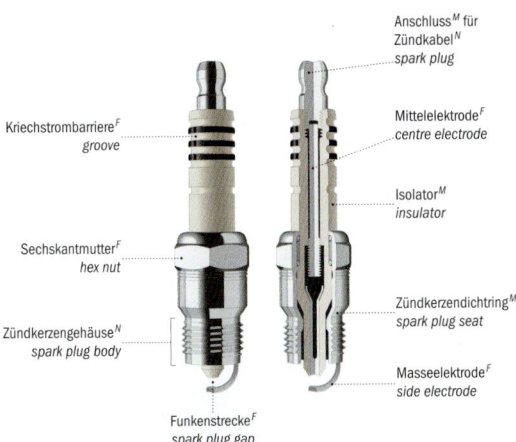

Anschluss[M] für
Zündkabel[N]
spark plug

Kriechstrombarriere[F]
groove

Mittelelektrode[F]
centre electrode

Isolator[M]
insulator

Sechskantmutter[F]
hex nut

Zündkerzendichtring[M]
spark plug seat

Zündkerzengehäuse[N]
spark plug body

Masseelektrode[F]
side electrode

Funkenstrecke[F]
spark plug gap

Batterie[F]
battery

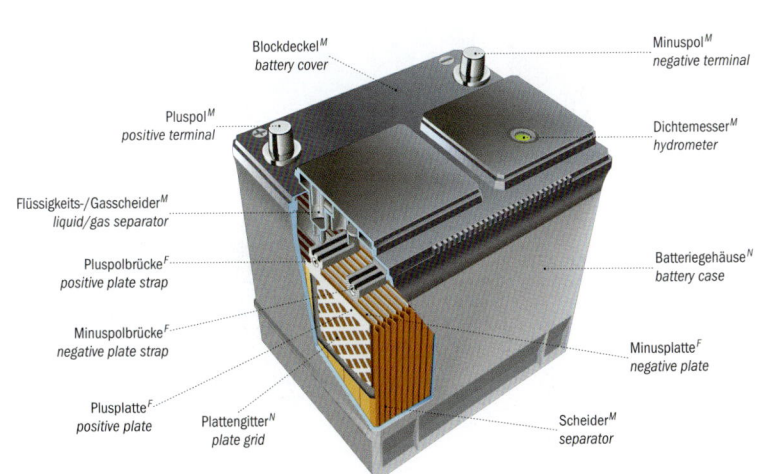

Blockdeckel[M]
battery cover

Minuspol[M]
negative terminal

Pluspol[M]
positive terminal

Dichtemesser[M]
hydrometer

Flüssigkeits-/Gasscheider[M]
liquid/gas separator

Pluspolbrücke[F]
positive plate strap

Batteriegehäuse[N]
battery case

Minuspolbrücke[F]
negative plate strap

Minusplatte[F]
negative plate

Plusplatte[F]
positive plate

Plattengitter[N]
plate grid

Scheider[M]
separator

TRANSPORT UND FAHRZEUGE

Ottomotor[M]

petrol engine

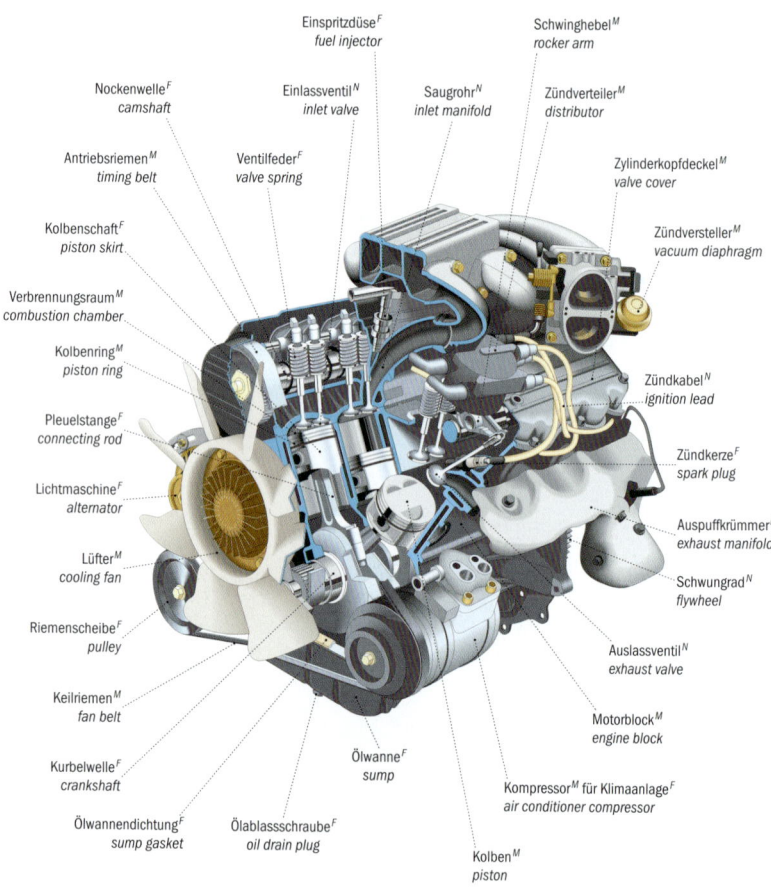

Einspritzdüse[F]
fuel injector

Schwinghebel[M]
rocker arm

Nockenwelle[F]
camshaft

Einlassventil[N]
inlet valve

Saugrohr[N]
inlet manifold

Zündverteiler[M]
distributor

Antriebsriemen[M]
timing belt

Ventilfeder[F]
valve spring

Zylinderkopfdeckel[M]
valve cover

Kolbenschaft[F]
piston skirt

Zündversteller[M]
vacuum diaphragm

Verbrennungsraum[M]
combustion chamber

Kolbenring[M]
piston ring

Zündkabel[N]
ignition lead

Pleuelstange[F]
connecting rod

Zündkerze[F]
spark plug

Lichtmaschine[F]
alternator

Auspuffkrümmer[M]
exhaust manifold

Lüfter[M]
cooling fan

Schwungrad[N]
flywheel

Riemenscheibe[F]
pulley

Auslassventil[N]
exhaust valve

Keilriemen[M]
fan belt

Motorblock[M]
engine block

Kurbelwelle[F]
crankshaft

Ölwanne[F]
sump

Kompressor[M] für Klimaanlage[F]
air conditioner compressor

Ölwannendichtung[F]
sump gasket

Ölablassschraube[F]
oil drain plug

Kolben[M]
piston

Wohnwagen^M
caravan

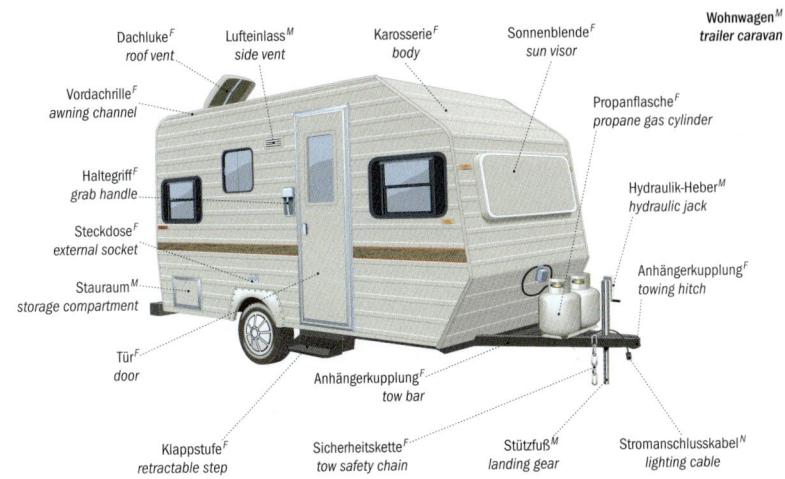

Wohnwagen^M
trailer caravan

Dachluke^F
roof vent

Lufteinlass^M
side vent

Karosserie^F
body

Sonnenblende^F
sun visor

Vordachrille^F
awning channel

Propanflasche^F
propane gas cylinder

Haltegriff^F
grab handle

Hydraulik-Heber^M
hydraulic jack

Steckdose^F
external socket

Anhängerkupplung^F
towing hitch

Stauraum^M
storage compartment

Tür^F
door

Anhängerkupplung^F
tow bar

Klappstufe^F
retractable step

Sicherheitskette^F
tow safety chain

Stützfuß^M
landing gear

Stromanschlusskabel^N
lighting cable

Zeltwagen^M
trailer tent

Dach^N
roof

Vordach^N
canopy

Bett^N
bunk

Fenster^N
window

Reserverad^N
spare tyre

Aufbau^M
body

Stütze^F
stabilizer jack

Fliegengittertür^F
screen door

Wohnmobil^N
camper

Klimaanlage^F
air conditioner

Gepäckträger^M
luggage rack

Leiter^F
ladder

Bus^M

bus

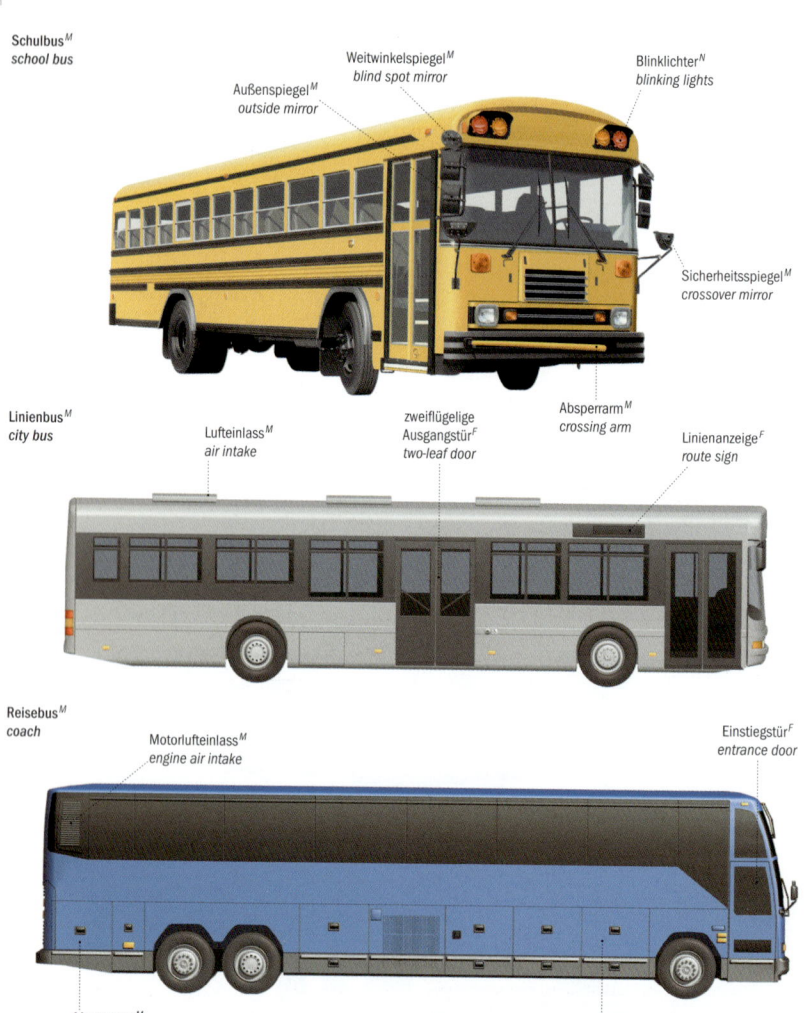

Schulbus^M
school bus

Außenspiegel^M
outside mirror

Weitwinkelspiegel^M
blind spot mirror

Blinklichter^N
blinking lights

Sicherheitsspiegel^M
crossover mirror

Linienbus^M
city bus

Lufteinlass^M
air intake

zweiflügelige
Ausgangstür^F
two-leaf door

Absperrarm^M
crossing arm

Linienanzeige^F
route sign

Reisebus^M
coach

Motorlufteinlass^M
engine air intake

Einstiegstür^F
entrance door

Motorraum^M
engine compartment

Gepäckraum^M
baggage compartment

TRANSPORT UND FAHRZEUGE

Doppeldeckerbus^M
double-decker bus

Oberdeck^N
upper deck

Linienanzeige^F
route sign

Kleinbus^M
minibus

elektrische Schiebetür^F
lift door

Weitwinkelspiegel^M
blind spot mirror

Außenspiegel^M
West Coast mirror

Haltegriff^M
handrail

Rollstuhllift^M
wheelchair lift

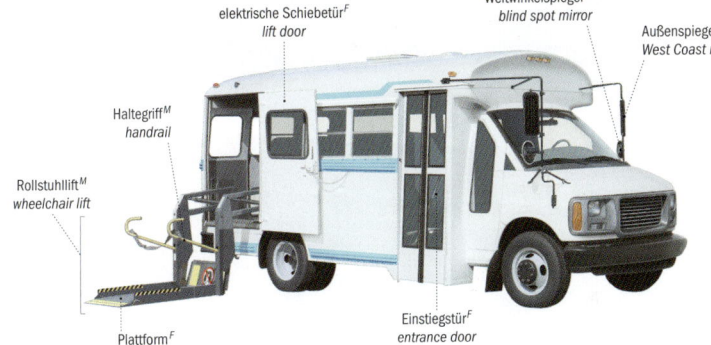

Plattform^F
platform

Einstiegstür^F
entrance door

Gelenkbus^M
articulated bus

Gelenk^N
articulated joint

steifer Nachläufer^M
rear rigid section

steifes Vorderteil^N
front rigid section

Lastkraftfahrzeuge[N]

trucking

Sattelschlepper[M]
tractor unit

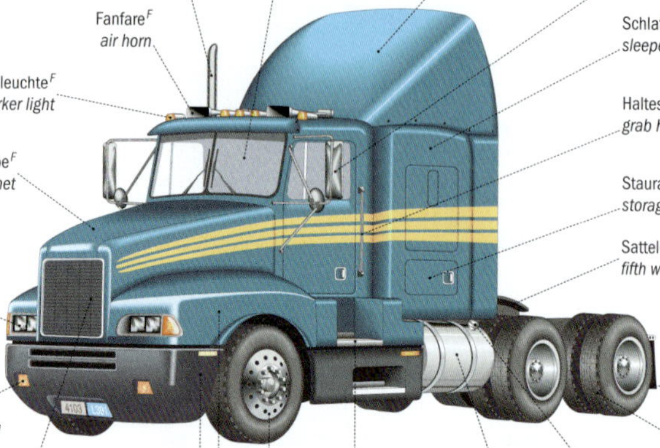

Auspuffrohr[N]
exhaust stack

Windschutzscheibe[F]
windscreen

Windabweiser[M]
wind deflector

Seitenspiegel[M]
trail-view mirror

Fanfare[F]
air horn

Schlafkabine[F]
sleeper-cab

Peilstableuchte[F]
side marker light

Haltestange[F]
grab handle

Kühlerhaube[F]
bonnet

Stauraum[M]
storage compartment

Scheinwerfer[M]
headlight

Sattelkupplung[F]
fifth wheel

Schmutzfänger[M]
mud flap

Nebelscheinwerfer[M]
fog light

Reifen[M]
tyre

Stoßfänger[M]
bumper

Trittstufe[F]
step

Tankdeckel[M]
filler cap

Kühlergrill[M]
radiator grille

Kotflügel[M]
wing

Rad[N]
wheel

Kraftstofftank[M]
fuel tank

**Beispiele[N] für
Lastkraftwagen[M]**
examples of trucks

Tank[M]
tanker body

Tankwagen[M]
tanker

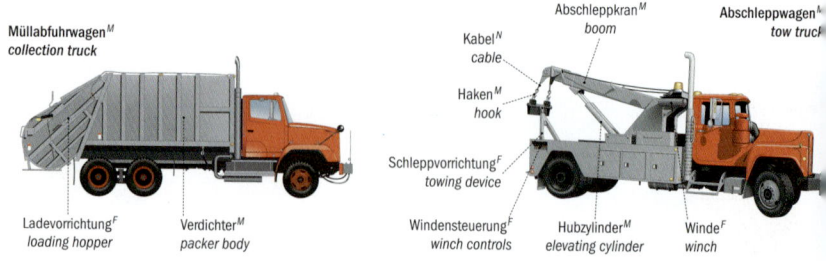

Müllabfuhrwagen[M]
collection truck

Abschleppkran[M]
boom

Abschleppwagen[M]
tow truck

Kabel[N]
cable

Haken[M]
hook

Schleppvorrichtung[F]
towing device

Ladevorrichtung[F]
loading hopper

Verdichter[M]
packer body

Windensteuerung[F]
winch controls

Hubzylinder[M]
elevating cylinder

Winde[F]
winch

Peilstableuchte[F]
side marker light

Kühlaggregat[N]
refrigeration unit

Kühlsattelschlepper[M]
refrigerated semitrailer

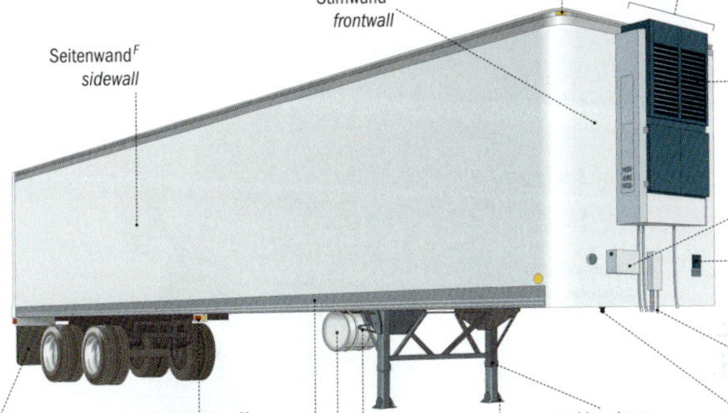

Stirnwand[F]
frontwall

Seitenwand[F]
sidewall

Luftklappe[F]
vent door

Batteriekasten[M]
battery box

Partlow-Schreiber[M]
partlow chart

Stromanschluss[M]
electrical connection

Zugsattelzapfen[M]
kingpin

Rückstrahler[M]
reflector

ausklappbare
Stützvorrichtung[F]
landing gear

Schmutzfänger[M]
mud flap

Wand-Untergurt[M]
side rail

Stützfuß[M]
sand shoe

Zusatztank[M]
auxiliary tank

Kurbel[F] der
Stützvorrichtung[F]
landing gear crank

Transporter[M]
van

Transportmischer[M]
concrete mixer truck

Straßenkehrmaschine[F]
street sweeper

Schneefräse[F]
snowblower

Sammelbehälter[M]
collection body

Schleuder[F]
projection device

Walzenbürste[F]
central brush

Schnecke[F]
worm

Tellerbürste[F]
lateral brush

Wassersprühdüse[F]
watering tube

Motorrad[N]
motorcycle

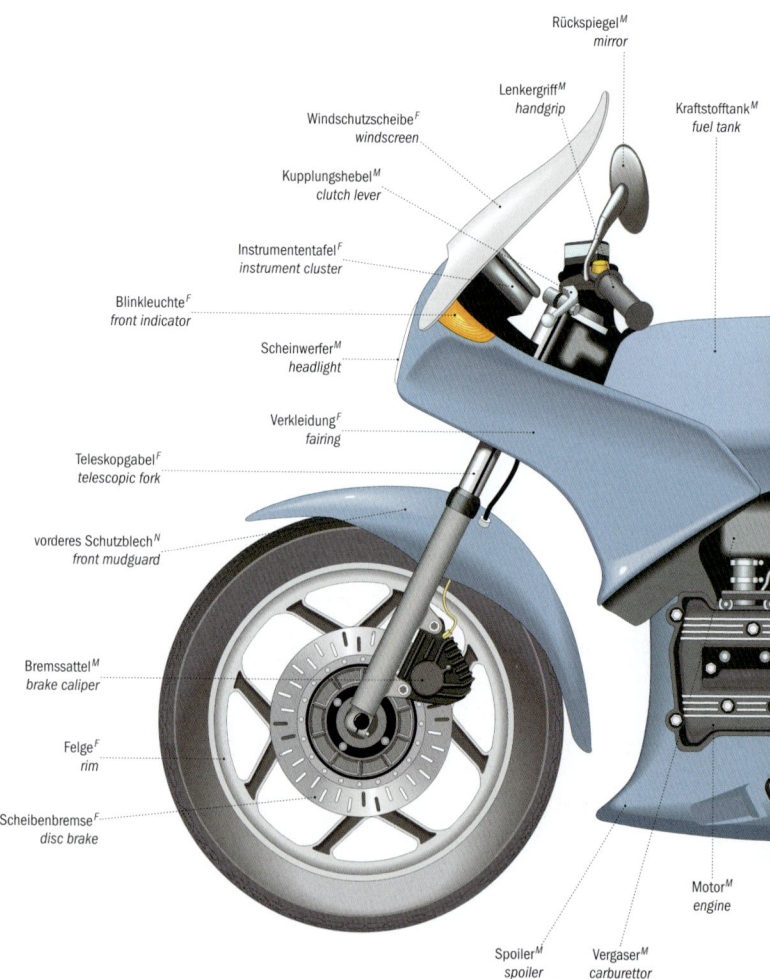

Rückspiegel[M]
mirror

Lenkergriff[M]
handgrip

Windschutzscheibe[F]
windscreen

Kraftstofftank[M]
fuel tank

Kupplungshebel[M]
clutch lever

Instrumententafel[F]
instrument cluster

Blinkleuchte[F]
front indicator

Scheinwerfer[M]
headlight

Verkleidung[F]
fairing

Teleskopgabel[F]
telescopic fork

vorderes Schutzblech[N]
front mudguard

Bremssattel[M]
brake caliper

Felge[F]
rim

Scheibenbremse[F]
disc brake

Motor[M]
engine

Spoiler[M]
spoiler

Vergaser[M]
carburettor

Motorrad[N]

Schutzhelm[M]
crash helmet

Oberschale[F]
bubble

Visier[N]
visor

Lufteinlass[M]
air inlet

Kinnschutz[M]
chin protector

Scharnier[N]
visor hinge

Rahmen[M]
frame

Sitzbank[F]
dual seat

Blinkleuchte[F]
rear indicator

Schlussleuchte[F]
rear light

hinterer Stoßdämpfer[M]
suspension strut

Auspuffrohr[N]
silencer

vordere Fußraste[F]
front footrest

Seitenständer[M]
kickstand

Schaltpedal[N]
gearchange pedal

Hauptständer[M]
main stand

Beifahrerfußraste[F]
pillion footrest

TRANSPORT UND FAHRZEUGE

Motorrad[N]

Instrumententafel[F]
instrument cluster

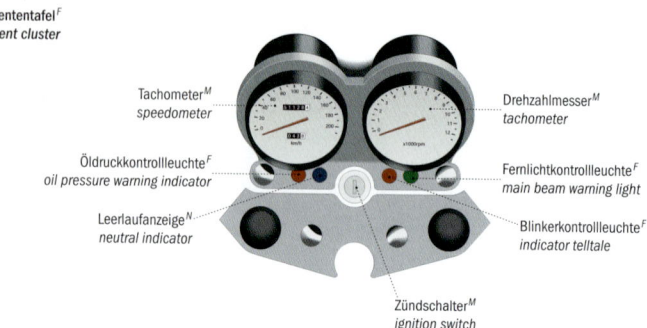

Tachometer[M]
speedometer

Öldruckkontrollleuchte[F]
oil pressure warning indicator

Leerlaufanzeige[N]
neutral indicator

Drehzahlmesser[M]
tachometer

Fernlichtkontrollleuchte[F]
main beam warning light

Blinkerkontrollleuchte[F]
indicator telltale

Zündschalter[M]
ignition switch

Motorrad[N]: **Draufsicht**[F]
motorcycle: view from above

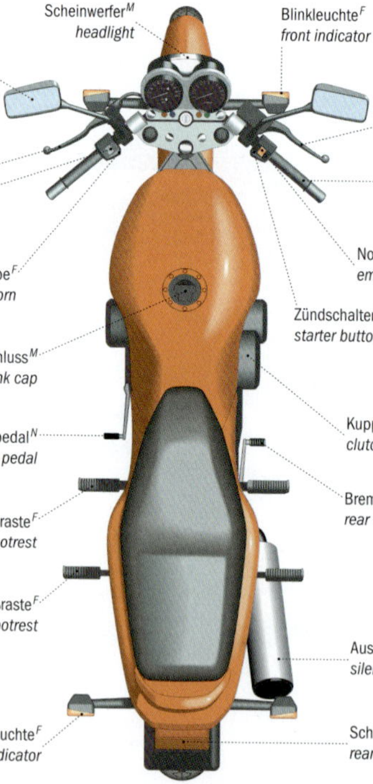

Scheinwerfer[M]
headlight

Seitenspiegel[M]
mirror

Kupplungshebel[M]
clutch lever

Abblendschalter[M]
dip switch

Hupe[F]
horn

Benzintankverschluss[M]
petrol tank cap

Schaltpedal[N]
gearchange pedal

vordere Fußraste[F]
front footrest

Beifahrer-Fußraste[F]
pillion footrest

Blinkleuchte[F]
rear indicator

Blinkleuchte[F]
front indicator

Hebel[M] für Vorderbremse[F]
front brake lever

Gashebel[M]
twist grip throttle

Notschalter[M]
emergency switch

Zündschalter[M]
starter button

Kupplungsgehäuse[N]
clutch housing

Bremspedal[N]
rear brake pedal

Auspuffrohr[N]
silencer

Schlussleuchte[F]
rear light

Beispiele[N] für Motorräder[N]
examples of motorcycles

Motorroller[M]
motor scooter

Sitz[M]
seat

Spiegel[M]
mirror

Gepäckträger[M]
luggage rack

Frontblech[M]
apron

Fußstütze[F]
floorboard

Sitz[M]
seat

Geländemotorrad[N]
off-road motorcycle

Teleskopgabel[F]
telescopic front fork

Stollenreifen[M]
knobby tyre

Mofa[N]
moped

Gepäckträger[M]
carrier

Raststütze[F]
kickstand

Touring[N]-Motorrad[N]
touring motorcycle

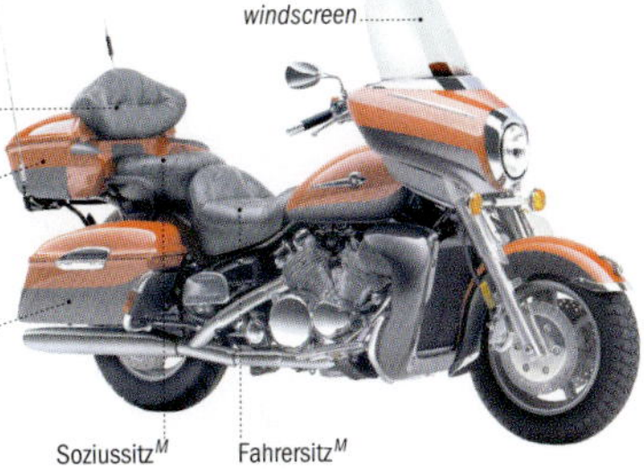

Antenne[F]
antenna

Windschutzscheibe[F]
windscreen

Rückenlehne[F]
backrest

Topcase[N]
top box

Seitenkoffer[M]
saddlebag

Soziussitz[M]
passenger seat

Fahrersitz[M]
driver seat

4x4-Geländemotorrad[N]
quad bike

Gepäckträger[M]
rear cargo rack

Sitz[M]
seat

Kraftstofftank[M]
fuel tank

Lenkergriff[M]
handgrip

hinterer Kotflügel[M]
rear bumper

Stoßfänger[M]
bumper

Auspuffrohr[N]
silencer

Frontstoßdämpfer[M]
front shock absorber

Schalthebel[M]
gear lever

Fahrrad[N]
bicycle

Teile[N] eines Fahrrads[N]
parts of a bicycle

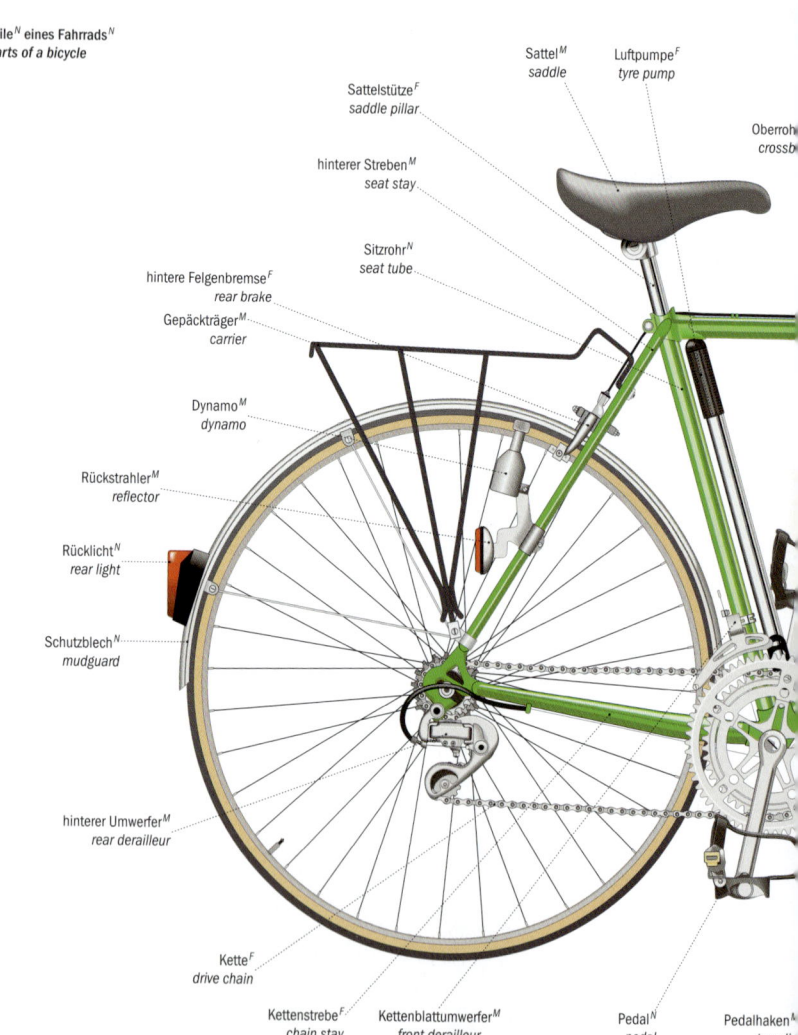

Sattel[M]
saddle

Luftpumpe[F]
tyre pump

Sattelstütze[F]
saddle pillar

Oberroh
crossb

hinterer Streben[M]
seat stay

Sitzrohr[N]
seat tube

hintere Felgenbremse[F]
rear brake

Gepäckträger[M]
carrier

Dynamo[M]
dynamo

Rückstrahler[M]
reflector

Rücklicht[N]
rear light

Schutzblech[N]
mudguard

hinterer Umwerfer[M]
rear derailleur

Kette[F]
drive chain

Kettenstrebe[F]
chain stay

Kettenblattumwerfer[M]
front derailleur

Pedal[N]
pedal

Pedalhaken[M]
toe clip

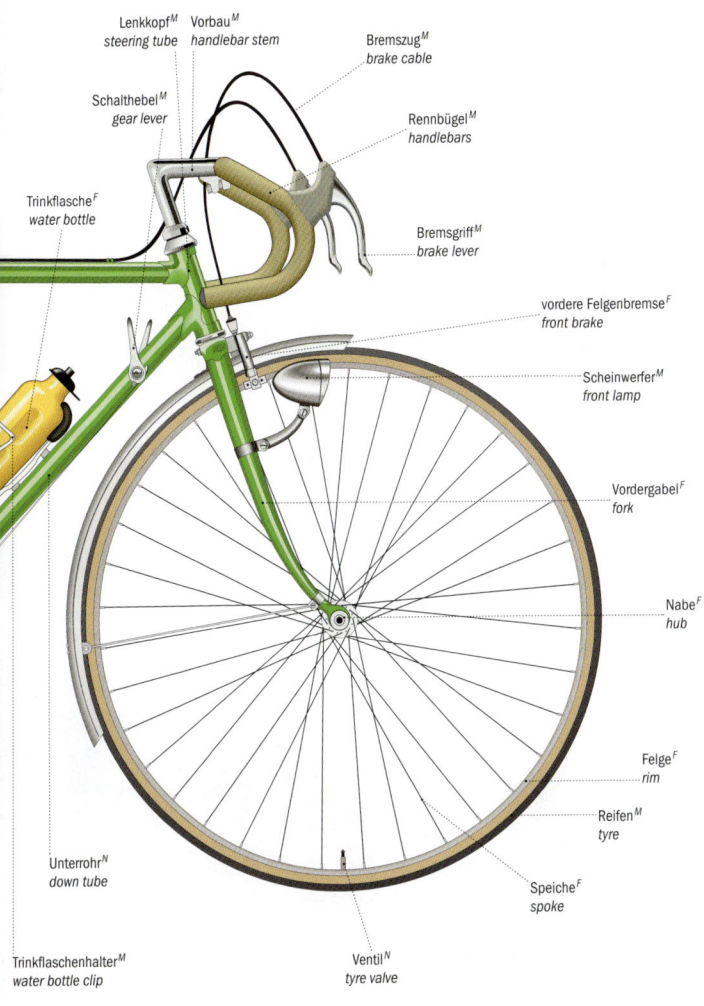

Lenkkopf[M]
steering tube

Vorbau[M]
handlebar stem

Bremszug[M]
brake cable

Schalthebel[M]
gear lever

Rennbügel[M]
handlebars

Trinkflasche[F]
water bottle

Bremsgriff[M]
brake lever

vordere Felgenbremse[F]
front brake

Scheinwerfer[M]
front lamp

Vordergabel[F]
fork

Nabe[F]
hub

Felge[F]
rim

Reifen[M]
tyre

Unterrohr[N]
down tube

Speiche[F]
spoke

Trinkflaschenhalter[M]
water bottle clip

Ventil[N]
tyre valve

Fahrrad[N]

Kraftübertragung[F]
power train

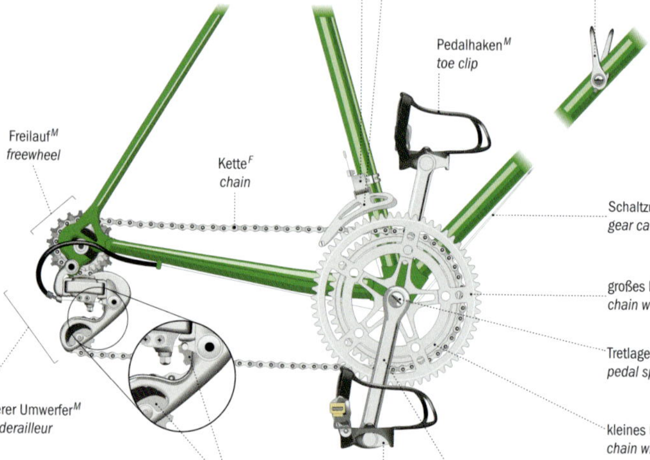

Kettenblattumwerfer[M]
front derailleur

Kettenführung[F]
chain guide

Schalthebel[M]
gear lever

Pedalhaken[M]
toe clip

Freilauf[M]
freewheel

Kette[F]
chain

Schaltzug[M]
gear cable

großes Kettenblatt[N]
chain wheel A

Tretlager[N]
pedal spindle

hinterer Umwerfer[M]
rear derailleur

kleines Kettenblatt[N]
chain wheel B

Abhalter[M]
jockey rollers

Pedal[N]
pedal

Kurbel[F]
crank

Zubehör[N]
accessories

Schloss[N]
cycle lock

Fahrradhelm[M]
cycling helmet

Werkzeugsatz[M]
tool kit

Satteltasche[F]
pannier bag

Kindersitz[M]
child carrier

Dreirad[N]
child's tricycle

Beispiele[N] für Fahrräder[N]
examples of bicycles

BMX-Rad[N],
Mountainbike[N]
BMX bike

Hollandrad[N]
Dutch bicycle

Mountain Bike[N]
all-terrain bicycle

Stadtrad[N]
city bicycle

Rennrad[N]
road bicycle

Tourenrad[N]
touring bicycle

Tandem[N]
tandem

Bahnhof^M
passenger station

Büro^N
office

Glasüberdachung^F
glass roof

Fahrplan^M
timetable

Förderwagen^M
luggage trolley

Gepäckschließfäche
luggage locke.

Eisenträger^M
metal structure

Gleisnummer^F
platform number

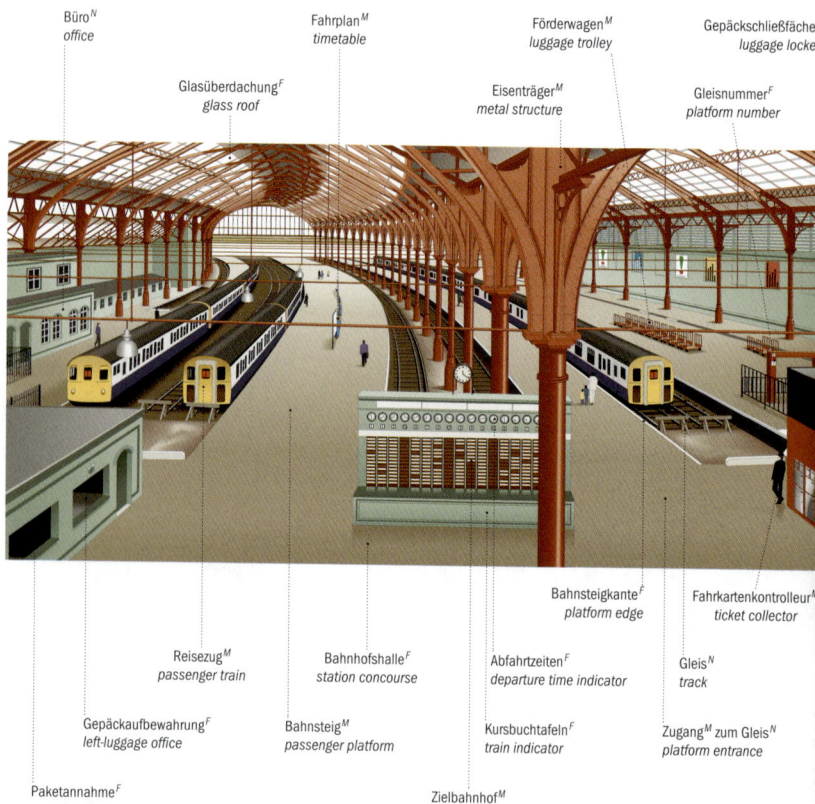

Bahnsteigkante^F
platform edge

Fahrkartenkontrolleur^M
ticket collector

Reisezug^M
passenger train

Bahnhofshalle^F
station concourse

Abfahrtzeiten^F
departure time indicator

Gleis^N
track

Gepäckaufbewahrung^F
left-luggage office

Bahnsteig^M
passenger platform

Kursbuchtafeln^F
train indicator

Zugang^M zum Gleis^N
platform entrance

Paketannahme^F
parcels office

Zielbahnhof^M
destination

Bahnhof[M]
railway station

Personenbahnhof[M]
passenger station

Bahnsteig[M]
station platform

Nahverkehrszug[M]
commuter train

Hauptgleis[N]
main line

S-Bahn-Strecke[F]
suburban commuter railway

Nebengleis[N]
siding

Prellbock[M]
buffers

Bahnübergang[M]
level crossing

Parkplatz[M]
car park

Bahnsteigüberdachung[F]
platform shelter

Fußgängerbrücke[F]
footbridge

Signal[N]
semaphore signal

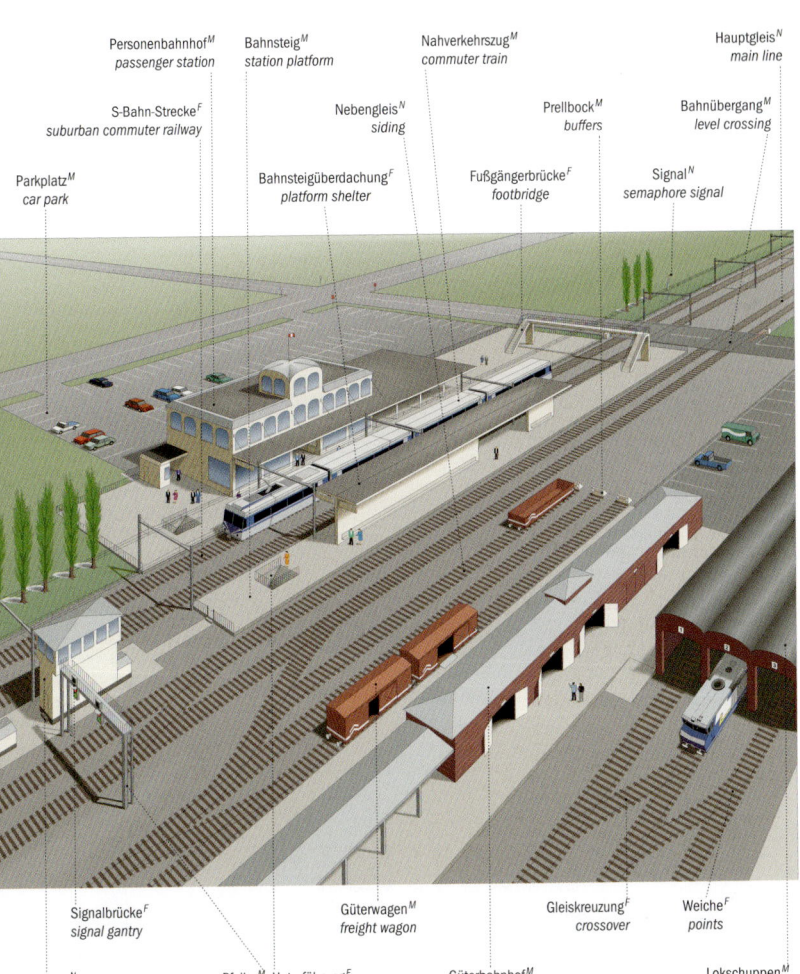

Signalbrücke[F]
signal gantry

Güterwagen[M]
freight wagon

Gleiskreuzung[F]
crossover

Weiche[F]
points

Stellwerk[N]
signal box

Pfeiler[M]
support

Unterführung[F]
subway

Güterbahnhof[M]
goods station

Lokschuppen[M]
diesel engine shed

Hochgeschwindigkeitszug^M

high-speed train

Mittelwagen^M
passenger car

Scherenstromabnehmer^M
pantograph

Gepäckraum^M
luggage compartment

Haupttransformator^M
main transformer

Fahrmotor^M
motor unit

Oberleitung^F
overhead wires

Scheinwerfer^M
headlight

Führerstand^M
driver's cab

Lokomotive^F
locomotive

Luftkompressor^M
air compression unit

Drehgestell^N
suspension bogie

Triebdrehgestell^N
motor bogie

Gerätefach^N
equipment compartment

Schienenräumer^M
stone deflector

Scheinwerfer^M
headlight

Positionsleuchte^F
position light

Antenne^F für di
Linienzugbeeinflussung
coupling guide device

Personenzüge^M: Wagentypen^M

types of passenger coach

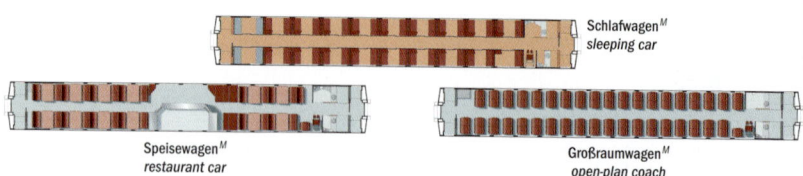

Schlafwagen^M
sleeping car

Speisewagen^M
restaurant car

Großraumwagen^M
open-plan coach

dieselelektrische Lokomotive[F]
diesel-electric locomotive

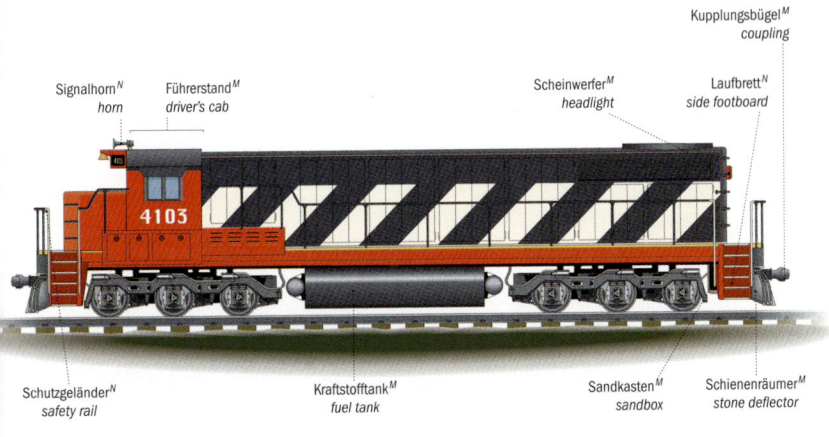

Kupplungsbügel[M]
coupling

Signalhorn[N]
horn

Führerstand[M]
driver's cab

Scheinwerfer[M]
headlight

Laufbrett[N]
side footboard

Schutzgeländer[N]
safety rail

Kraftstofftank[M]
fuel tank

Sandkasten[M]
sandbox

Schienenräumer[M]
stone deflector

4103

Beispiele[N] für Güterwagen[M]
examples of freight wagons

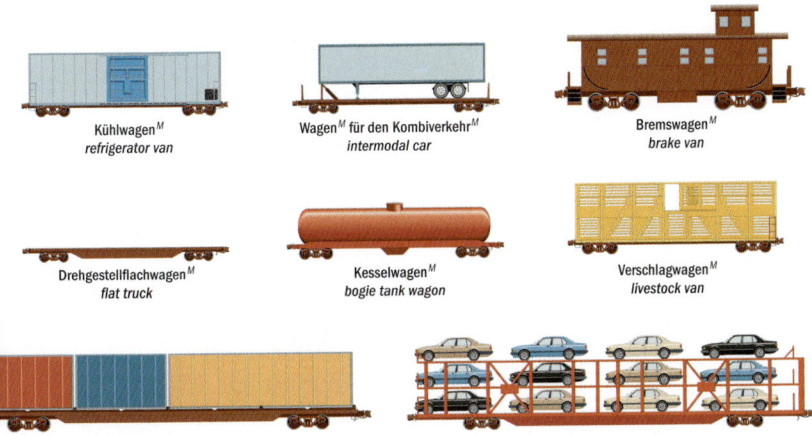

Kühlwagen[M]
refrigerator van

Wagen[M] für den Kombiverkehr[M]
intermodal car

Bremswagen[M]
brake van

Drehgestellflachwagen[M]
flat truck

Kesselwagen[M]
bogie tank wagon

Verschlagwagen[M]
livestock van

Containerflachwagen[M]
container truck

Autotransportwagen[M]
three-tier car carrier

U-Bahn^F

underground railway

U-Bahn-Station^F
underground station

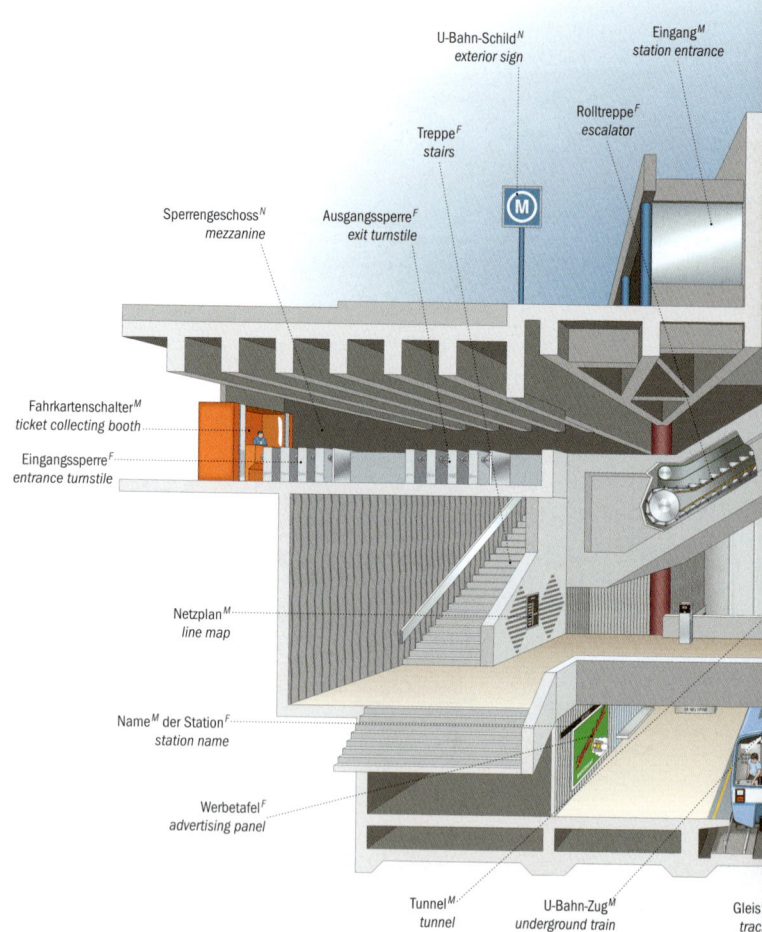

U-Bahn-Schild^N
exterior sign

Eingang^M
station entrance

Rolltreppe^F
escalator

Treppe^F
stairs

Sperrengeschoss^N
mezzanine

Ausgangssperre^F
exit turnstile

Fahrkartenschalter^M
ticket collecting booth

Eingangssperre^F
entrance turnstile

Netzplan^M
line map

Name^M der Station^F
station name

Werbetafel^F
advertising panel

Tunnel^M
tunnel

U-Bahn-Zug^M
underground train

Gleis^N
track

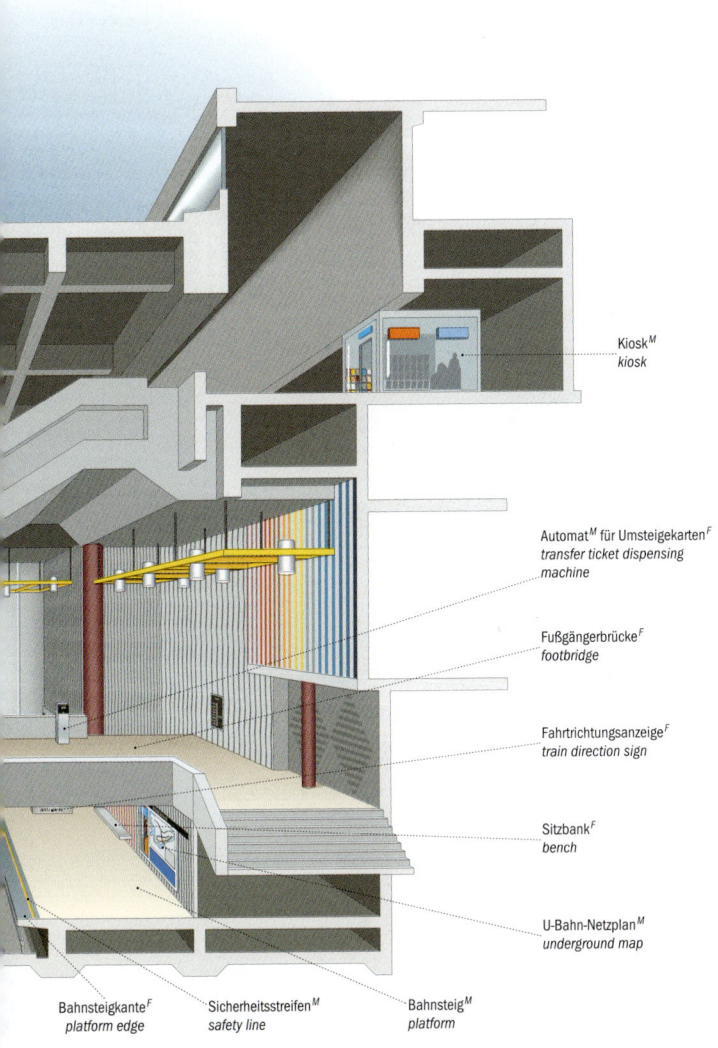

Kiosk^M
kiosk

Automat^M für Umsteigekarten^F
transfer ticket dispensing machine

Fußgängerbrücke^F
footbridge

Fahrtrichtungsanzeige^F
train direction sign

Sitzbank^F
bench

U-Bahn-Netzplan^M
underground map

Bahnsteigkante^F
platform edge

Sicherheitsstreifen^M
safety line

Bahnsteig^M
platform

U-Bahn^F

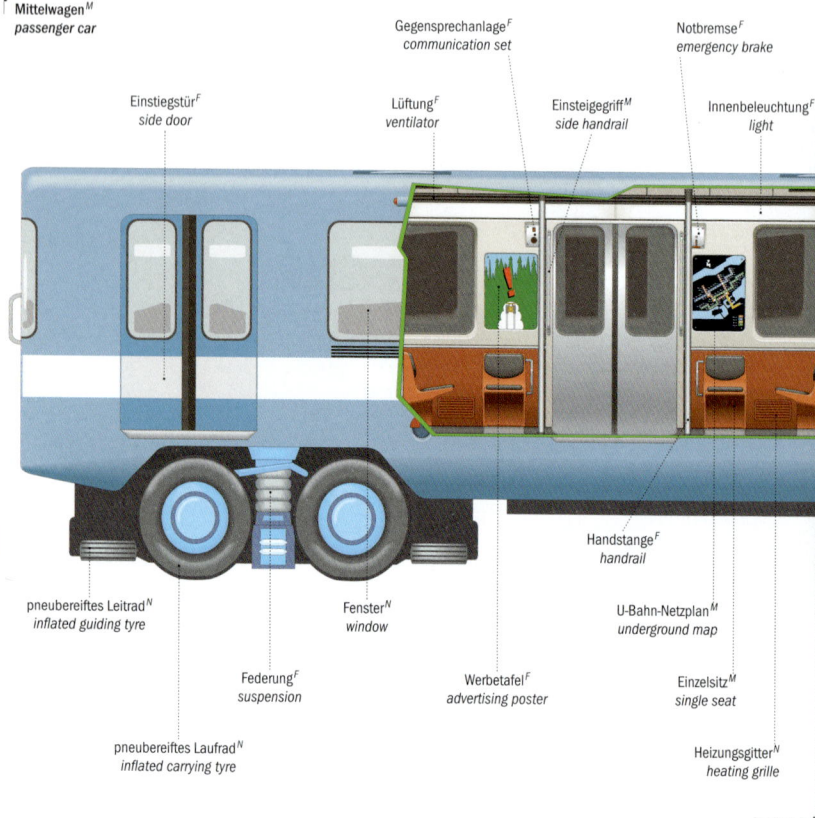

Mittelwagen^M
passenger car

Gegensprechanlage^F
communication set

Notbremse^F
emergency brake

Einstiegstür^F
side door

Lüftung^F
ventilator

Einsteigegriff^M
side handrail

Innenbeleuchtung^F
light

Handstange^F
handrail

pneubereiftes Leitrad^N
inflated guiding tyre

Fenster^N
window

U-Bahn-Netzplan^M
underground map

Federung^F
suspension

Werbetafel^F
advertising poster

Einzelsitz^M
single seat

pneubereiftes Laufrad^N
inflated carrying tyre

Heizungsgitter^N
heating grille

Doppelsitz^M
double seat

U-Bahn-Zug^M
underground train

Triebwagen^M
motor car

Beiwagen^M
trailer car

Triebwagen^M
motor car

TRANSPORT UND FAHRZEUGE

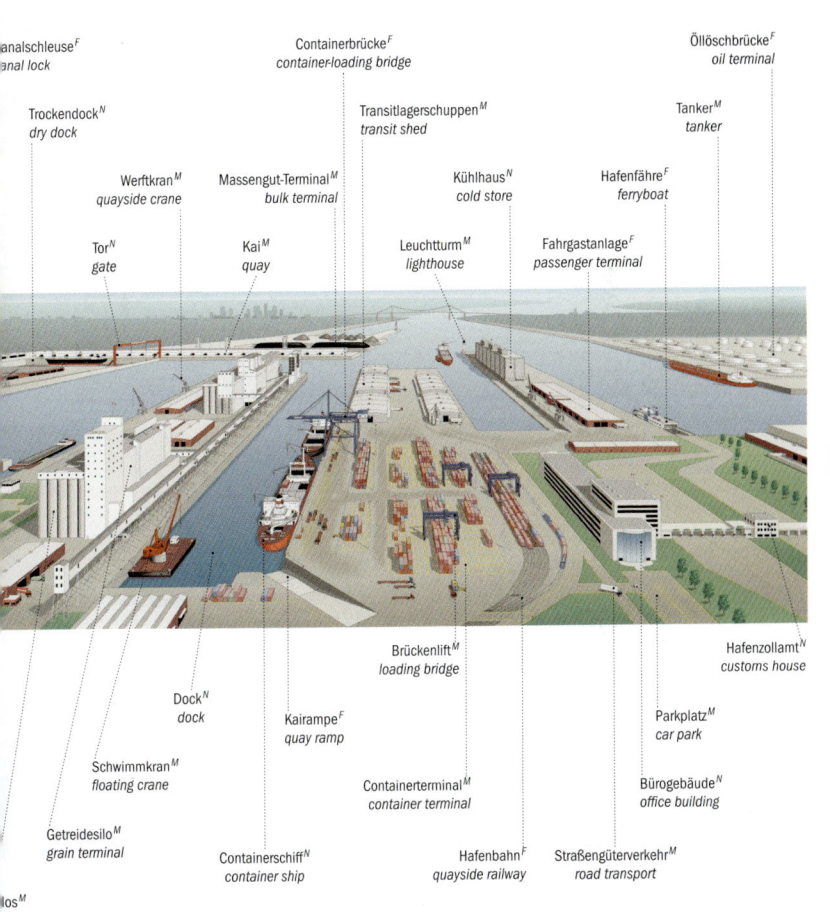

analschleuse[F]
anal lock

Trockendock[N]
dry dock

Containerbrücke[F]
container-loading bridge

Öllöschbrücke[F]
oil terminal

Transitlagerschuppen[M]
transit shed

Tanker[M]
tanker

Werftkran[M]
quayside crane

Massengut-Terminal[M]
bulk terminal

Kühlhaus[N]
cold store

Hafenfähre[F]
ferryboat

Tor[N]
gate

Kai[M]
quay

Leuchtturm[M]
lighthouse

Fahrgastanlage[F]
passenger terminal

Brückenlift[M]
loading bridge

Hafenzollamt[N]
customs house

Dock[N]
dock

Kairampe[F]
quay ramp

Parkplatz[M]
car park

Schwimmkran[M]
floating crane

Containerterminal[M]
container terminal

Bürogebäude[N]
office building

Getreidesilo[M]
grain terminal

Containerschiff[N]
container ship

Hafenbahn[F]
quayside railway

Straßengüterverkehr[M]
road transport

los[M]
os

Beispiele[N] für Boote[N] und Schiffe[N]

examples of boats and ships

Bohrschiff[N]
drill ship

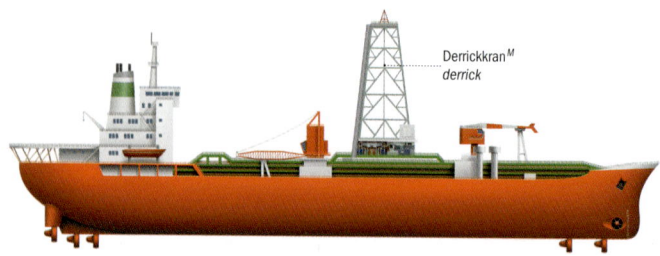

Derrickkran[M]
derrick

Frachtschiff[N]
bulk carrier

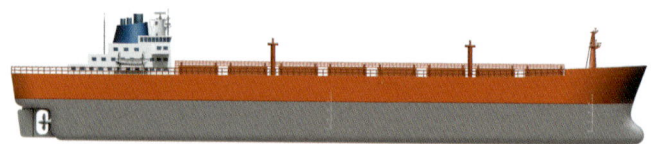

Containerschiff[N]
container ship

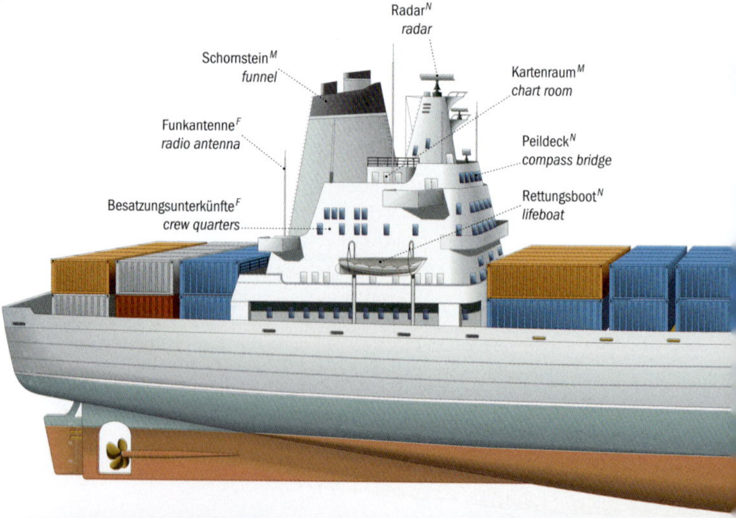

Radar[N]
radar

Schornstein[M]
funnel

Kartenraum[M]
chart room

Funkantenne[F]
radio antenna

Peildeck[N]
compass bridge

Besatzungsunterkünfte[F]
crew quarters

Rettungsboot[N]
lifeboat

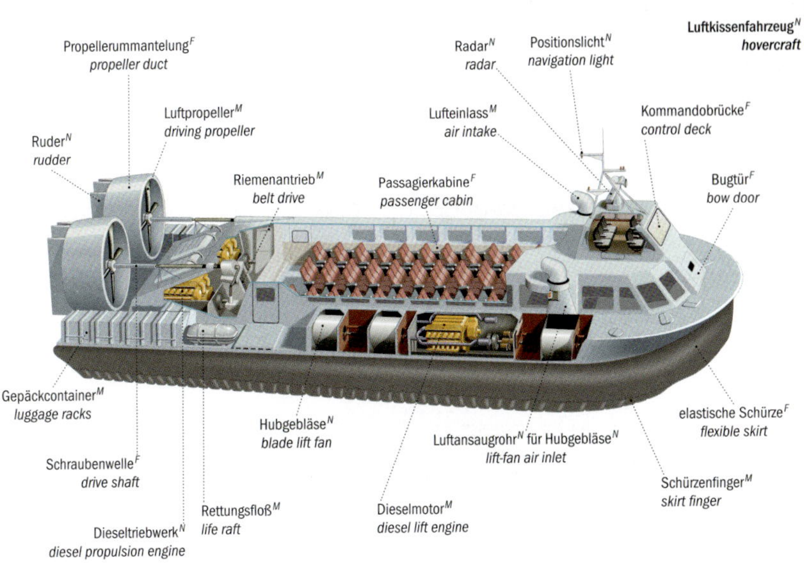

Luftkissenfahrzeug[N]
hovercraft

Propellerummantelung[F]
propeller duct

Luftpropeller[M]
driving propeller

Ruder[N]
rudder

Riemenantrieb[M]
belt drive

Radar[N]
radar

Positionslicht[N]
navigation light

Lufteinlass[M]
air intake

Passagierkabine[F]
passenger cabin

Kommandobrücke[F]
control deck

Bugtür[F]
bow door

Gepäckcontainer[M]
luggage racks

Schraubenwelle[F]
drive shaft

Dieseltriebwerk[N]
diesel propulsion engine

Rettungsfloß[M]
life raft

Hubgebläse[N]
blade lift fan

Dieselmotor[M]
diesel lift engine

Luftansaugrohr[N] für Hubgebläse[N]
lift-fan air inlet

elastische Schürze[F]
flexible skirt

Schürzenfinger[M]
skirt finger

Topplicht[N]
masthead light

Container[M]
container

Containerlaschsystem[N]
container hold

Back[F]
forecastle

Ankerklüse[F]
hawse pipe

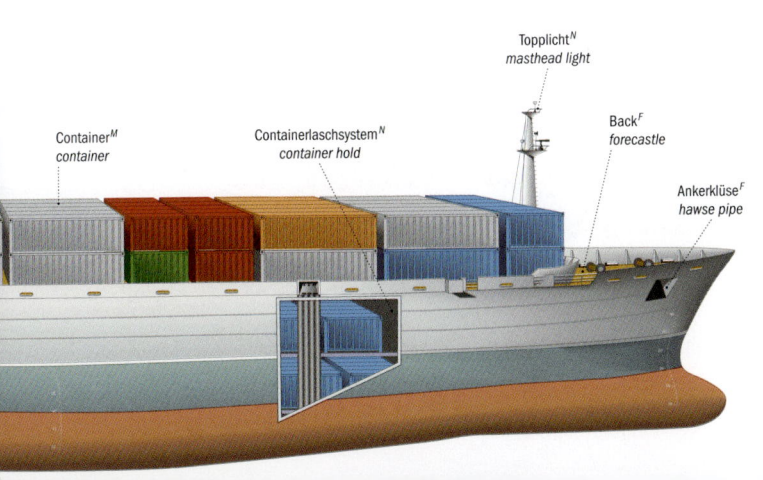

Beispiele^N für Boote^N und Schiffe^N

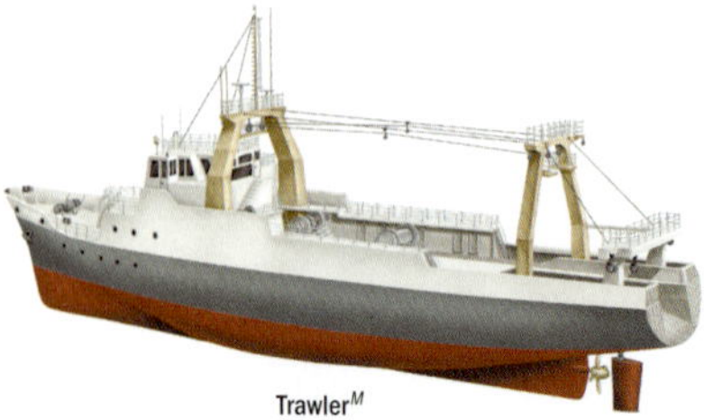

Trawler^M
trawler

Ruderhaus^N
wheelhouse

Schlepper^M
tug

Schraube^F
propeller

Ruderblatt^N
rudder blade

Bug^M
stem

Bugpropeller^M
stem propeller

Eisbrecher^M
ice-breaker

Heckpropeller^M
rear propeller

Tanker^M
tanker

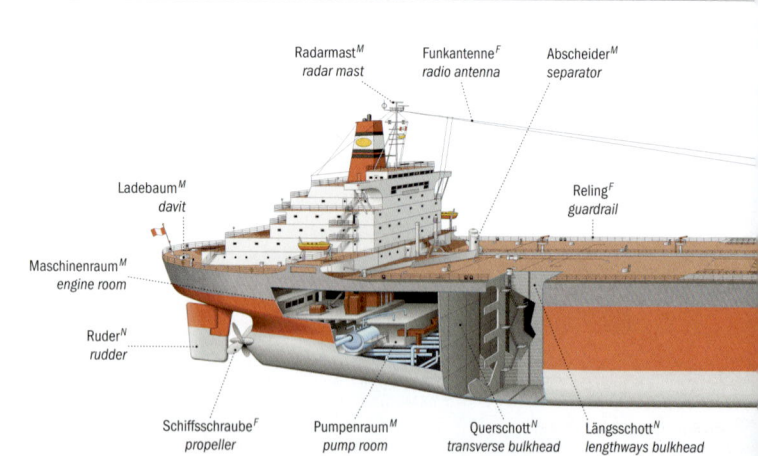

Radarmast^M
radar mast

Funkantenne^F
radio antenna

Abscheider^M
separator

Ladebaum^M
davit

Reling^F
guardrail

Maschinenraum^M
engine room

Ruder^N
rudder

Schiffsschraube^F
propeller

Pumpenraum^M
pump room

Querschott^N
transverse bulkhead

Längsschott^N
lengthways bulkhead

Beispiele[N] für Boote[N] und Schiffe[N]

Laufbrücke[F]
fore-and-aft passage

Steuerhaus[N]
pilot house

Hausboot[N]
houseboat

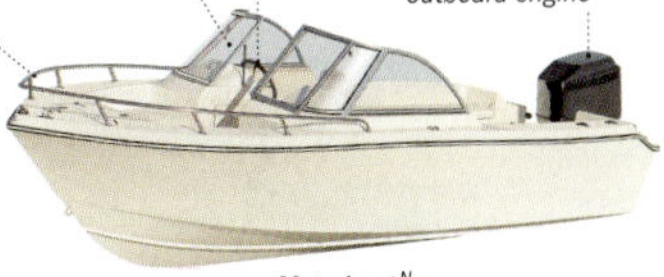

Lenkrad[N]
steering wheel

Windschutzscheibe[F]
windscreen

Außenbordmotor[M]
outboard engine

Reling[F]
handrail

Reling[F]
handrail

Sonnendeck[N]
sun deck

Motorboot[N]
runabout

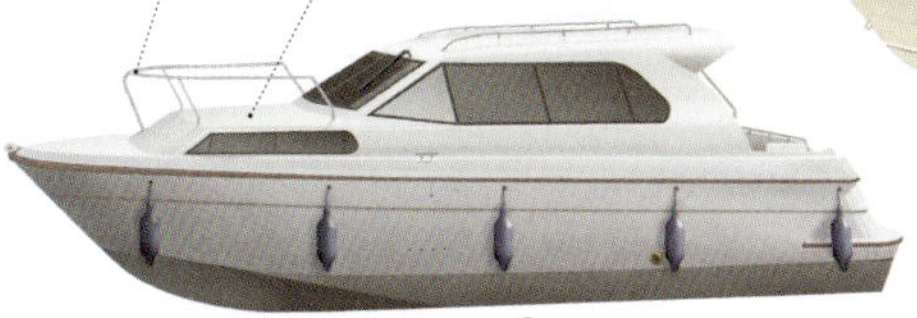

Motorjacht[F]
motor yacht

Ladebaum[M]
derrick

Lademast[M]
derrick mast

Tanklukendeckel[M]
tank hatch cover

Entlüftungsventil[N]
air relief valve

Schaumanzeiger[M]
foam gun

Vordermast[M]
foremast

Verhol-Winde[F]
mooring winch

Tank[M]
tank

Hauptdeck[N]
main deck

Poller[M]
bitt

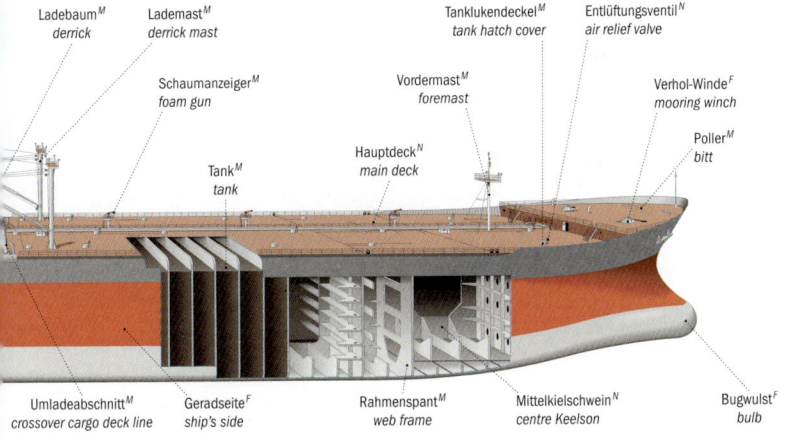

Umladeabschnitt[M]
crossover cargo deck line

Geradseite[F]
ship's side

Rahmenspant[M]
web frame

Mittelkielschwein[N]
centre Keelson

Bugwulst[F]
bulb

Beispiele^N für Boote^N und Schiffe^N

Fähre^F
ferry boat

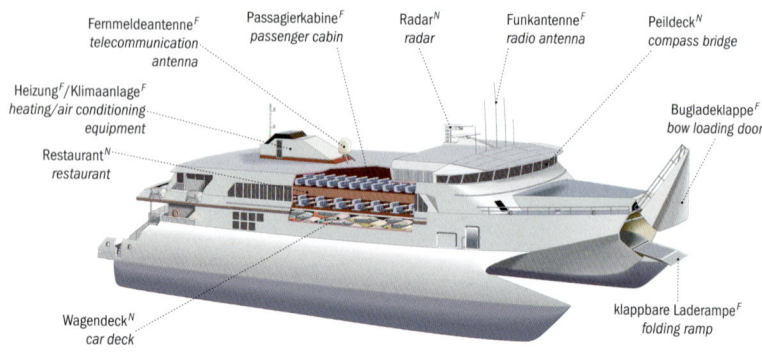

Fernmeldeantenne^F
telecommunication antenna

Passagierkabine^F
passenger cabin

Radar^N
radar

Funkantenne^F
radio antenna

Peildeck^N
compass bridge

Heizung^F/Klimaanlage^F
heating/air conditioning equipment

Restaurant^N
restaurant

Bugladeklappe^F
bow loading door

Wagendeck^N
car deck

klappbare Laderampe^F
folding ramp

Passagierdampfer^M
cruiseliner

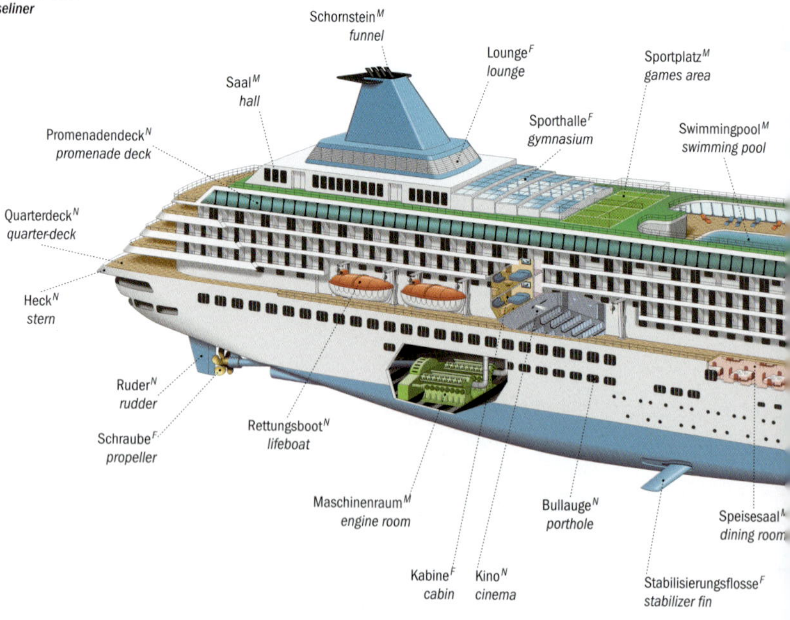

Schornstein^M
funnel

Saal^M
hall

Lounge^F
lounge

Sportplatz^M
games area

Promenadendeck^N
promenade deck

Sporthalle^F
gymnasium

Swimmingpool^M
swimming pool

Quarterdeck^N
quarter-deck

Heck^N
stern

Ruder^N
rudder

Schraube^F
propeller

Rettungsboot^N
lifeboat

Maschinenraum^M
engine room

Kabine^F
cabin

Kino^N
cinema

Bullauge^N
porthole

Speisesaal^M
dining room

Stabilisierungsflosse^F
stabilizer fin

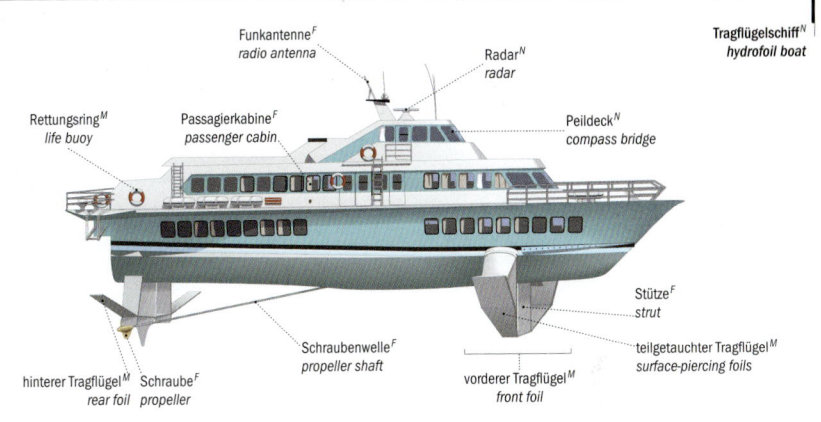

Tragflügelschiff[N]
hydrofoil boat

Funkantenne[F]
radio antenna

Radar[N]
radar

Rettungsring[M]
life buoy

Passagierkabine[F]
passenger cabin

Peildeck[N]
compass bridge

Stütze[F]
strut

Schraubenwelle[F]
propeller shaft

teilgetauchter Tragflügel[M]
surface-piercing foils

hinterer Tragflügel[M]
rear foil

Schraube[F]
propeller

vorderer Tragflügel[M]
front foil

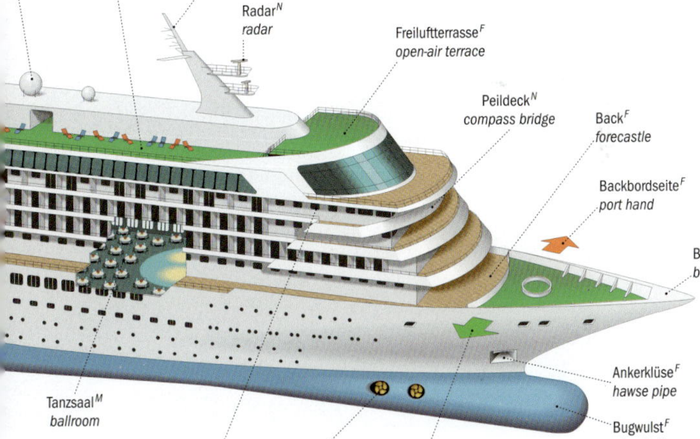

Telekommunikationsantenne[F]
telecommunication antenna

Sonnendeck[N]
sundeck

Funkantenne[F]
radio antenna

Radar[N]
radar

Freiluftterrasse[F]
open-air terrace

Peildeck[N]
compass bridge

Back[F]
forecastle

Backbordseite[F]
port hand

Bug[M]
bow

Ankerklüse[F]
hawse pipe

Tanzsaal[M]
ballroom

Offizierskabine[F]
captain's quarters

Bugstrahler[M]
bow thruster

Steuerbordseite[F]
starboard hand

Bugwulst[F]
stem bulb

TRANSPORT UND FAHRZEUGE

Flughafen ^{M}
airport

Schnellabrollbahn ^{F}
high-speed exit taxiway

Kontrollraum ^{M}
tower control room

Kontrolltower ^{M}
control tower

Zufahrtsstraße ^{F}
access road

Rollbahn ^{F}
taxiway

Überholrollbahn ^{F}
by-pass taxiway

Rollbahn ^{F}
taxiway

Vorfeld ^{N}
apron

Versorgungsstraße ^{M}
service road

Vorfeld ^{N}
apron

Passagierterminal ^{M}
passenger terminal

Flugzeugwartungshalle ^{F}
maintenance hangar

Abstellplatz ^{M}
parking area

ausziehbare
Fluggastbrücke ^{F}
telescopic corridor

Versorgungsbereich ^{M}
service area

Fluggastbrücke ^{F}
boarding walkway

Rollbahnmarkierung ^{F}
taxiway line

radiale Einsteigestation ^{F}
satellite terminal

Flughafen^M

TRANSPORT UND FAHRZEUGE

Passagierterminal^M
passenger terminal

Informationsschalter^M
information counter

Gepäckausgabe^F
baggage claim area

Hotelreservierungsschalter^M
hotel reservation desk

Ticketschalter^M
ticket counter

automatische Tür^F
automatically-controlled door

Eingangshalle^F
lobby

Check-in-Schalter^M
baggage check-in counter

Parkplatz^M
car park

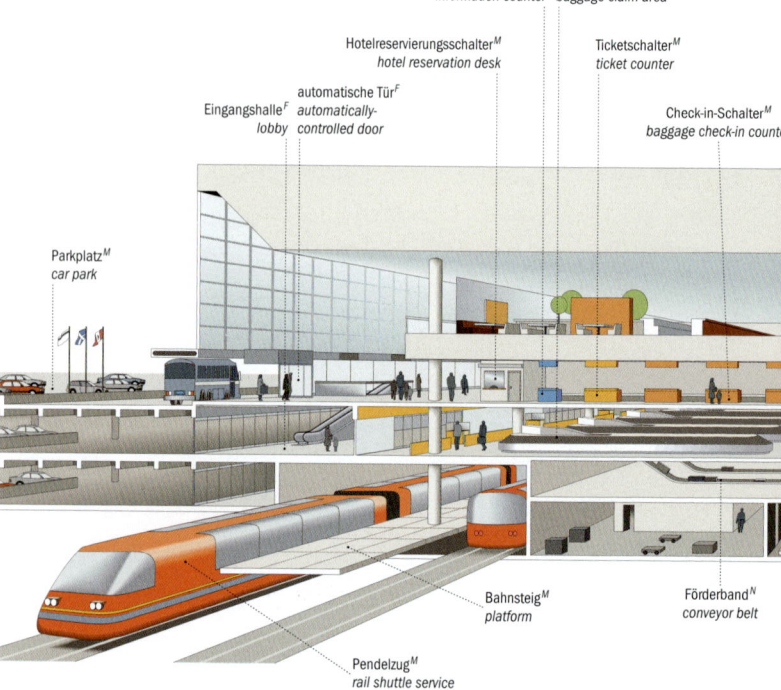

Bahnsteig^M
platform

Förderband^N
conveyor belt

Pendelzug^M
rail shuttle service

Start- und Landebahn^F
runway

Wartebereichmarkierung^F
holding area marking

Pistenbezeichnungsmarkierung^F
runway designation marking

Pisten-Mittelliniemarkierungen^F
runway centre line markings

Pistenrandmarkierungen^F
runway side stripe markings

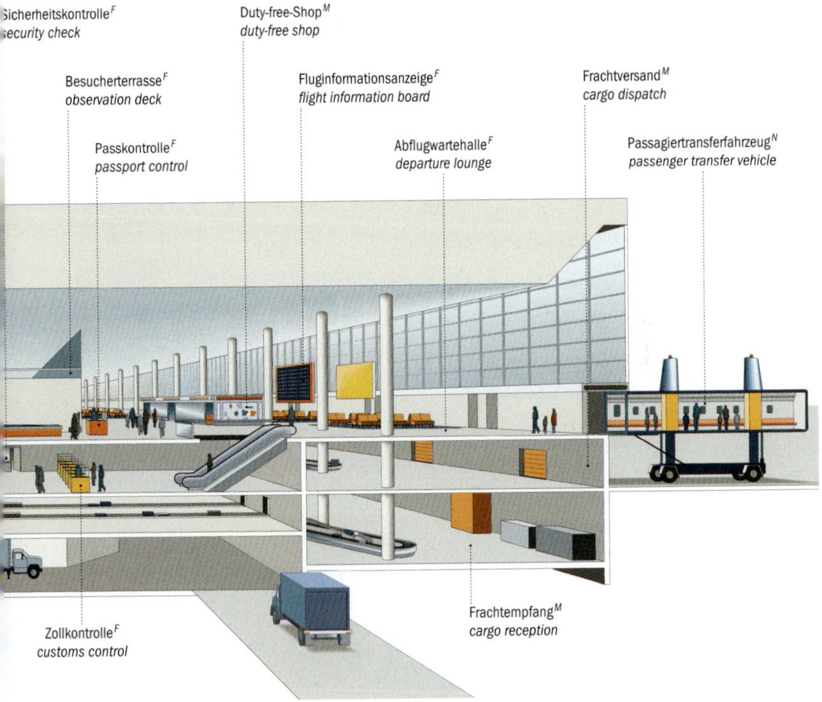

Sicherheitskontrolle^F
security check

Besucherterrasse^F
observation deck

Passkontrolle^F
passport control

Duty-free-Shop^M
duty-free shop

Fluginformationsanzeige^F
flight information board

Abflugwartehalle^F
departure lounge

Frachtversand^M
cargo dispatch

Passagiertransferfahrzeug^N
passenger transfer vehicle

Zollkontrolle^F
customs control

Frachtempfang^M
cargo reception

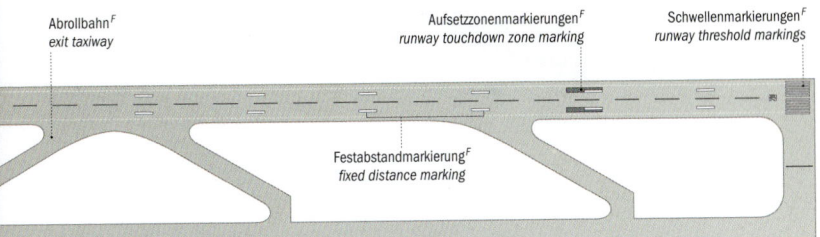

Abrollbahn^F
exit taxiway

Aufsetzzonenmarkierungen^F
runway touchdown zone marking

Schwellenmarkierungen^F
runway threshold markings

Festabstandmarkierung^F
fixed distance marking

Langstrecken-Düsenflugzeug^N

long-range jet airliner

Austrittskante^F
trailing edge

Querruder^N
aileron

Landeklappe^F
trailing edge flap

Störklappe^F
spoiler

Antenne^F
antenna

Oberdeck^N
upper deck

Warnblinklicht^N
anticollision light

Cockpit^N
flight deck

Windschutzscheibe^F
windscreen

Bug^M
nose

Wetterradar^M
weather radar

Passagierraum^M 1. Klasse^F
first-class cabin

Bugfahrwerk^N
nose landing gear

Bordküche^F
galley

Fenster^N
window

Tür^F
door

Flügelwurzel^F
root rib

Versteifungsrippe^F
wing rib

Holm^M
spar

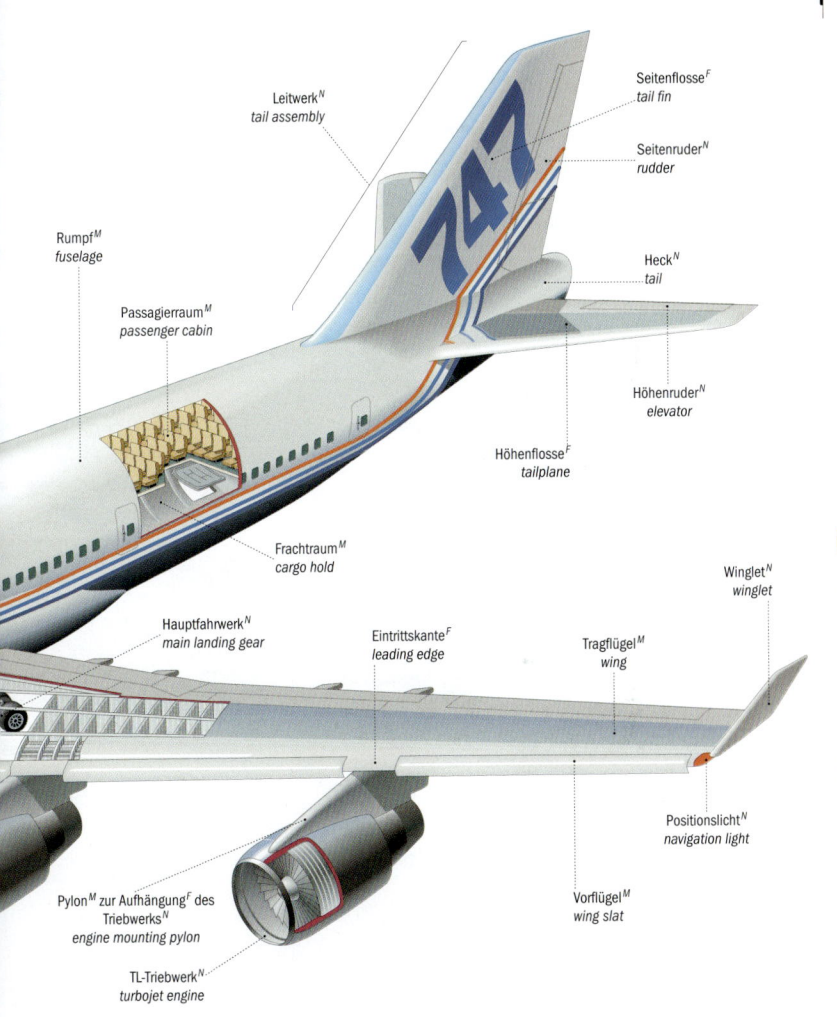

Leitwerk[N]
tail assembly

Seitenflosse[F]
tail fin

Seitenruder[N]
rudder

Rumpf[M]
fuselage

Heck[N]
tail

Passagierraum[M]
passenger cabin

Höhenruder[N]
elevator

Höhenflosse[F]
tailplane

Frachtraum[M]
cargo hold

Winglet[N]
winglet

Hauptfahrwerk[N]
main landing gear

Eintrittskante[F]
leading edge

Tragflügel[M]
wing

Positionslicht[N]
navigation light

Pylon[M] zur Aufhängung des
Triebwerks[N]
engine mounting pylon

TL-Triebwerk[N]
turbojet engine

Vorflügel[M]
wing slat

Beispiele[N] für Flugzeuge[N]
examples of aircraft

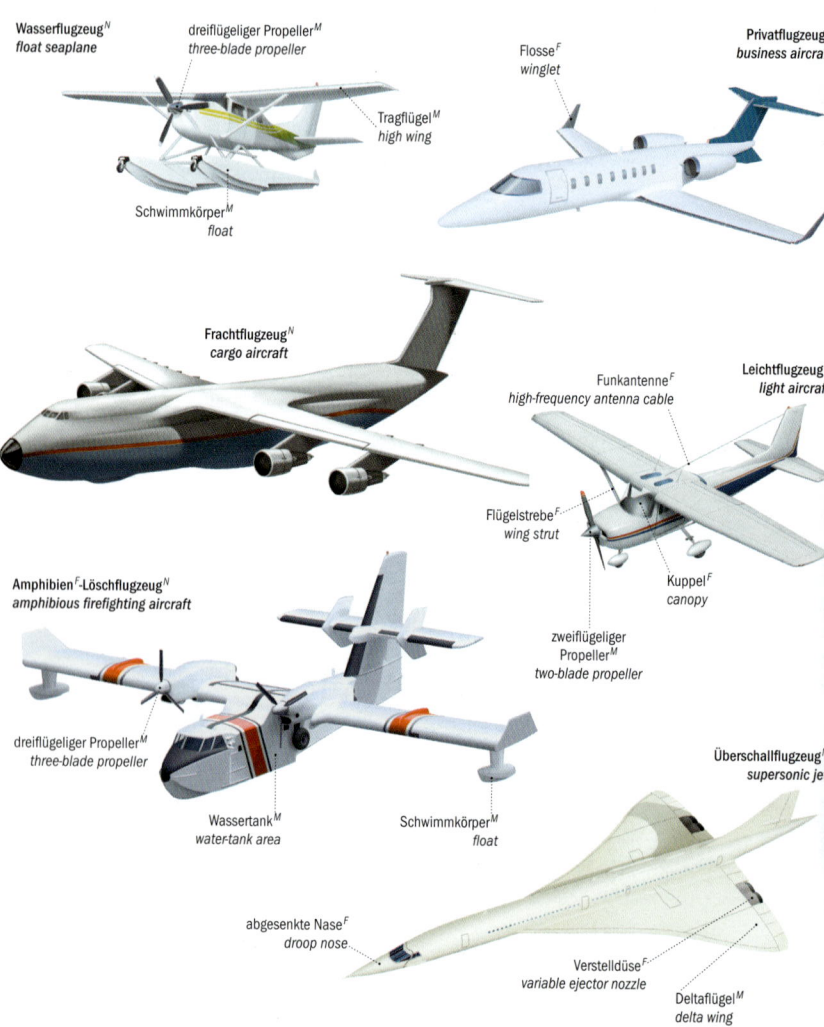

Wasserflugzeug[N]
float seaplane

dreiflügeliger Propeller[M]
three-blade propeller

Tragflügel[M]
high wing

Schwimmkörper[M]
float

Flosse[F]
winglet

Privatflugzeug[N]
business aircraft

Frachtflugzeug[N]
cargo aircraft

Funkantenne[F]
high-frequency antenna cable

Leichtflugzeug[N]
light aircraft

Flügelstrebe[F]
wing strut

Kuppel[F]
canopy

zweiflügeliger Propeller[M]
two-blade propeller

Amphibien[F]-Löschflugzeug[N]
amphibious firefighting aircraft

dreiflügeliger Propeller[M]
three-blade propeller

Wassertank[M]
water-tank area

Schwimmkörper[M]
float

Überschallflugzeug[N]
supersonic jet

abgesenkte Nase[F]
droop nose

Verstelldüse[F]
variable ejector nozzle

Deltaflügel[M]
delta wing

Bewegungen[F] eines Flugzeugs[N]
movements of an aircraft

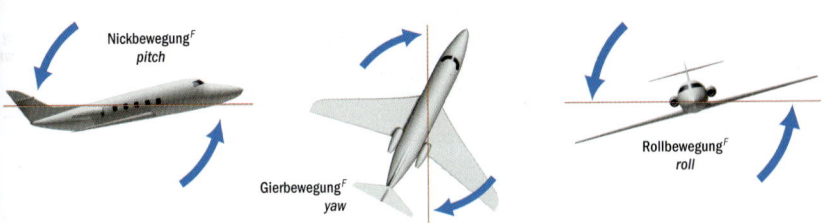

Nickbewegung[F]
pitch

Gierbewegung[F]
yaw

Rollbewegung[F]
roll

Hubschrauber[M]
helicopter

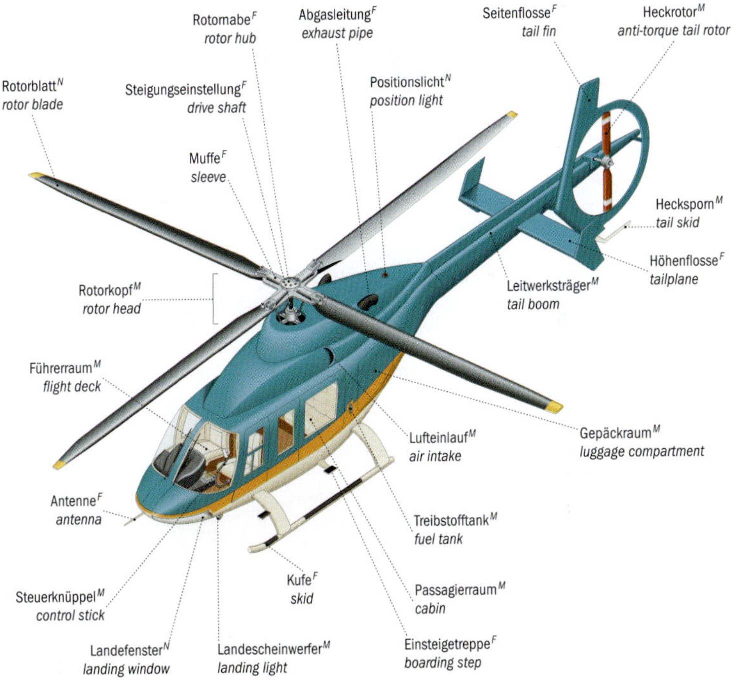

Rotornabe[F]
rotor hub

Abgasleitung[F]
exhaust pipe

Seitenflosse[F]
tail fin

Heckrotor[M]
anti-torque tail rotor

Rotorblatt[N]
rotor blade

Steigungseinstellung[F]
drive shaft

Positionslicht[N]
position light

Muffe[F]
sleeve

Heckspom[M]
tail skid

Höhenflosse[F]
tailplane

Leitwerksträger[M]
tail boom

Rotorkopf[M]
rotor head

Führerraum[M]
flight deck

Lufteinlauf[M]
air intake

Gepäckraum[M]
luggage compartment

Antenne[F]
antenna

Treibstofftank[M]
fuel tank

Steuerknüppel[M]
control stick

Kufe[F]
skid

Passagierraum[M]
cabin

Landefenster[N]
landing window

Landescheinwerfer[M]
landing light

Einsteigetreppe[F]
boarding step

TRANSPORT UND FAHRZEUGE

Lastenfortbewegung^F

material handling

Gabelstapler^M
forklift truck

Führungsständer^M
mast

Kreuzkopf^M
crosshead

Hubkette^F
lifting chain

Hydraulik^F
hydraulic system

Träger^M
carriage

Gabelarm^M
fork arm

Gabel^F
fork

Schutzdach^N
overhead guard

Maststeuerhebel^M
mast operating lever

Motorraum^M
engine compartment

Rahmen^M
frame

Sackkarren^M
barrow

Palettenhubwagen^M
pallet truck

Rücksprungpalette^F
wing pallet

obere Vertäfelung^F
top deckboard

Träger^M
stringer

Einfahröffnung^F
entry

untere Vertäfelung^F
bottom deckboard

TRANSPORT UND FAHRZEUGE

Kräne[M]

cranes

Turmkran[M]
tower crane

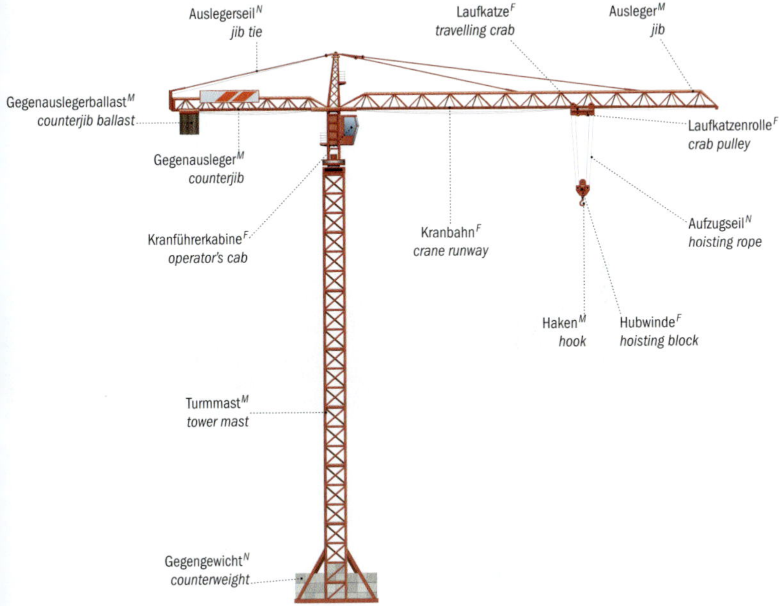

Auslegerseil[N]
jib tie

Laufkatze[F]
travelling crab

Ausleger[M]
jib

Gegenauslegerballast[M]
counterjib ballast

Laufkatzenrolle[F]
crab pulley

Gegenausleger[M]
counterjib

Kranführerkabine[F]
operator's cab

Kranbahn[F]
crane runway

Aufzugseil[N]
hoisting rope

Haken[M]
hook

Hubwinde[F]
hoisting block

Turmmast[M]
tower mast

Gegengewicht[N]
counterweight

Fahrkran[M]
truck crane

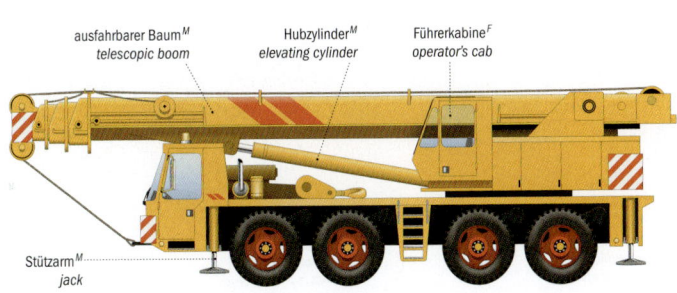

ausfahrbarer Baum[M]
telescopic boom

Hubzylinder[M]
elevating cylinder

Führerkabine[F]
operator's cab

Stützarm[M]
jack

Planierraupe[F]
bulldozer

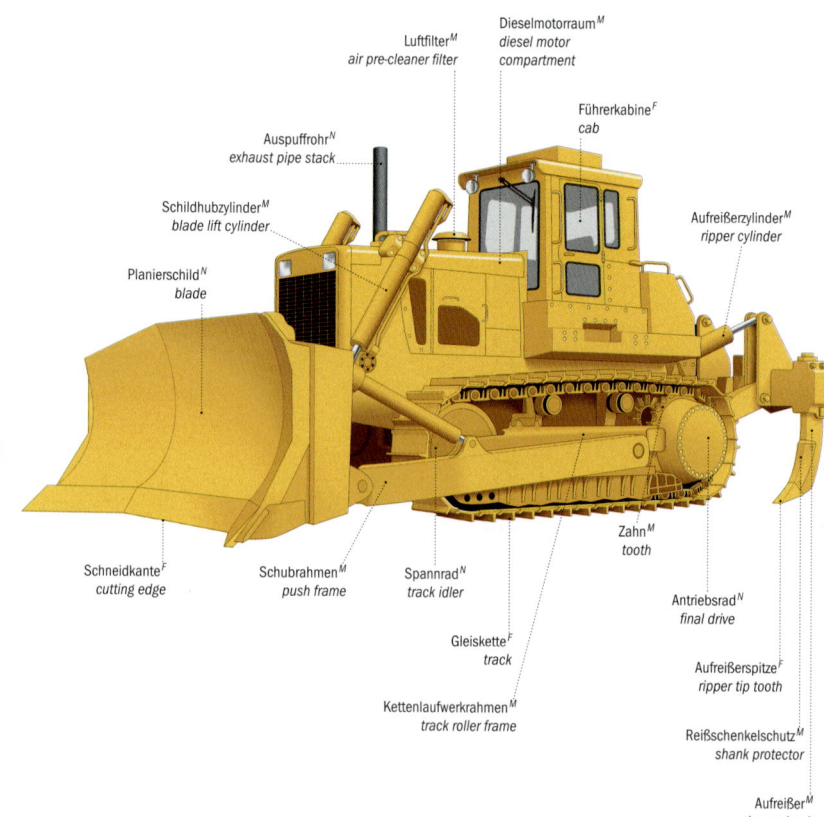

Luftfilter[M]
air pre-cleaner filter

Dieselmotorraum[M]
diesel motor compartment

Führerkabine[F]
cab

Auspuffrohr[N]
exhaust pipe stack

Schildhubzylinder[M]
blade lift cylinder

Aufreißerzylinder[M]
ripper cylinder

Planierschild[N]
blade

Schneidkante[F]
cutting edge

Schubrahmen[M]
push frame

Spannrad[N]
track idler

Zahn[M]
tooth

Antriebsrad[N]
final drive

Gleiskette[F]
track

Aufreißerspitze[F]
ripper tip tooth

Kettenlaufwerkrahmen[M]
track roller frame

Reißschenkelschutz[M]
shank protector

Aufreißer[M]
ripper shank

Gleiskettenschlepper[M]
tracklaying tractor

Planierschaufel[F]
blade

Aufreißer[M]
ripper

TRANSPORT UND FAHRZEUGE

Radlader[M]
backhoe loader

Löffelstiel[M]
dipper arm

Löffelstielzylinder[M]
dipper arm cylinder

Ausleger[M]
boom

Schaufelzylinder[M]
bucket cylinder

hintere Schaufel[F]
backward bucket

Führerkabine[F]
cab

Tieflöffelsteuerung[F]
backhoe controls

Schaufelarm[M]
bucket lever

Schaufel[F]
bucket

Schaufelzylinder[M]
bucket cylinder

Auslegerzylinder[M]
boom cylinder

Dieselmotorraum[M]
diesel engine compartment

Hubarm[M]
lift arm

Schaufelbolzengelenk[N]
bucket hinge pin

Hubarmzylinder[M]
lift-arm cylinder

Schneidkante[F]
cutting edge

TRANSPORT UND FAHRZEUGE

Schaufellader[M]
front-end loader

Radtraktor[M]
wheel tractor

Tieflöffel[M]
backhoe

Schrapper[M]

scraper

Schwanenhals[M]
gooseneck

Lenkzylinder[M]
steering cylinder

Motorraum[M]
tractor engine
compartment

Heber[M]
elevator

Saugrohr[N]
draught tube

Schürfkübel[M]
skip

Schneidkante[F]
cutting edge

Saugarm[M]
draught arm

Hydraulik-Hochlöffelbagger[M]

hydraulic shovel

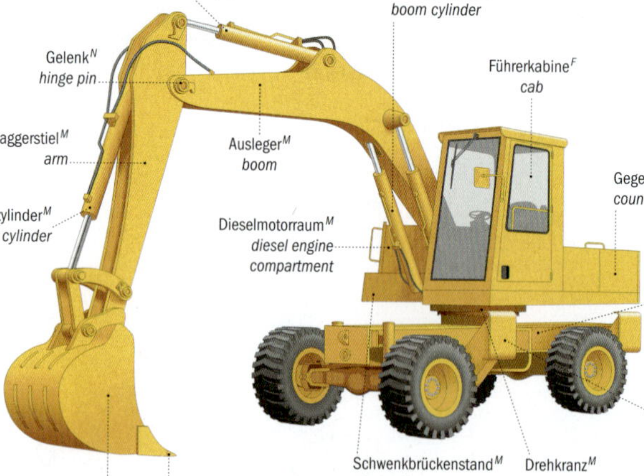

Baggerstielzylinder[M]
arm cylinder

Auslegerzylinder[M]
boom cylinder

Gelenk[N]
hinge pin

Führerkabine[F]
cab

Baggerstiel[M]
arm

Ausleger[M]
boom

Gegengewicht[N]
counterweight

Schaufelzylinder[M]
bucket cylinder

Dieselmotorraum[M]
diesel engine
compartment

Rahmen[M]
frame

Heber[M]
jack

Löffel[M]
backward bucket

Schaufelzahn[M]
tooth

Schwenkbrückenstand[M]
pivot cab

Drehkranz[M]
turntable

Straßenhobel[M]
grader

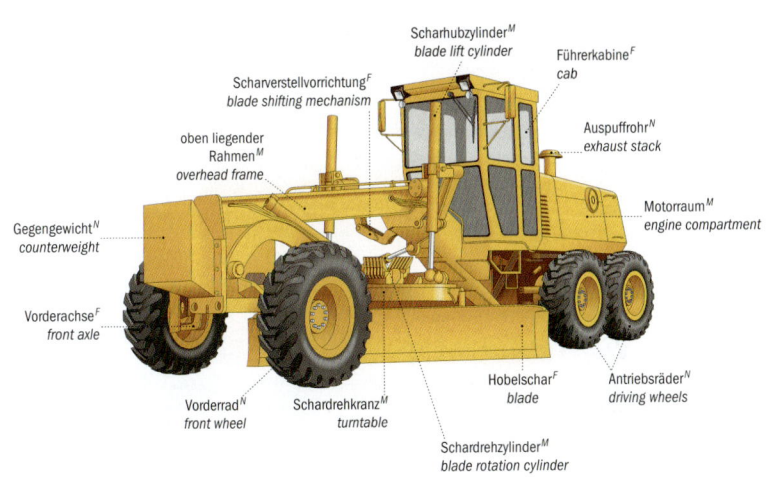

Scharhubzylinder[M]
blade lift cylinder

Führerkabine[F]
cab

Scharverstellvorrichtung[F]
blade shifting mechanism

Auspuffrohr[N]
exhaust stack

oben liegender
Rahmen[M]
overhead frame

Motorraum[M]
engine compartment

Gegengewicht[N]
counterweight

Vorderachse[F]
front axle

Hobelschar[F]
blade

Antriebsräder[N]
driving wheels

Vorderrad[N]
front wheel

Schardrehkranz[M]
turntable

Schardrehzylinder[M]
blade rotation cylinder

Muldenkipper[M]
tipper truck

Stirnwand[F]
canopy

Verstärkungsrippe[F]
rib

Führerhaus[N]
cab

Kippermulde[F]
tipper body

Dieselmotorraum[M]
*diesel engine
compartment*

Leiter[F]
ladder

Rahmen[M]
frame

Elektrizitätserzeugung^F aus geothermischer Energie^F

production of electricity from geothermal energy

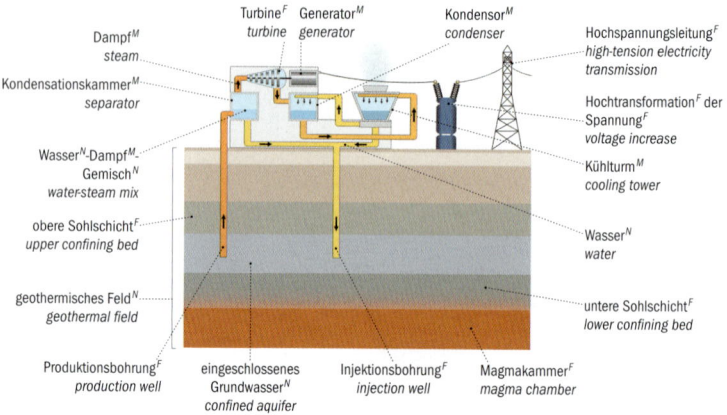

Turbine^F
turbine

Generator^M
generator

Kondensor^M
condenser

Dampf^M
steam

Kondensationskammer^M
separator

Hochspannungsleitung^F
high-tension electricity transmission

Hochtransformation^F der Spannung^F
voltage increase

Wasser^N-Dampf^M-Gemisch^N
water-steam mix

Kühlturm^M
cooling tower

obere Sohlschicht^F
upper confining bed

Wasser^N
water

geothermisches Feld^N
geothermal field

untere Sohlschicht^F
lower confining bed

Produktionsbohrung^F
production well

eingeschlossenes Grundwasser^N
confined aquifer

Injektionsbohrung^F
injection well

Magmakammer^F
magma chamber

Wärmeenergie^F

thermal energy

Elektrizitätserzeugung^F aus Wärmeenergie^F
production of electricity from thermal energy

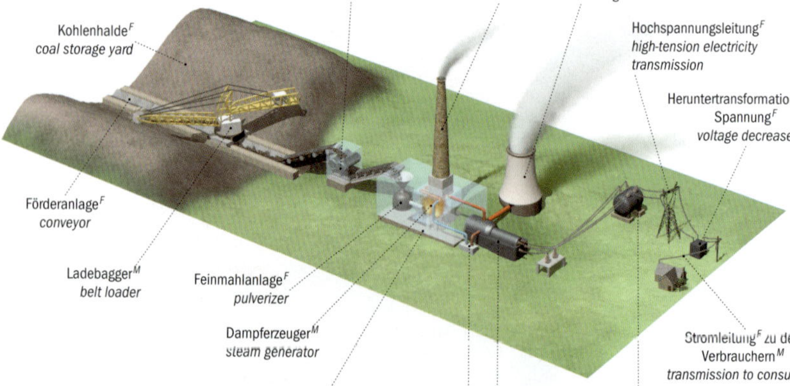

Zerkleinerungswerk^N
crusher

Schornstein^M
stack

Kühlturm^M
cooling tower

Kohlenhalde^F
coal storage yard

Hochspannungsleitung^F
high-tension electricity transmission

Heruntertransformation^F der Spannung^F
voltage decrease

Förderanlage^F
conveyor

Ladebagger^M
belt loader

Feinmahlanlage^F
pulverizer

Dampferzeuger^M
steam generator

Kohlekraftwerk^N
coal-fired thermal power station

Kondensor^M
condenser

Turbinengenerator^M
turbo-alternator unit

Stromleitung^F zu den Verbrauchern^M
transmission to consume

Hochtransformation^F der Spannung^F
voltage increase

ENERGIE

Erdöl[N]
oil

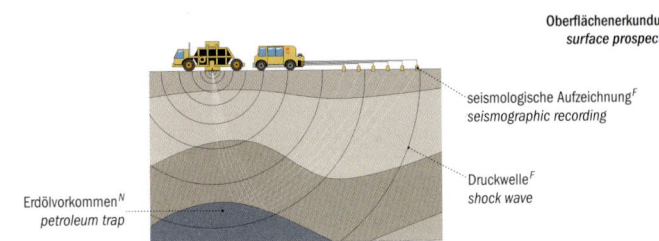

Oberflächenerkundung[F]
surface prospecting

seismologische Aufzeichnung[F]
seismographic recording

Druckwelle[F]
shock wave

Erdölvorkommen[N]
petroleum trap

Bohranlage[F]
drilling rig

Turmrollen[F]
crown block

Bohrturm[M]
derrick

Spülkopf[M]
swivel

Unterblock[M] des Flaschenzuges[M]
travelling block

Schlammpumpenschlauch[M]
mud injection hose

Hebestück[N]
lifting hook

Drehbohrverfahren[F]
rotary system

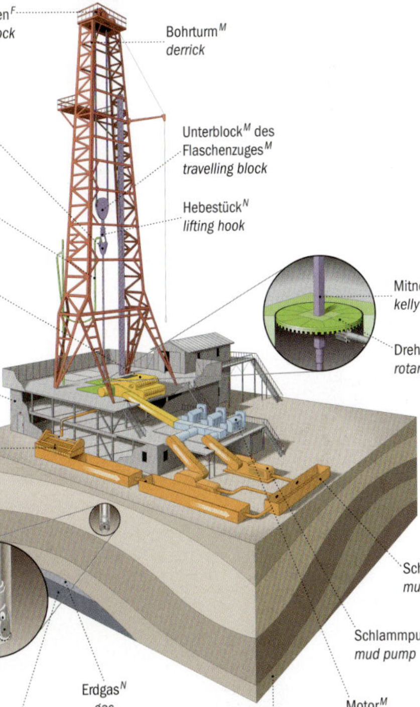

Antriebs- und Hebewerk[N]
drilling drawworks

Mitnehmerstange[F]
kelly

Unterbau[M]
substructure

Drehtisch[M]
rotary table

Schüttelsieb[N]
vibrating mudscreen

Antiklinale[F]
anticline

Bohrgestänge[N]
drill pipe

Schlammgrube[F]
mud pit

Bohrkragen[M]
drill collar

Schlammpumpe[F]
mud pump

Bohrkopf[M]
bit

Erdgas[N]
gas

Motor[M]
engine

Erdöl[N]
oil

undurchlässiges Gestein[N]
impervious rock

ENERGIE

Erdöl[N]

Schwimmdachtank[M]
floating-roof tank

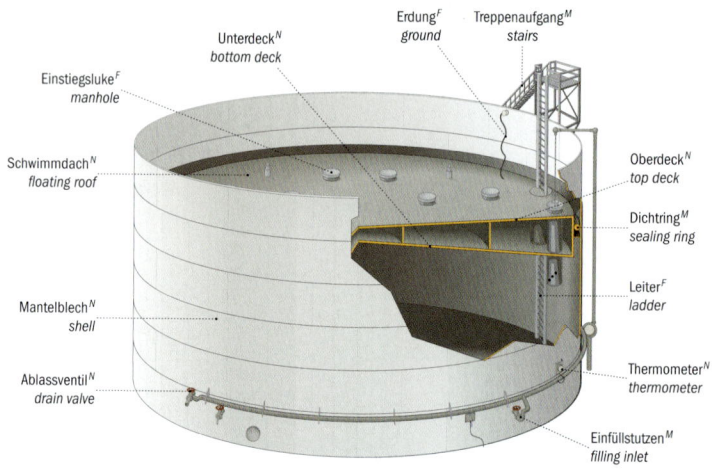

Erdung[F]
ground

Treppenaufgang[M]
stairs

Unterdeck[N]
bottom deck

Einstiegsluke[F]
manhole

Oberdeck[N]
top deck

Schwimmdach[N]
floating roof

Dichtring[M]
sealing ring

Leiter[F]
ladder

Mantelblech[N]
shell

Thermometer[N]
thermometer

Ablassventil[N]
drain valve

Einfüllstutzen[M]
filling inlet

Rohölpipeline[F]
crude-oil pipeline

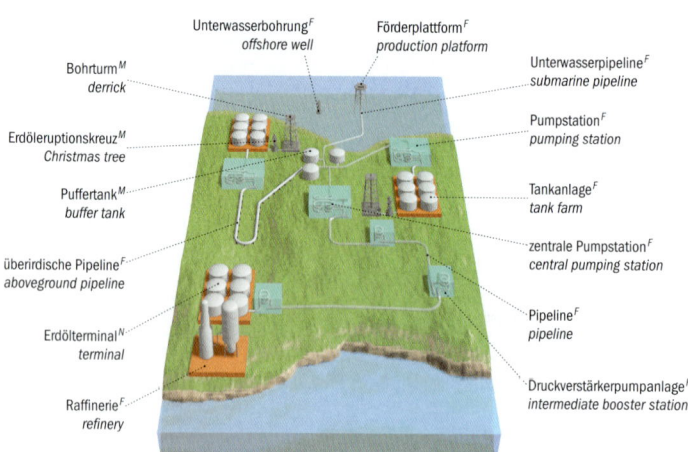

Unterwasserbohrung[F]
offshore well

Förderplattform[F]
production platform

Bohrturm[M]
derrick

Unterwasserpipeline[F]
submarine pipeline

Erdöleruptionskreuz[M]
Christmas tree

Pumpstation[F]
pumping station

Puffertank[M]
buffer tank

Tankanlage[F]
tank farm

überirdische Pipeline[F]
aboveground pipeline

zentrale Pumpstation[F]
central pumping station

Erdölterminal[N]
terminal

Pipeline[F]
pipeline

Raffinerie[F]
refinery

Druckverstärkerpumpanlage[F]
intermediate booster station

Raffinerieerzeugnisse[N]
refinery products

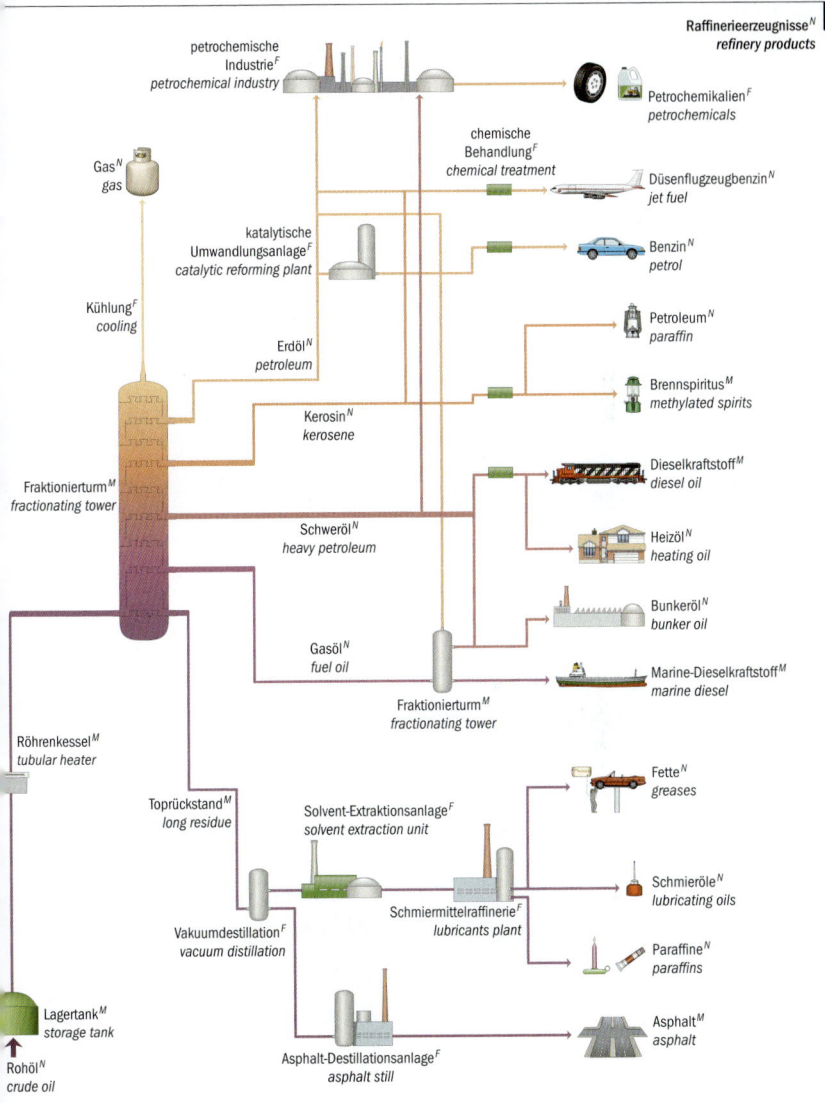

petrochemische Industrie[F]
petrochemical industry

Petrochemikalien[F]
petrochemicals

chemische Behandlung[F]
chemical treatment

Düsenflugzeugbenzin[N]
jet fuel

Gas[N]
gas

katalytische Umwandlungsanlage[F]
catalytic reforming plant

Benzin[N]
petrol

Kühlung[F]
cooling

Petroleum[N]
paraffin

Erdöl[N]
petroleum

Brennspiritus[M]
methylated spirits

Kerosin[N]
kerosene

Dieselkraftstoff[M]
diesel oil

Fraktionierturm[M]
fractionating tower

Schweröl[N]
heavy petroleum

Heizöl[N]
heating oil

Bunkeröl[N]
bunker oil

Gasöl[N]
fuel oil

Marine-Dieselkraftstoff[M]
marine diesel

Fraktionierturm[M]
fractionating tower

Röhrenkessel[M]
tubular heater

Fette[N]
greases

Toprückstand[M]
long residue

Solvent-Extraktionsanlage[F]
solvent extraction unit

Schmieröle[N]
lubricating oils

Schmiermittelraffinerie[F]
lubricants plant

Vakuumdestillation[F]
vacuum distillation

Paraffine[N]
paraffins

Lagertank[M]
storage tank

Asphalt[M]
asphalt

Rohöl[N]
crude oil

Asphalt-Destillationsanlage[F]
asphalt still

Wasserkraftwerk[N]

hydroelectric complex

Überlaufkrone[F]
crest of spillway

Verschluss[F] des
Hochwasserentlastungswehrs[N]
spillway gate

Dammkrone[F]
top of dam

Stausee[M]
reservoir

Oberwasser[N]
headbay

Hochwasserentlastungswehr[N]
spillway

Fallleitung[F]
penstock

Bockkran[M]
gantry crane

Umleitungskanal[M]
diversion tunnel

Ausgleichsbecken[N]
afterbay

Steuerzentrale[F]
control room

Überfallrinne[F]
spillway chute

Speicherkraftwerk[N]
power plant

Durchführung[F]
bushing

Leitwerk[N]
training wall

Trift[F]
log chute

Maschinenhalle[F]
machine hall

Damm[M]
dam

Wasserkraftwerk[N] im Querschnitt[M]
cross section of a hydroelectric
power plant

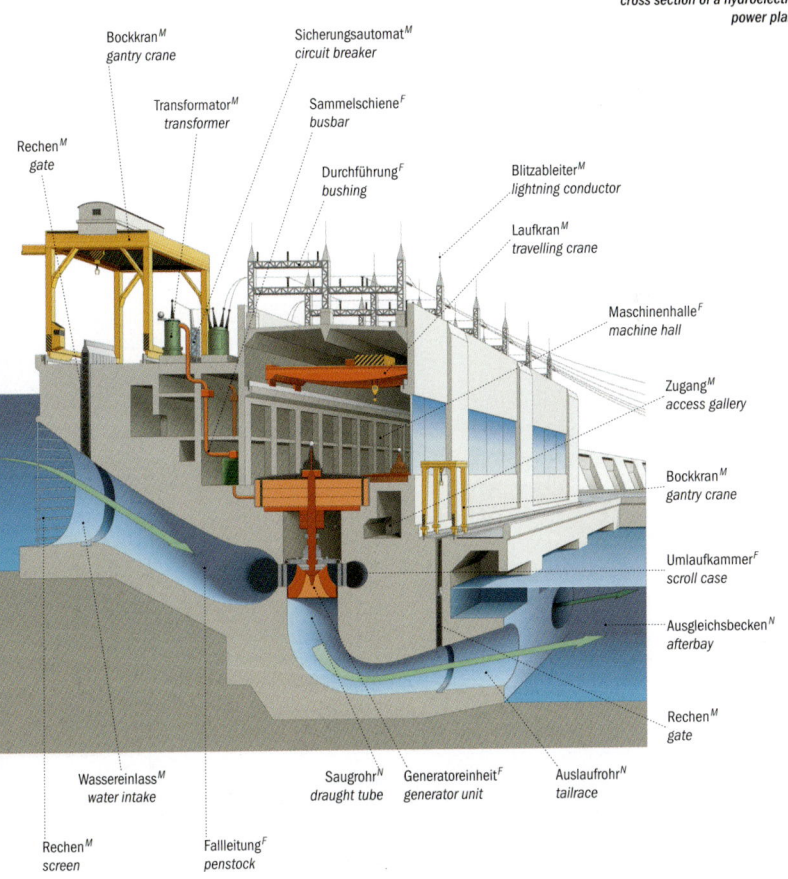

Bockkran[M]
gantry crane

Sicherungsautomat[M]
circuit breaker

Transformator[M]
transformer

Sammelschiene[F]
busbar

Rechen[M]
gate

Durchführung[F]
bushing

Blitzableiter[M]
lightning conductor

Laufkran[M]
travelling crane

Maschinenhalle[F]
machine hall

Zugang[M]
access gallery

Bockkran[M]
gantry crane

Umlaufkammer[F]
scroll case

Ausgleichsbecken[N]
afterbay

Rechen[M]
gate

Wassereinlass[M]
water intake

Saugrohr[N]
draught tube

Generatoreinheit[F]
generator unit

Auslaufrohr[N]
tailrace

Rechen[M]
screen

Fallleitung[F]
penstock

Stausee[M]
reservoir

Elektrizitätserzeugung^F aus Kernenergie^F

production of electricity from nuclear energy

Kühlwassertank^M
dousing water tank

Sicherheitshülle^F
containment building

Sicherheitsventil^N
safety valve

Kühlmittel^N
coolant

Moderator^M
moderator

Brennstoff^M
fuel

Wasser^N verdampft
water turns into steam

Reaktor^M
reactor

Kernspaltung^F des
Uranbrennstoffs^M
fission of uranium fuel

Sprinkler^M
sprinklers

Wärmeabgabe^F an Wasser^N
transfer of heat to water

Wärmeerzeugung^F
heat production

erwärmtes Kühlmittel^N
hot coolant

kaltes Kühlmittel^N
cold coolant

Dampfdruck^M treibt Turbine^F an
steam pressure drives turbine

Turbinenwelle^F treibt Generator^M an
turbine shaft turns generator

Elektrizitätserzeugung^F durch den
Generator^M
production of electricity by generator

Stromfortleitung^F
electricity transmission

Hochtransformation^F d
Spannung^F
voltage increase

Wasser^N wird zum Dampfgenerator^M
zurückgepumpt
water is pumped back into steam generator

Dampf^M kondensiert zu Wasser^N
*condensation of steam into
water*

Wasser^N kühlt Brauchdampf^M ab
water cools used steam

ENERGIE

Brennstabbündel[N]
fuel bundle

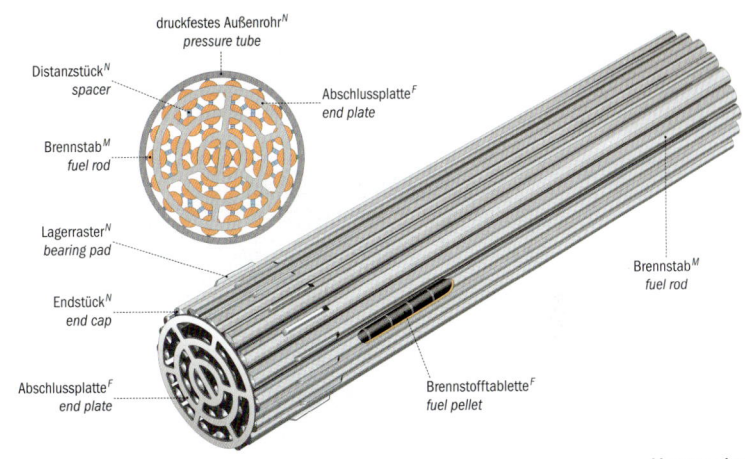

druckfestes Außenrohr[N]
pressure tube

Distanzstück[N]
spacer

Abschlussplatte[F]
end plate

Brennstab[M]
fuel rod

Lagerraster[N]
bearing pad

Endstück[N]
end cap

Abschlussplatte[F]
end plate

Brennstofftablette[F]
fuel pellet

Brennstab[M]
fuel rod

Kernreaktor[M]
nuclear reactor

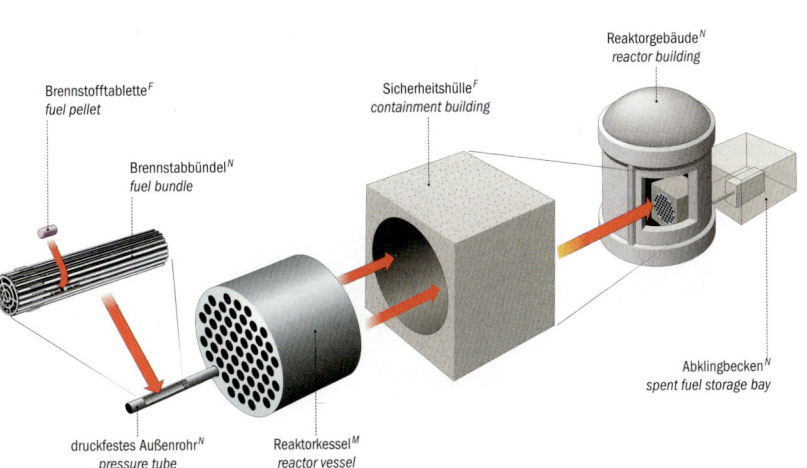

Brennstofftablette[F]
fuel pellet

Brennstabbündel[N]
fuel bundle

Sicherheitshülle[F]
containment building

Reaktorgebäude[N]
reactor building

druckfestes Außenrohr[N]
pressure tube

Reaktorkessel[M]
reactor vessel

Abklingbecken[N]
spent fuel storage bay

Solarzelle[F]
solar cell

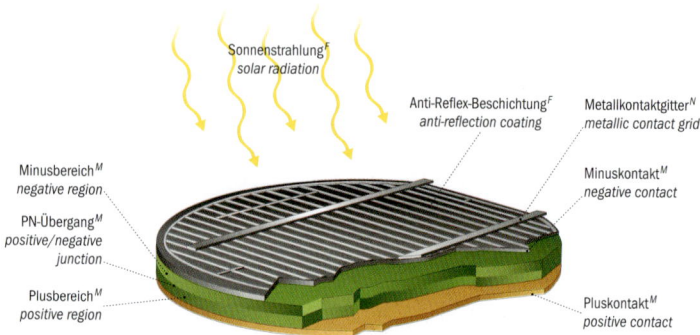

Sonnenstrahlung[F]
solar radiation

Anti-Reflex-Beschichtung[F]
anti-reflection coating

Metallkontaktgitter[N]
metallic contact grid

Minusbereich[M]
negative region

PN-Übergang[M]
positive/negative junction

Plusbereich[M]
positive region

Minuskontakt[M]
negative contact

Pluskontakt[M]
positive contact

Flachkollektor[M]
flat-plate solar collector

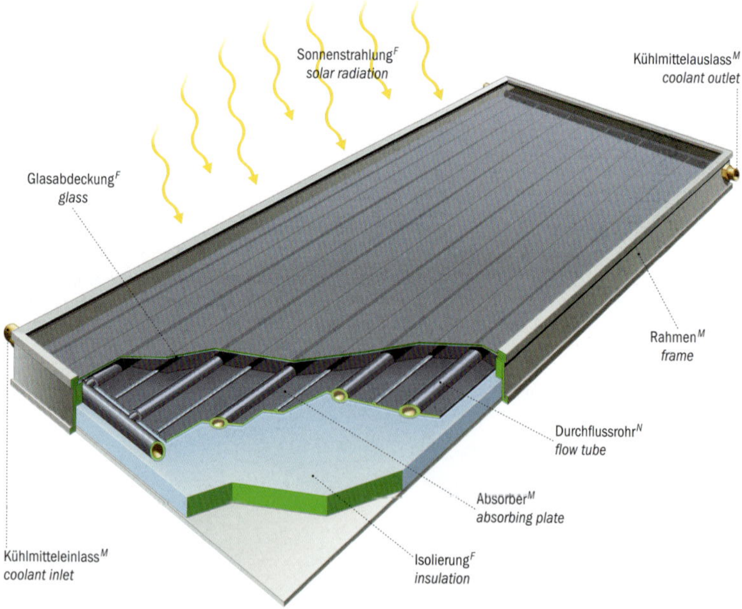

Sonnenstrahlung[F]
solar radiation

Kühlmittelauslass[M]
coolant outlet

Glasabdeckung[F]
glass

Rahmen[M]
frame

Durchflussrohr[N]
flow tube

Absorber[M]
absorbing plate

Kühlmitteleinlass[M]
coolant inlet

Isolierung[F]
insulation

ENERGIE

Solarzellensystem[N]
solar-cell system

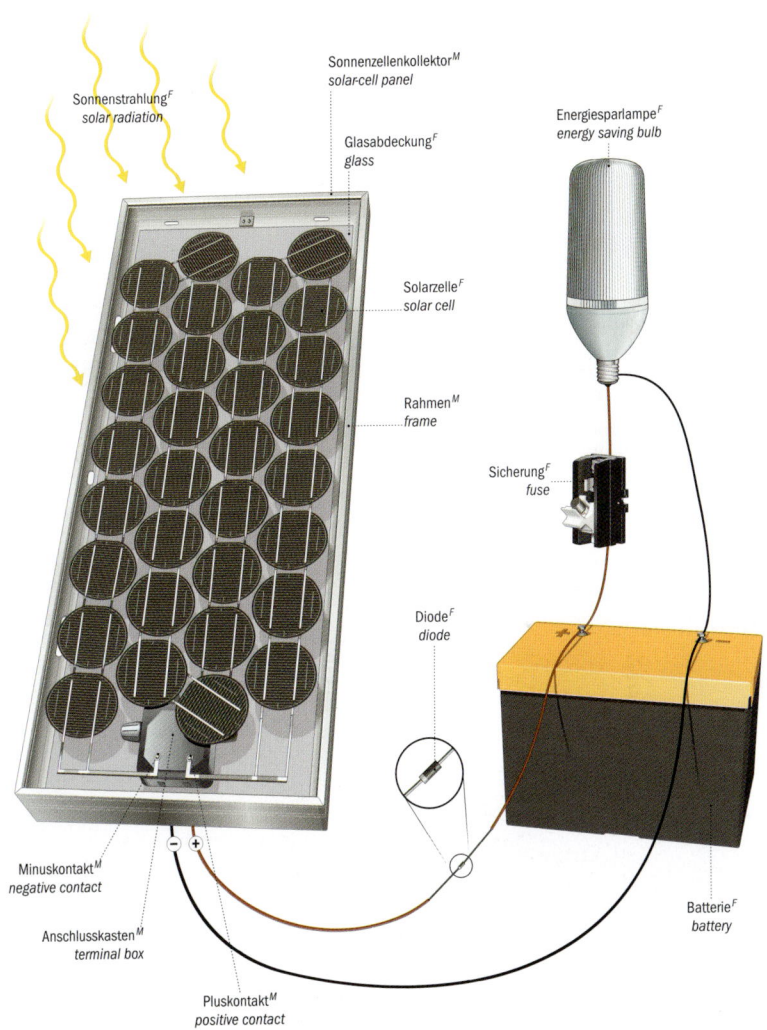

Sonnenstrahlung[F]
solar radiation

Sonnenzellenkollektor[M]
solar-cell panel

Glasabdeckung[F]
glass

Energiesparlampe[F]
energy saving bulb

Solarzelle[F]
solar cell

Rahmen[M]
frame

Sicherung[F]
fuse

Diode[F]
diode

Minuskontakt[M]
negative contact

Anschlusskasten[M]
terminal box

Pluskontakt[M]
positive contact

Batterie[F]
battery

ENERGIE

Windmühle^F
windmill

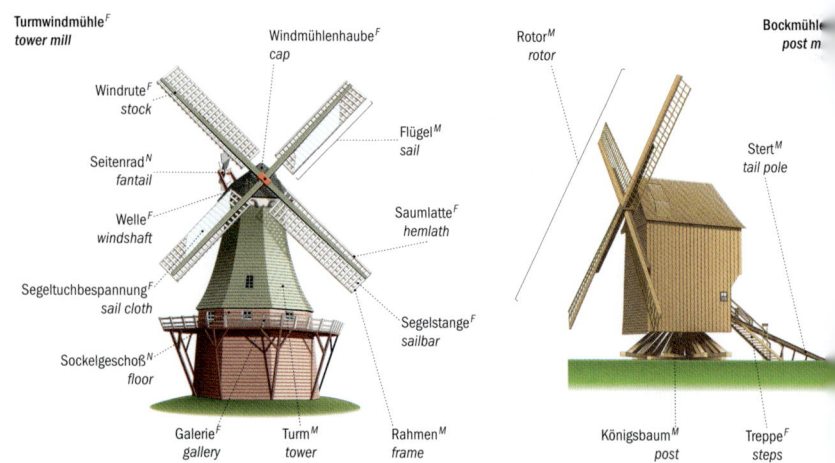

Turmwindmühle^F
tower mill

Windmühlenhaube^F
cap

Windrute^F
stock

Flügel^M
sail

Seitenrad^N
fantail

Welle^F
windshaft

Saumlatte^F
hemlath

Segeltuchbespannung^F
sail cloth

Sockelgeschoß^N
floor

Segelstange^F
sailbar

Galerie^F
gallery

Turm^M
tower

Rahmen^M
frame

Rotor^M
rotor

Bockmühle^F
post mill

Stert^M
tail pole

Königsbaum^M
post

Treppe^F
steps

Windkraftwerke^N und Elektrizitätserzeugung^F
wind turbines and electricity production

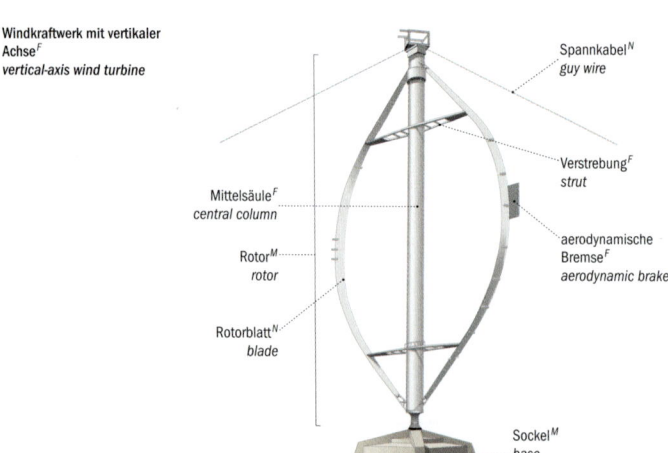

Windkraftwerk mit vertikaler Achse^F
vertical-axis wind turbine

Spannkabel^N
guy wire

Verstrebung^F
strut

Mittelsäule^F
central column

Rotor^M
rotor

aerodynamische Bremse^F
aerodynamic brake

Rotorblatt^N
blade

Sockel^M
base

ENERGIE

Windkraftwerk mit horizontaler Achse[F]
horizontal-axis wind turbine

Rotorgondel[F] im Querschnitt[M]
nacelle cross-section

Rotorblatt[N]
blade

Zelle[F]
nacelle

Nabe[F]
hub

Turm[M]
tower

Anemometer[N]
anemometer

Windfahne[F]
wind vane

Kugellager[N]
ball bearing

Blitzableiter[M]
lightning rod

Generator[M]
alternator

langsam drehende Welle[F]
low-speed shaft

schnell drehende Welle[F]
high-speed shaft

Übersetzungsgetriebe[N]
speed-increasing gearbox

Elektrizitätserzeugung[F] aus Windenergie[F]
production of electricity from wind energy

ENERGIE

Windkraftwerk mit horizontaler Achse[F]
horizontal-axis wind turbine

Hochspannungsleitung[F]
high-tension electricity transmission

Heruntertransformation[F] der Spannung[F]
voltage decrease

Stromleitung[F] an die Verbraucher[M]
transmission to consumers

Einspeisung[F] in das Leitungsnetz[N]
energy integration to transmission network

zweite Spannungserhöhung[F]
second voltage increase

erste Spannungserhöhung[F]
first voltage increase

Materie ^{F}
matter

Atom ^{N}
atom

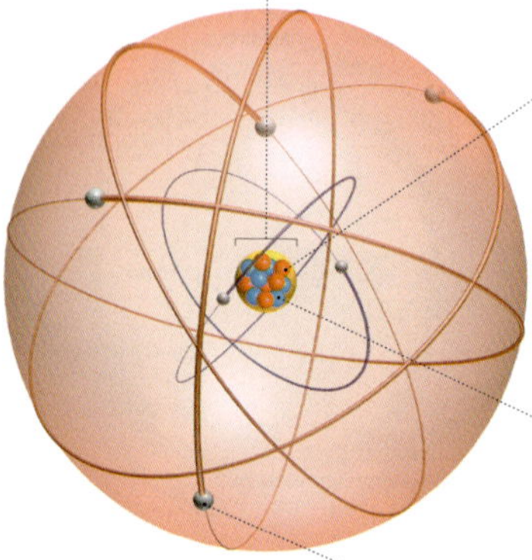

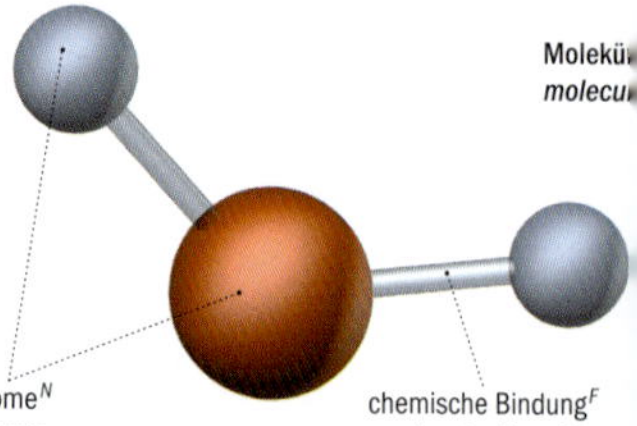

Atomkern ^{M}
nucleus

Neutron ^{N}
neutron

Proton ^{N}
proton

Elektron ^{N}
electron

Down-Quark ^{N}
d quark

Up-Quark ^{N}
u quark

Neutron ^{N}
neutron

Proton ^{N}
proton

Molekü
molecu

Atome ^{N}
atoms

chemische Bindung ^{F}
chemical bond

Aggregatzustände ^{M}
states of matter

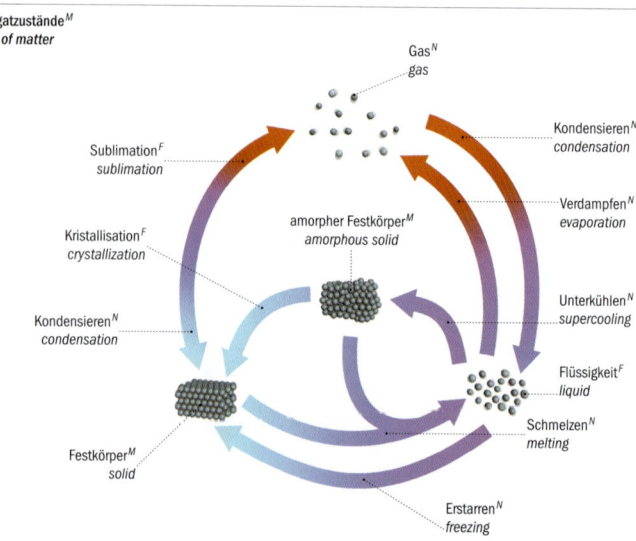

Gas ^{N}
gas

Kondensieren ^{N}
condensation

Sublimation ^{F}
sublimation

Verdampfen ^{N}
evaporation

Kristallisation ^{F}
crystallization

amorpher Festkörper ^{M}
amorphous solid

Kondensieren ^{N}
condensation

Unterkühlen ^{N}
supercooling

Flüssigkeit ^{F}
liquid

Schmelzen ^{N}
melting

Festkörper ^{M}
solid

Erstarren ^{N}
freezing

Kernspaltung^F
nuclear fission

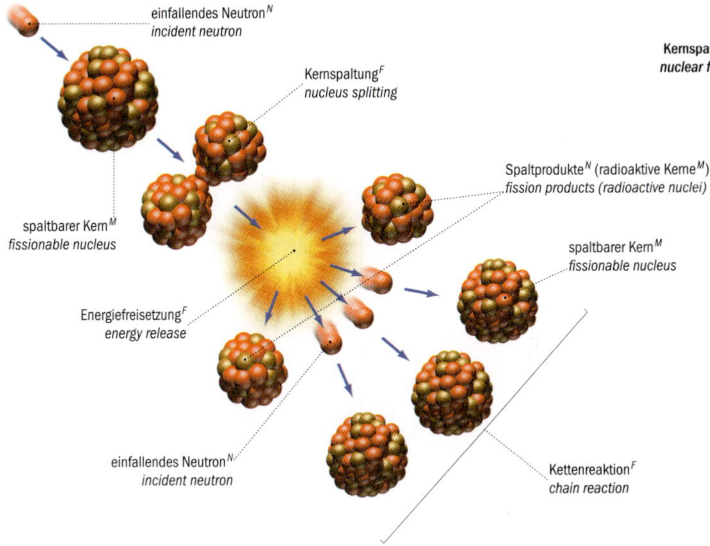

einfallendes Neutron^N
incident neutron

Kernspaltung^F
nucleus splitting

Spaltprodukte^N (radioaktive Kerne^M)
fission products (radioactive nuclei)

spaltbarer Kern^M
fissionable nucleus

spaltbarer Kern^M
fissionable nucleus

Energiefreisetzung^F
energy release

einfallendes Neutron^N
incident neutron

Kettenreaktion^F
chain reaction

Wärmeübertragung^F
heat transfer

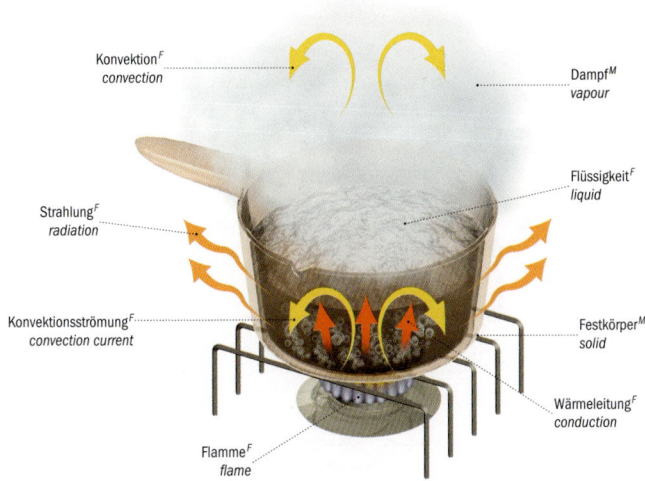

Konvektion^F
convection

Dampf^M
vapour

Flüssigkeit^F
liquid

Strahlung^F
radiation

Konvektionsströmung^F
convection current

Festkörper^M
solid

Wärmeleitung^F
conduction

Flamme^F
flame

WISSENSCHAFT

Magnetismus [M]
magnetism

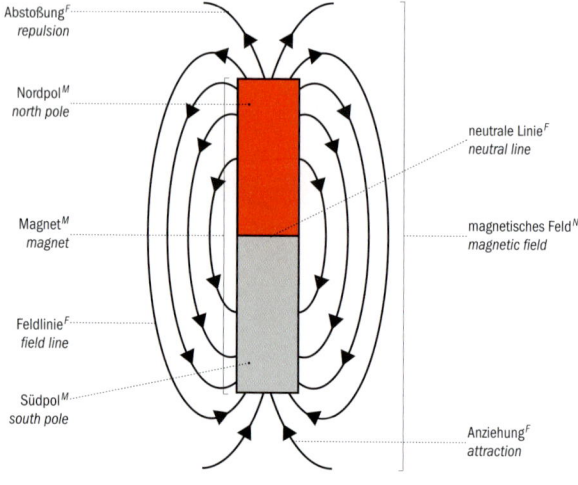

Abstoßung [F]
repulsion

Nordpol [M]
north pole

neutrale Linie [F]
neutral line

Magnet [M]
magnet

magnetisches Feld [N]
magnetic field

Feldlinie [F]
field line

Südpol [M]
south pole

Anziehung [F]
attraction

Parallelschaltung [F]
parallel electrical circuit

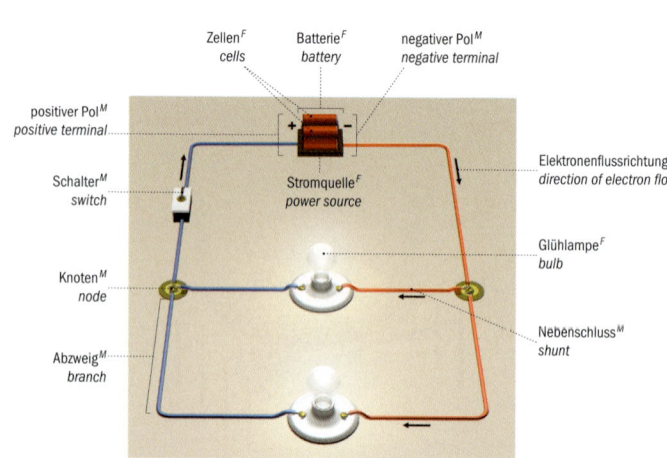

Zellen [F]
cells

Batterie [F]
battery

negativer Pol [M]
negative terminal

positiver Pol [M]
positive terminal

Elektronenflussrichtung [F]
direction of electron flow

Schalter [M]
switch

Stromquelle [F]
power source

Glühlampe [F]
bulb

Knoten [M]
node

Abzweig [M]
branch

Nebenschluss [M]
shunt

Trockenelemente[N]
dry cells

Kohle[F]-Zink[N]-Zelle[F]
carbon-zinc cell

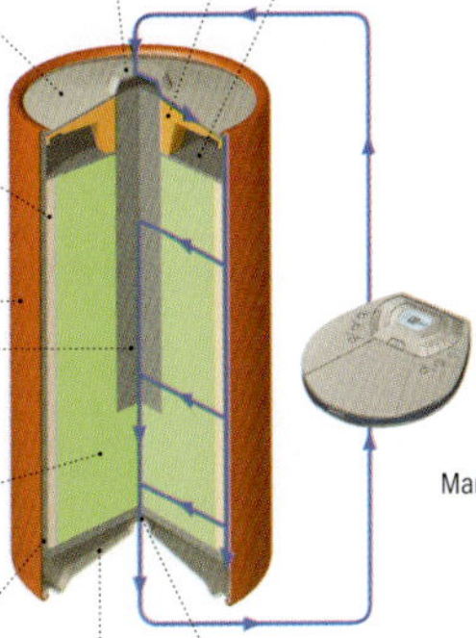

Verschlussstopfen[M]
sealing plug

Pluspol[M]
positive terminal

Abdeckscheibe[F]
washer

obere Abschlusskappe[F]
top cap

Elektrolytseparator[M]
electrolytic separator

Mantel[M]
jacket

Kohlestab[M] (Kathode[F])
carbon rod (cathode)

Depolarisationsgemisch[N]
depolarizing mix

Zinkzylinder[M] (Anode[F])
zinc can (anode)

untere Abschlusskappe[F]
bottom cap

Minuspol[M]
negative terminal

alkalische Zink[N]-Mangan[N]-Zelle[F]
alkaline manganese-zinc cell

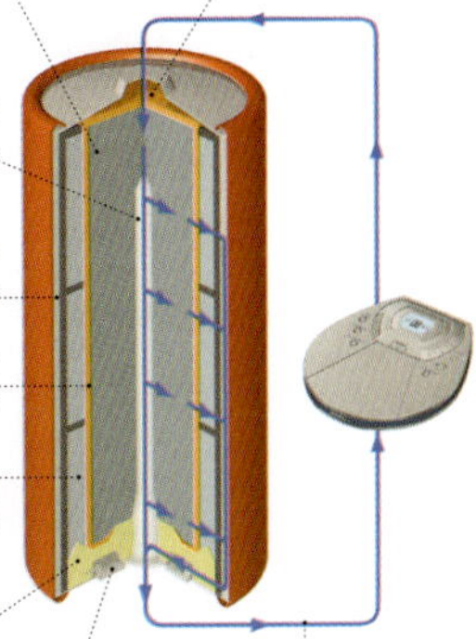

Zink[N]-Elektrolytmischung[F] (Anode[F])
zinc-electrolyte mix (anode)

Verschlussmaterial[N]
sealing material

Elektronenkollektor[M]
electron collector

Stahlmantel[M]
steel casing

Separator[M]
separator

Manganmischung[F] (Kathode[F])
manganese mix (cathode)

Verschlussstopfen[M]
sealing plug

untere Abschlusskappe[F]
bottom cap

Elektronenflussrichtung[F]
direction of electron flow

Elektronik[F]
electronics

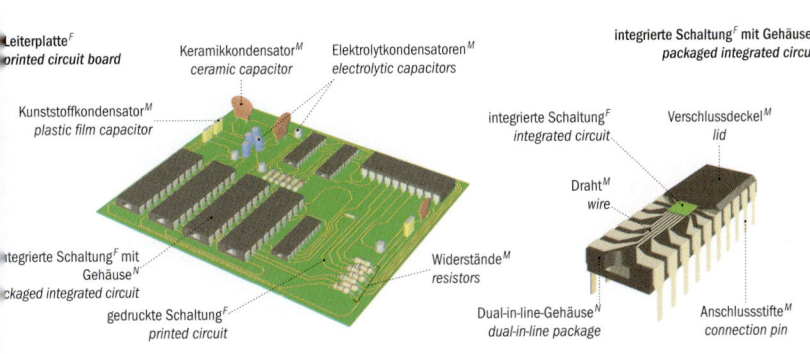

Leiterplatte[F]
printed circuit board

Keramikkondensator[M]
ceramic capacitor

Elektrolytkondensatoren[M]
electrolytic capacitors

Kunststoffkondensator[M]
plastic film capacitor

integrierte Schaltung[F] mit Gehäuse[N]
packaged integrated circuit

gedruckte Schaltung[F]
printed circuit

Widerstände[M]
resistors

integrierte Schaltung[F] mit Gehäuse[N]
packaged integrated circuit

integrierte Schaltung[F]
integrated circuit

Verschlussdeckel[M]
lid

Draht[M]
wire

Dual-in-line-Gehäuse[N]
dual-in-line package

Anschlussstifte[M]
connection pin

WISSENSCHAFT

elektromagnetisches Spektrum[N]

electromagnetic spectrum

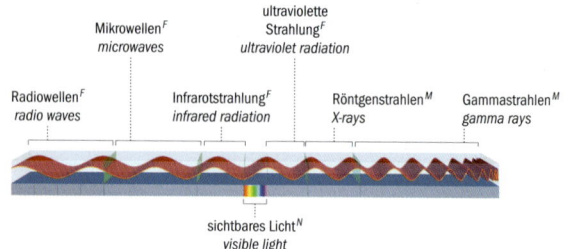

Mikrowellen[F]
microwaves

ultraviolette Strahlung[F]
ultraviolet radiation

Radiowellen[F]
radio waves

Infrarotstrahlung[F]
infrared radiation

Röntgenstrahlen[M]
X-rays

Gammastrahlen[M]
gamma rays

sichtbares Licht[N]
visible light

Welle[F]

wave

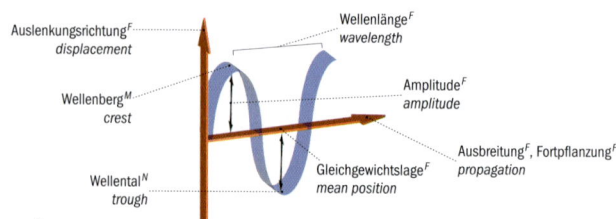

Auslenkungsrichtung[F]
displacement

Wellenlänge[F]
wavelength

Wellenberg[M]
crest

Amplitude[F]
amplitude

Ausbreitung[F], Fortpflanzung[F]
propagation

Wellental[N]
trough

Gleichgewichtslage[F]
mean position

Farbmischung[F]

colour synthesis

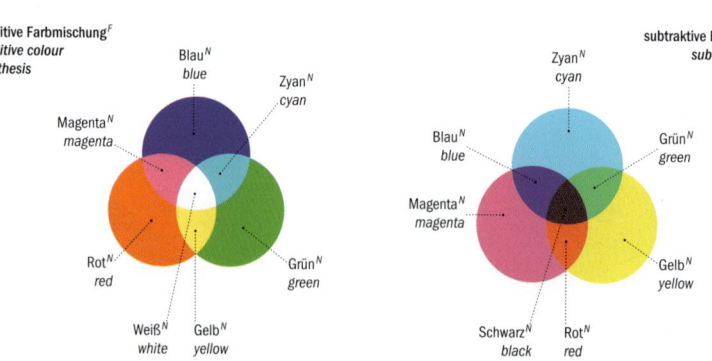

additive Farbmischung[F]
additive colour synthesis

Blau[N]
blue

Zyan[N]
cyan

Magenta[N]
magenta

Rot[N]
red

Grün[N]
green

Weiß[N]
white

Gelb[N]
yellow

subtraktive Farbmischung
subtractive colour synthesis

Zyan[N]
cyan

Blau[N]
blue

Grün[N]
green

Magenta[N]
magenta

Gelb[N]
yellow

Schwarz[N]
black

Rot[N]
red

WISSENSCHAFT

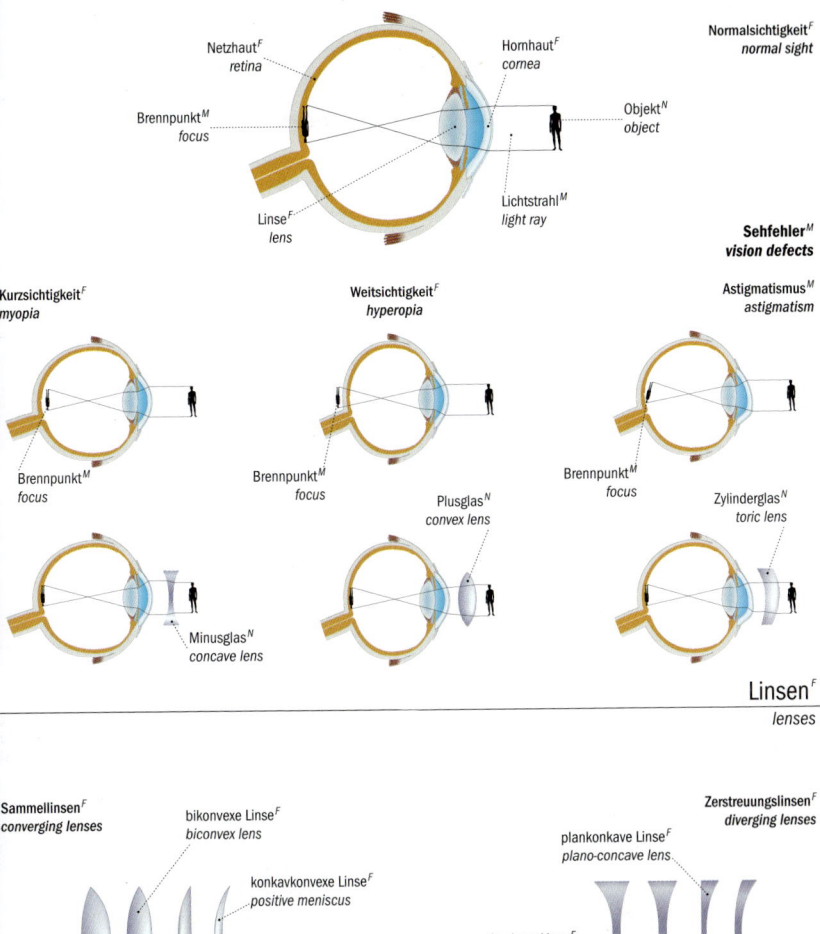

Netzhaut[F]
retina

Hornhaut[F]
cornea

Brennpunkt[M]
focus

Objekt[N]
object

Linse[F]
lens

Lichtstrahl[M]
light ray

Normalsichtigkeit[F]
normal sight

Sehfehler[M]
vision defects

Kurzsichtigkeit[F]
myopia

Weitsichtigkeit[F]
hyperopia

Astigmatismus[M]
astigmatism

Brennpunkt[M]
focus

Brennpunkt[M]
focus

Brennpunkt[M]
focus

Plusglas[N]
convex lens

Zylinderglas[N]
toric lens

Minusglas[N]
concave lens

Linsen[F]
lenses

Sammellinsen[F]
converging lenses

bikonvexe Linse[F]
biconvex lens

konkavkonvexe Linse[F]
positive meniscus

konvexe Linse[F]
convex lens

plankonvexe Linse[F]
plano-convex lens

Zerstreuungslinsen[F]
diverging lenses

plankonkave Linse[F]
plano-concave lens

konkave Linse[F]
concave lens

bikonkave Linse[F]
biconcave lens

konvexkonkave Linse[F]
negative meniscus

WISSENSCHAFT

Rubin^M-Impulslaser^M
pulsed ruby laser

Photon^N
photon

Kühlzylinder^M
cooling cylinder

Spiegelzylinder^M
reflecting cylinder

Laserstrahl^M
laser beam

vollreflektierender
Spiegel^M
totally reflecting mirror

teilreflektierender
Spiegel^M
partially reflecting mirror

Blitzröhre^F
flash tube

Rubinzylinder^M
ruby cylinder

Prismenfernglas^N
prism binoculars

Okular^N
eyepiece

Linsensystem^N
lens system

Porro-Prisma^N
Porro prism

Scharnier^N
hinge

Objektiv^N
objective lens

Scharfstellring^M
focusing ring

zentrales Scharfstellrad^N
central focusing wheel

Brücke^F
bridge

Tubus^M
body

Zielfernrohr^N
telescopic sight

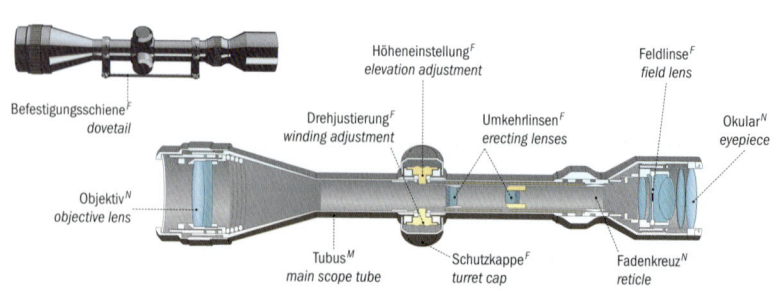

Befestigungsschiene^F
dovetail

Objektiv^N
objective lens

Höheneinstellung^F
elevation adjustment

Drehjustierung^F
winding adjustment

Umkehrlinsen^F
erecting lenses

Feldlinse^F
field lens

Okular^N
eyepiece

Tubus^M
main scope tube

Schutzkappe^F
turret cap

Fadenkreuz^N
reticle

WISSENSCHAFT

Lupe*F* und Mikroskope*N*
magnifying glass and microscopes

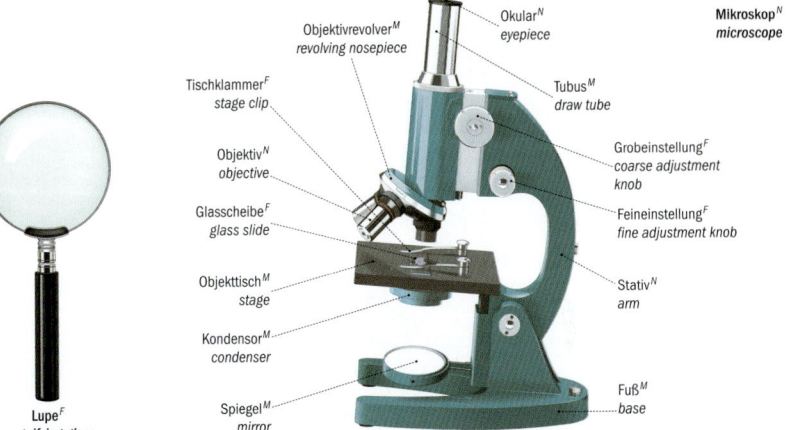

Lupe*F*
magnifying glass

Objektivrevolver*M*
revolving nosepiece

Okular*N*
eyepiece

Mikroskop*N*
microscope

Tischklammer*F*
stage clip

Tubus*M*
draw tube

Objektiv*N*
objective

Grobeinstellung*F*
coarse adjustment knob

Glasscheibe*F*
glass slide

Feineinstellung*F*
fine adjustment knob

Objekttisch*M*
stage

Stativ*N*
arm

Kondensor*M*
condenser

Spiegel*M*
mirror

Fuß*M*
base

Okulartubus*M*
draw tube

Tubus*M*
body tube

Binokularmikroskop*N*
binocular microscope

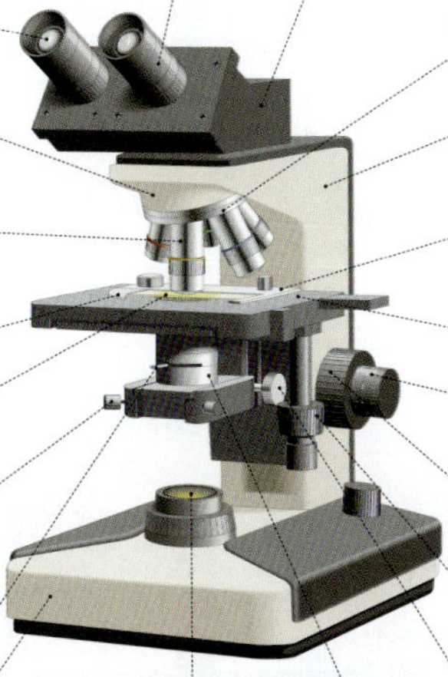

Okular*N*
eyepiece

Objektivrevolver*M*
revolving nosepiece

Tubusträger*M*
limb top

Stativ*N*
arm

Objektiv*N*
objective

Kreuztisch*M*
mechanical stage

Objektklammer*F*
stage clip

Objekttisch*M*
stage

Glasscheibe*F*
glass slide

Feintrieb*M*
fine adjustment knob

Kondensoreinstellung*F*
condenser adjustment knob

Grobtrieb*M*
coarse adjustment knob

Feldlinseneinstellung*F*
field lens adjustment

Kreuztischeinstellung*F*
mechanical stage control

Fuß*M*
base

Lampe*F*
lamp

Kondensor*M*
condenser

Kondensorhöhenverstellung*F*
condenser height adjustment

WISSENSCHAFT

Wiegen[N]
measurement of weight

Balkenwaage[F]
beam balance

Balken[M]
beam

Waagschale[F]
pan

Gewicht[N]
weight

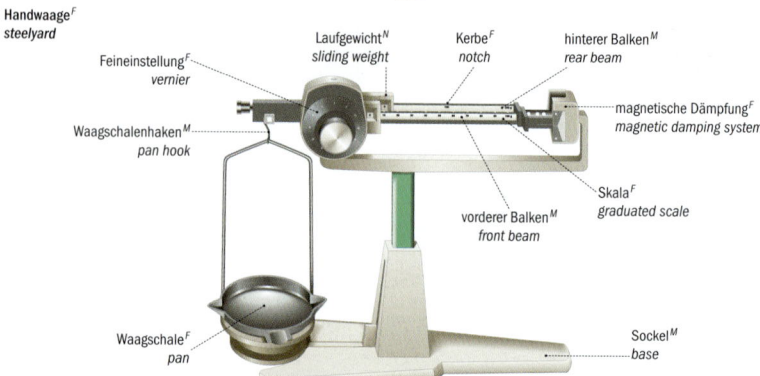

Handwaage[F]
steelyard

Laufgewicht[N]
sliding weight

Kerbe[F]
notch

hinterer Balken[M]
rear beam

Feineinstellung[F]
vernier

Waagschalenhaken[M]
pan hook

magnetische Dämpfung[F]
magnetic damping system

Skala[F]
graduated scale

vorderer Balken[M]
front beam

Waagschale[F]
pan

Sockel[M]
base

Roberval-Waage[F]
Roberval's balance

Zeiger[M]
pointer

Anzeige[F]
dial

Gewicht[N]
weight

Waagschale[F]
pan

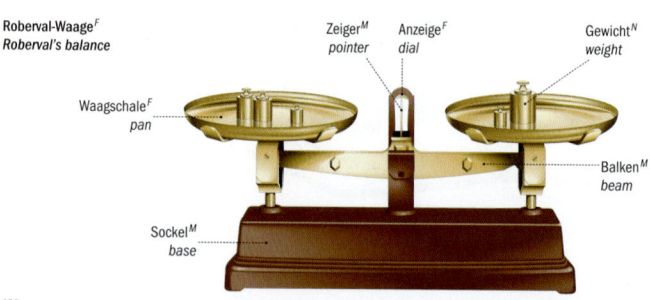

Balken[M]
beam

Sockel[M]
base

Wiegen[N]

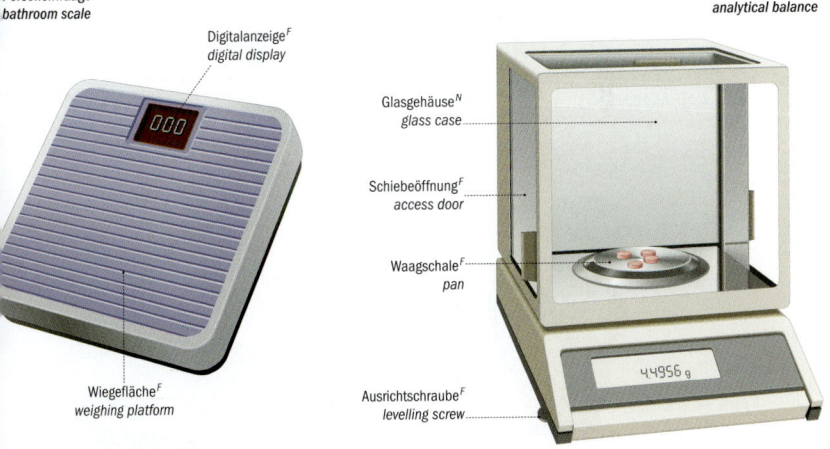

Federwaage[F]
spring balance

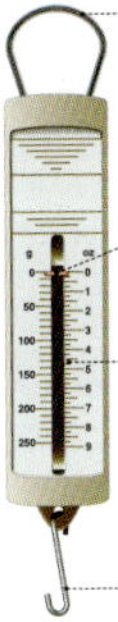

Halterung[F]
ring
Zeiger[M]
pointer
Anzeigeskala[F]
graduated scale
Haken[M]
hook

elektronische Waage[F]
electronic scale

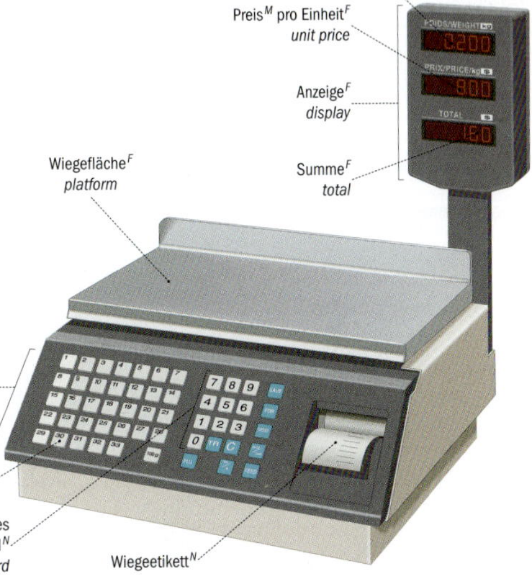

Gewicht[N]
weight
Preis[M] pro Einheit[F]
unit price
Anzeige[F]
display
Summe[F]
total
Wiegefläche[F]
platform
Funktionstasten[F]
function keys
Warencode[M]
product code
numerisches Tastenfeld[N]
numeric keyboard
Wiegeetikett[N]
printout
TOTAL
7 8 9
4 5 6
1 2 3
0
C

Personenwaage[F]
bathroom scale

Digitalanzeige[F]
digital display
000
Wiegefläche[F]
weighing platform

Präzisionswaage[F]
analytical balance

Glasgehäuse[N]
glass case
Schiebeöffnung[F]
access door
Waagschale[F]
pan
Ausrichtschraube[F]
levelling screw
4.4956 g

WISSENSCHAFT

Temperaturmessung^F
measurement of temperature

Thermometer^N
thermometer

Fahrenheitskala^F
Fahrenheit scale

Grad^M Fahrenheit
degrees Fahrenheit

Alkoholsäule^F
alcohol column

Alkoholkolben^M
alcohol bulb

Celsiusskala^F
Celsius scale

Grad^M Celsius
degrees Celsius

Fieberthermometer
clinical thermometer

Kapillarröhrchen^N
capillary tube

Röhre^F
stem

Quecksilberkolben^M
mercury bulb

Ausdehnungskammer^F
expansion chamber

Skala^F
scale

Quecksilbersäule^F
column of mercury

Verengung^F
constriction

Zeitmessung^F
measurement of time

Stoppuhr^F
stopwatch

Minutenzeiger^M
minute hand

Rückstellknopf^M
reset button

Sekundenzeiger^M
second hand

Zehntelsekundenzeiger^M
1/10 second hand

Ring^M
ring

Startknopf^M
start button

Stoppknopf^M
stop button

Gehäuse^N
case

Analoguhr
analogue watch

Zifferblatt^N
dial

Krone^F
crown

Uhrband^N
strap

Digitaluhr^F
digital watch

LCD-Anzeige^F
liquid-crystal display

Sonnenuhr
sundial

Gnomon^M
gnomon

Schatten^M
shadow

Zifferblatt^N
dial

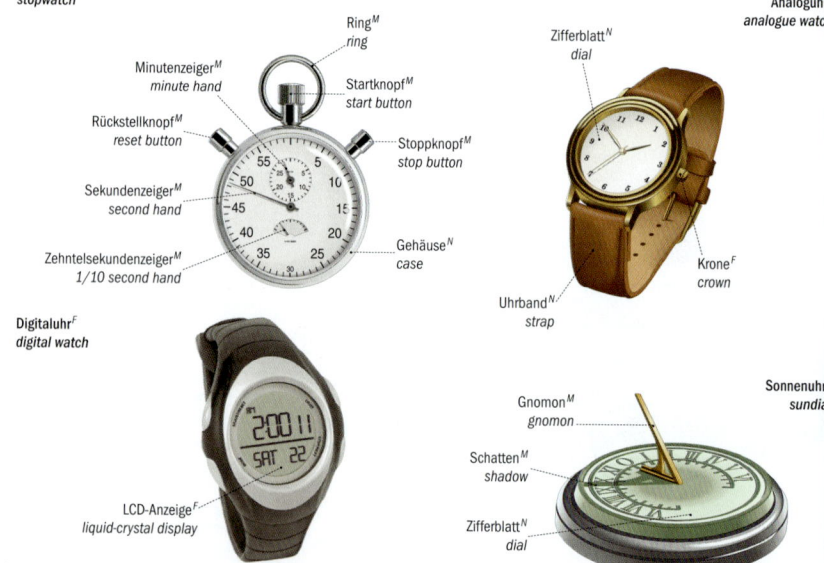

Längenmessung^F
measurement of length

Lineal^N
ruler

Skala^F
scale

Dickemessung^F
measurement of thickness

Schieblehre^F,
Messschieber^M
vernier caliper

Festtstellschrauben^F
clamping screws

Klemmvorrichtung^F
clamping block

Hauptmaßstab^M
main scale

Nonius^M
vernier

Schieber^M
vernier scale

Feineinstellung^F
fine adjustment wheel

Lineal^N
ruler

feststehender
Messschnabel^M
fixed jaw

verschiebbarer
Messschnabel^M
sliding jaw

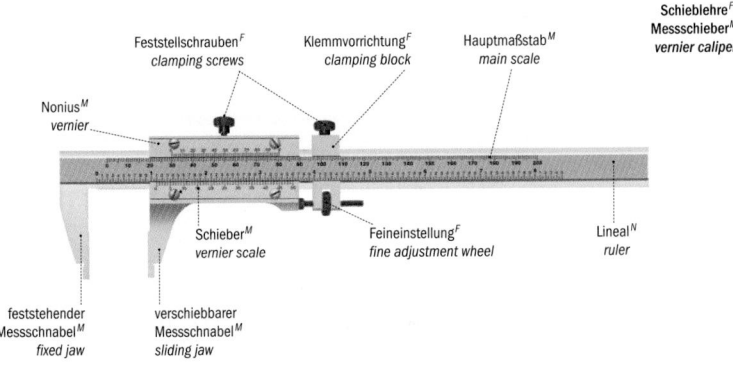

Mikrometerschraube^F
micrometer caliper

Anschlag^M
anvil

Messspindel^F
spindle

Filigrangewinde^N
finely threaded screw

Sperrdrehknopf^M
ratchet knob

Feststellschraube^F
lock nut

Messtrommel^F
thimble

Messbügel^M
frame

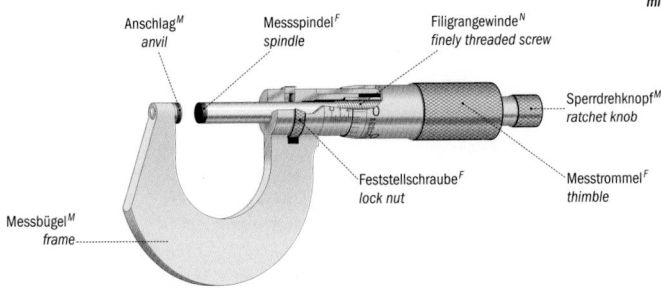

internationales Einheitensystem[N]
international system of units

Maßeinheit[F] der Frequenz[F]
measurement of frequency

Hz

Hertz[N]
hertz

Maßeinheit[F] der elektrischen Spannung[F]
measurement of electric potential difference

V

Volt[N]
volt

Maßeinheit[F] der elektrischen Ladung[F]
measurement of electric charge

C

Coulomb[N]
coulomb

Maßeinheit[F] der Energie[F]
measurement of ene...

J

Joule[N]
joule

Maßeinheit[F] der Leistung[F]
measurement of power

W

Watt[N]
watt

Maßeinheit[F] der Kraft[F]
measurement of force

N

Newton[N]
newton

Maßeinheit[F] des elektrischen Widerstands[M]
measurement of electric resistance

Ω

Ohm[N]
ohm

Maßeinheit[F] der elektrisch... Stromstärke[F]
measurement of electric cur...

A

Ampere[N]
ampere

Maßeinheit[F] der Länge[F]
measurement of length

m

Meter[M]
metre

Maßeinheit[F] der Masse[F]
measurement of mass

kg

Kilogramm[N]
kilogram

Maßeinheit[F] der Celsius-Temperatur[F]
measurement of Celsius temperature

°C

Grad[M] Celsius
degree Celsius

Maßeinheit[F] der thermodynamisch... Temperatur[F]
measurement of thermodynamic... temperature

K

Kelvin[N]
kelvin

Maßeinheit[F] der Stoffmenge[F]
measurement of amount of substance

mol

Mol[N]
mole

Maßeinheit[F] der Radioaktivität[F]
measurement of radioactivity

Bq

Becquerel[N]
becquerel

Maßeinheit[F] des Drucks[M]
measurement of pressure

Pa

Pascal[N]
pascal

Maßeinheit[F] der Lichtstärke[F]
measurement of luminous intensity

cd

Candela[F]
candela

Biologie[F]
biology

♀

weiblich
female

männlich
male

Rh-

Rhesusfaktor[M] negativ
blood factor negative

Rh+

Rhesusfaktor[M] positiv
blood factor positive

gestorben
died

∗

geboren
born

Mathematik[F]
mathematics

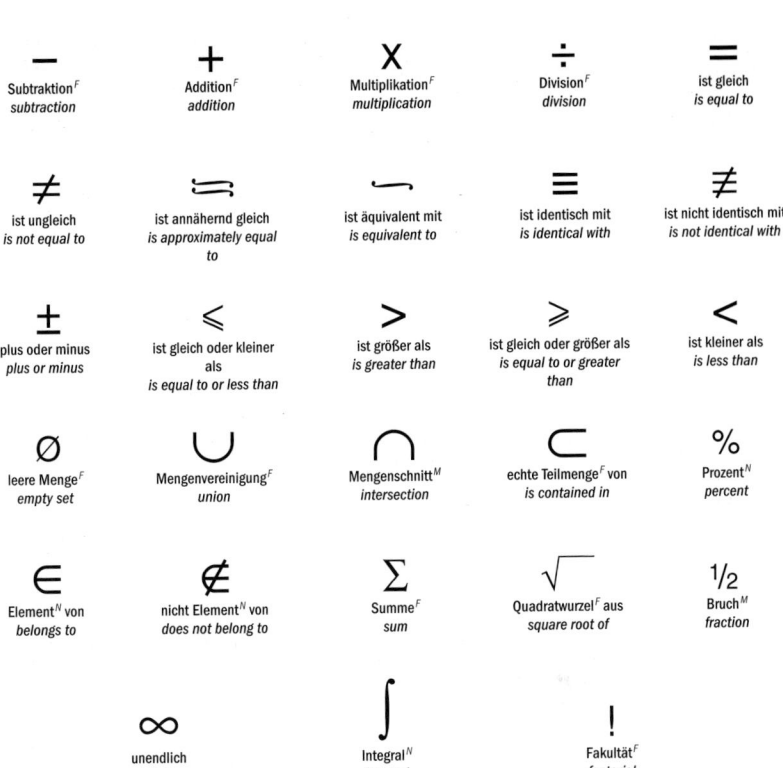

−
Subtraktion[F]
subtraction

+
Addition[F]
addition

x
Multiplikation[F]
multiplication

÷
Division[F]
division

=
ist gleich
is equal to

≠
ist ungleich
is not equal to

ist annähernd gleich
is approximately equal to

ist äquivalent mit
is equivalent to

≡
ist identisch mit
is identical with

≢
ist nicht identisch mit
is not identical with

±
plus oder minus
plus or minus

≤
ist gleich oder kleiner als
is equal to or less than

>
ist größer als
is greater than

≥
ist gleich oder größer als
is equal to or greater than

<
ist kleiner als
is less than

∅
leere Menge[F]
empty set

∪
Mengenvereinigung[F]
union

∩
Mengenschnitt[M]
intersection

⊂
echte Teilmenge[F] von
is contained in

%
Prozent[N]
percent

∈
Element[N] von
belongs to

∉
nicht Element[N] von
does not belong to

Σ
Summe[F]
sum

√
Quadratwurzel[F] aus
square root of

½
Bruch[M]
fraction

∞
unendlich
infinity

∫
Integral[N]
integral

!
Fakultät[F]
factorial

---

römische Ziffern[F]
Roman numerals

I
Eins[F]
one

V
Fünf[F]
five

X
Zehn[F]
ten

L
Fünfzig[F]
fifty

C
Hundert[F]
one hundred

D
Fünfhundert[F]
five hundred

M
Tausend[F]
one thousand

WISSENSCHAFT

Geometrie[F]
geometry

○	'	"	π	⊥
Grad[M]	Bogenminute[F]	Bogensekunde[F]	Pi[N]	ist senkrecht zu
degree	*minute*	*second*	*pi*	*perpendicular*

‖	⫫	∟	⦦	∠
ist parallel zu	ist nicht parallel zu	rechter Winkel[M]	stumpfer Winkel[M]	spitzer Winkel[M]
is parallel to	*is not parallel to*	*right angle*	*obtuse angle*	*acute angle*

geometrische Formen[F]
geometrical shapes

Beispiele[N] für Winkel[M]
examples of angles

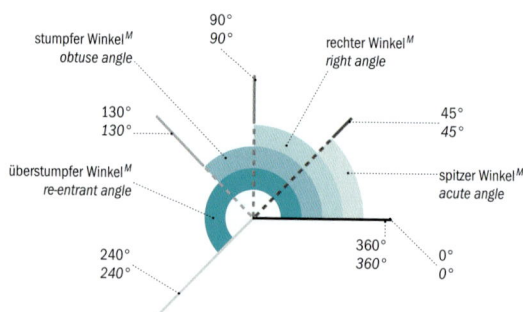

- 90° / 90°
- stumpfer Winkel[M] / *obtuse angle*
- rechter Winkel[M] / *right angle*
- 130° / 130°
- 45° / 45°
- überstumpfer Winkel[M] / *re-entrant angle*
- spitzer Winkel[M] / *acute angle*
- 240° / 240°
- 360° / 360°
- 0° / 0°

ebene Flächen[F]
plane surfaces

Teile[M] eines Kreises[M]
parts of a circle

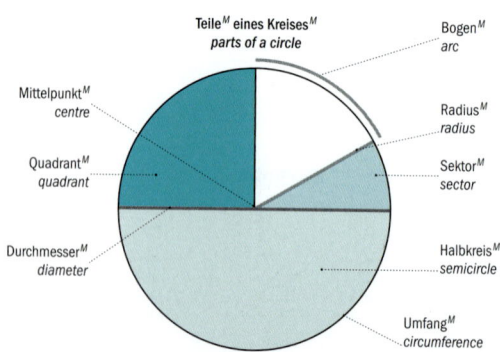

- Bogen[M] / *arc*
- Mittelpunkt[M] / *centre*
- Radius[M] / *radius*
- Quadrant[M] / *quadrant*
- Sektor[M] / *sector*
- Durchmesser[M] / *diameter*
- Halbkreis[M] / *semicircle*
- Umfang[M] / *circumference*

WISSENSCHAFT

Vielecke*N*
polygons

Dreieck*N*
triangle

Quadrat*N*
square

Rechteck*N*
rectangle

Rhombus*M*
rhombus

unregelmäßiges
Trapez*N*
trapezoid

Parallelogramm*N*
parallelogram

Viereck*N*
quadrilateral

regelmäßiges Fünfeck*N*
regular pentagon

regelmäßiges
Sechseck*N*
regular hexagon

regelmäßiges
Siebeneck*N*
regular heptagon

regelmäßiges Achteck*N*
regular octagon

regelmäßiges
Neuneck*N*
regular nonagon

regelmäßiges Zehneck*N*
regular decagon

regelmäßiges Elfeck*N*
regular hendecagon

regelmäßiges
Zwölfeck*N*
regular dodecagon

Körper*M*
solids

Helix*F*
helix

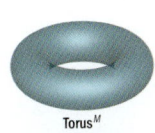

Torus*M*
torus

Halbkugel*F*
hemisphere

Kugel*F*
sphere

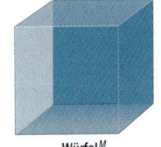

Würfel*M*
cube

Kegel*M*
cone

Pyramide*F*
pyramid

Zylinder*M*
cylinder

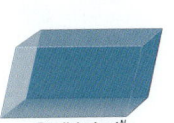

Parallelepiped*N*
parallelepiped

regelmäßiges
Oktaeder*N*
regular octahedron

WISSENSCHAFT

Ballungsgebiet[N]

conurbation

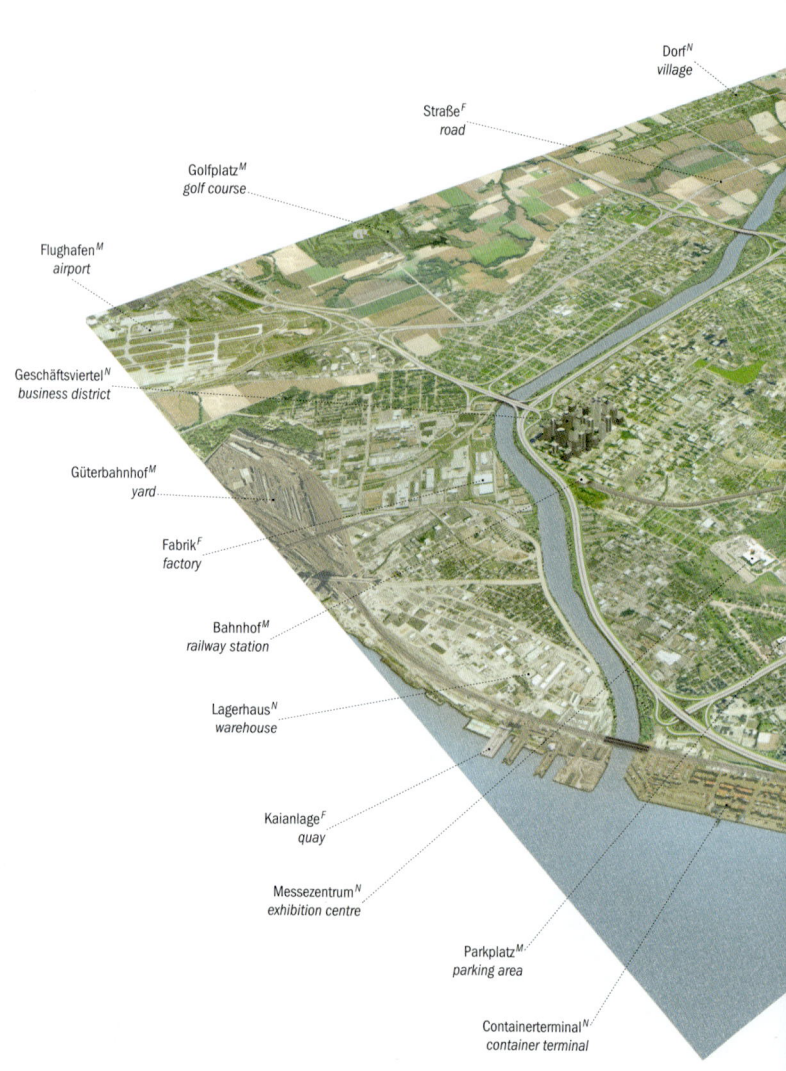

Dorf[N]
village

Straße[F]
road

Golfplatz[M]
golf course

Flughafen[M]
airport

Geschäftsviertel[N]
business district

Güterbahnhof[M]
yard

Fabrik[F]
factory

Bahnhof[M]
railway station

Lagerhaus[N]
warehouse

Kaianlage[F]
quay

Messezentrum[N]
exhibition centre

Parkplatz[M]
parking area

Containerterminal[N]
container terminal

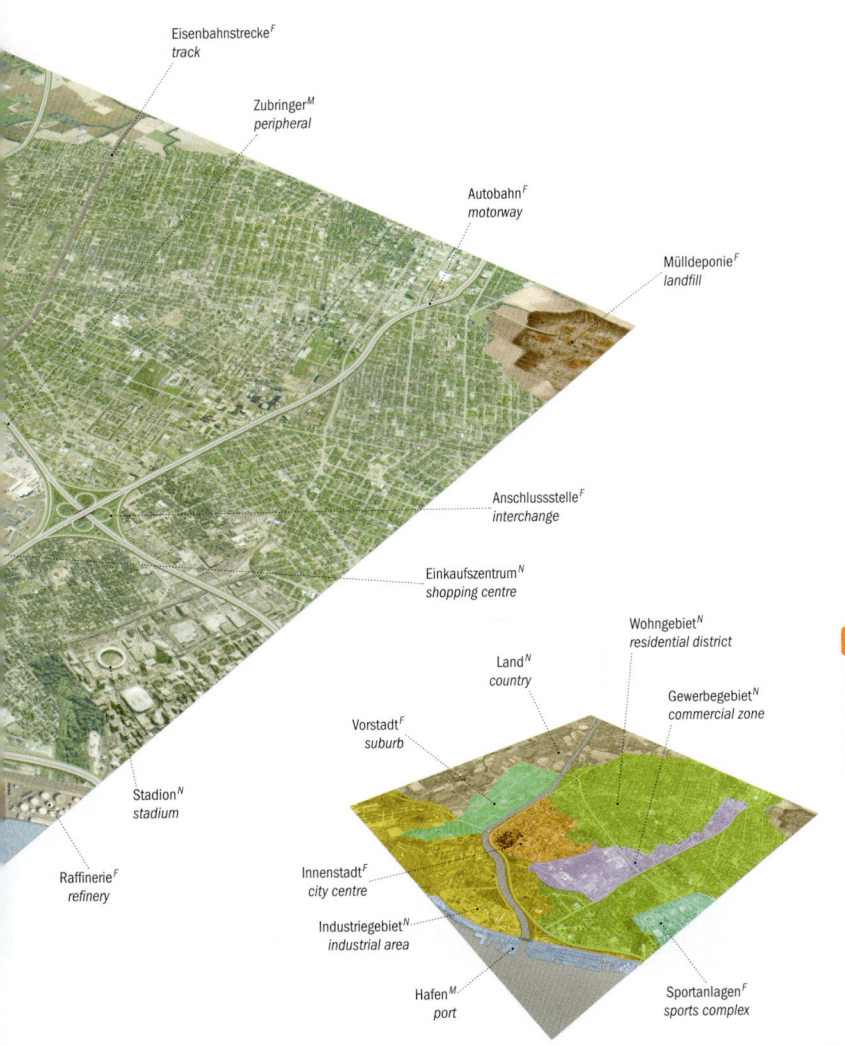

Eisenbahnstrecke[F]
track

Zubringer[M]
peripheral

Autobahn[F]
motorway

Mülldeponie[F]
landfill

Anschlussstelle[F]
interchange

Einkaufszentrum[N]
shopping centre

Wohngebiet[N]
residential district

Land[N]
country

Gewerbegebiet[N]
commercial zone

Vorstadt[F]
suburb

Stadion[N]
stadium

Raffinerie[F]
refinery

Innenstadt[F]
city centre

Industriegebiet[N]
industrial area

Hafen[M]
port

Sportanlagen[F]
sports complex

Innenstadt^F

city centre

Gerichtsgebäude^N
courthouse

Geschäftsviertel
business district

Hotel^N
hotel

Bürogebäude^N
office building

Bahnhof^M
railway station

Opernhaus^N
opera

Busbahnhof^M
bus station

Gleis^N
railway track

Pavillon^M
pavilion

Universität^F
university

Rathaus^N
town hall

Theater^N
theatre

Einkaufsstraße^F
shopping street

Bar^F
bar

Geschäft^N
shop

Restaurant^N
restaurant

Bank^F
bank

Café^N
coffee shop

U-Bahn^F-Station^F
underground railway station

Kino^N
cinema

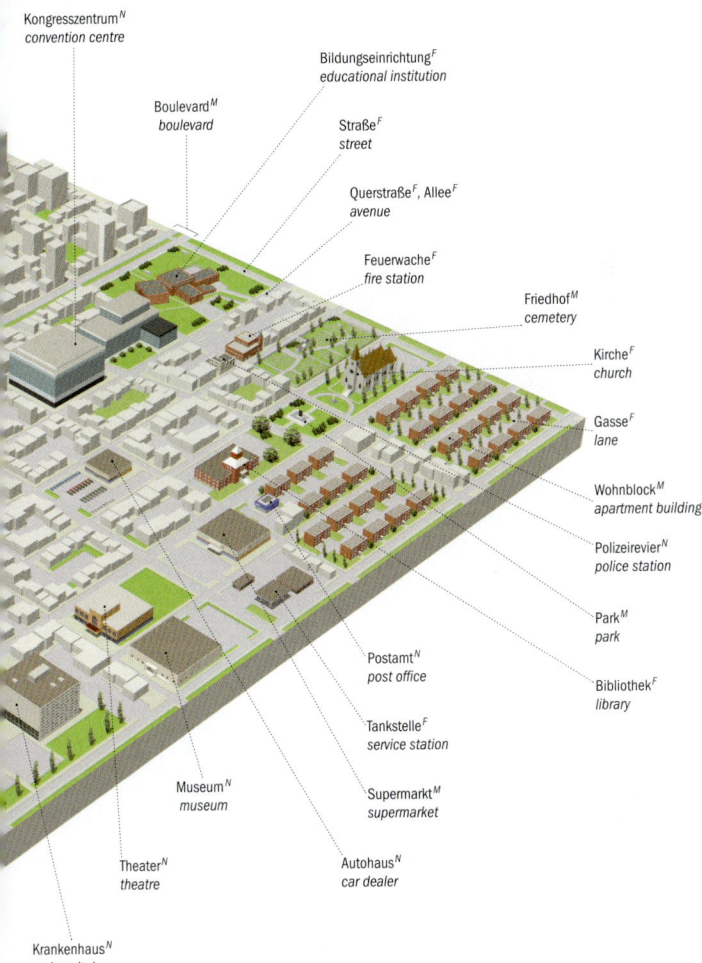

Kongresszentrum[N]
convention centre

Bildungseinrichtung[F]
educational institution

Boulevard[M]
boulevard

Straße[F]
street

Querstraße[F], Allee[F]
avenue

Feuerwache[F]
fire station

Friedhof[M]
cemetery

Kirche[F]
church

Gasse[F]
lane

Wohnblock[M]
apartment building

Polizeirevier[N]
police station

Park[M]
park

Bibliothek[F]
library

Postamt[N]
post office

Tankstelle[F]
service station

Supermarkt[M]
supermarket

Museum[N]
museum

Autohaus[N]
car dealer

Theater[N]
theatre

Krankenhaus[N]
hospital

Straße^F im Querschnitt^M

cross section of a street

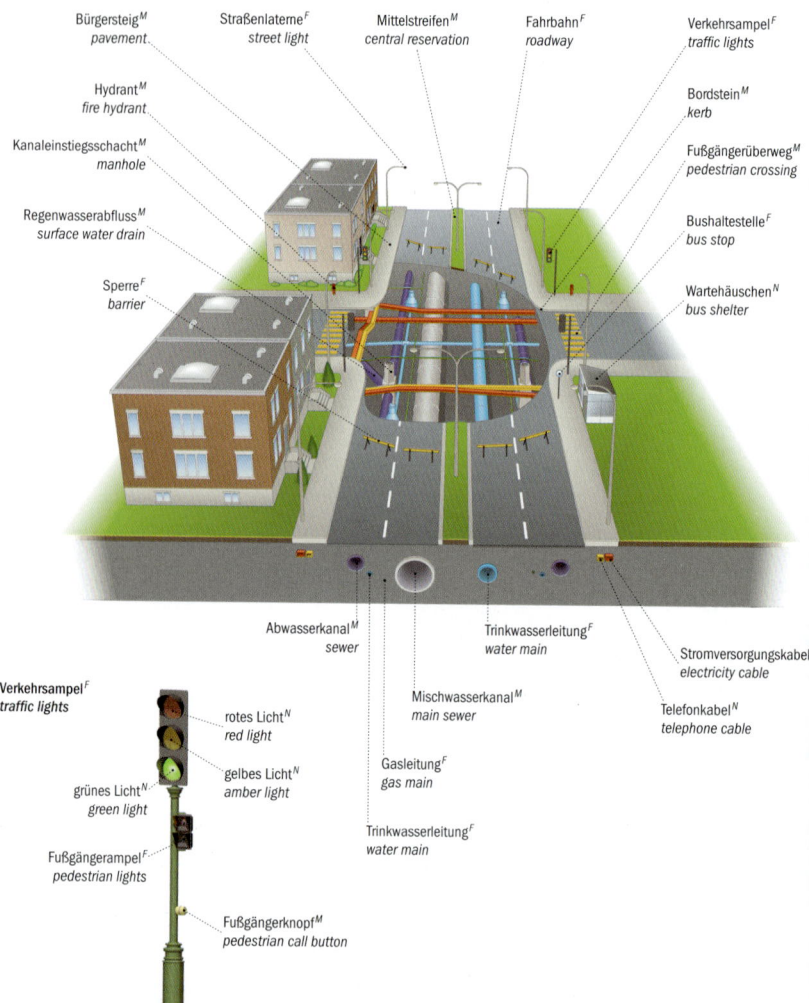

Bürgersteig^M
pavement

Straßenlaterne^F
street light

Mittelstreifen^M
central reservation

Fahrbahn^F
roadway

Verkehrsampel^F
traffic lights

Hydrant^M
fire hydrant

Bordstein^M
kerb

Kanaleinstiegsschacht^M
manhole

Fußgängerüberweg^M
pedestrian crossing

Regenwasserabfluss^M
surface water drain

Bushaltestelle^F
bus stop

Sperre^F
barrier

Wartehäuschen^N
bus shelter

Abwasserkanal^M
sewer

Trinkwasserleitung^F
water main

Stromversorgungskabel^N
electricity cable

Mischwasserkanal^M
main sewer

Telefonkabel^N
telephone cable

Verkehrsampel^F
traffic lights

rotes Licht^N
red light

Gasleitung^F
gas main

gelbes Licht^N
amber light

grünes Licht^N
green light

Trinkwasserleitung^F
water main

Fußgängerampel^F
pedestrian lights

Fußgängerknopf^M
pedestrian call button

Bürogebäude[N]
office building

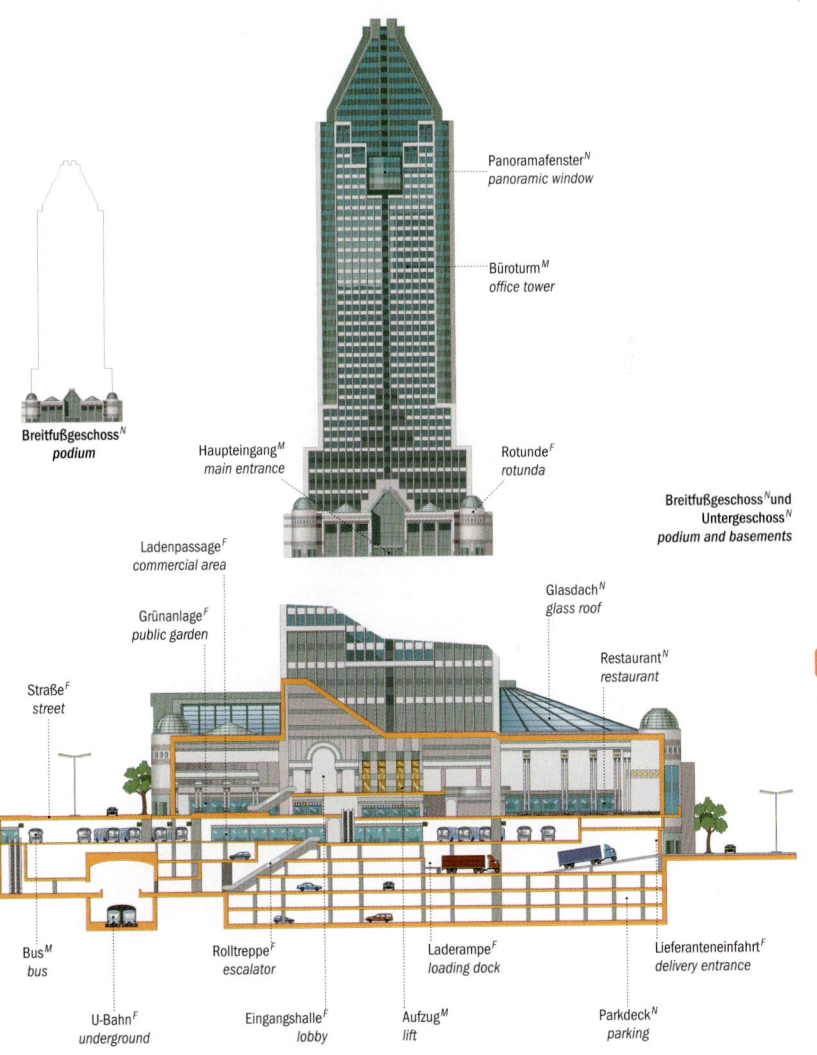

Panoramafenster[N]
panoramic window

Büroturm[M]
office tower

Breitfußgeschoss[N]
podium

Haupteingang[M]
main entrance

Rotunde[F]
rotunda

Breitfußgeschoss[N] und
Untergeschoss[N]
podium and basements

Ladenpassage[F]
commercial area

Glasdach[N]
glass roof

Grünanlage[F]
public garden

Restaurant[N]
restaurant

Straße[F]
street

Bus[M]
bus

Rolltreppe[F]
escalator

Laderampe[F]
loading dock

Lieferanteneinfahrt[F]
delivery entrance

U-Bahn[F]
underground

Eingangshalle[F]
lobby

Aufzug[M]
lift

Parkdeck[N]
parking

Einkaufszentrum[N]
shopping centre

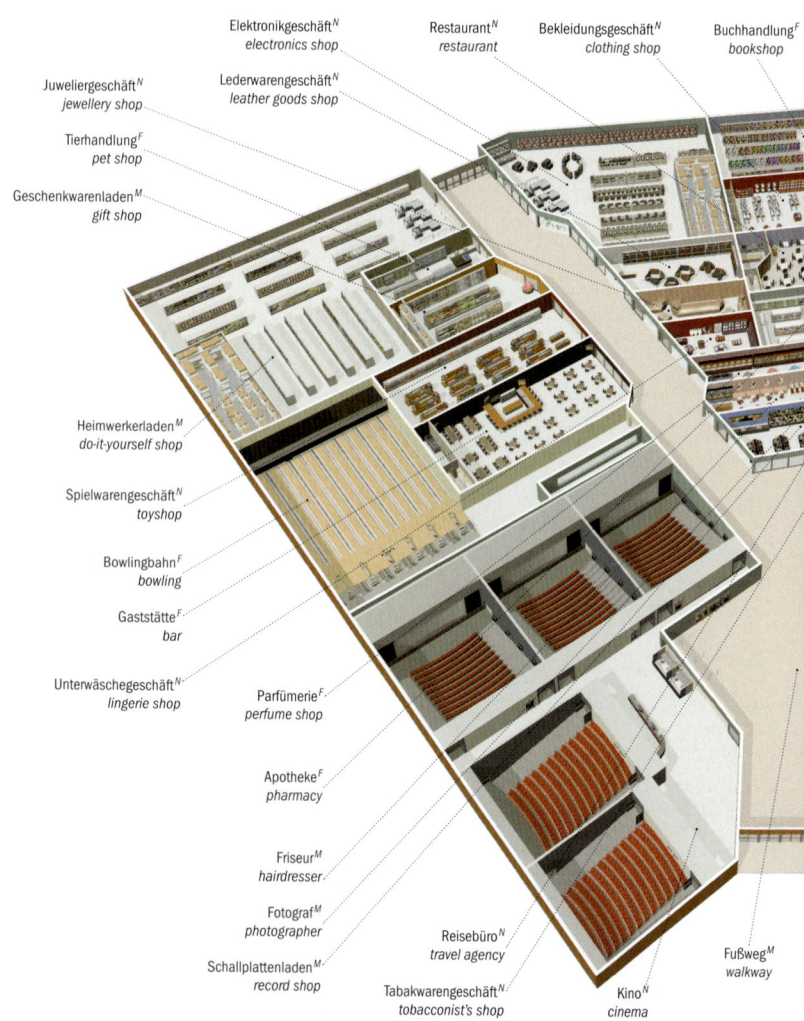

Elektronikgeschäft[N]
electronics shop

Restaurant[N]
restaurant

Bekleidungsgeschäft[N]
clothing shop

Buchhandlung[F]
bookshop

Juweliergeschäft[N]
jewellery shop

Lederwarengeschäft[N]
leather goods shop

Tierhandlung[F]
pet shop

Geschenkwarenladen[M]
gift shop

Heimwerkerladen[M]
do-it-yourself shop

Spielwarengeschäft[N]
toyshop

Bowlingbahn[F]
bowling

Gaststätte[F]
bar

Unterwäschegeschäft[N]
lingerie shop

Parfümerie[F]
perfume shop

Apotheke[F]
pharmacy

Friseur[M]
hairdresser

Fotograf[M]
photographer

Schallplattenladen[M]
record shop

Reisebüro[N]
travel agency

Tabakwarengeschäft[N]
tobacconist's shop

Kino[N]
cinema

Fußweg[M]
walkway

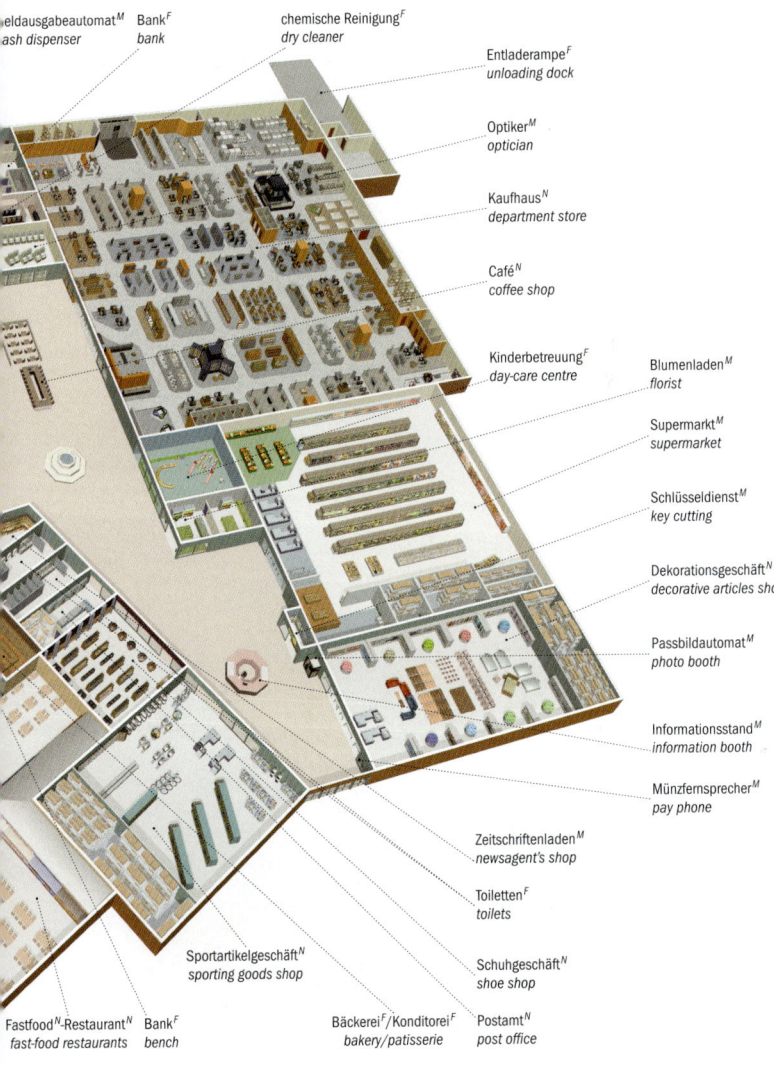

eldausgabeautomat[M]
ash dispenser

Bank[F]
bank

chemische Reinigung[F]
dry cleaner

Entladerampe[F]
unloading dock

Optiker[M]
optician

Kaufhaus[N]
department store

Café[N]
coffee shop

Kinderbetreuung[F]
day-care centre

Blumenladen[M]
florist

Supermarkt[M]
supermarket

Schlüsseldienst[M]
key cutting

Dekorationsgeschäft[N]
decorative articles shop

Passbildautomat[M]
photo booth

Informationsstand[M]
information booth

Münzfernsprecher[M]
pay phone

Zeitschriftenladen[M]
newsagent's shop

Toiletten[F]
toilets

Sportartikelgeschäft[N]
sporting goods shop

Schuhgeschäft[N]
shoe shop

Fastfood[N]-Restaurant[N]
fast-food restaurants

Bank[F]
bench

Bäckerei[F]/Konditorei[F]
bakery/patisserie

Postamt[N]
post office

GESELLSCHAFT

Restaurant^M

restaurant

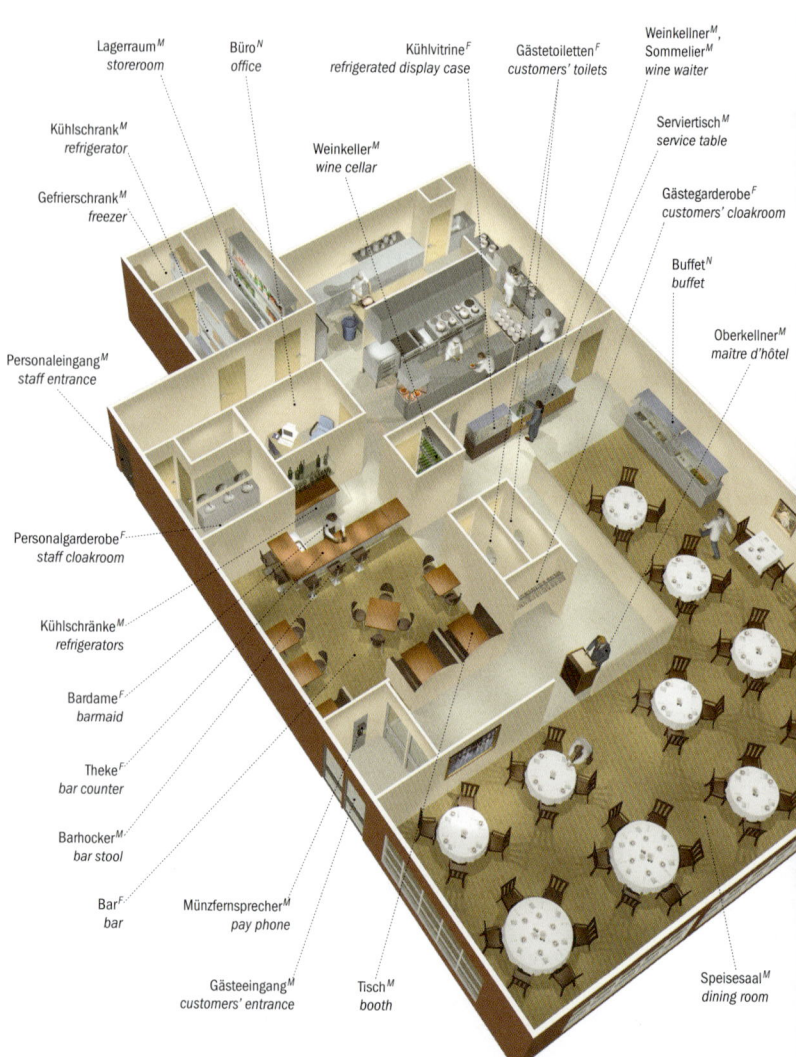

Lagerraum^M
storeroom

Büro^N
office

Kühlvitrine^F
refrigerated display case

Gästetoiletten^F
customers' toilets

Weinkellner^M,
Sommelier^M
wine waiter

Kühlschrank^M
refrigerator

Weinkeller^M
wine cellar

Serviertisch^M
service table

Gefrierschrank^M
freezer

Gästegarderobe^F
customers' cloakroom

Personaleingang^M
staff entrance

Buffet^N
buffet

Oberkellner^M
maître d'hôtel

Personalgarderobe^F
staff cloakroom

Kühlschränke^M
refrigerators

Bardame^F
barmaid

Theke^F
bar counter

Barhocker^M
bar stool

Bar^F
bar

Münzfernsprecher^M
pay phone

Gästeeingang^M
customers' entrance

Tisch^M
booth

Speisesaal^M
dining room

Hotel[N]

hotel

Empfangsebene[F]
reception level

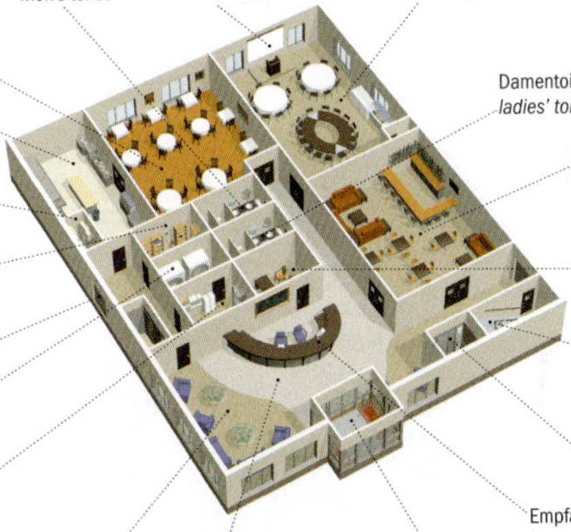

Herrentoilette[F]
men's toilet

Leinwand[F]
screen

Sitzungssaal[M]
meeting room

Speisesaal[M]
dining room

Küche[F]
kitchen

Damentoilette[F]
ladies' toilet

Vorratsschrank[M]
food store

Cocktailbar[F]
cocktail lounge

Portierzimmer[N]
janitor's cupboard

Büro[N]
office

Entladerampe[F]
unloading dock

Treppe[F]
stairs

Wäscherei[F]
laundry

Aufzug[M]
lift

Wäschekammer[F]
linen room

Empfang[M]
front desk

Aufenthaltsraum[M]
lounge

Empfangshalle[F]
hall

Vorhalle[F]
lobby

Hotelzimmer[N]
hotel room

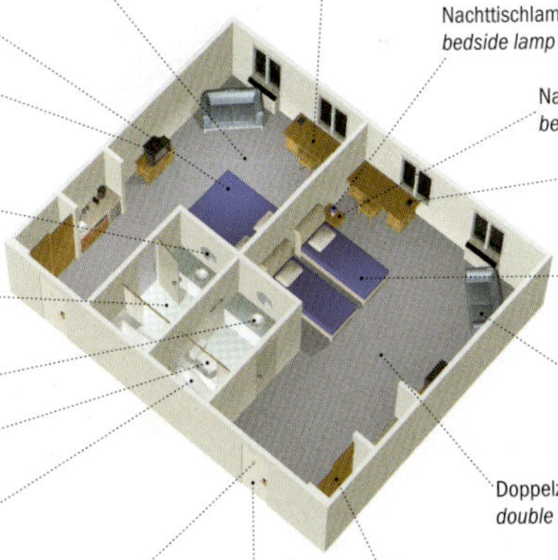

Einzelzimmer[N]
single room

Schreibtisch[M]
desk

Doppelbett[N]
double bed

Nachttischlampe[F]
bedside lamp

Fernsehgerät[N]
television set

Nachttisch[M]
bedside table

Spiegel[M]
mirror

Telefon[N]
telephone

Bad[N]
bathroom

Einzelbett[N]
single bed

Waschtisch[M]
sink

zweisitziges Sofa[N]
love seat

WC[N]
toilet

Doppelzimmer[N]
double room

Badewanne[F] und
Dusche[F]
bath and shower

Zimmernummer[F]
room number

Tür[F]
door

Kleiderschrank[M]
wardrobe

Gericht^N
court

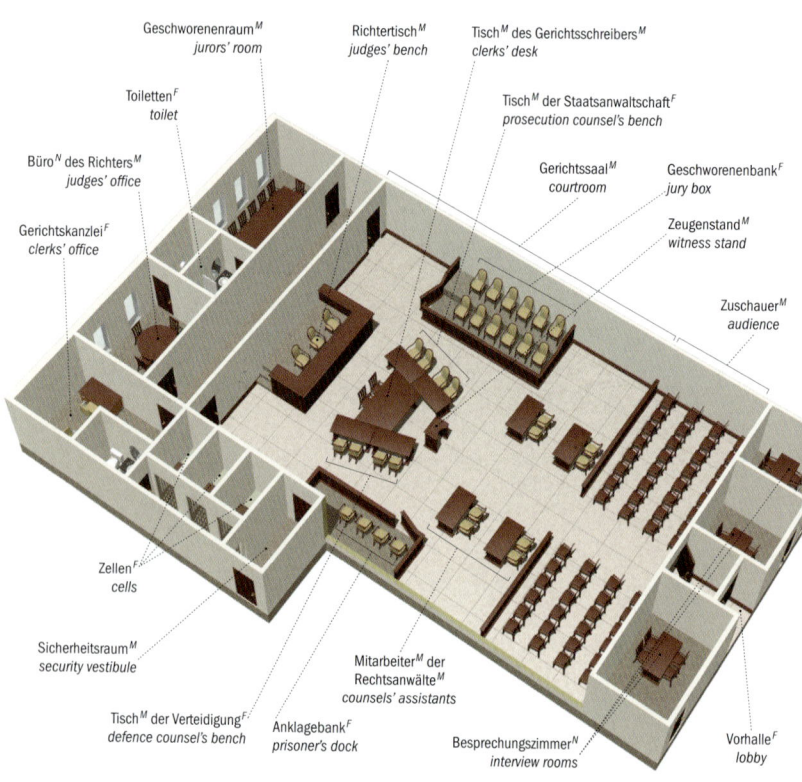

Geschworenenraum^M
jurors' room

Richtertisch^M
judges' bench

Tisch^M des Gerichtsschreibers^M
clerks' desk

Toiletten^F
toilet

Tisch^M der Staatsanwaltschaft^F
prosecution counsel's bench

Büro^N des Richters^M
judges' office

Gerichtssaal^M
courtroom

Geschworenenbank^F
jury box

Gerichtskanzlei^F
clerks' office

Zeugenstand^M
witness stand

Zuschauer^M
audience

Zellen^F
cells

Sicherheitsraum^M
security vestibule

Mitarbeiter^M der
Rechtsanwälte^M
counsels' assistants

Tisch^M der Verteidigung^F
defence counsel's bench

Anklagebank^F
prisoner's dock

Besprechungszimmer^N
interview rooms

Vorhalle^F
lobby

Beispiele^N für Währungsabkürzungen^F
examples of currency abbreviations

$

Dollar^M
dollar

¢

Cent^M
cent

Rs

Rupie^F
rupee

€

Euro^M
euro

₪

neuer Schekel^M
new shekel

₱

Peso^M
peso

¥

Yen^M
yen

£

Pfund^N
pound

Geld[N] und Zahlungsmodalitäten[F]
money and modes of payment

Münze[F]: Vorderseite[F]
coin: obverse

Kürzel[N] der Ausgabebank[F]
initials of issuing bank

Banknote[F]: Vorderseite[F]
banknote: front

Sicherheitsfaden[M]
security thread

metallisiertes Hologramm[N]
hologram foil strip

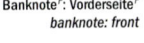

Jahreszahl[F]
date

Wasserzeichen[N]
watermark

amtliche Unterschrift[F]
official signature

metallische Tinte[F]
colour shifting ink

Rand[M]
edge

Porträt[N]
portrait

Seriennummer[F]
serial number

Münze[F]: Rückseite[F]
coin: reverse

Banknote[F]: Rückseite[F]
banknote: back

Flagge[F] der Europäischen Union[F]
European Union flag

Seriennummer[F]
serial number

Außenring[M]
outer ring

Leitspruch[M]
motto

Wertangabe[F]
denomination

Wertangabe[F]
denomination

Währungsangabe[F]
currency name

Magnetstreifen[M]
magnetic strip

Kreditkarte[F]
credit card

Unterschrift[F] des Inhabers[M]
holder's signature

Scheck[M]
cheques

Kartennummer[F]
card number

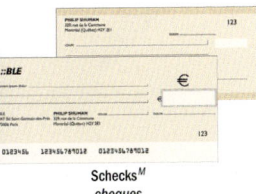

Travellerscheck[M]
traveller's cheque

Name[M] des Inhabers[M]
holder's name

Verfallsdatum[N]
expiry date

GESELLSCHAFT

Bank^F
bank

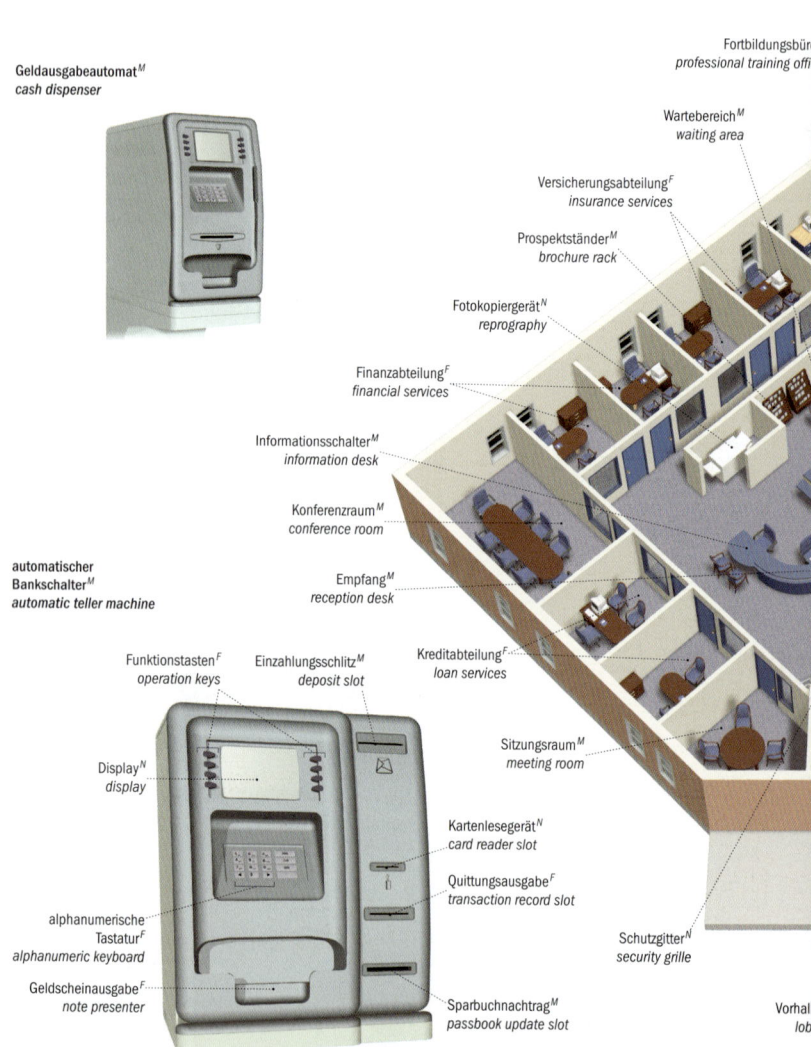

Geldausgabeautomat^M
cash dispenser

Fortbildungsbüro
professional training offic

Wartebereich^M
waiting area

Versicherungsabteilung^F
insurance services

Prospektständer^M
brochure rack

Fotokopiergerät^N
reprography

Finanzabteilung^F
financial services

Informationsschalter^M
information desk

Konferenzraum^M
conference room

automatischer
Bankschalter^M
automatic teller machine

Empfang^M
reception desk

Kreditabteilung^F
loan services

Funktionstasten^F
operation keys

Einzahlungsschlitz^M
deposit slot

Sitzungsraum^M
meeting room

Display^N
display

Kartenlesegerät^N
card reader slot

Quittungsausgabe^F
transaction record slot

alphanumerische
Tastatur^F
alphanumeric keyboard

Geldscheinausgabe^F
note presenter

Schutzgitter^N
security grille

Sparbuchnachtrag^M
passbook update slot

Vorhalle
lobb

GESELLSCHAFT

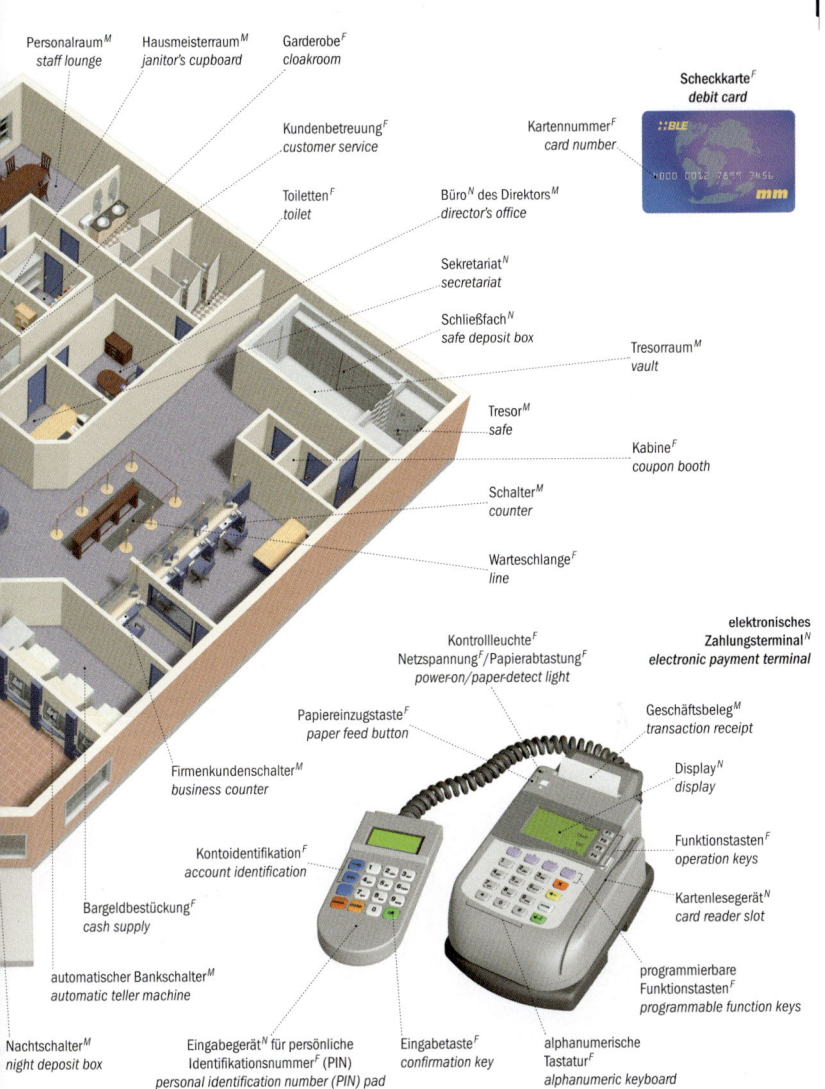

Personalraum^M
staff lounge

Hausmeisterraum^M
janitor's cupboard

Garderobe^F
cloakroom

Kundenbetreuung^F
customer service

Toiletten^F
toilet

Büro^N des Direktors^M
director's office

Sekretariat^N
secretariat

Schließfach^N
safe deposit box

Tresorraum^M
vault

Tresor^M
safe

Kabine^F
coupon booth

Schalter^M
counter

Warteschlange^F
line

Scheckkarte^F
debit card

Kartennummer^F
card number

elektronisches Zahlungsterminal^N
electronic payment terminal

Kontrollleuchte^F
Netzspannung^F/Papierabtastung^F
power-on/paper-detect light

Papiereinzugstaste^F
paper feed button

Firmenkundenschalter^M
business counter

Kontoidentifikation^F
account identification

Bargeldbestückung^F
cash supply

automatischer Bankschalter^M
automatic teller machine

Nachtschalter^M
night deposit box

Eingabegerät^N für persönliche
Identifikationsnummer^F (PIN)
personal identification number (PIN) pad

Eingabetaste^F
confirmation key

Geschäftsbeleg^M
transaction receipt

Display^N
display

Funktionstasten^F
operation keys

Kartenlesegerät^N
card reader slot

programmierbare
Funktionstasten^F
programmable function keys

alphanumerische
Tastatur^F
alphanumeric keyboard

GESELLSCHAFT

Schule[F]

school

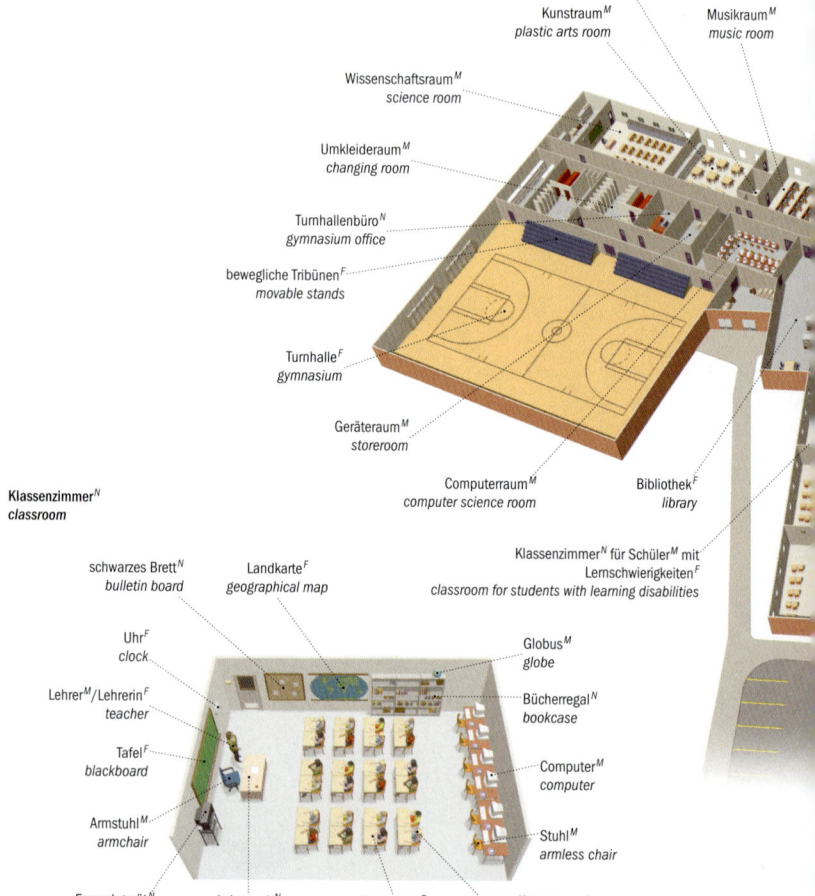

Materialraum[M]
equipment storage room

Podium[
podium

Kunstraum[M]
plastic arts room

Musikraum[M]
music room

Wissenschaftsraum[M]
science room

Umkleideraum[M]
changing room

Turnhallenbüro[N]
gymnasium office

bewegliche Tribünen[F]
movable stands

Turnhalle[F]
gymnasium

Geräteraum[M]
storeroom

Computerraum[M]
computer science room

Bibliothek[F]
library

Klassenzimmer[N]
classroom

Klassenzimmer[N] für Schüler[M] mit
Lernschwierigkeiten[F]
classroom for students with learning disabilities

schwarzes Brett[N]
bulletin board

Landkarte[F]
geographical map

Uhr[F]
clock

Globus[M]
globe

Lehrer[M]/Lehrerin[F]
teacher

Bücherregal[N]
bookcase

Tafel[F]
blackboard

Computer[M]
computer

Armstuhl[M]
armchair

Stuhl[M]
armless chair

Fernsehgerät[N]
television set

Lehrerpult[N]
teacher's desk

Schulbank[F]
student's desk

Schüler[M]/Schülerin[F]
student

Cafeteria^F
cafeteria

Küche^F
kitchen

Büro^N der
Schulaufsicht^F
proctors' office

Schülerspinde^M
students' lockers

Haupteingang^M
main entrance

Toilette^F
toilet

Schulhof^M
playground

Klassenzimmer^N
classroom

Pausenraum^M
students' room

Lehrerzimmer^N
teachers' room

Verwaltung^F
administration

Parkplatz^M
parking area

Diensteingang^M
staff entrance

Fahrradständer^M
bicycle parking

Büro^N des Schulleiters^M
head teacher's office

Sekretariat^N
school secretary's office

Konferenzraum^M
meeting room

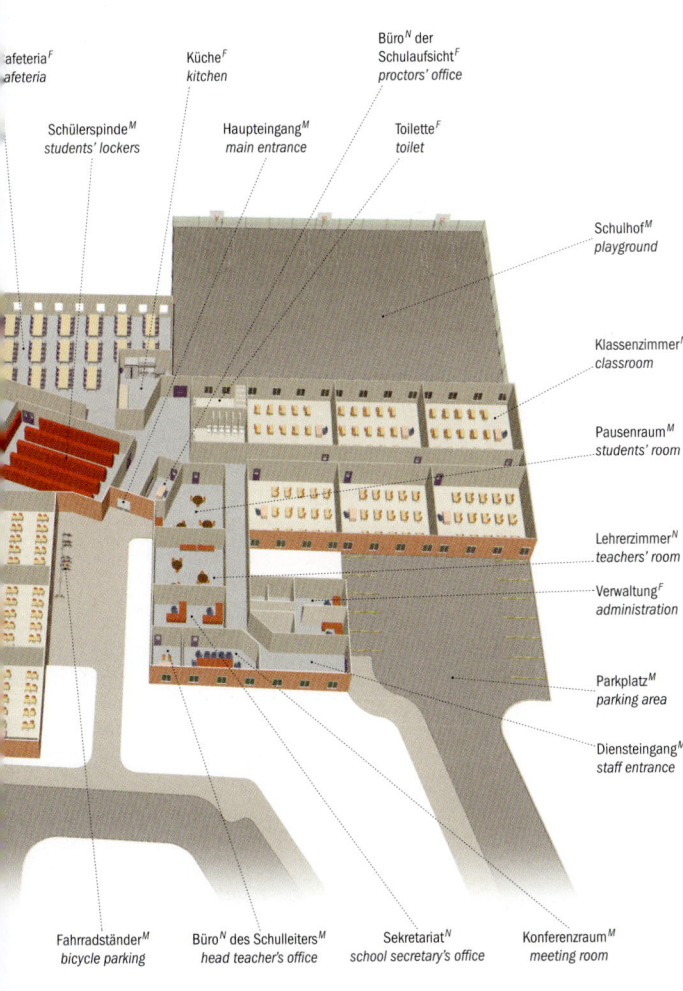

Kirche^F
church

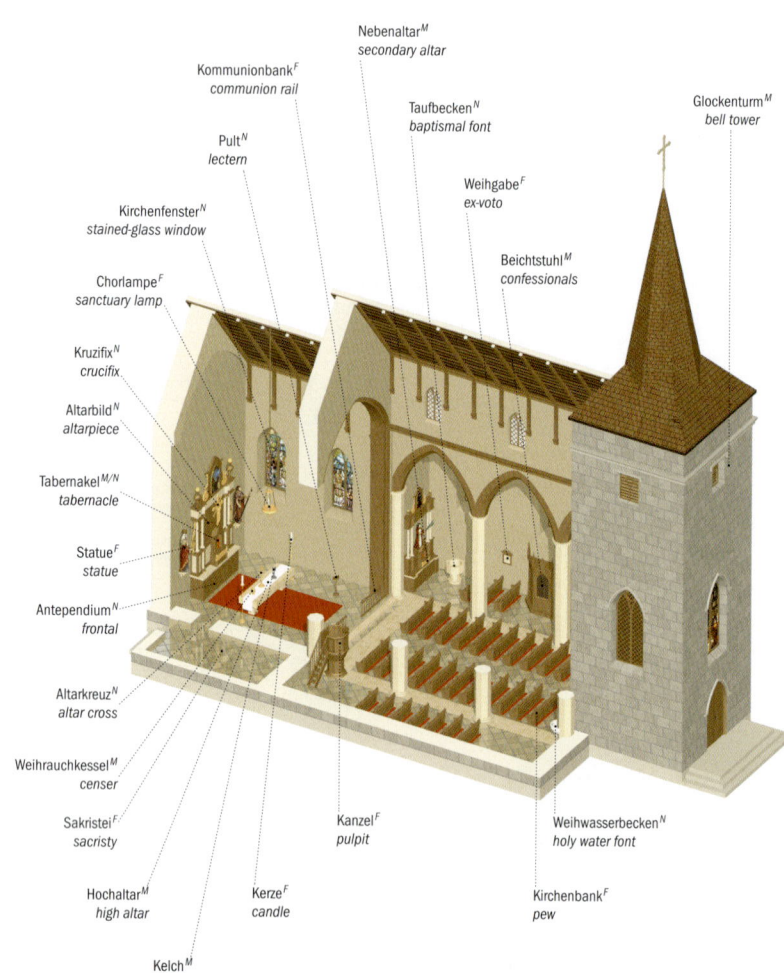

Kommunionbank^F
communion rail

Nebenaltar^M
secondary altar

Pult^N
lectern

Taufbecken^N
baptismal font

Glockenturm^M
bell tower

Weihgabe^F
ex-voto

Kirchenfenster^N
stained-glass window

Beichtstuhl^M
confessionals

Chorlampe^F
sanctuary lamp

Kruzifix^N
crucifix

Altarbild^N
altarpiece

Tabernakel^{M/N}
tabernacle

Statue^F
statue

Antependium^N
frontal

Altarkreuz^N
altar cross

Weihrauchkessel^M
censer

Sakristei^F
sacristy

Kanzel^F
pulpit

Weihwasserbecken^N
holy water font

Hochaltar^M
high altar

Kerze^F
candle

Kirchenbank^F
pew

Kelch^M
chalice

GESELLSCHAFT

Synagoge[F]
synagogue

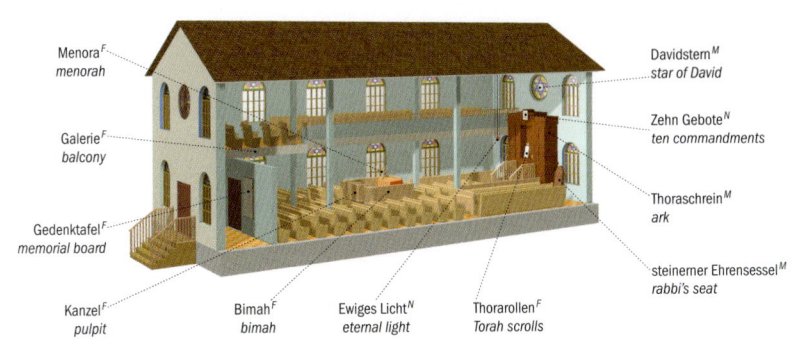

Menora[F]
menorah

Galerie[F]
balcony

Gedenktafel[F]
memorial board

Kanzel[F]
pulpit

Bimah[F]
bimah

Ewiges Licht[N]
eternal light

Thorarollen[F]
Torah scrolls

Davidstern[M]
star of David

Zehn Gebote[N]
ten commandments

Thoraschrein[M]
ark

steinerner Ehrensessel[M]
rabbi's seat

Moschee[F]
mosque

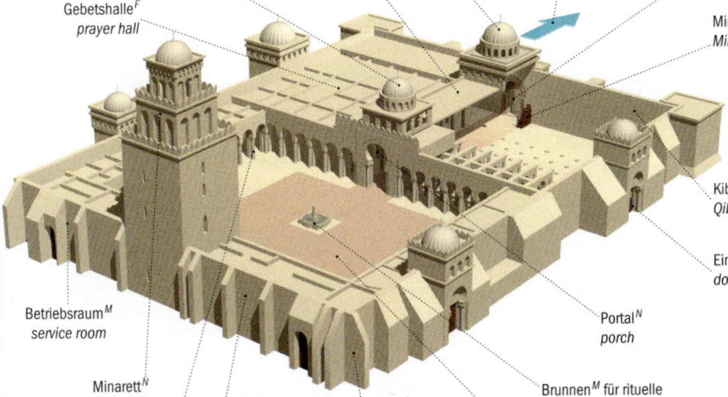

Portalkuppel[F]
porch dome

Mittelschiff[N]
central nave

Kuppel[F] des Mihrab[M/N]
Mihrab dome

Richtung[F] Mekka
direction of Mecca

Mihrab[M/N]
Mihrab

Gebetshalle[F]
prayer hall

Minbar[M]
Minbar

Kibla[F]
Qibla wall

Eingang[M]
door

Betriebsraum[M]
service room

Minarett[N]
minaret

Arkaden[F]
arcades

Empfangshalle[F]
reception hall

befestigte
Umfassungsmauer[F]
fortified wall

Innenhof[M]
courtyard

Portal[N]
porch

Brunnen[M] für rituelle
Waschungen[F]
fountain for ritual ablutions

Flaggen^F
flags

Amerika
Americas

1 Kanada
Canada

2 Vereinigte Staaten^M von Amerika
United States of America

3 Mexiko
Mexico

4 Honduras
Honduras

5 Guatemala
Guatemala

6 Belize
Belize

7 El Salvador
El Salvador

8 Nicaragua
Nicaragua

9 Costa Rica
Costa Rica

10 Panama
Panama

11 Kolumbien
Colombia

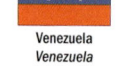
12 Venezuela
Venezuela

13 Guyana
Guyana

14 Surinam
Suriname

15 Ecuador
Ecuador

16 Peru
Peru

17 Brasilien
Brazil

18 Bolivien
Bolivia

19 Paraguay
Paraguay

20 Chile
Chile

21 Argentinien
Argentina

22 Uruguay
Uruguay

Karibische Inseln^F
Caribbean Islands

23 Bahamas^F
Bahamas

24 Kuba
Cuba

25 Jamaika
Jamaica

26 Haiti
Haiti

Flaggen[F]

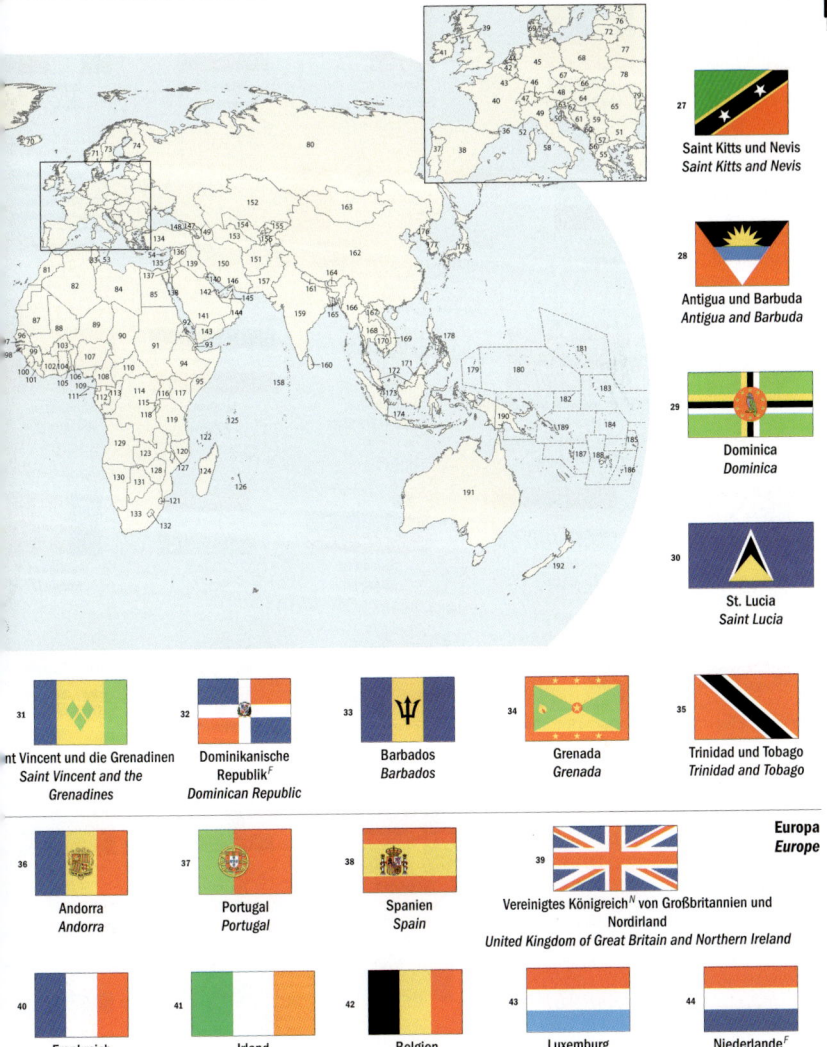

27 Saint Kitts und Nevis
Saint Kitts and Nevis

28 Antigua und Barbuda
Antigua and Barbuda

29 Dominica
Dominica

30 St. Lucia
Saint Lucia

31 Saint Vincent und die Grenadinen
Saint Vincent and the Grenadines

32 Dominikanische Republik[F]
Dominican Republic

33 Barbados
Barbados

34 Grenada
Grenada

35 Trinidad und Tobago
Trinidad and Tobago

Europa
Europe

36 Andorra
Andorra

37 Portugal
Portugal

38 Spanien
Spain

39 Vereinigtes Königreich[N] von Großbritannien und Nordirland
United Kingdom of Great Britain and Northern Ireland

40 Frankreich
France

41 Irland
Ireland

42 Belgien
Belgium

43 Luxemburg
Luxembourg

44 Niederlande[F]
Netherlands

GESELLSCHAFT

449

Flaggen[F]

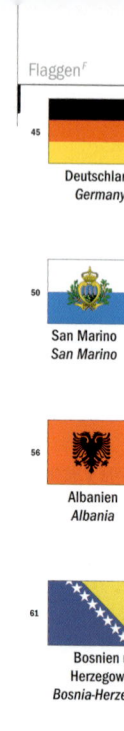

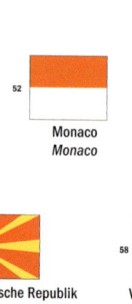
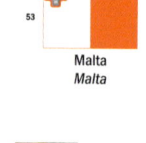
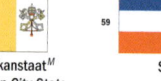

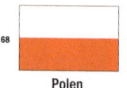

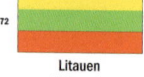

45 Deutschland
Germany

46 Liechtenstein
Liechtenstein

47 Schweiz[F]
Switzerland

48 Österreich
Austria

49 Italien
Italy

50 San Marino
San Marino

51 Bulgarien
Bulgaria

52 Monaco
Monaco

53 Malta
Malta

54 Zypern
Cyprus

55 Griechenland
Greece

56 Albanien
Albania

57 Ehemalige Jugoslawische Republik
Mazedonien
*The Former Yugoslav Republic of
Macedonia*

58 Vatikanstaat[M]
Vatican City State

59 Serbien
Serbia

60 Montenegro
Montenegro

61 Bosnien und
Herzegowina[F]
Bosnia-Herzegovina

62 Kroatien
Croatia

63 Slowenien
Slovenia

64 Ungarn
Hungary

65 Rumänien
Romania

66 Slowakische Republik[F]
Slovakia

67 Tschechische Republik[F]
Czech Republic

68 Polen
Poland

69 Dänemark
Denmark

70 Island
Iceland

71 Norwegen
Norway

72 Litauen
Lithuania

73 Schweden
Sweden

74 Finnland
Finland

75 Estland
Estonia

76 Lettland
Latvia

77 Weißrussland
Belarus

78 Ukraine[F]
Ukraine

79 Moldawien
Moldova

80 Russland
Russian Federation

Afrika
Africa

81 Marokko
Morocco

82 Algerien
Algeria

83 Tunesien
Tunisia

84 Libyen
Libya

85 Ägypten
Egypt

86 Kap Verde
Cape Verde Islands

87 Mauretanien
Mauritania

88 Mali
Mali

89 Niger[M]
Niger

90 Tschad[M]
Chad

91 Sudan[M]
Sudan

92 Eritrea
Eritrea

93 Dschibuti
Djibouti

94 Äthiopien
Ethiopia

95 Somalia
Somalia

96 Senegal[M]
Senegal

97 Gambia
Gambia

98 Guinea-Bissau
Guinea-Bissau

99 Guinea
Guinea

100 Sierra Leone
Sierra Leone

101 Liberia
Liberia

102 Elfenbeinküste[F]
Ivory Coast

103 Burkina Faso
Burkina Faso

104 Ghana
Ghana

105 Togo
Togo

106 Benin
Benin

107 Nigeria
Nigeria

108 Kamerun
Cameroon

109 Äquatorialguinea
Equatorial Guinea

110 Zentralafrikanische Republik[F]
Central African Republic

111 São Tomé und Príncipe
Sao Tome and Principe

112 Gabun
Gabon

113 Kongo[M]
Congo

114 Republik[F] Kongo[M]
Democratic Republic of Congo

115 Ruanda
Rwanda

116 Uganda
Uganda

117 Kenia
Kenya

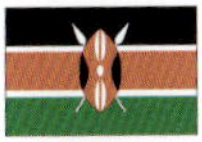

118 Burundi
Burundi

119 Tansania
Tanzania

GESELLSCHAFT

Flaggen[F]

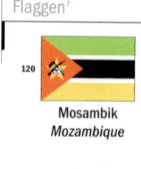
120 Mosambik
Mozambique

121 Swasiland[N]
Swaziland

122 Komoren[F]
Comoros

123 Sambia
Zambia

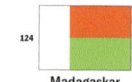
124 Madagaskar
Madagascar

125 Seychellen[F]
Seychelles

126 Mauritius
Mauritius

127 Malawi
Malawi

128 Simbabwe
Zimbabwe

129 Angola
Angola

130 Namibia
Namibia

131 Botswana
Botswana

132 Lesotho
Lesotho

133 Südafrika
South Africa

Asien
Asia

134 Türkei[F]
Turkey

135 Libanon[M]
Lebanon

136 Syrien
Syria

137 Israel
Israel

138 Jordanien
Jordan

139 Irak[M]
Iraq

140 Kuwait
Kuwait

141 Saudi-Arabien
Saudi Arabia

142 Bahrain
Bahrain

143 Jemen[M]
Yemen

144 Oman
Oman

145 Vereinigte Arabische
Emirate[N]
United Arab Emirates

146 Katar
Qatar

147 Georgien
Georgia

148 Armenien
Armenia

149 Aserbeidschan
Azerbaijan

150 Iran[M]
Iran

151 Afghanistan
Afghanistan

152 Kasachstan
Kazakhstan

153 Turkmenistan
Turkmenistan

154 Usbekistan
Uzbekistan

155 Kirgisistan
Kyrgyzstan

156 Tadschikistan
Tajikistan

157 Pakistan
Pakistan

158 Malediven[F]
Maldives

159 Indien
India

160 Sri Lanka
Sri Lanka

161 Nepal
Nepal

162 China
China

163 Mongolei[F]
Mongolia

164 Bhutan
Bhutan

165 Bangladesch
Bangladesch

166 Myanmar
Myanmar

167 Laos
Laos

168 Thailand
Thailand

169 Vietnam
Vietnam

170 Kambodscha
Cambodia

171 Brunei
Brunei Darussalam

172 Malaysia
Malaysia

173 Singapur
Singapore

174 Indonesien
Indonesia

175 Japan
Japan

176 Nord-Korea
Democratic People's Republic of Korea

177 Süd-Korea
Republic of Korea

Ozeanien und Polynesien
Oceania and Polynesia

178 Philippinen[F]
Philippines

179 Palau
Palau

180 Mikronesien
Micronesia

181 Marshallinseln[F]
Marshall Islands

182 Nauru
Nauru

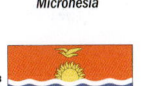
183 Kiribati
Kiribati

184 Tuvalu
Tuvalu

185 Samoa
Samoa

186 Tonga
Tonga

187 Vanuatu
Vanuatu

188 Fidschi
Fiji

189 Salomoninseln[F]
Solomon Islands

190 Papua-Neuguinea
Papua New Guinea

191 Australien
Australia

192 Neuseeland
New Zealand

Brandbekämpfung^F
fire prevention

Brandbekämpfungsmaterial^N
fire-fighting material

Feuerwehrmann^M
firefighter

Rauchmelder^M
smoke detector

Unterteil^N
base

Abdeckung^F
cover

Testknopf^M
test button

Kontrollleuchte^F
indicator light

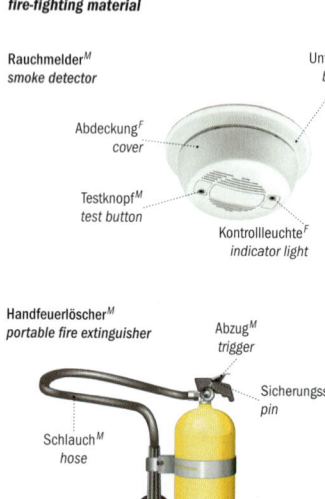

Feuerschutzhelm^M
helmet

Druckluftflasche^F
compressed-air cylinder

geschlossener
Gesichtsschutz^M
full face mask

geschlossenes
Atemschutzsystem^N
*self-contained breathing
apparatus*

Atemluftzufuhrschlauch^M
air-supply tube

Handfeuerlöscher^M
portable fire extinguisher

Abzug^M
trigger

Sicherungsstift^M
pin

Druckregler^M
pressure demand regulator

Schlauch^M
hose

Funkmeldeempfänger^M
mandown alarm

Einsatzkleidung^F
turnouts

Löschmittelbehälter^M
tank

Einreißhaken^M
pike pole

Beil^N
hatchet

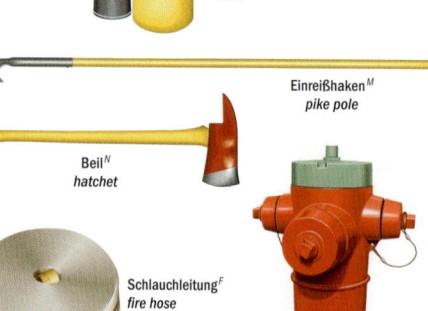

Schlauchleitung^F
fire hose

Überflurhydrant^M
fire hydrant

Gummistiefel^M
rubber boot

GESELLSCHAFT

Löschfahrzeuge^N
fire engines

Pumplöschfahrzeug^N
pumper

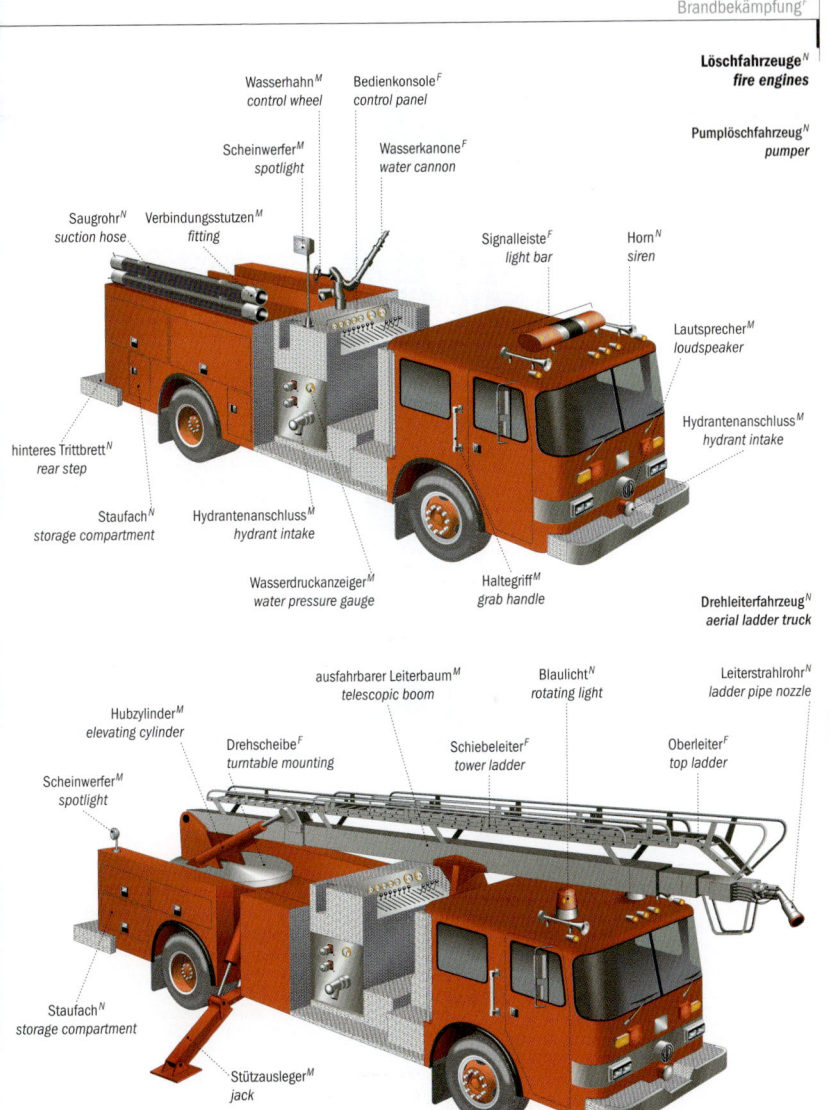

Wasserhahn^M
control wheel

Bedienkonsole^F
control panel

Scheinwerfer^M
spotlight

Wasserkanone^F
water cannon

Saugrohr^N
suction hose

Verbindungsstutzen^M
fitting

Signalleiste^F
light bar

Horn^N
siren

Lautsprecher^M
loudspeaker

hinteres Trittbrett^N
rear step

Hydrantenanschluss^M
hydrant intake

Staufach^N
storage compartment

Hydrantenanschluss^M
hydrant intake

Wasserdruckanzeiger^M
water pressure gauge

Haltegriff^M
grab handle

Drehleiterfahrzeug^N
aerial ladder truck

ausfahrbarer Leiterbaum^M
telescopic boom

Blaulicht^N
rotating light

Leiterstrahlrohr^N
ladder pipe nozzle

Hubzylinder^M
elevating cylinder

Drehscheibe^F
turntable mounting

Schiebeleiter^F
tower ladder

Oberleiter^F
top ladder

Scheinwerfer^M
spotlight

Staufach^N
storage compartment

Stützausleger^M
jack

GESELLSCHAFT

vorbeugende Verbrechensbekämpfung^F
crime prevention

Polizeibeamter^M
police officer

Mütze^F
cap

Abzeichen^N
badge

Schulterklappe^F
shoulder strap

Dienstgradabzeichen^N
rank insignia

Namensschild^N
identification badge

Uniform^F
uniform

Dienstgürtel^M
duty belt

Mikrofon^N
microphone

Tasche^F für
Latexhandschuhe^M
latex glove case

Handschellentasche^F
handcuff case

Pistole^F
pistol

Pfefferspray^N
pepper spray

Patronentasche^F
ammunition pouch

Hand^F-
Funksprechgerät^N
walkie-talkie

Halfter^N
holster

Stablampe^F
flashlight

Schlagstockhalter^M
baton holder

Teleskopschlagstock^M
expandable baton

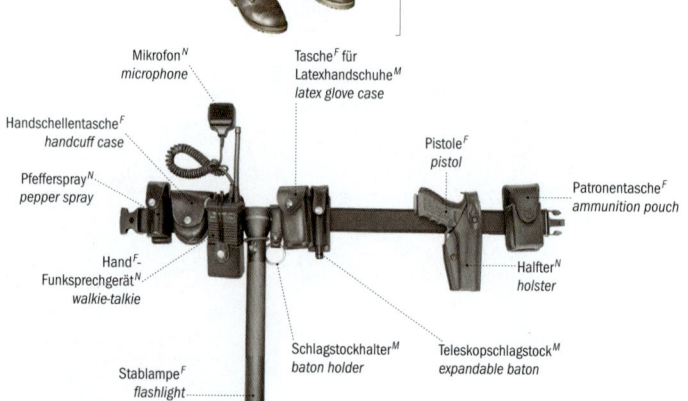

Armaturenbrettausrüstung^F
dashboard equipment

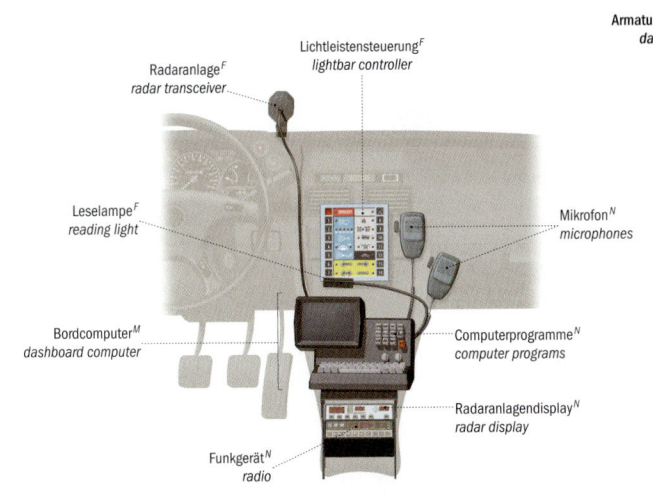

Lichtleistensteuerung^F
lightbar controller

Radaranlage^F
radar transceiver

Leselampe^F
reading light

Mikrofon^N
microphones

Bordcomputer^M
dashboard computer

Computerprogramme^N
computer programs

Radaranlagendisplay^N
radar display

Funkgerät^N
radio

Polizeifahrzeug^N
police car

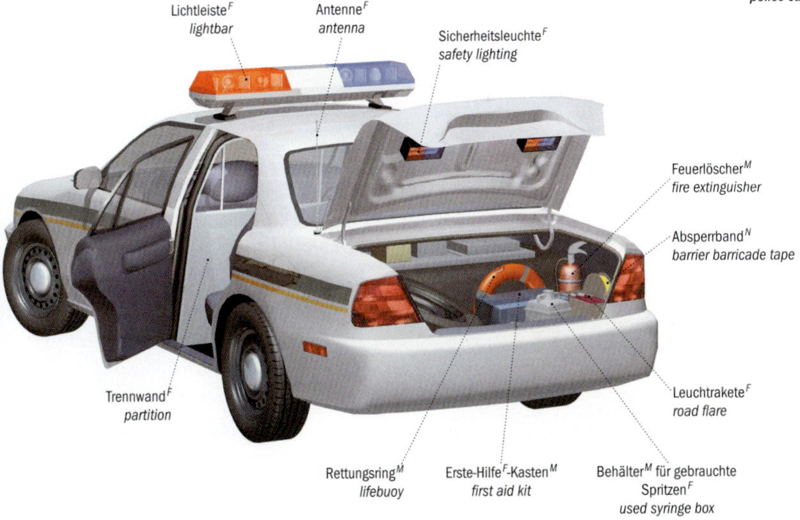

Lichtleiste^F
lightbar

Antenne^F
antenna

Sicherheitsleuchte^F
safety lighting

Feuerlöscher^M
fire extinguisher

Absperrband^N
barrier barricade tape

Trennwand^F
partition

Leuchtrakete^F
road flare

Rettungsring^M
lifebuoy

Erste-Hilfe^F-Kasten^M
first aid kit

Behälter^M für gebrauchte
Spritzen^F
used syringe box

GESELLSCHAFT

Gehörschutz^M
ear protection

Ohrenschützer^M
safety earmuffs

Kopfband^N
headband

Ohrstöpsel^M
earplug

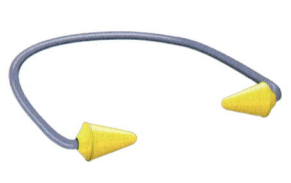

Schaumgummipolsterung^F
foam cushion

Augenschutz^M
eye protection

Schutzbrille^F
safety glasses

Schutzmaske^F
safety goggle

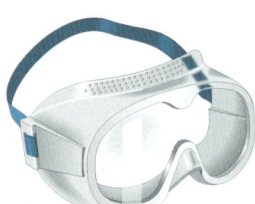

Kopfschutz^M
head protection

Schutzhelm^M
hard hat

Trageband^N
suspension band

Kopfband^N
headband

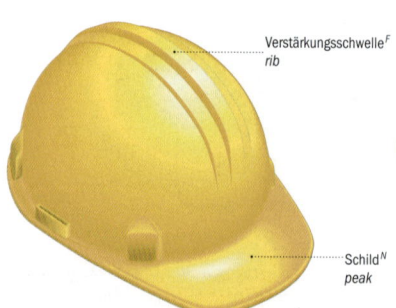

Verstärkungsschwelle^F
rib

Schild^N
peak

Genicklasche^F
neck strap

Atemschutz*M*
respiratory system protection

Gesichtsstück*N*
facepiece

Visier*N*
visor

Gasmaske*F*
respirator

Kopfriemen*M*
head harness

Kartusche*F*
cartridge

Einatmungsventil*N*
inhalation valve

Filterabdeckung*F*
filter cover

Ausatmungsventil*N*
exhalation valve

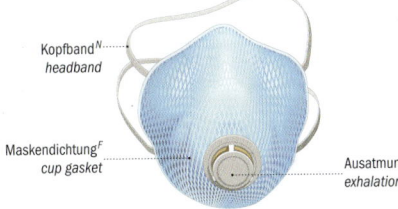

leichte Atemschutzmaske*F*
half-mask respirator

Kopfband*N*
headband

Maskendichtung*F*
cup gasket

Ausatmungsventil*N*
exhalation valve

Fußschutz*M*
foot protection

Sicherheitsschuh*M*
safety boot

Stahlkappe*F*
reinforced toe

Zehenschützer*M*
toe guard

Notfallausrüstung[F]
first aid equipment

Stethoskop[N]
stethoscope

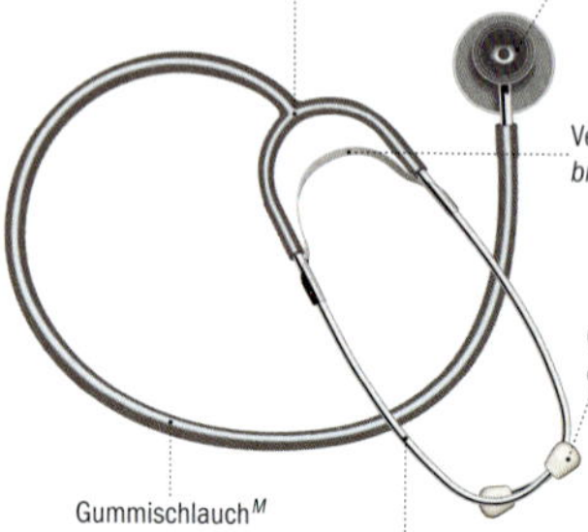

Y-Schlauch[M]
Y-tube

Höraufsatz[M]
sound receiver

Verbindungsclip[M]
branch clip

Ohrstöpsel[M]
earpiece

Gummischlauch[M]
flexible tube

Rohrstück[N]
branch

Spritze[F]
syringe

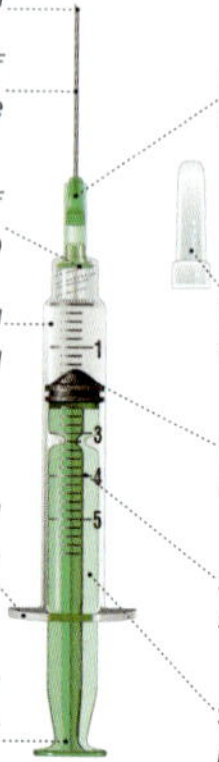

Schräge[F]
bevel

Kanüle[F]
needle

Kanülenansatz[M]
needle hub

Luer-Lock-Spitze[F]
Luer-Lock tip

Spritzenkörper[M]
hollow barrel

Schutzkappe[F]
tip protector

Gummipfropfen[M]
rubber bulb

Fingerrand[M]
finger flange

Skala[F]
scale

Daumenteil[M]
thumb rest

Spritzenkolben[M]
plunger

Latexhandschuh[M]
latex glove

Klistierspritze[F]
syringe for irrigation

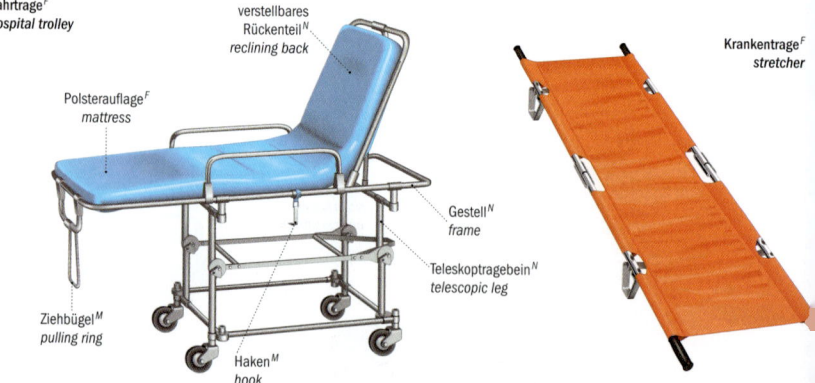

Fahrtrage[F]
hospital trolley

verstellbares
Rückenteil[N]
reclining back

Polsterauflage[F]
mattress

Krankentrage[F]
stretcher

Gestell[N]
frame

Teleskoptragebein[N]
telescopic leg

Ziehbügel[M]
pulling ring

Haken[M]
hook

Erste-Hilfe-Kasten^M
first aid kit

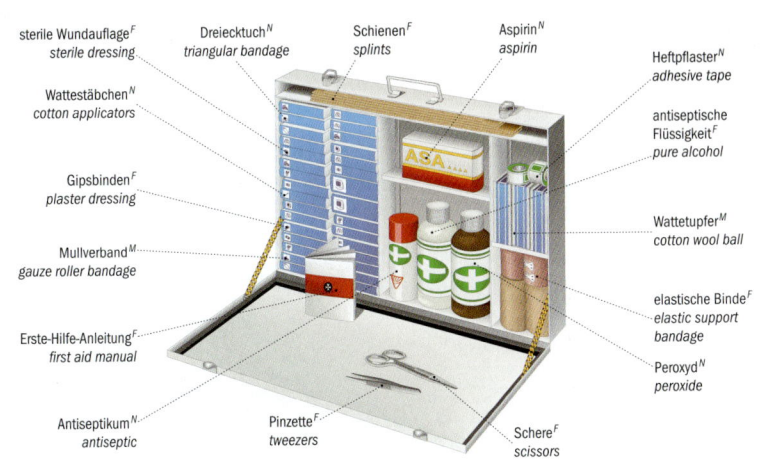

sterile Wundauflage^F
sterile dressing

Wattestäbchen^N
cotton applicators

Gipsbinden^F
plaster dressing

Mullverband^M
gauze roller bandage

Erste-Hilfe-Anleitung^F
first aid manual

Antiseptikum^N
antiseptic

Dreiecktuch^N
triangular bandage

Schienen^F
splints

Aspirin^N
aspirin

Heftpflaster^N
adhesive tape

antiseptische
Flüssigkeit^F
pure alcohol

Wattetupfer^M
cotton wool ball

elastische Binde^F
elastic support bandage

Peroxyd^N
peroxide

Pinzette^F
tweezers

Schere^F
scissors

Fieberthermometer^N
clinical thermometers

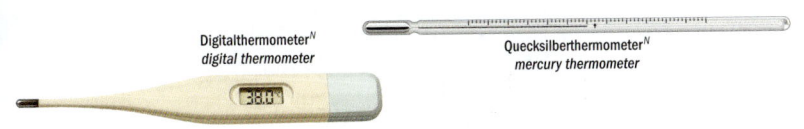

Digitalthermometer^N
digital thermometer

Quecksilberthermometer^N
mercury thermometer

Blutdruckmessgerät^N
blood pressure monitor

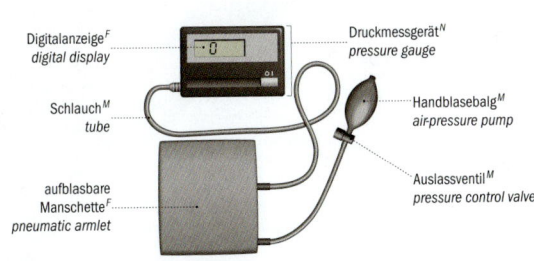

Digitalanzeige^F
digital display

Schlauch^M
tube

aufblasbare
Manschette^F
pneumatic armlet

Druckmessgerät^N
pressure gauge

Handblasebalg^M
air-pressure pump

Auslassventil^M
pressure control valve

Krankenhaus[N]
hospital

Unfallstation[F]
emergency

Lagerraum[M] für gebrauchtes
Material[N]
soiled utility room

Warteraum[M] für
Angehörige[M]
family waiting room

Lagerraum[M] für Sterilgut[N]
clean utility room

Beobachtungsraum[M]
observation room

Schwesternstation[F] (Unfallstation[F])
nurses' station (major emergency)

Medikamentenraum[F]
pharmacy

Reanimationsraum[M]
resuscitation room

Isolierraum[M]
isolation room

psychiatrischer
Beobachtungsraum[M]
psychiatric observation room

psychiatrischer
Untersuchungsraum[M]
psychiatric examination

fahrbares Röntgengerät[N]
mobile X-ray unit

Tragen[F]-Abstellraum[M]
stretcher area

Rettungswagen[M]
ambulance

kleine Chirurgie[F]
minor surgery

Aufnahme[F]
reception area

Büro[N] des diensthabenden Arztes[M]
emergency physician's office

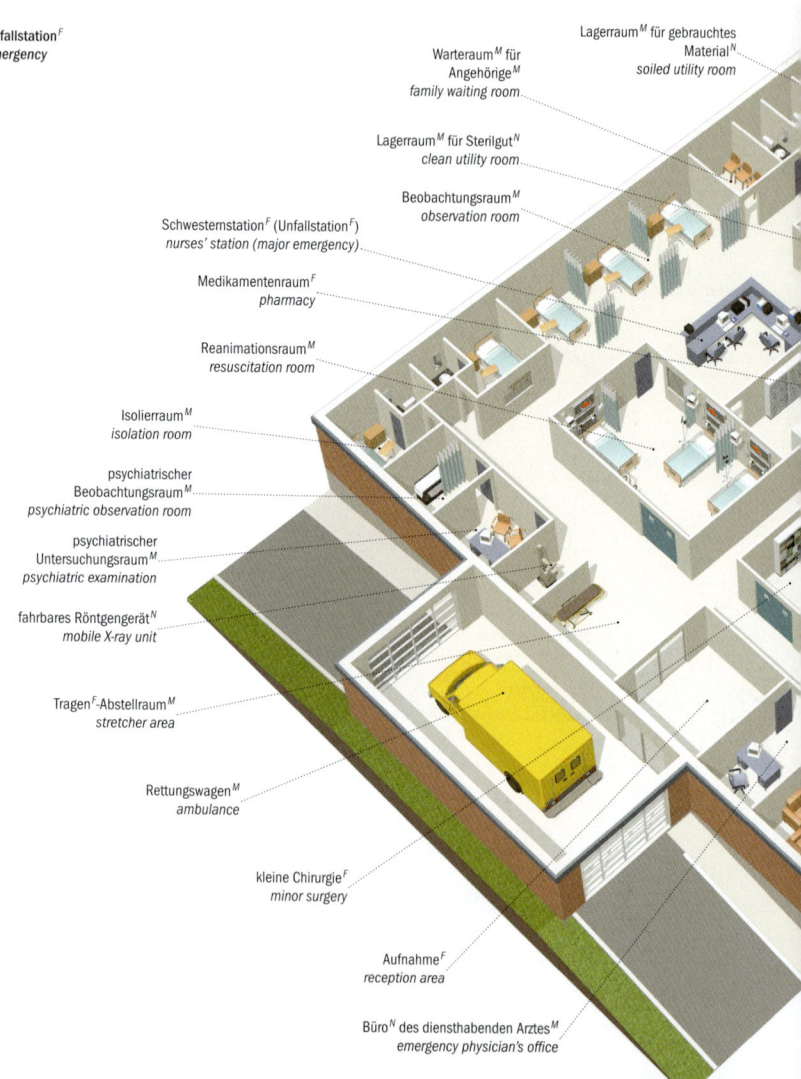

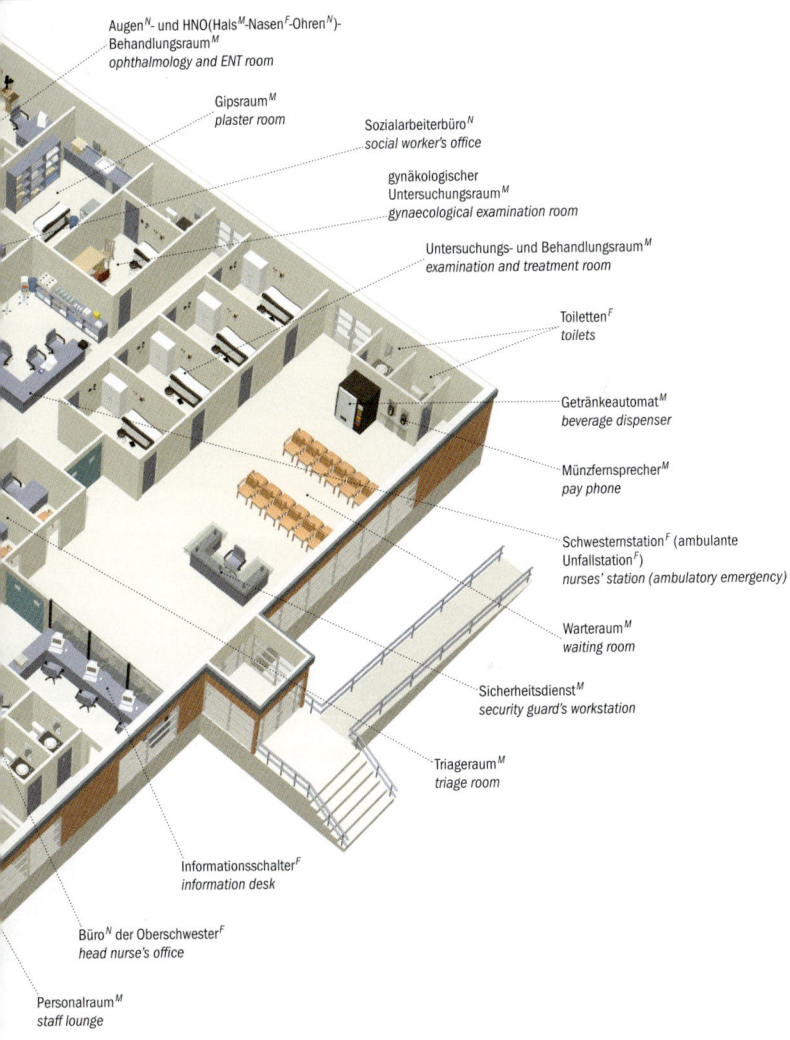

Augen[N]- und HNO(Hals[M]-Nasen[F]-Ohren[N])-
Behandlungsraum[M]
ophthalmology and ENT room

Gipsraum[M]
plaster room

Sozialarbeiterbüro[N]
social worker's office

gynäkologischer
Untersuchungsraum[M]
gynaecological examination room

Untersuchungs- und Behandlungsraum[M]
examination and treatment room

Toiletten[F]
toilets

Getränkeautomat[M]
beverage dispenser

Münzfernsprecher[M]
pay phone

Schwesternstation[F] (ambulante
Unfallstation[F])
nurses' station (ambulatory emergency)

Warteraum[M]
waiting room

Sicherheitsdienst[M]
security guard's workstation

Triageraum[M]
triage room

Informationsschalter[F]
information desk

Büro[N] der Oberschwester[F]
head nurse's office

Personalraum[M]
staff lounge

GESELLSCHAFT

Krankenzimmer[N]
patient room

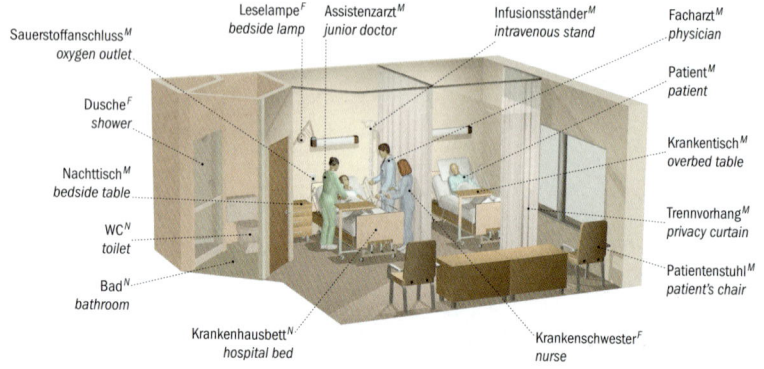

Leselampe[F]
bedside lamp

Assistenzarzt[M]
junior doctor

Infusionsständer[M]
intravenous stand

Facharzt[M]
physician

Sauerstoffanschluss[M]
oxygen outlet

Patient[M]
patient

Dusche[F]
shower

Krankentisch[M]
overbed table

Nachttisch[M]
bedside table

Trennvorhang[M]
privacy curtain

WC[N]
toilet

Patientenstuhl[M]
patient's chair

Bad[N]
bathroom

Krankenhausbett[N]
hospital bed

Krankenschwester[F]
nurse

Operationsabteilung[F]
operating suite

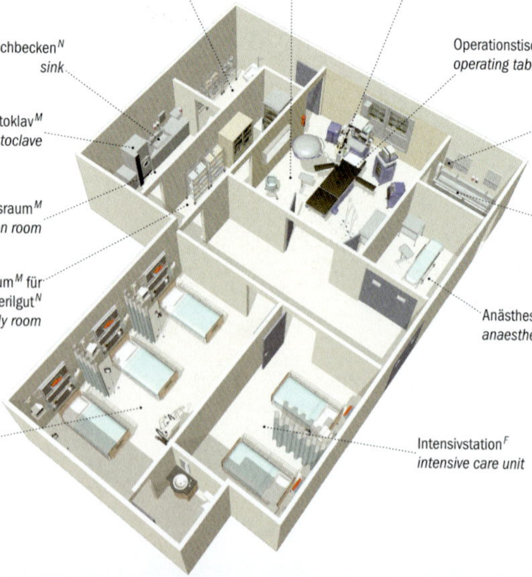

Lagerraum[M] für gebrauchtes
Material[N]
soiled utility room

Operationssaal[M]
operating theatre

medizinische Gasflasche[F]
medical gas cylinder

Waschbecken[N]
sink

Operationstisch[M]
operating table

Autoklav[M]
autoclave

Handschuhspender[M]
glove storage

Sterilisationsraum[M]
sterilization room

Waschraum[M]
scrub room

Lagerraum[M] für
Sterilgut[N]
supply room

Anästhesieraum[M]
anaesthesia room

Aufwachraum[M]
recovery room

Intensivstation[F]
intensive care unit

GESELLSCHAFT

Poliklinik[F]
ambulatory care unit

Wartebereich[M] für den Entnahmeraum[M]
specimen collection centre waiting room

Chirurgen[M]-Waschraum[M]
surgeon's sink

pathologisches Labor[N]
pathology laboratory

Sterilisationsraum[M]
sterilization room

Operationssaal[M]
operating theatre

Entkleidungsraum[M]
undressing booth

Beobachtungsraum[M]
observation room

zweiter Warteraum[M]
secondary waiting room

Toiletten[F]
toilets

Sozialdiensträume[M]
social services

Personalumkleideraum[M]
staff cloakroom

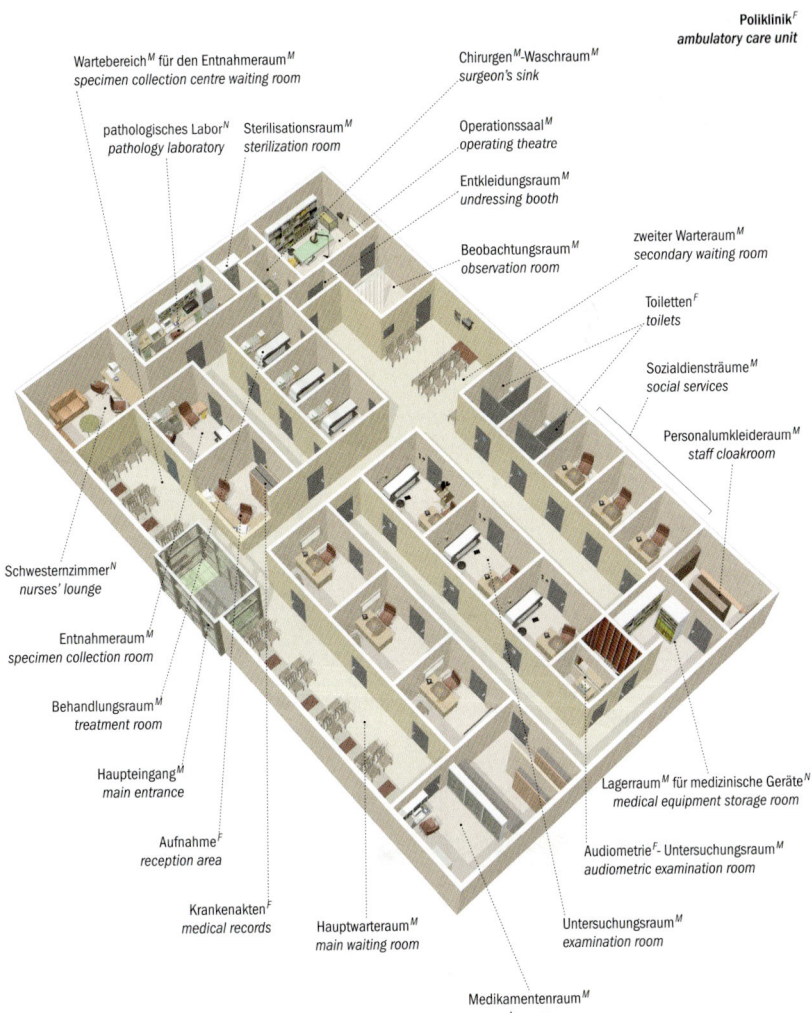

Schwesternzimmer[N]
nurses' lounge

Entnahmeraum[M]
specimen collection room

Behandlungsraum[M]
treatment room

Haupteingang[M]
main entrance

Aufnahme[F]
reception area

Krankenakten[F]
medical records

Hauptwarteraum[M]
main waiting room

Lagerraum[M] für medizinische Geräte[N]
medical equipment storage room

Audiometrie[F]- Untersuchungsraum[M]
audiometric examination room

Untersuchungsraum[M]
examination room

Medikamentenraum[M]
pharmacy

Gehhilfen*F*

walking aids

Gehkrücke*F*
forearm crutch

Achselkrücke
underarm crutch

Unterarmstütze*F*
forearm support

Achselstütze*F*
underarm rest

Griff*M*
handgrip

Querstück*N*
crosspiece

Holm*M*
upright

Längenverstellung*F*
adjuster

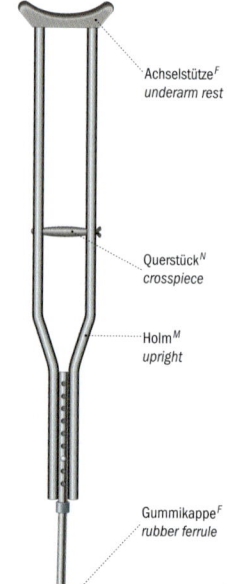

Gummikappe*F*
rubber ferrule

englischer Stock*M*
English stick

Gehgestell*N*
walking frame

vierfüßiger Stock*M*
quadruped stick

orthopädischer Stock*M*
ortho-stick

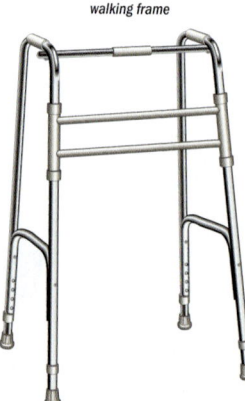

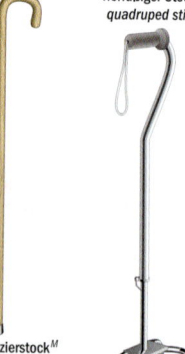

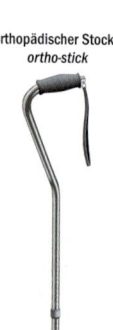

Spazierstock*M*
walking stick

Rollstuhl^M
wheelchair

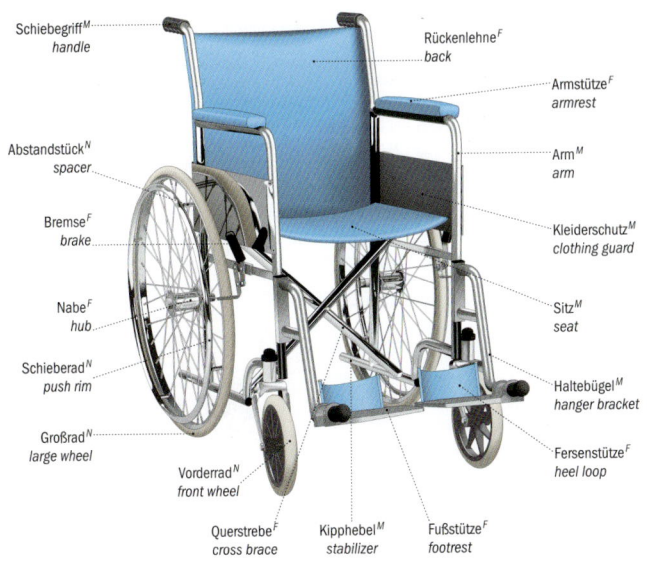

Schiebegriff^M
handle

Rückenlehne^F
back

Armstütze^F
armrest

Abstandstück^N
spacer

Arm^M
arm

Bremse^F
brake

Kleiderschutz^M
clothing guard

Nabe^F
hub

Sitz^M
seat

Schieberad^N
push rim

Haltebügel^M
hanger bracket

Großrad^N
large wheel

Fersenstütze^F
heel loop

Vorderrad^N
front wheel

Querstrebe^F
cross brace

Kipphebel^M
stabilizer

Fußstütze^F
footrest

Arzneimittel^N-Darreichungsformen^F
pharmaceutical forms of medication

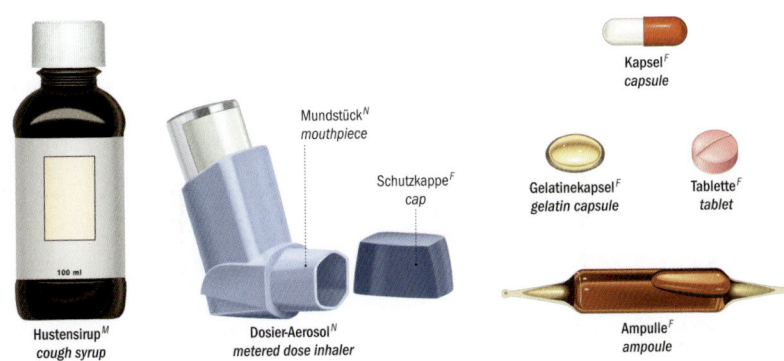

Hustensirup^M
cough syrup

Mundstück^N
mouthpiece

Schutzkappe^F
cap

Dosier-Aerosol^N
metered dose inhaler

Kapsel^F
capsule

Gelatinekapsel^F
gelatin capsule

Tablette^F
tablet

Ampulle^F
ampoule

100 ml

Würfel[M] und Dominosteine[M]

dice and dominoes

gewöhnlicher Würfel[M]
ordinary die

Pokerwürfel[M]
poker die

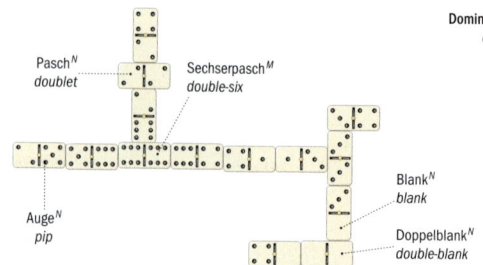

Pasch[N]
doublet

Sechserpasch[M]
double-six

Auge[N]
pip

Dominosteine
domino

Blank[N]
blank

Doppelblank[N]
double-blank

Kartenspiele[N]

card games

Farben[F]
symbols

Herz[N]
heart

Karo[N]
diamond

Kreuz[N]
club

Pik[N]
spade

Joker[M]
Joker

Ass[N]
Ace

König[M]
King

Dame[F]
Queen

Bube[M]
Jack

normale Pokerblätter[N]
standard poker hands

höchste Karte[F]
high card

ein Pärchen[N]
one pair

zwei Pärchen[N]
two pairs

Drilling[M]
three-of-a-kind

Straße[F]
straight

Flush[M]
flush

Full House[N]
full house

Vierling[M]
four-of-a-kind

Straight Flush[M]
straight flush

Royal Flush[M]
royal flush

SPORT UND SPIELE

Brettspiel[N]
board game

Backgammon[N]
backgammon

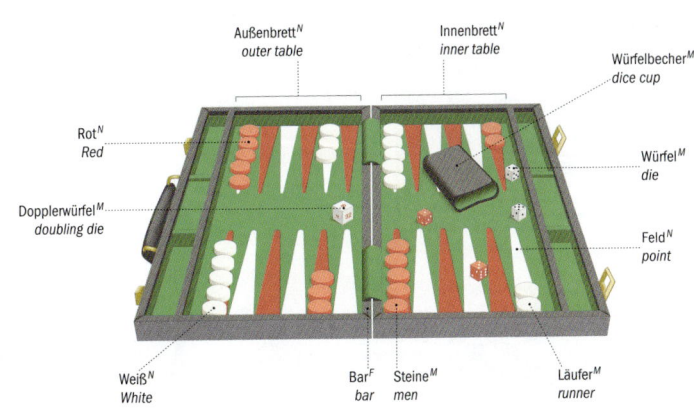

Außenbrett[N]
outer table

Innenbrett[N]
inner table

Würfelbecher[M]
dice cup

Rot[N]
Red

Würfel[M]
die

Dopplerwürfel[M]
doubling die

Feld[N]
point

Weiß[N]
White

Bar[F]
bar

Steine[M]
men

Läufer[M]
runner

Leiterspiel[N]
snakes and ladders

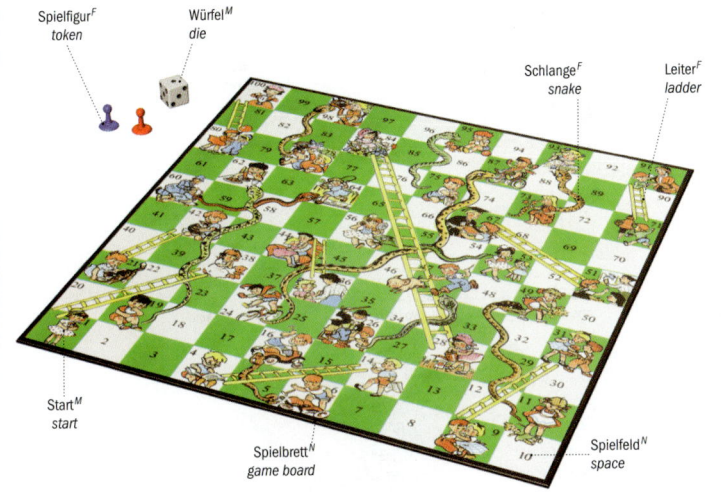

Spielfigur[F]
token

Würfel[M]
die

Schlange[F]
snake

Leiter[F]
ladder

Start[M]
start

Spielbrett[N]
game board

Spielfeld[N]
space

Brettspiel^N

Schach^N
chess

Schachbrett^N
chessboard

Damenflanke^F
Queen's side

Königsflanke^F
King's side

Schwarz^N
Black

weißes Feld^N
white square

schwarzes Feld^N
black square

Notation^F
chess notation

Weiß^N
White

Schachfiguren
me

Bauer^M
Pawn

Turm^M
Castle

Läufer^M
Bishop

Springer^M
Knight

König^M
King

Dame^F
Queen

Zugarten^F
types of move

diagonaler Zug^M
diagonal move

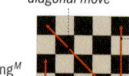

vertikaler Zug^M
vertical move

Rösselsprung^M
square move

horizontaler Zug^M
horizontal move

Go^N
go

Spielbrett^N
board

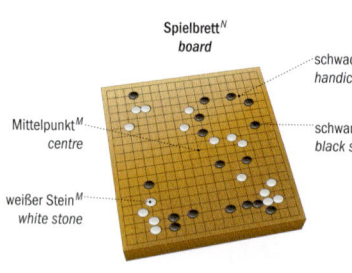

schwacher Punkt^M
handicap spot

Mittelpunkt^M
centre

schwarzer Stein^M
black stone

weißer Stein^M
white stone

Hauptspielzüge
major motion

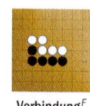

Verbindung^F
connection

Fangen^N
capture

Berührung^F
contact

Dame^F
draughts

Spielstein^M
draught

Spielbrett^N
draughtboard

Videospielsystem^{N}
video entertainment system

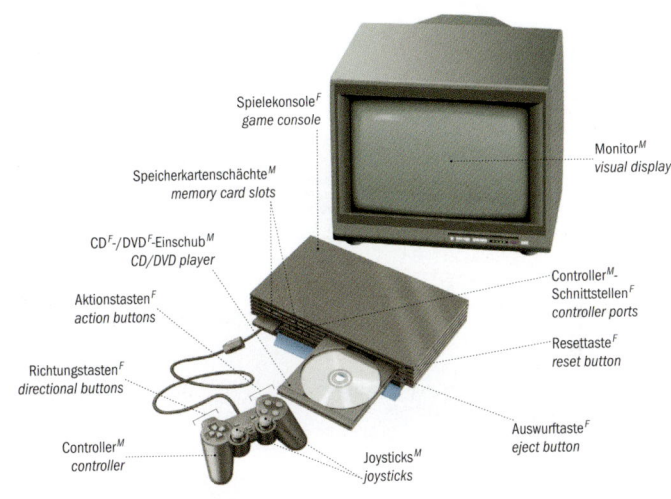

Spielekonsole^{F}
game console
Monitor^{M}
visual display
Speicherkartenschächte^{M}
memory card slots
CD^{F}-/DVD^{F}-Einschub^{M}
CD/DVD player
Controller^{M}-Schnittstellen^{F}
controller ports
Aktionstasten^{F}
action buttons
Resettaste^{F}
reset button
Richtungstasten^{F}
directional buttons
Auswurftaste^{F}
eject button
Controller^{M}
controller
Joysticks^{M}
joysticks

Dartspiel^{N}
game of darts

Dartscheibe^{F}
dartboard

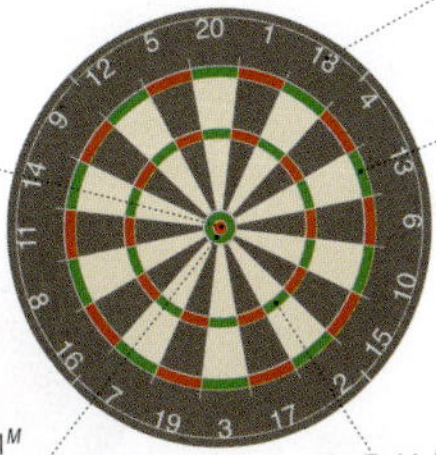

Segmentpunktzahl^{F}
segment score number
Double^{M}
double ring
Bull's eye^{N}
bull's-eye
äußerer Bull^{M}
25 ring
Treble^{M}
treble ring
20 1 18 4 13 6 10 15 2 17 3 19 7 16 8 11 14 9 12 5

Spielbereich^{M}
playing area

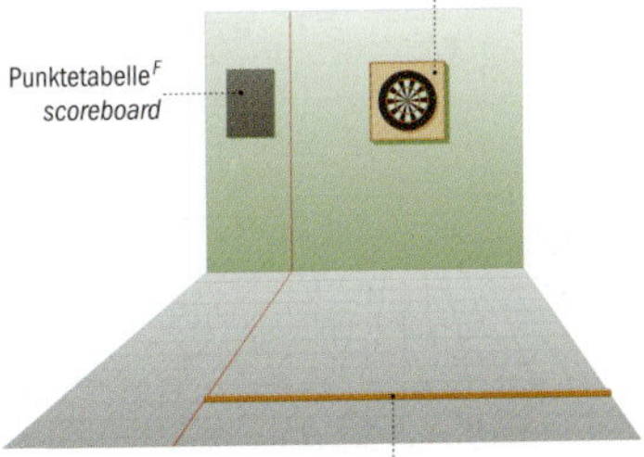

Schutzumrandung^{F}
protective surround
Punktetabelle^{F}
scoreboard
Hockey^{M}
oche

Wurfpfeil^{M}
dart

Schaft^{M}
shaft
Steuerfeder^{F}
flight
Rumpf^{M}
barrel
Spitze^{F}
point

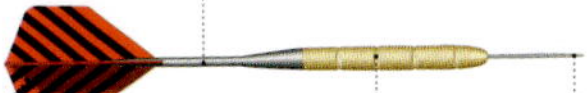

Stadion[N]
arena

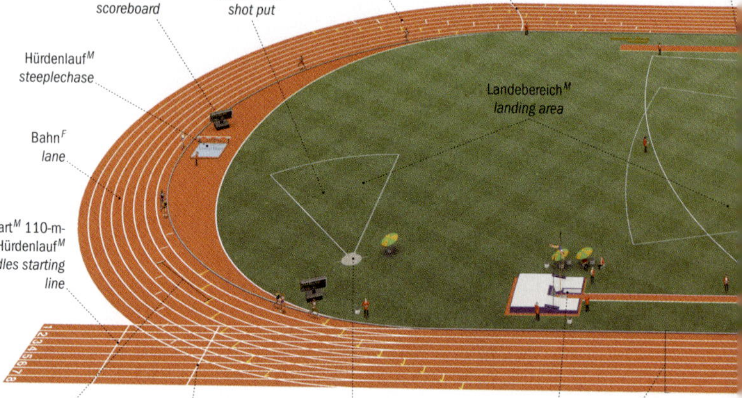

Start[M] 200-m-Lauf[M]
200 m starting line

Start[M] 5000-m-Lauf[M]
5,000 m starting line

Weit- und Dreisprung[M]
long jump and triple jump

Anzeigetafel[F]
scoreboard

Kugelstoßen[N]
shot put

Hürdenlauf[M]
steeplechase

Landebereich[M]
landing area

Bahn[F]
lane

Start[M] 110-m-
Hürdenlauf[M]
*110 m hurdles starting
line*

Staffelübergabebereich[M]
overtaking zone

Start[M] 100-m- und 100-m-Hürdenlauf[M]
100 m and 100 m hurdles starting line

Wurfkreis[M]
throwing circle

Stabhochsprung[M]
pole vault

Aschenbahn[F]
track

Geräte[N]
equipment

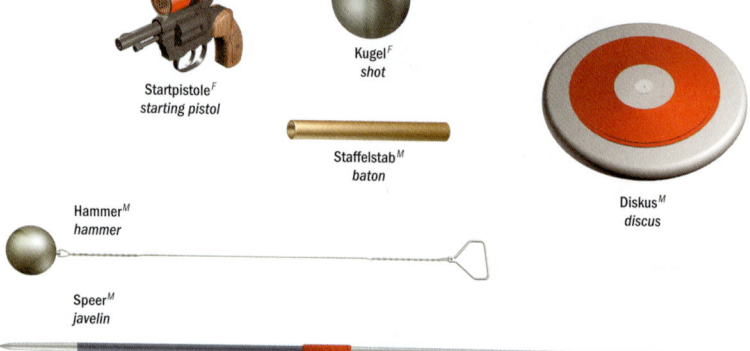

Startpistole[F]
starting pistol

Kugel[F]
shot

Staffelstab[M]
baton

Diskus[M]
discus

Hammer[M]
hammer

Speer[M]
javelin

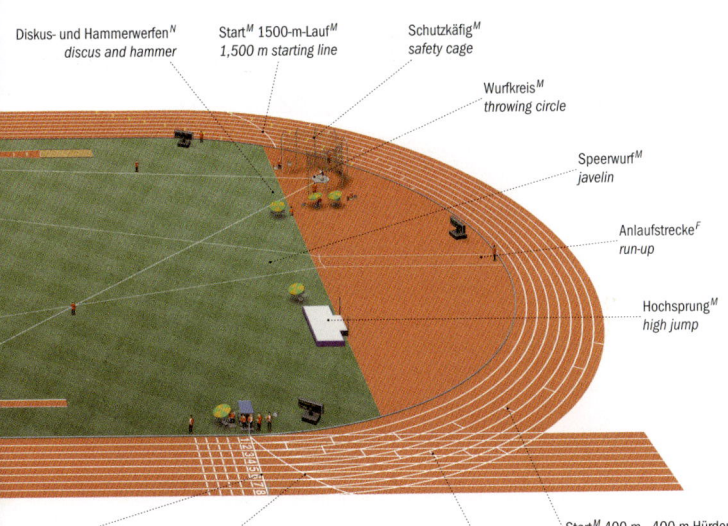

Diskus- und Hammerwerfen^N
discus and hammer

Start^M 1500-m-Lauf^M
1,500 m starting line

Schutzkäfig^M
safety cage

Wurfkreis^M
throwing circle

Speerwurf^M
javelin

Anlaufstrecke^F
run-up

Hochsprung^M
high jump

Ziellinie^F
finish line

Start^M 10000-m- und 4-x-400-m-Lauf^M
10,000 m and 4 x 400 m relay starting line

Start^M 800-m-Lauf^M
800 m starting line

Start^M 400-m-, 400-m-Hürden^F-, 4-x-100-m-Lauf^M
400 m, 400 m hurdles, 4 x 100 m relay starting line

Athletin^F: Startblock^M
athlete: starting block

Hemd^N
shirt

Startnummer^F
number

Sporthose^F
shorts

Fußstütze^F
pedal

Laufschuh^M
running shoe

Raste^F
notch

Anker^M
anchor

Startlinie^F
start line

Bahnmarkierung^F
lane line

Schiene^F
rack

Spike^M
spike

Block^M
block

Basis^F
base

SPORT UND SPIELE

473

Baseball[M]
baseball

Spielerpositionen[F]
player positions

linker
Außenfeldspieler[M]
left fielder

mittlerer
Außenfeldspieler[M]
centre fielder

Halbspieler[M]
shortstop

rechter
Außenfeldspieler[M]
right fielder

dritter Malspieler[M]
third baseman

zweiter Malspieler[M]
second baseman

Fänger[M]
catcher

Werfer[M]
pitcher

erster Malspieler[M]
first baseman

Spielfeld[N]
field

drittes Mal[N]
third base

Spielerbank[F]
dugout

Coach-Box[F]
coach's box

Foullinie[F]
foul line

Ballfangzaun[M]
backstop

On-Deck-Circle[M]
on-deck circle

erstes Mal[N]
first base

Innenfeld[N]
infield

zweites Mal[N]
second base

Wurf[M]
pitch

Hauptschiedsrichter[M]
home-plate umpire

Schlagmann[M]
batter

Werfer[M]
pitcher

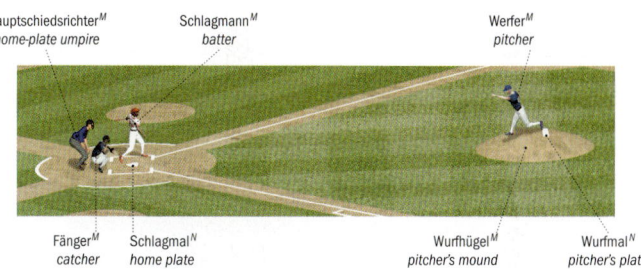

Fänger[M]
catcher

Schlagmal[N]
home plate

Wurfhügel[M]
pitcher's mound

Wurfmal[N]
pitcher's plate

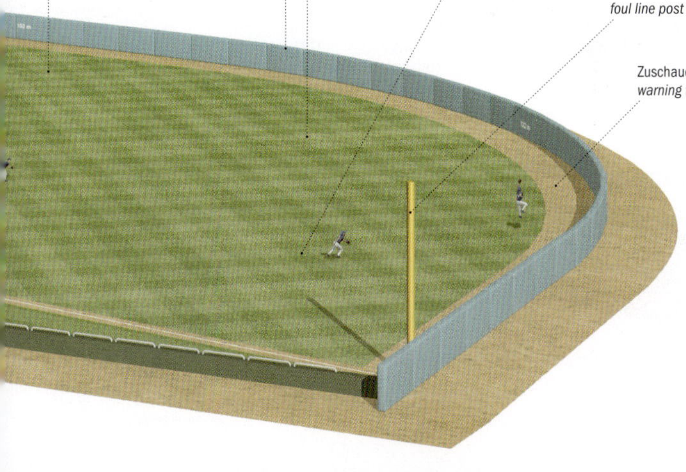

Outfieldzaun[M]
outfield fence

linkes Feld[N]
left field

Mittelfeld[N]
centre field

rechtes Feld[N]
right field

Foullinienpfosten[M]
foul line post

Zuschauergrenze[F]
warning track

Baseball^M

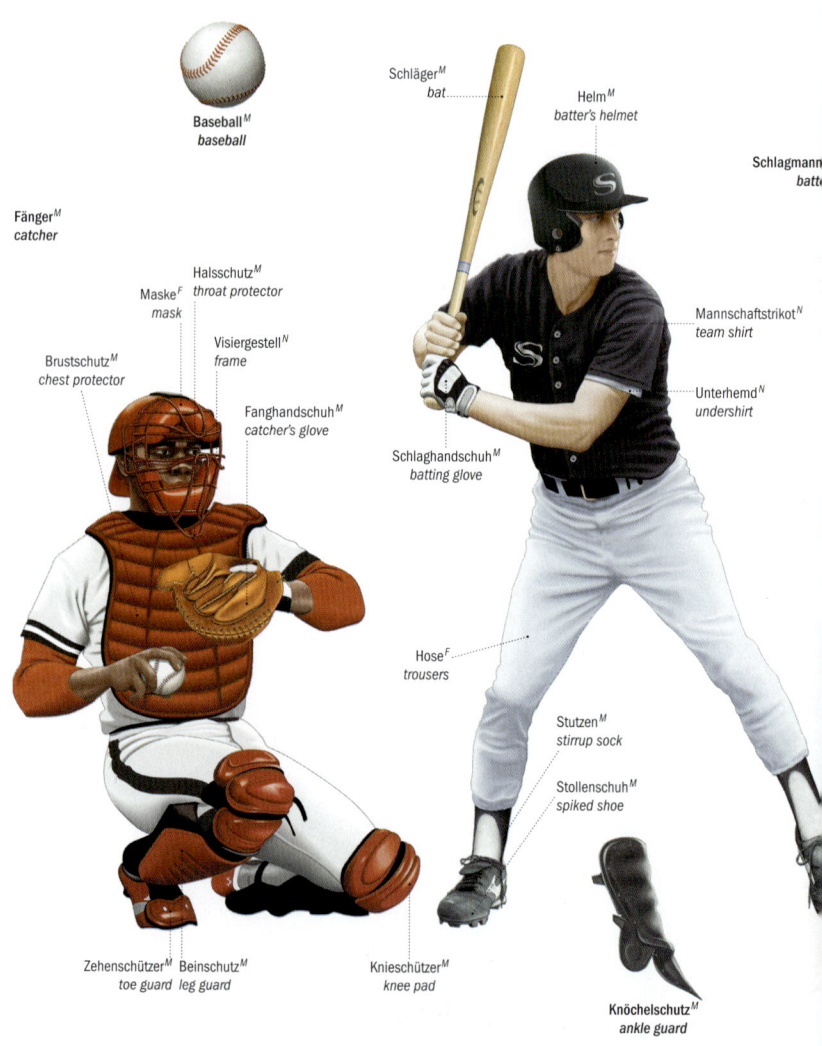

Baseball^M
baseball

Schläger^M
bat

Helm^M
batter's helmet

Schlagmann
batte

Fänger^M
catcher

Halsschutz^M
throat protector

Maske^F
mask

Visiergestell^N
frame

Brustschutz^M
chest protector

Fanghandschuh^M
catcher's glove

Mannschaftstrikot^N
team shirt

Unterhemd^N
undershirt

Schlaghandschuh^M
batting glove

Hose^F
trousers

Stutzen^M
stirrup sock

Stollenschuh^M
spiked shoe

Zehenschützer^M
toe guard

Beinschutz^M
leg guard

Knieschützer^M
knee pad

Knöchelschutz^M
ankle guard

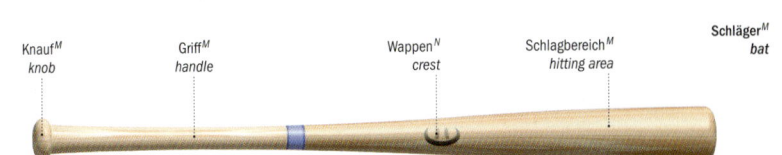

Knauf^M
knob

Griff^M
handle

Wappen^N
crest

Schlagbereich^M
hitting area

Schläger^M
bat

Baseball^M im Querschnitt^M
cross section of a baseball

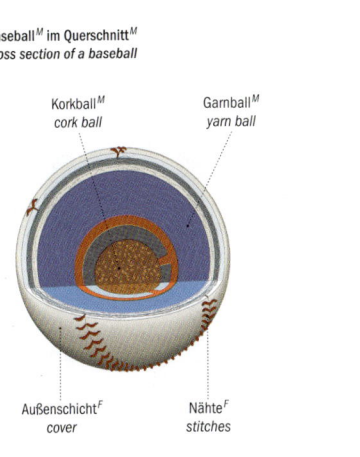

Korkball^M
cork ball

Garnball^M
yarn ball

Außenschicht^F
cover

Nähte^F
stitches

Netz^N
web

Handschuh^M
fielder's glove

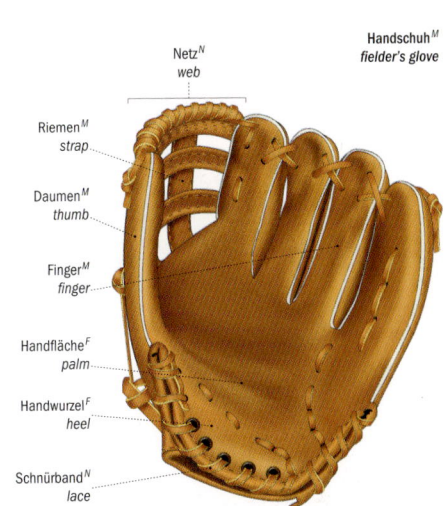

Riemen^M
strap

Daumen^M
thumb

Finger^M
finger

Handfläche^F
palm

Handwurzel^F
heel

Schnürband^N
lace

Softball^M
softball

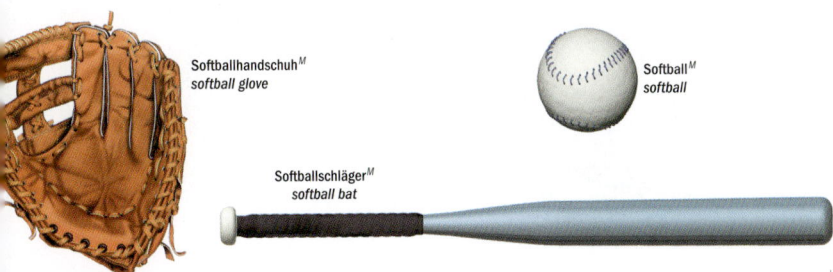

Softballhandschuh^M
softball glove

Softball^M
softball

Softballschläger^M
softball bat

Cricket[N]
cricket

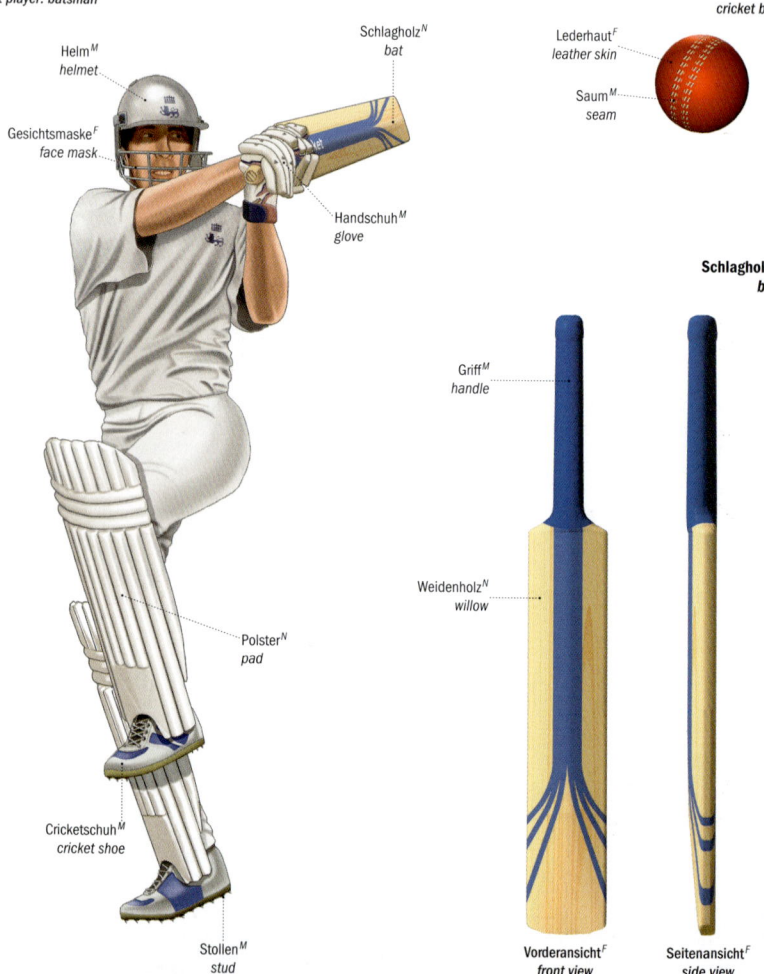

Cricketspieler[M]:
Schlagmann[M]
cricket player: batsman

Schlagholz[N]
bat

Helm[M]
helmet

Gesichtsmaske[F]
face mask

Handschuh[M]
glove

Cricketball[M]
cricket ball

Lederhaut[F]
leather skin

Saum[M]
seam

Schlagholz[N]
bat

Griff[M]
handle

Weidenholz[N]
willow

Polster[N]
pad

Cricketschuh[M]
cricket shoe

Stollen[M]
stud

Vorderansicht[F]
front view

Seitenansicht[F]
side view

SPORT UND SPIELE

Feld[N]
field

Spielfeld[N]
pitch

Torhüter[M]
wicketkeeper

Schirm[M]
screen

Werfer[M]
bowler

Schiedsrichter[M]
umpire

Feldspieler[M]
fielders

Schiedsrichter[M]
umpire

Mal[N]
wicket

Querholz[N]
bail

Spielfeld[N]
pitch

Torhüter[M]
wicketkeeper

Schlagmann[M]
batsman

Stab[M]
stump

Wurflinie[F]
bowling crease

Schlagmallinie[F]
popping crease

Werfer[M]
bowler

Wurf[M]
delivery

Rückwurflinie[F]
return crease

Schiedsrichter[M]
umpire

Mal[N]
wicket

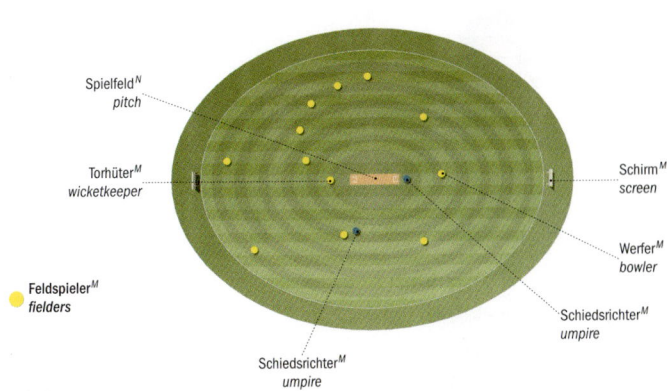

SPORT UND SPIELE

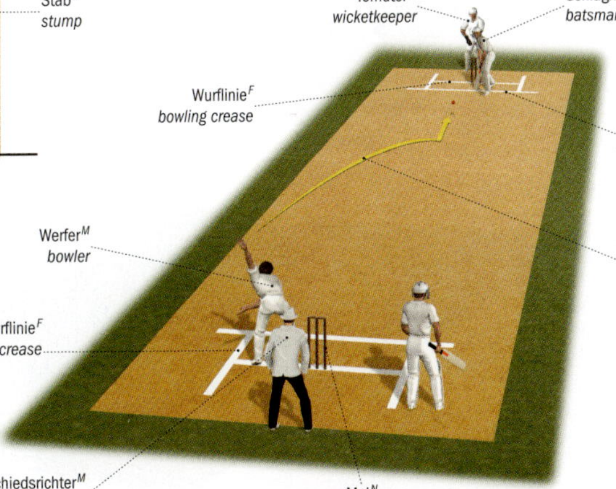

Fußball^M
association football

Fußballspieler^M
footballer

Mannschaftstrikot^N
team shirt

Torwarthandschuhe^M
goalkeeper's gloves

Hose^F
shorts

Schraubstollen^M
screw-in studs

Fußballschuh^M
football boot

Schienbeinschützer^M
shin guard

Stulpen^F
sock

Fußball^M
football

Spielfeld^N
playing field

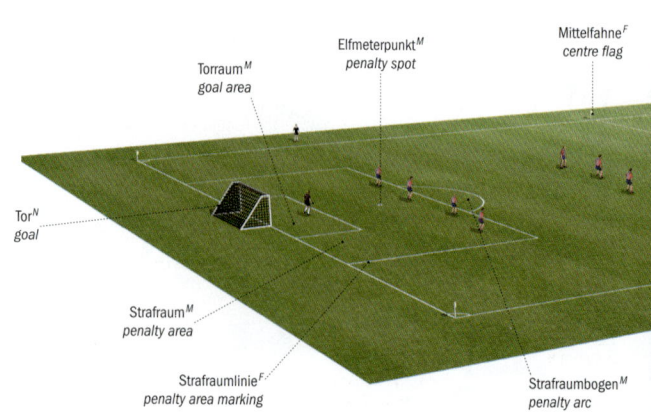

Elfmeterpunkt^M
penalty spot

Mittelfahne^F
centre flag

Torraum^M
goal area

Tor^N
goal

Strafraum^M
penalty area

Strafraumlinie^F
penalty area marking

Strafraumbogen^M
penalty arc

Spielerpositionen[F]
player positions

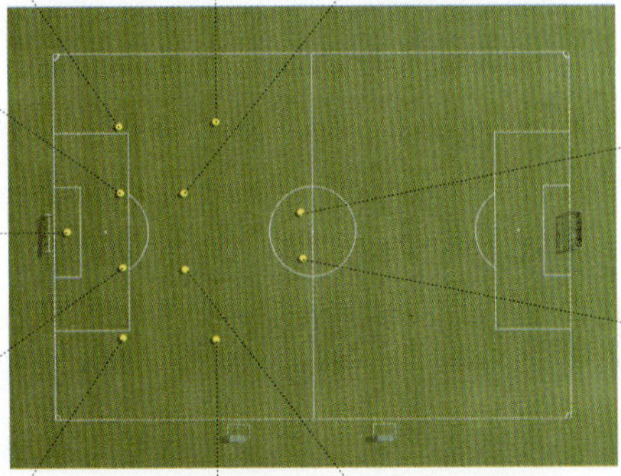

linker Verteidiger[M]
left back

linker Mittelfeldspieler[M]
left midfielder

zentraler
Mittelfeldspieler[M]
central midfielder

Innenverteidiger[M]
centre half

Stürmer[M]
striker

Torwart[M]
goalkeeper

Stürmer[M]
striker

Innenverteidiger[M]
centre half

rechter Verteidiger[M]
right back

rechter Mittelfeldspieler[M]
right midfielder

zentraler
Mittelfeldspieler[M]
central midfielder

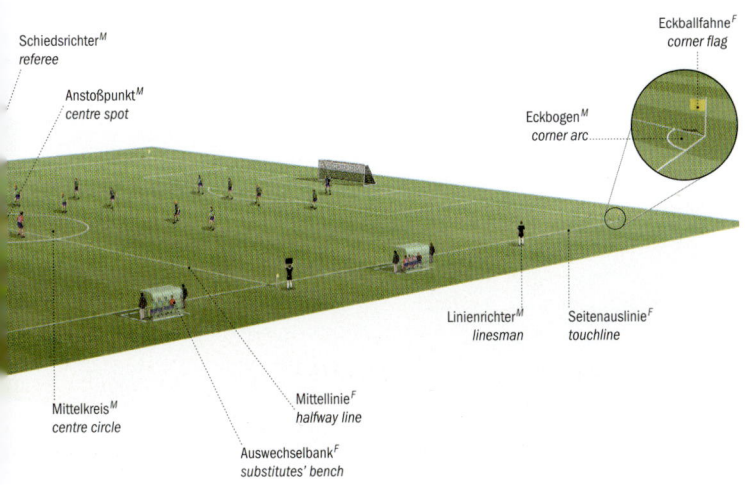

Eckballfahne[F]
corner flag

Schiedsrichter[M]
referee

Anstoßpunkt[M]
centre spot

Eckbogen[M]
corner arc

Linienrichter[M]
linesman

Seitenauslinie[F]
touchline

Mittelkreis[M]
centre circle

Mittellinie[F]
halfway line

Auswechselbank[F]
substitutes' bench

Rugby[N]
rugby

Spielerpositionen[F]
player positions

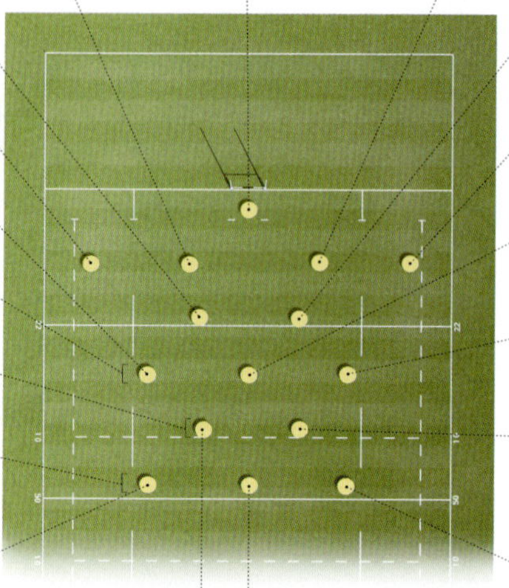

rechter Centre[M]
right centre

Fullback[M]
full back

linker Centre[M]
left centre

Fly-Half[M]
fly half

Gedrängehalbspieler[M]
scrum half

Right-Wing[M]
right wing

Left-Wing[M]
left wing

Außenstürmer[M] rechts
flank forward

Nummer-8-Forward[M]
no. 8 forward

dritte Reihe[F]
third row

Außenstürmer[M] links
flank forward

zweite Reihe[F]
second row

Zweite-Reihe-Stürmer[M] links
lock forward

erste Reihe[F]
first row

Außendreiviertel[M] rechts
tight head prop

Außendreiviertel[M] links
loose head prop

Zweite-Reihe-Stürmer[M] rechts
lock forward

Hakler[M]
hooker

Spielfeld[N]
field

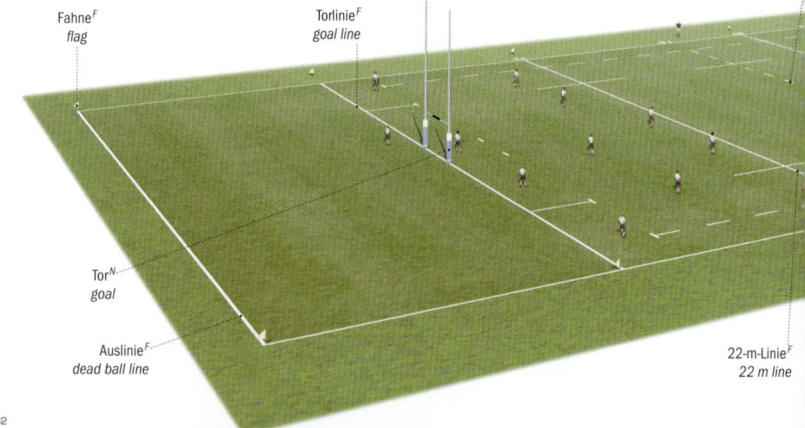

Fahne[F]
flag

Torlinie[F]
goal line

10-m-Linie[F]
10 m line

Tor[N]
goal

Auslinie[F]
dead ball line

22-m-Linie[F]
22 m line

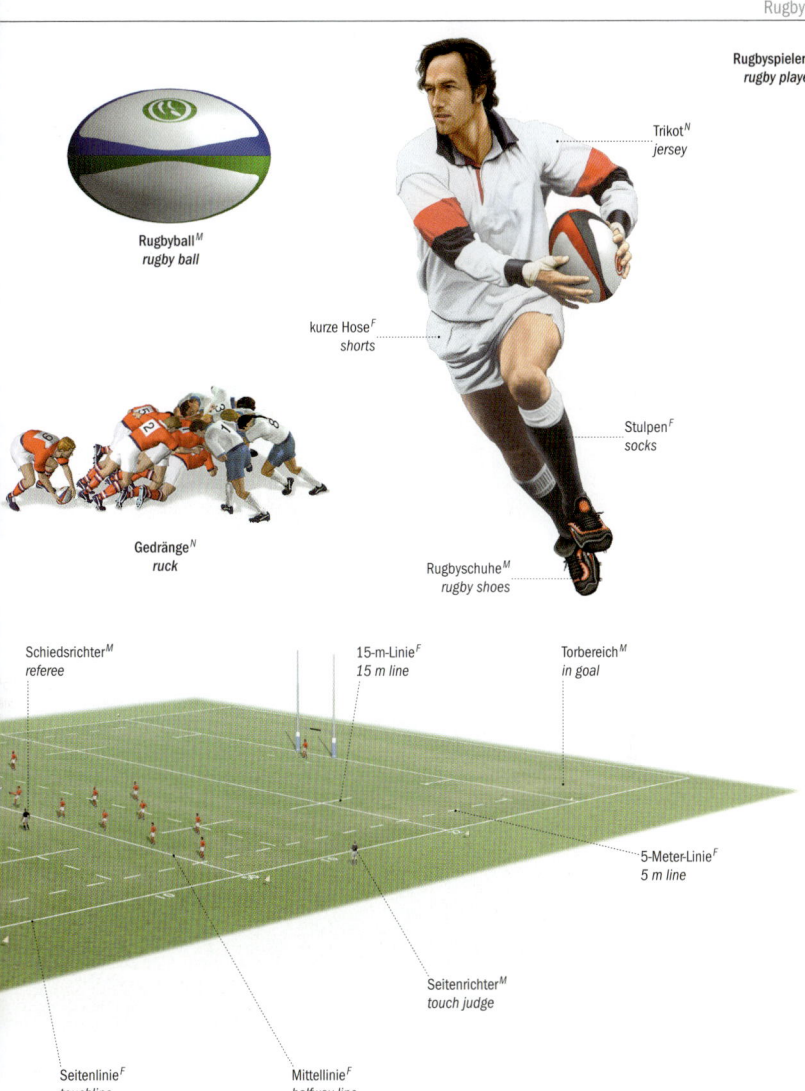

Rugbyspieler^M
rugby player

Trikot^N
jersey

Rugbyball^M
rugby ball

kurze Hose^F
shorts

Stulpen^F
socks

Gedränge^N
ruck

Rugbyschuhe^M
rugby shoes

Schiedsrichter^M
referee

15-m-Linie^F
15 m line

Torbereich^M
in goal

5-Meter-Linie^F
5 m line

Seitenrichter^M
touch judge

Seitenlinie^F
touchline

Mittellinie^F
halfway line

American Football ^{M}
American football

Gedränge ^{N}: Verteidigung ^{F}
scrimmage: defence

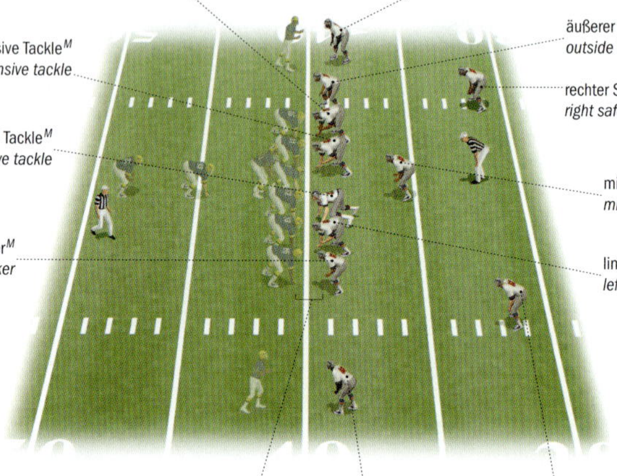

rechter Defensive End ^{M}
right defensive end

rechter Corner Back ^{M}
right cornerback

rechter Defensive Tackle ^{M}
right defensive tackle

äußerer Linebacker ^{M}
outside linebacker

rechter Safety ^{M}
right safety

linker Defensive Tackle ^{M}
left defensive tackle

mittlerer Linebacker ^{M}
middle linebacker

Middle Linebacker ^{M}
inside linebacker

linker Defensive End ^{N}
left defensive end

neutrale Zone ^{F}
neutral zone

linker Corner Back ^{M}
left cornerback

linker Safety ^{M}
left safety

Spielfeld ^{N} für American Football ^{M}
playing field for American football

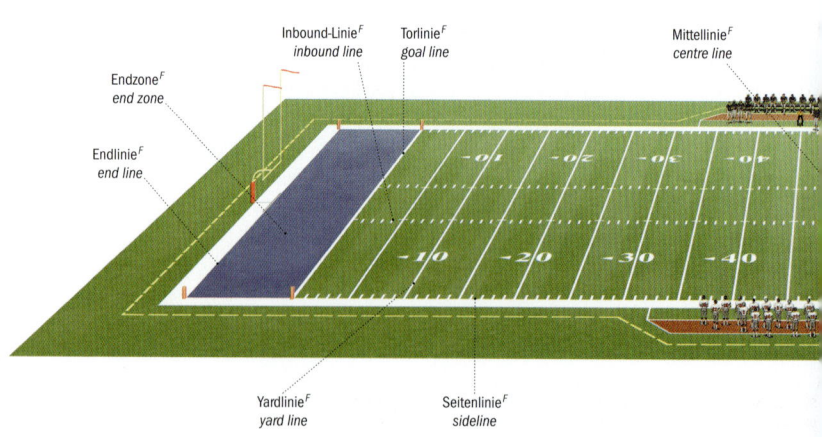

Inbound-Linie ^{F}
inbound line

Torlinie ^{F}
goal line

Mittellinie ^{F}
centre line

Endzone ^{F}
end zone

Endlinie ^{F}
end line

Yardlinie ^{F}
yard line

Seitenlinie ^{F}
sideline

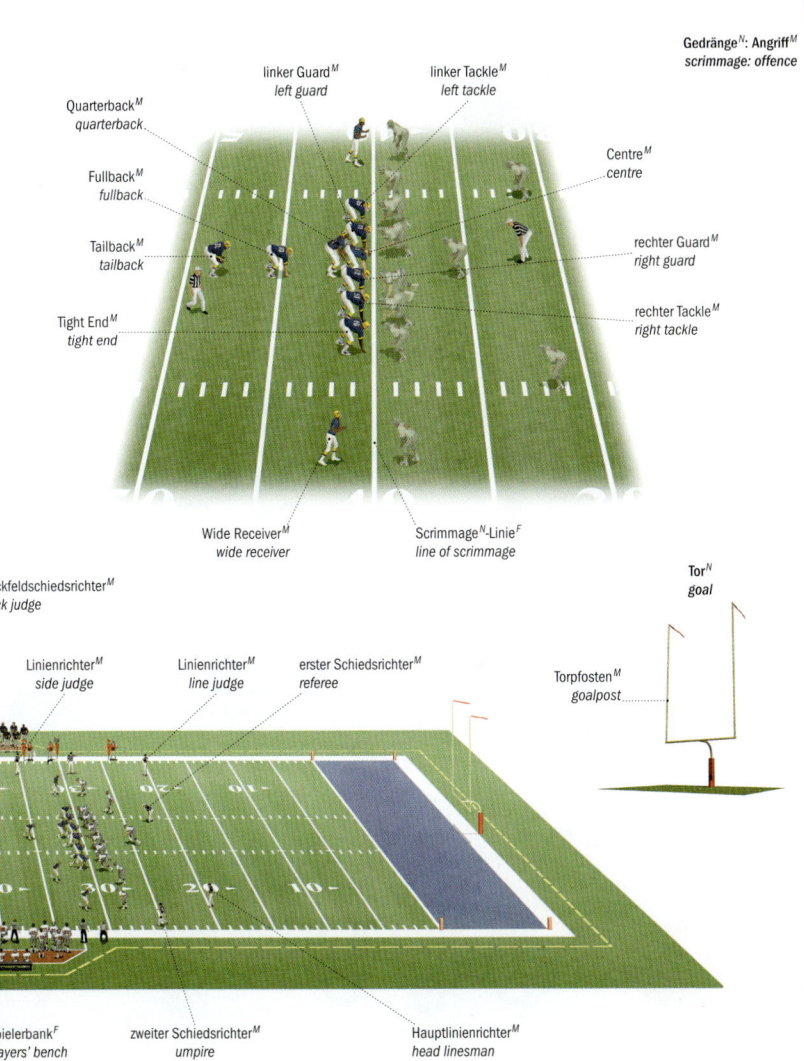

Gedränge[N]: Angriff[M]
scrimmage: offence

Quarterback[M]
quarterback

linker Guard[M]
left guard

linker Tackle[M]
left tackle

Centre[M]
centre

Fullback[M]
fullback

rechter Guard[M]
right guard

Tailback[M]
tailback

rechter Tackle[M]
right tackle

Tight End[M]
tight end

Wide Receiver[M]
wide receiver

Scrimmage[N]-Linie[F]
line of scrimmage

Rückfeldschiedsrichter[M]
back judge

Tor[N]
goal

Linienrichter[M]
side judge

Linienrichter[M]
line judge

erster Schiedsrichter[M]
referee

Torpfosten[M]
goalpost

Spielerbank[F]
players' bench

zweiter Schiedsrichter[M]
umpire

Hauptlinienrichter[M]
head linesman

American Football^M

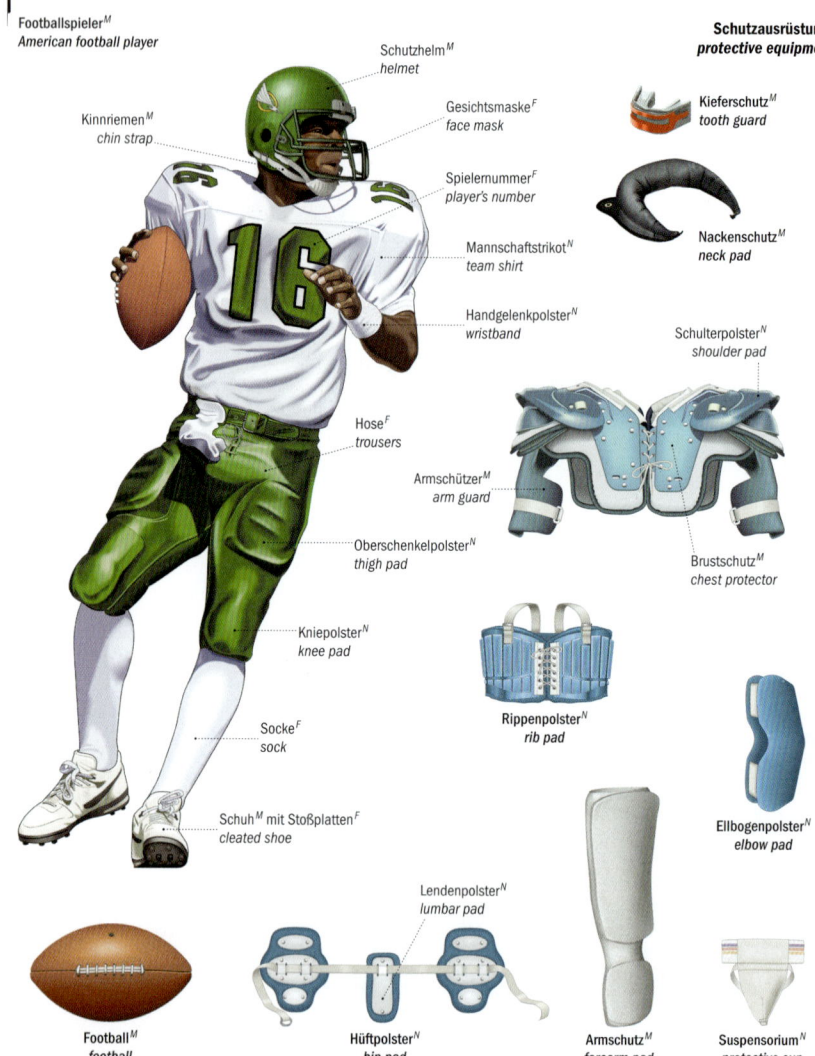

Footballspieler^M
American football player

Schutzausrüstung^F
protective equipment

Schutzhelm^M
helmet

Gesichtsmaske^F
face mask

Spielernummer^F
player's number

Kinnriemen^M
chin strap

Mannschaftstrikot^N
team shirt

Handgelenkpolster^N
wristband

Kieferschutz^M
tooth guard

Nackenschutz^M
neck pad

Schulterpolster^N
shoulder pad

Hose^F
trousers

Armschützer^M
arm guard

Oberschenkelpolster^N
thigh pad

Brustschutz^M
chest protector

Kniepolster^N
knee pad

Rippenpolster^N
rib pad

Socke^F
sock

Schuh^M mit Stoßplatten^F
cleated shoe

Ellbogenpolster^N
elbow pad

Lendenpolster^N
lumbar pad

Football^M
football

Hüftpolster^N
hip pad

Armschutz^M
forearm pad

Suspensorium^N
protective cup

Volleyballspiel[N]
volleyball

zweiter Schiedsrichter[M]
umpire

linker Außenangreifer[M]
left attacker

Endlinie[F]
end line

Spielfeld[N]
court

linker Abwehrspieler[M]
left back

Netzkante[F]
white tape

Libero[M]
libero

Freiraum[M]
clear space

Anschreiber[M]
scorer

Antenne[F]
antenna

Linienrichter[M]
linesman

Spielerbank[F]
players' bench

Verteidigungszone[F]
back zone

Seitenlinie[F]
sideline

Pfosten[M]
post

erster Schiedsrichter[M]
referee

mittlerer
Abwehrspieler[M]
middle back

vertikales Seitenband[N]
vertical side band

Angriffslinie[F]
attack line

Netz[N]
net

rechter Abwehrspieler[M]
right back

rechter Außenangreifer[M]
right attacker

Mittelangreifer[M]
middle attacker

Angriffszone[F]
attack zone

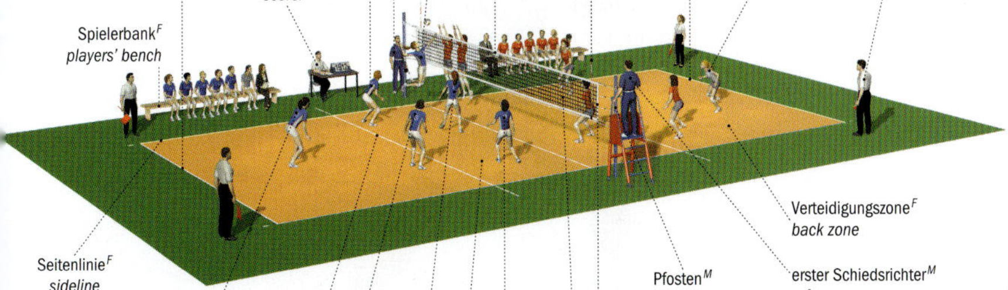

Volleyball[M]
volleyball

Techniken[F]
techniques

pritschen
tip

baggern
bump

Aufschlag[M]
serve

Basketballspiel[N]
basketball

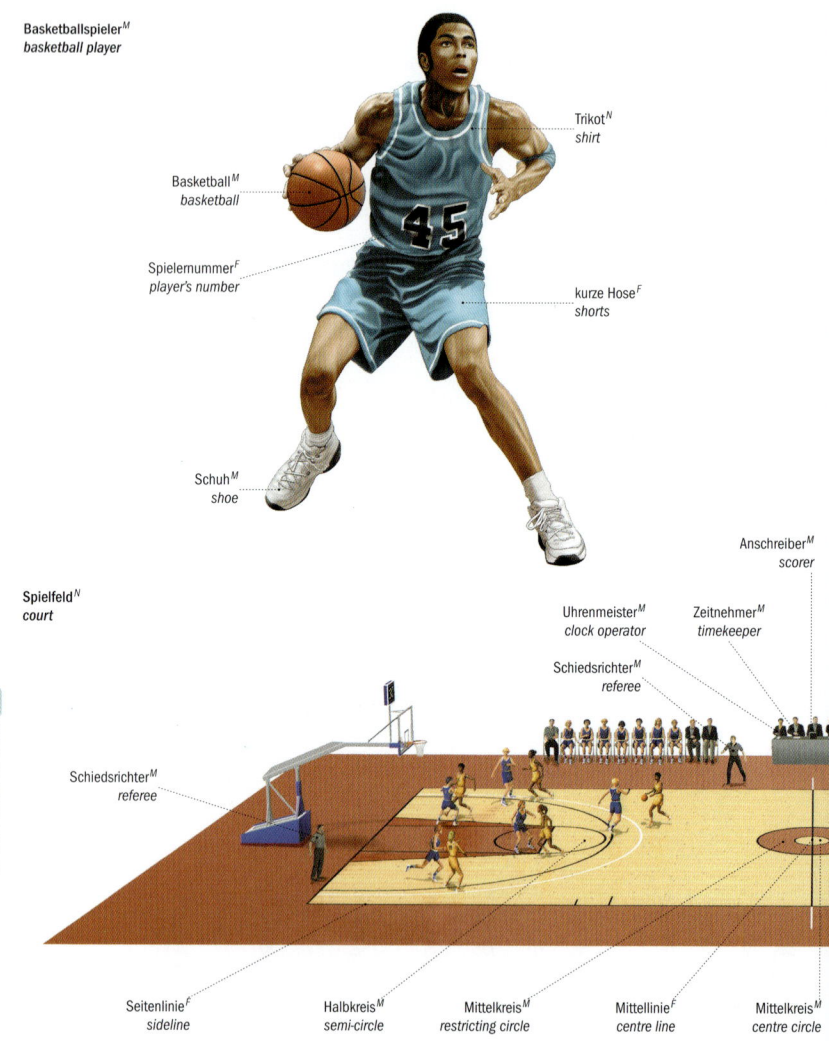

Basketballspieler[M]
basketball player

Trikot[N]
shirt

Basketball[M]
basketball

Spielernummer[F]
player's number

kurze Hose[F]
shorts

Schuh[M]
shoe

Anschreiber[M]
scorer

Spielfeld[N]
court

Uhrenmeister[M]
clock operator

Zeitnehmer[M]
timekeeper

Schiedsrichter[M]
referee

Schiedsrichter[M]
referee

Seitenlinie[F]
sideline

Halbkreis[M]
semi-circle

Mittelkreis[M]
restricting circle

Mittellinie[F]
centre line

Mittelkreis[M]
centre circle

Spielerpositionen[F]
player positions

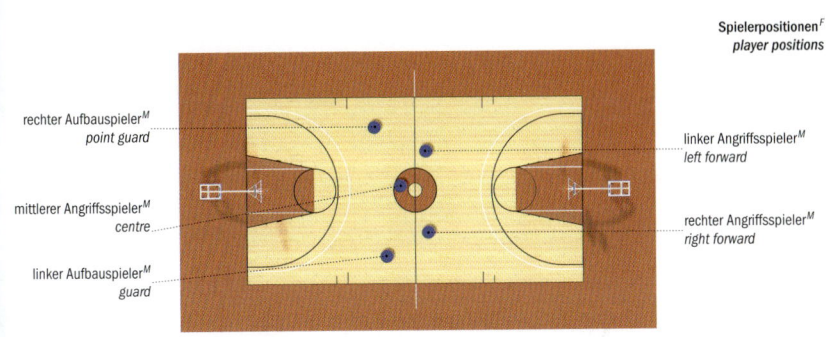

rechter Aufbauspieler[M]
point guard

linker Angriffsspieler[M]
left forward

mittlerer Angriffsspieler[M]
centre

rechter Angriffsspieler[M]
right forward

linker Aufbauspieler[M]
guard

Korbanlage[F]
backstop

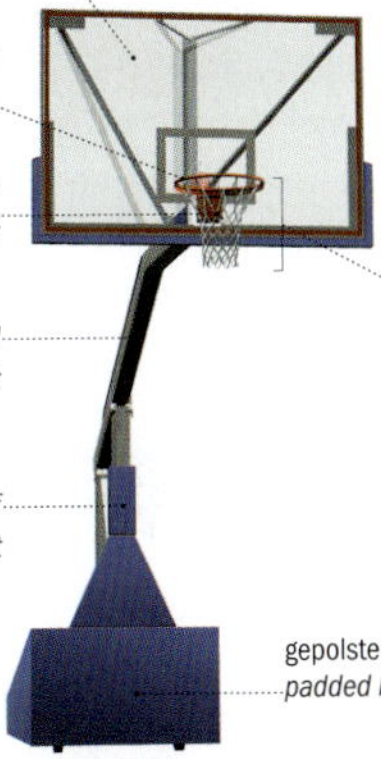

Korbbrett[N]
backboard

Korbring[M]
rim

Netz[N]
net

Trainer[M]
coach

Korbbretthalter[M]
backboard support

Korb[M]
basket

Trainerassistent[M]
assistant coach

Physiotherapeut[M]
trainer

gepolsterte Korbstütze[F]
padded upright

gepolsterter Sockel[M]
padded base

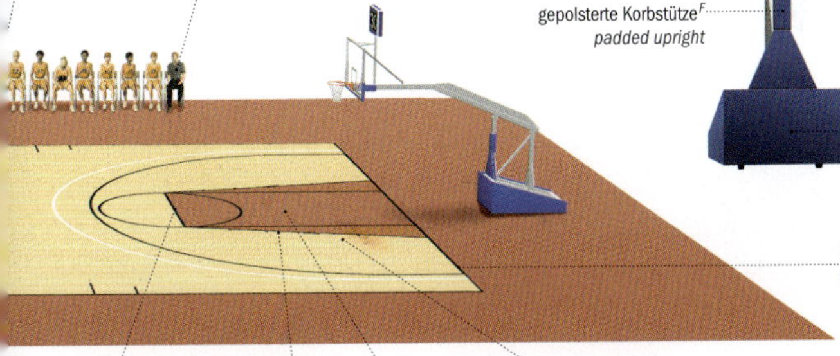

Endlinie[F]
end line

Freiwurflinie[F]
free throw line

zweiter Raum[M]
second space

begrenzte Zone[F]
restricted area

erster Raum[M]
first space

Tennis[N]
tennis

Tennisplatz[M]
court

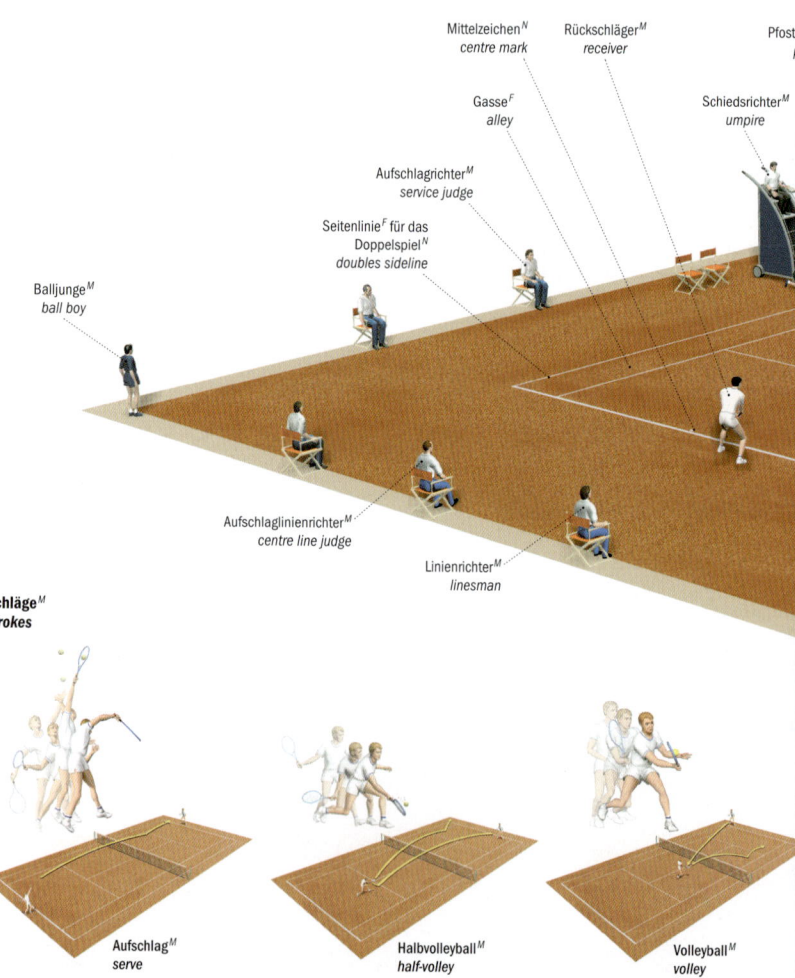

Mittelzeichen[N]
centre mark

Rückschläger[M]
receiver

Pfoste
p

Gasse[F]
alley

Schiedsrichter[M]
umpire

Aufschlagrichter[M]
service judge

Seitenlinie[F] für das
Doppelspiel[N]
doubles sideline

Balljunge[M]
ball boy

Aufschlaglinienrichter[M]
centre line judge

Linienrichter[M]
linesman

Schläge[M]
strokes

Aufschlag[M]
serve

Halbvolleyball[M]
half-volley

Volleyball[M]
volley

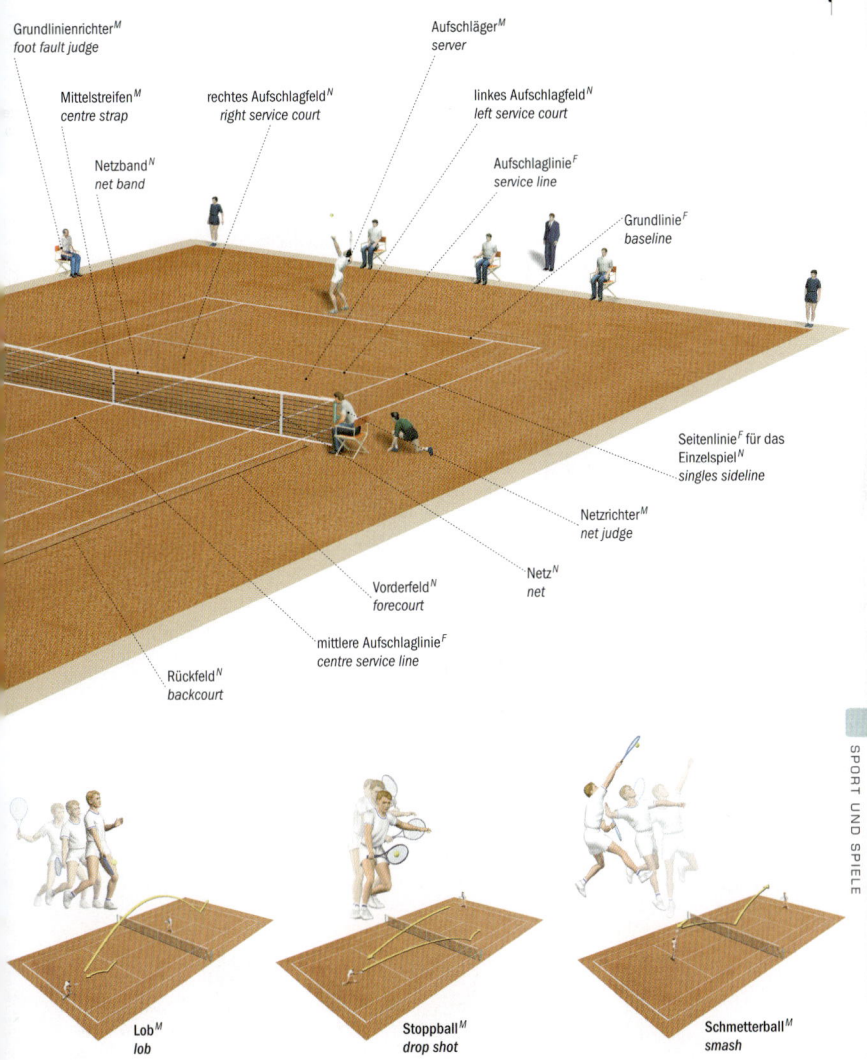

Grundlinienrichter[M]
foot fault judge

Aufschläger[M]
server

Mittelstreifen[M]
centre strap

rechtes Aufschlagfeld[N]
right service court

linkes Aufschlagfeld[N]
left service court

Netzband[N]
net band

Aufschlaglinie[F]
service line

Grundlinie[F]
baseline

Seitenlinie[F] für das
Einzelspiel[N]
singles sideline

Netzrichter[M]
net judge

Vorderfeld[N]
forecourt

Netz[N]
net

mittlere Aufschlaglinie[F]
centre service line

Rückfeld[N]
backcourt

Lob[M]
lob

Stoppball[M]
drop shot

Schmetterball[M]
smash

Tennis[N]

Tennisschläger[M]
tennis racket

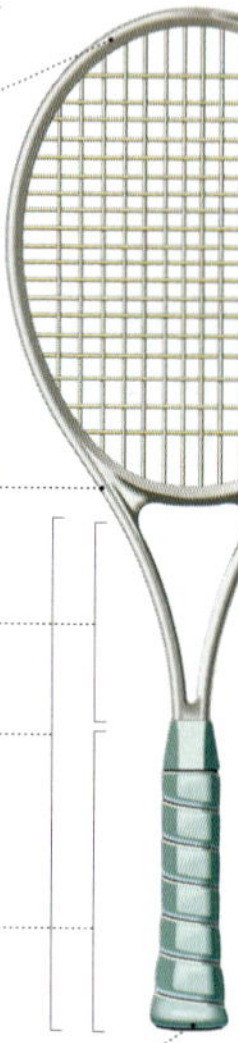

Rahmen[M]
frame

Kopf[M]
head

Herz[N]
shoulder

Hals[M]
throat

Schaft[M]
shaft

Griff[M]
handle

Knauf[M]
butt

Bespannung[F]
stringing

Polohemd[N]
polo shirt

Tennisspielerin[F]
tennis player

Schweißband[N]
wristband

Rock[M]
skirt

Socke[F]
sock

Tennisschuh[M]
tennis shoe

Tennisball[M]
tennis ball

Anzeigetafel[F]
scoreboard

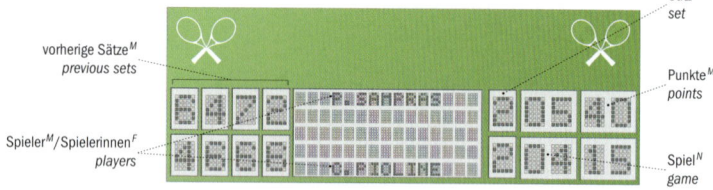

Satz[M]
set

vorherige Sätze[M]
previous sets

Punkte[M]
points

Spieler[M]/Spielerinnen[F]
players

Spiel[N]
game

Spielfeldbeläge[M]
playing surfaces

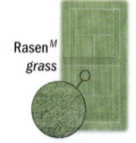

Rasen[M]
grass

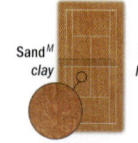

Sand[M]
clay

Hartplatz[M] (Zement[M])
hard surface (cement)

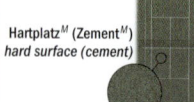

Kunststoffboden[M]
synthetic surface

Tischtennis[N]
table tennis

Tischtennisplatte[F]
table

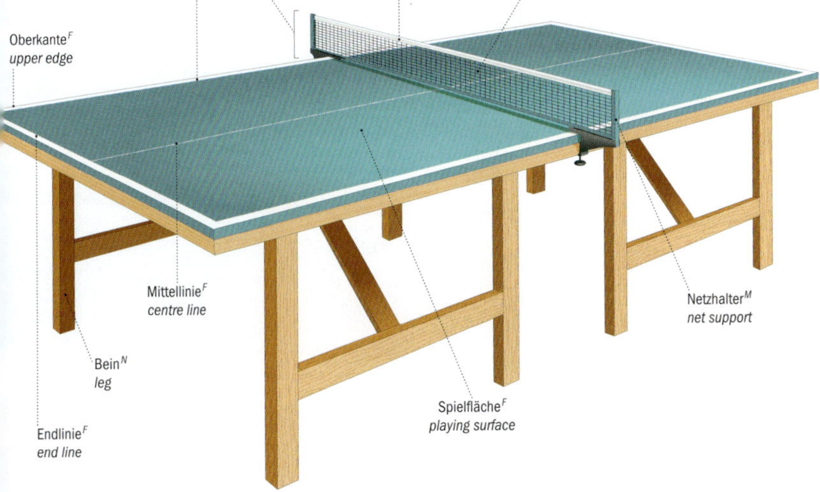

Oberkante[F]
upper edge

Seitenlinie[F]
side line

Netz[N]
net

weißes Band[N]
white tape

Maschen[F]
mesh

Mittellinie[F]
centre line

Bein[N]
leg

Endlinie[F]
end line

Netzhalter[M]
net support

Spielfläche[F]
playing surface

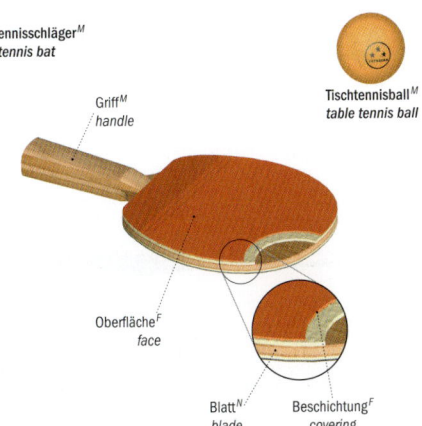

Tischtennisschläger[M]
table tennis bat

Griff[M]
handle

Oberfläche[F]
face

Blatt[N]
blade

Beschichtung[F]
covering

Tischtennisball[M]
table tennis ball

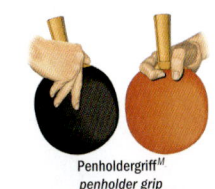

Grifftechniken[F]
types of grip

Penholdergriff[M]
penholder grip

Shake-Hands-Griff[M]
shake-hands grip

SPORT UND SPIELE

Badminton[N]
badminton

Badmintonplatz[M]
court

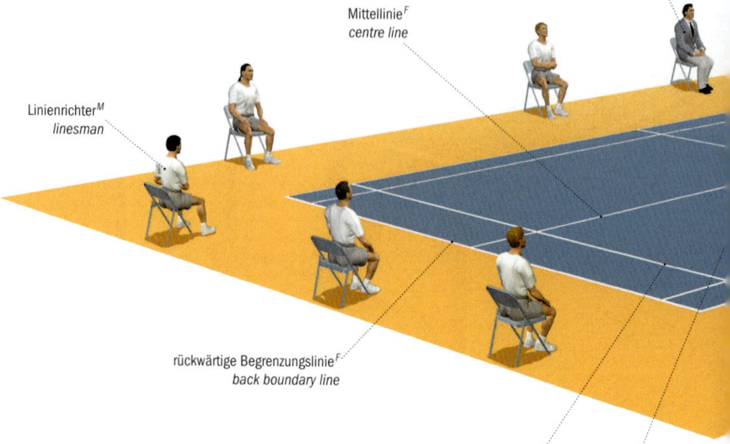

Aufschlagrichter[M]
service judge

Mittellinie[F]
centre line

Linienrichter[M]
linesman

rückwärtige Begrenzungslinie[F]
back boundary line

hintere Aufschlaglinie[F] für das
Doppelspiel[N]
long service line

Aufgeber[M]
server

Badmintonschläger[M]
badminton racket

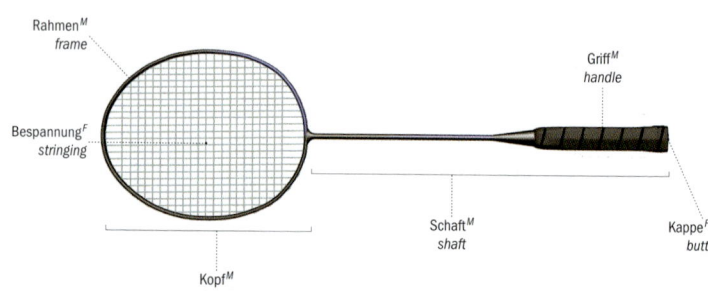

Rahmen[M]
frame

Griff[M]
handle

Bespannung[F]
stringing

Schaft[M]
shaft

Kappe[F]
butt

Kopf[M]
head

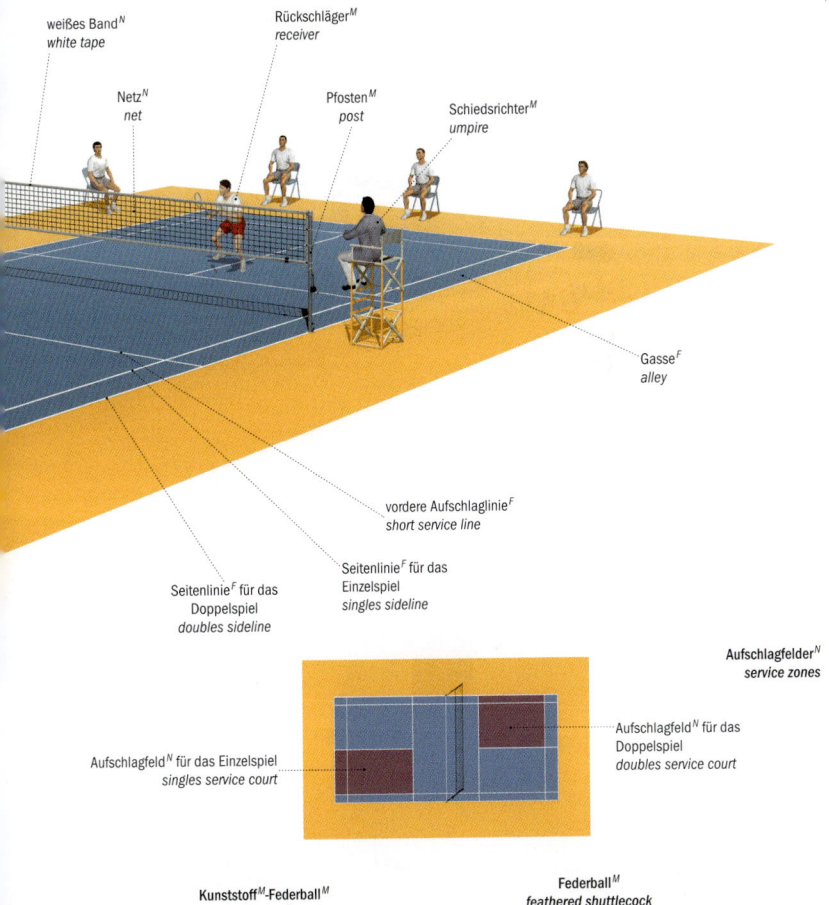

weißes Band[N]
white tape

Rückschläger[M]
receiver

Netz[N]
net

Pfosten[M]
post

Schiedsrichter[M]
umpire

Gasse[F]
alley

vordere Aufschlaglinie[F]
short service line

Seitenlinie[F] für das
Doppelspiel
doubles sideline

Seitenlinie[F] für das
Einzelspiel
singles sideline

Aufschlagfelder[N]
service zones

Aufschlagfeld[N] für das
Doppelspiel
doubles service court

Aufschlagfeld[N] für das Einzelspiel
singles service court

Kunststoff[M]-Federball[M]
synthetic shuttlecock

Federball[M]
feathered shuttlecock

Federkranz[M]
feather crown

Korkspitze[F]
cork tip

Geräteturnen[N]
gymnastics

Geräteturnanlage[F]
event platform

Anzeigetafel[F] für das
Gesamtergebnis[N]
overall standings scoreboard

Schwebebalken[M]
balance beam

Bodenturnfläche[F]
floor exercise area

Stufenbarren[M]
asymmetrical bars

Seitpferd[N]
pommel horse

Linienrichter[M]
line judge

Kampfrichter[M]
judges

Matten[F]
floor mats

Reck[N]
horizontal bar

Sprungpferd[N]
vaulting horse

Anlaufbahn[F]
approach runs

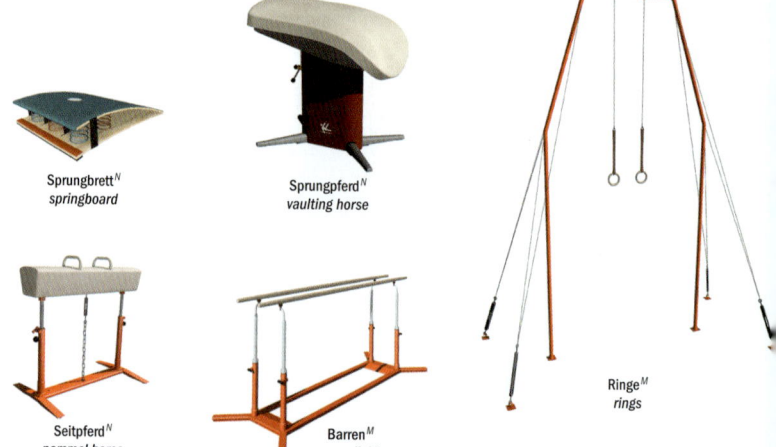

Sprungbrett[N]
springboard

Sprungpferd[N]
vaulting horse

Seitpferd[N]
pommel horse

Barren[M]
parallel bars

Ringe[M]
rings

Geräteturnen[N]

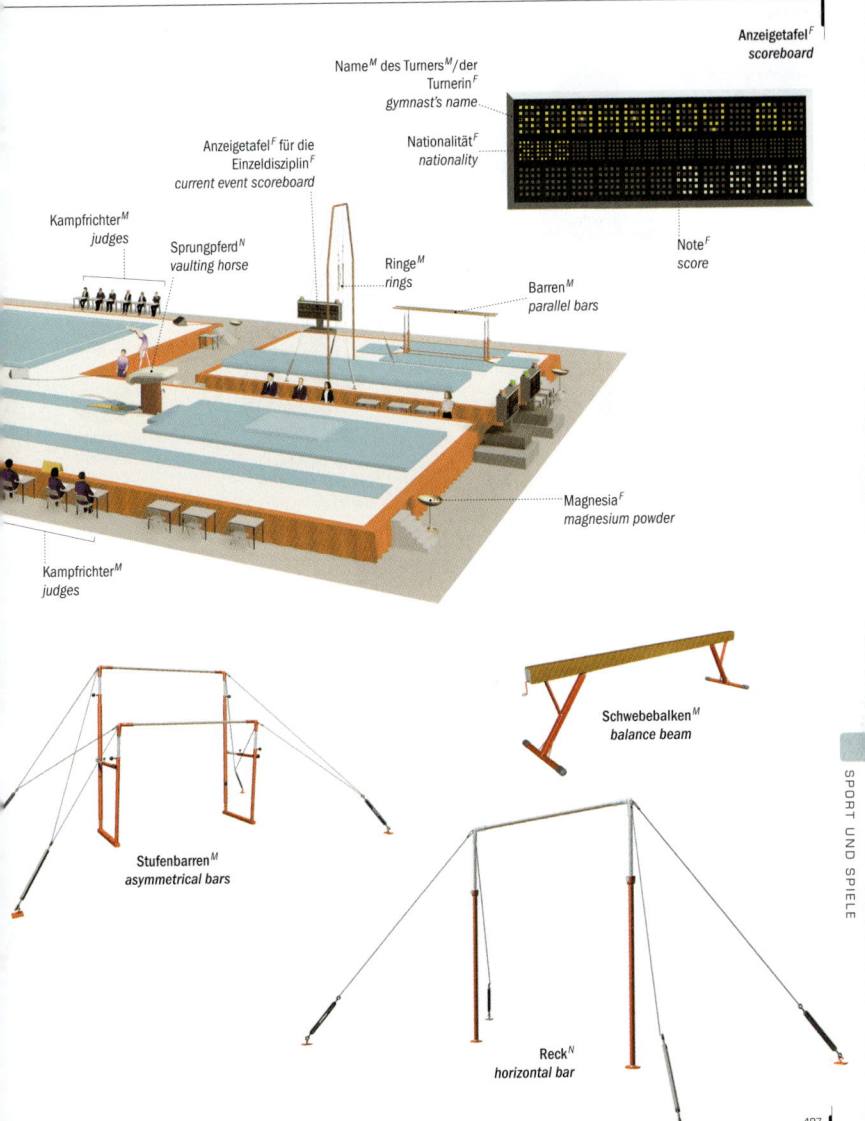

Anzeigetafel[F]
scoreboard

Name[M] des Turners[M]/der Turnerin[F]
gymnast's name

Anzeigetafel[F] für die Einzeldisziplin[F]
current event scoreboard

Nationalität[F]
nationality

Kampfrichter[M]
judges

Sprungpferd[N]
vaulting horse

Ringe[M]
rings

Barren[M]
parallel bars

Note[F]
score

Magnesia[F]
magnesium powder

Kampfrichter[M]
judges

Stufenbarren[M]
asymmetrical bars

Schwebebalken[M]
balance beam

Reck[N]
horizontal bar

Boxen[N]
boxing

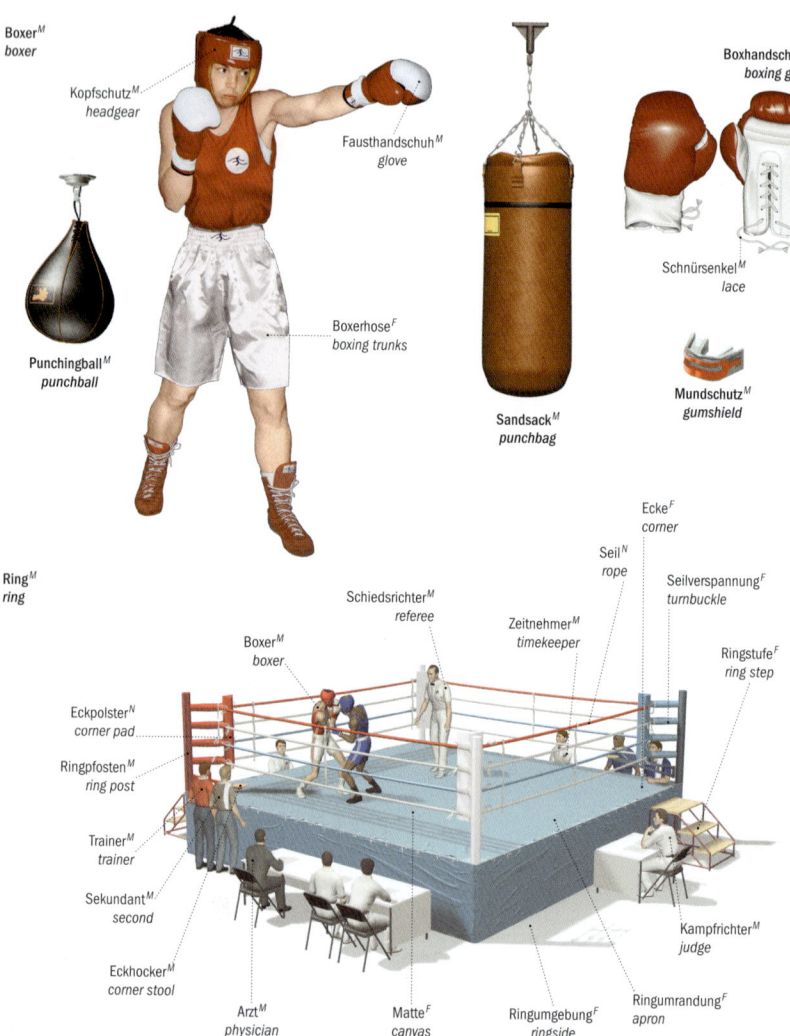

Boxer[M]
boxer

Kopfschutz[M]
headgear

Fausthandschuh[M]
glove

Boxhandschuhe[F]
boxing gloves

Schnürsenkel[M]
lace

Boxerhose[F]
boxing trunks

Punchingball[M]
punchball

Mundschutz[M]
gumshield

Sandsack[M]
punchbag

Ecke[F]
corner

Seil[N]
rope

Seilverspannung[F]
turnbuckle

Ringstufe[F]
ring step

Ring[M]
ring

Schiedsrichter[M]
referee

Zeitnehmer[M]
timekeeper

Boxer[M]
boxer

Eckpolster[N]
corner pad

Ringpfosten[M]
ring post

Trainer[M]
trainer

Sekundant[M]
second

Eckhocker[M]
corner stool

Arzt[M]
physician

Matte[F]
canvas

Ringumgebung[F]
ringside

Ringumrandung[F]
apron

Kampfrichter[M]
judge

Judo[N]
judo

Registratoren[M] und Zeitnehmer[M]
scorers and timekeepers

Matte[F]
mat

Judokämpfer[M]
Wettkampfteilnehmer
contestant

Ärzteteam[N]
medical team

Sicherheitsbereich[M]
safety area

Gefahrenbereich[M]
danger area

Kampfbereich[M]
contest area

Schiedsrichter[M]
referee

Anzeigetafel[F]
scoreboard

Kampfrichter[M]
judge

Griff- und Wurfbeispiele[N]
examples of holds

udogi[M]
udogi

Jacke[F]
jacket

Haltegriffe[M]
holding

Kopfwurf[M]
stomach throw

Hüftwurf[M]
sweeping hip throw

Große Außensichel[F]
major outer reaping throw

Große Innensichel[F]
major inner reaping throw

Halsumklammerung[F]
naked strangle

Hose[F]
trousers

Gürtel[M]
belt

Armhebel[M]
arm lock

einarmiger Schulterwurf[M]
one-arm shoulder throw

Gewichtheben[N]
weightlifting

Scheibenhantel[F]
barbell

Handgelenksbandage[F]
wrist band

Gewichthebergürtel[M]
weightlifting belt

ärmelloses Sporthemd[N]
singlet

Hose[F]
shorts

Kniebandage[F]
knee wrap

Riemen[M]
strap

Gewichtheberschuh[M]
weightlifting shoe

Stoßen[N]
clean and jerk

Reißer[N]
snatch

Fitnessgeräte[N]
fitness equipment

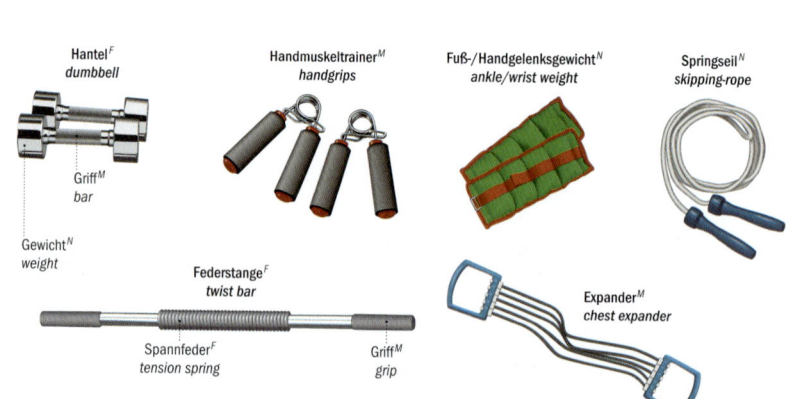

Hantel[F]
dumbbell

Handmuskeltrainer[M]
handgrips

Fuß-/Handgelenksgewicht[N]
ankle/wrist weight

Springseil[N]
skipping-rope

Griff[M]
bar

Gewicht[N]
weight

Federstange[F]
twist bar

Expander[M]
chest expander

Spannfeder[F]
tension spring

Griff[M]
grip

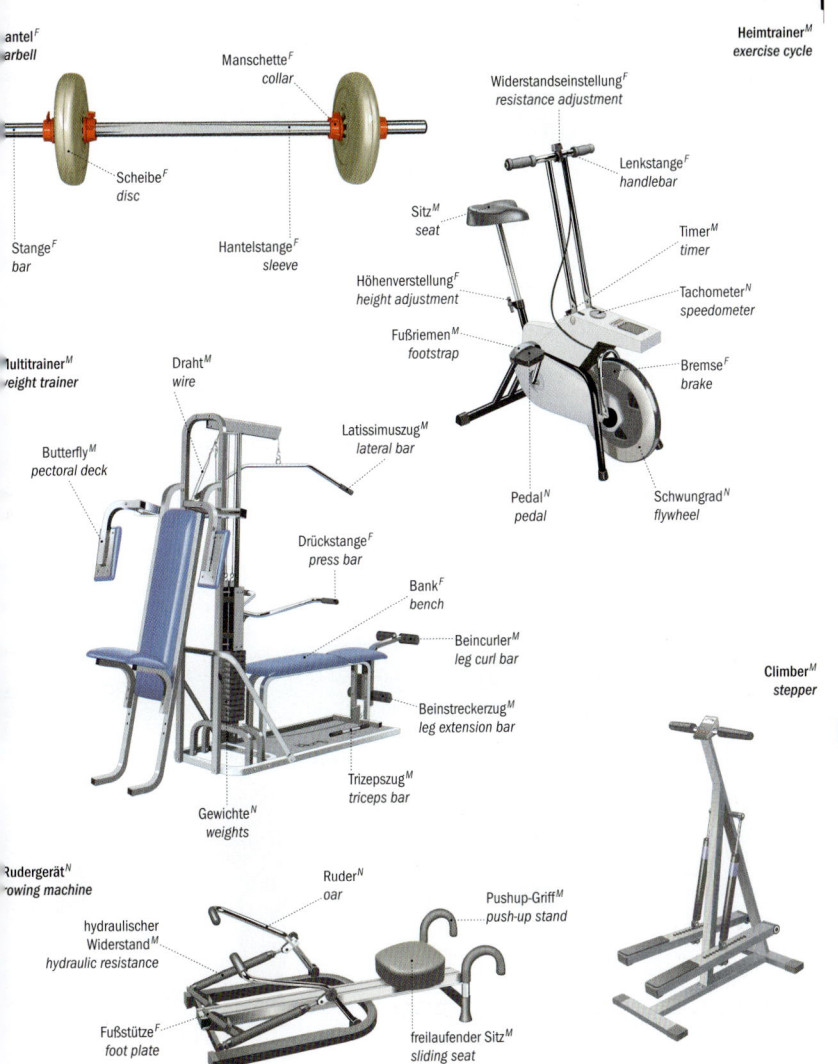

Hantel^F
barbell

Manschette^F
collar

Scheibe^F
disc

Stange^F
bar

Hantelstange^F
sleeve

Heimtrainer^M
exercise cycle

Widerstandseinstellung^F
resistance adjustment

Lenkstange^F
handlebar

Sitz^M
seat

Timer^M
timer

Höhenverstellung^F
height adjustment

Tachometer^N
speedometer

Fußriemen^M
footstrap

Bremse^F
brake

Pedal^N
pedal

Schwungrad^N
flywheel

Multitrainer^M
weight trainer

Draht^M
wire

Latissimuszug^M
lateral bar

Butterfly^M
pectoral deck

Drückstange^F
press bar

Bank^F
bench

Beincurler^M
leg curl bar

Beinstreckerzug^M
leg extension bar

Trizepszug^M
triceps bar

Gewichte^N
weights

Climber^M
stepper

Rudergerät^N
rowing machine

Ruder^N
oar

Pushup-Griff^M
push-up stand

hydraulischer
Widerstand^M
hydraulic resistance

Fußstütze^F
foot plate

freilaufender Sitz^M
sliding seat

SPORT UND SPIELE

Billard^N

billiards

Karambolagebillard^N
carom billiards

Spielball^M
cue ball

roter Stoßball^M
red ball

weißer Punktball^M
white spot ball

Poc
po

Zielbälle^M
object balls

Tasche^F
pocket

Spielball^M
cue ball

Billardtisch^M
table

D^N
«D»

Anstoßpunkt^M
baulk line spot

Anstoßraum^M
baulk

untere Tasche^F
bottom pocket

Mittelpunkt^M
centre spot

Aufstellpunkt^M
pyramid spot

Bespannung^F
baize

obere Tasche^F
top pocket

Endbande^F
bottom cushion

Anstoßlinie^F
baulk line

Haken^M
hook

Aufstellpunkt^M
billiard spot

Mitteltasche^F
centre pocket

Rahmen^M
rail

Stimbande^F
top cushion

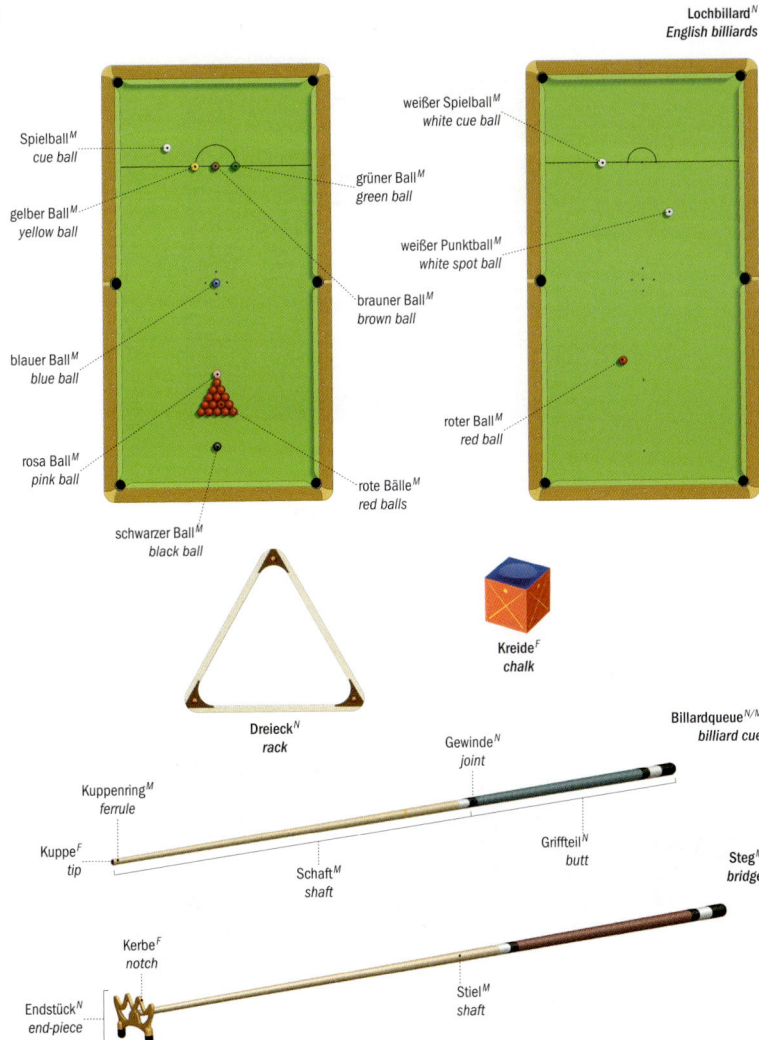

Snooker^N
snooker

Lochbillard^N
English billiards

Spielball^M
cue ball

weißer Spielball^M
white cue ball

gelber Ball^M
yellow ball

grüner Ball^M
green ball

weißer Punktball^M
white spot ball

brauner Ball^M
brown ball

blauer Ball^M
blue ball

rosa Ball^M
pink ball

roter Ball^M
red ball

schwarzer Ball^M
black ball

rote Bälle^M
red balls

Dreieck^N
rack

Kreide^F
chalk

Billardqueue^{N/M}
billiard cue

Gewinde^N
joint

Kuppenring^M
ferrule

Kuppe^F
tip

Schaft^M
shaft

Griffteil^N
butt

Steg^M
bridge

Kerbe^F
notch

Endstück^N
end-piece

Stiel^M
shaft

SPORT UND SPIELE

Golfspiel[N]

golf

Golfplatz[M]
course

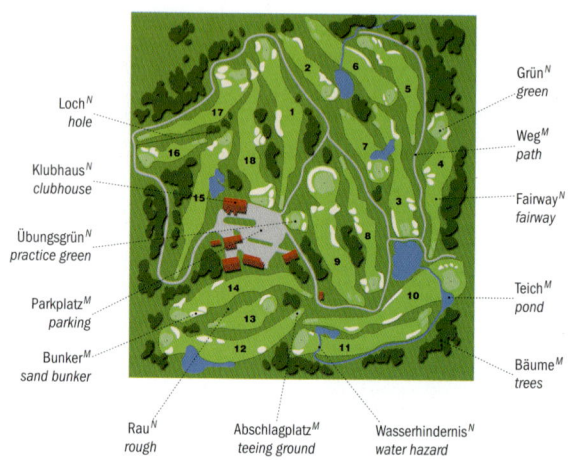

Loch[N]
hole

Klubhaus[N]
clubhouse

Übungsgrün[N]
practice green

Parkplatz[M]
parking

Bunker[M]
sand bunker

Grün[N]
green

Weg[M]
path

Fairway[N]
fairway

Teich[M]
pond

Bäume[M]
trees

Rau[N]
rough

Abschlagplatz[M]
teeing ground

Wasserhindernis[N]
water hazard

Par[N]**-5-Loch**[N]
par 5 hole

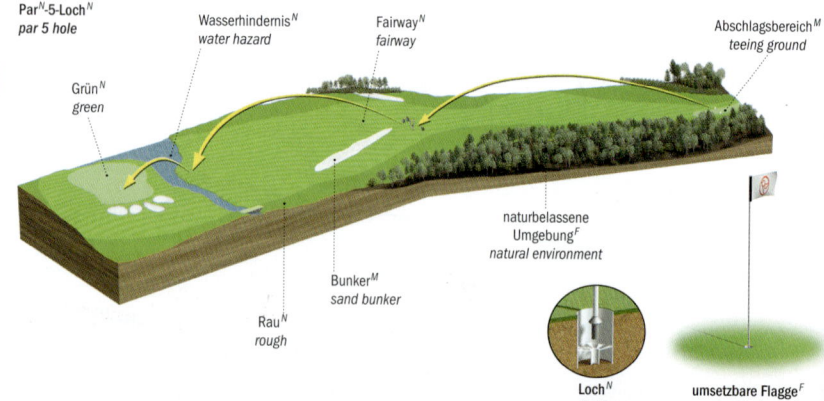

Wasserhindernis[N]
water hazard

Fairway[N]
fairway

Abschlagsbereich[M]
teeing ground

Grün[N]
green

naturbelassene
Umgebung[F]
natural environment

Bunker[M]
sand bunker

Rau[N]
rough

Loch[N]
hole

umsetzbare Flagge[F]
removable flag pole

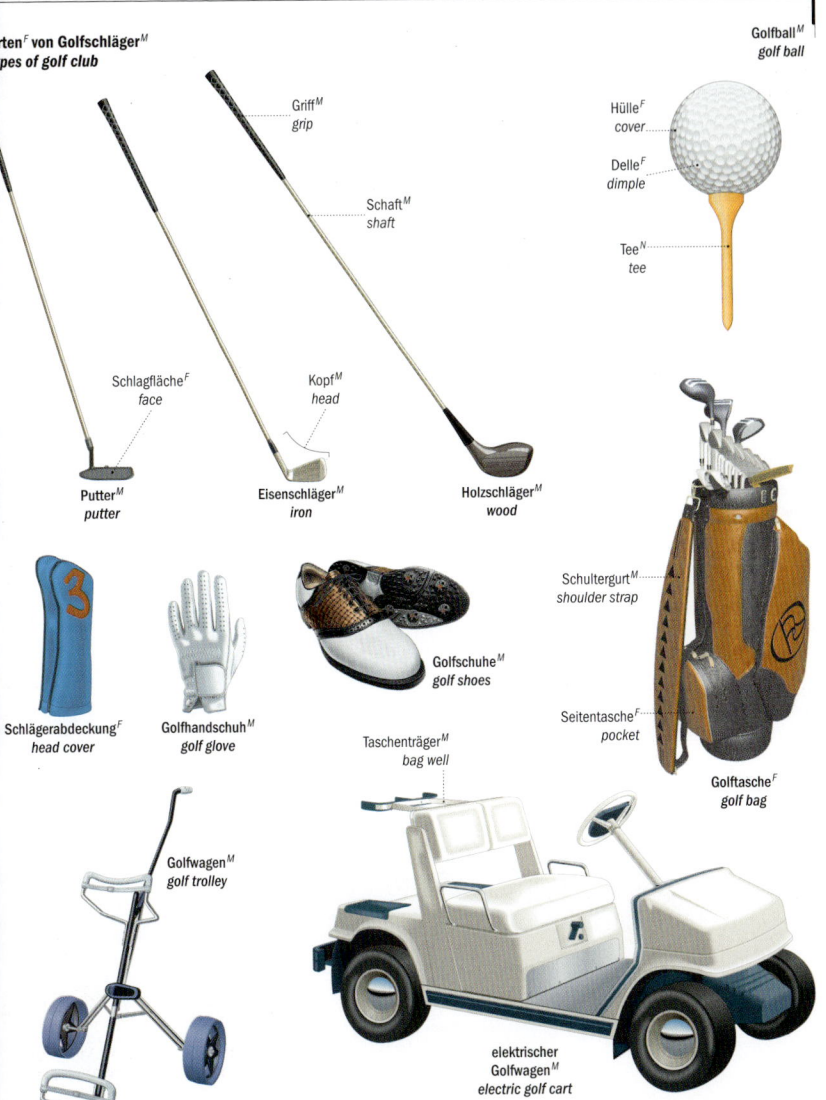

...rten[F] von Golfschläger[M]
...pes of golf club

Griff[M]
grip

Schaft[M]
shaft

Schlagfläche[F]
face

Kopf[M]
head

Putter[M]
putter

Eisenschläger[M]
iron

Holzschläger[M]
wood

Golfball[M]
golf ball

Hülle[F]
cover

Delle[F]
dimple

Tee[N]
tee

Schultergurt[M]
shoulder strap

Seitentasche[F]
pocket

Golftasche[F]
golf bag

Schlägerabdeckung[F]
head cover

Golfhandschuh[M]
golf glove

Golfschuhe[M]
golf shoes

Taschenträger[M]
bag well

Golfwagen[M]
golf trolley

elektrischer
Golfwagen[M]
electric golf cart

Eishockey[N]
ice hockey

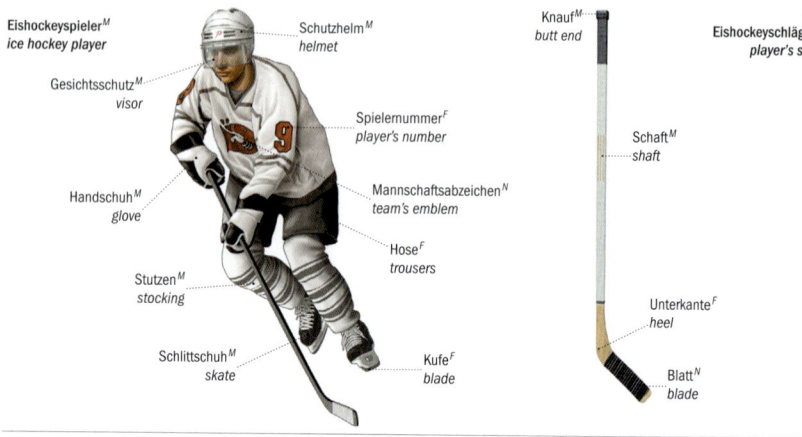

Eishockeyspieler[M]
ice hockey player

Schutzhelm[M]
helmet

Gesichtsschutz[M]
visor

Spielernummer[F]
player's number

Mannschaftsabzeichen[N]
team's emblem

Handschuh[M]
glove

Hose[F]
trousers

Stutzen[M]
stocking

Schlittschuh[M]
skate

Kufe[F]
blade

Knauf[M]
butt end

Eishockeyschläge[...]
player's sti[...]

Schaft[M]
shaft

Unterkante[F]
heel

Blatt[N]
blade

Eisfläche[F]
rink

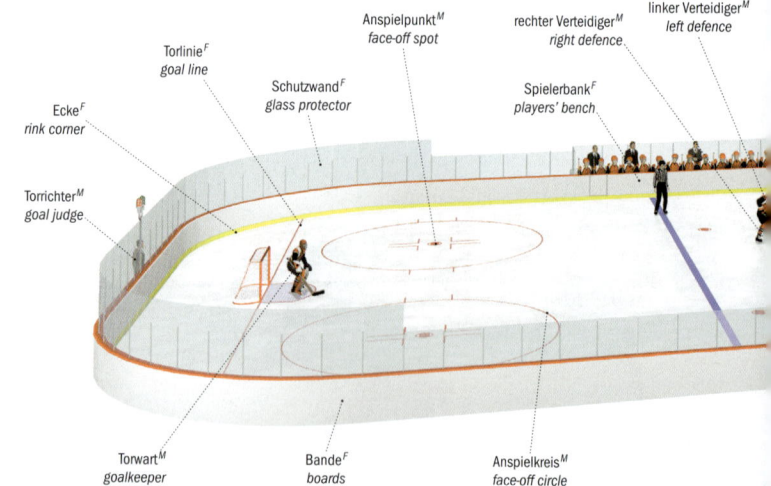

Torlinie[F]
goal line

Anspielpunkt[M]
face-off spot

rechter Verteidiger[M]
right defence

linker Verteidiger[M]
left defence

Schutzwand[F]
glass protector

Spielerbank[F]
players' bench

Ecke[F]
rink corner

Torrichter[M]
goal judge

Torwart[M]
goalkeeper

Bande[F]
boards

Anspielkreis[M]
face-off circle

Torwart[M]
goalkeeper

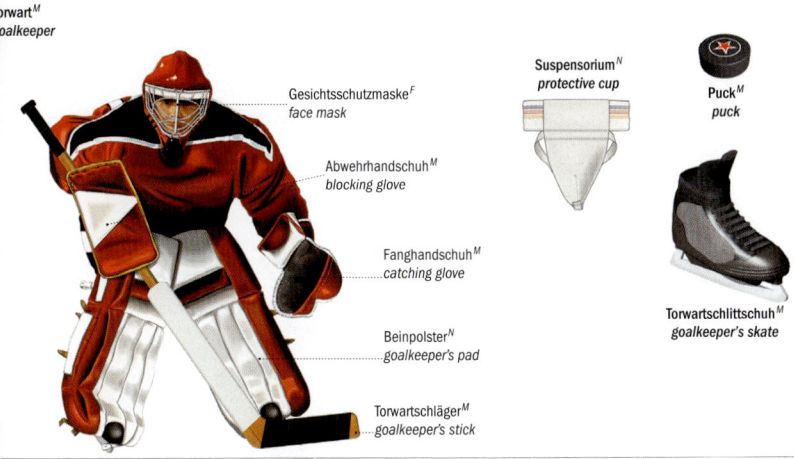

Gesichtsschutzmaske[F]
face mask

Abwehrhandschuh[M]
blocking glove

Fanghandschuh[M]
catching glove

Beinpolster[N]
goalkeeper's pad

Torwartschläger[M]
goalkeeper's stick

Suspensorium[N]
protective cup

Puck[M]
puck

Torwartschlittschuh[M]
goalkeeper's skate

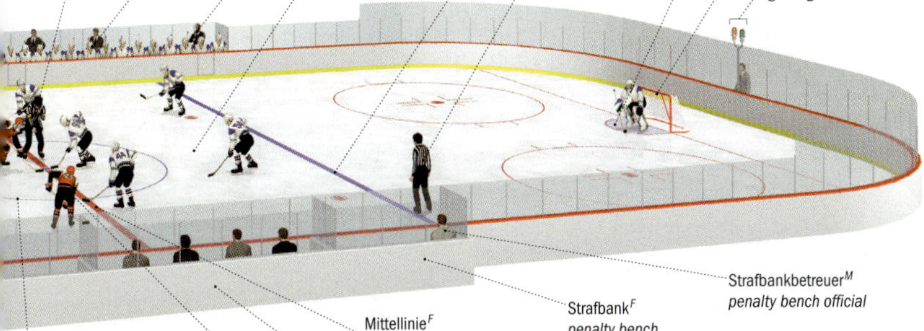

ker Stürmer[M]
wing

Schiedsrichter[M]
referee

Trainer[M]
coach

Assistenztrainer[M]
assistant coach

neutrale Zone[F]
neutral zone

blaue Linie[F]
blue line

Linienrichter[M]
linesman

Torraum[M]
goal crease

Tor[N]
goal

Torlampen[F]
goal lights

Strafbankbetreuer[M]
penalty bench official

mittlerer Anspielpunkt[M]
centre face-off circle

Mittellinie[F]
centre line

Strafbank[F]
penalty bench

Sturmspitze[F]
centre

rechter Stürmer[M]
right wing

Offiziellenbank[F]
officials' bench

Eisschnelllauf^M

speed skating

Eisschnellläufer^M:
Langstrecke^F
skater: long track

Kapuze^F
hood

Eisschnellläufer
Kurzstreck
skater: short tra

Helm^M
helmet

Handschuh^M
glove

Rennanzug^M
racing suit

**Eisschnelllauf^M-
Schlittschuhe^M**
speed skates

Klappschlittschuh^M
clapskate

Kurzstreckenschlittschuh^M
short track skate

Kurzstrecke^F
short track

SPORT UND SPIELE

Eisschnelllaufbahn^F
long track

Eiskunstlauf[M]
figure skating

Eiskunstlaufstiefel[M]
figure skate

Futter[N]
lining

Zunge[F]
tongue

Schnürhaken[M]
hook

Rückenverstärkung[F]
backstay

Schnürsenkel[M]
lace

Stiefel[M]
boot

Schnüröse[F]
eyelet

Absatz[M]
heel

Sohle[F]
sole

Eistanzkufe[F]
dance blade

Träger[M]
stanchion

Schneide[F]
edge

Kufe[F]
blade

Abstoßsäge[F]
toe pick

Eiskunstlaufkufe[F]
free-skating blade

Beispiele[N] **für Sprünge**[M]
examples of jumps

Salchow[M]
Salchow

Axel[M]
Axel

Toeloop[M]
toe loop

Flip[M]
flip

Lutz[M]
Lutz

Eisfläche[F]
rink

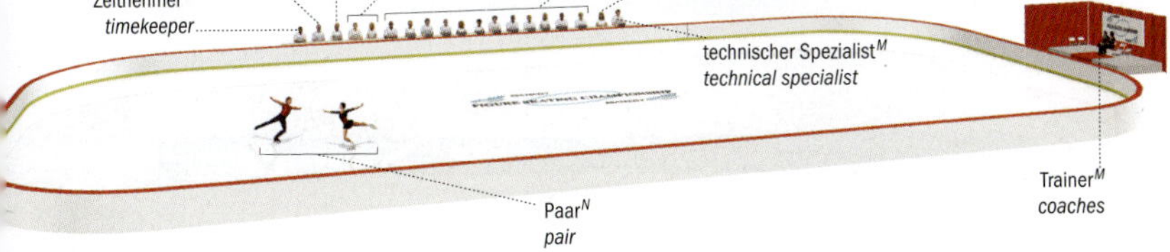

Oberschiedsrichter[M]
referee

Assistenzschiedsrichter[M]
assistant referee

technische Delegierte[M]
technical delegates

Kampfrichter[M]
judges

technischer Kontrolleur[M]
technical controller

Zeitnehmer[M]
timekeeper

technischer Spezialist[M]
technical specialist

Trainer[M]
coaches

Paar[N]
pair

alpines Skilaufen[N]
alpine skiing

alpiner Skiläufer[M]
alpine skier

Skibrille[F]
ski goggles

Skianzug[M]
ski suit

Sturzhelm[M]
helmet

Skihandschuhe[M]
ski glove

Stockteller[M]
basket

Skistock[M]
ski pole

Handschlaufe[F]
wrist strap

Skistiefel[M]
ski boot

Griff[M]
handle

Führungsrille[F]
groove

Ski[M]
ski

Laufsohle[F]
bottom face

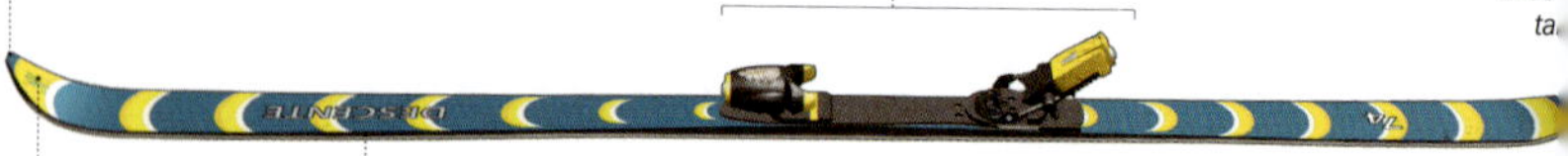

Sicherheitsbindung[F]
safety binding

Spitze[F]
tip

Ende
ta

Schaufel[F]
shovel

Stahlkante[F]
edge

Ski[M]
ski

Beispiele[N] **für Skier**[M]
examples of skis

SPORT UND SPIELE

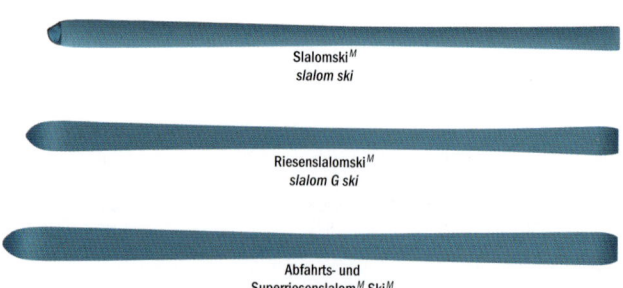

Slalomski[M]
slalom ski

Riesenslalomski[M]
slalom G ski

Abfahrts- und
Superriesenslalom[M]-Ski[M]
downhill/Super G ski

Abfahrtslauf[M]
downhill

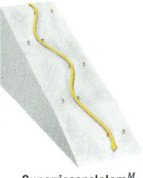

Superriesenslalom[M]
super giant slalom

Riesenslalom[M]
giant slalom

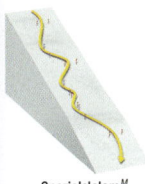

Spezialslalom[M]
special slalom

Skistiefel[M]
ski boot

Innenstiefel[M]
inner boot

obere Manschette[F]
upper cuff

Rücklagenstütze[F]
upper

obere Schale[F]
upper shell

Verschluss[M]
buckle

Gelenk[N]
hinge

Zunge[F]
tongue

oberes Verschlussband[N]
upper strap

Einstellkerbe[F]
adjustable catch

Sohle[F]
sole

untere Schale[F]
lower shell

Sicherheitsbindung[F]
safety binding

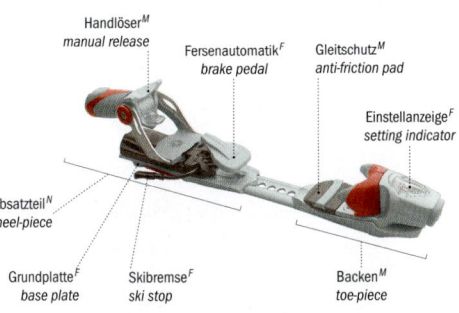

Handlöser[M]
manual release

Fersenautomatik[F]
brake pedal

Gleitschutz[M]
anti-friction pad

Einstellanzeige[F]
setting indicator

Absatzteil[N]
heel-piece

Grundplatte[F]
base plate

Skibremse[F]
ski stop

Backen[M]
toe-piece

SPORT UND SPIELE

Skigebiet[N]

ski resort

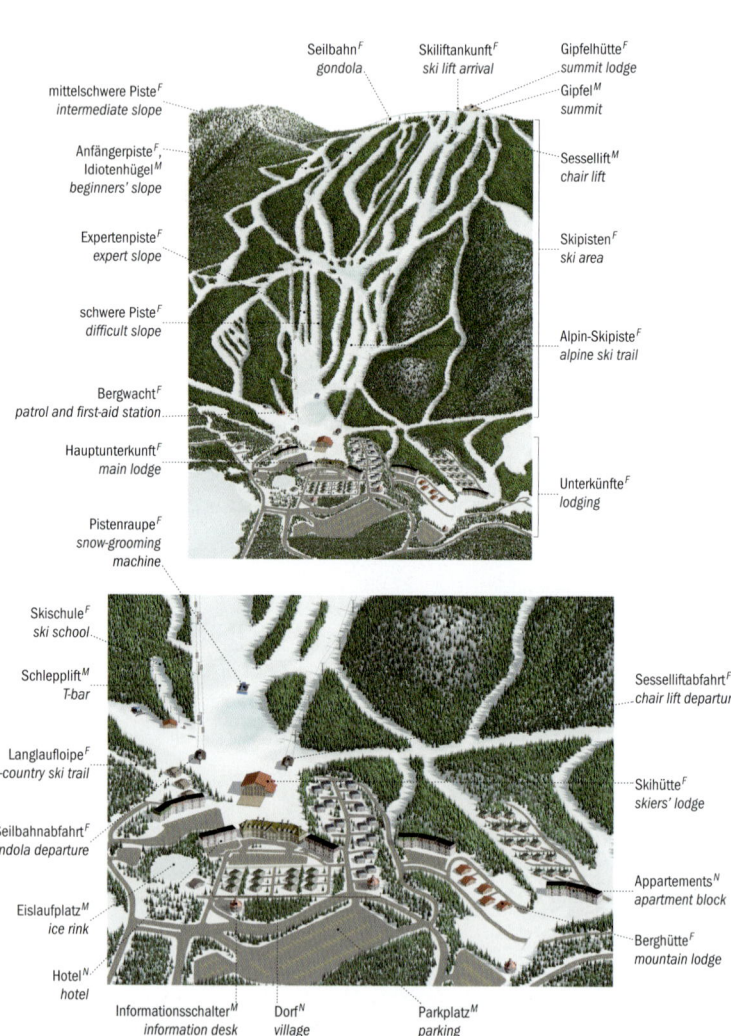

Seilbahn[F]
gondola

Skiliftankunft[F]
ski lift arrival

Gipfelhütte[F]
summit lodge

mittelschwere Piste[F]
intermediate slope

Gipfel[M]
summit

Anfängerpiste[F],
Idiotenhügel[M]
beginners' slope

Sessellift[M]
chair lift

Expertenpiste[F]
expert slope

Skipisten[F]
ski area

schwere Piste[F]
difficult slope

Alpin-Skipiste[F]
alpine ski trail

Bergwacht[F]
patrol and first-aid station

Hauptunterkunft[F]
main lodge

Unterkünfte[F]
lodging

Pistenraupe[F]
snow-grooming machine

Skischule[F]
ski school

Schlepplift[M]
T-bar

Sesselliftabfahrt[F]
chair lift departure

Langlaufloipe[F]
cross-country ski trail

Skihütte[F]
skiers' lodge

Seilbahnabfahrt[F]
gondola departure

Eislaufplatz[M]
ice rink

Appartements[N]
apartment block

Hotel[N]
hotel

Berghütte[F]
mountain lodge

Informationsschalter[M]
information desk

Dorf[N]
village

Parkplatz[M]
parking

Snowboarden[N]
snowboarding

Snowboarder[M]
snowboarder

Helm[M]
helmet

Skibrille[F]
goggles

Skianzug[M]
coveralls

Schienbeinschützer[M]
shin guard

Snowboard[N]
snowboard

Handschuh[M]
glove

Hardboots[M]
hard boot

Softboots[M]
flexible boot

Freestyleboard[N]
freestyle snowboard

Alpinboard[N]
alpine snowboard

Skispringen[N]
ski jumping

Skispringer[M]
ski jumper

Skisprunganzug[M]
ski-jumping suit

Sturzhelm[M]
helmet

Handschuh[M]
glove

Skisprungschuh[M]
ski-jumping boot

Sprungski[M]
jumping ski

Bindung[F]
binding

Skilanglauf^M
cross-country skiing

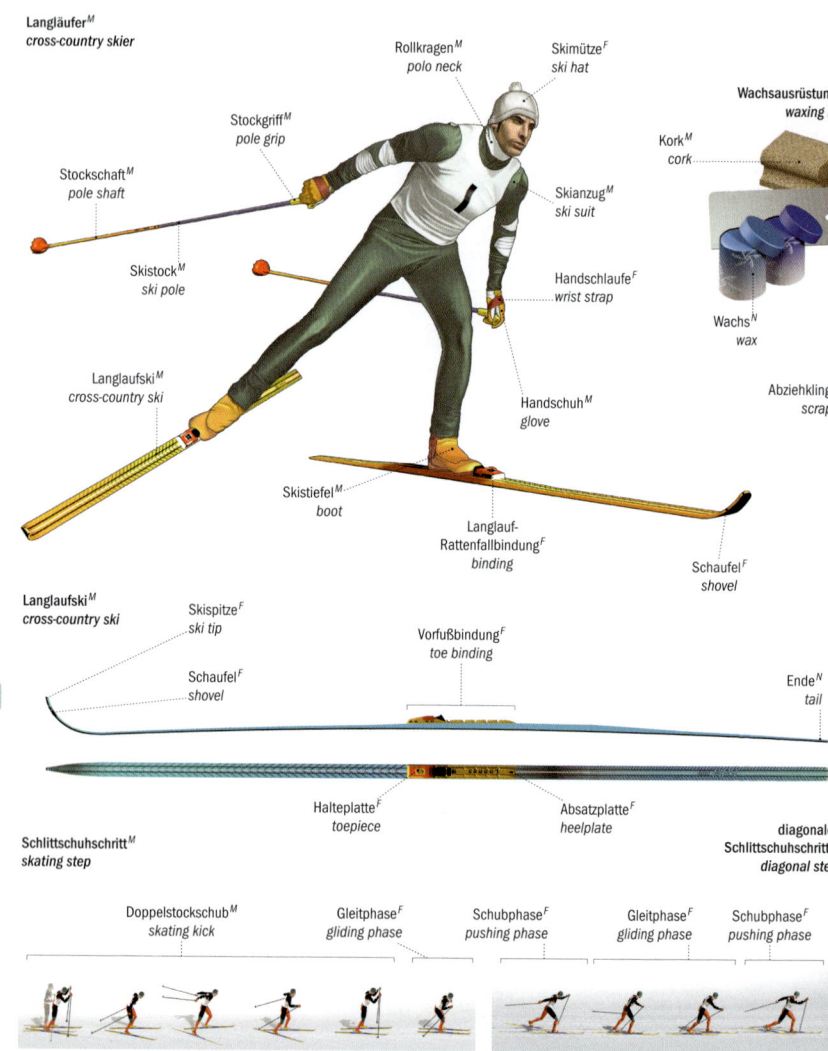

Langläufer^M
cross-country skier

Rollkragen^M
polo neck

Skimütze^F
ski hat

Wachsausrüstung
waxing k

Stockgriff^M
pole grip

Kork^M
cork

Stockschaft^M
pole shaft

Skianzug^M
ski suit

Skistock^M
ski pole

Handschlaufe^F
wrist strap

Wachs^N
wax

Langlaufski^M
cross-country ski

Handschuh^M
glove

Abziehkling
scrap

Skistiefel^M
boot

Langlauf-
Rattenfallbindung^F
binding

Schaufel^F
shovel

Langlaufski^M
cross-country ski

Skispitze^F
ski tip

Vorfußbindung^F
toe binding

Ende^N
tail

Schaufel^F
shovel

Halteplatte^F
toepiece

Absatzplatte^F
heelplate

Schlittschuhschritt^M
skating step

diagonale
Schlittschuhschritt^N
diagonal step

Doppelstockschub^M
skating kick

Gleitphase^F
gliding phase

Schubphase^F
pushing phase

Gleitphase^F
gliding phase

Schubphase^F
pushing phase

Curling[N]
curling

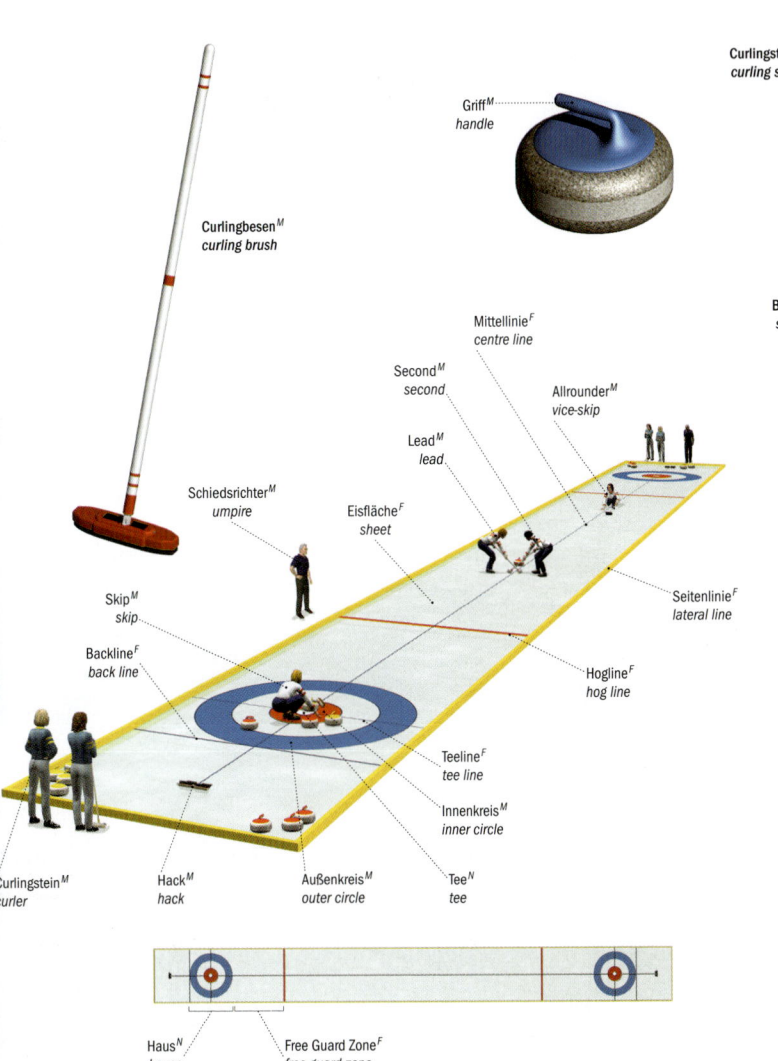

Curlingstein[M]
curling stone

Griff[M]
handle

Curlingbesen[M]
curling brush

Bahn[F]
sheet

Mittellinie[F]
centre line

Second[M]
second

Allrounder[M]
vice-skip

Lead[M]
lead

Schiedsrichter[M]
umpire

Eisfläche[F]
sheet

Seitenlinie[F]
lateral line

Skip[M]
skip

Backline[F]
back line

Hogline[F]
hog line

Teeline[F]
tee line

Innenkreis[M]
inner circle

Curlingstein[M]
curler

Hack[M]
hack

Außenkreis[M]
outer circle

Tee[N]
tee

Haus[N]
house

Free Guard Zone[F]
free guard zone

Schwimmen [N]
swimming

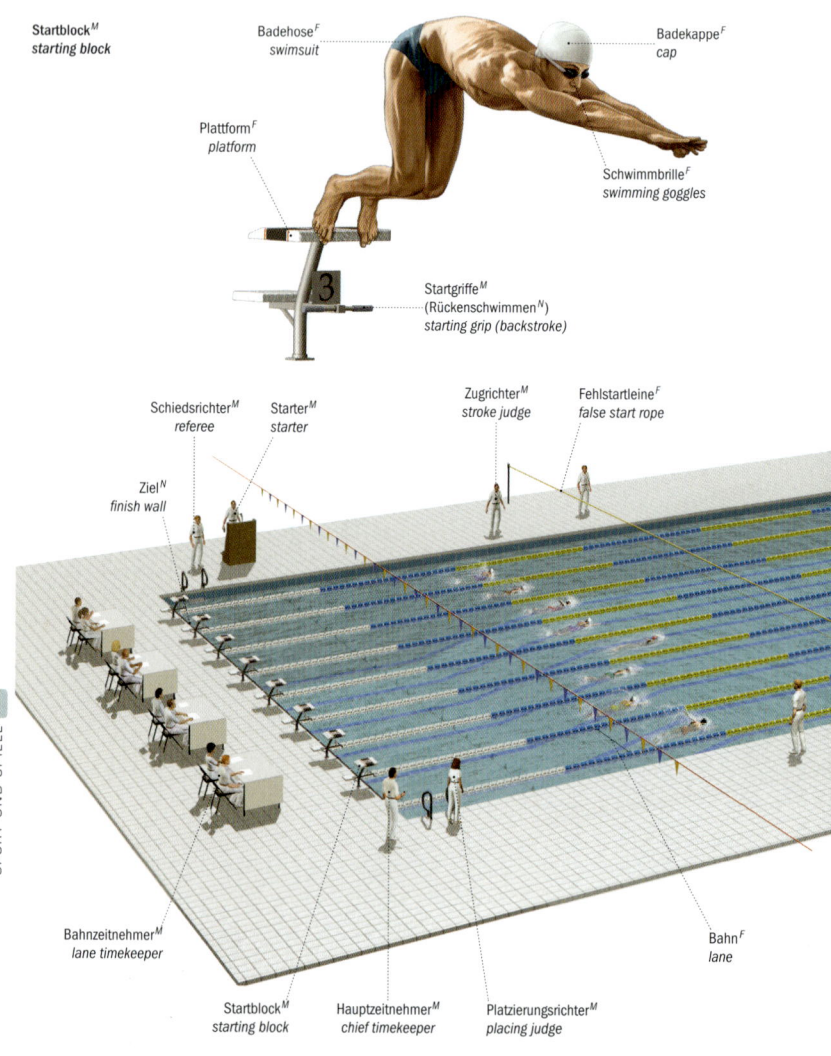

Startblock [M]
starting block

Badehose [F]
swimsuit

Badekappe [F]
cap

Plattform [F]
platform

Schwimmbrille [F]
swimming goggles

Startgriffe [M]
(Rückenschwimmen [N])
starting grip (backstroke)

Schiedsrichter [M]
referee

Starter [M]
starter

Zugrichter [M]
stroke judge

Fehlstartleine [F]
false start rope

Ziel [N]
finish wall

Bahnzeitnehmer [M]
lane timekeeper

Startblock [M]
starting block

Hauptzeitnehmer [M]
chief timekeeper

Platzierungsrichter [M]
placing judge

Bahn [F]
lane

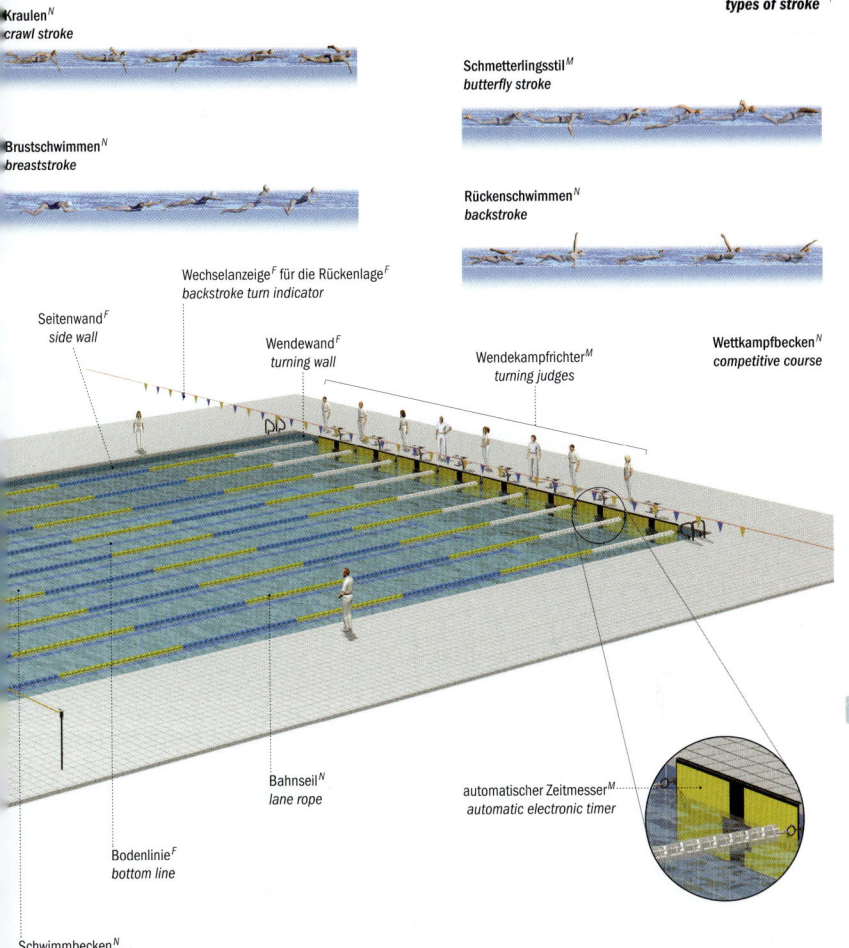

verschiedene Schwimmstile[M]
types of stroke

Kraulen[N]
crawl stroke

Schmetterlingsstil[M]
butterfly stroke

Brustschwimmen[N]
breaststroke

Rückenschwimmen[N]
backstroke

Wechselanzeige[F] für die Rückenlage[F]
backstroke turn indicator

Seitenwand[F]
side wall

Wendewand[F]
turning wall

Wendekampfrichter[M]
turning judges

Wettkampfbecken[N]
competitive course

Bahnseil[N]
lane rope

Bodenlinie[F]
bottom line

automatischer Zeitmesser[M]
automatic electronic timer

Schwimmbecken[N]
swimming pool

Kunstspringen[N]
diving

Startpositionen[F]
starting positions

Sprungfiguren[F]
flights

auswärts
reverse

einwärts
inward

Saltostellung[F]
tuck position

rückwärts
backward

vorwärts
forward

Handstand[M]
armstand

Bohrerstellung[F]
straight position

Hechtsprungstellung[F]
pike position

Springeinrichtungen[F]
diving apparatus

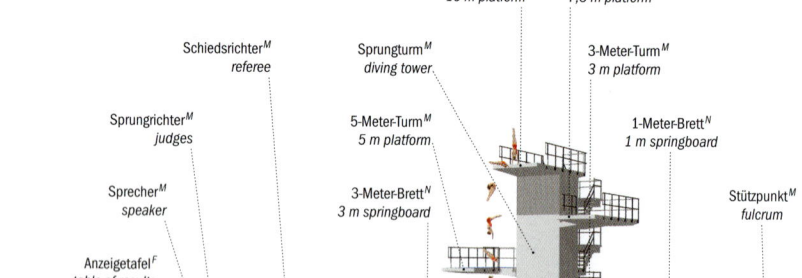

Schiedsrichter[M]
referee

10-Meter-Turm[M]
10 m platform

7,5-Meter-Turm[M]
7,5 m platform

Sprungturm[M]
diving tower

3-Meter-Turm[M]
3 m platform

Sprungrichter[M]
judges

5-Meter-Turm[M]
5 m platform

1-Meter-Brett[N]
1 m springboard

Sprecher[M]
speaker

3-Meter-Brett[N]
3 m springboard

Stützpunkt[M]
fulcrum

Anzeigetafel[F]
table of results

Wasserstrahl[M]
water jets

Wasseroberfläche[F]
surface of the water

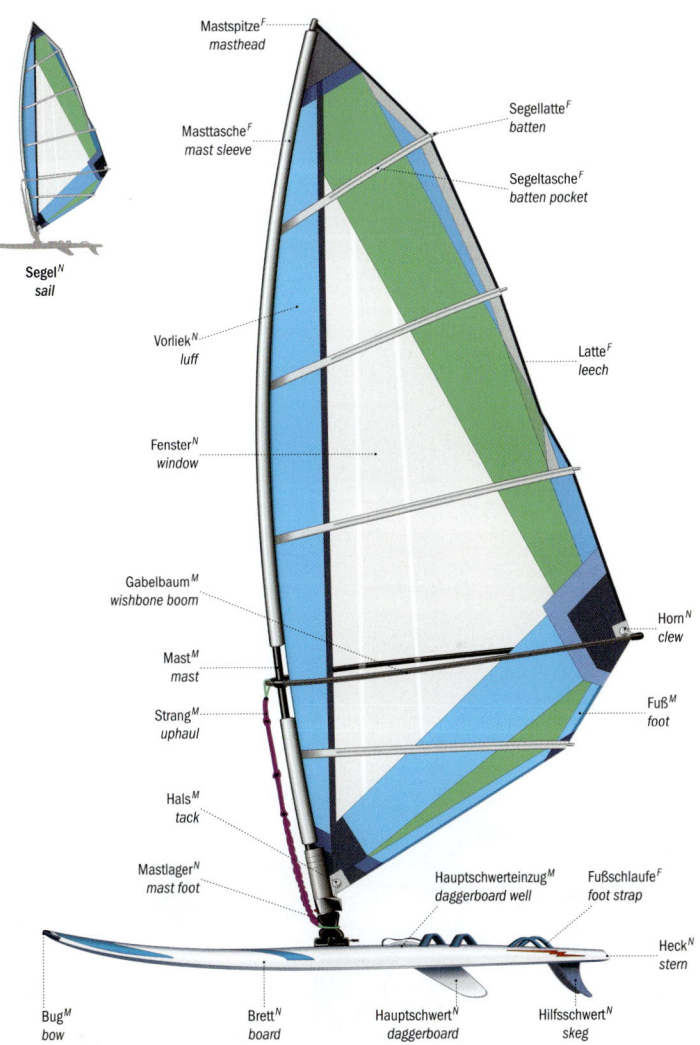

Mastspitze[F]
masthead

Segellatte[F]
batten

Masttasche[F]
mast sleeve

Segeltasche[F]
batten pocket

Segel[N]
sail

Vorliek[N]
luff

Latte[F]
leech

Fenster[N]
window

Gabelbaum[M]
wishbone boom

Horn[N]
clew

Mast[M]
mast

Strang[M]
uphaul

Fuß[M]
foot

Hals[M]
tack

Mastlager[N]
mast foot

Hauptschwerteinzug[M]
daggerboard well

Fußschlaufe[F]
foot strap

Heck[N]
stern

Bug[M]
bow

Brett[N]
board

Hauptschwert[N]
daggerboard

Hilfsschwert[N]
skeg

Segelsport^M
sailing

Segelboot^N
sailing boat

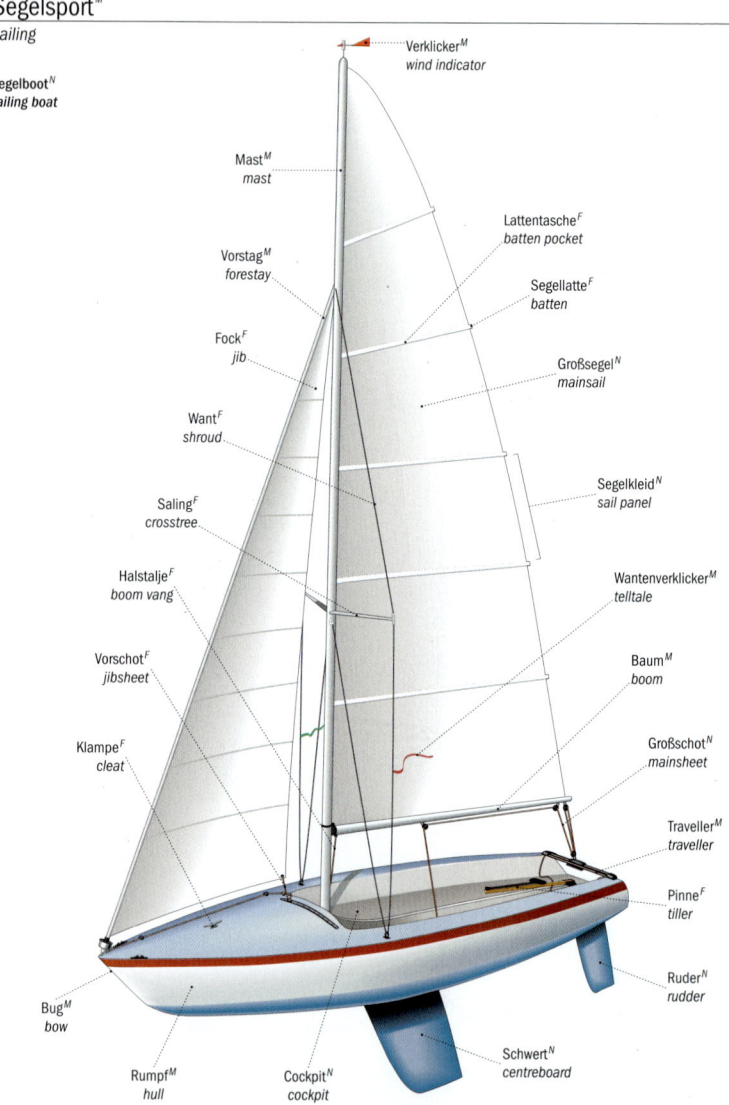

Verklicker^M
wind indicator

Mast^M
mast

Lattentasche^F
batten pocket

Vorstag^M
forestay

Segellatte^F
batten

Fock^F
jib

Großsegel^N
mainsail

Want^F
shroud

Segelkleid^N
sail panel

Saling^F
crosstree

Halstalje^F
boom vang

Wantenverklicker^M
telltale

Vorschot^F
jibsheet

Baum^M
boom

Klampe^F
cleat

Großschot^N
mainsheet

Traveller^M
traveller

Pinne^F
tiller

Ruder^N
rudder

Bug^M
bow

Rumpf^M
hull

Cockpit^N
cockpit

Schwert^N
centreboard

Mehrrumpfboote^N
multi-hulls

Einrumpfboote^N
mono-hulls

Trimaran^M
trimaran

Katamaran^M
catamaran

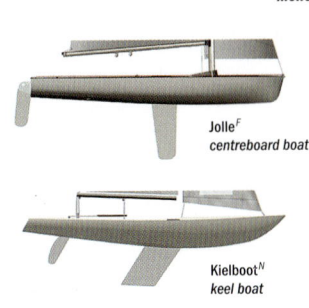

Jolle^F
centreboard boat

Kielboot^N
keel boat

Beschläge^M
upperworks

Karabinerhaken^M
snap shackle

Gelenkschäkel^M
hank

Schäkel^M
shackle

Lippe^F
fairlead

Klampe^F
cleat

Winsch^F
winch

Wantenspanner^M
turnbuckle

Curryklemme^F
clam cleat

Leitöse^F
sheet lead

Traveller^M
traveller

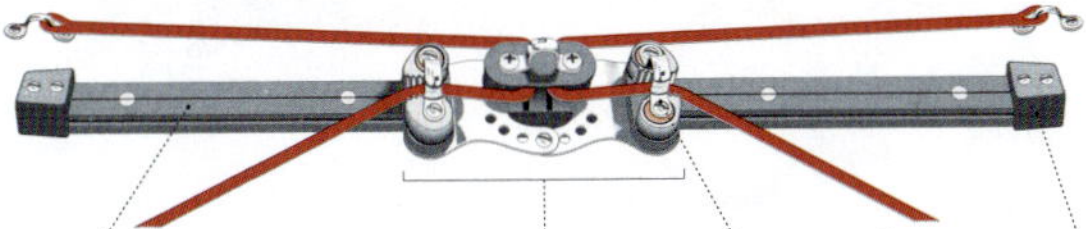

Schlitten^M
sliding rail

Wagen^M
car

Curryklemme^F
clam cleat

Anschlag^M
end stop

SPORT UND SPIELE

Straßenradsport^M
road racing

Straßenrennrad^N und Fahrer^M
road-racing bicycle and cyclist

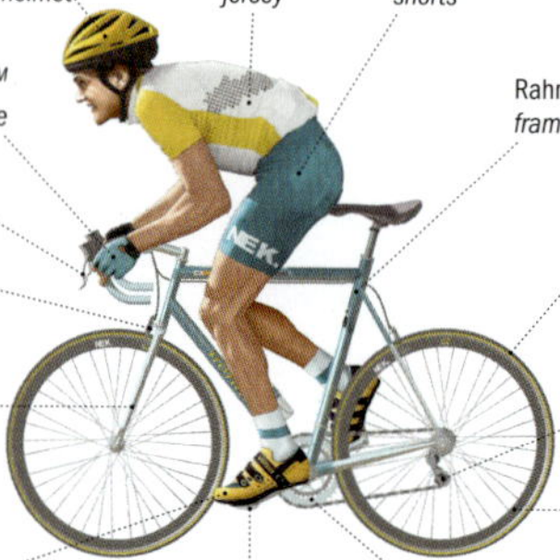

Helm^M
helmet

Trikot^N
jersey

kurze Hose^F
shorts

Handschuh^M
glove

Rahmen^M
frame

Bremsgriff^M und Schalthebel^M
brake lever and shifter

Reifen^M
tyre

Bremse^F
brake

Radgabel^F
fork

Umwerfer^M
derailleur

Rad^N
wheel

Schuh^M
shoe

Pedal^N
pedal

Kettenrad^N
chain wheel

Straßenradrennen^N
road cycling competition

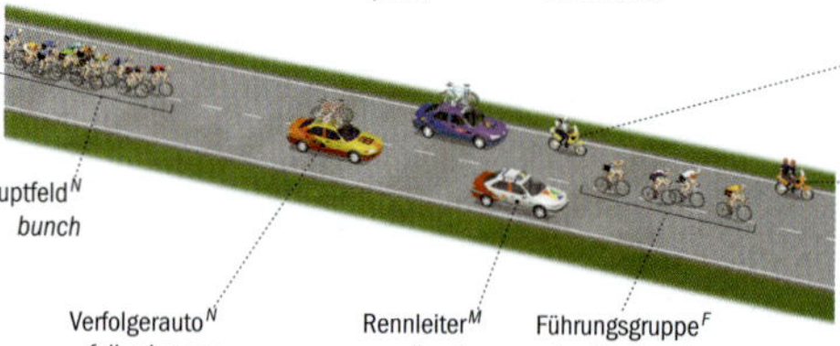

Motorradkamera^F
motorcycle-mounted camera

Führungsmotorrad^N
leading motorcycle

Hauptfeld^N
bunch

Verfolgerauto^N
following car

Rennleiter^M
race director

Führungsgruppe^F
leading bunch

Mountainbike^N
mountain biking

Querfeldeinrad^N und Fahrer^M
cross-country bicycle and cyclist

Schutzbrille^F
protective goggles

Downhillrad^N und Fahrer^M
downhill bicycle and cyclist

Brille^F
goggles

Stoßdämpfer^M hinten
back suspension

Kinnschutz^M
chin strap

Radgabel^F
front fork

Plattformpedal^N
pedal with wide platform

angehobener Lenkerbügel^M
raised handlebar

Klickpedal^N
clipless pedal

hydraulische Scheibenbremse^F
hydraulic disc brake

Jetski^M

personal watercraft

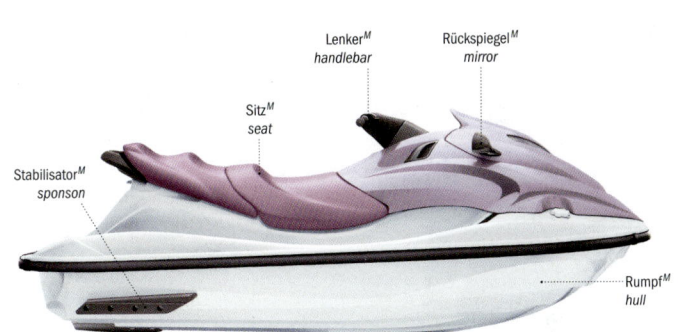

Lenker^M
handlebar

Rückspiegel^M
mirror

Sitz^M
seat

Stabilisator^M
sponson

Rumpf^M
hull

Schneemobil^N

snowmobile

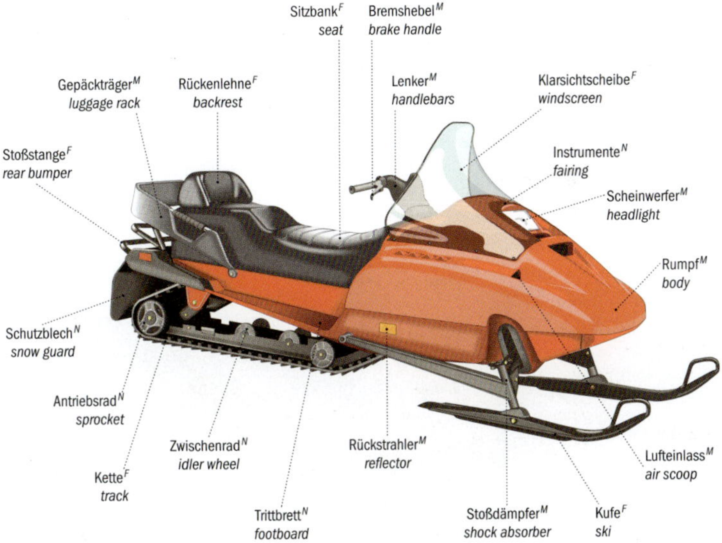

Sitzbank^F
seat

Bremshebel^M
brake handle

Gepäckträger^M
luggage rack

Rückenlehne^F
backrest

Lenker^M
handlebars

Klarsichtscheibe^F
windscreen

Stoßstange^F
rear bumper

Instrumente^N
fairing

Scheinwerfer^M
headlight

Rumpf^M
body

Schutzblech^N
snow guard

Antriebsrad^N
sprocket

Zwischenrad^N
idler wheel

Rückstrahler^M
reflector

Lufteinlass^M
air scoop

Kette^F
track

Trittbrett^N
footboard

Stoßdämpfer^M
shock absorber

Kufe^F
ski

SPORT UND SPIELE

Autorennen[N]
motor racing

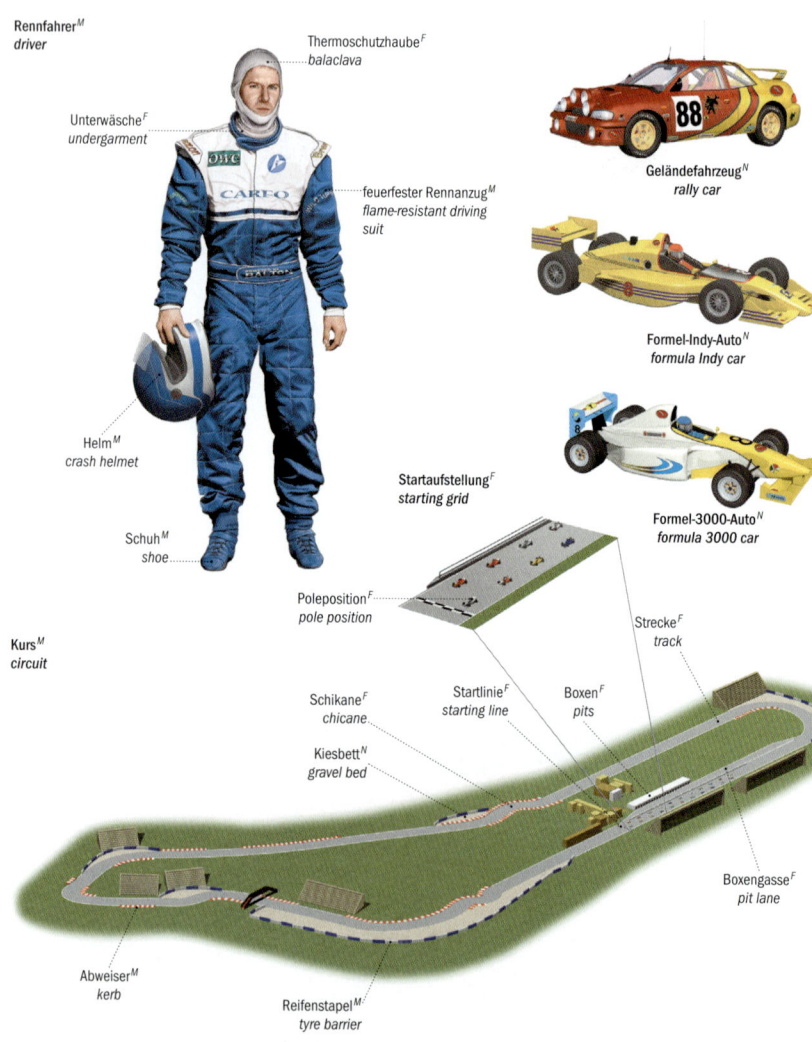

Rennfahrer[M]
driver

Thermoschutzhaube[F]
balaclava

Unterwäsche[F]
undergarment

feuerfester Rennanzug[M]
flame-resistant driving suit

Helm[M]
crash helmet

Schuh[M]
shoe

Geländefahrzeug[N]
rally car

Formel-Indy-Auto[N]
formula Indy car

Formel-3000-Auto[N]
formula 3000 car

Startaufstellung[F]
starting grid

Poleposition[F]
pole position

Strecke[F]
track

Kurs[M]
circuit

Schikane[F]
chicane

Startlinie[F]
starting line

Boxen[F]
pits

Kiesbett[N]
gravel bed

Boxengasse[F]
pit lane

Abweiser[M]
kerb

Reifenstapel[M]
tyre barrier

Formel-1-Auto[N]
formula 1 car

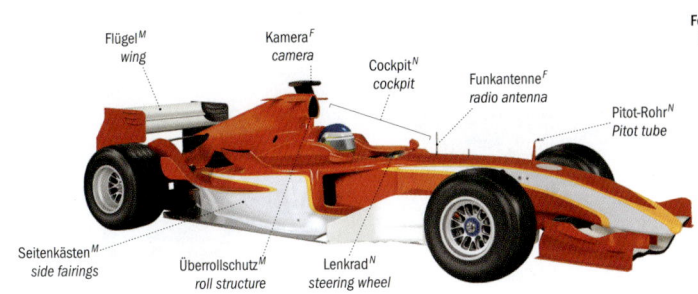

Flügel[M]
wing

Kamera[F]
camera

Cockpit[N]
cockpit

Funkantenne[F]
radio antenna

Pitot-Rohr[N]
Pitot tube

Seitenkästen[M]
side fairings

Überrollschutz[M]
roll structure

Lenkrad[N]
steering wheel

Motorradsport[M]
motorcycling

Helm[M]
helmet

Motocross[N]- und Supercross[N]-Motorrad[N]
motocross and supercross motorcycle

Handschutz[M]
hand protector

Hose[F]
trousers

Schutzbrille[F]
protective goggles

Schutzanzug[M]
protective suit

Stiefel[M]
boot

Stollenreifen[M]
nubby tyre

Startnummer[F]
number plate

Schutzplatte[F]
protective plate

Gabel[F]
fork

Rückenschutz[M]
neck support

Integralhelm[M]
full-face helmet

Grand-Prix[M]-Rennmaschine[F] und
Motorradfahrer[M]
speed grand prix motorcycle and rider

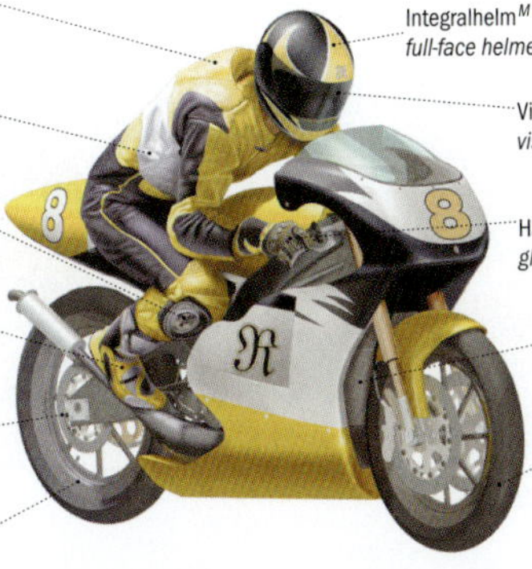

Rennanzug[M]
racing suit

Visier[N]
visor

Knieschützer[M]
rub protection

Stiefel[M]
boot

Handschuh[M]
glove

Luftzufuhr[F] zur Motorkühlung[F]
air intake for engine cooling

Scheibenbremse[F]
disc brake

Rad[N]
wheel

Reifen[M]
tyre

Skateboarding[N]
skateboarding

Skateboard[N]
skateboard

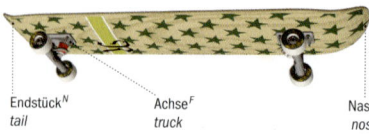

Endstück[N]
tail

Achse[F]
truck

Nase[F]
nose

Griffband[N]
grip tape

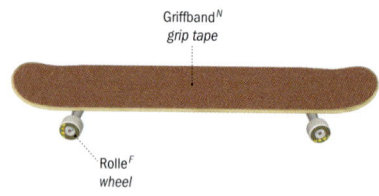

Rolle[F]
wheel

Knieschützer[M]
knee pad

Skateboarder
skateboarde

Ellbogenschützer[M]
elbow pad

Helm[M]
helmet

Kantenschiene[F]
coping

Rampe[F]
ramp

Plattform[F]
platform

Kantenschiene[F]
coping

Vertikale[F]
vertical section

Flachstück[N]
flat

Geländer[N]
guard rail

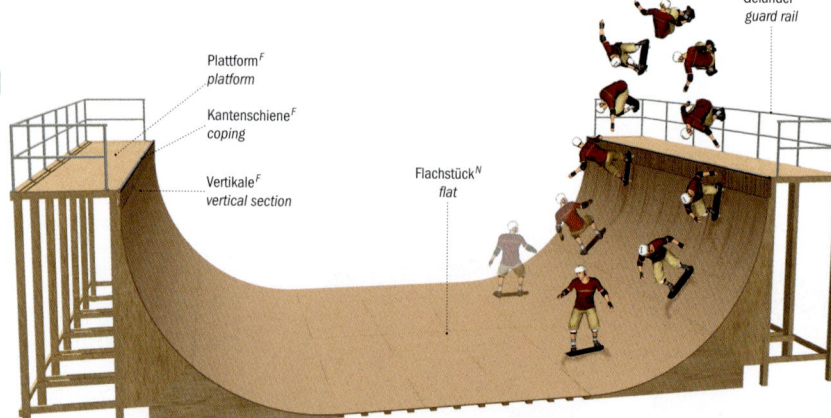

Inlineskating[N]
inline skating

Stuntskate[M]
acrobatic skate

Innenstiefel[M]
inner boot

Schalenschuh[M]
upper shell

Schiene[F]
frame

Rolle[F]
wheel

Skaterin[F]
skater

Helm[M]
helmet

Ellbogenschützer[M]
elbow pad

Knieschützer[M]
knee pad

Handgelenkschützer[M]
wrist guard

Speedskate[M]
roller speed skate

Rollschuh[M]
roller skate

Oberschale[F]
upper shell

Innenstiefel[M]
inner boot

Einstellspanner[M]
adjustable buckle

Stiefel[M]
boot

Achse[F]
axle

Hockeyskate[M]
roller hockey skate

Absatzstopper[M]
heel stop

Rolle[F]
wheel

Wagen[M]
truck

Camping[N]
camping

Beispiele[N] für Zelte[N]
examples of tents

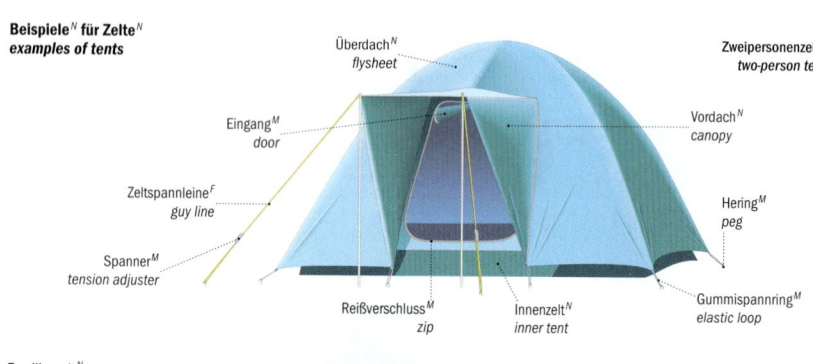

Überdach[N]
flysheet

Zweipersonenzel[...]
two-person te[...]

Eingang[M]
door

Vordach[N]
canopy

Zeltspannleine[F]
guy line

Hering[M]
peg

Spanner[M]
tension adjuster

Reißverschluss[M]
zip

Innenzelt[N]
inner tent

Gummispannring[M]
elastic loop

Familienzelt[N]
family tent

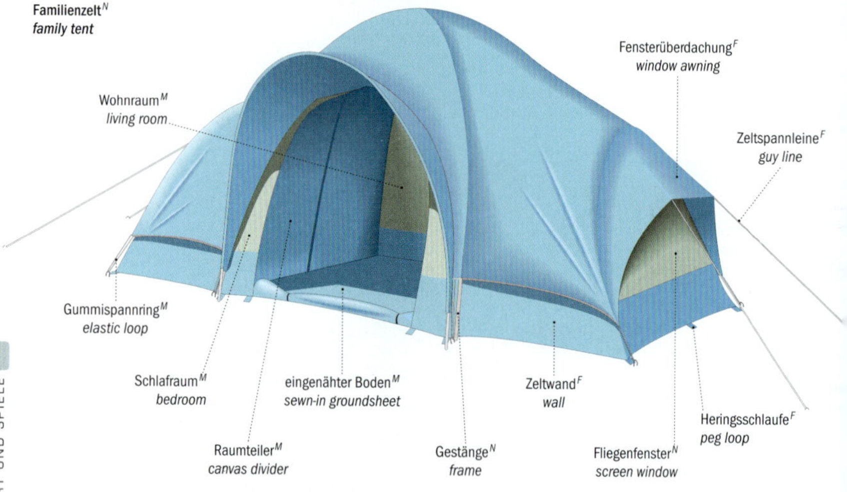

Fensterüberdachung[F]
window awning

Wohnraum[M]
living room

Zeltspannleine[F]
guy line

Gummispannring[M]
elastic loop

Schlafraum[M]
bedroom

eingenähter Boden[M]
sewn-in groundsheet

Zeltwand[F]
wall

Heringsschlaufe[F]
peg loop

Raumteiler[M]
canvas divider

Gestänge[N]
frame

Fliegenfenster[N]
screen window

Mannschaftszelt[N]
wagon tent

Steilwandzelt[...]
wall ten[...]

Camping[N]

Hauszelt[N]
ridge tent

Überdach[N]
flysheet

Zeltstange[F]
roof pole

Gummispannring[M]
elastic strainer

Innenzelt[N]
inner tent

Eingang[M]
door

Heringsschlaufe[F]
peg loop

eingenähter Boden[M]
sewn-in groundsheet

Hering[M]
peg

Einpersonenzelt[N]
one-person tent

Kuppelzelt[N]
dome tent

Igluzelt[N]
igloo tent

Propan- oder Butangas-Geräte[N]
propane or butane appliances

Lampe[F]
lantern

Glas[N]
globe

Brennsockel[M]
burner frame

Gasstromregulierung[F]
pressure regulator

Heizstrahler[M]
heater

Pumpe[F]
pump

Dichtverschluss[M]
leakproof cap

Gasbehälter[M]
gas container

zweiflammiger Gasbrenner[M]
two-burner camp stove

Brenner[M]
burner

Gasbehälter[M]
gas container

Metallaufsatz[M]
wire frame

einflammiger Gasbrenner[M]
single-burner camp stove

Reglerventil[N]
control valve

SPORT UND SPIELE

Beispiele^N für Schlafsäcke^M
examples of sleeping bags

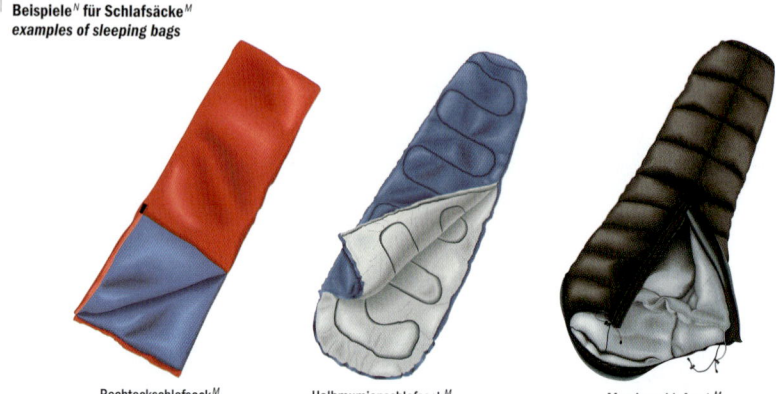

Rechteckschlafsack^M
rectangular

Halbmumienschlafsack^M
semi-mummy

Mumienschlafsack^M
mummy

Bett^N mit Matratze^F
bed and mattress

Feldbett^N
camp bed

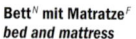

Kombipumpe^F
inflator-deflator

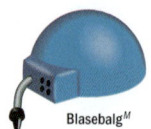

Blasebalg^M
inflator

Luftmatratze^F
air mattress

selbstaufblasbare
Luftmatratze^F
self-inflating mattress

Schaumgummimatratze^F
foam pad

ssbesteck[N]
utlery set

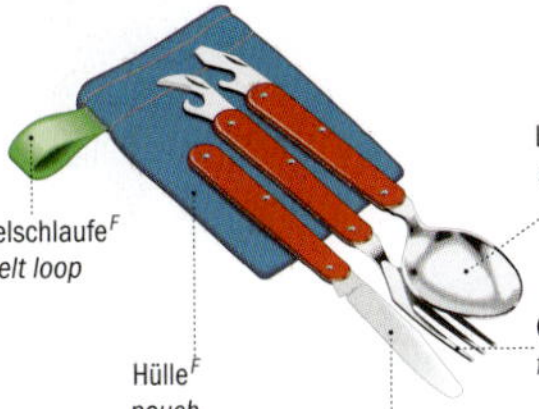

Kochgeschirr[N]
cooking set

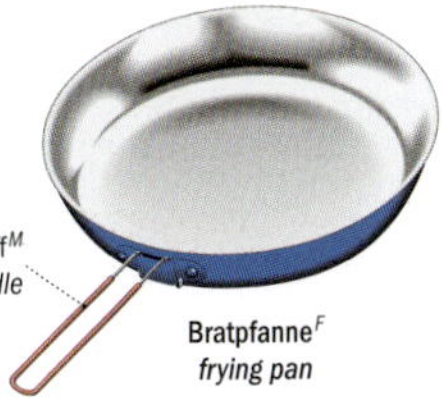

Löffel[M]
spoon

Gürtelschlaufe[F]
belt loop

Teller[M]
plate

Gabel[F]
fork

Hülle[F]
pouch

Messer[N]
knife

Kochtopf[M]
saucepan

Griff[M]
handle

Bratpfanne[F]
frying pan

Kaffeekanne[F]
coffee pot

Tasse[F]
cup

Campingausrüstung[F]
camping equipment

Schere[F]
scissors

Fischschupper[M]
fish scaler

Lineal[N]
ruler

schweizer Offiziersmesser[N]
Swiss army knife

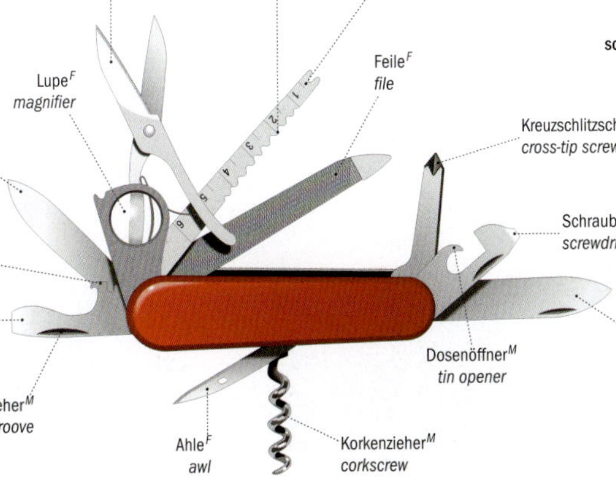

Lupe[F]
magnifier

Feile[F]
file

kleine Klinge[F]
small blade

Kreuzschlitzschraubenzieher[M]
cross-tip screwdriver

Flaschenöffner[M]
bottle opener

Schraubenzieher[M]
screwdriver

Schraubenzieher[M]
screwdriver

große Klinge[F]
large blade

Nagelzieher[M]
nail groove

Dosenöffner[M]
tin opener

Ahle[F]
awl

Korkenzieher[M]
corkscrew

SPORT UND SPIELE

Camping^N

Rucksack^M
backpack

Deckeltasche^F
top flap

Schultergurt^M
shoulder strap

Schließe^F
tightening buckle

seitlicher
Kompressionsgurt^M
side compression strap

vorderer Straffergurt^M
front compression strap

Riemenschlaufe^F
strap loop

Hüftgurt^M
waist belt

Klappspaten^M
folding shovel

Sturmlampe^F
hurricane lamp

Thermosflasche^F
vacuum flask

Flasche^F
bottle

Verschluss^M
stopper

Becher^M
cup

Feldflasche^F
canteen

Kühlbox^F
cooler

Wasserkanister^M
water carrier

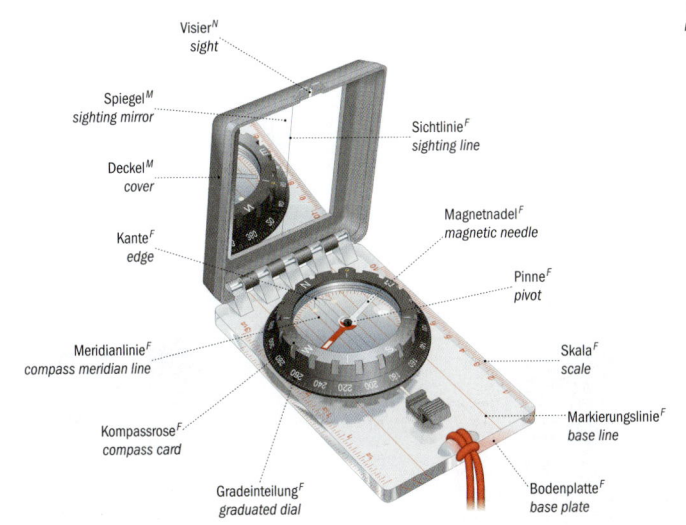

Bogensäge[F]
bow saw

Messer[N]
knife

Lederschutz[M]
leather sheath

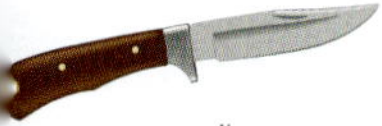

Scheide[F]
sheath

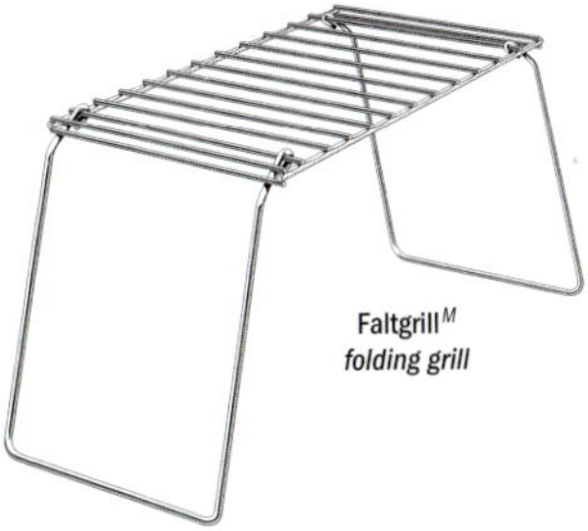

Faltgrill[M]
folding grill

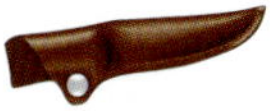

Beil[N]
hatchet

Magnetkompass[M]
magnetic compass

Visier[N]
sight

Spiegel[M]
sighting mirror

Sichtlinie[F]
sighting line

Deckel[M]
cover

Magnetnadel[F]
magnetic needle

Kante[F]
edge

Pinne[F]
pivot

Meridianlinie[F]
compass meridian line

Skala[F]
scale

Kompassrose[F]
compass card

Markierungslinie[F]
base line

Gradeinteilung[F]
graduated dial

Bodenplatte[F]
base plate

Jagen^N
hunting

Gewehr^N (gezogener Lauf^M)
rifle (rifled bore)

Verschlussstück^N
breechblock

Mündung
muzzle

Kolbenhals^M
pistol grip

Hahn^M
hammer

Zielfernrohr^N
telescopic sight

Korn^N
front sight

Kimme^F
rear sight

Rückschlaghinderer^M
butt plate

Abzugbügel^M
trigger guard

Rohr^N
barrel

Schäftung^F
stock

Bügelhebel^M
lever

Abzug^M
trigger

Schrotflinte^F (glatter Lauf^M)
shotgun (smooth-bore)

Hahn^M
hammer

Laufschiene^F
ventilated rib

Korn^N
front sight

Mündung
muzzle

Pistolengriff^M
pistol grip

Rückschlaghinderer^M
butt plate

Verschlussstück^N
breechblock

Vorderschaft^M
forearm

Rohr^N
barrel

Abzugbügel^M
trigger guard

Abzug^M
trigger

Schäftung^F
stock

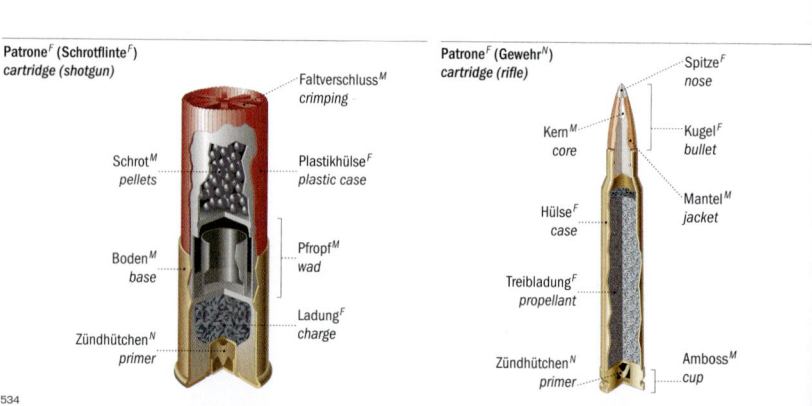

Patrone^F (Schrotflinte^F)
cartridge (shotgun)

Faltverschluss^M
crimping

Spitze^F
nose

Schrot^M
pellets

Plastikhülse^F
plastic case

Kern^M
core

Kugel^F
bullet

Boden^M
base

Pfropf^M
wad

Hülse^F
case

Mantel^M
jacket

Zündhütchen^N
primer

Ladung^F
charge

Treibladung^F
propellant

Patrone^F (Gewehr^N)
cartridge (rifle)

Zündhütchen^N
primer

Amboss^M
cup

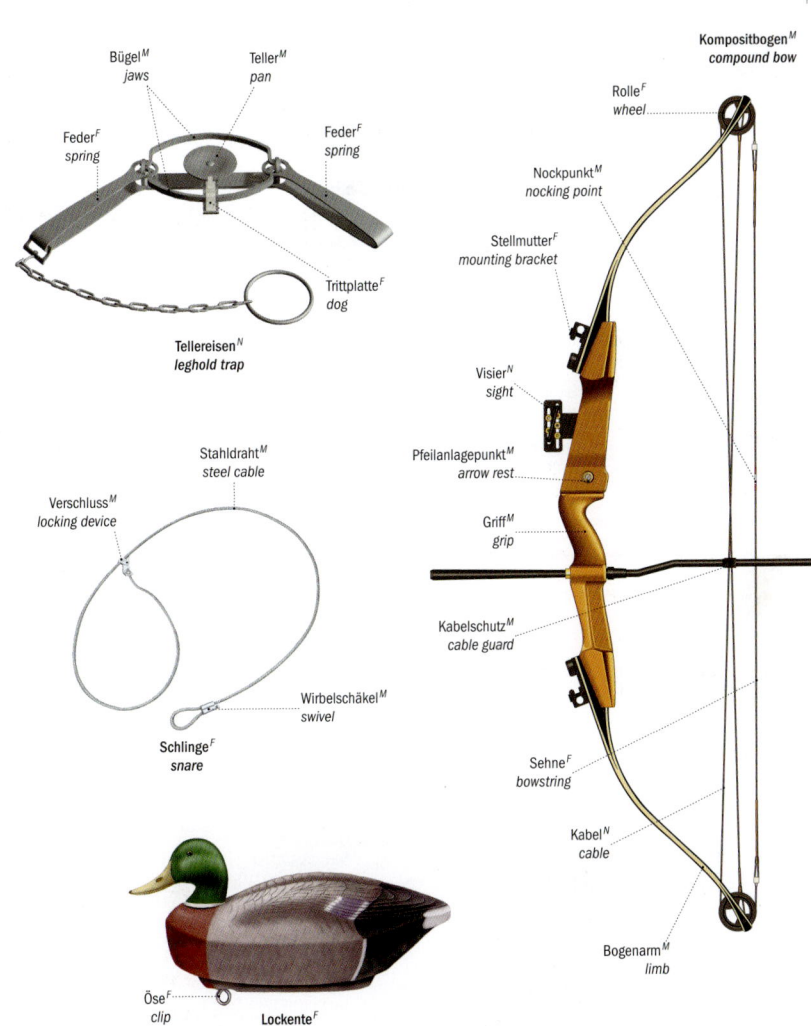

Bügel[M]
jaws

Teller[M]
pan

Feder[F]
spring

Feder[F]
spring

Trittplatte[F]
dog

Tellereisen[N]
leghold trap

Kompositbogen[M]
compound bow

Rolle[F]
wheel

Nockpunkt[M]
nocking point

Stellmutter[F]
mounting bracket

Visier[N]
sight

Pfeilanlagepunkt[M]
arrow rest

Griff[M]
grip

Kabelschutz[M]
cable guard

Sehne[F]
bowstring

Kabel[N]
cable

Bogenarm[M]
limb

Stahldraht[M]
steel cable

Verschluss[M]
locking device

Wirbelschäkel[M]
swivel

Schlinge[F]
snare

Öse[F]
clip

Lockente[F]
decoy

Sportfischerei^F
fishing

Fliegenfischen^N
flyfishing

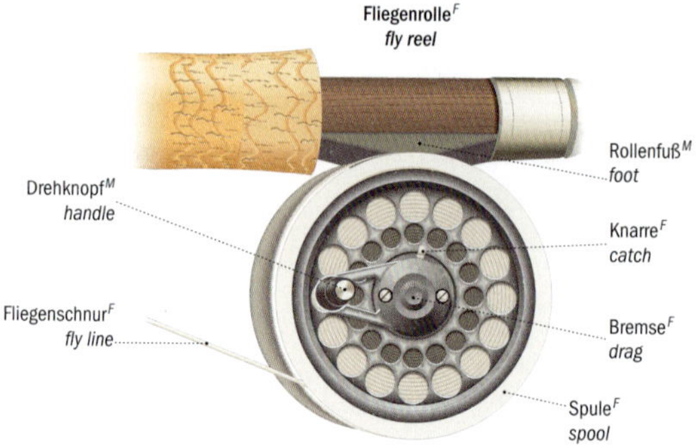

Fliegenrolle^F
fly reel

Rollenfuß^M
foot

Drehknopf^M
handle

Knarre^F
catch

Fliegenschnur^F
fly line

Bremse^F
drag

Spule^F
spool

Fliegenrute^F
fly rod

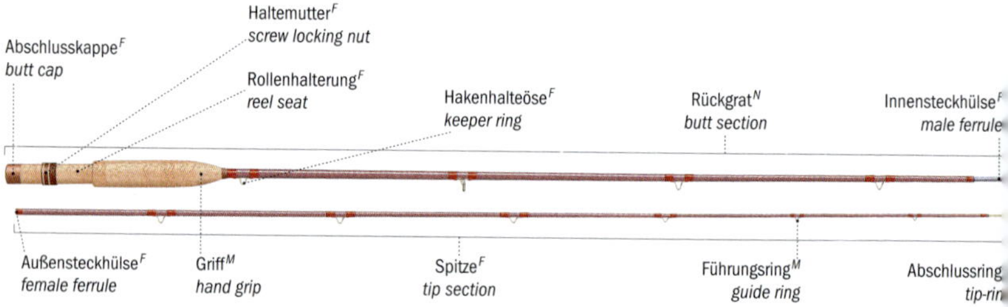

Haltemutter^F
screw locking nut

Abschlusskappe^F
butt cap

Rollenhalterung^F
reel seat

Hakenhalteöse^F
keeper ring

Rückgrat^N
butt section

Innensteckhülse^F
male ferrule

Außensteckhülse^F
female ferrule

Griff^M
hand grip

Spitze^F
tip section

Führungsring^M
guide ring

Abschlussring
tip-rin

Kunstfliege^F
artificial fly

Flügel^M
wing

Oberpartie^F
topping

Wicklung^F
ribbing

Schleier^M
veil

Wange^F
cheek

Schwanz^M
tail

Spiralbindung^F
joint

Hinterpartie^F
tip

Kopf^M
head

Stummel^M
butt

Schulter^F
shoulder

Angelhaken^M
fishhook

Körper^M
body

Nackenfeder^F
hackle

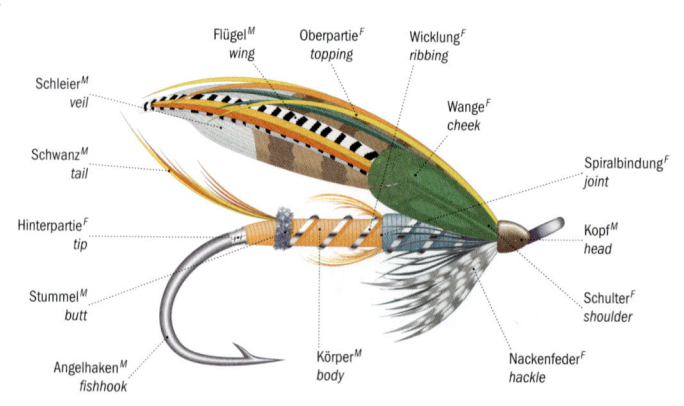

Casting^N
casting

Spinnrute^F
spinning rod

Haltemutter^F
screw locking nut

Rollenhalterung^F
reel seat

Außengewinde^N
male ferrule

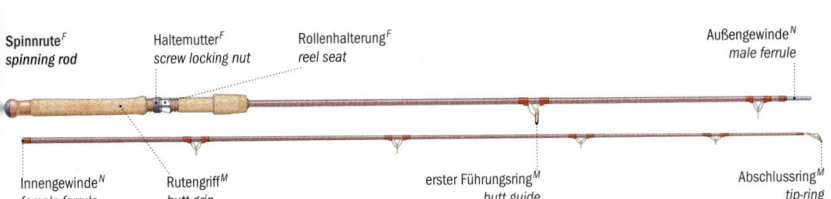

Innengewinde^N
female ferrule

Rutengriff^M
butt grip

erster Führungsring^M
butt guide

Abschlussring^M
tip-ring

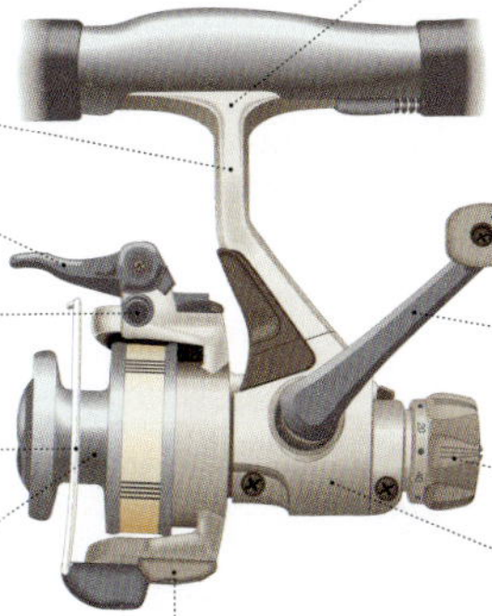

offene Spinnrolle^F
open-face spinning reel

Rollenhaltepartie^F
foot

Rollenfuß^M
leg

Bügelspannmechanismus^M
bail arm opening mechanism

Drehknopf^M
handle

Schnurlaufröllchen^N
line guide

Kurbel^F
crank

Schnurfangbügel^M
bail arm

einstellbare Bremse^F
tension adjustment

Spule^F
spool

Übersetzungsgehäuse^N
gear housing

Rotor^M
rotor

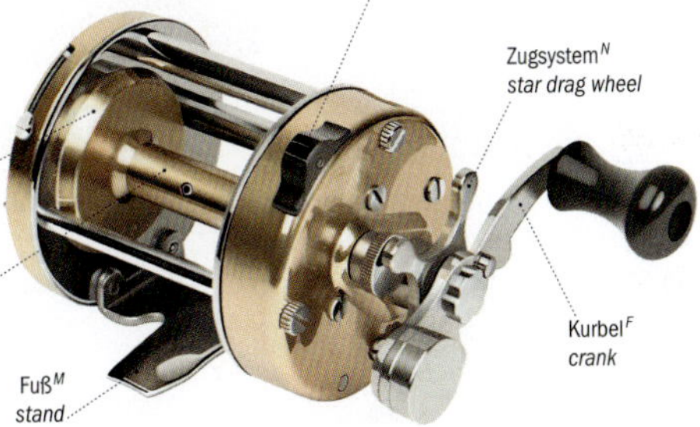

Multirolle^F
baitcasting reel

Schnappmechanismus^M
spool-release mechanism

Zugsystem^N
star drag wheel

Spule^F
spool

Spulenachse^F
spool axle

Kurbel^F
crank

Fuß^M
stand

SPORT UND SPIELE

Sportfischerei^F

Angelhaken^M
fishhook

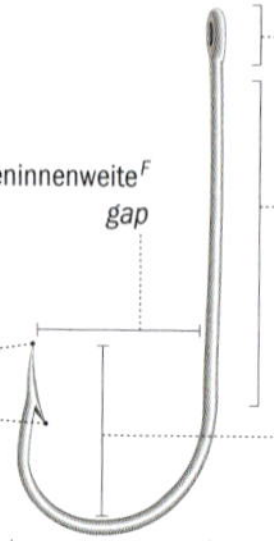

Öse^F
eye

Hakeninnenweite^F
gap

Schenkel^M
shank

Hakenspitze^F
point

Widerhaken^M
barb

Hakenbogentiefe^F
throat

Hakenbogen^M
bend

Blinker^M
spinner

Wirbel^M
swivel

Drillingshaken^M
treble fishhook

Sprengring^M
split link

Löffel^M
blade

Fangzubehör^N
terminal tackle

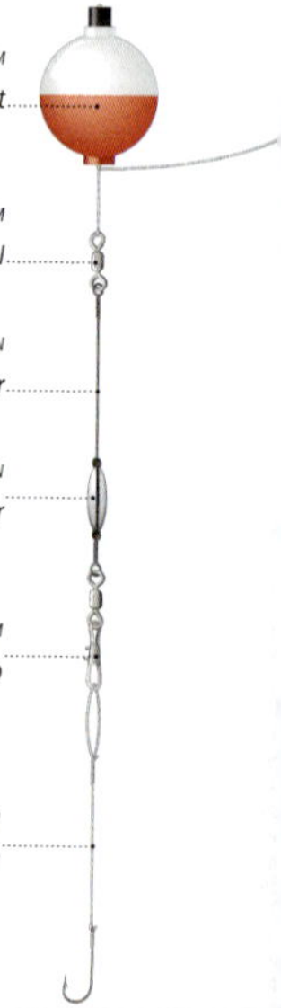

Schwimmer^M
float

Wirbel^M
swivel

Vorfach^N
leader

Sinkblei^N
sinker

Karabiner^M
snap

Angelhaken^M mit Vorfach^N
snelled fishhook

Kleidung^F **und Zubehör**^N
clothing and accessories

Watstiefel^M
waders

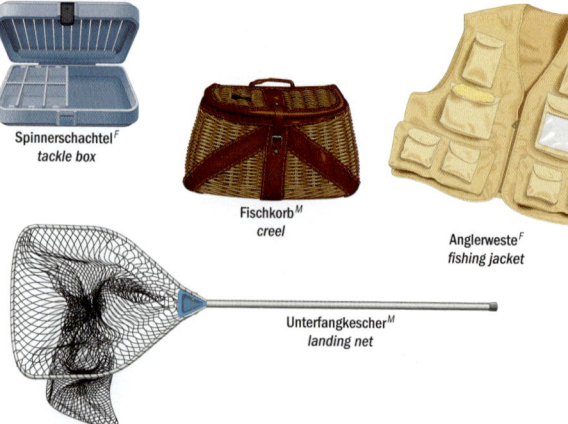

Spinnerschachtel^F
tackle box

Fischkorb^M
creel

Anglerweste^F
fishing jacket

Unterfangkescher^M
landing net

Deutsches Register

STRONOMIE > 2-13; ERDE > 14-49; PFLANZENREICH > 50-65; TIERREICH > 66-91; MENSCH > 92-119; NAHRUNGSMITTEL UND KÜCHE > 120-181; HAUS > 182-215; IMMERKEN UND GARTENARBEIT >216-237; KLEIDUNG > 238-263; PERSÖNLICHE AUSSTATTUNG > 264-277; KUNST UND ARCHITEKTUR > 278-311; KOMMUNIKATION UND BÜROTECHNIK > 312-341; TRANSPORT UND FAHRZEUGE > 342-401; ENERGIE > 402-413; WISSENSCHAFT > 414-429; GESELLSCHAFT > 430-467; SPORT UND SPIELE > 468-538

539

ASTRONOMIE > 2-13; ERDE > 14-49; PFLANZENREICH > 50-65; TIERREICH > 66-91; MENSCH > 92-119; NAHRUNGSMITTEL UND KÜCHE > 120-181; HAUS > 182-215;
HEIMWERKEN UND GARTENARBEIT > 216-237; KLEIDUNG > 238-263; PERSÖNLICHE AUSSTATTUNG > 264-277; KUNST UND ARCHITEKTUR > 278-311; KOMMUNIKATION UND BÜROTECHNIK > 312-341;
TRANSPORT UND FAHRZEUGE > 342-401; ENERGIE > 402-413; WISSENSCHAFT > 414-429; GESELLSCHAFT > 430-467; SPORT UND SPIELE > 468-538

547

ASTRONOMIE > 2-13;   ERDE > 14-49;   PFLANZENREICH > 50-65;   TIERREICH > 66-91;   MENSCH > 92-119;   NAHRUNGSMITTEL UND KÜCHE > 120-181;   HAUS > 182-215;
HEIMWERKEN UND GARTENARBEIT > 216-237;   KLEIDUNG > 238-263;   PERSÖNLICHE AUSSTATTUNG > 264-277;   KUNST UND ARCHITEKTUR > 278-311;   KOMMUNIKATION UND BÜROTECHNIK > 312-341;
TRANSPORT UND FAHRZEUGE > 342-401;   ENERGIE > 402-413;   WISSENSCHAFT > 414-429;   GESELLSCHAFT > 430-467;   SPORT UND SPIELE > 468-538

549

ASTRONOMIE > 2-13; ERDE > 14-49; PFLANZENREICH > 50-65; TIERREICH > 66-91; MENSCH > 92-119; NAHRUNGSMITTEL UND KÜCHE > 120-181; HAUS > 182-215;
HEIMWERKEN UND GARTENARBEIT > 216-237; KLEIDUNG > 238-263; PERSÖNLICHE AUSSTATTUNG > 264-277; KUNST UND ARCHITEKTUR > 278-311; KOMMUNIKATION UND BÜROTECHNIK > 312-341;
TRANSPORT UND FAHRZEUGE > 342-401; ENERGIE > 402-413; WISSENSCHAFT > 414-429; GESELLSCHAFT > 430-467; SPORT UND SPIELE > 468-538

551

DEUTSCHES REGISTER

ASTRONOMIE > 2-13; ERDE > 14-49; PFLANZENREICH > 50-65; TIERREICH > 66-91; MENSCH > 92-119; NAHRUNGSMITTEL UND KÜCHE > 120-181; HAUS > 182-215;
HEIMWERKEN UND GARTENARBEIT > 216-237; KLEIDUNG > 238-263; PERSÖNLICHE AUSSTATUNG > 264-277; KUNST UND ARCHITEKTUR > 278-311; KOMMUNIKATION UND BÜROTECHNIK > 312-341;
TRANSPORT UND FAHRZEUGE > 342-401; ENERGIE > 402-413; WISSENSCHAFT > 414-429; GESELLSCHAFT > 430-467; SPORT UND SPIELE > 468-538

553

ASTRONOMIE > 2-13;   ERDE > 14-49;   PFLANZENREICH > 50-65;   TIERREICH > 66-91;   MENSCH > 92-119;   NAHRUNGSMITTEL UND KÜCHE > 120-181;   HAUS > 182-215;
HEIMWERKEN UND GARTENARBEIT > 216-237;   KLEIDUNG > 238-263;   PERSÖNLICHE AUSSTATTUNG > 264-277;   KUNST UND ARCHITEKTUR > 278-311;   KOMMUNIKATION UND BÜROTECHNIK > 312-341;
TRANSPORT UND FAHRZEUGE > 342-401;   ENERGIE > 402-413;   WISSENSCHAFT > 414-429;   GESELLSCHAFT > 430-467;   SPORT UND SPIELE > 468-538

555

DEUTSCHES REGISTER

ASTRONOMIE > 2-13; ERDE > 14-49; PFLANZENREICH > 50-65; TIERREICH > 66-91; MENSCH > 92-119; NAHRUNGSMITTEL UND KÜCHE > 120-181; HAUS > 182-215; HEIMWERKEN UND GARTENARBEIT > 216-237; KLEIDUNG > 238-263; PERSÖNLICHE AUSSTATTUNG > 264-277; KUNST UND ARCHITEKTUR > 278-311; KOMMUNIKATION UND BÜROTECHNIK > 312-341; TRANSPORT UND FAHRZEUGE > 342-401; ENERGIE > 402-413; WISSENSCHAFT > 414-429; GESELLSCHAFT > 430-467; SPORT UND SPIELE > 468-538

557

ASTRONOMIE > 2-13; ERDE > 14-49; PFLANZENREICH > 50-65; TIERREICH > 66-91; MENSCH > 92-119; NAHRUNGSMITTEL UND KÜCHE > 120-181; HAUS > 182-215;
HEIMWERKEN UND GARTENARBEIT > 216-237; KLEIDUNG > 238-263; PERSÖNLICHE AUSSTATTUNG > 264-277; KUNST UND ARCHITEKTUR > 278-311; KOMMUNIKATION UND BÜROTECHNIK > 312-341;
TRANSPORT UND FAHRZEUGE > 342-401; ENERGIE > 402-413; WISSENSCHAFT > 414-429; GESELLSCHAFT > 430-467; SPORT UND SPIELE > 468-538

559

DEUTSCHES REGISTER

ASTRONOMIE > 2-13; ERDE > 14-49; PFLANZENREICH > 50-65; TIERREICH > 66-91; MENSCH > 92-119; NAHRUNGSMITTEL UND KÜCHE > 120-181; HAUS > 182-215; HEIMWERKEN UND GARTENARBEIT > 216-237; KLEIDUNG > 238-263; PERSÖNLICHE AUSSTATTUNG > 264-277; KUNST UND ARCHITEKTUR > 278-311; KOMMUNIKATION UND BÜROTECHNIK > 312-341; TRANSPORT UND FAHRZEUGE > 342-401; ENERGIE > 402-413; WISSENSCHAFT > 414-429; GESELLSCHAFT > 430-467; SPORT UND SPIELE > 468-538

561

ASTRONOMIE > 2-13;   ERDE > 14-49;   PFLANZENREICH > 50-65;   TIERREICH > 66-91;   MENSCH > 92-119;   NAHRUNGSMITTEL UND KÜCHE > 120-181;   HAUS > 182-215;
HEIMWERKEN UND GARTENARBEIT > 216-237;   KLEIDUNG > 238-263;   PERSÖNLICHE AUSSTATTUNG > 264-277;   KUNST UND ARCHITEKTUR > 278-311;   KOMMUNIKATION UND BÜROTECHNIK > 312-341;
TRANSPORT UND FAHRZEUGE > 342-401;   ENERGIE > 402-413;   WISSENSCHAFT > 414-429;   GESELLSCHAFT > 430-467;   SPORT UND SPIELE > 468-538

565

DEUTSCHES REGISTER

ASTRONOMIE > 2-13;   ERDE > 14-49;   PFLANZENREICH > 50-65;   TIERREICH > 66-91;   MENSCH > 92-119;   NAHRUNGSMITTEL UND KÜCHE > 120-181;   HAUS > 182-215;
HEIMWERKEN UND GARTENARBEIT > 216-237;   KLEIDUNG > 238-263;   PERSÖNLICHE AUSSTATTUNG > 264-277;   KUNST UND ARCHITEKTUR > 278-311;   KOMMUNIKATION UND BÜROTECHNIK > 312-341;
TRANSPORT UND FAHRZEUGE > 342-401;   ENERGIE > 402-413;   WISSENSCHAFT > 414-429;   GESELLSCHAFT > 430-467;   SPORT UND SPIELE > 468-538

569

DEUTSCHES REGISTER

English Index

STRONOMY > 2-13; EARTH > 14-49; PLANT KINGDOM > 50-65; ANIMAL KINGDOM > 66-91; HUMAN BEING > 92-119; FOOD AND KITCHEN > 120-181; HOUSE > 182-215; O-IT-YOURSELF AND GARDENING > 216-237; CLOTHING > 238-263; PERSONAL ADORNMENT AND ARTICLES > 264-277; ARTS AND ARCHITECTURE > 278-311; COMMUNICATIONS AND FFICE AUTOMATION > 312-341; TRANSPORT AND MACHINERY > 342-401; ENERGY > 402-413; SCIENCE > 414-429; SOCIETY > 430-467; SPORTS AND GAMES > 468-538

571

ENGLISH INDEX

574

ASTRONOMY > 2-13;   EARTH > 14-49;   PLANT KINGDOM > 50-65;   ANIMAL KINGDOM > 66-91;   HUMAN BEING > 92-119;   FOOD AND KITCHEN > 120-181;   HOUSE > 182-215;
DO-IT-YOURSELF AND GARDENING > 216-237;   CLOTHING > 238-263;   PERSONAL ADORNMENT AND ARTICLES > 264-277;   ARTS AND ARCHITECTURE > 278-311;   COMMUNICATIONS AND
OFFICE AUTOMATION > 312-341;   TRANSPORT AND MACHINERY > 342-401;   ENERGY > 402-413;   SCIENCE > 414-429;   SOCIETY > 430-467;   SPORTS AND GAMES > 468-538

ASTRONOMY > 2-13; EARTH > 14-49; PLANT KINGDOM > 50-65; ANIMAL KINGDOM > 66-91; HUMAN BEING > 92-119; FOOD AND KITCHEN > 120-181; HOUSE > 182-215; DO-IT-YOURSELF AND GARDENING > 216-237; CLOTHING > 238-263; PERSONAL ADORNMENT AND ARTICLES > 264-277; ARTS AND ARCHITECTURE > 278-311; COMMUNICATIONS AND OFFICE AUTOMATION > 312-341; TRANSPORT AND MACHINERY > 342-401; ENERGY > 402-413; SCIENCE > 414-429; SOCIETY > 430-467; SPORTS AND GAMES > 468-538

575

ENGLISH INDEX

ASTRONOMY > 2-13; EARTH > 14-49; PLANT KINGDOM > 50-65; ANIMAL KINGDOM > 66-91; HUMAN BEING > 92-119; FOOD AND KITCHEN > 120-181; HOUSE > 182-215; DO-IT-YOURSELF AND GARDENING > 216-237; CLOTHING > 238-263; PERSONAL ADORNMENT AND ARTICLES > 264-277; ARTS AND ARCHITECTURE > 278-311; COMMUNICATIONS AND OFFICE AUTOMATION > 312-341; TRANSPORT AND MACHINERY > 342-401; ENERGY > 402-413; SCIENCE > 414-429; SOCIETY > 430-467; SPORTS AND GAMES > 468-538

579

ASTRONOMY > 2-13; EARTH > 14-49; PLANT KINGDOM > 50-65; ANIMAL KINGDOM > 66-91; HUMAN BEING > 92-119; FOOD AND KITCHEN > 120-181; HOUSE > 182-215;
DO-IT-YOURSELF AND GARDENING > 216-237; CLOTHING > 238-263; PERSONAL ADORNMENT AND ARTICLES > 264-277; ARTS AND ARCHITECTURE > 278-311; COMMUNICATIONS AND
OFFICE AUTOMATION > 312-341; TRANSPORT AND MACHINERY > 342-401; ENERGY > 402-413; SCIENCE > 414-429; SOCIETY > 430-467; SPORTS AND GAMES > 468-538

581

ENGLISH INDEX

ASTRONOMY > 2-13;   EARTH > 14-49;   PLANT KINGDOM > 50-65;   ANIMAL KINGDOM > 66-91;   HUMAN BEING > 92-119;   FOOD AND KITCHEN > 120-181;   HOUSE > 182-215;
DO-IT-YOURSELF AND GARDENING > 216-237;   CLOTHING > 238-263;   PERSONAL ADORNMENT AND ARTICLES > 264-277;   ARTS AND ARCHITECTURE > 278-311;   COMMUNICATIONS AND
OFFICE AUTOMATION > 312-341;   TRANSPORT AND MACHINERY > 342-401;   ENERGY > 402-413;   SCIENCE > 414-429;   SOCIETY > 430-467;   SPORTS AND GAMES > 468-538

583

ENGLISH INDEX

ASTRONOMY > 2-13; EARTH > 14-49; PLANT KINGDOM > 50-65; ANIMAL KINGDOM > 66-91; HUMAN BEING > 92-119; FOOD AND KITCHEN > 120-181; HOUSE > 182-215; DO-IT-YOURSELF AND GARDENING > 216-237; CLOTHING > 238-263; PERSONAL ADORNMENT AND ARTICLES > 264-277; ARTS AND ARCHITECTURE > 278-311; COMMUNICATIONS AND OFFICE AUTOMATION > 312-341; TRANSPORT AND MACHINERY > 342-401; ENERGY > 402-413; SCIENCE > 414-429; SOCIETY > 430-467; SPORTS AND GAMES > 468-538

587

ENGLISH INDEX

ENGLISH INDEX

ASTRONOMY > 2-13;   EARTH > 14-49;   PLANT KINGDOM > 50-65;   ANIMAL KINGDOM > 66-91;   HUMAN BEING > 92-119;   FOOD AND KITCHEN > 120-181;   HOUSE > 182-215;
DO-IT-YOURSELF AND GARDENING > 216-237;   CLOTHING > 238-263;   PERSONAL ADORNMENT AND ARTICLES > 264-277;   ARTS AND ARCHITECTURE > 278-311;   COMMUNICATIONS AND
OFFICE AUTOMATION > 312-341;   TRANSPORT AND MACHINERY > 342-401;   ENERGY > 402-413;   SCIENCE > 414-429;   SOCIETY > 430-467;   SPORTS AND GAMES > 468-538

589

ENGLISH INDEX

ophthalmology and ENT room 463
opisthodomos 279
opposable thumb 91
opposite prompt side 293
optic chiasm 109
optic nerve 119
optical mouse 332
optical scanner 121
optical sensor 332
optical sorting 49
optician 437
oral cavity 105, 106
oral irrigator 272
orange 134
orange, section of 58
orangutan 91
orbicularis oculi 96
orbiculate 55
orbit, Earth's 4, 5
orbital-action selector 227
orbiter 12, 13
orchard 122
orchestra 278
orchestra pit 292
orchid 56
order 285
ordinary die 468
oregano 142
organ 305
organ console 305
organization, cultural 335
organization, government 335
organization, health 335
organizer, personal 338
organs, sense 114
Orinoco River 17
ornamental kale 126
ornamental tree 122, 182, 230
ornaments 297
ortho-stick 466
oscillating sprinkler 236
ostrich 81
ostrich egg 155
other signs 299
otter, river 88
ottoman 201
outboard engine 385
outdoor leisure 528
outer circle 515
outer core 26
outer lip 73
outer planets 2
outer ring 441
outer string 191
outer table 469
outer toe 78
outfield fence 475
outlet, discharge 184
outlet, European 198
outlet, oxygen 464
outlet, switched 322
output devices 333
output jack 303
output tray 333
output, S-Video 336
outside counter 240
outside linebacker 484
outside mirror 348, 362
outside mirror control 352
outside ticket pocket 244
outsole 240, 263
outwash plain 30
ovary 56, 112, 113
ovate 55
oven 164, 210
oven control knob 210
oven thermometer 171

oven, microwave 164
overall standings scoreboard 496
overbed table 464
overcoat 248, 251
overflow 194, 195
overflow pipe 196
overflow protection switch 214
overhead frame 401
overhead guard 396
overhead wires 376
overshirt 255
overtaking lane 343
overtaking zone 472
ovule 56
owl, great horned 81
ox 85
oxbow 32
oxbow lake 32
oxford shoe 240
oxygen outlet 464
oxygen pressure actuator 10
oxygen, release of 54
oxygenated blood 104
oyster 157
oyster fork 168
oyster knife 169
oyster mushroom 123
ozone layer 37

P

Pacific Ocean 14, 15, 19
Pacific Plate 27
Pacific salmon 159
Pacific-Antarctic Ridge 34
pack, battery 228
package 163
package, dual-in-line 417
packaged integrated circuit 417
packaging 162
packaging products 120
packer 121
packer body 364
pad 478
pad arm 273
pad plate 273
pad, elbow 526, 527
pad, forearm 486
pad, knee 526, 527
pad, mouse 332
pad, neck 486
pad, sanding 229
pad, scouring 215
pad, touch 336
padded base 489
padded envelope 339
padded upright 489
paddy field 47
page down 331
page down key 331
page up 331
page up key 331
page, front 313
pagoda 283
paint roller 219
paintbrush 219
painting upkeep 219
pair 509
pak-choi 126
Pakistan 452
palatine tonsil 118
palatoglossal arch 116
Palau 453
paling fence 230
pallet truck 396
palm 115, 243, 477
palm grove 36

palm of a glove 243
palm rest, detachable 330
palm tree 64
palmate 55
palmette 200
palp 73
pan 422, 423, 535
pan hook 422
pan, dripping 174, 179
pan, loaf 179
Panama 448
panama 238
Panama, Gulf of 17
Panama, Isthmus of 16
pancake pan 175
pancetta 156
pancreas 106
pane 186
panel 185, 246, 259
panel, bay filler 329
panel, control 179, 210
panel, operating 287
pannier bag 372
panoramic window 435
panpipe 297
pantograph 376
pantry 188
panty corselette 258
panty girdle 259
papaya 137
paper clips 341
paper collection unit 49
paper fasteners 341
paper feed button 333, 443
paper feed light 333
paper guide 328
paper punch 340
paper recycling container 49
paper shredder 341
paper, parchment 162
paper, waxed 162
paper-clip holder 341
paper/paperboard separation 49
paper/paperboard sorting 49
papers, rice 147
papilla 114, 119
papilla, circumvallate 118
papilla, filiform 118
papilla, foliate 118
papilla, fongiform 118
papillary muscle 104
paprika 139
Papua New Guinea 15, 453
par 5 hole 504
parabolic dune 36
parachute 66
Paraná River 17
parapet 344
parapet walk 282
parboiled rice 147
parcel tape dispenser 341
parcels office 374
parchment paper 162
parfum, eau de 267
parietal bone 99, 100
parietal pleura 105
paring knife 169
paripinnate 55
park 25, 433

parka 249
parking 435, 504, 512
parking area 389, 430, 445
parking, bicycle 445
Parmesan 151
parsley 142
parsnip 129
parterre 293
partial eclipse 4, 5
partially reflecting mirror 420
partition 60, 457
partlow chart 365
partridge 80
parts 200, 201, 204
parts of a bicycle 370
parts of a circle 428
parts of a shoe 240
parts of spectacles 273
pascal 426
pass 29
passage, ascending 278
passage, descending 278
Passage, Drake 15, 17
passage, fore-and-aft 385
passbook update slot 442
passenger cabin 383, 386, 387, 393
passenger car 376, 380
passenger platform 374
passenger seat 369
passenger station 374, 375
passenger terminal 381, 389, 390
passenger train 374
passenger transfer vehicle 391
passion fruit 136
passport case 275
passport control 391
pasta 146
pasta maker 170
paste, tomato 140
pastern 83
pastry bag and nozzles 172
pastry blender 172
pastry brush 172
pastry cutting wheel 172
pasture 122
Patagonia 17
patch pocket 244, 249, 260
patella 98
patera 200
path 230, 504
path, garden 182
pathology laboratory 465
patient 464
patient room 464
patient's chair 464
patio 182, 230
patio door 164, 188
patisserie/bakery 437
patrol and first-aid station 512
pattypan squash 129
pause 299, 331
pause button 323
pause key 323
pause/break key 331
pause/still 319
pause/still key 319
pavement 183, 434
pavilion 432
Pawn 470
pay phone 294, 437, 438, 463
payment terminal, electronic 443
PC card slot 336
PDA 337
pe-tsai 126
pea 60
pea jacket 251

pea, black-eyed 130
peach 132
peach, section of 57
peacock 81
peak 29, 238, 239, 458
peak level meter 323
peaked lapel 244
peanut 130
peanut oil 149
pear 133
pear, Asian 137
pear, prickly 137
pear-shaped body 297
peas 130
peas, split 130
pecan nut 133
peccary 84
pectoral deck 501
pectoral fin 74, 90
pedal 302, 308, 370, 372, 473, 501, 522
pedal key 305
pedal keyboard 305
pedal pushers 254
pedal rod 304
pedal spindle 372
pedal with wide platform 522
pedal, brake 350, 357
pedal, clipless 522
pedestal 302
pedestrian call button 434
pedestrian crossing 434
pedestrian lights 434
pedicel 59, 62
pediment 279
pedipalp 70
peduncle 56, 57, 58, 59, 62
peel 58
peeler 169
peg 202, 224, 301, 302, 528, 529
peg box 301
peg loop 528, 529
peg, tuning 303
pelerine 251
pelican 80
pellets 534
peltate 55
pelvic fin 74
pen 27
pen holder 274
penalty arc 480
penalty area 480
penalty area marking 480
penalty bench 507
penalty bench official 507
penalty spot 480
pencil 312
pencil point tip 218
pencil sharpener 341
pendant 264
penguin 80
penholder grip 493
peninsula 24
Peninsula, Antarctic 15
Peninsula, Arabian 19
Peninsula, Balkan 18
Peninsula, Iberian 18
Peninsula, Kamchatka 19
Peninsula, Kola 18
Peninsula, Korean 19
Peninsula, Scandinavian 18
Peninsula, Yucatan 16
penis 92, 111
penne 146
penstock 406, 407
pentagon, regular 429
penumbra 4, 5
pepino 137

ASTRONOMY > 2-13; EARTH > 14-49; PLANT KINGDOM > 50-65; ANIMAL KINGDOM > 66-91; HUMAN BEING > 92-119; FOOD AND KITCHEN > 120-181; HOUSE > 182-215;
DO-IT-YOURSELF AND GARDENING > 216-237; CLOTHING > 238-263; PERSONAL ADORNMENT AND ARTICLES > 264-277; ARTS AND ARCHITECTURE > 278-311; COMMUNICATIONS AND
OFFICE AUTOMATION > 312-341; TRANSPORT AND MACHINERY > 342-401; ENERGY > 402-413; SCIENCE > 414-429; SOCIETY > 430-467; SPORTS AND GAMES > 468-538

ENGLISH INDEX

591

ENGLISH INDEX

ASTRONOMY > 2-13;   EARTH > 14-49;   PLANT KINGDOM > 50-65;   ANIMAL KINGDOM > 66-91;   HUMAN BEING > 92-119;   FOOD AND KITCHEN > 120-181;   HOUSE > 182-215;
DO-IT-YOURSELF AND GARDENING > 216-237;   CLOTHING > 238-263;   PERSONAL ADORNMENT AND ARTICLES > 264-277;   ARTS AND ARCHITECTURE > 278-311;   COMMUNICATIONS AND
OFFICE AUTOMATION > 312-341;   TRANSPORT AND MACHINERY > 342-401;   ENERGY > 402-413;   SCIENCE > 414-429;   SOCIETY > 430-467;   SPORTS AND GAMES > 468-538

593

ENGLISH INDEX

STRONOMY > 2-13;   EARTH > 14-49;   PLANT KINGDOM > 50-65;   ANIMAL KINGDOM > 66-91;   HUMAN BEING > 92-119;   FOOD AND KITCHEN > 120-181;   HOUSE > 182-215;
O-IT-YOURSELF AND GARDENING > 216-237;   CLOTHING > 238-263;   PERSONAL ADORNMENT AND ARTICLES > 264-277;   ARTS AND ARCHITECTURE > 278-311;   COMMUNICATIONS AND
FFICE AUTOMATION > 312-341;   TRANSPORT AND MACHINERY > 342-401;   ENERGY > 402-413;   SCIENCE > 414-429;   SOCIETY > 430-467;   SPORTS AND GAMES > 468-538

597

ENGLISH INDEX

ASTRONOMY > 2-13; EARTH > 14-49; PLANT KINGDOM > 50-65; ANIMAL KINGDOM > 66-91; HUMAN BEING > 92-119; FOOD AND KITCHEN > 120-181; HOUSE > 182-215;
DO-IT-YOURSELF AND GARDENING > 216-237; CLOTHING > 238-263; PERSONAL ADORNMENT AND ARTICLES > 264-277; ARTS AND ARCHITECTURE > 278-311; COMMUNICATIONS AND
OFFICE AUTOMATION > 312-341; TRANSPORT AND MACHINERY > 342-401; ENERGY > 402-413; SCIENCE > 414-429; SOCIETY > 430-467; SPORTS AND GAMES > 468-538

601

ENGLISH INDEX

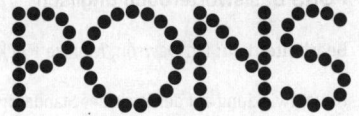

Basiswörterbuch

Englisch – Deutsch
Deutsch – Englisch

Ernst Klett Sprachen
Stuttgart

PONS Basiswörterbuch Englisch

Bearbeitet von: Ian Dawson, Monika Finck, Peter Frank, Jill Williams

Neuentwicklung auf der Basis des Standardwörterbuchs Englisch
ISBN 3-12-517023-0

Warenzeichen, Marken und gewerbliche Schutzrechte
Wörter, die unseres Wissens eingetragene Warenzeichen oder Marken oder sonstige
gewerbliche Schutzrechte darstellen, sind als solche – soweit bekannt – gekennzeichnet.
Die jeweiligen Berechtigten sind und bleiben Eigentümer dieser Rechte.
Es ist jedoch zu beachten, dass weder das Vorhandensein noch das Fehlen derartiger
Kennzeichnungen die Rechtslage hinsichtlich dieser gewerblichen Schutzrechte berührt.

1. Auflage 2008   (1,01)

© Ernst Klett Sprachen GmbH, Stuttgart 2008

Internet: www.pons.de
E-Mail: info@pons.de

Projektleitung: Astrid Proctor
Sprachdatenverarbeitung: Dr. Wolfgang Schindler
Logoentwurf: Erwin Poell, Heidelberg
Logoüberarbeitung: Sabine Redlin, Ludwigsburg
Satz: Dörr + Schiller GmbH, Stuttgart

ISBN 978-3-12-517966-0

Inhaltsverzeichnis

Contents

Deutsche und englische Phonetik
German and English Phonetics

	[æ]	cat, man, matter
matt, Katze	[a]	
	[ɑ:]	father, farm
	[ɒ] (BRIT)	pot, bottom
bitter, Mutter	[ɐ]	
Uhr, Flur	[ɐ̯]	
Chanson	[ã]	
Gourmand	[ã:]	
	[ɑ̃:]	croissant
heiß, Kaiser	[ai]	
	[aɪ]	ride, my
Haus	[au]	
	[aʊ]	house, about
Ball	[b]	big
ich, Licht	[ç]	
dicht	[d]	dad
Gin, Job	[dʒ]	edge, juice
Etage	[e]	pet, best
Beet, Mehl	[e:]	
Nest, Wäsche	[ɛ]	
wählen	[ɛ:]	
	[ɜ:]	bird, berth
timbrieren	[ɜ̃]	
Teint	[ɛ̃:]	fin de siècle
	[ᵊ]	hidden, sudden
halte, Katze	[ə]	Africa, potato
	[ʌ]	bust, cup, multi
	[eɪ]	rate
	[eə] (BRIT)	there, hair
Fett, viel	[f]	fast, safe

Geld	[g]	gold
Hut	[h]	hello
Bitte, sitzen	[ɪ]	kitten, sit
Vitamin	[i]	academy, forty
Abschied, Bier	[iː]	read, meet
Studie	[i̯]	
	[ɪə] (BRIT)	here, beer
ja	[j]	yellow
Kohl, Computer	[k]	cat, king
Quadrat	[kv]	
	[kw]	queen
Last	[l]	little
Nebel	[l̩]	little
Meister	[m]	month, name
nett	[n]	nice, sand
sprechen	[n̩]	
Ring, blinken	[ŋ]	ring, rink, bingo
Oase	[o]	
Boot, drohen	[oː]	
loyal	[o̯]	
Post	[ɔ]	
	[ɔː]	caught, ought
	[əʊ] (BRIT)	boat, rode
	[oʊ] (AM)	tuxedo
Annonce, Fonds	[õː]	
	[ɔ̃]	restaurant
Ökonomie	[ø]	
Öl	[øː]	
Götter	[œ]	
	[ɔɪ]	boy, noise, royal
Mäuse, Schleuse	[ɔy]	
Papst	[p]	pat

Pfeffer	[pf]	
Rad	[r]	right
	[ʳ] (BRIT)	bitter
	[ɚ] (AM)	bitter
Ra**s**t, be**ss**er, hei**ß**	[s]	soft
Schaum, **s**prechen, **Ch**ef	[ʃ]	shift
Test, **t**reu	[t]	fat, take
	[t̬] (AM)	better
Zaun	[ts]	
Ma**tsch**, **Tsch**üss	[tʃ]	chip, patch
	[θ]	think, bath
	[ð]	father, bathe
z**u**nächst	[u]	
H**u**t	[u:]	continue, moose, lose
akt**u**ell	[u̯]	
M**u**tter	[ʊ]	book, put
pf**ui**	[ui]	
	[ʊə] (BRIT)	moor
wann, **V**ase	[v]	vitamin
	[w]	wish, why
Schlau**ch**	[x]	loch
Fi**x**, A**x**t, La**chs**	[ks]	
am**ü**sant, B**ü**ro	[y]	
S**ü**den, T**y**p	[y:]	
Et**u**i	[y̆]	
f**ü**llen	[ʏ]	
Ha**s**e, **s**auer	[z]	zebra, jazz
Genie	[ʒ]	pleasure
Knacklaut	ʔ	glottal stop
Hauptbetonung	ˈ	primary stress
Nebenbetonung	ˌ	secondary stress

Liste der Abkürzungen

	Zeichen und Abkürzungen	Symbols and Abbreviations
►	phraseologischer Block	phrase block
		trennbares Verb	separable verb
=	Kontraktion	contraction
≈	entspricht etwa	comparable to
–	Sprecherwechsel in einem Dialog, Deutsch	change of speaker in a dialogue, German
—	Sprecherwechsel in einem Dialog, Englisch	change of speaker in a dialogue, English
®	Warenzeichen	trade mark
RR	reformierte Schreibung	reformed German spelling
ALT	reformierte Schreibung	unreformed German spelling
⇆	zeigt variable Stellung des Objektes und der Ergänzung bei Phrasal Verbs auf	indicates the variable position of the object in phrasal verb sentences
a.	auch	also
abbrev, Abk	Abkürzung	abbreviation
acr	Akronym	acronym
adj	Adjektiv	adjective
ADMIN	Verwaltung	administration
adv	Adverb	adverb
AEROSP	Raum- und Luftfahrt	aerospace
AGR	Landwirtschaft	agriculture
akk	Akkusativ	accusative
Akr	Akronym	acronym
AM	amerikanisches Englisch	American English
ANAT	Anatomie	anatomy
approv	aufwertend	approving
ARCHEOL	Archäologie	archeology
ARCHIT	Architektur	architecture
ART	Kunst	art

	Zeichen und Abkürzungen	Symbols and Abbreviations
art	Artikel	article
ASTROL	Astrologie	astrology
ASTRON	Astronomie	astronomy
attr	attributiv	attributive
AUS	australisches Englisch	Australian English
AUTO	Auto	automobile
aux vb	Hilfsverb	auxiliary verb
AVIAT	Luftfahrt	aviation
BAHN	Eisenbahnwesen	railway
BAU	Bauwesen	construction
BERGB	Bergbau	mining
bes	besonders	especially
BIOL	Biologie	biology
BÖRSE	Börse	stock exchange
BOT	Botanik	botany
BOXING	Boxen	boxing
BRD	Binnendeutsch	German of Germany
BRIT	britisches Englisch	British English
CAN	kanadisches Englisch	Canadian English
CARDS	Karten	cards
CHEM	Chemie	chemistry
CHESS	Schach	chess
childspeak	Kindersprache	children's language
COMM	Handel	business
comp	komparativ	comparative
COMPUT	Informatik	computing
conj	Konjunktion	conjunction
dat	Dativ	dative
dated	veraltend	dated
def	bestimmt	definite
dekl	dekliniert	declined

	Zeichen und Abkürzungen	Symbols and Abbreviations
dem	demonstrativ	demonstrative
derb	derb	coarse language
DIAL	dialektal	dialect
dim	Diminutiv	diminutive
ECOL	Ökologie	ecology
ECON	Wirtschaft	economics
ELEC, ELEK	Elektrizität	electricity
emph	emphatisch	emphatic
esp	besonders	especially
etw	etwas	something
EU	Europäische Union	European Union
euph	euphemistisch	euphemistic
f	Feminin	feminine
fam	umgangssprachlich	informal
fam!	stark umgangssprachlich	very informal
FASHION	Mode	fashion
FBALL	Fußball	football
fem	Feminin	feminine
fig	bildlich	figurative
FILM	Film, Kino	film, cinema
FIN	Finanzen	finance
FOOD	Kochkunst	food and cooking
form	förmlicher Sprachgebrauch	formal language
FOTO	Fotografie	photography
geh	gehobener Sprachgebrauch	formal language
gen	Genitiv	genitive
GEOG	Geographie	geography
GEOL	Geologie	geology
HANDEL	Handel	business
HIST	Geschichte	history
hist	historisch	historical

	Zeichen und Abkürzungen	Symbols and Abbreviations
HORT	Gartenbau	gardening
hum	scherzhaft	humorous
HUNT	Jagd	hunting
imp	Imperfekt	imperfect tense
impers	unpersönliches Verb	impersonal use
indef	unbestimmt	indefinite
INET	Internet	internet
infin	Infinitiv	infinitive
INFORM	Informatik	computing
interj	Interjektion	interjection
interrog	fragend	interrogative
iron	ironisch	ironic
irreg	unregelmäßig	irregular
JAGD	Jagd	hunting
jd, jdn, jdm	jemand, jemanden, jemandem	somebody
jds	jemandes	somebody's
JOURN	Presse	journalism
JUR	Jura	law
KARTEN	Karten	cards
KOCHK	Kochkunst	food and cooking
konj	Konjunktion	conjunction
KUNST	Kunst	art
LAW	Jura	law
LING	Linguistik	linguistics
LIT	Literatur	literature
liter	literarisch	literary
LUFT	Luftfahrt	aviation
m	Maskulin	masculine
MATH	Mathematik	mathematics
MECH	Mechanik	mechanics
MED	Medizin	medicine

	Zeichen und Abkürzungen	Symbols and Abbreviations
MEDIA	Medien	media
METEO	Meteorologie	meteorology
MIL	Militär	military
MIN	Bergbau, Mineralogie	mining, mineralogy
MODE	Mode	fashion
MUS	Musik	music
NAUT	Seefahrt	navigation
NBRIT	Nordenglisch	Northern English
NORDD	Norddeutsch	Northern German
nt	Neutrum	neuter
NUCL, NUKL	Kernphysik	Kernphysik
NZ	Englisch aus Neuseeland	New Zealand English
o	oder	or
ÖKOL	Ökologie	ecology
ÖKON	Wirtschaft	economics
old	veraltet	old
onomat	lautmalerisch	onomatopoeic
ORN	Vogelkunde	ornithology
ÖSTERR	österreichisches Deutsch	Austrian German
part	Partizip/Partikel	participle/particle
pej	abwertend	pejorative
pej!	beleidigend	offensive
pers	Personal(pronomen)	personal (pronoun)
pers.	Person	person
PHARM	Pharmazie	pharmacy
PHOT	Fotografie	photography
PHYS	Physik	physics
pl	plural	plural
POL	Politik	politics
poss	possessiv	possessive
pp	Partizip Perfekt	past participle

	Zeichen und Abkürzungen	Symbols and Abbreviations
präd, pred	prädikativ	predicative
pron	Pronomen	pronoun
prov	Sprichwort	proverb
PSYCH	Psychologie	psychology
pt	erste Vergangenheit	past tense
PUBL	Verlagswesen	publishing
RADIO	Rundfunk	radio broadcasting
RAIL	Eisenbahnwesen	railway
RAUM	Raumfahrt	space flight
refl	reflexiv	reflexive
reg	regelmäßig	regular
rel	relativ	relative
REL	Religion	religion
s.	siehe	see
S.	Sache	thing
SA	südafrikanisches Englisch	South African English
sb	jd, jdn, jdm	somebody
sb's	jemandes	somebody's
SCH	Schule	school
SCHACH	Schach	chess
SCHWEIZ	schweizerisches Deutsch	Swiss German
SCI	Naturwissenschaften	natural science
SCOT	Schottisch	Scottish
sing	Einzahl	singular
SKI	Skifahren	skiing
sl	salopp, Slang	slang
SOCIOL	Soziologie	sociology
spec	fachsprachlich	specialist term
SPORT, SPORTS	Sport	sports
sth	etwas	something
STOCKEX	Börse	stock exchange

	Zeichen und Abkürzungen	Symbols and Abbreviations
SÜDD	Süddeutsch	Southern German
superl	superlativ	superlative
TECH	Technik	technology
TELEC, TELEK	Nachrichtentechnik	telecommunications
TENNIS	Tennis	tennis
THEAT	Theater	theatre
TOURIST	Tourismus	tourism
TRANSP	Transport und Verkehr	transportation
TV	Fernsehen	television
TYPO	Buchdruck	typography
UNIV	Universität	university
usu	gewöhnlich	usually
vb	Verb	verb
veraltend	veraltend	dated
veraltet	veraltet	old
VERLAG	Verlagswesen	publishing
vi	intransitives Verb	intransitive verb
vr	reflexives Verb	reflexive verb
vt	transitives Verb	transitive verb
vulg	vulgär	vulgar
ZOOL	Zoologie	zoology

A

A, a <*pl* -'s> [eɪ] *n* **1.** A *nt*, a *nt* **2.** MUS A *nt*, a *nt;* **~ flat** As *nt,* as *nt;* **~ sharp** Ais *nt,* ais *nt;* **~ major** A-Dur *nt;* **~ minor** a-Moll *nt* **3.** (*school mark*) ≈ Eins *f;* **to get [an] ~** eine Eins schreiben ▶ **from ~ to Z** von A bis Z

a |eɪ, ə|, *before vowel* **an** [æn, ᵊn] *art indef* **1.** ein(e); **this is ~ very mild cheese** dieser Käse ist sehr mild; **she's ~ teacher** sie ist Lehrerin **2.** *after neg* **not ~** kein(e); **there was not ~ person to be seen** es war niemand zu sehen **3.** (*per*) **three times ~ day** dreimal täglich

abandon [əˈbændən] I. *vt* **1.** (*leave*) verlassen; *baby* aussetzen **2.** (*leave behind*) zurücklassen; *car* stehen lassen II. *n no pl* **with ~** mit Leib und Seele

abbey [ˈæbi] *n* Abtei[kirche] *f*

abbreviation [əˌbriːviˈeɪʃᵊn] *n* Abkürzung *f*

ability [əˈbɪləti] *n* **1.** Fähigkeit *f* **2.** (*talent*) Talent *nt;* **someone of her ~** jemand mit ihrer Begabung

able [ˈeɪbl̩] *adj* **1.** <*more or better able, most or best able*> **to be ~ to do sth** etw tun können **2.** <*abler or more able, ablest or most able*> (*clever*) talentiert; *mind* fähig

aboard [əˈbɔːd] *adv, prep* (*on plane, ship*) an Bord; (*on train*) im Zug; **all ~!** (*on train, bus*) alles einsteigen!

Aborigine [ˌæbəˈrɪdʒᵊni] *n* [australischer] Ureinwohner/[australische] Ureinwohnerin, Aborigine *m;* **~s** *pl* Aborigines *pl*

abort [əˈbɔːt] *vt* **1.** *fetus* abtreiben; *pregnancy* abbrechen **2.** (*stop*) abbrechen

abortion [əˈbɔːʃᵊn] *n* Abtreibung *f*

about [əˈbaʊt] I. *prep* **1.** über +*akk;* **anxiety ~ the future** Angst *f* vor der Zukunft; **what's that book ~?** worum geht es in dem Buch? **2.** (*affecting*) gegen +*akk* **3.** *after vb* (*expressing movement*) **to wander ~ the house** im Haus herumlaufen **4.** BRIT (*fam: in the process of*) **while you're ~ it** wo Sie gerade dabei sind ▶ **how ~ sb/sth?** wie wäre es mit jdm/etw? II. *adv* **1.** (*approximately*) ungefähr; **~ eight [o'clock]** [so] gegen acht [Uhr] **2.** (*almost*) fast **3.** (*barely*) **we just ~ made it** wir haben es gerade noch [so] geschafft **4.** *esp* BRIT (*around*) herum; **there's a lot of flu ~ at the moment** im Moment geht die Grippe um; **up and ~** auf den Beinen **5.** *esp* BRIT (*in the area*) hier **6.** (*intending*) **we're just ~ to have supper** wir wollen gerade zu Abend essen ▶ **that's ~ all** [*or* **it**] das wär's

above [əˈbʌv] I. *prep* **1.** (*over*) über +*dat;* (*with movement*) über +*akk* **2.** (*greater than*) über +*akk* **3.** (*superior to*) **to be ~ criticism** über jede Kritik erhaben sein **4.** (*more importantly than*) **~ all** vor allem ▶ **that's ~ me** das ist mir zu hoch II. *adv* **1.** (*on higher level*) oberhalb **2.** (*overhead*) **from ~** von oben **3.** (*earlier in text*) oben; **see ~** siehe oben III. *adj* obige(r, s); **the ~ address** die oben genannte Adresse IV. *n* **the ~** (*thing*) das Obengenannte

abroad [əˈbrɔːd] *adv* im Ausland; **to go ~** ins Ausland fahren; **from ~** aus dem Ausland

abrupt [ə'brʌpt] *adj* abrupt

absence ['æbs³n(t)s] *n* Abwesenheit *f;* (*from school, work*) Fehlen *nt;* **in the ~ of sth** in Ermangelung einer S. *gen*

absent I. *adj* ['æbs³nt] 1. abwesend; **to be ~ from work/school** auf der Arbeit/in der Schule fehlen 2. (*distracted*) [geistes]abwesend II. *vt* [æb'sent] **to ~ oneself** sich zurückziehen

absolute [ˌæbsə'luːt] *adj* absolut

absolutely [ˌæbsə'luːtli] *adv* absolut; **you're ~ right** Sie haben vollkommen Recht; **~ no idea** überhaupt keine Ahnung

absorb [əb'zɔːb, -sɔːb] *vt* 1. (*soak up*) aufnehmen 2. **to be ~ed in sth** in etw *akk* vertieft sein

abstract I. *adj* ['æbstrækt] abstrakt II. *n* ['æbstrækt] Zusammenfassung *f*

absurd [əb'zɜːd, -'sɜːd] *adj* absurd; **don't be ~!** sei nicht albern!

abundant [ə'bʌndənt] *adj* reichlich

abuse I. *n* [ə'bjuːs] 1. (*affront*) [**verbal**] **~** Beschimpfung[en] *f[pl];* **a term of ~** ein Schimpfwort *nt* 2. *no pl* (*maltreatment*) Missbrauch *m;* **child ~** Kindesmissbrauch *m;* **mental/physical ~** psychische/körperliche Misshandlung II. *vt* [ə'bjuːz] 1. (*verbally*) beschimpfen 2. (*maltreat*) missbrauchen

abusive [ə'bjuːsɪv] *adj* (*insulting*) beleidigend

academic [ˌækə'demɪk] I. *adj* akademisch; **~ year** Studienjahr *nt* II. *n* Akademiker(in) *m(f)*

academy [ə'kædəmi] *n* 1. Akademie *f* 2. *esp* AM, SCOT [höhere] Schule

accelerate [ək'seləreɪt] *vi* 1. beschleunigen 2. (*increase*) zunehmen

accent ['æks³nt] *n* 1. LING Akzent *m* 2. (*stress*) Betonung *f*

accept [ək'sept] *vt* annehmen, akzeptieren; *award* entgegennehmen; **do you ~ credit cards?** kann man bei Ihnen mit Kreditkarte zahlen?

acceptable [ək'septəbl] *adj* akzeptabel (**to** für)

acceptance [ək'septən(t)s] *n* 1. Annahme *f; of idea* Zustimmung *f* 2. (*positive answer*) Zusage *f* 3. (*recognition*) Anerkennung *f*

access ['ækses] I. *n* Zugang *m;* (*to room, building*) Zutritt *m;* **"~ only"** BRIT „Anlieger frei" II. *vt* COMPUT *data* zugreifen auf +*akk*

accessory [ək'sesri] *n* 1. FASHION Accessoire *nt* 2. (*equipment*) Zubehör *nt*

accident ['æksɪd³nt] *n* 1. Unfall *m; train, plane* Unglück *nt;* **~ and emergency unit** Notaufnahme *f* 2. (*without intention*) **sorry, it was an ~** tut mir leid, es war keine Absicht; **by ~** aus Versehen

accidental [ˌæksɪ'dent³l] *adj* 1. (*unintentional*) unbeabsichtigt 2. (*chance*) zufällig

accommodate [ə'kɒmədeɪt] *vt* 1. (*have room for*) unterbringen 2. (*help*) entgegenkommen

accommodation [əˌkɒmə'deɪʃ³n] *n* Unterkunft *f*

accompany <-ie-> [ə'kʌmpəni] *vt* begleiten

accord [ə'kɔːd] I. *n* (*treaty*) Vereinbarung *f;* ▶ **of one's own ~** von sich aus II. *vt* gewähren

according to [ə'kɔːdɪŋ] *prep* 1. nach +*dat;* **~ the laws of physics** nach den Regeln der Physik; **did it all go ~ plan?** verlief alles nach Plan? 2. (*depending on*) entsprechend +*dat*

account [ə'kaʊnt] *n* **1.** (*description*) Bericht *m;* **by all** ~s nach allem, was man so hört **2.** (*bank service*) Konto *nt* (**with** bei) **3.** (*records*) ~s *pl* [Geschäfts]bücher *pl;* **to keep the** ~s die Buchhaltung machen **4.** *no pl* (*consideration*) **to take into** ~ berücksichtigen **5.** (*reason*) **on** ~ **of** aufgrund +*gen;* **on my/her/his** ~ meinet-/ihret-/seinetwegen

accountant [ə'kaʊntənt] *n* [Bilanz]buchhalter(in) *m(f)*

accurate ['ækjərət] *adj* genau

accusation [ˌækjʊ'zeɪʃᵊn] *n* **1.** (*charge*) Anschuldigung *f;* LAW Anklage *f* (**of** wegen); **to make an** ~ **against sb** jdn beschuldigen **2.** (*accusing*) Vorwurf *m*

accuse [ə'kju:z] *vt* **to** ~ **sb** [**of sth**] jdn [wegen einer S. *gen*] anklagen, jdn [einer S. *gen*] beschuldigen

ace [eɪs] **I.** *n* Ass *nt;* ~ **reporter** Starreporter(in) *m(f)* **II.** *adj* (*fam*) klasse

ache [eɪk] **I.** *n* Schmerz[en] *m*[*pl*]*;* ~**s and pains** Wehwehchen *pl* **II.** *vi* schmerzen; **I'm** ~**ing all over** mir tut alles weh

achievement [ə'tʃi:vmənt] *n* Leistung *f*

acid ['æsɪd] **I.** *n* **1.** CHEM Säure *f* **2.** (*sl: LSD*) Acid *nt* **II.** *adj* CHEM sauer; *stomach* übersäuert

acknowledge [ək'nɒlɪdʒ] *vt* **1.** (*admit*) zugeben **2.** (*respect*) anerkennen; **he was generally** ~**d to be an expert** er galt allgemein als Experte **3.** (*reply to*) *greeting* erwidern

acquaintance [ə'kweɪntᵊn(t)s] *n* Bekannte(r) *f(m)*

acquire [ə'kwaɪəʳ] *vt* erwerben; *habit* annehmen; *knowledge* sich *dat* aneignen

across [ə'krɒs] **I.** *prep* über +*akk o dat;* ~ **town** am anderen Ende der Stadt; ~ **the street** auf der gegenüberliegenden Straßenseite **II.** *adv* **1.** (*to other side*) hinüber; (*from other side*) herüber **2.** (*wide*) breit; *of circle* im Durchmesser

act [ækt] **I.** *n* **1.** (*deed*) Tat *f,* Handlung *f;* ~ **of aggression** Angriff *m;* ~ **of kindness** Akt *m* der Güte; ~ **of terrorism** Terrorakt *m;* **to catch sb in the** ~ jdn auf frischer Tat ertappen **2.** (*of a play*) Akt *m* **II.** *vi* **1.** (*take action*) handeln; (*proceed*) vorgehen; **to** ~ [**up**]**on sb's advice** jds Rat befolgen **2.** (*function*) fungieren **3.** (*be an actor*) Schauspieler/Schauspielerin sein **III.** *vt* spielen

action ['ækʃᵊn] *n* **1.** (*activeness*) Handeln *nt;* (*proceeding*) Vorgehen *nt;* (*measures*) Maßnahmen *pl;* **out of** ~ außer Gefecht; **to put into** ~ in die Tat umsetzen; **to take** ~ etwas unternehmen **2.** (*act*) Handlung *f* **3.** (*combat*) Einsatz *m* **4.** (*movement*) Bewegung *f* **5.** *no pl* (*function*) **out of** ~ außer Betrieb

active ['æktɪv] *adj* aktiv; *children* lebhaft

activewear ['æktɪvweəʳ] *n no pl* Activewear *f*

activity [æk'tɪvəti] *n* **1.** (*activeness*) Aktivität *f* **2.** *no pl* (*liveliness*) Lebhaftigkeit *f* **3.** *usu pl* (*pastime*) Aktivität *f*

actor ['æktəʳ] *n* Schauspieler *m*

actress <*pl* -es> ['æktrəs] *n* Schauspielerin *f*

actually ['æktʃuəli] *adv* **1.** (*in fact*) eigentlich **2.** (*really*) wirklich; **did you** ~ **say that?** hast du das tatsächlich gesagt?

acute [əˈkjuːt] *adj* **1.** (*serious*) akut; *difficulties* ernst; *pain* heftig **2.** MATH *angle* spitz

ad [æd] *n* (*fam*) *short for* **advertisement** Anzeige *f;* (*on TV*) Werbespot *m*

AD [ˌeɪˈdiː] *adj abbrev of* **Anno Domini** n. Chr.

adapt [əˈdæpt] *vt* anpassen (**to** an)

add [æd] *vt* **1.** hinzufügen **2.** MATH addieren **3.** (*contribute*) beitragen

addict [ˈædɪkt] *n* Süchtige(r) *f(m);* **drug ~** Drogenabhängige(r) *f(m);* **to become an ~** süchtig werden

addicted [əˈdɪktɪd] *adj* süchtig (**to** nach)

addiction [əˈdɪkʃən] *n no pl* Sucht *f* (**to** nach)

addition [əˈdɪʃən] *n* **1.** Zusatz *m* **2.** *no pl* (*adding*) Addition *f* **3.** (*furthermore*) **in ~** außerdem

additional [əˈdɪʃənl] *adj* zusätzlich; **~ charge** Aufpreis *m*

additive [ˈædɪtɪv] *n* Zusatz *m*

address **I.** *n* <*pl* -es> [əˈdres] **1.** Adresse *f* **2.** (*speech*) Rede *f* (**to** an) **II.** *vt* [əˈdres] **1.** (*write address*) adressieren (**to** an) **2.** (*direct*) *remark* richten (**to** an)

addressee [ˌædresˈiː] *n* Empfänger(in) *m(f)*

adequate [ˈædɪkwət] *adj* ausreichend

adhesive [ədˈhiːsɪv] **I.** *adj* haftend; **~ plaster** Heftpflaster *nt* **II.** *n no pl* Klebstoff *m*

adjust [əˈdʒʌst] **I.** *vt* **1.** (*change*) anpassen **2.** (*tailor*) umändern **II.** *vi* **to ~ to sth** sich an etw *akk* anpassen

admiration [ˌædməˈreɪʃən] *n* **1.** (*respect*) Bewunderung *f* (**for** für), Hochachtung *f geh* (**for** für)

admire [ədˈmaɪəʳ] *vt* bewundern

admirer [ədˈmaɪərəʳ] *n* **1.** (*with romantic interest*) Verehrer(in) *m(f)* **2.** (*supporter*) Anhänger(in) *m(f)*

admission [ədˈmɪʃən] *n* **1.** (*entering*) Eintritt *m;* (*acceptance*) Zutritt *m* **2.** (*price*) Eintrittspreis *m* **3.** (*acknowledgment*) Eingeständnis *nt*

admit <-tt-> [ədˈmɪt] *vt* **1.** (*acknowledge*) zugeben **2.** (*allow entrance*) hineinlassen

adolescent [ˌædəˈlesənt] **I.** *adj* jugendlich **II.** *n* Jugendliche(r) *f(m)*

adopt [əˈdɒpt] *vt* **1.** adoptieren **2.** (*put into practice*) annehmen; **to ~ a pragmatic approach** pragmatisch herangehen **3.** (*select*) auswählen

adoption [əˈdɒpʃən] *n* **1.** Adoption *f* **2.** *no pl* (*taking on*) Annahme *f*

adorable [əˈdɔːrəbl] *adj* entzückend

adore [əˈdɔːʳ] *vt* über alles lieben

adrenalin(e) [əˈdrenəlɪn] *n* Adrenalin *nt*

adrenalin junkie *n* Adrenalinjunkie *m* (*jd, der den ständigen Nervenkitzel braucht*) **adrenalin sport** *n* Adrenalinsport *m*

adult [ˈædʌlt, əˈdʌlt] **I.** *n* Erwachsene(r) *f(m)* **II.** *adj* (*grown-up*) erwachsen

advance [ədˈvɑːn(t)s] **I.** *vi* **1.** (*make progress*) Fortschritte machen **2.** (*move forward*) sich vorwärtsbewegen **II.** *vt* **1.** (*develop*) voranbringen **2.** *money* vorstrecken **III.** *n* **1.** Vorrücken *nt* **2.** (*progress*) Fortschritt *m* **IV.** *adj* **~ booking** Reservierung *f*

advanced [ədˈvɑːn(t)st] *adj* **1.** (*in skills*) fortgeschritten **2.** (*in development*) fortschrittlich

advantage [ədˈvɑːntɪdʒ] *n* Vorteil *m;* **to take ~ of sb** (*pej*) jdn ausnutzen; **to take ~ of sth** etw nutzen

adventure [əd'ventʃəʳ] *n* Abenteuer *nt*

adventurous [əd'ventʃ°rəs] *adj* abenteuerlich; (*daring*) abenteuerlustig

advertise ['ædvətaɪz] I. *vt* Werbung machen für II. *vi* werben; (*in a newspaper*) inserieren **advertisement** [əd'vɜːtɪsmənt] *n* Werbung *f*; (*in a newspaper*) Anzeige *f*; TV ~ Werbespot *m* **advertising** ['ædvətaɪzɪŋ] *n* Werbung *f*

advice [əd'vaɪs] *n* Rat[schlag] *m*; **to take legal** ~ sich juristisch beraten lassen; **to take sb's** ~ jds Rat[schlag] *m* befolgen

advise [əd'vaɪz] I. *vt* 1. beraten 2. (*inform*) informieren (**of** über) II. *vi* raten

aerial ['eərɪəl] I. *adj* ~ **photograph** Luftaufnahme *f* II. *n* Antenne *f*

aeroplane ['eərə(ʊ)pleɪn] *n* Flugzeug *nt*

aerosol ['eərəsɒl] *n* Aerosol *nt*

affair [ə'feəʳ] *n* 1. (*matter, event*) Angelegenheit *f* 2. (*scandal, relationship*) Affäre *f*

affect [ə'fekt] *vt* **to** ~ **sb/sth** sich auf jdn/etw auswirken; (*concern*) jdn/etw betreffen

affection [ə'fekʃ°n] *n no pl* Zuneigung *f* (**for** zu)

affectionate [ə'fekʃ°nət] *adj* liebevoll

afford [ə'fɔːd] *vt* sich *dat* leisten

afraid [ə'freɪd] *adj* 1. (*frightened*) verängstigt; **to [not] be** ~ [**of**] [keine] Angst haben [vor +*dat*]; **to be** ~ **that** ... befürchten, dass ... 2. (*expressing regret*) **I'm** ~ **not/so** leider nicht/ja

Africa ['æfrɪkə] *n* Afrika *nt*

African ['æfrɪkən] I. *n* Afrikaner(in) *m(f)* II. *adj* afrikanisch

after ['ɑːftəʳ] I. *prep* 1. (*later time*) nach +*dat*; [**a**] **quarter** ~ **six** AM [um] Viertel nach Sechs 2. (*in pursuit of*) **to be** ~ **sb/sth** hinter jdm/etw her sein 3. (*following*) nach +*dat*; ~ **you!** nach Ihnen! 4. (*result of*) nach +*dat*; ~ **what he did to me, ...** nach dem, was er mir angetan hat, ... 5. ~ **all** (*in spite of*) trotz II. *conj* nachdem III. *adv* danach; **shortly** ~ kurz darauf

afternoon [ˌɑːftə'nuːn] *n* Nachmittag *m*; **good** ~! guten Tag!; **this** ~ heute Nachmittag

afterwards ['ɑːftəwədz] *adv* (*later*) später; (*after something*) danach

again [ə'gen, əgeɪn] *adv* wieder; (*one more time*) noch einmal; ~ **and** ~ immer wieder; **what's her name** ~? wie ist nochmal ihr Name?

against [ə'gen(t)st] I. *prep* gegen +*akk*; ~ **one's better judgement** wider besseres Wissen II. *adv* gegen; **only 14 voted** ~ es gab nur 14 Gegenstimmen

age [eɪʤ] I. *n* 1. Alter *nt*; **he's about your** ~ er ist ungefähr so alt wie du; **to be 45 years of** ~ 45 [Jahre alt] sein; **at your** ~ in deinem Alter 2. (*era*) Zeitalter *nt*; **in this day and** ~ heutzutage 3. (*long time*) ~**s** Ewigkeiten II. *vi* 1. altern 2. FOOD reifen III. *vt* 1. FOOD reifen lassen; **wine ablagern lassen** 2. (*make look older*) älter machen

age bracket *n* Altersgruppe *f*, Altersklasse *f*

aged[1] ['eɪʤd] *adj* **a boy** ~ **12** ein zwölfjähriger Junge; **children** ~ **8 to 12** Kinder [im Alter] von 8 bis 12 Jahren

aged[2] ['eɪʤɪd] I. *adj* alt II. *n* **the** ~ *pl* die alten Menschen *pl*

age-group ['eɪʤˌgruːp] *adj attr, inv*

1. SPORTS Altersklasse *f;* **he won an ~ medal at the championship** er gewann bei den Jahrgangsmeisterschaften eine Medaille **2.** SOCIOL Alterszugehörigkeit *f*

agency ['eɪdʒ°n(t)si] *n* **1.** (*private business*) Agentur *f;* **estate/travel ~** Makler-/Reisebüro *nt* **2.** (*of government*) Behörde *f;* (*of public administration*) Dienststelle *f*

agenda [ə'dʒendə] *n* **1.** (*for a meeting*) Tagesordnung *f* **2.** (*for action*) Programm *nt;* **to have a hidden ~** geheime Pläne haben

agent ['eɪdʒ°nt] *n* **1.** (*representative*) [Stell]vertreter(in) *m(f);* (*for artists*) Agent(in) *m(f)* **2.** (*of a secret service*) Agent(in) *m(f)*

aggression [ə'greʃ°n] *n no pl* Aggression *f*

aggressive [ə'gresɪv] *adj* aggressiv

aggressor [ə'gresəʳ] *n* Angreifer(in) *m(f)*

agile ['ædʒaɪl] *adj* geschickt; **to have an ~ mind** geistig beweglich sein

ago [ə'gəʊ] *adv* **a year ~** vor einem Jahr; **[not] long ~** vor [nicht] langer Zeit; **as long ~ as 1924** schon 1924; **how long ~ was that?** wie lange ist das her?

agony ['ægəni] *n* **1.** Todesqualen *pl;* **to be in ~** große Schmerzen leiden **2.** (*fig*) **to be in an ~ of indecision/suspense** von qualvoller Unentschlossenheit/Ungewissheit geplagt werden; **oh, the ~ of defeat!** was für eine schmachvolle Niederlage!

agree [ə'griː] I. *vi* **1.** (*have same opinion*) zustimmen; **I don't ~** ich bin anderer Meinung; **to ~ with sb** mit jdm einer Meinung sein **2.** (*consent to*) zustimmen; **~d!** einverstanden! **3.** *food* **to ~ with sb** jdm [gut] bekommen **4.** (*match up*) übereinstimmen II. *vt* **to ~ sth** mit etw *dat* einverstanden sein

agreement [ə'griːmənt] *n* **1.** *no pl* (*same opinion*) Übereinstimmung *f;* **to reach an ~** zu einer Einigung kommen; **to be in ~ with sb** mit jdm übereinstimmen **2.** (*arrangement*) Vereinbarung *f*

agriculture ['ægrɪkʌltʃəʳ] *n no pl* Landwirtschaft *f*

ahead [ə'hed] *adv* **1.** (*in front*) vorn; **the road ~** die Straße vor uns; **to put sb ~** jdn nach vorne bringen **2.** (*more advanced*) **to be way ~ of sb** jdm um einiges voraus sein

aid [eɪd] I. *n* **1.** *no pl* (*assistance*) Hilfe *f;* **in ~ of** zugunsten +*gen* **2.** (*helpful tool*) [Hilfs]mittel *nt;* **hearing ~** Hörgerät *nt* II. *vt* helfen +*dat*

aim [eɪm] I. *vi* **1.** (*point*) zielen (**at** auf) **2.** (*try for a time*) **to ~ for 7.30/next week** 7.30 Uhr/nächste Woche anpeilen II. *vt* **1.** (*point*) **to ~ sth at sb/sth** mit etw *dat* auf jdn/etw zielen **2.** (*direct at*) *remark* richten (**at** an) III. *n* **1.** *no pl* (*skill*) Zielen *nt;* **her ~ is good/bad** sie kann gut/schlecht zielen **2.** (*goal*) Ziel *nt*

air [eəʳ] I. *n* **1.** *no pl* Luft *f;* **by ~** mit dem Flugzeug; **to be [up] in the ~** (*fig*) in der Schwebe sein **2.** *no pl* TV, RADIO Äther *m;* **to be taken off the ~** *programme* abgesetzt werden; *station* den Sendebetrieb einstellen; **on [the] ~** auf Sendung II. *vt* **1.** (*ventilate*) lüften; *clothes* auslüften [lassen] **2.** (*express*) äußern **3.** AM (*broadcast*) senden III. *vi* **1.** AM TV, RADIO gesendet werden 2. (*ventilate*) auslüften

air-conditioned *adj* klimatisiert **air conditioning, AC** *n no pl* 1. (*process*) Klimatisierung *f* 2. (*plant*) Klimaanlage *f;* **to have ~** mit einer Klimaanlage ausgestattet sein; **to turn the ~ down/up** die Klimaanlage schwächer/stärker einstellen **aircraft** <*pl* -> *n* Luftfahrzeug *nt* **airfield** *n* Flugplatz *m* **air force** *n* Luftwaffe *f*, Luftstreitkräfte *pl* **air hostess** *n* BRIT, AUS (*dated*) Stewardess *f* **airline** *n* Fluggesellschaft *f* **airmail** I. *n no pl* Luftpost *f* II. *vt* per Luftpost schicken **airplane** *n* AM *see* **aeroplane airport** *n* Flughafen *m* **air rage** *n* Randale *f* im Flugzeug **air terminal** *n* [Air]terminal *nt* **air ticket** *n* Flugschein *m* **airtight** *adj* luftdicht; (*fig*) hieb- und stichfest **aisle** [aɪl] *n* Gang *m; of church* Seitenschiff *nt*

alarm [əˈlɑːm] I. *n* 1. *no pl* (*worry*) Angst *f* 2. (*signal*) Alarm *m* 3. (*alarm clock*) Wecker *m* II. *vt* 1. (*worry*) beunruhigen 2. (*warn of danger*) alarmieren

album [ˈælbəm] *n* Album *nt*

alcohol [ˈælkəhɒl] *n no pl* Alkohol *m*

alcoholic [ˌælkəˈhɒlɪk] I. *n* Alkoholiker(in) *m(f)* II. *adj person* alkoholsüchtig; *drink* alkoholisch

alert [əˈlɜːt] I. *adj* 1. (*mentally*) aufgeweckt 2. (*watchful*) wachsam; (*attentive*) aufmerksam II. *n* 1. (*alarm*) Alarmsignal *nt;* **red ~** höchste Alarmstufe 2. *no pl* (*period of watchfulness*) Alarmbereitschaft *f* III. *vt* **to ~ sb to sth** 1. (*notify*) jdn auf etw *akk* aufmerksam machen 2. (*warn*) jdn vor etw *dat* warnen

alien [ˈeɪliən] I. *adj* 1. (*foreign*) ausländisch 2. (*strange*) fremd II. *n* 1. (*foreigner*) Ausländer(in) *m(f)* 2. (*from space*) Außerirdische(r) *f(m)*

alike [əˈlaɪk] I. *adj* 1. (*identical*) gleich 2. (*similar*) ähnlich II. *adv* 1. (*similarly*) gleich; **to look ~** sich *dat* ähnlich sehen 2. (*both*) gleichermaßen

alive [əˈlaɪv] *adj* 1. lebendig, lebend; **to be ~** leben, am Leben sein; **to keep sb ~** jdn am Leben erhalten 2. (*aware*) **to be ~ to sth** sich *dat* einer S. *gen* bewusst sein

all [ɔːl] I. *adj* 1. + *pl n* (*every one of*) alle; **~ her children** alle ihre Kinder; **of ~ the stupid things to do!** das ist ja wohl zu blöd!; **on ~ fours** auf allen Vieren; **~ the people** alle [Leute]; **why her, of ~ people?** warum ausgerechnet sie?; **~ the others** alle anderen 2. + *sing n* (*the whole (amount) of*) der/die/das ganze; **~ her life** ihr ganzes Leben; **~ the time** die ganze Zeit; **~ week** die ganze Woche; **for ~ her money** trotz ihres ganzen Geldes 3. + *sing n* (*every type of*) jede(r, s); **people of ~ ages** Menschen jeden Alters 4. (*the greatest possible*) all; **in ~ honesty** ganz ehrlich; **with ~ due respect, ...** bei allem Respekt, ...; **in ~ probability** aller Wahrscheinlichkeit nach; **she denied ~ knowledge of him** sie stritt ab, irgendetwas über ihn zu wissen; **beyond ~ doubt** jenseits allen Zweifels II. *pron* 1. (*every one*) alle; **we saw ~ of them** wir haben [sie] alle gesehen; **the best of ~** der Beste von allen; **~ but one of the pupils took part** bis auf einen Schüler nahmen alle teil 2. (*everything*) alles; **tell me ~ about it** erzähl mir alles darüber; **first of** ~ zuerst; **most of** ~ am meisten; **most of** ~**, I'd like to be ...** aber am liebsten wäre ich ...; ~ **in one** alles in einem; **to give one's** ~ alles geben; **and** ~ (*fam*) und all dem; **what with the fog and** ~ bei dem Nebel und so; ~ **I want is to be left alone** ich will nur in Ruhe gelassen werden; ~ **it takes is a bit of luck** man braucht nur etwas Glück; **that's** ~ **I need right now** das hat mir jetzt gerade noch gefehlt; **for** ~ **I care, ...** von mir aus ...; **for** ~ **I know, ...** soviel ich weiß ... **3.** (*for emphasis*) **at** ~ überhaupt; **nothing at** ~ überhaupt nichts; **not at** ~**, it was a pleasure** keine Ursache, es war mir ein Vergnügen ▸ **and** ~ (*sl: as well*) auch; **get one for me and** ~ bring mir auch einen; ~ **in** ~ alles in allem; ~ **told** insgesamt; ~**'s** **well that ends well** (*prov*) Ende gut, alles gut **III.** *adv* **1.** (*entirely*) ganz; **it's** ~ **about money these days** heutzutage geht es nur ums Geld; **she's been** ~ **over the world** sie war schon überall auf der Welt; ~ **along** die ganze Zeit; **to be** ~ **over** aus und vorbei sein; **to be** ~ **for doing sth** ganz dafür sein, etw zu tun; **he's** ~ **talk** er ist nur ein Schwätzer; **to be** ~ **ears** ganz Ohr sein **2.** ~ **the ...** umso ...; ~ **the better!** umso besser!; **not** ~ **that ...: he's not** ~ **that important** so wichtig ist er nun auch wieder nicht; ~ **but** fast **3.** (*for emphasis*) **now don't get** ~ **upset about it** nun reg dich doch nicht so [furchtbar] darüber auf; **that's** ~ **very well, but ...** das ist ja schön und gut, aber ...; ~ **too ...** nur zu ... **4.** SPORTS (*to both sides*) **it's three** ~ es steht drei zu drei; **15** ~ 15 beide

allegation [ælə'geɪʃ°n] *n* Behauptung *f;* **to make an** ~ **against sb** jdn beschuldigen

allege [ə'ledʒ] *vt* behaupten

alleged [ə'ledʒd] *adj* angeblich

allegedly [ə'ledʒɪdli] *adv* angeblich

allergic [ə'lɜːdʒɪk] *adj* allergisch (**to** gegen)

allergy ['ælədʒi] *n* Allergie *f* (**to** gegen)

allocate ['æləkeɪt] *vt* zuteilen

allot <-tt-> [ə'lɒt] *vt* zuteilen; *time* vorsehen

allotment [ə'lɒtmənt] *n* (*assignment*) Zuteilung *f;* (*distribution*) Verteilung *f*

allow [ə'laʊ] **I.** *vt* (*permit*) erlauben; *access* gewähren; *goal* anerkennen; ~ **me** erlauben Sie ▸ **to** ~ **sb a free hand** jdm freie Hand lassen **II.** *vi* **if time** ~**s** wenn die Zeit es zulässt

allowance [ə'laʊən(t)s] *n* **1.** (*permitted amount*) Zuteilung *f;* **entertainment** ~ Aufwandsentschädigung *f* **2.** (*for student*) Ausbildungsbeihilfe *f* **3.** *esp* AM (*pocket money*) Taschengeld *nt*

all right I. *adj* (*OK*) in Ordnung; (*approv fam: very good*) nicht schlecht *präd* **II.** *interj* **1.** (*in agreement*) o.k., in Ordnung *fam: greeting*) ~**, John?** na wie geht's, John?

almond ['ɑːmənd] *n* Mandel *f*

almost ['ɔːlməʊst] *adv* fast

alone [ə'ləʊn] *adj, adv* allein; **to leave sb** ~ jdn in Ruhe lassen

along [ə'lɒŋ] **I.** *prep* entlang; **the trees** ~ **the river** die Bäume entlang dem Fluss; ~ **the way** unterwegs **II.** *adv* **to bring** ~ mitbringen; **all** ~ die ganze Zeit; ~ **with** [zusammen] mit

alongside [ə͵lɒŋ'saɪd] **I.** *prep* neben +*dat* **II.** *adv* daneben

aloud [əˈlaʊd] *adv* laut

alphabet [ˈælfəbet] *n* Alphabet *nt*

alphabetical [ælfəˈbetɪkəl] *adj* alphabetisch

Alps [ælps] *n pl* **the ~** die Alpen

already [ɔːlˈredi] *adv* schon, bereits

also [ˈɔːlsəʊ] *adv* **1.** (*too*) auch **2.** (*furthermore*) außerdem

altar [ˈɔːltəʳ] *n* Altar *m*

alter [ˈɔːltəʳ] **I.** *vt* ändern **II.** *vi* sich ändern

alteration [ˌɔːltəˈreɪʃən] *n* Änderung *f*

alternate **I.** *vi* [ˈɔːltəneɪt] abwechseln **II.** *adj* [ɔːlˈtɜːnət] **1.** (*by turns*) abwechselnd **2.** (*alternative*) alternativ

alternative [ɔːlˈtɜːnətɪv] **I.** *n* Alternative *f* (**to** zu) **II.** *adj* alternativ; **~ date** Ausweichtermin *m*

alternatively [ɔːlˈtɜːnətɪvli] *adv* statt dessen

although [ɔːlˈðəʊ] *conj* obwohl

altitude [ˈæltɪtjuːd] *n* Höhe *f*

altogether [ɔːltəˈgeθəʳ] *adv* **1.** (*completely*) völlig **2.** (*in total*) insgesamt

always [ˈɔːlweɪz] *adv* **1.** (*at all times*) immer **2.** (*as last resort*) immer noch

am [æm, əm] *1st pers sing of* **be**

a.m. [ˌeɪˈem] *abbrev of* **ante meridiem**: **at 6 ~** um sechs Uhr morgens

amaze [əˈmeɪz] *vt* erstaunen; **to be ~d by sth** über etw *akk* verblüfft sein

amazing [əˈmeɪzɪŋ] *adj* **1.** (*very surprising*) erstaunlich **2.** (*excellent*) toll

ambassador [æmˈbæsədəʳ] *n* Botschafter(in) *m(f)* (**to** in)

ambassadress <*pl* -es> [æmˈbæsədːrəs] *n* (*dated*) **1.** (*female ambassador*) Botschafterin *f* **2.** (*wife of ambassador*) Gattin *f* eines Botschafters

ambition [æmˈbɪʃən] *n* **1.** *no pl* (*wish to succeed*) Ehrgeiz *m* **2.** (*aim*) Ambition[en] *f[pl]*

ambulance [ˈæmbjələn(t)s] *n* Krankenwagen *m*

ambush [ˈæmbʊʃ] **I.** *vt* **to be ~ed** aus dem Hinterhalt überfallen werden **II.** *n* Überfall *m* aus dem Hinterhalt

America [əˈmerɪkə] *n* Amerika *nt*

American [əˈmerɪkən] **I.** *adj* amerikanisch **II.** *n* Amerikaner(in) *m(f)*

ammunition [ˌæmjəˈnɪʃən] *n no pl* Munition *f*; **~ depot/dump** Munitionslager *nt*

amnesia [æmˈniːzɪə] *n* Amnesie *f*

among [əˈmʌŋ], **amongst** [əˈmʌŋst] *prep* BRIT **1.** (*between*) unter +*dat;* **~ friends** unter Freunden; **talk about it ~ yourselves** besprecht es mal unter euch; **they discussed it ~ themselves** sie besprachen es untereinander; **to divide up/distribute sth ~ sb/sth** etw unter jdm/etw aufteilen/verteilen **2.** (*as part of*) **~ her talents are singing and dancing** zu ihren Talenten zählen Singen und Tanzen; **[just] one ~ many** [nur] eine(r, s) von vielen **3.** (*in midst of*) zwischen +*akk o dat,* inmitten *gen;* **he fled/stood ~ the trees** er flüchtete zwischen die Bäume/stand zwischen den Bäumen; **a house ~ the hills** ein Haus in den Bergen; **to hide ~ sth** sich *akk* in etw *dat* verstecken **4.** (*in addition to*) zusätzlich zu +*dat;* **~ other things** unter anderem; **~ others** unter anderen **5.** (*according to*) **~ sb** unter jdm

amount [əˈmaʊnt] **I.** *n* Menge *f* **II.** *vi* **1.** (*add up to*) **to ~ to sth** sich auf etw *akk* belaufen **2.** (*be successful*) **he'll never ~ to much** er wird es nie zu etwas bringen

ample <-r, -st> [ˈæmpl] *adj* **1.** (*plentiful*) reichlich **2.** (*large*) groß

amuse [ə'mju:z] I. *vt* amüsieren II. *vi* unterhalten

amusing [ə'mju:zɪŋ] *adj* amüsant; **that's [not] very ~** das ist [nicht] sehr witzig

an [æn, ᵊn] *art indef* ein(e) (*unbestimmter Artikel vor Vokalen oder stimmlosem h*); *see also* **a**

analyse ['ænᵊlaɪz] *vt* analysieren

analysis <*pl* -ses> [ə'næləsɪs, *pl* -si:z] *n* **1.** Analyse *f* **2.** PSYCH [Psycho]analyse *f*; ▸ **in the final ~** letzten Endes

analyze *vt* AM *see* **analyse**

ancestor ['ænsestəʳ] *n* Vorfahr[e](in) *m(f)*

anchor ['æŋkəʳ] I. *n* Anker *m* II. *vt* verankern III. *vi* ankern

ancient ['eɪn(t)ʃᵊnt] *adj* alt; (*fam: very old*) uralt; **~ Rome** das antike Rom

and [ænd, ənd] *conj* und; **four hundred ~ twelve** vierhundert[und]zwölf; **more ~ more** immer mehr; **~ so on** und so weiter

angel ['eɪndʒᵊl] *n* Engel *m*

anger ['æŋgəʳ] I. *n no pl* Ärger *m* (**at** über); (*fury*) Wut *f* (**at** auf) II. *vt* ärgern; (*more violently*) wütend machen

angle ['æŋgl] *n* **1.** Winkel *m;* **at an ~ of 20°** in einem Winkel von 20° **2.** (*perspective*) Blickwinkel *m*

Anglican ['æŋglɪkən] I. *adj* anglikanisch II. *n* Anglikaner(in) *m(f)*

angry ['æŋgri] *adj* (*annoyed*) verärgert; (*stronger*) zornig

animal ['ænɪmᵊl] *n* Tier *nt*

ankle ['æŋkl] *n* [Fuß]knöchel *m*

anniversary [ænɪ'vɜ:sᵊri] *n* Jahrestag *m;* **~ party** Jubiläumsparty *f*

announce [ə'naʊn(t)s] *vt* bekannt geben; *result* verkünden

announcement [ə'naʊn(t)smənt] *n* Bekanntmachung *f*; (*on train, at airport*) Durchsage *f*; (*on radio*) Ansage *f*; **to make an ~ about sth** etw mitteilen

announcer [ə'naʊn(t)səʳ] *n* [Radio-/Fernseh]sprecher(in) *m(f)*

annoy [ə'nɔɪ] *vt* ärgern

annoying [ə'nɔɪɪŋ] *adj* ärgerlich

annual ['ænjuəl] *adj* jährlich; **~ income** Jahreseinkommen *nt*

anonymous [ə'nɒnɪməs] *adj* anonym

another [ə'nʌðəʳ] I. *adj* **1.** (*one more*) noch eine(r, s) **2.** (*similar to*) ein zweiter/zweites/eine zweite; **the Gulf War could have been ~ Vietnam** der Golfkrieg hätte ein zweites Vietnam sein können **3.** (*not the same*) ein anderer/anderes/eine andere; **that's ~ story** das ist eine andere Geschichte II. *pron no pl* **1.** (*different one*) ein anderer/eine andere/ein anderes; **one way or ~** irgendwie **2.** (*additional one*) noch eine(r, s); **one piece after ~** ein Stück nach dem anderen **3.** (*each other*) **one ~** einander

ansafone®, ansaphone® ['ɑ:n(t)səfəʊn] *n* BRIT Anrufbeantworter *m*

answer ['ɑ:n(t)səʳ] I. *n* **1.** Antwort *f* (**to** auf); **there was no ~** (*telephone*) es ist keiner rangegangen **2.** MATH Ergebnis *nt;* **~ to a problem** Lösung *f* eines Problems II. *vt* beantworten; *door* öffnen; **to ~ the telephone** ans Telefon gehen; **to ~ sb** jdm antworten III. *vi* antworten; **nobody ~ed** (*telephone*) es ist keiner rangegangen

answerphone ['ɑ:n(t)səfəʊn] *n* BRIT Anrufbeantworter *m*

ant [ænt] *n* Ameise *f*

Antarctic [æn'tɑ:ktɪk] I. *n* **the ~** die

Antarktis **II.** *adj* antarktisch; **~ expedition** Antarktisexpedition *f;* **~ Ocean** südliches Eismeer

antenna [æn'tenə] *n* **1.** <*pl* -nae> *of an insect* Fühler *m* **2.** <*pl* -s> (*aerial*) Antenne *f*

antibiotic [-baɪ'ɔtɪk] **I.** *n* Antibiotikum *nt* **II.** *adj* antibiotisch **anti-carcinogenic** [ˌæntɪˌkɑːsɪnə(ʊ)'dʒenɪk] *adj* krebshemmend

anticipation [ænˌtɪsɪ'peɪʃ°n] *n* Erwartung *f*

anticlockwise *adv* BRIT, AUS gegen den Uhrzeigersinn

antidote ['æntɪdəʊt] *n* Gegenmittel *nt*

antique [æn'tiːk] **I.** *n* Antiquität *f;* **~ dealer** Antiquitätenhändler(in) *m(f)* **II.** *adj* antik

antiquity [æn'tɪkwəti] *n* **1.** *no pl* (*ancient times*) Altertum *nt* **2. antiquities** *pl* Altertümer

antisocial *adj* unsozial

antisocial behaviour *n* Erregung *f* öffentlichen Ärgernisses; **~ order** gerichtliche Verfügung wegen Erregung öffentlichen Ärgernisses

anti-spam *adj* COMPUT anti-Spam-

anxiety [æŋ'zaɪəti] *n no pl* Sorge *f,* Angst *f*

anxious ['æŋ(k)ʃəs] *adj* **1.** (*concerned*) besorgt **2.** (*eager*) bestrebt; **to be ~ for sth** ungeduldig auf etw *akk* warten

any [eni, əni] **I.** *adj* **1.** (*in questions, conditional*) [irgend]ein(e); **do you have ~ brothers and sisters?** haben Sie Geschwister?; **if it's of ~ help** [at all] wenn das irgendwie hilft **2.** (*with negative*) **I haven't** [got] **~ money** ich habe kein Geld **3.** (*every*) jede(r, s); **~ time** jederzeit **4.** (*with pl n*) irgendwelche; **~ number** beliebig vie-

le; **~ old** jede(r, s) x-beliebige **II.** *pron* **1.** (*one of many*) eine(r, s); **do you have ~** [at all]? haben Sie [überhaupt] welche? **2.** (*some of a quantity*) welche(r, s); **hardly ~** kaum etwas **3.** (*with negative*) **I haven't seen ~ of his films** ich habe keinen seiner Filme gesehen; **don't you have ~ at all?** haben Sie denn überhaupt keine? **4.** (*each*) jede(r, s); **~ of the cars** jedes der Autos **5.** (*replacing pl n*) irgendwelche; **~ will do** egal welche **III.** *adv* **1.** (*at all*) überhaupt; **if I have to stay here ~ longer, ...** wenn ich noch länger hierbleiben muss, ...; **are you feeling ~ better?** fühlst du dich [denn] etwas besser? **2.** (*expressing termination*) **not ~ longer/more** nicht mehr

anybody ['eniˌbɒdi] *pron* **1.** (*each person*) jede(r, s) **2.** (*someone*) jemand; **~ else for coffee?** möchte noch jemand Kaffee? **3.** (*no one*) **not ~** niemand **4.** (*unimportant person*) **he's not just ~** er ist nicht irgendwer **anyhow** ['enihaʊ] *adv* **1.** (*in any case*) sowieso **2.** (*in a disorderly way*) irgendwie **anyone** ['eniwʌn] *pron see* **anybody anything** ['eniθɪŋ] *pron* **1.** (*each thing*) alles **2.** (*something*) **is there ~ I can do to help?** kann ich irgendwie helfen?; (*in shop*) **~ else?** darf es noch was sein?; **does it look ~ like an eagle?** sieht das einem Adler irgendwie ähnlich? **3.** (*nothing*) **not ~** nichts ▶ **not for ~** [in the world] um nichts in der Welt **anyway** ['eniweɪ], AM *a.* **anyways** ['eniweɪz] *adv* (*fam*) **1.** (*in any case*) sowieso; **what's he doing there ~?** was macht er dort überhaupt? **2.** (*well*) jedenfalls; **~!** na ja!

A

anywhere ['eni(h)weə^r] *adv* **1.** (*in any place*) überall; ~ **else** irgendwo anders **2.** (*some place*) irgendwo; **I'm not getting** ~ ich komme einfach nicht weiter

apart [ə'pɑːt] *adv* **1.** (*not together*) auseinander; **to live** ~ getrennt leben **2.** *after n* (*to one side*) **joking** ~ Spaß beiseite **3.** (*except for*) ~ **from** abgesehen von

apartment [ə'pɑːtmənt] *n* Wohnung *f*

ape [eɪp] **I.** *n* [Menschen]affe *m;* ▶ **to go** ~ (*sl*) ausflippen **II.** *vt* nachahmen

apologize [ə'pɒlədʒaɪz] *vi* sich entschuldigen (**to** bei)

apology [ə'pɒlədʒi] *n* Entschuldigung *f;* **to make an** ~ um Entschuldigung bitten; **you owe him an** ~ du musst dich bei ihm entschuldigen; **please accept our apologies** wir bitten vielmals um Entschuldigung

appal <-ll->, AM *usu* **appall** [ə'pɔːl] *vt* entsetzen; **to be ~led by sth** über etw *akk* entsetzt sein

appalling [ə'pɔːlɪŋ] *adj* entsetzlich

apparatus [ˌæp^ər'eɪtəs] *n* **1.** *no pl* (*equipment*) [**piece of**] ~ Gerät *nt* **2.** (*system*) Apparat *m*

apparent [ə'pær^ənt] *adj* offensichtlich; **for no** ~ **reason** aus keinem ersichtlichen Grund

apparently [ə'pær^əntli] *adv* (*evidently*) offensichtlich; (*it seems*) anscheinend

appeal [ə'piːl] **I.** *vi* (*attract*) **to** ~ **to sb/sth** jdn/etw reizen; (*aim to please*) jdn/etw ansprechen **II.** *n* **1.** (*attraction*) Reiz *m* **2.** (*protest formally*) Einspruch einlegen (**against** gegen); **court of** ~ Berufungsgericht *nt* **3.** (*request*) Appell *m;* ~ **for donations** Spendenaufruf *m*

appealing [ə'piːlɪŋ] *adj* attraktiv

appear [ə'pɪə^r] *vi* **1.** (*become visible*) erscheinen **2.** (*seem*) scheinen; **to** ~ [**to be**] **calm** ruhig erscheinen; **so it ~s** sieht ganz so aus

appearance [ə'pɪər^ən(t)s] *n* **1.** (*instance of appearing*) Erscheinen *nt;* (*on TV, theatre*) Auftritt *m;* **to make an** ~ auftreten **2.** *no pl* (*looks*) Aussehen *nt* **3.** (*outward aspect*) ~**s** *pl* äußerer [An]schein ▶ **to all** ~**s** AM allem Anschein nach

appendicitis [əˌpendɪ'saɪtɪs] *n* Blinddarmentzündung *f*

appendix [ə'pendɪks, *pl* -dɪsiːz] *n* **1.** <*pl* -es> (*body part*) Blinddarm *m* **2.** <*pl* -dices *or* -es> (*in book*) Anhang *m*

appetite ['æpɪtaɪt] *n* Appetit *m*

applaud [ə'plɔːd] **I.** *vi* Beifall klatschen **II.** *vt* **to** ~ **sb** jdm applaudieren

applause [ə'plɔːz] *n no pl* [**a round of**] ~ Applaus *m;* **loud** ~ tosender Beifall

apple ['æpl] *n* Apfel *m*

apple juice *n* Apfelsaft *m* **apple sauce** *n no pl* Apfelmus *nt*

appliance [ə'plaɪən(t)s] *n* Gerät *nt*

applicant ['æplɪkənt] *n* Bewerber(in) *m(f)* (**for** für)

application [ˌæplɪ'keɪʃ^ən] *n* **1.** *for a job* Bewerbung *f* (**for** um); *for a permit* Antrag *m* (**for** auf) **2.** *no pl* (*process of requesting*) Anfordern *nt;* **on** ~ auf Anfrage

apply <-ie-> [ə'plaɪ] **I.** *vi* **1.** (*formally request*) **to** ~ [**to sb**] [**for sth**] (*for a job*) sich [bei jdm] [um etw *akk*] bewerben **2.** (*pertain*) gelten; **to** ~ **to** betreffen **II.** *vt* **1.** (*put on*) anwenden (**to** auf) **2.** (*use*) **to** ~ **the brakes** bremsen; **to** ~ **common sense** sich des gesunden Menschenverstands bedienen

appointment [ə'pɔɪntmənt] *n* **1.** *no pl* (*being selected*) Ernennung *f* (**as** zu) **2.** (*official meeting*) Verabredung *f;* **dental ~** Zahnarzttermin *m;* **by ~ only** nur nach Absprache

appointment book *n* Terminbuch *nt*

appreciate [ə'pri:ʃɪeɪt] **I.** *vt* **1.** (*value*) schätzen; **I'd ~ it if ...** könnten Sie ... **2.** (*understand*) Verständnis haben für; **to ~ that ...** verstehen, dass ... **II.** *vi* **to ~ in value** im Wert steigen

appreciative [ə'pri:ʃɪətɪv] *adj* **1.** (*grateful*) dankbar (**of** für) **2.** (*showing appreciation*) anerkennend

apprehensive [ˌæprɪ'hen(t)sɪv] *adj* besorgt

apprentice [ə'prentɪs] **I.** *n* Auszubildende(r) *f(m);* **~ carpenter** Tischlerlehrling *m* **II.** *vt* **to be ~d to sb** bei jdm in die Lehre gehen

approach [ə'prəʊtʃ] **I.** *vt* **1.** (*come closer*) **to ~ sb/sth** sich jdm/etw nähern; **it's ~ing lunchtime** es geht auf Mittag zu **2.** (*ask*) **to ~ sb** jdn ansprechen (**about** auf) **II.** *vi* sich nähern **III.** *n* **1.** (*coming*) Nähern *nt;* **at the ~ of winter ...** wenn der Winter naht, ... **2.** (*preparation to land*) [Lande]anflug *m* **3.** (*appeal*) Herantreten *nt;* **to make an ~ to sb** an jdn herantreten **4.** (*proposal*) Vorstoß *m;* **to make an ~ to sb** sich an jdn wenden

appropriate [ə'prəʊprɪət] *adj* **1.** (*suitable*) angemessen, passend **2.** (*relevant*) entsprechend

approval [ə'pru:vᵊl] *n* **1.** (*praise*) Anerkennung *f* **2.** (*consent*) Zustimmung *f*

approve [ə'pru:v] **I.** *vi* **1.** (*agree with*) **to ~ of sth** etw *dat* zustimmen **2.** (*like*) **to ~/not ~ of sb** etwas/

nichts von jdm halten **II.** *vt* (*permit*) genehmigen; (*consent*) billigen

approximate *adj* [ə'prɒksɪmət] ungefähr; **the ~ cost will be about $600** die Kosten belaufen sich auf ca. 600 Dollar; **~ number** [An]näherungswert *m*

approximately [ə'prɒksɪmətli] *adv* ungefähr

apricot ['eɪprɪkɒt] *n* Aprikose *f*, Marille *f* ÖSTERR

April ['eɪprᵊl] *n* April *m; see also* **February**

apron ['eɪprən] *n* Schürze *f*

apt [æpt] *adj* **1.** (*appropriate*) passend; *remark* treffend **2.** (*likely*) **to be ~ to do sth** dazu neigen, etw zu tun

aquarium <*pl* -s *or* -ria> [ə'kweərɪəm, *pl* -rɪə] *n* Aquarium *nt*

Aquarius [ə'kweərɪəs] *n* Wassermann *m*

aquatic [ə'kwætɪk] *adj* aquatisch; **~ plant** Wasserpflanze *f*

Arab ['ærəb] *n* Araber(in) *m(f)*

Arabian [ə'reɪbɪən] *adj* arabisch

Arabic ['ærəbɪk] **I.** *n* Arabisch *nt* **II.** *adj* arabisch

arcade [ɑ:'keɪd] *n* Arkade *f;* [shopping] **~** [Einkaufs]Passage *f*

arch¹ [ɑ:tʃ] **I.** *n* Bogen *m; ~* **of the foot** Fußgewölbe *nt* **II.** *vi* sich wölben

arch² [ɑ:tʃ] *adj* verschmitzt

archaeologist [ˌɑ:ki'ɒlədʒɪst] *n* Archäologe, Archäologin *m, f*

archaeology [ˌɑ:ki'ɒlədʒi] *n* Archäologie *f*

architect ['ɑ:kɪtekt] *n* Architekt(in) *m(f)*

architecture ['ɑ:kɪtektʃəʳ] *n* Architektur *f*

Arctic ['ɑ:ktɪk] *n* **the ~** die Arktis

Arctic Circle *n* nördlicher Polarkreis

are [ɑːʳ] *see* **be**

area ['eərɪə] *n* **1.** (*region*) Gebiet *nt;* ~ **of the brain** Hirnregion *f* **2.** (*surface measure*) Fläche *f;* ~ **of a circle** Kreisfläche *f* **3.** (*approximately*) **in the** ~ **of ...** ungefähr ...

area code *n* AM, AUS (*dialling code*) Vorwahl *f*

arena [əˈriːnə] *n* Arena *f*

argue ['ɑːgjuː] *vi* **1.** (*disagree*) [sich] streiten **2.** (*reason*) argumentieren; **to** ~ **against/for sth** sich gegen/für etw *akk* aussprechen

argument ['ɑːgjəmənt] *n* **1.** Auseinandersetzung *f* **2.** (*case*) Argument *nt*

arid ['ærɪd] *adj* dürr; ~ **climate** Trockenklima *nt*

Aries ['eəriːz] *n* ASTROL Widder *m*

arise <arose, arisen> [əˈraɪz] *vi* sich ergeben; **should the need** ~, **...** sollte es notwendig werden, ...

arisen [əˈrɪzᵊn] *pp of* **arise**

aristocracy [ˌærɪˈstɒkrəsi] *n* + *sing/pl vb* Aristokratie *f*

aristocrat ['ærɪstəkræt] *n* Aristokrat(in) *m(f)*

arithmetic I. *n* [əˈrɪθmətɪk] Arithmetik *f* II. *adj* [ˌærɪθˈmetɪk] arithmetisch

ark [ɑːk] *n* (*boat*) Arche *f;* **Noah's** ~ die Arche Noah

arm[1] [ɑːm] *n* ANAT, GEOG Arm *m;* **on one's** ~ am Arm ► **to cost an** ~ **and a leg** Unsummen kosten

arm[2] [ɑːm] I. *vt* **1.** (*supply with weapons*) bewaffnen; **to** ~ **oneself** (*fig*) sich wappnen **2.** (*prime*) *bomb* scharfmachen II. *n* ~**s** *pl* Waffen *pl;* **under** ~**s** kampfbereit

armchair *n* Sessel *m*

armed [ɑːmd] *adj* bewaffnet

armour, AM **armor** ['ɑːməʳ] *n no pl*

1. HIST Rüstung *f;* **suit of** ~ Panzerkleid *nt* **2.** (*tanks*) Panzerfahrzeuge *pl;* ~ **plate** Panzerplatte *f*

armoured ['ɑːməd] *adj* gepanzert; ~ **car** Panzer[späh]wagen *m*

armpit *n* Achselhöhle *f*

army ['ɑːmi] *n* Armee *f;* **the** ~ das Heer; **in the** ~ beim Militär

aroma [əˈrəʊmə] *n* Duft *m*

aromatherapy [ərəʊməˈθerəpi] *n* Aromatherapie *f*

aromatic [ˌærə(ʊ)ˈmætɪk] *adj* aromatisch

arose [əˈrəʊz] *pt of* **arise**

around [əˈraʊnd] I. *adv* **1.** (*round*) herum; **to get** ~ **to doing sth** endlich dazu kommen, etw zu tun; **to show sb** ~ jdn herumführen **2.** (*round about*) rundum; **to [have a] look** ~ sich umsehen **3.** (*in different directions*) umher; **to wave one's arms** ~ mit den Armen [herum]fuchteln; **to get** ~ herumkommen **4.** (*nearby*) in der Nähe; **will you be** ~ **next week?** bist du nächste Woche da? ► **see you** ~ bis demnächst mal II. *prep* **1.** um +*akk;* **all** ~ **the house** um das ganze Haus herum; **from all** ~ **the world** aus aller Welt; **to stand** ~ herumstehen **2.** (*approximately*) ungefähr; ~ **12:15** um ungefähr 12.15 Uhr

arouse [əˈraʊz] *vt* **1.** (*stir*) erwecken **2.** (*sexually excite*) erregen

arrange [əˈreɪndʒ] I. *vt* **1.** (*organize*) arrangieren; *date* vereinbaren **2.** (*put in order*) ordnen II. *vi* festlegen; **to** ~ **to do sth** etw vereinbaren; **to** ~ **for sb to do/have sth** etw für jdn organisieren

arrangement [əˈreɪndʒmənt] *n* **1.** (*preparations*) ~**s** *pl* Vorbereitungen *pl*

2. (*agreement*) Abmachung *f;* **to come to an ~** zu einer Übereinkunft kommen **3.** (*ordering, a. music*) Arrangement *nt;* **an ~ of dried flowers** ein Gesteck *nt* von Trockenblumen

arrest [ə'rest] **I.** *vt* verhaften **II.** *n* Verhaftung *f*

arrival [ə'raɪvəl] *n* **1.** (*at a destination*) Ankunft *f* **2.** (*person*) Ankommende(r) *f(m);* **new ~** Baby *nt*

arrive [ə'raɪv] *vi bus etc.* ankommen; *baby, mail, season* kommen; **to ~ at a town** in einer Stadt eintreffen

arrogance ['ærəgən(t)s] *n* Arroganz *f*

arrogant ['ærəgənt] *adj* arrogant

arrow ['ærəʊ] *n* Pfeil *m*

arse [ɑːs] BRIT, AUS **I.** *n* (*vulg*) Arsch *m;* ▶ **move your ~!** beweg dich! **II.** *vi* (*vulg*) **to ~ about** herumblödeln

arson ['ɑːsən] *n* Brandstiftung *f*

art [ɑːt] *n* Kunst *f;* **~s and crafts** Kunsthandwerk *nt;* **the ~s** *pl* die Kunst

artery ['ɑːtəri] *n* **1.** ANAT Arterie *f* **2.** TRANSP Hauptverkehrsader *f*

arthritis [ɑː'θraɪtɪs] *n* Gelenkentzündung *f*

artichoke ['ɑːtɪtʃəʊk] *n* Artischocke *f*

article ['ɑːtɪkl] *n* **1.** Artikel *m;* **~ of value** Wertgegenstand *m* **2.** LAW Paragraph *m*

articulate **I.** *adj* [ɑː'tɪkjələt] **1.** *person* redegewandt **2.** *speech* verständlich **II.** *vt* [ɑː'tɪkjʊleɪt] **1.** (*express*) aussprechen **2.** (*pronounce*) artikulieren

artificial [ˌɑːtɪ'fɪʃəl] *adj* künstlich; **~ colour[ing]** Farbstoff *m;* **~ flavouring** Geschmacksverstärker *m*

artist ['ɑːtɪst] *n* Künstler(in) *m(f)*

artistic [ɑː'tɪstɪk] *adj* künstlerisch

artwork *n no pl* Illustrationen *pl*

as [æz, əz] **I.** *conj* **1.** (*while*) während

2. (*in the way that, like*) wie; **do ~ I say!** mach, was ich sage!; **~ it happens** rein zufällig; **~ if** als ob; **~ if!** wohl kaum! **3.** (*because*) weil ▶ **~ for ...** was ... betrifft; **~ to ...** was ... angeht **II.** *prep* als; **~ a child** als Kind; **speaking ~ a mother, ...** als Mutter ...; **the news came ~ no surprise** die Nachricht war keine Überraschung; **dressed ~ a banana** als Banane verkleidet **III.** *adv* **1.** (*in comparisons*) wie; [just] **~ ... ~ ...** [genau]so ... wie ...; **if you play ~ well ~ that, ...** wenn du so gut spielst, ... **2.** (*indicating an extreme*) **~ tall ~ 8 ft** bis zu 8 Fuß hoch; **~ little ~** nur

asbestos [æs'bestɒs] *n* Asbest *m*

ASBO, asbo ['æzbəʊ] *n acr for* **antisocial behaviour order** gerichtliche Verfügung wegen Erregung öffentlichen Ärgernisses

ascend [ə'send] **I.** *vt* hinaufsteigen **II.** *vi* aufsteigen; **Christ ~ed into heaven** Christus ist in den Himmel aufgefahren

ascent [ə'sent] *n* **1.** (*upward movement*) Aufstieg *m* **2.** (*slope*) Anstieg *m*

ash[1] [æʃ] *n* Asche *f;* **~es** *pl* Asche *f kein pl;* **to reduce to ~es** völlig niederbrennen

ash[2] [æʃ] *n* (*tree*) Esche *f*

ashamed [ə'ʃeɪmd] *adj* **to be ~** [of sb/sth] sich [für jdn/etw] schämen; **to be ~ of oneself** sich schämen

ashore [ə'ʃɔːr] *adv* an Land

ashtray *n* Aschenbecher *m*

Asia ['eɪʃə] *n* Asien *nt*

Asian ['eɪʃən] **I.** *n* Asiate, Asiatin *m, f* **II.** *adj* asiatisch

aside [ə'saɪd] **I.** *adv* zur Seite; **to take**

sb ~ jdn beiseitenehmen; **to leave sth** ~ etw [weg]lassen; **to put** ~ **some money** etwas Geld beiseitelegen **II.** *n* Nebenbemerkung *f*

ask [ɑːsk] **I.** *vt* **1.** fragen; **to** ~ **a question** eine Frage stellen **2.** (*request*) *favour* bitten [um]; **she ~ed me for help** sie bat mich, ihr zu helfen **3.** (*demand a price*) verlangen; **how much are they ~ing for the car?** was wollen sie für das Auto haben? **4.** (*expect*) **that's ~ing a lot!** Sie verlangen eine ganze Menge! **II.** *vi* **1.** (*request information*) fragen; **you may well** ~ gute Frage; **to** ~ **about sb** nach jdm fragen **2.** (*request*) bitten **3.** (*wish*) **to** ~ **for sth** sich *dat* etw wünschen **4.** (*fig: take a risk*) **to be ~ing for sth** etw geradezu herausfordern

asking ['ɑːskɪŋ] *n* **it's yours for the** ~ du kannst es gerne haben

asleep [e'sliːp] *adj* **to be** ~ schlafen; **to fall** ~ einschlafen

asparagus [ə'spærəgəs] *n* Spargel *m*

aspirin ['æspᵊrɪn] *n* Aspirin *nt*

ass <*pl* -es> [æs] *n* Esel *m*

assault [ə'sɔːlt] **I.** *n* Angriff *m* (**on** auf) **II.** *vt* angreifen

assemble [ə'sembl] **I.** *vi* sich versammeln **II.** *vt* zusammenbauen

assembly [ə'sembli] *n* **1.** (*gathering*) Versammlung *f* **2.** TECH Montage *f*; ~ **line** Fließband *nt*

assent [ə'sent] *n* Zustimmung *f*

assertive [ə'sɜːtɪv] *adj* **to be** ~ Durchsetzungsvermögen zeigen

assess [ə'ses] *vt* **1.** (*evaluate*) einschätzen **2.** (*tax*) **to be ~ed** *person* steuerlich geschätzt werden

assessment [ə'sesmənt] *n* **1.** *of damage* Schätzung *f* **2.** *of tax* Veranla-

gung *f* **3.** SCH, UNIV Einstufung *f*

asset ['æset] *n* **1.** (*good quality*) Pluspunkt *m* **2.** (*valuable person*) Bereicherung *f*; (*useful thing*) Vorteil *m* **3.** COMM ~**s** *pl* Vermögenswerte *pl*

assignment [ə'saɪnmənt] *n* Aufgabe *f*

assist [ə'sɪst] *vt, vi* helfen (**with** bei)

assistance [ə'sɪstᵊn(t)s] *n* Hilfe *f*

assistant [ə'sɪstᵊnt] **I.** *n* Assistent(in) *m(f)*; (*in shop*) Verkäufer(in) *m(f)* **II.** *adj manager* stellvertretend

association [ə.səʊʃi'eɪʃᵊn] *n* **1.** (*organization*) Vereinigung *f* **2.** *no pl* (*involvement*) Verbundenheit *f*; **in** ~ **with** in Verbindung mit **3.** (*mental connection*) Assoziation *f*

assorted [ə'sɔːtɪd] *adj* gemischt

assortment [ə'sɔːtmənt] *n* Sortiment *nt*

assume [ə'sjuːm] *vt* **1.** (*regard as true*) annehmen **2.** (*adopt*) annehmen **3.** (*take on*) **to** ~ **office** sein Amt antreten

assumption [ə'sʌm(p)ʃᵊn] *n* Annahme *f*; **on the** ~ **that ...** wenn man davon ausgeht, dass ...

assurance [ə'ʃʊərᵊn(t)s] *n* **1.** (*self-confidence*) Selbstsicherheit *f* **2.** (*promise*) Zusicherung *f*

assure [ə'ʃʊəʳ] *vt* **1.** (*confirm certainty*) zusichern; **to** ~ **oneself of sth** sich *dat* etw sichern **2.** (*promise*) **to** ~ **sb of sth** jdm etw zusichern

asthma ['æsθmə] *n* Asthma *nt*

asthmatic [æsθ'mætɪk] **I.** *n* Asthmatiker(in) *m(f)* **II.** *adj* asthmatisch

astonish [ə'stɒnɪʃ] *vt* erstaunen

astonishing [ə'stɒnɪʃɪŋ] *adj* erstaunlich

astonishment [ə'stɒnɪʃmənt] *n* Erstaunen *nt*; **to stare in** ~ verblüfft starren

astrology [ə'strɒlədʒi] *n* Astrologie *f*

astronaut ['æstrənɔːt] *n* Astronaut(in) *m(f)*

astronomer [ə'strɒnəməʳ] *n* Astronom(in) *m(f)*

astronomy [ə'strɒnəmi] *n* Astronomie *f*

asylum [ə'saɪləm] *n* Asyl *nt;* ~ **seeker** Asylbewerber(in) *m(f)*

at [æt, ət] *prep* **1.** (*in location of*) an +*dat;* ~ **the baker's** beim Bäcker; ~ **home** zu Hause; ~ **the museum** im Museum; **the man** ~ **number twelve** der Mann in Nummer zwölf; ~ **work** bei der Arbeit **2.** (*during time of*) ~ **the election** bei der Wahl; ~ **Christmas** an Weihnachten; ~ **the weekend** am Wochenende; ~ **10:00** um 10:00 Uhr; ~ **the moment** im Moment; ~ **this stage** bei diesem Stand; ~ **a/the time** zu diesem Zeitpunkt; ~ **the same time** (*simultaneously*) zur gleichen Zeit **3.** (*to amount of*) ~ **a distance of 50 metres** auf eine Entfernung von 50 Metern; ~ **50 kilometres per hour** mit 50 km/h; ~ **a rough guess** grob geschätzt **4.** (*in state of*) ~ **play** beim Spielen; ~ **war** im Krieg; ~ **his happiest** am glücklichsten **5.** *after adj* (*in reaction to*) über +*akk;* ~ **the thought of** bei dem Gedanken an +*akk* **6.** (*in response to*) ~ **that** daraufhin **7.** (*in ability to*) bei +*dat;* **good** ~ **maths** gut in Mathematik **8.** *after vb* (*repeatedly do*) an +*dat;* **to be** ~ **sth** mit etw *dat* beschäftigt sein ▶ ~ **all** überhaupt; **not** ~ **all** (*polite response*) gern geschehen; (*definitely not*) keineswegs; ~ **that** noch dazu

ate [et, eɪt] *pt of* eat

atheist ['eɪθiɪst] **I.** *n* Atheist(in) *m(f)* **II.** *adj* atheistisch

athlete ['æθliːt] *n* Athlet(in) *m(f)*

athletic [æθ'letɪk] *adj* athletisch, sportlich; ~ **club** Sportclub *m;* ~ **shorts** kurze Sporthose

Atlantic [ət'læntɪk] *n* **the** ~ [Ocean] der Atlantik

atlas <*pl* -es> ['ætləs] *n* Atlas *m*

atmosphere ['ætməsfɪəʳ] *n* Atmosphäre *f a. fig*

atrocious [ə'trəʊʃəs] *adj* grässlich; *weather, food* scheußlich

attach [ə'tætʃ] **I.** *vt* **1.** (*fix*) befestigen (**to** an) **2.** (*connect*) verbinden (**to** mit) **3.** (*send as enclosure*) **to** ~ **sth** [**to sth**] etw [etw *dat*] beilegen **4.** (*assign*) **to be** ~**ed to sth** etw *dat* zugeteilt sein **5.** (*associate*) *conditions* knüpfen (**to** an) **II.** *vi* **no blame** ~**es to you** dich trifft keine Schuld

attachment [ə'tætʃmənt] *n* **1.** (*fondness*) Sympathie *f* **2.** *no pl* (*assignment*) **he is on** ~ **to the War Office** er ist dem Kriegsministerium unterstellt **3.** COMPUT Anhang *m*

attack [ə'tæk] **I.** *n* **1.** (*assault*) Angriff *m* (**on** auf) **2.** (*bout*) Anfall *m* **II.** *vt* angreifen; *criminal* überfallen **III.** *vi* angreifen

attempt [ə'tem(p)t] **I.** *n* Versuch *m;* **make an** ~ versuchen **II.** *vt* versuchen

attend [ə'tend] **I.** *vt* **1.** (*be present at*) besuchen; **to** ~ **a funeral/wedding** zu einer Beerdigung/Hochzeit gehen **2.** (*care for*) [ärztlich] behandeln **II.** *vi* (*be present*) teilnehmen

attendance [ə'tendᵊn(t)s] *n* **1.** (*being present*) Anwesenheit *f* **2.** (*number of people present*) Besucherzahl *f*

attendant [ə'tendᵊnt] *n* Aufseher(in)

m(f); (in swimming pool) Bademeister(in) *m(f);* **flight ~** Flugbegleiter(in) *m(f);* **museum ~** Museumswärter(in) *m(f)*

attention [ə'ten(t)ʃⁿn] *n* **1.** *(notice)* Aufmerksamkeit *m;* **~!** Achtung!; **may I have your ~, please?** dürfte ich um Ihre Aufmerksamkeit bitten?; **to pay ~ to sb** jdm Aufmerksamkeit schenken **2.** *(care)* Pflege *f* **3.** *(in letters)* **for the ~ of** zu Händen von

attic ['ætɪk] *n* Dachboden *m;* **in the ~** auf dem Dachboden

attitude ['ætɪtjuːd] *n* Haltung *f;* **to take the ~ that ...** die Meinung vertreten, dass ...

attorney [ə'tɜːrni] *n* AM Anwalt, Anwältin *m, f*

attract [ə'trækt] *vt* anziehen

attraction [ə'trækʃⁿn] *n* **1.** *no pl* PHYS Anziehungskraft *f* **2.** *no pl* *(between people)* Anziehung *f;* **she felt an ~ to him** sie fühlte sich zu ihm hingezogen **3.** *(entertainment)* Attraktion *f*

attractive [ə'træktɪv] *adj* attraktiv

auction ['ɔːkʃⁿn] **I.** *n* Auktion *f,* Versteigerung *f;* **to put sth up for ~** etw zur Versteigerung anbieten; **to be sold at ~** versteigert werden **II.** *vt* **to ~ [off]** versteigern

audible ['ɔːdəbl] *adj* hörbar

audience ['ɔːdiən(t)s] *n* + *sing/pl vb* Publikum *nt;* THEAT *a.* Besucher *pl;* TV Zuschauer *pl*

auditorium <*pl* -s *or* -ria> [ˌɔːdɪ'tɔːriəm, *pl* -riə] *n* THEAT Zuschauerraum *m*

August ['ɔːgəst] *n* August *m; see also* **February**

aunt [ɑːnt] *n* Tante *f*

Australia [ɒs'treɪliə] *n* Australien *nt*

Australian [ɒs'treɪliən] **I.** *n* Australier(in) *m(f)* **II.** *adj* australisch

Austria ['ɒstriə] *n* Österreich *nt*

Austrian ['ɒstriən] **I.** *n* **1.** *(person)* Österreicher(in) *m(f)* **2.** *(dialect)* Österreichisch *nt* **II.** *adj* österreichisch

authentic [ɔː'θentɪk] *adj* authentisch

author ['ɔːθəʳ] *n* Schriftsteller(in) *m(f)*

authoress <*pl* -es> ['ɔːθəʳres] *n* Autorin *f*

authority [ɔː'θɒrəti] *n* **1.** *no pl (right of control)* Autorität *f;* **in ~** verantwortlich **2.** *no pl (permission)* Befugnis *f;* **to have the ~ to do sth** befugt/bevollmächtigt sein, etw zu tun **3.** *(expert)* **an ~ on microbiology** eine Autorität auf dem Gebiet der Mikrobiologie **4.** *(organization)* Behörde *f;* **the authorities** *pl* die Behörden *pl*

authorization [ˌɔːθəʳraɪ'zeɪʃⁿn] *n* Genehmigung *f*

authorize ['ɔːθəʳraɪz] *vt* genehmigen; **to ~ sb** jdn bevollmächtigen

autobiography [ˌɔːtəbaɪ'ɒgrəfi] *n* Autobiografie *f*

autograph ['ɔːtəgrɑːf] *n* Autogramm *nt*

automatic [ˌɔːtə'mætɪk] *adj* automatisch; **~ rifle** Selbstladegewehr *nt;* **~ washing machine** Waschautomat *m*

autumn ['ɔːtəm] *n* Herbst *m;* **in [the] ~** im Herbst; **~ term** Wintersemester *nt*

autumnal [ɔː'tʌmnəl] *adj* herbstlich; **~ colours** Herbstfarben *pl*

available [ə'veɪləbl] *adj* **1.** *(free for use)* verfügbar; **to make ~** zur Verfügung stellen **2.** ECON erhältlich; *(in stock)* lieferbar

avalanche ['ævⁿlɑːn(t)ʃ] *n* Lawine *f*

avenue ['ævənjuː] *n* Avenue *f*

average ['ævⁿrɪdʒ] **I.** *n* Durchschnitt *m;* **on ~** im Durchschnitt; **[to be]**

|well| **above/below** ~ |weit| über/
unter dem Durchschnitt |liegen|
II. *adj* durchschnittlich; ~ **income**
Durchschnittseinkommen *nt;* ~ **person** Otto Normalverbraucher *m*
III. *vt* im Durchschnitt betragen; **to**
~ **40 hours a week** durchschnittlich
40 Stunden pro Woche arbeiten

avian flu |'eɪviən-| *n* Vogelgrippe *f*

aviation |ˌeɪvi'eɪʃᵊn| *n* Luftfahrt *f;* ~
industry Flugzeugindustrie *f*

avocado <*pl* -s *or* -es> |ˌævə'kɑːdəʊ|
n Avocado *f*

avoid |ə'vɔɪd| *vt* vermeiden

await |ə'weɪt| *vt* erwarten; **long ~ed**
lang ersehnt

awake |ə'weɪk| **I.** *vi* <awoke *or* AM *a.*
awaked, awoken *or* AM *a.* awaked>
aufwachen, erwachen **II.** *vt* <awoke
or AM *a.* awaked, awoken *or* AM *a.*
awaked> **1.** |auf|wecken **2.** (*fig: re-
kindle*) wieder erwecken **III.** *adj*
wach; **wide** ~ hellwach

award |ə'wɔːd| **I.** *vt damages* zuspre-
chen; *grant* gewähren **II.** *n* Auszeichnung *f*

aware |ə'weəʳ| *adj* **1.** (*knowing*) **to be**
~ **of sth** sich *dat* einer S. *gen* bewusst
sein; **not that I'm** ~ **of** nicht, dass ich
wüsste **2.** (*physically sensing*) **to be**
~ **of sb/sth** jdn/etw |be|merken

away |ə'weɪ| **I.** *adv* **1.** weg; **to be** ~ **on**
business geschäftlich unterwegs
sein; **five miles** ~ |**from here**| fünf
Meilen |von hier| entfernt; ~ **from**
each other voneinander entfernt
2. (*all the time*) **we danced the**
night ~ wir tanzten die ganze Nacht
durch; **to be laughing** ~ ständig am
Lachen sein **II.** *adj* SPORTS auswärts;
~ **game** Auswärtsspiel *nt;* ~ **team**
Gastmannschaft *f*

awesome |'ɔːsəm| *adj* **1.** (*impressive*)
beeindruckend **2.** AM (*sl: very good*)
spitze

awful |'ɔːfᵊl| *adj* **1.** furchtbar; **what an**
~ **thing to say!** das war aber gemein
von dir! **2.** (*great*) außerordentlich;
an ~ **lot** eine riesige Menge

awfully |'ɔːfᵊli| *adv* furchtbar; **not** ~
good nicht besonders gut

awkward |'ɔːkwəd| *adj* **1.** (*difficult*)
schwierig **2.** (*embarrassing*) peinlich;
to feel ~ sich unbehaglich fühlen

awoke |ə'wəʊk| *pt of* **awake**

awoken |ə'wəʊkᵊn| *pp of* **awake**

axe, AM **ax** |æks| *n* Axt *f*

axle |'æksl| *n* Achse *f*

B

B <*pl* -'s>, **b** <*pl* -'s> |biː| *n* **1.** B *nt*, b
nt; see also **A** 1 **2.** MUS H *nt*, h *nt;* ~
flat B *nt*, b *nt;* ~ **sharp** His *nt*, his *nt*
3. (*school mark*) ≈ Zwei *f*, ≈ gut

b¹ *n* AM *abbrev of* **billion** Mrd.

b² *n abbrev of* **born** geb.

b³ *n* COMPUT *abbrev of* **bit** b, bt

baby |'beɪbi| **I.** *n* Baby *nt;* **to have a** ~
ein Baby bekommen; **the** ~ **of the**
family das Nesthäkchen **II.** *adj* klein;
~ **carrots** Babymöhren *pl;* ~ **food**
Babynahrung *f*

baby carriage *n* AM Kinderwagen *m*

bachelor |'bætʃᵊləʳ| *n* Junggeselle *m*

back |bæk| **I.** *n* **1.** (*of body*) Rücken
m; ~ **to** ~ Rücken an Rücken
2. (*not front*) *of building, page* Rückseite *f; of car* Heck *nt; of chair* Lehne
f; (*seat|s| in car*) Rücksitz|e| *m|pl|*

3. FBALL Verteidiger(in) *m(f);* ▶ **at the ~ of one's mind** im Hinterkopf **II.** *adj* **1.** <backmost> (*rear*) **~ door** Hintertür *f;* **~ pocket** Gesäßtasche *f* **2.** (*of body*) **~ pain** Rückenschmerzen *pl* **III.** *adv* **1.** (*to previous place*) [wieder] zurück; **I'll be ~** ich komme wieder **2.** (*to past*) **as far ~ as I can remember** so weit ich zurückdenken kann **IV.** *vt* **1.** (*support*) unterstützen; **to ~ a horse** auf ein Pferd setzen **2.** (*drive*) **she ~ed the car into the garage** sie fuhr rückwärts in die Garage **V.** *vi* car zurücksetzen ◆ **back away** *vi* **to ~ away from sb/sth** vor jdm/etw zurückweichen ◆ **back down** *vi* nachgeben ◆ **back onto** *vi* **to ~ onto sth** hinten an etw *akk* [an]grenzen ◆ **back out** *vi* einen Rückzieher machen *fam;* **to ~ out from a contract** von einem Vertrag zurücktreten, aus einem Vertrag aussteigen *fam* ◆ **back up** *vt* **1.** (*support*) unterstützen; (*confirm*) bestätigen **2.** COMPUT *data, files* sichern **3.** (*reverse*) *car, lorry* zurücksetzen

background ['bækgraʊnd] *n* **1.** Hintergrund *m;* **~ noise** Geräuschkulisse *f* **2.** SOCIOL Herkunft *f* **3.** **with a ~ in ...** mit Erfahrung in ...

backing ['bækɪŋ] *n* Unterstützung *f*

backpack I. *n* Rucksack *m* **II.** *vi* mit dem Rucksack reisen **backpacker** *n* Rucksackreisende(r) *f(m)* **backside** *n* (*fam*) Hintern *m*

backup ['bækʌp] **I.** *n* **1.** (*support*) Unterstützung *f*, Hilfe *f* **2.** COMPUT Sicherung *f*, Backup *nt* **II.** *n modifier* **1.** (*emergency*) **~ plan** Notplan, m **2.** COMPUT **~ file** Sicherungskopie *f;* **~ server** Ausweichserver *m*

backward ['bækwəd] **I.** *adj* **1.** (*facing*

rear) rückwärts gewandt; **a ~ step** ein Schritt nach hinten **2.** (*slow in learning*) zurückgeblieben **II.** *adv see* **backwards**

backwards ['bækwədz] *adv* **1.** (*towards the back*) nach hinten; **to walk ~ and forwards** hin- und hergehen **2.** (*into past*) zurück

backyard *n* **1.** BRIT (*courtyard*) Hinterhof *m* **2.** AM (*back garden*) Garten *m* hinter dem Haus

bacon ['beɪkᵊn] *n* [Schinken]speck *m;* **~ and eggs** Eier *pl* mit Speck

bacteria [bæk'tɪəriə] *n pl of see* **bacterium** Bakterien *pl*

bad <worse, worst> [bæd] *adj* schlecht; *dream* böse; *smell* übel; *cold* schlimm; **~ at maths** schlecht in Mathe; **~ luck** Pech *nt;* **too ~** zu schade

badge [bædʒ] *n* Abzeichen *nt;* **police ~** Polizeimarke *f*

badger ['bædʒəʳ] *n* Dachs *m*

badly <worse, worst> ['bædli] *adv* schlecht; **~ hurt** schwer verletzt

badminton ['bædmɪntən] *n* Badminton *nt,* Federball *m*

bag [bæg] **I.** *n* **1.** Tasche *f;* (*sack*) Sack *m;* **plastic ~** Plastiktüte *f;* (*handbag*) Handtasche *f;* (*travelling bag*) Reisetasche *f* **2.** (*skin*) **to have ~s under one's eyes** Ringe unter den Augen haben **3.** BRIT, AUS (*fam*) **~s of ...** jede Menge ... **II.** *vt* <-gg-> eintüten

baggage ['bægɪdʒ] *n no pl* Gepäck *nt;* **excess ~** Übergepäck *nt*

baggage car *n* AM, AUS Gepäckwagen *m* **baggage check** *n* Gepäckkontrolle *f* **baggage claim** *n* Gepäckausgabe *f*

bagpipes *n pl* Dudelsack *m*

bail [beɪl] **I.** *n* Kaution *f;* **to grant ~** die Freilassung gegen Kaution gewähren;

to stand ~ for sb für jdn [die] Kaution stellen II. *vt* to ~ sb jdn gegen Kaution freilassen

bait [beɪt] *n* Köder *m a. fig;* **to take the ~** anbeißen

bake [beɪk] I. *vi* 1. (*cook*) backen 2. (*fam*) it's baking outside draußen ist es wie im Backofen II. *vt* [im Ofen] backen

baker ['beɪkəʳ] *n* Bäcker(in) *m(f)*

bakery ['beɪkᵊri] *n* Bäckerei *f*

baking ['beɪkɪŋ] *n no pl* Backen *nt*

balance ['bælən(t)s] I. *n* 1. *no pl* Gleichgewicht *nt a. fig* 2. FIN Kontostand *m;* ~ of trade Handelsbilanz *f* II. *vt* 1. (*compare*) abwägen 2. (*keep steady*) balancieren III. *vi* 1. (*a. fig: keep steady*) das Gleichgewicht halten 2. FIN ausgeglichen sein

balcony ['bælkəni] *n* Balkon *m*

bald [bɔːld] *adj* glatzköpfig; to go ~ eine Glatze bekommen

bale [beɪl] I. *n* Ballen *m* II. *vt* bündeln

ball [bɔːl] *n* 1. Ball *m* 2. (*ball-shaped*) of wool Knäuel *m o nt;* of dough Kugel *f;* to crush paper into a ~ Papier zusammenknüllen 3. (*dance*) Ball *m*

ballet ['bæleɪ] *n no pl* Ballett *nt*

balloon [bə'luːn] I. *n* Ballon *m* II. *vi* to ~ out sich aufblähen

ballot ['bælət] I. *n* (*election*) Geheimwahl *f;* second ~ zweiter Wahlgang *f* II. *vi* abstimmen III. *vt* abstimmen lassen (on über)

ballroom *n* Ballsaal *m*

bamboo [bæm'buː] *n* Bambus *m*

ban [bæn] I. *n* Verbot *nt;* ~ on smoking Rauchverbot *nt* II. *vt* <-nn-> to ~ sth etw verbieten; to ~ sb jdn ausschließen

banana [bə'nɑːnə] *n* Banane *f*

band [bænd] *n* 1. of metal, cloth Band

nt 2. (*range*) Bereich *m;* age ~ Altersgruppe *f* 3. MUS Band *f*

bandage ['bændɪdʒ] I. *n* Verband *m* II. *vt* limb bandagieren; wound verbinden

bandit ['bændɪt] *n* Bandit(in) *m(f)*

bang [bæŋ] I. *n* 1. (*loud sound*) Knall *m* 2. (*blow*) Schlag *m* 3. *pl* AM ~s (*fringe*) [kurzer] Pony II. *adv* (*precisely*) genau; ~ in the middle of the road mitten auf der Straße III. *interj* ~! Peng! IV. *vi* door knallen V. *vt* (*hit*) zuschlagen; to ~ the phone down den Hörer auf die Gabel knallen

bank¹ [bæŋk] I. *n* 1. of a river Ufer *nt* 2. ~ of fog Nebelbank *f* II. *vi* AVIAT in die Querlage gehen

bank² [bæŋk] I. *n* FIN Bank *f;* to break the ~ die Bank sprengen II. *vi* to ~ with sb bei jdm ein Konto haben

bank balance *n* Kontostand *m*

bank code *n* BRIT Bankleitzahl *f*

bank holiday *n* 1. BRIT öffentlicher Feiertag 2. AM Bankfeiertag *m*

banking ['bæŋkɪŋ] *n* Bankwesen *nt;* to be in ~ bei einer Bank arbeiten

banknote *n* Banknote *f*

banner ['bænəʳ] *n* 1. (*sign*) Transparent *nt* 2. (*flag*) Banner *nt*

bar [bɑːʳ] I. *n* 1. (*long rigid object*) Stange *f* 2. (*in shape of bar*) of chocolate Riegel *m* 3. (*obstacle*) Hemmnis *nt* 4. (*for drinking*) Lokal *nt,* Bar *f,* Theke *f* II. *vt* <-rr-> 1. (*fasten*) verriegeln 2. (*obstruct*) blockieren

barbecue ['bɑːbɪkjuː] I. *n* Grillparty *f* II. *vt* grillen

barbed [bɑːbd] *adj* 1. hook, arrow mit Widerhaken 2. (*fig: hurtful*) bissig

barber ['bɑːbəʳ] *n* [Herren]friseur *m*

bare [beəʳ] I. *adj* 1. (*unclothed*) nackt;

in ~ **feet** barfuß **2.** (*uncovered*) *branch* kahl **3.** (*empty*) leer **4.** (*basic*) **the ~ essentials** das Allernotwendigste **II.** *vt* entblößen; **to ~ one's soul to sb** jdm sein Herz ausschütten

barefoot, barefooted *adj, adv* barfuß

barely ['beəli] *adv* **1.** (*hardly*) kaum **2.** (*scantily*) karg

bargain ['bɑːgɪn] **I.** *n* **1.** (*agreement*) Handel *m* **2.** (*good buy*) guter Kauf; **a real ~** ein echtes Schnäppchen; **~ counter** Sonderangebotstisch *m* **II.** *vi* (*negotiate*) [ver]handeln; (*haggle*) feilschen (**for** um)

bargain price *n* Sonderpreis *m*

barge [bɑːdʒ] **I.** *n* Lastkahn *m* **II.** *vi* **to ~ into sb** jdn anrempeln

barhopping *n no pl esp* AM Kneipentour *f*

bark¹ [bɑːk] *n no pl* (*part of tree*) [Baum]rinde *f*

bark² [bɑːk] **I.** *n* (*animal cry*) Bellen *nt* **II.** *vi* bellen

barley ['bɑːli] *n no pl* Gerste *f*

barmaid *n* Bardame *f* **barman** *n* Barmann *m*

barn [bɑːn] *n* Scheune *f*

barrel ['bærəl] *n* **1.** (*container*) Fass *nt* **2.** (*measure*) Barrel *nt* **3.** *of a gun* Lauf *m*

barrier ['bæriər] *n* Barriere *f*; (*manmade*) Absperrung *f*

barring ['bɑːrɪŋ] *prep* ausgenommen; **~ any unexpected delays** wenn es keine unerwarteten Verspätungen gibt

barrister ['bærɪstər] *n* BRIT, AUS Rechtsanwalt, -anwältin *m, f*

base¹ [beɪs] **I.** *n* **1.** (*bottom*) Fuß *m*; *of spine* Basis *f* **2.** (*main location*) Hauptsitz *m* **3.** (*main ingredient*)

Hauptbestandteil *m* **4.** CHEM Base *f* **II.** *vt* **to be ~d on sth** auf etw *dat* basieren

base² *adj* **1.** (*immoral*) niederträchtig **2.** (*menial*) niedrig

baseball *n* Baseball *m o nt*

basement ['beɪsmənt] *n* (*living area*) Untergeschoss *nt*; (*cellar*) Keller *m*; **~ flat** Souterrainwohnung *f*

bash [bæʃ] **I.** *n* <*pl* -es> **1.** (*blow*) [heftiger] Schlag **2.** BRIT (*sl*) Versuch *m* **II.** *vi* **to ~ into sth** zusammenstoßen mit etw *dat* **III.** *vt* (*fam*) **to ~ sb** jdn verhauen

basic ['beɪsɪk] *adj* **1.** (*fundamental*) grundlegend; **~ vocabulary** Grundwortschatz *m*; **the ~s** *pl* die Grundlagen *pl* **2.** (*very simple*) [sehr] einfach

basically ['beɪsɪkᵊli] *adv* im Grunde

basin ['beɪsᵊn] *n* Schüssel *f*; (*washbasin*) Waschbecken *nt*

basis <*pl* bases> ['beɪsɪs] *n* Basis *f*; **to be the ~ for sth** als Grundlage für etw *akk* dienen; **on a regular ~** regelmäßig

basket ['bɑːskɪt] *n* Korb *m*

basketball *n* Basketball *m*

bat¹ [bæt] *n* (*animal*) Fledermaus *f*; ▶ [as] **blind as a ~** blind wie ein Maulwurf

bat² [bæt] *vt* **to ~ one's eyelashes** mit den Wimpern klimpern; **to not ~ an eyelid** (*fig*) nicht mal mit der Wimper zucken

bat³ [bæt] **I.** *n* SPORTS Schläger *m*; ▶ [right] **off the ~** AM prompt **II.** *vi, vt* <-tt-> SPORTS schlagen

bath [bɑːθ] **I.** *n* **1.** (*tub*) [Bade]wanne *f* **2.** (*water*) Bad[ewasser] *nt*; **to run** [sb] **a ~** [jdm] ein Bad einlassen **3.** (*washing*) Bad *nt*; **to give sb a ~**

jdn baden; **to have a ~** ein Bad nehmen **II.** *vi, vt* [sich] baden
bathe [beɪð] **I.** *vi* **1.** BRIT (*swim*) schwimmen **2.** AM (*bath*) ein Bad nehmen **II.** *vt* MED baden; **to ~ one's eyes** ein Augenbad machen **III.** *n no pl* Bad *nt*
bathing ['beɪðɪŋ] *n no pl* Baden *nt;* **to go ~** baden gehen
bathing cap *n* Bademütze *f* **bathing costume** *n* BRIT, AUS (*dated*), AM **bathing suit** *n* Badeanzug *m* **bathing trunks** *n pl* Badehose *f*
bathrobe *n* Bademantel *m* **bathroom** *n* Bad[ezimmer] *nt;* **to go to the ~** AM, AUS auf die Toilette gehen
batsman *n* Schlagmann *m*
batter[1] ['bætər] FOOD **I.** *n* [Back]teig *m* **II.** *vt* panieren
batter[2] ['bætər] **I.** *n* SPORTS Schlagmann *m* **II.** *vt* **to ~ sb** jdn verprügeln **III.** *vi* schlagen
battery ['bætᵊri] *n* Batterie *f*
battery-operated, battery-powered *adj* batteriebetrieben
battle ['bætl] **I.** *n* Kampf *m;* **in ~** im Kampf; **~ of wills** Machtkampf *m;* ▶ **to fight a losing ~** auf verlorenem Posten kämpfen **II.** *vi* kämpfen *a. fig*
battlefield *n*, **battleground** *n* **1.** Schlachtfeld *nt* **2.** (*fig*) Reizthema *nt* **battleship** *n* Schlachtschiff *nt*
be <was, been> [biː, bi] *vi + n/adj* **1.** (*describes*) sein; **what is that?** was ist das?; **she's a doctor** sie ist Ärztin; **to ~ from a country** aus einem Land kommen **2.** (*calculation*) **two and two is four** zwei und zwei ist vier; **these books are 50p each** diese Bücher kosten jeweils 50p **3.** (*timing*) **to ~ late** zu spät kommen **4.** (*location*) sein; *town, country* lie-

gen; **the keys are in that box** die Schlüssel befinden sich in der Schachtel **5.** (*take place*) stattfinden; **the meeting is next Tuesday** die Konferenz findet am nächsten Montag statt **6.** (*expresses future*) **we are [going] to visit Australia in the spring** im Frühling reisen wir nach Australien; (*in conditionals*) **if I were you, I'd ...** an deiner Stelle würde ich ... **7.** (*impersonal use*) **is it true that ...?** stimmt es, dass ...? **8.** (*expresses imperatives*) **~ quiet or I'll ...!** sei still oder ich ...! **9.** (*expresses continuation*) **while I'm eating** während ich beim Essen bin; **it's raining** es regnet **10.** (*expresses passive*) **to ~ asked** gefragt werden ▶ **so ~ it** so sei es; **far ~ it from me to ...** nichts liegt mir ferner, als ...
beach [biːtʃ] *n* <*pl* -es> Strand *m;* **on the ~** am Strand
bead [biːd] *n* **1.** Perle *f* **2.** REL **~s** *pl* Rosenkranz *m*
beak [biːk] *n* Schnabel *m*
beam [biːm] **I.** *n* **1.** (*light*) [Licht]strahl *m;* **full ~** Fernlicht *nt* **2.** (*timber*) Balken *m* **II.** *vi* strahlen; **to ~ at sb** jdn anstrahlen
bean [biːn] *n* Bohne *f;* **baked ~s** Bohnen *pl* in Tomatensoße, Baked Beans *pl* ▶ **full of ~s** putzmunter
bear[1] [beər] *n* (*animal*) Bär *m*
bear[2] <bore, borne> [beər] **I.** *vt* **1.** (*carry*) tragen; *gifts* mitbringen **2.** (*endure*) ertragen; **to not be able to ~ the suspense** die Spannung nicht aushalten **3.** (*keep*) **I'll ~ that in mind** ich werde das berücksichtigen **4.** (*give birth to*) gebären; **his wife bore him a son** seine Frau schenkte ihm einen Sohn **II.** *vi* (*tend*)

B

to ~ **right** sich rechts halten

beard [bɪəd] n Bart m

bearing ['beə'ɪŋ] n **1.** NAUT Peilung f; ~**s** pl (position) Lage f kein pl; **to get one's ~s** (fig) sich zurechtfinden **2.** no pl (deportment) Benehmen nt **3.** (relevance) **to have no ~ on sth** für etw akk belanglos sein

beat [biːt] **I.** n **1.** (throb) Schlag m **2.** no pl (act) Schlagen nt **3.** no pl MUS Takt m **4.** usu sing (police patrol) Runde f **II.** vt <beat, beaten> **1.** (hit) schlagen; **to ~ sth** gegen/auf etw akk schlagen; **carpet** [aus]klopfen **2.** FOOD schlagen **3.** (defeat) besiegen; **to ~ sb to sth** jdm bei etw dat zuvorkommen ► ~ **it!** hau ab! **III.** vi <beat, beaten> (throb,) schlagen; heart a. klopfen ◆ **beat up** vt verprügeln

beaten ['biːtⁿn] adj geschlagen

beautiful ['bjuːtɪfᵊl] adj schön

beauty ['bjuːti] n **1.** no pl Schönheit f **2.** no pl (attraction) **the ~ of our plan ...** das Schöne an unserem Plan ... ► ~ **is in the eye of the** **beholder** (prov) über Geschmack lässt sich [bekanntlich] streiten

beaver ['biːvə'] **I.** n Biber m **II.** vi (fam) **to ~ away** schuften

became [bɪ'keɪm] pt of **become**

because [bɪ'kɒz] **I.** conj **1.** weil, da; **that's ~ ...** es liegt daran, dass ... **2.** (fam: for) denn ► **just** ~! [einfach] nur so! **II.** prep ~ **of** wegen +gen

beckon ['bekⁿn] vi winken a. fig

become <became, become> [bɪ-'kʌm] **I.** vi werden; **this species almost became extinct** diese Art wäre fast ausgestorben; **what became of ...?** was ist aus ... geworden?; **to ~**

interested in sb/sth anfangen, sich für jdn/etw zu interessieren **II.** vt werden; **she wants to ~ an actress** sie will Schauspielerin werden

bed [bed] n **1.** (furniture) Bett nt; **to get out of ~** aufstehen; **to go to ~** zu [o ins] Bett gehen; **to put sb to ~** jdn ins Bett bringen **2.** (flower patch) Beet nt

bed and breakfast n Übernachtung f mit Frühstück; ~ **place** Frühstückspension f

bedclothes n pl Bettzeug nt kein pl

bedding ['bedɪŋ] **I.** n no pl **1.** (bedclothes) Bettzeug nt; (straw for animals) [Ein]streu f **2.** GEOL Schichtung f, Lagerung f **II.** adj attr, inv ~ **plant** Beetpflanze f, Freilandpflanze f

bedside table n Nachttisch m **bedsitting room**, fam **bedsitter** n esp BRIT (small flat) Einzimmerapartement nt; (room) Wohnschlafzimmer nt **bedtime** n Schlafenszeit f; **it's ~** Zeit fürs Bett!; **it's long past your ~** du solltest schon längst im Bett sein

bee [biː] n Biene f; ► **to have a ~ in one's** **bonnet** einen Tick haben; **to be a** **busy** ~ fleißig wie eine Biene sein

beech [biːtʃ] n Buche f

beef [biːf] n Rindfleisch nt; **minced** [or AM **ground**] ~ Rinderhack[fleisch] nt

bee-keeper n Imker(in) m(f)

been [biːn] pp of **be**

beer [bɪər] n Bier nt

beetle ['biːtl] n Käfer m

beetroot ['biːtruːt] n BRIT Rote Bete

before [bɪ'fɔː'] **I.** prep **1.** (earlier) vor +dat; ~ **long** in Kürze **2.** (in front of) vor +dat; (with movement) vor +akk; **the letter K comes ~ L** der Buchstabe K kommt vor dem L **II.** *conj* **1.** (*at previous time*) bevor; **just ~ ...** kurz bevor ... **2.** (*rather than*) ehe **3.** (*until*) bis; **not ~** erst wenn **III.** *adv* (*earlier*) zuvor, vorher; **have you been to Cologne ~?** waren Sie schon einmal in Köln? **IV.** *adj after n* zuvor; **the day ~, it had rained** tags zuvor hatte es geregnet

beforehand [bɪˈfɔːhænd] *adv* vorher

beg <-gg-> [beg] **I.** *vt* bitten; **I ~ your pardon** entschuldigen Sie bitte **II.** *vi* **1.** (*seek charity*) betteln (**for** um) **2.** (*request*) **to ~ of sb** jdn anflehen

began [bɪˈgæn] *pt of* **begin**

beggar [ˈbegəʳ] **I.** *n* **1.** (*poor person*) Bettler(in) *m(f)* **2.** + *adj esp* BRIT **little ~** kleiner Schlingel *m* **II.** *vt* ▸ **to ~ belief** [einfach] unglaublich sein

begin <-nn-, began, begun> [bɪˈgɪn] *vt, vi* anfangen, beginnen; **to ~ school** in die Schule kommen; **to ~ work** mit der Arbeit beginnen; **she was ~ning to get angry** sie wurde allmählich wütend; **I'll ~ by welcoming our guests** zuerst werde ich unsere Gäste begrüßen; **to ~ again** neu anfangen

beginner [bɪˈgɪnəʳ] *n* Anfänger(in) *m(f)*

beginning [bɪˈgɪnɪŋ] *n* **1.** (*starting point*) Anfang *m;* (*in time*) Beginn *m;* **at the ~** am Anfang **2.** (*origin*) **~s** *pl* Anfänge *pl*

begun [bɪˈgʌn] *pp of* **begin**

behalf [bɪˈhɑːf] *n no pl* **on ~ of sb** (*speaking for*) im Namen einer Person; (*as authorized by*) im Auftrag von jdm

behave [bɪˈheɪv] **I.** *vi people* sich verhalten; **to ~ badly/well** sich schlecht/gut benehmen **II.** *vt* **to ~**

oneself sich [anständig] benehmen

behaviour, AM **behavior** [bɪˈheɪvjəʳ] *n of a person* Benehmen *nt,* Verhalten *nt;* **to be on one's best ~** sich von seiner besten Seite zeigen

behind [bɪˈhaɪnd] **I.** *prep* hinter +*dat;* (*with movement*) hinter +*akk;* **~ the wheel** hinterm Lenkrad **II.** *adv* hinten; **to walk ~** [**sb**] hinter [jdm] hergehen **III.** *adj* **1.** (*in arrears*) im Rückstand **2.** (*slow*) **to be** [**a long way**] **~** [weit] zurück sein

being [ˈbiːɪŋ] **I.** *n* **1.** (*creature*) Wesen *nt* **2.** (*existence*) Dasein *nt* **II.** *adj* **for the time ~** vorerst

Belgian [ˈbeldʒən] **I.** *n* Belgier(in) *m(f)* **II.** *adj* belgisch

Belgium [ˈbeldʒəm] *n* Belgien *nt*

belief [bɪˈliːf] *n* **1.** (*faith*) Glaube *m kein pl* (**in** an); **to be beyond ~** [einfach] unglaublich sein **2.** (*view*) Überzeugung *f;* **it is my firm ~ that ...** ich bin der festen Überzeugung, dass ...

believe [bɪˈliːv] **I.** *vt* **1.** (*presume true*) glauben; **~** [**you**] **me!** du kannst mir glauben!; **~ it or not** ob du es glaubst oder nicht **2.** (*pretend*) **to make ~** [**that**] **...** (*pretend*) so tun, als ob ... **II.** *vi* **1.** (*be certain of*) glauben (**in** an) **2.** (*have confidence*) **to ~ in sb** auf jdn vertrauen **3.** (*think*) glauben

bell [bel] *n* **1.** (*for ringing*) Glocke *f* **2.** (*signal*) Läuten *nt kein pl,* Klingeln *nt kein pl* ▸ [**as**] **clear as a ~** (*pure*) glasklar; **sth rings a ~** [**with sb**] etw kommt jdm bekannt vor

bellboy *n* [Hotel]page *m*

belly [ˈbeli] *n* (*fam*) Bauch *m*

belong [bɪˈlɒŋ] *vi* **1.** gehören; **who does this ~ to?** wem gehört das? **2.** (*should be*) **he ~s in jail** er gehört ins Gefängnis; **you don't ~ here** Sie haben hier nichts zu suchen

belongings [bɪˈlɒŋɪŋz] *n pl* Hab und Gut *nt kein pl*

below [bɪˈləʊ] **I.** *adv* **1.** (*lower*) unten **2.** (*on page*) unten; **see ~** siehe unten **II.** *prep* unter +*dat*; (*with movement*) unter +*akk*; **~ average** unter dem Durchschnitt

belt [belt] **I.** *n* **1.** (*for waist*) Gürtel *m* **2.** (*conveyor*) Band *nt* **3.** (*area*) **green ~** Grüngürtel *m*; ▸ **to tighten one's ~** den Gürtel enger schnallen **II.** *vt* (*fam: hit*) hauen

bench <*pl* -es> [bentʃ] *n* **1.** Bank *f* **2.** BRIT POL die Regierungsbank; **the opposition ~es** die Oppositionsbank

bend [bend] **I.** *n* (*in a road*) Kurve *f*; (*in a pipe*) Krümmung *f* **II.** *vi* <bent, bent> **1.** (*turn*) *road* biegen; **to ~ forwards** sich vorbeugen **2.** (*be flexible*) sich biegen; *tree* sich neigen **III.** *vt* verbiegen ◆ **bend down** *vi* sich niederbeugen

beneath [bɪˈniːθ] **I.** *prep* unter +*dat*; (*with movement*) unter +*akk*; **to be ~ sb** (*lower rank than*) unter jdm stehen; **~ contempt** verachtenswert **II.** *adv* unten

bent [bent] **I.** *pt, pp of* **bend II.** *n* (*inclination*) Neigung *f*; **a [natural] ~ for sth** einen [natürlichen] Hang zu etw *dat* **III.** *adj* **1.** (*curved*) umgebogen; *wire* verbogen; *person* gekrümmt **2.** (*determined*) **to be [hell] ~ on [doing] sth** zu etw *dat* [wild] entschlossen sein **3.** *esp* BRIT (*sl: corrupt*) korrupt

berry [ˈberi] *n* Beere *f*

berth [bɜːθ] **I.** *n* **1.** (*bed*) NAUT [Schlaf]koje *f* **2.** (*for ship*) Liegeplatz *m* **II.** *vt, vi* festmachen

beside [bɪˈsaɪd] *prep* **1.** (*next to*) neben +*dat*; (*with movement*) neben +*akk*; **right ~ sb** genau neben jdm **2.** (*irrelevant to*) **~ the point** nebensächlich

besides [bɪˈsaɪdz] **I.** *adv* außerdem; **many more ~** noch viele mehr **II.** *prep* (*in addition to*) außer +*dat*

best [best] **I.** *adj superl of see* **good 1.** (*finest*) **the ~ ...** der/die/das beste ...; **~ regards** viele Grüße **2.** (*most favourable*) **what's the ~ way to the station?** wie komme ich am besten zum Bahnhof? **3.** (*most*) **the ~ part of sth** der Großteil einer S. *gen* **II.** *adv superl of see* **well**; **to do as one thinks ~** tun, was man für richtig hält **III.** *n no pl* **1.** (*finest person, thing*) **the ~** der/die/das Beste **2.** (*most favourable*) **all the ~!** (*fam*) alles Gute! ▸ **to make the ~ of things** das Beste daraus machen

bet [bet] **I.** *n* Wette *f*; **to place a ~ on sth** auf etw *akk* wetten **II.** *vt, vi* <-tt-, bet, bet> wetten; **I ~ you £25 that ...** ich wette mit dir um 25 Pfund, dass ... ▸ **you ~!** (*fam*) das kannst du mir aber glauben!

better [ˈbetəʳ] **I.** *adj comp of see* **good 1.** (*superior*) besser; **it's ~ that way** es ist besser so **2.** (*healthier*) besser; **I'm much ~ now** mir geht's schon viel besser **II.** *adv comp of see* **well 1.** besser; *like* lieber; **or ~ still ...** oder noch besser ... **2.** (*to a greater degree*) mehr; **she is much ~-looking** sie sieht viel besser aus ▸ **to get the ~ of sb** über jdn die Oberhand gewinnen **IV.** *vt* verbessern; **to ~ oneself** (*improve social position*) sich verbessern

between [bɪˈtwiːn] **I.** *prep* zwischen

+*dat;* (*with movement*) zwischen +*akk;* ~ **times** in der Zwischenzeit; ~ **you and me** unter uns gesagt **II.** *adv* [in-]~ dazwischen

beware [bɪ'weəʳ] *vi, vt* sich in Acht nehmen (**of** vor); ~**!** Vorsicht!

beyond [bi'ɒnd] **I.** *prep* **1.** (*on the other side of*) jenseits +*gen* **2.** (*after*) nach +*dat* **3.** (*further than*) über +*akk;* **to see** ~ **sth** über etw *akk* hinaus sehen **4.** (*surpassing*) **to be** ~ **question** außer Frage stehen; **damaged** ~ **repair** irreparabel beschädigt **II.** *adv* (*in space*) jenseits; (*in time*) darüber hinaus; **to go far** ~ **sth** etw bei weitem übersteigen

Bible ['baɪbl̩] *n* Bibel *f*

bicycle ['baɪsɪkl̩] *n* Fahrrad *nt;* **by** ~ mit dem Fahrrad

bid¹ <-dd-, bid, bid> [bɪd] *vt* (*form*) **1.** (*greet*) **to** ~ **sb farewell** jdm Lebewohl sagen **2.** (*old: command*) **to** ~ **sb** [**to**] **do sth** jdn etw tun heißen

bid² [bɪd] **I.** *n* **1.** (*offer*) Angebot *nt;* (*at an auction*) Gebot *nt* **2.** (*attempt*) Versuch *m* **II.** *vi, vt* <-dd-, bid, bid> bieten

big <-gg-> [bɪg] *adj* **1.** (*of size, amount*) groß; *meal* üppig; *tip* großzügig; **the** ~**ger the better** je größer desto besser **2.** (*significant*) bedeutend; *decision* schwerwiegend; **when's the** ~ **day?** wann ist der große Tag? ▸ **a** ~ <u>fish</u> **in a small pond** der Hecht im Karpfenteich

bike [baɪk] **I.** *n* **1.** (*fam: bicycle*) [Fahr]rad *nt;* **by** ~ mit dem [Fahr]rad **2.** (*motorcycle*) Motorrad *nt* **II.** *vi* mit dem Fahrrad fahren

bikini [bɪ'kiːni] *n* Bikini *m*

bilingual [baɪ'lɪŋgwəl] *adj* zweisprachig; ~ **secretary** Fremdsprachense-

kretär(in) *m(f)*

bill¹ [bɪl] **I.** *n* **1.** (*invoice*) Rechnung *f;* **could we have the** ~**, please?** zahlen bitte! **2.** AM (*bank note*) Geldschein *m;* [one-]**dollar** ~ Dollarschein *m* **3.** (*placard*) Plakat *nt* **II.** *vt* **to** ~ **sb** jdm eine Rechnung ausstellen

bill² [bɪl] *n of bird* Schnabel *m*

billboard *n* Reklamefläche *f*

billiards ['bɪliədz] *n no pl* Billard *nt*

billion ['bɪliən] *n* Milliarde *f*

bin [bɪn] *n* **1.** BRIT, AUS (*for waste*) Mülleimer *m* **2.** (*for storage*) Behälter *m*

bind [baɪnd] **I.** *n* (*fam*) **1.** **to be** [**a bit of**] **a** ~ [ziemlich] lästig sein **2.** **to be in a bit of a** ~ in der Klemme stecken **II.** *vi* <bound, bound> binden **III.** *vt* <bound, bound> **1.** **to** ~ **sb** jdn fesseln (**to** an); **to** ~ **sth** etw festbinden (**to** an) **2.** **to** ~ **sb to secrecy** jdn zum Stillschweigen verpflichten

binding ['baɪndɪŋ] **I.** *n no pl* **1.** (*covering*) Einband *m* **2.** (*act*) Binden *nt* **3.** (*on ski*) Bindung *f* **II.** *adj* verbindlich

binoculars [bɪ'nɒkjələz] *n pl* [**a pair of**] ~ [ein] Fernglas *nt*

biodiversity *n* Artenvielfalt *f*

biological [ˌbaɪə'lɒdʒɪkəl] *adj* biologisch

biologist [baɪ'ɒlədʒɪst] *n* Biologe(in) *m(f)*

biology [baɪ'ɒlədʒi] *n* Biologie *f*

biometrics [baɪə(ʊ)'metrɪks] *n* Biometrie *f* **bioweapon** *n* Biowaffe *f*

birch [bɜːtʃ] *n* <pl -es> Birke *f*

bird [bɜːd] *n* **1.** Vogel *m;* ~ **life** Vogelwelt *f* **2.** (*fam: young female*) Biene *f;* ▸ **to know about the** ~**s and** <u>bees</u> (*euph*) aufgeklärt sein

B

bird flu *n* Vogelgrippe *f*

birth [bɜːθ] *n* **1.** Geburt *f;* **date/place of ~** Geburtsdatum *nt/*-ort *m;* **to give ~ to a child** ein Kind zur Welt bringen **2.** *no pl* (*parentage*) Abstammung *f*

birth control *n* Geburtenkontrolle *f;* **~ pill** Antibabypille *f*

birthday [ˈbɜːθdeɪ] *n* Geburtstag *m;* **happy ~** [**to you**]! alles Gute zum Geburtstag!

biscuit [ˈbɪskɪt] *n* **1.** BRIT, AUS Keks *m* **2.** AM Brötchen *nt*

bishop [ˈbɪʃəp] *n* **1.** REL Bischof *m* **2.** CHESS Läufer *m*

bit[1] [bɪt] *n* (*fam*) **1.** (*small piece*) Stück *nt;* **a ~ of advice** ein Rat *m;* **~s of glass** Glasscherben *pl* **2.** (*part*) Teil *m; of a story, film* Stelle *f* **3.** (*a little*) **a ~** ein bisschen **4.** (*rather*) **a ~** ziemlich **5.** (*short time*) **I'm just going out for a ~** ich gehe mal kurz raus **6.** *pl* BRIT **~s and pieces** Krimskrams *m*

bit[2] [bɪt] *vt, vi pt of* **bite**

bit[3] [bɪt] *n* (*for horses*) Trense *f;* ▶ **to get the ~ between one's teeth** sich an die Arbeit machen

bit[4] [bɪt] *n* (*drill*) Bohrer|einsatz] *m*

bit[5] [bɪt] *n* COMPUT Bit *nt*

bite [baɪt] I. *n* **1.** (*using teeth*) Biss *m;* **~ mark** Bisswunde *f;* **to have a ~ to eat** (*fam*) eine Kleinigkeit essen **2.** *no pl* (*pungency*) Schärfe *f* II. *vt, vi* <bit, bitten> beißen; **to ~ one's nails** an seinen Nägeln kauen

bitten [ˈbɪtᵊn] *vt, vi pp of* **bite**

bitter [ˈbɪtəʳ] *adj* <-er, -est> bitter

black [blæk] I. *adj* schwarz *a. fig;* **~ and blue** grün und blau II. *n* Schwarz *nt* III. *vt* (*darken*) schwarz färben

blackberry [ˈblækbᵊri] *n* Brombeere *f* **blackbird** *n* Amsel *f* **blackboard** *n* Tafel *f* **blackcurrant** [ˌblækˈkʌrᵊnt] *n* schwarze Johannisbeere **blackout** [ˈblækaʊt] *n* **1.** (*unconsciousness*) Ohnmachtsanfall *m* **2.** ELEC [Strom]ausfall *m* **black pudding** *n* BRIT Blutwurst *f* **Black Sea** *n* Schwarzes Meer **blacksmith** *n* [Huf]schmied *m*

blade [bleɪd] I. *n* Klinge *f;* **~ of grass** Grashalm *m;* **~ of an oar** Ruderblatt *nt* II. *vi* SPORTS (*fam*) bladen

blame [bleɪm] I. *vt* **to ~ sb/sth for sth** jdm/etw die Schuld an etw *dat* geben II. *n no pl* (*guilt*) Schuld *f;* **where does the ~ lie?** wer hat Schuld?; **to take the ~** die Schuld auf sich nehmen

bland [blænd] *adj* fade; (*fig*) vage; **~ diet** Schonkost *f*

blank [blæŋk] I. *adj* **1.** leer; **~ space** Leerraum *m;* **the screen went ~** das Bild fiel aus **2.** (*without emotion*) ausdruckslos **3.** (*complete*) **~ refusal** glatte Ablehnung II. *n* (*empty space*) Leerstelle *f;* ▶ **to draw a ~** kein Glück haben III. *vt* **to ~ out** ausstreichen

blanket [ˈblæŋkɪt] I. *n* [Bett]decke *f;* (*fig*) Decke *f* II. *vt* bedecken III. *adj* umfassend; *coverage* ausführlich

blast [blɑːst] I. *n* **1.** (*explosion*) Explosion *f* **2.** (*noise*) **a ~ of music** ein Schwall *m* Musik; **~ of a whistle** Pfeifton *m;* **at full ~** in voller Lautstärke II. *interj* (*fam!*) verdammt! III. *vt* (*explode*) sprengen

bleach [bliːtʃ] I. *vt* bleichen II. *n* <*pl* -es> (*chemical*) Bleichmittel *nt;* (*for hair*) Blondierungsmittel *nt*

bleak [bliːk] *adj* öde; (*fig*) trostlos

bled [bled] *pt, pp of* **bleed**

bleed [bli:d] **I.** *vi* <bled, bled> bluten ▶ my <u>heart</u> ~s (*iron*) mir blutet das Herz **II.** *vt* <bled, bled> **to ~ sb dry** (*fig*) jdn [finanziell] bluten lassen

bleeding ['bli:dɪŋ] *adj* BRIT (*fam!*) verdammt

blend [blend] **I.** *n* Mischung *f* **II.** *vt* [miteinander] vermischen **III.** *vi* **1. to ~ with sb/sth** zu jdm/etw passen **2. to ~ into sth** mit etw *dat* verschmelzen

blessing ['blesɪŋ] *n* Segen *m;* ▶ **to be a ~ in** <u>disguise</u> sich im Nachhinein als Segen erweisen

blew [blu:] *pt of* **blow**

blind [blaɪnd] **I.** *n* **1.** (*for window*) Jalousie *f;* **roller ~** Rollo *nt* **2.** (*people*) **the ~** *pl* die Blinden *pl* **II.** *vt* **~ed by tears** blind vor Tränen **III.** *adj* (*sightless*) blind; **to go ~** blind werden **IV.** *adv* blind; **~ drunk** stockbetrunken

blink [blɪŋk] **I.** *vt* **to ~ one's eyes** mit den Augen zwinkern; **without ~ing an eye** ohne mit der Wimper zu zucken **II.** *vi* **1.** *of eye* blinzeln **2.** (*of a light*) blinken; **to ~ left/right** links/rechts anzeigen **III.** *n* Blinzeln *nt;* ▶ **to be** <u>on</u> **the ~** (*fam*) kaputt sein

blister ['blɪstər] **I.** *n* Blase *f* **II.** *vt* Blasen hervorrufen auf +*dat* **III.** *vi* skin Blasen bekommen

blizzard ['blɪzəd] *n* Schneesturm *m*

block [blɒk] **I.** *n* **1.** (*solid lump*) Block *m;* **~ of wood** Holzklotz *m* **2.** SPORTS **~s** *pl* Startblock *m* **3.** BRIT (*building*) Hochhaus *nt;* **~ of flats** Wohnblock *m* **4.** *esp* AM, AUS (*part of neighbourhood*) [Häuser]block *m* **II.** *vt* blockieren; *artery, pipeline* verstopfen; *exit, passage* versperren ◆ **block off** *vt* [ver]sperren

blog [blɒg] *n* INET Blog *nt*

blogger ['blɒgər] *n* INET Blogger(in) *m(f)*

blogosphere ['blɒgəsfɪər] *n* INET Blogwelt *f*

bloke [bləʊk] *n* Kerl *m*

blond(e) [blɒnd] **I.** *adj* blond **II.** *n* (*person*) Blonde(r) *f(m)*

blood [blʌd] **I.** *n no pl* Blut *nt;* ▶ **~ is thicker than** <u>water</u> (*prov*) Blut ist dicker als Wasser; **in** <u>cold</u> **~** kaltblütig **II.** *vt* [neu] einführen

blood pressure *n no pl* Blutdruck *m*

blood test *n* Bluttest *m*

bloody ['blʌdi] **I.** *adj* **1.** (*with blood*) blutig **2.** BRIT, AUS (*fam!: emphasis*) verdammt; **~ hell!** (*in surprise*) Wahnsinn!; (*in anger*) verdammt [nochmal]! **II.** *adv* BRIT, AUS (*fam!*) verdammt; **~ marvellous** großartig *a. iron;* **to be ~ useless** zu gar nichts taugen

bloom [blu:m] **I.** *n no pl* Blüte *f;* **to come into ~** aufblühen **II.** *vi* blühen

blossom ['blɒsəm] **I.** *n no pl* [Baum]blüte *f* **II.** *vi* blühen *a. fig*

blow¹ [bləʊ] **I.** *vi* <blew, blown> **1.** *wind* wehen; **the window blew open** das Fenster wurde aufgeweht **2.** (*exhale*) blasen **3.** (*break*) *fuse* durchbrennen **4.** (*fam: leave*) abhauen **II.** *vt* <blew, blown> **1.** blasen; *wind* wehen; **to ~ one's nose** sich *dat* die Nase putzen **2.** (*destroy*) **we blew a tyre** uns ist ein Reifen geplatzt ◆ **blow away** *vt wind* wegwehen ◆ **blow off I.** *vt* **1.** (*remove*) wegblasen **2.** (*rip off*) wegreißen **II.** *vi* wegweht werden ◆ **blow over I.** *vi* **1.** (*fall*) umstürzen **2.** (*stop*) *storm* sich legen **3.** (*fig*) *argument, trouble* sich beruhigen **II.** *vt* umwerfen

◆ **blow up I.** *vi* **1.** (*come up*) storm [her]aufziehen **2.** (*explode*) explodieren **II.** *vt* **1.** (*inflate*) aufblasen **2.** (*enlarge*) vergrößern

blow² [bləʊ] *n* (*hit*) Schlag *m*; **to come to ~s over sth** sich wegen einer S. *gen* prügeln

blown [bləʊn] *vt, vi pp of* **blow**

blue [bluː] **I.** *adj* <-r, -st> **1.** (*colour*) blau **2.** (*fam*) **~ movie** Pornofilm *m*; ▶ **once in a ~ moon** alle Jubeljahre einmal **II.** *n* Blau *nt*

blueberry [ˈbluːbᵊri] *n* Heidelbeere *f*

blue-sky *adj* **~ thinking** zukunftsorientiertes Denken

blunder [ˈblʌndəʳ] **I.** *n* schwer[wiegend]er Fehler **II.** *vi* **1.** (*make a mistake*) einen groben Fehler machen **2.** (*act clumsily*) **to ~** [**about**] [herum]tappen; **to ~ into sth** in etw *akk* hineinplatzen

blunt [blʌnt] **I.** *adj* **1.** stumpf **2.** (*outspoken*) direkt **II.** *vt* **1.** stumpf machen **2.** (*fig*) enthusiasm dämpfen

blurred [blɜːd] *adj* verschwommen

blush [blʌʃ] **I.** *vi* erröten **II.** *n* **1.** (*red face*) Erröten *nt kein pl*; **to spare sb's ~es** jdn nicht verlegen machen **2.** AM (*blusher*) Rouge *nt*

board [bɔːd] **I.** *n* **1.** Brett *nt*; (*blackboard*) Tafel *f*; (*notice board*) schwarzes Brett **2.** + *sing/pl vb* ADMIN Behörde *f*; **~ of directors** Vorstand *m* **3.** *no pl* **full ~** Vollpension *f*; **half ~** Halbpension *f* **4.** TRANSP **on ~** an Bord *a. fig* **II.** *vt* **1.** **to ~ up** mit Brettern vernageln **2.** *plane, ship* besteigen **III.** *vi* **1.** TOURIST wohnen (*als Pensionsgast*) **2.** AVIAT **flight BA345 is now ~ing at Gate 2** Flug BA345 ist zum Einstieg bereit - die Passagiere werden gebeten, sich zu Ausgang 2 zu begeben

boarding card *n* BRIT Bordkarte *f*

boarding house *n* Pension *f*

boast [bəʊst] **I.** *vi* (*pej*) prahlen; **to ~ about sth** mit etw *dat* angeben **II.** *n* (*pej*) großspurige Behauptung

boastful [ˈbəʊstfᵊl] *adj* (*pej*) großspurig; **to be ~** prahlen

boat [bəʊt] *n* Boot *nt*; (*large*) Schiff *nt*; **to travel by ~** mit dem Schiff fahren ▶ **to be in the same ~** im selben Boot sitzen; **to miss the ~** den Anschluss verpassen; **to push the ~ out** BRIT ganz groß feiern

boating [ˈbəʊtɪŋ] *n no pl* Bootfahren *nt*; **~ lake** See *m* mit Wassersportmöglichkeiten

bobby [ˈbɒbi] *n* BRIT (*dated fam*) Polizist(in) *m(f)*

body [ˈbɒdi] *n* **1.** Körper *m*; **~ and soul** mit Leib und Seele **2.** + *sing/pl vb* (*organized group*) Gruppe *f*; **advisory ~** beratendes Gremium; **governing ~** Leitung *f* **3.** (*corpse*) Leiche *f*; (*of an animal*) Kadaver *m* **4.** (*substance*) *of hair* Fülle *f*; *of wine* Gehalt *m*; ▶ **over my dead ~** nur über meine Leiche

bodyguard *n* Bodyguard *m*

bog [bɒg] *n* **1.** (*wet ground*) Sumpf *m* **2.** BRIT, AUS (*sl*) Klo *nt* ◆ **bog down** *vt* **to be ~ged down** stecken bleiben

boil [bɔɪl] **I.** *n no pl* kochen; **to let sth come to the ~** etw aufkochen lassen **II.** *vi* **1.** FOOD kochen; **the kettle's ~ed!** das Wasser hat gekocht! **2.** CHEM den Siedepunkt erreichen **3.** (*fig fam: angry*) **to ~ with rage** vor Wut kochen **4.** (*fig fam*) **I'm ~ing** ich schwitze mich zu Tode **III.** *vt* **1.** (*heat*) kochen **2.** (*bring to boil*) zum Kochen bringen ◆ **boil**

away *vi* verkochen ◆ **boil down**
I. *vi sauce* einkochen ▸ **it all** ~s
down to ... es läuft auf ... hinaus
II. *vt* 1. *sauce* einkochen 2. (*fig:
condense*) zusammenfassen
boiler [ˈbɔɪlə'] *n* Boiler *m*
boiling [ˈbɔɪlɪŋ] *adj* 1. (*100 °C*) kochend 2. (*extremely hot*) sehr heiß;
I'm ~ ich komme um vor Hitze; ~
[**hot**] **weather** unerträgliche Hitze
boisterous [ˈbɔɪstˀrəs] *adj* 1. (*rough*)
wild 2. (*exuberant*) übermütig
bold [bəʊld] *adj* 1. (*brave*) mutig; **to
take a** ~ **step** ein Wagnis eingehen
2. *colour* kräftig; ~ **brush strokes**
kühne Pinselstriche; **printed in** ~
type fett gedruckt ▸ **as** ~ **as brass**
frech wie Oskar
bolt [bəʊlt] I. *vi* 1. (*move quickly*) rasen 2. (*run away*) ausreißen II. *vt*
1. (*gulp down*) **to** ~ **sth** ⇆ [**down**]
etw hinunterschlingen 2. (*fix*) **to** ~
sth on[**to**] **sth** etw mit etw *dat* ver-
bolzen III. *n* 1. ~ **of lightning** Blitz[-
schlag] *m* 2. (*screw*) Schraubenbolzen *m*
bomb [bɒm] I. *n* Bombe *f;* **unex-
ploded** ~ Blindgänger *m;* ▸ **to go
like a** ~ ein Bombenerfolg sein
II. *vt* bombardieren
bone [bəʊn] *n* 1. ANAT Knochen *m; of
fish* Gräte *f* 2. *no pl* (*material*) Bein
nt; **made of** ~ aus Bein ▸ **to be a bag
of** ~**s** nur noch Haut und Knochen
sein; **to work one's fingers to the**
~ sich abrackern
bonnet [ˈbɒnɪt] *n* 1. (*hat*) Mütze *f*
2. BRIT, AUS AUTO Motorhaube *f*
bony [ˈbəʊni] *adj* knochig
boo [buː] I. *interj* (*fam*) 1. (*to surprise*) huh 2. (*to show disapproval*)
buh II. *vi* buhen

book [bʊk] I. *n* 1. Buch *nt* 2. *pl* FIN
the ~**s** die [Geschäfts]bücher *pl* ▸ **to
do sth by the** ~ etw nach Vorschrift
machen II. *vt* 1. (*reserve*) buchen; **to**
~ **sth for sb** etw für jdn reservieren
2. (*by policeman*) verwarnen III. *vi*
buchen, reservieren; **to** ~ **into a hotel** in ein Hotel einchecken; **to be
fully** ~**ed** ausgebucht sein ◆ **book
in** I. *vi esp* BRIT einchecken II. *vt* **to**
~ **sb** ⇆ **in** für jdn ein Hotel buchen
◆ **book up** *vi* buchen; **to be** ~**ed up**
ausgebucht sein
booking [ˈbʊkɪŋ] *n* Reservierung *f;* **advance** ~**s** Vorreservierung[en] *f*[*pl*]*;* **a
block** ~ eine Gruppenreservierung;
to make a ~ etw buchen
booking office *n* Theaterkasse *f*
bookmaker *n* Buchmacher(in) *m(f)*
bookseller *n* Buchhändler(in) *m(f)*
bookshelf *n* Bücherregal *nt* **bookshop** *n* Buchgeschäft *nt* **bookstore**
n AM Buchgeschäft *nt*
boom[1] [buːm] ECON I. *vi* florieren II. *n*
Boom *m*, Aufschwung *m*
boom[2] [buːm] I. *n* Dröhnen *nt kein pl*
II. *vi* **to** ~ [**out**] dröhnen
boot [buːt] I. *n* 1. (*footwear*) Stiefel
m 2. (*fam: kick*) Stoß *m;* **to give
sb the** ~ (*fig*) jdn hinauswerfen
3. BRIT AUTO (*for luggage*) Kofferraum
m; AM AUTO (*wheel clamp*) Wegfahr-
sperre *f;* ▸ **to get too big for one's**
~**s** hochnäsig werden II. *vt* (*fam*) einen Tritt versetzen; **to be** ~**ed off sth**
achtkantig aus etw *dat* fliegen
◆ **boot out** *vt* (*fam*) rausschmeißen
booth [buːð, buːθ] *n* Kabine *f;* (*in a
restaurant*) Sitzecke *f*
bootleg *adj* 1. (*sold illegally*) ge-
schmuggelt 2. (*illegally made*) illegal
hergestellt; ~ **alcohol** schwarz ge-

brannter Alkohol; ~ **CDs** Raubpressungen *pl*

booty ['buːti] *n* AM (*sl*) Hintern *m*

bootylicious ['buːtɪlɪʃəs] *adj* AM (*sl*) zum Reinbeißen *fam; butt* knackig

booze [buːz] *n* (*fam*) **1.** *no pl* (*alcohol*) Alk *m;* **to be off the ~** nicht mehr trinken **2.** (*activity*) **to go out on the ~** auf Sauftour gehen

border ['bɔːdəʳ] I. *n* **1.** (*frontier*) Grenze *f* **2.** (*edge*) Begrenzung *f* II. *vt* **1.** (*be or act as frontier*) grenzen an *+akk* **2.** (*bound*) begrenzen

border control *n* Grenzkontrolle *f*

bore[1] [bɔːʳ] *pt of* **bear**

bore[2] [bɔːʳ] I. *n* **1.** (*thing*) langweilige Sache; **what a ~** wie langweilig **2.** (*person*) Langweiler(in) *m(f)* II. *vt* langweilen

bore[3] [bɔːʳ] I. *vt* bohren II. *vi* **to ~ through/into** durchbohren

boredom ['bɔːdəm] *n no pl* Langeweile *f*

boring ['bɔːrɪŋ] *adj* langweilig

born [bɔːn] *adj* geboren; **I was ~ in April** ich bin im April geboren; **she's a Dubliner ~ and bred** sie ist eine waschechte Dublinerin; **English-~** in England geboren

borne [bɔːn] *vi pt of* **bear**

borough ['bʌrə] *n* Verwaltungsbezirk *m;* **the London ~ of Westminster** die Londoner Stadtgemeinde Westminster

borrow ['bɒrəʊ] I. *vt* leihen; **to ~ a book from a library** ein Buch aus einer Bibliothek ausleihen II. *vi* Geld leihen

bosom ['bʊzᵊm] *n usu sing* **1.** (*breasts*) Busen *m* **2.** (*fig*) **in the ~ of one's family** im Schoß der Familie

boss [bɒs] I. *n* Chef(in) *m(f);* **to be one's own ~** sein eigener Herr sein II. *vt* (*fam*) **to ~ sb [about]** jdn herumkommandieren

botanical [bə'tænɪkᵊl] *adj* botanisch

both [bəʊθ] I. *adj, pron* beide; **~ sexes** Männer und Frauen; **would you like milk or sugar or ~?** möchtest du Milch oder Zucker oder beides?; **a picture of ~ of us** ein Bild von uns beiden II. *adv* **I felt ~ happy and sad at the same time** ich war glücklich und traurig zugleich; **~ men and women** sowohl Männer als auch Frauen

bother ['bɒðəʳ] I. *n no pl* **1.** (*effort*) Mühe *f;* (*work*) Aufwand *m;* **it is no ~ [at all]!** [überhaupt] kein Problem!; **to not be worth the ~** kaum der Mühe wert sein **2.** (*trouble*) Ärger *m;* **to get oneself into a spot of ~** sich in Schwierigkeiten bringen **3.** BRIT (*nuisance*) **to be a ~** lästig sein II. *vi* **don't ~!** lass nur!; **shall I wait? — no, don't ~** soll ich warten? — nein, nicht nötig; **you needn't have ~ed** du hättest dir die Mühe sparen können IV. *vt* **1.** (*worry*) beunruhigen; **it ~ed me that I hadn't done anything** es ließ mir keine Ruhe, dass ich nichts getan hatte; **what's ~ing you?** was hast du? **2.** (*concern*) **it doesn't ~ me** das macht mir nichts aus; **I'm not ~ed about what he thinks** es ist mir egal, was er denkt **3.** (*disturb*) stören; **I'm sorry to ~ you, but ...** entschuldigen Sie bitte [die Störung], aber ... **4.** (*annoy*) belästigen; **my tooth is ~ing me** mein Zahn macht mir zu schaffen

bottle ['bɒtl] I. *n* (*container*) Flasche *f;* **baby's ~** Fläschchen *nt;* **a ~ of milk**

B

eine Flasche Milch **II.** *vt* (*put into bottles*) abfüllen

bottle bank *n* BRIT Altglascontainer *m*

bottled ['bɒtld] *adj* in Flaschen abgefüllt; ~ **beer** Flaschenbier *nt*

bottom ['bɒtəm] **I.** *n* **1.** (*lowest part*) Boden *m;* **pyjama** ~s Pyjamahose *f;* **at the** ~ **of the page** am Seitenende; **rock** ~ (*fig*) Tiefstand *m;* **the** ~ **of the sea** der Meeresgrund; **at the** ~ **of the stairs** am Fuß der Treppe; **from top to** ~ von oben bis unten; **to sink to the** ~ auf den Grund sinken; **to start at the** ~ ganz unten anfangen **2.** (*end*) **at the** ~ **of the garden** im hinteren Teil des Gartens; **at the** ~ **of the street** am Ende der Straße **3.** ANAT Hinterteil *nt* **II.** *adj* untere(r, s); **the** ~ **shelf** das unterste Regal **III.** *vi* ECON **to** ~ **out** seinen Tiefstand erreichen

bought [bɔːt] *vt pt of* **buy**

boulder ['bəʊldəʳ] *n* Felsbrocken *m*

bounce [baʊn(t)s] **I.** *n* **1.** *ball* Aufprall **2.** (*vitality*) Schwung *m* **3.** AM (*fam: eject, sack*) **to give sb the** ~ jdn hinauswerfen **II.** *vi* **1.** *ball* aufspringen **2.** (*move up and down*) hüpfen **3.** FIN (*fam*) *cheque* platzen **III.** *vt* aufspringen lassen

bouncer ['baʊn(t)səʳ] *n* Rausschmeißer *m*

bound¹ [baʊnd] **I.** *vi* (*leap*) springen **II.** *n* (*leap*) Sprung *m*

bound² [baʊnd] *vt usu passive* (*border*) **to be** ~ed **by sth** von etw *dat* begrenzt werden

bound³ [baʊnd] *adj* **where is this ship** ~ **for?** wohin fährt dieses Schiff?; **to be** ~ **for success** (*fig*) auf dem besten Weg sein, erfolgreich zu sein

bound⁴ [baʊnd] **I.** *pt, pp of* **bind**

II. *adj* **1.** (*certain*) **she's** ~ **to come** sie kommt ganz bestimmt; **to be** ~ **to happen** zwangsläufig geschehen; **it was** ~ **to happen** das musste so kommen **2.** (*obliged*) verpflichtet

boundary ['baʊndʳi] *n* Grenze *f*

bout [baʊt] *n* Anfall *m;* **a** ~ **of coughing** ein Hustenanfall *m;* **drinking** ~ Trinkgelage *nt*

bow¹ [bəʊ] *n* **1.** (*weapon*) Bogen *m;* ~ **and arrow** Pfeil und Bogen **2.** (*knot*) Schleife *f*

bow² [baʊ] **I.** *vi* sich verbeugen (**to** vor); **to** ~ **to public pressure** (*fig*) sich öffentlichem Druck beugen **II.** *vt* **to** ~ **one's head** den Kopf senken **III.** *n* **1.** (*bending over*) Verbeugung *f;* **to take a** ~ sich [unter Applaus] verbeugen **2.** NAUT Bug *m;* **in the** ~[s] im Bug

bowl¹ [bəʊl] *n* **1.** (*dish*) Schüssel *f;* (*shallower*) Schale *f;* **a** ~ **of soup** eine Tasse Suppe **2.** AM **the B**~ das Stadion

bowl² [bəʊl] SPORTS **I.** *vi* **1.** (*in cricket*) werfen **2.** (*tenpins*) bowlen; (*skittles*) kegeln **II.** *vt* SPORTS **1.** (*bowling, cricket*) werfen **2.** (*cricket: dismiss*) **to** ~ **sb** jdn ausschlagen **III.** *n* Kugel *f;* ~**s** + *sing vb* BRIT Bowls *pl*

bowler ['bəʊləʳ] *n* **1.** (*cricket*) Werfer(in) *m(f)* **2.** (*bowls*) Bowlsspieler(in) *m(f)*

bowling ['bəʊlɪŋ] *n no pl* **1.** (*tenpins*) Bowling *nt* **2.** (*in cricket*) Werfen *nt;* **to open the** ~ den ersten Wurf machen

bowling alley *n* (*tenpin*) Bowlingbahn *f;* (*skittles*) Kegelbahn *f* **bowling green** *n* Rasenfläche *f* für Bowls

bow tie [bəʊˈtaɪ] *n* FASHION Fliege *f*

box¹ [bɒks] **I.** *n* **1.** (*container*) Kiste *f;* *out of cardboard* Karton *m; of cigars,* *matches* Schachtel *f* **2.** FBALL (*fam*) Strafraum *m* **II.** *vt* **to ~ sth** [**up**] etw [in einen Karton] verpacken

box² [bɒks] *n* (*tree*) Buchsbaum *m*

box³ [bɒks] **I.** *vi* boxen **II.** *vt* **to ~ sb** gegen jdn boxen **III.** *n* **to give sb a ~ on the ears** jdm eine Ohrfeige geben

boxer ['bɒksə'] *n* **1.** (*dog*) Boxer *m* **2.** (*person*) Boxer(in) *m(f)*

boxing ['bɒksɪŋ] *n no pl* Boxen *nt*

Boxing Day *n* BRIT, CAN zweiter Weihnachtsfeiertag, der 26. Dezember

boxing gloves *n pl* Boxhandschuhe *pl* **boxing match** *n* Boxkampf *m*

box number *n* Chiffre[nummer] *f* **box office** *n* Kasse *f* (*im Kino, Theater*)

boy [bɔɪ] **I.** *n* Junge *m;* ▸ **the big ~s** die Großen; **the ~s in blue** die Polizei; **~s will be ~s** Jungs sind nun mal so **II.** *interj* [oh] **~!** Junge, Junge!

boyfriend *n* Freund *m* **boy scout** *n* Pfadfinder *m*

bra [brɑː] *n* BH *m*

brace [breɪs] **I.** *n* **1.** (*for teeth*) Zahnspange *f* **2.** BRIT, AUS (*for trousers*) **~s** *pl* Hosenträger *pl* **3.** *esp* AM (*callipers*) **~s** *pl* Stützapparat *m* **II.** *vt* **1.** (*prepare for*) **to ~ oneself for sth** sich auf etw *akk* vorbereiten **2.** (*support*) [ab]stützen

bracelet ['breɪslət] *n* Armband *nt*

brag <-gg-> [bræg] *vi, vt* **to ~** [**about sth**] [mit etw *dat*] prahlen

Braille [breɪl] *n no pl* Blindenschrift *f*

brain [breɪn] *n* **1.** (*organ*) Gehirn *nt;* **~s** *pl* [Ge]hirn *nt* **2.** (*intelligence*) Verstand *m;* **~s** *pl* Intelligenz *f kein pl;* **to have ~s** Grips haben **3.** (*fam: intelligent person*) heller Kopf; **the best ~s** die fähigsten Köpfe ▸ **to have sth on the ~** immer nur an etw *akk* denken

brake [breɪk] **I.** *n* Bremse *f* **II.** *vi* bremsen; **to ~ hard** scharf bremsen

bran [bræn] *n no pl* Kleie *f*

branch [brɑːn(t)ʃ] **I.** *n* **1.** (*of a bough*) Zweig *m;* (*of the trunk*) Ast *m* **2.** *esp* AM **~ of a river** Flussarm *m* **3.** (*local office*) Zweigstelle *f* **II.** *vi* (*fig*) sich gabeln ◆ **branch off I.** *vi* sich verzweigen **II.** *vt* **to ~ off a subject** vom Thema abkommen

branch office *n* Filiale *f*

brand [brænd] **I.** *n* **1.** (*product*) Marke *f;* **own ~** Hausmarke *f* **2.** (*mark*) Brandzeichen *nt* **II.** *vt* (*fig, pej*) **to be ~ed** [**as**] **sth** als etw gebrandmarkt sein

brand new *adj* [funkel]nagelneu *fam*

brandy ['brændi] *n* Weinbrand *m*

brass [brɑːs] *n* **1.** (*metal*) Messing *nt* **2.** (*engraving*) Gedenktafel *f* (*aus Messing*)

brass band *n* Blaskapelle *f*

brassiere ['bræsɪə'] *n* (*dated form*) Büstenhalter *m*

brave [breɪv] **I.** *adj* mutig ▸ **to put on a ~ face** sich *dat* nichts anmerken lassen **II.** *vt* trotzen

brawl [brɔːl] **I.** *n* [lautstarke] Schlägerei **II.** *vi* sich [lautstark] schlagen

bray [breɪ] **I.** *vi donkey* schreien **II.** *n* [Esels]schrei *m*

bread [bred] *n no pl* Brot *nt*

breadcrumb *n* Brotkrume *f;* **~s** *pl* (*for coating food*) Paniermehl *nt kein pl;* **to coat with ~s** panieren

break [breɪk] **I.** *n* **1.** (*fracture*) Bruch *m* **2.** (*gap*) Lücke *f* **3.** (*escape*) Ausbruch *m;* **to make a ~** ausbrechen **4.** (*interruption*) Unterbrechung *f; esp* BRIT SCH Pause *f;* **coffee ~** Kaffeepause *f;* **commercial ~** *im Fernsehen, Radio* Werbung *f;* **a short ~ in Paris**

ein Kurzurlaub in Paris ▶ **give** me a ~! hör auf [damit]! **II.** *vt* <broke, broken> **1.** (*shatter*) zerbrechen; (*damage*) kaputtmachen; *window* einschlagen; **to** ~ **one's arm** sich *dat* den Arm brechen; **to** ~ **a tooth** sich *dat* einen Zahn abbrechen **2.** (*momentarily interrupt*) unterbrechen; *fall* abfangen **3.** (*put an end to*) brechen **4.** (*violate*) *agreement* verletzen **5.** (*tell*) *news* **to** ~ **sth to sb** jdm etw mitteilen **III.** *vi* <broke, broken> **1.** (*stop working*) kaputtgehen; (*collapse*) zusammenbrechen; (*shatter*) zerbrechen **2.** (*interrupt*) **shall we** ~ [**off**] **for lunch?** machen wir Mittagspause? **3.** (*change in voice*) **the boy's voice is** ~**ing** der Junge ist [gerade] im Stimmbruch **4.** *dawn, day* anbrechen **5.** *news* bekannt werden ▶ **to** ~ **loose** sich losreißen ◆ **break down I.** *vi* **1.** (*stop working*) stehen bleiben **2.** *marriage* scheitern **II.** *vt* **1.** (*force open*) aufbrechen **2.** CHEM aufspalten ◆ **break in I.** *vi* **1.** (*enter by force*) einbrechen **2.** (*interrupt*) unterbrechen **II.** *vt* **1.** (*condition*) *shoes* einlaufen **2.** (*tame*) zähmen ◆ **break into** *vi* **1.** (*forcefully enter*) einbrechen in +*akk* **2.** (*start doing sth*) **to** ~ **into applause** in Beifall ausbrechen ◆ **break off I.** *vt* **1.** (*separate forcefully*) abbrechen **2.** *engagement* lösen **II.** *vi* abbrechen ◆ **break out** *vi* **1.** (*escape*) ausbrechen **2.** (*begin*) ausbrechen; *storm* losbrechen **3.** **to** ~ **out in a rash** einen Ausschlag bekommen; **I broke out in a cold sweat** mir brach der kalte Schweiß aus ◆ **break up I.** *vt* **1.** (*end*) beenden **2.** (*split up*) aufspalten; *gang, monopoly* zerschlagen

II. *vi* **1.** (*end relationship*) sich trennen **2.** (*come to an end*) enden; *marriage* scheitern **3.** (*fall apart*) auseinandergehen; *coalition* auseinanderbrechen **4.** SCH **when do you** ~ **up?** wann beginnen bei euch die Ferien? **5.** (*laugh*) loslachen **6.** *esp* AM (*be upset*) zusammenbrechen

breakable ['breɪkəbl] *adj* zerbrechlich

breakdown *n* **1.** (*collapse*) Zusammenbruch *m* **2.** AUTO Panne *f* **3.** (*list*) Aufgliederung *f* **4.** PSYCH [Nerven]zusammenbruch *m*

breakdown lorry *n* BRIT Abschleppwagen *m* **breakdown service** *n* Abschleppdienst *m*

breakfast ['brekfəst] **I.** *n* Frühstück *nt;* **to have** ~ frühstücken **II.** *vi* (*form*) frühstücken

breast [brest] *n* Brust *f;* (*bust*) Busen *m;* ▶ **to make a clean** ~ **of sth** etw gestehen

breast-feed <-fed, -fed> *vi, vt* stillen

breaststroke *n no pl* Brustschwimmen *nt;* **to do** [**the**] ~ brustschwimmen

breath [breθ] *n* **1.** (*air*) Atem *m;* (*act of breathing in*) Atemzug *m;* **bad** ~ Mundgeruch *m;* **out of** ~ außer Atem; **to take sb's** ~ **away** jdm den Atem rauben; **to waste one's** ~ in den Wind reden **2.** *no pl* (*wind*) **a** ~ **of air** ein Hauch *m*

breathalyze ['breθəlaɪz] *vt* **to** ~ **sb** jdn pusten lassen

breathe [bri:ð] **I.** *vi* atmen; **to** ~ **again/more easily** (*fig*) [erleichtert] aufatmen ▶ **to** ~ **down sb's neck** jdm im Nacken sitzen **II.** *vt* (*exhale*) [aus]atmen; **to** ~ **a sigh of relief** erleichtert aufatmen

breathing ['bri:ðɪŋ] *n no pl* Atmung *f*

breathing apparatus *n* Sauerstoffgerät *nt*

breathless ['breθləs] *adj* atemlos

breathtaking *adj* atemberaubend

breed [bri:d] I. *vt* <bred, bred> züchten II. *vi* <bred, bred> sich fortpflanzen III. *n* 1. (*of animal*) Rasse *f* 2. (*fam: of person*) Sorte *f;* **to be a dying ~** einer aussterbenden Gattung angehören

breeze [bri:z] I. *n* Brise *f* II. *vi* **to ~ through sth** etw spielend schaffen

brewery ['bru:ᵊri] *n* Brauerei *f*

bribe [braɪb] I. *vt* bestechen II. *n* Bestechung *f;* **to take a ~** sich bestechen lassen

bribery ['braɪbᵊri] *n no pl* Bestechung *f*

brick [brɪk] *n* Backstein *m*

bride [braɪd] *n* Braut *f*

bridegroom ['braɪdgrʊm, -gru:m] *n* Bräutigam *m*

bridesmaid *n* Brautjungfer *f*

bridge [brɪdʒ] I. *n* 1. Brücke *f* 2. (*of glasses*) Brillensteg *m* 3. (*on ship*) Kommandobrücke *f* II. *vt* **to ~ sth** über etw *akk* eine Brücke schlagen; (*fig*) *gap* etw überwinden

bridle ['braɪdl] I. *n* Zaumzeug *nt* II. *vt* aufzäumen III. *vi* **to ~ at sth** sich über etw *akk* entrüsten

bridle path, **bridleway** *n* Reitweg *m*

brief [bri:f] I. *adj* kurz; **to be ~** sich kurz fassen; **in ~** kurz gesagt II. *n* 1. BRIT, AUS (*instructions*) Anweisungen *pl* 2. *pl* **~s** *pl* (*underpants*) Slip *m* III. *vt* informieren

briefcase ['bri:fkeɪs] *n* Aktentasche *f*

briefing ['bri:fɪŋ] *n* [Einsatz]besprechung *f*

bright [braɪt] I. *adj* 1. (*shining*) *light* hell; (*blinding*) grell 2. (*vivid*) **~ blue** strahlend blau 3. (*intelligent*) intelligent; *child* aufgeweckt 4. (*promising*) viel versprechend II. *n* AM AUTO **~s** *pl* Fernlicht *nt*

brighten ['braɪtᵊn] I. *vt* **to ~ [up]** ⇆ **sth** 1. (*make brighter*) etw heller machen 2. (*make look more cheerful*) etw auflockern; *room* freundlicher machen 3. (*make more promising*) etw verbessern; **to ~ sb's life** Freude in jds Leben bringen II. *vi* **to ~ [up]** 1. (*become cheerful*) fröhlicher werden; *face* sich *akk* aufhellen 2. (*become more promising*) *prospects* besser werden; *weather* sich *akk* aufklären, aufheitern

brilliant ['brɪliənt] I. *adj* 1. (*brightly shining*) *colour, eyes* leuchtend 2. (*clever*) *person* hoch begabt 3. BRIT (*fam: excellent*) hervorragend II. *interj* BRIT (*fam*) toll!

bring <brought, brought> [brɪŋ] *vt* 1. (*convey*) mitbringen; **to ~ sth to sb's attention** jdn auf etw *akk* aufmerksam machen 2. (*cause to come/happen*) bringen; **her screams brought everyone running** durch ihre Schreie kamen alle zu ihr gerannt 3. (*force*) **to ~ oneself to do sth** sich [dazu] durchringen, etw zu tun ◆ **bring about** *vt* 1. (*cause*) verursachen 2. (*achieve*) **to have been brought about by sth** durch etw *akk* zustande gekommen sein ◆ **bring along** *vt* mitbringen ◆ **bring back** *vt* zurückbringen ◆ **bring down** *vt* 1. (*fetch down*) herunterbringen 2. (*make fall over*) zu Fall bringen 3. (*reduce*) senken ► **to ~ the** <u>house</u> **down** einen Beifallssturm auslösen ◆ **bring forward** *vt* vorverlegen ◆ **bring in** *vt* 1. (*fetch* *in*) hereinbringen; *harvest* einbringen **2.** (*earn*) [ein]bringen ◆ **bring on** *vt* (*cause to occur*) herbeiführen; MED verursachen; **you brought it on yourself** du bist selbst schuld ◆ **bring out** *vt* **1.** (*fetch out*) herausbringen **2.** BRIT, AUS (*encourage*) **to ~ sb out** jdm die Hemmungen nehmen **3.** (*reveal*) zum Vorschein bringen ◆ **bring round** *vt esp* BRIT (*fetch round*) mitbringen ◆ **bring up** *vt* **1.** (*carry up*) heraufbringen **2.** (*rear*) großziehen; **a well brought-up child** ein gut erzogenes Kind **3.** (*mention*) zur Sprache bringen; **to ~ sth up for discussion** etw zur Diskussion stellen ▶ **to ~ up the** <u>rear</u> das Schlusslicht bilden

Britain ['brɪtᵊn] *n* Großbritannien *nt*
British ['brɪtɪʃ] I. *adj* britisch II. *n pl* **the ~** die Briten *pl*
Briton ['brɪtᵊn] *n* Brite(in) *m(f)*
broad [brɔːd] I. *adj* **1.** (*wide*) breit **2.** (*obvious*) **a ~ hint** ein Wink *m* mit dem Zaunpfahl **3.** (*general*) allgemein **4.** (*wide-ranging*) weitreichend **5.** (*strong*) *accent, grin* breit II. *n* AM (*sl*) Tussi *f*
broad bean *n* dicke Bohne
broadly ['brɔːdli] *adv* **1.** (*widely*) breit **2.** (*generally*) allgemein; **~ speaking, ...** ganz allgemein gesehen, ...
broadminded *adj* (*approv*) tolerant
broccoli ['brɒkᵊli] *n no pl* Brokkoli *m*
brochure ['brəʊʃəʳ] *n* Broschüre *f*
broke [brəʊk] I. *pt of* **break** II. *adj* (*fam*) pleite
broken ['brəʊkᵊn] I. *pp of* **break** II. *adj* **1.** *arm* gebrochen; *bottle* zerbrochen; **~ glass** Glasscherben *pl* **2. in ~ English** in gebrochenem Englisch

broken-down *adj* kaputt **broken-hearted** *adj* untröstlich
brolly ['brɒli] *n* BRIT, AUS (*fam*) Schirm *m*
bronze [brɒnz] *n* Bronze *f*
brooch <*pl* -es> [brəʊtʃ] *n* Brosche *f*
broom [bruːm, brʊm] *n* Besen *m*
broomstick ['bruːmstɪk, 'brʊm-] *n* Besenstiel *m*
broth [brɒθ] *n no pl* Brühe *f*
brother ['brʌðəʳ] I. *n* Bruder *m;* **~s and sisters** Geschwister *pl;* **~s in arms** Waffenbrüder *pl* II. *interj* (*fam*) Mann!
brother-in-law <*pl* brothers-in-law> *n* Schwager *m*
brought [brɔːt] *pp, pt of* **bring**
brown [braʊn] I. *n* Braun *nt* II. *adj* braun
brown bread *n no pl* locker gebackenes Brot aus dunklerem Mehl, etwa wie Mischbrot **brown paper** *n no pl* Packpapier *nt* **brown rice** *n no pl* ungeschälter Reis
browse [braʊz] I. *vi* **1. to ~ through a magazine** eine Zeitschrift durchblättern **2. to ~ [around a shop]** sich [in einem Geschäft] umsehen II. *n no pl* **1. to have a ~ around** sich umsehen **2. to have a ~ through a magazine** eine Zeitschrift durchblättern
bruise [bruːz] I. *n* **1.** blauer Fleck **2.** (*on fruit*) Druckstelle *f* II. *vt* **to ~ one's arm** sich am Arm stoßen III. *vi* einen blauen Fleck bekommen; *fruit* Druckstellen bekommen
brush [brʌʃ] I. *n* <*pl* -es> **1.** (*for hair, cleaning*) Bürste *f;* (*for painting*) Pinsel *m* **2.** *no pl* (*act*) Bürsten *nt;* **to give sth a ~** etw abbürsten **3.** (*encounter*) Zusammenstoß *m;* **to have a ~ with the law** mit dem Gesetz in

B

Konflikt geraten **II.** *vt* **1.** (*clean*) abbürsten; **to ~ one's hair** sich *dat* die Haare bürsten **2.** (*touch lightly*) leicht berühren **III.** *vi* **to ~ against** streifen ◆ **brush aside** *vt* **1.** (*move aside*) wegschieben **2.** *thing* abtun ◆ **brush away** *vt* **1.** (*wipe*) wegwischen **2.** (*dismiss*) [aus seinen Gedanken] verbannen ◆ **brush off** *vt* **1.** (*remove with brush*) abbürsten **2.** (*ignore*) *person* abblitzen lassen; *thing* zurückweisen ◆ **brush up** **I.** *vi* **to ~ up on sth** etw auffrischen **II.** *vt* auffrischen

brush-off *n no pl* **to get the ~ from sb** von jdm einen Korb bekommen; **to give sb the ~** jdm eine Abfuhr erteilen

Brussels ['brʌsˀlz] *n no pl* Brüssel *nt*

Brussel(s) sprout *n* Rosenkohl *m kein pl*, Kohlsprosse *f* ÖSTERR

brutal ['bruːtˀl] *adj* brutal

bubble ['bʌbl] **I.** *n* Blase *f;* **to blow a ~** eine Seifenblase machen **II.** *vi* kochen *a. fig; coffee, stew* brodeln; *boiling water, fountain* sprudeln; *champagne* perlen ◆ **bubble over** *vi* **to ~ over with sth** vor etw *dat* [über]sprudeln

bubble bath *n* Schaumbad *nt* **bubble gum** *n* Bubble Gum® *m*

bubbly ['bʌbli] **I.** *n no pl* (*fam*) Schampus *m* **II.** *adj* **1.** *drink* sprudelnd **2.** *person* temperamentvoll

bucket ['bʌkɪt] *n* **1.** (*pail*) Eimer *m* **2.** (*fam: large amounts*) **~s** *pl* Unmengen *pl*

bucketful <*pl* -s> *n* Eimer *m*

buckle ['bʌkl] **I.** *n* Schnalle *f* **II.** *vt* belt [zu]schnallen ◆ **buck up** **I.** *vi* (*fam*) **1.** (*cheer up*) [wieder] Mut fassen; **~ up!** Kopf hoch! **2.** (*hurry up*) sich

beeilen **II.** *vt* **to ~ sb up** jdn aufmuntern [*o* aufheitern] ▶ **to ~ one's ideas up** sich zusammenreißen

bud [bʌd] *n* Knospe *f;* **to be in ~** Knospen haben

buddy ['bʌdi] *n* AM (*fam*) Kumpel *m*

budge [bʌdʒ] **I.** *vi* **1.** (*move*) sich [vom Fleck] rühren **2.** (*change mind*) nachgeben; **to ~ from sth** von etw *dat* abrücken **II.** *vt* **1.** (*move*) [von der Stelle] bewegen **2.** (*cause to change mind*) umstimmen

budgerigar ['bʌdʒˀrɪgɑːʳ] *n* Wellensittich *m*

budget ['bʌdʒɪt] **I.** *n* Budget *nt;* **the B~** der öffentliche Haushalt[splan] **II.** *vi* **to ~ for sth** etw [im Budget] vorsehen **III.** *adj* preiswert; **~ travel** Billigreisen *pl*

buffalo <*pl* -> ['bʌfˀləʊ] *n* Büffel *m*

buffet[1] ['bʊfeɪ, 'bʌ-] *n* Büfett *nt*

buffet[2] ['bʌfɪt] *vt* [heftig] hin und her bewegen

buffet car *n esp* BRIT ≈ Speisewagen *m*

bug [bʌg] **I.** *n* **1.** (*insect*) **~s** *pl* Ungeziefer *nt kein pl;* **bed ~** Bettwanze *f* **2.** COMPUT Bug *m* **3.** (*listening device*) Wanze *f* **II.** *vt* <-gg-> **1.** (*install bugs*) verwanzen **2.** (*fam: annoy*) **to ~ sb** [**about sth**] jdm [mit etw] auf die Nerven gehen; **stop ~ging me!** hör auf zu nerven!

bugger ['bʌgəʳ] **I.** *n* BRIT, AUS (*vulg*) Scheißkerl *m;* **poor ~** (*sl*) armes Schwein ▶ **it's got ~ all to do with you!** BRIT, AUS (*vulg*) das geht dich einen Dreck an! **II.** *interj* BRIT, AUS (*vulg*) **~!** Scheiße! **III.** *vt* BRIT, AUS (*sl: ruin*) ruinieren ◆ **bugger off** *vi* (*sl*) abhauen

buggy ['bʌgi] *n* **1.** BRIT (*pushchair*)

Buggy *m* **2.** AM (*pram*) Kinderwagen *m*

build [bɪld] **I.** *n no pl* Körperbau *m* **II.** *vt* <built, built> **1.** (*construct*) bauen; *building a.* errichten **2.** (*fig*) aufbauen **III.** *vi* <built, built> **1.** (*construct*) bauen **2.** (*increase*) zunehmen ◆ **build up I.** *vt* aufbauen **II.** *vi* (*increase*) zunehmen; *traffic* sich verdichten

builder ['bɪldə'] *n* Bauarbeiter(in) *m(f)*

building ['bɪldɪŋ] *n* Gebäude *nt*

building site *n* Baustelle *f* **building society** *n* BRIT, AUS Bausparkasse *f*

built [bɪlt] *pp, pt of* **build**

built-in ['bɪltɪn] *adj* eingebaut; ~ **cupboard** Einbauschrank *m*

built-up ['bɪltʌp] *adj* **1.** *area* verbaut **2.** *shoes* erhöht

bulb [bʌlb] *n* **1.** BOT Zwiebel *f* **2.** ELEC [Glüh]birne *f*

bulky ['bʌlki] *adj person* massig; *object* sperrig

bull [bʊl] *n* Stier *m*, Bulle *m*; ▶ **like a ~ in a** <u>china</u> <u>shop</u> wie ein Elefant im Porzellanladen; **to take the ~ by the** <u>horns</u> den Stier bei den Hörnern packen

bulldog *n* Bulldogge *f* **bulldozer** ['bʊldəʊzə'] *n* Bulldozer *m*

bullet ['bʊlɪt] *n* Kugel *f*; ~ **hole** Einschussloch *nt*; ~ **wound** Schusswunde *f*; ▶ **to** <u>bite</u> **the ~** in den sauren Apfel beißen; **to** <u>give</u> **sb the ~** jdn feuern

bulletin board *n* schwarzes Brett

bullfight *n* Stierkampf *m* **bullshit** (*fam!*) **I.** *n no pl* Schwachsinn *m* **II.** *vi* <-tt-> Scheiß erzählen

bully ['bʊli] **I.** *n* Rabauke *m*; **you're a big ~** du bist ein ganz gemeiner Kerl **II.** *vt* <-ie-> tyrannisieren

bum [bʌm] **I.** *n* **1.** (*good-for-nothing*) Penner *m* **2.** *esp* BRIT, AUS (*fam: bottom*) Hintern *m* **II.** *adj* (*pej fam*) mies; ~ **rap** AM ungerechte Behandlung **III.** *vt* <-mm-> (*fam*) **to ~ sth off sb** etw von jdm schnorren

bumblebee ['bʌmblbiː] *n* Hummel *f*

bump [bʌmp] **I.** *n* **1.** (*on head*) Beule *f*; (*in road*) Unebenheit *f* **2.** (*thud*) Bums *m*; **to go ~** rumsen **II.** *vt* **1.** AUTO zusammenstoßen mit +*dat* **2. to ~ one's head** sich am Kopf stoßen **III.** *vi* **to ~ along** entlangrumpeln

bumper ['bʌmpə'] *n* Stoßstange *f*

bumpy ['bʌmpi] *adj* holp[e]rig; *flight, ride* unruhig

bun [bʌn] *n* **1.** (*pastry*) [rundes] Gebäckstück **2.** *esp* AM (*bread roll*) Brötchen *nt*

bunch <*pl* -es> [bʌn(t)ʃ] **I.** *n* **1.** (*group*) *of flowers* Strauß *m*; *of people* Haufen *m*; ~ **of keys** Schlüsselbund *m*; **a whole ~ of problems** jede Menge Probleme **2.** (*wad*) **in a ~** aufgebauscht **II.** *vt* bündeln **III.** *vi* sich bauschen

bundle ['bʌndl] **I.** *n* Bündel *nt*; **a ~ of nerves** (*fig*) ein Nervenbündel **II.** *vt* **to ~ sb into the car** jdn ins Auto verfrachten

bung [bʌŋ] **I.** *n esp* BRIT Pfropfen *m* **II.** *vt* **1.** *esp* BRIT **to be ~ed up** verstopft sein **2.** *esp* BRIT, AUS (*fam: throw*) schmeißen

bunk [bʌŋk] **I.** *n* **1.** (*in boat*) Koje *f* **2.** (*part of bed*) **bottom/top ~** unteres/oberes Bett (*eines Etagenbetts*) ▶ **to** <u>do</u> **a ~** BRIT, AUS [heimlich] abhauen **II.** *vi* (*fam*) **to ~ [down]** sich aufs Ohr legen

bunk bed *n* Etagenbett *nt*

bunny ['bʌni] *n* (*childspeak*) Häschen *nt*

bureau <*pl* -x *or* AM, AUS *usu* -s> ['bjʊərəʊ] *n* **1.** (*government department*) Amt *nt*, Behörde *f* **2.** AM (*office*) [Informations]büro *nt* **3.** BRIT (*desk*) Sekretär *m* **4.** AM (*chest of drawers*) Kommode *f*

burger ['bɜːgəʳ] *n* (*fam*) *short for* **hamburger** [Ham]burger *m*

burglar ['bɜːgləʳ] *n* Einbrecher(in) *m(f)*

burglary ['bɜːgləʳri] *n* Einbruch[diebstahl] *m*

burgle ['bɜːgl] *vt* BRIT, AUS einbrechen in; **they were ~d** bei ihnen wurde eingebrochen

burn [bɜːn] I. *n* **1.** (*injury*) Verbrennung *f* **2.** (*damage*) Brandfleck *m* II. *vi* <burnt, burnt> **1.** (*be in flames*) brennen; *house* in Flammen stehen **2.** FOOD anbrennen **3.** (*sunburn*) einen Sonnenbrand bekommen III. *vt* <burnt, burnt> **1.** (*damage with heat*) verbrennen **2.** FOOD anbrennen lassen **3.** (*sunburn*) **to be ~t** einen Sonnenbrand haben ◆ **burn down** I. *vt* abbrennen II. *vi building* niederbrennen ◆ **burn out** I. *vi* **1.** *fire, candle* herunterbrennen **2.** *rocket* ausbrennen **3.** AM (*fam: reach saturation*) **to ~ out on sth** etw schnell überhaben II. *vt* **1.** (*stop burning*) **the candle ~t itself out** die Kerze brannte herunter **2.** (*person*) **to ~ [oneself] out** sich völlig verausgaben ◆ **burn up** I. *vi* verbrennen II. *vt calories* verbrauchen

burning ['bɜːnɪŋ] I. *adj* **1.** (*on fire*) brennend; *face* glühend **2.** (*controversial*) *issue* heiß diskutiert; *question* brennend II. *n no pl* **there's a smell of ~** es riecht verbrannt

burnt [bɜːnt] I. *vt, vi pt, pp of* **burn** II. *adj* (*completely*) verbrannt; (*partly*) *food* angebrannt

burp [bɜːp] I. *n* Rülpser *m;* *of a baby* Bäuerchen *nt* II. *vi* rülpsen *fam;* *baby* ein Bäuerchen machen

burrow ['bʌrəʊ] I. *n* Bau *m* II. *vt* graben

burst [bɜːst] I. *n* ~ **of laughter** Lachsalve *f;* ~ **of speed** Spurt *m* II. *vi* <burst, burst> **1.** (*explode*) platzen **2.** (*fig*) **to be ~ing to do sth** darauf brennen, etw zu tun **3.** (*be full*) *suitcase* zum Bersten voll sein; **to be ~ing with curiosity** vor Neugier platzen III. *vt* <burst, burst> zum Platzen bringen ◆ **burst in** *vi* herein-/hineinstürzen; **to ~ in on sb** bei jdm hereinplatzen; **to ~ in on a meeting** in eine Versammlung hineinplatzen ◆ **burst out** *vi* **1.** (*hurry out*) herausstürzen **2.** (*commence*) **to ~ out crying/laughing** in Tränen/Gelächter ausbrechen

bury <-ie-> ['beri] *vt person* begraben; *thing* vergraben

bus [bʌs] I. *n* <*pl* -es> [Omni]bus *m;* **to go by ~** mit dem Bus fahren II. *vt* <-ss-> mit dem Bus befördern III. *vi* <-ss-> mit dem Bus fahren

bus driver *n* Busfahrer(in) *m(f)*

bush <*pl* -es> [bʊʃ] *n* **1.** Busch *m;* **in the ~es** im Gebüsch **2.** (*fig*) ~ **of hair** [dichtes] Haarbüschel ▶ **to beat about** the ~ um den heißen Brei herumreden

bushy ['bʊʃi] *adj* buschig

business <*pl* -es> ['bɪznɪs] *n* **1.** *no pl* (*commerce*) Handel *m;* **on ~** beruflich **2.** *no pl* (*sales volume*) Geschäft *nt;* **how's ~?** was machen die Geschäfte? **3.** (*profession*) Branche *f;* **what line of ~ are you in?** in welcher Branche sind Sie tätig? **4.** *no pl* (*matter*) Angelegenheit *f;* **that's none of your ~** das geht dich nichts an ▶ **to be ~ as** <u>usual</u> den gewohnten Gang gehen; **to** <u>get</u> <u>down</u> **to ~** zur Sache kommen

business card *n* Visitenkarte *f* **business hours** *n pl* Geschäftszeiten *pl*

businesslike *adj* geschäftsmäßig, sachlich **businessman** *n* Geschäftsmann *m;* (*leader*) Manager *m;* (*entrepreneur*) Unternehmer *m* **business trip** *n* Dienstreise *f,* Geschäftsreise *f* **businesswoman** *n* Geschäftsfrau *f;* (*leader*) Managerin *f;* (*entrepreneur*) Unternehmerin *f*

busker [ˈbʌskəʳ] *n* Straßenmusikant(in) *m(f)*

bus service *n* Busverbindung *f* **bus station** *n* Busbahnhof *m* **bus stop** *n* Bushaltestelle *f*

bust¹ [bʌst] *n* **1.** (*statue*) Büste *f* **2.** (*breasts*) Büste *f*

bust² [bʌst] **I.** *n* **1.** (*recession*) [wirtschaftlicher] Niedergang **2.** (*sl: police raid*) Razzia *f* **II.** *adj* (*fam*) **1.** (*broken*) kaputt **2.** (*bankrupt*) **to go ~** Pleite machen **III.** *vt* <bust, bust> (*fam*) kaputtmachen

bust-up [ˈbʌstʌp] *n* BRIT, AUS (*fam*) Krach *m*

busy [ˈbɪzi] *adj* **1.** (*occupied*) beschäftigt; **I'm very ~ this week** ich habe diese Woche viel zu tun **2.** (*active*) *day* arbeitsreich; **I've had a ~ day** ich hatte heute viel zu tun

but [bʌt, bət] **I.** *conj* **1.** (*although, however*) aber; **~ then I'm no expert** ich bin allerdings keine Expertin **2.** (*except*) als **3.** (*rather*) sondern; **not only ... ~ also ...** nicht nur ..., sondern auch ... **II.** *prep* außer +*dat;*

last ~ one vorletzte(r, s); **anything ~** alles außer; **nothing ~ trouble** nichts als Ärger **III.** *adv* (*form: only*) nur ▶ **~ for** bis auf; **~ then** [**again**] (*on the other hand*) andererseits; (*after all*) schließlich

butcher [ˈbʊtʃəʳ] **I.** *n* Metzger(in) *m(f)* **II.** *vt* schlachten

butt [bʌt] **I.** *n* **1.** *of rifle* Kolben *m; of cigarette* Stummel *m* **2.** AM (*sl*) Hintern *m;* **to get off one's ~** seinen Hintern in Bewegung setzen **II.** *vt* **to ~ sb/sth** jdm/etw einen Stoß mit dem Kopf versetzen **III.** *vi person* mit dem Kopf stoßen

butter [ˈbʌtəʳ] **I.** *n no pl* Butter *f* **II.** *vt* mit Butter bestreichen

butter-dish *n* Butterdose *f*

butterfly [ˈbʌtəflaɪ] *n* Schmetterling *m*

button [ˈbʌtᵊn] **I.** *n* **1.** (*on clothes*) Knopf *m* **2.** TECH Knopf *m;* **to push a ~** auf einen Knopf drücken **3.** AM (*badge*) Button *m* **II.** *vt* zuknöpfen ▶ **to ~ it** den Mund halten

buy [baɪ] **I.** *n* Kauf *m* **II.** *vt* <bought, bought> **1.** **to ~ sb sth** jdm etw kaufen; **to ~ sth from sb** jdm etw abkaufen **2.** (*fam: believe*) abkaufen ◆ **buy back** *vt* zurückkaufen ◆ **buy off** *vt* kaufen ◆ **buy out** *vt company* aufkaufen; *person* auszahlen ◆ **buy up** *vt* aufkaufen

buyer [ˈbaɪəʳ] *n* Käufer(in) *m(f);* (*as job*) Einkäufer(in) *m(f)*

buzz [bʌz] **I.** *vi bee, buzzer* summen; **my head was ~ing** mir schwirrten alle möglichen Gedanken durch den Kopf; **the room was ~ing with conversation** das Zimmer war von Stimmengewirr erfüllt **II.** *vt* (*telephone*) anrufen **III.** *n* <*pl* -es> **1.** *of a bee, buzzer* Summen *nt; of a fly* Brummen *nt;* ~ **of conversation** Stimmenge-wirr *nt* **2.** (*call*) **to give sb a** ~ jdn anrufen ◆ **buzz around** *vi* herum-schwirren ◆ **buzz off** *vi* (*fam!*) abzi-schen

buzzer ['bʌzəʳ] *n* Summer *m*

by [baɪ] **I.** *prep* **1.** (*beside*) bei +*dat*, an +*dat;* **come and sit** ~ **me** komm und setz dich zu mir **2.** ~ **the arm** am Arm; ~ **the hand** bei der Hand **3.** (*not later than*) bis; ~ **14 Febru-ary** [spätestens] bis zum 14.02.; ~ **now** inzwischen **4.** (*during*) bei +*dat;* ~ **candlelight** bei Kerzenlicht; ~ **day** tagsüber **5.** (*happening pro-gressively*) **day** ~ **day** Tag für Tag **6.** (*agent*) von +*dat;* **a painting** ~ **Picasso** ein Gemälde von Picasso **7.** (*by means of*) durch +*akk*, mit +*dat;* ~ **train** mit dem Zug; ~ **chance** durch Zufall; ~ **contrast** im Gegen-satz **8.** (*according to*) nach +*dat*, von +*dat;* ~ **birth** von Geburt; ~ **law** dem Gesetz nach **9.** (*quantity*) ~ **the hour** stundenweise; ~ **the metre** *am Meter* **10.** (*margin*) um +*akk;* **to go up** ~ **20%** um 20 % stei-gen **11.** MATH **8 divided** ~ **4 equals 2** 8 geteilt durch 4 ist 2 **II.** *adv* **1.** (*past*) vorbei; **time goes** ~ **so quickly** die Zeit vergeht so schnell **2. close** ~ ganz in der Nähe ▶ ~ **and large** im Großen und Ganzen

bye [baɪ] *interj*, **bye-bye** [ˌbaɪ'baɪ] *in-terj* (*fam*) tschüs

bypass I. *n* **1.** TRANSP Umgehungsstra-ße *f* **2.** MED Bypass *m* **II.** *vt* (*detour*) umfahren

by-product *n* Nebenprodukt *nt;* (*fig*) Begleiterscheinung *f*

C

C <*pl* -'s>, **c** <*pl* -'s> [siː] *n* **1.** C *nt*, c *nt; see also* **A 1 2.** MUS C *nt*, c *nt;* ~ **flat** Ces *nt*, ces *nt;* ~ **sharp** Cis *nt*, cis *nt* **3.** (*school mark*) ≈ Drei *f*, ≈ befriedigend

C 1. *after n abbrev of* **Celsius** C **2.** *abbrev of* **cancer: the Big** ~ (*fam*) Krebs *m*

cab [kæb] *n* **1.** (*of a truck*) Führerhaus *nt* **2.** (*taxi*) Taxi *nt*

cabbage ['kæbɪdʒ] *n* Kohl *m kein pl*

cabbie *n*, **cabby** ['kæbi] *n*, *esp* AM **cabdriver** *n* Taxifahrer(in) *m(f)*

cabin ['kæbɪn] *n* **1.** (*on ship*) Kabine *f* **2.** (*wooden house*) Hütte *f*

cabinet ['kæbɪnət] *n* **1.** (*storage place*) Schrank *m* **2.** + *sing/pl vb* POL Kabi-nett *nt*

cable ['keɪbl] **I.** *n* **1.** ELEC [Leitungs]ka-bel *nt*, Leitung *f* **2.** *no pl* TV Kabel-fernsehen *nt* **II.** *vt* TV **to be** ~**d** ver-kabelt sein

cable car *n* Seilbahn *f*

cable television, **cable TV** *n no pl* Kabelfernsehen *nt*

cab rank *n* Taxistand *m*

cactus <*pl* -es> ['kæktəs, *pl* -taɪ] *n* Kaktus *m*

café, cafe ['kæfeɪ] *n* Café *nt*

cafeteria [ˌkæfə'tɪəriə] *n* Cafeteria *f*

caffein(e) ['kæfiːn] *n no pl* Koffein *nt*

cage [keɪdʒ] *n* Käfig *m*

cake [keɪk] **I.** *n* Kuchen *m;* (*layered*) Torte *f;* **fish** ~ Fischfrikadelle *f;* **pota-to** ~ Kartoffelpuffer *m;* ▶ **a piece of** ~ (*fam*) ein Klacks *m* **II.** *vt* ~**d with mud** dreckverkrustet

calcium ['kælsiəm] *n no pl* Kalzium *nt*

calculate [ˈkælkjələɪt] I. *vt* berechnen II. *vi* **to ~ [on sth]** [mit etw] rechnen

calculation [ˌkælkjəˈleɪʃⁿn] *n* MATH Berechnung *f*; (*estimate*) Schätzung *f*

calculator [ˈkælkjəleɪtəʳ] *n* Rechner *m*

calendar [ˈkæləndəʳ] *n* Kalender *m*

calf <*pl* calves> [kɑːf , *pl* kɑːvz] *n* 1. (*animal*) Kalb *nt* 2. ANAT Wade *f*

call [kɔːl] I. *n* 1. (*on the telephone*) [Telefon]anruf *m*, [Telefon]gespräch *nt*; **to give sb a ~** jdn anrufen 2. (*visit*) Besuch *m* 3. (*shout*) Ruf *m*; **a ~ for help** ein Hilferuf *m* 4. *no pl* (*form: need*) Grund *m* II. *vt* 1. (*on the telephone*) anrufen; (*by radio*) rufen 2. (*name*) nennen; **what's that actor ~ed again?** wie heißt dieser Schauspieler nochmal? 3. (*shout*) rufen 4. (*summon*) rufen; **to ~ a doctor** einen Arzt kommen lassen 5. (*give orders for*) *meeting* einberufen; *strike* ausrufen III. *vi* 1. (*telephone*) anrufen; **who's ~ing, please?** wer ist am Apparat? 2. (*drop by*) vorbeischauen 3. (*shout*) rufen ◆ **call at** *vi* 1. (*visit*) **to ~ at sth** bei etw *dat* vorbeigehen 2. *town, station* halten (at in) ◆ **call for** *vi* 1. (*collect*) abholen 2. (*shout*) **to ~ for sb** nach jdm rufen; **to ~ for help** um Hilfe rufen ◆ **call in** I. *vt* (*ask to come*) [herein] rufen II. *vi* 1. RADIO anrufen 2. (*drop by*) **to ~ in on sb** bei jdm vorbeischauen ◆ **call off** *vt* (*cancel*) absagen; (*stop*) abbrechen ◆ **call on** *vi* 1. (*appeal to*) **to ~ on sb to do sth** jdn dazu auffordern, etw zu tun 2. (*visit*) **to ~ on sb** bei jdm vorbeischauen ◆ **call out** I. *vt* 1. (*shout*) rufen; **to ~ out ⇆ sth to sb** jdm etw zurufen 2. (*summon*) **to ~ out the fire brigade** die Feuerwehr alarmieren II. *vi*

rufen ◆ **call up** *vt* 1. *esp* AM (*telephone*) anrufen 2. COMPUT aufrufen

call box *n* BRIT Telefonzelle *f* **call diversion** *n* *no pl* Rufumleitung *f*

caller [ˈkɔːləʳ] *n* 1. (*on telephone*) Anrufer(in) *m(f)* 2. (*visitor*) Besucher(in) *m(f)*

calm [kɑːm] I. *adj* ruhig II. *n* 1. (*calmness*) Ruhe *f* 2. METEO Windstille *f*; **the ~ before the storm** die Ruhe vor dem Sturm III. *vt* beruhigen

calorie [ˈkælⁿri] *n* Kalorie *f*; **high in ~s** kalorienreich; **~-reduced** kalorienreduziert

camcorder [ˈkæmˌkɔːdəʳ] *n* Camcorder *m*

came [keɪm] *vi pt of* **come**

camel [ˈkæmⁿl] *n* Kamel *nt*; **~ hair** Kamelhaar *nt*

camera [ˈkæmⁿrə] *n* Kamera *f*; **to be on ~** vor der Kamera stehen

camp¹ [kæmp] I. *n* 1. (*encampment*) [Zelt]lager *nt*; **summer ~** Sommerlager *nt* 2. MIL [Feld]lager *nt*; **refugee ~** Flüchtlingslager *nt* II. *vi* **to ~ [out]** zelten

camp² [kæmp] I. *n no pl* Manieriertheit *f* II. *adj* 1. (*pej: theatrical*) manieriert 2. (*effeminate*) tuntenhaft III. *vt* **to ~ sth ⇆ up** bei etw *dat* zu dick auftragen

camper [ˈkæmpəʳ] *n* 1. (*person*) Camper(in) *m(f)* 2. (*vehicle*) Wohnmobil *nt*

campfire *n* Lagerfeuer *nt*

camping [ˈkæmpɪŋ] *n no pl* Camping *nt*; **to go ~** zelten gehen

campsite *n* Campingplatz *m*

campus [ˈkæmpəs] *n* Campus *m*; **on ~** auf dem Campus

can¹ [kæn] I. *n* 1. Dose *f*, Büchse *f* 2. AM (*fam: toilet*) Klo *nt*; ▶ **to have**

to <u>carry</u> the ~ BRIT die Sache ausbaden müssen **II.** *vt food* eindosen

can² <could, could> |kæn, kən] *aux vb* (*be able to*) können; (*be allowed to*) dürfen; ~ **you hear me?** hörst du mich?; **you can't park here** hier dürfen Sie nicht parken; **I couldn't see anything** ich konnte nichts sehen; **who** ~ **blame her?** wer will es ihr verdenken?

can't |kɑːnt] (*fam*) = **cannot**

canal |kə'næl] *n* Kanal *m*

cancel <BRIT -ll-> |'kæn(t)sᵊl] *vt* **1.** (*call off*) absagen **2.** (*remove from schedule*) streichen **3.** (*undo*) stornieren

cancellation |ˌkæn(t)sᵊl'eɪʃᵊn] *n* **1.** (*calling off*) Absage *f* **2.** (*from schedule*) Streichung *f* **3.** (*undoing*) Stornierung *f*

cancer |'kæn(t)sə'] *n no pl* Krebs *m;* ~ **of the stomach** Magenkrebs *m;* ~ **check-up** Krebsvorsorgeuntersuchung *f*

cancerous |'kæn(t)sᵊrəs] *adj* krebsartig

cancer screening *n no pl* Krebsvorsorgeuntersuchung *f*

candid |'kændɪd] *adj* offen; ~ **camera** versteckte Kamera

candidate |'kændɪdət] *n* POL, SCH Kandidat(in) *m(f)*

candle |'kændl] *n* Kerze *f*

candlelight *n no pl* Kerzenlicht *nt;* ~ [*or* **candlelit**] **dinner** Abendessen bei Kerzenschein *nt* **candlestick** *n* Kerzenständer *m*

candy |'kændi] *n* **1.** *no pl* (*sugar*) Kandiszucker *m* **2.** AM (*sweets*) Süßigkeiten *pl*

cane |keɪn] **I.** *n* **1.** *no pl* (*of plant*) Rohr *nt;* ~ **basket** Weidenkorb *m* **2.** (*stick*) Stock *m* **II.** *vt* |mit einem Stock] züchtigen

cane chair *n* Rohrstuhl *m*

canned |kænd] *adj* **1.** (*in cans*) ~ **tomatoes** Dosentomaten *pl* **2.** MEDIA ~ **music** Musik *f* aus der Konserve

cannon |'kænən] **I.** *n* MIL Kanone *f* **II.** *vi* **to** ~ **into sb** mit jdm zusammenprallen

cannot |'kænɒt] *aux vb see* **can not: we** ~ **but succeed** wir können nur gewinnen

canoe |kə'nuː] *n* Kanu *nt*

can opener *n* Dosenöffner *m*

canteen |kæn'tiːn] *n* Kantine *f*

canyon |'kænjən] *n* Schlucht *f*

cap |kæp] **I.** *n* **1.** (*hat*) Mütze *f* **2.** (*top*) Verschlusskappe *f* **3.** (*limit*) Obergrenze *f* **4.** BRIT (*contraceptive*) Pessar *nt;* ▶ **to put on one's <u>thinking</u>** ~ scharf nachdenken **II.** *vt* <-pp-> **1.** (*limit*) begrenzen **2.** (*cover*) bedecken; *teeth* überkronen

capable |'keɪpəbl] *adj* fähig; **to be** ~ **of doing sth** in der Lage sein, etw zu tun

capacity |kə'pæsəti] *n* **1.** (*available space*) Fassungsvermögen *nt* **2.** *no pl* (*ability*) Fähigkeit *f;* **mental** ~ geistige Fähigkeiten *pl* **3.** *no pl* (*maximum*) Kapazität *f;* **full to** ~ absolut voll

cape¹ |keɪp] *n* Kap *nt;* **the C~ of Good Hope** das Kap der guten Hoffnung; ~ **Horn** Kap Hoorn

cape² |keɪp] *n* Umhang *m*

capital |'kæpɪtᵊl] *n* **1.** (*city*) Hauptstadt *f* **2.** (*letter*) Großbuchstabe *m*

capital crime *n* Kapitalverbrechen *nt*

capitalist |'kæpɪtᵊlɪst] **I.** *n* Kapitalist(in) *m(f)* **II.** *adj* kapitalistisch

capital letter *n* Großbuchstabe *m* **capital punishment** *n no pl* Todesstrafe *f*

Capricorn |'kæprɪkɔːn] *n no art, no pl* ASTROL Steinbock *m*

capsize [kæp'saɪz] *vi* NAUT kentern

captain ['kæptɪn] I. *n* Kapitän(in) *m(f)* II. *vt* anführen; MIL befehligen

captive ['kæptɪv] I. *n* Gefangene(r) *f(m)* II. *adj* gefangen

captivity [kæp'tɪvəti] *n no pl* Gefangenschaft *f*

capture ['kæptʃəʳ] I. *vt* 1. (*take prisoner*) gefangen nehmen; *police* festnehmen 2. (*take possession*) einnehmen II. *n of a person* Gefangennahme *f*; (*by police*) Festnahme *f*; *of a city* Einnahme *f*

car [kɑːʳ] *n* 1. (*vehicle*) Auto *nt*, Wagen *m*; **by ~** mit dem Auto; **~ rental service** Autovermietung *f* 2. RAIL Waggon *m* 3. (*in airship, balloon*) Gondel *f*

caravan ['kærəvæn] *n* BRIT Wohnwagen[anhänger] *m*

carbonated ['kɑːbᵊneɪtɪd] *adj* kohlensäurehaltig

carbon dioxide *n no pl* Kohlendioxid *nt* **carbon monoxide** *n no pl* Kohlenmonoxid *nt*

car-boot sale *n* BRIT *privater Flohmarkt, bei dem der Kofferraum als Verkaufsfläche dient*

carcinogenic [ˌkɑːsɪnə(ʊ)'dʒenɪk] *adj* Krebs erregend

card [kɑːd] *n* 1. *no pl* (*material*) Pappe *f*, Karton *m* 2. (*piece of paper*) Karte *f*; (*postcard*) [Post]karte *f*, Ansichtskarte *f*; **birthday ~** Geburtstagskarte *f* 3. (*game*) [Spiel]karte *f*; [**game of**] **~s** Kartenspiel *nt* 4. (*for paying*) Karte *f*; **phone ~** Telefonkarte *f* 5. (*official document*) **identity ~** Personalausweis *m*; ▶ **to** play **one's ~s right** geschickt vorgehen

cardboard *n no pl* Pappe *f*; **~ box** [Papp]karton *m*

cardiac ['kɑːdiæk] *adj* **~ arrest** Herzstillstand *m*

cardigan ['kɑːdɪgən] *n* Strickjacke *f*

cardphone *n* Kartentelefon *nt*

care [keəʳ] I. *n* 1. *no pl* (*looking after*) Betreuung *f*; (*in hospital*) Versorgung *f*; **in ~** in Pflege; **to take good ~ of sth** etw schonen; **~ of ...** zu Händen von ... 2. *no pl* (*caution*) **take ~ you don't fall!** pass auf, dass du nicht hinfällst!; **to drive with ~** umsichtig fahren 3. (*worry*) Sorge *f* II. *vi* 1. (*be concerned*) betroffen sein; **I couldn't ~ less** das ist mir völlig egal; **who ~s?** wen interessiert das schon? 2. (*look after*) **to ~ for sb** sich um jdn kümmern III. *vt* **sb does not ~ whether ...** jdm ist es egal, ob ...

career [kə'rɪəʳ] *n* 1. (*profession*) Beruf *m*; **~s office** BRIT Berufsberatung *f* 2. (*working life*) Karriere *f*, Laufbahn *f*

carefree *adj* sorgenfrei

careful ['keəfᵊl] *adj* 1. (*cautious*) vorsichtig; **to be ~ with sth** mit etw *dat* vorsichtig umgehen; **to be ~** [**that**] ... darauf achten, dass ... 2. (*meticulous*) sorgfältig; *analysis* umfassend

careless ['keələs] *adj* 1. (*lacking attention*) unvorsichtig 2. (*unthinking*) unbedacht 3. (*not painstaking*) nachlässig

caretaker *n* BRIT Hausmeister(in) *m(f)*

car ferry *n* Autofähre *f*

cargo ['kɑːgəʊ] *n no pl* Fracht *f*; **~ plane** Transportflugzeug *nt*

car hire *n no pl esp* BRIT Autovermietung *f*; **~ company** Autoverleih *m*

carnival ['kɑːnɪvᵊl] *n* 1. (*festival*) Volksfest *nt* 2. (*pre-Lent*) Karneval *m*

carol [ˈkærəl] *n* [**Christmas**] ~ Weihnachtslied *nt*

carol singer *n* Sternsinger(in) *m(f)*

car park *n* BRIT, AUS Parkplatz *m*

carpenter [ˈkɑːpəntəʳ] *n* Schreiner(in) *m(f)*

carpet [ˈkɑːpɪt] *n* Teppich *m a. fig;* (*fitted*) Teppichboden *m*

carriage [ˈkærɪʤ] *n* 1. (*horse-drawn*) Kutsche *f* 2. BRIT RAIL Personenwagen *m*

carriageway *n* BRIT Fahrbahn *f*

carrier bag *n* BRIT [Plastik]tüte *f*

carrot [ˈkærət] *n* Karotte *f*

carry <-ie-> [ˈkæri] I. *vt* 1. (*bear*) tragen *a. fig;* **to ~ sth around** etw mit sich *dat* herumtragen; **to be carried downstream** flussabwärts treiben 2. (*transport*) transportieren 3. (*have, incur*) **all cigarette packets ~ a warning** auf allen Zigarettenpäckchen steht eine Warnung 4. (*transmit*) MED übertragen; ELEC leiten II. *vi* (*reach*) *sound* zu hören sein ◆ **carry on** I. *vt* 1. (*continue*) fortführen; ~ **on the good work!** weiter so! 2. (*conduct*) führen II. *vi* (*continue*) weitermachen ◆ **carry out** *vt* 1. hinaus-/heraustragen 2. (*perform*) durchführen ◆ **carry through** *vt* 1. (*sustain*) durchbringen 2. (*complete*) durchführen

cart [kɑːt] I. *n* 1. (*pulled vehicle*) Wagen *m* 2. AM (*supermarket trolley*) Einkaufswagen *m* II. *vt* (*fam*) schleppen

carton [ˈkɑːtən] *n* Karton *m*

cartoon [kɑːˈtuːn] *n* 1. (*drawing*) Cartoon *m o nt* 2. FILM Zeichentrickfilm *m*

cartridge [ˈkɑːtrɪʤ] *n* (*for ink, ammunition*) Patrone *f*

carve [kɑːv] I. *vt* 1. (*cut a figure*) schnitzen 2. FOOD tranchieren II. *vi* tranchieren

carving [ˈkɑːvɪŋ] *n no pl* ART (*art of cutting*) Bildhauerei *f; of wood* Schnitzen *nt*

case¹ [keɪs] *n* 1. (*situation, instance*) Fall *m;* **in ~ of an emergency** im Notfall; **in most ~s** meistens; **in ~ ... falls ...** 2. LAW [Rechts]fall *m;* **murder ~** Mordfall *m* 3. LING Fall *m;* **to be in the accusative ~** im Akkusativ stehen

case² [keɪs] *n* 1. (*suitcase*) Koffer *m* 2. (*packaging plus contents*) Kiste *f* 3. (*small container*) Schatulle *f* 4. TYPO **written in upper ~** groß geschrieben

case³ [keɪs] *vt* (*fam*) **to ~ the joint** sich *dat* den Laden mal ansehen

cash [kæʃ] *n no pl* Bargeld *nt* ◆ **cash in** *vi* **to ~ in on sth** von etw *dat* profitieren

cash card *n esp* BRIT Geldautomatenkarte *f* **cash dispenser** *n* BRIT Geldautomat *m*

cashier [kæˈʃɪəʳ] *n* Kassierer(in) *m(f)*

cashpoint *n* BRIT Geldautomat *m*, Bankomat *m* SCHWEIZ, ÖSTERR

casserole [ˈkæsərəʊl] *n* 1. (*pot*) Schmortopf *m* 2. (*stew*) ≈ Eintopf *m*

cassette [kəˈset] *n* Kassette *f*

cassette recorder *n* Kassettenrecorder *m*

cast [kɑːst] I. *n* 1. + *sing/pl vb* THEAT, FILM Besetzung *f* 2. (*moulded object*) [Ab]guss *m* 3. (*plaster*) Gips[verband] *m* II. *vt* <cast, cast> 1. (*throw*) werfen *a. fig; fishing line* auswerfen 2. (*allocate roles*) **to ~ sb in a role** jdm eine Rolle geben ◆ **cast off** NAUT I. *vt* losmachen II. *vi* ablegen

castle [ˈkɑːsl] *n* **1.** (*fortress*) Burg *f;* (*mansion*) Schloss *nt* **2.** CHESS Turm *m*

castor sugar *n* Streuzucker *m*

casual [ˈkæʒjuəl] *adj* **1.** (*not planned*) zufällig **2.** (*offhand*) beiläufig **3.** (*informal*) lässig; *clothes* leger **4.** (*irregular*) gelegentlich; ~ **sex** Gelegenheitssex *m*

casualty [ˈkæʒjuəlti] *n* **1.** (*accident victim*) [Unfall]opfer *nt;* (*dead person*) Todesfall *m* **2.** *no pl* BRIT (*hospital department*) Unfallstation *f*

cat [kæt] *n* Katze *f;* ▶ **to rain ~s and dogs** wie aus Eimern schütten

catalogue [ˈkætəlɒg] **I.** *n* Katalog *m* **II.** *vt* katalogisieren

catalyst [ˈkætəlɪst] *n* Katalysator *m*

catalytic [ˌkætəˈlɪtɪk] *adj* katalytisch; ~ **converter** Katalysator *m*

catastrophe [kəˈtæstrəfi] *n* Katastrophe *f*

catastrophic [ˌkætəˈstrɒfɪk] *adj* katastrophal

catch [kætʃ] **I.** *n* <*pl* -es> **1.** (*ball*) Fang *m;* **good ~!** gut gefangen! **2.** (*fish*) Fang *m* *kein pl* **3.** *no pl* (*trick*) Haken *m;* **what's the ~?** wo ist der Haken? **II.** *vt* <caught, caught> **1.** (*intercept*) fangen; *person* auffangen **2.** (*grab*) ergreifen **3.** (*capture*) *person* ergreifen; (*arrest*) festnehmen; *animal* fangen **4.** (*surprise*) erwischen; **have I caught you at a bad time?** komme ich ungelegen?; **to ~ oneself doing sth** sich bei etw *dat* ertappen **5.** MED **to ~ sth from sb** sich bei jdm mit etw *dat* anstecken; **to ~ a cold** sich erkälten **6. to ~ sth in sth** etw in etw *akk* einklemmen; **to get caught on sth** an etw *dat* hängen bleiben **7.** *bus, train* nehmen **8.** *attention* erregen **9.** (*burn*) **to ~ fire** Feuer fangen **III.** *vi* <caught, caught> (*entangle*) sich in etw *dat* verfangen; **to ~ on sth** an etw *dat* hängen bleiben **3.** (*ignite*) Feuer fangen; *engine* zünden ◆ **catch on** *vi* (*fam*) **1.** (*become popular*) sich durchsetzen **2.** (*understand*) kapieren ◆ **catch out** *vt* BRIT **1.** (*detect*) ertappen **2.** (*trick*) hereinlegen ◆ **catch up I.** *vi* **to ~ up with** einholen *a. fig* **II.** *vt* **1.** (*reach*) **to ~ sb up** jdn einholen **2.** *usu passive* **to get caught up [in sth]** sich [in etw *dat*] verfangen

catcher [ˈkætʃər] *n* Fänger(in) *m(f)*

catching [ˈkætʃɪŋ] *adj* ansteckend

catchup [ˈkætʃʌp, ˈketʃ-] *n* AM FOOD *see* **ketchup**

catering [ˈkeɪtərɪŋ] *n no pl* **1.** (*trade*) Catering *nt* **2.** (*service*) Cateringservice *m*

caterpillar [ˈkætəpɪlər] *n* Raupe *f*

cathedral [kəˈθiːdrəl] *n* Kathedrale *f*, Dom *m*

Catholic [ˈkæθəlɪk] **I.** *n* Katholik(in) *m(f)* **II.** *adj* katholisch

cattle [ˈkætl] *n pl* Rinder *pl;* **200 head of ~** 200 Stück Vieh

caught [kɔːt] *pt, pp of* **catch**

cauliflower [ˈkɒliflaʊər] *n* Blumenkohl *m*

cause [kɔːz] **I.** *n* **1.** (*of effect*) Ursache *f;* ~ **of death** Todesursache *f* **2.** *no pl* (*reason*) Grund *m;* ~ **for concern** Anlass *m* zur Sorge **3.** (*object of support*) Sache *f;* **a good ~** ein guter Zweck **II.** *vt* verursachen; **to ~ trouble** Unruhe stiften

caution [ˈkɔːʃən] **I.** *n* **1.** *no pl* (*carefulness*) Vorsicht *f;* **with [great] ~** [sehr] umsichtig **2.** BRIT (*legal warning*) Ver-

C

warnung *f* **II.** *vt* (*form*) **1.** (*warn*) **to ~ sb** [**against sth**] jdn [vor etw *akk*] warnen **2.** *esp* BRIT, AUS (*warn officially*) verwarnen

cautious ['kɔːʃəs] *adj* vorsichtig

cave [keɪv] **I.** *n* Höhle *f* **II.** *vi* BRIT, AUS Höhlen erforschen

cavern ['kævᵊn] *n* Höhle *f*

CCTV [ˌsiːsiːtiːˈviː] *n abbrev of* **closed-circuit television** Überwachungskamera *f*

CD [ˌsiːˈdiː] *n abbrev of* **compact disc** CD *f*

CD player *n* CD-Spieler *m* **CD-ROM** [ˌsiːdiːˈrɒm] *n abbrev of* **compact disc read-only memory** CD-ROM *f;* **~ drive** CD-ROM-Laufwerk *nt*

cease [siːs] (*form*) **I.** *vi* aufhören **II.** *vt* beenden; *fire* einstellen

ceasefire *n* Waffenruhe *f*

ceiling ['siːlɪŋ] *n* [Zimmer]decke *f*

celeb [səˈleb] *n short for* **celebrity** Berühmtheit *f*

celebrate ['seləbreɪt] *vi, vt* feiern

celebration [ˌseləˈbreɪʃᵊn] *n* Feier *f;* **cause for ~** Grund *m* zum Feiern; **in ~** zur Feier

celebrity [səˈlebrəti] *n* berühmte Persönlichkeit *f*

celery ['selᵊri] *n no pl* [Stangen]sellerie *m o f*

cell [sel] *n* Zelle *f*

cellar ['selᵊr] *n* Keller *m*

cellist ['tʃelɪst] *n* Cellist(in) *m(f)*

cello <*pl* -s> ['tʃeləʊ] *n* Cello *nt*

cellophane® ['seləfeɪn] *n no pl* Cellophan® *nt*

cell phone *n* Mobiltelefon *nt*

cellular ['seljələr] **I.** *adj* zellular **II.** *n* AM Handy *nt*

cement [sɪˈment] **I.** *n no pl* Zement *m* **II.** *vt* (*with concrete*) betonieren;

(*with cement*) zementieren; **to ~ up** zumauern

cemetery ['semətᵊri] *n* Friedhof *m*

cent [sent] *n* Cent *m;* **to not be worth a ~** keinen Pfifferling wert sein

centenary [senˈtiːnᵊri], AM **centennial** [senˈteniəl] *n* Hundertjahrfeier *f;* **~ celebrations** Feierlichkeiten *pl* zum hundertsten Jahrestag

center *n, vt* AM *see* **centre**

centigrade ['sentɪgreɪd] *n no pl* Celsius

centimetre, AM **centimeter** ['sentɪˌmiːtər] *n* Zentimeter *m*

central ['sentrᵊl] *adj* **1.** (*in the middle*) zentral **2.** (*paramount*) wesentlich

central locking *n no pl* Zentralverriegelung *f*

centre ['sentᵊr] **I.** *n* **1.** Zentrum *nt;* *of chocolates* Füllung *f;* **to be the ~ of attention** im Mittelpunkt der Aufmerksamkeit stehen **2.** POL Mitte *f;* **left of ~** Mitte links **II.** *vi* **to ~ upon sth** sich um etw *akk* drehen

century ['sen(t)ʃᵊri] *n* (*period*) Jahrhundert *nt;* **turn of the ~** Jahrhundertwende *f*

CEO [ˌsiːiːˈəʊ] *n abbrev of* **chief executive officer** Generaldirektor(in) *m(f)*

ceramics [səˈræmɪks] *n* **1.** + *sing vb* (*art*) Keramik *f* **2.** *pl* (*ceramic objects*) Keramiken *pl*, Töpferwaren *pl* **3.** + *sing vb* (*process*) Töpfern *nt*

cereal ['sɪəriəl] *n* **1.** Getreide *nt* **2.** (*for breakfast*) Frühstückszerealien *pl* (*Cornflakes ...*)

ceremony ['serɪməni] *n* Zeremonie *f*, Feier *f*

certain ['sɜːtᵊn] *adj* **1.** (*sure*) sicher; (*unavoidable*) bestimmt; **to feel ~** sicher sein; **to make ~** [**that ...**] darauf

C

achten[, dass ...]; **for** ~ ganz sicher **2.** (*limited*) gewiss; **to a** ~ **extent** in gewissem Maße **3.** (*particular*) **at a** ~ **age** in einem bestimmten Alter

certainly ['sɜ:t°nlɪ] *adv* **1.** (*surely*) sicher[lich]; (*without a doubt*) gewiss **2.** (*of course*) [aber] selbstverständlich; ~ **not** auf [gar] keinen Fall

certificate [sə'tɪfɪkət] *n* (*official document*) Urkunde *f*; (*attestation*) Bescheinigung *f*; **medical** ~ ärztliches Attest; **marriage** ~ Trauschein *m*

certify <-ie-> ['sɜ:tɪfaɪ] *vt* bescheinigen; **to** ~ **sb** [**as**] **dead** jdn für tot erklären

chain [tʃeɪn] **I.** *n* **1.** Kette *f* **2.** (*fig: series*) Reihe *f*; *of mishaps* Verkettung *f*; **fast food** ~ [Schnell]imbisskette *f* **II.** *vt* **to** ~ [**up**] [an]ketten

chain-smoker *n* Kettenraucher(in) *m(f)*

chair [tʃeə^r] *n* **1.** (*seat*) Stuhl *m*; **easy** ~ Sessel *m* **2.** (*head*) Vorsitzende(r) *f(m)* **3.** AM **the** ~ der elektrische Stuhl

chair lift *n* Sessellift *m*

chairman *n* Vorsitzende(r) *m* **chairperson** *n* Vorsitzende(r) *f(m)* **chairwoman** *n* Vorsitzende *f*

chalk [tʃɔ:k] **I.** *n no pl* **1.** (*type of stone*) Kalkstein *m* **2.** (*for writing*) Kreide *f*; ▶ **as alike as** ~ **and cheese** grundverschieden **II.** *vt* mit Kreide schreiben/zeichnen

challenge ['tʃælɪndʒ] **I.** *n* Herausforderung *f*; **to find sth a** ~ etw schwierig finden **II.** *vt* **1.** (*ask to compete*) herausfordern **2.** (*call into question*) in Frage stellen

challenging ['tʃælɪndʒɪŋ] *adj* [heraus]fordernd

champ [tʃæmp] **I.** *n short for* **champion** Champion *m* **II.** *vi, vt* [geräuschvoll] kauen ▶ **to** ~ **at the bit** vor Ungeduld fiebern

champagne [ʃæm'peɪn] *n* Champagner *m*; ~ **brunch** Sektfrühstück *nt*

champion ['tʃæmpiːən] **I.** *n* SPORTS Champion *m*; **world** ~ Weltmeister(in) *m(f)*; ~ **boxer** Boxchampion *m* **II.** *vt* verfechten; **to** ~ **a cause** für eine Sache eintreten

championship ['tʃæmpiːənʃɪp] *n* SPORTS Meisterschaft *f*

chance [tʃɑːn(t)s] **I.** *n* **1.** *no pl* (*luck*) Zufall *m*; **by** ~ zufällig **2.** (*prospect*) Chance *f*; ~**s of survival** Überlebenschancen *pl*; **no** ~! BRIT (*fam*) niemals! **3.** (*risk*) Risiko *nt*; **to take no** ~**s** kein Risiko eingehen **II.** *vt* (*fam*) riskieren ▶ **to** ~ **one's arm** es riskieren

change [tʃeɪndʒ] **I.** *n* **1.** (*alteration*) [Ver]änderung *f*; ~ **of pace** Tempowechsel *m* **2.** *no pl* (*substitution*) Wechsel *m*; **a** ~ **of clothes** Kleidung *f* zum Wechseln **3.** *no pl* (*variety*) Abwechslung *f* **4.** *no pl* (*coins*) Kleingeld *nt*; (*money returned*) Wechselgeld *nt*; **could you give me** ~ **for 50 dollars?** (*return all*) könnten Sie mir 50 Dollar wechseln?; **to have the correct** ~ es passend haben **5.** TRANSP **to have to make several** ~**s** mehrmals umsteigen müssen **II.** *vi* **1.** (*alter*) sich [ver]ändern; *traffic light* umspringen **2.** (*substitute, move*) **to** ~ [**over**] **to sth** zu etw *dat* wechseln **3.** TRANSP umsteigen; **all** ~! alle aussteigen! **4.** (*dress*) sich umziehen **III.** *vt* **1.** (*make different*) [ver]ändern; (*transform*) verwandeln; **to** ~ **one's mind** seine Meinung ändern **2.** (*exchange, move*) wechseln; (*in a shop*) umtauschen (**for** gegen); **to** ~

places with sb mit jdm den Platz tauschen **3.** *baby* [frisch] wickeln; **to ~ one's clothes** sich umziehen **4.** *(money)* wechseln; **could you ~ a £20 note?** *(return all)* könnten Sie mir 20 Pfund wechseln? **5.** TRANSP **to ~ planes** das Flugzeug wechseln; **to ~ buses/trains** umsteigen

change machine *n* [Geld]wechsel-automat *m*

changeover *n usu sing* Umstellung *f* (**to** auf)

changing ['tʃeɪndʒɪŋ] *adj* wechselnd

channel ['tʃænəl] **I.** *n* **1.** RADIO, TV Programm *nt;* **on ~ five** im fünften Programm; **cable ~** Kabelkanal *m* **2.** *(waterway)* [Fluss]bett *nt;* *(artificial)* Kanal *m;* **the** [**English**] **C~** der Ärmelkanal **3.** *(means)* Weg *m;* **through the usual ~s** auf dem üblichen Weg **II.** *vt* <BRIT **-ll-**> *(direct)* leiten; **to ~ one's energies into sth** seine Energien in etw *akk* stecken

Channel Tunnel *n no pl* **the ~** der [Ärmel]kanaltunnel

chaos ['keɪɒs] *n no pl* Chaos *nt*

chaotic [keɪˈɒtɪk] *adj* chaotisch

chap¹ [tʃæp] *n* BRIT *(fam)* Typ *m*

chap² <-pp-> [tʃæp] *vi skin* aufspringen

chap³ *n abbrev of* **chapter** Kap.

chapel ['tʃæpəl] *n* **1.** Kapelle *f* **2.** *(service)* Andacht *f*

chapter ['tʃæptər] *n* Kapitel *nt*

character ['kærəktər] *n* **1.** *no pl* Charakter *m;* **to be similar in ~** sich *dat* im Wesen ähnlich sein **2.** LIT [Roman]figur *f*

characteristic [ˌkærəktəˈrɪstɪk] **I.** *n* charakteristisches Merkmal **II.** *adj* charakteristisch; **to be ~ of sth** typisch für etw *akk* sein

charge [tʃɑːdʒ] **I.** *n* **1.** *(cost)* Gebühr *f;* **for an extra ~** gegen Aufpreis; **free of ~** kostenlos **2.** LAW Anklage *f* (**of** wegen) **3.** *no pl (responsibility)* Verantwortung *f;* **she's in ~ of the department** sie leitet die Abteilung **4.** *no pl* ELEC Ladung *f;* **to put on ~** BRIT aufladen **II.** *vi* **1.** eine Gebühr verlangen **2.** ELEC laden **3.** *(attack)* [vorwärts]stürmen; **~!** vorwärts! **III.** *vt* **1.** berechnen; **we were not ~d** [**for it**] wir mussten nichts [dafür] bezahlen **2.** LAW **to ~ sb** [**with sth**] jdn [wegen einer S. *gen*] anklagen **3.** ELEC aufladen **4.** *(tense, emotional)* **a highly ~d atmosphere** eine hochgradig geladene Atmosphäre

charge card *n* [Kunden]kreditkarte *f*

charity ['tʃærɪti] *n* **1.** *no pl (generosity)* Barmherzigkeit *f* **2.** *no pl* **to donate sth to ~** etw für wohltätige Zwecke spenden **3.** *(organization)* Wohltätigkeitsorganisation *f*

charity shop *n* BRIT *Laden, in dem gespendete, meist gebrauchte Waren verkauft werden, um Geld für wohltätige Zwecke zu sammeln*

charm [tʃɑːm] **I.** *n no pl* Charme *m* **II.** *vt* bezaubern

charming ['tʃɑːmɪŋ] *adj* bezaubernd

chart [tʃɑːt] **I.** *n* **1.** *(visual)* Diagramm *nt;* NAUT Karte *f* **2.** *pl* **the ~s** *pl* die Charts **II.** *vt (plot)* aufzeichnen

charter flight *n* Charterflug *m*

chase [tʃeɪs] **I.** *n* **1.** *(pursuit)* Verfolgungsjagd *f;* **to give ~ to sb** jdm hinterherrennen **2.** HUNT Jagd *f* **II.** *vi* **to ~ around** herumhetzen **III.** *vt* **1.** *(pursue)* verfolgen **2.** *(scare away)* **to ~ away** vertreiben

chat [tʃæt] **I.** *n* **1.** *(informal conversation)* Unterhaltung *f;* **to have a ~**

plaudern **2.** *no pl* (*gossip*) Gerede *nt*
II. *vi* <-tt-> **1.** (*talk informally*) plaudern **2.** COMPUT chatten
chatter ['tʃætəʳ] **I.** *n* Geschwätz *nt*
II. *vi* **1.** (*converse*) plaudern; **to ~**
away endlos schwätzen; **to ~ on** unentwegt reden **2.** *teeth* klappern
cheap [tʃiːp] *adj* billig *a. fig;* (*reduced*)
ermäßigt ▶ **~ and cheerful** BRIT, AUS
gut und preiswert; **~ and nasty** BRIT,
AUS billig und schäbig
cheat [tʃiːt] **I.** *n* **1.** (*person*) Betrüger(in) *m(f)* **2.** (*fraud*) Täuschung *f*
II. *vi* betrügen **III.** *vt* (*treat dishonestly*) täuschen
check¹ [tʃek] **I.** *n* **1.** (*inspection*) Kontrolle *f* **2.** (*look*) **to take a quick ~**
schnell nachsehen **3.** *no pl* (*restraint*)
Kontrolle *f* **4.** (*pattern*) Karo[muster]
nt **5.** CHESS Schach *nt* **II.** *vt* **1.** (*inspect*) überprüfen **2.** CHESS Schach
bieten **III.** *vi* **1.** (*examine*) nachsehen, nachschauen *bes* SÜDD, ÖSTERR,
SCHWEIZ **2.** (*consult*) **to ~ with sb** bei
jdm nachfragen
check² [tʃek] *n* **1.** AM *see* **cheque**
2. AM, SCOT (*bill*) Rechnung *f*
◆ **check in I.** *vi* (*at airport*) einchecken; (*at hotel*) sich anmelden **II.** *vt*
(*at airport*) abfertigen; (*at hotel*) anmelden ◆ **check off** *vt* abhaken
◆ **check out I.** *vi* sich abmelden
II. *vt* **1.** (*investigate*) untersuchen
2. (*sl: observe*) **~ it out!** schau dir
bloß mal das an! ◆ **check up** *vt* **to**
~ up on 1. (*monitor*) überprüfen
2. (*research*) Nachforschungen anstellen über +*akk*
checkbook *n* AM Scheckheft *nt*
check-in counter, check-in desk *n*
Abfertigungsschalter *m*
checking account *n* AM Girokonto *nt*

check-in time *n* Eincheckzeit *f*
checklist *n* Checkliste *f* **checkmate**
CHESS **I.** *n no pl* Schachmatt *nt* **II.** *vt*
schachmatt setzen **checkout** *n* Kasse *f* **check room** *n* AM **1.** (*for coats*)
Garderobe *f* **2.** (*for luggage*) Gepäckaufbewahrung *f*
check-up *n* MED Untersuchung *f*
cheek [tʃiːk] *n* **1.** (*of face*) Backe *f*
2. *no pl* (*impertinence*) Frechheit *f;*
to give sb ~ frech zu jdm sein
cheeky ['tʃiːki] *adj* frech
cheer [tʃɪəʳ] **I.** *n* **1.** (*cheering*) Jubel *m*
2. *no pl* (*joy*) Freude *f* **II.** *vi* **to ~ for**
sb jdn anfeuern
cheerful ['tʃɪəfᵊl] *adj* (*happy, bright*)
fröhlich; **in a ~ mood** gut gelaunt
cheerio ['tʃɪəriəʊ] *interj* BRIT (*fam*)
tschüs[s]
cheese [tʃiːz] *n no pl* Käse *m;* **~ sandwich** Käsebrot *nt*
cheesecake *n* Käsekuchen *m*
cheetah ['tʃiːtə] *n* Gepard *m*
chef [ʃef] *n* Koch *m*, Köchin *f*
chemical ['kemɪkᵊl] **I.** *n* Chemikalie *f*
II. *adj* chemisch; **~ industry** Chemieindustrie *f*
chemist ['kemɪst] *n* **1.** (*student of*
chemistry) Chemiker(in) *m(f)*
2. (*pharmacist*) Apotheker(in) *m(f)*
3. BRIT, AUS (*shop*) **~'s** *Drogerie, in*
der man auch Medikamente erhält
chemistry ['kemɪstri] *n no pl* **1.** Chemie *f a. fig;* **~ lab[oratory]** Chemiesaal *m* **2.** (*make-up*) chemische Zusammensetzung
cheque [tʃek] *n* Scheck *m* (**for** über)
cheque account *n* Girokonto *nt,*
Scheckkonto *nt* **chequebook** *n*
Scheckheft *nt* **cheque card** *n*
Scheckkarte *f*
cherry ['tʃeri] *n* Kirsche *f*

C

chess [tʃes] *n no pl* Schach[spiel] *nt*

chessboard *n* Schachbrett *nt*

chest [tʃest] *n* **1.** ANAT Brust *f* **2.** (*furniture*) Truhe *f*

chestnut *n* Kastanie *f;* **hot** ~ heiße [Ess]kastanie; **horse** ~ Rosskastanie *f*

chew [tʃuː] I. *n* **to have a** ~ **on sth** auf etw *dat* herumkauen II. *vt, vi* kauen; **to** ~ **one's fingernails** an den Nägeln kauen ▶ **to bite off more than one can** ~ sich zu viel zumuten

chewing gum *n no pl* Kaugummi *m o nt*

chick [tʃɪk] *n* **1.** (*baby chicken*) Küken *nt;* (*young bird*) [Vogel]junges *nt* **2.** (*sl: young woman*) Mieze *f,* Schnecke *f*

chicken ['tʃɪkɪn] I. *n* **1.** (*farm bird*) Huhn *nt* **2.** *no pl* (*meat*) Hähnchen *nt* **3.** (*pej sl: coward*) Angsthase *m* II. *adj* (*pej sl*) feige ◆ **chicken out** *vi* (*pej sl*) **to** ~ **out of [doing] sth** vor etw *dat* kneifen

chickenpox *n* Windpocken *pl*

chick lit *n* (*fam*) Chick Lit *f* (*Frauenromane für trendy, erfolgreiche Mittzwanziger- bis Mittdreißigerinnen*)

chief [tʃiːf] I. *n* **1.** (*head of organization*) Chef(in) *m(f)* **2.** (*leader of people*) Führer(in) *m(f)* II. *adj* **1.** (*main*) ~ **reason** Hauptgrund *m* **2.** (*head*) ~ **minister** Ministerpräsident(in) *m(f)*

chiefly ['tʃiːfli] *adv* hauptsächlich

child <*pl* -dren> [tʃaɪld, *pl* tʃɪldrən] *n* Kind *nt*

child abuse *n no pl* Kindesmisshandlung *f;* (*sexually*) Kindesmissbrauch *m* **childbirth** *n no pl* Geburt *f*

childhood ['tʃaɪldhʊd] *n no pl* Kindheit *f*

childish ['tʃaɪldɪʃ] *adj* (*pej*) kindisch

childless ['tʃaɪldləs] *adj* kinderlos

childminder *n* Tagesmutter *f*

childproof *adj* kindersicher

children ['tʃɪldrən] *n pl of* **child**

chili <*pl* -es> ['tʃɪli] *n esp* AM *see* **chilli**

chill [tʃɪl] I. *n* **1.** *no pl* (*coldness*) Kühle *f* **2.** (*illness*) **to catch a** ~ sich erkälten II. *adj* (*liter: cold*) kalt III. *vi* **1.** abkühlen; ~**ed to the bone** ganz durchgefroren **2.** *esp* AM (*fam: relax*) chillen *sl* IV. *vt* [ab]kühlen [lassen] ◆ **chill out** *vi esp* AM (*sl*) **1.** (*relax*) sich entspannen **2.** (*calm down*) chillen *sl;* ~ **out!** reg dich doch mal ab! *fam*

chilli <*pl* -es> ['tʃɪli] *n* Chili *m*

chill-out ['tʃɪlaʊt] *adj attr room, area* Ruhe-

chilly ['tʃɪli] *adj* kühl *a. fig;* **to feel** ~ frösteln

chimney ['tʃɪmni] *n* Schornstein *m;* (*of factory*) Schlot *m*

chimpanzee [ˌtʃɪmpənˈziː] *n* Schimpanse *m*

chin [tʃɪn] *n* Kinn *nt*

china ['tʃaɪnə] *n no pl* **1.** (*porcelain*) Porzellan *nt* **2.** (*tableware*) Geschirr *nt*

China ['tʃaɪnə] *n no pl* China *nt*

Chinese <*pl* -> [tʃaˈniːz] I. *n* **1.** (*person*) Chinese(in) *m(f);* **the** ~ *pl* die Chinesen. **2.** *no pl* (*language*) Chinesisch *nt* **3.** *no pl* (*food*) chinesisches Essen II. *adj* chinesisch

Chinese cabbage *n* Chinakohl *m*

chip [tʃɪp] I. *n* **1.** (*broken-off piece*) Splitter *m* **2.** (*crack*) ausgeschlagene Ecke; **this cup has got a** ~ **in it** diese Tasse ist angeschlagen **3.** BRIT (*fried potato*) ~**s** *pl* Pommes [frites] *pl;* **fish and** ~**s** Fisch und Chips **4.** AM (*crisp*) Chip *m* **5.** COMPUT Chip *m* II. *vt* <-

pp-> abschlagen; (*break off*) abbrechen **III.** *vi* <-pp-> [leicht] abbrechen

chippy [ˈtʃɪpi] *n* BRIT (*fam*) Frittenbude *f*

chiropractor [ˈkaɪ(ə)rə(ʊ)ˌpræktəʳ] *n* Chiropraktiker(in) *m(f)*

chocolate [ˈtʃɒkʰələt] *n* **1.** *no pl* (*substance*) Schokolade *f;* ~ **biscuit** Schokoladenkeks *m;* ~ **mousse** Mousse *f* au chocolat **2.** (*sweet*) Praline *f*

choice [tʃɔɪs] **I.** *n* **1.** *no pl* (*selection*) Wahl *f;* **it's your choice!** du hast die Wahl! **2.** *no pl* **a wide** ~ **of sth** eine reiche Auswahl an etw *dat* ▶ **to be** <u>spoilt</u> **for** ~ die Qual der Wahl haben **II.** *adj* (*top quality*) erstklassig

choir [kwaɪəʳ] *n* Chor *m;* ~ **stalls** Chorgestühl *nt*

choke [tʃəʊk] **I.** *n no pl* AUTO Choke *m* **II.** *vt* **1.** (*suffocate*) ersticken **2.** (*blocked*) **to be** ~**d** verstopft sein **III.** *vi* (*have problems breathing*) keine Luft bekommen; **to** ~ **to death** ersticken; **to** ~ **on sth** sich an etw *dat* verschlucken

cholesterol [kəˈlestʰərɒl] *n no pl* Cholesterin *nt;* ~ **level** Cholesterinspiegel *m*

choose <chose, chosen> [tʃuːz] **I.** *vt* [aus]wählen **II.** *vi* (*select*) wählen, aussuchen; **to** ~ **to do sth** es vorziehen, etw zu tun

chop [tʃɒp] **I.** *vt* <-pp-> **1.** (*cut*) **to** ~ **sth** ⇆ [**up**] etw klein schneiden; *wood* etw hacken **2.** (*reduce*) kürzen **II.** *n* **1.** (*meat*) Kotelett *nt* **2.** (*hit*) Schlag *m* **3.** *esp* BRIT, AUS (*fam*) **to get the** ~ gefeuert werden ♦ **chop down** *vt* fällen ♦ **chop off** *vt* abhacken

chopper [ˈtʃɒpəʳ] *n* **1.** (*sl: helicopter*) Hubschrauber *m* **2.** BRIT (*for meat*) Hackmesser **3.** (*sl: motorcycle*) Chopper *m*

chopping board *n* Hackbrett *nt*

chopstick *n usu pl* [Ess]stäbchen *nt*

chord [kɔːd] *n* Akkord *m;* ▶ **to strike a** ~ **with sb** jdn berühren

chore [tʃɔːʳ] *n* **to do the** ~**s** die Hausarbeit erledigen

chorus [ˈkɔːrəs] *n* <*pl* -es> **1.** (*refrain*) Refrain *m* **2.** + *sing/pl vb* (*group of singers*) Chor *m*

chose [tʃəʊz] *pt of* **choose**

chosen [tʃəʊzᵊn, AM -oʊz-] **I.** *pp of* **choose** **II.** *adj* (*selected*) [aus]gewählt, ausgesucht; **the** ~ **people** REL das auserwählte Volk

Christ [kraɪst] **I.** *n* Christus *m* **II.** *interj* (*sl*) ~ **almighty!** Herrgott noch mal!

christen [ˈkrɪsᵊn] *vt* **1.** (*give name to*) taufen **2.** (*use for first time*) einweihen

christening [ˈkrɪsᵊnɪŋ] *n* Taufe *f*

Christian [ˈkrɪstʃən] **I.** *n* Christ(in) *m(f)* **II.** *adj* christlich

Christianity [ˌkrɪstiˈænɪti] *n no pl* Christentum *nt*

Christian name *n esp* BRIT Vorname *m*

Christmas <*pl* -es> [ˈkrɪs(t)məs] *n* Weihnachten *nt;* **Happy** ~**!** Frohe Weihnachten!

Christmas carol *n* Weihnachtslied *nt* **Christmas Day** *n* erster Weihnachtsfeiertag **Christmas Eve** *n* Heiligabend *m;* **on** ~ Heiligabend **Christmas pudding** *n* BRIT Plumpudding *m* **Christmas tree** *n* Weihnachtsbaum *m*

chronic [ˈkrɒnɪk] *adj* **1.** (*continual*) chronisch **2.** BRIT, AUS (*fam: extremely bad*) furchtbar

chronological [ˌkrɒnəˈlɒdʒɪkəl] *adj* chronologisch

chuck [tʃʌk] I. *n* NBRIT (*fam*) Schnucki *nt* II. *vt* (*fam*) 1. (*throw*) schmeißen 2. (*end a relationship*) **to ~ sb** mit jdm Schluss machen ◆ **chuck out** *vt* (*fam*) wegschmeißen

chucking-out time [ˌtʃʌkɪŋˈaʊttaɪm] *n* (*fam*) *of pub* Polizeistunde *f*

chuckle [tʃʌkl] I. *n* Gekicher *nt kein pl* II. *vi* in sich *akk* hineinlachen

Chunnel [ˈtʃʌnəl] *n* (*fam*) **the ~** der Kanaltunnel

church <*pl* -es> [tʃɜːtʃ] *n* Kirche *f;* **to go to ~** in die Kirche gehen; **~ wedding** kirchliche Trauung

churchyard *n* Friedhof *m*

cider [ˈsaɪdəʳ] *n no pl* Apfelwein *m*

cigar [sɪˈgɑːʳ] *n* Zigarre *f*

cigarette [ˌsɪgəˈret] *n* Zigarette *f;* **~ end** Zigarettenstummel *m*

cine-camera *n* Filmkamera *f*

cinema [ˈsɪnəmə] *n* Kino *nt*

circle [ˈsɜːkl] I. *n* Kreis *m;* **to go round in ~s** sich im Kreis drehen *a. fig;* **vicious ~** Teufelskreis *m* II. *vt* 1. (*draw*) umkringeln 2. (*walk*) umkreisen III. *vi* kreisen

circuit [ˈsɜːkɪt] *n* 1. ELEC Schaltsystem *nt* 2. SPORTS Rennstrecke *f;* **to do a ~** eine Runde drehen 3. (*circular route*) Rundgang *m* 4. (*sequence of events*) Runde *f*

circulation [ˌsɜːkjəˈleɪʃən] *n no pl* MED [Blut]kreislauf *m*

circumstance [ˈsɜːkəmstæn(t)s] *n* Umstände *pl;* **to be a victim of ~[s]** ein Opfer der Verhältnisse sein; **in these ~s** unter diesen Umständen

circus [ˈsɜːkəs] *n* 1. Zirkus *m a. fig* 2. BRIT (*in city*) [runder] Platz

citizen [ˈsɪtɪzən] *n* [Staats]bürger(in) *m(f)*

citric acid *n* Zitronensäure *f*

citrus [ˈsɪtrəs] *n* <*pl* -> Zitrusgewächs *nt;* **~ fruit** Zitrusfrucht *f*

city [ˈsɪti] *n* 1. [Groß]stadt *f* 2. **the C~** BRIT das Londoner Banken- und Börsenviertel

city hall *n* AM Rathaus *nt;* **C~** Stadtverwaltung *f*

civil [ˈsɪvəl] *adj* 1. (*non-military*) zivil 2. (*courteous*) höflich

civil court *n* Zivilgericht *nt*

civilian [sɪˈvɪliən] I. *n* Zivilist(in) *m(f)* II. *adj* **~ population** Zivilbevölkerung *f*

civilization [ˌsɪvəlaɪˈzeɪʃən] *n* Zivilisation *f*

civil marriage *n* Zivilehe *f;* (*ceremony*) Ziviltrauung *f* **civil rights** *n pl* Bürgerrechte *pl* **civil servant** *n* [Staats]beamte(r) *m,* [Staats]beamtin *f* **civil service** *n* öffentlicher Dienst **civil union** *n* gleichgeschlechtliche Ehe **civil war** *n* Bürgerkrieg *m*

claim [kleɪm] I. *n* 1. (*assertion*) Behauptung *f* 2. (*demand for money*) Forderung *f* II. *vt* 1. (*assert*) behaupten 2. (*declare ownership*) auf etw *akk* Anspruch erheben 4. (*demand in writing*) beantragen III. *vi* seine Ansprüche geltend machen; **to ~ for sth** etw fordern

clap [klæp] I. *n* 1. Klatschen *nt;* **to give sb a ~** jdm applaudieren 2. (*noise*) Krachen *nt;* **~ of thunder** Donner[schlag] *m* II. *vt* <-pp-> **to ~ one's hands** in die Hände klatschen; **to ~ sb** jdm Beifall klatschen ▶ **to ~ eyes on** [erstmals] zu sehen bekommen III. *vi* <-pp-> [Beifall] klatschen; **to ~ along** mitklatschen

clarify <-ie-> [ˈklærɪfaɪ] *vt* klarstellen

clarity [ˈklærəti] *n no pl* Klarheit *f*

clash [klæʃ] **I.** *vi* **1.** (*come into conflict*) zusammenstoßen **2.** (*compete against*) aufeinandertreffen **3.** (*contradict*) im Widerspruch stehen **II.** *n* <*pl* -es> **1.** (*hostile encounter*) Zusammenstoß *m* **2.** (*contest*) Aufeinandertreffen *nt* **3.** (*conflict*) Konflikt *m*

clasp [klɑːsp] **I.** *n* **1.** (*firm grip*) Griff *m* **2.** (*fastening device*) Verschluss *m* **II.** *vt* umklammern

class [klɑːs] **I.** *n* <*pl* -es> **1.** + *sing/pl vb* (*pupils*) [Schul]klasse *f* **2.** (*lesson*) [Unterrichts]stunde *f;* SPORTS Kurs[us] *m* **3.** + *sing/pl vb* AM (*graduates*) Jahrgang *m* **II.** *adj* erstklassig **III.** *vt* einstufen

classic [ˈklæsɪk] **I.** *adj* klassisch **II.** *n* Klassiker *m*

classical [ˈklæsɪkəl] *adj* klassisch

classics [ˈklæsɪks] *n* + *sing vb* Altphilologie *f*

classified [ˈklæsɪfaɪd] *adj* geheim; **to be ~** unter Verschluss stehen

classify <-ie-> [ˈklæsɪfaɪ] *vt* klassifizieren

classmate *n* Klassenkamerad(in) *m(f)*

classroom *n* Klassenzimmer *nt*

classy [ˈklɑːsi, AM ˈklæsi] *adj* erstklassig; **she's a really ~ lady** die Frau hat Klasse

clause [klɔːz] *n* **1.** (*part of sentence*) Satzglied *nt* **2.** (*in a contract*) Klausel *f*

claw [klɔː] **I.** *n* Kralle *f* **II.** *vt* [zer]kratzen

clay [kleɪ] *n no pl* (*earth*) Lehm *m;* (*for pottery*) Ton *m*

clean [kliːn] **I.** *adj* **1.** (*not dirty*) sauber **2.** *joke* anständig **II.** *adv* glatt; **the thief got ~ away** der Dieb ist spurlos verschwunden **III.** *vt* (*remove dirt*) sauber machen; *car* waschen; *shoes, windows, teeth* putzen; *wound* reinigen; **to ~ sth off** etw abwischen **IV.** *vi* sich reinigen lassen **V.** *n* **to give sth a [good] ~** etw [gründlich] sauber machen ◆ **clean out** *vt* **1.** (*clean thoroughly*) [gründlich] sauber machen; (*with water*) auswaschen **2. to be completely ~ed out** (*fam*) völlig blank sein ◆ **clean up I.** *vt* sauber machen; *building* reinigen; **to ~ up the mess** aufräumen **II.** *vi* **1.** (*tidy*) aufräumen; **to ~ up after sb** jdm hinterherräumen **2.** (*fam: make profit*) absahnen

cleaner [ˈkliːnər] *n* **1.** (*person*) Reinigungskraft *f* **2.** *no pl* (*substance*) Reiniger *m*

cleaning lady, **cleaning woman** *n* Putzfrau *f*

cleanskin *n* Nichtvorbestrafte(r) *f(m)*

clean-up *n* Reinigung *f*

clear [klɪər] **I.** *adj* **1.** (*understandable*) klar; (*definite*) eindeutig; *signs* deutlich; **as ~ as a bell** glockenhell **2.** (*obvious*) klar; **to be ~ about sth** sich *dat* über etw *akk* im Klaren sein **3.** *conscience* rein **4.** *liquid* klar **5.** (*away from*) **to keep ~** sich fernhalten ▶ **all ~** die Luft ist rein **II.** *n* **to be in the ~** außer Verdacht sein **III.** *adv* **1.** (*away from*) **stand ~ of the doors** (*in underground*) bitte zurückbleiben **2.** (*distinctly*) **loud and ~** klar und deutlich **IV.** *vt* **1.** (*remove doubts*) klären **2.** (*remove obstruction*) [weg]räumen; **to ~ one's throat** sich räuspern **3.** (*empty*) ausräumen; *building* räumen; *table* abräumen **4.** (*complete*) erledigen **5.** (*give permission*) genehmigen ▶ **to ~ the**

decks klar Schiff machen **V.** *vi* **1.** (*delete*) löschen **2.** (*become transparent*) sich klären **3.** (*weather*) sich [auf]klären; *fog* sich auflösen ◆ **clear away I.** *vt* wegräumen **II.** *vi* abräumen ◆ **clear off** *vi* (*fam*) verschwinden ◆ **clear out** *vt* ausräumen; *attic* entrümpeln ◆ **clear up I.** *vt* **1.** (*explain*) klären **2.** (*clean*) aufräumen **II.** *vi* **1.** (*tidy*) aufräumen; **to ~ up after sb** hinter jdm herräumen **2.** (*stop raining*) aufhören zu regnen; (*brighten up*) sich aufklären

clearance [ˈklɪərᵊn(t)s] *n no pl* **1.** (*act of clearing*) Beseitigung *f*; **slum ~ programme** Slumsanierungsprogramm *nt* **2.** (*space*) Spielraum *m* **clearance sale** *n* Räumungsverkauf *m*

clearly [ˈklɪəli] *adv* **1.** (*distinctly*) klar, deutlich **2.** (*obviously*) offensichtlich

clergy [ˈklɜːdʒi] *n + pl vb* **the ~** die Geistlichkeit; **to join the ~** Geistliche(r) werden

cleric [ˈklerɪk] *n* Kleriker(in) *m(f)*

clerical staff *n + sing/pl vb* Büropersonal *nt* **clerical work** *n no pl* Büroarbeit *f*

clerk [klɑːk] *n* Büroangestellte(r) *f(m)*; AM (*hotel receptionist*) Empfangschef *m*/Empfangsdame *f*

clever <-er, -est> [ˈklevər] *adj* **1.** (*intelligent*) klug, schlau *fam* **2.** (*skilful*) geschickt

client [ˈklaɪənt] *n* Kunde *m*, Kundin *f*; LAW Klient(in) *m(f)*

cliff [klɪf] *n* Klippe *f*

climate [ˈklaɪmət] *n* Klima *nt* a. *fig*; **change of ~** Klimawechsel *m*; **to move to a warmer ~** in wärmere Gegenden ziehen

climate change levy *n* BRIT Klima-schutzabgabe *f* (*Abgabe auf den Stromverbrauch im nicht-privaten Sektor*)

climax [ˈklaɪmæks] **I.** *n* Höhepunkt *m* **II.** *vi* **1.** (*reach a high point*) einen Höhepunkt erreichen; **to ~ in sth** in etw *dat* gipfeln **2.** (*achieve orgasm*) einen Orgasmus haben

climb [klaɪm] **I.** *n* **1.** (*ascent*) Aufstieg *m* a. *fig* **2.** AVIAT Steigflug *m* **3.** (*increase*) Anstieg *m* (**in** +*gen*) **II.** *vt* (*ascend*) **to ~** [**up**] **a hill** auf einen Hügel [hinauf]steigen; **to ~** [**up**] **the stairs** die Treppe hochgehen **III.** *vi* **1.** (*ascend*) [auf]steigen a. *fig* **2.** (*get into*) hineinklettern (**into** in); **he ~ed into his suit** er stieg in seinen Anzug ◆ **climb down** *vi* (*descend*) heruntersteigen; (*from a tree*) herunterklettern (**from** von)

climber [ˈklaɪmər] *n* **1.** (*mountaineer*) Bergsteiger(in) *m(f)*; *of rock faces* Kletterer *m*, Kletterin *f* **2.** *social, professional* Aufsteiger(in) *m(f)*

climbing [ˈklaɪmɪŋ] *n no pl mountains* Bergsteigen *nt*; *rock faces* Klettern *nt*

cling <clung, clung> [klɪŋ] *vi* **1.** (*hold tightly*) [sich] klammern (**to** an); **~ on!** halt dich fest! **2.** (*stick*) kleben

clingfilm *n no pl* BRIT Frischhaltefolie *f*

clinic [ˈklɪnɪk] *n* Klinik *f*

clip[1] [klɪp] **I.** *n* (*fastener*) Klipp *m*; (*for wires*) Klemme *f*; **hair ~** [Haar]spange *f*; **paper ~** Büroklammer *f* **II.** *vt* <-pp-> **to ~ together** zusammenklammern

clip[2] [klɪp] **I.** *n* **1.** (*trim*) Schneiden *nt* **2.** FILM Ausschnitt *m* **II.** *vt* <-pp-> **1.** (*trim*) *dog* trimmen; *sheep* scheren; *nails* schneiden **2.** (*fig: reduce*) verkürzen

clipboard *n* Klemmbrett *nt*

cloak [kləʊk] **I.** *n* Umhang *m* **II.** *vt*

verhüllen; **to be ~ed in secrecy** geheim gehalten werden

cloakroom *n* **1.** (*for coats*) Garderobe *f* **2.** BRIT (*public toilet*) Toilette *f*

clock |klɒk| **I.** *n* Uhr *f;* **to run against the ~** auf Zeit laufen; **round the ~** rund um die Uhr **II.** *vt* **1.** (*measure speed*) **the police ~ed him doing 90 mph** die Polizei blitzte ihn mit 145 km/h **2.** (*fam: strike*) **to ~ sb** [**one**] jdm eine kleben

clock radio *n* Radiowecker *m* **clock-work** *n no pl* Uhrwerk *nt;* **everything is going like ~** alles läuft wie am Schnürchen; **~ toy** Spielzeug *nt* zum Aufziehen; **regular as ~** pünktlich wie ein Uhrwerk

clog |klɒg| **I.** *n* Holzschuh *m* **II.** *vi, vt* <-gg-> **to ~** [**up**] verstopfen

clone |kləʊn| **I.** *n* Klon *m* **II.** *vt* klonen

close¹ |kləʊs| **I.** *adj* **1.** (*near*) nah[e]; **to be ~ to sth** in der Nähe einer S. *gen* liegen **2.** (*intimate*) eng; **to be ~ to sb** jdm [sehr] nahestehen **3.** (*almost equal*) knapp; **~ race** Kopf-an-Kopf-Rennen *nt* **4.** (*exact*) genau; **to keep a ~ eye on sth** etw gut im Auge behalten **5.** (*almost*) **~ to ...** nahezu ... ▶ **that was a ~ call!** das war knapp! **II.** *adv* (*near*) nahe; **please come ~r** kommen Sie doch näher!; **to come ~ to tears** den Tränen nahekommen; **~ by** in der Nähe; **from ~ up** aus der Nähe; **~ together** dicht beieinander **III.** *n* BRIT Hof *m;* (*in street names*) Straßenname für Sackgassen

close² |kləʊz| **I.** *vt* **1.** (*shut*) schließen; *book, door, mouth* zumachen **2.** (*end*) abschließen; *bank account* auflösen **II.** *vi* **1.** (*shut*) *wound* sich schließen; *door, lid* zugehen **2.** (*shut down*)

schließen **3.** (*end*) zu Ende gehen **III.** *n no pl* Ende *nt,* Schluss *m;* **to bring sth to a ~** etw beenden ◆ **close down** *vi* schließen ◆ **close in** *vi darkness* hereinbrechen; **to ~ in on sb** sich jdm nähern ◆ **close off** *vt* absperren ◆ **close up I.** *vi* **1.** (*shut*) *flower, oyster, wound* sich schließen **2.** (*move nearer*) *people* zusammenrücken **II.** *vt* [ab]schließen

closed |kləʊzd| *adj* geschlossen, zu

closely |ˈkləʊsli| *adv* **1.** (*near*) dicht **2.** (*intimately*) eng **3.** (*carefully*) sorgfältig

close-up *n* Nahaufnahme *f*

closing |ˈkləʊzɪŋ| **I.** *adj* abschließend; **~ speech** Schlussrede *f* **II.** *n* **1.** (*bringing to an end*) Beenden *nt kein pl* **2.** (*end of business hours*) Geschäftsschluss *m*

closing date *n* Schlusstermin *m;* (*for competition*) Einsendeschluss *m* **closing-down sale** *n* Räumungsverkauf *m* **closing time** *n* (*for shop*) Ladenschluss *m;* (*of pub*) Sperrstunde *f*

closure |ˈkləʊʒəʳ| *n of institution* Schließung *f; of street* Sperrung *f*

clot |klɒt| **I.** *n* MED [*blood*] **~** [Blut]gerinnsel *nt* **II.** *vi* <-tt-> gerinnen

cloth |klɒθ| *n* **1.** *no pl* (*material*) Tuch *nt* **2.** (*for cleaning*) Lappen *m*

clothes |kləʊ(ð)z| *n pl* Kleider *pl;* (*collectively*) Kleidung *f kein pl*

clothes-hanger *n* Kleiderbügel *m* **clothes line** *n* Wäscheleine *f*

clothing |ˈkləʊðɪŋ| *n no pl* Kleidung *f*

cloud |klaʊd| **I.** *n* Wolke *f; of insects* Schwarm *m;* ▶ **every ~ has a silver lining** (*prov*) jedes Unglück hat auch sein Gutes; **to be under a ~** keinen guten Ruf haben **II.** *vt issue* verschleiern

C

cloudburst *n* Wolkenbruch *m*

cloudless ['klaʊdləs] *adj* wolkenlos

cloudy ['klaʊdi] *adj weather* bewölkt; *liquid* trüb

clown [klaʊn] **I.** *n* **1.** (*entertainer*) Clown *m* **2.** (*funny person*) Kasper *m* **II.** *vi* to ~ **around** herumalbern

club [klʌb] **I.** *n* **1.** (*group*) Klub *m*, Verein *m* **2.** SPORTS (*implement*) Schläger *m* **3.** CARDS Kreuz *nt* **4.** (*disco*) Klub *m* **II.** *vt* <-bb-> einknüppeln auf +*akk;* to ~ to death erschlagen

clubbing ['klʌbɪŋ] *n no pl* to go ~ in die Disko gehen, clubben gehen *sl*

clue [kluː] *n* **1.** (*evidence*) Hinweis *m;* (*hint*) Tipp *m* **2.** (*idea*) Ahnung *f;* I haven't a ~! [ich hab'] keine Ahnung!

clumsy ['klʌmzi] *adj* (*bungling*) ungeschickt; (*ungainly*) klobig

clung [klʌŋ] *pp, pt of* cling

cluster ['klʌstə'] **I.** *n* Bündel *nt; of people* Traube *f; of gems* Büschel *nt;* ~ of stars Sternhaufen *m* **II.** *vi* to ~ around sth sich um etw *akk* scharen

clutch [klʌtʃ] **I.** *vi* sich klammern (at an) **II.** *vt* umklammern **III.** *n* **1.** *usu sing* AUTO Kupplung *f;* to let the ~ out auskuppeln **2.** (*control*) to fall into the ~es of sb jdm in die Klauen fallen

clutter ['klʌtə'] **I.** *n no pl* Durcheinander *nt* **II.** *vt* durcheinanderbringen

coach [kəʊtʃ] **I.** *n* **1.** BRIT (*private bus*) Reisebus *m; by* ~ mit dem Bus **2.** (*railway carriage*) [Eisenbahn]wagen *m* **3.** (*teacher*) SPORTS Trainer(in) *m(f)* **II.** *vt* SPORTS trainieren

coaching ['kəʊtʃɪŋ] *n no pl* SPORTS Training *nt*

coal [kəʊl] *n* Kohle *f;* ▶ to carry ~s to Newcastle Eulen nach Athen tragen

coal mine *n* Kohlenbergwerk *nt* **coal**

miner *n* Bergmann *m*

coarse [kɔːs] *adj* **1.** (*rough*) grob **2.** (*vulgar*) derb

coast [kəʊst] **I.** *n* Küste *f;* off the ~ vor der Küste; on the west ~ an der Westküste ▶ the ~ is clear die Luft ist rein **II.** *vi* dahinrollen; to ~ [along] mühelos vorankommen

coastal ['kəʊstᵊl] *adj* ~ region Küstenregion *f*

coastguard *n* Küstenwache *f* **coastline** *n no pl* Küste[nlinie] *f*

coat [kəʊt] **I.** *n* **1.** (*outer garment*) Mantel *m* **2.** (*animal's fur*) Fell *nt* **II.** *vt* überziehen; to ~ with breadcrumbs panieren

coat hanger *n* Kleiderbügel *m*

coax [kəʊks] *vt* to ~ sb into doing sth jdn dazu bringen, etw zu tun

cobweb ['kɒbweb] *n* Spinnennetz *nt*

co-citizen [kəʊ'sɪtɪzᵊn] *n* verantwortungsbewusster Mitbürger, verantwortungsbewusste Mitbürgerin *m, f*

cock [kɒk] **I.** *n* **1.** (*male chicken*) Hahn *m* **2.** (*vulg: penis*) Schwanz *m* **II.** *adj* ORN männlich **III.** *vt* ears spitzen

cockerel ['kɒkᵊrᵊl] *n* junger Hahn

cockpit ['kɒkpɪt] *n* Cockpit *nt*

cocktail ['kɒkteɪl] *n* Cocktail *m*

cock-up ['kɒkʌp] *n* (*sl*) Schlamassel *m;* what a ~! so ein Mist!

cocky ['kɒki] *adj* (*fam*) großspurig

cocoa ['kəʊkəʊ] *n no pl* Kakao *m*

coconut ['kəʊkənʌt] *n* Kokosnuss *f*

coconut milk *n* Kokosmilch *f*

cod <*pl* -> [kɒd] *n* Kabeljau *m*

code [kəʊd] **I.** *n* **1.** (*ciphered language*) Kode *m* **2.** LAW Kodex *m* **II.** *vt* chiffrieren

code name *n* Deckname *m* **code number** *n* Kodenummer *f* **code**

word *n* Kennwort *nt*

co-ed [ˌkəʊˈed] *adj* SCH (*fam*) gemischt

co-education [ˌkəʊedʒuːˈkeɪʃᵊn] *n no pl* Koedukation *f*

coffee [ˈkɒfiː] *n* Kaffee *m*

coffee bar *n* Café *nt* **coffee break** *n* Kaffeepause *f* **coffee cup** *n* Kaffeetasse *f* **coffee-grinder** *n* Kaffeemühle *f*

coffee machine *n* Kaffeemaschine *f* **coffee pot** *n* Kaffeekanne *f* **coffee shop** *n* Café *nt*

coffin [ˈkɒfɪn] *n* Sarg *m*

cognac [ˈkɒnjæk] *n* Cognac *m*

cohabit [kəʊˈhæbɪt] *vi* (*form*) zusammenleben

coil [kɔɪl] **I.** *n* **1.** (*wound spiral*) Rolle *f* **2.** (*contraceptive*) Spirale *f* **II.** *vi* sich winden

coin [kɔɪn] **I.** *n* Münze *f* **II.** *vt* ▶ **to ~ a** phrase ... ich will mal so sagen ...

coin-box telephone *n* Münzfernsprecher *m*

coincidence [kəʊˈɪn(t)sɪdᵊn(t)s] *n* Zufall *m;* **by ~** durch Zufall

cold [kəʊld] **I.** *adj* kalt; **as ~ as ice** eiskalt; **I'm ~** mir ist kalt ▶ **to get ~** feet kalte Füße bekommen **II.** *n* **1.** (*low temperature*) Kälte *f* **2.** MED Erkältung *f*, Schnupfen *m*

cold-blooded [ˌkəʊldˈblʌdɪd] *adj* kaltblütig **cold-hearted** *adj* kaltherzig

coleslaw [ˈkəʊlslɔː] *n no pl* Krautsalat *m*

collaborate [kəˈlæbᵊreɪt] *vi* **1.** zusammenarbeiten (**on** an) **2.** (*with enemy*) kollaborieren

collapse [kəˈlæps] **I.** *vi* **1.** (*fall down*) *things, buildings* einstürzen; *people* zusammenbrechen **2.** (*fail*) zusammenbrechen; *enterprise* zugrunde gehen; *government* stürzen; *talks* scheitern **II.** *n* **1.** (*act of falling down*) Einsturz *m* **2.** (*failure*) Zusammenbruch *m* **3.** MED Kollaps *m*

collapsible [kəˈlæpsɪbl] *adj* zusammenklappbar

collar [ˈkɒlər] *n* Kragen *m;* (*for animals*) Halsband *nt*

colleague [ˈkɒliːɡ] *n* [Arbeits]kollege(in) *m(f)*

collect [ˈkɒˈlekt] **I.** *adj* AM TELEC **~ call** R-Gespräch *nt* **II.** *vi* (*gather*) sich versammeln; (*accumulate*) sich ansammeln **III.** *vt* **1.** (*gather*) einsammeln; *money, stamps* sammeln **2.** (*pick up*) abholen

collect call *n* AM R-Gespräch *nt*

collection [kəˈlekʃᵊn] *n* **1.** *of money, objects* Sammlung *f;* (*in church*) Kollekte *f* **2.** *of people* Ansammlung *f* **3.** FASHION Kollektion *f*

collector [kəˈlektər] *n* Sammler(in) *m(f)*

college [ˈkɒlɪdʒ] *n* **1.** (*school*) Gymnasium *nt;* (*privately funded*) Kolleg *nt* **2.** (*university*) Universität *f*, Hochschule *f;* **art ~** Kunstakademie *f;* **to go to ~** studieren

collide [kəˈlaɪd] *vi* zusammenstoßen

collision [kəˈlɪʒᵊn] *n* Zusammenstoß *m*

colloquial [kəˈləʊkwiəl] *adj* umgangssprachlich; **~ language** Umgangssprache *f*

colonel [ˈkɜːnᵊl] *n* Oberst *m*

colony [ˈkɒləni] *n* Kolonie *f*

colour, AM **color** [ˈkʌlər, AM -ɚ] *n* **1.** Farbe *f;* **what ~ is her hair?** was hat sie für eine Haarfarbe? **2.** (*skin colour*) Hautfarbe *f;* ▶ **to pass with** flying **~s** glänzend abschneiden **II.** *vt* **1.** (*change colour of*) färben **2.** (*distort*) beeinflussen **III.** *vi face* rot werden

C

colour blind *adj* farbenblind

coloured, AM **colored** [ˈkʌləd, AM -ə-d] *adj* farbig; ~ **pencil** Buntstift *m*

Coloured, AM **Colored** *n* **1.** (*dated: person of dark-skinned race*) Farbige(r) *f(m)* **2.** SA (*person of mixed race*) Coloured *m o f*

colour-fast *adj* farbecht

colourful [ˈkʌləfˀl] *adj* **1.** (*full of colour*) *paintings* farbenfroh; *clothing* bunt **2.** (*interesting*) [bunt] schillernd; *past* bewegt

colouring [ˈkʌlərɪŋ] *n no pl* **1.** (*complexion*) Gesichtsfarbe *f* **2.** (*chemical*) Farbstoff *m*

colourless [ˈkʌlələs] *adj* farblos

colour scheme *n* Farbzusammenstellung *f*

column [ˈkɒləm] *n* **1.** (*pillar*) Säule *f* **2.** MIL Kolonne *f* **3.** (*article*) Kolumne *f*

comb [kəʊm] **I.** *n* Kamm *m* **II.** *vt* **1.** *hair* kämmen **2.** (*search thoroughly*) durchkämmen

combination [ˌkɒmbɪˈneɪʃˀn] *n* Kombination *f* (**of** aus)

combine [kəmˈbaɪn] **I.** *vt* verbinden **II.** *vi* sich verbinden

combined [kəmˈbaɪnd] *adj* vereint; ~ **total** Gesamtsumme *f*

come [kʌm] *vi* <came, come> **1.** (*move towards*) kommen; ~ **here a moment** kommst du mal einen Moment [her]? **2.** (*arrive*) ankommen; **has she ~ yet?** ist sie schon da? **3.** (*accompany someone*) mitkommen **4.** (*originate from*) stammen **5.** (*have priority*) **to ~ before sth** wichtiger als etw sein **6.** (*fam: have orgasm*) kommen *fam* **7.** (*be, become*) **to ~ under pressure** unter Druck geraten; **to ~ loose** sich [ab]-

lösen; *door* aufgehen; **nothing came of it** daraus ist nichts geworden ▶ ~ **again?** [wie] bitte? ◆ **come about** *vi* passieren ◆ **come across I.** *vi* **1.** *feelings* zum Ausdruck kommen **2.** (*create an impression*) wirken **II.** *vt* (*by chance*) **to ~ across sb** jdm [zufällig] begegnen; **to ~ across sth** [zufällig] auf etw *akk* stoßen ◆ **come along** *vi* **1.** (*hurry*) ~ **along!** jetzt komm [endlich]! **2.** (*go too*) mitgehen, mitkommen **3.** (*progress*) Fortschritte machen ◆ **come apart** *vi* auseinanderfallen ◆ **come around** *vi see* **come round** ◆ **come at** *vi* **to ~ at sb** auf jdn losgehen; **the ball was coming straight at me** der Ball kam genau auf mich zu ◆ **come away** *vi* **1.** (*leave*) weggehen **2.** (*become detached*) sich lösen ◆ **come back** *vi* **1.** (*return*) zurückkommen **2.** (*be remembered*) wieder einfallen **3.** *artist* ein Come-back haben ◆ **come by** *vi* **1.** (*visit*) vorbeikommen **2.** (*obtain*) kriegen ◆ **come down** *vi* **1.** (*fall*) fallen; *trousers* rutschen **2.** (*collapse*) einstürzen **3.** (*become less*) sinken **4.** (*amount to*) hinauslaufen (**to** auf) **5.** (*be taken ill*) **to ~ down with sth** sich *dat* etw eingefangen haben ◆ **come forward** *vi* sich melden ◆ **come in** *vi* **1.** (*enter*) hereinkommen; **do ~ in** komm doch rein; ~ **in!** herein! **2.** (*arrive*) ankommen; *ship* einlaufen; *train* einfahren; *plane* landen **3.** (*become fashionable*) in Mode kommen **4.** + *adj* (*be*) **to ~ in handy** gelegen kommen **5.** (*play a part*) **and that's where you ~ in** und hier kommst du dann ins Spiel **6.** (*be subjected to*) **to ~ in for criticism** Kritik hervorrufen

◆ **come off** *vi* **1.** (*fam: succeed*) klappen **2.** (*take place*) stattfinden **3.** (*end up*) abschneiden **4.** (*stop taking*) **to** ~ **off sth** mit etw *dat* aufhören ▶ ~ **off it!** (*fam*) nun mach mal halblang! ◆ **come on** *vi* ~ **on!** (*impatient*) komm jetzt!; (*encouraging*) komm schon!; (*annoyed*) jetzt hör aber auf! ◆ **come over** *vi* **1.** (*to a place*) [her]überkommen **2.** (*change point of view*) überwechseln ◆ **come round** *vi esp* BRIT, AUS **1.** (*visit sb's home*) vorbeikommen **2.** (*regain consciousness*) [wieder] zu sich kommen **3.** (*change one's mind*) seine Meinung ändern; **to** ~ **round to sb's point of view** sich jds Standpunkt anschließen ◆ **come through** *vi* **1.** (*survive*) durchkommen **2.** BRIT, AUS *results, visa* eintreffen; *call* eingehen ◆ **come to** *vi* **1.** (*regain consciousness*) [wieder] zu sich kommen **2.** (*amount to*) sich belaufen auf +*akk* **3.** (*reach*) **what is the world coming to?** wo soll das alles nur hinführen?; **it'll** ~ **to me later** es wird mir schon noch einfallen; **he won't** ~ **to any harm** ihm wird nichts passieren; **it** ~**s to the same thing** das läuft auf dasselbe raus; **to** ~ **to the conclusion** ... zu dem Schluss kommen, dass ...; **to have** ~ **to a decision** eine Entscheidung getroffen haben; **to** ~ **to nothing** zu nichts führen; **to** ~ **to the point** zum Punkt kommen **4.** (*concern*) **when it** ~**s to travelling** ... wenn's ums Reisen geht, ... ◆ **come under** *vi* **1.** (*be listed under*) stehen unter +*dat;* **soups** ~ **under 'starters'** Suppen sind als Vorspeisen aufgeführt **2.** (*subject to*) **to** ~ **under fire** unter Beschuss geraten

◆ **come up** *vi* **1.** (*to higher place*) hochkommen; *sun, moon* aufgehen **2.** (*be mentioned*) aufkommen; *topic* angeschnitten werden; *name* erwähnt werden **3.** (*happen*) passieren **4. to** ~ **up for sale** zum Verkauf stehen **5.** (*become vacant*) *job* frei werden **6.** (*on TV*) **coming up next on BBC 2 ...** und auf BBC 2 sehen Sie als Nächstes ... **7.** (*of plants*) herauskommen ◆ **come upon** *vi* **to** ~ **upon sth** [zufällig] auf etw *akk* stoßen; **to** ~ **upon sb** [zufällig] jdm begegnen

comedian [kəˈmiːdiən] *n* Komiker(in) *m(f)*

comedy [ˈkɒmədi] *n* Komödie *f*

comet [ˈkɒmɪt] *n* Komet *m*

comfort [ˈkʌm(p)fət] **I.** *n* **1.** *no pl* (*comfortable feeling*) Bequemlichkeit *f* **2.** *no pl* (*consolation*) Trost *m* **3.** (*pleasurable things in life*) ~**s** *pl* Komfort *m kein pl* **II.** *vt* trösten

comfortable [ˈkʌm(p)ftəbl] *adj* **1.** (*offering comfort*) bequem; *house, room* komfortabel **2.** (*at ease*) **to be** ~ sich wohl fühlen; **are you** ~**?** sitzt du bequem?; **to feel** ~ **with sth** mit etw *dat* zufrieden sein

comfortably [ˈkʌm(p)ftəbli] *adv* **1.** (*in a comfortable manner*) bequem **2.** (*easily*) leicht **3.** FIN **they are** ~ **off** es geht ihnen [finanziell] gut; **to live** ~ sorgenfrei leben

comforting [ˈkʌm(p)fətɪŋ] *adj word* tröstend

comfy [ˈkʌm(p)fi] *adj* (*fam*) bequem

comic [ˈkɒmɪk] **I.** *n* **1.** (*magazine*) Comicheft *nt* **2.** (*professional comedian*) Komiker(in) *m(f)* **II.** *adj* komisch

comic book *n* AM Comicbuch *nt* **comic strip** *n* Comic *m* (*in einer Zeitung*)

coming [ˈkʌmɪŋ] I. *adj* (*next*) kommend; (*approaching*) herannahend; **this ~ Friday** nächsten Freitag II. *n no pl* (*arrival*) Ankunft *f*

comma [ˈkɒmə] *n* Komma *nt*

command [kəˈmɑːnd] I. *vt* 1. (*order*) **to ~ sb** jdm einen Befehl geben 2. MIL **to ~ sth** den Oberbefehl über etw *akk* haben; *company* leiten 3. (*form: inspire*) gebieten II. *vi* Befehle erteilen III. *n* 1. (*order*) Befehl *m* 2. *no pl* (*authority*) Kommando *nt*; **to be in ~ of** befehligen; **to be at sb's ~** (*hum*) jdm zur Verfügung stehen

commemorate [kəˈmeməreɪt] *vt* gedenken +*gen*

commemorative [kəˈmemᵊrətɪv] *adj* **~ issue** Gedächtnisausgabe *f;* **~ plaque** Gedenktafel *f*

comment [ˈkɒment] I. *n* Kommentar *m* II. *vi* einen Kommentar abgeben; **to ~ on sth** sich zu etw *dat* äußern

commentary [ˈkɒmentᵊri] *n* Kommentar *m* (**on** zu)

commentate [ˈkɒmənteɪt] *vi* TV, RADIO **to ~ on sth** etw kommentieren

commentator [ˈkɒmənteɪtəʳ] *n* Kommentator(in) *m(f)*

commercial [kəˈmɜːʃᵊl] I. *adj* 1. (*relating to commerce*) kaufmännisch 2. (*profit-orientated*) kommerziell II. *n* Werbespot *m*

commission [kəˈmɪʃᵊn] I. *vt* (*order*) **to ~ sth** etw in Auftrag geben; **to ~ sb [to do sth]** jdn beauftragen[, etw zu tun] II. *n* 1. (*order*) Auftrag *m* 2. + *sing/pl vb* (*investigative body*) Kommission *f* 3. (*system of payment*) Provision *f* 4. *no pl* **out of ~** *machine* außer Betrieb

commit <-tt-> [kəˈmɪt] I. *vt* 1. (*carry out*) begehen 2. (*bind*) *money* be-

reitstellen; **to ~ oneself to sth** sich etw *dat* voll und ganz widmen 3. (*entrust*) **to ~ sth to memory** sich *dat* etw einprägen II. *vi* (*bind oneself*) **to ~ to sth** sich auf etw *akk* festlegen

committee [kəˈmɪti] *n* + *sing/pl vb* Ausschuss *m*, Komitee *nt*

common [ˈkɒmən] I. *adj* <-er, -est> 1. (*often encountered*) üblich, gewöhnlich 2. (*normal*) normal 3. (*shared*) gemeinsam; **by ~ consent** mit allgemeiner Einwilligung; **in ~** gemeinsam 4. ZOOL, BOT gemein II. *n* Gemeindeland *nt*

common room *n* BRIT SCH Gemeinschaftsraum *m*

Commons [ˈkɒmənz] *n* + *sing/pl vb* BRIT POL **the ~** das Unterhaus

common sense *n no pl* gesunder Menschenverstand; **a ~ approach** ein praktischer Ansatz

Commonwealth [ˈkɒmənwelθ] *n* **the ~** das Commonwealth

communicate [kəˈmjuːnɪkeɪt] I. *vt* (*pass on*) mitteilen; *feeling, message* rüberbringen II. *vi* (*give information*) kommunizieren; **to ~ with one's hands** sich mit den Händen verständigen

communication [kəˌmjuːnɪˈkeɪʃᵊn] *n no pl* 1. (*being in touch*) Kommunikation *f;* **~ gap** Informationslücke *f* 2. (*passing on*) *of ideas* Vermittlung *f* 3. (*form: thing communicated*) Mitteilung *f*

communism [ˈkɒmjənɪzᵊm] *n no pl* Kommunismus *m*

community centre *n* Gemeindezentrum *nt*

commute [kəˈmjuːt] I. *n* (*fam*) Pendelstrecke *f* II. *vi* pendeln

commuter [kə'mjuːtə'] *n* Pendler(in) *m(f)*

compact I. *adj* [kəm'pækt] kompakt **II.** *vt* [kəm'pækt] (*form: by a person*) festtreten **III.** *n* ['kɒmpækt] **1.** (*cosmetics*) Puderdose *f* **2.** AM, AUS AUTO Kompaktwagen *m*

companion [kəm'pænjən] *n* Begleiter(in) *m(f)*; (*associate*) Gefährte, -in *m, f*

company ['kʌmpəni] *n* **1.** COMM Firma *f*, Unternehmen *nt*; **Adams and C~** Adams & Co. **2.** *no pl* (*companionship*) Gesellschaft *f*; **to keep sb ~** jdm Gesellschaft leisten **3.** THEAT Schauspieltruppe *f*

comparable ['kɒmpªrəbl] *adj* vergleichbar (**to/with** mit)

comparative [kəm'pærətɪv] **I.** *n* Komparativ *m* **II.** *adj* **1.** (*involving comparison*) vergleichend **2.** (*relative*) relativ

comparatively [kəm'pærətɪvli] *adv* **1.** (*relatively*) verhältnismäßig **2.** (*by comparison*) im Vergleich

compare [kəm'peə'] **I.** *vt* **1.** vergleichen (**to/with** mit); **to ~ notes on sth** (*fig*) Meinungen über etw *akk* austauschen **2.** LING steigern **II.** *vi* vergleichbar sein; **to ~ favourably** vergleichsweise gut abschneiden **III.** *n no pl* (*liter*) **beyond ~** unvergleichlich

comparison [kəm'pærɪsªn] *n* Vergleich *m*; **by ~ with** verglichen mit; **to draw a ~** einen Vergleich anstellen; **there's no ~!** das ist gar kein Vergleich!

compartment [kəm'pɑːtmənt] *n* RAIL [Zug]abteil *nt*, Coupé *nt* ÖSTERR

compass <*pl* -es> ['kʌmpəs] *n* **1.** (*for showing direction*) Kompass *m*

2. (*for drawing circles*) Zirkel *m*

compassion [kəm'pæʃªn] *n no pl* **to feel ~ for sb** Mitleid mit jdm haben; **with ~** voller Mitgefühl

compassionate [kəm'pæʃªnət] *adj* mitfühlend

compatible [kəm'pætɪbl] *adj* **1.** **to be ~** zusammenpassen **2.** COMPUT, MED kompatibel **3.** (*consistent*) vereinbar

compel <-ll-> [kəm'pel] *vt* **to feel ~led** [**to do sth**] sich gezwungen sehen[, etw zu tun]

compensate ['kɒmpənseɪt] **I.** *vt* [finanziell] entschädigen **II.** *vi* kompensieren

compensation [ˌkɒmpən'seɪʃªn] *n no pl* Entschädigung[sleistung] *f*

compete [kəm'piːt] *vi* **to ~** [**with sb**] [gegen jdn] kämpfen (**for** um)

competent ['kɒmpɪtªnt] *adj* (*capable*) fähig; (*qualified*) kompetent

competition [ˌkɒmpə'tɪʃªn] *n no pl* Konkurrenz *f*, Wettbewerb *m*

competitive [kəm'petɪtɪv] *adj* **1.** (*characterized by competition*) konkurrierend; (*eager to compete*) kampfbereit; **~ sports** Leistungssport *m* **2.** COMM konkurrenzfähig

competitor [kəm'petɪtə'] *n* **1.** (*participant*) [Wettbewerbs]teilnehmer(in) *m(f)* **2.** COMM Konkurrent(in) *m(f)*

compile [kəm'paɪl] *vt list* erstellen; *facts* zusammentragen

complain [kəm'pleɪn] *vi* klagen, sich beklagen (**about/of** über); **stop ~ing!** hör auf zu jammern!

complaint [kəm'pleɪnt] *n* Klage *f*; MED *a.* Beschwerde *f*

complete [kəm'pliːt] **I.** *vt* **1.** (*add what is missing*) vervollständigen; *form* [vollständig] ausfüllen **2.** (*finish*) fertig stellen; *course* absolvieren **II.** *adj*

C

1. (*with nothing missing*) vollständig; **the ~ works of Shakespeare** Shakespeares gesammelte Werke **2.** (*including*) ~ **with** inklusive **3.** (*total*) absolut; *stranger, surprise* völlig

completely [kəm'pli:tli] *adv* völlig; ~ **certain** absolut sicher

completion [kəm'pli:ʃən] *n no pl* Fertigstellung *f;* **on ~ of the project** nach Abschluss des Projekts

complex I. *adj* ['kɒmpleks] komplex; (*complicated*) kompliziert **II.** *n* <*pl* -es> ['kɒmpleks] **1.** ARCHIT Komplex *m;* **shopping ~** Einkaufszentrum *nt* **2.** PSYCH Komplex *m* (**about** wegen)

complexion [kəm'plekʃən] *n* Teint *m;* **clear ~** reine Haut; **healthy ~** gesunde Gesichtsfarbe ▶ **to put a different ~ on sth** etw in einem anderen Licht erscheinen lassen

complexity [kəm'pleksəti] *n* **1.** *no pl* (*intricacy*) Komplexität *f* **2.** (*complication*) Kompliziertheit *f*

complicate ['kɒmplɪkeɪt] *vt* [noch] komplizierter machen

complicated ['kɒmplɪkeɪtɪd] *adj* kompliziert

complication [ˌkɒmplɪ'keɪʃən] *n* Komplikation *f*

compliment ['kɒmplɪmənt] **I.** *n* Kompliment *nt;* **my ~s to the chef!** mein Kompliment an die Köchin!; **to pay sb a ~** jdm ein Kompliment machen **II.** *vt* **to ~ sb** jdm ein Kompliment machen

complimentary [ˌkɒmplɪ'mentəri] *adj* **1.** (*expressing a compliment*) schmeichelhaft **2.** (*free*) ~ **ticket** Freikarte *f*

comply [kəm'plaɪ] *vi* sich fügen; **to ~ with the regulations** die Bestimmungen erfüllen

component [kəm'pəʊnənt] *n* [Bestand]teil *m*

composer [kəm'pəʊzəʳ] *n* Komponist(in) *m(f)*

composure [kəm'pəʊʒəʳ] *n no pl* Fassung *f*

compound[1] [kəm'paʊnd] *vt* verschlimmern

compound[2] ['kɒmpaʊnd] **I.** *n* **1.** (*combination*) Mischung *f* **2.** CHEM Verbindung *f* **II.** *adj* zusammengesetzt

comprehend [ˌkɒmprɪ'hend] *vi, vt* begreifen, verstehen

comprehensive [ˌkɒmprɪ'hen(t)sɪv] **I.** *adj* umfassend; *answer* ausführlich **II.** *n* BRIT Gesamtschule *f*

compromise ['kɒmprəmaɪz] **I.** *n* Kompromiss *m;* **to reach a ~** zu einem Kompromiss gelangen **II.** *vi* Kompromisse eingehen

compulsion [kəm'pʌlʃən] *n no pl* Zwang *m*

compulsory [kəm'pʌlsəri] *adj* obligatorisch; ~ **retirement** Zwangspensionierung *f;* ~ **subject** Pflichtfach *nt*

computer [kəm'pju:təʳ] *n* Computer *m*

computer game *n* Computerspiel *nt*

computer graphics *n* + *sing/pl vb* Computergrafik *f* **computer programmer** *n* Programmierer(in) *m(f)*

con[1] [kɒn] (*fam*) **I.** *vt* <-nn-> **to ~ sb** jdn reinlegen; **to ~ sb out of sth** jdn etw abluchsen **II.** *n* Schwindel *m kein pl*

con[2] [kɒn] *n usu pl* (*fam*) **the pros and ~s** das Pro und Kontra

concede [kən'si:d] **I.** *vt* **1.** (*acknowledge*) zugeben; **to ~ defeat** sich geschlagen geben **2.** SPORTS *goal* kassieren **II.** *vi* sich geschlagen geben

conceited [kən'si:tɪd] *adj* eingebildet

concentrate ['kɒn(t)sⁿntreɪt] I. *vi* 1. (*focus one's thoughts*) sich konzentrieren 2. (*come together*) sich sammeln II. *vt* konzentrieren; **to ~ one's mind on sth** sich auf etw *akk* konzentrieren III. *n* Konzentrat *nt*

concentrated ['kɒn(t)sⁿntreɪtɪd] *adj* konzentriert

concentration [ˌkɒn(t)sⁿn'treɪʃⁿn] *n* 1. *no pl* (*mental focus*) Konzentration *f* (**on** auf); **to lose [one's] ~** sich nicht mehr konzentrieren können 2. (*accumulation*) Konzentrierung *f*

concept ['kɒnsept] *n* 1. (*abstract idea*) Vorstellung *f* 2. (*plan*) Entwurf *m*

concern [kən'sɜ:] I. *n* 1. (*interest*) Anliegen *nt* 2. (*worry*) Sorge *f*, Besorgnis *f* (**about** um) 3. (*business*) Angelegenheit *f*; **that's none of your ~** das geht dich nichts an 4. COMM Unternehmen *nt*; **industrial ~** Industriekonzern *m* II. *vt* 1. (*apply to, be sb's business*) angehen; **as far as I'm ~ed** was mich betrifft 2. (*take an interest in*) **to ~ oneself with sth** sich mit etw *dat* befassen

concerned [kən'sɜ:nd] *adj* 1. *pred* (*involved*) betroffen 2. (*worried*) **to be ~ [about sb]** [um jdn] besorgt sein; **to be ~ [about sth]** [wegen einer S. *gen*] beunruhigt sein; **I'm a bit ~ about your health** ich mache mir Gedanken um deine Gesundheit

concerning [kən'sɜ:nɪŋ] *prep* bezüglich +*gen*

concert ['kɒnsət] *n* Konzert *nt*; **in ~** live

concession [kən'seʃⁿn] *n* 1. Zugeständnis *nt*; **as a ~** als Ausgleich 2. (*admission of defeat*) Eingeständnis *nt* [einer Niederlage]

conclude [kən'klu:d] I. *vi* enden, schließen II. *vt* 1. (*finish*) [ab]schließen 2. (*determine*) beschließen 3. (*infer*) **to ~ [from sth] that ...** [aus etw *dat*] schließen, dass ...

concluding [kən'klu:dɪŋ] *adj* abschließend; **~ remark** Schlussbemerkung *f*

conclusion [kən'klu:ʒⁿn] *n* 1. (*end*) Abschluss *m*; *of a story* Schluss *m*; **in ~** zum Abschluss 2. (*decision*) **to reach a ~** zu einem Entschluss gelangen 3. (*inference*) Schluss *m*, Schlussfolgerung *f*

conclusive [kən'klu:sɪv] *adj* 1. (*convincing*) schlüssig 2. (*decisive*) eindeutig

concrete ['kɒnkri:t] I. *n no pl* Beton *m* II. *adj* 1. *path* betoniert 2. *proof* eindeutig III. *vt* betonieren; **to ~ over** zubetonieren

concussion [kən'kʌʃⁿn] *n no pl* Gehirnerschütterung *f*

condemn [kən'dem] *vt* 1. verurteilen; (*fig*) verdammen 2. (*declare unsafe*) für unbrauchbar erklären

condensation [ˌkɒnden'seɪʃⁿn] *n* 1. *no pl* (*process*) Kondensation *f* 2. *no pl* (*droplets*) Kondenswasser *nt*

condensed milk *n no pl* Kondensmilch *f*, Dosenmilch *f*

condescending [ˌkɒndɪ'sendɪŋ] *adj* herablassend

condition [kən'dɪʃⁿn] I. *n* 1. (*state*) Zustand *m* 2. MED Leiden *nt* 3. (*circumstances*) **~s** *pl* Bedingungen *pl* 4. (*stipulation*) Bedingung *f*; **on the ~ that ...** unter der Bedingung, dass ... II. *vt* (*train*) konditionieren

conditional [kən'dɪʃⁿnᵊl] I. *adj* bedingt; **to be ~ [up]on sth** von etw *dat* abhängen II. *n* LING **the ~** der Konditional

conditioner [kən'dɪʃᵊnəʳ] *n no pl* (*for hair*) Pflegespülung *f*

condom ['kɒndɒm] *n* Kondom *nt*

conduct I. *vt* [kən'dʌkt] **1.** (*carry out*) durchführen; *negotiations* führen **2.** (*direct*) leiten; *orchestra* dirigieren **3.** ELEC leiten **4.** (*form: behave*) **to ~ oneself** sich benehmen II. *vi* [kən'dʌkt] MUS dirigieren III. *n* ['kɒndʌkt] *no pl* **1.** (*behaviour*) Benehmen *nt* **2.** (*form: management*) Führung *f*

conductor [kən'dʌktəʳ] *n* **1.** MUS Dirigent(in) *m(f)* **2.** BRIT (*on bus*) Schaffner(in) *m(f)*

cone [kəʊn] *n* **1.** MATH Kegel *m;* **traffic ~** Leitkegel *m* **2.** FOOD **ice cream ~** Eistüte *f*

conference ['kɒnfᵊrᵊn(t)s] *n* Konferenz *f*, Tagung *f* (**on** über); **in ~** in einer Besprechung

conference call *n* Konferenzschaltung *f*

confess [kən'fes] *vi, vt* **1.** (*admit*) zugeben; **to ~ to sth** etw gestehen **2.** REL beichten

confession [kən'feʃᵊn] *n* **1.** (*admission*) Geständnis *nt* **2.** REL Beichte *f*

confide [kən'faɪd] I. *vt* gestehen; **to ~ [to sb] that ...** jdm anvertrauen, dass ... II. *vi* **to ~ in sb** sich jdm anvertrauen

confidence ['kɒnfɪdᵊn(t)s] *n* **1.** *no pl* (*trust*) Vertrauen *nt;* **in ~** im Vertrauen **2.** (*secrets*) **~s** *pl* Vertraulichkeiten *pl* **3.** *no pl* (*self-assurance*) Selbstvertrauen *nt*

confident ['kɒnfɪdᵊnt] *adj* **1.** (*certain*) zuversichtlich **2.** (*self-assured*) selbstbewusst

confidential [ˌkɒnfɪ'denⁱ(t)ʃl] *adj* ver-

traulich; **to keep sth ~** etw für sich behalten

confidentially [ˌkɒnfɪ'dᵊn(t)ʃᵊli] *adv* vertraulich

confirm [kən'fɜːm] I. *vt* **1.** (*verify*) bestätigen **2.** (*strengthen*) **to ~ sb's faith** jdn in seinem Glauben bestärken II. *vi* bestätigen

confirmation [ˌkɒnfə'meɪʃᵊn] *n* **1.** (*verification*) Bestätigung *f* **2.** REL (*Catholic*) Firmung *f;* (*Protestant*) Konfirmation *f*

confiscate ['kɒnfɪskeɪt] *vt* beschlagnahmen

conflict I. *n* ['kɒnflɪkt] (*clash*) Konflikt *m;* **~ of interests** Interessenskonflikt *m* II. *vi* [kən'flɪkt] **to ~ with sth** im Widerspruch zu etw *dat* stehen

conflicting [kən'flɪktɪŋ] *adj* widersprüchlich; *claims* entgegengesetzt

conform [kən'fɔːm] *vi* sich einfügen; (*agree*) übereinstimmen

confront [kən'frʌnt] *vt* **1.** (*face*) **to ~ sth** sich etw *dat* stellen **2.** (*compel to deal with*) konfrontieren

confuse [kən'fjuːz] *vt* **1.** (*perplex*) verwirren **2.** (*complicate*) [noch] verworrener machen

confused [kən'fjuːzd] *adj* **1.** *people* verwirrt, durcheinander **2.** *situation* verworren

confusing [kən'fjuːzɪŋ] *adj* verwirrend

confusion [kən'fjuːʒᵊn] *n no pl* **1.** (*perplexity*) Verwirrung *f* **2.** (*disorder*) Durcheinander *nt;* **to be in ~** durcheinander sein

congested [kən'dʒestɪd] *adj* **1.** TRANSP überfüllt **2.** MED verstopft

congestion charge *n* City-Maut *f*

congratulate [kən'grætʃʊleɪt] *vt* **to ~ sb [on sth]** jdm [zu etw *dat*] gratulieren

congratulation [kənˌgrætʃʊˈleɪʃ°n] *n no pl* Gratulation *f;* **~s!** herzlichen Glückwunsch!

congregation [ˌkɒŋgrɪˈgeɪʃ°n] *n + sing/pl vb* REL [Kirchen]gemeinde *f*

congress [ˈkɒŋgres] *n* Kongress *m;* **C~** AM POL der Kongress

congressman *n* [Kongress]abgeordnete(r) *m* **congresswoman** *n* [Kongress]abgeordnete *f*

conifer [ˈkɒnɪfəʳ] *n* Nadelbaum *m*

conjure [ˈkʌndʒəʳ] I. *vi* zaubern II. *vt* hervorzaubern

conjurer [ˈkʌndʒ°rəʳ] *n* Zauberkünstler(in) *m(f)*

conjuring trick *n* Zaubertrick *m*

conjuror *n see* **conjurer**

conker [ˈkɒŋkəʳ] *n* BRIT Rosskastanie *f*

con man *n (pej)* Schwindler *m*

connect [kəˈnekt] I. *vi* 1. *(plug in)* **to ~ [up] to sth** an etw *akk* angeschlossen werden 2. *(form network)* **to ~ with sth** Anschluss an etw *akk* haben II. *vt* ELEC verbinden **(to/with** mit); *(plug in)* anschließen **(to/with** an)

connected [kəˈnektɪd] *adj pred* 1. *(joined together)* verbunden **(to/with** mit); *(plugged in)* angeschlossen **(to/with** an) 2. *(related, being family)* verwandt **(to** mit) 3. *(having to do with)* in Zusammenhang stehen, zusammenhängen **(to/with** mit)

connecting [kəˈnektɪŋ] *adj* **~ door** Verbindungstür *f;* **~ flight** Anschlussflug *m*

connection [kəˈnekʃ°n] *n* 1. *no pl (joining, link)* Verbindung *f* **(to/with** mit); ELEC Anschluss *m* **(to** an); **to get a ~** TELEC [zu jdm] durchkommen 2. TRANSP Verbindung *f* 3. *(reference)* **in that/this ~** in diesem Zusammenhang

conquer [ˈkɒŋkəʳ] *vt land* erobern; *mountain* bezwingen; **to ~ sb** jdn besiegen

conscience [ˈkɒn(t)ʃ°n(t)s] *n* Gewissen *nt;* **to do sth with a clear ~** ruhigen Gewissens etw tun

conscientious [ˌkɒn(t)ʃiˈen(t)ʃəs] *adj* 1. *(thorough)* gewissenhaft 2. *(moral)* **on ~ grounds** aus Gewissensgründen

conscious [ˈkɒn(t)ʃəs] *adj* 1. MED **to be [fully] ~** bei [vollem] Bewusstsein sein 2. *(deliberate)* bewusst 3. *(aware)* bewusst; **fashion ~** modebewusst

consciousness [ˈkɒn(t)ʃəsnəs] *n no pl* Bewusstsein *nt a. fig;* **to lose ~** das Bewusstsein verlieren

conscription [kənˈskrɪpʃ°n] *n no pl* MIL Wehrpflicht *f*

consecutive [kənˈsekjʊtɪv] *adj days, months* aufeinanderfolgend; *numbers* fortlaufend

consent [kənˈsent] *(form)* I. *n no pl* Zustimmung *f;* **age of ~** ≈ Ehemündigkeitsalter *nt;* **by mutual ~** im gegenseitigen Einverständnis II. *vi* **to ~ to sth** etw *dat* zustimmen; **to ~ to do sth** einwilligen, etw zu tun

consequence [ˈkɒn(t)sɪkwən(t)s] *n* 1. *(result)* Folge *f;* **in ~** folglich 2. *no pl (significance)* Bedeutung *f;* **nothing of [any] ~** nichts Besonderes

consequently [ˈkɒn(t)sɪkwəntli] *adv* folglich

conservation [ˌkɒn(t)səˈveɪʃ°n] *n no pl (protection)* Schutz *m;* **~ area** Naturschutzgebiet *nt*

conservative [kənˈsɜːvətɪv] I. *adj* 1. *(in dress, opinion)* konservativ 2. POL **C~** konservativ II. *n* POL **C~** Konservative(r) *f(m)*

C

conservatory [kən'sɜːvətri] *n* Wintergarten *m*

consider [kən'sɪdəʳ] *vt* **1.** (*contemplate*) sich *dat* überlegen; **to ~ doing sth** daran denken, etw zu tun **2.** (*look at*) betrachten; (*think of*) denken an +*akk;* **all things ~ed** alles in allem **3.** (*regard as*) **to ~ sth [to be] sth** etw für etw *akk* halten; **~ it done!** schon erledigt!

considerable [kən'sɪdᵊrəbl] *adj* erheblich, beträchtlich

considerate [kən'sɪdᵊrət] *adj* rücksichtsvoll

consideration [kənˌsɪdᵊr'eɪʃᵊn] *n* **1.** *no pl* (*thought*) Überlegung *f;* **after careful ~** nach reiflicher Überlegung **2.** *no pl* (*account*) **to take into ~** berücksichtigen **3.** (*factor*) Gesichtspunkt *m*

considered [kən'sɪdəd] *adj opinion* wohl überlegt

considering [kən'sɪdᵊrɪŋ] **I.** *prep* **~ how/what ...** wenn man bedenkt, wie/was ... **II.** *conj* **~ that ...** dafür, dass ...

consist [kən'sɪst] *vi* (*comprise*) **to ~ of sth** aus etw *dat* bestehen

consistent [kən'sɪstᵊnt] *adj* **1.** (*steady*) beständig; *improvement* ständig **2.** *effort* konsequent

console I. *vt* [kən'səʊl] trösten **II.** *n* ['kɒnsəʊl] (*control desk*) Schaltpult *nt*

consonant ['kɒn(t)sᵊnənt] *n* Konsonant *m*

constable ['kʌn(t)stəbl] *n* BRIT Polizist(in) *m(f)*

constant ['kɒn(t)stənt] **I.** *n* MATH Konstante *f* **II.** *adj* (*continuous*) ständig; (*unchanging*) gleich bleibend; MATH konstant

constantly ['kɒn(t)stəntli] *adv* ständig

construction [kən'strʌkʃᵊn] *n* **1.** *no pl* (*act of building*) Bau *m;* **~ site** Baustelle *f;* **under ~** im Bau **2.** (*how sth is built*) Bauweise *f* **3.** (*object*) Konstruktion *f*

consul ['kɒn(t)sᵊl] *n* Konsul(in) *m(f)*

consulate ['kɒn(t)sjulət] *n* Konsulat *nt*

consult [kən'sʌlt] **I.** *vi* sich beraten **II.** *vt* **1.** (*ask*) **to ~ sb [about sth]** jdn [bezüglich einer S. *gen*] um Rat fragen; *doctor, lawyer, specialist* konsultieren **2.** (*look at*) *dictionary* nachschlagen in +*dat; diary, list* nachsehen in +*dat; oracle* befragen

consultant [kən'sʌltᵊnt] *n* **1.** (*adviser*) Berater(in) *m(f)* **2.** BRIT MED Facharzt, -ärztin *m, f*

consulting [kən'sʌltɪŋ] *adj* beratend

consume [kən'sjuːm] *vt* **1.** (*eat, drink*) konsumieren **2.** (*obsess*) **to be ~d by envy/jealousy** vor Neid/Eifersucht [fast] vergehen

consumer [kən'sjuːməʳ] *n* Verbraucher(in) *m(f)*

contact ['kɒntækt] **I.** *n* **1.** *no pl* (*communication*) Kontakt *m,* Verbindung *f;* **I'll get in ~ with him** ich melde mich bei ihm **2.** (*person*) **business ~s** Geschäftskontakte *pl;* **to have ~s** Beziehungen haben **3.** *no pl* (*touch*) Kontakt *m* **II.** *vt* **to ~ sb** sich mit jdm in Verbindung setzen

contact lens *n* Kontaktlinse *f*

contagious [kən'teɪdʒəs] *adj* ansteckend *a. fig*

contain [kən'teɪn] *vt* **1.** (*hold, include*) enthalten **2.** (*limit*) in Grenzen halten

container [kən'teɪnəʳ] *n* **1.** Behälter *m* **2.** TRANSP Container *m*

contaminate [kən'tæmɪneɪt] *vt* verunreinigen

contemporary [kən'tempᵊrᵊri] **I.** *n* Zeitgenosse, -in *m, f* **II.** *adj* zeitgenössisch

C

contempt [kən'tem(p)t] *n no pl*
1. (*scorn*) Verachtung *f;* **beneath**
~ unter aller Kritik **2.** LAW ~ [of
court] Missachtung *f* [des Gerichts]
content¹ ['kɒntent] *n* **1.** (*what is inside*) ~s *pl* Inhalt *m* **2.** (*amount contained*) Gehalt (**of** an)
content² [kən'tent] I. *adj* zufrieden; **to
be** [**not**] ~ **to do sth** etw [nicht] gerne
tun II. *vt* **to** ~ **oneself with sth** sich
mit etw *dat* zufrieden geben III. *n no
pl* **to one's heart's** ~ nach Herzenslust
contented [kən'tentɪd] *adj* zufrieden
contentious [kən'ten(t)ʃəs] *adj* umstritten
contentment [kən'tentmənt] *n no pl*
Zufriedenheit *f;* **with** ~ zufrieden
contest I. *n* ['kɒntest] **1.** (*event*) Wettbewerb *m* **2. a.** POL Wettstreit *m* (**for**
um) ▶ **no** ~ ungleicher Kampf II. *vt*
[kən'test] **1.** (*compete for*) kämpfen
um +*akk* **2.** POL kandidieren für +*akk*
3. (*dispute*) bestreiten
contestant [kən'testᵊnt] *n* **1.** (*in a
competition*) Wettbewerbsteilnehmer(in) *m(f)* **2.** POL Kandidat(in)
m(f)
context ['kɒntekst] *n* Kontext *m,* Zusammenhang *m*
continent ['kɒntɪnənt] *n* **1.** (*land*)
Kontinent *m,* Erdteil *m* **2.** *no pl* **the
C**~ Kontinentaleuropa *nt*
continental [ˌkɒntɪ'nentᵊl] I. *adj* **1.** kontinental; ~ **breakfast** kontinentales
Frühstück **2.** (*European*) europäisch
II. *n* Europäer(in) *m(f)*
contingency [kən'tɪndʒᵊn(t)si] *n* (*form*)
Eventualität *f*
continual [kən'tɪnjuəl] *adj* ständig, andauernd
continually [kən'tɪnjuəli] *adv* ständig,

[an]dauernd
continuation [kənˌtɪnju'eɪʃᵊn] *n no pl*
Fortsetzung *f*
continue [kən'tɪnju] I. *vi* **1.** (*persist*)
andauern; (*go on*) weitergehen; (*in
an activity*) weitermachen; **to** ~
doing/to do sth weiter[hin] etw tun;
to ~ **with sth** mit etw *dat* weitermachen **2.** (*remain*) bleiben; **to** ~ **in office** weiter[hin] im Amt bleiben **3.** (*resume*) weitergehen; **to** ~ **with sth**
mit etw *dat* weitermachen II. *vt*
1. (*keep up, carry on*) fortführen; *an
action* weitermachen mit +*dat* **2.** (*resume*) fortsetzen
continuous [kən'tɪnjuəs] *adj* **1.** (*permanent*) ununterbrochen; (*steady*)
stetig **2.** LING ~ **form** Verlaufsform *f*
contour line *n* GEOG Höhenlinie *f*
contraception [ˌkɒntrə'sepʃᵊn] *n no
pl* [Empfängnis]verhütung *f*
contraceptive [ˌkɒntrə'septɪv] I. *n*
Verhütungsmittel *nt* II. *adj* empfängnisverhütend; ~ **pill** [Antibaby]pille *f*
contract¹ ['kɒntrækt] I. *n* Vertrag *m;*
to be under ~ [**to sb**] [bei jdm] unter
Vertrag stehen II. *vt* vertraglich vereinbaren
contract² [kən'trækt] I. *vi* **1.** (*shrink*)
sich zusammenziehen **2.** LING **to** ~
to sth zu etw *dat* verkürzt werden
II. *vt* **1.** (*tense*) zusammenziehen
2. LING verkürzen
contraction [kən'trækʃᵊn] *n* **1.** *no pl*
of a muscle Kontraktion *f* **2.** *of the
uterus* Wehe *f*
contradict [ˌkɒntrə'dɪkt] *vt* widersprechen
contradiction [ˌkɒntrə'dɪkʃᵊn] *n* Widerspruch *m* (**of** gegen); **a** ~ **in terms**
ein Widerspruch in sich
contrary¹ ['kɒntrᵊri] I. *n no pl* **the** ~

das Gegenteil; **on the** ~ ganz im Gegenteil **II.** *adj* (*opposite*) entgegengesetzt; ~ **to** [all] **expectations** wider Erwarten

contrary² [kən'treəri] *adj* (*argumentative*) widerspenstig

contrast I. *n* ['kɒntrɑːst] (*difference*) Gegensatz *m*, Kontrast *m* (**to/with** zu); **by** ~ im Gegensatz **II.** *vt* [kən'trɑːst] **to** ~ **sth with sth** etw etw *dat* gegenüberstellen **III.** *vi* [kən'trɑːst] kontrastieren

contribute [kən'trɪbjuːt, BRIT *a.* 'kɒntrɪbjuːt] **I.** *vt money, food* beisteuern; *ideas* beitragen **II.** *vi* **1.** (*give*) etwas beisteuern (**towards** zu) **2.** (*pay in*) einen Beitrag leisten, zuzahlen

contribution [ˌkɒntrɪ'bjuːʃ°n] *n* Beitrag *m*; (*to charity*) Spende *f*

control [kən'trəʊl] **I.** *n* **1.** *no pl* Kontrolle *f*; *of a country* Gewalt *f*; *of a company* Leitung *f*; **to be in** ~ **of sth** etw unter Kontrolle haben; **ball** ~ SPORTS Ballführung *f*; **passport** ~ Passkontrolle *f* **2.** TECH Schalter *m*, Regler *m*; **volume** ~ Lautstärkeregler *m* **3.** (*steering*) **to take over the** ~**s** die Steuerung übernehmen **4.** (*base*) ~ [**room**] Zentrale *f* **II.** *vt* <-ll-> **1.** (*direct*) kontrollieren; *car* steuern **2.** (*limit*) regulieren **3.** *emotions* beherrschen

control tower *n* Kontrollturm *m*

controversial [ˌkɒntrə'vɜːʃ°l] *adj* umstritten

controversy [kən'trɒvəsi, 'kɒntrəvɜːsi] *n* Kontroverse *f*

convenience [kən'viːniən(t)s] *n* **1.** *no pl* (*comfort*) Annehmlichkeit *f*; **at your** ~ wenn es Ihnen passt **2.** (*device*) Annehmlichkeit *f*; **with all modern** ~**s** mit allem Komfort

convenient [kən'viːniənt] *adj* **1.** (*useful*) zweckmäßig; (*suitable*) günstig; **it is** [**very**] ~ **that ...** es ist [sehr] praktisch, dass ... **2.** *date, time* passend; **if it's** ~ **for you** wenn es Ihnen passt **3.** (*beneficial*) **to be** ~ **for sb** jdm gelegen kommen

convent ['kɒnvənt] *n* [Nonnen]kloster *nt*

convention [kən'ven(t)ʃ°n] *n* **1.** (*custom*) Brauch *m*; (*social code*) Konvention *f* **2.** (*agreement*) Abkommen *nt*; *of human rights* Konvention *f* **3.** (*conference*) Konferenz *f*; ~ **centre** Tagungszentrum *nt*

conventional [kən'ven(t)ʃ°n°l] *adj* konventionell; ~ **medicine** Schulmedizin *f*

conversation [ˌkɒnvə'seɪʃ°n] *n* Gespräch *nt*, Unterhaltung *f*; **telephone** ~ Telefongespräch *nt*; **to get into** ~ **with sb** mit jdm ins Gespräch kommen; **to make** ~ Konversation machen

converse¹ [kən'vɜːs] *vi* (*form*) sich unterhalten

converse² ['kɒnvɜːs] (*form*) **I.** *n* **the** ~ das Gegenteil **II.** *adj* gegenteilig

conversion [kən'vɜːʃ°n] *n* **1.** *no pl* (*change of form or function*) Umwandlung *f* (**into** in) **2.** REL Konversion *f* **3.** (*changing beliefs or opinions*) Wandel *m*

conversion rate *n* EU Umrechnungskurs *m*; **euro to national currency** ~**s** Umrechnungskurse *pl* zwischen dem Euro und den nationalen Währungseinheiten

convert I. *n* ['kɒnvɜːt] REL Bekehrte(r) *f(m)*, Konvertit(in) *m(f)*; **to become a** ~ **to Islam** zum Islam übertreten **II.** *vi* [kən'vɜːt] **1.** REL übertreten

2. (*change in function*) sich verwandeln lassen **III.** *vt* [kən'vɜːt] **1.** REL (*a. fig*) bekehren **2.** (*change in form or function*) **to ~ sth** [**into**] etw umwandeln [in +*akk*]; ARCHIT etw umbauen [zu +*dat*] **3.** (*calculate*) umrechnen

convertible [kən'vɜːtɪbl] **I.** *n* Kabrio[-lett] *nt*, Kabriole *nt* ÖSTERR **II.** *adj* FIN konvertierbar

convict I. *n* ['kɒnvɪkt] Strafgefangene(r) *f(m)* **II.** *vi* [kən'vɪkt] auf schuldig erkennen **III.** *vt* [kən'vɪkt] verurteilen

conviction [kən'vɪkʃⁿn] *n* **1.** (*judgement*) Verurteilung *f* (**for** wegen); **previous ~s** Vorstrafen *pl* **2.** (*belief*) Überzeugung *f*

convince [kən'vɪn(t)s] *vt* überzeugen (**of** von)

convincing [kən'vɪn(t)sɪŋ] *adj* überzeugend

cook [kʊk] **I.** *n* Koch *m*, Köchin *f*; ► **too many ~s spoil the** _broth_ (*prov*) viele Köche verderben den Brei **II.** *vi* **1.** (*make meals*) kochen **2.** (*in water*) kochen; *fish, meat* garen **III.** *vt* **1.** (*make*) kochen **2.** (*heat*) kochen

cookbook *n* Kochbuch *nt*

cooker ['kʊkəʳ] *n* BRIT (*stove*) Herd *m*

cookery ['kʊkⁿri] **I.** *n no pl* (*cooking*) Kochen *nt* **II.** *adj* **~ course** Kochkurs *m*

cookery book *n* BRIT, AUS Kochbuch *nt*

cookie ['kʊki] *n esp* AM (*biscuit*) Keks *m;* ► _tough_ **~s!** AM Pech gehabt!

cooking ['kʊkɪŋ] **I.** *n no pl* (*act*) Kochen *nt;* **to do the ~** kochen **II.** *adj* **~ book** Kochbuch *nt;* **~ foil** BRIT Alufolie *f*

cool [kuːl] **I.** *adj* **1.** (*cold, calm, unfriendly*) kühl **2.** (*clothing*) luftig

3. (*trendy, great*) geil *sl* **II.** *interj* (*fam*) cool *sl*, geil *sl* **III.** *n no pl* **1.** (*cold*) Kühle *f;* **to stay in the ~** im Kühlen bleiben **2.** (*calm*) Ruhe *f* **IV.** *vi* (*lose heat*) abkühlen (**to** auf) **V.** *vt* **1.** (*make cold*) kühlen **2.** (*sl: calm down*) [**just**] **~ it!** reg dich ab!

cooperate [kəʊ'ɒpⁿreɪt] *vi* **1.** (*help*) kooperieren **2.** (*act jointly*) zusammenarbeiten

cooperation [ˌkəʊɒpⁿ'reɪʃⁿn] *n no pl* **1.** (*assistance*) Kooperation *f* **2.** (*joint work*) Zusammenarbeit *f*

cooperative [kəʊ'ɒpⁿrətɪv] **I.** *n* Genossenschaft *f*, Kooperative *f* **II.** *adj* **1.** *attr* ECON genossenschaftlich, kooperativ **2.** (*willing*) hilfsbereit, kooperativ

coordinate I. *n* [kəʊ'ɔːdɪnət] *usu pl* MATH Koordinate *f* **II.** *vi* [kəʊ'ɔːdɪneɪt] **1.** (*act jointly*) zusammenarbeiten **2.** (*match*) zusammenpassen **III.** *vt* [kəʊ'ɔːdɪneɪt] koordinieren; *operations, schedules* aufeinander abstimmen

coordination [kəʊˌɔːdɪn'eɪʃⁿn] *n no pl* **1.** (*coordinating*) Koordination *f; of operations, schedules a.* Abstimmung *f* **2.** (*cooperation*) Zusammenarbeit *f* **3.** (*dexterity*) Sinn *m* für Koordination

cop [kɒp] **I.** *n* **1.** (*fam: police officer*) Bulle *m* **2.** *no pl* BRIT (*sl*) **to not be much ~** nicht besonders gut sein **II.** *vt* <-pp-> BRIT, AUS (*sl*) **to ~ it** (*be in trouble*) dran sein

cope [kəʊp] *vi* zurechtkommen; **to ~ with a problem** ein Problem bewältigen

copper ['kɒpəʳ] *n* **1.** *no pl* (*metal*) Kupfer *nt* **2.** BRIT (*sl: coins*) **~s** *pl* Kleingeld *nt kein pl*

C

copy ['kɒpi] **I.** *n* **1.** (*duplicate*) Kopie *f;* **a true** ~ eine originalgetreue Kopie **2.** (*issue*) Exemplar *nt;* **hard** ~ COMPUT [Computer]ausdruck *m* **3.** *no pl* PUBL Manuskript *nt;* **clean** ~ Reinschrift *f* **II.** *vt* <-ie-> **1.** (*duplicate*) kopieren; ~ [**down**] *from text* abschreiben **2.** (*imitate*) *person* nachmachen **III.** *vi* <-ie-> **1.** (*imitate*) nachahmen **2.** (*in school*) abschreiben

copycat I. *n* (*pej fam*) Nachmacher(in) *m(f)* **II.** *adj* imitiert

copyright ['kɒpiraɪt] **I.** *n* Copyright *nt,* Urheberrecht *nt* **II.** *vt* urheberrechtlich schützen

coral ['kɒrəl] *n no pl* Koralle *f*

coral reef *n* Korallenriff *nt*

cord [kɔːd] **I.** *n* **1.** (*for parcel*) Schnur *f* **2.** ANAT (*umbilical cord*) Nabelschnur *f* **3.** (*trousers*) ~**s** *pl* Cordhose *f* **II.** *adj* ~ **jacket** Cordjacke *f*

cordless ['kɔːdləs] *adj* schnurlos

cordon ['kɔːdᵊn] **I.** *n* Kordon *m* **II.** *vt* **to** ~ **off** ⇆ **sth** etw absperren

corduroy ['kɔːdjərɔɪ] *n* **1.** *no pl* (*material*) Cordsamt *m* **2.** (*trousers*) ~**s** *pl* Cordhose *f*

core [kɔːʳ] **I.** *n* **1.** *of apple* Kerngehäuse *nt* **2.** (*fig*) Kern *m;* **shocked to the** ~ bis ins Mark erschüttert **3.** GEOL ~ [**sample**] Bohrprobe *f* **4.** ELEC *of cable* Seele *f* **II.** *adj* zentral **III.** *vt* entkernen

core subject *n* SCH Hauptfach *nt*

cork [kɔːk] **I.** *n* **1.** *no pl* (*material*) Kork *m* **2.** (*stopper*) Korken *m* **II.** *vt* zukorken

corkscrew *n* Korkenzieher *m*

corn¹ [kɔːn] *n* **1.** *no pl* BRIT (*cereal in general*) Getreide *nt;* **field of** ~ Kornfeld *nt* **2.** *no pl* AM, AUS (*maize*) Mais

m; ~ **on the cob** Maiskolben *m*

corn² [kɔːn] *n* MED Hühnerauge *nt*

corncob *n* Maiskolben *m*

corner ['kɔːnəʳ] **I.** *n* **1.** Ecke *f; of table* Kante *f;* **to cut a** ~ eine Kurve schneiden **2.** SPORTS Eckball *m;* ▶ **to cut** ~**s** (*financially*) Kosten sparen; (*in procedure*) das Verfahren abkürzen **II.** *adj* ~ **table** Ecktisch *m* **III.** *vt* (*trap*) in die Enge treiben

cornflakes *n pl* Cornflakes *pl*

corny ['kɔːni] *adj* (*fam: sentimental*) kitschig

coronary ['kɒrənᵊri] **I.** *n* Herzinfarkt *m* **II.** *adj* koronar

coronation [ˌkɒrə'neɪʃᵊn] *n* Krönung[szeremonie] *f*

corporal ['kɔːpᵊrᵊl] *n* Unteroffizier *m*

corporation [ˌkɔːpᵊr'eɪʃᵊn] *n* BRIT COMM öffentlich-rechtliche Körperschaft; AM [Kapital]gesellschaft *f*

corpse [kɔːps] *n* Leiche *f*

correct [kə'rekt] **I.** *vt* korrigieren **II.** *adj* (*accurate, proper*) korrekt; **that is** ~ das stimmt

correction [kə'rekʃᵊn] *n* **1.** (*change*) Korrektur *f* **2.** *no pl* (*improvement*) Verbesserung *f*

correction fluid *n no pl* Korrekturflüssigkeit *f*

correctly [kə'rektli] *adv* korrekt, richtig

correspond [ˌkɒrɪ'spɒnd] *vi* **1.** (*be equivalent of*) entsprechen (**to** + *dat*) **2.** (*write*) korrespondieren

correspondence [ˌkɒrɪ'spɒndən(t)s] *n no pl* (*letter-writing*) Korrespondenz *f;* **to be in** ~ **with sb** mit jdm in Briefwechsel stehen

correspondent [ˌkɒrɪ'spɒndənt] *n* **1.** (*of letters*) Briefeschreiber(in) *m(f)* **2.** (*journalist*) Berichterstatter(in) *m(f)*

corridor [ˈkɒrɪdɔːʳ] *n* Flur *m;* AVIAT, GEOG *a.* Korridor *m*

corrugated [ˈkɒrəgeɪtɪd] *adj* iron, cardboard gewellt

corrupt [kəˈrʌpt] I. *adj* (*dishonest*) korrupt II. *vt* 1. (*debase ethically*) korrumpieren 2. (*change*) entstellen 3. COMPUT ~**ed file** fehlerhafte Datei

corruption [kəˈrʌpʃ°n] *n* 1. *no pl* (*action*) *of moral standards* Korruption *f* 2. *no pl* (*dishonesty*) Unehrenhaftigkeit *f*

cosine [ˈkəʊsaɪn] *n* MATH Kosinus *m*

cosmetic [kɒzˈmetɪk] I. *n* Kosmetik *f;* ~**s** *pl* Kosmetika *pl* II. *adj* kosmetisch *a. fig*

cost [kɒst] I. *vt* <cost, cost> kosten; **drinking and driving ~s lives** Trunkenheit am Steuer fordert Menschenleben II. *n* 1. (*price*) Preis *m,* Kosten *pl* (**of** für); **at no ~ to** ohne Kosten für +*akk* 2. (*fig*) Aufwand *m kein pl;* **at all ~[s]** um jeden Preis

co-star [ˌkəʊˈstɑːʳ] I. *n* einer der Hauptdarsteller; **to be sb's ~** neben jdm die Hauptrolle spielen II. *vt, vi* <-rr-> **to ~ [with]** sb neben jdm die Hauptrolle spielen

costly [ˈkɒstli] *adj* kostspielig

cost of living *n no pl* Lebenshaltungskosten *pl*

costume [ˈkɒstjuːm] *n* 1. (*national dress*) Tracht *f;* **national ~** Landestracht *f* 2. (*decorative dress*) Kostüm *nt;* **to wear a witch[ˈs] ~** als Hexe verkleidet sein

cosy [ˈkəʊzi] I. *adj* gemütlich, behaglich; (*nice and warm*) mollig warm; *atmosphere* heimelig; *relationship* traut II. *n* **egg ~** Eierwärmer *m*

cot¹ [kɒt] *n* MATH *abbrev of* **cotangent** cot *m*

cot² [kɒt] *n* 1. BRIT (*baby's bed*) Kinderbett *nt* 2. AM (*camp bed*) Feldbett *nt*

cotangent [ˌkəʊˈtændʒənt] *n* MATH Kotangens *m*

cottage [ˈkɒtɪdʒ] *n* Cottage *nt;* **thatched ~** [kleines] Landhaus mit Stroh-/Reetdach

cottage cheese *n no pl* Hüttenkäse *m*

cotton [ˈkɒt°n] I. *n* (*material, plant*) Baumwolle *f* II. *adj* ~ **shirt** Baumwollhemd *nt* III. *vi* (*fam: understand*) **to ~ on** [to sth] [etw] kapieren

cotton wool *n no pl* BRIT Watte *f;* ▶ **to wrap sb in ~** BRIT jdn in Watte packen

couch [kaʊtʃ] I. *n* <*pl* -es> Couch *f* II. *vt* formulieren

couchette [kuːˈʃet] *n* BRIT RAIL Liege *f* (*in einem Schlafwagen*)

couch potato *n* (*fam*) Fernsehglotzer(in) *m(f)*

cough [kɒf] I. *n* Husten *m;* **to give a ~** (*as warning*) hüsteln II. *vi, vt* husten ♦ **cough up** *vt* husten

cough medicine *n no pl,* **cough mixture** *n* BRIT Hustensaft *m* **cough sweet** *n* Hustenbonbon *nt*

could [kʊd, kəd] *pt, subjunctive of* can

couldn't [ˈkʊd°nt] = *see* **could not** *see* **can**

council [ˈkaʊn(t)s°l] *n* + *sing/pl vb* Rat *m;* **local ~** Gemeinderat *m*

council estate *n* BRIT Siedlung *f* mit Sozialwohnungen **council flat, council house** *n* BRIT Sozialwohnung *f* **Council of Europe** *n* Europarat *m*

counsel [ˈkaʊn(t)s°l] I. *vt* <BRIT -ll- *or* AM *usu* -l-> empfehlen; **to ~ sb against sth** jdm von etw *dat* abraten II. *n* 1. *no pl* (*form: advice*) Rat[schlag] *m* 2. (*lawyer*) Anwalt *m,* Anwältin *f*

counselling [ˈkaʊn(t)sᵊlɪŋ] *n no pl* psychologische Betreuung; **to be in** ~ in Therapie sein

counsellor, AM **counselor** [ˈkaʊn(t)sᵊləʳ, AM -ɚ] *n* **1.** (*advisor*) Berater(in) *m(f);* **financial** ~ Finanzberater(in) *m(f);* **marriage [guidance]** ~ Eheberater(in) *m(f)* **2.** AM (*lawyer*) Anwalt, Anwältin *m, f*

count¹ [kaʊnt] *n* Graf *m*

count² [kaʊnt] **I.** *n* **1.** (*totalling up*) Zählung *f;* **on the** ~ **of three** bei drei **2.** (*measured amount*) [An]zahl *f;* **final** ~ Endstand *m;* **on all** ~**s** in allen [Anklage]punkten **II.** *vt* **1.** (*number*) zählen; ~ [**off**] abzählen **2.** (*consider*) **to** ~ **oneself lucky** sich glücklich schätzen **III.** *vi* zählen; **that's what** ~**s** darauf kommt es an ◆ **count off** *vi* AM abzählen ◆ **count out I.** *vi* **1.** BRIT (*number off aloud*) abzählen **2.** BOXING auszählen **II.** *vt* (*fam*) ~ **me out!** ohne mich!

countdown [ˈkaʊntdaʊn] *n* Countdown *m* (**to** +*gen*)

counter [ˈkaʊntəʳ] **I.** *n* **1.** (*service point*) Theke *f;* [**kitchen**] ~ AM [Küchen]arbeitsplatte *f;* **over the** ~ rezeptfrei **2.** (*person*) Zähler(in) *m(f)* **II.** *vt* **arguments** widersprechen **III.** *adv* entgegen; **to run** ~ **to sth** etw *dat* zuwiderlaufen

counterattack I. *n* Gegenangriff *m* **II.** *vt* im Gegenzug angreifen **counterclockwise** *adj* AM (*anticlockwise*) gegen den Uhrzeigersinn

counterfeit [ˈkaʊntəfɪt] **I.** *adj* gefälscht; ~ **money** Falschgeld *nt* **II.** *vt* fälschen **III.** *n* Fälschung *f*

counterfoil *n* BRIT FIN [Kontroll]abschnitt *m* **counterproductive** *adj* kontraproduktiv

countess <*pl* -es> [ˈkaʊntɪs] *n* Gräfin *f*

countless [ˈkaʊntləs] *adj* zahllos

country [ˈkʌntri] **I.** *n* **1.** (*nation*) Land *nt;* ~ **of origin** Herkunftsland *nt;* **native** ~ Heimat *f* **2.** *no pl* (*population*) **the** ~ das Volk; **the whole** ~ das ganze Land **3.** *no pl* (*rural areas*) **the** ~ das Land; **in the** ~ auf dem Land **4.** *no pl* (*land*) Gebiet *nt;* **rough** ~ urwüchsige Landschaft **II.** *adj* ~ **life** Landleben *nt*

countryside *n no pl* Land *nt;* (*scenery*) Landschaft *f*

county [ˈkaʊnti] *n* **1.** BRIT Grafschaft *f;* **C~ Antrim** die Grafschaft Antrim **2.** AM [Verwaltungs]bezirk *m*

county council *n* + *sing/pl vb* BRIT Grafschaftsrat *m* **county court** *n* + *sing/pl vb* ≈ Amtsgericht *nt* **county town** *n* BRIT Hauptstadt *f* einer Grafschaft

couple [ˈkʌpl̩] **I.** *n* **1.** *no pl* (*a few*) **a** ~ **of ...** ein paar ...; **every** ~ **of days** alle paar Tage; **in a** ~ **more minutes** in wenigen Minuten; **another** ~ **of ...** noch ein paar ... **2.** + *sing/pl vb* (*two people*) Paar *nt* **II.** *vt* **1.** RAIL kuppeln (**to** an) **2.** *usu passive* (*put together*) **to be** ~**d with sth** mit etw *dat* verbunden sein

coupon [ˈkuːpɒn] *n* **1.** (*voucher*) Coupon *m*, Gutschein *m* **2.** BRIT **football/pools** ~ Totoschein *m*

courage [ˈkʌrɪʤ] *n no pl* Mut *m;* ▶ **to get some Dutch** ~ sich *dat* Mut antrinken

courageous [kəˈreɪʤəs] *adj* mutig

courgette [kɔːˈʒet] *n esp* BRIT Zucchini *f*

courier [ˈkʊriəʳ] *n* **1.** (*delivery person*) Kurier(in) *m(f)* **2.** (*tour guide*) Reiseführer(in) *m(f)*

course [kɔːs] *n* **1.** (*of aircraft, ship*) Kurs *m;* **on ~** auf Kurs; (*fig*) auf dem [richtigen] Weg **2.** (*of road*) Verlauf *m;* (*of river, history, justice*) Lauf *m* **3.** (*way of acting*) **~** [**of action**] Vorgehen *nt;* **the best ~** das Beste **4.** (*certainly*) **of ~** natürlich **5.** (*series of classes*) Kurs *m;* **to go on a ~** BRIT einen Kurs besuchen **6.** MED **~** [**of treatment**] Behandlung *f;* **to put sb on a ~ of sth** jdn mit etw *dat* behandeln **7.** SPORTS Bahn *f*, Strecke *f;* [**golf**] **~** Golfplatz *m* **8.** (*part of meal*) Gang *m;* ▶ **in due ~** zu gegebener Zeit

court [kɔːt] **I.** *n* **1.** (*judicial body*) Gericht *nt;* **to go to ~** vor Gericht gehen **2.** (*room*) Gerichtssaal *m;* **to appear in ~** vor Gericht erscheinen **3.** (*playing area*) [Spiel]platz *m;* **squash ~** Squashcourt *m* **4.** (*of king, queen*) Hof *m;* **at ~** bei Hof **II.** *vt* **1.** (*dated: woo*) umwerben **2.** (*ingratiate oneself*) hofieren **III.** *vi* ein Liebespaar sein

courtesy [ˈkɜːtəsi] *n no pl* (*politeness*) Höflichkeit *f;* **to have the** [**common**] **~ to do sth** so höflich sein, etw zu tun ▶ [**by**] **~ of sb** (*thanks to*) dank jdm

courtesy bus *n* BRIT kostenfreier Bus

courthouse *n* AM Gerichtsgebäude *nt*

courtroom *n* Gerichtssaal *m* **courtyard** *n* Hof *m;* (*walled-in*) Innenhof *m;* **in the ~** auf dem Hof

cousin [ˈkʌzən] *n* Cousin *m*, Cousine *f*

cover [ˈkʌvə] **I.** *n* **1.** (*covering*) Abdeckung *f;* (*of flexible plastic*) Plane *f;* (*for bed*) [Bett]decke *f* **2.** (*sheets*) **the ~s** *pl* das Bettzeug **3.** (*of a book*) Einband *m; of a magazine* Titelseite *f* **4.** (*envelope*) **under separate ~** mit

getrennter Post **5.** *no pl* (*shelter*) Schutz *m;* **under ~** überdacht; **under ~ of darkness** im Schutz der Dunkelheit **6.** (*concealing true identity*) Tarnung *f;* **to blow sb's ~** jdn enttarnen **7.** *no pl* (*substitute*) Vertretung *f;* **to provide ~ for sb** jdn vertreten **II.** *vt* **1.** (*put over*) bedecken; **~ed in mud** voller Schlamm **2.** (*to protect*) abdecken; **they ~ed him with a blanket** sie deckten ihn mit einer Decke zu **3.** (*to hide*) verdecken **4.** (*be enough for*) decken; **will that ~ it?** wird das reichen? **5.** (*insure*) versichern (**against/for** gegen) **6.** MIL **I've got you ~ed!** meine Waffe ist auf Sie gerichtet!; **~ me!** gib mir Deckung! ▶ **to ~ one's** <u>**back**</u> sich absichern; **to ~ one's** <u>**tracks**</u> seine Spuren verwischen **III.** *vi* **to ~ well** *paint* gut decken ◆ **cover for** *vi* **to ~ for sb 1.** (*do sb's job*) jds Arbeit übernehmen **2.** (*make excuses*) jdn decken ◆ **cover over** *vt* **the sky was ~ed over with clouds** der Himmel war mit Wolken bedeckt ◆ **cover up I.** *vt* **1.** (*protect*) **to ~** [**oneself**] **up** sich bedecken **2.** (*hide*) verdecken **II.** *vi* alles vertuschen; **to ~ up for sb** jdn decken

coverage [ˈkʌvərɪdʒ] *n no pl* **1.** (*reporting*) Berichterstattung *f* (**of** über); **a lot of media ~** ein großes Medienecho **2.** (*dealing with*) Behandlung *f*

cover charge *n* (*in a restaurant*) Kosten *pl* für das Gedeck

covered [ˈkʌvəd] *adj* **1.** (*roofed over*) überdacht; **~ wagon** Planwagen *m* **2.** (*insured*) versichert

covering [ˈkʌvərɪŋ] *n* Bedeckung *f;* **floor ~** Bodenbelag *m*

covering letter *n* BRIT Begleitbrief *m*

cover-up *n* Vertuschung *f*

cow [kaʊ] *n* Kuh *f a. pej*

coward ['kaʊəd] *n* Feigling *m;* **moral ~** Duckmäuser *m*

cowboy *n* Cowboy *m* **cowshed** *n* Kuhstall *m*

cozy *adj* AM *see* **cosy**

CPU [ˌsiːpiːˈjuː] *n* COMPUT *abbrev of* **central processing unit** CPU *f*

crab [kræb] I. *n* Krebs *m* II. *vi* <-bb-> (*fam*) nörgeln

crack [kræk] I. *n* 1. (*fissure*) Riss *m* 2. (*narrow space*) Ritze *f;* **to open sth** [**just**] **a ~** etw [nur] einen Spalt öffnen 3. (*sharp noise*) *of a breaking branch* Knacken *nt; of a rifle* Knall *m* 4. (*joke*) **a cheap ~** ein schlechter Witz 5. (*fam: attempt*) Versuch *m;* **to have a ~ at sth** etw [aus]probieren ▶ **at the ~ of** dawn im Morgengrauen II. *vt* 1. (*break*) **to ~ sth** einen Sprung in eine S. *akk* machen 2. (*open*) **to ~ sth** ⇆ [open] etw aufbrechen; *bottle* aufmachen 3. (*solve*) knacken; **I've ~ed it!** ich hab's! ▶ **to ~ a** joke einen Witz reißen III. *vi* 1. (*break*) [zer]brechen 2. (*break down*) zusammenbrechen; *relationship* zerbrechen 3. (*make noise*) *ice, thunder* krachen ▶ **to** get **~ing** (*fam*) loslegen ◆ **crack up** I. *vi* (*fam: find sth hilarious*) lachen müssen II. *vt* 1. (*assert*) **to ~ sth up to be sth** etw als etw herausstellen 2. (*fam: amuse*) zum Lachen bringen

cracked [krækt] *adj* rissig; *cup, glass* gesprungen

cracker ['krækər] *n* 1. (*biscuit*) Kräcker *m* 2. (*firework*) Kracher *m* 3. BRIT (*fam: attractive person*) [s]**he's a real ~** er/sie ist einfach umwerfend

crackers ['krækəz] *adj* (*fam*) verrückt

crackle ['krækl] I. *vi* knistern *a. fig; telephone line* knacken II. *n* (*on a telephone line*) Knacken *nt; of fire a.* Prasseln *nt*

cradle ['kreɪdl] I. *n* 1. (*baby's bed*) Wiege *f a. fig* 2. (*framework*) Gerüst *nt* (*für Reparaturarbeiten*) II. *vt* [sanft] halten

craft [krɑːft] I. *n* 1. <*pl* -> (*ship*) Schiff *nt* 2. (*trade*) Handwerk *nt kein pl* 3. (*handmade objects*) **~s** *pl* Kunsthandwerk *nt kein pl* II. *vt* kunstvoll fertigen; **a cleverly ~ed poem** ein geschickt verfasstes Gedicht

craftsman *n* gelernter Handwerker; **master ~** Handwerksmeister *m*

crafty ['krɑːfti] *adj* schlau

cram <-mm-> [kræm] I. *vt* stopfen II. *vi* büffeln *fam*

cramp [kræmp] I. *n* [Muskel]krampf *m* II. *vt* einengen ▶ **to ~ sb's** style jdn nicht zum Zug kommen lassen

crane [kreɪn] I. *n* 1. (*device*) Kran *m* 2. (*bird*) Kranich *m* II. *vt* **to ~ one's neck** den Hals recken III. *vi* **to ~ forward** sich vorbeugen

crank [kræŋk] I. *n* (*fam: eccentric*) Spinner(in) *m(f);* **~ call** Juxanruf *m* II. *vt* ankurbeln

crap [kræp] I. *vi* <-pp-> (*fam!*) kacken II. *n usu sing* (*vulg*) Scheiße *f a. fig;* **to have** [*or* AM **take**] **a ~** kacken III. *adj* (*fam!*) mies

crappy ['kræpi] *adj* (*fam!*) Scheiß-

crash [kræʃ] I. *n* <*pl* -es> 1. (*accident*) Unfall *m* 2. (*noise*) Krach *m kein pl* II. *vi* 1. (*accident*) *driver, car* verunglücken; *plane* abstürzen 2. (*hit*) **to ~ into sth** auf etw *akk* aufprallen 3. (*collide with*) **to ~ into sth** mit etw zusammenstoßen 4. (*make* *loud noise*) *cymbals, thunder* donnern; **to ~ against sth** gegen etw *akk* knallen **5.** COMPUT abstürzen **III.** *vt* **1.** (*damage in accident*) zu Bruch fahren; *plane* eine Bruchlandung machen **2.** (*fam: gatecrash*) **to ~ a party** uneingeladen zu einer Party kommen

crash course *n* Intensivkurs *m*, Crashkurs *m* **crash diet** *n* radikale Abmagerungskur, Crashdiät *f* **crash helmet** *n* Sturzhelm *m* **crash-land** *vi* bruchlanden **crash-landing** *n* Bruchlandung *f*

crate [kreɪt] **I.** *n* (*open box*) Kiste *f*; (*for bottles*) [Getränke]kasten *m* **II.** *vt* **to ~ [up]** in eine Kiste einpacken

crater ['kreɪtəʳ] *n* Krater *m*

crawl [krɔːl] **I.** *vi* **1.** (*go on all fours*) krabbeln **2.** (*move slowly*) kriechen **3.** (*fam: be obsequious*) kriechen **4.** (*be overrun*) **to be ~ing with sth** von etw *dat* wimmeln **II.** *n no pl* **1.** (*slow pace*) **to move at a ~** im Schneckentempo fahren **2.** (*style of swimming*) Kraulen *nt*; **to do the ~** kraulen

crayon ['kreɪɒn] **I.** *n* Buntstift *m*; **wax ~s** Malkreiden *pl* **II.** *vt* **to ~ [in]** ⇆ **sth** etw [mit Buntstift] ausmalen **III.** *vi* [mit Buntstift] malen

craze [kreɪz] *n* Mode[erscheinung] *f*, Fimmel *m pej*; **~ for sth** Begeisterung *f* für etw *akk*

crazy ['kreɪzi] **I.** *adj* verrückt (**about** nach) **II.** *n* AM (*sl*) Verrückte(r) *f(m)*

creak [kriːk] **I.** *vi furniture* knarren **II.** *n of furniture* Knarren *nt*

creaky ['kriːki] *adj* (*squeaky*) *door* quietschend; *furniture* knarrend

cream [kriːm] **I.** *n* **1.** *no pl* FOOD Sahne *f*, Obers *nt* ÖSTERR; **~ cake** Sahne-

torte *f* **2.** (*cosmetic*) Creme *f* **3.** *no pl* (*colour*) Creme *nt* **II.** *adj* cremefarben **III.** *vt* **1.** (*beat*) cremig rühren; **~ed potatoes** Kartoffelpüree *nt* **2.** (*apply lotion*) eincremen

cream cheese *n* [Doppelrahm]frischkäse *m*

creamy ['kriːmi] *adj* **1.** (*smooth*) cremig **2.** (*off-white*) cremefarben

crease [kriːs] **I.** *n* (*fold*) [Bügel]falte *f*; *of a hat* Kniff *m* **II.** *vt* zerknittern

create [kriˈeɪt] *vt* **1.** (*make*) erschaffen **2.** (*cause*) erzeugen; *impression* erwecken

creative [kriˈeɪtɪv] *adj* kreativ, schöpferisch; **~ ability** Kreativität *f*

creator [kriˈeɪtəʳ] *n* Schöpfer(in) *m(f)*

creature ['kriːtʃəʳ] *n* **1.** (*being*) Kreatur *f*, Wesen *nt*; **living ~s** Lebewesen *pl* **2.** (*person*) Kreatur *f*, Geschöpf *nt*; **~ of habit** Gewohnheitstier *nt*

crèche [kreʃ] *n* **1.** BRIT, AUS (*nursery*) Kinderkrippe *f* **2.** AM (*for orphans*) Waisenhaus *nt*

credibility [ˌkredəˈbɪləti] *n no pl* Glaubwürdigkeit *f*

credit ['kredɪt] **I.** *n* **1.** *no pl* (*recognition, praise*) Anerkennung *f*; (*respect*) Achtung *f*; **to be a ~ to sb** jdm Ehre machen **2.** *no pl* (*reliance*) Glaube[n] *m*; **to give sb ~ for sth** jdm etw zutrauen **3.** *no pl* COMM Kredit *m*; **on ~** auf Kredit **4.** FIN Haben *nt*; **in ~** im Plus ▶ [**give**] **~ where ~'s due** (*prov*) Ehre, wem Ehre gebührt **II.** *vt* **1.** (*attribute*) zuschreiben **2.** (*believe*) glauben **3.** FIN gutschreiben

credit card *n* Kreditkarte *f*

creditworthy *adj* kreditwürdig

creep [kriːp] **I.** *n* (*fam*) **1.** (*unpleasant person*) Mistkerl *m* **2.** (*unpleasant* *feeling*) **the ~s** *pl* das Gruseln *kein pl;* **I get the ~s when ...** es gruselt mich immer, wenn ... **II.** *vi* <crept, crept> **1.** kriechen; *water* steigen **2.** (*fig*) **tiredness crept over her** die Müdigkeit überkam sie ◆ **creep up** *vi* **1.** (*increase steadily*) [an]steigen **2.** (*sneak up on*) sich anschleichen *a. fig* (**behind/on** an)

creepy ['kri:pi] *adj* (*fam*) grus[e]lig, schaurig

cremate [krɪ'meɪt] *vt* verbrennen

cremation [krɪ'meɪʃ°n] *n* Einäscherung *f*

crematorium <*pl* -s> [ˌkremə'tɔ:riəm] *n*, AM **crematory** ['kri:mətɔ:ri] *n* Krematorium *nt*

crept [krept] *pp, pt of* **creep**

crest [krest] **I.** *n* **1.** (*peak*) Kamm *m;* **~ of a mountain** Bergrücken *m;* **~ of a roof** Dachfirst *m* **2.** ZOOL Kamm *m* **3.** (*insignia*) Emblem *nt;* **family ~** Familienwappen *nt* **II.** *vt hill* erklimmen

crew [kru:] *n* + *sing/pl vb* AVIAT, NAUT Crew *f*, Besatzung *f;* **ambulance/ lifeboat ~** Rettungsmannschaft *f;* **ground ~** Bodenpersonal *nt*

crew cut *n* Bürstenschnitt *m*

crib [krɪb] **I.** *n* **1.** AM (*cot*) Gitterbett *nt* **2.** (*fam: plagiarized work*) Plagiat *nt* **II.** *vt, vi* <-bb-> (*pej fam*) abschreiben

cricket¹ ['krɪkɪt] *n* ZOOL Grille *f*

cricket² ['krɪkɪt] *n no pl* SPORTS Kricket *nt*

crime [kraɪm] *n* **1.** (*illegal act*) Verbrechen *nt* **2.** *no art, no pl* (*criminality*) Kriminalität *f*

criminal ['krɪmɪn°l] **I.** *n* Verbrecher(in) *m(f)* **II.** *adj* **1.** (*illegal*) verbrecherisch; *behaviour* kriminell; **~ act** Straf-

tat *f;* **~ court** Strafgericht *nt* **2.** (*fig*) schändlich

crimson ['krɪmz°n] **I.** *n no pl* Purpur[rot] *nt* **II.** *adj* purpurrot

crisis <*pl* -ses> ['kraɪsɪs] *n* Krise *f;* **to be in ~** in einer Krise stecken; **energy ~** Energiekrise *f;* **a ~ situation** eine Krisensituation

crisp [krɪsp] **I.** *adj* **1.** (*hard and brittle*) knusprig; *snow* knirschend **2.** (*firm and fresh*) *apple, lettuce* knackig **3.** (*stiff and smooth*) *paper, tablecloth* steif **II.** *n* **1.** BRIT (*potato crisp*) Chip *m;* **burnt to a ~** verkohlt **2.** AM (*crumble*) Obstdessert *nt*

crispbread *n* Knäckebrot *nt*

critic ['krɪtɪk] *n* Kritiker(in) *m(f)*

critical ['krɪtɪk°l] *adj* **1.** (*judgemental*) kritisch; **to be ~ of sb** an jdm etwas auszusetzen haben **2.** (*crucial*) entscheidend **3.** MED kritisch

criticism ['krɪtɪsɪz°m] *n* Kritik *f*

criticize ['krɪtɪsaɪz] **I.** *vt* kritisch beurteilen; **to ~ sb/sth for sth** jdn/etw wegen einer S. *gen* kritisieren **II.** *vi* kritisieren

croak [krəʊk] **I.** *vi crow, person* krächzen; *frog* quaken **II.** *vt* krächzen

crockery ['krɒkəri] *n no pl* Geschirr *nt*

crocodile <*pl* -> ['krɒkədaɪl] *n* ZOOL Krokodil *nt;* **~ skin** Krokodilleder *nt*

crook [krʊk] **I.** *n* **1.** (*fam: rogue*) Gauner *m* **2.** *usu sing* (*curve*) Beuge *f* **II.** *adj* AUS (*fam*) **1.** (*ill*) krank; **to be ~ with a cold** erkältet sein **2.** (*annoyed*) **to go ~ at sb** auf jdn wütend werden **III.** *vt arm* beugen

crooked ['krʊkɪd] *adj* **1.** (*fam: dishonest*) unehrlich **2.** (*not straight*) krumm; **the picture's ~** das Bild hängt schief

crop [krɒp] **I.** *n* **1.** (*plant*) Feldfrucht *f;*

(*harvest*) Ernte *f* **2.** (*fig: group*) Gruppe *f* **II.** *vt* <-pp-> **1.** AM (*plant*) bestellen **2.** *sheep, horses* abgrasen ◆ **crop up** *vi* (*fam*) auftauchen; **something's ~ped up** es ist etwas dazwischengekommen

crop top *n* FASHION bauchfreies Top

cross [krɒs] **I.** *n* **1.** Kreuz *nt* a. *fig* **2.** (*hybrid*) Kreuzung *f;* (*fig*) Mittelding *nt* (**between** zwischen) **3.** FBALL Flanke *f;* BOXING Cross *m* **II.** *adj* verärgert; **to get ~ with sb** sich über jdn ärgern **III.** *vt* **1.** (*cross over*) überqueren; (*a. on foot*) *bridge, road* gehen über +*akk; border* passieren **2.** FBALL flanken **3.** (*place crosswise*) [über]kreuzen **4.** BRIT, AUS *cheque* zur Verrechnung ausstellen **5.** REL **to ~ oneself** sich bekreuz[ig]en ▸ **to ~ one's mind** jdm einfallen **IV.** *vi* **1.** (*intersect*) sich kreuzen **2.** (*traverse a road*) die Straße überqueren; (*on foot*) über die Straße gehen ◆ **cross off** *vt* streichen [von +*dat*] ◆ **cross out** *vt* **to ~ out** ⇆ **sth** etw ausstreichen ◆ **cross over** **I.** *vi* hinübergehen; (*on boat*) übersetzen **II.** *vt* überqueren

cross-channel *adj ferry* Kanal- **cross-country I.** *adj* **~ race** Geländerennen *nt;* **~ skiing** Langlauf *m* **II.** *adv* **1.** (*across a country*) quer durchs Land **2.** (*across countryside*) querfeldein **cross-examination** *n* Kreuzverhör *nt;* **under ~** im Kreuzverhör **cross-examine** *vt* **to ~ sb** jdn ins Kreuzverhör nehmen a. *fig* **cross-eyed** *adj* schielend; **to be ~** schielen **cross-generational** [ˌkrɒsdʒenəˈreɪʃ°n°l] *adj appeal, interest, event* für alle Altersgruppen; **will it have ~ appeal?** wird es alle Alters-

gruppen ansprechen?

crossing [ˈkrɒsɪŋ] *n* (*place to cross*) Übergang *m;* (*crossroads*) [Straßen]kreuzung *f;* **pedestrian ~** Zebrastreifen *m*

cross-legged [ˌkrɒsˈlegd] **I.** *adj* **in a ~ position** mit gekreuzten Beinen **II.** *adv* **to sit ~** im Schneidersitz [da]sitzen

cross-purposes *n pl* ▸ **to be talking at ~** aneinander vorbeireden

cross-reference *n* Querverweis *m* (**to** auf) **crossroads** <*pl* -> *n* Kreuzung *f;* (*fig*) Wendepunkt *m;* **at a ~** am Scheideweg **crosswalk** *n* AM Fußgängerübergang *m* **crossword** *n* Kreuzworträtsel *nt*

crouch [krautʃ] **I.** *n usu sing* Hocke *f* **II.** *vi* sich kauern

crow [krəu] **I.** *n* Krähe *f;* ▸ **as the ~ flies** [in der] Luftlinie **II.** *vi* <crowed, crowed> **1.** (*cry*) *cock* krähen **2.** (*exult*) *person* triumphieren

crowd [kraud] **I.** *n sing/pl vb* **1.** (*throng*) [Menschen]menge *f;* SPORTS, MUS Zuschauermenge *f* **2.** (*fam: clique*) Clique *f;* **a bad ~** ein übler Haufen **3.** *no pl* (*fig*) **the ~** die [breite] Masse **II.** *vt* **1.** (*fill*) *stadium* füllen **2.** (*fam: pressure*) **to ~ sb** jdn [be]drängen **III.** *vi* **to ~ into sth** sich in etw *akk* hineindrängen ◆ **crowd out** *vt* herausdrängen

crowded [ˈkraudɪd] *adj* überfüllt; *timetable* übervoll; **~ out** (*fam*) gerammelt voll

crown [kraun] **I.** *n* **1.** (*of a monarch*) *a.* FIN Krone *f;* **~ of thorns** Dornenkrone *f* **2.** (*top of head*) Scheitel *m;* (*of hill*) Kuppe *f* **II.** *vt* **1.** krönen; **to ~ sb world champion** jdn zum Weltmeister krönen; *teeth* überkronen

2. (*fam: hit on head*) **to ~ sb** jdm eins überziehen ► **to ~ it all** BRIT, AUS (*iron*) zur Krönung des Ganzen

crucial [ˈkruːʃ°l] *adj* (*decisive*) entscheidend (**to** für)

crucifix [ˈkruːsɪfɪks] *n* Kruzifix *nt*

crucifixion [ˌkruːsəˈfɪkʃ°n] *n* Kreuzigung *f*

crucify [ˈkruːsɪfaɪ] *vt* kreuzigen; (*fig fam*) verreißen

cruciverbalist [ˌkruːsəˈvɜːbəlɪst] *n* Kreuzworträtselfan *m*

crude [kruːd] I. *adj* 1. (*rudimentary*) primitiv 2. (*unsophisticated*) plump 3. (*vulgar*) derb 4. (*unprocessed*) roh II. *n* Rohöl *nt*

cruel <BRIT -ll-> [ˈkruːəl] *adj* (*deliberately mean*) grausam; *remark* gemein ► **to be ~ to be kind** (*prov*) jdm beinhart die Wahrheit sagen

cruelty [ˈkruːəlti] *n* Grausamkeit *f* (**to** gegen); **an act of ~** eine grausame Tat; **~ to children** Kindesmisshandlung *f*

cruise [kruːz] I. *n* Kreuzfahrt *f* II. *vi* 1. (*take a cruise*) eine Kreuzfahrt machen; *ship* kreuzen 2. (*fam: drive around aimlessly*) herumfahren III. *vt* (*sl*) **to ~ the bars** in den Bars aufreißen gehen

crumb [krʌm] I. *n* 1. Krümel *m*, Brösel *m* o ÖSTERR a. *nt*; *of bread* a. Krume *f* 2. (*fig*) **a small ~ of comfort** ein kleiner Trost; **a ~ of hope** ein Funke[n] *m* Hoffnung II. *interj* BRIT, AUS **~s!** ach du meine Güte! III. *vt* AM panieren

crumble [ˈkrʌmbl] I. *vt* zerkrümeln; (*break into bits*) zerbröckeln II. *vi* 1. (*disintegrate*) zerbröckeln 2. (*fig*) *empire* zerfallen; *opposition* [allmählich] zerbrechen III. *n* BRIT *mit Streu-*

seln überbackenes Obstdessert

crumbly [ˈkrʌmbli] *adj food* krümelig; *stone* bröckelig

crummy [ˈkrʌmi] *adj* (*fam*) mies

crumple [ˈkrʌmpl] I. *vt* zerknittern; *paper* zerknüllen II. *vi* (*become dented*) eingedrückt werden

crunch [krʌntʃ] I. *n* 1. *usu sing* (*noise*) Knirschen *nt kein pl* 2. *no pl* (*fam: difficult situation*) Krise *f;* ► **when it comes to the ~** wenn es darauf ankommt II. *vi* 1. *gravel, snow* knirschen 2. FOOD **to ~ on sth** geräuschvoll in etw *akk* beißen

crush [krʌʃ] I. *vt* 1. (*compress*) zusammendrücken; (*causing serious damage*) zerquetschen; MED [sich] etw quetschen 2. FOOD zerdrücken 3. (*defeat*) vernichten; *hopes* zunichtemachen II. *n* 1. (*fam: crowd*) Gedränge *nt* 2. (*temporary infatuation*) **to have a ~ on sb** in jdn verknallt sein 3. *no pl* (*drink*) Fruchtsaft *m* mit zerstoßenem Eis

crush barrier *n* BRIT Absperrung *f*

crushing [ˈkrʌʃɪŋ] *adj* schrecklich; *blow* hart

crust [krʌst] *n* Kruste *f*

crusty [ˈkrʌsti] *adj bread* knusprig

crutch [krʌtʃ] *n* 1. MED Krücke *f* 2. ANAT, FASHION Unterleib *m; of trousers* Schritt *m*

cry <-ie-> [kraɪ] I. *n* 1. *no pl* (*act of shedding tears*) Weinen *nt* 2. (*loud emotional utterance*) Schrei *m;* (*shout a.*) Ruf *m* 3. (*appeal*) Ruf *m* (**for** nach); **~ for help** Hilferuf *m* 4. ZOOL, ORN Schreien *nt kein pl* II. *vi* weinen (**for** nach) III. *vt* (*shed tears*) weinen; **to ~ oneself to sleep** sich in den Schlaf weinen ◆ **cry off** *vi* (*fam*) einen Rückzieher machen

◆ **cry out I.** *vi* **1.** (*shout*) aufschreien **2.** (*protest*) [lautstark] protestieren ► **for ~ing out loud** (*fam*) verdammt nochmal! **II.** *vt* rufen; (*scream*) schreien

crying ['kraɪɪŋ] **I.** *n no pl* Weinen *nt;* (*screaming*) Schreien *nt* **II.** *adj* dringend ► **it's a ~ shame that ...** es ist jammerschade, dass ...

crystal ['krɪstəl] **I.** *n* **1.** CHEM Kristall *m* **2.** *no pl* (*glass*) Kristallglas *nt* **II.** *adj* CHEM kristallin

cub [kʌb] *n* ZOOL Junge[s] *nt*

cube [kju:b] **I.** *n* **1.** (*shape*) Würfel *m* **2.** MATH Kubikzahl *f* **II.** *vt* MATH hoch drei nehmen; **2 ~d equals 8** 2 hoch 3 ist 8

cubic ['kju:bɪk] *adj* **1.** MATH **~ metre** Kubikmeter *m* **2.** (*cube-shaped*) würfelförmig

cubicle ['kju:bɪkl] *n* Kabine *f*

cuckoo ['kʊku:] **I.** *n* ORN Kuckuck *m* **II.** *adj* (*fam*) übergeschnappt

cuckoo clock *n* Kuckucksuhr *f*

cucumber ['kju:kʌmbəʳ] *n* [Salat]gurke *f;* ► **to be [as] cool as a ~** immer einen kühlen Kopf behalten

cuddle ['kʌdl] **I.** *n* [liebevolle] Umarmung; **to give sb a ~** jdn umarmen **II.** *vi* kuscheln

cue [kju:] **I.** *n* **1.** THEAT Stichwort *nt;* (*fig a.*) Zeichen *nt* **2.** (*billiards*) Queue *nt o* ÖSTERR *a. m;* ► **[right] on ~** wie gerufen **II.** *vt* **to ~ in ⇆ sb** jdm das Stichwort geben

cuff [kʌf] **I.** *n* **1.** (*of sleeve*) Manschette *f* **2.** AM, AUS (*of trouser leg*) [Hosen]aufschlag *m* **3.** (*fam*) LAW **~s** *pl* Handschellen *pl* **II.** *vt* **to ~ sb 1.** (*strike*) jdm einen Klaps geben **2.** (*fam: handcuff*) jdm Handschellen anlegen

cuff link *n* Manschettenknopf *m*

cul-de-sac <*pl* -s> ['kʌldəsæk] *n* Sackgasse *f a. fig*

culprit ['kʌlprɪt] *n* Schuldige(r) *f(m);* (*hum*) Missetäter(in) *m(f)*

cultivate ['kʌltɪveɪt] *vt* **1.** AGR anbauen **2.** (*fig form*) entwickeln

cultural ['kʌltʃ[ə]rəl] *adj* kulturell; **~ exchange** Kulturaustausch *m*

culture ['kʌltʃəʳ] **I.** *n* Kultur *f* **II.** *vt* BIOL züchten

cultured ['kʌltʃəd] *adj* kultiviert

cunning ['kʌnɪŋ] **I.** *adj idea* raffiniert; *person a.* schlau **II.** *n no pl* (*ingenuity*) Cleverness *f*

cup [kʌp] **I.** *n* **1.** (*container*) Tasse *f;* (*of paper, plastic*) Becher *m* **2.** SPORTS Pokal *m;* **the World C~** der Weltcup **3.** (*part of bra*) Körbchen *nt;* (*size*) Körbchengröße *f;* ► **that's [just]/not my ~ of tea** das ist genau/nicht gerade mein Fall **II.** *vt* <-pp-> **to ~ one's hands** mit den Händen eine Schale bilden

cupboard ['kʌbəd] *n* Schrank *m*, Kasten *m* ÖSTERR

cup final *n* Pokalendspiel *nt*, Cupfinale *nt*

cupful <*pl* -s> ['kʌpfʊl] *n* Tasse *f*

cuppa ['kʌpə] *n* BRIT (*fam*) Tasse *f* Tee

cup tie *n* Pokalspiel *nt* **cup winner** *n* SPORTS Pokalsieger(in) *m(f)*

curb [kɜ:b] **I.** *vt* zügeln; *expenditure* senken; *inflation* bremsen **II.** *n* **1.** (*control*) Beschränkung *f;* **to put a ~ on sth** etw zügeln **2.** AM (*kerb*) Randstein *m*

cure [kjʊəʳ] **I.** *vt* heilen *a. fig* (*of* von); *cancer* besiegen **II.** *n* **1.** (*remedy*) [Heil]mittel *nt* (*for* gegen) **2.** *no pl* (*recovery*) Heilung *f*

curfew ['kɜ:fju:] *n* Ausgangssperre *f;*

C

what time is the ~? wann ist Sperrstunde?

curiosity [ˌkjʊəriˈɒsəti] n 1. no pl (desire to know) Neugier[de] f 2. (object) Kuriosität f

curious [ˈkjʊəriəs] adj 1. (inquisitive) neugierig 2. (peculiar) seltsam

curl [kɜːl] I. n 1. (loop of hair) Locke f 2. (spiral) Kringel m II. vi (of hair) sich locken; **does your hair ~ naturally?** hast du Naturlocken?; **to ~ up** sich zusammenrollen III. vt **to ~ oneself into a ball** sich zusammenrollen; **to ~ one's hair** sich dat Locken drehen; **to ~ sth [round sth]** etw [um etw akk] herumwickeln

curler [ˈkɜːlər] n Lockenwickler m

curly [ˈkɜːli] adj leaves gewellt, gekräuselt; hair a. lockig

currant [ˈkʌrənt] n Korinthe f

currency [ˈkʌrən(t)si] n 1. (money) Währung f; [foreign] ~ Devisen pl 2. no pl (acceptance) [weite] Verbreitung f; **to gain ~** sich verbreiten

current [ˈkʌrənt] I. adj gegenwärtig; issue aktuell; **in ~ use** gebräuchlich II. n 1. (of air, water) Strömung f 2. ELEC Strom m

current account n BRIT Girokonto nt

currently [ˈkʌrəntli] adv zur Zeit

curriculum <pl -la> [kəˈrɪkjələm] n Lehrplan m

curriculum vitae <pl -s> [-ˈviːtaɪ] n Lebenslauf m

curry [ˈkʌri] FOOD I. n Curry nt o m; **hot ~** scharfes Curry II. vt <-ie-> als Curry zubereiten

curse [kɜːs] I. vi fluchen II. vt verfluchen III. n Fluch m; **to put a ~ on sb** jdn verwünschen

cursor [ˈkɜːsər] n COMPUT Cursor m

curt [kɜːt] adj (pej) schroff, barsch; **to**

be ~ with sb zu jdm kurz angebunden sein

curtain [ˈkɜːtən] n 1. Vorhang m; [net] ~ Gardine f 2. (fig) Schleier m, Vorhang m

curve [kɜːv] I. n 1. of a figure, vase Rundung f; of a road Kurve f 2. MATH Kurve f II. vi river, road eine Kurve machen III. vt biegen

cushion [ˈkʊʃən] I. n 1. (pillow) Kissen nt, Polster m ÖSTERR 2. (fig: buffer) Polster nt o ÖSTERR a. m; ~ **of air** Luftkissen nt II. vt dämpfen a. fig

cushy [ˈkʊʃi] adj (pej fam) bequem; job ruhig

custard [ˈkʌstəd] n no pl ≈ Vanillesoße f

custody [ˈkʌstədi] n no pl 1. (guardianship) Obhut f; LAW Sorgerecht nt (of für) 2. (detention) Haft f

custom [ˈkʌstəm] n 1. (tradition) Brauch m, Sitte f 2. no pl (usual behaviour) Gewohnheit f 3. no pl (patronage) Kundschaft f

customer [ˈkʌstəmər] n 1. (buyer, patron) Kunde, -in m, f; **regular ~** Stammkunde, -in m, f 2. (fam: person) Typ m

customer service n usu pl Kundendienst m kein pl

customs [ˈkʌstəmz] n pl Zoll m **customs declaration** n FIN Zollerklärung f, Zolldeklaration f, Zollabfertigungsschein m, Zollanmeldung f **customs documents** n pl Zollpapiere pl **customs dues, customs duties** n pl Zollabgaben pl **customs officer, customs official** n Zollbeamte(r), -beamtin m, f

cut [kʌt] I. n 1. (act) Schnitt m; **my hair needs a ~** mein Haar muss geschnitten werden 2. (piece of meat)

Stück *nt* **3.** (*fit*) [Zu]schnitt *m; of shirt, trousers* Schnitt *m* **4.** (*wound*) Schnittwunde *f* **5.** (*decrease*) Senkung *f; ~* **in interest rates** Zinssenkung *f* **6.** *in film* Schnitt *m; in book* Streichung *f* **II.** *adj* **1.** (*removed*) abgeschnitten; (*sliced*) *bread* [auf]geschnitten; *~* **flowers** Schnittblumen *pl* **2.** *glass, jewel* geschliffen **III.** *interj* FILM *~!* Schnitt! **IV.** *vt* <-tt-, cut, cut> **1.** (*slice*) schneiden (**in** in); *bread* aufschneiden **2.** (*sever*) durchschneiden **3.** (*trim*) [ab]schneiden; **to ~ sb's hair** jdm die Haare schneiden **4.** (*decrease*) *costs* senken; *prices* herabsetzen **5.** (*abridge*) *film* kürzen; *scene* herausschneiden; **to ~ short** abbrechen **6.** COMPUT ausschneiden ▶ **to ~ it** [**a bit**] <u>fine</u> [ein bisschen] knapp kalkulieren **V.** *vi* <-tt-, cut, cut> **1.** *knife* schneiden **2.** (*slice easily*) sich schneiden lassen ▶ **to ~ to the** <u>chase</u> AM (*fam*) auf den Punkt kommen ◆ **cut across** *vi* **1.** (*to other side*) hinüberfahren **2.** (*take short cut*) durchqueren; **to ~ across country** querfeldein fahren ◆ **cut back I.** *vt* **1.** HORT zurückschneiden **2.** FIN kürzen **II.** *vi* **1.** (*return*) zurückgehen **2.** (*reduce*) **to ~ back on sth** etw kürzen ◆ **cut down I.** *vt* **1.** (*fell*) umhauen **2.** (*reduce*) einschränken; *labour force* abbauen **3.** (*abridge*) kürzen ▶ **to ~ sb down to** <u>size</u> jdn in seine Schranken verweisen **II.** *vi* **to ~ down on smoking** das Rauchen einschränken ◆ **cut in I.** *vi* **1.** (*interrupt*) unterbrechen **2.** AUTO einscheren; **to ~ in in front of sb** jdn schneiden **II.** *vt* **to ~ sb in 1.** (*share with*) jdn [am Gewinn] beteiligen **2.** (*include*) jdn teilneh-

men lassen; **shall we ~ you in?** willst du mitmachen? ◆ **cut into** *vi* **1.** (*slice*) anschneiden **2.** (*interrupt*) unterbrechen ◆ **cut off** *vt* **1.** (*remove*) abschneiden; **to ~ sth off sth** etw von etw *dat* abschneiden **2.** (*silence*) unterbrechen **3.** (*disconnect*) unterbinden; *electricity* abstellen **4.** (*isolate*) abschneiden; **to ~ oneself off** sich zurückziehen ◆ **cut out I.** *vt* **1.** (*excise*) herausschneiden **2.** (*from paper*) ausschneiden **3.** (*fam: desist*) aufhören mit +*dat; ~* **it out!** hör auf damit! **4.** (*block*) *light* abschirmen **5.** (*exclude*) ausschließen **II.** *vi* **1.** (*stop operating*) sich ausschalten; *plane's engine* aussetzen **2.** AM AUTO ausschneren; **to ~ out of traffic** plötzlich die Spur wechseln **3.** AM (*depart*) sich davonmachen ◆ **cut up** *vt* **1.** (*slice*) zerschneiden; *food for a child* klein schneiden **2.** (*injure*) **to ~ up** ⇄ **sb** jdm Schnittwunden zufügen **3.** (*fig: sadden*) schwer treffen; **to be ~ up** [**about sth**] [über etw *akk*] zutiefst betroffen sein

cutback ['kʌtbæk] *n* Kürzung *f*

cute <-r, -st> [kjuːt] *adj* süß, niedlich

cutlery ['kʌtləri] *n no pl* Besteck *nt*

cutlet ['kʌtlət] *n* Kotelett *nt*

cutoff ['kʌtɒf] **I.** *n* **1.** (*limit*) Obergrenze *f* **2.** (*stop*) Beendigung *f* **II.** *adj ~* **date** Endtermin *m*

cutout ['kʌtaʊt] **I.** *n* **1.** (*shape*) Ausschneidefigur *f* **2.** (*stereotype*) **cardboard ~** [Reklame]puppe *f* **II.** *adj* ausgeschnitten

cut-price I. *adj clothes* herabgesetzt; *~* **store** Billigladen *m* **II.** *adv* zu Schleuderpreisen **cut-rate** *adj attr* zu verbilligtem Tarif; *~* **offer** Billigangebot *nt*

C

cutting ['kʌtɪŋ] I. *n* 1. JOURN Ausschnitt *m* 2. HORT Ableger *m* II. *adj comment* scharf

CV [ˌsiː'viː] *n* BRIT *abbrev of* **curriculum vitae** Lebenslauf *m*

cycle[1] ['saɪkl] *short for* **bicycle** I. *n* [Fahr]rad *nt* II. *vi* Rad fahren

cycle[2] ['saɪkl] *n* Zyklus *m;* ~ **of life** Lebenskreislauf *m*

cycling ['saɪklɪŋ] *n no pl* Radfahren *nt;* SPORTS Radrennsport *m*

cyclist ['saɪklɪst] *n* Radfahrer(in) *m(f)*

cylinder ['sɪlɪndər] *n* AUTO, MATH Zylinder *m*

cylindrical [səˈlɪndrɪkəl] *adj* zylindrisch

cymbal ['sɪmbəl] *n usu pl* Beckenteller *m;* ~**s** Becken *pl*

Czech [tʃek] I. *n* 1. (*person*) Tscheche, -in *m, f* 2. *no pl* (*language*) Tschechisch *nt* II. *adj* tschechisch

Czechoslovakia [ˌtʃekə(ʊ)slə(ʊ)'vækiə] *n no pl* (*hist*) die Tschechoslowakei

Czech Republic *n no pl* the ~ die Tschechische Republik

D

D <*pl* -'s>, **d** <*pl* -'s> [diː] *n* D *nt,* d *nt;* ~ **flat** Des *nt,* des *nt;* ~ **sharp** Dis *nt,* dis *nt; see also* **A 1**

daddy ['dædi] *n* (*fam*) Papi *m*

daffodil ['dæfədɪl] *n* Osterglocke *f*

daft [dɑːft] *adj* (*fam*) doof

dagger ['dægər] *n* Dolch *m;* ▶ **to** <u>look</u> ~**s at sb** jdn mit Blicken durchbohren

daily ['deɪli] I. *adj, adv* täglich II. *n* Tageszeitung *f*

dairy ['deəri] I. *n* Molkerei *f* II. *adj* Molkerei-

daisy ['deɪzi:] *n* Gänseblümchen *nt*

dam [dæm] I. *n* [Stau]damm *m* II. *vt* <-mm-> stauen

damage ['dæmɪdʒ] I. *vt* [be]schädigen; *reputation* schaden +*dat* II. *n no pl* Schaden *m* (**to** an)

damn [dæm] I. *interj* (*fam*) ~ [**it**]**!** verdammt! II. *adj* (*fam*) verdammt, Scheiß- *pej derb;* ~ **fool** Volldiot *m* III. *vt* verdammen; (*curse*) verfluchen IV. *adv* (*fam*) verdammt

damp [dæmp] I. *adj* feucht II. *n no pl* BRIT, AUS Feuchtigkeit *f*

dance [dɑːn(t)s] I. *vi, vt* tanzen II. *n* Tanz *m*

dancer ['dɑːn(t)sər] *n* Tänzer(in) *m(f)*

dancing ['dɑːn(t)sɪŋ] *n no pl* Tanzen *nt*

dandelion ['dændɪlaɪən] *n* Löwenzahn *m*

dandruff ['dændrʌf] *n no pl* [Kopf]schuppen *pl*

Dane [deɪn] *n* Däne, Dänin *m, f*

danger ['deɪndʒər] *n* Gefahr *f;* ~**! keep out!** Zutritt verboten! Lebensgefahr!

dangerous ['deɪndʒərəs] *adj* gefährlich

Danish ['deɪnɪʃ] I. *n* 1. *no pl* Dänisch *nt* 2. the ~ *pl* die Dänen II. *adj* dänisch

Danish pastry *n* Blätterteiggebäck *nt*

Danube ['dænjuːb] *n no pl* **the** ~ die Donau

dare [deər] I. *vt* herausfordern; I ~ **you!** trau dich! II. *vi* **to** ~ [**to**] **do sth** es wagen, etw zu tun ▶ ~ I **say** [**it**]**, but ...** ich wage zu behaupten, dass ...; **who** ~**s** <u>wins</u> (*prov*) wer wagt, gewinnt III. *n* Mutprobe *f;* **it's a** ~**!** sei kein Frosch!

daring ['deərɪŋ] I. *adj* kühn; *crime*

dreist; (*provocative*) verwegen II. *n*
no pl Kühnheit *f*

dark [dɑːk] I. *adj* dunkel; (*gloomy*)
düster; ~ **blue** dunkelblau; **in ~est
Peru** im tiefsten Peru II. *n no pl*
the ~ die Dunkelheit ▶ **to keep** sb
in the ~ jdn im Dunkeln lassen

darkness ['dɑːknəs] *n no pl* Dunkelheit *f;* (*night*) Finsternis *f*

darling ['dɑːlɪŋ] I. *n* Liebling *m* II. *adj
attr* entzückend

dart [dɑːt] I. *n* Pfeil *m;* SPORTS
Wurfpfeil *m;* ~**s** + *sing vb* Darts *nt*
II. *vi* flitzen

dash [dæʃ] I. *n* <*pl* -es> 1. (*rush*)
Hetze *f;* **to make a ~ for the door**
zur Tür stürzen 2. ~ *of salt* eine Prise
Salz 3. (*punctuation*) Gedankenstrich
m II. *vi* sausen; **I've got to ~** ich
muss fort; **to ~ off** davonjagen

dashboard *n* Armaturenbrett *nt*

data ['deɪtə] *n pl* + *sing/pl vb* Daten *pl*

database *n* Datenbank *f* **data
mining** *n no pl* COMPUT Extrahieren
nt von Informationen aus großen Da-
tenbeständen **data processing** *n no
pl* Datenverarbeitung *f*

date¹ [deɪt] I. *n* 1. Datum *nt;* **to be
out of ~** überholt sein; **to ~** bis heute
2. (*appointment*) Termin *m;* (*meet*)
Verabredung *f;* (*romantic*) Date *nt;*
it's a ~! abgemacht!; **to make a ~**
sich verabreden II. *vt* **to ~** sb mit
jdm gehen III. *vi* 1. (*go out*) miteinander gehen 2. (*originate*) **to ~
from sth** auf etw *akk* zurückgehen;
tradition aus etw *dat* stammen

date² [deɪt] *n* (*fruit*) Dattel *f*

dated ['deɪtɪd] *adj* überholt

dating agency, AM, AUS **dating service** ['deɪtɪŋ-] *n* Partnervermittlungs-
agentur *f*

dative ['deɪtɪv] I. *n no pl* **the ~** der
Dativ II. *adj* **the ~ case** der Dativ

daughter ['dɔːtə^r] *n* Tochter *f*

daughter-in-law <*pl* daughters-> *n*
Schwiegertochter *f*

dawn [dɔːn] I. *n no pl* [Morgen]däm-
merung *f;* **at** [**the break of**] ~ im
Morgengrauen II. *vi* anbrechen

day [deɪ] *n* Tag *m;* **ten ~s from now**
heute in zehn Tagen; **from one ~ to
the next** (*suddenly*) von heute auf
morgen; (*in advance*) im Voraus;
one ~ eines Tages; **some ~** irgendwann [einmal]; ~ **in,** ~ **out** tagaus,
tagein; **the ~ after tomorrow** übermorgen; **the ~ before yesterday** vorgestern; **to this ~** bis heute; **these ~s**
(*recently*) in letzter Zeit; (*nowadays*)
heutzutage; (*at the moment*) zurzeit;
one of these ~s eines Tages; (*soon*)
demnächst [einmal]; (*some time or
other*) irgendwann [einmal] ▶ **any ~**
jederzeit; **to call it a ~** Schluss machen [für heute]; **at the end of the
~** (*in the final analysis*) letzten Endes;
(*eventually*) schließlich

daylight *n no pl* Tageslicht *nt;* **in
broad ~** am helllichten Tag[e] ▶ **to
see ~** [allmählich] klar sehen **day
nursery** *n* Kindertagesstätte *f* **day
return** *n* BRIT Tagesrückfahrkarte *f*
day shift *n* Tagschicht *f* **daytime** *n
no pl* Tag *m;* **in the ~** tagsüber **day
trip** *n* Tagesausflug *m*

daze [deɪz] I. *n no pl* Betäubung *f;* **in
a ~** ganz benommen II. *vt* **to be ~d**
wie betäubt sein

dazzle ['dæzl] I. *vt* blenden II. *n no pl*
Glanz *m*

dead [ded] I. *adj* 1. tot; (*extinct*) ausgestorben; *fire, match, volcano* erloschen; *telephone* tot; ~ **body** Leiche

f; **to shoot sb ~** jdn erschießen **2.** (*numb*) taub; **to go ~** einschlafen **3.** (*dull*) tot; *party* öde **4.** (*fig fam: tired*) schlapp; **~ on one's feet** zum Umfallen müde **II.** *adv* **1.** (*fam: totally*) absolut; **~ certain** todsicher; **~ drunk** stockbetrunken; **~ easy** kinderleicht; **~ silent** totenstill **2.** (*exactly*) **~ on five o'clock** Punkt fünf; **~ on time** auf die Minute genau ▶ **to stop ~ in one's** <u>tracks</u> auf der Stelle stehen bleiben

dead centre *n* die genaue Mitte

dead-end I. *n* Sackgasse *f* **II.** *adj* **1. ~ street** Sackgasse *f* **2.** (*fig*) aussichtslos **deadline** *n* Deadline *f*

deadly ['dedli] *adj* **1.** tödlich; **~ enemies** Todfeinde *pl;* **in ~ earnest** todernst **2.** (*pej fam*) todlangweilig ▶ **the seven ~** <u>sins</u> die sieben Todsünden *pl*

deaf [def] *adj* taub; (*partially*) schwerhörig; **to be ~ to sth** (*fig*) taube Ohren für etw *akk* haben ▶ **[as] ~ as a** <u>post</u> stocktaub

deaf aid *n* BRIT Hörgerät *nt*

deafen ['def°n] *vt* taub machen; (*fig*) betäuben

deafening ['def°nɪŋ] *adj* ohrenbetäubend

deaf-mute *n* Taubstumme(r) *f(m)*

deafness ['defnəs] *n no pl* Taubheit *f;* (*partial*) Schwerhörigkeit *f*

deal¹ [di:l] *n no pl* **a great ~** eine Menge

deal² [di:l] **I.** *n* **1.** (*business*) Geschäft *nt,* Deal *m sl;* **to do a ~ with sb** mit jdm ein Geschäft abschließen; **to make sb a ~** jdm ein Angebot machen **2.** (*agreement*) Abmachung *f;* **it's a ~** abgemacht **3.** (*treatment*) **a fair/raw ~** eine faire/ungerechte Be-

handlung **4.** CARDS **it's your ~** du gibst ▶ **big ~!** what's the **big ~?** (*fam*) was solls? **II.** *vi* <-t, -t> **1.** CARDS geben **2.** (*sl: sell drugs*) dealen **III.** *vt* <-t, -t> **1. to ~ [out]** verteilen **2.** *esp* AM (*sell*) **to ~ sth** mit etw *dat* dealen ◆ **deal with** *vi* **1.** (*handle*) sich befassen mit **2.** (*treat*) handeln von **3.** (*do business*) Geschäfte machen mit

dealer ['di:lə'] *n* Händler(in) *m(f);* of drugs Dealer(in) *m(f)*

dealt [delt] *pt, pp of* **deal**

dear [dɪə'] **I.** *adj* **1.** lieb; *sweet* süß; **D~ Jane** Liebe Jane **2.** (*form: costly*) teuer **II.** *interj* **~ me!** du liebe Zeit!; **oh ~!** du meine Güte! **III.** *n* Schatz *m;* **my ~[est]** [mein] Liebling *m*

dearly ['dɪəli] *adv* von ganzem Herzen; **to pay ~** teuer bezahlen

death [deθ] *n* der Tod; (*casualty*) Tote(r) *f(m);* **to be bored to ~** sich zu Tode langweilen ▶ **to be at ~'s** <u>door</u> an der Schwelle des Todes stehen

deathbed *n* Totenbett *nt;* **to be on one's ~** auf dem Sterbebett liegen

death certificate *n* Sterbeurkunde *f*

death penalty *n* Todesstrafe *f* **death threat** *n* Morddrohung *f*

debate [dɪ'beɪt] **I.** *n* Debatte *f;* **to be open to ~** sich [erst] noch erweisen müssen **II.** *vt, vi* debattieren

debit ['debɪt] *vt* abbuchen

debt [det] *n* Schuld *f;* **out of ~** schuldenfrei; **to be in sb's ~** (*fig*) in jds Schuld stehen

decade ['dekeɪd, dɪ'keɪd] *n* Jahrzehnt *nt*

decaf ['di:kæf] *adj* (*fam*) *abbrev of* **decaffeinated**

decaffeinated [dɪ'kæfɪneɪtɪd] *adj* koffeinfrei; *coffee* entkoffeiniert

decay [dɪˈkeɪ] I. *n no pl* Verfall *m;* BIOL Verwesung *f;* BOT Fäulnis *f;* **dental ~** Zahnfäule *f;* **to fall into ~** verfallen II. *vi* verfallen; BIOL verwesen

deceased [dɪˈsiːst] (*form*) I. *n <pl ->* **the ~** der/die Verstorbene/die Verstorbenen *pl* II. *adj* verstorben

deceive [dɪˈsiːv] *vt* betrügen; **to ~ oneself** sich [selbst] täuschen

December [dɪˈsembəʳ] *n* Dezember *m; see also* **February**

decent [ˈdiːsᵊnt] *adj* (*acceptable*) anständig; (*good*) nett; (*appropriate*) angemessen; **to do the ~ thing** das [einzig] Richtige tun

deceptive [dɪˈseptɪv] *adj* täuschend

decide [dɪˈsaɪd] I. *vi* sich entscheiden (**on** für); **to ~ to do sth** beschließen [*o* sich entschließen] , etw zu tun II. *vt* entscheiden

decimal [ˈdesɪmᵊl] *n* Dezimalzahl *f;* **~ point** Komma *nt*

decision [dɪˈsɪʒᵊn] *n* Entscheidung *f* (**about/on** über); **to make a ~** eine Entscheidung fällen

decisive [dɪˈsaɪsɪv] *adj* bestimmend; (*firm*) entschlossen; *battle* entscheidend

deck [dek] I. *n* **1.** Deck *nt;* **below ~s** unter Deck; **on ~** an Deck **2.** *esp* AM, AUS Veranda *f* **3.** **~ of cards** Spiel *nt* Karten ▶ **to clear the ~s** klar Schiff machen II. *vt* **to ~ sth [out]** etw [aus] schmücken

deckchair *n* Liegestuhl *m;* (*on ship*) Deckchair *m*

declaration [ˌdeklaˈreɪʃᵊn] *n* Erklärung *f;* **~ of war** Kriegserklärung *f;* **to make a ~** eine Erklärung abgeben

declare [dɪˈkleəʳ] *vt* verkünden; ECON deklarieren; **to ~ one's love for sb** jdm eine Liebeserklärung machen; **to**

~ war on sb jdm den Krieg erklären

decline [dɪˈklaɪn] I. *n* Rückgang *m;* (*deterioration*) Verschlechterung *f* II. *vi* nachlassen; (*drop*) abfallen III. *vt* ablehnen

decorate [ˈdekəreɪt] *vt* dekorieren; (*paint*) streichen; (*wallpaper*) tapezieren

decoration [ˌdekəˈreɪʃᵊn] *n* Dekoration *f;* (*for Christmas tree*) Schmuck *m kein pl*

decorator [ˈdekᵊreɪtəʳ] *n* BRIT Maler(in) *m(f)*

decrease I. *vi* [dɪˈkriːs, ˈdiːkriːs] zurückgehen II. *vt* [dɪˈkriːs, ˈdiːkriːs] reduzieren III. *n* [ˈdiːkriːs] Abnahme *f; quantity* Rückgang *m;* **on the ~** rückläufig

decruit [diːˈkruːt] *vt* (*euph*) entlassen

dedicate [ˈdedɪkeɪt] *vt* widmen; **to ~ sth to sb** jdm etw widmen; **to ~ oneself to sth** sich etw *dat* widmen

deduct [dɪˈdʌkt] *vt* abziehen

deduction [dɪˈdʌkʃᵊn] *n* **1.** Abzug *m* **2.** (*inference*) Schlussfolgerung *f*

deed [diːd] *n* Tat *f;* **dirty ~s** Drecksarbeit *f;* **evil ~** Untat *f*

deep [diːp] *adj, adv* tief; **the snow was 1 m ~** der Schnee lag einen Meter hoch; **to take a ~ breath** tief Luft holen; **with ~ regret** mit großem Bedauern; **~ blue/red** tiefblau/dunkelrot

deep-freeze *n* Tiefkühlschrank *m;* (*chest*) Tiefkühltruhe *f* **deep-fry** *vt* frittieren

deeply [ˈdiːpli] *adv* **1.** tief **2.** (*very*) äußerst; **~ insulted** zutiefst getroffen; **to ~ regret sth** etw sehr bereuen

deer *<pl ->* [dɪəʳ] *n* Hirsch *m;* (*roe*) Reh *nt*

defeat [dɪˈfiːt] I. *vt* besiegen; *team*

D

schlagen; *hopes* zerschlagen II. *n*
Niederlage *f*

defect¹ I. *adj* fehlerhaft; (*flawed*) defekt II. *n* ['diːfekt] Fehler *m;* (*flaw*)
Defekt *m*

defect² [dɪ'fekt] *vi* POL überlaufen (**to** in)

defective [dɪ'fektɪv] *adj* fehlerhaft;
(*flawed*) defekt

defence [dɪ'fen(t)s] *n* Verteidigung *f;*
SPORTS Abwehr *f;* **in my ~** zu meiner
Verteidigung

defend [dɪ'fend] *vt, vi* verteidigen; **to ~
oneself** sich wehren

defendant [dɪ'fendənt] *n* Angeklagte(r)
f(m)

defender [dɪ'fendə'] *n* **1.** Beschützer(in) *m(f)* **2.** SPORTS Verteidiger(in)
m(f)

defense *n esp* AM *see* **defence**

defensive [dɪ'fen(t)sɪv] I. *adj* defensiv
II. *n* Defensive *f;* **to be on the ~** in
der Defensive sein

define [dɪ'faɪn] *vt* definieren (**by** über)

definite ['defɪnət] I. *adj* sicher; *answer*
klar; *decision* definitiv; *improvement*
eindeutig; **there's nothing ~ yet** es
steht noch nichts fest; **to be ~ about
sth** sich *dat* einer S. *gen* sicher sein
II. *n* (*fam*) **she's a ~ for the Olympic team** sie wird auf jeden Fall in der
Olympiamannschaft dabei sein

definitely ['defɪnətli] *adv* eindeutig;
(*firmly*) endgültig; **we're ~ going**
wir gehen auf jeden Fall

definition [ˌdefɪ'nɪʃ°n] *n* **1.** Definition *f*
2. *no pl* (*distinctness*) Schärfe *f;* **to
lack ~** unscharf sein

defrost [diː'frɒst] *vt* auftauen; *fridge* abtauen

degree [dɪ'griː] *n* **1.** Maß *nt;* (*extent*)
Grad *m;* **by ~s** nach und nach **2.** UNIV
Abschluss *m;* **to do a ~ in sth** etw
studieren

degree course *n* Studiengang, der
mit einem „bachelor's degree" abschließt

dehydrated [ˌdiːhaɪ'dreɪtɪd] *adj* ausgetrocknet

de-ice [ˌdiː'aɪs] *vt* enteisen

delay [dɪ'leɪ] I. *vt* aufhalten; (*postpone*) verschieben II. *n* Verzögerung
f; TRANSP Verspätung *f;* **without ~** unverzüglich

delegate I. *n* ['delɪɡət] Delegierte(r)
f(m) II. *vt* ['delɪɡeɪt] als Vertreter/Vertreterin [aus]wählen; **to ~ sth to sb**
etw auf jdn übertragen

delegation [ˌdelɪ'ɡeɪʃ°n] *n* Delegation *f*

delete [dɪ'liːt] *vt* streichen (**from** aus);
COMPUT löschen

delete key *n* COMPUT Löschtaste *f*

deli ['deli] *n* (*fam*) *short for* **delicatessen** Feinkostgeschäft *nt*

deliberate I. *adj* [dɪ'lɪb°rət] bewusst;
(*careful*) vorsichtig II. *vi* [dɪ'lɪbəreɪt]
(*form*) [gründlich] nachdenken

delicacy ['delɪkəsi] *n* **1.** Delikatesse *f*
2. *no pl* (*discretion*) Feingefühl *nt*
3. *no pl of health* Zerbrechlichkeit *f*

delicate ['delɪkət] *adj* **1.** empfindlich;
china zerbrechlich; **~ cycle** Feinwaschgang *m* **2.** (*tricky*) heikel

delicatessen [ˌdelɪkə'tes°n] *n* Feinkostgeschäft *nt*

delicious [de'lɪʃəs] *adj* köstlich

delight [dɪ'laɪt] I. *n* Freude *f;* **in ~** vor
Freude II. *vi* **to ~ in sth** Vergnügen
bei etw *dat* empfinden

delightful [dɪ'laɪtf°l] *adj* wunderbar

delirious [dɪ'lɪriəs] *adj* **1.** im Delirium
nach n **2.** (*happy*) **to be ~ [with sth]**
außer sich [vor etw *dat*] sein

deliver [dɪ'lɪvəʳ] I. *vt* liefern; (*by post*) zustellen; *speech* halten; *blow* geben; *baby* zur Welt bringen; *midwife* entbinden II. *vi* liefern; **to ~ on sth** etw einhalten

delivery [dɪ'lɪvᵊri] *n* 1. Lieferung *f;* *of mail* Zustellung *f;* **~ time** Lieferzeit *f;* **on ~** bei Lieferung 2. (*birth*) Entbindung *f*

delivery room *n* Kreißsaal *m*

delivery van *n* Lieferwagen *m*

de luxe [dɪ'lʌks] *adj* Luxus-

demand [dɪ'mɑːnd] I. *vt* verlangen; (*need*) erfordern II. *n* 1. Forderung *f* (**for** nach); **on ~** auf Verlangen 2. (*need*) Bedarf *m;* COMM Nachfrage *f;* **in ~** gefragt

democracy [dɪ'mɒkrəsi] *n* Demokratie *f*

democrat ['deməkræt] *n* Demokrat(in) *m(f)*

democratic [ˌdemə'krætɪk] *adj* demokratisch

demolish [dɪ'mɒlɪʃ] *vt* 1. *building* abreißen; *wall* einreißen 2. (*defeat*) zunichte machen

demon ['diːmən] *n* Dämon *m*

demonstrate ['demənstreɪt] I. *vt* 1. zeigen; *operation* vorführen 2. (*prove*) nachweisen II. *vi* demonstrieren

demonstration [ˌdemən'streɪʃᵊn] *n* 1. Demonstration *f,* Vorführung *f* 2. (*protest*) Demo[nstration] *f*

demonstrator ['demənstreɪtəʳ] *n* Vorführer(in) *m(f);* (*protester*) Demonstrant(in) *m(f)*

demote [dɪ'məʊt] *vt* zurückstufen; MIL degradieren

den [den] *n* 1. (*lair*) Bau *m* 2. (*playhouse*) Verschlag *m* 3. (*room*) Bude *f*

denim ['denɪm] I. *n* 1. *no pl* Denim® *m* 2. (*fam*) **~s** *pl* Jeans *pl* II. *adj* Jeans-

Denmark ['denmɑːk] *n* Dänemark *nt*

dense <-r, -st> [den(t)s] *adj* dicht

density ['den(t)srti] *n* Dichte *f*

dent [dent] I. *n* Delle *f* II. *vt* einbeulen

dental ['dentᵊl] *adj* Zahn-

dentist ['dentɪst] *n* Zahnarzt, Zahnärztin *m, f*

dentistry ['dentɪstri] *n no pl* Zahnmedizin *f*

dentures ['den(t)ʃəz] *n pl* [Zahn]prothese *f*

deny <-ie-> [dɪ'naɪ] *vt* abstreiten; *accusation* zurückweisen; **to ~ sth to sb** jdm etw verweigern; **to ~ oneself sth** sich *dat* etw versagen

deodorant [di'əʊdᵊrᵊnt] *n* Deo[dorant] *nt*

depart [dɪ'pɑːt] I. *vi* fortgehen; *plane* abfliegen; *train* abfahren; *ship* ablegen II. *vt* **to ~ this life** aus diesem Leben scheiden

departed [dɪ'pɑːtɪd] (*form*) I. *adj* verstorben II. *n* <*pl* -> **the ~** der/die Verstorbene/die Verstorbenen *pl*

department [dɪ'pɑːtmənt] *n* UNIV Institut *nt;* COMM Abteilung *f;* ADMIN Amt *nt*

department store *n* Kaufhaus *nt*

departure [dɪ'pɑːtʃəʳ] *n* Abreise *f;* (*leaving*) Abschied *m;* *plane* Abflug *m;* *ship* Ablegen *nt*

departure gate *n* Flugsteig *m* **departure lounge** *n* Abflughalle *f*

depend [dɪ'pend] *vi* 1. **that ~s** kommt darauf an; **to ~ on sb/sth** von jdm/ etw abhängig sein 2. (*rely*) **to ~ [up] on sb/sth** sich auf jdn/etw verlassen

dependant [dɪ'pendənt] *n* [finanziell] abhängige(r) Angehörige(r) *f(m)*

dependent [dɪ'pendənt] *adj* 1. **to be ~ [up]on sth** von etw *dat* abhängen

2. (*relying*) abhängig (**on** von); (*for help, goodwill*) angewiesen (**on** auf +*akk*)

deplorable [dɪ'plɔːrəbl] *adj* beklagenswert; *conditions* erbärmlich

deploy [dɪ'plɔɪ] *vt* einsetzen

deployment [dɪ'plɔɪmənt] *n no pl* Einsatz *m*

deport [dɪ'pɔːt] *vt* ausweisen; *prisoner* deportieren

deportation [ˌdɪpɔː'teɪʃⁿn] *n* Ausweisung *f*, Abschiebung *f*

deportee [ˌdɪpɔː'tiː] *n* Abgeschobene(r) *f(m)*; (*awaiting deportation*) Abzuschiebende(r) *f(m)*

deposit [dɪ'pɒzɪt] I. *vt* 1. (*put*) absetzen 2. (*pay*) einzahlen; *first instalment* anzahlen; (*as security*) als Sicherheit hinterlegen II. *n* 1. Bodensatz *m*; *of ore* Vorkommen *nt* 2. (*security*) Kaution *f*; (*on bottle*) Pfand *nt*

depress [dɪ'pres] *vt* 1. (*deject*) deprimieren 2. *price* drücken

depressed [dɪ'prest] *adj* deprimiert (**at/over** wegen); ECON heruntergekommen

depressing [dɪ'presɪŋ] *adj* deprimierend

depression [dɪ'preʃⁿn] *n* 1. *no pl* Depression *f*; **to suffer from ~** unter Depressionen leiden 2. ECON Wirtschaftskrise *f*

deprive [dɪ'praɪv] *vt* **to ~ sb of sth** jdm etw entziehen

depth [depθ] *n* Tiefe *f*; **in the ~ of winter** mitten im tiefsten Winter ▶ **to be** <u>out</u> **of one's ~** für jdn zu hoch sein

deputy ['depjəti:] I. *n* Stellvertreter(in) *m(f)* II. *adj attr* stellvertretend

derelict ['derəlɪkt] *adj* verlassen; **to lie ~** brachliegen

derive [dɪ'raɪv] I. *vt* gewinnen; **sb ~s pleasure from doing sth** etw bereitet jdm Vergnügen II. *vi* **to ~ from sth** sich von etw *dat* ableiten [lassen]

descend [dɪ'send] I. *vi* 1. hinuntersteigen; *steps* herunterführen 2. (*fall*) herabsinken 3. (*originate*) abstammen II. *vt* hinuntersteigen

descendant [dɪ'sendənt] *n* Nachkomme *m*

descent [dɪ'sent] *n* 1. Abstieg *m kein pl*; *of plane* [Lande]anflug *m* 2. *no pl* (*ancestry*) Abstammung *f*

describe [dɪ'skraɪb] *vt* beschreiben; (*detailed*) schildern

description [dɪ'skrɪpʃⁿn] *n* Beschreibung *f*; **of every ~** jeglicher Art

desert¹ [dɪ'zɜːt] I. *vi* desertieren II. *vt* verlassen

desert² ['dezət] *n* Wüste *f*; **~ island** verlassene Insel

deserve [dɪ'zɜːv] *vt* verdienen; **what have I done to ~** [**all**] **this?** womit habe ich das verdient?

design [dɪ'zaɪn] I. *vt* 1. entwerfen; *layout* gestalten 2. **to be ~ed for sb/sth** für jdn/etw konzipiert sein II. *n* 1. Entwurf *m*; (*model*) Bauart *f* 2. *no pl* (*art*) Design *nt* 3. (*intentions*) **~s** *pl* Absichten *pl*

designer [dɪ'zaɪnər] *n* Designer(in) *m(f)*; **~ jeans** Designerjeans *f*

desire [dɪ'zaɪər] I. *vt* wünschen; (*covet*) begehren II. *n* Verlangen *nt*; (*stronger*) Sehnsucht *f*; (*sexual*) Begierde *f*

desk [desk] *n* Schreibtisch *m*; (*counter*) Schalter *m*

desk lamp *n* Schreibtischlampe *f*

desolate ['desⁿlət] *adj* niedergeschlagen; *fate* trostlos

desolated ['desᵊleɪtᵊd] *adj* untröstlich

despair [dɪ'speəʳ] **I.** *n no pl* Verzweiflung *f;* **in ~** verzweifelt **II.** *vi* verzweifeln (**at** an)

despairing [dɪ'speərɪŋ] *adj* verzweifelt

desperate ['despᵊrət] *adj* verzweifelt; (*great*) dringend; **I'm in a ~ hurry** ich habs wahnsinnig eilig

desperation [ˌdespᵊ'reɪʃᵊn] *n no pl* Verzweiflung *f;* **in ~** aus Verzweiflung

despite [dɪ'spaɪt] *prep* trotz +*gen*

dessert [dɪ'zɜːt] *n* Nachtisch *m*

dessertspoon *n* (*small*) Dessertlöffel *m;* (*larger*) Esslöffel *m*

destination [ˌdestɪ'neɪʃᵊn] *n* Ziel *nt; of journey* Reiseziel *nt; of letter* Bestimmungsort *m*

destroy [dɪ'strɔɪ] *vt* zerstören; (*utterly*) vernichten; (*kill*) auslöschen; *pet* einschläfern; *reputation* ruinieren

destruction [dɪ'strʌkʃᵊn] *n no pl* Zerstörung *f;* **mass ~** Massenvernichtung *f*

detach [dɪ'tætʃ] *vt* abnehmen; (*permanently*) abtrennen

detached [dɪ'tætʃt] *adj* abgelöst; **to become ~** sich ablösen

detail ['diːteɪl] **I.** *n* **1.** Detail *nt*, Einzelheit *f;* **further ~s** nähere Informationen; **to go into ~** ins Detail gehen **2.** (*triviality*) Kleinigkeit *f* **II.** *vt* **1.** (*explain*) ausführlich erläutern **2.** (*specify*) einzeln aufführen

detailed ['diːteɪld] *adj* detailliert; (*comprehensive*) ausführlich

detain [dɪ'teɪn] *vt* **1.** in Haft nehmen **2.** (*form: delay*) aufhalten

detainee [ˌdɪteɪ'niː] *n* Häftling *m*

detect [dɪ'tekt] *vt* **1.** (*catch in act*) ertappen **2.** (*discover*) entdecken; *disease* feststellen; *mine* aufspüren

detective [dɪ'tektɪv] *n* Kriminalbeam-

te(r) *f(m)*, Kriminalbeamte [*o* -in] *f;* (*private*) [Privat]detektiv(in) *m(f)*

detective novel *n* Kriminalroman *m*, Krimi *m fam*

detention centre, AM **detention home** *n* Jugendstrafanstalt *f*

detergent [dɪ'tɜːdʒᵊnt] *n* Reinigungsmittel *nt*

deteriorate [dɪ'tɪəriᵊreɪt] *vi* sich verschlechtern; *sales* zurückgehen; (*disintegrate*) verfallen

determination [dɪˌtɜːmɪ'neɪʃᵊn] *n no pl* Bestimmung *f;* (*resolve*) Entschlossenheit *f*

determine [dɪ'tɜːmɪn] *vt* **1.** (*decide*) entscheiden; **to ~ that ...** beschließen, dass ... **2.** (*find out*) ermitteln; **to ~ that ...** feststellen, dass ...

determined [dɪ'tɜːmɪnd] *adj* entschlossen; **she is ~ that ...** sie hat es sich in den Kopf gesetzt, dass ...

detest [dɪ'test] *vt* verabscheuen

detour ['diːtʊəʳ] *n* Umweg *m*

detox ['diːtɒks] **I.** *n short for* **detoxification** Entzug *m* **II.** *vi short for* **detoxify**

detoxify <-ie-> [ˌdiː'tɒksɪfaɪ] *vt* entgiften; (*from substance abuse*) Entzug machen

deuce [djuːs] *n* **1.** AM (*cards, dice*) Zwei *f* **2.** TENNIS Einstand *m*

devastating ['devᵊsteɪtɪŋ] *adj* **1.** verheerend **2.** (*fam: overwhelming*) umwerfend

develop [dɪ'veləp] **I.** *vi* sich entwickeln (**into** zu); *potential* sich entfalten **II.** *vt* entwickeln; *habit* annehmen

developing [dɪ'veləpɪŋ] *adj* sich entwickelnd

development [dɪ'veləpmənt] *n no pl* Entwicklung *f*

D

device [dɪ'vaɪs] *n* **1.** Gerät *nt;* **incendiary** ~ Brandsatz *m* **2.** *(method)* **stylistic** ~ Stilmittel *nt;* **literary** ~ literarischer Kunstgriff

devil ['devəl] *n* Teufel(in) *m(f);* *(fig fam)* alter Fuchs; **cheeky** ~ Frechdachs *m;* **lucky** ~ Glückspilz *m*

devious ['di:viəs] *adj* verschlagen; *plan* krumm

devoted [dɪ'vəʊtɪd] *adj* begeistert; *fan, friend* treu; *servant* ergeben

devotion [dɪ'vəʊʃən] *n no pl* Ergebenheit *f;* *(dedication)* Hingabe *f* (**to** an); *(affection)* Liebe *f;* *of admirer* Verehrung *f*

devout [dɪ'vaʊt] *adj* fromm; *(fig)* [sehr] engagiert; *hope, wish* sehnlich

dew [dju:] *n no pl* Tau *m*

diabetes [ˌdaɪə'bi:ti:z] *n no pl* Zuckerkrankheit *f*

diabetic [ˌdaɪə'betɪk] I. *n* Diabetiker(in) *m(f)* II. *adj* zuckerkrank

diagnose ['daɪəgnəʊz] *vt* diagnostizieren; *fault* feststellen

diagnosis <*pl* -ses> [ˌdaɪəg'nəʊsɪs, *pl* -si:z] *n* **1.** Diagnose *f;* *of problem* Beurteilung *f;* **to make a** ~ eine Diagnose stellen

diagonal [daɪ'ægənəl] I. *adj* diagonal II. *n* Diagonale *f*

diagram ['daɪəgræm] *n* schematische Darstellung; MATH Diagramm *nt*

dial ['daɪəl] I. *n* *of clock* Zifferblatt *nt;* *of instrument, radio* Skala *f;* *of telephone* Wählscheibe *f* II. *vi, vt* <BRIT -ll- *or* AM *usu* -l-> wählen

dialect ['daɪəlekt] *n* Dialekt *m*

dialling ['daɪəlɪŋ] *n no pl* Wählen *nt*

dialling code *n* BRIT Vorwahl *f*

diameter [daɪ'æmətər] *n* Durchmesser *m*

diamond ['daɪəmənd] *n* Diamant *m;* MATH Raute *f;* CARDS Karo *nt*

diaper ['daɪəpər] *n* AM Windel *f*

diarrhoea, AM **diarrhea** [ˌdaɪə'rɪə] *n no pl* Durchfall *m*

diary ['daɪəri:] *n* Tagebuch *nt;* *(schedule)* [Termin]kalender *m*

dice [daɪs] I. *n* <*pl* -> Würfel *m;* *(game)* Würfelspiel *nt;* **to roll the** ~ würfeln ▶ **no** ~! AM *(fam)* kommt [überhaupt] nicht in Frage! II. *vi* würfeln ▶ **to** ~ **with** <u>death</u> mit seinem Leben spielen

dick [dɪk] *n* **1.** BRIT *(vulg)* Idiot *m* **2.** *(vulg: penis)* Schwanz *m*

dictate [dɪk'teɪt] I. *vt* **1.** *(command)* befehlen **2.** *(recite)* diktieren II. *vi* **to** ~ **to sb** jdm Vorschriften machen

dictation [dɪk'teɪʃən] *n* Diktat *nt*

dictator [dɪk'teɪtər] *n* **1.** *(a. fig)* Diktator *m* **2.** *(reciter)* Diktierende(r) *f(m)*

dictatorship [dɪk'teɪtəʃɪp] *n* Diktatur *f*

dictionary ['dɪkʃənri] *n* Wörterbuch *nt*

did [dɪd] *pt of* **do**

didn't ['dɪdənt] = *see* **did not** *see* **do**

die[1] [daɪ] *n* ▶ **the** ~ **is** <u>cast</u> die Würfel sind gefallen

die[2] <-y-> [daɪ] *vi* **1.** sterben (**of** an); *(end)* vergehen **2.** *(fam: not work)* kaputtgehen; *battery* leer werden ▶ **to** ~ **hard** nicht totzukriegen sein ◆ **die away** *vi* schwinden; *sobs* nachlassen; *echo* verhallen ◆ **die down** *vi* leiser werden; *rain, wind* schwächer werden; *storm* sich legen ◆ **die out** *vi* aussterben

diesel ['di:zəl] *n no pl* Diesel[kraftstoff] *m;* **to run on** ~ mit Diesel fahren

diet [daɪət] I. *n* **1.** Nahrung *f;* *(controlled)* Diät *f;* **on a** ~ auf Diät **2.** *(scheme)* Diät *f,* Schlankheitskur *f* II. *vi* Diät halten

dietary fibre n no pl Ballaststoffe pl
differ ['dɪfə'] vi sich unterscheiden; (not agree) verschiedener Meinung sein
difference ['dɪf°r°n(t)s] n Unterschied m; (margin) Differenz f; (remainder) Rest m; (disagreement) Meinungsverschiedenheit f; ~ **in quality** Qualitätsunterschied m
different ['dɪf°r°nt] adj 1. anders präd, andere(r, s) attr; opinions unterschiedlich; **something** ~ etwas anderes 2. (unusual) ungewöhnlich
difficult ['dɪfɪk°lt] adj schwierig; person anspruchsvoll; situation heikel
difficulty ['dɪfɪk°lti] n Schwierigkeit f; (trouble) Problem nt; **with** ~ mit Mühe
dig [dɪg] I. n Stoß m; ~ **in the ribs** Rippenstoß m; (fig: remark) Seitenhieb m (**at** auf) II. vi <-gg-, dug, dug> graben (**for** nach) III. vt <-gg-, dug, dug> graben; ARCHEOL ausgraben ◆ **dig out** vt ausgraben ◆ **dig up** vt 1. (turn over) umgraben 2. (remove) ausgraben; ARCHEOL freilegen
digestion [dɪ'ʤestʃ°n] n Verdauung f
digger ['dɪgə'] n Gräber(in) m(f); (machine) Bagger m
digicam ['dɪʤɪkæm] n short for **digital camera** Digital-Kamera f
digital ['dɪʤɪt°l] adj digital; ~ **TV** Digitalfernsehen nt
digital radio n no pl Digital Radio nt
dignified ['dɪgnɪfaɪd] adj würdevoll
dignity ['dɪgnɪti] n no pl Würde f; **human** ~ Menschenwürde f
dike n see **dyke**
dilapidated [dɪ'læpɪdeɪtɪd] adj heruntergekommen; house also verfallen
dilute [daɪ'luːt] I. vt verdünnen; (fig) abschwächen II. adj verdünnt
dim <-mm-> [dɪm] I. adj 1. (not

bright) trüb; (poorly lit) schumm[e]rig 2. (indistinct) undeutlich 3. (dull) matt II. vt abdunkeln III. vi dunkler werden
din [dɪn] I. n no pl Lärm m II. vt **to** ~ **sth into sb** jdm etw einbläuen
dine [daɪn] vi (form) speisen
diner ['daɪnə'] n 1. Speisende(r) f(m); (in restaurant) Gast m 2. AM Restaurant am Straßenrand mit Theke und Tischen
dining room n Esszimmer nt; (larger) Speisesaal m **dining table** n Esstisch m
dinner ['dɪnə'] n 1. Abendessen nt; (lunch) Mittagessen nt; ~**'s ready!** das Essen ist fertig!; **to go out for** ~ essen gehen; **to have** ~ zu Abend/ Mittag essen 2. (formal meal) Diner nt
dinner jacket n Smoking m **dinner party** n Abendgesellschaft f [mit Essen] **dinner service**, **dinner set** n Tafelservice nt **dinner table** n Esstisch m; (at formal event) Tafel f
dinosaur ['daɪnəsɔː'] n Dinosaurier m
dip [dɪp] I. n 1. [kurzes] Eintauchen kein pl 2. (sauce) Dip m II. vi <-pp-> 1. (go down) [ver]sinken; (lower) sich senken 2. (decline) fallen; profits zurückgehen III. vt <-pp-> 1. [ein]tauchen; (put into) [hinein]stecken; (in sauce) [ein]tunken 2. (lower) senken
diploma [dɪ'pləʊmə] n Diplom nt
diplomat ['dɪpləmæt] n Diplomat(in) m(f)
diplomatic [ˌdɪplə'mætɪk] adj diplomatisch
direct [dɪ'rekt] I. adj, adv direkt; ~ **flight** Direktflug m; ~ **route** kürzester Weg II. vt 1. (control) leiten; traf-

fic regeln **2.** (*order*) anweisen **3.** (*aim*) richten (**at** an); *attention* lenken (**at** auf) **4. to ~ sb to sth** jdm den Weg zu etw *dat* zeigen **III.** *vi* THEAT, FILM Regie führen

direct debit *n no pl* BRIT, CAN Einzugsermächtigung *f*

direction [dɪ'rekʃən] *n* **1.** Richtung *f;* **sense of ~** Orientierungssinn *m* **2.** *no pl* (*supervision*) Leitung *f;* FILM, TV, THEAT Regie *f* **3. ~s** *pl* Anweisungen *pl*

directly [dɪ'rektli] **I.** *adv* direkt; **I'll be with you ~** ich bin gleich bei Ihnen; **~ after/before** unmittelbar danach/davor **II.** *conj* sobald

director [dɪ'rektər] *n of company* Direktor(in) *m(f);* (*board member*) Mitglied *nt* des Verwaltungsrats; FILM, THEAT Regisseur(in) *m(f)*

directory [dɪ'rektəri] *n* Telefonbuch *nt;* (*list*) Verzeichnis *nt;* **business ~** Branchenverzeichnis *nt*

directory enquiries *n pl* BRIT [Telefon]auskunft *f kein pl*

dirt [dɜːt] *n no pl* **1.** Schmutz *m*, Dreck *m;* **covered in ~** ganz schmutzig **2.** (*soil*) Erde *f* **3. to dig for ~** nach Skandalen suchen

dirty ['dɜːti] **I.** *adj* **1.** schmutzig **2.** (*fam: nasty*) gemein; *liar* dreckig; (*lewd*) schmutzig; *language* vulgär **II.** *adv* **to play ~** unfair spielen; **to talk ~** sich vulgär ausdrücken **III.** *vt* beschmutzen **IV.** *n no pl* BRIT, AUS (*fam*) ▶ **to do the ~ on sb** jdn [he]reinlegen

disability [ˌdɪsə'bɪləti] *n* Behinderung *f*

disabled [dɪ'seɪbld] **I.** *adj* behindert; **~ person** Behinderte(r) *f(m)* **II.** *n* **the ~** *pl* die Behinderten

disadvantage [ˌdɪsəd'vɑːntɪdʒ] *n* Nachteil *m;* (*state*) Benachteiligung *f;* **at a ~** im Nachteil

disagree [ˌdɪsə'griː] *vi* nicht übereinstimmen; (*quarrel*) eine Auseinandersetzung haben; (*with plan, decision*) nicht einverstanden sein; **to ~ with sb** mit jdm uneinig sein

disagreement [ˌdɪsə'griːmənt] *n* **1.** *no pl* Uneinigkeit *f* **2.** (*argument*) Meinungsverschiedenheit *f* (**over** um/über) **3.** *no pl* (*discrepancy*) Diskrepanz *f*

disappear [ˌdɪsə'pɪər] *vi* verschwinden; *species* aussterben; **to ~ into thin air** sich in Luft auflösen

disappearance [ˌdɪsə'pɪərən(t)s] *n no pl* Verschwinden *nt;* (*extinction*) Aussterben *nt*

disappoint [ˌdɪsə'pɔɪnt] *vt* enttäuschen

disappointed [ˌdɪsə'pɔɪntɪd] *adj* enttäuscht (**at/about** über/**in/with** mit)

disappointing [ˌdɪsə'pɔɪntɪŋ] *adj* enttäuschend; **how ~!** so eine Enttäuschung!

disappointment [ˌdɪsə'pɔɪntmənt] *n* Enttäuschung *f*

disapprove [ˌdɪsə'pruːv] *vi* dagegen sein; **to ~ of sth** etw missbilligen; **to ~ of sb** jdn ablehnen

disaster [dɪ'zɑːstər] *n* Katastrophe *f;* **the evening was a complete ~** der Abend war der totale Reinfall

disastrous [dɪ'zɑːstrəs] *adj* katastrophal; (*fateful*) verhängnisvoll

disbelief [ˌdɪsbɪ'liːf] *n no pl* Unglaube *m;* **in ~** ungläubig

disc [dɪsk] *n* Scheibe *f;* MED Bandscheibe *f;* (*CD*) CD *f;* COMPUT Diskette *f*

discard [dɪ'skɑːd] *vt* wegwerfen; *coat, hat* ablegen

disciple [dɪ'saɪpl] *n* Anhänger(in) *m(f);* (*of Jesus*) Jünger *m*

disc jockey *n* Diskjockey *m*

disco ['dıskəʊ] *n short for* **discotheque** Disco *f*

discomfort [dı'skʌm(p)fət] *n no pl* Beschwerden *pl* (**in** mit); (*uneasiness*) Unbehagen *nt*

disconnect [ˌdıskə'nekt] *vt* trennen; *utilities* abstellen

disconnected [ˌdıskə'nektıd] *adj* **1.** [ab]getrennt; *utilities* abgestellt **2.** (*incoherent*) zusammenhang[s]los

discontinue [ˌdıskən'tınjuː] *vt* abbrechen; *product* auslaufen lassen; *service* einstellen

discount **I.** *n* ['dıskaʊnt] Rabatt *m* **II.** *vt* [dı'skaʊnt] **1.** (*ignore*) unberücksichtigt lassen; *possibility* nicht berücksichtigen **2.** (*reduce*) reduzieren

discourage [dı'skʌrıdʒ] *vt* **1.** entmutigen **2.** to ~ sth von etw *dat* abraten

discover [dı'skʌvəʳ] *vt* entdecken; (*find*) finden; (*find out*) herausfinden

discovery [dı'skʌvəri] *n* Entdeckung *f*

discreet [dı'skriːt] *adj* diskret; (*tactful*) taktvoll; *colour, pattern* dezent

discrepancy [dı'skrepən(t)si] *n* (*form*) Diskrepanz *f*

discretion [dı'skreʃən] *n no pl* Diskretion *f*; to leave sth to sb's ~ etw in jds Ermessen *nt* stellen; at sb's ~ nach jds Ermessen *nt*

discriminate [dı'skrımıneıt] *vi, vt* unterscheiden; to ~ **against sb** jdn diskriminieren

discriminating [dı'skrımıneıtıŋ] *adj* kritisch; *palate* fein

discrimination [dıˌskrımı'neıʃən] *n no pl* **1.** (*bias*) Diskriminierung *f* **2.** (*taste*) [kritisches] Urteilsvermögen

discus <*pl* -es> ['dıskəs] *n* Diskus *m*; (*event*) Diskuswerfen *nt*

discuss [dı'skʌs] *vt* besprechen; (*debate*) diskutieren

discussion [dı'skʌʃən] *n* Diskussion *f*; to be open to/under ~ zur Diskussion stehen; ~ **group** Diskussionsrunde *f*

disease [dı'ziːz] *n* Krankheit *f*

diseased [dı'ziːzd] *adj* krank

disembark [ˌdısım'baːk] *vi* von Bord gehen

disgrace [dıs'greıs] **I.** *n no pl* Schande *f*; to bring ~ on sb/sth Schande über jdn/etw bringen **II.** *vt* to ~ sb Schande über jdn bringen

disgraceful [dıs'greısfəl] *adj* schändlich; *conduct* skandalös

disguise [dıs'gaız] **I.** *vt* verbergen; *voice* verstellen; to ~ **oneself** sich verkleiden **II.** *n* Verkleidung *f*; (*mask*) Maske *f*

disgust [dıs'gʌst] **I.** *n no pl* Ekel *m*; (*indignation*) Empörung *f* (**at** über); **in** ~ empört **II.** *vt* anwidern

disgusting [dıs'gʌstıŋ] *adj* widerlich; (*unacceptable*) empörend

dish [dıʃ] *n* <*pl* -es> **1.** Schale *f*; TELEC Schüssel *f*; AM (*plate*) Teller *m* **2.** the ~es *pl* das Geschirr *kein pl*; to do the ~es [ab]spülen **3.** (*meal*) Gericht *nt*; **side** ~ Beilage *f* ◆ **dish out** *vt* **1.** großzügig verteilen (**to** an); to ~ **out punishment to sb** jdn [be]strafen; to ~ **it out** austeilen **2.** (*serve*) servieren ◆ **dish up** (*fam*) **I.** *vt* auftischen **II.** *vi* anrichten

dishcloth *n* Geschirrtuch *nt*

dishonest [dı'sɒnıst] *adj* unehrlich

dishwasher *n* Geschirrspülmaschine *f*; (*person*) Tellerwäscher(in) *m(f)*

disillusioned [dısı'luːʒənd] *adj* desillusioniert

disintegrate [dı'sıntıgreıt] *vi* zerfal-

D

len; (*fig*) zerbrechen

disjointed [dɪs'dʒɔɪntɪd] *adj* zusammenhanglos

disk [dɪsk] *n* **1.** COMPUT Diskette *f;* ~ **drive** Laufwerk *nt* **2.** AM *see* **disc**

disk drive *n* COMPUT Laufwerk *nt;* **floppy** ~ Diskettenlaufwerk *nt*

diskette [dɪ'sket] *n* Diskette *f*

dislike [dɪs'laɪk] **I.** *vt* nicht mögen; **to** ~ **doing sth** etw nicht gern tun **II.** *n* Abneigung *f* (**of** gegen)

dislocate ['dɪslə(ʊ)keɪt] *vt* **to** ~ **sth** sich *dat* etw ausrenken

dismiss [dɪs'mɪs] *vt* **1.** (*ignore*) abtun; *idea* aufgeben **2.** (*send away*) wegschicken **3.** (*sack*) entlassen **4.** LAW *case* einstellen

dismissal [dɪs'mɪsᵊl] *n* **1.** *no pl* (*disregard*) Abtun *nt* **2.** (*the sack*) Entlassung *f* (**from** aus) **3.** LAW *of case* Abweisung *f*

disobedience [ˌdɪsə(ʊ)'biːdiən(t)s] *n no pl* Ungehorsam *m* (**to** gegenüber)

disobedient [ˌdɪsə(ʊ)'biːdiənt] *adj* ungehorsam; **to be** ~ **to sb** jdm nicht gehorchen

disobey [ˌdɪsə(ʊ)'beɪ] **I.** *vt* nicht befolgen; **to** ~ **sb** jdm nicht gehorchen **II.** *vi* ungehorsam sein

disorder [dɪ'sɔː'dər] *n* **1.** *no pl* Unordnung *f;* **to retreat in** ~ sich ungeordnet zurückziehen **2.** MED [Funktions] störung *f;* **circulatory** ~ Kreislaufstörung *f* **3.** *no pl* (*riot*) Aufruhr *m;* **civil** ~ Bürgerunruhen *pl*

disorderly [dɪ'sɔː'dəli] *adj* unordentlich; (*unruly*) aufrührerisch

disorganized [dɪ'sɔː'gənaɪzd] *adj* schlecht organisiert; *person* unordentlich

dispenser [dɪ'spensər] *n* Automat *m*

display [dɪ'spleɪ] **I.** *vt* **1.** (*on board*) aushängen; (*in shop window*) auslegen **2.** (*demonstrate*) zeigen; (*flaunt*) zur Schau stellen **II.** *n* **1.** (*in shop*) Auslage *f* **2.** (*performance*) Vorführung *f;* (*demonstration*) Demonstration *f* **3.** COMPUT Display *nt*

display window *n* Schaufenster *nt*

displeasure [dɪs'pleʒər] *n no pl* Missfallen *nt* (**at** über)

disposable [dɪ'spəʊzəbl] **I.** *adj* **1.** ~ **nappy** Wegwerfwindel *f;* ~ **razor** Einwegrasierer *m* **2.** (*available*) verfügbar **II.** *n* ~**s** *pl* Wegwerfartikel *pl*

disqualification [dɪˌskwɒlɪfɪˈkeɪʃᵊn] *n* Ausschluss *m;* SPORTS Disqualifikation *f*

disqualify <-ie-> [dɪ'skwɒlɪfaɪ] *vt* ausschließen; SPORTS disqualifizieren; **to** ~ **sb from driving** jdm den Führerschein entziehen

disquieting [dɪ'skwaɪətɪŋ] *adj* (*form*) beunruhigend

disrespect [ˌdɪsrɪ'spekt] **I.** *n no pl* Respektlosigkeit *f* (**for** gegenüber) **II.** *vt* AM (*fam*) beleidigen

disrespectful [ˌdɪsrɪ'spektfᵊl] *adj* respektlos

disrupt [dɪs'rʌpt] *vt* stören

disruption [dɪs'rʌpʃᵊn] *n* **1.** Unterbrechung *f* **2.** *no pl* Störung *f*

disruptive [dɪs'rʌptɪv] *adj* störend; ~ **influence** Störelement *nt;* (*person*) Unruhestifter *m*

dissatisfaction [dɪsˌsætɪs'fækʃᵊn] *n no pl* Unzufriedenheit *f*

dissatisfied [dɪs'sætɪsfaɪd] *adj* unzufrieden

dissolve [dɪ'zɒlv] **I.** *vi* sich auflösen; **to** ~ **in[to] giggles** loskichern **II.** *vt* [auf] lösen; (*annul*) auflösen

dissuade [dɪ'sweɪd] *vt* abbringen

(**from** von)

distance [ˈdɪstᵊn(t)s] **I.** *n* **1.** (*route*) Strecke *f* **2.** (*measure*) Entfernung *f;* [**with**]**in shouting** ~ in Rufweite **3.** *no pl* (*remoteness*) Ferne *f;* **from a** ~ von weitem **4.** (*fig: aloofness*) Distanz *f kein pl* **II.** *vt* **to** ~ **oneself** sich distanzieren

distant [ˈdɪstᵊnt] *adj* fern; (*aloof*) unnahbar

distasteful [dɪˈsteɪstfᵊl] *adj* abscheulich

distillery [dɪˈstɪlᵊri] *n* Brennerei *f*

distinct [dɪˈstɪŋ(k)t] *adj* **1.** verschieden; **to be** ~ **from sth** sich von etw *dat* unterscheiden **2.** (*clear*) deutlich

distinctive [dɪˈstɪŋ(k)tɪv] *adj* charakteristisch

distinguish [dɪˈstɪŋgwɪʃ] **I.** *vi* unterscheiden **II.** *vt* **1.** unterscheiden; (*positively*) abheben **2.** (*discern*) ausmachen [können]

distinguished [dɪˈstɪŋgwɪʃt] *adj* **1.** hervorragend; *person* von hohem Rang *nach n;* **to be** ~ **for sth** sich durch etw *akk* auszeichnen **2.** (*stylish*) distinguiert

distort [dɪˈstɔːt] *vt* verzerren; (*fig*) verdrehen

distract [dɪˈstrækt] *vt* ablenken

distracted [dɪˈstræktɪd] *adj* verwirrt; (*worried*) besorgt

distress [dɪˈstres] **I.** *n no pl* (*pain*) Leid *nt;* (*anguish*) Kummer *m;* (*despair*) Verzweiflung *f;* (*exhaustion*) Erschöpfung *f;* (*emergency*) Not *f* **II.** *vt* quälen

distressed [dɪˈstrest] *adj* **1.** bekümmert; (*shocked*) erschüttert (**at** über) **2.** (*in difficulties*) **to be** ~ in Not sein

distressing [dɪˈstresɪŋ] *adj* erschreckend; (*painful*) schmerzlich

distribute [dɪˈstrɪbjuːt, BRIT *a.* ˈdɪstrɪ-] *vt* verteilen; *goods* vertreiben; **widely** ~**d** weit verbreitet

distribution [ˌdɪstrɪˈbjuːʃᵊn] *n no pl* **1.** (*sharing*) Verteilung *f* **2.** (*scattering*) Verbreitung *f* **3.** ECON Vertrieb *m*

district [ˈdɪstrɪkt] *n* Gebiet *nt;* (*municipal*) Bezirk *m*

district attorney *n* AM Staatsanwalt, Staatsanwältin *m, f* **district council** *n* BRIT Bezirksamt *nt*

distrust [dɪsˈtrʌst] **I.** *vt* misstrauen +*dat* **II.** *n no pl* Misstrauen *nt* (**of** gegen)

distrustful [dɪsˈtrʌstfᵊl] *adj* misstrauisch (**of** gegen)

disturb [dɪˈstɜːb] **I.** *vt* stören; (*worry*) beunruhigen; (*disarrange*) durcheinanderbringen **II.** *vi* "**do not** ~" „bitte nicht stören"

disturbance [dɪˈstɜːbᵊn(t)s] *n* **1.** *no pl* Belästigung *f* **2.** (*distraction*) Störung *f*

disturbed [dɪˈstɜːbd] *adj* beunruhigt; PSYCH [geistig] verwirrt

disused [dɪsˈjuːzd] *adj* ungenutzt; *building* leer stehend; *warehouse* stillgelegt

ditch [dɪtʃ] **I.** *n* < -es> Graben *m* **II.** *vt* (*fam*) wegwerfen; **to** ~ **sb** jdm den Laufpass geben

dither [ˈdɪðəʳ] **I.** *n no pl* **in a** ~ ganz aufgeregt **II.** *vi* schwanken

ditto [ˈdɪtəʊ] *adv* dito; (*me too*) ich auch

dive [daɪv] **I.** *n* **1.** [Kopf]sprung *m; of plane* Sturzflug *m; of prices* [Preis]sturz *m;* **to take a** ~ fallen **2.** (*dash*) **to make a** ~ **for sth** einen [Hecht]sprung nach etw *dat* machen **3.** (*setback*) **to take a** ~ einen Schlag erleiden **II.** *vi* <dived *or* AM dove, dived *or* AM dove> einen Kopfsprung ins Wasser machen; *plane, bird* einen Sturzflug machen; (*underwater*) tauchen

diver ['daɪvə'] *n* **1.** Taucher(in) *m(f)* **2.** (*bird*) Taucher *m*

diverse ['daɪvɜːs] *adj* **1.** (*varied*) vielfältig **2.** (*unalike*) unterschiedlich

diversion [daɪ'vɜːʃ°n] *n* **1.** (*rerouting*) Verlegung *f* **2.** (*distraction*) Ablenkung *f*

divert [daɪ'vɜːt] *vt* **1.** (*reroute*) verlegen; *traffic* umleiten; *funds* anders einsetzen **3.** (*distract*) ablenken

divide [dɪ'vaɪd] **I.** *n* (*gulf*) Kluft *f;* (*boundary*) Grenze *f;* AM (*watershed*) Wasserscheide *f* **II.** *vt* teilen; (*share*) aufteilen; MATH teilen (**by** durch); (*separate*) trennen; (*disunite*) spalten **III.** *vi* sich teilen; MATH dividieren ◆ **divide off** *vt* [ab]teilen ◆ **divide up I.** *vt* aufteilen **II.** *vi* sich teilen

divided [dɪ'vaɪdɪd] *adj* uneinig

dividend ['dɪvɪdend] *n* Dividende *f;* (*fig*) **to pay ~s** sich bezahlt machen

diving ['daɪvɪŋ] *n no pl* Tauchen *nt;* **to go ~** tauchen gehen

diving board *n* Sprungbrett *nt*

division [dɪ'vɪʒ°n] *n* **1.** *no pl* Verteilung *f;* (*breakup*) Teilung *f* **2.** (*section*) Teil *m* **3.** MATH Division *f* **4.** (*department*) Abteilung *f;* MIL Division *f;* (*league*) Liga *f*

divorce [dɪ'vɔːs] **I.** *n* Scheidung *f* **II.** *vt* **1. to ~ sb** sich von jdm scheiden lassen **2. to ~ oneself from sth** sich von etw *dat* trennen

divorcee [dɪ'vɔːsiː] *n* Geschiedene(r) *f(m)*

DIY [ˌdiːaɪ'waɪ] *n no pl* BRIT, AUS *abbrev*

of **do-it-yourself** Heimwerken *nt*

dizzy ['dɪzi] *adj* **1.** schwindlig; *height* Schwindel erregend; **~ spells** Schwindelanfälle *pl* **2.** (*fam: silly*) einfältig

DNA [ˌdiːen'eɪ] *n no pl abbrev of* **deoxyribonucleic acid** DNS *f*

do <does, did, done> [duː] **I.** *aux vb* **1.** (*negating verb*) **Tony ~esn't like olives** Tony mag keine Oliven; **I ~n't smoke** ich rauche nicht; **it ~esn't matter** das macht nichts **2.** (*forming question*) **~ you like children?** magst du Kinder?; **did he see you?** hat er dich gesehen? **3.** (*emphasizing*) **~ come to our party** ach komm doch zu unserer Party; **can I come? — please ~!** kann ich mitkommen? — aber bitte! **4.** (*replacing verb*) **she runs faster than he ~es** sie läuft schneller als er; **who did this? — I did!/didn't!** wer hats getan? — ich!/ich nicht! **6.** (*requesting affirmation*) **you don't know, ~ you?** Sie wissen es nicht, stimmts? **II.** *vt* **1.** machen; **just ~ it!** machs einfach!; **that was a stupid thing to ~** das war dumm!; **what does your father ~?** was macht dein Vater beruflich?; **to ~ the cooking/shopping** kochen/einkaufen; **to ~ the dishes** das Geschirr abspülen **2.** (*solve*) lösen; **to ~ sums** rechnen **3.** (*mimic*) nachmachen **4.** (*fam: cheat*) übers Ohr hauen **III.** *vi* **1.** (*behave*) **to ~ well to do sth** gut daran tun, etw zu tun; **~ as I ~** machs wie ich; **~ as you're told** tu, was man dir sagt **2.** (*fare*) **sb is ~ing badly/fine** jdm geht es schlecht/gut; **mother and baby are ~ing well** Mutter und Kind sind wohlauf **3.** (*fam: finish*) **have**

you done [with it]? bist du fertig [damit]? **4.** (*suffice*) **that'll ~** das ist o.k. so; **will £10 ~?** reichen 10 Pfund?; **this kind of behaviour just won't ~!** so ein Verhalten geht einfach nicht an! ▸ **that will ~** jetzt reichts aber!; **how do you ~?** (*form: as introduction*) angenehm ◆ **do down** *vt* schlechtmachen ◆ **do in** *vt* (*sl*) kaltmachen; **to ~ oneself in** sich umbringen ◆ **do up** *vt* **1.** (*close*) zumachen; *shoes* zubinden; *zip* zuziehen; **to ~ up one's hair** sich *dat* die Haare hochstecken **2.** (*adorn*) herrichten **3.** (*dress*) **to ~ oneself up** sich zurecht machen ◆ **do with** *vi* **1.** BRIT (*fam: need*) brauchen **3.** (*deal with*) **it's to ~ with sth** es handelt sich um etw *akk* ◆ **do without** *vi* auskommen ohne; (*prefer not*) verzichten auf

doc [dɒk] *n* (*fam*) *short for* **doctor** Arzt, Ärztin *m, f*

dock¹ [dɒk] **I.** *n* Dock *nt;* AM (*pier*) Kai *m;* **the ~s** *pl* die Hafenanlagen *pl* **II.** *vi* anlegen **III.** *vt* eindocken; AEROSP aneinanderkoppeln

dock² [dɒk] *n no pl esp* BRIT **to be in the ~** auf der Anklagebank sitzen

dock³ [dɒk] *vt* kürzen (**by** um)

doctor ['dɒktər] **I.** *n* **1.** Arzt, Ärztin *m, f;* **at the ~'s** beim Arzt/bei der Ärztin **2.** (*academic*) Doktor *m* **II.** *vt* **1.** (*falsify*) fälschen **2.** (*poison*) vergiften **3.** AM mit Alkohol versetzen

doctorate ['dɒktªrət] *n* Doktor[titel] *m*

document ['dɒkjəmənt] **I.** *n* Dokument *nt;* **travel ~s** Reisepapiere *pl* **II.** *vt* dokumentieren

documentary [ˌdɒkjə'mentªri] *n* Dokumentarfilm *m* (**on** über), Doku *f fam*

docusoap ['dɒkjuːsəʊp] *n* Doku-Soap *f*

dodge [dɒdʒ] **I.** *vt, vi* ausweichen; (*evade*) sich entziehen; *the draft* sich drücken vor **II.** *n* (*fam*) Trick *m*

dodgy ['dɒdʒi] *adj* BRIT, AUS (*fam*) zweifelhaft; (*dishonest*) unehrlich; *weather* unbeständig

does [dʌz, dəz] *vt, vi, aux vb 3rd pers sing of* **do**

doesn't [dʌzªnt] = *see* **does not** *see* **do I, II**

dog [dɒg] **I.** *n* **1.** Hund *m;* **good ~!** braver Hund! **2.** *pl* (*fam*) **the ~s** das Hunderennen **3.** (*fam*) **the [dirty] ~!** der (*gemeine*) Hund! **II.** *vt* <-gg-> ständig verfolgen; (*beset*) begleiten

dog collar *n* Hundehalsband *nt;* (*fam: of vicar*) Halskragen *m* [eines Geistlichen] **dog walker** *n* Hundeausführer(in) *m(f)*

doing ['duːɪŋ] *n* **1.** *no pl* **to be sb's ~** jds Werk sein **2.** *pl* **~s** Tätigkeiten *pl*

do-it-yourself [ˌduːɪtjɔː'self] *n no pl see* **DIY**

dole [dəʊl] **I.** *n* **the ~** Arbeitslosengeld *nt* **II.** *vt* **to ~ out** sparsam austeilen (**to** an)

doll [dɒl] **I.** *n* **1.** Puppe *f* **2.** (*fam: woman*) Puppe *f* **II.** *vt* **to ~ oneself up** sich herausputzen

dollar ['dɒlər] *n* Dollar *m*

dolly ['dɒli] *n* Püppchen *nt;* FILM Dolly *m*

dolphin ['dɒlfɪn] *n* Delfin *m*

dome [dəʊm] *n* Kuppel *f*

domestic [də'mestɪk] *adj* **1.** (*household*) häuslich; **~ work** Hausarbeit *f* **2.** ECON, POL inländisch; **~ airline** Inlandsfluggesellschaft *f;* **~ market** Binnenmarkt *m;* **~ policy** Innenpolitik *f;* **~ product** einheimisches Produkt

D

domestic violence *n* Gewalt *f* in der Familie

dominate ['dɒmɪneɪt] **I.** *vt* beherrschen; PSYCH dominieren; **they ~d the rest of the match** sie gingen für den Rest des Spieles in Führung **II.** *vi* dominieren

Dominican Republic *n* Dominikanische Republik

don't [dəʊnt] *see* do not *see* do I, II

donate [də(ʊ)'neɪt] *vt, vi* spenden (**to** für)

donation [də(ʊ)'neɪʃ°n] *n* **1.** [Geld]spende *f;* (*endowment*) Stiftung *f;* **~s to political parties** Parteispenden *pl* **2.** *no pl* Spenden *nt*

done [dʌn] *pp of* do

donkey ['dɒŋki] *n* Esel *m*

donor ['dəʊnə'] *n* Spender(in) *m(f);* (*for large sums*) Stifter(in) *m(f)*

doodle ['du:dl] **I.** *vi* vor sich *akk* hinkritzeln **II.** *n* Gekritzel *nt kein pl*

door [dɔ:'] *n* **1.** Tür *f;* **at the ~** an der Tür; **out of ~s** im Freien; **two ~s away** zwei Häuser weiter; **to close the ~ on sth** (*fig*) etw ausschließen

doorbell *n* Türklingel *f* **doorman** *n* Portier *m* **doormat** *n* **1.** Fußmatte *f,* Fußabstreifer *m bes* SÜDD **2.** (*fig, pej: person*) Waschlappen *m* **doorstep** *n* Türstufe *f;* **right on the ~** (*fig*) direkt vor der Haustür **doorway** *n* [Tür]eingang *m;* **in the ~** in der Tür

dormitory ['dɔ:mɪt°ri] *n* Schlafsaal *m*

dosage ['dəʊsɪʤ] *n* Dosis *f*

dose [dəʊs] *n* Dosis *f;* **in small ~s** in kleinen Mengen

dosser ['dɒsə'] *n* BRIT (*pej fam*) Penner(in) *m(f);* (*idler*) Faulenzer(in) *m(f)*

dot [dɒt] **I.** *n* Punkt *m;* (*on material*) Tupfen *m;* **at eight o'clock on the ~**

Punkt acht Uhr **II.** *vt* <-tt-> *usu passive* **to be ~ted with sth** mit etw *dat* übersät sein

double ['dʌbl] **I.** *adj* **1.** doppelt; (*two-part*) Doppel-; **his salary is ~ what I get** sein Gehalt ist doppelt so hoch wie meins; **~ the price** doppelt so teuer; **~ door[s]** Flügeltür *f* **2. to lead a ~ life** ein Doppelleben führen; **to have a ~ meaning** doppeldeutig sein **II.** *adv* doppelt so viel; **to charge sb ~** jdm das Doppelte berechnen; **to see ~** doppelt sehen; **bent ~** in gebückter Haltung; **he was bent ~** er krümmte sich vor Lachen/Schmerz **III.** *n* **1.** *no pl* das Doppelte; (*whisky, gin*) Doppelte(r) *m* **2.** (*twin*) Doppelgänger(in) *m(f);* (*stuntman*) Double *nt* **3. ~s** *pl* Doppel[spiel] *nt;* **mixed ~s** gemischtes Doppel ▶ **~ or quits** doppelt oder nichts; **at the ~** im Eiltempo **IV.** *vt* verdoppeln **V.** *vi* sich verdoppeln ◆ **double back** *vi* kehrtmachen ◆ **double up** *vi* **1.** sich krümmen **2.** *flatmates* sich *dat* ein Zimmer teilen

double bass *n* Kontrabass *m* **double bed** *n* Doppelbett *nt* **double-check** *vt* (*again*) noch einmal überprüfen; (*in two ways*) zweifach überprüfen **double-cross I.** *vt* **to ~ sb** mit jdm ein falsches Spiel treiben **II.** *n* <*pl* -es> Doppelspiel *nt* **double-decker** *n* Doppeldecker *m* **double-glazing** *n no pl* Doppelverglasung *f* **double-park** *vt, vi* in der zweiten Reihe parken

doubt [daʊt] **I.** *n* **1.** *no pl* Zweifel *m* (**about** an); **no ~** zweifellos; **without [a] ~** ohne jeden Zweifel **2. doubts** *pl* Bedenken *pl* **II.** *vt* (*question*) anzweifeln; *witness* nicht glauben; (*distrust*) misstrauen; *evidence* Zweifel haben an + *dat;* **to ~ that ...** bezweifeln, dass ...; **to ~ whether ...** zweifeln, ob ...

doubtful ['daʊtf°l] *adj* zweifelnd; (*uncertain*) unsicher; (*unlikely*) fraglich; **to be ~ about sth** über etw *akk* im Zweifel sein; **to be ~ whether ...** zweifelhaft sein, ob ...

doubtless ['daʊtləs] *adv* sicherlich

dough [dəʊ] *n* **1.** Teig *m* **2.** *no pl esp* AM (*sl: money*) Knete *f*

doughnut ['dəʊnʌt] *n* [Berliner] Pfannkuchen *m*

dove¹ [dʌv] *n* [weiße] Taube

dove² [dəʊv] *vi* AM *pt of* **dive**

down¹ [daʊn] **I.** *adv* **1.** (*to lower*) hinunter/herunter; (*at lower*) unten; **~ here/there** hier/dort unten **2.** (*not up*) nach unten; **head ~** mit dem Kopf nach unten **3.** (*away from centre*) außerhalb; **he has a house ~ by the harbour** er hat ein Haus draußen am Hafen **4.** (*fam: unlucky*) unten; **to be ~ on one's luck** eine Pechsträhne haben; **to kick sb when he's ~** jdn treten, wenn er schon am Boden liegt **5.** (*ill*) **to be ~ with sth** an etw *dat* erkrankt sein; **she's ~ with flu** sie liegt mit einer Grippe im Bett; **to come ~ with sth** etw kriegen **6.** (*less*) **he was only $50 ~** er hatte erst 50 Dollar verloren; **to get the price ~** den Preis drücken **7.** (*onwards*) **from the mayor ~** angefangen beim Bürgermeister **8.** (*on paper*) **to have sth ~ in writing** etw schriftlich haben; **to get sb ~ for sth** jdn für etw *akk* vormerken **9.** (*in advance*) als Anzahlung; **to pay £100 ~** 100 Pfund anzahlen **10.** (*attributable*) **to be ~ to sth** auf etw *akk* zurückzuführen sein; **to be ~**

to sb jds Sache sein; **it's all ~ to you now** nun ist es an Ihnen **II.** *prep* **1.** hinunter/herunter; **up and ~ the stairs** die Treppe rauf und runter; **~ the sink** in den Abfluss; **to come/go ~ the mountain** den Berg herunter-/ hinuntersteigen **2.** (*along*) entlang; **her hair reached ~ her back** ihre Haare bedeckten ihren ganzen Rücken; **~ the river** flussabwärts **3. ~ the centuries** die Jahrhunderte hindurch; **~ the generations** über Generationen hinweg **III.** *adj* <more down, most down> (*fam*) down *fam* **IV.** *vt* **1.** (*knock down*) zu Fall bringen; BOXING niederschlagen; (*shoot down*) abschießen **2.** (*drink*) hinunterkippen **V.** *n* **we've had our ups and ~s** wir haben schon Höhen und Tiefen durchgemacht **VI.** *interj* **~ with taxes!** weg mit den Steuern!; **~ with the dictator!** nieder mit dem Diktator!

down² [daʊn] *n no pl* Daunen *pl;* **~ quilt** Daunendecke *f*

downfall *n* Untergang *m; of government* Sturz *m;* (*cause*) Ruin *m;* **drinking was his ~** das Trinken hat ihn ruiniert

downhearted *adj* niedergeschlagen

downhill I. *adv* bergab; **to go ~** heruntergehen; *road, path* bergab führen **II.** *adj* **it's all ~ from here** von hier geht es nur noch bergab; **to be ~ [all the way]** leichter werden

downlighter *n* Lampe *f* mit Lichtaustritt nach unten **download** *vt* COMPUT herunterladen (**to** auf) **down payment** *n* Anzahlung *f* **downpour** *n* Regenguss *m,* Platzregen *m*

downright *adj, adv* ausgesprochen; *lie* glatt; *nonsense* komplett **downstairs**

I. *adv* die Treppe hinunter; **there's a man** ~ unten steht ein Mann **II.** *adj* (*one floor down*) im unteren Stockwerk *nach n;* (*on ground floor*) im Erdgeschoss *nach n;* **there's a ~ bathroom** unten gibt es ein Badezimmer **downstream I.** *adv* stromabwärts **II.** *adj* stromabwärts gelegen

down-to-earth *adj* nüchtern **downtown** *n no pl, no art* AM die Innenstadt

downward ['daʊnwəd] *adj* nach unten [gerichtet]; **to be on a ~ trend** sich im Abwärtstrend befinden

doze [dəʊz] **I.** *n* Nickerchen *nt;* **to have a ~** ein Nickerchen machen **II.** *vi* dösen

dozen ['dʌzªn] *n* Dutzend *nt;* **half a ~** ein halbes Dutzend; **two ~ people** zwei Dutzend Leute ▶ **to talk** <u>nineteen</u> **to the ~** reden wie ein Wasserfall

drab <-bb-> [dræb] *adj* trist; *colours* trüb

draft [drɑːft] **I.** *n* **1.** Entwurf *m;* **rough ~** Rohentwurf *m* **2.** *no pl* (*conscript*) Einberufung *f* **II.** *adj* **1.** ~ **contract** Vertragsentwurf *m* **2.** (*conscription*) Einberufungs- **III.** *vt* **1.** entwerfen; *bill* verfassen **2.** **to ~ sb into the army** jdn zum Wehrdienst einberufen

drafty *adj* AM *see* **draughty**

drag [dræg] **I.** *n no pl* **1.** **a ~ on sb** ein Klotz an jds Bein **2.** (*fam*) **what a ~!** so'n Mist! *sl* **3.** (*fam: clothes*) Fummel *m* **II.** *vt* <-gg-> **1.** ziehen; **to ~ one's heels** schlurfen; (*fig*) sich *dat* Zeit lassen **2.** (*force*) schleifen; **I don't want to ~ you away** ich will dich hier nicht wegreißen; **to ~ sth out of sb** etw aus jdm herausbringen; **to ~ the truth out of sb** jdm die

Wahrheit entlocken **3.** (*involve*) **to ~ sb into sth** jdn in etw *akk* hineinziehen **III.** *vi* <-gg-> **1.** schleifen **2.** (*proceed*) sich [da]hinziehen; **to ~ to a close** schleppend zu Ende gehen ◆ **drag behind** *vi* trödeln ◆ **drag down** *vt* **1.** herunterziehen; **to ~ sb down with one** jdn mit sich *dat* reißen **2.** (*depress*) zermürben ◆ **drag on** *vi* sich [da]hinziehen ◆ **drag out** *vt* in die Länge ziehen ◆ **drag up** *vt* (*fam*) wieder ausgraben

dragon ['drægªn] *n* **1.** Drache *m* **2.** (*pej: woman*) Drachen *m* **3.** AUS (*lizard*) Eidechse *f*

dragonfly *n* Libelle *f*

drain [dreɪn] **I.** *n* **1.** Rohr *nt;* (*under sink*) Abflussrohr *nt;* (*at roadside*) Gully *m;* **to be down the ~** (*fig*) für immer verloren sein **2.** (*plumbing*) ~**s** *pl* Kanalisation *f* **3.** (*strain*) Belastung *f* (**on** für) **II.** *vt* **1.** entwässern; *vegetables* abgießen; *noodles, rice* abtropfen lassen **2.** (*tire*) [völlig] auslaugen **III.** *vi* **1.** (*flow*) ablaufen **2.** (*dry*) abtropfen ◆ **drain away** *vi* ablaufen; (*fig*) [dahin]schwinden ◆ **drain off** *vt* abgießen; *noodles, rice* abtropfen lassen

draining board ['dreɪnɪŋ-] *n* Abtropfbrett *nt*

drainpipe *n* Regenrohr *nt;* (*for sewage*) Abflussrohr *nt*

drama ['drɑːmə] **I.** *n* **1.** *no pl* Schauspielkunst *f* **2.** Drama *nt;* **television ~** Fernsehspiel *nt* **II.** *adj* ~ **critic** Theaterkritiker(in) *m(f);* ~ **school** Schauspielschule *f*

dramatic [drə'mætɪk] *adj* dramatisch; (*theatrical*) theatralisch; ~ **irony** tragische Ironie; ~ **poetry** dramatische Dichtung

dramedy ['dræmədi] *n* AM *Film oder Fernsehserie, deren Handlung als Komödie angelegt ist*

drank [dræŋk] *pt of* **drink**

drastic ['dræstɪk] *adj* drastisch; *change* radikal

draught [drɑːft] I. *n* 1. [Luft]zug *m kein pl;* **there's a** ~ es zieht; **to sit in a** ~ im Zug sitzen 2. *no pl* **on** ~ vom Fass 3. BRIT, AUS ~**s** *pl* Damespiel *nt* II. *adj* ~ **beer** Fassbier *nt;* ~ **animal** Zugtier *nt*

draughty ['drɑːfti] *adj* zugig

draw [drɔː] I. *n* 1. Unentschieden *nt;* **to end in a** ~ unentschieden enden 2. *of lots* Verlosung *f* II. *vt* <drew, -n> 1. zeichnen; *line* ziehen; **I** ~ **the line there** (*fig*) da ist bei mir Schluss 2. (*depict*) darstellen 3. (*pull*) ziehen; *money* abheben; *water* holen; **to** ~ **a** [deep] **breath** [tief] Luft holen; **to** ~ **the curtains** die Vorhänge zuziehen/aufziehen 4. (*attract*) anlocken; *anger, attention* auf sich *akk* ziehen 5. **to** ~ **sb into sth** jdn in etw *akk* hineinziehen 6. (*select*) ziehen; **to** ~ **lots for sth** um etw *akk* losen III. *vi* <drew, -n> 1. zeichnen 2. (*move*) **to** ~ **closer** sich nähern; **to** ~ **alongside sth** mit etw *dat* gleichziehen; **to** ~ **apart** sich voneinander trennen; **to** ~ **away** wegfahren 3. (*approach*) **to** ~ **to a close** zu Ende gehen; **to** ~ **near**[**er**] näher rücken 4. SPORTS unentschieden spielen; **they drew 1–1** sie trennten sich 1:1 unentschieden ◆ **draw aside** *vt* zur Seite ziehen; *person* beiseitenehmen ◆ **draw in** I. *vi* 1. *train* einfahren; *car* anhalten 2. *days* kürzer werden II. *vt* 1. (*involve*) hineinziehen 2. **to** ~ **in a** [deep] **breath** [tief] Luft holen ◆ **draw off** *vt* 1. *liquid* ablassen 2. *gloves* ausziehen ◆ **draw out** I. *vt* 1. herausziehen; *money* abheben 2. (*prolong*) in die Länge ziehen 3. (*lure*) aus der Reserve locken II. *vi* 1. *train* ausfahren 2. (*lengthen*) länger werden ◆ **draw up** I. *vt* 1. aufsetzen; *agenda, list, syllabus* aufstellen; *guidelines* festlegen; *plan* entwerfen 2. (*pull up*) heranziehen; ~ **up a chair!** hol dir doch einen Stuhl! II. *vi car* vorfahren; *train* einfahren

drawback *n* Nachteil *m*

drawer[1] ['drɔːʳ] *n* Schublade *f;* **chest of** ~**s** Kommode *f*

drawer[2] ['drɔːəʳ] *n* Zeichner(in) *m(f);* (*issuer*) Aussteller(in) *m(f)*

drawing ['drɔːɪŋ] *n* 1. *no pl* Zeichnen *nt* 2. Zeichnung *f*

drawing board *n* Zeichenbrett *nt;* **to go back to the** ~ (*fig*) noch einmal von vorn anfangen **drawing pin** *n* BRIT, AUS Reißzwecke *f* **drawing room** *n* (*form*) Wohnzimmer *nt*

drawn [drɔːn] I. *pp of* **draw** II. *adj* 1. (*tired*) abgespannt 2. ~ **game** Unentschieden *nt*

dread [dred] I. *vt* sich fürchten vor +*dat;* **to** ~ **doing sth** [große] Angst haben, etw zu tun II. *n no pl* Furcht *f;* **to live in** ~ **of sth** in [ständiger] Angst vor etw *dat* leben; **to fill sb with** ~ jdn mit Angst und Schrecken erfüllen

dreadful ['dredfəl] *adj* schrecklich; *quality* miserabel; **I feel** ~ ich fühle mich scheußlich

dreadfully ['dredfəli] *adv* schrecklich; (*very*) furchtbar; **he was** ~ **upset** er hat sich furchtbar aufgeregt; **I'm** ~ **sorry** es tut mir schrecklich leid

D

dream [dri:m] I. *n* Traum *m;* **to have a ~ [about sth]** [von etw] träumen; **to be in a ~** vor sich *akk* hinträumen; **in your ~s!** du träumst wohl! II. *adj* Traum- III. *vi, vt* <dreamt *or* dreamed, dreamt *or* dreamed> träumen; **~ on!** (*iron*) träum [nur schön] weiter! ◆ **dream up** *vt* sich *dat* ausdenken

dreamt [drem(p)t] *pt, pp of* **dream**

dreary [drɪəri] *adj* trostlos; *day* trüb; (*monotonous*) eintönig

drench [dren(t)ʃ] *vt* durchnässen; **~ed to the skin** nass bis auf die Haut; **~ed in sweat** schweißgebadet

dress [dres] I. *n* <*pl* -es> 1. Kleid *nt* 2. *no pl* (*clothing*) Kleidung *f* II. *vi* sich anziehen III. *vt* 1. **to ~ sb/oneself** jdn/sich anziehen 2. *salad* anmachen 3. (*bandage*) verbinden ◆ **dress down** I. *vi* sich leger anziehen II. *vt* zurechtweisen ◆ **dress up** I. *vi* sich fein anziehen; (*disguise*) sich verkleiden II. *vt* verkleiden; (*improve*) verschönern

dress circle *n* erster Rang

dressing [dresɪŋ] *n* 1. *no pl* Anziehen *nt* 2. (*for salad*) Dressing *nt* 3. (*bandage*) Verband *m*

dressing gown *n* Bademantel *m* **dressing table** *n* Frisierkommode *f*

dress rehearsal *n* THEAT Generalprobe *f*

drew [dru:] *pt of* **draw**

dribble [drɪbl] I. *vi* 1. (*trickle*) tropfen; *baby* sabbern 2. SPORTS dribbeln II. *vt* dribbeln mit III. *n* 1. *no pl* Sabber *m* 2. SPORTS Dribbling *nt kein pl*

dried [draɪd] I. *pt, pp of* **dry** II. *adj* getrocknet; **~ flowers** Trockenblumen *pl;* **~ fruit** Dörrobst *nt*

drift [drɪft] I. *vi* treiben; *balloon* schwe-

ben; *mist, clouds* ziehen; *snow* angeweht werden; **to ~ out to sea** aufs offene Meer hinaustreiben; **to ~ along** (*fig*) sich treiben lassen; **to ~ away** *people* davonschlendern II. *n* 1. Strömen *nt; of snow* Verwehung *f;* (*trend*) Trend *m* 2. **to catch [or get] sb's ~** verstehen, was jd sagen will ◆ **drift apart** *vi* einander fremd werden ◆ **drift off** *vi* einschlummern

drill[1] [drɪl] I. *n* Bohrer *m* II. *vt, vi* bohren; **to ~ through sth** etw durchbohren

drill[2] [drɪl] I. *n* 1. Übung *f;* MIL Drill *m* 2. (*fam*) **what's the ~?** wie wird das gemacht?; **to know the ~** wissen, wie es geht II. *vt* exerzieren

drink [drɪŋk] I. *n* 1. Getränk *nt; (swallow)* Schluck *m;* **can I get you a ~?** kann ich Ihnen etwas zu trinken bringen?; **who's buying the ~s?** wer gibt die Runde aus?; **to have a ~** etwas trinken 2. *no pl* **smelling of ~** mit einer [Alkohol]fahne II. *vi, vt* <drank, drunk> trinken; **to ~ and drive** unter Alkoholeinfluss fahren; **I'll ~ to that** darauf trinke ich; **he ~s like a fish** er säuft wie ein Loch ◆ **drink in** *vt* [begierig] in sich *akk* aufnehmen

drinkable [drɪŋkəbl] *adj* trinkbar

drink-driving *n no pl* BRIT, AUS Trunkenheit *f* am Steuer

drinker [drɪŋkə[r]] *n* Trinker(in) *m(f)*

drinking water *n no pl* Trinkwasser *nt*

drip [drɪp] I. *vi* <-pp-> tropfen; (*in single drops*) tröpfeln II. *vt* <-pp-> [herunter]tropfen lassen; **to ~ blood** Blut verlieren III. *n* 1. *no pl* Tropfen *nt; of rain* Tröpfeln *nt* 2. (*drop*) Tropfen *m* 3. MED Tropf *m;* **to be on a ~** am Tropf hängen

dripping ['drɪpɪŋ] I. *adj* 1. tropfend; **to be ~** tropfen 2. (*wet*) klatschnass 3. (*hum, iron*) **to be ~ with sth** über und über mit etw *dat* behängt sein II. *adv* **~ wet** klatschnass III. *n* Schmalz *nt*

drive [draɪv] I. *n* 1. Fahrt *f;* **to go for a ~** eine Spazierfahrt machen; **a day's ~** eine Tagesfahrt; **an hour's ~ away** eine Autostunde entfernt 2. *no pl* (*energy*) Tatkraft *f;* (*vigour*) Schwung *m* 3. *no pl* PSYCH Trieb *m* 4. (*campaign*) Aktion *f;* **economy ~** Sparmaßnahmen *pl* 5. COMPUT Laufwerk *nt;* **hard ~** Festplatte *f* II. *vt* <drove, -n> 1. fahren; **to ~ a bus** einen Bus lenken; (*as job*) Busfahrer(in) *m(f)* sein 2. (*force on*) antreiben; **the wind drove the snow into my face** der Wind wehte mir den Schnee ins Gesicht; **to ~ sb from sth** jdn aus etw *dat* vertreiben; **he was ~n by greed** Gier bestimmte sein Handeln; **to ~ oneself too hard** sich *dat* zu viel zumuten 3. *engine* antreiben III. *vi* <drove, -n> 1. fahren; **to learn to ~** den Führerschein machen 2. *rain, snow* peitschen; *clouds* jagen ◆ **drive at** *vi* **what are you driving at?** worauf wollen Sie [eigentlich] hinaus? ◆ **drive off** I. *vt* (*expel*) vertreiben; (*repel*) zurückschlagen II. *vi* wegfahren ◆ **drive out** I. *vt* hinausjagen; (*fig*) austreiben II. *vi* hinausfahren/ herausfahren ◆ **drive up** I. *vt* hochtreiben II. *vi* vorfahren; **to ~ up to a ramp** an eine Rampe heranfahren

driven ['drɪvᵊn] I. *pp of* **drive** II. *adj* 1. (*ambitious*) ehrgeizig 2. (*powered*) angetrieben ▶ **as pure as the ~** snow so unschuldig wie ein Engel

driver ['draɪvər] *n* 1. Fahrer(in) *m(f);* *of train* Führer(in) *m(f)* 2. (*golf*) Driver *m*

driving ['draɪvɪŋ] I. *n no pl* Fahren *nt;* **drunk ~** Trunkenheit *f* am Steuer II. *adj* 1. **~ conditions** Straßenverhältnisse *pl* 2. *rain* peitschend 3. (*motivating*) treibend

driving ban *n* Fahrverbot *nt* **driving force** *n no pl* treibende Kraft **driving instructor** *n* Fahrlehrer(in) *m(f)* **driving lesson** *n* Fahrstunde *f;* **~s** *pl* Fahrunterricht *m* **driving licence** *n* BRIT Führerschein *m* **driving test** *n* Fahrprüfung *f*

drizzle ['drɪzl] I. *n no pl* Nieselregen *m;* (*small amount*) ein paar Spritzer *m* II. *vi* nieseln

droop [druːp] *vi* 1. schlaff herunterhängen; *flowers* die Köpfe hängen lassen 2. (*tire*) schlapp werden

drop [drɒp] I. *n* 1. (*vertical*) Gefälle *nt;* (*difference*) Höhenunterschied *m* 2. (*decrease*) Rückgang *m* 3. *of liquid* Tropfen *m;* **~s of paint** Farbspritzer *pl;* **~ by ~** tropfenweise 4. (*fam: drink*) Schluck *m* 5. (*sweet*) **fruit ~** Fruchtbonbon *nt;* ▶ **at the ~ of a hat** im Handumdrehen; **a ~ in the ocean** ein Tropfen auf den heißen Stein II. *vt* <-pp-> 1. fallen lassen; (*lower*) senken; *anchor* [aus]werfen; *bomb, leaflets* abwerfen; **to ~ a bombshell** (*fig*) eine Bombe platzen lassen 2. (*fam: send*) **to ~ sb a line** jdm ein paar Zeilen schreiben 3. (*dismiss*) entlassen; *team player* ausschließen (**from** aus) 4. (*give up*) aufgeben; **let's ~ the subject** lassen wir das Thema; **to ~ everything** alles stehen und liegen lassen 5. (*abandon*) fallen lassen 6. (*omit*) weglassen ▶ **to ~ sb right in it** jdn [ganz schön] reinreiten;

to let it ~ that ... beiläufig erwähnen, dass ... **III.** *vi* <-pp-> **1.** (*descend*) [herunter]fallen; (*lower*) sinken; *jaw* herunterklappen; *curtain* fallen; *prices, level* fallen **2.** (*fam: tire*) umfallen; **to be fit to ~** zum Umfallen müde sein; **~ dead!** (*fam*) scher dich zum Teufel! ◆ **drop behind** *vi* zurückfallen ◆ **drop down** *vi* herunterfallen; **to ~ down dead** tot umfallen ◆ **drop in** *vi* (*fam*) vorbeischauen (**on** bei) ◆ **drop off I.** *vt* (*fam*) *parcel* abliefern; *passenger* absetzen **II.** *vi* **1.** abfallen **2.** (*decrease*) zurückgehen; *wane* nachlassen **3.** (*fam: sleep*) einschlafen ◆ **drop out** *vi* ausscheiden; (*from society*) aussteigen

dropout *n* **1.** [Studien]abbrecher(in) *m(f)*; (*from school*) Schulabgänger(in) *m(f)* **2.** (*nonconventional*) Aussteiger(in) *m(f)*

drought [draʊt] *n* Dürre[periode] *f*

drove [drəʊv] *pt of* **drive**

drown [draʊn] **I.** *vt* ertränken; **to be ~ed** ertrinken ▶ **to ~ one's sorrows** seinen Kummer ertränken **II.** *vi* ertrinken

drowsy ['draʊzi] *adj* schläfrig; (*after waking*) verschlafen

drug [drʌg] **I.** *n* **1.** Medikament *nt* **2.** (*narcotic*) Droge *f*, Rauschgift *nt*; **to be on ~s** Drogen nehmen **3.** (*fig*) Droge *f* **II.** *vt* <-gg-> **to ~ sb** jdm Beruhigungsmittel verabreichen; (*secretly*) jdn unter Drogen setzen

drug addict *n* Drogensüchtige(r) *f(m)*

drug addiction *n no pl* Drogenabhängigkeit *f*

drum [drʌm] **I.** *n* **1.** Trommel *f*; **~s** *pl* (*kit*) Schlagzeug *nt* **2.** **~ of hooves** Pferdegetrappel *nt* **3.** (*vat*) Trommel *f*; **oil ~** Ölfass *nt* **II.** *vi* <-mm-> trommeln; (*on drum kit*) Schlagzeug spielen; **to ~ on sth** auf etw *akk* trommeln **III.** *vt* <-mm-> **to ~ one's fingers [on the table]** [mit den Fingern] auf den Tisch trommeln; **to ~ sth into sb** jdm etw einhämmern

drummer ['drʌmər] *n* Trommler(in) *m(f)*; (*on drum kit*) Schlagzeuger(in) *m(f)*

drunk [drʌŋk] **I.** *adj* **1.** betrunken; (*fig*) trunken; **~ driving** Trunkenheit *f* am Steuer; **blind ~** stockbetrunken; **to get ~** sich betrinken **II.** *n* Betrunkene(r) *f(m)* **III.** *vt, vi pp of* **drink**

dry [draɪ] **I.** *adj* <-ier, -iest *or* -er, -est> trocken; **as ~ as a bone** knochentrocken; **to go ~** austrocknen ▶ **to run** ~ unproduktiv werden **II.** *vt* <-ie-> trocknen; *fruit, meat* dörren; *dishes, face* abtrocknen; (*dry out*) austrocknen; **to ~ oneself** sich abtrocknen **III.** *vi* <-ie-> trocknen; (*dry up*) abtrocknen ◆ **dry up I.** *vi* austrocknen; *well* versiegen; *liquid* trocknen; (*towel*) abtrocknen; (*fig*) *funds* schrumpfen **II.** *vt* austrocknen; *dishes* abtrocknen

dry cleaner's *n* Reinigung *f*

dryer ['draɪər] *n* [Wäsche]trockner *m*; (*for hair*) Fön *m*; (*overhead*) Trockenhaube *f*

dry land *no pl n* Festland *nt*

DSL [ˌdiːesˈel] *n* INET, TELEC *acr for* **digital subscriber line** DSL *kein art*

dual ['djuːəl] *adj* doppelt; (*different*) zweierlei; **~ ownership** Miteigentümerschaft *f*; **~ role** Doppelrolle *f*

dual carriageway *n* BRIT ≈ Schnellstraße *f*

dub <-bb-> [dʌb] *vt* **1.** **to ~ sb a knight** jdn zum Ritter schlagen **2.** (*call*) nennen **3.** synchronisieren;

to ~ **into English** ins Englische übersetzen

dubious ['dju:biəs] *adj* fragwürdig; (*unsure*) unsicher; **to be/feel ~ about whether ...** bezweifeln, ob ...

duchess <*pl* -es> ['dʌtʃɪs] *n* Herzogin *f*

duck¹ [dʌk] *n* **1.** Ente *f* **2.** *no pl* BRIT (*fam*) Schätzchen *nt;* ▶ **to take to sth like a ~ to** <u>water</u> bei etw *dat* gleich in seinem Element sein

duck² [dʌk] **I.** *vi* to ~ [**down**] sich ducken; **to ~ under water** [unter]tauchen; **to ~ out of sight** sich verstecken **II.** *vt* **1.** to ~ **one's head** den Kopf einziehen; **to ~ one's head under water** den Kopf unter Wasser tauchen **2.** (*evade*) ausweichen +*dat*

due [dju:] **I.** *adj* **1.** fällig; **~ date** Fälligkeitstermin *m* **2. sb is ~ sth** jdm steht etw zu **3. with ~ care** mit der nötigen Sorgfalt; **after ~ consideration** nach reiflicher Überlegung; **with** [**all**] **~ respect** bei allem [gebotenen] Respekt **4. when's the next bus ~** [**to arrive/leave**]**?** wann kommt/fährt der nächste Bus?; **their baby is ~ soon** sie erwarten ihr Baby bald; **when are you ~?** wann ist es denn so weit?; **in ~ course** zu gegebener Zeit **5. ~ to sth** wegen [*o* auf Grund] einer S. *gen;* **to be ~ to sb/sth** jdm/etw zuzuschreiben sein **II.** *n* **1. to give sb his/her ~** jdm Gerechtigkeit widerfahren lassen **2. ~s** *pl* (*fees*) Gebühren *pl;* (*debts*) Schulden *pl* **III.** *adv* **~ north** genau nach Norden

dug [dʌg] *pt, pp of* **dig**

duke [dju:k] *n* Herzog *m*

dull [dʌl] **I.** *adj* langweilig; *colour* glanzlos; *sound* dumpf; *weather* trüb; **as ~ as ditchwater** stinklangweilig **II.** *vt* schwächen; *pain* betäuben

duly ['dju:li] *adv* gebührend; (*expectedly*) wie erwartet

dumb [dʌm] *adj* **1.** (*mute*) stumm **2.** *esp* AM (*fam*) dumm

dumbstruck *adj* sprachlos

dummy ['dʌmi] **I.** *n* **1.** Schaufensterpuppe *f;* (*crash test dummy*) Dummy *m;* **to stand there like a stuffed ~** (*fam*) wie ein Ölgötze dastehen **2.** (*substitute*) Attrappe *f* **3.** BRIT, AUS (*for baby*) Schnuller *m* **II.** *adj* (*duplicate*) nachgemacht; (*false*) falsch; **~ run** Probelauf *m* **III.** *vi* AM (*fam*) **to ~ up** dichthalten

dump [dʌmp] **I.** *n* Müll[ablade]platz *m;* (*fig, pej: messy place*) Dreckloch *nt;* (*badly run place*) Sauladen *m* **II.** *vt* **1.** (*offload*) abladen; **where can I ~ my coat?** wo kann ich meinen Mantel lassen? **2.** (*fam: abandon*) fallen lassen; (*unwanted*) loswerden; *suitor* den Laufpass geben

dumping ['dʌmpɪŋ] *n no pl* ECON Dumping *nt*

dumpling ['dʌmplɪŋ] *n* Knödel *m,* Kloß *m*

dune [dju:n] *n* Düne *f*

dungarees [ˌdʌŋgə'ri:z] *n pl* BRIT Latzhose *f;* AM Jeans[hose] *f*

dungeon ['dʌndʒən] *n* Verlies *nt*

duplicate I. *vt* ['dju:plɪkeɪt] (*copy*) eine zweite Anfertigung machen von +*dat;* (*repeat*) noch einmal machen **II.** *adj* ['dju:plɪkət] **~ key** Zweitschlüssel *m* **III.** *n* ['dju:plɪkət] Duplikat *nt;* *of document* Zweitschrift *f;* **in ~** in zweifacher Ausfertigung

durable ['djʊərəbl] *adj* strapazierfähig; (*long-lived*) dauerhaft

duration [ˌdjʊ(ə)'reɪʃ°n] *n no pl* Dauer *f;* *of film* Länge *f;* **for the ~** bis zum Ende

D

during ['djʊərɪŋ] *prep* während +*gen*

dusk [dʌsk] *n no pl* [Abend]dämmerung *f;* ~ **is falling** es dämmert; **after/at** ~ nach/bei Einbruch der Dunkelheit

dust [dʌst] **I.** *n no pl* Staub *m;* ▶ **to** <u>bite</u> **the** ~ ins Gras beißen; **to** <u>eat</u> **sb's** ~ AM von jdm abgehängt werden **II.** *vt* **1.** (*clean*) abstauben **2.** (*sprinkle*) bestäuben **III.** *vi* Staub wischen

dustbin *n* BRIT Mülltonne *f* **dustcart** *n* BRIT Müllwagen *m* **dust cover** *n* (*for furniture*) Schonbezug *m;* (*for devices*) Abdeckhaube *f;* (*on book*) Schutzumschlag *m*

duster ['dʌstə'] *n* Staubtuch *nt;* **feather** ~ Staubwedel *m*

dust jacket *n* Schutzumschlag *m* **dustman** *n* BRIT Müllmann *m* **dustpan** *n* Schaufel *f*

dusty ['dʌsti] *adj* staubig; *objects* verstaubt

Dutch [dʌtʃ] **I.** *adj* niederländisch **II.** *n* **1.** *no pl* Niederländisch *nt* **2. the** ~ *pl* die Niederländer **III.** *adv* **to go** ~ getrennte Kasse machen

duty ['dju:ti] *n* **1.** *no pl* Pflicht *f;* **out of** ~ aus Pflichtbewusstsein **2.** (*task*) Aufgabe *f*, Pflicht *f* **3.** *no pl* (*work*) Dienst *m;* **on/off** ~ im/nicht im Dienst **4.** (*revenue*) Zoll *m* (**on** auf); **customs duties** Zollabgaben *pl*

duty-free I. *adj* zollfrei **II.** *n* ~**s** *pl* zollfreie Waren

duvet ['dju:veɪ, 'du:-] *n* Steppdecke *f*, Daunendecke *f*

dwarf [dwɔːf] **I.** *n* <*pl* -s *or* dwarves> Zwerg(in) *m(f)* **II.** *vt* überragen; (*fig*) in den Schatten stellen

dye [daɪ] **I.** *vt* färben **II.** *n* Färbemittel *nt*

dying ['daɪɪŋ] *adj* sterbend; (*fig*) aussterbend

dyke [daɪk] *n* **1.** Deich *m;* (*channel*) [Abfluss]graben *m* **2.** (*fam*) Lesbe *f*

dynamic [daɪ'næmɪk] *adj* dynamisch

dynamite ['daɪnəmaɪt] *n no pl* Dynamit *nt*

E

E <*pl* -'s>, **e** <*pl* -'s> [i:] *n* E *nt*, e *nt;* ~ **flat** Es *nt*, es *nt;* ~ **sharp** Eis *nt*, eis *nt; see also* **A 1**

E *n no pl abbrev of* **east** O

each [i:tʃ] *adj, pron* jede(r, s); ~ **other** einander; ~ **and every one** jede(r, s) Einzelne; **500 miles** ~ **way** 500 Meilen in eine Richtung; **give the kids one piece** ~ gib jedem Kind ein Stück

eager <-er, -est> ['i:gə'] *adj* begierig (**for** auf); (*enthusiastic*) eifrig; **to be** ~ **to do sth** etw unbedingt tun wollen

eagle ['i:gl] *n* Adler *m*

ear[1] [ɪə'] *n* Ohr *nt;* **from** ~ **to** ~ von einem Ohr zum anderen ▶ **to be** <u>all</u> ~**s** ganz Ohr sein; **to keep one's** ~**s** <u>open</u> die Ohren offen halten; **sb's** ~**s are** <u>burning</u> jdm klingen die Ohren; **to** <u>close</u> **one's** ~**s to sth** etw ignorieren

ear[2] [ɪə'] *n* AGR Ähre *f*

earache *n no pl* Ohrenschmerzen *pl*

earl [ɜːl] *n* Graf *m*

earlobe *n* Ohrläppchen *nt*

early <-ier, -iest> ['ɜːli] *adj, adv* früh; (*premature*) vorzeitig; (*in time*) [früh]zeitig; (*prompt*) schnell; ~ **payment appreciated** um baldige Zahlung wird gebeten; **the** ~ **hours** die frühen Morgenstunden; **she is in her** ~ **thir-**

ties sie ist Anfang dreißig; **in the ~ afternoon** am frühen Nachmittag; **at an ~ age** in jungen Jahren; **from an ~ age** von klein auf; **to have an ~ lunch** früh zu Mittag essen

earn [ɜːn] *vt* verdienen; (*yield*) einbringen

earnings [ˈɜːnɪŋz] *n pl* Einkommen *nt; of business* Ertrag *m*

earphones *n pl* Kopfhörer *m* **earpiece** *n* Hörer *m* **earring** *n* Ohrring *m* **earshot** *n no pl* [with]in/out of ~ in/außer Hörweite

earth [ɜːθ] I. *n no pl* 1. die Erde; **who/where/why on earth ...** wer/wo/warum um alles in der Welt ... 2. (*soil*) Erde *f* 3. BRIT, AUS ELEC Erdung *f;* ▶ **to charge /cost /pay the ~** BRIT ein Vermögen verlangen/kosten/bezahlen II. *vt* BRIT erden

earthly [ˈɜːθli] *adj* irdisch; (*fam: possible*) möglich; **to not have an ~ chance [of doing sth]** (*fam*) nicht die geringste Chance haben[, etw zu tun]

earthquake *n* Erdbeben *nt*

ease [iːz] I. *n no pl* Leichtigkeit *f;* **to be at ~** sich wohl fühlen; [stand] **at ~!** MIL rührt euch!; **to put sb at [their] ~** jdm die Befangenheit nehmen II. *vt* 1. *pain* lindern; *tension* lösen 2. **she ~d the lid off** sie löste den Deckel behutsam ab ◆ **ease off** *vi* nachlassen; **to ~ off [at work]** [auf der Arbeit] kürzertreten ◆ **ease up** *vi* 1. nachlassen; **to ~ up on the accelerator** vom Gas gehen; **to ~ up on sb** zu jdm weniger streng sein 2. (*relax*) sich entspannen

easily [ˈiːzɪli] *adv* leicht; (*effortlessly*) mühelos; **to win ~** spielend gewinnen; **to be ~ the ...** + *superl* bei weitem der/die/das ... sein

east [iːst] I. *n no pl* Osten *m;* **the E~** der Osten; **the Near/Middle/Far ~** der Nahe/Mittlere/Ferne Osten; **to the ~ of sth** östlich einer S. *gen;* **from/to the ~** von/nach Osten II. *adj* östlich; **~ wind** Ostwind *m* III. *adv* ostwärts, nach Osten; **to face ~** nach Osten liegen

Easter [ˈiːstə^r] *n no art* Ostern *nt;* **at ~** an Ostern

Easter Day *n* Ostersonntag *m* **Easter egg** *n* Osterei *nt*

easterly [ˈiːstəli] I. *adj* östlich II. *n* Ostwind *m*

eastern [ˈiːstən] *adj* östlich; (*Asian*) orientalisch; **the ~ seaboard** AM die Ostküste

eastward [ˈiːstwəd] I. *adj* östlich, nach Osten *nach* ~ II. *adv* ostwärts, nach Osten

easy <-ier, -iest> [ˈiːzi] I. *adj* leicht, einfach; (*effortless*) mühelos; (*trouble-free*) angenehm; (*comfortable*) bequem; *conscience* ruhig; **as ~ as anything** kinderleicht; **~ money** leicht verdientes Geld; **to not feel ~ about sth** sich bei etw *dat* nicht wohl fühlen; **I'm ~** (*fam*) mir ist es egal; **~ on the ear/eye** angenehm für das Ohr/Auge II. *adv* **~ does it!** immer langsam!; **take it ~!** immer mit der Ruhe! ▶ **~ come, ~ go** (*fam*) wie gewonnen, so zerronnen III. *interj* (*fam*) locker

easy-going *adj* unkompliziert

eat <ate, eaten> [iːt] *vt, vi* essen; *animal* fressen; **to ~ breakfast** frühstücken; **to ~ lunch/supper** zu Mittag/Abend essen ▶ **you are what you ~** (*prov*) der Mensch ist, was er isst; **I'll ~ my hat if ...** ich fresse einen Besen, wenn ...; **~ your heart out** platz ru-

E

hig vor Neid; **what's** ~ing **you?** was bedrückt dich?

eaten [ˈiːtᵊn] *pp of* **eat**

echo [ˈekəʊ] **I.** *n* <*pl* -es> Echo *nt;* (*fig*) Anklang *m* (**of** an) **II.** *vi* [wider] hallen **III.** *vt* (*copy*) wiedergeben; (*reflect*) widerspiegeln

eclipse [ɪˈklɪps] **I.** *n* **1.** Finsternis *f;* ~ **of the sun** Sonnenfinsternis *f* **2.** *no pl* (*fig*) Niedergang *m* **II.** *vt* verfinstern

eco-friendly <more eco-friendly, most eco-friendly> *adj* umweltfreundlich **ecolabel I.** *n* Umweltetikett *nt* **II.** *vt* mit einem Umweltetikett versehen

ecological [ˌiːkəˈlɒdʒɪkᵊl] *adj* ökologisch; ~ **disaster** Umweltkatastrophe *f*

ecologically [ˌiːkəˈlɒdʒɪkᵊli] *adv* ökologisch; ~ **friendly** umweltfreundlich; ~ **harmful** umweltschädlich

ecology [iːˈkɒlədʒi] *n no pl* Ökologie *f*

economic [ˌiːkəˈnɒmɪk] *adj* ökonomisch, wirtschaftlich; ~ **aid** Wirtschaftshilfe *f;* ~ **downturn** Konjunkturabschwächung *f;* ~ **forecast** Wirtschaftsprognose *f*

economical [ˌiːkəˈnɒmɪkᵊl] *adj* wirtschaftlich, ökonomisch; (*thrifty*) sparsam; **to be** ~ **with the truth** mit der Wahrheit hinter dem Berg halten

economics [ˌiːkəˈnɒmɪks] *n pl* + *sing vb* Wirtschaftswissenschaft[en] *f*[*pl*]

economist [ɪˈkɒnəmɪst] *n* Wirtschaftswissenschaftler(in) *m(f)*

economy [ɪˈkɒnəmi] *n* Wirtschaft *f;* (*thriftiness*) Sparsamkeit *f kein pl;* **to make economies** Einsparungen machen

edge [edʒ] **I.** *n* **1.** Rand *m; of lake* Ufer *nt; of table* Kante *f;* **at the** ~ **of the**

road am Straßenrand **2.** (*blade*) Schneide *f;* (*sharp side*) Kante *f* **3.** *no pl* (*sharpness*) Schärfe *f* **4. to be on** ~ nervös sein **II.** *vt* **to** ~ **one's way forwards** sich langsam vorwärtsbewegen **III.** *vi* **to** ~ **forward** langsam voranrücken

edible [ˈedɪbl] *adj* essbar; ~ **mushroom** Speisepilz *m*

edition [ɪˈdɪʃᵊn] *n* Ausgabe *f;* (*broadcast*) Folge *f*

editor [ˈedɪtər] *n* Redakteur(in) *m(f);* (*issuer*) Herausgeber(in) *m(f);* **sports** ~ Sportredakteur(in) *m(f)*

editorial [ˌedɪˈtɔːriəl] **I.** *n* Leitartikel *m* **II.** *adj* redaktionell; ~ **staff** + *sing/pl vb* Redaktion *f*

educated [ˈedʒʊkeɪtɪd] *adj* gebildet; **to make an** ~ **guess** eine fundierte Vermutung äußern

education [ˌedʒʊˈkeɪʃᵊn] *n no pl* Bildung *f;* (*training*) Ausbildung *f;* (*system*) Erziehungswesen *nt*

educational [ˌedʒʊˈkeɪʃᵊnᵊl] *adj* pädagogisch; ~ **background** schulischer Werdegang; ~ **film** Lehrfilm *m*

eerie <-r, -st> [ˈɪəri] *adj* unheimlich

effect [ɪˈfekt] **I.** *n* **1.** Auswirkung *f* (**on** auf), Folge *f* (**on** für) **2.** *no pl* (*influence*) Einfluss *m* (**on** auf); **to come into** ~ in Kraft treten; **to take** ~ wirken **3.** (*result*) Wirkung *f;* (*success*) Erfolg *m;* **to good** ~ mit Erfolg **4.** *no pl* (*esp pej*) **for** ~ aus Effekthascherei **II.** *vt* bewirken

effective [ɪˈfektɪv] *adj* (*competent*) fähig; (*efficacious*) wirksam, effektiv; (*real*) tatsächlich; (*operative*) gültig; (*striking*) effektvoll

efficient [ɪˈfɪʃᵊnt] *adj* leistungsfähig; *person* tüchtig; (*economical*) wirtschaftlich

effort [ˈefət] *n* Mühe *f*, Anstrengung *f*; **to make an ~** (*physically*) sich anstrengen; (*mentally*) sich bemühen; **a poor ~** eine schwache Leistung

effortless [ˈefətləs] *adj* mühelos; *grace* natürlich

egg [eg] I. *n* Ei *nt*; (*cell*) Eizelle *f*; [**half**] **a dozen ~s** ein [halbes] Dutzend Eier ▶ **to be left with ~ on one's** face dumm dastehen; **a** bad **~** ein Gauner *m* II. *vt* **to ~ sb on** jdn anstacheln

eggshell *n* Eierschale *f*

egoist [ˈiːgəʊɪst] *n* Egoist(in) *m(f)*

ego surf *vi* ego-surfen (*in Internetsuchmaschinen den eigenen Namen eingeben*)

ego surfing *n* Ego-Surfen *nt*

eight [eɪt] I. *adj* acht; **there are ~ of us** wir sind [zu] acht; **~** times achtmal; **one in ~** [**people**] jeder Achte; **a boy of ~** ein achtjähriger Junge; **at ~** [o'clock] um acht [Uhr]; [at] **about ~** [o'clock] gegen acht [Uhr]; **half past ~** halb neun; **at ~** thirty um halb neun, um acht Uhr dreißig II. *n* Acht *f*

eighteen [eɪˈtiːn] I. *adj* achtzehn; *see also* **eight** II. *n* Achtzehn *f*; *see also* **eight**

eighth [eɪtθ] I. *adj* achte(r, s); **the ~ person** der/die Achte; **every ~ person** jeder Achte; **in ~ place** an achter Stelle; **the ~ largest ...** der/die/das achtgrößte ... II. *n* 1. Achtel *nt* 2. *no pl* **the ~** der/die/das Achte; **the ~** [of **the month**] der 8./Achte [des Monats]

eightieth [ˈeɪtiəθ] I. *adj* achtzigste(r, s); *see also* **eighth** II. *n* 1. Achtzigstel *nt* 2. **the ~** der/die/das Achtzigste; *see also* **eighth**

eighty [ˈeɪti] I. *adj* achtzig; *see also* **eight** II. *n* Achtzig *f*; **in one's eighties** in den Achtzigern; **the eighties** *pl* die achtziger Jahre; **in the eighties** (*temperature*) um die 30 Grad Celsius warm; *see also* **eight**

Eire [ˈeərə] *n* Eire *nt*

either [ˈaɪðəʳ, ˈiː-] I. *conj* **~ ... or ...** entweder ... oder ... II. *adv + neg* **she doesn't/hasn't ~** sie auch nicht; **it's really good and not very expensive ~** es ist wirklich gut – und nicht einmal sehr teuer III. *adj* eine(r, s) [von beiden]; **~ person** jede(r) der beiden; **on ~ side** auf beiden Seiten; **~ way** so oder so IV. *pron no pl* **~ of you** eine(r) von euch beiden

elastic [ɪˈlæstɪk] I. *adj* elastisch II. *n* elastisches Material; (*rubber*) Gummi *m o nt*

elbow [ˈelbəʊ] I. *n* Ellbogen *m*; *of pipe, river* Knie *nt*; *of road, river* Biegung *f* II. *vt* **to ~ sb** jdm mit dem Ellbogen einen Stoß versetzen

elect [ɪˈlekt] *vt* wählen (**to** in); **to ~ to do sth** sich [dafür] entscheiden, etw zu tun

election [ɪˈlekʃən] *n* Wahl *f*

electric [ɪˈlektrɪk] *adj* elektrisch; **~ blanket** Heizdecke *f*; **~ guitar** E-Gitarre *f*; **~ motor** Elektromotor *m*

electrical [ɪˈlektrɪkəl] *adj* elektrisch; **~ device** Elektrogerät *nt*

electrician [ˌelɪkˈtrɪʃən, ˌiːlek'-] *n* Elektriker(in) *m(f)*

electricity [ˌelɪkˈtrɪsəti, ˌiːlek'-] *n no pl* Elektrizität *f*, [elektrischer] Strom; **heated/powered by ~** elektrisch beheizt/angetrieben

electronic [ˌelekˈtrɒnɪk, ˌiːlek'-] *adj* elektronisch

electronics [ˌelekˈtrɒnɪks, ˌiːlek'-] *n +*

E

sing/pl vb Elektronik *f*

elegant ['elɪgᵊnt] *adj* elegant

element ['elɪmənt] *n* Element *nt*

elementary [ˌelɪ'mentᵊri] *adj* elementar; *mistake* grob; ~ **course** Grundkurs *m;* ~ **education** AM Elementarunterricht *m*

elephant ['elɪfənt] *n* Elefant *m*

elevator ['elɪveɪtə·] *n* AM Aufzug *m*

eleven [ɪ'levᵊn] **I.** *adj* elf; *see also* **eight II.** *n* Elf *f; see also* **eight**

eleventh [ɪ'levᵊnθ] **I.** *adj* elfte(r, s); *see also* **eighth II.** *n* Elftel *nt;* **the** ~ der/die/das Elfte; *see also* **eighth**

eligible ['elɪdʒəbl] *adj* **1. to be** ~ in Frage kommen **2.** (*entitled*) berechtigt (**for** zu); ~ **to vote** wahlberechtigt

eliminate [ɪ'lɪmɪneɪt] *vt* beseitigen; (*exclude*) ausschließen; **to be** ~**d** SPORTS ausscheiden

else [els] *adv* **1. anywhere** ~ irgendwo anders; **everybody** ~ alle anderen; **everything** ~ alles andere; **everywhere** ~ überall sonst; **how/who/why** ~ ...? wie/wer/warum sonst ...?; **why** ~ **would he come?** warum sollte er denn sonst kommen? **2. anything** ~? sonst noch etwas?; **no, thank you, nothing** ~ nein danke, das ist alles; **nobody/nothing** ~ sonst niemand/nichts; **somewhere** ~ noch woanders **3.** (*otherwise*) sonst; **or** ~! (*fam*) sonst gibt's was!

elsewhere ['els(h)weə·] *adv* woanders

email ['i:meɪl] **I.** *n abbrev of* **electronic mail** E-Mail *f* **II.** *vt* **to** ~ **sb sth** jdm etw mailen

email address *n* E-Mail-Adresse *f*

embark [ɪm'bɑːk, em'-] *vi* sich einschiffen

embarrass [ɪm'bærəs] *vt* in Verlegenheit bringen

embarrassed [ɪm'bærəst] *adj* verlegen; **to feel** ~ verlegen sein; **I feel so** ~ [**about it**] das ist mir so peinlich

embarrassing [ɪm'bærəsɪŋ] *adj* peinlich

embarrassment [ɪm'bærəsmənt] *n* Peinlichkeit *f;* (*feeling*) Verlegenheit *f*

embassy ['embəsi] *n* Botschaft *f*

embrace [ɪm'breɪs, em'-] **I.** *vt* umarmen **II.** *n* Umarmung *f*

embroider [ɪm'brɔɪdə·, em'-] *vi, vt* sticken; *cloth* besticken

emerald ['emᵊrᵊld] *n* Smaragd *m*

emergency [ɪ'mɜːdʒən(t)si, i:'-] *n* **1.** Notfall *m;* POL Notstand *m;* **in case of** ~ im Notfall; **state of** ~ Ausnahmezustand *m* **2.** AM (*ER*) Notaufnahme *f*

emigrate ['emɪgreɪt] *vi* auswandern; *refugee* emigrieren

emit <-tt-> [ɪ'mɪt, i:'-] *vt* abgeben; *fumes, smoke, cry* ausstoßen; *gas, odour* verströmen

emotion [ɪ'məʊʃᵊn] *n* Gefühl *nt*

emotional [ɪ'məʊʃᵊnᵊl] *adj* **1.** emotional; *decision* gefühlsmäßig **2.** PSYCH seelisch

emotionless [ɪ'məʊʃᵊnləs] *adj* emotionslos; *face* ausdruckslos

emperor ['empᵊrə·] *n* Kaiser *m*

emphasis <*pl* -ses> ['em(p)fəsɪs] *n* Betonung *f*

emphasize ['em(p)fəsaɪz] *vt* betonen

emphatic [ɪm'fætɪk, em'-] *adj* nachdrücklich; *denial* entschieden

empire ['empaɪə·] *n* Imperium *nt*

employ [ɪm'plɔɪ] *vt* beschäftigen; *new staff* einstellen; **to** ~ **sb to do sth** jdn beauftragen, etw zu tun

employee [ɪm'plɔɪiː] *n* Angestellte(r) *f(m);* (*statistical*) Arbeitnehmer(in) *m(f);* **~s** *pl* Personal *nt;* (*statistical*) Arbeitnehmer *pl*

employer [ɪmˈplɔɪəʳ] *n* Arbeitgeber(in) *m(f)*

employment [ɪmˈplɔɪmənt] *n no pl* **1.** *no pl* Beschäftigung *f;* (*of new staff*) Anstellung *f;* **level of ~** Beschäftigungsgrad *m;* **in ~** erwerbstätig; **out of ~** erwerbslos **2.** (*job*) Beruf *m*

empress <*pl* -es> [ˈemprəs] *n* Kaiserin *f*

emptiness [ˈem(p)tɪnəs] *n no pl* Leere *f*

empty [ˈem(p)ti] **I.** *adj* leer; *house* leer stehend; *castle* unbewohnt **II.** *vt* <-ie-> [ent]leeren; (*pour*) schütten **III.** *vi* <-ie-> sich leeren

empty-handed *adv* mit leeren Händen

enable [ɪˈneɪbl] *vt* **1.** **to ~ sb to do sth** jdm ermöglichen, etw zu tun **2.** COMPUT aktivieren

enchanting [ɪnˈtʃɑːntɪŋ] *adj* bezaubernd

enclose [ɪnˈkləʊz] *vt* umgeben; (*in letter*) beilegen

enclosure [ɪnˈkləʊʒəʳ] *n* eingezäuntes Grundstück; (*for animals*) Gehege *nt;* (*in letter*) Anlage *f*

encode [ɪnˈkəʊd] *vt* kodieren

encore [ˈɒŋkɔːʳ] *n* Zugabe *f;* **for an ~** als Zugabe; (*fig*) obendrein

encounter [ɪnˈkaʊntəʳ] **I.** *vt* (*experience*) stoßen auf +*akk;* (*meet*) [unerwartet] treffen **II.** *n* Begegnung *f*

encourage [ɪnˈkʌrɪdʒ] *vt* ermutigen; **to ~ sb to do sth** jdn [dazu] ermuntern, etw zu tun

encouragement [ɪnˈkʌrɪdʒmənt] *n no pl* Ermutigung *f;* (*urging*) Ermunterung *f*

encouraging [ɪnˈkʌrɪdʒɪŋ] *adj* ermutigend

end [end] **I.** *n* **1.** Ende *nt;* (*completion*) Schluss *m;* **to come to an ~** zu Ende gehen; **without ~** unaufhörlich **2.** *usu pl* (*aims*) Ziel *nt;* ▸ **to go off the deep ~** hochgehen; **the ~ justifies the means** (*prov*) der Zweck heiligt die Mittel; **to make ~s meet** mit seinem Geld zurechtkommen **II.** *vt* beenden ▸ **to ~ it all** Selbstmord begehen **III.** *vi* enden ♦ **end up** *vi* enden; **to ~ up teaching** schließlich Lehrer/Lehrerin werden

endanger [ɪnˈdeɪndʒəʳ] *vt* gefährden; **~ed species** vom Aussterben bedrohte Art

ending [ˈendɪŋ] *n* Ende *nt;* *of day* Abschluss *m;* *of story, book* Ausgang *m;* LING Endung *f;* **happy ~** Happyend *nt*

endless [ˈendləs] *adj* endlos; (*innumerable*) unzählig

endorsement [ɪnˈdɔːsmənt] *n* Billigung *f;* FIN Indossament *nt*

endurance [ɪnˈdjʊəʳn(t)s] *n no pl* Durchhaltevermögen *nt*

endure [ɪnˈdjʊəʳ] *vt* ertragen; (*suffer*) erleiden

enemy [ˈenəmi] **I.** *n* Feind(in) *m(f)* **II.** *adj* feindlich

energetic [ˌenəˈdʒetɪk] *adj* voller Energie *nach n*

energy [ˈenədʒi] *n no pl* Energie *f;* **sources of ~** Energiequellen *pl*

engage [ɪnˈgeɪdʒ] **I.** *vt* **1.** anstellen; *actor* engagieren; **to ~ a lawyer** sich *dat* einen Anwalt nehmen **2.** **to ~ sb in a conversation** jdn in ein Gespräch verwickeln **3.** (*use*) einschalten; **to ~ the clutch** einkuppeln **II.** *vi* **to ~ in sth** sich an etw *dat* beteiligen

E

engaged [ɪnˈgeɪdʒd] *adj* **1.** beschäftigt; *toilet, phone* besetzt **2.** *fiancé* verlobt (**to** mit); **the ~ couple** die Verlobten *pl*

engagement [ɪnˈgeɪdʒmənt] *n* Verabredung *f;* (*to marry*) Verlobung *f* (**to** mit)

engaging [ɪnˈgeɪdʒɪŋ] *adj* bezaubernd; *manner* einnehmend

engine [ˈendʒɪn] *n* Motor *m; of plane* Triebwerk *nt; of train* Lok[omotive] *f*

engineer [ˌendʒɪˈnɪəʳ] **I.** *n* **1.** Ingenieur(in) *m(f);* MIL Pionier *m* **2.** AM *of train* Lok[omotiv]führer(in) *m(f)* **II.** *vt* konstruieren

engineering [ˌendʒɪˈnɪəˈɪŋ] *n no pl* Technik *f,* Ingenieurwissenschaft *f;* [**mechanical**] ~ Maschinenbau *m*

England [ˈɪŋglənd] *n* England *nt*

English [ˈɪŋglɪʃ] **I.** *n* **1.** *no pl* Englisch *nt; the* **King's/Queen's** ~ die englische Hochsprache **2.** **the ~** *pl* die Engländer **II.** *adj* englisch; **~ department** UNIV Institut *nt* für Anglistik

enjoy [ɪnˈdʒɔɪ] *vt* genießen; **did you ~ the film?** hat dir der Film gefallen?; **to ~ good health** sich guter Gesundheit erfreuen; **to ~ oneself** sich amüsieren; **~ yourself!** viel Spaß!

enjoyable [ɪnˈdʒɔɪəbl] *adj* angenehm; (*entertaining*) unterhaltsam

enjoyment [ɪnˈdʒɔɪmənt] *n no pl* Vergnügen *nt,* Spaß *m* (**of** an)

enlarge [ɪnˈlɑːdʒ] **I.** *vt* vergrößern; (*expand*) erweitern **II.** *vi* **1.** sich vergrößern **2. to ~ on sth** sich zu etw *dat* ausführlich äußern

enlargement [ɪnˈlɑːdʒmənt] *n* Vergrößerung *f;* (*expanding*) Erweiterung *f*

enormous [ɪˈnɔːməs] *adj* enorm, riesig; (*overwhelming*) gewaltig

enough [ɪˈnʌf] **I.** *adj* genug; **that**

should be ~ das dürfte reichen; **just ~ room** gerade Platz genug **II.** *adv* **1.** genug; **are you warm ~?** ist es dir warm genug? **2.** (*quite*) **he seems nice ~** er scheint so weit recht nett zu sein; **curiously ~** seltsamerweise **III.** *interj* **~!** jetzt reicht es aber! **IV.** *pron no pl* **1.** genug; **there's ~ for everybody** es ist für alle genug da; **there's not quite ~** es reicht nicht ganz **2.** (*too much*) **that is quite ~** das ist mehr als genug

enquire [ɪnˈkwaɪəʳ] *vi* sich erkundigen (**about/after** nach); **'~ within'** ‚Näheres im Geschäft'; **to ~ into sth** etw untersuchen

enquiry [ɪnˈkwaɪəri] *n* **1.** Anfrage *f,* Erkundigung *f;* **on ~** auf Anfrage **2.** (*investigation*) Untersuchung *f;* **to make enquiries** Nachforschungen anstellen

enraged [ɪnˈreɪdʒd] *adj* wütend

enrol <-ll->, AM *usu* **enroll** [ɪnˈrəʊl, AM enˈroʊl] **I.** *vi* sich *akk* einschreiben (**at** an +*dat*); *student also* sich immatrikulieren; *recruit* sich *akk* melden; **to ~ for** [*or* **in**] **a course** sich *akk* für einen Kurs anmelden **II.** *vt student* aufnehmen; *worker* einstellen; *recruit* anwerben

en suite bathroom *n* angeschlossenes Badezimmer

ensure [ɪnˈʃɔːʳ] *vt* sicherstellen; (*warrant*) garantieren

enter [ˈentəʳ] **I.** *vt* **1.** hineingehen +*akk; building, room* betreten; *phase* eintreten in +*akk;* (*penetrate*) eindringen in +*akk* **2.** *data* eingeben **3.** (*join*) beitreten +*dat;* **to ~ the priesthood** Priester werden **II.** *vi* **1.** hereinkommen; THEAT auftreten **2. to ~ for sth** sich für etw *akk* [an] melden

enter key n COMPUT Eingabetaste f

enterprise ['entəpraɪz] n **1.** Unternehmen nt; **private ~** Privatwirtschaft f **2.** no pl (initiative) Unternehmungsgeist m

enterprising ['entəpraɪzɪŋ] adj unternehmungslustig; (ingenious) einfallsreich

entertain [ˌentə'teɪn] I. vt **1.** unterhalten **2.** (invite) zu sich einladen; diners bewirten II. vi Gäste haben

entertaining [ˌentə'teɪnɪŋ] I. adj unterhaltsam II. n no pl **to do a lot of ~** häufig Gäste/Freunde bewirten

entertainment [ˌentə'teɪnmənt] n Unterhaltung f

enthusiasm [ɪn'θjuːziæzᵊm] n Begeisterung f

enthusiastic [ɪn'θjuːziæstɪk] adj begeistert (**about** von); **to become ~ about sth** sich für etw akk begeistern

enticing [ɪn'taɪsɪŋ] adj verlockend

entire [ɪn'taɪəʳ] adj ganz; (complete) vollständig

entirely [ɪn'taɪəʳli] adv ganz; **to agree ~** völlig übereinstimmen

entitled [ɪn'taɪtld, AM -'taɪt̬ld] adj berechtigt; **~ to vote** wahlberechtigt

entrance¹ ['entrən(t)s] n **1.** Eingang m; (road) Einfahrt f **2.** no pl (entering) Eintritt m; THEAT Auftritt m

entrance² [ɪn'trɑːn(t)s] vt entzücken

entrance fee n Eintritt m; (for competition) Teilnahmegebühr f **entrance form** n Antragsformular nt; (for competition) Teilnahmeformular nt **entrance hall** n Eingangshalle f

entrant ['entrənt] n Teilnehmer(in) m(f)

entrepreneur [ˌɒntrəprə'nɜːʳ] n Unternehmer(in) m(f)

entrepreneurship [ˌɒntrəprə'nɜːrʃɪp] n Unternehmertum nt

entrust [ɪn'trʌst] vt **to ~ sth to sb** jdm etw anvertrauen

entry ['entri] n **1.** (entering) Eintritt m; (by car) Einfahrt f; (into country) Einreise f; (into activity) Aufnahme f **2.** (entrance) Eingang m; (road) Einfahrt f

entry fee n Eintritt m **entry form** n Antragsformular nt; (for competition) Teilnahmeformular nt

envelope ['envələʊp] n [Brief]umschlag m

envious ['enviəs] adj neidisch (**of** auf)

environment [ɪn'vaɪ(ə)rᵊnmənt] n **1.** no pl **the ~** die Umwelt **2.** (surroundings) Umgebung f

environmental [ɪnˌvaɪ(ə)rᵊn'mentᵊl] adj Umwelt-; **negative ~ impact** Umweltbelastung f

envy ['envi] I. n no pl Neid m (**of** auf) ▶ **to be green with ~** grün vor Neid sein II. vt <-ie-> **to ~ sb sth** jdn um etw akk beneiden

equal ['iːkwəl] I. adj **1.** gleich; **of ~ size** gleich groß; **~ in volume** vom Umfang her gleich; **~ status** Gleichstellung f **2. to be ~ to a task** einer Aufgabe gewachsen sein II. n Gleichgestellte(r) f(m); **to have no ~** unübertroffen sein

equalize ['iːkwᵊlaɪz] I. vt gleichmachen; pressure ausgleichen II. vi BRIT, AUS SPORTS den Ausgleich erzielen

equalizer ['iːkwᵊlaɪzəʳ] n BRIT, AUS Ausgleichstor nt

equally ['iːkwᵊli] adv ebenso; **~ good** gleich gut; **to contribute ~** gleichermaßen beitragen

equator [ɪ'kweɪtəʳ] n no pl **[on the] ~** [am] Äquator m

equip <-pp-> [ɪ'kwɪp] vt ausstatten; (specialized) ausrüsten

equipment [ɪ'kwɪpmənt] n no pl Ausstattung f; (specialized) Ausrüstung f

equivalent [ɪ'kwɪvᵊlənt] I. adj äquivalent, entsprechend; **to be ~ to sth** etw dat entsprechen II. n Äquivalent nt (**for/of** für), Entsprechung f

erase [ɪ'reɪz] vt entfernen; (with rubber) ausradieren

eraser [ɪ'reɪzəʳ] n esp AM Radiergummi m

erect [ɪ'rekt] I. adj aufrecht; penis erigiert II. vt errichten

erosion [ɪ'rəʊʒᵊn] n no pl Erosion f

erotic [ɪ'rɒtɪk] adj erotisch

erratic [er'æːtɪk] adj sprunghaft

error ['erəʳ] n Fehler m, Irrtum m; **~ of judgment** Fehleinschätzung f; **in ~** aus Versehen

erupt [ɪ'rʌpt] vi ausbrechen; (fig) explodieren; **to ~ into violence** gewalttätig werden

eruption [ɪ'rʌpʃᵊn] n Ausbruch m

escalator ['eskəleɪtəʳ] n Rolltreppe f

escape [ɪ'skeɪp, es'-] I. vi 1. fliehen (**from** vor +dat); (successfully) entkommen +dat; convict ausbrechen 2. (avoid harm) [mit dem Leben] davonkommen; **to ~ unhurt** unverletzt bleiben II. vt prison fliehen aus +dat; kidnapper entkommen +dat; danger fliehen vor +dat; harm entgehen +dat III. n 1. Flucht f (**from** aus); **~ route** Fluchtweg 2. no pl (evasion) Entkommen nt; **there's no ~** daran führt kein Weg vorbei; **to have a narrow ~** gerade noch davongekommen sein

escort I. vt [ɪ'skɔːt, es'-] eskortieren; MIL Geleitschutz geben +dat; **to ~ sb to safety** jdn in Sicherheit bringen II. n ['eskɔːt] 1. Begleiter(in) m(f), Begleitung f 2. no pl (guard) Eskorte f, Begleitschutz m; **police ~** Polizeieskorte f; **under police ~** unter Polizeischutz

e-seller n INET Internethändler m

especially [ɪ'speʃᵊli, es'-] adv besonders; **I chose this ~ for you** ich habe das extra für dich ausgesucht

essential [ɪ'sen(t)ʃᵊl] I. adj 1. unbedingt erforderlich; vitamins lebenswichtig 2. (basic) essenziell; **~ component** Grundbestandteil m II. n **the ~s** pl das Wesentliche kein pl; **the ~s of Spanish** die Grundzüge des Spanischen

essentially [ɪ'sen(t)ʃᵊli] adv im Grunde [genommen]

establishment [ɪ'stæblɪʃmənt, es'-] n 1. Unternehmen nt; **educational ~** Bildungseinrichtung f 2. no pl **the ~** das Establishment

estate [ɪ'steɪt, es'-] n 1. Gut nt; **country ~** Landgut nt 2. BRIT (buildings) Siedlung f; **housing ~** [Wohn]siedlung f

estate agent n BRIT Immobilienmakler(in) m(f)

estimate I. vt ['estɪmeɪt] [ein]schätzen II. n ['estɪmət] Schätzung f; ECON Kostenvoranschlag m; **at a rough ~** grob geschätzt

estimated ['estɪmeɪtɪd] adj geschätzt; (expected) voraussichtlich; **~ figure** Schätzung f

estuary ['estjʊəri] n Flussmündung f

et cetera [ɪt'setᵊrə] adv und so weiter

eternal [ɪ'tɜːnᵊl] adj ewig; (fam: persistent) endlos; **~ flame** ewiges Licht

eternally [ɪ'tɜːnᵊli] adv ewig; (fam: persistently) unaufhörlich

eternity [ɪ'tɜːnəti] n no pl Ewigkeit f;

for all ~ bis in alle Ewigkeit

ethical ['eθɪkᵊl] *adj* ethisch

ethically ['eθɪkᵊli] *adv* ethisch; ~ **sourced** *product* aus fairem Handel

ethnic ['eθnɪk] *adj* ethnisch; **the ~ Chinese** die Volkschinesen; ~ **costumes** Landestrachten *pl*

e-time *n* (*fam*) Onlinezeit *f*

Eucharist ['juːkᵊrɪst] *n no pl* REL Eucharistie *f*

euro ['jʊərəʊ] *n* Euro *m*

Europe ['jʊərəp] *n no pl* Europa *nt*

European [ˌjʊərəˈpiːən] I. *adj* europäisch II. *n* Europäer(in) *m(f)*

Eurozone *n* Eurozone *f*

evacuate [ɪˈvækjʊeɪt] *vt* evakuieren; *area, building* räumen

evaluate [ɪˈvæljʊeɪt] *vt* bewerten; *results* auswerten; *person* beurteilen

evaporate [ɪˈvæpᵊreɪt] I. *vi* verdampfen II. *vt* verdampfen lassen

even ['iːvᵊn] I. *adv* 1. (*unexpectedly*) ~ **Chris was there** selbst Chris war da 2. (*indeed*) sogar; **not** ~ [noch] nicht einmal 3. ~ **if** ... selbst wenn ...; ~ **so** trotzdem 4. + *comp* ~ **colder** noch kälter II. *adj* 1. (*level*) eben; *row* gerade 2. (*equal*) gleich [groß] ◆ **even out** I. *vt* ausgleichen II. *vi* sich ausgleichen; *prices* sich einpendeln ◆ **even up** *vt* ausgleichen

evening ['iːvnɪŋ] *n* Abend *m;* **have a nice** ~ schönen Abend!; **all** ~ den ganzen Abend; **on Friday** ~s freitagabends

evening class *n* Abendkurs *m* **evening dress** *n* 1. Abendkleid *nt* 2. *no pl* **to wear** ~ Abendkleidung tragen

evenly ['iːvᵊnli] *adv* 1. gleichmäßig; **to be** ~ **matched** einander ebenbürtig sein 2. (*placidly*) gelassen

event [ɪˈvent] *n* 1. Ereignis *nt;* **series of** ~**s** Reihe *f* von Vorfällen; **sporting** ~ Sportveranstaltung *f* 2. (*case*) Fall *m;* **in the** ~ **that** ... falls ...

even-tempered *adj* ausgeglichen

eventful [ɪˈventfᵊl] *adj* ereignisreich

eventual [ɪˈventʃuəl] *adj* **this led to her** ~ **dismissal** das führte schließlich [*o* letzten Endes] zu ihrer Entlassung; **nobody could guess the** ~ **outcome** niemand ahnte, wie es schließlich [*o* letzten Endes] ausgehen würde

eventuality [ɪˌventʃuˈæləti] *n* Eventualität *f;* **in that** ~ in diesem Fall

eventually [ɪˈventʃuəli] *adv* schließlich; (*some day*) irgendwann

ever ['evəʳ] *adv* 1. je[mals]; **nothing** ~ **happens** es ist nie was los; **to hardly** ~ **do sth** etw so gut wie nie tun; **as good as** ~ so gut wie eh und je; **worse than** ~ schlimmer als je zuvor 2. **happily** ~ **after** glücklich bis ans Ende ihrer Tage; **as** ~ wie gewöhnlich; ~ **since** ... seitdem ... 3. **the first performance** ~ die allererste Darbietung 4. **how** ~ **could you** ...? wie kannst du nur ...?; **what** ~ **have you done?** was hast du bloß getan?; **am I** ~! und wie!

every ['evri] *adj* 1. jede(r, s) 2. ~ **bit as** ... **as** ... genauso ... wie ...; **to have** ~ **chance** die besten Chancen haben; ~ **which way** AM in alle Richtungen

everybody ['evriˌbɒdi] *pron indef,* + *sing vb* jede(r); ~ **but Jane** alle außer Jane; ~ **else** alle anderen **everyday** *adj attr* alltäglich; ~ **life** Alltagsleben *nt* **everyone** ['evriwʌn] *pron see* **everybody everything** ['evriθɪŋ] *pron indef* alles; **money isn't** ~ Geld ist nicht alles; **how's** ~**?** wie stehts?;

E

and ~ und allem drum und dran
everywhere ['evri(h)weə'] *adv* überall; ~ **else** überall sonst; **to travel** ~ überallhin reisen

evidence ['evɪdᵊn(t)s] *n no pl* **1.** Beweis[e] *m[pl]*; **to find no ~ of sth** keinen Anhaltspunkt für etw *akk* haben; **on the ~ of** im Hinblick auf +*akk* **2.** (*at court*) Beweisstück *nt*; **written ~** schriftliches Beweismaterial; **to give ~** aussagen (**on** über/ **against** gegen)

evident ['evɪdᵊnt] *adj* offensichtlich; **to be ~ to sb** jdm klar sein; **to be ~ in sth** in etw *dat* zu erkennen sein

evil ['iːvᵊl] **I.** *adj* böse **II.** *n* Übel *nt*; (*personification*) das Böse; **good and ~** Gut und Böse; **the lesser of two ~s** das kleinere von zwei Übeln

ewe [juː] *n* Mutterschaf *nt*; ~'**s milk** Schafsmilch *f*

ex <*pl* -es> [eks] *n* (*fam: lover*) Ex-Freund(in) *m(f)*; (*spouse*) Ex-Mann, Ex-Frau *m, f*

ex- [eks] *in compounds* ehemalig; ~**husband** Ex-Mann *m*; ~**wife** Ex-Frau *f*

exact [ɪg'zækt] *adj* genau; *science* exakt

exactly [ɪg'zæktli] *adv* genau; ~**!** ganz genau!; ~ **the same** genau dasselbe; **not ~** eigentlich nicht, nicht gerade

exaggerate [ɪg'zædʒᵊreɪt] *vt, vi* übertreiben

exaggerated [ɪg'zædʒᵊreɪtɪd] *adj* übertrieben

exaggeration [ɪgˌzædʒᵊr'eɪʃᵊn] *n* Übertreibung *f*; **that's a bit of an ~** das ist ein bisschen übertrieben

exam [ɪg'zæm] *n* Prüfung *f*

examination [ɪgˌzæmɪ'neɪʃᵊn] *n* **1.** Prüfung *f*; UNIV Examen *nt pl*

2. (*investigation*) Untersuchung *f*; (*verification*) Überprüfung *f*; **to be under ~** untersucht werden **3.** (*medical*) Untersuchung *f*; **to undergo a medical ~** sich ärztlich untersuchen lassen

examine [ɪg'zæmɪn] *vt* **1.** prüfen **2.** (*check up*) untersuchen

example [ɪg'zɑːmpl] *n* Beispiel *nt*; **for ~** zum Beispiel; **to make an ~ of sb** an jdm ein Exempel statuieren

exasperating [ɪg'zæspᵊreɪtɪŋ] *adj* ärgerlich

excavate ['ekskəveɪt] **I.** *vt* ausheben **II.** *vi* baggern

excavation [ˌekskə'veɪʃᵊn] *n* Ausheben *nt*

exceed [ɪk'siːd] *vt* überschreiten

exceedingly [ɪk'siːdɪŋli] *adv* äußerst

excel <-ll-> [ɪk'sel] **I.** *vi* sich auszeichnen; **to ~ at sth** sich bei etw *dat* hervortun **II.** *vt* **to ~ oneself** sich selbst übertreffen

excellence ['eksᵊlᵊn(t)s] *n no pl* Vorzüglichkeit *f*; *of performance* hervorragende Qualität

excellent ['eksᵊlᵊnt] *adj* ausgezeichnet; *quality, reputation* hervorragend; **taste** auserwählt

except [ɪk'sept] **I.** *prep* ~ [**for**] außer +*dat* **II.** *conj* **what can I do ~ wait?** was kann ich tun außer warten?; ~ **that** außer dass; **I would come ~ that I haven't the time** ich würde gerne kommen, doch ich habe [*o* ich habe nur] keine Zeit **III.** *vt* (*form*) ausschließen; **present company ~ed** Anwesende ausgenommen

excepting [ɪk'septɪŋ] *prep* außer +*dat*; **not ~ …** … nicht ausgenommen; **always ~ …** natürlich mit Ausnahme von …

exception [ɪk'sepʃⁿn] n Ausnahme f; **without** ~ ausnahmslos; **to take** ~ **to sth** Anstoß m an etw dat nehmen; **with the** ~ **of** mit Ausnahme von

exceptional [ɪk'sepʃⁿnᵊl] adj außergewöhnlich

exceptionally [ɪk'sepʃⁿnᵊli] adv außergewöhnlich; (outstandingly) ungewöhnlich

excerpt ['eksɜːpt] n Auszug m (**from** aus)

excess [ɪk'ses, ek-] **I.** n <pl -es> **1.** no pl Übermaß nt (**of** an) **2.** (surplus) Überschuss m (**of** an); **in** ~ **of** mehr als **II.** adj attr ~ **amount** Mehrbetrag m; ~ **charge** Zusatzgebühr f; ~ **fare** Zuschlag m; ~ **fat** überschüssiges Fett

excess baggage n no pl Übergepäck nt

excessive [ɪk'sesɪv, ek-] adj übermäßig; claim übertrieben

exchange [ɪks'tʃeɪndʒ, eks-] **I.** vt austauschen; in shop umtauschen (**for** gegen); **to** ~ **words** einen Wortwechsel haben **II.** n **1.** (trade) Tausch m; **in** ~ dafür **2.** FIN Währung f; **foreign** ~ Devisen pl; **rate of** ~ Wechselkurs m **3.** (interchange) Wortwechsel m; ~ **of blows** Schlagabtausch m; ~ **of fire** Schusswechsel m; ~ **of letters** Briefwechsel m

exchange control n FIN Devisenbewirtschaftung f **exchange student** n SCH Austauschschüler(in) m(f); UNIV Austauschstudent(in) m(f)

excise [ek'saɪz] vt entfernen

excitable [ɪk'saɪtəbl, ek-] adj erregbar

excite [ɪk'saɪt, ek-] vt begeistern; (stimulate) erregen

excited [ɪk'saɪtɪd, ek-] adj aufgeregt; (thrilled) begeistert (**about** von)

excitement [ɪk'saɪtmənt, ek-] n Aufregung f; **in a state of** ~ in heller Aufregung

exciting [ɪk'saɪtɪŋ, ek-] adj aufregend; story spannend

exclamation [ˌeksklə'meɪʃⁿn] n Ausruf m

exclude [ɪks'kluːd, eks-] vt ausschließen

excluding [ɪks'kluːdɪŋ, eks-] prep ausgenommen +gen

exclusive [ɪks'kluːsɪv, eks-] **I.** adj **1.** (excluding) ausschließlich; (select) exklusiv; **for the** ~ **use of ...** nur für ... bestimmt; ~ **interview** Exklusivinterview nt **2.** (sole) einzig **II.** n Exklusivbericht m

excruciating [ɪk'skruːʃieɪtɪŋ, ek-] adj schmerzhaft; pain fürchterlich; (fig) qualvoll

excursion [ɪk'skɜːʃⁿn, eks-] n Ausflug m; **to go on an** ~ einen Ausflug machen

excusable [ɪk'skjuːzəbl, ek-] adj entschuldbar

excuse I. vt [ɪk'skjuːz, ek-] **1.** (pardon) entschuldigen; (ignore) hinwegsehen über +akk; ~ **me!** entschuldigen Sie bitte!, Entschuldigung!; ~ **me?** wie bitte?; **to** ~ **sb** [**for**] **sth** jdm etw entschuldigen **2.** (exempt) befreien (**from** von) **II.** n [ɪk'skjuːs, ek-] Entschuldigung f; (lame) Ausrede f; **to make an** ~ sich entschuldigen

execute ['eksɪkjuːt] vt **1.** (form) durchführen **2.** (kill) hinrichten

execution [ˌeksɪ'kjuːʃⁿn] n **1.** no pl Durchführung f; **to put sth into** ~ etw ausführen **2.** (killing) Hinrichtung f

executive [ɪg'zekjətɪv, eg-] **I.** n leitender Angestellter/leitende Angestellte;

advertising ~ Werbemanager(in) *m(f)*; **junior/senior** ~ untere/höhere Führungskraft II. *adj attr* ~ **committee** [geschäftsführender] Vorstand; ~ **council** Ministerrat *m*; ~ **decisions** Führungsentscheidungen *pl*

exempt [ɪgˈzempt, eg-] I. *vt* befreien; *conscript* freistellen II. *adj* befreit; ~ **from duty** zollfrei

exemption [ɪgˈzempʃən, eg-] *n no pl* Befreiung *f*; *of conscript* Freistellung *f*; ~ **from taxes** Steuerfreiheit *f*

exercise [ˈeksəsaɪz] I. *vt* 1. trainieren 2. (*form*) üben; *authority, control* ausüben II. *vi* trainieren III. *n* 1. Bewegung *f*; (*training*) Übung *f*; **outdoor** ~ Bewegung *f* im Freien; **to do** ~**s** Gymnastik machen; **to do leg** ~**s** Beinübungen machen; **to take** ~ sich bewegen 2. (*practice*) Übung *f*; SCH, UNIV Aufgabe *f* IV. *adj attr* ~ **class** Fitnessklasse *f*; ~ **video** Übungsvideo *nt*

exercise book *n* Heft *nt*

exert [ɪgˈzɜːt, eg-] *vt* ausüben; **to** ~ **oneself** sich anstrengen

exertion [ɪgˈzɜːʃən, eg-] *n no pl* Ausübung *f*

exhale [eksˈheɪl] *vt, vi* ausatmen

exhaust [ɪgˈzɔːst, eg-] I. *vt* 1. ermüden; **to** ~ **oneself** sich strapazieren 2. (*use up*) erschöpfen II. *n* Abgase *pl*

exhausted [ɪgˈzɔːstɪd, eg-] *adj* erschöpft

exhausting [ɪgˈzɔːstɪŋ, eg-] *adj* anstrengend

exhaustion [ɪgˈzɔːstʃən, eg-] *n no pl* Erschöpfung *f*

exhaust pipe *n* Auspuffrohr *nt*

exhibit [ɪgˈzɪbɪt, eg-] I. *n* Ausstellungsstück *nt*; (*evidence*) Beweis-

stück *nt* II. *vt* ausstellen

exhibition [ˌeksɪˈbɪʃən] *n* Ausstellung *f* (**about** über +*akk*)

exhibitor [ɪgˈzɪbɪtər, eg-] *n* Aussteller(in) *m(f)*

exhilarating [ɪgˈzɪləreɪtɪŋ, eg'-] *adj* berauschend

exhilaration [ɪgˌzɪləˈreɪʃən, eg,-] *n no pl* Hochgefühl *nt*

exist [ɪgˈzɪst, eg'-] *vi* 1. existieren; **if such a thing** ~**s** wenn es so etwas gibt 2. (*live*) leben (**on** von)

existence [ɪgˈzɪstəns, eg'-] *n* 1. *no pl* Existenz *f*; **to be in** ~ existieren; **to come into** ~ entstehen 2. (*life*) Leben *nt*

existing [ɪgˈsɪstɪŋ, eg-] *adj* existierend; *rules* gegenwärtig; (*available*) vorhanden

exit [ˈeksɪt, ˈegz-] I. *n* 1. Ausgang *m*; (*road*) Ausfahrt *f*, Abfahrt *f* 2. (*departure*) Weggehen *nt* II. *vt* verlassen III. *vi* hinausgehen

exit visa *n* Ausreisevisum *nt*

exorbitant [ɪgˈzɔːbɪtənt, eg-] *adj* überhöht

exotic [ɪgˈzɒtɪk, eg-] *adj* exotisch; (*fig*) fremdländisch

expand [ɪkˈspænd, ek-] I. *vi* zunehmen; ECON expandieren II. *vt* erweitern

expansion [ɪkˈspæn(t)ʃən, ek-] *n no pl* Erweiterung *f*; ECON Expansion *f*

expatriate (*form*) I. *n* [ɪkˈspætriət, ek'-] [ständig] im Ausland Lebende(r) *f(m)*; **German** ~ im Ausland lebende(r) Deutsche(r); ~ **community** Ausländergemeinde *f* II. *vt* [ɪkˈspætrieɪt, ek'-] ausbürgern

expect [ɪkˈspekt, ek-] *vt* 1. erwarten; **that was to be** ~**ed** das war zu erwarten; **I** ~**ed as much** damit habe ich gerechnet; **to ~ sb to do sth** erwarten, dass jd etw tut **2.** (*fam: suppose*) glauben; **I ~ so/not** ich denke schon/nicht

expectant [ɪk'spektᵊnt, ek-] *adj* erwartungsvoll; *mother* werdend

expectation [ˌekspek'teɪʃᵊn] *n* Erwartung *f;* **to have great ~s for sb/sth** große Erwartungen in jdn/etw setzen

expedition [ˌekspɪ'dɪʃᵊn] *n* Expedition *f;* MIL Feldzug *m;* **shopping ~** Einkaufstour *f*

expel <-ll-> [ɪk'spel, ek-] *vt* **1.** ausschließen (**from** aus); *from country* ausweisen (**from** aus) **2.** (*force out*) vertreiben (**from** aus)

expenditure [ɪk'spendɪtʃəʳ, ek-] *n* **1.** *no pl* Ausgabe *f;* **~ of time** Zeitaufwand *m* **2.** (*sum*) Ausgaben *pl*, Aufwendungen *pl* (**on** für)

expense [ɪk'spen(t)s, ek-] *n* **1.** [Un]kosten *pl*, Ausgaben *pl;* **at great ~** mit großen Kosten; **to go to great ~** sich in Unkosten stürzen; **at one's own ~** auf eigene Kosten **2.** (*fig*) **at sb's ~** auf jds Kosten *pl;* **at the ~ of sth** auf Kosten einer S. *gen*

expense account *n* Spesenrechnung *f*

expensive [ɪk'spen(t)sɪv, ek-] *adj* teuer; *hobby* kostspielig; **to be an ~ mistake for sb** jdn teuer zu stehen kommen

experience [ɪk'spɪəriən(t)s, ek-] **I.** *n* Erfahrung *f* (**in/of** in +*dat*)*;* **from my own ~** aus eigener Erfahrung ▶ **to put sth down to ~** etw als Erfahrung abbuchen **II.** *vt* erleben; (*endure*) kennen lernen

experienced [ɪk'spɪəriən(t)st, ek-] *adj* erfahren; *eye* geschult; **more ~** mit mehr Erfahrung *nach n*

experiment I. *n* [ɪk'sperɪmənt, ek-] Experiment *nt;* **by ~** durch Ausprobieren **II.** *vi* [ɪk'sperɪment] experimentieren; **to ~ on sb/sth** an jdm/etw Versuche machen

experimental [ɪkˌsperɪ'mentᵊl, ekˌ-] *adj* experimentell; **for ~ purposes** zu Versuchszwecken

expert ['ekspɜːt] **I.** *n* Experte, Expertin *m, f*, Fachmann, -frau *m, f;* LAW Sachverständige(r) *f(m)* **II.** *adj* **1.** fachmännisch; (*skilled*) erfahren **2.** (*excellent*) ausgezeichnet; *liar* perfekt; **to be ~ at sth** sehr gut in etw *dat* sein

expire [ɪk'spaɪəʳ] *vi* ablaufen; *contract* auslaufen

expiry [ɪk'spaɪ(ə)ri] *n no pl* Ablauf *m;* **before/on the ~ of sth** vor/nach Ablauf einer S. *gen*

explain [ɪk'spleɪn, ek-] **I.** *vt* erklären; (*clarify*) erläutern; (*justify*) begründen **II.** *vi* eine Erklärung geben; **I just can't ~** ich kann es mir einfach nicht erklären; **let me ~** lassen Sie es mich erklären

explanation [ˌeksplə'neɪʃᵊn, ek-] *n* Erklärung *f;* (*clarification*) Erläuterung *f;* **to give [sb] an ~ for sth** [jdm] etw erklären; **in ~** als Erklärung (**of** für)

explode [ɪk'spləʊd, ek-] **I.** *vi* explodieren; *tyre* platzen; **to ~ in anger** vor Wut platzen **II.** *vt* sprengen; *bomb* zünden

exploit I. *n* ['eksplɔɪt] Heldentat *f* **II.** *vt* [ɪk'splɔɪt, ek-] ausbeuten

exploitation [ˌeksplɔɪ'teɪʃᵊn] *n no pl* Ausbeutung *f*

exploration [ˌeksplə'reɪʃᵊn] *n* **1.** Erforschung *f;* *specific* Erkundung *f* **2.** (*examination*) Untersuchung *f* (**of** von)

E

exploratory [ɪkˈsplɒrətᵊri, ek-] *adj* ~ **expedition** Forschungsexpedition *f;* ~ **talks** Sondierungsgespräche *pl*

explore [ɪkˈsplɔːʳ, ek-] **I.** *vt* erforschen; (*specific*) erkunden **II.** *vi* sich umschauen; **to go exploring** auf Erkundung[stour] gehen

explorer [ɪkˈsplɔːʳəʳ, ek-] *n* Forscher(in) *m(f)*

explosion [ɪkˈspləʊʒᵊn, ek-] *n* Explosion *f;* ~ **of anger** Wutausbruch *m*

explosive [ɪkˈspləʊsɪv, ek-] **I.** *adj* explosiv; *issue, situation* [hoch] brisant; ~ **force** Sprengkraft *f;* **to have an** ~ **temper** zu Wutausbrüchen neigen **II.** *n* Sprengstoff *m*

export I. *vt* [ɪkˈspɔːt, ek-] exportieren **II.** *n* [ˈekspɔːt, ek-] Export *m;* **for** ~ für den Export

exposed [ɪkˈspəʊzd, ek-] *adj* freigelegt; (*unprotected*) ungeschützt; *position* exponiert; ~ **to rain** dem Regen ausgesetzt

exposure [ɪkˈspəʊʒəʳ, ek-] *n* **1.** *no pl* Aussetzung *f;* **to weather** Ausgesetztsein *nt;* (*contact*) Kontakt *m* (**to** mit); ~ **to radiation** Bestrahlung *f* **2.** *no pl of fraud* Entlarvung *f* **3.** PHOT Belichtung *f*

exposure meter *n* PHOT Belichtungsmesser *m*

express [ɪkˈspres, ek-] **I.** *vt* ausdrücken; (*utter*) aussprechen; **to** ~ **oneself** sich ausdrücken **II.** *adj* **1.** Express-; **by** ~ **delivery** per Eilzustellung **2. for the** ~ **purpose** eigens zu dem Zweck **III.** *adv* per Express **IV.** *n* **1.** Express[zug] *m* **2.** *no pl* **by** ~ per Eilboten

expression [ɪkˈspreʃᵊn, ek-] *n* **1.** Ausdruck *m;* (*utterance*) Äußerung *f;* **freedom of** ~ Freiheit *f* der Meinungsäußerung **2.** (*facial*) [Gesichts]ausdruck *m;* **to have a glum** ~ ein mürrisches Gesicht machen

expressionless [ɪkˈspreʃᵊnləs, ek-] *adj* ausdruckslos

expressive [ɪkˈspresɪv, ek-] *adj* ausdrucksvoll; *voice* ausdrucksstark; **to be** ~ **of sth** etw ausdrücken

expressly [ɪkˈspresli, ek-] *adv* ausdrücklich

expressway *n* AM, AUS Schnellstraße *f*

expulsion [ɪkˈspʌlʃᵊn, ek-] *n no pl* Ausschluss *m* (**from** aus); *from country* Ausweisung *f* (**from** aus)

exquisite [ɪkˈskwɪzɪt, ek-] *adj* exquisit; ~ **timing** ein ausgeprägtes Zeitgefühl

extend [ɪkˈstend, ek-] **I.** *vt* **1.** (*stretch*) ausstrecken **2.** (*prolong*) verlängern **3.** *aerial* ausfahren **4.** (*expand*) erweitern **II.** *vi* sich erstrecken; *over time* sich hinziehen; **to** ~ **beyond sth** über etw *akk* hinausgehen

extended [ɪkˈstendɪd, ek-] *adj* verlängert; (*detailed*) umfassend

extension [ɪkˈsten(t)ʃᵊn, ek-] *n* **1.** *no pl* (*stretching*) Ausstrecken *nt* **2.** (*lengthening*) Verlängerung *f;* ~ **table** Ausziehtisch *m* **3.** (*prolonging*) Verlängerung *f* **4.** *no pl* (*expansion*) Erweiterung *f*, Vergrößerung *f* **5.** (*annexe*) Erweiterungsbau *m* (**to** an)

extension cord *n* AM, AUS Verlängerungskabel *nt*

extensive [ɪkˈsten(t)sɪv, ek-] *adj* **1.** ausgedehnt; *bombing* schwer **2.** (*far-reaching*) weitreichend; (*detailed*) ausführlich

extent [ɪkˈstent, ek-] *n* **1.** *no pl* Größe *f*, Ausdehnung *f;* (*length*) Länge *f;* (*range*) Umfang *m;* (*quantity*) Ausmaß *nt* **2.** (*degree*) Grad *m kein pl,*

Maß *nt kein pl;* **to a certain ~** in gewissem Maße; **to the same ~ as ...** in gleichem Maße wie ...; **to some ~** bis zu einem gewissen Grad; **to such an ~** dermaßen; **to that ~** in diesem Punkt, insofern

external [ɪk'stɜ:nᵊl, ek'-] *adj* **1.** äußerlich; **~ appearance** Aussehen *nt* **2.** (*from outside*) äußere(r, s) **3.** (*foreign*) auswärtig; **~ affairs** Außenpolitik *f*

extinct [ɪk'stɪŋkt, ek'-] *adj* **1.** ausgestorben; *empire, people* untergegangen **2.** (*inactive*) erloschen; **to become ~** erlöschen

extinguish [ɪk'stɪŋgwɪʃ, ek'-] *vt* [aus]löschen

extort [ɪk'stɔ:t, ek'-] *vt* erpressen (**out of/from** von)

extortion [ɪk'stɔ:ʃᵊn, ek'-] *n no pl* Erpressung *f;* **that's sheer ~!** das ist ja Wucher!

extortionate [ɪk'stɔ:ʃᵊnət, ek'-] *adj* **1.** übermäßig; **that's ~!** das ist ja Wucher!; **~ prices** Wucherpreise *pl* **2.** (*using force*) erpresserisch

extra ['ekstrə] **I.** *adj* zusätzlich; **~ time/money** mehr Zeit/Geld; **~ charge** Aufschlag *m;* **to take ~ care** besonders vorsichtig sein **II.** *adv* **1.** mehr; **to charge/pay ~** einen Aufpreis verlangen/bezahlen **2.** (*especially*) besonders

extra charge *n* Zuschlag *m*

extract I. *vt* [ɪk'strækt, ek'-] **1.** [heraus]ziehen (**from** aus); *bullet* entfernen; *tooth* ziehen **2.** (*obtain*) gewinnen (**from** aus); *oil* fördern **II.** *n* ['ekstrækt] **1.** (*excerpt*) Auszug *m* (**from** aus) **2.** (*concentrate*) Extrakt *m*

extraction [ɪk'strækʃᵊn, ek'-] *n* **1.** *no pl*

Herausziehen *nt; of bullet* Entfernen *nt; of tooth* [Zahn]ziehen *nt* **2.** (*obtainment*) Gewinnung *f*

extramarital [ˌekstrə'mærɪtᵊl] *adj* außerehelich

extraordinary [ɪk'strɔ:dᵊnᵊri] *adj* außerordentlich

extra time *n no pl* BRIT, AUS SPORTS [Spiel]verlängerung *f;* **to play ~** nachspielen

extravagant [ɪk'strævəgənt] *adj* extravagant; (*luxurious*) üppig

extreme [ɪk'stri:m] **I.** *adj* äußerste(r, s); *difficulties, weather* extrem; (*radical also*) radikal **II.** *n* Extrem *nt;* **to drive sb to ~s** jdn zum Äußersten treiben; **in the ~** äußerst

extremely [ɪk'stri:mli] *adv* äußerst; **I'm ~ sorry** es tut mir außerordentlich leid

eye [aɪ] **I.** *n* BOT, METEO *a.* Auge *nt;* (*eyelet*) Öse *f; of needle* Öhr *nt;* **a black ~** ein blaues Auge; **as far as the ~ can see** so weit das Auge reicht ▶ **to cry one's ~s out** sich *dat* die Augen ausheulen; **to have ~s in the back of one's head** seine Augen überall haben; **to keep an ~ out for sb/sth** nach jdm/etw Ausschau halten; **to make ~s at sb** jdm [schöne] Augen machen; **to see ~ to ~ with sb on sth** mit jdm einer Meinung über etw *akk* sein; **with one's ~s shut** mit geschlossenen Augen; **an ~ for an ~, a tooth for a tooth** (*prov*) Auge um Auge, Zahn um Zahn; **to turn a blind ~ [to sth]** [bei etw] beide Augen zudrücken **II.** *adj attr* Augen-

eyebrow *n* Augenbraue *f* **eye contact** *n no pl* **to make ~ [with sb]** Blickkontakt [mit jdm] aufnehmen **eyelash** *n* Wimper *f* **eyelid** *n* Augenlid *nt* **eyeliner** *n no pl* Eyeliner *m* **eye-opener** *n* **to be an ~ for sb** jdm die Augen öffnen; *(startling)* für jdn alarmierend sein **eye shadow** *n no pl* Lidschatten *m* **eyesight** *n no pl* Sehvermögen *nt;* **bad/good ~** schlechte/gute Augen; **failing ~** nachlassende Sehkraft **eyesore** *n* Schandfleck *m* **eyestrain** *n no pl* Überanstrengung *f* der Augen **eyetooth** *n* Augenzahn *m; (fig)* **I'd give my eyeteeth for that** ich würde alles darum geben ▶ **to** <u>cut</u> **one's eyeteeth** AM erwachsen werden **eyewitness** *n* Augenzeuge, -zeugin *m, f* **e-zine** ['iːziːn] *n* Internetmagazin *nt*

F

F <*pl* -'s>, **f** <*pl* -'s> [ef] *n* F *nt*, f *nt;* **~ flat** Fes *nt*, fes *nt;* **~ sharp** Fis *nt*, fis *nt; see also* **A 1**
fabric ['fæbrɪk] *n no pl* Stoff *m*
fabulous ['fæbjələs] *adj* fabelhaft
face [feɪs] **I.** *n* **1.** Gesicht *nt;* **with a happy/smiling ~** mit strahlender Miene; **~ down/up** mit dem Gesicht nach unten/oben; **north ~** Nordseite *f* **2.** *no pl (reputation)* **to lose/save ~** das Gesicht verlieren/wahren **3.** *no pl* **in the ~ of sth** angesichts einer S. *gen* ▶ **to** <u>disappear</u> **off the ~ of the earth** wie vom Erdboden verschluckt sein; **to** <u>put</u> <u>on</u> **a brave ~** gute Miene zum bösen Spiel machen **II.** *vt* **1.** sich zuwenden +*dat* **2.** *(point)* [hin] zeigen zu; *room, window* [hinaus]gehen auf +*akk* **3.** *(con-*

front) sich gegenübersehen +*dat; (deal with)* sich stellen +*dat;* **let's ~ it** machen wir uns doch nichts vor; **to ~ criticism** Kritik ausgesetzt sein **4.** *(bear)* ertragen ▶ **to ~ the** <u>music</u> für die Folgen geradestehen **III.** *vi* blicken; **to ~ backwards/downwards/east/forwards** nach hinten/unten/Osten/vorne zeigen; **to ~ south/west** *room, window* nach Süden/Westen [hinaus]gehen ◆ **face up I.** *vi* **to ~ up to sth** etw *dat* ins Auge sehen **II.** *vi* nach oben zeigen
facecloth *n* Waschlappen *m* **face-mapping** *n* Face-Mapping *nt (automatische Gesichtserkennung)*
facility [fə'sɪlɪti] *n* **1.** *no pl* Leichtigkeit *f* **2.** *esp* AM *(equipment)* Einrichtung *f;* **toilet facilities** Toiletten *pl*
fact [fækt] *n* **1.** *no pl* Wirklichkeit *f* **2.** *(truth)* Tatsache *f;* **the ~ [of the matter] is that ...** Tatsache ist, dass ...
factory ['fækt³ri] *n* Fabrik *f*
fade [feɪd] **I.** *vi* verblassen; *(abate)* nachlassen; *(disappear)* FILM, TV ausgeblendet werden **II.** *vt* ausbleichen ◆ **fade away** *vi courage, hope* schwinden; *memories* verblassen; *beauty* verblühen
fag [fæg] *n* **1.** BRIT, AUS *(fam: cigarette)* Kippe *f* **2.** *esp* AM *(pej sl: homosexual)* Schwule(r) *m*
fail [feɪl] **I.** *vi* **1.** versagen; SCH, UNIV durchfallen; *attempt, plan* scheitern; **if all else ~s** zur Not; **to ~ to do sth** versäumen, etw zu tun **2.** *(weaken)* nachlassen; **my courage ~ed** der Mut verließ mich; **to be ~ing fast** im Sterben liegen **II.** *vt* **1.** durchfallen bei; **to ~ sb** jdn durchfallen lassen **2.** **my courage ~ed me** mich verließ der Mut; **words ~ me** mir fehlen die

Worte **III.** *n* ▶ **without** ~ auf jeden Fall

failing [ˈfeɪlɪŋ] **I.** *adj* ~ **eyesight** Sehschwäche *f;* **in the** ~ **light** in der Dämmerung **II.** *n* Schwäche *f* **III.** *prep* mangels +*gen;* ~ **that** ansonsten

failure [ˈfeɪljəʳ] *n* **1.** *no pl* Scheitern *nt,* Versagen *nt;* ~ **rate** Durchfallquote *f;* **to end in** ~ scheitern **2.** (*flop*) Misserfolg *m;* **an utter** ~ ein totaler Reinfall; **crop** ~ Missernte *f*

faint [feɪnt] **I.** *adj* undeutlich; *light, smile, voice* matt; *sound, suspicion, hope* leise; **to bear a** ~ **resemblance to sb** jdm ein wenig ähnlich sehen **II.** *vi* ohnmächtig werden

fair¹ [feəʳ] **I.** *adj* **1.** fair; *wage* angemessen; (*just also*) gerecht (**to** gegenüber); (*legitimate*) berechtigt; **you're not being** ~ das ist unfair; ~ **enough!** (*fam: approved*) na schön!; (*agreed*) dagegen ist nichts einzuwenden!; **one's** ~ **share** sein Anteil *m* **2.** (*large*) ziemlich; **it was a** ~ **amount** es war ziemlich viel **3.** (*good*) ziemlich gut; **to have a** ~ **idea that ...** sich *dat* ziemlich sicher sein, dass ... **4.** *skin* hell; **to have** ~ **hair** blond sein **II.** *adv* fair

fair² [feəʳ] *n* Jahrmarkt *m;* (*trade, industry*) Messe *f;* **craft** ~ Kunsthandwerkmarkt *m*

fairground *n* Rummelplatz *m*

fairly [ˈfeəli] *adv* **1.** ziemlich; ~ **recently** vor kurzem **2.** (*justly*) fair ▶ ~ **and squarely** einzig und allein

fairy [ˈfeəri] *n* Fee *f*

fairy tale *n* Märchen *nt*

faith [feɪθ] *n* **1.** *no pl* Vertrauen *nt* (**in** zu); **to keep** ~ **with sb/sth** jdm/etw gegenüber Wort halten; **to put one's**

~ **in sb/sth** auf jdn/etw vertrauen **2.** REL Glaube *m* (**in** an)

faithful [ˈfeɪθfəl] **I.** *adj* treu; REL gläubig **II.** *n* **the** ~ *pl* die Gläubigen *pl*

faithfully [ˈfeɪθfəli] *adv* treu; **to promise** ~ hoch und heilig versprechen; **Yours f~** BRIT, AUS mit freundlichen Grüßen

fake [feɪk] **I.** *n* Fälschung *f;* (*imitation*) Attrappe *f* **II.** *adj* ~ **leather** Kunstleder *nt;* ~ **tan** Solariumsbräune *f* **III.** *vt* fälschen; (*pretend*) vortäuschen

fall [fɔːl] **I.** *n* **1.** Fall *m;* (*harder*) Sturz *m;* **to have a nasty** ~ schwer stürzen **2.** *no pl* (*descent*) Fallen *nt;* **the rise and** ~ **of the tide** Ebbe und Flut **3.** [**heavy**] ~**s of rain/snow** [heftige] Regen-/Schneefälle **4.** *no pl* (*decrease*) Rückgang *m* (**in** +*gen*); ~ **in value** Wertverlust *m* **5.** *no pl* (*defeat*) *of city* Einnahme *f; of dictator, regime* Sturz *m* **6.** AM (*autumn*) Herbst *m* **7.** (*waterfall*) ~**s** *pl* Wasserfall *m;* [**the**] **Niagara F~s** die Niagarafälle **II.** *adj attr* AM ~ **colours** Herbstfarben *pl* **III.** *vi* <fell, fallen> **1.** fallen; (*harder*) stürzen; **to** ~ **under a bus** unter einen Bus geraten; **to** ~ **to one's death** in den Tod stürzen **2.** **his hair fell around his shoulders** sein Haar fiel ihm auf die Schulter **3.** (*descend*) fallen **4.** (*slope*) [steil] abfallen **5.** (*decrease*) sinken **6.** (*be defeated*) gestürzt werden; **to** ~ **to sb** jdm in die Hände fallen **7.** **to** ~ **asleep** einschlafen; **to** ~ **ill** krank werden; **to** ~ **into debt** sich verschulden; **to** ~ **in love** sich verlieben ◆ **fall back** *vi* zurückweichen; **to** ~ **back on sth/sb** auf etw *akk* zurückgreifen/auf jdn zurück-

F

kommen ◆ **fall behind I.** *vi* **1.** zurückfallen **2.** (*achieve less*) zurückbleiben; SCH hinterherhinken **II.** *vt* **1.** zurückfallen hinter +*akk* **2.** (*achieve less*) zurückbleiben hinter +*dat* ◆ **fall down** *vi* **1.** hinunterfallen; (*topple*) hinfallen; (*collapse*) einstürzen; **to be ~ing down** *house* abbruchreif sein **2.** (*fail*) **to ~ down on sth** mit etw *dat* scheitern ◆ **fall for** *vt* **to ~ for sb** sich in jdn verlieben; **to ~ for sth** auf etw *akk* hereinfallen ◆ **fall in** *vi* **1.** hineinfallen; (*collapse*) einstürzen **2.** **to ~ in behind sb** hinter jdm herlaufen; **to ~ in with sb** sich jdm anschließen ◆ **fall out** *vi* **1.** herausfallen; *teeth, hair* ausfallen **2.** (*quarrel*) **to ~ out [with sb]** sich [mit jdm] [zer]streiten ◆ **fall over** *vi* hinfallen; (*harder*) stürzen; *object* umfallen; (*harder*) umstürzen ◆ **fall through** *vi* scheitern; *plan* ins Wasser fallen ◆ **fall to** *vi* **1.** (*liter*) **to ~ to doing sth** beginnen, etw zu tun **2.** **to ~ to sb** jdm zufallen

fallen ['fɔ:lən] *adj* **1.** abgefallen; *tree* umgestürzt; **~ leaves** Laub *nt* **2.** (*overthrown*) gestürzt

false [fɔ:ls] *adj* falsch; *imprisonment* unrechtmäßig; *optimism* trügerisch; **~ start** Fehlstart *m*

familiar [fə'mɪliə'] *adj* **1.** vertraut; **this looks ~ to me** das kommt mir irgendwie bekannt vor; **to be ~ with sth/sb** etw/jdn kennen **2.** (*informal*) vertraulich; **to be on ~ terms [with sb]** [mit jdm] befreundet sein

family ['fæmˤli] *n* Familie *f*; **a ~ of four** eine vierköpfige Familie

family doctor *n* Hausarzt, Hausärztin *m, f* **family name** *n* Familienname *m* **family tree** *n* Familienstammbaum *m*

famine ['fæmɪn] *n* Hungersnot *f*
famous ['feɪməs] *adj* berühmt ▶ **~ last words** wers glaubt, wird selig!
famously ['feɪməsli] *adv* **1.** bekanntermaßen **2.** (*fam*) **to get on ~** sich blendend verstehen
fan¹ [fæn] *n* Fan *m*; (*admirer*) Bewunderer, Bewunderin *m, f*; **I'm a great ~ of your work** ich schätze Ihre Arbeit sehr
fan² [fæn] **I.** *n* Fächer *m*; (*electrical*) Ventilator *m* **II.** *vt* <-nn-> anfachen; **to ~ oneself** sich *dat* Luft zufächeln
fanatic [fə'nætɪk] **I.** *n* **1.** Fanatiker(in) *m(f)* **2.** (*enthusiast*) **fellow ~** Mitbegeisterte(r) *f(m)*; **fitness ~** ein Fitnessfan *m* **II.** *adj* fanatisch
fan club *n* + *sing/pl vb* Fanclub *m*
fancy ['fæn(t)si] **I.** *vt* <-ie-> *esp* BRIT **1.** wollen **2.** **to ~ sb** jdn attraktiv finden; (*sexually*) etwas von jdm wollen **3.** (*pej*) **to ~ oneself** sich *dat* toll vorkommen **4.** **~ [that]!** stell dir das [mal] vor!; **~ seeing you here!** na, so was! du hier! **II.** *n no pl* **1.** Vorliebe *f*; **to take a ~ to sth/sb** Gefallen an etw/jdm finden **2.** (*whim*) Laune *f*; **when the ~ takes him** wenn ihm gerade danach ist **III.** *adj* **1.** aufwändig; *pattern* ausgefallen; *car* schick **2.** (*whimsical*) versponnen **3.** (*fam: expensive*) **~ restaurant** Nobelrestaurant *nt*; **~ foods** Delikatessen *pl*
fancy-free *adj* sorglos
fantastic [fæn'tæstɪk] *adj* (*fam*) toll *fam*; (*huge*) enorm; **a ~ idea** eine Superidee *fam*
fanzine ['fænzi:n] *n* Fanmagazin *nt*
far <farther *or* further, farthest> [fɑ:'] **I.** *adv* **1.** weit; **how much further is it?** wie weit ist es denn noch?; **as ~ as the eye can see** so weit das Auge

reicht **2.** (*in time*) weit; ~ **in the future** in ferner Zukunft; **lunch isn't ~ off** wir essen bald zu Mittag **3.** (*in progress*) weit; **as ~ as I can** soweit es mir möglich ist; **as ~ as possible** so oft wie möglich **4.** (*much*) weit, viel; **I'd ~ rather ...** ich würde viel lieber ...; ~ **better/nicer** viel besser/netter ▶ ~ **and** <u>away</u> mit Abstand; **sb will go** ~ jd wird es zu etwas bringen **II.** *adj* fern; **in the ~ distance** in weiter Ferne; **at the ~ end** am anderen Ende; **on the ~ bank** am gegenüberliegenden Ufer ▶ **so** ~ **so** <u>good</u> so weit, so gut

fare [feə^r] *n* Fahrpreis *m*

Far East *n no pl* **the ~** der Ferne Osten

farewell [ˌfeə'wel] **I.** *interj* (*form*) leb/lebt/leben Sie wohl! **II.** *n* Abschied *m*

far-fetched *adj* weit hergeholt

farm [fɑːm] **I.** *n* Bauernhof *m*; **chicken ~** Hühnerfarm *f*; **health ~** Schönheitsfarm *f*; **trout ~** Forellenzucht *f* **II.** *vt* bebauen

farmer ['fɑːmə^r] *n* Bauer, Bäuerin *m, f*

farmhouse *n* Bauernhaus *nt*; ~ **cheese** Bauernkäse *m*

farming ['fɑːmɪŋ] *n no pl* Ackerbau und Viehzucht

far-off *adj* fern; (*remote*) [weit] entfernt **far-sighted** *adj* weitsichtig

fart [fɑːt] (*fam!*) **I.** *n* Furz *m* **II.** *vi* furzen

farther ['fɑːðə^r] *comp of see* **far I.** *adv* weiter; **how much ~ is it?** wie weit ist es noch? **II.** *adj* **1. at the ~ end** am anderen Ende **2.** (*additional*) weitere(r, s)

farthest ['fɑːðɪst] *superl of see* **far** *adj, adv* am weitesten; **the ~ place** der am weitesten entfernte Ort

fascinate ['fæsɪneɪt] *vt* faszinieren

fascinating ['fæsɪneɪtɪŋ] *adj* faszinierend

fascism *n no pl* Faschismus *m*

fashion ['fæʃ°n] **I.** *n* **1.** Mode *f*; **in ~** in Mode; **in the latest ~** nach der neuesten Mode **2.** (*clothes*) **~s** *pl* Mode *f* **II.** *vt* ausarbeiten

fashionable ['fæʃ°nəbl] *adj* modisch; **to be/become ~** in Mode sein/werden; ~ **restaurant** Schickerialokal *nt*

fast[1] [fɑːst] **I.** *adj* **1.** schnell; **to be a ~ reader/runner** schnell lesen/laufen **2.** *clock* **to be ~** vorgehen **3.** (*firm*) fest; **to make sth ~** [**to sth**] etw [an etw *dat*] festmachen **II.** *adv* **1.** schnell **2.** (*firmly*) fest; **to be ~ asleep** tief schlafen

fast[2] [fɑːst] **I.** *vi* fasten **II.** *n* Fastenzeit *f*; **to break one's ~** das Fasten brechen

fasten ['fɑːs°n] **I.** *vt* **1.** schließen; **to ~ one's seat belt** sich anschnallen **2.** (*secure*) befestigen (**to** an) **II.** *vi* sich schließen lassen

fastener ['fɑːs°nə^r] *n* Verschluss *m*; **zip ~** Reißverschluss *m*

fat [fæt] **I.** *adj* <-tt-> **1.** dick, fett **2.** (*thick*) dick **3.** (*fam: little*) ~ **chance we've got** da haben wir ja Mordschancen *iron* **II.** *n* Fett *nt*

fatal ['feɪt°l] *adj* tödlich; (*disastrous*) fatal; ~ **blow** Todesstoß *m*

fatality [fə'tæləti] *n* Todesopfer *nt*

fatally ['feɪt°li] *adv* tödlich; ~ **ill** sterbenskrank

fate [feɪt] *n* Schicksal *nt*; ▶ **a ~** <u>worse</u> **than death** eine Unerfreulichkeit

fated ['feɪtɪd] *adj* vom Schicksal bestimmt

father ['fɑːðə^r] *n* Vater *m*; **on one's ~'s**

F

side väterlicherseits; **like ~, like son** wie der Vater, so der Sohn

Father Christmas *n esp* BRIT der Weihnachtsmann

father-in-law <*pl* fathers-> *n* Schwiegervater *m*

fatty ['fæti] I. *adj* fett[haltig]; **~ tissue** Fettgewebe *nt* II. *n* (*pej fam*) Dickerchen *nt*

faucet ['fɑ:sɪt] *n* AM (*tap*) Wasserhahn *m*

fault [fɔ:lt] *n* **1.** *no pl* Schuld *f;* **it's all your ~** das ist ganz allein deine Schuld; **it's your own ~** du bist selbst schuld daran; **to find ~ with sb/sth** etwas an jdm/etw auszusetzen haben **2.** (*weakness*) Fehler *m;* **she was generous to a ~** sie war zu großzügig; **his/her main ~** seine/ihre größte Schwäche **3.** (*defect*) Fehler *m;* (*disruption*) Störung *f*

faultless ['fɔ:ltləs] *adj* fehlerfrei; *performance a.* fehlerlos

faulty ['fɔ:lti] *adj* defekt; (*unsound*) fehlerhaft

faux [fəʊ] *adj* künstlich; *leather* Kunstfavor AM *see* favour

favor AM *see* favour

favorable *adj* AM *see* favourable

favorite AM *see* favourite

favour ['feɪvər] I. *n* **1.** *no pl* (*approval*) **in ~ of** für; **to be in ~** dafür sein; **all those in ~, ...** alle, die dafür sind, ... **2.** *no pl* (*advantage*) **in ~ of** für; **to have sth in one's ~** etw als Vorteil haben; **the wind was in our ~** der Wind war günstig für uns **3.** (*kind act*) Gefallen *m kein pl;* **~s** Gefälligkeiten ▸ **do me a ~!** BRIT (*fam*) tu mir einen Gefallen! II. *vt* **1.** (*prefer*) vorziehen **2.** (*approve*) gutheißen; **to ~ doing sth** es gutheißen, etw zu tun

favourable ['feɪvʳrəbl] *adj* (*approving*)

positiv; (*advantageous*) günstig (**to** für); **in a ~ light** mit Wohlwollen

favourite I. *adj attr* Lieblings- II. *n* Liebling *m;* (*contestant*) Favorit(in) *m(f)*

fax [fæks] I. *n* <*pl* -es> Fax *nt* II. *vt* faxen

fax machine *n* Fax[gerät] *nt*

fear [fɪər] I. *n* **1.** *no pl* Angst *f;* **in ~ of one's life** in Todesangst **2.** **~s for sb's safety** Sorge *f* um jds Sicherheit; **sb's worst ~s** jds schlimmste Befürchtungen II. *vt* **1.** fürchten; **nothing to ~** nichts zu befürchten **2.** (*form: regret*) **to ~** [**that**] ... [be]fürchten, dass ... III. *vi* **to ~ for sb/sth** sich *dat* um jdn/etw Sorgen machen

fearful ['fɪəfʳl] *adj* ängstlich; **~ of causing a scene, ...** aus Angst, eine Szene auszulösen, ...

feast [fi:st] I. *n* Festessen *nt;* **~ day** [kirchlicher] Festtag II. *vi* schlemmen; **to ~ on sth** sich an etw *dat* gütlich tun

feather ['feðər] *n* Feder *f;* ▸ **a ~ in sb's cap** etwas, worauf jd stolz sein kann; **as light as a ~** federleicht

feature ['fi:tʃər] I. *n* **1.** Merkmal *nt,* Kennzeichen *nt;* **special ~** Besonderheit *f* **2.** (*trait*) **~s** *pl* Gesichtszüge *pl* **3.** (*film*) Spielfilm *m;* **double ~** zwei Spielfilme *pl* in einem II. *vt* **1.** aufweisen **2.** (*star*) **featuring sb** mit jdm in der Hauptrolle **3.** (*report*) **to ~ sth** über etw *akk* groß berichten III. *vi* vorkommen; **to ~ high on the list** ganz oben auf der Liste stehen

feature film *n* Spielfilm *m*

February ['februʳri] *n* Februar *m;* **in the middle of ~** Mitte Februar; **last/next/this ~** vergangenen/kommenden/diesen Februar; **in/during** ~ im Februar

fed¹ [fed] *pt, pp of* **feed**

fed² [fed] AM (*fam*) **I.** *adj inv short for* **federal II.** *n no pl, + sing/pl vb short for* **Federal Reserve Board**

federal ['fedªrªl] *adj* föderativ; ~ **republic** Bundesrepublik *f;* **at ~ level** auf Bundesebene

fed up *adj* (*fam*) **to be ~** die Nase voll haben

fee [fiː] *n* Gebühr *f; of lawyer* Honorar *nt;* **legal ~s** Rechtskosten *pl*

feeble <-r, -st> ['fiːbl] *adj* schwach; *attempt* müde; *joke, excuse* lahm

feed [fiːd] **I.** *n no pl* Futter *nt; for baby* Mahlzeit *f* **II.** *vt* <fed, fed> **1.** *animal, invalid, baby* füttern; **to ~ sb** jdm zu essen geben; **to ~ oneself** allein essen **2.** (*nourish*) ernähren; **that's not going to ~ ten people** das reicht nicht für zehn Personen **III.** *vi* <fed, fed> *animal* weiden; *baby* gefüttert werden; *river* **to ~ into sth** in etw *akk* münden ◆ **feed in** *vt* COMPUT eingeben ◆ **feed off, feed on** *vi* **to ~ off** [*or* **on**] **sth** sich von etw *dat* ernähren

feeding bottle *n* Fläschchen *nt*

feel [fiːl] **I.** *vt* <felt, felt> **1.** fühlen; *one's age* spüren; **to ~ the cold/heat** unter der Kälte/Hitze leiden; **to ~ nothing for sb** für jdn nichts empfinden **2.** **how do you ~ about it?** was hältst du davon?; **to ~ that ...** der Meinung sein, dass ... **II.** *vi* <felt, felt> **1.** + *adj* **my eyes ~ sore** meine Augen brennen; **to ~ foolish** sich *dat* dumm vorkommen; **to ~ better/ill** sich besser/krank fühlen; **to ~ free to do sth** etw ruhig tun **2.** **to ~ for sb** mit jdm fühlen **3.** + *adj* (*seem*)

scheinen **4.** (*search*) tasten (**for** nach); **to ~ along sth** etw abtasten **5.** (*want*) **to ~ like sth** zu etw *dat* Lust haben; **to ~ like doing sth** Lust haben, etw zu tun **III.** *n no pl* **1.** Berühren *nt* **2.** **the ~ of wool** das Gefühl von Wolle **3.** (*talent*) Gespür *nt* ◆ **feel about** *vi* tasten (**for** nach +*dat*)

feeling ['fiːlɪŋ] *n* **1.** Gefühl *nt* (**of** +*gen*); **dizzy ~** Schwindelgefühl *nt;* **to cause bad ~** [*or* AM **~s**] böses Blut verursachen; **~ for language** Sprachgefühl *nt* **2.** (*opinion*) Ansicht *f* (**about/on** über); **what are your ~s about ...?** wie denken Sie über ...?

feet [fiːt] *n pl of* **foot**

fell¹ [fel] *pt of* **fall**

fell² [fel] **I.** *vt* fällen; (*knock down*) niederstrecken **II.** *adj* ▶ **at** [*or* **with**] **one ~** <u>swoop</u> auf einen Streich

fellow ['feləʊ] **I.** *n* **1.** (*fam*) Kerl *m* **2.** BRIT (*scholar*) Fellow *m* **II.** *adj attr* ~ **citizen** Mitbürger(in) *m(f);* ~ **countryman** Landsmann *m,* Landsmännin *f;* ~ **countrymen** Landsleute *pl;* ~ **student** Kommilitone *m,* Kommilitonin *f;* ~ **sufferer** Leidensgenosse *m,* Leidensgenossin *f*

fellow passenger *n* Mitreisende(r) *f(m)*

felt¹ [felt] *pt, pp of* **feel**

felt² [felt] *n no pl* Filz *m*

felt-tip (**pen**) *n* Filzstift *m*

female ['fiːmeɪl] **I.** *adj* weiblich **II.** *n* Frau *f;* (*animal*) Weibchen *nt*

feminine ['femɪnɪn] **I.** *adj* feminin, weiblich **II.** *n* LING Femininum *nt*

feminist ['femɪnɪst] **I.** *n* Feminist(in) *m(f)* **II.** *adj* feministisch

fence [fen(t)s] **I.** *n* Zaun *m;* SPORTS Hindernis *nt;* ▶ **to** <u>sit</u> **on the ~** neutral

F

bleiben **II.** *vi* fechten

fencer ['fen(t)sə'] *n* Fechter(in) *m(f)*

fencing ['fen(t)sɪŋ] *n no pl* **1.** SPORTS Fechten *nt* **2.** (*barrier*) Einzäunung *f*

fend [fend] **I.** *vi* **to ~ for oneself** für sich selbst sorgen **II.** *vt* **to ~ off sb/ sth** jdn/etw abwehren

ferocious [fəˈrəʊʃəs] *adj* wild; (*violent*) heftig

ferry ['feri] **I.** *n* Fähre *f;* **by ~** mit der Fähre **II.** *vt* <-ie-> **to ~ sb/sth [across]** jdn/etw übersetzen; **to ~ sb about** (*fig*) jdn herumfahren

fertile ['fɜ:taɪl] *adj* fruchtbar; *imagination* lebhaft

fertilizer ['fɜ:tɪlaɪzə'] *n* Dünger *m*

festival ['festɪvªl] *n* Festival *nt;* (*day*) Fest *nt;* **the Salzburg F~** die Salzburger Festspiele *pl*

festive ['festɪv] *adj* festlich; **~ mood** Feststimmung *f*

festivity [fes'tɪvəti] *n* **festivities** *pl* Feierlichkeiten *pl*

fetch [fetʃ] **I.** *vt* holen; (*sell for*) erzielen **II.** *vi* **~!** bring [es] her!

fetching ['fetʃɪŋ] *adj* schick

fête [feɪt] **I.** *n* BRIT, AUS Fest *nt;* **church/school/village ~** Kirchen-/ Schul-/Dorffest *nt* **II.** *vt usu passive* **to ~ sb** jdn feiern

fever ['fi:və'] *n* Fieber *nt kein pl;* **to have a ~** Fieber haben; **a ~ of excitement** (*fig*) fieberhafte Erregung; **at ~ pitch** (*fig*) fieberhaft

feverish ['fi:vªrɪʃ] *adj* fiebrig; (*frantic*) fieberhaft

few [fju:] **I.** *adj* **1.** (*some*) **every ~ days** alle paar Tage; **a ~** ein paar, einige; **quite a ~** ziemlich viele **2.** (*not many*) wenige; **~er people were there today** heute waren weniger Menschen da; **not a ~ readers** nicht

wenige Leser; **as ~ as ...** nur ... ▸ **to be ~ and far between** dünn gesät sein **II.** *pron* **1.** (*some*) **a ~ of these** ein paar von diesen; **a ~ of us** einige von uns **2.** (*not many*) wenige; **~ can do that** nur wenige können das; **the ~ who came ...** die paar Leute, die kamen, ... **III.** *n* **the ~** *pl* **1.** (*elite*) die Auserwählten **2.** (*minority*) die Minderheit

fiancé [fiˈɑ̃:(n)seɪ] *n* Verlobte(r) *m*

fiancée [fiˈɑ̃:(n)seɪ] *n* Verlobte *f*

fiction ['fɪkʃªn] *n no pl* Erzählliteratur *f;* **~ writer** Prosaschriftsteller(in) *m(f)*

fiddle ['fɪdl] **I.** *n* (*fam*) **1.** Fidel *f* **2.** BRIT Betrug *m kein pl;* **to be on the ~** krumme Dinger drehen ▸ [**as**] **fit as a ~** kerngesund; **to play second ~ to sb** in jds Schatten *m* stehen **II.** *vt* (*fam*) frisieren **III.** *vi* **to ~ with sth 1.** (*finger*) an etw *dat* herumfummeln **2.** (*tinker*) an etw *dat* herumbasteln

fidget ['fɪdʒɪt] **I.** *n* **1.** Zappelphilipp *m* **2. to have/get the ~s** *pl* zapp[e]lig sein/werden **II.** *vi* zappeln

field [fi:ld] **I.** *n* **1.** (*meadow*) Wiese *f;* (*pasture*) Weide *f;* (*for crops*) Feld *nt,* Acker *m;* SPORTS Spielfeld *nt* **2.** (*discipline*) Gebiet *nt;* ▸ **to leave the ~ clear for sb** jdm das Feld überlassen **II.** *vi* SPORTS als Fänger(in) *m(f)* spielen **III.** *vt ball* fangen

fielder ['fi:ldə'] *n* Feldspieler(in) *m(f)*

fierce [fɪəs] *adj* wild; *attack, competition* scharf; *debate* hitzig; *fighting* erbittert; *winds* tobend

fifteen [fɪf'ti:n] **I.** *adj* fünfzehn; *see also* **eight II.** *n* Fünfzehn *f; see also* **eight**

fifteenth [fɪf'ti:nθ] **I.** *adj* fünfzehnte(r,

s); *see also* **eighth** II. *n* Fünfzehntel *nt;* **the ~** der/die/das Fünfzehnte; *see also* **eighth**

fifth [fɪfθ] I. *adj* fünfte(r, s); *see also* **eighth** II. *n* Fünftel *nt;* **the ~** der/die/das Fünfte; *see also* **eighth** III. *adv* fünftens; *see also* **eighth**

fiftieth ['fɪftiəθ] I. *adj* fünfzigste(r, s); *see also* **eighth** II. *n* Fünfzigstel *nt;* **the ~** der/die/das Fünfzigste; *see also* **eighth** III. *adv* fünfzigstens; *see also* **eighth**

fifty ['fɪfti] I. *adj* fünfzig; *see also* **eight** II. *n* Fünfzig *f;* (*banknote*) Fünfziger *m; see also* **eight**

fig¹ [fɪg] *n* Feige *f*

fig² [fɪg] I. *n abbrev of* **figure** Abb. *f* II. *adj abbrev of* **figurative** fig.

fight [faɪt] I. *n* 1. Kampf *m;* BOXING *a.* Fight *m* (**against** gegen/**for** um); (*brawl*) Rauferei *f;* (*with fists*) Schlägerei *f* II. *vi* <fought, fought> 1. kämpfen; (*brawl*) sich raufen; **to ~ with sb** mit/gegen jdn kämpfen 2. (*quarrel*) sich streiten (**about/over** um) III. *vt* <fought, fought> kämpfen gegen +*akk;* (*in boxing*) boxen gegen +*akk; battle* schlagen; *crime, fire* bekämpfen ◆ **fight back** *vi* zurückschlagen; (*defend oneself*) sich zur Wehr setzen ◆ **fight off** *vt* abwehren; *reporter* abwimmeln; *flames* bekämpfen

fighter ['faɪtər] *n* Kämpfer(in) *m(f);* (*plane*) Kampfflugzeug *nt*

fighting ['faɪtɪŋ] I. *n no pl* Schlägereien *pl* II. *adj* kämpferisch

figure ['fɪgər] I. *n* Figur *f;* (*person*) Gestalt *f;* MATH Ziffer *f;* (*numeral*) Zahl *f;* **he is good at ~s** er ist ein guter Rechner; **double/single ~s** zweistellige/einstellige Zahlen II. *vt* AM voraus-

sehen III. *vi* 1. **that ~s** das hätte ich mir denken können 2. AM (*count on*) **to ~ on sth** mit etw *dat* rechnen ◆ **figure out** *vt* herausfinden; MATH ausrechnen; (*understand*) begreifen

file¹ [faɪl] I. *n* [Akten]hefter *m;* COMPUT Datei *f;* (*database*) Akte *f* (**on** über); **to keep a ~ on sb/sth** eine Akte über jdn/etw führen II. *vt* ablegen, abheften; (*submit*) abgeben III. *vi* **to ~ for sth** auf etw *akk* klagen; **to ~ for divorce** die Scheidung beantragen

file² [faɪl] I. *n* Reihe *f;* **in single ~** im Gänsemarsch II. *vi* nacheinander gehen

file³ [faɪl] I. *n* Feile *f* II. *vt* feilen; **to ~ one's nails** sich *dat* die Nägel feilen; **to ~ down** abfeilen

filing cabinet *n* Aktenschrank *m*

fill [fɪl] I. *n* **to drink/eat one's ~** seinen Durst stillen/sich satt essen; **to have one's ~ of sth** genug von etw *dat* haben II. *vt* 1. füllen; *tooth* plombieren; *vacuum, gap* schließen 2. (*pervade*) erfüllen III. *vi* sich füllen ◆ **fill in** I. *vt* 1. (*inform*) informieren (**on** über) 2. (*seal*) [aus]füllen; *cracks* zuspachteln II. *vi* einspringen (**for** für +*akk*) ◆ **fill out** I. *vt* ausfüllen II. *vi* sich ausdehnen ◆ **fill up** I. *vt* voll füllen; *car* voll tanken; **to ~ up ⇆ sb** jdn satt bekommen; **to ~ oneself up** sich voll stopfen II. *vi* sich füllen; (*fuel*) das Auto [voll] tanken

fillet ['fɪlɪt] I. *n* Filet *nt* II. *vt* filetieren; *fish* entgräten

filling ['fɪlɪŋ] I. *n* Füllmasse *f;* (*for teeth*) Füllung *f;* FOOD Füllung *f* II. *adj* sättigend

filling station *n* Tankstelle *f*

film [fɪlm] I. *n* 1. Film *m* 2. (*layer*) Schicht *f;* **~ of oil** Ölfilm *m* II. *vt, vi*

F

filmen, drehen

film star *n* Filmstar *m*

filter ['fɪltəʳ] I. *n* Filter *m* II. *vt* filtern; (*fig*) selektieren III. *vi* 1. (*pervade*) dringen (**into** in) 2. BRIT AUTO **to ~ left/right** sich links/rechts einordnen

filter lane *n* BRIT Abbiegespur *f*

filthy ['fɪlθi] I. *adj* 1. dreckig *fam* 2. *look* vernichtend; **he was in a ~ mood** er hatte furchtbare Laune 3. BRIT scheußlich; **~ weather** Schmuddelwetter *nt* II. *adv* (*fam*) furchtbar; **~ rich** stinkreich

fin [fɪn] *n* Flosse *f*

final ['faɪnᵊl] I. *adj* 1. letzte(r, s); **in the ~ analysis** letzten Endes; **~ chapter** Schlusskapitel *nt;* **~ result** Endergebnis *nt* 2. (*decisive*) endgültig; **that's ~!** und damit basta! II. *n* 1. Endspiel *nt,* Finale *nt* 2. BRIT UNIV **~s** *pl* [Schluss]examen *nt;* **to take one's ~s** Examen machen

finalist ['faɪnᵊlɪst] *n* Finalist(in) *m(f)*

finalize ['faɪnᵊlaɪz] *vt* zum Abschluss bringen; (*agree*) endgültig festlegen

finally ['faɪnᵊli] *adv* schließlich; (*expressing relief*) endlich; (*in conclusion*) abschließend, zum Schluss

finance ['faɪnæn(t)s] I. *n* 1. *no pl* Finanzwirtschaft *f* 2. (*funds*) Geldmittel *pl;* **~s** Finanzen *pl* II. *vt* finanzieren

financial [faɪ'næn(t)ʃᵊl] *adj* finanziell, Finanz-

find [faɪnd] I. *n* Fund *m;* (*person*) Entdeckung *f* II. *vt* <found, found> finden; **to ~ what/where/who ...** herausfinden, was/wo/wer ...; **she was found unconscious** sie wurde bewusstlos aufgefunden; **to ~ oneself alone** auf einmal allein sein; **to ~ sb**

guilty jdn für schuldig erklären; **to ~ that ...** feststellen, dass ...; (*realize*) sehen, dass ... III. *vi* ▶ **seek and you shall ~** (*prov*) wer such[e]t, der findet ◆ **find out** I. *vt* herausfinden; (*detect*) erwischen II. *vi* dahinterkommen; **to ~ out about sb/sth** (*get information*) sich über jdn/etw informieren; (*learn*) über jdn/etw etwas erfahren

finder ['faɪndəʳ] *n* Finder(in) *m(f);* ▶ **~s keepers[, losers weepers]** wers findet, dem gehörts

fine¹ [faɪn] I. *adj* 1. in Ordnung *präd;* **seven's ~ by me** sieben [Uhr] passt mir gut 2. (*excellent*) glänzend; *food* ausgezeichnet; *wine* erlesen; **the ~st pianist** der beste Pianist 3. (*iron*) schön 4. **the ~r points** die Feinheiten *pl;* **not to put too ~ a point on it, ...** um ganz offen zu sein, ... II. *adv* fein, [sehr] gut

fine² [faɪn] I. *n* Geldstrafe *f* II. *vt* zu einer Geldstrafe verurteilen

fine art *n no pl,* **fine arts** *n pl* die schönen Künste

finger ['fɪŋgəʳ] I. *n* Finger *m;* ▶ **to be all ~s and thumbs** BRIT, AUS zwei linke Hände haben; **to give sb the ~** AM jdm den Stinkefinger zeigen; **to lay a ~ on sb** jdm ein Haar krümmen II. *vt* anfassen; **to ~ the strings** in die Saiten greifen

fingernail *n* Fingernagel *m* **fingerprint** I. *n* Fingerabdruck *m* II. *vt* **to ~ sb** jdm die Fingerabdrücke abnehmen **fingertip** *n* Fingerspitze *f;* ▶ **to have sth at one's ~s** etw perfekt beherrschen

finish ['fɪnɪʃ] I. *n* Ende *nt; of race* Endspurt *m;* (*finishing line*) Ziel *nt;* **close ~** Kopf-an-Kopf-Rennen *nt;*

▶ **a fight to the** ~ ein Kampf *m* bis zur Entscheidung **II.** *vi* enden, aufhören; (*conclude*) schließen; **have you quite ~ed?** (*iron*) bist du endlich fertig? **III.** *vt* beenden; (*complete*) fertig stellen; (*stop*) aufhören; **I ~ work at 5 p.m.** ich mache um 5 Uhr Feierabend; **to have ~ed doing sth** mit etw *dat* fertig sein ◆ **finish off I.** *vt* **1.** fertig stellen **2.** (*make nice*) den letzten Schliff geben **3.** *food* aufessen; *drink* austrinken **II.** *vi* abschließen ◆ **finish up I.** *vi* **1.** (*stop work*) fertig werden **2.** **to ~ up drunk** am Ende betrunken sein; **to ~ up in hospital** im Krankenhaus landen **II.** *vt* aufessen ◆ **finish with** *vt* fertig sein mit; *person* Schluss machen mit

finished ['fɪnɪʃt] *adj* **1.** fertig (**with** mit); **the ~ product** das Endprodukt **2.** (*crafted*) **beautifully ~** wunderbar bearbeitet **3.** (*used up*) verbraucht **4.** (*tired*) erschöpft; (*ruined*) erledigt

fir [fɜːʳ] *n* Tanne *f*

fir cone *n* BRIT Tannenzapfen *m*

fire ['faɪəʳ] **I.** *n* **1.** *no pl* Feuer *nt;* (*dangerous*) Brand *m;* ~**!** Feuer!; ~ **damage** Brandschaden *m;* **to be on** ~ brennen, in Flammen stehen; **to play with** ~ mit dem Feuer spielen; **gas** ~ Gasofen *m;* **open** ~ offener Kamin **2.** *no pl* MIL Feuer *nt,* Beschuss *m;* **to be/come under** ~ beschossen werden; (*fig*) unter Beschuss geraten **3.** *no pl* (*fervour*) Feuer *nt* **II.** *vt* **1.** (*bake*) brennen **2.** (*shoot*) abfeuern; **to ~ a gun at sb/sth** auf jdn/etw schießen **3.** (*sack*) feuern **III.** *vi* feuern, schießen (**at** auf) ◆ **fire away** *vi* losschießen ◆ **fire off** *vt* abfeuern

firearm *n* Schusswaffe *f* **fire brigade** *n* BRIT Feuerwehr *f* **fire department** *n* AM Feuerwehr *f* **fire engine** *n* Feuerwehrauto *nt* **fire escape** *n* (*stairs*) Feuertreppe *f;* (*ladder*) Feuerleiter *f* **fire extinguisher** *n* Feuerlöscher *m* **firefighter** *n* Feuerwehrmann , -frau *m, f* **fireman** *n* Feuerwehrmann *m* **fireplace** *n* Kamin *m* **fireproof** *adj* feuerfest **firewoman** *n* Feuerwehrfrau *f* **firewood** *n* *no pl* Brennholz *nt* **firework** *n* Feuerwerkskörper *m;* ~**s** *pl* (*display*) Feuerwerk *nt*

firm[1] [fɜːm] *n* Firma *f*

firm[2] [fɜːm] **I.** *adj* fest; *basis* sicher; **to be a ~ believer in sth** fest an etw *akk* glauben **II.** *adv* fest; **to stand ~** standhaft bleiben

first [fɜːst] **I.** *adj* erste(r, s); ~ **thing tomorrow** morgen als Allererstes; **the ~ ever** (*fam*) der/die/das Allererste ▶ ~ **among equals** Primus inter pares; ~ **things** ~ eins nach dem anderen **II.** *adv* **1.** zuerst; ~ **of all** zu[aller]erst; ~ **off** (*fam*) erst [einmal] **2.** (*before others*) als Erste(r, s); **head** ~ mit dem Kopf voraus ▶ ~ **come** ~ **served** (*prov*) wer zuerst kommt, mahlt zuerst; ~ **and foremost** vor allem; ~ **and last** in erster Linie **III.** *n* **1. the** ~ der/die/das Erste **2. at** ~ anfangs; **from the** [**very**] ~ von Anfang an **3.** *no pl* AUTO der erste Gang

first aid *n* erste Hilfe; **to give sb** ~ jdm erste Hilfe leisten; ~ **box** Verbandskasten *m* **first-class I.** *adj* **1.** ~ **compartment** Erste-Klasse-Abteil *nt;* ~ **mail** bevorzugt beförderte Post **2.** (*wonderful*) erstklassig **II.** *adv* erster Klasse

firstly ['fɜːs(t)li] *adv* erstens

first name *n* Vorname *m* **first night** *n*

F

THEAT Premiere f **first-rate** adj erst-klassig

fish [fɪʃ] I. n <pl -es or -> Fisch m; ▶ **to be a** <u>small</u> **~ in a big pond** nur einer von vielen sein; **like a ~ out of** <u>water</u> wie ein Fisch auf dem Trockenen; **to have** <u>bigger</u> **~ to fry** Wichtigeres zu tun haben II. vi 1. fischen; (with rod) angeln 2. (look for) **to ~ for sth** nach etw dat suchen

fishbone n [Fisch]gräte f **fishcake** n Fischfrikadelle f

fisherman n Fischer m; SPORTS Angler m

fish finger n Fischstäbchen nt

fishing ['fɪʃɪŋ] n no pl Fischen nt; (with rod) Angeln nt; **~ for compliments** Suche f nach Komplimenten; **~ for information** Informationssuche f

fishmonger n BRIT Fischhändler(in) m(f)

fist [fɪst] n Faust f

fit[1] [fɪt] n Anfall m; **to be in ~s of** **laughter** sich kaputtlachen; **in a ~** **of generosity** in einer Anwandlung von Großzügigkeit ▶ **in ~s and** <u>starts</u> sporadisch

fit[2] [fɪt] I. adj <-tt-> 1. geeignet; **~ for** **human habitation** bewohnbar; **that's all he's ~ for** das ist alles, wozu er taugt 2. (able) fähig; **~ to travel** reisetauglich; **~ to work** arbeitsfähig 3. (appropriate) angebracht; **do** **what you think ~** tun Sie, was Sie für richtig halten 4. (worthy) würdig; **to be not ~ to be seen** sich nicht sehen lassen können II. n no pl Sitz m; **these shoes are a good ~** diese Schuhe passen gut III. vt <fits, fitting, fitted or AM a. fit> 1. (be appropriate) **to ~ sb/sth** sich für jdn/etw eignen 2. (correspond with) entspre-

chen + dat; **the punishment should** **always ~ the crime** die Strafe sollte immer dem Vergehen angemessen sein 3. **to ~ sth to sth** etw etw dat anpassen 4. (clothes) **to ~ sb** jdm passen IV. vi <fits, fitting, fitted or AM a. fit> passen; clothes also sitzen; **to ~** **into sth** in etw akk hineinpassen ◆ **fit in** I. vi (get on well) sich einfügen; (conform) dazupassen II. vt einschieben ◆ **fit out** vt ausstatten; (specifically) ausrüsten

fitness ['fɪtnəs] n no pl Fitness f; (ability) Eignung f

fitted ['fɪtɪd] adj clothes maßgeschneidert; **~ kitchen** BRIT Einbauküche m; **to be ~ for sth** sich für etw eignen

fitting ['fɪtɪŋ] I. n 1. **~s** pl Ausstattung f; **bathroom ~s** Badezimmereinrichtung f 2. of clothes Anprobe f II. adj passend; **it is ~ that ...** es schickt sich, dass ...

five [faɪv] I. adj fünf; see also **eight** II. n 1. Fünf f; **~ o'clock shadow** nachmittäglicher Stoppelbart; see also **eight** 2. (fam) **to take ~** sich dat eine kurze Pause genehmigen

fiver ['faɪvəʳ] n BRIT (fam) Fünfpfundnote f; AM Fünfdollarschein m

fix [fɪks] I. n 1. (fam) Klemme f; **to be** **in a ~** in der Klemme sitzen 2. (sl: drugs) Schuss m, Fix m II. vt 1. (fasten) befestigen, festmachen; **to ~ sth to sth** etw an etw dat anbringen 2. (decide) festlegen; rent, price festsetzen 3. (repair) reparieren 4. (concentrate) richten (**on** auf) 5. (stare) fixieren ◆ **fix up** vt 1. (supply) **to ~ up ⇆ sb** jdn versorgen 2. (arrange) **to ~ up ⇆ sth** etw arrangieren 3. (fam: mend) in Ordnung bringen

fixed [fɪkst] *adj* fest; *gaze* starr; ~ **charges** Fixkosten *pl*

fixture [ˈfɪkstʃər] *n* **1. bath** ~**s** Badezimmerarmaturen *pl;* **to be a permanent** ~ (*fig, hum*) zum [lebenden] Inventar gehören **2.** BRIT, AUS SPORTS [Sport]veranstaltung *f;* ~ **list** Spielplan *m*

flag [flæg] I. *n* Fahne *f;* (*national*) Flagge *f* II. *vt* <-gg-> (*signal*) **to** ~ [**down**] anhalten III. *vi* <-gg-> *enthusiasm* abflauen; *interest* nachlassen

flame [fleɪm] I. *n* Flamme *f;* **to be/go up in** ~**s** in Flammen stehen/aufgehen; **to burst into** ~**s** in Brand geraten II. *vi* brennen; (*fig*) glühen

flan [flæn] *n* Obsttorte *f;* (*savoury*) Pastete mit Käse oder Schinken

flannel [ˈflænəl] *n* **1.** *no pl* Flanell *m* **2.** BRIT (*facecloth*) Waschlappen *m* **3.** ~**s** *pl* Flanellhose *f*

flap [flæp] I. *vt* <-pp-> **to** ~ **one's wings** mit den Flügeln schlagen II. *vi* <-pp-> **1.** flattern; *wings* schlagen **2. to** ~ **about** nervös auf und ab laufen III. *n* **1.** Flattern *nt* **2. pocket** ~ Taschenklappe *f;* ~ **of skin** Hautlappen *m* **3.** (*fam*) **in a** ~ schrecklich aufgeregt

flare [fleər] I. *n* **1.** Leuchtkugel *f* **2.** (*of trousers*) Schlag *m;* ~**s** *pl* Schlaghose *f* II. *vi* aufflammen III. *vt* **to** ~ **one's nostrils** die Nasenflügel aufblähen

flash [flæʃ] I. *n* <*pl* -es> **1.** [Licht]blitz *m;* (*glint*) [Auf]blitzen *nt kein pl;* (*explosion*) Stichflamme *f;* ~ **of lightning** Blitz *m* **2.** ~ **of anger/temper** Wut-/Temperamentsausbruch *m;* ~ **of inspiration** Geistesblitz *m* **3.** (*moment*) Augenblick *m* **4.** PHOT Blitz *m;* **to use** [a] ~ mit Blitzlicht fotografieren ▶ **a** ~ **in the pan** ein Stroh-

feuer *nt* **like a** ~ blitzartig II. *adj* (*pej fam*) protzig III. *vt* **1.** *light* aufleuchten lassen; **to** ~ **sb** *motorist* jdm Lichthupe machen **2.** (*look*) zuwerfen IV. *vi* **1.** blitzen; AUTO Lichthupe machen; **lightning** ~**ed** es blitzte **2.** (*appear*) kurz auftauchen; *thought* schießen; **my whole life** ~**ed before me** mein ganzes Leben lief im Zeitraffer vor mir ab **3.** (*fam*) **to** ~ [**at sb**] sich [jdm] exhibitionistisch zeigen

flashlight *n* Blitzlicht *nt;* AM (*torch*) Taschenlampe *f*

flashy [ˈflæʃi] *adj* protzig

flask [flɑːsk] *n* Flachmann *m;* (*thermos*) Thermosflasche; CHEM Kolben *m*

flat¹ [flæt] I. *adj* <-tt-> flach; *surface* eben; (*stale*) schal; BRIT, AUS *battery* leer; *tyre* platt ▶ **and that's** ~ und dabei bleibt es II. *adv* <-tt-> flach; (*levelly*) platt; **to fall** ~ **on one's face** der Länge nach hinfallen ▶ **in no time** ~ in Sekundenschnelle; **to fall** ~ *attempt* scheitern; *performance* durchfallen; *joke* nicht ankommen III. *n* flache Seite; (*ground*) Ebene *f;* **mud** ~**s** *pl* Sumpfebene *f;* **salt** ~**s** *pl* Salzwüste *f*

flat² [flæt] *n* BRIT, AUS [Etagen]wohnung *f;* ~**s** *pl* Wohnblock *m*

flatter¹ [ˈflætər] *vt* schmeicheln +*dat;* **don't** ~ **yourself!** bilde dir ja nichts ein!

flatter² [ˈflætər] *adj comp of* **flat**

flattery [ˈflætəri] *n no pl* Schmeicheleien *pl* ▶ ~ **will get you nowhere** mit Schmeicheleien erreicht man nichts

flavor AM *see* **flavour**

flavour [ˈfleɪvər] I. *n* [Wohl]geschmack *m*, Aroma *nt;* (*specific*) Geschmacksrichtung *f*, Sorte *f;* (*fig*) Anflug *m*

F

II. *vt* würzen

flea [fli:] *n* Floh *m;* ▸ **to send sb away with a ~ in their <u>ear</u>** jdm eine Abfuhr erteilen

fled [fled] *vi, vt pp, pt of* **flee**

flee <fled, fled> [fli:] I. *vi* fliehen (**from** vor); (*seek safety*) flüchten; **to ~ abroad** [sich] ins Ausland flüchten II. *vt country* fliehen aus ; *danger* fliehen vor

fleeting ['fli:tɪŋ] *adj* flüchtig; *beauty* vergänglich; **~ visit** Kurzbesuch *m*

flesh [fleʃ] *n no pl* Fleisch *nt; of fruit* [Frucht]fleisch *nt;* ▸ **to be [only] ~ and <u>blood</u>** auch [nur] ein Mensch sein; **one's own ~ and <u>blood</u>** sein eigen[es] Fleisch und Blut; **to have one's <u>pound</u> of ~** seinen vollen Anteil bekommen

flew [flu:] *vi, vt pp, pt of* **fly**

flex [fleks] I. *vt* beugen; *muscles* [an]spannen; **to ~ one's muscles** (*fig*) seine Muskeln spielen lassen II. *vi* sich beugen; *muscles* sich [an]spannen III. *n* [Anschluss]kabel *nt*

flexible ['fleksɪbl] *adj* biegsam; (*fig*) flexibel; **~ working hours** gleitende Arbeitszeit

flexitime ['fleksitaɪm] *n no pl* Gleitzeit *f;* **to work ~** gleitende Arbeitszeit haben

flick [flɪk] I. *n* 1. (*blow*) [kurzer] Schlag 2. (*movement*) kurze Bewegung; *of switch* Klicken *nt* 3. (*fam: film*) Streifen *m* II. *vt* 1. einen [leichten] Schlag versetzen +*dat* 2. *whip* schnalzen mit; **to ~ channels** (*fam*) durch die Kanäle zappen; **to ~ sth on/off** etw an-/ausknipsen

flight [flaɪt] *n* 1. (*flying*) Flug *m;* **to take ~** auffliegen; **in ~** im Flug 2. (*fleeing*) Flucht *f;* **to put sb to ~**

jdn in die Flucht schlagen 3. + *sing/pl vb* (*group*) Schwarm *m; of migrating birds* [Vogel]zug *m; of aircraft* [Flieger]staffel *f* 4. **a ~** [**of stairs**] eine Treppe 5. **a ~ of fancy** ein geistiger Höhenflug

flight attendant *n* Flugbegleiter(in) *m(f)*

flimsy ['flɪmzi] *adj* instabil; *clothing* dünn

fling [flɪŋ] I. *n* [mit Schwung ausgeführter] Wurf; (*fig*) ausgelassene Zeit; **to have a ~ with sb** mit jdm etwas haben II. *vt* <flung, flung> werfen; **to ~ open** aufreißen; **to ~ oneself at sb/sth** sich auf jdn/etw stürzen; (*fig*) sich jdm an den Hals werfen; **to ~ oneself into sth** (*fig*) sich in etw *akk* stürzen ◆ **fling out** *vt* (*fam*) ausrangieren; *person* rausschmeißen

flip [flɪp] I. *vt* <-pp-> *switch* drücken; (*turn over*) umdrehen; *coin* werfen ▸ **to ~ one's <u>lid</u>** ausflippen II. *vi* <-pp-> 1. **to ~ [over]** sich [schnell] [um]drehen; *vehicle* sich überschlagen 2. (*sl*) ausflippen III. *n* 1. (*throw*) Werfen *nt* 2. (*movement*) Ruck *m*

flip-flop *n* 1. (*shoe*) Badelatsche *f* 2. AM SPORTS Flic[k]flac[k] *m*

flipper ['flɪpə'] *n* [Schwimm]flosse *f*

flirt [flɜːt] I. *vi* flirten II. *n* **she's a dreadful ~** sie kann das Flirten nicht lassen

float [fləʊt] I. *n* 1. (*for fishing*) [Kork]schwimmer *m* 2. (*vehicle*) Festzugswagen *m; milk ~* Milch[ausliefer]wagen *m* II. *vi* schwimmen; (*drift*) treiben; (*fig*) schweben; **to ~ through one's mind** jdm in den Sinn kommen III. *vt* treiben lassen; ECON *business* gründen ◆ **float off** *vi* wegtreiben;

F

(*in air*) davonschweben

flock [flɒk] I. *n* + *sing/pl vb* Herde *f;* *of people* Schar *f; of birds also* Schwarm *m* II. *vi* sich scharen; **to ~ to sth** zu etw *dat* in Scharen kommen

flood [flʌd] I. *n* 1. Überschwemmung *f*, Hochwasser *nt kein pl;* **the F~** REL die Sintflut 2. (*fig*) Flut *f;* **to be in ~s of tears** von Tränen überströmt sein 3. (*tide*) ~ [**tide**] Flut *f* II. *vt* überschwemmen; *room* unter Wasser setzen; (*engine*) absaufen lassen III. *vi* überschwemmt werden, unter Wasser stehen

floodlight *n* Scheinwerfer *m;* (*light*) Flutlicht *nt;* **under ~s** bei Flutlicht

floor [flɔːʳ] *n* 1. [Fuß]boden *m;* (*area*) Bereich *m;* **factory ~** Fabrikhalle *f* 2. (*storey*) Stock *m,* Etage *f;* **on the third ~** im dritten Stock

floorboard *n* Diele *f*

flop [flɒp] I. *vi* <-pp-> sich fallen lassen; (*fail*) ein Flop sein; *performance* durchfallen II. *n* 1. *no pl* Plumps *m* 2. (*failure*) Flop *m*

floppy [ˈflɒpi] I. *adj* schlaff; *hair* [immer wieder] herabfallend; **~ ears** Schlappohren *pl;* **~ hat** Schlapphut *m* II. *n* COMPUT (*fam*) Floppy[disk] *f*

florist [ˈflɒrɪst] *n* Florist(in) *m(f);* **~'s** Blumengeschäft *nt*

flour [ˈflaʊəʳ] *n no pl* Mehl *nt*

flow [fləʊ] I. *vi* fließen; *air, light, warmth* strömen; **the beer was ~ing** das Bier floss in Strömen; **the conversation began to ~** die Unterhaltung kam in Gang II. *n usu sing* Fluss *m;* **~ of ideas/information** Ideen-/Informationsfluss *m;* **~ of traffic** Verkehrsfluss *m;* ▶ **in full ~** voll in Fahrt; **to go against /with the ~** gegen den/mit dem Strom schwimmen

flower [ˈflaʊəʳ] I. *n* Blume *f;* (*blossom*) Blüte *f;* **to be in ~** blühen II. *vi* blühen

flowerbed *n* Blumenbeet *nt*

flown [fləʊn] *vi, vt pp of* **fly**

flu [fluː] *n no pl short for* **influenza** Grippe *f*

fluent [ˈfluːənt] *adj language* fließend; *rhetoric* gewandt; **to be ~ in a language** eine Sprache fließend beherrschen

fluffy [ˈflʌfi] *adj feathers* flaumig; *pillows* flaumig weich; **~ toy** Kuscheltier *nt*

fluid [ˈfluːɪd] I. *n* Flüssigkeit *f;* **bodily ~s** Körpersäfte *pl* II. *adj* flüssig; (*fig: changeable*) veränderlich

flung [flʌŋ] *pp, pt of* **fling**

flush [flʌʃ] I. *vi* 1. (*blush*) erröten (**with** vor) 2. (*empty*) spülen; **the toilet won't ~** die Spülung geht nicht II. *vt* spülen

fluster [ˈflʌstəʳ] I. *vt* nervös machen II. *n no pl* **in a ~** nervös

flute [fluːt] *n* Flöte *f*

fly [flaɪ] I. *vi* <flew, flown> 1. fliegen; **he flew across the Atlantic** er überflog den Atlantik; **we flew from Heathrow** wir flogen von Heathrow ab 2. **I must ~** ich muss mich sputen; **the door flew open** die Tür flog auf II. *vt* <flew, flown> fliegen III. *n* Fliege *f;* ▶ **the ~ in the <u>ointment</u>** das Haar in der Suppe; **to be a ~ on the <u>wall</u>** Mäuschen sein ◆ **fly away** *vi* wegfliegen; *plane, pilot* abfliegen ◆ **fly off** *vi* wegfliegen; *plane, pilot* abfliegen; **she flew off to India** sie flog nach Indien ◆ **fly out** *vi* ausfliegen; **he's ~ing out to Australia** er fliegt nach Australien

flying [ˈflaɪɪŋ] *n no pl* Fliegen *nt*

flying visit *n* Stippvisite *f fam*

flyover *n* BRIT (*bridge*) Überführung *f;* AM (*flight*) Luftparade *f* **fly-tip** I. *vi* illegal Müll abladen II. *n* illegaler Müllplatz

foam [fəʊm] I. *n no pl* Schaum *m;* (*plastic*) Schaumstoff *m* II. *vi* schäumen ▶ **to be ~ing at the mouth** vor Wut schäumen

focus <*pl* -es> ['fəʊkəs, *pl* -saɪ] I. *n* Mittelpunkt *m*, Brennpunkt *m;* **to be the ~ of attention** im Mittelpunkt stehen; **in/out of ~** scharf/nicht scharf eingestellt II. *vi* <-s- *or* -ss-> 1. sich konzentrieren (**on** auf) 2. (*see*) klar sehen III. *vt* <-s- *or* -ss-> konzentrieren (**on** auf); *camera, telescope* scharf einstellen (**on** auf)

fog [fɒg] *n* Nebel *m*

foggy ['fɒgi] *adj* neblig ▶ **to not have the foggiest** [**idea**] keine blasse Ahnung haben

foil[1] [fɔɪl] *n* Folie *f*

foil[2] [fɔɪl] *vt* **to ~ sth** etw verhindern; **to ~ sb** jdn vereiteln; **~ed again!** (*hum*) wieder mal alles umsonst!

fold [fəʊld] I. *n* Falte *f* II. *vt* 1. falten (**into** zu); *letter* zusammenfalten; *arms* verschränken 2. (*wrap*) einwickeln III. *vi* zusammenklappen

folder ['fəʊldə'] *n* Mappe *f;* COMPUT Ordner *m*

folding ['fəʊldɪŋ] *adj attr* **~ bed** Klappbett *nt;* **~ door** Falttür *f*

folk music *n no pl* Folk *m* **folk song** *n* Volkslied *nt*

follow ['fɒləʊ] I. *vt* 1. folgen +*dat;* (*pursue*) verfolgen 2. (*happen next*) **to ~ sth** auf etw *akk* folgen 3. (*succeed*) **to ~ sb** jdm nachfolgen 4. (*imitate*) **to ~ sb** es jdm gleichtun; **to ~ sth** etw nachmachen; **~ that!** mach

mir das erst mal nach! 5. (*obey*) befolgen; *guidelines* sich halten an +*akk* II. *vi* folgen; (*result*) sich ergeben (**from** aus) ◆ **follow on** *vi* nachkommen; *fact* sich [aus etw *dat*] ergeben ◆ **follow up** I. *vt* weiterverfolgen; **he ~ed up his act with** [*or* **by**] **a song** er schloss seine Nummer mit einem Lied ab II. *vi* **she ~ed up with a song** zum Schluss sang sie ein Lied

fond [fɒnd] *adj* 1. **to be ~ of sb/sth** jdn/etw gern mögen; **to be ~ of doing sth** etw gern machen 2. *attr* (*naive*) *hope* kühn; *belief* allzu zuversichtlich

food [fuːd] *n no pl* Essen *nt;* **baby ~** Babynahrung *f;* ▶ **~ for thought** Stoff *m* zum Nachdenken

food poisoning *n no pl* Lebensmittelvergiftung *f* **food processor** *n* Küchenmaschine *f*

fool [fuːl] I. *n* Dummkopf *m;* (*jester*) [Hof]narr *m;* **he's no ~** er ist nicht blöd; **to play the ~** herumalbern; **to make a ~ of sb/oneself** jdn/sich lächerlich machen; **to be nobody's ~** nicht blöd sein ▶ **more ~ you** BRIT selber schuld II. *adj attr* (*fam*) blöd III. *vt* täuschen; **to ~ sb into doing sth** jdn [durch einen Trick] dazu bringen, etw zu tun ▶ **you could have ~ed me** das kannst du mir nicht weismachen

foolish ['fuːlɪʃ] *adj* töricht

foot [fʊt] *n* <*pl* feet> 1. Fuß *m;* **to be** [**back/quick**] **on one's feet** [wieder/schnell] auf den Beinen sein; **to leap to one's feet** aufspringen; **to put one's feet up** die Füße hochlegen; **at sb's feet** zu jds Füßen; **on ~** zu Fuß 2. <*pl* foot *or* feet> (*length*) Fuß *m* (= *0,348 Meter*)

3. (*base*) Fuß *m;* **at the ~ of the bed** am Fußende des Betts; **at the ~ of the page** am Seitenende ▶ **to have a ~ in both camps** auf beiden Seiten beteiligt sein; **to put one's best ~ forward** sich anstrengen; **to never put a ~ wrong** nie einen Fehler machen; **to rush sb off his/her feet** jdn beschäftigen; **to think on one's feet** eine schnelle Entscheidung treffen; **to be under sb's feet** zwischen jds Füßen herumlaufen; **my ~!** so ein Quatsch!

football ['futbɔːl] *n* **1.** *no pl* Fußball *m;* (*American football*) Football *m* **2.** (*ball*) Fußball/Football *m*

footbridge *n* Fußgängerbrücke *f*

footpath *n* Fußweg *m* **footprint** *n* Fußabdruck *m*

for [fɔːʳ, fəʳ] **I.** *conj* denn **II.** *prep* **1.** (*intended*) für **2.** (*respecting*) **that's too strong ~ me** das ist mir zu stark; **luckily ~ me** zu meinem Glück; **that's children ~ you!** so sind Kinder eben!; **a cheque ~ £100** ein Scheck über 100 Pfund; **~ rent/sale** zu vermieten/verkaufen; **I feel sorry ~ her** sie tut mir leid; **as ~ me** was mich betrifft **3.** (*with time, distance*) **he was jailed ~ twelve years** er musste für zwölf Jahre ins Gefängnis; **I'm just going out ~ a bit** ich gehe mal kurz raus; **~ Christmas** zu Weihnachten; **to practise ~ half an hour** eine halbe Stunde üben; **~ the moment** im Augenblick; **~ the time being** für den Augenblick; **~ the first time** zum ersten Mal **4.** (*purpose*) **what's that ~?** wofür ist das?; **what did you do that ~?** wozu hast du das getan?; **~ your information** zu Ihrer Information **5.** (*reason*) **he apologized ~ being late** er entschuldigte

sich wegen seiner Verspätung; **he's only in it ~ the money** er tut es nur wegen des Geldes; **not ~ a million dollars** um nichts in der Welt; **~ various reasons** aus verschiedenen Gründen

forbade [fə'bæd] *pt of* **forbid**

forbid <-dd-, forbade, forbidden> [fə'bɪd] *vt* **to ~ sb sth** jdm etw verbieten

forbidden [fə'bɪdᵊn] **I.** *adj* verboten **II.** *pp of* **forbid**

force [fɔːs] **I.** *n* **1.** *no pl* Kraft *f;* (*intensity*) Stärke *f;* *of blow* Wucht *f* **2.** *no pl* (*violence*) Gewalt *f;* **by ~** mit Gewalt **3.** (*group*) Truppe *f;* **police ~** Polizei *f;* **Air F~** Luftwaffe *f;* **to join ~s** sich zusammentun **II.** *vt* zwingen; **to ~ a smile** gezwungen lächeln; **to ~ one's way** sich *dat* seinen Weg bahnen; **to ~ sth on sb** jdm etw aufzwingen; **to ~ sth into sth** etw in etw *akk* [hinein]zwängen

forced [fɔːst] *adj* **1.** **~ marriage** Zwangsehe *f;* **~ labour** Zwangsarbeit *f;* **~ landing** Notlandung *f* **2.** *smile* gezwungen

forceful ['fɔːsfᵊl] *adj* kraftvoll; *personality* stark

forearm ['fɔːʳɑːm] *n* Unterarm *m*

forecast ['fɔːʳkɑːst] **I.** *n* Prognose *f;* (*of weather*) [Wetter]vorhersage *f* **II.** *vt* <-cast *or* -casted, -cast *or* -casted> vorhersagen; **to ~ that/what/who ...** prophezeien, dass/was/wer ...

foreground *n* Vordergrund *m*

forehand *n* Vorhand *f;* **on the ~** mit der Vorhand

forehead ['fɒrɪd] *n* Stirn *f*

foreign ['fɒrɪn] *adj* **1.** (*from abroad*) ausländisch; **~ countries** Ausland *nt kein pl* **2.** (*with abroad*) **~ policy** Außenpolitik *f;* **~ travel** Auslandsreise *f*

F

3. (*alien*) fremd; ~ **body** Fremdkörper *m*

foreigner ['fɒrɪnər] *n* Ausländer(in) *m(f)*

foreign exchange *n no pl* Devisen *pl*

foreign language *n* Fremdsprache *f*

Foreign Office *n no pl* BRIT Außenministerium *nt*

forename *n* (*form*) Vorname *m*

forest ['fɒrɪst] *n* Wald *m;* **the Black F~** der Schwarzwald

forester ['fɒrɪstər] *n* Förster(in) *m(f)*

forestry ['fɒrɪstri] *n no pl* Forstwirtschaft *f*

foretaste ['fɔːteɪst] *n usu sing* Vorgeschmack *m*

forever [fə'revər] *adv* **1.** ewig **2.** (*fam*) **to be ~ doing sth** etw ständig machen

foreword *n* Vorwort *nt*

forgave [fə'geɪv] *n pt of* **forgive**

forge [fɔːdʒ] **I.** *n* Schmiede *f* **II.** *vt* schmieden; (*copy*) fälschen

forgery ['fɔːdʒ³ri] *n* **1.** Fälschung *f* **2.** *no pl* (*crime*) Fälschen *nt*

forget <-got, -gotten> [fə'get] *vt, vi* vergessen; **not ~ting** nicht zu vergessen; **to ~ the past** die Vergangenheit ruhen lassen

forgetful [fə'getf³l] *adj* vergesslich

forgive <-gave, -given> [fə'gɪv] *vt* **to ~ sb** [**for**] **sth** jdm etw verzeihen; **~ me, but ...** Entschuldigung, aber ...

forgot [fə'gɒt] *pt of* **forget**

forgotten [fə'gɒt³n] **I.** *pp of* **forget** **II.** *adj* vergessen

fork [fɔːk] **I.** *n* Gabel *f;* (*division*) Gabelung *f;* (*road*) Abzweigung *f;* **~s** *pl of bicycle* [Rad]gabel *f* **II.** *vi* **1.** (*divide*) sich gabeln **2.** (*turn*) **to ~ left** nach links abzweigen

forked [fɔːkt] *adj* gegabelt; *tongue* ge-

spalten; ~ **lightning** Linienblitz *m*

form [fɔːm] **I.** *n* **1.** Art *f;* *of disease* Erscheinungsbild *nt;* *of energy* Typ *m;* **art ~** Kunstform *f;* **life ~** Lebensform *f* **2.** *no pl* (*manifestation*) Form *f*, Gestalt *f* **3.** (*paper*) Formular *nt;* **application ~** Bewerbungsbogen *m;* **entry ~** Anmeldeformular *m* **4.** (*shape*) Form *f;* *of person* Gestalt *f* **5.** *no pl* (*fitness*) Form *f*, Kondition *f;* **to be in good ~** [gut] in Form sein **6.** BRIT SCH (*class*) Klasse *f;* (*year*) Jahrgangsstufe *f* **II.** *vt* **1.** formen (**into** zu); (*arrange*) bilden **2.** (*set up*) gründen; *committee, government* bilden **III.** *vi* sich bilden; *idea* Gestalt annehmen; **to ~ into sth** sich zu etw *dat* formen

formal ['fɔːm³l] *adj* (*ceremonious*) formell; (*serious, official*) offiziell, förmlich; (*nominal*) formal; ~ **dress** Gesellschaftskleidung *f*

formality [fɔː'mæləti] *n* **1.** *no pl* (*decorum*) Förmlichkeit *f* **2.** Formalität *f;* **to be** [just] **a ~** [eine] [reine] Formsache sein

formation [fɔː'meɪʃ³n] *n* **1.** *no pl* Bildung *f* **2.** GEOL, MIL Formation *f*

former ['fɔːmər] **I.** *adj attr* ehemalig **II.** *n* **the ~** der/die/das Erstere

formula <*pl* -s> ['fɔːmjələ, *pl* -li:] *n* Formel *f;* (*food*) Babymilchpulver *nt*

fort [fɔːt] *n* Fort *nt;* ▶ **to hold the ~** die Stellung halten

forth [fɔːθ] *adv* **back and ~** vor und zurück; **to go ~** hinausgehen; **to pace back and ~** auf und ab gehen; **to ride ~** losreiten ▶ [**and so on**] **and so ~** und so weiter [und so fort]

forthcoming [ˌfɔːθ'kʌmɪŋ] *adj* **1.** bevorstehend; *book, film* in Kürze erscheinend **2.** (*available*) verfügbar;

to be ~ *money* zur Verfügung gestellt werden

forthright ['fɔːθraɪt] *adj* direkt

fortieth ['fɔːtiəθ] I. *adj* vierzigste(r, s); *see also* **eighth** II. *n* Vierzigstel *nt;* **the ~** der/die/das Vierzigste; *see also* **eighth**

fortnight ['fɔːtnaɪt] *n* BRIT, AUS zwei Wochen, vierzehn Tage; **a ~ on Monday** Montag in zwei Wochen; **in a ~['s time]** in zwei Wochen

fortunate ['fɔːtʃənət] *adj* glücklich; **to be ~** Glück haben; **it is ~ [for sb] that ...** es ist [jds] Glück, dass ...

fortunately ['fɔːtʃənətli] *adv* zum Glück; **~ for him** zu seinem Glück

fortune ['fɔːtʃuːn] *n* 1. (*money*) Vermögen *nt* 2. *no pl* (*form*) Schicksal *nt;* **stroke of good ~** Glücksfall *m;* **good/ill ~** Glück/Pech *nt;* **to tell sb's ~** jds Schicksal vorhersagen

fortune teller *n* Wahrsager(in) *m(f)*

forty ['fɔːti] I. *adj* vierzig; *see also* **eight** II. *n* Vierzig *f; see also* **eight**

forward ['fɔːwəd] I. *adv* (*to front*) nach vorn[e]; (*onwards*) vorwärts; **to lean ~** sich vorlehnen II. *adj* vordere(r, s); **~ movement** Vorwärtsbewegung *f;* **~ planning** Vorausplanung *f* III. *n* Stürmer(in) *m(f)* IV. *vt* weiterleiten (to an); **"please ~"** „bitte nachsenden"

forwarding address *n* Nachsendeadresse *f*

forwards ['fɔːwədz] *adv see* **forward**

foster ['fɒstər] I. *vt child* aufziehen; *relations* pflegen II. *vi* ein Kind in Pflege nehmen

foster child *n* Pflegekind *nt* **foster father** *n* Pflegevater *m* **foster mother** *n* Pflegemutter *f*

fought [fɔːt] *pt, pp of* **fight**

foul [faʊl] I. *adj* verpestet; *air* stinkend; (*disgusting*) abscheulich; *smell* faul; (*unpleasant*) fürchterlich; **to be ~ to sb** fies zu jdm sein II. *n* Foul *nt* (**on** an) III. *vt* verschmutzen; SPORTS foulen

foul-mouthed *adj* unflätig

found[1] [faʊnd] *pt, pp of* **find**

found[2] [faʊnd] *vt* gründen

foundation [faʊnˈdeɪʃ°n] *n* 1. Fundament *nt;* **to be without ~** (*fig*) jeglicher Grundlage entbehren 2. *no pl* (*establishing*) Gründung *f* 3. (*organization*) Stiftung *f*

founder ['faʊndər] *n* Gründer(in) *m(f)*

fountain ['faʊntɪn] *n* Brunnen *m;* (*spray*) Schwall *m;* **~ of water** Wasserstrahl *m*

fountain pen *n* Füllfederhalter *m*

four [fɔːr] I. *adj* vier; *see also* **eight** II. *n* Vier *f; see also* **eight**

fourteen [ˌfɔːˈtiːn] I. *adj* vierzehn; *see also* **eight** II. *n* Vierzehn *f; see also* **eight**

fourteenth [ˌfɔːˈtiːnθ] I. *adj* vierzehnte (r, s) II. *n* Vierzehntel *nt;* **the ~** der/die/das Vierzehnte; (*date*) der Vierzehnte; *see also* **eighth**

fourth [fɔːθ] I. *adj* vierte(r, s); *see also* **eighth** II. *n* Viertel *nt;* **the ~** der/die/das Vierte; (*date*) der Vierte; *see also* **eighth** III. *adv* viertens; *see also* **eighth**

fox [fɒks] *n* Fuchs *m*

foyer ['fɔɪeɪ] *n* Foyer *nt*

fracture ['fræk(t)ʃər] I. *vt, vi* brechen; **to ~ one's leg** sich *dat* das Bein brechen II. *n* Bruch *m*

fragile ['frædʒaɪl] *adj* zerbrechlich; (*ailing*) schwach

fragment ['frægmənt] *n* Splitter *m; of talk* Brocken *m fam*

F

frame [freɪm] I. *n* Rahmen *m; of picture* [Bilder]rahmen *m;* ~s *pl of glasses* Brillengestell *nt* II. *vt (put in)* einrahmen; *(enclose)* umrahmen

frame-up *n (fam)* abgekartetes Spiel

France [frɑːn(t)s] *n no pl* Frankreich *nt*

frank [fræŋk] *adj* aufrichtig; **to be ~ [with you]** ehrlich gesagt

frankfurter ['fræŋkfɜːtəʳ] *n* Frankfurter *f*

frantic ['fræntɪk] *adj* verrückt **(with** vor); *(hectic)* hektisch

fraud [frɔːd] *n no pl* Betrug *m*

fray [freɪ] I. *vi* ausfransen; *(fig)* anspannen II. *n* Auseinandersetzung *f;* **enter [*or* join] the ~** sich einmischen

freak [friːk] I. *n* etwas Außergewöhnliches; *(person)* Missgeburt *f;* **a ~ of nature** eine Laune der Natur II. *vi (fam)* ausflippen

freckle ['frekl] *n usu pl* Sommersprosse *f*

free [friː] I. *adj* frei; **~ of charge** kostenlos; **~ ticket** Freikarte *f;* **~ speech** Redefreiheit *f;* **~ time** Freizeit *f;* **to be ~ of sb/sth** jdn/etw los sein; **to be ~ [to do sth]** Zeit haben[, etw zu tun] ▶ **~ and easy** locker II. *adv* frei, gratis; **~ of charge** kostenlos; **for ~** gratis, umsonst III. *vt* befreien **(from** von); *prisoner* freilassen

freecycle *vt* freecyceln *(etw durch einen unentgeltlichen Onlineservice tauschen)* **freecycling** *n* Freecycling *nt*

freedom ['friːdəm] *n* Freiheit *f;* **~ of choice** Wahlfreiheit *f;* **~ of the city** Ehrenbürgerschaft *f*

free kick *n* Freistoß *m*

freelance ['friːlɑːn(t)s] I. *n* Freiberuf-

ler(in) *m(f)* II. *adj, adv* freiberuflich

freely ['friːli] *adv* frei; *(unobstructedly)* ungehindert; *(frankly)* offen

free-range *adj* ~ **eggs** Eier *pl* aus Freilandhaltung **freestyle** *n no pl* Freistil *m* **freeway** *n* AM, AUS Autobahn *f* **free will** *n no pl* freier Wille; **to do sth of one's own ~** etw aus freien Stücken tun

freeze [friːz] I. *n* Frost *m;* **big ~** harter Frost II. *vi* <froze, frozen> 1. *water* gefrieren; **to ~ solid** festfrieren 2. *(feel cold)* [sehr] frieren; **to ~ to death** erfrieren 3. *impers* it's freezing es friert III. *vt* <froze, frozen> gefrieren lassen

freezer ['friːzəʳ] *n* Gefrierschrank *m;* **chest/upright ~** Gefriertruhe *f/*Gefrierschrank *m*

freezing ['friːzɪŋ] I. *adj* frostig; **it's/ I'm ~** es/mir ist eiskalt II. *n no pl (0°C)* **above/below/near ~** über/ unter/nahe dem Gefrierpunkt

freight [freɪt] I. *n no pl* Frachtgut *nt; (transport)* Fracht *f;* **to send sth by ~** etw als Fracht senden II. *adv* als Fracht

freighter ['freɪtəʳ] *n (ship)* Frachter *m; (plane)* Frachtflugzeug *nt*

French [fren(t)ʃ] I. *adj* französisch; **~ people** Franzosen *pl* II. *n* 1. *no pl* Französisch *nt;* **~ lesson** Französischstunde *f* 2. **the ~** *pl* die Franzosen

French fries, French fried potatoes *n pl* Pommes frites *pl* **Frenchman** *n* Franzose *m* **French window** *n usu pl* Verandatür *f* **Frenchwoman** *n* Französin *f*

frequent I. *adj* ['friːkwənt] häufig; **~ flyer** Vielflieger(in) *m(f)* II. *vt* [frɪ-'kwent] häufig besuchen

fresh [freʃ] *adj* frisch; ~ **snow** Neuschnee *m;* ~ **start** Neuanfang *m;*
~ **water** Süßwasser *nt;* ~ **from the**
oven ofenfrisch; **to get a breath of** ~
air frische Luft schnappen

freshen ['freʃ°n] I. *vt drink* auffüllen;
make-up auffrischen II. *vi* frischer
werden; *wind* auffrischen

friction ['frɪkʃ°n] *n no pl* Reibung *f;*
(*disagreement*) Reiberei[en] *f[pl]*

Friday ['fraɪdeɪ] *n* Freitag *m; see also*
Tuesday

fridge [frɪdʒ] *n* (*fam*) Kühlschrank *m*

fried [fraɪd] *adj* gebraten; ~ **chicken**
Brathähnchen *nt*

fried egg *n* Spiegelei *nt*

friend [frend] *n* Freund(in) *m(f);* **to be**
~**s** [**with sb**] [mit jdm] befreundet
sein; **to make** ~**s** [**with sb**] sich [mit
jdm] anfreunden

friendly ['frendli] I. *adj* freundlich
(**with** zu); (*pleasant*) angenehm; ~
match Freundschaftsspiel *nt* II. *n*
BRIT Freundschaftsspiel *nt*

friendship ['fren(d)ʃɪp] *n* Freundschaft *f*

fright [fraɪt] *n* 1. *no pl* Angst *f;* **to take**
~ [**at sth**] [vor etw *dat*] Angst bekommen 2. *usu sing* Schrecken *m;* **to get**
a ~ erschrecken; **to give sb a** ~ jdn
erschrecken

frighten ['fraɪt°n] *vt* Angst machen
+*dat;* **to** ~ **sb to death** jdn zu Tode
erschrecken

frightful ['fraɪtf°l] *adj* entsetzlich; (*ex-*
treme) schrecklich, furchtbar

fringe [frɪndʒ] I. *n* 1. Franse *f;* BRIT, AUS
(*hair*) Pony *m* 2. BRIT ART **the** ~ die
Alternativszene II. *vt usu passive*
umgeben III. *adj attr* ~ **benefits** zusätzliche Leistungen *pl;* ~ **medi-**
cine/theatre BRIT Alternativmedizin

f/Alternativtheater *nt*

frisk [frɪsk] I. *vi* **to** ~ [**about**] herum-
tollen II. *vt* abtasten (**for** nach)

fro [frəʊ] *adv* **to and** ~ hin und her

frock [frɒk] *n* Kleid *nt;* **posh** ~ BRIT
(*hum*) Ausgehkleid *nt*

frog [frɒg] *n* Frosch *m;* ▶ **to have a** ~
in one's throat einen Frosch im Hals
haben

from [frɒm, frəm] *prep* 1. (*off*) von;
(*out of*) aus 2. (*based on*) ~ **here**
von hier [aus]; ~ **her own experi-**
ence aus eigener Erfahrung 3. (*lea-*
ving) von 4. (*after*) von; ~ **tomorrow**
ab morgen 5. (*originating*) aus 6. (*se-*
parated) **a mile** ~ **home** eine Meile
von zu Hause entfernt 7. (*belonging*)
who is the card ~**?** von wem ist die
Karte? 8. (*made of*) aus 9. (*de-*
ducted) **3** ~ **16 is 13** 16 minus 3 ist
13 10. (*due to*) **he died** ~ **his inju-**
ries er starb an seinen Verletzungen

front [frʌnt] I. *n* 1. Vorderseite *f; of*
building Front *f;* **to lie on one's** ~
auf dem Bauch liegen; **from the** ~
von vorne 2. (*area*) **the** ~ der vordere
Bereich; **at the** ~ vorn[e] 3. (*ahead*)
in ~ vorn[e]; **in** ~ **of** vor +*akk o dat*
4. (*advance*) **up** ~ im Voraus 5. **to**
put on a bold ~ kühn auftreten
6. (*activity*) Front *f;* **on the domestic**
~ an der Heimfront II. *adj attr* vor-
der[st]e(r, s); ~ **garden** Vorgarten *m*
III. *vt* 1. (*head*) vorstehen +*dat*
2. TV moderieren

front door *n* Vordertür *f; of house*
Haustür *f* **front page** *n* Titelseite *f;*
to make the ~ auf die Titelseite kommen

frost [frɒst] I. *n* Frost *m;* **12 degrees**
of ~ 12 Grad minus II. *vt* AM *cake*
glasieren

frosty ['frɒsti] *adj* frostig; (*iced*) vereist

froth [frɒθ, AM frɑː θ] I. *n* no pl 1. Schaum *m* 2. (*esp pej: entertainment*) seichte Unterhaltung ▶ **to get into a ~** durchdrehen *fam* II. *vi* schäumen; **to ~ at the mouth** *dog* Schaum vor dem Mund haben; (*be angry*) vor Wut schäumen III. *vt* **to ~ sth** [**up**] etw aufschäumen

frown [fraʊn] I. *vi* die Stirn runzeln; (*in thought*) nachdenklich die Stirn runzeln; **to ~ at sb/sth** jdn/etw missbilligend ansehen II. *n* Stirnrunzeln *nt kein pl;* **~ of disapproval** missbilligender Blick

froze [frəʊz] *pt of* **freeze**

frozen [frəʊzᵊn] I. *pp of* **freeze** II. *adj* gefroren; *food* [tief]gefroren; **~ food** Tiefkühlkost *f*

fruit [fruːt] *n* Frucht *f;* (*collectively*) Obst *nt*

fruitcake *n* no pl Früchtebrot *nt*

frustrated [frʌsˈtreɪtɪd] *adj* frustriert

frustration [frʌsˈtreɪʃᵊn] *n* Frustration *f;* **to work off one's ~** seinen Frust abreagieren

fry [fraɪ] I. *vt, vi* <-ie-> braten II. *n pl* Brut *f;* ▶ **small ~** kleine Fische; (*person*) kleiner Fisch

frying pan ['fraɪɪŋ-] *n* Bratpfanne *f*

fuck [fʌk] (*vulg*) I. *n* Fick *m* II. *interj* Scheiße! III. *vt* 1. vögeln; **go ~ yourself!** verpiss dich! 2. **~ that idea** scheiß auf diese Idee; **~ you!** leck mich am Arsch! IV. *vi* ficken; (*confuse*) **to ~ with sb** jdn verscheißern

fuel ['fjuːᵊl] I. *n* Brennstoff *m;* (*for engines*) Treibstoff *m* II. *vt* <BRIT -ll- *or* AM *usu* -l-> 1. **to be ~led** [**by sth**] [mit etw] betrieben werden 2. (*fig*) nähren; *resentment* schüren

full [fʊl] I. *adj* voll (**of** von); (*sated*) satt;

(*detailed*) vollständig; *life* ausgefüllt; **~ of tears/surprises** voller Tränen/ Überraschungen; **look ~ of hatred** hasserfüllter Blick; **to be ~ of sth** (*keen*) von etw *dat* ganz begeistert sein; **to be ~ of oneself** eingebildet sein; **with one's mouth ~** mit vollem Mund; [**at**] **~ speed** mit voller Geschwindigkeit; **~ steam ahead** Volldampf voraus II. *adv* voll; (*directly*) direkt III. *n* **in ~** zur Gänze; **to the ~** bis zum Äußersten

fullback *n* Außenverteidiger(in) *m(f);* (*at end of field*) Schlussspieler(in) *m(f)* **full moon** *n* Vollmond *m* **full stop** *n* 1. BRIT, AUS (*punctuation*) Punkt *m* 2. (*halt*) **to come to a ~** zum Stillstand kommen 3. BRIT **I'm not going, ~** ich gehe nicht und damit Schluss **full time** *n* SPORTS Spielende *nt* **full-time** I. *adj* ganztägig; **~ job** Vollzeitbeschäftigung *f;* **~ score** Endstand *m* II. *adv* ganztags

fully ['fʊli] *adv* völlig; (*in detail*) detailliert; **~ booked** ausgebucht

fume [fjuːm] I. *n usu pl* **~s** Abgase *pl* II. *vi* vor Wut schäumen

fun [fʌn] I. *n* no pl Spaß *m;* **it was good ~** es hat viel Spaß gemacht; **that sounds like ~** das klingt gut; **what ~!** super!; **to be full of ~** immer unternehmungslustig sein; **to spoil sb's ~** jdm den Spaß verderben ▶ **~ and games** das reine Vergnügen II. *adj* <-nn-> (*fam*) lustig

fund [fʌnd] I. *n* Fonds *m;* **disaster ~** Notfonds *m;* **~s** *pl* [finanzielle] Mittel; **to allocate ~s** Gelder bewilligen II. *vt* finanzieren; **privately ~ed** frei finanziert

funeral ['fjuːnᵊrᵊl] *n* Beerdigung *f*

funeral parlour *n* Bestattungsunternehmen *nt*

funfair *n* BRIT Vergnügungspark *m;* (*temporary*) Rummelplatz *m*

funnel [ˈfʌnəl] I. *n* Trichter *m;* (*on ship*) Schornstein *m* II. *vt* <, BRIT -ll- *or* AM *usu* -l-> zuleiten III. *vi* fließen

funny [ˈfʌni] I. *adj* lustig; (*odd*) komisch; (*shady*) verdächtig; ~ **business** krumme Sachen II. *adv* (*fam*) komisch

fur [fɜːʳ] I. *n* 1. *no pl* Fell *nt* 2. (*processed*) Pelz *m;* ▶ **the ~ flies** die Fetzen fliegen II. *vi* <-rr-> **to ~ up** *kettle* verkalken

furious [ˈfjʊəriəs] *adj* 1. [sehr] wütend; *argument* heftig 2. (*intense*) heftig; **at a ~ pace** in rasender Geschwindigkeit; **fast and ~** rasant

furnish [ˈfɜːnɪʃ] *vt* 1. *room* einrichten 2. (*supply*) liefern; **to ~ sb with sth** jdn mit etw *dat* versorgen

furniture [ˈfɜːnɪtʃəʳ] *n no pl* Möbel *pl;* **piece of ~** Möbelstück *nt;* **to be part of the ~** (*fig*) zum Inventar gehören

furry [ˈfɜːri] *adj* pelzig; (*longer*) wollig

further [ˈfɜːðəʳ] I. *adj comp of see* **far** 1. weiter [entfernt] 2. (*additional*) weiter; **until ~ notice** bis auf weiteres II. *adv comp of see* **far** 1. weiter; **a bit ~ on** [noch] etwas weiter 2. (*greater*) weiter; **~ and ~** [immer] weiter; **to take sth ~** mit etw *dat* weitermachen 3. (*more*) [noch] weiter; **I have nothing ~ to say** ich habe nichts mehr zu sagen; **to not go any ~** nicht weitergehen III. *vt* fördern; **to ~ sb's interests** jds Interessen förderlich sein

furthest [ˈfɜːðɪst] I. *adj superl of see* **far** am weitesten entfernte(r, s); (*fig*) extremste(r, s) II. *adv superl of see* **far** am weitesten; **that's the ~ I can see** weiter [entfernt] erkenne ich nichts mehr

fuse [fjuːz] I. *n* Sicherung *f;* *of bomb* Zündvorrichtung *f;* ▶ **sb has a short ~** jd wird schnell wütend II. *vi* 1. BRIT **the lights have ~d** die Sicherungen der Lampen sind durchgebrannt 2. (*join*) sich vereinigen; **to ~ together** miteinander verschmelzen III. *vt* BRIT **to ~ sth** die Sicherung einer S. *gen* zum Durchbrennen bringen

fuse box *n* Sicherungskasten *m*

fuss [fʌs] I. *n* [übertriebene] Aufregung; (*attention*) Getue *nt pej;* **to make a ~** einen Aufstand machen; **to make a ~ about sth** um etw *akk* viel Aufhebens machen II. *vi* **to ~ with sth** [hektisch] an etw *dat* herumhantieren III. *vt* **stop ~ing me!** lass mich doch in Ruhe!

fussy [ˈfʌsi] *adj* pingelig; (*overdone*) überladen

future [ˈfjuːtʃəʳ] I. *n usu sing* Zukunft *f;* **plans for the ~** Zukunftspläne *pl;* **at some point in the ~** irgendwann einmal; **in the near ~** in naher Zukunft II. *adj attr* zukünftig; **for ~ reference** zur späteren Verwendung

fuze *n, vt, vi* AM *see* **fuse**

fuzzy [ˈfʌzi] *adj* flaumig; (*frizzy*) wuschelig; **my head is so ~** ich bin ganz benommen

G

G <*pl* -'s>, **g** <*pl* -'s> [dʒiː] *n* 1. G *nt*, g *nt; see also* **A** 1 2. MUS G *nt*, g *nt;* **~ flat** Ges *nt*, ges *nt;* **~ sharp** Gis *nt*, gis *nt*

g¹ [ʤiː] *n* <*pl* -> *abbrev of* **gram** g

g² [ʤiː] *n* <*pl* -'s> PHYS *abbrev of* **gravitational acceleration** g

gage *n, vt* AM *see* **gauge**

gain [geɪn] I. *n* 1. *no pl* Zunahme *f kein pl; in speed* Erhöhung *f kein pl* 2. (*profit*) Gewinn *m* II. *vt* gewinnen; *access, entry* sich *dat* verschaffen III. *vi* 1. zunehmen; *prices, numbers* [an]steigen 2. (*profit*) profitieren

gala ['gɑːlə] *n* 1. Gala *f* 2. BRIT (*competition*) Sportfest *nt*

gale [geɪl] *n* Sturm *m;* **~-force wind** Wind *m* mit Sturmstärke

gallery ['gælⁱri] *n* Galerie *f*

gallon ['gælən] *n* Gallone *f;* **imperial/US ~** britische/amerikanische Gallone; **~s of sth** (*fig*) Unmengen *pl* von [*o* an] etw *dat*

gallop ['gæləp] I. *vi* galoppieren II. *n usu sing* Galopp *m;* **to break into a ~** in Galopp verfallen

gamble ['gæmbl] I. *n usu sing* Risiko *nt;* **to take a ~** ein Risiko eingehen II. *vi* 1. [um Geld] spielen; **to ~ on dogs/horses** auf Hunde/Pferde wetten 2. (*risk*) **to ~ on sth** sich auf etw *akk* verlassen; **to ~ that ...** sich darauf verlassen, dass ...

gambling ['gæmblɪŋ] *n no pl* das Glücksspiel

game¹ [geɪm] I. *n* Spiel *nt;* **what's your ~?** (*fig fam*) was soll das?; **to play ~s with sb** (*fig*) mit jdm spielen ▶ **the ~ is up** das Spiel ist aus II. *adj* bereit

game² [geɪm] *n no pl* Wild *nt;* **big ~** Großwild *nt*

gammon ['gæmən] *n no pl* BRIT leicht geräucherter Schinken

gang [gæŋ] I. *n* Gruppe *f; of criminals* Bande *f* II. *vi* **to ~ up** sich zusammentun

gangway I. *n* 1. Landungsbrücke *f* 2. BRIT (*aisle*) [Durch]gang *m* II. *interj* (*fam*) ~! Platz da!

gaol [ʤeɪl] *n* BRIT (*dated*) *see* **jail**

gap [gæp] *n* 1. Lücke *f a. fig* 2. (*in time*) Pause *f* 3. (*difference*) Unterschied *m;* **age ~** Altersunterschied *m*

gap year *n* Gap-Year *nt* (*ein freies Jahr, oft zwischen Schule und Studienantritt*)

garage ['gærɑːʒ] I. *n* 1. Garage *f* 2. (*repair*) [Kfz-]Werkstatt *f* 3. BRIT (*dealer*) Autohändler(in) *m(f)* II. *vt* in die Garage stellen

garbage ['gɑːbɪʤ] *n no pl* AM, AUS (*rubbish*) Müll *m a. fig*

garbage can *n* AM, CAN (*dustbin*) Mülleimer *m* **garbage collector** *n* AM, CAN (*dustman*) Müllmann *m fam*, Kehrichtmann *m* SCHWEIZ

garden ['gɑːdⁿn] I. *n* Garten *m;* **back ~** Garten *m* hinter dem Haus; **front ~** Vorgarten *m;* **~s** *pl* Gartenanlage *f*, Gärten *pl* II. *vi* im Garten arbeiten

gardener ['gɑːdⁿnəʳ] *n* Gärtner(in) *m(f)*

gardening ['gɑːdⁿnɪŋ] *n no pl* Gartenarbeit *f;* (*discipline*) Gartenpflege *f;* **~ tools** Gartengeräte *pl*

gargle ['gɑːgl] I. *vi* gurgeln II. *n no pl* Gurgeln *nt*

garlic ['gɑːlɪk] *n no pl* Knoblauch *m*

gas [gæs] I. *n* <*pl* -es> 1. Gas *nt;* **natural ~** Erdgas *nt* 2. *no pl* AM (*fam: petrol*) Benzin *nt;* **to get ~** tanken II. *vt* <-ss-> vergasen III. *vi* <-ss-> (*fam*) quatschen

gas cooker *n* BRIT Gasherd *m;* (*smaller*) Gaskocher *m* **gas fire** *n* BRIT Gasofen *m*

gash [gæʃ] **I.** *n* <*pl* -es> (*injury*) [tiefe] Schnittwunde; (*tear*) [tiefer] Schlitz **II.** *vt* aufschlitzen; **to ~ sth open** *leg, arm* sich *dat* etw aufreißen; *head, knee, elbow* sich *dat* etw aufschlagen

gasman *n* BRIT (*fam*) Gasableser(in) *m(f)*

gasoline ['gæsˀliːn] *n* AM Benzin *nt;* **~ tax** Kraftstoffsteuer *f*

gasp [gɑːsp] **I.** *vi* **1.** (*pant*) keuchen; (*inhale*) tief einatmen **2.** (*speak*) nach Luft ringen **3.** BRIT (*fam*) **to be ~ing for sth** großes Verlangen nach etw *dat* haben **II.** *n* **he gave a ~ of amazement** ihm blieb vor Überraschung die Luft weg

gas pipe *n* Gasleitung *f* **gas pump** *n* AM Zapfsäule *f* **gas ring** *n* BRIT Gaskocher *m* **gas station** *n* AM Tankstelle *f* **gas station operator** *n* AM, CAN Tankwart(in) *m(f)* **gas stove** *n* Gasherd *m;* (*smaller*) Gaskocher *m*

gassy ['gæsi] *adj* kohlensäurehaltig

gastroenteritis [ˌgæstrəʊˌentəˈraɪtɪs] *n no pl* MED Magen-Darm-Katarrh *m*

gastropub [ˌgæstrəʊpʌb] *n* BRIT *Lokal, das die traditionelle Atmosphäre eines Pubs mit einer anspruchsvollen Küche kombiniert*

gasworks *n* + *sing vb* Gaswerk *nt*

gate [geɪt] *n* **1.** Tor *nt;* (*at airport*) Flugsteig *m*, Gate *nt;* (*to garden, courtyard*) Pforte *f* **2.** (*spectators*) Zuschauerzahl *f* **3.** *no pl* (*money*) Einnahmen *pl*

gatecrash *vt* (*fam*) **to ~ sb's party** bei jdm [he]reinplatzen *fam* **gatecrasher** *n* (*fam*) un[ein]geladener Gast **gatekeeper** *n* Pförtner(in) *m(f)* **gate money** *n no pl* BRIT, AUS Einnahmen *pl* (*aus Eintrittskartenverkäufen*) **gateway** *n* **1.** Eingangstor *nt*

2. (*fig*) Tor *nt*

gather ['gæðəʳ] **I.** *vt* **1.** (*collect*) sammeln **2.** (*hold*) **to ~ sb in one's arms** jdn in die Arme nehmen **3.** (*pleat*) kräuseln **4.** (*gain*) **to ~ speed** schneller werden **5.** (*understand*) verstehen **II.** *vi* sich sammeln; *crowd* sich versammeln

gathering ['gæðˀrɪŋ] **I.** *n* Versammlung *f;* **family ~** Familientreffen *nt* **II.** *adj clouds, storm* heraufziehend; *darkness* zunehmend

gauge [geɪʤ] **I.** *n* **1.** (*meter*) Messgerät *nt* **2.** (*bore*) Durchmesser *m* **3.** RAIL Spurweite *f* **II.** *vt* **1.** (*measure*) messen **2.** (*judge*) beurteilen; (*estimate*) [ab]schätzen

gauze [gɔːz] *n no pl* Gaze *f*

gave [geɪv] *pt of* **give**

gay [geɪ] *adj* schwul, gay; **~ bar** Schwulenlokal *nt*

gaze [geɪz] **I.** *vi* starren; **to ~ at sb/ sth** jdn/etw anstarren **II.** *n* Blick *m*

GB[1] [ˌʤiːˈbiː] *n no pl abbrev of* **Great Britain** GB

GB[2] [ˌʤiːˈbiː] *n* <*pl* -> *abbrev of* **Gigabyte** GB *nt*

gear [gɪəʳ] **I.** *n* **1.** Gang *m;* **to change** [*or* , AM **shift**] **~s** schalten; **~s** *pl* Getriebe *nt; of bicycle* Gangschaltung *f* **2.** *no pl* (*fig*) **to step up a ~** einen Gang zulegen **3.** *no pl* (*equipment*) Ausrüstung *f;* (*clothes*) Kleidung *f* **II.** *vt* ausrichten (**to** auf)

gearbox *n* Getriebe *nt* **gear stick**, AM **gearshift** *n* Schalthebel *m*, Schaltknüppel *m*

gem [ʤem] *n* Edelstein *m;* (*fig*) **a ~ of a car** ein klasse Auto

Gemini ['ʤemɪnaɪ, -niː] *n* ASTROL Zwillinge *pl*

gene [ʤiːn] *n* Gen *nt*

general [ˈʤenᵊrᵊl] I. *adj* allgemein; ~ **impression** Gesamteindruck *m;* ~ **meeting** Vollversammlung *f;* **as a** ~ **rule** im Allgemeinen II. *n* General(in) *m(f)*

general delivery *n no pl* AM "~" „postlagernd" **general election** *n* Parlamentswahlen *pl*

generally [ˈʤenᵊrᵊli] *adv* **1.** (*usually*) normalerweise, im Allgemeinen **2. to be** ~ **available** der Allgemeinheit zugänglich sein; ~ **speaking** im Allgemeinen

General Post Office *n* Hauptpost *f* **general practitioner** *n* Arzt , Ärztin *m*, *f* für Allgemeinmedizin, praktischer Arzt/praktische Ärztin **general strike** *n* Generalstreik *m*

generation [ˌʤenəˈreɪʃᵊn] *n* Generation *f*

generator [ˈʤenᵊreɪtər] *n* Generator *m;* (*fig*) ~ **of new ideas** Ideenlieferant(in) *m(f)*

generous [ˈʤenᵊrəs] *adj* großzügig

genetic [ʤəˈnetɪk] *adj* genetisch; ~ **disease** Erbkrankheit *f*

geneticist [ʤəˈnetɪsɪst] *n* Genetiker(in) *m(f)*

genitalia [ˌʤenɪˈteɪliə] *n pl*, **genitals** [ˈʤenɪtᵊlz] *n pl* Geschlechtsorgane *pl*

genius <*pl* -es> [ˈʤiːniəs, *pl* -niaɪ] *n* **1.** Genie *nt* **2. to have a** ~ **for sth** eine [besondere] Gabe für etw *akk* haben

genocide [ˈʤenəsaɪd] *n no pl* Völkermord *m*

gent [ʤent] *n* (*hum fam*) *short for* **gentleman** Gentleman *m*

gentle [ˈʤentl] *adj* sanft; (*loving*) zart; *exercise* leicht; **to be** ~ **with sb** behutsam mit jdm umgehen

gentleman [ˈʤentlmən] *n* **1.** Gentleman *m* **2.** (*man*) Herr *m;* **ladies and gentlemen** (*to audience*) meine Damen und Herren; ~**'s club** Herrenklub *m*

genuine [ˈʤenjuɪn] *adj* **1.** (*real*) echt **2.** (*sincere*) ehrlich

genus <*pl* -nera> [ˈʤenəs , *pl* -ᵊrə] *n* BIOL Gattung *f*

geography [ʤiːˈɒgrəfi, ˈʤɒg-] *n no pl* Geographie *f;* SCH Erdkunde *f;* **physical** ~ Geophysik *f*

geologist [ʤiːˈɒləʤɪst] *n* Geologe, Geologin *m, f*

geology [ʤiːˈɒləʤi] *n no pl* Geologie *f*

germ [ʤɜːm] *n* Keim *m*, Bakterie *f;* **to spread** ~**s** Keime verbreiten

German [ˈʤɜːmən] I. *n* **1.** Deutsche(r) *f(m)* **2.** *no pl* (*language*) Deutsch *nt* II. *adj* deutsch

German measles *n* + *sing vb* Röteln *pl* **German shepherd** *n* Schäferhund *m*

Germany [ˈʤɜːməni] *n* Deutschland

gesture [ˈʤestʃər] I. *n* Geste *f;* **a** ~ **of defiance** eine trotzige Geste II. *vi* deuten (**to** auf)

get <got, got> [get] I. *vt* **1.** (*obtain*) erhalten **2.** (*receive*) bekommen **3.** (*experience*) erleben; **we don't** ~ **much snow here** hier schneit es nicht sehr viel **4.** (*deliver*) **to** ~ **sth to sb** jdm etw bringen **5.** (*fam: contract*) sich *dat* holen; **to** ~ **the flu** sich *dat* die Grippe einfangen **6.** (*fetch*) **can I** ~ **you a drink?** möchtest du was trinken? **7. to** ~ **a train** einen Zug nehmen; (*catch*) einen Zug erwischen *fam* **8.** (*earn*) verdienen **9.** (*fam: answer*) **to** ~ **the door** aufmachen **10.** (*induce*) **to** ~ **sb/sth to do sth** jdn/etw dazu bringen, etw zu tun **11.** + *pp* (*cause to be*) **to** ~ **sth**

confused etw verwechseln **12.** (*understand*) verstehen; **to ~ the message** [es] kapieren **II.** *vi* **1.** + *adj* (*become*) werden; **~ well soon!** gute Besserung!; **to ~ used to sth** sich an etw *akk* gewöhnen **2.** + *adv* (*reach*) kommen **3.** (*have chance*) **to ~ to do sth** die Möglichkeit haben, etw zu tun **4.** (*must*) **to have got to do sth** etw machen müssen ◆ **get across** *vt* verständlich machen ◆ **get along** *vi* **1.** *see* get on II 1, 2 **2.** (*hurry*) weitermachen ◆ **get around** *vi* **1.** *see* get round I **2.** *see* get about ◆ **get at** *vi* **1.** (*fam: imply*) **to ~ at sth** auf etw *akk* hinauswollen *fam* **2.** BRIT, AUS (*fam: criticize*) **to ~ at sb** jdn kritisieren **3.** (*reach*) **to ~ at sth** an etw *akk* rankommen *fam* ◆ **get away** *vi* **1.** (*leave*) fortkommen, wegkommen **2.** (*escape*) **to ~ away** [**from sb**] [vor jdm] flüchten, [jdm] entkommen **3.** (*fam*) **~ away** [**with you**]! ach, hör auf! **4.** (*succeed*) **to ~ away with sth** mit etw *dat* durchkommen ◆ **get back I.** *vt* zurückholen; *strength* zurückgewinnen **II.** *vi* zurückkommen ◆ **get behind** *vi* **1.** (*support*) unterstützen **2.** (*be late*) in Rückstand geraten ◆ **get by** *vi* **to ~ by** [**on/with sth**] [mit etw *dat*] auskommen ◆ **get down I.** *vt* **1.** (*remove*) runternehmen (**from/off** von) **2.** (*depress*) fertigmachen **II.** *vi* **1.** (*descend*) herunterkommen (**from/off** von) **2.** (*bend down*) sich runterbeugen ◆ **get in I.** *vt* **1.** hereinholen **2.** *word* einwerfen **3.** (*fam: find time for*) reinschieben **II.** *vi* **1.** hineingehen **2.** (*arrive*) ankommen ◆ **get into** *vi* **1.** **to ~ into sth** in etw *akk* [ein]steigen **2.** (*affect*)

what's got into you? was ist in dich gefahren? ◆ **get off I.** *vi* **1.** (*exit*) aussteigen **2.** (*dismount*) absteigen **3.** (*sleep*) **to ~ off** [**to sleep**] einschlafen **4.** (*unscathed*) davonkommen **II.** *vt* **1.** (*send*) versenden **2.** (*remove*) nehmen von **3.** LAW freibekommen ◆ **get on I.** *vt* anziehen; *hat* aufsetzen **II.** *vi* **1.** (*be friends*) sich verstehen **2.** BRIT (*manage*) vorankommen **3.** (*age*) alt werden ◆ **get out I.** *vi* **1.** *news* herauskommen **2.** AM **~ out** [**of here**]! ach komm! **II.** *vt* **1.** (*fetch*) herausbringen (**of** aus) **2.** (*remove*) herausbekommen ◆ **get over I.** *vi* **1.** **to ~ over sth** über etw hinwegkommen **2.** **to ~ sth over** [**with**] etw hinter sich *akk* bringen **II.** *vt* *idea* rüberbringen ◆ **get round I.** *vi* **1.** *news* sich verbreiten **2.** (*do*) **to ~ round to** [**doing**] **sth** es schaffen, etw zu tun **II.** *vt* (*evade*) *the law* umgehen ◆ **get through I.** *vi* **1.** (*make understood*) **to ~ through to sb that/how ...** jdm klarmachen, dass/wie ... **2.** *on phone* zu jdm durchkommen **II.** *vt* **1.** (*use up*) aufbrauchen **2.** (*finish*) erledigen ◆ **get together** *vi* sich treffen ◆ **get up I.** *vt* **1.** (*climb*) hinaufsteigen **2.** (*organize*) zusammenstellen **II.** *vi* aufstehen

get-together *n* (*fam*) Treffen *nt*

ghastly ['gɑːstli] *adj* **1.** (*fam: frightful*) schrecklich, fürchterlich **2.** (*unpleasant, unwell*) grässlich, scheußlich

gherkin ['gɜːkɪn] *n* Essiggurke *f*

ghost [gəʊst] *n* Geist *m;* **~ of the past** Gespenst *nt* der Vergangenheit ▶ **to give up the ~** den Geist aufgeben

ghostly ['gəʊstli] *adj* **1.** geisterhaft **2.** (*eerie*) gespenstisch

giant ['dʒaɪənt] **I.** *n* Riese *m* a. *fig*

II. *adj* riesig

giddy ['gɪdi] *adj* schwind|e]lig

gift [gɪft] *n* **1.** Geschenk *nt a. fig* **2.** (*donation*) Spende *f* **3.** (*talent*) Talent *nt*

gifted ['gɪftɪd] *adj* begabt; (*artistic*) begnadet

gig [gɪg] I. *n* Gig *m* II. *vi* <-gg-> auftreten

gigantic [dʒaɪ'gæntɪk] *adj* gigantisch

giggle ['gɪgl] I. *vi* kichern (*at* über) II. *n* **1.** Gekicher *nt kein pl;* **to get/have [a fit of] the ~s** einen Lachanfall bekommen **2.** *no pl* BRIT, AUS (*fam*) **to do sth for a ~** etw zum Spaß machen

gimmick ['gɪmɪk] *n* **1.** (*trick*) Trick *m* **2.** (*attraction*) Attraktion *f*

gimmicky ['gɪmɪki] *adj* marktschreierisch

gin [dʒɪn] *n* Gin *m*

ginger ['dʒɪndʒə'] I. *n no pl* **1.** Ingwer *m* **2.** (*colour*) gelbliches Braun II. *adj* gelblich braun

gingerbread *n no pl* Lebkuchen *m*

gipsy *n esp* BRIT *see* **gypsy**

giraffe <*pl* -s> [dʒɪ'rɑːf] *n* Giraffe *f*

girl [gɜːl] *n* Mädchen *nt*

girlfriend *n* Freundin *f* **Girl Guide** *n* BRIT (*dated*) Pfadfinderin *f*

give [gɪv] I. *vt* <gave, given> **1.** **to ~ sb sth** jdm etw geben; (*as present*) jdm etw schenken; (*donate*) jdm etw spenden; **what gave you that idea?** wie kommst du denn auf die Idee?; **to ~ sb a cold** jdn mit seiner Erkältung anstecken; **to ~ sb encouragement** jdn ermutigen **2.** (*emit*) **to ~ a cry/groan** aufschreien/aufstöhnen **3.** (*produce*) *result, number* ergeben; *warmth* spenden **4.** (*admit*) **I'll ~ you that** das muss man dir lassen

II. *vi* <gave, given> **1.** (*donate*) spenden (**to** für) **2.** (*yield*) nachgeben; *bed* federn III. *n no pl* Nachgiebigkeit *f;* **to [not] have much ~** [nicht] sehr nachgeben ◆ **give away** *vt free-bie* verschenken **2.** (*reveal*) **to ~ the game away** alles verraten ◆ **give back** *vt* zurückgeben (**to** +*dat*) ◆ **give in** I. *vi* **1.** (*yield*) nachgeben (**to** +*dat*)*;* **to ~ in to temptation** der Versuchung erliegen **2.** (*surrender*) aufgeben II. *vt* abgeben; *document* einreichen ◆ **give off** *vt* abgeben; *smell, smoke* ausströmen ◆ **give out** I. *vi* **1.** (*run out*) ausgehen; *energy* zu Ende gehen **2.** (*fail*) versagen II. *vt* **1.** (*distribute*) verteilen (**to** an) **2.** (*announce*) verkünden ◆ **give over** I. *vt* **1.** **to ~ sth over [to sb]** [jdm] etw übergeben **2.** **to be ~n over to sth** für etw *akk* beansprucht werden II. *vi* BRIT (*fam*) **1.** (*stop*) aufhören **2.** (*doubt*) **they've doubled your salary? ~ over!** sie haben wirklich dein Gehalt verdoppelt?! ◆ **give up** I. *vi* aufgeben II. *vt* **1.** (*quit*) aufgeben; *habit* ablegen; **to ~ up doing sth** mit etw *dat* aufhören **2.** (*surrender*) **to ~ oneself up [to the police]** sich [der Polizei] stellen

given ['gɪvⁿn] I. *n* gegebene Tatsache; **to take sth as a ~** etw als gegeben annehmen II. *adj* **1.** (*certain*) gegeben **2.** (*specified*) festgelegt **3.** (*tend*) **to be ~ to doing sth** gewöhnt sein, etw zu tun, zu etw *dat* neigen III. *pp of* **give** IV. *prep* **~ sth** angesichts einer S. *gen*

giver ['gɪvə'] *n* Spender(in) *m(f)*

glacier ['glæsiə'] *n* Gletscher *m*

glad <-dd-> [glæd] *adj pred* froh; **to be ~ about sth** sich über etw *akk* freuen; **to be ~ for sb** sich für jdn freuen

gladly ['glædli] *adv* gern[e]

glamorous ['glæmǝʳǝs] *adj* glamourös

glance [glɑːn(t)s] I. *n* Blick *m;* **at first ~** auf den ersten Blick; **to see at a ~** mit einem Blick erfassen II. *vi* **to ~ at sth** auf etw *akk* schauen; **to ~ up [from sth]** [von etw *dat*] aufblicken

glare [gleǝʳ] I. *n* 1. (*look*) wütender Blick 2. *no pl* (*light*) grelles Licht II. *vi* 1. (*look*) **to ~ [at sb]** [jdn an] starren 2. (*shine*) blenden

glass [glɑːs] *n* 1. *no pl* Glas *nt;* **pane of ~** Glasscheibe *f* 2. (*cup*) Glas *nt;* **a ~ of water** ein Glas *nt* Wasser 3. *pl* (*spectacles*) **[a pair of] ~es** eine Brille

glasshouse *n* Gewächshaus *nt*

glazier ['gleɪziǝʳ] *n* Glaser(in) *m(f)*

glide [glaɪd] I. *vi* 1. hingleiten 2. (*fly*) gleiten II. *n* Gleiten *nt kein pl*

glider ['glaɪdǝʳ] *n* Segelflugzeug *nt*

gliding ['glaɪdɪŋ] *n no pl* Segelfliegen *nt;* **to take sb ~** mit jdm Segelfliegen gehen

glimmer ['glɪmǝʳ] I. *vi* schimmern II. *n* Schimmer *m kein pl;* **~ of light** Lichtschimmer *m*

glimpse [glɪm(p)s] I. *vt* flüchtig sehen II. *n* [kurzer/flüchtiger] Blick

glint [glɪnt] I. *vi* glitzern II. *n* Glitzern *nt*

glisten ['glɪsᵊn] *vi* glitzern, glänzen

gloat [gləʊt] *vi* sich hämisch freuen; **to ~ over sth** sich an etw *dat* weiden

global ['gləʊbᵊl] *adj* 1. global 2. (*entire*) umfassend ▶ **to go ~** (*fam*) auf den Weltmarkt vorstoßen, weltweit Bedeutung erlangen

globe [gləʊb] *n* 1. **the ~** die Erde; **to circle the ~** die Welt umreisen 2. (*map*) Globus *m*

globetrotter *n* Globetrotter(in) *m(f)*

gloomy ['gluːmi] *adj* 1. düster 2. (*dismal*) trostlos; *thoughts* trübe; **to be ~ about sth** für etw *akk* schwarzsehen

glorious ['glɔːriǝs] *adj* 1. glorreich 2. (*splendid*) prachtvoll

glory ['glɔːri] *n* 1. *no pl* (*honour*) Ruhm *m* 2. (*splendour*) Herrlichkeit *f,* Pracht *f* 3. *no pl* REL Ehre *f;* ▶ **~ be!** Gott sei Dank!

glossy ['glɒsi] I. *adj* glänzend; **~ paper** Hochglanzpapier *nt* II. *n* 1. Hochglanzmagazin *nt* 2. AM, AUS (*picture*) [Hoch]glanzabzug *m*

glove [glʌv] *n usu pl* Handschuh *m;* **rubber ~s** Gummihandschuhe *pl;* **to fit like a ~** wie angegossen passen

glove compartment *n* Handschuhfach *nt*

glow [gləʊ] I. *n no pl* Leuchten *nt; of lamp, sun* Scheinen *nt; of cigarette, sunset* Glühen *nt* II. *vi* 1. leuchten 2. (*red hot*) glühen

glucose ['gluːkǝʊs] *n no pl* Traubenzucker *m*

glue [gluː] I. *n* Klebstoff *m* II. *vt* kleben; **to ~ sth on** etw ankleben; **to ~ sth together** etw zusammenkleben

glue stick *n* Klebestift *m*

gluten ['gluːtᵊn] *n* Gluten *nt*

gluten intolerance *n* Glutenunverträglichkeit *f*

gnaw [nɔː] I. *vi* nagen *a. fig* (**on/[away] at** an) II. *vt* 1. **to ~ sth** an etw *dat* kauen 2. (*fig*) **to be ~ed by guilt** von Schuld geplagt sein

go [gəʊ] I. *vi* <goes, went, gone> 1. (*proceed*) gehen; *vehicle* fahren; *plane* fliegen; **you ~ first!** geh du zuerst!; **to ~ towards sb/sth** auf jdn/ etw zugehen; **to ~ home** nach Hause gehen 2. (*travel*) reisen; **to ~ by bike**

G

mit dem Fahrrad fahren; **to ~ on** [a] **holiday** in Urlaub gehen; **to ~ to Italy** nach Italien fahren; **to ~ on a journey** [*or* **trip**] verreisen, eine Reise machen; **to ~ by plane** fliegen; **to ~ abroad** ins Ausland gehen **3.** (*disappear*) verschwinden; **where have my keys ~ne?** wo sind meine Schlüssel hin?; **to ~ missing** verschwinden **4.** (*leave*) gehen; **the bus has ~ne** der Bus ist schon weg; **to let ~ of sth** etw loslassen **5.** (*attend*) **to ~ to a concert** ins Konzert gehen; **to ~ to the doctor** zum Arzt gehen **6.** + *adj* (*become*) werden; **the line has ~ne dead** die Leitung ist tot; **I went cold** mir wurde kalt; **to ~ to sleep** einschlafen **7.** + *adj* (*be*) **to ~ hungry** hungern **8.** (*turn out*) **how did your party ~?** und, wie war deine Party?; **how are things ~ing?** und, wie läuft's?; **things have ~ne well** es ist gut gelaufen; **to ~ from bad to worse** vom Regen in die Traufe kommen; **to ~ wrong** schieflaufen **9.** (*pass*) vergehen; **only two days to ~** nur noch zwei Tage **10.** (*begin*) **one, two, three, ~!** eins, zwei, drei, los! **11.** (*belong*) hingehören; **where do you want that to ~?** wo soll das hin? **12.** (*be awarded*) **to ~ to sb** an jdn gehen; *property* auf jdn übergehen **13.** (*extend*) gehen; **the meadow ~es down to the stream** die Weide erstreckt sich bis hinunter zum Bach **14.** (*function*) *watch* gehen; **to get sth ~ing** etw in Gang bringen; **to keep a fire ~ing** ein Feuer am Brennen halten **15.** (*have recourse*) gehen; **to ~ to the police** zur Polizei gehen **16.** (*match*) **to ~ with sth** [zu etw] passen **17.** (*fit*) **five ~es twice**

into ten fünf geht zweimal in zehn; **will that ~ into the suitcase?** wird das in den Koffer passen? **18.** (*be sold*) weggehen; **to ~ to sb** an jdn gehen; **to be ~ing cheap** billig zu haben sein **19.** (*sound*) machen; **there ~es the bell** es klingelt; **with sirens ~ing** mit heulender Sirene **20.** (*accepted*) **anything ~es** alles ist erlaubt **II.** *aux vb future tense* **to be ~ing to do sth** etw tun werden **III.** *vt* <goes, went, gone> **1.** (*become*) **my mind went a complete blank** ich hatte voll ein Brett vorm Kopf! **2.** (*fam: say*) **she ~es to me: I never want to see you again!** sie sagt zu mir: ich will dich nie wieder sehen! **IV.** *n* <*pl* -es> **1.** (*turn*) **it's Stuart's ~ now** jetzt ist Stuart dran; **can I have a ~?** darf ich mal? **2.** (*attempt*) Versuch *m;* **at one ~** auf einen Schlag **3.** *no pl* (*energy*) Antrieb *m;* **full of ~** voller Elan **4.** (*fam: activity*) **it's all ~ here** hier ist immer was los **5. to have a ~ at sb** (*criticize*) jdn runtermachen; (*attack*) über jdn herfallen ▶ **from the word ~** von Anfang an ◆ **go about I.** *vi* **1.** herumlaufen; (*with car*) herumfahren; **to ~ about in groups** in Gruppen herumziehen **2.** (*be in circulation*) *rumour, illness* herumgehen **II.** *vt* **1.** (*treat*) *problem* angehen **2. to ~ about one's business** seinen Geschäften nachgehen ◆ **go after** *vi* **to ~ after sb 1.** (*follow*) nach jdm gehen **2.** (*chase*) jdn verfolgen ◆ **go against** *vi* **to ~ against sb 1.** (*disfavour*) zu jds Ungunsten *pl* ausgehen **2.** (*disobey*) sich jdm widersetzen ◆ **go ahead** *vi* **1.** vorgehen; (*in vehicle*) vorausfahren **2.** (*proceed*) vorangehen; (*speak*) losschießen ◆ **go along** *vi* **1.** entlanggehen; (*in vehicle*) entlangfahren **2.** (*progress*) weitergehen **3.** (*accompany*) mitgehen **4.** (*agree*) **to ~ along with sth** etw zustimmen ◆ **go around** *vi* **1.** (*move around*) **they went around Europe for two months** sie reisten zwei Monate lang durch Europa **2.** (*move in a curve*) herumgehen um +*akk*; *vehicle* herumfahren um +*akk*. **3.** (*be in circulation*) *rumour, illness* herumgehen **4.** (*be enough*) **there won't be enough soup to ~ around** die Suppe wird nicht für alle reichen ◆ **go at** *vi* **1.** (*attack*) **to ~ at sb** auf jdn losgehen; (*fig: eat ravenously*) **to ~ at sth** über etw *akk* herfallen **2.** (*work*) **to ~ at it** loslegen ◆ **go away** *vi* weggehen; (*in vehicle*) wegfahren; **~ away!** geh weg! ◆ **go back** *vi* **1.** zurückgehen; **to ~ back to sb** zu jdm zurückkehren **2.** (*revert*) **to ~ back to sth** auf etw *akk* zurückgreifen; **to ~ back to doing sth** wieder mit etw *dat* anfangen **3.** (*reverse*) zurückgehen ◆ **go beyond** *vi* **to ~ beyond sth 1.** (*pass*) an etw *dat* vorübergehen **2.** (*exceed*) über etw *akk* hinausgehen ◆ **go by** *vi* **1.** vorbeigehen **2.** (*of time*) vergehen **3.** AM (*visit*) **to ~ by sb** bei jdm vorbeischauen ◆ **go down** *vi* **1.** (*descend*) hinuntergehen; (*follow*) entlanggehen; *sun, moon* untergehen **2.** (*lessen, deteriorate*) nachlassen; **to ~ down in sb's opinion** in jds Ansehen sinken **3.** (*beaten*) unterliegen; **to ~ down fighting** kämpfend untergehen **4.** (*sicken*) **to ~ down with the flu** die Grippe bekommen ◆ **go for** *vi* **1.** (*fetch*) holen **2.** (*try*) **~ for it!**

nichts wie ran! **3.** (*attack*) **to ~ for sb** auf jdn losgehen **4.** (*apply*) **that ~es for me too** das gilt auch für mich ◆ **go in** *vi* **1.** hineingehen **2.** (*fit*) hineinpassen **3.** *worker* arbeiten gehen **4.** (*hide*) **as soon as the sun ~es in, ...** sobald es sich bewölkt, ... **5.** (*cooperate*) **to ~ in with sb** sich mit jdm zusammentun ◆ **go into** *vi* **1. to ~ into sth** in etw *akk* gehen **2.** (*crash*) **to ~ into sth** in etw *akk* hineinfahren **3.** (*check*) **to ~ into sth** etw erörtern **4. to ~ into action** in Aktion treten; **to ~ into detail** ins Detail gehen; **to ~ into effect** in Kraft treten; **to ~ into journalism** Journalist/Journalistin werden; **to ~ into reverse** in den Rückwärtsgang schalten; **to ~ into a trance** in Trance [ver]fallen ◆ **go off** *vi* **1.** weggehen; THEAT abgehen **2.** *light* ausgehen **3.** *alarm* losgehen **4.** *bomb* hochgehen ◆ **go on** *vi* **1.** weitergehen; *vehicle* weiterfahren; **to ~ on ahead** vorausgehen **2.** (*extend*) sich erstrecken **3.** (*continue*) weitermachen; **I can't ~ on** ich kann nicht mehr; **to ~ on trying** es weiter versuchen **4.** (*criticize*) **to ~ on at sb** an jdm herumnörgeln **5.** (*happen*) passieren; **what's ~ing on here?** was geht denn hier vor? **6.** (*start*) anfangen; **to ~ on a diet** auf Diät gehen; **to ~ on the dole** stempeln gehen; **to ~ on strike** in den Streik treten; **to ~ on tour** auf Tournee gehen **7.** *lights* angehen **8.** (*encouraging*) **~ on, have another drink** na komm, trink noch einen ◆ **go out** *vi* **1.** [hinaus]gehen; **to ~ out to work** arbeiten gehen; **to ~ out shopping** einkaufen gehen **2.** (*emigrate*) auswandern **3.** (*visit*) ausgehen; **to ~ out for a**

G

meal essen gehen **4.** (*date*) **to ~ out with sb** mit jdm gehen **5.** *fire* ausgehen **6.** *tide* zurückgehen; **when the tide ~es out** bei Ebbe ◆ **go over** *vi* **1.** (*cross*) hinübergehen; (*in vehicle*) hinüberfahren **2.** (*visit*) **to ~ over to sb** zu jdm rübergehen **3.** (*change*) **to ~ over to sth** zu etw *dat* übergehen; **to ~ over to the enemy** zum Feind überlaufen **4.** (*be received*) **to ~ over [well]** [gut] ankommen ◆ **go through** *vi* **1.** durchgehen **2.** (*experience*) durchmachen **3.** (*be approved*) *plan* durchgehen **4.** (*use up*) aufbrauchen ◆ **go together** *vi* zusammenpassen ◆ **go under** *vi* **1.** untergehen **2.** (*fail*) scheitern ◆ **go up** *vi* **1.** hinaufgehen; (*climb*) hinaufsteigen **2.** (*increase*) steigen; **everything is ~ing up!** alles wird teurer! **3.** (*approach*) **to ~ up to sb/sth** auf jdn/etw zugehen **4.** (*extend*) **to ~ up to sth** [bis] zu etw *dat* hingehen ◆ **go with** *vt* **1.** (*accompany*) **to ~ with sb** mit jdm mitgehen; **to ~ with sth** zu etw *dat* gehören **2.** (*be associated with*) **to ~ with sth** mit etw *dat* einhergehen ◆ **go without** *vi* **to ~ without sth** ohne etw *akk* auskommen

go-ahead [ˈgəʊəhed] **I.** *n no pl* Erlaubnis *f* (**for** zu); **to give the ~** grünes Licht geben **II.** *adj* BRIT, AUS fortschrittlich

goal [gəʊl] *n* **1.** Ziel *nt* **2.** SPORTS Tor *nt*

goalkeeper, *fam* **goalie** [ˈgəʊli] *n* Tormann, Torfrau *m, f*

goat [gəʊt] *n* Ziege *f;* **~'s milk** Ziegenmilch *f;* ▸ **to get sb's ~** jdn auf die Palme bringen

goatee [gəʊˈtiː] *n* Spitzbart *m*

go-between [ˈgəʊbɪˌtwiːn] *n* Vermittler(in) *m(f)*

god [gɒd] *n* Gott *m;* **~ of war** Kriegsgott *m*

godchild *n* Patenkind *nt* **goddaughter** *n* Patentochter *f*

goddess <*pl* -es> [ˈgɒdes] *n* Göttin *f;* **screen ~** [Film]diva *f*

godfather *n* **1.** (*godparent*) Patenonkel *m*, Pate *m* **2.** (*mafia*) Pate *m*

godmother *n* Patentante *f*, Patin *f;* **fairy ~** gute Fee **godparent** *n* Pate, Patin *m, f* **godsend** *n* (*fam*) Gottesgeschenk *nt* **godson** *n* Patensohn *m*

goes [gəʊz] *3rd pers sing of* go

goggle-box *n* BRIT (*fam*) Glotze *f*

going [ˈgəʊɪŋ] **I.** *n* **1.** Gehen *nt* **2.** (*departure*) Weggang *m* **3.** (*conditions*) **rough ~** ungünstige Bedingungen **II.** *adj* **to get/keep sth ~** etw in Gang bringen/halten

goings-on *n pl* Vorfälle *pl*

gold [gəʊld] *n* Gold *nt;* ▸ [as] <u>good</u> as ~ mustergültig

gold coin *n* Goldmünze *f*

golden [ˈgəʊldⁿn] *adj* golden *a. fig;* **~ brown** goldbraun

goldfish *n* Goldfisch *m* **gold medal** *n* Goldmedaille *f* **goldmine** *n* Goldmine *f;* (*fig*) Goldgrube *f fam*

golf [gɒlf] **I.** *n no pl* Golf *nt;* **a round of ~** eine Runde Golf; **~ cart** Golfwagen *m* **II.** *vi* Golf spielen

golf ball *n* Golfball *m* **golf club** *n* **1.** Golfschläger *m* **2.** + *sing/pl vb* (*members*) Golfclub *m* **golf course** *n* Golfplatz *m*

golfer [ˈgɒlfə’] *n* Golfer(in) *m(f)*

golf links *n pl* AM Golfplatz *m;* BRIT Golfplatz *m* an der Küste

gone [gɒn] **I.** *pp of* go **II.** *prep* BRIT **it's just ~ ten o'clock** es ist kurz nach zehn Uhr **III.** *adj* **1.** (*missing*) weg **2.** (*dead*) tot; **to be pretty far ~** beinahe tot sein

good [gʊd] **I.** *adj* <better, best> **1.** gut; *weather* schön; **~ morning** guten Morgen; **have a ~ day!** schönen Tag noch!; **to have a ~ time** [viel] Spaß haben; **to do a ~ job** gute Arbeit leisten; **it's a ~ job** [that] ... zum Glück ... **2.** (*kind*) **it was very ~ of you to help us** es war sehr lieb von dir, uns zu helfen **3.** (*thorough*) gut; **to have a ~ laugh** ordentlich lachen **4.** (*substantial*) beträchtlich; **to make ~ money** gutes Geld verdienen **5.** (*reliable*) **to be** [as] **~ as one's word** vertrauenswürdig sein **6. as ~ as** ... (*almost*) so gut wie ... ▶ **it's as ~ as it gets** besser wird's nicht mehr **II.** *adv* **1.** AM, DIAL (*fam: well*) gut **2.** (*fam: thoroughly*) gründlich **III.** *n no pl* **1.** Gute *nt;* **~ and evil** Gut und Böse; **to be up to no ~** nichts Gutes im Schilde führen; **the ~** *pl* die Guten *pl* **2.** (*benefit*) Wohl *nt;* **for the ~ of his health** seiner Gesundheit zuliebe

goodbye, AM *a.* **goodby I.** *interj* [gʊ(d)ˈbaɪ] auf Wiedersehen; **to wave ~** zum Abschied winken **II.** *n* [gʊdˈbaɪ] Abschied *m;* **to say one's ~s** sich verabschieden

good-for-nothing I. *n* Taugenichts *m* **II.** *adj* nichtsnutzig **Good Friday** *n* Karfreitag *m* **good-humoured,** AM **good-humored** [ˌgʊdˈhjuːməd] *adj* **1.** (*cheerful*) fröhlich **2.** (*good-natured*) gutmütig **good-looking** *adj* <more good-looking, most good-looking> gut aussehend **good-natured** *adj* gutmütig **goodness** [ˈgʊdnəs] **I.** *n no pl*

1. (*virtue*) Tugendhaftigkeit *f* **2.** (*kindness*) Freundlichkeit *f,* Güte *f* **3.** *of food* Wertvolle(s) *nt* **4.** (*for emphasis*) **~ knows** weiß der Himmel; **thank ~** Gott sei Dank **II.** *interj* **my ~!** [ach du] meine Güte

goods [gʊdz] **I.** *n pl* Waren *pl,* Güter *pl;* **sports ~** Sportartikel *pl;* **stolen ~** Diebesgut *nt* **II.** *adj attr* BRIT **~ train** Güterzug *m*

good-sized *adj attr* [recht] groß **good-tempered** *adj* gutmütig

goody [ˈgʊdi] **I.** *n* tolle Sache; (*titbit*) Leckerbissen *m* **II.** *interj* (*usu child-speak*) spitze

google [ˈguːgl] INET (*fam*) **I.** *vi* googeln (*im Internet nach Informationen suchen*) **II.** *vt name* im Internet nach etw suchen

goose [guːs] *n* <*pl* geese> Gans *f;* ▶ **to cook** sb's **~** jdm die Suppe versalzen

gooseberry [ˈgʊzbəri] *n* Stachelbeere *f;* ▶ **to play ~** BRIT das fünfte Rad am Wagen sein

goose pimples *n pl,* **gooseflesh** *n no pl, esp* AM **goosebumps** *n pl* Gänsehaut *f kein pl*

gorge [gɔːdʒ] **I.** *n* Schlucht *f* **II.** *vi* sich vollessen **III.** *vt* **to ~ oneself on sth** sich mit etw *dat* voll stopfen

gorgeous [ˈgɔːdʒəs] *adj* **1.** herrlich, großartig; **the bride looked ~** die Braut sah zauberhaft aus **2.** (*fam: pleasant*) ausgezeichnet, fabelhaft

gorilla [gəˈrɪlə] *n* Gorilla *m a. fig*

gorse [gɔːs] *n no pl* Stechginster *m*

gory [ˈgɔːri] *adj* blutig; *film* blutrünstig

go-slow *n* BRIT Bummelstreik *m*

gospel [ˈgɒspəl] *n* **the ~** das Evangelium; (*fig*) Grundsätze *pl;* **to take sth as ~** etw für bare Münze nehmen

G

gossip [ˈgɒsɪp] I. *n* 1. *no pl* Klatsch *m;* **idle** ~ leeres Geschwätz 2. (*pej: person*) Tratschbase *f* II. *vi* schwatzen

gossip column *n* Klatschspalte *f*

got [gɒt] *pt, pp of* **get**

gotten [ˈgɒtᵊn] AM, AUS *pp of* **got**

government [ˈgʌvᵊnmənt] *n* Regierung *f;* **local** ~ Kommunalverwaltung *f;* **in** ~ BRIT, AUS an der Regierung; ~ **agency** Behörde *f;* ~ **grant** staatlicher Zuschuss; ~ **property** Staatseigentum *nt;* ~ **spending** Staatsausgaben *pl;* ~ **subsidy** Subvention *f*

GP [ˌʤiːˈpiː] *n abbrev of* **general practitioner**

GPO [ˌʤiːpiːˈəʊ] *n* BRIT *abbrev of* **General Post Office** Hauptpostamt *nt*

grab [græb] I. *n* Griff *m;* **to make a** ~ **for sth** nach etw *dat* greifen ▶ **to be up for** ~**s** zu haben sein II. *vt* <-bb-> 1. [sich *dat*] schnappen; **to** ~ **hold of sth** etw festhalten 2. **to** ~ **some sleep** [ein wenig] schlafen III. *vi* <-bb-> grapschen; **to** ~ **at sb** jdn begrapschen

grace [greɪs] *n* 1. *no pl of movement* Grazie *f; of appearance* Anmut *f* 2. *of behaviour* Anstand *m kein pl;* **social** ~**s** gesellschaftliche Umgangsformen 3. *no pl* (*favour, mercy*) Gnade *f;* **to fall from** ~ in Ungnade fallen 4. *no pl* (*prayer*) Tischgebet *nt*

gracious [ˈgreɪʃəs] I. *adj* 1. (*kind*) liebenswürdig 2. (*merciful*) gnädig II. *interj* [**good**] ~ [**me**]! [du] meine Güte!

grade [greɪd] I. *n* 1. (*rank*) Rang *m* 2. *of salary* Gehaltsstufe *f* 3. (*of quality*) Qualität *f* 4. SCH (*mark*) Note *f* 5. AM (*class*) Klasse *f* 6. AM (*gradient*) Neigung *f* II. *vt* 1. SCH, UNIV

benoten 2. (*categorize*) einteilen

gradual [ˈgrædʒuəl] *adj* 1. (*not sudden*) allmählich 2. (*not steep*) sanft

gradually [ˈgrædʒuəli] *adv* 1. (*not suddenly*) allmählich 2. (*not steeply*) sanft

graduate I. *n* [ˈgrædʒuət] 1. UNIV Absolvent(in) *m(f);* ~ **student** Student(in) *m(f)* mit Universitätsabschluss 2. AM SCH Schulabgänger(in) *m(f)* II. *vi* [ˈgrædʒueɪt] 1. UNIV einen akademischen Grad erwerben; **to** ~ **with honours** seinen Abschluss mit Auszeichnung machen 2. AM SCH die Abschlussprüfung bestehen III. *vt* [ˈgrædʒueɪt] 1. (*calibrate*) einteilen 2. AM (*award degree*) **to** ~ **sb** jdn graduieren

graduation [ˌgrædʒuˈeɪʃᵊn] *n* 1. *no pl* SCH, UNIV (*completion*) [Studien]abschluss *m* 2. (*ceremony*) Abschlussfeier *f*

grain [greɪn] *n* 1. Korn *nt*, Körnchen *nt;* ~ **of sand** Sandkorn *nt* 2. *no pl* (*texture*) Maserung *f*

gram [græm] *n* Gramm *nt*

grammar [ˈgræməʳ] *n* Grammatik *f;* **to be bad** ~ grammatikalisch falsch sein

grammar school *n* 1. AM (*elementary school*) Grundschule *f* 2. BRIT (*upper level school*) ≈ Gymnasium *nt*

gran [græn] *n* (*fam*) *short for* **grandmother** Oma *f*, Omi *f*

granary bread *no pl*, **granary loaf** *n* BRIT ≈ Mehrkornbrot *nt*

grand [grænd] I. *adj* 1. prächtig, großartig; **to make a** ~ **entrance** einen großen Auftritt haben 2. (*fam: excellent*) großartig 3. (*far-reaching*) ~ **ambitions** große Pläne; **on a** ~ **scale** in großem Rahmen 4. (*total*) ~ **total** Gesamtsumme *f* II. *n*

1. <*pl* -> (*fam: $/£1000*) Mille *f*
2. (*piano*) Flügel *m*
grandad ['grændæd] *n* (*fam: grandfather*) Opa *m*
grandchild *n* Enkelkind *nt* **granddaughter** *n* Enkeltochter *f* **grandfather** *n* Großvater *m* **grandma** *n* (*fam*) Oma *f*, Omi *f* **grandmother** *n* Großmutter *f* **grandpa** *n* (*fam*) Opa *m*, Opi *f* **grandparent** *n* Großvater, Großmutter *m*, *f*; ~**s** *pl* Großeltern *pl*
grand piano *n* [Konzert]flügel *m*
grandson *n* Enkel[sohn] *m*
grandstand *n* [Haupt]tribüne *f* **grand sum**, **grand total** *n* Gesamtsumme *f*
grannie, **granny** ['græni] *n* (*fam*) Oma *f*, Omi *f*
grant [grɑːnt] I. *n* **1.** Zuschuss *m* oft *pl*; (*subsidy*) Subvention *f* **2.** UNIV Stipendium *nt* II. *vt* **1.** (*allow*) **to ~ sb sth** jdm etw gewähren; *favour* jdm etw erweisen **2.** (*confess*) zugeben; ~**ed, ...** zugegeben, ...
granulated ['grænjəleɪtɪd] *adj* granuliert; ~ **sugar** Kristallzucker *m*
grape [greɪp] *n* [Wein]traube *f*; **a bunch of** ~**s** eine [ganze] Traube
grapefruit <*pl* -> ['greɪpfruːt] *n* Grapefruit *f* **grape juice** *n* Traubensaft *m* **grapevine** *n* Weinstock *m*; ▶ **sb** <u>hears</u> **sth on** [*or* **through**] **the** ~ etw kommt jdm zu Ohren
graph [grɑːf] *n* Diagramm *nt*, Graph *m*; **bar** [*or* **block**] ~ Säulendiagramm *nt*
graphic ['græfɪk] *adj* **1.** grafisch **2.** (*vivid*) anschaulich; **in** ~ **detail** haarklein **3.** ART ~ **design** Grafikdesign *nt*
graphics ['græfɪks] *n pl* Grafik *f*
grasp [grɑːsp] I. *n no pl* **1.** Griff *m*; **to be within sb's** ~ (*fig*) zum Greifen

nahe sein **2.** **to have a good** ~ **of a subject** ein Fach gut beherrschen II. *vt* [fest] [er]greifen; **to ~ sb by the arm** jdn am Arm fassen III. *vi* **to ~ at sth** nach etw *dat* greifen; **to ~ at the opportunity** (*fig*) die Gelegenheit beim Schopfe packen
grass <*pl* -es> [grɑːs] I. *n* **1.** Gras *nt* **2.** *no pl* (*fam: dope*) Grass *nt sl* II. *vi* BRIT, AUS (*sl*) singen; **to ~ on sb** jdn verpfeifen
grass court *n* Rasenplatz *m* **grasshopper** *n* Heuschrecke *f* **grass snake** *n* AM Grasnatter *f*; BRIT Ringelnatter *f*
grate¹ [greɪt] *n* **1.** Rost *m* **2.** (*hearth*) Kamin *m*
grate² [greɪt] I. *vi* **1.** kratzen **2.** *noise* in den Ohren wehtun; **to ~ on sb**['s **nerves**] jdm auf die Nerven gehen II. *vt* reiben
grateful ['greɪtfəl] *adj* dankbar
grater ['greɪtər] *n* Reibe *f*
grating ['greɪtɪŋ] I. *n* Gitter *nt* II. *adj* knirschend
gratitude ['grætɪtjuːd] *n no pl* Dankbarkeit *f*
gratuity [grə'tjuːəti] *n* **1.** Trinkgeld *nt* **2.** AM (*bribe*) **illegal** ~ Bestechungsgeld *nt*
grave¹ [greɪv] *n* Grab *nt*; ▶ **to** <u>have</u> **one foot in the** ~ mit einem Bein im Grab stehen
grave² [grɑːv] *adj face, music* ernst; (*bad*) *news* schlimm; (*worrying*) *conditions* bedenklich; *decision* schwerwiegend; *mistake* gravierend
gravel ['grævəl] *n no pl* Kies *m*; ~ **road** Schotterstraße *f*
gravel-pit *n* Kiesgrube *f*
gravestone *n* Grabstein *m* **graveyard** *n* Friedhof *m*

G

gravity ['grævəti] *n no pl* **1.** Schwerkraft *f* **2.** (*dignity*) Ernst *m*

gravy ['greɪvi] *n no pl* [Braten]soße *f*

gray *adj* AM *see* **grey**

graze¹ [greɪz] **I.** *n* Schürfwunde *f* **II.** *vt* streifen

graze² [greɪz] **I.** *vi* grasen, weiden **II.** *vt animals* weiden lassen; *meadow* abgrasen

grease [gri:s] **I.** *n* Fett *nt;* ~ **mark** Fettfleck *m* **II.** *vt* [ein]fetten; MECH schmieren ▶ **like** ~**d lightning** wie ein geölter Blitz

greaseproof paper *n* Pergamentpapier *nt;* (*for oven*) Backpapier *nt*

greasy ['gri:si] *adj* **1.** fettig; *food* fett **2.** (*fig*) schmierig

great [greɪt] **I.** *adj* **1.** (*big*) groß; **a ~ deal of money** eine Menge Geld; **to a ~ extent** im Großen und Ganzen **2.** (*famous*) groß **3.** (*wonderful*) großartig, hervorragend, toll *fam;* ~! (*iron fam*) na prima! **II.** *adv* (*fam*) ~ **big** riesengroß **III.** *n* Größe *f;* (*in titles*) **Alexander the ~** Alexander der Große

Great Britain *n* Großbritannien *nt*

Greater ['greɪtəʳ, AM -t̬ə-] (*in cities*) ~ **London** Groß-London *nt*

great-grandchild *n* Urenkel(in) *m(f)*

great-grandparents *n pl* Urgroßeltern *pl*

greatly ['greɪtli] *adv* sehr; ~ **impressed** tief beeindruckt

greatness ['greɪtnəs] *n no pl* Bedeutsamkeit *f*

Greece [gri:s] *n* Griechenland *nt*

greed [gri:d] *n no pl* Gier *f* (**for** nach)

greediness ['gri:dɪnəs] *n no pl* Gier *f*

greedy ['gri:di] *adj* gierig; (*covetous*) habgierig; **to be ~ for sth** (*fig*) gierig nach etw *dat* sein; ~~**guts** + *sing vb*

BRIT, AUS (*fam*) [kleiner] Vielfraß

Greek [gri:k] **I.** *n* **1.** Grieche(in) *m(f)* **2.** (*language*) Griechisch *nt;* **ancient ~** Altgriechisch *nt;* **modern ~** Neugriechisch *nt* **II.** *adj* griechisch

green [gri:n] **I.** *n* **1.** *no pl* Grün *nt* **2.** (*food*) ~**s** *pl* Blattgemüse *nt kein pl* **3.** POL **G~** Grüne(r) *f(m)* **II.** *adj* grün; ~ **issues** Umweltschutzfragen *pl*

greenback *n* (*fam*) **1.** AM Dollar[schein] *m* **2.** (*frog*) Laubfrosch *m*

green belt *n* Grüngürtel *m* **green card** *n* **1.** BRIT [internationale] Grüne [Versicherungs]karte **2.** AM Greencard *f* Aufenthaltserlaubnis mit Arbeitsgenehmigung **greengrocer** *n* BRIT Obst- und Gemüsehändler(in) *m(f);* **at the ~'s** im Obst- und Gemüseladen

greenhouse *n* Gewächshaus *nt* **greenhouse effect** *n no pl* ~ Treibhauseffekt *m* **green pepper** *n* grüne Paprikaschote

greet [gri:t] *vt* **1.** [be]grüßen; (*receive*) empfangen **2.** (*react*) reagieren; **the unions ~ed his decision with anger** die Gewerkschaften haben seine Entscheidung mit Zorn aufgenommen

greeting ['gri:tɪŋ] *n* Begrüßung *f;* **she smiled at me in ~** sie begrüßte mich mit einem Lächeln; ~**s** *pl* Grüße *pl*

grenade [grə'neɪd] *n* Granate *f*

grew [gru:] *pt of* **grow**

grey [greɪ] **I.** *n no pl* Grau *nt* **II.** *adj* grau *a. fig; face* [asch]grau

greyhound *n* Windhund *m*

grid [grɪd] *n* **1.** Gitter *nt* **2.** (*lines*) Gitternetz *nt*

grief [gri:f] *n no pl* **1.** tiefe Trauer, Kummer *m* **2.** (*bother*) **to come to ~** (*fail*) scheitern; (*have an accident*) zu Schaden kommen **3.** **good ~!** du liebe Zeit!

grill [grɪl] **I.** *n* Grill *m; (barbecue)* [Grill]rost *m* **II.** *vt* **1.** grillen **2.** *(fam: interrogate)* ausquetschen

grim [grɪm] *adj* **1.** grimmig, verbissen **2.** *(unpleasant)* trostlos; **to feel ~** sich miserabel fühlen

grin [grɪn] **I.** *n* Grinsen *nt kein pl* **II.** *vi* grinsen ► **to ~ and** <u>bear</u> **it** gute Miene zum bösen Spiel machen

grind [graɪnd] **I.** *n no pl (fam)* **the daily ~** der tägliche Trott; **to be a real ~** sehr mühsam sein **II.** *vt* <ground, ground> **1.** mahlen; AM, AUS *meat* fein hacken; **to ~ sth [in]to a powder** etw fein zermahlen **2.** *knife* schleifen ♦ **grind down** *vt* **1.** abschleifen; *mill* zerkleinern **2.** *(wear)* abtragen **3.** *(tyre)* zermürben ♦ **grind out** *vt* **1.** *(produce)* ununterbrochen produzieren **2.** *cigarette* ausdrücken

grindstone ['graɪn(d)stəʊn] *n* Schleifstein *m;* ► **to keep one's** <u>nose</u> **to the ~** sich [bei der Arbeit] ranhalten

grip [grɪp] **I.** *n* Griff *m kein pl a. fig;* **to keep a [firm] ~ on sth** etw festhalten **II.** *vt* <-pp-> **1.** packen **2.** *(fig)* packen; *(interest)* fesseln **III.** *vi* <-pp-> greifen

gristle ['grɪsl] *n no pl* Knorpel *m*

grit [grɪt] **I.** *n no pl* **1.** Splitt *m* **2.** *(fig: courage)* Schneid *m* **II.** *vt* <-tt-> **1.** streuen **2. to ~ one's teeth** die Zähne zusammenbeißen *a. fig*

grizzly ['grɪzli] **I.** *adj* BRIT quengelig **II.** *n* Grizzlybär(in) *m(f)*

groan [grəʊn] **I.** *n* Stöhnen *nt kein pl* **II.** *vi* **1.** [auf]stöhnen; **to ~ inwardly** einen inneren Seufzer ausstoßen; **to ~ about sth** *(fig)* sich über etw *akk* beklagen **2.** *(creak)* ächzen

grocer ['grəʊsəʳ] *n* Lebensmittelhändler(in) *m(f)*

grocery ['grəʊsᵊri] *n* Lebensmittelgeschäft *nt*

groggy ['grɒgi] *adj* angeschlagen

groin [grɔɪn] *n* Leiste *f*

groom [gruːm] **I.** *n* **1.** Bräutigam *m* **2.** *(keeper)* Pferdepfleger(in) *m(f)* **II.** *vt* **to ~ a horse** ein Pferd striegeln

groove [gruːv] *n* Rille *f*

groovy <-ie-> ['gruːvi] *adj (dated sl)* doll

gross¹ <pl -> [grəʊs] *n* Gros *nt;* **by the ~** en gros

gross² [grəʊs] **I.** *adj* **1.** grob **2.** *(ugly)* abstoßend; *(revolting)* ekelhaft **II.** *adj* **~ national product** Bruttosozialprodukt *nt* **III.** *vt* FIN brutto einnehmen

grotty <-ie-> ['grɒti] *adj* BRIT *(fam)* mies; *(soiled)* gammelig

grouchy ['graʊtʃi] *adj* griesgrämig

ground¹ [graʊnd] **I.** *n no pl* **1.** [Erd]boden *m*, Erde *f;* **to fall to the ~** zu Boden fallen; **to go to ~** *animal* in Deckung gehen **2.** *no pl (area)* [ein Stück] Land *nt;* **waste ~** brachliegendes Land; **to gain ~** MIL Boden gewinnen; *(fig)* an Boden gewinnen **3.** **~s** *pl (environs)* Anlagen *pl* **4.** SPORTS Platz *m*, [Spiel]feld *nt* **5.** **~s** *pl (reasons)* Grund *m;* **~s for divorce** Scheidungsgrund *m* **7.** AM ELEC Erde *f;* ► **to** <u>break</u> **new ~** bahnbrechend sein; *person* Neuland betreten **II.** *vt* **1. to be ~ed** *plane* nicht starten können **2.** NAUT auf Grund setzen; **to be ~ed** auflaufen

ground² [graʊnd] **I.** *vt pt of* **grind** **II.** *adj* gemahlen **III.** *n* **~s** *pl* [Boden]satz *m kein pl*

ground crew *n + sing/pl vb* AVIAT Bodenpersonal *nt kein pl* **ground floor**

n Erdgeschoss *nt*, Parterre *nt;* **to live on the ~** parterre [*o* im Erdgeschoss] wohnen **ground frost** *n* Bodenfrost *m*

groundless ['graʊndləs] *adj* grundlos

ground staff *n no pl,* + *sing/pl vb* **1.** AVIAT Bodenpersonal *nt* **2.** SPORTS Wartungspersonal *nt*

group [gruːp] I. *n* **1.** + *sing/pl vb* Gruppe *f;* **~s of four or five** Vierer- oder Fünfergruppen *pl;* **to get into ~s** sich in Gruppen zusammentun **2.** ECON Konzern *m* II. *vt* gruppieren III. *vi* sich gruppieren; **to ~ together** sich zusammentun

group ticket *n* Sammelfahrschein *m;* TOURIST Gruppenticket *nt*

grow <grew, grown> [grəʊ] I. *vi* wachsen; **to ~ taller** größer werden; **to ~ to like sth** langsam beginnen, etw zu mögen II. *vt* **1. to ~ sth from seed** etw aus Samen ziehen **2. the male deer ~s large antlers** dem Hirsch wächst ein mächtiges Geweih ♦ **grow into** *vi* **to ~ into sth** in etw *akk* hineinwachsen; (*fig*) sich in etw *akk* eingewöhnen ♦ **grow out** *vi* **to ~ out of sth** aus etw *dat* herauswachsen; *adult* für etw *akk* [schon] zu alt sein ♦ **grow up** *vi* **1.** erwachsen werden; **oh, ~ up!** wann wirst du endlich erwachsen? **2.** (*arise*) entstehen

growl [graʊl] I. *n* Knurren *nt kein pl* II. *vi* knurren; **to ~ at sb** jdn anknurren

grown [grəʊn] I. *adj attr* erwachsen; **fully ~** ausgewachsen II. *pp of* **grow**

grown-up ['grəʊnʌp] (*fam*) I. *n* Erwachsene(r) *f(m)* II. *adj* erwachsen

growth [grəʊθ] *n* **1.** *no pl* Wachstum *nt;* **~ industry** Wachstumsindustrie *f* **2.** (*plants*) Triebe *pl*

gruesome ['gruːsəm] *adj* grausig, schauerlich

grumble ['grʌmbl] I. *n* Gemurre *nt kein pl* II. *vi* murren; **mustn't ~** ich kann nicht klagen

grumpy <-ie-> ['grʌmpi] *adj* (*fam*) mürrisch, brummig, grantig

grunt [grʌnt] I. *n* Grunzen *nt kein pl;* **to give a ~** grunzen II. *vi* grunzen

guarantee [ˌgærᵊn'tiː] I. *n* Garantie *f;* **two-year ~** Garantie *f* auf 2 Jahre; **to be [still] under ~** [noch] Garantie haben; **money-back ~** Geldzurückgarantie *f* II. *vt* garantieren; **to ~ sb sth** jdm etw zusichern; **to ~ that ...** gewährleisten, dass ...

guard [gɑːd] I. *n* **1.** Wache *f;* (*sentry*) Wach[t]posten *m;* **prison ~** AM Gefängniswärter(in) *m(f)* **2.** (*stance*) Deckung *f;* **to be on one's ~ [against sth]** (*fig*) [vor etw] auf der Hut sein **3.** (*device*) Schutz *m* II. *vt* **1.** bewachen; **heavily ~ed** scharf bewacht **2.** (*not tell*) für sich behalten; **closely ~ed secret** sorgsam gehütetes Geheimnis III. *vi* **to ~ against sth** sich vor etw *dat* schützen

guard dog *n* Wachhund *m* **guard duty** *n* Wachdienst *m;* **to be on ~ duty** Wachdienst haben

guardian ['gɑːdiən] *n* **1.** LAW Vormund *m* **2.** (*form: protector*) Hüter(in) *m(f)*

guard rail *n* [Schutz]geländer *nt*

gue(r)rilla [gə'rɪlə] *n* Guerilla *m*, Guerillakämpfer(in) *m(f);* **~ warfare** Guerillakrieg *m*

guess [ges] I. *n* <*pl* -es> Vermutung *f;* (*estimate*) Schätzung *f;* **you've got three ~es** dreimal darfst du raten; **lucky ~** Glückstreffer *m;* **to have a ~ raten** ▶ **it's anyone's ~** weiß der

Himmel **II.** *vi* **1.** raten; **how did you ~?** wie bist du darauf gekommen? **2.** *esp* AM (*suppose*) denken; (*suspect*) annehmen; **I ~ you're right** du wirst wohl Recht haben **III.** *vt* raten; (*estimate*) schätzen; **~ what?** stell dir vor!

guesstimate ['gestɪmət] **I.** *vt* grob schätzen **II.** *n* grobe Schätzung

guest [gest] **I.** *n* Gast *m;* ▶ **be my ~** nur zu! **II.** *vi* als Gaststar auftreten

guesthouse *n* Gästehaus *nt,* Pension *f* **guestroom** *n* Gästezimmer *nt* **guest worker** *n* Gastarbeiter(in) *m(f)*

guidance ['gaɪdᵊn(t)s] *n no pl* **1.** Beratung *f;* (*direction*) [An]leitung *f;* **spiritual ~** geistiger Rat **2.** (*steering*) Steuerung *f*

guide [gaɪd] **I.** *n* **1.** Führer(in) *m(f);* TOURIST *a.* Fremdenführer(in) *m(f);* **tour ~** Reiseführer(in) *m(f)* **2.** (*book*) Reiseführer *m* **3.** (*hint*) Anhaltspunkt *m* **II.** *vt* **1.** **to ~ sb** jdn führen *a. fig* **2.** (*instruct*) anleiten **3.** (*steer*) führen; **the plane was ~d in to land** das Flugzeug wurde zur Landung eingewiesen

guided ['gaɪdɪd] *adj* **1.** geführt; **~ tour** Führung *f* **2.** (*steered*) [fern]gelenkt; **~ missile** Lenkflugkörper *m*

guide dog *n* Blindenhund *m*

guideline *n usu pl* Richtlinie *f*

guild [gɪld] *n + sing/pl vb* Gilde *f;* of *craftsmen* Innung *f,* Zunft *f*

guilder ['gɪldər] *n* Gulden *m*

guillotine ['gɪləti:n] *n* **1.** Guillotine *f,* Fallbeil *nt;* **to go to the ~** unter der Guillotine sterben **2.** BRIT, AUS (*for paper*) Papierschneidemaschine *f*

guilt [gɪlt] *n no pl* Schuld *f;* **feelings of ~** Schuldgefühle *pl*

guilty <-ie-> ['gɪlti] *adj* schuldig; **~ conscience** schlechtes Gewissen; **to prove sb ~** jds Schuld *f* beweisen; **until proven ~** bis die Schuld erwiesen ist

guinea pig *n* Meerschweinchen *nt*

guitar [gɪ'tɑːʳ] *n* Gitarre *f*

guitarist [gɪ'tɑːrɪst] *n* Gitarrist(in) *m(f)*

gulf [gʌlf] *n* **1.** Golf *m;* **the G~** der [Persische] Golf **2.** (*gap*) [tiefe] Kluft

gull [gʌl] *n* Möwe *f*

gullible ['gʌlɪbl] *adj* leichtgläubig

gully ['gʌli] *n* [enge] Schlucht *f;* (*drain*) Rinne *f*

gum¹ [gʌm] *n* ~[s] Zahnfleisch *nt kein pl;* **~ shield** Mundschutz *m*

gum² [gʌm] *n* **1.** *no pl* Gummi *nt;* (*on stamps etc.*) Gummierung *f* **2.** (*sweet*) **chewing ~** Kaugummi *m o nt;* **fruit ~** BRIT Fruchtgummi *m o nt* **3.** (*tree*) Gummibaum *m*

gun [gʌn] **I.** *n* **1.** [Schuss]waffe *f;* (*pistol*) Pistole *f;* (*rifle*) Gewehr *nt;* **big ~** Kanone *f;* (*fig*) hohes Tier **2.** SPORTS Startpistole *f;* **to jump the ~** einen Frühstart verursachen **3.** AM (*person*) Bewaffnete(r) *f(m);* **hired ~** Auftragskiller(in) *m(f)* **II.** *vt* <-nn-> AM (*fam*) *engine* hochjagen

gunfight *n* Schießerei *f* **gunfire** *n* Schießerei *f;* (*of cannons*) Geschützfeuer *nt* **gunman** *n* Bewaffnete(r) *m* **gunpowder** *n no pl* Schießpulver *nt* **gunshot** *n* [Gewehr]schuss *m;* **~ wound** Schusswunde *f*

gust [gʌst] **I.** *n* [Wind]stoß *m,* Bö[e] *f* **II.** *vi* böig wehen

gut [gʌt] **I.** *n* **1.** Darm[kanal] *m* **2.** (*string*) Darmsaite *f* **3.** (*sl: belly*) Bauch *m* **4.** (*fam: bowels*) **~s** *pl* Ein-

G

geweide *pl* **5.** (*fam: courage*) ~**s** *pl* Mumm *m kein pl* **II.** *vt* <-tt-> *animal* ausnehmen

gutter ['gʌtər] **I.** *n* Dachrinne *f;* (*on road*) Rinnstein *m* **II.** *vi flame* flackern

gutter press *n no pl* BRIT Sensationspresse *f*

guy [gaɪ] *n* **1.** (*fam*) Kerl *m*, Typ *m* **2.** *pl* (*fam: people*) **hi ~s!** hallo Leute!

guzzle ['gʌzl̩] (*fam*) **I.** *vt* in sich *akk* hineinstopfen; *drink* in sich *akk* hineinkippen **II.** *vi* schlingen

gym [dʒɪm] *n* **1.** short for **gymnastics** Turnen *nt kein pl* **2.** short for **gymnasium** Turnhalle *f*

gymnasium <*pl* -s> [dʒɪm'neɪziəm, *pl* -ziə] *n* Turnhalle *f*

gymnast ['dʒɪmnæst] *n* Turner(in) *m(f)*

gymnastics [dʒɪm'næstɪks] *n pl* Turnen *nt kein pl;* **mental ~** (*fig*) Gehirnakrobatik *f*

gym shoes *n pl* Turnschuhe *pl* **gym shorts** *n pl* Turnhose *f*

gypsy ['dʒɪpsi] *n* Zigeuner(in) *m(f)*

H

H <*pl* -'s>, **h** <*pl* -'s> [eɪtʃ] *n* H *nt,* h *nt; see also* **A 1**

h¹ *n abbrev of* **hour**[**s**] h; **at 0900 h** um 9h

h² *n abbrev of* **hand**[**s**] *Stockmaß für Pferde*

habit ['hæbɪt] *n* **1.** Gewohnheit *f;* **a bad ~** eine schlechte [An]gewohnheit **2.** (*fam: addiction*) **to have a heroin**

~ heroinsüchtig sein

hack [hæk] **I.** *vt* **1.** hacken; **to ~ sth to pieces** etw zerstückeln **2.** COMPUT **to ~ sth in** etw *akk* eindringen **II.** *vi* **1. to ~** [**away**] **at sth** auf etw *akk* einhacken **2.** COMPUT **to ~ into sth** in etw *akk* eindringen

had [hæd, həd] **I.** *vt* **1.** *pt, pp of* **have 2.** (*fam*) **to have ~ it** (*stop*) genug haben; (*fail*) kaputt sein **II.** *adj* (*fam*) **to be ~** [he]reingelegt werden

haddock <*pl* -> ['hædək] *n* Schellfisch *m*

hadn't ['hæd⁹nt] = *see* **had not** *see* **have**

haemorrhage ['hem⁹rɪdʒ] **I.** *n* [starke] Blutung **II.** *vi* [stark] bluten

haemorrhoids ['hem⁹rɔɪdz] *n pl* Hämorrhoiden *pl*

haggle ['hægl̩] **I.** *vi* **1. to ~** [**over sth**] [um etw *akk*] feilschen **2.** (*argue*) **to ~ over sth** [sich] über etw *akk* streiten **II.** *n* Gefeilsche *nt*

hail¹ [heɪl] *vt* **1.** [be]grüßen **2.** (*form: call*) zurufen; *taxi* rufen **3.** (*acclaim*) **to ~ sb** jdm zujubeln

hail² [heɪl] **I.** *n no pl* Hagel *m;* **~ of bullets** Kugelhagel *m;* **~ of insults** Schwall *m* von Beschimpfungen **II.** *vi impers* **it's ~ing** es hagelt

hair [heər] *n* **1.** Haar *nt* **2.** *no pl* (*on head*) Haar *nt*, Haare *pl;* (*on body*) Behaarung *f;* **to do sb's ~** jdn frisieren ▶ **to let one's ~ down** sich gehen lassen; **to make sb's ~ stand on end** jdm die Haare zu Berge stehen lassen

hairbrush *n* Haarbürste *f* **hair conditioner** *n* Pflegespülung *f* **hair curler** *n* Lockenwickler *m* **haircut** *n* Haarschnitt *m*, Frisur *f;* **I need a ~** ich muss mal wieder zum Friseur; **to get a** ~ sich *dat* die Haare schneiden lassen **hairdo** <*pl* -s> *n* [kunstvolle] Frisur **hairdresser** *n* Friseur(in) *m(f)*, Friseuse *f;* **the ~'s** der Friseur[salon] **hairdressing salon** *n* Friseursalon *m* **hair-dryer, hair-drier** *n* Föhn *m,* Haartrockner *m;* (*with hood*) Trockenhaube *f* **hairgrip** *n* BRIT Haarklammer *f* **hairpiece** *n* Haarteil *nt* **hair-raising** *adj* (*fam*) haarsträubend **hairslide** *n* BRIT, AUS Haarspange *f* **hairspray** *n* Haarspray *nt* **hairstyle** *n* Frisur *f*

hairy <-ie-> ['heəri] *adj* **1.** haarig **2.** (*of hair*) aus Haar *nach n* **3.** (*fig fam: risky*) haarig; *situation* brenzlig

half [hɑːf] **I.** *n* <*pl* halves> **1.** Hälfte *f;* **a kilo and a** ~ eineinhalb Kilo; ~ **an apple** ein halber Apfel; ~ **the amount** der halbe Betrag; **by** ~ um die Hälfte; **to cut sth in** ~ etw halbieren **2.** BRIT (*fam: beer*) kleines Bier (*entspricht ca. 1/4 Liter*) **3.** FBALL Läufer(in) *m(f);* ▸ **given** ~ **a** chance wenn man die Möglichkeit hätte; ~ **a** second BRIT einen Moment **II.** *adj* halbe(r, s); ~ **[a] per cent** ein halbes Prozent **III.** *adv* **1. my little brother is** ~ **as tall as me** mein kleiner Bruder ist halb so groß wie ich **2.** (*almost*) fast **3.** (*partially*) ~ **asleep** halb wach **4.** (*time*) **[at]** ~ **past nine** [um] halb zehn; **at** ~ **past on the dot** um Punkt halb

half-brother *n* Halbbruder *m* **half-dozen** *n* ein halbes Dutzend **half-hearted** *adj* halbherzig **half-price** *adj, adv* zum halben Preis **half-sister** *n* Halbschwester *f* **half-time** *n* Halbzeit *f;* (*break*) Halbzeitpause *f* **halfway** **I.** *adj* **at the** ~ **point of the**

race nach der Hälfte des Rennens **II.** *adv* in der Mitte; ~ **through dinner** mitten beim Abendessen; ~ **decent** (*fig fam*) halbwegs anständig; ~ **down** [sth] in der Mitte [einer S. *gen*]; ~ **up** auf halber Höhe

half-yearly *adj, adv* halbjährlich

hall [hɔːl] *n* **1.** (*lobby*) Korridor *m,* Diele *f,* Flur *m* **2.** (*building*) Halle *f;* (*public room*) Saal *m;* **town** ~ Rathaus *nt* **3.** UNIV ~ [**of residence**] [Studenten]wohnheim *nt*

Halloween [ˌhæləʊ'wiːn] *n* Halloween *nt*

halo <*pl* -s> ['heɪləʊ] *n* Heiligenschein *m;* ~ **of light** Lichtkranz *m*

halt [hɒlt] **I.** *n no pl* **1.** Stillstand *m;* **to come to a** ~ zum Stehen kommen; **to grind to a** ~ (*fig*) zum Erliegen kommen **2.** (*break*) Pause *f;* MIL Halt *m* **II.** *vt* zum Stillstand bringen; *fight* beenden **III.** *vi* **1.** zum Stillstand kommen **2.** (*break*) eine Pause machen; MIL Halt machen **IV.** *interj* halt

halve [hɑːv] **I.** *vt* halbieren **II.** *vi* sich halbieren

ham [hæm] **I.** *n no pl* Schinken *m* **II.** *adj attr* ~ **sandwich** Schinkenbrot *nt* **III.** *vt* **to** ~ **it up** übertrieben darstellen

hamburger ['hæmˌbɜːgəʳ] *n* Hamburger *m*

hammer ['hæməʳ] **I.** *n* **1.** Hammer *m* **2.** SPORTS [Wurf]hammer *m;* [**throwing**] **the** ~ das Hammerwerfen **II.** *vt* **1.** *nail* einschlagen; **to** ~ **sth into sb** (*fig*) jdm etw einhämmern **2.** (*fam: defeat*) **Germany ~ed Holland 6-1** Deutschland war Holland mit 6:1 haushoch überlegen

hammock ['hæmək] *n* Hängematte *f*

hamper[1] ['hæmpəʳ] *n* [Deckel]korb *m;*

(*for gifts*) Geschenkkorb *m*

hamper² ['hæmpəʳ] *vt* behindern

hamster ['hæm(p)stəʳ] *n* Hamster *m*

hand [hænd] **I.** *n* **1.** Hand *f;* **by ~** von Hand; **~s up!** Hände hoch!; **~ in ~** auf allen vieren; **to hold sb's ~** jdm die Hand halten **2. at ~** (*present*) vorliegend; (*close*) in Reichweite; **to take sb in ~** sich *dat* jdn vornehmen; **on ~** zur Verfügung **3.** (*help*) **would you like a ~?** soll ich Ihnen helfen? **4.** (*worker*) Arbeiter(in) *m(f)* **5.** (*on clock*) Zeiger *m* **6.** CARDS **a ~ of poker** eine Runde Poker ▶ **many ~s make light work** (*prov*) viele Hände machen der Arbeit bald ein Ende; **to have one's ~s full** jede Menge zu tun haben **II.** *vt* **to ~ sb sth** jdm etw [über]geben ▶ **you've got to ~ it to sb** man muss es jdm lassen ◆ **hand back** *vt* zurückgeben ◆ **hand down** *vt* weitergeben ◆ **hand in** *vt* einreichen; *homework* abgeben ◆ **hand on** *vt* **to ~ sth ⇆ on** [to sb] etw [an jdn] weitergeben; (*bequeath*) [jdm] etw vererben ◆ **hand out** *vt* austeilen (**to** an); *homework, advice* geben (**to** +*dat*) ◆ **hand over** *vt* **1.** herüber-/hinüberreichen; (*present*) übergeben **2. to ~ sb over** [to sb] jdn [jdm] übergeben ◆ **hand round** *vt* BRIT herumreichen; (*distribute*) austeilen

handbag *n* Handtasche *f* **handbook** *n* Handbuch *nt;* **student ~** Vorlesungsverzeichnis *nt* **handbrake** *n* Handbremse *f* **handcuff I.** *vt* **to ~ sb** jdm Handschellen anlegen **II.** *n* **~s** *pl* Handschellen *pl*

handful ['hæn(d)fʊl] *n* **1.** Handvoll *f;* **a ~ of people** wenige Leute **2.** *no pl* (*person*) Nervensäge *f*

hand grenade *n* Handgranate *f*

handicap ['hændɪkæp] **I.** *n* **1.** Handicap *nt* **2.** (*dated: disability*) Behinderung *f* **II.** *vt* <-pp-> benachteiligen

handicapped ['hændɪkæpt] **I.** *adj* (*dated*) behindert; **~ people** Behinderte *pl;* **physically ~** körperlich behindert [*o* SCHWEIZ *a.* handicapiert] **II.** *n* (*dated*) **the ~** die Behinderten

handkerchief ['hæŋkətʃiːf] *n* Taschentuch *nt*

handle ['hændl] **I.** *n* Griff *m;* (*curved also*) Henkel *m; of door* Klinke *f;* ▶ **to fly off the ~** hochgehen **II.** *vt* **1.** (*manage*) schaffen **2.** *goods* befördern **3.** (*touch*) anfassen

handlebars *n pl* Lenkstange *f* **hand luggage** *n no pl* Handgepäck *nt* **handmade** *adj* handgearbeitet; *paper* handgeschöpft **hand-picked** *adj* handverlesen *a. fig* **handrail** *n* Geländer *nt* **handshake** *n* Händedruck *m*

handsome ['hæn(d)səm] *adj* **1.** gut aussehend **2.** (*generous*) **a ~ sum** eine stolze Summe **handstand** *n* Handstand *m kein pl* **handwriting** *n no pl* Handschrift *f* **handwritten** *adj* handgeschrieben

handy <-ie-> ['hændi] *adj* **1.** praktisch, geschickt SÜDD; (*easy to handle*) handlich **2.** (*useful*) nützlich; **to come in ~** [for sth] [etw] gelegen kommen **3.** (*near*) griffbereit; *place* in der Nähe *nach n*

hang [hæŋ] **I.** *n no pl* **1.** *of drapery* Fall *m; of clothes* Sitz *m* **2.** (*fig fam*) **to get the ~ of sth** bei etw *dat* den [richtigen] Dreh herausbekommen **II.** *vt* <hung, hung> **1.** (*mount*) aufhängen (**on** an) **2.** (*decorate*) behängen **3.** <hanged> (*kill*) [auf]hängen; **to ~ oneself** sich aufhängen **III.** *vi* **1.** <hung, hung> hängen (**from** an); **to ~ down** herunterhängen **2.** <hanged, hanged> (*die*) hängen **3.** <hung, hung> (*rely*) **to ~ [up]on sth** von etw abhängen **4.** <hung, hung> (*keep*) **to ~ onto sth** etw behalten ▶ **to ~ in there** am Ball bleiben ◆ **hang about** *vi* **1.** (*fam: idle*) herumtrödeln **2.** (*wait*) warten **3.** BRIT (*fam*) **to ~ about with sb** [ständig] mit jdm zusammenstecken ◆ **hang back** *vi* **1.** (*be slow*) sich zurückhalten **2.** (*stay behind*) zurückbleiben ◆ **hang on** *vi* **1. to ~ on to sth** sich an etw *dat* festhalten **2.** (*fam: persist*) durchhalten **3. ~ on** [a **minute**] wart mal, einen Augenblick ◆ **hang out** I. *vt* heraushängen; *washing* aufhängen II. *vi* **1.** heraushängen **2.** (*sl: idle*) rumhängen ▶ **to let it all ~ out** die Sau rauslassen ◆ **hang up** I. *vi* **1.** hängen **2.** (*end call*) auflegen II. *vt* aufhängen; *phone* auflegen

hanger [ˈhæŋəʳ] *n* [Kleider]bügel *m*

hang-gliding *n no pl* Drachenfliegen *nt*

hangover *n* Kater *m*

hankie, hanky [ˈhæŋki] *n* (*fam*) *short for* **handkerchief** Taschentuch *nt*

happen [ˈhæpᵊn] *vi* **1.** geschehen, passieren; *event* stattfinden; **what's ~ing?** was geht? **2.** (*by chance*) **to ~ to do sth** zufällig etw tun; **it just so ~s that ...** wie's der Zufall will, ... **3.** (*actually*) **as it ~s** tatsächlich

happily [ˈhæpɪli] *adv* **1.** glücklich; (*cheerfully*) fröhlich **2.** (*willingly*) gern

happiness [ˈhæpɪnəs] *n no pl* Glück *nt;* (*contentment*) Zufriedenheit *f;* (*cheerfulness*) Fröhlichkeit *f*

happy <-ie-> [ˈhæpi] *adj* **1.** glücklich; (*contented*) zufrieden; (*cheerful*) fröhlich **2.** (*willing*) **to be ~ to do sth** etw gerne tun **3.** (*in greetings*) **~ birthday** alles Gute zum Geburtstag; **a ~ New Year** ein glückliches neues Jahr

harbour, AM **harbor** [ˈhɑːbəʳ] I. *n* Hafen *m* II. *vt* **1. to ~ sb** jdm Unterschlupf gewähren **2.** *feelings* hegen

hard [hɑːd] I. *adj* **1.** hart; [as] **~ as a rock** steinhart **2.** (*tough*) zäh, hart **3.** (*difficult*) schwierig; **it's ~ to say** es ist schwer zu sagen **4.** (*onerous*) anstrengend; **to be ~ work** harte Arbeit sein **5.** (*severe*) hart; **~ luck!** [so ein] Pech! **6.** (*unlucky*) **to be ~ on sb** hart für jdn sein II. *adv* **1.** hart; **to set ~** hart werden; *concrete* fest werden **2.** (*strongly*) fest[e], kräftig; **to rain ~** stark regnen; **to try ~** sich sehr bemühen

hardback I. *adj* gebunden II. *n* gebundenes Buch; **in ~** gebunden

hard-boiled *adj* hart gekocht **hard currency** *n* harte Währung **hard disk** *n* COMPUT Festplatte *f* **hard drug** *n* harte Droge

harden [ˈhɑːdᵊn] I. *vt* **1.** härten **2.** (*toughen*) *attitude* verhärten; **to ~ sb** [**to sth**] jdn [gegen etw *akk*] abhärten II. *vi* **1.** sich verfestigen, hart werden **2.** (*toughen*) sich verhärten

hard feelings *n pl* **no ~?** alles klar [zwischen uns/euch]?

hardly [ˈhɑːdli] *adv* kaum; **it's ~ my fault!** ich kann ja wohl kaum was dafür!; **~ ever** so gut wie nie

hard shoulder *n* BRIT befestigter Seitenstreifen **hard-wearing** *adj* strapazierfähig **hard-working** *adj* fleißig

hare [heəʳ] *n* <*pl* -s> [Feld]hase *m*

harm [hɑːm] I. *n no pl* Schaden *m;* **to**

mean no ~ es nicht böse meinen
II. *vt* **to ~ sth** etw *dat* Schaden zufügen; **to ~ sb** jdm schaden

harmful [ˈhɑːmfəl] *adj* schädlich; *words* verletzend

harmless [ˈhɑːmləs] *adj* harmlos

harsh [hɑːʃ] *adj* 1. rau; *winter* streng 2. (*severe*) hart; (*critical*) scharf; **to be ~ on sb** streng mit jdm sein

harvest [ˈhɑːvɪst] I. *n* Ernte *f;* (*season*) Erntezeit *f* II. *vt* ernten

harvest festival *n* BRIT Erntedankfest *nt*

has [hæz, həz] *3rd pers sing of* **have**

has-been [ˈhæzbiːn] *n* (*fam*) ehemalige Größe

hasn't [ˈhæzənt] = *see* **has not** *see* **have**

hassle [ˈhæsl] (*fam*) I. *n* Mühe *f kein pl* II. *vt* schikanieren

haste [heɪst] *n no pl* Eile *f;* (*rush*) Hast *f;* **to make ~** sich beeilen; **in ~** hastig

hasty <-ie-> [ˈheɪsti] *adj* 1. eilig, hastig 2. (*rashly*) übereilt

hat [hæt] *n* Hut *m;* (*cap*) Mütze *f;* ▶ **~s off to sb** Hut ab vor jdm

hatch[1] <*pl* -es> [hætʃ] *n* 1. Durchreiche *f* 2. NAUT Luke *f;* ▶ **down the ~!** runter damit!

hatch[2] [hætʃ] I. *vi* schlüpfen II. *vt* ausbrüten *a. fig*

hate [heɪt] I. *n* 1. *no pl* Hass *m;* ~ **mail** hasserfüllte Briefe *pl* 2. (*thing*) **pet ~** Gräuel *nt* II. *vt* hassen; **to ~ sb's guts** jdn wie die Pest hassen

haul [hɔːl] I. *n* 1. *usu sing* **to give a ~** [kräftig] ziehen 2. (*catch*) Ausbeute *f* (**of** von/an) 3. (*distance*) Strecke *f;* **it was a long ~** (*fig*) es hat sich lange hingezogen II. *vt* 1. ziehen; (*lug*) schleppen 2. *goods* befördern

haunt [hɔːnt] I. *vt* 1. **to ~ sth** in etw

dat spuken; **to be ~ed by sth** von etw heimgesucht werden 2. *memories* heimsuchen II. *n* Treffpunkt *m;* (*pub*) Stammlokal *nt*

have [hæv, həv] I. *aux vb* <has, had, had> 1. (*forming past tenses*) **he has never been to Scotland before** er war noch nie zuvor in Schottland; **we had been swimming** wir waren schwimmen gewesen 2. **to ~ sth done** etw tun lassen 3. (*must*) **to ~ [got] to do sth** etw tun müssen; **what time ~ we got to be there?** wann müssen wir dort sein? II. *vt* <has, had, had> 1. **to ~ [got] sth** etw haben; **we're having a wonderful time in Venice** wir verbringen eine wundervolle Zeit in Venedig 2. (*engage in*) *bath* nehmen; *nap, party, walk* machen; **to ~ a try** es versuchen 3. (*consume*) *food* essen; *cigarette* rauchen 4. (*receive*) erhalten; **okay, let's ~ it!** okay, her damit! 5. **to be having a baby** ein Baby bekommen ▶ **to ~ had it** (*be broken*) hinüber sein; (*be tired*) fix und fertig sein; (*be in trouble*) dran sein ◆ **have off** *vt* BRIT, AUS (*vulg*) **to ~ it off [with sb]** es [mit jdm] treiben ◆ **have on** *vt* 1. *clothes* tragen 2. BRIT (*fam: trick*) **to ~ sb on** jdn auf den Arm nehmen ◆ **have out** *vt* 1. (*remove*) sich *dat* herausnehmen lassen 2. (*fam: argue*) **to ~ it out [with sb]** es [mit jdm] ausdiskutieren ◆ **have over** *vt* **to ~ sb over** jdn zu sich einladen ◆ **have around** *vt* **to ~ sth around** etw zur Hand haben; **to ~ sb around** jdn in der Nähe haben

haven't [ˈhævənt] = *see* **have not** *see* **have**

hawk [hɔːk] *n* 1. Habicht *m;* (*fig*) **to**

have eyes like a ~ Adleraugen haben **2.** POL Falke *m*

hay [heɪ] *n no pl* Heu *nt;* ▸ **to hit the ~** sich in die Falle hauen

hay fever *n no pl* Heuschnupfen *m*

haystack *n* Heuhaufen *m*

hazard lights *n pl* AUTO Warnblinkanlage *f*

haze [heɪz] **I.** *n* **1.** Dunst[schleier] *m;* **heat ~** Hitzeflimmern *nt* **2.** (*fig*) Benommenheit *f* **II.** *vt* AM schikanieren

hazelnut *n* Haselnuss *f*

hazy ['heɪzi] *adj* **1.** dunstig, diesig **2. to be ~ about sth** sich nur vage an etw *akk* erinnern [können]

he [hi:, hi] **I.** *pron* er; (*some person*) er/sie/es **II.** *n* Er *m*

head [hed] **I.** *n* **1.** Kopf *m;* **~ over heels** Kopf über Hals; **to use one's ~** seinen Verstand benutzen **2.** (*unit*) **a ~** pro Kopf **3.** *no pl of bed, table* Kopfende *nt; of nail* Kopf *m* **4.** (*boss*) Chef(in) *m(f);* (*supervisor*) Leiter(in) *m(f);* **~ of state** Staatsoberhaupt *nt* **5.** BRIT SCH Schulleiter(in) *m(f),* Rektor(in) *m(f)* **6.** *usu pl* (*coin*) **~s or tails?** Kopf oder Zahl? ▸ **to have one's ~ in the clouds** in höheren Regionen schweben; **to do sb's ~ in** BRIT (*fam*) jdm auf den Wecker gehen; **to be ~ over heels in love** bis über beide Ohren verliebt sein **II.** *adj attr* leitend **III.** *vt* **1.** (*lead*) anführen **2.** (*supervise*) leiten **3.** FBALL köpfen **IV.** *vi* gehen/fahren; **to ~ home** sich auf den Heimweg machen ◆ **head back** *vi* zurückgehen; *in vehicle* zurückfahren ◆ **head for** *vi* **to ~ for sth** auf etw *akk* zusteuern ◆ **head off** **I.** *vt* **1.** (*intercept*) abfangen **2.** (*fig: avoid*) abwenden **II.** *vi* **to ~ off to[wards] sth** sich zu etw begeben

headache *n* Kopfschmerzen *pl;* (*fig*) Problem *nt* **headband** *n* Stirnband *nt* **head first** *adv* kopfüber

headlamp, headlight *n* Scheinwerfer *m*

headline *n* Schlagzeile *f*

headmaster *n* Schulleiter *m,* Rektor *m* **headmistress** *n* Schulleiterin *f,* Rektorin *f* **head office** *n* Zentrale *f* **head of state** <*pl* heads of state> *n* Staatsoberhaupt *nt*

head-on **I.** *adj* **~ collision** Frontalzusammenstoß *m* **II.** *adv* frontal; (*fig*) direkt

headphones *n pl* Kopfhörer *m*

headquarters *n pl* + *sing/pl vb* Hauptsitz *m;* MIL Hauptquartier *nt*

headrest, head restraint *n* Kopfstütze *f* **headroom** *n no pl* lichte Höhe; *for ceiling* Kopfhöhe *f;* (*in cars*) Kopffreiheit *f* **headscarf** *n* Kopftuch *nt* **headset** *n* Headset *nt*

head start *n* Vorsprung *m;* **to give sb a ~** jdm einen Vorsprung lassen

head waiter *n* Oberkellner *m*

headway *n no pl* **to make ~** [gut] vorankommen

heal [hi:l] **I.** *vt* heilen; *differences* beilegen **II.** *vi* heilen *a. fig*

health [helθ] *n no pl* Gesundheit *f;* **your ~!** Pros[i]t!

health centre *n* Ärztehaus *nt* **health certificate** *n* Gesundheitszeugnis *nt* **health club** *n* Fitnessclub *m* **health food shop,** AM **health food store** *n* Naturkostladen *m,* Bioladen *m* **health insurance** *n no pl* Krankenversicherung *f;* **~ company** Krankenkasse *f* **Health Service** *n* BRIT **the ~** der [staatliche] Gesundheitsdienst **health visitor** *n* BRIT Krankenpfleger(in) *m(f)* der Sozialstation

H

healthy [ˈhelθi] *adj* gesund *a. fig; (ample)* ordentlich; *(salubrious)* gesundheitsfördernd

heap [hi:p] **I.** *n* **1.** Haufen *m a. fig;* **to collapse in a ~** zu Boden sacken **2.** *(fam: lots)* **~s** [**of**] jede Menge [+*gen*] **II.** *vt* aufhäufen; *(fig)* **to ~ criticism on sb** massive Kritik an jdm üben

hear <heard, heard> [hɪə*r*] **I.** *vt* **1.** hören; **to ~ sb do sth** hören, wie jd etw tut **2.** LAW *case* verhandeln **II.** *vi* hören **(about/of** von) ▶ **do you ~?** verstehst du/verstehen Sie?

heard [hɜːd, AM hɜːrd] *pt, pp of* **hear**

hearing [ˈhɪərɪŋ] *n* **1.** *no pl* Gehör *nt;* **hard of ~** schwerhörig **2.** *no pl (earshot)* [**with**|**in** [**sb's**] **~** in [jds] Hörweite *f* **3.** *(examination)* Anhörung *f;* **disciplinary ~** Disziplinarverfahren *nt*

hearing aid *n* Hörgerät *nt*

heart [hɑːt] *n* **1.** Herz *nt a. fig;* **to break sb's ~** jdm das Herz brechen; **with all one's ~** von ganzem Herzen **2.** *no pl (courage)* Mut *m;* **to lose ~** den Mut verlieren **3.** CARDS **~s** *pl* Herz *nt kein pl;* **queen of ~s** Herzdame *f;* ▶ **by ~** auswendig; **to** **have** a **change of ~** sich anders besinnen

heart attack *n* Herzanfall *m; (fatal)* Herzinfarkt *m* **heartbroken** *adj* todunglücklich, untröstlich **heartburn** *n no pl* Sodbrennen *nt* **heart-throb** *n (fam)* Schwarm *m*

heat [hi:t] **I.** *n* **1.** *no pl* Wärme *f; (hotter)* Hitze *f* **2.** *no pl (fig)* **in the ~ of the moment** in der Hitze des Gefechts; **the ~ is on** es weht ein scharfer Wind **3.** SPORTS Vorlauf *m* **II.** *vt* erhitzen, heiß machen; *food* aufwärmen; *house, room* heizen **III.** *vi* warm werden ◆ **heat up** **I.** *vt* heiß machen; *food* aufwärmen **II.** *vi* warm werden

heated [ˈhi:tɪd] *adj* **1.** erhitzt; *room* geheizt **2.** *(emotional)* hitzig; **to get ~ about sth** sich über etw *akk* aufregen

heater [ˈhi:tə*r*] *n* [Heiz]ofen *m,* Heizgerät *nt; (in car)* Heizung *f;* **water ~** Boiler *m*

heather [ˈheðə*r*] *n no pl* Heidekraut *nt*

heating [ˈhi:tɪŋ] *n no pl* **1.** Heizen *nt;* PHYS Erwärmung *f* **2.** *(device)* Heizung *f;* **~ engineer** Heizungsmonteur(in) *m(f)*

heatwave *n* Hitzewelle *f*

heaven [ˈhevᵊn] *n no pl* Himmel *m a. fig* ▶ ~ **forbid!** Gott bewahre!; **good ~s!** du lieber Himmel!; **thank ~s!** Gott sei Dank!

heavy [ˈhevi] *adj* **1.** schwer **2.** *drinker, smoker, traffic* stark; **to be under ~ fire** unter schwerem Beschuss stehen **3.** *(fig: oppressive)* drückend; *weather* schwül **4.** *(hard)* schwierig; *breathing* schwer

heavyweight **I.** *n* Schwergewicht *nt a. fig* **II.** *adj* **1.** im Schwergewicht *nach n* **2.** *(weighty)* schwer

he'd[1] [hi:d] = *see* **he had** *see* **have**

he'd[2] [hi:d] = *see* **he would** *see* **will**

hedge [hedʒ] **I.** *n* Hecke *f* **II.** *vt* ▶ **to ~ one's bets** nicht alles auf eine Karte setzen

hedgehog *n* Igel *m*

heel [hi:l] **I.** *n* **1.** Ferse *f* **2.** *of shoe* Absatz *m;* [**high**] **~s** *pl* Stöckelschuhe *pl* ▶ **down** at **~** heruntergekommen **II.** *interj* ~! bei Fuß! **III.** *vt* **to ~ a shoe** einen neuen Absatz auf einen Schuh machen ▶ **well ~ed** gut betucht

height [haɪt] *n* **1.** Höhe *f; of person*

H

[Körper]größe *f;* **to be 6 metres in ~** 6 Meter hoch sein; **~s** *pl* Höhen *pl;* **fear of ~s** Höhenangst *f* **2.** (*fig*) Höhepunkt *m;* **at the ~ of summer** im Hochsommer

heir [eəʳ] *n* Erbe(in) *m(f);* **~ to the throne** Thronfolger(in) *m(f)*

heiress <*pl* -es> ['eəres] *n* Erbin *f*

heirloom ['eəluːm] *n* Erbstück *nt*

held [held] *vt, vi pt, pp of* **hold**

helicopter ['helɪkɒptəʳ] *n* Hubschrauber *m* **heli-skiing** *n* Heli-Skiing *nt* *fachspr* (*Skisportart, bei der der Skifahrer mit einem Hubschrauber auf den Berg geflogen wird*)

hell [hel] **I.** *n no pl* **1.** *no art* Hölle *f;* **to go to ~** in die Hölle kommen **2.** *no art* (*fig fam*) **to ~ with it!** ich hab's satt!; **to make sb's life ~** jdm das Leben zur Hölle machen; **to raise ~** einen Höllenlärm machen **3.** (*fam: emphatic*) **a ~ of a lot** verdammt viel; **as cold as ~** saukalt ▶ **to do sth for the ~ of it** etw aus reinem Vergnügen machen; **like ~** wie verrückt **II.** *interj* **oh ~!** Scheiße! *sl;* **~ no!** bloß nicht!

he'll[1] [hiːl] = *see* **he will**[1] *see* **will**

he'll[2] [hiːl] = *see* **he shall** *see* **shall**

hello [hel'əʊ] **I.** *n* Hallo *nt;* **to say ~ to sb** jdn [be]grüßen **II.** *interj* hallo!

helmet ['helmət] *n* Helm *m*

help [help] **I.** *n no pl* Hilfe *f;* (*financial*) Unterstützung *f* **II.** *interj* **~!** Hilfe! **III.** *vi* helfen (**with** bei) **IV.** *vt* **1.** (*assist*) **to ~ sb** jdm helfen **2.** (*improve*) verbessern; (*alleviate*) lindern **3.** (*contribute*) **to ~ sth** zu etw beitragen **4.** (*prevent*) **I can't ~ it!** ich kann nichts dagegen machen!; **I can't ~ thinking that ...** ich denke einfach, dass ... **5.** (*take*) **to ~ oneself** sich

bedienen; **to ~ oneself to sth** sich *dat* etw nehmen ◆ **help out I.** *vt* **to ~ out** ⇆ **sb** jdm [aus]helfen **II.** *vi* aushelfen; **to ~ out with sth** bei etw *dat* helfen

helper ['helpəʳ] *n* Helfer(in) *m(f);* (*assistant*) Gehilfe, Gehilfin *m, f*

helpful ['helpfʊl] *adj* hilfreich; *person* hilfsbereit; **I was only trying to be ~** ich wollte nur helfen

helping ['helpɪŋ] **I.** *n* Portion *f;* **to take a second ~** [**of sth**] sich *dat* etw noch einmal nehmen **II.** *adj attr* hilfreich; **to give sb a ~ hand** jdm helfen

helpless ['helpləs] *adj* hilflos; (*impotent*) machtlos; **to be ~ with laughter** sich vor Lachen kaum noch halten können

helpline *n* Notruf *m*

hen [hen] *n* Henne *f,* Huhn *nt*

hencoop, henhouse *n* Hühnerstall *m* **hen night** *n Party am Abend vor der Hochzeit für die Braut und ihre Freundinnen*

heptathlon [hep'tæθlɒn] *n* Siebenkampf *m*

her [hɜːʳ, həʳ] **I.** *pron pers* sie *akk,* ihr *dat;* **it was ~** sie war's **II.** *adj poss* ihr(e, n); (*ship, country, boat, car*) sein(e, n); **what's ~ name?** wie heißt sie? **III.** *n* (*fam*) Sie *f;* **is it a him or a ~?** ist es ein Er oder eine Sie?

herb [hɜːb] *n* [Gewürz]kraut *nt meist pl;* **~ garden** Kräutergarten *m*

herd [hɜːd] **I.** *n + sing/pl vb* Herde *f;* *of wild animals* Rudel *nt;* **~ of cattle** Viehherde *f* **II.** *vt* treiben

here [hɪəʳ] **I.** *adv* hier; (*with movement*) hierher/hierhin; **come ~!** komm [hier]her!; **give it ~!** (*fam*) gib mal her!; **~ they are!** da sind sie!;

~ **comes the train** da kommt der Zug; ~ **goes!** (*fam*) los geht's!; ~ **and now** [jetzt] sofort; **from** ~ **on in** von jetzt an **II.** *interj* ~! he!; ~, ... na komm, ...

hero <*pl* -es> [ˈhɪərəʊ] *n* Held *m*

heroin [ˈherəʊɪn] *n* Heroin *nt*

heroine [ˈherəʊɪn] *n* Heldin *f*

heron <*pl* -s> [ˈherᵊn] *n* Reiher *m*

herring <*pl* -s> [ˈherɪŋ] *n* Hering *m*

hers [hɜːz] *pron pers* **it's** ~ (*person or animal*) es gehört ihr; **a good friend of** ~ eine gute Freundin von ihr

herself [həˈself] *pron refl* sich *dat o akk;* (*emph: personally*) selbst; **she told me** ~ sie hat es mir selbst erzählt; [**all**] **by** ~ ganz alleine

he's[1] [hiːz] = *see* **he is** *see* **be**

he's[2] [hiːz] = *see* **he has** *see* **have**

hesitate [ˈhezɪteɪt] *vi* **1.** zögern; **don't** ~ **to call me** ruf mich einfach an **2.** (*falter*) stocken

hesitation [ˌhezɪˈteɪʃᵊn] *n no pl* Zögern *nt*, Unentschlossenheit *f*

heterosexual [ˌhetᵊrə(ʊ)ˈsekʃuᵊl] **I.** *adj* heterosexuell **II.** *n* Heterosexuelle(r) *f(m)*

hexagon [ˈheksəgən] *n* Sechseck *nt*

hexagonal [hekˈsægᵊnᵊl] *adv* sechseckig

hibernate [ˈhaɪbəneɪt] *vi* [seinen] Winterschlaf halten

hiccup [ˈhɪkʌp] **I.** *n* Schluckauf *m;* **to have the** ~**s** den Schluckauf haben **II.** *vi* schlucksen

hid [hɪd] *vt pt of* **hide**[2]

hidden [ˈhɪdᵊn] **I.** *vt pp of* **hide**[2] **II.** *adj* versteckt; (*secret*) heimlich

hide[1] [haɪd] *n* Haut *f a. fig;* (*with fur*) Fell *nt*

hide[2] [haɪd] **I.** *n* BRIT, AUS Versteck *nt* **II.** *vt* <hid, hidden> **1.** verstecken (**from** vor) **2.** (*keep secret*) verbergen (**from** vor) **III.** *vi* <hid, hidden> sich verstecken (**from** vor)

hide-and-seek *n no pl* Versteckspiel *nt;* **to play** ~ Verstecken spielen

high [haɪ] **I.** *adj* **1.** hoch *präd,* hohe(r, s) *attr;* **marks** gut; **wind** stark; **of** ~ **rank** hochrangig; ~ **in calories** kalorienreich **2.** (*drugged*) high **II.** *adv* ▶ ~ **and** low überall **III.** *n* **1.** Höchststand *m* **2.** METEO Hoch *nt*

high chair *n* Hochstuhl *m* **high court** *n* oberstes Gericht **high heels** *n pl* hohe Absätze; (*shoes*) hochhackige Schuhe **highjack** *vt see* **hijack high jump** *n no pl* Hochsprung *m* **highlands** [ˈhaɪləndz] *n pl* Hochland *nt kein pl*

highlight I. *n* **1.** Höhepunkt *m* **2.** (*streak*) ~**s** *pl* Strähnchen *pl* **II.** *vt* **1.** hervorheben, unterstreichen **2.** (*dye*) **to have one's hair** ~**ed** sich *dat* Strähnchen machen lassen

highlighter *n* Textmarker *m*

highly [ˈhaɪli] *adv* ~ **amusing** ausgesprochen amüsant; ~ **educated** hochgebildet

high-performance *adj* Hochleistungs- **high point** *n* Höhepunkt *m* **high-pressure I.** *adj* Hochdruck- **II.** *vt* AM unter Druck setzen **high-rise building** *n,* **high-rise flats** *n pl* BRIT Hochhaus *nt* **high school** *n* ≈ Oberschule *f* **high season** *n* Hochsaison *f* **high-speed train** *n* Hochgeschwindigkeitszug *m* **high-spirited** *adj* ausgelassen; *horse* temperamentvoll **high spirits** *n pl* Hochstimmung *f kein pl* **high street** *n* BRIT Haupt[einkaufs]straße *f* **high tea** *n* BRIT *frühes Abendessen bestehend aus einem gekochten*

Essen, Brot und Tee **high-tension** *adj* Hochspannungs- **high tide** *n no pl* Flut *f;* **at ~** bei Flut **high water** *n no pl* Flut *f* **highway** *n* AM, AUS Highway *m;* BRIT (*form*) Bundesstraße *f* **Highway Code** *n* BRIT **the ~** die Straßenverkehrsordnung

hijack ['haɪʤæk] **I.** *vt* entführen; (*fig*) klauen *sl* **II.** *n* Entführung *f*

hijacker ['haɪʤækə'] *n* Entführer(in) *m(f)*

hijacking ['haɪʤækɪŋ] *n no pl* Entführung *f*

hike [haɪk] *n* **1.** Wanderung *f;* **to take a ~** (*fam*) abhauen **II.** *vi* wandern

hiker ['haɪkə'] *n* Wanderer, Wand[r]erin *m, f*

hiking ['haɪkɪŋ] *n no pl* Wandern *nt;* **to go ~** wandern gehen

hill [hɪl] *n* **1.** Hügel *m;* (*higher*) Berg *m* **2.** (*slope*) Steigung *f*

hillside *n* Hang *m* **hilltop** *n* Hügelkuppe *f* **hillwalking** *n no pl* BRIT Bergwandern *nt*

hilly ['hɪli] *adj* hügelig; (*steeper*) bergig

him [hɪm, ɪm] *pron object* ihn *akk,* ihm *dat;* **who? ~?** wer? der?; **that's ~ all right** das ist er in der Tat

himself [hɪm'self] *pron refl* sich *dat o akk;* (*emph: personally*) selbst; **[all] by ~** ganz alleine; **all to ~** ganz für sich

hindsight *n no pl* **in ~, with [the benefit of]** ~ im Nachhinein

hint [hɪnt] **I.** *n* **1.** *usu sing* (*trace*) Spur *f* **2.** (*allusion*) Andeutung *f;* **he gave me no ~ that ...** er gab mir nicht den leisesten Wink, dass ... **3.** (*advice*) Hinweis *m,* Tipp *m* **II.** *vt* **to ~ that ...** andeuten, dass ... **III.** *vi* **to ~ at sth** auf etw *akk* anspielen; **to ~ that ...** andeuten, dass ...

hip [hɪp] **I.** *n* **1.** Hüfte *f;* **with a 38-inch ~** mit einer Hüftweite von 96 cm **2.** BOT Hagebutte *f* **II.** *adj* <-pp-> (*fam*) hip

hip-hugging *adj* eng anliegend (*an den Hüften*)

hippopotamus [ˌhɪpə'pɒtəməs], *fam* **hippo** ['hɪpəʊ] *n* Nilpferd *nt*

hire [haɪə'] **I.** *n no pl* Mieten *nt;* **'for ~'** ,zu vermieten'; **car ~ business** BRIT Autoverleih *m* **II.** *vt* **1.** mieten; *dress* ausleihen **2.** (*employ*) einstellen

hire purchase *n* BRIT Ratenkauf *m;* **to buy something on ~** etw auf Raten kaufen

his [hɪz, ɪz] **I.** *pron pers* **it's ~** (*person or animal*) es gehört ihm, es ist seins; **some friends of ~** einige seiner Freunde **II.** *adj poss* sein(e, -er, -es); **what's ~ name?** wie heißt er?

hiss [hɪs] **I.** *vi* zischen; (*whisper*) fauchen; **to ~ at sb** jdn anfauchen **II.** *vt* **1.** (*utter*) fauchen **2.** (*disapprove*) **to ~ sb** jdn auszischen **III.** *n* <*pl* -es> Zischen *nt kein pl*

historical [hɪ'stɒrɪkəl] *adj* geschichtlich, historisch; **~ accuracy** Geschichtstreue *f*

history ['hɪstəri] **I.** *n* **1.** *no pl* Geschichte *f;* **to go down in ~** in die Geschichte eingehen **2.** (*fig*) **sb is ~** jd ist fertig; **ancient ~** kalter Kaffee **3.** *usu sing* (*background*) Vorgeschichte *f*

hit [hɪt] **I.** *n* **1.** Schlag *m* **2.** (*shot*) Treffer *m;* **to suffer a direct ~** direkt getroffen werden **3.** (*success*) Hit *m;* **to be a [big] ~ with sb** bei jdm gut ankommen **4.** INET Besuch *m* einer Webseite **5.** COMPUT (*match*) Treffer *m* **II.** *vt* <-tt-, hit, hit> **1.** schlagen

2. *button* drücken **3.** (*collide*) **to ~ sth** gegen etw *akk* stoßen; *car* gegen etw *akk* krachen *fam* **4.** (*shoot*) **to be ~** getroffen werden **5.** (*occur*) **to ~ sb** jdm auffallen **III.** *vi* **1. to ~ hard** kräftig zuschlagen; **to ~ at sb** nach jdm schlagen **2.** (*attack*) **to ~ at sb** jdn attackieren *a. fig* ◆ **hit back** *vi* zurückschlagen; **to ~ back at sb** jdm Kontra geben ◆ **hit off** *vt* **to ~ it off [with sb]** (*fam*) sich prächtig [mit jdm] verstehen ◆ **hit out** *vi* **to ~ out [at sb]** [auf jdn] einschlagen; (*fig*) [jdn] scharf attackieren

hit-and-run I. *n no pl* Fahrerflucht *f* **II.** *adj* unfallflüchtig; **~ accident** Unfall *m* mit Fahrerflucht

hitch [hɪtʃ] **I.** *n <pl -es>* Haken *m;* **to go off without a ~** reibungslos ablaufen **II.** *vt* **1.** festmachen (**to** an); *trailer* anhängen (**to** an) **2.** (*fam: hitch-hike*) **to ~ a lift** trampen, per Anhalter fahren **III.** *vi* (*fam*) trampen

hitcher [ˈhɪtʃəʳ] *n* Anhalter(in) *m(f)*, Tramper(in) *m(f)*

hitch-hike *vi* per Anhalter fahren, trampen **hitch-hiker** *n* Anhalter(in) *m(f)*, Tramper(in) *m(f)* **hitch-hiking** *n no pl* Trampen *nt*

hive [haɪv] *n* Bienenstock *m*

hoar frost *n no pl* [Rau]reif *m*

hoarse [hɔːs] *adj* heiser

hoax [həʊks] **I.** *n* Täuschung *f;* **bomb ~** vorgetäuschte Bombendrohung **II.** *adj attr* vorgetäuscht **III.** *vt* [he]reinlegen; **to ~ sb into believing sth** jdm etw weismachen

hob [hɒb] *n* BRIT Kochfeld *nt*

hobble [ˈhɒbl] **I.** *vi* hinken, humpeln **II.** *n* Hinken *nt kein pl,* Humpeln *nt kein pl*

hobby [ˈhɒbi] *n* Hobby *nt*

hockey [ˈhɒki] *n no pl* Hockey *nt;* **~ stick** Hockeyschläger *m*

hog [hɒg] **I.** *n* AM Schwein *nt;* BRIT Mastschwein *nt;* ▸ **to go the whole ~** Nägel mit Köpfen machen **II.** *vt* <-gg-> (*fam*) **to ~ sth** etw in Beschlag nehmen; **to ~ the road** die ganze Straße [für sich] beanspruchen

hoist [hɔɪst] **I.** *vt* hochheben; *flag, sail* hissen **II.** *n* Winde *f*

hold [həʊld] **I.** *n* **1.** Halt *m kein pl;* **to keep ~ of sth** etw festhalten; **to take ~** (*fig*) *fire, epidemic* übergreifen **2.** SPORTS Griff *m* (**on** an) **3.** TELEC **to be on ~** in der Warteschleife sein **4.** (*delay*) **to put sth on ~** etw auf Eis legen *fig* **5.** NAUT, AVIAT Frachtraum *m* **II.** *vt* <held, held> **1.** **to ~ sb in one's arms** jdn in den Armen halten; **to ~ sth in place** etw halten **2.** (*carry*) [aus]halten, tragen **3.** (*keep*) halten; **to ~ sb's attention** jdn fesseln **4.** **~ it [right there]!** stopp!; **to ~ one's breath** die Luft anhalten **5.** (*contain*) fassen; **the rack ~s 100 CDs** in den Ständer passen 100 CDs ◆ **hold back I.** *vt* (*stop*) aufhalten; (*impede*) hindern; *information* geheim halten; *tears* zurückhalten **II.** *vi* **to ~ back from doing sth** etw unterlassen ◆ **hold down** *vt* niederhalten; *levels, prices* niedrig halten ◆ **hold in** *vt* zurückhalten; *fear* unterdrücken; *stomach* einziehen ◆ **hold off I.** *vt* **1.** MIL abwehren **2.** (*defer*) verschieben **II.** *vi* warten; **the rain held off all day** es hat den ganzen Tag nicht geregnet ◆ **hold on** *vi* **1.** *usu passive* **to be held on by/with sth** mit etw *dat* befestigt sein **2.** (*continue*) durchhalten **3.** (*wait*) **~ on!** Moment bitte!

◆ **hold out** I. *vt* ausstrecken; **to ~ out ⇆ sth to sb** jdm etw hinhalten II. *vi* (*resist*) durchhalten; **to ~ out for sth** auf etw *dat* bestehen ◆ **hold over** *vt* 1. (*defer*) aufschieben 2. AM (*extend*) verlängern ◆ **hold to** *vi* **can I ~ you to that?** bleibst du bei deinem Wort? ◆ **hold together** *vi, vt* zusammenhalten ◆ **hold up** *vt* 1. hochhalten; *hand* heben; **to be held up by sth** von etw *dat* gestützt werden 2. (*delay*) aufhalten; **held up in the post** bei der Post liegen geblieben

holdall *n* BRIT Reisetasche *f*

holder ['həʊldə'] *n* 1. Halter *m* 2. (*owner*) Besitzer(in) *m(f)*; **passport ~** Passinhaber(in) *m(f)*; **record ~** Rekordhalter(in) *m(f)*

hold-up *n* 1. (*crime*) Raubüberfall *m* 2. (*delay*) Verzögerung *f* 3. **~s** *pl* halterlose Strümpfe *pl*

hole [həʊl] I. *n* 1. Loch *nt a. fig;* (*den*) Bau *m;* **18-~ course** Golfplatz *m* mit 18 Löchern 2. (*fig: fault*) Schwachstelle *f;* **to pick ~s** [**in sth**] [etw] kritisieren II. *vt* einlochen

holiday ['hɒlədeɪ] I. *n* 1. BRIT, AUS Urlaub *m*, Ferien *pl;* **school ~s** Ferien *pl;* **to go on a skiing ~** Skiurlaub machen 2. (*day*) Feiertag *m* II. *vi* BRIT, AUS Urlaub machen

holiday camp *n* BRIT, AUS Ferienlager *nt* **holiday course** *n* BRIT, AUS Ferienkurs *m* **holiday flat** *n* BRIT, AUS Ferienwohnung *f* **holiday house** *n* BRIT, AUS Ferienhaus *nt* **holidaymaker** *n* BRIT, AUS Urlauber(in) *m(f)* **holiday resort** *n* BRIT, AUS Urlaubsort *m*

Holland ['hɒlənd] *n no pl* Holland *nt*

hollow ['hɒləʊ] I. *adj* 1. hohl; *cheeks* eingefallen 2. (*fig*) wertlos; *promise* leer II. *n* 1. Senke *f* 2. AM (*valley*) Tal *nt* III. *adv* hohl IV. *vt* **to ~** [**out**] aushöhlen

holly ['hɒli] *n* Stechpalme *f*

holy ['həʊli] *adj* heilig ▸ **~ cow!** du heilige Scheiße!

Holy Communion *n* 1. heilige Kommunion 2. (*bread and wine*) heiliges Abendmahl

home [həʊm] I. *n* 1. Zuhause *nt;* **to be away from ~** von zu Hause weg sein; **at ~** zu Hause, zuhause ÖSTERR, SCHWEIZ; **to leave ~** [von zu Hause] ausziehen; **to work from ~** zu Hause arbeiten 2. (*house*) Haus *nt;* (*flat*) Wohnung *f;* **starter ~** erstes eigenes Heim 3. (*family*) Zuhause *nt kein pl* 4. (*institute*) Heim *nt;* **old people's ~** Altersheim *nt* 5. (*origin*) Heimat *f;* ▸ **~ sweet ~** (*prov*) trautes Heim, Glück allein II. *adv* 1. (*at abode*) zu Hause, zuhause ÖSTERR, SCHWEIZ, daheim *bes* SÜDD, ÖSTERR, SCHWEIZ; (*to abode*) nach Hause, nachhause ÖSTERR, SCHWEIZ 2. (*origin*) **to return ~** in seine Heimat zurückkehren III. *vi* **to ~ in on sth** genau auf etw *akk* zusteuern; (*fig*) [sich *dat*] etw herausgreifen

home address *n* Heimatadresse *f*, Privatanschrift *f* **home help** *n* BRIT Haushaltshilfe *f* **homeland** *n* Heimat *f*, Heimatland *nt*

homeless ['həʊmləs] I. *adj* obdachlos; (*uprooted*) heimatlos II. *n* **the ~** *pl* die Obdachlosen *pl*

home-made *adj* hausgemacht; *cake* selbst gebacken; *jam* selbst gemacht **Home Office** *n* + *sing/pl vb* BRIT **the ~** das Innenministerium

homeopathy [həʊmi'ɒpəθi] *n no pl* Homöopathie *f*

homesick *adj* **to be ~** Heimweh ha-

ben **hometown** *n* AM Heimatstadt *f*
homework *n no pl* Hausaufgaben *pl*
a. *fig*
homosexual [ˌhəʊməˈ(ʊ)ˈsekʃuəl] I. *adj*
homosexuell II. *n* Homosexuelle(r)
f(m)
honest [ˈɒnɪst] *adj* 1. ehrlich 2. (*trusty*) redlich 3. *attr* (*correct*) ehrlich,
ordentlich
honestly [ˈɒnɪstli] I. *adv* ehrlich
II. *interj* 1. [ganz] ehrlich! 2. (*disapproving*) also ehrlich!
honey [ˈhʌni] *n* 1. *no pl* Honig *m*
2. *esp* AM (*fam*) Schatz *m*
honeybee *n* [Honig]biene *f* **honeycomb** *n* Honigwabe *f;* (*wax*) Bienenwabe *f;* ~ **pattern** Wabenmuster *nt*
honeymoon *n* Flitterwochen *pl*
honor AM *see* **honour**
honorary [ˈɒnəˌrəri] *adj* ehrenamtlich
honour [ˈɒnər] I. *n* 1. *no pl* Ehre *f;*
word of ~ Ehrenwort *nt* 2. (*award*)
Auszeichnung *f* II. *vt* 1. ehren
2. (*fulfil*) erfüllen 3. FIN akzeptieren
honours degree *n* BRIT UNIV Examen
nt mit Auszeichnung
hood [hʊd] *n* 1. (*cap*) Kapuze *f*
2. (*mask*) Maske *f* 3. (*shield*) Haube
f 4. AM (*bonnet*) [Motor]haube *f*
hoof [huːf] I. *n* <*pl* hooves> Huf *m*
II. *vt* (*fam*) **to** ~ **it** laufen
hook [hʊk] I. *n* Haken *m; to* **leave
the phone off the** ~ den Telefonhörer nicht auflegen ▸ **to** be **off the** ~
aus dem Schneider sein; **to** let **sb off
the** ~ jdn herauspauken II. *vt* 1. **to** ~
sth to sth etw an etw *dat* festhaken
2. **to** ~ **a fish** einen Fisch an die Angel bekommen
hooked [hʊkt] *adj* 1. hakenförmig;
~ **nose** Hakennase *f* 2. (*addicted*)
abhängig 3. (*interested*) **to be** ~ total

begeistert sein; **to be** ~ **on sth** völlig
besessen von etw sein
hooker [ˈhʊkər] *n* 1. AM, AUS (*fam*)
Nutte *f* 2. (*rugby*) Hakler(in) *m(f)*
hooligan [ˈhuːlɪgən] *n* Hooligan *m*
hoot [huːt] I. *n* 1. Hupen *nt kein pl*
2. *of owl* Schrei *m* 3. (*outburst*) **to
give a** ~ **of laughter** losprusten
II. *vi* 1. hupen 2. *owl* schreien 3. **to**
~ **with laughter** in johlendes Gelächter ausbrechen III. *vt* **to** ~ **one's
horn** auf die Hupe drücken
hoover® [ˈhuːvər] BRIT, AUS I. *n* Staubsauger *m* II. *vt, vi* [staub]saugen
hop [hɒp] I. *vi* <-pp-> 1. hüpfen; *hare*
hoppeln 2. SPORTS springen II. *vt* <-pp-> 1. **to** ~ **sth** über etw *akk* springen 2. BRIT (*fam*) **to** ~ **it** abhauen
III. *n* 1. Hüpfer *m* 2. (*fam: trip*)
[short] ~ [Katzen]sprung *m*
hope [həʊp] I. *n* Hoffnung *f; to* **live in**
~ hoffen II. *vi* hoffen (**for** auf); **it's
good news, I** ~ hoffentlich gute
Nachrichten
hopeful [ˈhəʊpfəl] I. *adj* zuversichtlich;
to be ~ **of sth** auf etw *akk* hoffen
II. *n usu pl* viel versprechende Personen
hopefully [ˈhəʊpfəli] *adv* 1. (*in hope*)
hoffnungsvoll 2. (*it is hoped*) hoffentlich
hopeless [ˈhəʊpləs] *adj* hoffnungslos;
situation aussichtslos
hopelessly [ˈhəʊpləsli] *adv* hoffnungslos; **he's** ~ **in love with her** er hat
sich bis über beide Ohren in sie verliebt
hopping mad *adj* (*fam*) auf hundertachtzig; **to be** ~ **with sb** stinksauer
auf jdn sein
horizon [həˈraɪzən] *n* Horizont *m; on
the* ~ am Horizont; (*fig*) in Sicht

horizontal [ˌhɒrɪˈzɒntəl] I. *adj* horizontal, waag[e]recht II. *n no pl* **the** ~ die Horizontale

hormone [ˈhɔːməʊn] *n* Hormon *nt*

horn [hɔːn] *n* **1.** Horn *nt* **2.** MUS Horn *nt* **3.** (*beeper*) Hupe *f;* **to sound one's** ~ (*fam*) auf die Hupe drücken

hornet [ˈhɔːnɪt] *n* Hornisse *f*

horoscope [ˈhɒrəskəʊp] *n* Horoskop *nt*

horrible [ˈhɒrəbl] *adj* schrecklich; (*mean*) gemein

horrid [ˈhɒrɪd] *adj* (*fam*) fürchterlich; (*mean*) gemein

horrify <-ie-> [ˈhɒrɪfaɪ] *vt* entsetzen

horror [ˈhɒrəʳ] *n* Entsetzen *nt*, Grauen *nt* (at über); **in** ~ entsetzt

horror-stricken, **horror-struck** *adj* von Entsetzen gepackt; **to watch** ~ voller Entsetzen zusehen

horse [hɔːs] *n* Pferd *nt;* ~ **and carriage** Pferdekutsche *f;* **to eat like a** ~ fressen wie ein Scheunendrescher ▶ **to be a** dark ~ BRIT sein Licht unter den Scheffel stellen; **to hold one's** ~s die Luft anhalten

horseback *n* **on** ~ zu Pferd **horse chestnut** *n* Rosskastanie *f* **horseplay** *n no pl* wilde Ausgelassenheit **horsepower** *n* <pl -> Pferdestärke *f;* **10-~ engine** Motor *m* mit 10 PS **horse race** *n* Pferderennen *nt* **horse racing** *n* Pferderennsport *m;* **to go** ~ zum Pferderennen gehen **horseshoe** *n* Hufeisen *nt*

hose [həʊz] *n* **1.** Schlauch *m* **2.** *pl* FASHION Strumpfwaren *pl*

hospice [ˈhɒspɪs] *n* Hospiz *nt*

hospitable [hɒsˈpɪtəbl] *adj* **1.** gastfreundlich; **to be** ~ **to[wards]** sb jdn gastfreundlich aufnehmen **2.** (*pleasant*) angenehm

hospital [ˈhɒspɪtəl] *n* Krankenhaus *nt*, Spital *nt* SCHWEIZ; **to have to go to** ~ ins Krankenhaus müssen

hospitality [ˌhɒspɪˈtæləti] I. *n no pl* **1.** Gastfreundschaft *f* **2.** (*food*) Bewirtung *f* II. *adj attr* ~ **suite** Gästelounge *f*

host¹ [həʊst] I. *n* **1.** Gastgeber(in) *m(f)* **2.** (*stager*) Veranstalter(in) *m(f)* **3.** (*compère*) Showmaster(in) *m(f)* II. *adj attr* ~ **country** Gastland *nt;* ~ **family** Gastfamilie *f* III. *vt* **1.** (*stage*) ausrichten **2.** *compère* moderieren

host² [həʊst] *n usu sing* **a** [whole] ~ **of sth** jede Menge von etw *dat*

hostage [ˈhɒstɪdʒ] *n* Geisel *f;* **to take sb** ~ jdn als Geisel nehmen

hostel [ˈhɒstəl] *n* Wohnheim *nt;* BRIT (*for homeless*) Obdachlosenheim *nt;* [youth] ~ Jugendherberge *f*

hostess [ˈhəʊstɪs] *n* <pl -es> Gastgeberin *f;* (*animator*) Animierdame *f;* (*on plane*) Stewardess *f*

hostile [ˈhɒstaɪl] *adj* **1.** feindselig **2.** (*difficult*) hart, widrig; *climate* rau **3.** ECON, MIL feindlich

hot [hɒt] I. *adj* <-tt-> **1.** heiß; **she was** ~ ihr war heiß **2.** (*spicy*) scharf **3.** (*close*) **in** ~ **pursuit** dicht auf den Fersen **4.** (*fam: good*) **to be** ~ **stuff** absolute Spitze sein; ~ **tip** heißer Tipp **5.** (*sl: sexy*) heiß **6.** (*new*) heiß; ~ **gossip** das Allerneueste II. *vt* <-tt-> **to** ~ **up** *engine* frisieren III. *vi* <-tt-> **to** ~ **up** *pace* sich steigern; *situation* sich verschärfen

hot dog *n* **1.** Wiener Würstchen *nt;* (*in roll*) Hotdog *m* **2.** AM, AUS (*fig fam: show-off*) Angeber(in) *m(f)*

hotel [hə(ʊ)ˈtel] *n* Hotel *nt*

hotel accommodation *n* **1.** *no pl*

(*room*) Hotelzimmer *nt* **2.** AM ~**s** *pl* Hotelunterkunft *f kein pl* **hotel bill** *n* Hotelrechnung *f* **hotel register** *n* Gästebuch *nt* **hotel staff** *n + sing/ pl vb* Hotelpersonal *nt*

hot-headed *adj* hitzköpfig

hotplate *n* Kochplatte *f;* (*for plate*) Warmhalteplatte *f* **hotshot** *n* (*fam*) Kanone *f* **hot spot** *n* **1.** (*disco*) heißer Schuppen **2.** (*conflict*) Krisenherd *m* **3.** INET Zugangspunkt *m* zu einer drahtlosen Internetverbindung **hot stuff** *n no art, no pl* **1.** (*fam: skilful*) **to be** ~ ein Ass sein **2.** (*sl: woman*) heiße Braut; (*man*) heißer Typ **hot-tempered** *adj* heißblütig **hot-water bottle** *n* Wärmflasche *f*

hound [haʊnd] **I.** *n* [Jagd]hund *m* **II.** *vt* jagen

hour [aʊəʳ] *n* Stunde *f;* **50 kilometres an ~** 50 Kilometer pro Stunde; **24 ~s a day** 24 Stunden am Tag; **~ after ~** Stunde um Stunde; **for ~s** stundenlang; **at all ~s** zu jeder Tages- und Nachtzeit; **opening ~s** Öffnungszeiten *pl*

hour hand *n* Stundenzeiger *m*

hourly ['aʊəli] *adj, adv* stündlich; ~ **rate** Stundensatz *m*

house I. *n* [haʊs] Haus *nt;* **in the ~** im Hause; **on the ~** auf Kosten des Hauses; **to play to a full ~** THEAT vor vollem Haus spielen ▶ **to go all <u>around</u> the ~s** umständlich vorgehen **II.** *vt* [haʊz] **to ~ sb** jdn unterbringen; **to ~ sth** etw beherbergen

houseboat *n* Hausboot *nt*

household I. *n* Haushalt *m* **II.** *adj attr* ~ **goods** Hausrat *m*

householder *n* Hauseigentümer(in) *m(f)* **housekeeper** *n* Haushälter(in) *m(f)* **houseplant** *n* Zimmerpflanze *f*

house-trained *adj* BRIT, AUS stubenrein **house-warming party** *n* Einweihungsparty *f* **housewife** <*pl* -ves> *n* Hausfrau *f* **housework** *n no pl* Hausarbeit *f* **housing estate**, AM **housing development** *n* Wohnsiedlung *f*

hover ['hɒvəʳ] *vi* **1.** schweben; *hawk a.* stehen **2.** (*fig*) **to ~ in the background** sich im Hintergrund herumdrücken

hovercraft <*pl ->* *n* Luftkissenboot *nt* **hoverport** *n* Anlegestelle *f* für Luftkissenboote

how [haʊ] **I.** *adv* wie; ~ **far** wie weit; ~ **much** wie viel; ~ **are you?** wie geht es Ihnen?; ~ **do you do?** (*greeting*) Guten Tag!; ~ **come?** wie das?; ~ **do you know that?** woher weißt du das?; ~ **about it?** was meinst du?; ~ **about a movie?** wie wäre es mit Kino?; ~ **about that!** was sagt man dazu! **II.** *n* **the ~[s] and why[s]** das Wie und Warum

however [haʊ'evəʳ] **I.** *adv* **1.** + *adj* egal wie **2.** (*but*) jedoch **II.** *conj* wie auch immer; ~ **you do it, ...** wie auch immer du es machst, ...

howl [haʊl] **I.** *n of animal, wind* Heulen *nt kein pl; of person* Geschrei *nt kein pl;* ~**s of protest** Protestgeschrei *nt* **II.** *vi* heulen

HP [ˌeɪtʃ'piː] *n* BRIT (*fam*) *abbrev of* **hire purchase**

hubcap ['hʌbkæp] *n* Radkappe *f*

hug [hʌg] **I.** *vt* <-gg-> **1.** umarmen; **to ~ one's knees** seine Knie umklammern **2.** (*fig*) **the dress ~ged her body** das Kleid lag eng an ihrem Körper an; **to ~ the shore** sich dicht an der Küste halten **II.** *vi* <-gg-> sich umarmen **III.** *n* Umarmung *f;* **to**

give sb a ~ jdn umarmen

huge [hju:ʤ] *adj* **1.** riesig; **~ success** Riesenerfolg *m* **2.** (*impressive*) gewaltig; *costs* immens

hum [hʌm] **I.** *vi* <-mm-> **1.** summen; **to ~ under one's breath** vor sich *akk* hinsummen **2.** brausen; *engine* brummen; *machine* surren; *insect* summen **II.** *vt* <-mm-> summen **III.** *n* Brausen *nt;* of *machine* Brummen *nt;* of *insect* Summen *nt*

human ['hju:mən] **I.** *n* Mensch *m* **II.** *adj* menschlich; **~ chain** Menschenkette *f;* **~ relationships** die Beziehungen des Menschen

humane [hju:'meɪn] *adj* human

humanly ['hju:mənli] *adv* menschlich; **to do everything ~ possible** alles Menschenmögliche tun

humid ['hju:mɪd] *adj* feucht

humidity [hju:'mɪdəti] *n no pl* [Luft]feuchtigkeit *f*

humiliate [hju:'mɪlieɪt] *vt* **1.** demütigen **2.** (*embarrass*) blamieren

humiliation [hju:ˌmɪli'eɪʃᵊn] *n* Demütigung *f*

humor *n* AM *see* **humour**

humorous ['hju:mᵊrəs] *adj* lustig; *person* humorvoll

humour ['hju:məʳ] **I.** *n no pl* Humor *m;* **his speech was full of ~** seine Rede war voller Witz **II.** *vt* **to ~ sb** jdm seinen Willen lassen

hump [hʌmp] **I.** *n* **1.** kleiner Hügel; (*in road*) Buckel *m* **2.** (*on camel*) Höcker *m;* ▶ **sb has got the ~** jd ist sauer **II.** *vt* (*fam*) schleppen

hundred ['hʌndrəd] **I.** *n* **1.** <*pl* -> Hundert *f;* **eight ~** achthundert **2.** <*pl* -> (*speed*) **to drive a ~** hundert fahren **3.** (*century*) **the eighteen ~s** das achtzehnte Jahrhundert **4.** (*many*) **by the ~s** zu Hunderten; **~s of cars** Hunderte von Autos **II.** *adj* hundert; **a ~ and five** [ein]hundert[und]fünf; **a ~ per cent** hundert Prozent; (*adjective*) hundertprozentig

hundredth ['hʌndrədθ] **I.** *n* **1.** Hundertste(r) *f(m)* **2.** (*fraction*) Hundertstel *nt* **II.** *adj* **1.** hundertste(r, s); **for the ~ time** zum hundertsten Mal **2.** (*in fraction*) hundertstel

hung [hʌŋ] **I.** *pt, pp* of **hang II.** *adj* **~ jury** Jury, die zu keinem Mehrheitsurteil kommt

Hungarian [hʌŋ'geəriən] **I.** *n* **1.** Ungar(in) *m(f)* **2.** *no pl* (*language*) Ungarisch *nt* **II.** *adj* ungarisch

Hungary ['hʌŋgəri] *n no pl* Ungarn *nt*

hunger ['hʌŋgəʳ] **I.** *n no pl* Hunger *m a. fig;* **to die of ~** verhungern **II.** *vi* **to ~ after sth** nach etw *dat* hungern

hungry ['hʌŋgri] *adj* hungrig *a. fig;* **to go ~** hungern; **to be ~** Hunger haben

hunk [hʌŋk] *n* **1.** Stück *nt* **2.** (*fam: man*) **~ of a man** Bild *nt* von einem Mann

hunt [hʌnt] **I.** *n* **1.** Jagd *f* **2.** (*search*) Suche *f* **II.** *vt* **1.** jagen **2.** (*search*) **to ~ sb** Jagd auf jdn machen **III.** *vi* **1.** jagen **2.** (*search*) suchen; **to ~ through sth** etw durchsuchen

hunter ['hʌntəʳ] *n* **1.** Jäger(in) *m(f)* **2.** (*dog*) Jagdhund *m*

hunting ['hʌntɪŋ] *n no pl* das Jagen, die Jagd; **to go ~** auf die Jagd gehen

hurdle ['hɜːdl] **I.** *n* Hürde *f a. fig;* SPORTS **~s** *pl* Hürdenlauf *m;* (*horseracing*) Hürdenrennen *nt;* **to fall at the first ~** [bereits] an der ersten Hürde scheitern **II.** *vt* überspringen

hurdler ['hɜːdləʳ] *n* Hürdenläufer(in) *m(f)*

H

hurdle race *n* Hürdenlauf *m;* (*for horses*) Hürdenrennen *nt*

hurricane ['hʌrɪkən] *n* Orkan *m;* (*tropical*) Hurrikan *m;* ~**-force wind** orkanartiger Wind

hurricane warning *n* Orkanwarnung *f*

hurried ['hʌrid] *adj* hastig; (*rash*) überstürzt

hurry ['hʌri] **I.** *n no pl* Eile *f;* **there's no** [**great**] ~ es hat keine Eile; **to leave in a** ~ hastig aufbrechen; **to need sth in a** ~ etw sofort brauchen **II.** *vi* <-ie-> sich beeilen; **there's no need to** ~ lassen Sie sich ruhig Zeit **III.** *vt* <-ie-> **to** ~ **sb** jdn hetzen ◆ **hurry along I.** *vi* sich beeilen **II.** *vt* [zur Eile] antreiben; *process* beschleunigen ◆ **hurry away, hurry off I.** *vi* schnell weggehen **II.** *vt* schnell wegbringen ◆ **hurry on** *vi* weitereilen ◆ **hurry up I.** *vi* sich beeilen; ~ **up!** beeil dich! **II.** *vt* zur Eile antreiben

hurt [hɜ:t] **I.** *vi* <hurt, hurt> **1.** wehtun **2.** (*harm*) schaden *a. fig* **II.** *vt* <hurt, hurt> **1.** (*a. fig*) **to** ~ **sb** jdm wehtun; **to** ~ **oneself** sich verletzen **2.** (*harm*) **to** ~ **sb** jdm schaden; **to** ~ **sb's feelings** jds Gefühle verletzen **III.** *adj attr* **1.** verletzt **2.** *feelings* verletzt **IV.** *n* Schmerz *m;* (*injury*) Verletzung *f*

hurtful ['hɜ:tfʊl] *adj* verletzend

hurtle ['hɜ:tl] **I.** *vi* rasen; **the boy came hurtling round the corner** der Junge kam um die Ecke geschossen **II.** *vt* **to** ~ **sth against sth** etw gegen etw *akk* schleudern

husband ['hʌzbən(d)] *n* Ehemann *m;* ~ **and wife** Mann und Frau

hush [hʌʃ] **I.** *n no pl* Stille *f;* **a bit of** ~

now, please! ein bisschen Ruhe jetzt, bitte! **II.** *interj* ~! pst! **III.** *vt* zum Schweigen bringen; (*soothe*) beruhigen ◆ **hush up** *vt* vertuschen

husky¹ <-ie-> ['hʌski] *adj* **1.** *voice* rau **2.** (*strong*) kräftig [gebaut]

husky² ['hʌski] *n* (*dog*) Husky *m*

hustle ['hʌsl] **I.** *vt* **1.** treiben **2.** (*coerce*) **to** ~ **sb into doing sth** jdn [be]drängen, etw zu tun **3.** AM (*fam: achieve*) [hartnäckig] erkämpfen **II.** *vi* unter Hochdruck arbeiten; **to** ~ **for business** sich fürs Geschäft abstrampeln **III.** *n* Gedränge *nt;* ~ **and bustle** geschäftiges Treiben

hustler ['hʌslər] *n* Betrüger(in) *m(f)*

hut [hʌt] *n* Hütte *f*

hutch [hʌtʃ] *n* Käfig *m;* (*for rabbits*) Stall *m*

hydroelectric [ˌhaɪdrəʊɪ'lektrɪk] *adj* hydroelektrisch; ~ **power station** Wasserkraftwerk *nt*

hydrogen ['haɪdrədʒən] *n no pl* Wasserstoff *m*

hygiene ['haɪdʒi:n] *n no pl* Hygiene *f;* **personal** ~ Körperpflege *f*

hygienic [haɪ'dʒi:nɪk] *adj* hygienisch

hymn [hɪm] *n* **1.** Kirchenlied *nt* **2.** (*praise*) Hymne *f*

hymnal ['hɪmnəl] *n,* **hymnbook** ['hɪmbʌk] *n* Gesangbuch *nt*

hype [haɪp] **I.** *n no pl* Reklameaufwand *m;* **media** ~ Medienrummel *m* **II.** *vt* **to** ~ **sth** etw [in den Medien] hochjubeln

hypermarket *n* Verbrauchermarkt *m*

hyphen ['haɪfən] *n* Bindestrich *m*

hypnosis [hɪp'nəʊsɪs] *n no pl* Hypnose *f;* **to be under** ~ sich in Hypnose befinden

hypnotherapy [ˌhɪpnə(ʊ)'θerəpi] *n no pl* MED Hypnotherapie *f*

hypnotist [ˈhɪpnətɪst] *n* Hypnotiseur(in) *m(f)*

hypnotize [ˈhɪpnətaɪz] *vt* hypnotisieren *a. fig*

hypocrite [ˈhɪpəkrɪt] *n* Heuchler(in) *m(f)*, Scheinheilige(r) *f(m)*

hypothetical [ˌhaɪpə(ʊ)ˈθetɪkəl] *adj* hypothetisch

hysterectomy [ˌhɪstəˈrektəmi] *n* MED Hysterektomie *f*

hysterical [hɪˈsterɪkəl] *adj* **1.** hysterisch **2.** (*fam: funny*) ausgelassen heiter

I

I <*pl* -'s>, **i** <*pl* -'s> [aɪ] *n* I *nt*, i *nt*; *see also* **A 1**

I [aɪ] *pron pers* ich; ~ **for one ...** ich meinerseits ...; **accept me for what ~ am** nimm mich so, wie ich bin

I'd[1] [aɪd] = *see* **I would** *see* **would**

I'd[2] [aɪd] = *see* **I had** *see* **have**

I'll [aɪl] = *see* **I will** *see* **will**

I'm [aɪm] = *see* **I am** *see* **be**

I've [aɪv] = *see* **I have** *see* **have**

ice [aɪs] **I.** *n no pl* Eis *nt*; ► **to break the ~** das Eis zum Schmelzen bringen **II.** *vt* glasieren

Ice Age *n* Eiszeit *f* **iceberg** *n* Eisberg *m* **icebox** *n* **1.** BRIT (*freezer*) Eisfach *nt* **2.** AM (*fridge*) Kühlschrank *m* **ice cap** *n* Eiskappe *f* (*an den Polen*) **ice cream** *n* Eis *nt* **ice cube** *n* Eiswürfel *m*

iced [aɪst] *adj* eisgekühlt

ice hockey *n* Eishockey *nt* **ice lolly** *n* BRIT Eis *nt* am Stiel **ice pack** *n* Eisbeutel *m* **ice rink** *n* Schlittschuhbahn *f* **ice-skate** *vi* Schlittschuh laufen **ice skating** *n no pl* Schlittschuhlaufen *nt*

icicle [ˈaɪsɪkl] *n* Eiszapfen *m*

icing [ˈaɪsɪŋ] *n* Zuckerguss *m*; ► **to be the ~ on the** <u>cake</u> [bloß] schmückendes Beiwerk sein

icing sugar *n* Puderzucker *m*

icon [ˈaɪkɒn] *n* **1.** (*a. fig*) Ikone *f* **2.** COMPUT Symbol *nt*

ICU [ˌaɪsiˈjuː] *n abbrev of* **intensive care unit** Intensivstation *f*

icy [ˈaɪsi] *adj* **1.** vereist **2.** (*hostile*) frostig

ID [ˌaɪˈdiː] *n no pl abbrev of* **identification 1.** *abbrev of* **ID card 2.** COMPUT Kennzahl *f*

ID card *n* [Personal]ausweis *m*

idea [aɪˈdɪə, -ˈdiːə] *n* **1.** (*notion*) Vorstellung *f*; **whatever gave you that ~?** wie kommst du denn [bloß] darauf? **2.** (*purpose*) **the ~** der Zweck **3.** (*suggestion*) Idee *f*; **that's an ~!** (*fam*) das ist eine gute Idee! **4.** (*knowledge*) Begriff *m*; **to have no ~** (*fam*) keine Ahnung haben

ideal [aɪˈdɪəl, -ˈdiːəl] **I.** *adj* ideal **II.** *n* Ideal *nt*

identical [aɪˈdentɪkəl] *adj* identisch (**to** mit)

identification [aɪˌdentɪfɪˈkeɪʃən] *n no pl* **1.** *of person* Identifizierung *f*; *of problem, aims* Identifikation *f* **2.** (*papers*) Ausweispapiere *pl*

identification papers *n pl* Ausweispapiere *pl*

identify <-ie-> [aɪˈdentɪfaɪ] **I.** *vt* **1.** (*recognize*) identifizieren **2.** (*name*) **to ~ sb** jds Identität *f* feststellen **3.** (*associate*) **to ~ sb with sth** jdn mit etw assoziieren **II.** *vi* **to ~ with**

I

sb sich mit jdm identifizieren
identity [aɪˈdentɪti] n Identität f
identity card n [Personal]ausweis m
identity theft n SOCIOL Identitätsdiebstahl m
idiom [ˈɪdiəm] n 1. (phrase) [idiomatische] Redewendung 2. (language) Idiom nt
idiomatic [ˌɪdiə(ʊ)ˈmætɪk] adj idiomatisch
idiot [ˈɪdiət] n (fam) Idiot m
idiotic [ˌɪdiˈɒtɪk] adj (fam) idiotisch; idea hirnverbrannt
idle [ˈaɪdl] I. adj faul II. vi 1. (laze) faulenzen 2. engine leerlaufen
if conj 1. (in case) wenn, falls; **even ~ ...** selbst [dann,] wenn ...; **~ ..., then ...** wenn ..., dann ... 2. **~ I had only known!** hätte ich es nur gewusst! 3. (whether) ob 4. (although) wenn auch ▶ **~ anyone /anything /anywhere ...** **~ at all** wenn überhaupt; **barely /hardly /rarely ...** **~ at all** kaum ..., wenn überhaupt, kaum ..., wenn überhaupt; **~ ever** wenn [überhaupt] je[mals]; **... ~ not ... ...,** wenn nicht [sogar] ...
igloo [ˈɪgluː] n Iglu m o nt
ignition [ɪgˈnɪʃ°n] n 1. AUTO Zündung f 2. no pl (form: igniting) Entzünden nt
ignition key n Zündschlüssel m **ignition switch** n Zündschalter m
ignorance [ˈɪgn°r°n(t)s] n no pl Unwissenheit f
ignorant [ˈɪgn°r°nt] adj unwissend; **to be ~ about sth** sich in etw dat nicht auskennen
ignore [ɪgˈnɔːʳ] vt ignorieren
ill [ɪl] adj 1. krank; **I feel ~** mir ist gar nicht gut; **to be critically ~** in Lebensgefahr schweben 2. (bad)

schlecht; (harmful) schädlich; **no ~ feeling!** Schwamm drüber!; **~ health** angegriffene Gesundheit
illegal [ɪˈliːg°l] I. adj illegal II. n esp AM (fam) Illegale(r) f(m)
illegible [ɪˈledʒəbl] adj unleserlich
illegitimate [ˌɪlɪˈdʒɪtəmət] adj unehelich
illiterate [ɪˈlɪt°rət] I. n Analphabet(in) m(f) II. adj analphabetisch; (ignorant) ungebildet
ill-mannered adj unhöflich; child ungezogen
illness [ˈɪlnəs] n Krankheit f
illogical [ɪˈlɒdʒɪk°l] adj unlogisch
ill-timed adj ungelegen
illuminate [ɪˈluːmɪneɪt] vt erhellen; (spotlight) beleuchten
illumination [ɪˌluːmɪˈneɪʃ°n] n no pl (form) Beleuchtung f
illusion [ɪˈluːʒ°n] n Illusion f
illustrate [ˈɪləstreɪt] vt 1. veranschaulichen 2. book illustrieren
illustration [ˌɪləˈstreɪʃ°n] n Illustration f
image [ˈɪmɪdʒ] I. n 1. (likeness) Ebenbild nt 2. (picture) Bild nt 3. (reputation) Image nt II. vt **to ~ sth** sich dat etw vorstellen
imagery [ˈɪmɪdʒ°ri] n no pl Bildersprache f
imagination [ɪˌmædʒɪˈneɪʃ°n] n Fantasie f; **lack of ~** Fantasielosigkeit f; **not by any stretch of the ~** beim besten Willen nicht
imaginative [ɪˈmædʒɪnətɪv] adj fantasievoll
imagine [ɪˈmædʒɪn] vt 1. **to ~ sth** sich dat etw vorstellen 2. (assume) **to ~ sth** sich dat etw denken
imitate [ˈɪmɪteɪt] vt imitieren
imitation [ˌɪmɪˈteɪʃ°n] I. n 1. no pl

(*mimicry*) Imitation *f* **2.** (*act*) Imitieren *nt* **II.** *adj attr* (*plastic*) künstlich; *jewel* unecht; ~ **leather** Kunstleder *nt*

immaculate [ɪ'mækjələt] *adj* makellos

immature [ˌɪmə'tjʊərˌ] *adj* **1.** unreif; (*childish*) kindisch *meist pej* **2.** (*unripe*) unreif; (*sexually*) nicht geschlechtsreif; *plan* unausgereift

immediate [ɪ'miːdɪət] *adj* **1.** umgehend **2.** *attr* (*near*) unmittelbar; **sb's** ~ **family** jds nächste Angehörige **3.** (*direct*) direkt

immediately [ɪ'miːdɪətli] **I.** *adv* **1.** sofort, gleich **2.** (*closely*) direkt, unmittelbar **II.** *conj* BRIT sobald

immense [ɪ'men(t)s] *adj* riesig, enorm

immersion heater *n* Tauchsieder *m*

immigrant ['ɪmɪɡrənt] **I.** *n* Einwanderer(in) *m(f)* **II.** *adj attr* ~ **population** Einwanderer *pl*

immigrate ['ɪmɪɡreɪt] *vi* einwandern

immigration [ˌɪmɪ'ɡreɪʃən] *n no pl* **1.** Einwanderung *f* **2.** AM ~**s** *pl* ≈ Grenzschutz *m* (*an Flughäfen*)

immoral [ɪ'mɒrəl] *adj* unmoralisch

immortal [ɪ'mɔːtəl] **I.** *adj* unsterblich; *life* ewig **II.** *n* Unsterbliche(r) *f(m)*

immune [ɪ'mjuːn] *adj pred* **1.** immun (**to** gegen/für) **2.** (*fig: safe*) sicher (**from** vor)

immunity [ɪ'mjuːnəti] *n no pl* **1.** Immunität *f* **2.** (*fig*) Unempfindlichkeit *f*

immunize ['ɪmjənaɪz] *vt* immunisieren

immunodeficiency [ˌɪmjənə(ʊ)dɪ'fɪʃən(t)si] *n* MED Immunschwäche *f*

impact I. *n* ['ɪmpækt] *no pl* **1.** Aufprall *m*; (*force*) Wucht *f* **2.** (*fig: effect*) Auswirkung[en] *f[pl]* **II.** *vt* [ɪm'pækt] *esp* AM, AUS beeinflussen **III.** *vi* [ɪm'pækt] **1.** aufschlagen

2. *esp* AM, AUS **to** ~ **on sth** etw beeinflussen

impartial [ɪm'pɑːʃəl] *adj* unparteiisch

impassable [ɪm'pɑːsəbl] *adj* unpassierbar

impatience [ɪm'peɪʃən(t)s] *n no pl* Ungeduld *f*

impatient [ɪm'peɪʃənt] *adj* ungeduldig (**with** gegenüber)

impeach [ɪm'piːtʃ] *vt* **to** ~ **sb for sth** jdn wegen einer S. *gen* anklagen

impeachment [ɪm'piːtʃmənt] *n* Amtsenthebungsverfahren *nt*

imperative [ɪm'perətɪv] **I.** *adj* **1.** unbedingt erforderlich **2.** (*commanding*) gebieterisch **II.** *n* **1.** [Sach]zwang *m;* (*duty*) Verpflichtung *f* **2.** *no pl* LING **the** ~ der Imperativ

imperfect [ɪm'pɜːfɪkt] **I.** *adj* fehlerhaft; (*incomplete*) unvollkommen **II.** *n no pl* LING **the** ~ das Imperfekt

imperfection [ˌɪmpə'fekʃən] *n* **1.** Fehler *m,* Mangel *m* **2.** *no pl* (*state*) Unvollkommenheit *f*

imperial [ɪm'pɪərɪəl] *adj* **1.** (*of an empire*) kaiserlich, imperialistisch *oft pej* **2.** (*measure*) **the** ~ **system** das britische System der Maße und Gewichte

impersonal [ɪm'pɜːsənəl] *adj* unpersönlich

impersonate [ɪm'pɜːsəneɪt] *vt* imitieren

impertinent [ɪm'pɜːtɪnənt] *adj* unverschämt

impetuous [ɪm'petʃuəs] *adj* impulsiv; *nature* hitzig

implant I. *n* ['ɪmplɑːnt] Implantat *nt* **II.** *vt* [ɪm'plɑːnt] **1.** einpflanzen **2.** (*fig*) einprägen

implausible [ɪm'plɔːzəbl] *adj* unglaubwürdig

implement I. *n* ['ɪmplɪmənt] Gerät *nt;*

(*tool*) Werkzeug *nt* **II.** *vt* ['ɪmplɪment] einführen; (*realize*) durchführen

implicate ['ɪmplɪkeɪt] *vt* **1. to ~ sb in sth** jdn mit etw *dat* in Verbindung bringen **2.** (*imply*) andeuten

implication [ˌɪmplɪ'keɪʃᵊn] *n* **1.** Verwicklung *f* **2.** *no pl* (*hint*) Implikation *f geh*

implore [ɪm'plɔːʳ] *vt* anflehen

imploring [ɪm'plɔːʳɪŋ] *adj* flehend

imply <-ie-> [ɪm'plaɪ] *vt* **1.** andeuten **2.** (*entail*) erfordern

impolite [ˌɪmpᵊ'laɪt] *adj* unhöflich

impoliteness [ˌɪmpᵊ'laɪtnəs] *n no pl* Unhöflichkeit *f*

import I. *vt, vi* [ɪm'pɔːt] importieren (**from** aus) **II.** *n* ['ɪmpɔːt] Import *m*

importance [ɪm'pɔːtᵊn(t)s] *n no pl* **1.** Wichtigkeit *f* **2.** (*influence*) Bedeutung *f*

important [ɪm'pɔːtᵊnt] *adj* **1.** wichtig **2.** (*influential*) bedeutend

importer ['ɪmpɔːtəʳ] *n* Importeur(in) *m(f)*; (*company*) Importeur *m;* (*country*) Importnation *f*

impose [ɪm'pəʊz] **I.** *vt* durchsetzen; (*order*) verhängen; *law* verfügen **II.** *vi* **to ~ on sb** sich jdm aufdrängen

imposing [ɪm'pəʊzɪŋ] *adj* beeindruckend, stattlich

imposition [ˌɪmpə'zɪʃᵊn] *n* **1.** *no pl* Einführung *f* **2.** (*inconvenience*) Belastung *f*

impossibility [ɪmˌpɒsə'bɪləti] *n* **1.** *no pl* Unmöglichkeit *f* **2.** (*thing*) Ding *nt* der Unmöglichkeit

impossible [ɪm'pɒsəbl] **I.** *adj* **1.** unmöglich **2.** (*difficult*) ausweglos **II.** *n no pl* **the ~** das Unmögliche; **to ask the ~** Unmögliches verlangen

imposter, impostor [ɪm'pɒstəʳ] *n* Hochstapler(in) *m(f)*

impotent ['ɪmpətənt] *adj* **1.** machtlos **2.** (*sterile*) impotent

impound [ɪm'paʊnd] *vt* beschlagnahmen

impractical [ɪm'præktɪkᵊl] *adj* unpraktisch; (*unfit*) untauglich

imprecise [ˌɪmprɪ'saɪs] *adj* ungenau

impress [ɪm'pres] **I.** *vt* **1.** beeindrucken; **to be ~ed [by sb]** [von jdm] beeindruckt sein **2.** (*convince*) **to ~ sth on sb** jdn von etw *dat* überzeugen **II.** *vi* Eindruck machen, imponieren

impression [ɪm'preʃᵊn] *n* **1.** (*opinion*) Eindruck *m;* **to have/get the ~ that ...** den Eindruck haben/bekommen, dass ... **2.** (*feeling*) Eindruck *m;* **to make an ~ on sb** auf jdn Eindruck machen **3.** (*copy*) Imitation *f*

impressionable [ɪm'preʃᵊnəbl] *adj* [leicht] beeinflussbar

impressive [ɪm'presɪv] *adj* beeindruckend

imprison [ɪm'prɪzᵊn] *vt usu passive* inhaftieren

imprisonment [ɪm'prɪzᵊnmənt] *n no pl* Haft *f*

improbability [ɪmˌprɒbə'bɪləti] *n no pl* Unwahrscheinlichkeit *f*

improbable [ɪm'prɒbəbl] *adj* unwahrscheinlich

improper [ɪm'prɒpəʳ] *adj* **1.** falsch **2.** *inappropriate* unpassend

improve [ɪm'pruːv] **I.** *vt* verbessern **II.** *vi* besser werden, sich verbessern; **to ~ on sth** etw [noch] verbessern; **to ~ with age** mit dem Alter immer besser werden

improvement [ɪm'pruːvmənt] *n* **1.** (*instance*) Verbesserung *f* **2.** *no pl* (*activity*) Verbesserung *f;* **room for ~** Steigerungsmöglichkeiten *pl*

improvisation [ˌɪmprəvaɪˈzeɪʃᵊn] *n* Improvisation *f*

improvise [ˈɪmprəvaɪz] *vt, vi* improvisieren

impudence [ˈɪmpjədᵊn(t)s] *n no pl* Unverschämtheit *f*

impudent [ˈɪmpjədᵊnt] *adj* unverschämt

impulse [ˈɪmpʌls] *n* **1.** (*urge*) a. ELEC Impuls *m* **2.** (*motive*) Antrieb *m*

impulsive [ɪmˈpʌlsɪv] *adj* impulsiv; (*spontaneous*) spontan

impunity [ɪmˈpjuːnəti] *n no pl* Straflosigkeit *f*

impurity [ɪmˈpjʊərəti] *n no pl* Verunreinigung *f*

in [ɪn] **I.** *prep* **1.** (*located*) in; **to be ~ hospital** im Krankenhaus sein; **~ the street** auf der Straße **2.** *after vb* (*into*) in; **to get ~ the car** ins Auto steigen **3.** AM (*at*) auf; **Boris is ~ college** Boris ist auf dem College **4.** (*part of*) in; **there are 31 days ~ March** der März hat 31 Tage **5.** **~ anger** im Zorn; **difference ~ quality** Qualitätsunterschied *m;* **to be ~ [no] doubt** [nicht] zweifeln; **~ horror** voller Entsetzen; **to be ~ a hurry** es eilig haben; **to be ~ a good mood** guter Laune sein; **~ secret** heimlich **6.** (*with*) **to pay ~ cash** [in] bar bezahlen; **~ writing** schriftlich **7.** **~ German** auf Deutsch; **to speak ~ a loud voice** mit lauter Stimme sprechen **8.** (*during*) **~ 1968** [im Jahre] 1968; **~ the end** am Ende; **~ March** im März; **~ the morning** morgens **9.** (*within*) in; **~ record time** in Rekordzeit **10.** (*active*) **she works ~ publishing** sie arbeitet bei einem Verlag **11.** (*wearing*) **you look nice ~ green** Grün steht dir; **to be ~ dis-**

guise verkleidet sein; **to be ~ uniform** Uniform tragen **12.** (*result*) **~ conclusion** schließlich; **~ fact** tatsächlich **13.** **~ doing so** dabei, damit **14.** **he's about six foot ~ height** er ist ca. zwei Meter groß; **~ total** insgesamt **15.** (*comparing*) pro; **one ~ ten people** jeder zehnte **16.** *after vb* **to be interested ~ sth** sich für etw *akk* interessieren **17.** *after n* **to have confidence ~ sb** jdm vertrauen **II.** *adv* **1.** herein; **come ~!** herein!; **she was locked ~** sie war eingesperrt **2.** (*arrived*) **the train got ~ very late** der Zug ist sehr spät eingetroffen **3.** **to hand sth ~** etw abgeben ▶ **day ~, day out** tagein, tagaus **III.** *adj* **1.** *pred* (*there*) da; (*at home*) zu Hause **2.** (*trendy*) in **3.** *pred* (*submitted*) **the application must be ~ by May 31** die Bewerbung muss bis zum 31. Mai eingegangen sein ▶ **to be ~ on sth** über etw *akk* Bescheid wissen

inability [ˌɪnəˈbɪləti] *n no pl* Unfähigkeit *f*

inaccessible [ˌɪnəkˈsesəbl̩] *adj* unzugänglich

inaccurate [ɪnˈækjərət] *adj* ungenau

inactive [ɪnˈæktɪv] *adj* untätig, inaktiv

inadequate [ɪnˈædɪkwət] *adj* unangemessen; **woefully ~** völlig unzulänglich; **to feel ~** Minderwertigkeitsgefühle haben

inadvertent [ˌɪnədˈvɜːtᵊnt] *adj* unachtsam

inadvisable [ˌɪnədˈvaɪzəbl̩] *adj* nicht empfehlenswert

inanimate [ɪˈnænɪmət] *adj* leblos

inappropriate [ˌɪnəˈprəʊpriət] *adj* ungeeignet; (*inconvenient*) ungelegen

inarticulate [ˌɪnɑːˈtɪkjələt] *adj* **1.** (*un-*

clear) undeutlich; *speech* zusammenhangslos **2.** *fear, worry* unausgesprochen

inattentive [ˌɪnəˈtentɪv] *adj* unaufmerksam

inaudible [ɪˈnɔːdəbl] *adj* unhörbar

inauguration [ɪˌnɔːgjəˈreɪʃ°n] *n* **1.** *no pl* Eröffnung *f* **2.** (*induction*) Amtseinführung *f*

in-box *n* COMPUT Posteingangsordner *m*

inbuilt [ˌɪnˈbɪlt] *adj* BRIT eingebaut

incapable [ɪnˈkeɪpəbl] *adj* unfähig

incense¹ [ˈɪnsen(t)s] *n no pl* **1.** Räuchermittel *nt;* (*in church*) Weihrauch *m* **2.** (*smoke*) wohlriechender Rauch

incense² [ɪnˈsen(t)s] *vt* empören

incentive [ɪnˈsentɪv] **I.** *n* Anreiz *m* **II.** *adj attr* Vorteile bringend; **~ discount** Treuerabatt *m*

inch [ɪn(t)ʃ] **I.** *n* ‹*pl* -es› **1.** Zoll *m* (*2,54 cm*) **2.** (*distance*) **just ~es** ganz knapp **II.** *vi* sich [ganz] langsam bewegen

incident [ˈɪn(t)sɪd°nt] *n* **1.** [Vor]fall *m;* **isolated ~** Einzelfall *m* **2.** (*story*) Begebenheit *f*

incidental [ˌɪn(t)sɪˈdent°l] *adj* **1.** zufällig; (*in passing*) beiläufig **2.** (*related*) begleitend *attr,* verbunden

incidentally [ˌɪn(t)sɪˈdent°li] *adv* **1.** (*by the way*) übrigens **2.** (*in passing*) nebenbei; (*accidentally*) zufällig

incinerator [ɪnˈsɪn°reɪtə°] *n* Verbrennungsanlage *f*

incision [ɪnˈsɪʒ°n] *n* [Ein]schnitt *m*

incite [ɪnˈsaɪt] *vt* aufstacheln

inclination [ˌɪnklɪˈneɪʃ°n] *n* **1.** Neigung *f,* Hang *m kein pl* **2.** *no pl* (*preference*) [besondere] Neigung

incline I. *vi* [ɪnˈklaɪn] **1.** (*tend*) tendieren (**towards** zu) **2.** (*lean*) sich nei-

gen **II.** *vt* [ɪnˈklaɪn] **to be ~d to do sth** dazu neigen, etw zu tun **III.** *n* [ˈɪnklaɪn] Neigung *f*

inclined [ɪnˈklaɪnd] *adj* **1.** *pred* bereit; **to be ~ to agree** eher zustimmen **2.** (*sloped*) schief

include [ɪnˈkluːd] *vt* beinhalten; (*add*) beifügen; **to ~ sb in sth** jdn in etw *akk* einbeziehen

including [ɪnˈkluːdɪŋ] *prep* einschließlich

inclusion [ɪnˈkluːʒ°n] *n no pl* Einbeziehung *f*

inclusive [ɪnˈkluːsɪv] *adj* **1.** einschließlich; **all-~ rate** Pauschale *f* **2.** *after n* **sth ~** [bis] einschließlich etw

income [ˈɪŋkʌm] *n* Einkommen *nt; of company* Einnahmen *pl*

income support *n no pl* BRIT ≈ Sozialhilfe *f;* **to be on ~** ≈ Sozialhilfe bekommen **income tax** *n* Einkommensteuer *f*

incoming [ˌɪŋˈkʌmɪŋ] *adj attr* ankommend; **~ call** [eingehender] Anruf

incomparable [ɪnˈkɒmp°rəbl] *adj* unvergleichbar

incompatible [ˌɪnkəmˈpætəbl] *adj* unvereinbar; COMPUT inkompatibel; **to be ~** *persons* nicht zusammenpassen

incompetent [ɪnˈkɒmpɪt°nt] **I.** *adj* inkompetent; **to be ~ for sth** für etw *akk* ungeeignet sein **II.** *n* Dilettant(in) *m(f)*

incomplete [ˌɪnkəmˈpliːt] *adj* unvollständig

incomprehensible [ɪnˌkɒmprɪˈhen(t)-səbl] *adj* unverständlich; *act* unbegreiflich

inconceivable [ˌɪnkənˈsiːvəbl] *adj* undenkbar; **it is ~ that ...** es ist unvorstellbar, dass ...

inconclusive [ˌɪnkənˈkluːsɪv] *adj* nicht

überzeugend; *results, test* ergebnislos

inconsequential [ɪnˌkɒn(t)sɪˈkwen(t)ʃəl] *adj* unlogisch; (*unimportant*) unbedeutend

inconsiderate [ˌɪnkənˈsɪdərət] *adj* rücksichtslos (**towards** gegenüber); *remark* taktlos

inconsistent [ˌɪnkənˈsɪstənt] *adj* **1.** widersprüchlich **2.** (*unsteady*) unbeständig

inconsolable [ˌɪnkənˈsəʊləbl] *adj* untröstlich

inconspicuous [ˌɪnkənˈspɪkjuəs] *adj* unauffällig

inconvenience [ˌɪnkənˈviːniən(t)s] **I.** *n no pl* Unannehmlichkeit[en] *f[pl]* **II.** *vt* **to ~ sb** jdm Unannehmlichkeiten bereiten

inconvenient [ˌɪnkənˈviːniənt] *adj* ungelegen; *place* ungünstig [gelegen]; *things, doings* beschwerlich, lästig

incorrect [ˌɪnkˈrekt] *adj* falsch; *calculation* fehlerhaft; (*improper*) unkorrekt

incorruptible [ˌɪnkəˈrʌptəbl] *adj* unbestechlich; (*virtuous*) integer

increase I. *vi* [ɪnˈkriːs] (*rise*) [an]steigen; (*intensify*) zunehmen **II.** *vt* [ɪnˈkriːs] (*raise*) erhöhen; (*enlarge*) vergrößern **III.** *n* Anstieg *m,* Zunahme *f;* **~ in production** Steigerung *f* der Produktion; **to be on the ~** ansteigen

incredible [ɪnˈkredɪbl] *adj* **1.** unglaublich **2.** (*fam: good*) fantastisch

incubation period *n* Brut[zeit] *f; of disease* Inkubationszeit *f*

incur <-rr-> [ɪnˈkɜːʳ] *vt* **1.** hinnehmen müssen; *debt* machen; *costs* haben **2. to ~ the anger of sb** jdn verärgern

incurable [ɪnˈkjʊərəbl] *adj* unheilbar; *habit* nicht ablegbar

indebted [ɪnˈdetɪd] *adj pred* **1.** (*ob-*

liged) [zu Dank] verpflichtet **2.** (*owing*) verschuldet

indecent [ɪnˈdiːsənt] *adj* ungehörig; (*unseemly*) unschicklich; *proposal* unsittlich

indecision [ˌɪndɪˈsɪʒən] *n no pl* Unentschlossenheit *f*

indecisive [ˌɪndɪˈsaɪsɪv] *adj* unentschlossen; (*inconclusive*) unschlüssig

indeed [ɪnˈdiːd] *adv* **1.** wirklich; (*actually*) tatsächlich **2.** (*affirming*) allerdings

indefinite [ɪnˈdefɪnət] *adj* **1.** unbestimmt **2.** (*vague*) unklar; *answer* nicht eindeutig

independence [ˌɪndɪˈpendən(t)s] *n no pl* Unabhängigkeit *f*

independent [ˌɪndɪˈpendənt] **I.** *adj* unabhängig (**from, of** von) **II.** *n* POL Parteilose(r) *f(m)*

in-depth [ˌɪnˈdepθ] *adj* gründlich; *investigation* eingehend

indescribable [ˌɪndɪˈskraɪbəbl] *adj* unbeschreiblich

indestructible [ˌɪndɪˈstrʌktəbl] *adj* unzerstörbar

index [ˈɪndeks] **I.** *n* **1.** <*pl* -es> Index *m; of sources* Quellenverzeichnis *nt* **2.** <*pl* -dices> (*measure*) Anzeichen *nt* (**of** für) **II.** *vt book* mit einem Verzeichnis versehen

index finger *n* Zeigefinger *m*

indicate [ˈɪndɪkeɪt] **I.** *vt* **1.** zeigen; *gauge* anzeigen **2.** (*imply*) **to ~ sth** auf etw *akk* hindeuten **II.** *vi* BRIT blinken

indication [ˌɪndɪˈkeɪʃən] *n* [An]zeichen *nt* (**of** für), Hinweis *m* (**of** auf)

indicative [ɪnˈdɪkətɪv] *adj* **1.** hinweisend *attr;* **to be ~ of sth** etw erkennen lassen **2.** LING indikativisch *fachspr*

indicator ['ɪndɪkeɪtər] *n* **1.** (*evidence*) Indikator *m fachspr; of fact, trend* deutlicher Hinweis **2.** BRIT (*light*) Blinker *m*, [Fahrt]richtungsanzeiger *m bes* SCHWEIZ **3.** (*gauge*) Anzeiger *m* **4.** BRIT *at airport, station* Anzeigetafel *f*

indices ['ɪndɪsiːz] *n pl of* **index I 2**

indict [ɪn'daɪt] *vt* anklagen

indifference [ɪn'dɪfərən(t)s] *n no pl* Gleichgültigkeit *f* (**to[wards]** gegenüber)

indifferent [ɪn'dɪfərənt] *adj* **1.** gleichgültig (**to** gegenüber) **2.** (*middling*) [mittel]mäßig

indigenous [ɪn'dɪʤɪnəs] *adj* [ein]heimisch

indigestible [ˌɪndɪ'ʤestəbl] *adj* schwer verdaulich; (*bad*) ungenießbar

indigestion [ˌɪndɪ'ʤestʃən] *n no pl* Magenverstimmung *f*

indignant [ɪn'dɪgnənt] *adj* empört (**at/about** über)

indignation [ˌɪndɪg'neɪʃən] *n no pl* Empörung *f* (**at/about** über)

indignity [ɪn'dɪgnəti] *n* Demütigung *f*

indirect [ˌɪndɪ'rekt] *adj* indirekt; (*fig*) *benefits* mittelbar; **by ~ means** auf Umwegen

indiscreet [ˌɪndɪ'skriːt] *adj* indiskret; (*tactless*) taktlos (**about** in Bezug auf)

indiscretion [ˌɪndɪ'skreʃən] *n no pl* Indiskretion *f*; (*tactlessness*) Taktlosigkeit *f*

indispensable [ˌɪndɪ'spen(t)səbl] *adj* unentbehrlich (**for/to** für)

indistinct [ˌɪndɪ'stɪŋ(k)t] *adj* **1.** undeutlich; (*blurred*) verschwommen **2.** (*vague*) verschwommen

indistinguishable [ˌɪndɪ'stɪŋgwɪʃəbl] *adj* nicht unterscheidbar

individual [ˌɪndɪ'vɪʤuəl] **I.** *n* **1.** Einzelne(r) *f(m)*, Individuum *nt geh* **2.** (*special person*) [selbständige] Persönlichkeit **II.** *adj* **1.** *attr* einzeln **2.** (*particular*) individuell

indoor [ˌɪn'dɔːr] *adj attr* **1.** (*inside*) Innen-; **~ plant** Zimmerpflanze *f* **2.** (*for use inside*) Haus-, für zu Hause *nach n*

indoors [ˌɪn'dɔːz] *adv* herein, nach drinnen

induce [ɪn'djuːs] *vt* **1.** **to ~ sb to do sth** jdn dazu bringen, etw zu tun **2.** (*cause*) hervorrufen **3.** *abortion, birth, labour* einleiten

induction course *n* Einführungskurs *m*

indulge [ɪn'dʌlʤ] **I.** *vt* **1.** (*satisfy*) **to ~ sth** etw *dat* nachgeben; **to ~ sb's every wish** jdm jeden Wunsch erfüllen **2.** (*spoil*) verwöhnen **II.** *vi* (*commit*) **to ~ in sth** in etw *dat* schwelgen

indulgent [ɪn'dʌlʤənt] *adj* **1.** (*lenient*) nachgiebig (**towards** gegenüber) **2.** (*tolerant*) nachsichtig

industrial [ɪn'dʌstriəl] *adj* industriell; **~ action** Streikmaßnahmen *pl;* **~ estate** Industriegelände *nt*

industrialist [ɪn'dʌstriəlɪst] *n* Industrielle(r) *f(m)*

industrialization [ɪnˌdʌstriəlaɪ'zeɪʃən] *n no pl* Industrialisierung *f*

industrialize [ɪn'dʌstriəlaɪz] **I.** *vi* eine Industrie ansiedeln; *nation* zum Industriestaat werden **II.** *vt* industrialisieren

industry ['ɪndəstri] *n* **1.** *no pl* Industrie *f* **2.** (*sector*) Branche *f*

inedible [ɪ'nedɪbl] *adj* nicht essbar

ineffective [ˌɪnɪ'fektɪv] *adj* unwirksam

ineffectual [ˌɪnɪ'fektʃuəl] *adj* ineffektiv *geh*

inefficient [ˌɪnɪˈfɪʃᵊnt] *adj* ineffizient; (*person*) unfähig

inept [ɪˈnept] *adj* unbeholfen (**at** in); (*unskilled*) ungeschickt (**at** in)

inequality [ˌɪnɪˈkwɒləti] *n* Ungleichheit *f*

inescapable [ˌɪnɪˈskeɪpəbl] *adj* unvermeidlich; *fate* unentrinnbar

inevitable [ɪˈnevɪtəbl] I. *adj* 1. unvermeidlich; *conclusion, result* zwangsläufig 2. (*fam: predictable*) unvermeidlich II. *n no pl* **the ~** das Unvermeidbare *a. iron*

inexcusable [ˌɪnɪkˈskjuːzəbl] *adj* unverzeihlich

inexhaustible [ˌɪnɪgˈzɔːstəbl] *adj* unerschöpflich

inexpensive [ˌɪnɪkˈspen(t)sɪv] *adj* preisgünstig

inexperienced [ˌɪnɪkˈspɪəriən(t)st] *adj* unerfahren; **to be ~ in sth** mit etw *dat* nicht vertraut sein

inexplicable [ˌɪnɪkˈsplɪkəbl] *adj* unerklärlich

infallible [ɪnˈfæləbl] *adj* unfehlbar

infamous [ˈɪnfəməs] *adj* 1. berüchtigt 2. *lie* infam *pej*

infancy [ˈɪnfən(t)si] *n* früh[est]e Kindheit

infant [ˈɪnfənt] I. *n* 1. Säugling *m* 2. BRIT, AUS (*child*) Kleinkind *nt* II. *adj attr* **~ daughter** kleines Töchterchen; BRIT, AUS **~ class** SCH erste/zweite Grundschulklasse

infantile [ˈɪnfəntaɪl] *adj* (*pej*) kindisch *meist pej*

infantry [ˈɪnfəntri] *n no pl, + sing/pl vb* **the ~** die Infanterie

infatuated [ɪnˈfætjueɪtɪd] *adj* vernarrt (**with** in)

infect [ɪnˈfekt] *vt* infizieren *a. fig*

infection [ɪnˈfekʃᵊn] *n* Infektion *f*

infectious [ɪnˈfekʃəs] *adj* ansteckend *a. fig*

inferior [ɪnˈfɪəriəʳ] *adj* 1. minderwertig; *mind* unterlegen 2. *rank* [rang] niedriger

inferiority complex *n* Minderwertigkeitskomplex *m*

inferno [ɪnˈfɜːnəʊ] *n* 1. flammendes Inferno 2. (*liter: hell*) Inferno *nt geh*

infertile [ɪnˈfɜːtaɪl] *adj* unfruchtbar

infest [ɪnˈfest] *vt* befallen (**with** von)

infidelity [ˌɪnfɪˈdeləti] *n* 1. *no pl* Verrat *m* (**to** gegenüber/an) 2. (*sexual*) **infidelities** *pl* Seitensprünge *pl*

infinite [ˈɪnfɪnət] I. *adj* 1. unendlich; *space* unbegrenzt 2. (*great*) grenzenlos; **to take ~ care** ungeheuer vorsichtig sein 3. MATH unendlich II. *n* **the ~** die Unendlichkeit

infinitive [ɪnˈfɪnɪtɪv] I. *n* LING Infinitiv *m;* **to be in the ~** im Infinitiv stehen II. *adj attr* Infinitiv-; **~ form** Grundform *f*, Infinitiv *m*

infinity [ɪnˈfɪnəti] *n no pl* 1. MATH das Unendliche 2. (*immeasurability*) die Unendlichkeit

infirm [ɪnˈfɜːm] I. *adj* 1. (*ill*) gebrechlich 2. (*form: weak*) schwach II. *n* **the ~** *pl* die Kranken und Pflegebedürftigen

infirmary [ɪnˈfɜːmᵊri] *n* 1. (*dated: hospital*) Krankenhaus *nt* 2. AM (*room*) Krankenzimmer *nt*

inflame [ɪnˈfleɪm] *vt* 1. (*stir up*) entfachen 2. (*anger*) aufbringen; (*stronger*) erzürnen

inflammable [ɪnˈflæməbl] *adj* 1. [leicht] entzündbar 2. (*fig: touchy*) explosiv

inflammation [ˌɪnfləˈmeɪʃᵊn] *n* Entzündung *f*

inflammatory [ɪnˈflæmətᵊri] *adj* 1. MED entzündlich, Entzündungs- 2. (*pro-*

voking) hetzerisch

inflatable [ɪnˈfleɪtəbl] **I.** *adj* aufblasbar; ~ **boat** Schlauchboot *nt* **II.** *n esp* BRIT Schlauchboot *nt*

inflate [ɪnˈfleɪt] **I.** *vt* **1.** aufblasen **2.** *(exaggerate)* aufblähen *fig, pej* **II.** *vi* sich mit Luft füllen

inflated [ɪnˈfleɪtɪd] *adj* **1.** aufgeblasen **2.** *(exaggerated)* aufgebläht *fig, pej;* **to have an** ~ **idea of sth** eine übertriebene Vorstellung von etw *dat* besitzen **3.** ECON *price* überhöht

inflation [ɪnˈfleɪʃ°n] *n no pl* **1.** ECON Inflation *f* **2.** *(filling)* Aufblasen *nt*

inflexible [ɪnˈfleksəbl] *adj (usu pej)* **1.** starr **2.** *(persistent)* unbeugsam

in-flight *adj attr* Bord-, während des Fluges *nach n*

influence [ˈɪnfluən(t)s] **I.** *n* **1.** Einfluss *m;* **to fall under sb's** ~ unter jds Einfluss geraten **2.** *no pl (power)* Einfluss *m* (**on** auf) **II.** *vt* beeinflussen; **to be easily** ~**d** beeinflussbar sein

influential [ˌɪnflu'en(t)ʃ°l] *adj* einflussreich

influenza [ˌɪnfluˈenzə] *n no pl (form)* Grippe *f*

influx [ˈɪnflʌks] *n no pl* Zustrom *m* (**of** an); *of capital* Zufuhr *f* (**of** an)

inform [ɪnˈfɔːm] **I.** *vt* informieren **II.** *vi* **to** ~ **against/on sb** jdn anzeigen

informal [ɪnˈfɔːm°l] *adj* informell; *atmosphere, party* zwanglos; *meeting* inoffiziell

informant [ɪnˈfɔːmənt] *n* Informant(in) *m(f)*

information [ˌɪnfəˈmeɪʃ°n] *n* **1.** *no pl* Information *f;* **a piece of** ~ eine Information; **a lot of** ~ wenige Informationen **2.** *(enquiry desk)* Information *f* **3.** AM *(telephone operator)* Auskunft *f*

information science *n usu pl* Informatik *f kein pl* **information superhighway** *n* **the** ~ die Datenautobahn, das Internet

informative [ɪnˈfɔːmətɪv] *adj* informativ

informer [ɪnˈfɔːmə] *n* Informant(in) *m(f)*

infrared [ˌɪnfrəˈred] *adj* infrarot

infrequent [ɪnˈfriːkwənt] *adj* selten

infuriate [ɪnˈfjʊərieɪt] *vt* wütend machen

ingratitude [ɪnˈɡrætɪtjuːd] *n no pl* Undankbarkeit *f*

ingredient [ɪnˈɡriːdiənt] *n* Zutat *f*

inhabit [ɪnˈhæbɪt] *vt* bewohnen

inhabitable [ɪnˈhæbɪtəbl] *adj* bewohnbar

inhabitant [ɪnˈhæbɪt°nt] *n* Einwohner(in) *m(f); of building* Bewohner(in) *m(f)*

inhale [ɪnˈheɪl] **I.** *vt* einatmen; *smoker* inhalieren **II.** *vi* einatmen

inherit [ɪnˈherɪt] **I.** *vt* erben (**from** von); *(fig)* übernehmen (**from** von) **II.** *vi* erben

inheritance [ɪnˈherɪt°n(t)s] *n* **1.** Erbe *nt kein pl* **2.** *no pl (inheriting)* Erben *nt*

inhibition [ˌɪn(h)ɪˈbɪʃ°n] *n* **1.** *usu pl* Hemmung *f* **2.** *no pl (inhibiting)* Einschränken *nt*

inhospitable [ˌɪnhɒsˈpɪtəbl] *adj* **1.** ungastlich **2.** *(unpleasant)* unwirtlich

inhuman [ɪnˈhjuːmən] *adj* unmenschlich

inhumane [ˌɪnhjuːˈmeɪn] *adj* inhuman; *(barbaric)* barbarisch

initial [ɪˈnɪʃ°l] **I.** *adj attr* anfänglich, erste(r, s) **II.** *n* Initiale *f*

initially [ɪˈnɪʃ°li] *adv* anfangs, zunächst

initiation [ɪˌnɪʃiˈeɪʃ°n] *n* **1.** *no pl* Einleitung *f* **2.** (*introduction*) Einführung *f* (**into** in); *of member* Aufnahme *f* (**into** in)

initiative [ɪˈnɪʃətɪv] *n no pl* **1.** [Eigen]initiative *f* **2.** (*power*) Initiative *f*

inject [ɪnˈdʒekt] *vt* **1.** spritzen (**into** in); BRIT, AUS impfen (**against** gegen) **2.** (*fig*) **to ~ sth into sth** etw in etw *akk* [hinein]bringen

injection [ɪnˈdʒekʃ³n] *n* **1.** Spritze *f* **2.** TECH Einspritzung *f*

injure [ˈɪndʒəʳ] *vt* **1.** (*hurt*) verletzen **2.** (*damage*) **to ~ sth** etw *dat* schaden

injury [ˈɪndʒ³ri] *n* Verletzung *f*

injury time *n no pl* BRIT, AUS Nachspielzeit *f*

injustice [ɪnˈdʒʌstɪs] *n* Ungerechtigkeit *f*

ink [ɪŋk] *n no pl* Tinte *f;* ART Tusche *f;* (*for pad*) Farbe *f*

inkjet printer *n* Tintenstrahldrucker *m*

inland I. *adj* [ˈɪnlənd] *usu attr* **1.** (*national*) Binnen- **2.** *esp* BRIT ADMIN, ECON inländisch II. *adv* [ˈɪnlænd] ins Landesinnere

Inland Revenue *n* + *sing/pl vb* BRIT, NZ **the ~** ≈ das Finanzamt

in-laws [ˈɪnlɔːz] *n pl* Schwiegereltern *pl*

inlet [ˈɪnlet] *n* [schmale] Bucht; *of sea* Meeresarm *m*

inmate [ˈɪnmeɪt] *n* Insasse(in) *m(f);* **prison ~** Gefängnisinsasse(in) *m(f)*

inn [ɪn] *n* Gasthaus *nt*

inner [ˈɪnəʳ] *adj usu attr* **1.** Innen-, innere(r, s) **2.** (*emotional*) innere(r, s); **~ feelings** tiefste Gefühle

innermost [ˈɪnəmə(ʊ)st] *adj attr* **1.** innerste(r, s) **2.** (*secret*) geheimste(r, s), intimste(r, s)

inner tube *n* Schlauch *m*

inning [ˈɪnɪŋ] *n* SPORTS **1.** AM (*baseball*) Inning *nt* **2.** BRIT (*cricket*) **~s** + *sing vb* Durchgang *m,* Innings *nt fachspr*

innocence [ˈɪnəs³n(t)s] *n no pl* Unschuld *f*

innocent [ˈɪnəs³nt] I. *adj* **1.** unschuldig **2.** (*artless*) unschuldig **3.** (*uninvolved*) unbeteiligt; **an ~ victim** ein unschuldiges Opfer II. *n* **to be an ~** naiv sein

innovation [ˌɪnə(ʊ)ˈveɪʃ³n] *n* **1.** Neuerung *f;* (*product*) Innovation *f* **2.** *no pl* (*improving*) [Ver]änderung *f*

innuendo <*pl* -s> [ˌɪnjuˈendəʊ] *n* **1.** (*insinuation*) Anspielung *f* (**about** auf) **2.** (*remark*) Zweideutigkeit *f*

inoculate [ɪˈnɒkjəleɪt] *vt* impfen (**against** gegen)

inoculation [ɪˌnɒkjəˈleɪʃ³n] *n* Impfung *f*

inoffensive [ɪnəˈfen(t)sɪv] *adj* unauffällig

inoperable [ɪˈnɒp³rəbl̩] *adj* **1.** MED inoperabel **2.** (*not working*) nicht funktionsfähig

in-patient *n* stationärer Patient/stationäre Patientin

input [ˈɪnpʊt] I. *n* **1.** *no pl* (*contribution*) Beitrag *m;* (*of work*) [Arbeits]aufwand *m* **2.** COMPUT, ELEC (*component*) Anschluss *m* **3.** *no pl* COMPUT (*data*) Input *m;* (*entering*) Eingabe *f* II. *vt* <-tt-, input, input> COMPUT eingeben; (*with scanner*) einscannen

inquest [ˈɪŋkwest] *n* gerichtliche Untersuchung [der Todesursache]; (*fig*) Untersuchung *f*

inquire *vt, vi esp* AM *see* **enquire**

inquiry *n esp* AM *see* **enquiry**

inquisitive [ɪnˈkwɪzətɪv] *adj* **1.** (*eager*) wissbegierig; (*curious*) neugierig

2. (*prying*) neugierig

insane [ɪn'seɪn] *adj* **1.** geistesgestört **2.** (*fam: crazy*) verrückt

insanitary [ɪn'sænɪt°ri] *adj* unhygienisch

inscription [ɪn'skrɪpʃ°n] *n* Inschrift *f*

insect ['ɪnsekt] *n* Insekt *nt*

insecticide [ɪn'sektɪsaɪd] *n* Insektenvernichtungsmittel *nt*

insecure [ˌɪnsɪ'kjʊə°] *adj* unsicher

insensitive [ɪn'sen(t)sətɪv] *adj* **1.** (*tactless*) gefühllos **2.** (*unappreciative*) gleichgültig (**to** gegenüber) **3.** *usu pred* (*physically*) unempfindlich (**to** gegen)

inseparable [ɪn'sep°rəbl] *adj* **1.** untrennbar [miteinander verbunden] **2.** (*emotionally*) unzertrennlich

insert I. *vt* [ɪn'sɜːt] **to ~ sth** [**into sth**] **1.** etw [in etw *akk*] [hinein]stecken; *coins* etw [in etw *akk*] einwerfen **2.** *words* etw [in etw *akk*] einfügen II. *n* ['ɪnsɜːt] **1.** (*pages*) Werbebeilage[n] *f* [*pl*] **2.** (*shoe*) Einlage *f*

inside [ˌɪn'saɪd] I. *n* **1.** *no pl* Innere *nt;* **from the ~** von innen **2.** *of hand, door* Innenseite *f;* (*lane*) Innenspur *f* o f II. *adv* **1.** (*in interior*) innen **2.** (*indoors*) innen; (*into*) hinein III. *adj attr* Innen-, innere(r, s) IV. *prep* **~ sth** (*into*) in etw *akk* [hinein]; (*in*) in etw *dat*

insider [ɪn'saɪdə°] *n* Insider(in) *m(f)*

insight ['ɪnsaɪt] *n* **1.** Einsicht *f,* Einblick *m* (**into** in) **2.** *no pl* (*perceptiveness*) Verständnis *nt*

insignificant [ˌɪnsɪg'nɪfɪk°nt] *adj* **1.** (*trifling*) unbedeutend **2.** (*trivial*) belanglos **3.** (*undistinguished*) unbedeutend

insincere [ˌɪnsɪn'sɪə°] *adj* unaufrichtig; (*false*) falsch

insist [ɪn'sɪst] I. *vi* **1.** (*demand*) bestehen ([**up**]**on** auf) **2.** **to ~ on doing sth** sich nicht von etw *dat* abbringen lassen II. *vt* **to ~ that ...** fest behaupten, dass ...

insistence [ɪn'sɪst°n(t)s] *n no pl* Bestehen *nt* (**on** auf)

insistent [ɪn'sɪst°nt] *adj* beharrlich; *appeals, demands* nachdrücklich

insole ['ɪnsəʊl] *n* Innensohle *f;* (*insert*) Einlegesohle *f*

insolent ['ɪn(t)s°lənt] *adj* unverschämt

insoluble [ɪn'sɒljəbl] *adj* **1.** nicht löslich **2.** *puzzle* unlösbar

insomnia [ɪn'sɒmniə] *n no pl* Schlaflosigkeit *f*

inspect [ɪn'spekt] *vt* **1.** untersuchen **2.** (*officially*) kontrollieren

inspection [ɪn'spekʃ°n] *n* **1.** [Über]prüfung *f* **2.** (*official*) Kontrolle *f*

inspector [ɪn'spektə°] *n* Inspektor(in) *m(f);* **tax ~** Steuerprüfer(in) *m(f)*

inspiration [ˌɪn(t)sp°r'eɪʃ°n] *n* **1.** *no pl* Inspiration *f* **2.** (*source*) Inspiration *f*

inspire [ɪn'spaɪə°] *vt* **1.** inspirieren **2.** (*cause*) **to ~ sth** [**in sb**] etw [bei jdm] hervorrufen

instal <-ll->, AM *usu* **install** [ɪn'stɔːl] *vt* *machinery* aufstellen; *heating, plumbing, computer program* installieren; *bathroom, kitchen* einbauen; *wiring, pipes* verlegen; *telephone, washing machine* anschließen

installation [ˌɪnstə'leɪʃ°n] *n* **1.** *no pl of machinery* Aufstellen *nt; of appliance, heating, plumbing* Installation *f; of kitchen, bathroom* Einbau *m; of telephone, washing machine* Anschluss *m* **2.** (*facility*) Anlage *f*

instalment, AM **installment** [ɪn'stɔːlmənt] *n* **1.** (*part*) Folge *f* **2.** (*payment*) Rate *f*

instance ['ɪn(t)stən(t)s] *n* **1.** Fall *m;* **in this ~** in diesem Fall **2. for ~** zum Beispiel

instant ['ɪn(t)stənt] **I.** *n* **1.** (*moment*) Moment *m*, Augenblick *m* **2. the ~** sobald **II.** *adj* **1.** sofortige(r, s) **2.** (*processed*) **~ coffee** Pulverkaffee *m*, Instantkaffee *m*

instantly ['ɪn(t)stəntli] *adv* sofort

instead [ɪn'sted] **I.** *adv* stattdessen **II.** *prep* **~ of sth** [an]statt einer S. *gen*

instinct ['ɪn(t)stɪŋ(k)t] *n* **1.** Instinkt *m;* **her first ~ was to shout** ihr erster Impuls war zu schreien **2.** *no pl* (*behaviour*) Instinkt *m*

instinctive [ɪn'stɪŋ(k)tɪv] *adj* instinktiv; (*innate*) natürlich, angeboren

institute ['ɪn(t)stɪtjuːt] **I.** *n* Institut *nt;* (*university*) Hochschule *f* **II.** *vt* **1.** (*set up*) einführen **2.** (*perform*) einleiten

institution [ˌɪn(t)stɪ'tjuːʃ°n] *n* **1.** *no pl* (*setting up*) Einführung *f* **2.** (*building*) Heim *nt*, Anstalt *f* **3.** (*custom*) Institution *f*

instruct [ɪn'strʌkt] *vt* **1. to ~ sb in sth** jdm etw beibringen **2.** (*order*) anweisen

instruction [ɪn'strʌkʃ°n] *n* **1.** *usu pl* Anweisung *f* **2.** *no pl* (*teaching*) Unterweisung *f* **3.** (*description*) **~s** *pl* Anleitung *f*

instruction book *n of computer* Handbuch *nt; of machine* Gebrauchsanweisung *f* **instruction leaflet** *n* Informationsblatt *nt;* (*for use*) Gebrauchsanweisung *f*

instructive [ɪn'strʌktɪv] *adj* lehrreich, aufschlussreich

instructor [ɪn'strʌktər] *n* **1.** Lehrer(in) *m(f)* **2.** AM (*lecturer*) Dozent(in) *m(f)*

instrument ['ɪnstrəmənt] *n* Instrument *nt*

instrumental [ˌɪn(t)strə'ment°l] **I.** *adj* **1.** MUS instrumental **2.** (*influential*) förderlich **II.** *n* Instrumental|stück] *nt*

insufficient [ˌɪnsə'fɪʃ°nt] *adj* zu wenig *präd*, unzureichend

insular ['ɪn(t)sjələr] *adj* **1.** (*parochial*) provinziell **2.** GEOG Insel-

insulate ['ɪn(t)sjəleɪt] *vt* **1.** isolieren **2.** (*fig: shield*) [be]schützen (**from** vor)

insulating ['ɪn(t)sjəleɪtɪŋ] *adj attr* **~ tape** Isolierband *nt*

insulation [ˌɪn(t)sjə'leɪʃ°n] *n no pl* **1.** Isolierung *f* **2.** (*fig: protection*) Schutz *m*

insult I. *vt* [ɪn'sʌlt] beleidigen **II.** *n* ['ɪnsʌlt] Beleidigung *f;* **to be an ~ to sb** für jdn eine Beleidigung sein

insurance [ɪn'ʃʊərən(t)s] *n no pl* **1.** Versicherung *f;* **to take out ~** [**against sth**] sich [gegen etw *akk*] versichern **2.** (*payout*) Versicherungssumme *f* **3.** (*premium*) [Versicherungs]prämie *f*

insurance policy *n* **1.** Versicherungspolice *f* **2.** (*fig*) **as an ~** zur Sicherheit

insure [ɪn'ʃʊər] **I.** *vt* versichern (**against** gegen) **II.** *vi* **1.** sich versichern (**with** bei) **2.** (*protect*) **to ~ against sth** sich gegen etw *akk* absichern

insured [ɪn'ʃʊəd] *adj* versichert

insurer [ɪn'ʃʊərər] *n* Versicherer, Versicherin *m, f;* (*agent*) Versicherungsvertreter(in) *m(f)*

intact [ɪn'tækt] *adj usu pred* intakt

integrated ['ɪntɪgreɪtɪd] *adj* einheitlich; **to be ~ into sth** in etw *akk* integriert sein

intellectual [ˌɪnt°l'ektjuəl] **I.** *n* Intellektuelle(r) *f(m)* **II.** *adj* intellektuell, geistig

intelligence [ɪnˈtelɪdʒ³n(t)s] *n no pl*
1. Intelligenz *f* **2.** + *sing/pl vb* (*department*) Geheimdienst *m* **3.** +
sing/pl vb (*information*) [nachrichtendienstliche] Informationen; **according to our latest** ~ unseren letzten Meldungen zufolge

intelligence service *n* Geheimdienst *m*

intelligent [ɪnˈtelɪdʒ³nt] *adj* klug, intelligent

intend [ɪnˈtend] *vt* (*plan*) beabsichtigen; **what do you** ~ **to do about it?** was willst du in der Sache unternehmen?; **to** ~ **no harm** nichts Böses wollen

intended [ɪnˈtendɪd] *adj* vorgesehen, beabsichtigt; LAW geplant

intense [ɪnˈten(t)s] *adj* **1.** intensiv; *odour* stechend; *cold* bitter; *desire, heat* glühend **2.** (*serious*) ernst

intensity [ɪnˈten(t)səti] *n no pl* Stärke *f; of feelings* Intensität *f*

intensive [ɪnˈten(t)sɪv] *adj* intensiv

intent [ɪnˈtent] **I.** *n no pl* Absicht *f;*
with ~ **to do sth** mit dem Vorsatz, etw zu tun **II.** *adj* **1.** (*absorbed*) aufmerksam **2.** *pred* **to be** ~ **on sth** auf etw *akk* versessen sein; **to be** ~ **on doing sth** fest entschlossen sein, etw zu tun

intention [ɪnˈten(t)ʃ³n] *n* Absicht *f*

intentional [ɪnˈten(t)ʃ³n³l] *adj* absichtlich

interactive [ˌɪntəˈʳæktɪv] *adj* interaktiv

interactive TV *n no pl* interaktives Fernsehen

intercept [ˌɪntəˈsept] *vt* abfangen

interception [ˌɪntəˈsepʃ³n] *n* Abfangen *nt*

interchange I. *n* [ˈɪntətʃeɪndʒ] (*form*)
Austausch *m;* ~ **of ideas** Gedanken-

austausch *m* **II.** *vt* [ˌɪntəˈtʃeɪndʒ] austauschen **III.** *vi* [ˌɪntəˈtʃeɪndʒ] wechseln

interchangeable [ˌɪntəˈtʃeɪndʒəb‖] *adj* austauschbar; *word* synonym

intercity [ˌɪntəˈsɪti] **I.** *n* Intercity *m*
II. *adj attr* ~ **train** Intercityzug *m*, IC *m*

intercom [ˈɪntəkɒm] *n* [Gegen]sprechanlage *f*

intercourse [ˈɪntəkɔːs] *n no pl*
[Geschlechts]verkehr *m*

interest [ˈɪntrəst] **I.** *n* **1.** Interesse *nt*
(**in** an); (*hobby*) Hobby *nt;* **just out of** ~ (*fam*) nur interessehalber; **to lose** ~ **in sb** das Interesse an jdm verlieren **2.** *no pl* (*importance*) Interesse *nt;* **to be of** ~ **to sb** für jdn von Interesse sein **3.** *no pl* FIN Zinsen *pl* **II.** *vt*
interessieren

interested [ˈɪntrəstɪd] *adj* interessiert;
to be ~ **in sth** sich für etw interessieren

interesting [ˈɪntrəstɪŋ] *adj* interessant

interfere [ˌɪntəˈfɪəʳ] *vi* **1.** (*meddle*) **to** ~
[**in sth**] sich [in etw *akk*] einmischen
2. (*disturb*) **to** ~ **with sth** etw stören
3. RADIO, TECH **to** ~ **with sth** etw überlagern

interference [ˌɪntəˈfɪəʳ³n(t)s] *n no pl*
1. (*meddling*) Einmischung *f* **2.** RADIO, TECH Störung *f*

interior [ɪnˈtɪəriəʳ] **I.** *adj attr* **1.** (*inside*) ~ **design** Inneneinrichtung *f*
2. (*country*) Inlands-, Binnen-; ~
minister Innenminister(in) *m(f)*
II. *n* **1.** Innere *nt* **2.** POL **the I~** das Innere; **the US I~ Department** das Amerikanische Innenministerium

interior designer *n* Innenarchitekt(in) *m(f)*

intermarriage [ˌɪntəˈmærɪdʒ] *n no pl*

Mischehen *pl*

intermediate *adj* [ˌɪntə'miːdiət] **1.** *level* mittel **2.** (*between*) Zwischen-

intermission [ˌɪntə'mɪʃ°n] *n* Pause *f*

intermittent [ˌɪntə'mɪt°nt] *adj* periodisch

intern I. *vt* [ɪn'tɜːn] internieren II. *vi* [ɪn'tɜːn] *esp* AM ein Praktikum absolvieren III. *n* ['ɪntɜːn] *esp* AM Praktikant(in) *m(f)*

internal [ɪn'tɜːn°l] *adj* innere(r, s); (*in company*) innerbetrieblich; (*in country*) Binnen-; *investigation, memo* intern

international [ˌɪntə'næʃ°n°l] I. *adj* international; ~ **flight** Auslandsflug *m* II. *n* BRIT SPORTS Nationalspieler(in) *m(f)*

Internet ['ɪntənet] *n* the ~ das Internet; **to browse the** ~ im Internet surfen; **on the** ~ im Internet

Internet banking *n no pl* Internetbanking *nt*

interphone *n* AM *see* **intercom**

interplay ['ɪntəpleɪ] *n no pl* Zusammenspiel *nt* (**of** von)

Interpol ['ɪntəpɒl] *n no art,* + *sing/pl vb* Interpol *f*

interpret [ɪn'tɜːprɪt] I. *vt* **1.** interpretieren **2.** (*perform*) wiedergeben II. *vi* dolmetschen

interpreter [ɪn'tɜːprɪtər] *n* **1.** Interpret(in) *m(f)* **2.** (*translator*) Dolmetscher(in) *m(f)*

Inter-Rail® [ˌɪntə'reɪl] I. *n* Interrail *nt* II. *vi* Interrail machen

interrogate [ɪn'terəgeɪt] *vt* verhören

interrogation [ɪnˌterə'geɪʃ°n] *n* Verhör *nt*

interrogative [ˌɪntə'rɒgətɪv] LING I. *n* Interrogativ *nt fachspr* II. *adj* interrogativ *fachspr*, Frage-

interrupt [ˌɪntə'rʌpt] *vt, vi* unterbrechen

interruption [ˌɪntə'rʌpʃ°n] *n* Unterbrechung *f*

intersection [ˌɪntə'sekʃ°n] *n* Schnittpunkt *m*

interval ['ɪntəv°l] *n* **1.** Abstand *m* **2.** (*section*) Abschnitt *m*

intervene [ˌɪntə'viːn] *vi* **1.** (*step in*) einschreiten **2.** (*interrupt*) sich einmischen

intervening [ˌɪntə'viːnɪŋ] *adj attr* dazwischenliegend *attr*

intervention [ˌɪntə'ven(t)ʃ°n] *n* Eingreifen *nt*

interview ['ɪntəvjuː] I. *n* **1.** (*for job*) Vorstellungsgespräch *nt* **2.** (*on TV*) Interview *nt* (**with** mit) **3.** (*talk*) Unterredung *f* II. *vi* (*for job*) ein Vorstellungsgespräch führen; (*on TV*) ein Interview geben

interviewee [ˌɪntəvju'iː] *n* Interviewte(r) *f(m)*

interviewer ['ɪntəvjuːər] *n* Interviewer(in) *m(f)*

intestine [ɪn'testɪn] *n usu pl* Darm *m*

intimate¹ ['ɪntɪmət] *adj* **1.** (*close*) eng, vertraut; *atmosphere* gemütlich **2.** (*detailed*) gründlich **3.** (*private*) intim

intimate² ['ɪntɪmeɪt] *vt* andeuten

intimidate [ɪn'tɪmɪdeɪt] *vt* einschüchtern

intimidation [ɪnˌtɪmɪ'deɪʃ°n] *n no pl* Einschüchterung *f*

into ['ɪntə, -tu] *prep* **1.** in; **to go** ~ **town** in die Stadt gehen **2.** (*fam*) **to be** ~ **sth** an etw interessiert sein **3.** (*involved in*) **he got** ~ **some trouble** er bekam einige Schwierigkeiten **4.** (*wear*) **I can't get** ~ **these trousers** ich komme nicht in diese Hose rein

intolerable [ɪn'tɒlᵊrəbl] *adj* unerträglich

intolerant [ɪn'tɒlᵊrᵊnt] *adj* intolerant

intoxicating [ɪn'tɒksɪkeɪtɪŋ] *adj* berauschend *a. fig*

intoxication [ɪnˌtɒksɪ'keɪʃᵊn] *n no pl* Rausch *m*

intransitive [ɪn'træn(t)sətɪv] LING I. *adj* intransitiv II. *n* Intransitivum *nt fachspr*

intricate ['ɪntrɪkət] *adj* kompliziert; *plot* verschlungen; *question* verzwickt

intrigue I. *vt* [ɪn'tri:g] faszinieren; (*arouse curiosity*) neugierig machen II. *vi* [ɪn'tri:g] intrigieren III. *n* ['ɪntri:g] Intrige *f* (**against** gegen)

intriguing [ɪn'tri:gɪŋ] *adj* faszinierend

introduce [ˌɪntrə'dju:s] *vt* 1. to ~ sb [to sb] jdn [jdm] vorstellen 2. (*start*) einführen

introduction [ˌɪntrə'dʌkʃᵊn] *n* 1. (*contact*) Vorstellung *f* 2. (*starting*) Einführung *f* 3. (*preface*) Einleitung *f*

introductory [ˌɪntrə'dʌktᵊri] *adj* 1. (*preliminary*) einleitend 2. (*starting*) einführend

intrude [ɪn'tru:d] *vi* (*meddle*) stören; to ~ into sth sich in etw *akk* einmischen

intruder [ɪn'tru:dəʳ] *n* Eindringling *m;* (*thief*) Einbrecher(in) *m(f)*

intrusion [ɪn'tru:ʒᵊn] *n* (*interruption*) Störung *f;* (*encroachment*) Verletzung *f;* MIL Einmarsch *m*

intrusive [ɪn'tru:sɪv] *adj* aufdringlich

invade [ɪn'veɪd] I. *vt* 1. to ~ a country in ein Land einmarschieren 2. (*fig*) to ~ sb's privacy jds Privatsphäre verletzen II. *vi* einfallen

invalid¹ ['ɪnvəlɪd] I. *n* Invalide(r) *f(m)* II. *adj* invalide, körperbehindert

invalid² [ɪn'vælɪd] *adj* ungültig

invaluable [ɪn'væljuəbl] *adj* unbezahlbar

invariable [ɪn'veəriəbl] I. *adj* unveränderlich II. *n* 1. LING *Substantiv, bei dem Singular und Plural gleich sind* 2. MATH Konstante *f*

invasion [ɪn'veɪʒᵊn] *n* 1. Invasion *f* 2. (*interference*) Eindringen *nt kein pl*

invent [ɪn'vent] *vt* erfinden

invention [ɪn'ven(t)ʃᵊn] *n* 1. Erfindung *f* 2. *no pl* (*creativity*) Einfallsreichtum *m*

inventive [ɪn'ventɪv] *adj* einfallsreich; *skill* schöpferisch

inventor [ɪn'ventəʳ] *n* Erfinder(in) *m(f)*

inventory ['ɪnvᵊntri] *n* 1. ECON (*catalogue*) Inventar *nt* 2. AM ECON (*stock*) [Lager]bestand *m* 3. ECON (*stock counting*) Inventur *f*

invest [ɪn'vest] I. *vt* FIN investieren II. *vi* to ~ in sth [sein Geld] in etw *akk* investieren

investigate [ɪn'vestɪgeɪt] *vt* untersuchen; *explore* erforschen

investigation [ɪnˌvestɪ'geɪʃᵊn] *n* [Über]prüfung *f;* (*official*) Untersuchung *f;* (*by police*) Ermittlung *f*

investigator [ɪn'vestɪgeɪtəʳ] *n* Ermittler(in) *m(f)*

investment [ɪn'ves(t)mənt] *n* 1. (*investing*) Investierung *f;* to make an ~ investieren 2. FIN Investition *f* 3. FIN (*share*) Einlage *f*

investment fund *n* Investmentfonds *m* **investment trust** *n* Investmentgesellschaft *f*

investor [ɪn'vestəʳ] *n* [Kapital]anleger(in) *m(f)*

invigilate [ɪn'vɪdʒəleɪt] *vt* BRIT, AUS SCH, UNIV to ~ an examination die Aufsicht bei einer Prüfung führen

invigilator [ɪnˈvɪdʒəleɪtəʳ] *n* BRIT, AUS SCH, UNIV Aufsicht *f*

invigorating [ɪnˈvɪgəreɪtɪŋ] *adj* **1.** stärkend; *climate* kräftigend **2.** (*fig: stimulating*) belebend

invincible [ɪnˈvɪn(t)səbl̩] *adj* **1.** unschlagbar **2.** (*inexorable*) unüberwindlich

invisible [ɪnˈvɪzəbl̩] *adj* **1.** unsichtbar **2.** (*hidden*) verborgen

invitation [ˌɪnvɪˈteɪʃᵊn] *n* **1.** Einladung *f* (**to** zu) **2.** (*incitement*) Aufforderung *f* (**to** zu)

invite I. *n* [ˈɪnvaɪt] (*fam*) Einladung *f* (**to** zu) II. *vt* [ɪnˈvaɪt] **1.** einladen; **to ~ sb to dinner** jdn zum Essen einladen **2.** (*request*) **to ~ sb to do sth** jdn auffordern, etw zu tun

inviting [ɪnˈvaɪtɪŋ] *adj* **1.** einladend **2.** (*tempting*) verlockend

invoice [ˈɪnvɔɪs] ECON I. *vt* **to ~ sb** jdm eine Rechnung ausstellen II. *n* [Waren]rechnung *f* (**for** für)

involuntary [ɪnˈvɒləntᵊri] *adj* unfreiwillig; (*coerced*) erzwungen

involve [ɪnˈvɒlv] *vt* **1.** (*include*) beinhalten; (*encompass*) umfassen **2.** (*affect*) betreffen **3. sth ~s sb/sth** jd/ etw ist an etw *dat* beteiligt **4.** *usu passive* **to be ~d in sth** mit etw *dat* zu tun haben; **to be ~d with sb** mit jdm zu tun haben

involved [ɪnˈvɒlvd] *adj* **1.** (*intricate*) kompliziert; *story* verworren **2.** *after n* (*implicated*) **all persons ~** alle Beteiligten

inward [ˈɪnwəd] I. *adj* innere(r, s), innerlich II. *adv* einwärts, nach innen

inwardly [ˈɪnwədli] *adv* **1.** (*to inside*) nach innen **2.** (*internally*) innerlich, im Innern

inwards [ˈɪnwədz] *adv* **1.** (*to inside*)

einwärts, nach innen **2.** (*spiritually*) im Innern

IOU [ˌaɪəʊˈjuː] *n* (*fam*) *abbrev of* **I owe you** Schuldschein *m*

IQ [ˌaɪˈkjuː] *n* *abbrev of* **intelligence quotient** IQ *m*

IRA [ˌaɪɑːˈreɪ] *n no pl*, + *sing/pl vb abbrev of* **Irish Republican Army**: **the ~** die IRA

Ireland [ˈaɪələnd] *n* Irland *nt*

Irish [ˈaɪ(ə)rɪʃ] I. *adj* irisch II. *n pl* **the ~** die Iren *pl*

Irishman *n* Ire *m* **Irishwoman** *n* Irin *f*

iris recognition *n no pl* Iriserkennung *f* (*zur Identifizierung einer Person*)

iron [ˈaɪən] I. *n* **1.** *no pl* Eisen *nt* **2.** (*appliance*) [Bügel]eisen *nt* **3.** (*golf*) Eisen *nt*, Eisenschläger *m* II. *adj* **1.** (*of iron*) **~ door** Eisentür *f* **2.** (*fig*) eisern III. *vt, vi* bügeln

Iron Age I. *n* Eisenzeit *f* II. *adj* eisenzeitlich **Iron Curtain** *n* POL (*hist*) **the ~** der Eiserne Vorhang

ironic [aɪ(ə)ˈrɒnɪk] *adj* ironisch

ironing [ˈaɪənɪŋ] *n no pl* **1.** Bügeln *nt* **2.** (*laundry*) Bügelwäsche *f*

ironing board *n* Bügelbrett *nt*

irony [ˈaɪ(ə)rᵊni] *n no pl* Ironie *f*

irrational [ɪˈræʃᵊnᵊl] *adj* irrational

irregular [ɪˈregjələʳ] *adj* (*erratic, intermittent*) unregelmäßig

irrelevant [ɪˈreləvᵊnt] *adj* belanglos, unerheblich

irreparable [ɪˈrepərᵊbl̩] *adj* irreparabel; *loss* unersetzlich

irreplaceable [ˌɪrɪˈpleɪsəbl̩] *adj* unersetzlich; *resources* nicht erneuerbar

irresistible [ˌɪrɪˈzɪstəbl̩] *adj* **1.** unwiderstehlich; *argument* schlagend **2.** *appearance* äußerst anziehend

irrespective [ˌɪrɪˈspektɪv] *adv* (*form*)

~ **of sth** ohne Rücksicht auf etw *akk*

irresponsible [ˌɪrɪ'spɒn(t)səbl] *adj* unverantwortlich; *person* verantwortungslos

irreverent [ɪ'revᵊrᵊnt] *adj* respektlos

irreversible [ˌɪrɪ'vɜːsəbl] *adj* nicht umkehrbar

irrigation [ˌɪrɪ'geɪʃᵊn] *n no pl* Bewässerung *f; of crops* Berieselung *f*

irritable ['ɪrɪtəbl] *adj* reizbar

irritate ['ɪrɪteɪt] *vt* [ver]ärgern

irritation [ˌɪrɪ'teɪʃᵊn] *n* **1.** *no pl* Ärger *m* **2.** (*nuisance*) Ärgernis *nt* **3.** (*inflammation*) Reizung *f*

is [ɪz, z] *aux vb 3rd pers sing of* **be**

ISDN [ˌaɪesdiː'en] *n* TELEC *abbrev of* **integrated services digital network** ISDN *nt*

Islam ['ɪzlɑːm] *n no art, no pl* [der] Islam

Islamic [ɪz'lɑːmɪk] *adj* REL islamisch

island ['aɪlənd] *n* Insel *f a. fig*

islander ['aɪləndəʳ] *n* Insulaner(in) *m(f)*

isn't [ɪzᵊnt] = *see* **is not** *see* **be**

isolate ['aɪsəleɪt] *vt* **1. to** ~ **sb/sth** [**from sb/sth**] jdn/etw [von jdm/etw] trennen **2. to** ~ **a substance** eine Substanz isolieren **3. to** ~ **a problem** ein Problem gesondert betrachten

isolated ['aɪsəleɪtɪd] *adj* **1.** (*outlying*) abgelegen **2.** (*solitary*) einsam [gelegen] **3.** *country* isoliert **4.** (*lonely*) einsam; **to feel** ~ sich einsam fühlen

isolation [ˌaɪsᵊl'eɪʃᵊn] *n no pl* **1.** (*separation, loneliness*) Isolation *f* **2.** *of hotel, lake* Abgelegenheit *f* **3.** *of village* Einsamkeit *f*

isolation ward *n* Isolierstation *f*

isosceles triangle [aɪˌsɒsᵊli:z'-] *n* gleichschenkliges Dreieck

ISP [ˌaɪes'pi:] *n* COMPUT, INET *abbrev of* **Internet service provider** ISP *m*

issue ['ɪʃu:] **I.** *n* **1.** (*topic*) Thema *nt;* (*question*) Frage *f;* **side** ~ Nebensache *f;* **to address an** ~ ein Thema ansprechen; **to avoid the** ~ [dem Thema] ausweichen; **to confuse an** ~ etwas durcheinanderbringen; **to make an** ~ **of sth** etw aufbauschen; **to raise an** ~ eine Frage aufwerfen **2.** *of periodical* Ausgabe *f* **3.** *no pl* (*copies*) Auflage *f* **4.** *no pl of goods, notes, stamps* Ausgabe *f;* **date of** ~ *of a passport* Ausstellungsdatum *nt* **II.** *vt* **1.** *licence, permit* ausstellen; **to** ~ **banknotes** Banknoten in Umlauf bringen **2. to** ~ **an order to sb** jdm einen Befehl erteilen **3. to** ~ **sb with sth** jdn mit etw *dat* ausstatten

it [ɪt] *pron* **1.** es *nom, akk,* ihm *dat;* (*of unspecified sex*) er/sie/es *nom,* ihn/sie/es *akk,* ihm/ihr/ihm *dat;* **a room with two beds in** ~ ein Raum mit zwei Betten darin **2.** (*activity*) **stop** ~! hör auf [damit]! **3.** (*in time phrases*) **what time is** ~? wie spät ist es? **4.** (*in weather phrases*) ~'s **raining** es regnet **5.** *subject* (*former*) es; ~'s **no use** es hat keinen Sinn; ~'s **a shame** es ist schade **6.** (*situation*) es; ~ **appears that we have lost** mir scheint, wir haben verloren; ~ **sounds an absolutely awful situation** das klingt nach einer schrecklichen Situation; **if** ~'s **convenient** wenn es Ihnen/dir passt; **they made a mess of** ~ sie versauten es *sl* **7. that's** ~! das ist es! **8. to get** ~ Probleme kriegen; **that's not** ~ das ist es nicht **9. that's** ~ das war's **10.** (*fam*) **to do** ~ es treiben ▸ **go**

for ~! ran!; **to have** ~ **in for sb** es auf jdn abgesehen haben; **this is** ~ jetzt geht's los; <u>**that's**</u> ~ das ist der Punkt

IT [ˌaɪˈtiː] *n no pl* COMPUT *abbrev of* **Information Technology** IT *f*

it'll¹ [ˈɪtəl] = *see* **it will** *see* **will¹**

it'll² [ˈɪtəl] = *see* **it shall** *see* **shall**

it's¹ [ɪts] = *see* **it is** *see* **be**

it's² [ɪts] = *see* **it has** *see* **have**

Italian [ɪˈtæliən] **I.** *n* **1.** Italiener(in) *m(f)* **2.** (*language*) Italienisch *nt* **II.** *adj* italienisch

italic [ɪˈtælɪk] *adj* kursiv

Italy [ˈɪtəli] *n* Italien *nt*

itch [ɪtʃ] **I.** *n* <*pl* -es> **1.** Juckreiz *m;* **I've got an** ~ **on my back** es juckt mich am Rücken **2.** (*fig fam*) **to have an** ~ **for sth** wild auf etw *akk* sein *sl* **II.** *vi* **1.** jucken **2.** (*fig fam*) **to be** ~**ing to do sth** ganz wild darauf sein, etw zu tun; **she was** ~**ing to hit him** es juckte ihr in den Fingern, ihm eine runterzuhauen

itchy [ˈɪtʃi] *adj* **1.** juckend; **I've got an** ~ **scalp** meine Kopfhaut juckt **2.** *clothes* kratzig

item [ˈaɪtəm] *n* **1.** Punkt *m;* (*in catalogue*) Artikel *m;* (*in account book*) Posten *m;* ~ **of clothing** Kleidungsstück *nt;* **luxury** ~ Luxusartikel *m;* ~ **by** ~ Punkt *m* für Punkt **2.** (*object of interest*) Anliegen *nt,* Gegenstand *m* **3.** (*fig fam: couple*) **are you two an** ~, **or just friends?** habt ihr beiden etwas miteinander, oder seid ihr nur Freunde?

itinerary [aɪˈtɪnər²ri] *n* **1.** (*course*) Reiseroute *f* **2.** (*outline*) Reiseplan *m*

ITN [ˌaɪtiːˈen] *n no pl* BRIT *abbrev of* **Independent Televison News** *britischer Fernsehsender*

its [ɪts] *pron poss* sein(e)

itself [ɪtˈself] *pron refl* **1.** sich [selbst] **2.** (*specifically*) **the shop** ~ **started 15 years ago** das Geschäft selbst öffnete vor 15 Jahren; **to be punctuality** ~ die Pünktlichkeit in Person sein **3.** (*alone*) [**all**] **by** ~ [ganz] allein

ITV [ˌaɪtiːˈviː] *n no pl, no art* BRIT *abbrev of* **Independent Television** *englisches Privatfernsehen*

ivory [ˈaɪv²ri] *n* **1.** *no pl* Elfenbein *nt* **2.** (*tusk*) Stoßzahn *m* **3.** (*article*) Elfenbeinarbeit *f*

ivy [ˈaɪvi] *n* Efeu *m*

J

J <*pl* -'s>, **j** <*pl* -'s> [dʒeɪ] *n* J *nt,* j *nt; see also* **A 1**

jab [dʒæb] **I.** *n* **1.** (*poke*) Stoß *m* **2.** BOXING Gerade *f* **II.** *vt* <-bb-> (*poke or prick*) stechen; **to** ~ **a finger at sb** auf jdn mit dem Finger tippen **III.** *vi* <-bb-> (*poke*) schlagen

jack [dʒæk] *n* **1.** AUTO Wagenheber *m* **2.** CARDS Bube *m* ◆ **jack up** I. *vt* **1.** (*raise a heavy object*) hoch heben **2.** (*fig fam: raise*) erhöhen **II.** *vi* (*sl*) fixen *fam*

jacket [ˈdʒækɪt] *n* **1.** Jacke *f* **2.** (*of a book*) Schutzumschlag *m*

jacket potato *n* Folienkartoffel *f*

jackpot *n* Hauptgewinn *m*

jacuzzi®, **Jacuzzi®** [dʒəˈkuːzi] *n* Whirlpool *m*

jaded [ˈdʒeɪdɪd] *adj* **1.** (*exhausted*) erschöpft **2.** (*dulled*) übersättigt

jagged [ˈdʒægɪd] *adj* gezackt; *cut, tear* ausgefranst; (*fig*) *nerves* angeschlagen

jail [dʒeɪl] I. *n* Gefängnis *nt* II. *vt* einsperren

jailer ['dʒeɪlər] *n* Gefängnisaufseher(in) *m(f)*

jailhouse *n esp* AM Gefängnis *nt*

jam¹ [dʒæm] *n* FOOD Marmelade *f*

jam² [dʒæm] I. *n* 1. (*fam: awkward situation*) Klemme *f* 2. *of traffic* Stau *m* II. *vt* <-mm-> 1. (*block*) verklemmen 2. (*cram inside*) [hinein]zwängen (**into** in) III. *vi* <-mm-> (*become stuck*) sich verklemmen

jam jar *n* Marmeladenglas *nt*

jam-packed *adj* (*fam*) *bus, shop* gerammelt voll

January ['dʒænjuəri] *n* Januar *m,* Jänner *m* ÖSTERR, SÜDD, SCHWEIZ; *see also* **February**

Japan [dʒə'pæn] *n* Japan *nt*

Japanese [ˌdʒæpəˈniːz] I. *n* <*pl* -> 1. (*person*) Japaner(in) *m(f)* 2. (*language*) Japanisch *nt* II. *adj* japanisch

jar¹ [dʒɑːr] *n* (*of glass*) Glas[gefäß] *nt;* (*of clay, without handle*) Topf *m*

jar² [dʒɑːr] I. *vt* <-rr-> (*strike*) schleudern (**against** gegen) II. *vi* <-rr-> **to ~ on sb** jdm auf den Nerv gehen III. *n* (*sudden unpleasant shake*) Ruck *m*

javelin ['dʒævəlɪn] *n* Speer *m;* (*sport*) Speerwerfen *nt*

jaw [dʒɔː] *n* Kiefer *m;* **upper ~** Oberkiefer *m*

jazz [dʒæz] *n no pl* (*music*) Jazz *m;* ▶ **and all that ~** (*pej fam*) und all so was ◆ **jazz up** *vt* (*fig fam: brighten or enliven*) aufpeppen

jazzy ['dʒæzi] *adj* 1. (*of or like jazz*) Jazz-, jazzartig 2. (*fam*) *colours* knallig

jealous ['dʒeləs] *adj* 1. (*resentful*) eifersüchtig (**of** auf) 2. (*envious*) neidisch; **to be ~ of sb** auf jdn neidisch sein

jealousy ['dʒeləsi] *n* 1. (*resentment*) Eifersucht *f* 2. *no pl* (*envy*) Neid *m*

jeans [dʒiːnz] *n pl* Jeans[hose] *f*

jeep [dʒiːp] *n* Jeep *m,* Geländewagen *m*

jeer [dʒɪər] I. *vt* ausbuhen *fam* II. *vi* (*comment*) spotten (**at** über) III. *n* höhnische Bemerkung

jelly ['dʒeli] *n* 1. (*substance*) Gelee *nt* 2. BRIT, AUS (*dessert*) Wackelpudding *m fam* 3. AM (*jam*) Gelee *m o nt*

jelly bean *n* [bohnenförmiges] Geleebonbon **jellyfish** *n* Qualle *f*

jerk [dʒɜːk] I. *n* 1. (*sudden sharp movement*) Ruck *m* 2. *esp* AM (*pej sl: a stupid person*) Trottel *m fam* II. *vi* zucken; **to ~ upwards** hochschnellen III. *vt* (*move sharply*) **to ~ sth** etw mit einem Ruck ziehen

jerky ['dʒɜːki] I. *adj movement* ruckartig II. *n no pl* AM luftgetrocknetes Fleisch

jersey ['dʒɜːzi] *n* 1. (*garment*) Pullover *m* 2. (*sports team shirt*) Trikot *nt*

Jesus, Jesus Christ [ˌdʒiːzəsˈkraɪst] I. *n no art, no pl* Jesus *m* II. *interj* (*pej sl*) Mensch! *fam*

jet¹ [dʒet] *n* 1. AVIAT [Düsen]jet *m* 2. (*thin stream*) Strahl *m* II. *vi* <-tt-> mit einem Jet fliegen, jetten *fam*

jet² [dʒet] *n no pl* (*gemstone*) Gagat *m*

jet fighter *n* Düsenjäger *m* **jet lag** *n no pl* Jetlag *m* **jet plane** *n* Düsenflugzeug *nt* **jet-propelled** *adj* mit Düsenantrieb *nach n;* **to be ~** einen Düsenantrieb haben **jet set** *n no pl* (*fam*) Jetset *m*

jetty ['dʒeti] *n* Pier *m*

Jew [dʒuː] *n* Jude *m,* Jüdin *f*

jewel ['dʒuːəl] *n* 1. (*precious stone*)

Edelstein *m,* Juwel *m o nt* **2.** (*fig*) Kostbarkeit *f*

jeweller, AM **jeweler** ['ʤuːələʳ] *n* Juwelier(in) *m(f)*

jewellery, AM **jewelry** ['ʤuːəlri] *n no pl* Schmuck *m*

Jewess <*pl* -es> ['ʤuːəs] *n* (*pej!*) Jüdin *f*

Jewish ['ʤuːɪʃ] *adj* jüdisch

jigsaw *n* **1.** (*mechanical*) Laubsäge *f* **2.** (*electric*) Stichsäge *f* **3.** (*puzzle*) ~ [**puzzle**] Puzzle[spiel] *nt*

jingle ['ʤɪŋgl] I. *vt bells* klingeln lassen; **to ~ coins** mit Münzen klimpern II. *vi bells* bimmeln III. *n* **1.** *no pl* (*metallic ringing*) *of bells* Bimmeln *nt* **2.** (*in advertisements*) Jingle *m*

job [ʤɒb] I. *n* **1.** (*employment*) Stelle *f;* **part-time ~** Teilzeitstelle *f;* **Saturday job** Samstagsjob *m;* **to be out of a ~** arbeitslos sein **2.** (*piece of work*) Arbeit *f;* (*task*) Aufgabe *f* **3.** *no pl* (*duty*) Aufgabe *f* **4.** *no pl* (*problem*) **it was quite a ~** das war gar nicht so einfach ▶ **to do the ~** den Zweck erfüllen II. *vt* <-bb-> **1.** AM (*fam: cheat*) **to ~ sb** jdn übers Ohr hauen **2.** STOCKEX **to ~ stocks** mit Aktien handeln III. *vi* <-bb-> **1.** (*do casual work*) jobben *fam* **2.** STOCKEX als Broker tätig sein

job application *n* Bewerbung *f* **job centre** *n* BRIT Arbeitsamt *nt* **job interview** *n* Bewerbungsgespräch *nt*

jockey ['ʤɒki] I. *n* Jockey *m* II. *vi* **to ~ for sth** um etw *akk* konkurrieren

jog [ʤɒg] I. *n no pl* (*run*) Dauerlauf *m;* **to go for a ~** joggen gehen *fam* II. *vi* <-gg-> joggen

jogger ['ʤɒgəʳ] *n* Jogger(in) *m(f)*

jogging ['ʤɒgɪŋ] *n no pl* Joggen *nt;* **to go [out] ~** joggen gehen

john [ʤɑːn] *n* AM, AUS (*fam: toilet*) Klo *nt fam*

join [ʤɔɪn] I. *vt* **1. to ~ sth** [**to sth**] etw [mit etw *dat*] verbinden; **to ~ sth together** etw zusammenfügen **2. to ~ sb** sich zu jdm gesellen **3.** *club, party* beitreten, Mitglied werden; **to ~ the army** Soldat werden **4. to ~ sth** bei etw *dat* mitmachen; **let's ~ the dancing** lass uns mittanzen **5. to ~ forces with sb** sich mit jdm zusammentun II. *vi* **1. to ~** [**with sth**] sich [mit etw *dat*] verbinden **2. to ~ with sb in doing sth** sich mit jdm *dat* zusammenschließen, um etw zu tun III. *n* (*seam*) Verbindung[sstelle] *f,* Fuge *f*

joint [ʤɔɪnt] I. *adj* gemeinsam; ~ **undertaking** Gemeinschaftsunternehmen *nt* II. *n* **1.** (*connection*) Verbindungsstelle *f* **2.** ANAT Gelenk *nt* **3.** (*cannabis cigarette*) Joint *m sl*

joint account *n* Gemeinschaftskonto *nt* **joint efforts** *n pl* gemeinsame Anstrengungen *pl*

jointly ['ʤɔɪntli] *adv* gemeinsam

joke [ʤəʊk] I. *n* **1.** (*action*) Spaß *m;* (*trick*) Streich *m;* (*amusing story*) Witz *m;* **to tell ~s** erzählen; **to get a ~** einen Witz kapieren; **to get beyond a ~** nicht mehr witzig sein **2.** (*fam: sth very easy*) Kinderspiel *nt* II. *vi* scherzen; **to be joking** Spaß machen; **you must be joking!** das meinst du doch nicht im Ernst!

joker ['ʤəʊkəʳ] *n* **1.** (*one who jokes*) Spaßvogel *m* **2.** CARDS Joker *m*

joking ['ʤəʊkɪŋ] I. *adj* scherzhaft II. *n no pl* Scherzen *nt;* ~ **apart** Spaß beiseite

jokingly ['ʤəʊkɪŋli] *adv* im Scherz

jolly ['ʤɒli] I. *adj* (*happy, cheerful*) lus-

J

tig; *evening* nett; *room* freundlich **II.** *adv* BRIT (*fam*) riesig; **I ~ well hope so!** das will ich doch hoffen!

jostle ['ʤɒsl] **I.** *vt* anrempeln; FBALL rempeln **II.** *vi* **1.** (*push*) [sich *akk*] drängeln *fam* **2. to ~ for sth** *business, influence* um etw *akk* konkurrieren

journal ['ʤ3:nəl] *n* **1.** (*periodical*) Zeitschrift *f* **2. to keep a ~** Tagebuch führen

journalism ['ʤ3:nəlɪzəm] *n no pl* Journalismus *m*

journalist ['ʤ3:nəlɪst] *n* Journalist(in) *m(f)*

journey ['ʤ3:ni] *n* Reise *f;* **train ~** Zugfahrt *f*

joy [ʤɔɪ] *n* (*gladness*) Freude *f;* **to jump for ~** einen Freudensprung machen

joyful ['ʤɔɪfʊl] *adj face, person* fröhlich

joystick *n* Joystick *m*

jubilant ['ʤu:bɪlənt] *adj* glücklich; *crowd* jubelnd *attr*

jubilation [ˌʤu:bɪ'leɪʃən] *n no pl* Jubel *m*

jubilee ['ʤu:bɪli:] *n* Jubiläum *nt*

judge [ʤʌʤ] **I.** *n* **1.** LAW Richter(in) *m(f)* **2.** (*at a competition*) Preisrichter(in) *m(f)*; SPORTS Punktrichter(in) *m(f)*, Kampfrichter(in) *m(f)* **II.** *vi* **1.** (*decide*) urteilen **2.** (*estimate*) schätzen **III.** *vt* **1.** (*decide*) beurteilen **2.** (*estimate*) schätzen **3.** (*rank*) einstufen

judg(e)ment ['ʤʌʤmənt] *n* **1.** Urteil *nt;* **error of ~** Fehleinschätzung *f* **2.** (*discernment*) Urteilsvermögen *nt*

judo ['ʤu:dəʊ] *n no pl* Judo *nt*

jug [ʤʌg] *n* Kanne *f*, Krug *m*

juggernaut ['ʤʌgənɔ:t] *n* **1.** (*heavy lorry*) Schwerlastwagen *m* **2.** (*overpowering institution*) Gigant *m*

juggle ['ʤʌgl] **I.** *vt* **to ~ sth** mit etw *dat* jonglieren **II.** *vi* **1.** (*fig, pej: manipulate*) etw manipulieren **2.** (*pej*) **to ~ with sth** mit etw *dat* herumspielen

juggler ['ʤʌglər] *n* Jongleur(in) *m(f)*

juice [ʤu:s] *n* **1.** *no pl* (*of fruit, vegetable*) Saft *m* **2.** *pl* (*liquid in meat*) [Braten]saft *m kein pl* **3.** (*sl: petrol*) Sprit *m fam*

juicy ['ʤu:si] *adj* **1.** (*succulent*) saftig **2.** (*fam: bountiful*) saftig; *profit* fett **3.** (*fam: interesting*) *role, task* reizvoll **4.** (*fam: suggestive*) *details, scandal* pikant

jukebox ['ʤu:kbɒks] *n* Jukebox *f*

July [ʤʊ'laɪ] *n* Juli *m; see also* **February**

jumble sale *n* BRIT Flohmarkt *m;* (*for charity*) Wohltätigkeitsbasar *m*

jumbo ['ʤʌmbəʊ] **I.** *adj attr* Riesen- **II.** *n* (*fam*) Koloss *m;* AVIAT Jumbo *m*

jump [ʤʌmp] **I.** *n* **1.** (*leap*) Sprung *m* **2.** (*fig: rise*) Sprung *m; of prices, temperatures, value* [sprunghafter] Anstieg **3.** (*shock*) [nervöse] Zuckung; **to wake up with a ~** aus dem Schlaf hochfahren **II.** *vi* **1.** (*leap*) springen; **to ~ to one's feet** aufspringen **2.** (*rise*) sprunghaft ansteigen **3.** (*fig: change*) springen **4.** (*be startled*) einen Satz machen; **to make sb ~** jdn erschrecken ▶ **to ~ to conclusions** voreilige Schlüsse ziehen **III.** *vt* **1.** (*leap over*) überspringen **2.** (*skip*) *line, page, stage* überspringen **3.** *esp* AM (*fam: attack*) überfallen ◆ **jump in** *vi* hineinspringen; (*into vehicle*) einsteigen ◆ **jump out** *vi* **to ~ out of sth** *bed, car, window* aus etw *dat* springen ◆ **jump up** *vi* aufspringen

jumped-up [ˌdʒʌm(p)t'ʌp] *adj* BRIT (*pej fam*) aufgeblasen

jumper [ˈdʒʌmpəʳ] *n* **1.** (*person*) Springer(in) *m(f)* **2.** BRIT, AUS (*pullover*) Pullover *m*

jump leads *n pl* BRIT Starthilfekabel *nt,* Überbrückungskabel *nt*

jumpsuit *n* Overall *m*

jumpy [ˈdʒʌmpi] *adj* (*fam*) **1.** (*nervous*) nervös **2.** (*easily frightened*) schreckhaft

junction [ˈdʒʌŋkʃən] *n* (*road*) Kreuzung *f;* (*motorway*) Autobahnkreuz *nt*

June [dʒuːn] *n* Juni *m; see also* **February**

jungle [ˈdʒʌŋgl] *n* (*a. fig*) Dschungel *m*

junior [ˈdʒuːniəʳ] I. *adj* **1.** (*younger*) junior *nach n* **2.** *attr* SPORTS Junioren-, Jugend- **3.** *attr* SCH ~ **college** AM Juniorencollege *nt* (*die beiden ersten Studienjahre umfassende Einrichtung*) ~ **school** BRIT Grundschule *f* II. *n* **1.** *no pl esp* AM (*son*) Sohn *m* **2.** (*younger*) Jüngere(r) *f(m)* **3.** (*lowranking person*) unterer Angestellter/untere Angestellte

junk¹ [dʒʌŋk] *n no pl* (*worthless stuff*) Ramsch *m fam*

junk² [dʒʌŋk] *n* NAUT Dschunke *f*

junk food *n* Schnellgerichte *pl;* (*pej*) ungesundes Essen

junkie [ˈdʒʌŋki] *n* (*sl*) Fixer(in) *m(f) fam;* **fitness ~** (*hum*) Fitnessfreak *m*

junk shop *n* Trödelladen *m* **junkyard** *n* Schrottplatz *m*

juror [ˈdʒuərəʳ] *n* Preisrichter(in) *m(f);* LAW Geschworene(r) *f(m)*

jury [ˈdʒuəri] *n + sing/pl vb* **1.** LAW **the ~** die Geschworenen *pl* **2.** (*competition*) Jury *f;* SPORTS Kampfgericht *nt*

just I. *adv* [dʒʌst, dʒəst] **1.** (*in a moment*) gleich; **we're ~ about to**

leave wir wollen gleich los **2.** (*directly*) direkt, gleich **3.** (*recently*) gerade [eben], [so]eben **4.** (*now*) gerade; **to be ~ doing sth** gerade dabei sein, etw zu tun **5.** (*exactly*) genau; **~ as I thought!** das habe ich mir schon gedacht!; **that's ~ it!** das ist es ja gerade!; **~ as well** ebenso gut; **~ as/ when ...** gerade in dem Augenblick als ... **6.** (*only*) nur, bloß *fam;* (*simply*) einfach; **~ for fun** nur [so] zum Spaß **7.** (*barely*) gerade noch/mal; **~ in time** gerade noch rechtzeitig **8.** *with imper* **~ imagine!** stell dir das mal vor!; **~ look at this!** schau dir das mal an!; **~ shut up!** halt mal den Mund! ▶ **that's ~ my luck** so etwas kann wirklich nur mir passieren; **~ a minute!** (*please wait*) einen Augenblick [bitte]!; (*as interruption*) Moment [mal]! II. *adj* [dʒʌst] **1.** (*fair*) gerecht (**to** gegenüber) **2.** (*justified*) *punishment* gerecht ▶ **to get one's ~ deserts** bekommen, was man verdient hat

justice [ˈdʒʌstɪs] *n* **1.** (*fairness*) Gerechtigkeit *f;* **to do sth ~** etw *dat* gerecht werden **2.** (*administration of the law*) Justiz *f;* **to bring sb to ~** jdn vor Gericht bringen

justify <-ie-> [ˈdʒʌstɪfaɪ] *vt* rechtfertigen; **to ~ oneself to sb** sich jdm gegenüber rechtfertigen

justly [ˈdʒʌstli] *adv* zu Recht; *act* gerecht

juvenile [ˈdʒuːvᵊnaɪl] I. *adj* **1.** (*youth*) Jugend-, jugendlich; ~ **court** Jugendgericht *nt* **2.** (*pej: childish*) kindisch II. *n* Jugendliche(r) *f(m)*

J

K

K <*pl* -'s>, **k** <*pl* -'s> [keɪ] *n* K *nt*, k *nt; see also* **A** 1

K¹ <*pl* -> *n* **1.** *abbrev of* **kilobyte** KB **2.** *after n abbrev of* **kelvin** K

K² <*pl* -> *n* BRIT (*fam*) 1000 Pfund; AM, AUS 1000 Dollar

kangaroo <*pl* -s> [ˌkæŋgəˈruː] *n* Känguru *nt*

karate [kəˈrɑːti] *n no pl* Karate *nt;* ~ **chop** Karateschlag *m*

kayak [ˈkaɪæk] *n* Kajak *m o selten a. nt*

keel [kiːl] **I.** *n* NAUT Kiel *m* **II.** *vi* **to ~ over** NAUT kentern

keen [kiːn] *adj* **1.** (*enthusiastic*) leidenschaftlich; *hunter* begeistert; **to be ~ on doing sth** etw leidenschaftlich gern tun; **to be ~ on sb** auf jdn scharf sein *sl* **2.** (*extreme*) *pain* stark; *competition* scharf; *desire* heftig; *interest* lebhaft **3.** (*sharp*) *blade* scharf; *wind* schneidend; *noise, voice* schrill

keep [kiːp] **I.** *n no pl* [Lebens]unterhalt *m* **II.** *vt* <kept, kept> **1.** (*hold onto*) behalten; *bills, receipts* aufheben; **to ~ one's sanity** sich geistig gesund halten **2.** (*have in particular place*) **he ~s a glass of water next to his bed** er hat immer ein Glas Wasser neben seinem Bett stehen **3.** (*store*) aufbewahren **4.** (*prevent*) **to ~ sb from doing sth** jdn davon abhalten, etw zu tun **5.** (*maintain*) **to ~ one's balance** das Gleichgewicht halten; **to ~ sth under control** etw unter Kontrolle halten; **to ~ sb in mind** jdn im Gedächtnis behalten; **to ~ one's mouth shut** den Mund halten; **to ~**

track of sth etw im Auge behalten; **to ~ sb warm** jdn warm halten **6.** (*own*) *animals* halten **7.** (*stick to*) *appointment, treaty* einhalten **8.** (*make records*) **to ~ a record of sth** über etw *akk* Buch führen ▶ **to ~ an eye out for sth** nach etw *dat* Ausschau halten **III.** *vi* <kept, kept> **1.** (*stay fresh*) *food* sich halten **2.** (*wait*) Zeit haben; **your questions can ~ until later** deine Fragen können noch warten **3.** (*continue*) **don't stop, ~ walking** bleib nicht stehen, geh weiter; **don't ~ asking silly questions** stell nicht immer so dumme Fragen; **to ~ at sth** mit etw *dat* weitermachen **4.** (*adhere to*) **to ~ to sth** an etw *dat* festhalten; (*not digress*) bei etw *dat* bleiben ▶ **how are you ~ing?** BRIT wie gehts dir so? ◆ **keep away I.** *vi* **to ~ away [from sb]** sich [von jdm] fernhalten; **I just can't seem to ~ away from chocolate** (*hum*) irgendwie kann ich Schokolade einfach nicht widerstehen *fam* **II.** *vt* **to ~ sb away** jdn fernhalten ◆ **keep back I.** *vi* zurückbleiben; (*stay at distance*) Abstand halten **II.** *vt* **1.** (*hold away*) zurückhalten **2.** (*prevent advance*) **to ~ back ⇆ sb** jdn aufhalten ◆ **keep down I.** *vi* unten bleiben **II.** *vt* (*suppress*) unterdrücken ◆ **keep in I.** *vt* **1.** (*detain*) dabehalten; (*at home*) jdn nicht aus dem Haus [gehen] lassen **2.** (*not reveal*) *emotions* zurückhalten **II.** *vi* **to ~ in with sb** sich gut mit jdm stellen ◆ **keep off I.** *vi* wegbleiben; **"Wet cement, ~ off!"** „Frischer Zement, nicht betreten!"; **to ~ off alcohol** das Trinken lassen **II.** *vt* **1.** (*hold away*) **to ~ sb off sth** jdn von etw *dat* fernhalten **2.** (*protect from*) **to ~ off**

⇆ **sth** etw abhalten ◆ **keep on** I. *vi* 1. (*continue*) **to ~ on doing sth** etw weiter[hin] tun 2. (*pester*) **to ~ on at sb** jdm keine Ruhe lassen II. *vt* **to ~ on** ⇆ **sth** *clothes* etw anbehalten ◆ **keep out** *vi* draußen bleiben; **"Keep Out"** „Zutritt verboten"; **to ~ out of trouble** Ärger vermeiden ◆ **keep together** *vi* 1. (*stay in a group*) zusammenbleiben; (*remain loyal*) zusammenhalten 2. MUS Takt halten ◆ **keep up** I. *vt* 1. (*hold up*) hoch halten; **these poles ~ the tent up** diese Stangen halten das Zelt aufrecht 2. (*hold awake*) wach halten 3. (*continue doing*) fortführen; **~ it up!** [nur] weiter so! II. *vi* 1. (*continue*) *noise, rain* andauern 2. (*not fall behind*) **to ~ up with sb** mit jdm mithalten

keeper [ˈkiːpəʳ] *n of a shop* Inhaber(in) *m(f); of a zoo* Wärter(in) *m(f); of keys* Verwahrer(in) *m(f)*

keeping [ˈkiːpɪŋ] *n no pl* 1. (*guarding*) Verwahrung *f* 2. (*obeying*) Einhalten *nt;* **in ~ with an agreement** entsprechend einer Vereinbarung

keg beer *n no pl* Fassbier *nt*

kennel [ˈkenᵊl] *n* 1. (*dog house*) Hundehütte *f* 2. (*dog boarding*) Hundepension *f*

kept [kept] I. *vt, vi pt, pp of* **keep** II. *adj attr* ausgehalten; **he is a ~ man** er lässt sich aushalten

kerb [kɜːb] *n* BRIT, AUS Randstein *m*

ketchup [ˈketʃʌp] *n no pl* Ketschup *m o nt*

kettle [ˈketl] *n* 1. (*to boil water*) [Wasser]kessel *m;* (*cauldron*) [großer] Kessel; **to put the ~ on** Wasser aufsetzen 2. (*kettledrum*) [Kessel]pauke *f*

key¹ [kiː] *n* GEOG [Korallen]riff *nt*

key² [kiː] I. *n* 1. (*a. fig: for a lock*) Schlüssel *m* 2. (*button*) *of a computer, piano* Taste *f; of a flute* Klappe *f* 3. (*to symbols*) Zeichenerklärung *f; (for solutions*) Lösungsschlüssel *m* 4. MUS Tonart *f;* **change of ~** Tonartwechsel *m;* **off ~** falsch II. *adj factor, industry, role* Schlüssel-; **~ contribution** Hauptbeitrag *m;* **~ decision** wesentliche Entscheidung; **~ witness** Kronzeuge(in) *m(f)* ◆ **key in** *vt* **to ~ in text** Text eingeben

keyboard I. *n* 1. (*of a computer*) Tastatur *f; (of a piano*) Klaviatur *f* 2. (*musical instrument*) Keyboard *nt* II. *vt, vi* tippen

keyhole *n* Schlüsselloch *nt* **keyless entry system** *n* Zentralverriegelung *f* mit Funkfernbedienung **key money** *n no pl* Abstandsgeld *nt* **key ring** *n* Schlüsselring *m*

kick [kɪk] I. *n* 1. (*with foot*) [Fuß]tritt *m*, Stoß *m; (in sports*) Schuss *m;* **to give sth a ~** gegen etw *akk* treten 2. (*exciting feeling*) Nervenkitzel *m;* **he gets a ~ out of that** das macht ihm einen Riesenspaß 3. (*trendy interest*) Tick *m fam;* **he's on a religious ~** er ist [gerade] auf dem religiösen Trip *fam* II. *vt* 1. (*with foot*) treten; *a ball* schießen; **to ~ oneself** (*fig*) sich in den Hintern beißen *fam* 2. (*put*) **to ~ sth into high gear** etw auf Hochtouren bringen 3. (*get rid of*) *accent* ablegen; *habit* aufgeben ▶ **to ~ ass** AM (*fam!*) haushoch gewinnen; **to ~ the bucket** (*fam*) ins Gras beißen III. *vi* 1. (*with foot*) treten (**at** nach) 2. *esp* AM (*complain*) meckern *fam* (**about** über) ▶ **to be alive and ~ing** (*fam*) gesund und

K

munter sein ◆ **kick about, kick around** I. *vi* (*fam*) [he]rumliegen II. *vt* (*with foot*) **to** ~ **sth around** etw [in der Gegend] herumkicken *fam* ◆ **kick away** *vt* wegstoßen ◆ **kick back** I. *vt* (*with foot*) zurücktreten; *ball* zurückschießen II. *vi* AM (*fam: relax*) relaxen ◆ **kick in** I. *vt door, window* eintreten II. *vi* 1. (*start*) *approach, drug, measure* wirken 2. (*to contribute*) **to** ~ **in for sth** einen Beitrag zu etw *dat* leisten ◆ **kick off** I. *vi* beginnen; FBALL anstoßen II. *vt* beginnen ◆ **kick out** I. *vt* (*throw out*) hinauswerfen II. *vi* **to** ~ **out against sth** sich mit Händen und Füßen gegen etw wehren ◆ **kick up** *vi* **to** ~ **up dust** (*a. fig*) Staub aufwirbeln ▶ **to** ~ **up a** <u>fuss</u> einen Wirbel machen *fam*

kick-off *n* FBALL Anstoß *m*

kid [kɪd] I. *n* (*child*) Kind *nt;* AM, AUS (*young person*) Jugendliche(r) *f(m);* (*male*) Bursche *m;* (*female*) Mädchen *nt;* ~ **sister** *esp* AM kleine Schwester II. *vi* <-dd-> (*fam*) Spaß machen; **just** ~**ding!** war nur Spaß!; **no** ~**ding?** ohne Scherz? III. *vt* (*fam*) **to** ~ **sb** jdn verulken; **you're** ~**ding me!** das ist doch nicht dein Ernst!

kidnap [ˈkɪdnæp] I. *vt* <-pp-> entführen II. *n no pl* Entführung *f;* LAW Menschenraub *m*

kidnapper [ˈkɪdnæpəʳ] *n* Entführer(in) *m(f)*

kidnapping [ˈkɪdnæpɪŋ] *n* Entführung *f;* LAW Menschenraub *m*

kidney [ˈkɪdni] *n* Niere *f;* ~ **failure** Nierenversagen *nt;* ~ **machine** künstliche Niere

kill [kɪl] I. *n no pl* 1. (*of animal*) **a fresh** ~ eine frisch geschlagene Beute 2. HUNT [Jagd]beute *f;* ▶ **to** <u>go in</u> for **the** ~ zum entscheidenden Schlag ausholen II. *vi* 1. (*end life*) töten 2. (*fig fam: hurt*) unheimlich wehtun ▶ **to be** <u>dressed</u> **to** ~ todschick angezogen sein *fam* III. *vt* 1. (*end life*) umbringen *a. fig;* **to** ~ **sb by strangling** jdn erwürgen 2. (*destroy*) zerstören; **to** ~ **the taste of sth** einer S. *dat* den Geschmack [völlig] nehmen 3. (*spoil*) *fun, joke* [gründlich] verderben 4. *esp* AM (*fam: consume*) vernichten; *food* verputzen; *drink* leer machen; **to** ~ **a bottle of whiskey** eine Flasche Whiskey köpfen 5. (*fam: amuse*) **that story** ~**s me** diese Geschichte find ich zum Totlachen 6. (*fig fam: hurt*) **my shoes are** ~**ing me!** meine Schuhe bringen mich noch mal um! 7. (*fig fam: overtax*) **to** ~ **oneself doing sth** sich mit etw *dat* umbringen ▶ **to** ~ <u>two</u> **birds with one stone** (*prov*) zwei Fliegen mit einer Klappe schlagen

killer [ˈkɪləʳ] I. *n* 1. (*person*) Mörder(in) *m(f);* (*thing*) Todesursache *f* 2. (*agent*) Vertilgungsmittel *nt;* **weed** ~ Unkrautvertilgungsmittel *nt* 3. (*fam: difficult thing*) **to be a** ~ ein harter Brocken sein 4. (*good joke*) **to be a** ~ zum Totlachen sein *fam* II. *adj* 1. *attr* (*deadly*) tödlich; *heat, hurricane* mörderisch 2. AM, AUS (*fam: excellent*) *car, job, party* Wahnsinns-

killer whale *n* Schwertwal *m*

kilo [ˈkiːləʊ] *n* Kilo *nt*

kilogramme, AM **kilogram** [ˈkɪləgræm] *n* Kilogramm *nt*

kilometre, AM **kilometer** [kɪˈlɒmɪtəʳ] *n* Kilometer *m*

kilt [kɪlt] *n* Kilt *m*

kin [kɪn] *n* + *pl vb* [Bluts]verwandte *pl;* **the next of ~** die nächsten Angehörigen

kind¹ [kaɪnd] *adj* **1.** (*generous, helpful*) nett; (*in a letter*) **with ~ regards** mit freundlichen Grüßen **2.** (*gentle*) **to be ~ to sth** etw schonen; **this shampoo is ~ to your hair** dieses Shampoo pflegt dein Haar auf schonende Weise

kind² [kaɪnd] **I.** *n* **1.** (*group*) Art *f;* **he's not that ~ of person** so einer ist der nicht *fam;* **to be one of a ~** einzigartig sein **2.** (*limited*) **I guess you could call this success of a ~** man könnte das, glaube ich, als so etwas wie einen Erfolg bezeichnen **II.** *adv* **~ of** irgendwie

kindly ['kaɪndli] **I.** *adj person* freundlich; *smile, voice* sanft **II.** *adv* **1.** (*in a kind manner*) freundlich **2.** (*please*) freundlicherweise; **you are ~ requested to leave the building** sie werden freundlich[st] gebeten, das Gebäude zu verlassen

kindness ['kaɪndnəs] *n* <*pl* -es> **1.** *no pl* (*attitude*) Freundlichkeit *f;* **out of ~** aus Gefälligkeit **2.** (*act*) Gefälligkeit *f*

king [kɪŋ] *n* König *m*

kingdom ['kɪŋdəm] *n* **1.** (*country*) Königreich *nt* **2.** (*area of control*) Reich *nt;* **the ~ of Heaven** das Reich Gottes; **animal ~** Tierreich *nt*

kingfisher *n* Eisvogel *m*

king-size(d) *adj* extragroß

kiosk ['kiːɒsk] *n* **1.** (*stand*) Kiosk *m* **2.** BRIT (*phone booth*) Telefonzelle *f*

kip [kɪp] *n no pl* BRIT, AUS (*fam*) Nickerchen *nt;* **to get some ~** sich mal eben aufs Ohr hauen

kipper ['kɪpəʳ] *n* Bückling *m*

kiss [kɪs] **I.** *n* <*pl* -es> (*with lips*) Kuss *m;* **to give sb a ~** jdm einen Kuss geben **II.** *vi* [sich *akk*] küssen; **to ~ and make up** sich mit einem Kuss versöhnen **III.** *vt* (*with lips*) küssen (on auf); **to ~ sb goodnight** jdm einen Gutenachtkuss geben ▶ **~ my arse** (*fam!*) du kannst mich mal!

kit [kɪt] **I.** *n* **1.** (*set*) Ausrüstung *f;* (*for a model*) Bausatz *m;* **first aid ~** Verbandskasten *m* **2.** (*outfit*) Ausrüstung *f* **3.** *esp* BRIT (*uniform*) Montur *f;* (*sl: clothes*) Klamotten *pl;* **to get one's ~ off** seine Klamotten ausziehen **II.** *vt* <-tt-> *usu passive esp* BRIT **to ~ out** ⇆ **sb** jdn ausrüsten

kitchen ['kɪtʃɪn] *n* Küche *f*

kitchenette [ˌkɪtʃɪˈnet] *n* Kochnische *f*

kitchen foil *n no pl* Alufolie *f* **kitchen unit** *n* Küchenelement *nt* (*einer Einbauküche*)

kite [kaɪt] *n* Drachen *m*

kitten ['kɪtᵊn] *n* Kätzchen *nt*

kitty ['kɪti] *n* **1.** (*childspeak: kitten or cat*) Miezekatze *f;* **~, ~!** Miez, Miez! **2.** (*money*) gemeinsame Kasse

Kleenex® ['kliːneks] *n* Tempo[taschentuch]® *nt*

knack [næk] *n no pl* **1.** (*trick*) Kniff *m fam;* **to get the ~ of sth** herausfinden, wie etw geht *fam* **2.** (*talent*) Geschick *nt*

knackered ['nækəd] *adj pred* BRIT, AUS (*fam*) [fix und] fertig

knee [niː] **I.** *n* Knie *nt;* **on one's hands and ~s** auf allen vieren *fam;* **to put sb on one's ~** jdn auf den Schoß nehmen ▶ **to go weak at the ~s** weiche Knie bekommen; **to bring sb to their ~s** jdn in die Knie zwingen **II.** *vt* **to ~ sb** jdn mit dem Knie stoßen

K

kneecap *n* **1.** (*patella*) Kniescheibe *f*
2. (*covering*) Knieschützer *m*

kneel <knelt, knelt> [niːl] *vi* knien; **to
~ before sb** vor jdm niederknien

knees-up *n* BRIT (*fam*) [ausgelassene]
Party

knelt [nelt] *pt of* **kneel**

knew [njuː] *pt of* **know**

knickers ['nɪkəʳz] *n pl* **1.** BRIT (*underwear*) [Damen]schlüpfer *m* **2.** AM
(*knickerbockers*) Knickerbocker[s] *pl*
▶ **to get one's ~ in a** <u>twist</u> BRIT, AUS
(*hum fam: get angry*) sich aufregen;
(*get worried*) den Kopf verlieren

knife [naɪf] **I.** *n* <*pl* knives> Messer
nt; ▶ **to** <u>put</u> **the ~ into sb** jdm in
den Rücken fallen; **to go** <u>under</u> **the
~** MED unters Messer kommen *fam*
II. *vt* **to ~ sb** auf jdn einstechen

knight [naɪt] **I.** *n* **1.** (*title*) Ritter *m*
2. CHESS Springer *m;* ▶ **[a] ~ in shining** <u>armour</u> [ein] Ritter ohne Furcht
und Tadel **II.** *vt* **to ~ sb** jdn zum Ritter schlagen

knit [nɪt] **I.** *n* **1.** (*stitch*) Strickart *f*
2. (*clothing*) ~s *pl* Stricksachen *pl*
II. *vi* <knitted, knitted> **1.** (*with
yarn*) stricken **2.** (*mend*) *broken bone*
zusammenwachsen **III.** *vt* <knitted,
knitted> (*with yarn*) stricken ▶ **to ~
one's** <u>brows</u> die Augenbrauen zusammenziehen [*o* Stirn runzeln]
♦ **knit together** *vi* **1.** (*combine*) sich
zusammenfügen **2.** (*mend*) *broken
bone* zusammenwachsen

knitting ['nɪtɪŋ] *n no pl* **1.** (*action*) Stricken *nt* **2.** (*product*) Gestrickte(s) *nt*

knitting-needle *n* Stricknadel *f*

knitwear *n no pl* Stricksachen *pl*

knob [nɒb] *n* **1.** (*handle*) *of a cane*
Knauf *m; of a door* Griff *m; of a bed-
head* rundes Teil; (*dial*) Knopf *m*

2. (*small amount*) Klümpchen *nt;* **a
~ of butter** ein Stückchen *nt* Butter
3. *esp* AM (*hill*) Kuppe *f*

knock [nɒk] **I.** *n* **1.** (*sound*) Klopfen
nt; **there was a ~ on the door** es
hat [an der Tür] geklopft **2.** (*blow*)
Schlag *m;* **to be able to withstand
~s** stoßsicher sein **3.** (*fig: setback*)
Schlag *m;* **to take a ~** (*fam*) einen
Tiefschlag erleiden; (*in confidence*)
einen Knacks bekommen **4.** (*fam:
critical comment*) Kritik *f* **II.** *vi*
1. (*strike noisily*) klopfen; **to ~ at
the door** an die Tür klopfen **2.** (*collide with*) stoßen (**into/against** gegen)
3. *engine, pipes* klopfen ▶ **to ~ on**
<u>wood</u> AM, AUS dreimal auf Holz klop-
fen **III.** *vt* **1.** (*hit*) **to ~ sth** gegen etw
akk stoßen; **she ~ed the glass off
the table** sie stieß gegen das Glas
und es fiel vom Tisch **2.** (*blow*) **to ~
sb** jdm einen Schlag versetzen; **to ~
sb unconscious** jdn bewusstlos
schlagen; **to ~ sb's self-esteem**
(*fig*) jds Selbstbewusstsein anschlagen
3. (*drive, demolish*) **to ~ sth out of
sb** jdm etw austreiben; **to ~ some
sense into sb** jdn zur Vernunft bringen **4.** (*fam: criticize*) **to ~ sb** jdn
schlechtmachen ▶ **to ~ 'em** <u>dead</u>
AM (*fam*) es jdm zeigen; **to ~ sth on
the** <u>head</u> BRIT, AUS (*stop sth*) etw *dat*
ein Ende bereiten; (*complete sth*) etw
zu Ende bringen; **to ~ sb** <u>sideways</u>
jdn umhauen *fam* ♦ **knock about,
knock around I.** *vi* (*fam*) (*be present*) *person* [he]rumhängen; *object,
thing* [he]rumliegen; **to ~ about with
sb** *esp* BRIT sich mit jdm [he]rumtrei-
ben **II.** *vt* **1.** (*hit*) **to ~ sb about** jdn
verprügeln **2.** (*play casually*) **to ~ a
ball about** einen Ball hin- und her-

spielen ◆ **knock back** *vt* (*fam*)
1. (*drink quickly*) hinunterkippen; **to
~ a beer back** ein Bier zischen
2. BRIT, AUS (*cost a lot*) **to ~ sb back**
jdn eine [hübsche] Stange Geld kosten
◆ **knock down** *vt* **1.** (*cause to fall*)
umstoßen; (*with a car, motorbike,
etc.*) umfahren **2.** (*demolish*) nieder-
reißen **3.** (*reduce*) price herunterhan-
deln **4.** AM (*fam: earn*) **to ~ down a
few thousand** ein paar Tausender
kassieren ◆ **knock off** I. *vt* **1.** (*cause
to fall off*) hinunterstoßen; **to ~ sb off
their pedestal** jdn von seinem Podest
stoßen **2.** (*reduce a price*) [im Preis]
herabsetzen **3.** BRIT (*sl: steal*) klauen
fam **4.** (*fam: murder*) umlegen
5. (*fam: stop*) aufhören **6.** AM (*fam:
rob*) **to ~ off a bank** eine Bank ausräumen II. *vi* (*fam*) Schluss machen
◆ **knock out** *vt* **1.** (*render unconscious*) **to ~ out ⇆ sb** jdn bewusstlos
werden lassen; (*in a fight*) jdn k.o.
schlagen **2.** (*forcibly remove*) **to ~
out two teeth** sich *dat* zwei Zähne
ausschlagen **3.** (*eliminate*) ausschalten; **to be ~ed out of a competition**
aus einem Wettkampf ausscheiden
4. (*produce quickly*) hastig entwerfen; *draft, manuscript, story a.* runter-
schreiben *fam* **5.** (*fam: astonish and
impress*) umhauen ◆ **knock over** *vt*
1. (*cause to fall*) umstoßen; (*with a
bike, car*) umfahren **2.** AM (*rob a
shop*) **to ~ over a shop** einen Laden
ausräumen *fam* ◆ **knock up** I. *vt*
1. (*make quickly*) zusammenschus-
tern *fam* **2.** BRIT, AUS (*fam: awaken*)
aus dem Schlaf trommeln **3.** (*sl: im-
pregnate*) **to get ~ed up** sich
schwängern lassen II. *vi* BRIT (*in a
racket game*) ein paar Bälle schlagen

knockdown *adj attr* **1.** (*very cheap*) ~
price Schleuderpreis *m fam* **2.** (*physically violent*) niederschmetternd;
~ blow BOXING Niederschlag *m*
knocker ['nɒkəʳ] *n* Türklopfer *m*
knocking-off time *n no pl* Feierabend *m*
knockout I. *n* **1.** BRIT, AUS (*tournament*) Ausscheidungs[wett]kampf *m*
2. BOXING Knock-out *m*, K.o. *m;* **to
win sth by a ~** etw durch K.o. gewinnen **3.** (*attractive person*) Knaller *m
fam*, Wucht *f fam* II. *adj* **1.** BRIT, AUS
(*elimination*) Ausscheidungs- **2.** BO-
XING ~ **blow** Knock-out-Schlag *m
fachspr*, K.-o.-Schlag *m;* (*fig*) Tiefschlag *m;* **to deal sb's hopes a ~
blow** jds Hoffnungen zunichtemachen **3.** (*attractive*) umwerfend *fam*
knock-up *n usu sing* BRIT Einspielen
nt

knot[1] [nɒt] I. *n* **1.** (*tied join*) Knoten
m **2.** (*chignon*) [Haar]knoten *m;*
▶ **to tie the ~** (*fam*) heiraten II. *vt*
<-tt-> knoten; *a tie* binden
knot[2] [nɒt] *n* NAUT Knoten *m*
know [nəʊ] I. *vt* <knew, known>
1. (*have information, knowledge*)
wissen; *facts, results* kennen; **do you
~ where the post office is?** können
Sie mir bitte sagen, wo die Post ist?;
that's worth ~ing das ist gut zu wissen; **for all I ~** soweit ich weiß *fam;*
I knew it! wusste ich's doch! *fam;* **to
~ how to drive a car** Auto fahren
können; **to ~ sth by heart** etw auswendig können; **to ~ what one is
doing** wissen, was man tut; **to let
sb ~ sth** jdn etw wissen lassen
2. (*be certain*) **to not ~ whether ...**
sich *dat* nicht sicher sein, ob ... **3.** (*be
acquainted with*) **to ~ sb** jdn kennen;

K

she ~s Paris well sie kennt sich in Paris gut aus; **to ~ sb personally** jdn persönlich kennen; **to get to ~ sb** jdn kennen lernen **4.** (*have understanding*) verstehen; **do you ~ what I mean?** verstehst du, was ich meine? ▶ **to ~ one's** place wissen, wo man steht; **to ~ the** score wissen, was gespielt wird **II.** *vi* <knew, known> **1.** (*have knowledge*) [Bescheid] wissen; **you never ~** man kann nie wissen; **as far as I ~** so viel ich weiß; **how should I ~?** wie soll ich das wissen?; **she didn't want to ~** sie wollte nichts davon wissen; **just let me ~, OK?** sag mir einfach Bescheid, OK? **2.** (*fam: understand*) begreifen; "**I don't ~,**" he said, "**why can't you ever be on time?**" „ich begreife das einfach nicht", sagte er, „warum kannst du nie pünktlich sein?" **3.** (*said to agree with sb*) **I ~** ich weiß **4.** (*conversation filler*) **he's so boring and, you ~, sort of spooky** er ist so langweilig und, na ja, irgendwie unheimlich ▶ **you ought to ~** better du solltest es eigentlich besser wissen

know-all *n* (*pej fam*) Besserwisser(in) *m(f)*

knowingly ['nəʊɪŋli] *adv* **1.** (*meaningfully*) viel sagend **2.** (*with full awareness*) bewusst

knowledge ['nɒlɪʤ] *n no pl* **1.** (*body of learning*) Kenntnisse *pl* (**of** in); **~ of French** Französischkenntnisse *pl*; **to have** [**no**] **~ of sth** [keine] Kenntnisse über etw *akk* besitzen; **to have a thorough ~ of sth** ein fundiertes Wissen in etw *dat* besitzen **2.** (*acquired information*) Wissen *nt;* **to be common ~** allgemein bekannt sein **3.** (*awareness*) Wissen *nt;* **to deny**

all ~ [**of sth**] jegliche Kenntnis [über etw *akk*] abstreiten

knowledg(e)able ['nɒlɪʤəbl] *adj* (*well informed*) sachkundig; (*experienced*) bewandert

known [nəʊn] **I.** *vt, vi pp of* **know II.** *adj* **1.** (*publicly recognized*) bekannt; **it is a well ~ fact that ...** es ist allgemein bekannt, dass ... **2.** (*understood*) bekannt; **no ~ reason** kein erkennbarer Grund

knuckle ['nʌkl] **I.** *n* **1.** ANAT [Finger]knöchel *m* **2.** (*cut of meat*) Hachse *f*, Haxe *f* SÜDD **3.** AM (*knuckleduster*) **~s** *pl* Schlagring *m* **II.** *vi* **to ~ down** sich dahinter klemmen

kudos ['kuːdəʊz] *n pl* Ansehen *nt kein pl*

L

L <*pl* -'s>, **l** <*pl* -'s> [el] *n* L *nt*, l *nt; see also* **A** 1

l [el] *n* **1.** *abbrev of* **litre** l **2.** *abbrev of* **left** l.

L *n* **1.** *abbrev of* **lake 2.** FASHION *abbrev of* **Large** L **3.** BRIT AUTO *abbrev of* **learner** Fahrschüler(in) *m(f)* (*großes L, das man an seinem Auto anbringt, um anzuzeigen, dass hier ein[e] Fahrschüler[in], der/die noch keinen Führerschein hat, in Begleitung eines Führerscheininhabers fährt*)

lab [læb] *n short for* **laboratory** Labor *nt*

label ['leɪbəl] **I.** *n* **1.** (*on bottles*) Etikett *nt;* (*in clothes*) Schild[chen] *nt* **2.** (*brand name*) Marke *f;* (*compa-*

ny) Plattenfirma f **3.** (set description) Bezeichnung f **II.** vt <BRIT -ll- or AM usu -l-> (affix labels) etikettieren; (mark) kennzeichnen; (write on) beschriften

labor n AM see **labour**

laboratory [lə'bɒrətəri] n Labor[atorium] nt; ~ **assistant** Laborant(in) m(f)

labour ['leɪbər] **I.** n **1.** (work) Arbeit f; **manual** ~ körperliche Arbeit **2.** no pl (workers) Arbeitskräfte pl; **skilled** ~ ausgebildete Arbeitskräfte; **unskilled** ~ ungelernte Arbeitskräfte **3.** no pl (childbirth) Wehen pl; **to go into** ~ Wehen bekommen **II.** vi **1.** (do physical work) arbeiten; **to do** ~**ing work** körperlich arbeiten **2.** (work hard) sich abmühen **3.** (do sth with effort) **to** ~ sich [ab]quälen; **to** ~ **on sth** sich mit etw dat abplagen

labour camp n Arbeitslager nt

labourer ['leɪbərər] n Hilfsarbeiter(in) m(f)

labour pains n pl MED Wehen pl **labour ward** n Kreißsaal m

lace [leɪs] **I.** n **1.** no pl (decorative cloth) Spitze f; (decorative edging) Spitzenborte f **2.** (cord) Band nt; **shoe** ~**s** Schnürsenkel pl bes NORDD, Schuhbänder pl DIAL **II.** vt (fasten) shoes zubinden

lace-ups n pl Schnürschuhe pl

lack [læk] **I.** n no pl Mangel m (of an); ~ **of confidence** mangelndes Selbstvertrauen **II.** vt **to** ~ **sth** etw nicht haben; **what we** ~ **is ...** was uns fehlt, ist ...

lad [læd] n **1.** BRIT, SCOT (boy) Junge m **2.** BRIT, SCOT (a man's male friends) **the** ~**s** die Kumpels pl fam; **come on,** ~**s, let's get started!** kommt, Jungs, lasst uns anfangen!

ladder ['lædər] **I.** n **1.** (device for climbing) Leiter f; **to go up a** ~ auf eine Leiter steigen **2.** (hierarchy) [Stufen]leiter f **3.** BRIT, AUS (in stockings, tights) Laufmasche f **II.** vt BRIT, AUS **to** ~ **tights** eine Laufmasche in eine Strumpfhose machen **III.** vi BRIT, AUS stockings, tights eine Laufmasche bekommen

laden ['leɪdən] adj beladen

ladle ['leɪdl] **I.** n [Schöpf]kelle f **II.** vt **to** ~ **out the soup** die Suppe austeilen

lady ['leɪdi] n **1.** (woman) Frau f; (more polite) Dame f; **a** ~ **doctor** eine Ärztin; **old** ~ alte Dame **2.** (form: polite address) **ladies and gentlemen!** meine [sehr verehrten] Damen und Herren!

ladybird, AM **ladybug** n Marienkäfer m

lager ['lɑːgər] n **1.** no pl (beer) Lagerbier nt **2.** (a portion of lager) [helles] Bier; **a glass of** ~ ein Helles nt

laid [leɪd] pt, pp of **lay**

lain [leɪn] pp of **lie**

lake [leɪk] n See m

lamb [læm] **I.** n **1.** (young sheep) Lamm nt; (fig) Schatz m fam **2.** no pl (meat) Lamm[fleisch] nt; ~ **chop** Lammkotelett nt **II.** vi lammen

lambswool n no pl Lammwolle f

lamp [læmp] n Lampe f; **street** ~ Straßenlaterne f

lamppost n Laternenpfahl m

lampshade n Lampenschirm m

land [lænd] **I.** n **1.** no pl (not water) Land nt; **to travel by** ~ auf dem Landweg reisen **2.** no pl (ground) Land nt; (soil) Boden m; **agricultural** ~ Ackerland nt; **piece/plot of** ~ (for building) Grundstück nt; (for farm-

L

ing) Stück *nt* Land; **waste** ~ Brachland *nt* **3.** *no pl* (*countryside*) **the** ~ das Land **4.** (*particular area of ground*) Grundstück *nt;* **private** ~ Privatbesitz *m;* **state** ~[s] AM staatlicher Grundbesitz **5.** (*country, region*) Land *nt;* ▶ **to** see **how the** ~ **lies** die Lage peilen **II.** *vi* **1.** AVIAT, AEROSP landen (**on** auf) **2.** NAUT *vessel* anlegen; *people* an Land gehen **3.** (*come down, fall*) landen; **to** ~ **on one's feet** auf den Füßen landen; (*fig*) [wieder] auf die Füße fallen **III.** *vt* **1.** (*bring onto land*) *plane* landen; *boat* an Land ziehen **2.** (*unload*) an Land bringen; *cargo* löschen; *passengers* von Bord [gehen] lassen; *troops* anlanden **3.** (*fam: obtain*) *contract, offer, job* an Land ziehen *fig* **4.** (*fam: burden*) **to** ~ **sb with sth** jdm etw aufhalsen; **to be** ~**ed with sb** jdn am Hals haben

landing [ˈlændɪŋ] *n* **1.** (*staircase space*) Treppenabsatz *m* **2.** (*aircraft touchdown, nautical landfall*) Landung *f;* **to make an emergency** ~ notlanden **3.** SPORTS (*coming to rest*) Landung *f*

landing stage *n* Landungssteg *m*

landlady *n* **1.** (*house owner*) Hausbesitzerin *f;* (*of rented property*) Vermieterin *f* **2.** (*of pub or hotel*) [Gast]wirtin *f* **3.** (*of a boarding house*) Pensionswirtin *f*

landlord *n* **1.** (*house owner*) Hausbesitzer *m;* (*of rented property*) Vermieter *m* **2.** (*of pub or hotel*) [Gast]wirt *m* **3.** (*of boarding house*) Pensionswirt *m*

landowner *n* Grundbesitzer(in) *m(f)*

landscape I. *n* Landschaft *f* **II.** *adj attr* Landschafts- **III.** *vt* [landschafts]gärtnerisch gestalten

landslide *n* **1.** GEOL Erdrutsch *m* **2.** POL Erdrutsch[wahl]sieg *m*

lane [leɪn] *n* **1.** (*narrow road*) Gasse *f,* enge Straße; **country** ~ schmale Landstraße **2.** (*marked strip*) [Fahr]spur *f;* SPORTS Bahn *f;* **cycle** ~ Fahrradweg *m;* **in the fast** ~ auf der Überholspur Spur

language [ˈlæŋgwɪdʒ] *n* **1.** (*of nation*) Sprache *f;* **a foreign** ~ eine Fremdsprache; **sb's native** ~ jds Muttersprache **2.** *no pl* (*words*) Sprache *f;* (*style of expression*) Ausdrucksweise *f;* **bad** ~ Schimpfwörter *pl* **3.** (*of specialist group*) Fachsprache *f*

lap¹ [læp] *n* Schoß *m;* ▶ **to live in the** ~ **of** luxury ein Luxusleben führen

lap² [læp] **I.** *n* **1.** SPORTS Runde *f* **2.** (*fig: stage*) Etappe *f* **II.** *vt* <-pp-> (*overtake*) überrunden **III.** *vi* **1.** (*in car racing*) eine Runde drehen **2.** (*project*) hängen (**over** über)

lap³ [læp] **I.** *vt* **1.** (*drink*) lecken, schlecken SÜDD, ÖSTERR **2.** (*hit gently*) *waves* [sanft] gegen etw *akk* schlagen **II.** *vi* **to** ~ **against sth** *waves* [sanft] gegen etw *akk* schlagen

lapse [læps] **I.** *n* **1.** (*mistake*) Versehen *nt;* (*moral*) Fehltritt *m;* ~ **of** judgement Fehleinschätzung *f* **2.** *no pl* (*of time*) Zeitspanne *f* **II.** *vi* **1.** (*fail*) *attention, concentration* abschweifen **2.** (*end*) ablaufen; *contract a.* erlöschen **3.** (*pass into*) **to** ~ **into sth** in etw *akk* verfallen; **to** ~ **into silence** in Schweigen verfallen

laptop (**computer**) *n* Laptop *m*

larch <*pl* -es> [lɑːtʃ] *n* Lärche *f*

lard [lɑːd] **I.** *n no pl* Schweineschmalz *nt* **II.** *vt* (*a. fig*) spicken

larder [ˈlɑːdər] *n* Speisekammer *f*

large [lɑːdʒ] **I.** *adj* **1.** (*in size*) groß

2. (*in quantity, extent*) groß, beträchtlich; **a ~ number of people** viele Menschen **3.** (*hum or euph: fat*) wohlbeleibt ▶ **~r than life** (*fig*) *person* aufgeschlossen; **by and ~** im Großen und Ganzen **II.** *n* (*not caught*) **to be at ~** auf freiem Fuß sein

largely [ˈlɑːdʒli] *adv* größtenteils

large-scale *adj esp attr* **1.** (*extensive*) umfangreich; **~ producer** Großerzeuger *m* **2.** (*made large*) *map* mit großem Maßstab

lark¹ [lɑːk] *n* (*bird*) Lerche *f*

lark² [lɑːk] **I.** *n esp* BRIT (*fam: joke*) Spaß *m;* **for a ~** aus Jux *fam* **II.** *vi* (*fam*) **to ~ about** herumblödeln

laser [ˈleɪzəʳ] *n* Laser *m;* **~ beam** Laserstrahl *m*

last¹ [lɑːst] *n* (*for shoemaker*) Leisten *m*

last² [lɑːst] **I.** *adj* **1.** *attr* (*after all the others*) **the ~ ...** der/die/das letzte ...; **to arrive ~** als Letzte(r) *f(m)* ankommen; **the ~ one** der/die/das Letzte; **she was the ~ one to arrive** sie kam als Letzte an **2.** (*lowest in order, rank*) letzte(r, s); **to be ~** Letzte(r) *f(m)* sein; (*in a race, competition*) Letzte(r) *f(m)* werden **3.** *attr* (*final, remaining*) letzte(r, s); **at the ~ minute** in letzter Minute **4.** *attr* (*most recent, previous*) letzte(r, s); **the year before ~** vorletztes Jahr ▶ **to have the ~ laugh** zuletzt lachen *fig* (*show everybody*) es allen zeigen **II.** *adv* **1.** (*most recently*) das letzte Mal, zuletzt **2.** (*after the others*) als Letzte(r, s); **until ~** bis zuletzt **3.** (*lastly*) zuletzt, zum Schluss; **~ but not least** nicht zuletzt **III.** *n* <*pl ->* **1.** (*one after all the others*) **the ~** der/die/das Letzte; **she was the ~**

to arrive sie kam als Letzte **2.** (*most recent, previous one*) **the ~** der/die/das Letzte; **the ~ we heard from her, ...** als wir das letzte Mal von ihr hörten, ... **3.** (*fam: end*) **to see the ~ of sth** (*fam*) etw nie wieder sehen müssen; **at ~** endlich

last³ [lɑːst] **I.** *vi* **1.** (*go on for*) [an]dauern **2.** (*endure*) halten; *enthusiasm, intentions* anhalten **II.** *vt supplies* [aus]reichen

lasting [ˈlɑːstɪŋ] *adj* dauerhaft, andauernd; *impression* nachhaltig

lastly [ˈlɑːstli] *adv* schließlich

last-minute *adj* in letzter Minute *nach n;* **~ booking** Last-Minute-Buchung *f*

last name *n* Nachname *m,* Familienname *m*

latch [lætʃ] **I.** *n* Riegel *m* **II.** *vi* (*fam: attach oneself to*) **to ~ on to sb** sich an jdn hängen

late [leɪt] **I.** *adj* <*-r, -st*> **1.** (*behind time*) verspätet *attr;* **to be ~** *bus, flight, train* Verspätung haben; *person* zu spät kommen, sich verspäten; **to be ~ for sth** zu spät zu etw *dat* kommen **2.** (*in the day*) spät; **let's go home, it's getting ~** lass uns nach Hause gehen, es ist schon spät **3.** *attr* (*towards the end*) spät; **~ October** Ende Oktober; **~ summer** der Spätsommer **4.** *attr* (*deceased*) verstorben **II.** *adv* <*-r, -s*> **1.** (*after the expected time*) spät; **the train arrived ~** der Zug hatte Verspätung; **Ann has to work ~ today** Ann muss heute Überstunden machen **2.** (*at an advanced time*) **~ at night** am späten Abend; **~ in the evening** spät am Abend

latecomer *n* Nachzügler(in) *m(f)*

lately ['leɪtli] adv **1.** (recently) kürzlich, in letzter Zeit **2.** (short time ago) kürzlich, vor kurzer Zeit; **until** ~ bis vor kurzem

later ['leɪtər] **I.** adj comp of see **late 1.** attr (at future time) später **2.** pred (less punctual) später **II.** adv comp of see **late 1.** (at later time) später, anschließend; **see you** ~! bis später! **2.** (afterwards) später, danach

latest ['leɪtɪst] **I.** adj superl of see **late** (most recent) **the** ~ ... der/die/das jüngste [o letzte] ...; **her** ~ **movie** ihr neuester Film **II.** n **have you heard the** ~? hast du schon das Neueste gehört? **III.** adv **at the** [**very**] ~ bis [aller]spätestens

Latin ['lætɪn] **I.** n no pl Latein nt **II.** adj **1.** LING lateinisch **2.** (of Latin origin) Latein-

Latin America n Lateinamerika nt, Südamerika nt

Latin American attr, **Latin-American** [ˌlætɪnəˈmerɪkˀn] adj pred lateinamerikanisch

latter ['lætər] **I.** adj attr **1.** (second of two) zweite(r, s) **2.** (near the end) spätere(r, s); **in the** ~ **part of the year** in der zweiten Jahreshälfte **II.** pron **the** ~ der/die/das Letztere

laugh [lɑːf] **I.** n **1.** (sound) Lachen nt kein pl **2.** (fam: amusing activity) Spaß m; **to do sth for a** ~ etw [nur] aus Spaß tun **II.** vi **1.** (express amusement) lachen; **to make sb** ~ jdn zum Lachen bringen; **to** ~ **at sth** über etw lachen **2.** (fig fam: scorn) **to** ~ **at sb** sich über jdn lustig machen ▶ **to** ~ **in sb's** <u>face</u> jdn auslachen; **to** ~ **one's** <u>head</u> **off** (fam) sich totlachen; **no** ~**ing** <u>matter</u> nicht zum Lachen

♦ **laugh off** vt **to** ~ **off** ⇆ **sth** etw mit einem Lachen abtun

laughable ['lɑːfəbl] adj lächerlich pej, lachhaft pej

laughter ['lɑːftər] n no pl Gelächter nt, Lachen nt

launch [lɔːn(t)ʃ] **I.** n **1.** (introductory event) Präsentation f **2.** (boat) Barkasse f **3.** (of boat) Stapellauf m; (of rocket, spacecraft) Start m **II.** vt **1.** ship vom Stapel lassen; missile, torpedo abschießen; rocket, spacecraft starten **2.** (begin something) beginnen; **to** ~ **an attack** zum Angriff übergehen

laund(e)rette [ˌlɔːndˀrˈet] n, AM, AUS **laundromat®** ['lɔːndroʊmæt] n Waschsalon m

laundry ['lɔːndri] n **1.** no pl (dirty clothes) Schmutzwäsche f **2.** no pl (washed clothes) frische Wäsche **3.** (place) Wäscherei f

laundry basket, AM a. **laundry hamper** n Wäschekorb m

lavatory ['lævətˀri] n usu BRIT Toilette f; **to go to the** ~ auf die Toilette gehen

law [lɔː] n **1.** (rule) Gesetz nt **2.** no pl (legal system) Recht nt; **to break the** ~ das Gesetz brechen **3.** no pl UNIV Jura kein art ▶ **the** ~ **of the** <u>jungle</u> das Gesetz des Stärkeren

law court n Gericht nt

lawn [lɔːn] n Rasen m

lawnmower n Rasenmäher m **lawn tennis** n no pl (form) Rasentennis nt

lawsuit n Klage f, Prozess m

lawyer ['lɔɪər] n Rechtsanwalt m, Rechtsanwältin f

laxative ['læksətɪv] **I.** n Abführmittel nt **II.** adj attr abführend

lay¹ [leɪ] adj attr **1.** (not professional) laienhaft **2.** (not clergy) weltlich, Laien-

lay² [leɪ] *pt of* **lie**

lay³ [leɪ] **I.** *n* (*general appearance*) Lage *f* **II.** *vt* <laid, laid> **1.** (*spread*) legen (**on** auf) **2.** (*place*) **to ~ sth somewhere** etw irgendwohin legen **3.** (*put down*) verlegen; **to ~ the foundations of a building** das Fundament für ein Gebäude legen **4.** *the table* decken **5.** (*deposit*) *egg* legen **6.** (*wager*) setzen; **to ~ a bet on sth** auf etw *akk* wetten ▶ **to ~ <u>hands</u> on sb** Hand an jdn legen; **to ~ sth to <u>rest</u>** *fears, suspicions* etw beschwichtigen **III.** *vi* <laid, laid> *hen* [Eier] legen ◆ **lay down** *vt* **1.** (*place on a surface*) hinlegen (**on** auf) **2.** (*relinquish*) *weapons* niederlegen **3.** (*decide on*) festlegen ▶ **to ~ down one's <u>life</u> for sb** sein Leben für jdn geben ◆ **lay into** *vi* **1.** (*fam*) **to ~ into sb** (*physically*) jdn angreifen; (*verbally*) jdn zur Schnecke machen **2.** (*eat heartily*) **to ~ into sth** etw verschlingen ◆ **lay off I.** *vt* **1.** **to ~ off ⇆ sb** (*from work*) jdm kündigen **2.** **to ~ off sb** (*stop molesting*) jdn in Ruhe lassen **II.** *vi* aufhören ◆ **lay on** *vt* **1.** (*make available*) **to ~ on ⇆ sth** für etw *akk* sorgen **2.** (*install*) *electricity* anschließen ◆ **lay out** *vt* **1.** (*arrange*) planen; *campaign* organisieren **2.** (*spread out*) *map* ausbreiten **3.** *usu passive* (*design*) **to be laid out** angeordnet sein ◆ **lay up** *vt usu passive* (*fam*) **to be laid up [in bed] with flu** mit einer Grippe im Bett liegen

layabout *n* (*pej fam*) Faulenzer(in) *m(f)*

layer [ˈleɪər] **I.** *n* **1.** (*of substance*) Schicht *f* **2.** (*fig: level*) *of bureaucracy* Stufe *f* **II.** *vt* **to ~ sth [with sth]** etw [abwechselnd mit etw *dat*] in Schichten anordnen

layout *n* **1.** (*plan*) *of building, house* Raumaufteilung *f* **2.** (*of written material*) Layout *nt*

layover *n* AM (*stopover*) Aufenthalt *m*; (*of plane*) Zwischenlandung *f*

lazy [ˈleɪzi] *adj* **1.** (*pej: unwilling to work*) faul **2.** (*relaxed*) müßig *geh*

lead¹ [led] *n* **1.** *no pl* (*metal*) Blei *nt*; **to contain ~** bleihaltig sein **2.** (*pencil filling*) Mine *f*

lead² [liːd] **I.** *n* **1.** THEAT, FILM Hauptrolle *f* **2.** *no pl* (*front position*) Führung *f*; **to be in the ~** führend sein **3.** (*position in advance*) Vorsprung *m*; **to have a ~ of five metres [over sb]** einen Vorsprung von fünf Metern [vor jdm] haben **4.** (*connecting wire*) Kabel *nt* **II.** *vt* <led, led> **1.** (*be in charge of*) führen; *delegation, discussion, inquiry* leiten **2.** (*guide*) führen **3.** (*go in advance*) **to ~ the way** vorangehen **4.** (*cause to have*) **to ~ sb into trouble** jdn in Schwierigkeiten bringen **5.** ECON, SPORTS (*be ahead of*) anführen **III.** *vi* <led, led> **1.** (*be in charge*) die Leitung innehaben **2.** (*be guide*) vorangehen **3.** (*be directed towards*) **to ~ somewhere** irgendwohin führen **4.** (*cause to develop, happen*) **to ~ to sth** zu etw *dat* führen ◆ **lead away** *vt* wegbringen; **he was led away by the police** er wurde von der Polizei abgeführt ◆ **lead off I.** *vt* **1.** (*initiate*) **to ~ off ⇆ sth** etw eröffnen **2.** (*take away*) **to ~ sb off** jdn wegführen **II.** *vi* (*perform first*) beginnen ◆ **lead on I.** *vi* vorangehen; (*in a car*) voranfahren **II.** *vt* (*pej*) **to ~ sb on** (*deceive*) jdm etw vormachen ◆ **lead up** *vi* hinführen (**to** zu); **what's this all ~ing up to?** was soll das Ganze?

L

leader ['liːdə'] *n* **1.** (*head*) Leiter(in) *m(f)*, Führer(in) *m(f)* **2.** (*first in competition*) Erste(r) *f(m)* **3.** (*most successful*) Führende(r) *f(m)* **4.** BRIT MUS (*of orchestra*) erster Geiger/erste Geigerin

leadership ['liːdəʃɪp] *n no pl* **1.** (*action of leading*) Führung *f* **2.** (*position*) Leitung *f*, Führung *f*, Führerschaft *f*

lead-free ['led-] *adj* bleifrei

leading ['liːdɪŋ] **I.** *adj attr* führend; ~ **article** BRIT JOURN Leitartikel *m* **II.** *n no pl* (*guidance*) Führung *f*

lead singer [liːd'-] *n* Leadsänger(in) *m(f)*

lead story [liːd'-] *n* Aufmacher *m*

lead-up [liːd'-] *n* **1.** (*that which precedes*) Einleitung *f* (**to** zu +*dat*) **2.** (*time preceding*) Vorfeld *nt fig;* **in the ~ to the revolution, ...** in den Vorjahren der Revolution ...

leaf [liːf] **I.** *n* <*pl* leaves> [liːvz] (*part of plant*) Blatt *nt;* ▶ **to shake like a ~** wie Espenlaub zittern **II.** *vi* (*of book, periodical*) **to ~ through sth** etw durchblättern

leaflet ['liːflət] **I.** *n* (*for advertising*) Prospekt *m o* ÖSTERR *a. nt;* (*for instructions*) Merkblatt *nt;* (*for political use*) Flugblatt *nt;* (*brochure*) Broschüre *f* **II.** *vi* (*in street*) auf der Straße Prospekte verteilen; (*by mail*) per Post Werbematerial verschicken **III.** *vt* <-t-> Handzettel verteilen; (*by mail*) Handzettel irgendwohin verschicken; (*for advertising*) Werbematerial verteilen

leafy ['liːfi] *adj* **1.** (*of place*) belaubt **2.** HORT Blatt-, blattartig

league [liːg] *n* **1.** (*group*) Bund *m* **2.** (*esp pej: agreement to cooperate*) **to be in ~ with sb** mit jdm gemeinsame Sache machen **3.** (*in competitive sport*) Liga *f;* **to be top of the ~** Tabellenführer sein

leak [liːk] **I.** *n* Leck *nt;* **a gas ~** eine undichte Stelle in der Gasleitung **II.** *vi* *container, surface, hose* undicht sein; *tap* tropfen; *tyre* Luft verlieren **III.** *vt* **to ~ sth** **1.** (*of container, surface*) verlieren; *gas, liquid* austreten lassen **2.** (*fig*) *confidential information* durchsickern lassen

leaky ['liːki] *adj* leck

lean[1] [liːn] **I.** *adj* **1.** *animal* mager; *person* schlank **2.** *meat* mager **II.** *n no pl* mageres Fleisch

lean[2] [liːn] **I.** *vi* <leant, leant> **1.** (*incline*) sich beugen; (*prop*) sich lehnen; **to ~ to the right** sich nach rechts lehnen; **to ~ forward** sich nach vorne lehnen **2.** (*fig: opinion*) neigen **II.** *vt* <leant, leant> lehnen (**on** auf) ◆ **lean over** *vi* **to ~ over sb** sich über jdn beugen

leant [lent] *vt, vi pt, pp of* **lean**

leap [liːp] **I.** *n* **1.** (*jump*) Sprung *m;* (*bigger*) Satz *m* **2.** (*fig: increase*) Sprung *m* (**in** bei) **3.** (*fig: change*) **a ~ of faith** ein Sinneswandel *m* **II.** *vi* <leapt, leapt> **1.** (*jump*) springen **2.** (*rush*) **to ~ to sb's defence** zu jds Verteidigung eilen **3.** (*be enthusiastic*) **to ~ with joy** vor Freude einen Luftsprung machen **III.** *vt* <leapt, leapt> **to ~ sth** über etw *akk* springen, etw überspringen ◆ **leap out** *vi* **1.** (*jump out*) herausspringen (**out of** aus) **2.** (*fig: grab attention*) **to ~ out at sb** jdm ins Auge springen ◆ **leap up** *vi* **1.** (*jump up*) aufspringen **2.** (*fig: increase*) in die Höhe schießen

leapt [lept] *vt, vi pt, pp of* **leap**

leap year *n* Schaltjahr *nt*

learn [lɜːn] **I.** *vt* <learnt *or* AM *usu* learned, learnt *or* AM *usu* learned> lernen; **to ~ how to do sth** lernen, wie man etw tut ▶ **to ~ sth by heart** etw auswendig lernen **II.** *vi* <learnt *or* AM *usu* learned, learnt *or* AM *usu* learned> **1.** (*master*) lernen (**about** über); **to ~ by one's mistakes** aus seinen Fehlern lernen **2.** (*become aware of*) **to ~ about sth** von etw *dat* erfahren

learner [ˈlɜːnəʳ] *n* **1.** (*one who's learning, training*) Lernende(r) *f(m)*; (*beginner*) Anfänger(in) *m(f)*; (*pupil*) Schüler(in) *m(f)* **2.** BRIT (*learner driver*) Fahrschüler(in) *m(f)*

learnt [lɜːnt] *vt, vi pt, pp of* **learn**

leaseholder *n of flat, house* Mieter(in) *m(f)*; *of equipment, vehicle* Leasingnehmer(in) *m(f)*

leash [liːʃ] **I.** *n* (*lead*) Leine *f* **II.** *vt dog* anleinen

least [liːst] **I.** *adv* am wenigsten; **the ~ little thing** die kleinste Kleinigkeit; **~ of all** am allerwenigsten **II.** *adj* geringste(r, s) **III.** *n* **the ~** das Geringste; **at ~** mindestens, wenigstens

leather [ˈleðəʳ] *n* **1.** *no pl* (*material*) Leder *nt* **2.** (*for polishing*) Lederlappen *m*

leave [liːv] **I.** *n no pl* **1.** (*departure*) Abreise *f* **2.** (*farewell*) Abschied *m* **3.** (*vacation time*) Urlaub *m;* **to go on ~** in Urlaub gehen **II.** *vt* <left, left> **1.** (*depart from*) *place* verlassen; (*of train, ferry*) abfahren; **to ~ the station** aus dem Bahnhof abfahren **2.** (*go away permanently*) *one's husband/wife* verlassen; **to ~ home** von zu Hause weggehen; **to ~ work** auf-

hören zu arbeiten **3.** (*not take away with*) [zurück]lassen **4.** (*forget to take*) vergessen **5.** (*let traces remain*) *footprints, stains* hinterlassen **6.** (*cause to remain in a certain state*) **to ~ sb alone** jdn alleine lassen; **to ~ sth on** etw eingeschaltet lassen **7.** (*not eat*) übrig lassen **8.** (*put off doing*) lassen; **don't ~ it too late!** schieb es nicht zu lange auf! ▶ **to ~ nothing/sth to chance** nichts/etw dem Zufall überlassen; **to ~ sb alone** jdn in Ruhe lassen **III.** *vi* <left, left> [weg]gehen; *vehicle* abfahren; *plane* abfliegen ◆ **leave behind** *vt* **1.** (*not take along*) zurücklassen **2.** (*leave traces*) hinterlassen ◆ **leave off** *vt* **I.** *vt* (*omit*) auslassen; **to ~ sb off a list** jdn nicht in eine Liste aufnehmen **2.** (*not wear*) **to ~ one's coat off** seinen Mantel nicht anziehen **II.** *vi* (*fam*) aufhören; **to ~ off sth** mit etw *dat* aufhören ◆ **leave on** *vt light, radio* anlassen ◆ **leave out** *vt* auslassen ◆ **leave over** *vt usu passive* **to be left over** übrig geblieben sein

leaving party *n* Abschiedsparty *f*

lecture [ˈlektʃəʳ] **I.** *n* (*formal speech*) Vortrag *m* (**on/about** über); UNIV Vorlesung *f* (**on** über) **II.** *vi* **1.** UNIV eine Vorlesung halten (**in/on** über) **2.** (*pej: criticize*) belehren (**about** über) **III.** *vt* **to ~ sb on sth 1.** UNIV vor jdm über etw *akk* eine Vorlesung halten **2.** (*criticize*) jdm wegen einer S. *gen* eine Standpauke halten *fam*

lecturer [ˈlektʃ°rəʳ] *n* **1.** (*speaker*) Redner(in) *m(f)* **2.** (*at university*) Dozent(in) *m(f)*

led [led] *pt, pp of* **lead**

leek [liːk] *n* Lauch *m*

left¹ [left] *pt, pp of* **leave**

L

left² [left] **I.** *n* **1.** *no pl* (*direction*) from ~ **to right** von links nach rechts **2.** (*left turn*) **to make a** ~ [nach] links abbiegen **3.** (*street on the left*) **the second** ~ die zweite Straße links **4.** *no pl* (*left side*) **the** ~ die linke Seite; **on/to the** ~ links **5.** *no pl* (*political grouping*) **the** ~ die Linke **II.** *adj* **1.** (*position, direction*) linke (r, s) **2.** (*political direction*) linke(r, s), linksgerichtet **III.** *adv* (*direction*) nach links; (*side*) links

left-hand *adj attr* **1.** (*on sb's left side*) linke(r, s) **2.** SPORTS ~ **catch** mit links gefangener Ball **left-handed** *adj* **1.** (*of person*) linkshändig; **she is** ~ sie ist Linkshänderin **2.** *attr* (*for left hand use*) Linkshänder- **3.** (*turning to left*) *racetrack* linksläufig **left-hander** *n* **1.** (*person*) Linkshänder(in) *m(f)* **2.** (*hit*) Schlag *m* mit der Linken

left-luggage (**office**) *n* BRIT Gepäckaufbewahrung *f*

left wing *n* + *sing/pl vb* **the** ~ **1.** POL die Linke; **the** ~ **of the party** der linke Parteiflügel **2.** SPORTS der linke Flügel **left-wing** *adj* linksgerichtet, links *präd*

leg [leg] *n* **1.** Bein *nt* **2.** (*meat*) Keule *f*, Schlegel *m* SÜDD, ÖSTERR **3.** (*clothing part*) [Hosen]bein *nt* **4.** (*segment*) Etappe *f;* ▸ **to be on one's** last ~s auf dem letzten Loch pfeifen; **to** give **sb a** ~ **up** (*help to climb*) jdm hinaufhelfen

legal ['liːg°l] *adj* **1.** (*permissible by law*) legal **2.** (*required by law*) gesetzlich [vorgeschrieben] **3.** (*concerning the law*) rechtlich; ~ **system** Rechtssystem *nt* **4.** (*of courts*) gerichtlich; (*of lawyers*) juristisch

legally ['liːg°li] *adv* **1.** (*permissible by*

law) legal **2.** (*required by law*) ~ **obliged** gesetzlich verpflichtet **3.** (*according to the law*) rechtmäßig

legalspeak *n* (*fam*) Juristenjargon *m fam*

leisure centre, leisure complex *n* BRIT Freizeitcenter *nt*

leisurewear *n no pl* Freizeit[be]kleidung *f*

lemon ['lemən] **I.** *n* **1.** (*fruit*) Zitrone *f* **2.** *no pl* (*colour*) Zitronengelb *nt* **II.** *adj* ~ [**yellow**] zitronengelb

lemonade [ˌleməˈneɪd] *n* Zitronenlimonade *f*

lemon juice *n* Zitronensaft *m* **lemon peel, lemon rind** *n* Zitronenschale *f* **lemon squash** *n* BRIT, AUS **1.** *no pl* (*concentrate*) Zitronensirup *m* **2.** (*drink*) Zitronensaftgetränk *nt*

lend <lent, lent> [lend] **I.** *vt* (*loan*) leihen ▸ **to** ~ **an** ear **to sb** jdm zuhören; **to** ~ **a** hand helfen **II.** *vi* **to** ~ **to sb** jdm Geld leihen; *bank* jdm Kredit gewähren

length ['leŋ(k)θ] *n* **1.** *no pl* (*measurement*) Länge *f;* **to be 2 metres in** ~ 2 Meter lang sein **2.** (*piece*) Stück *nt* **3.** (*winning distance*) Länge *f* [Vorsprung] **4.** *no pl* (*duration*) Dauer *f;* **at** ~ (*finally*) nach langer Zeit; (*in detail*) ausführlich

lengthen ['leŋ(k)θən] **I.** *vt* verlängern; *clothes* länger machen **II.** *vi* [immer] länger werden

lens <*pl* -es> [lenz] *n* (*optical instrument, part of eye*) Linse *f*; (*in camera, telescope a.*) Objektiv *nt;* (*in glasses*) Glas *nt*

lent [lent] *vt, vi pt, pp of* **lend**

Lent [lent] *n no pl, no art* Fastenzeit *f*

lentil ['lent°l] *n* Linse *f*

Leo ['liːəʊ] *n* ASTRON, ASTROL Löwe *m*

leopard ['lepəd] *n* Leopard(in) *m(f)*

leotard ['liːətɑːd] *n* Trikot *nt;* (*for gymnastics a.*) Turnanzug *m*

lesbian ['lezbiən] I. *n* Lesbierin *f*, Lesbe *f* II. *adj* lesbisch

less [les] I. *adv comp of see* **little** 1. (*to a smaller extent*) weniger; **the ~ ... the better** je weniger ..., umso besser; **much ~ complicated** viel einfacher; **~ and ~** immer weniger 2. (*not the least bit*) **~ than happy** nicht gerade glücklich II. *adj comp of see* **little** (*smaller amount of*) weniger III. *pron indef* (*smaller amount*) weniger; **a lot ~** etwas weniger; **~ of a problem** ein geringeres Problem

lesser ['lesəʳ] *adj attr* (*smaller in amount*) geringer; **the ~ of two evils** das kleinere Übel

lesson ['lesᵊn] *n* 1. (*teaching period*) Stunde *f;* **~s** *pl* Unterricht *m kein pl* 2. (*from experience*) Lehre *f*, Lektion *f*

let [let] I. *n no pl esp* BRIT (*rent*) Vermietung *f* II. *vt* <-tt-, let, let> 1. (*allow*) **to ~ sb do sth** jdn etw tun lassen 2. (*give permission*) **to ~ sb do sth** jdn etw tun lassen 3. (*in suggestions*) **~'s go out to dinner!** lass uns Essen gehen! 4. (*when thinking, for examples*) **~'s see, ...** also, ...; **~ me think** Moment [mal], ... 5. *esp* BRIT, AUS (*rent out*) vermieten ◆ **let by** *vt* vorbeilassen ◆ **let down** *vt* 1. **to ~ down ⇆ sb** (*disappoint*) jdn enttäuschen 2. (*lower slowly*) **to ~ down ⇆ sth** etw herunterlassen ▶ **to ~ one's <u>hair</u> down** sich gehen lassen ◆ **let in** *vt* 1. (*allow to enter*) hereinlassen; **to ~ oneself in** aufschließen 2. (*allow to know*) **to ~ sb in on sth** jdn in etw *akk* einweihen ◆ **let off** *vt* 1. (*emit*) ausstoßen; *bad smell* verbreiten 2. (*fire*) *gun* abfeuern; *bomb, fireworks* zünden 3. (*not punish*) **you won't be ~ off next time** das nächste Mal wirst du nicht davonkommen ◆ **let on** I. *vi* (*fam*) **to ~ on about sth** [**to sb**] [jdm] etwas von etw *dat* verraten II. *vt* (*fam*) **to ~ on that ...** (*divulge*) verraten, dass ... ◆ **let out** *vt* 1. (*release*) herauslassen; **I'll ~ myself out** ich finde selbst hinaus 2. (*emit*) ausstoßen; **to ~ out a groan** [auf]stöhnen 3. (*make wider*) *clothes* weiter machen ◆ **let up** *vi* (*fam*) 1. (*decrease*) aufhören; *rain a.* nachlassen 2. (*release*) **to ~ up on the accelerator** den Fuß vom Gas nehmen

let-down *n usu sing* (*fam*) Enttäuschung *f*

lethal ['liːθᵊl] *adj* tödlich

letter ['letəʳ] *n* 1. (*message*) Brief *m* (**from** von/**to** an); **a love ~** ein Liebesbrief *m;* **to inform sb by ~** jdn schriftlich verständigen 2. (*of alphabet*) Buchstabe *m;* **in capital ~s** in Großbuchstaben

letterbox *n esp* BRIT, AUS Briefkasten *m*, Postkasten *m*

lettuce ['letɪs] *n* 1. *no pl* BOT Lattich *m* 2. FOOD Blattsalat *m;* (*with firm head*) Kopfsalat *m*

letup ['letʌp, AM -t-] *n no pl* Nachlassen *nt;* (*stoppage*) Aufhören *nt;* **there has been no ~ in the bombardment overnight** die Bombardierung wurde auch über Nacht nicht ausgesetzt

level ['levᵊl] I. *adj* 1. (*horizontal*) horizontal, waag(e)recht 2. (*flat*) eben 3. *pred* (*at an equal height*) **to be ~**

L

[**with sth**] auf gleicher Höhe [mit etw *dat*] sein **4.** *pred esp* BRIT, AUS (*in a race*) gleichauf; (*equal on points*) punkt(e)gleich **II.** *n* **1.** (*quantity*) Niveau *nt;* (*height*) Höhe *f;* **at eye** ~ in Augenhöhe; **above sea** ~ über dem Meeresspiegel **2.** (*extent*) Ausmaß *nt* **3.** (*storey*) Stockwerk *nt;* **ground** ~ Erdgeschoss *nt* **4.** *no pl* (*rank*) Ebene *f* **III.** *vt* <BRIT -ll- *or* AM *usu* -l-> (*flatten*) *ground* [ein]ebnen; *wood* [ab]schmirgeln

level crossing *n* BRIT, AUS Bahnübergang *m*

level-headed *adj* **1.** (*sensible*) vernünftig **2.** (*calm*) ruhig

lever ['li:və^r] **I.** *n* **1.** TECH Hebel *m* **2.** (*fig: threat*) Druckmittel *nt* **II.** *vt* **1.** (*lift with a lever*) **to** ~ **sth up** etw aufstemmen **2.** (*move with effort*) **to** ~ **oneself** [**up**] sich hochstemmen

liable ['laɪəbl] *adj* **1.** (*likely*) **to be** ~ **to do sth** Gefahr laufen, etw zu tun **2.** (*prone*) **to be** ~ **to sth** anfällig für etw *akk* sein

liar ['laɪə^r] *n* Lügner(in) *m(f)*

libel ['laɪbəl] LAW **I.** *n no pl* Verleumdung *f* **II.** *vt* <-ll-> verleumden

liberal ['lɪbə^rəl] **I.** *adj* **1.** (*tolerant*) liberal; *attitude, church, person a.* tolerant, aufgeschlossen **2.** (*progressive*) liberal, fortschrittlich **3.** (*generous*) großzügig; *portion* groß **II.** *n* Liberale(r) *f(m)*

liberation [ˌlɪbə^r'reɪʃ^ən] *n no pl* Befreiung *f* (**from** von)

liberty ['lɪbəti] *n* **1.** *no pl* (*freedom*) Freiheit *f;* **to be at** ~ frei sein **2.** (*incorrect behaviour*) **it's** [**a bit of**] **a** ~ es ist [ein bisschen] unverschämt

Libra ['li:brə] *n* ASTRON, ASTROL Waage *f*

librarian [laɪ'breərɪən] *n* Bibliothekar(in) *m(f)*

library ['laɪbr^əri] **I.** *n* **1.** (*public*) Bibliothek *f*, Bücherei *f;* **public** ~ Leihbücherei *f* **2.** (*private*) Bibliothek *f* **II.** *adj software, visit* Bibliotheks-; ~ **book** Leihbuch *nt*

licence, AM **license** ['laɪs^ən(t)s] *n* (*permit*) Genehmigung *f*, Erlaubnis *f;* (*formal permission*) Lizenz *f;* **driving** ~ Führerschein *m*

license ['laɪs^ən(t)s] **I.** *n* AM *see* **licence** **II.** *vt* **to** ~ **sb to do sth** jdm die Lizenz erteilen, etw zu tun

licensed ['laɪs^ən(t)st] *adj* **1.** (*with official approval*) zugelassen **2.** BRIT (*serving alcohol*) **a** ~ **restaurant** ein Restaurant mit Schankerlaubnis

lick [lɪk] **I.** *n* **1.** (*with tongue*) Lecken *nt kein pl*, Schlecken *nt kein pl* **2.** (*fam: small quantity*) **a** ~ **of** ein wenig **II.** *vt* (*with tongue*) lecken; *plate* ablecken

lid [lɪd] *n* **1.** (*covering*) Deckel *m* **2.** (*eyelid*) Lid *nt*

lie¹ [laɪ] **I.** *vi* <-y-> (*tell untruth*) lügen; **to** ~ **about sth** *intentions, plans* falsche Angaben über etw *akk* machen; **to** ~ **about sb** über jdn die Unwahrheit erzählen; **to** ~ **to sb** jdn belügen **II.** *n* Lüge *f*

lie² [laɪ] **I.** *n* **1.** *no pl* (*position*) Lage *f* **2.** *no pl esp* BRIT, AUS (*shape*) **the** ~ **of the land** die Beschaffenheit des Geländes; (*fig*) die Lage; **to find out the** ~ **of the land** das Gelände erkunden; (*fig*) die Lage sondieren **II.** *vi* <-y-, lay, lain> **1.** (*be horizontal, resting*) liegen; **to** ~ **on one's back** auf dem Rücken liegen **2.** (*become horizontal*) sich hinlegen **3.** (*be in a particular state*) **to** ~ **in wait** auf der Lauer liegen **4.** (*remain*) liegen bleiben **5.** (*be situated*) liegen; **to** ~ **to the**

east of sth im Osten einer S. *gen*
liegen ◆ **lie about, lie around** *vi*
1. (*be situated*) herumliegen *fam*
2. (*be lazy*) herumgammeln *fam*
◆ **lie back** *vi* **1.** (*recline*) sich zurücklegen **2.** (*fig: relax*) sich entspannen ◆ **lie down** *vi* sich hinlegen ◆ **lie
in** *vi* BRIT (*fam: stay in bed*) im Bett
bleiben

lie-down *n* BRIT (*fam*) Schläfchen *nt,*
Nickerchen *nt fam*

lie-in *n* BRIT (*fam*) **to have a ~** im Bett
bleiben

life <*pl* lives> [laɪf, *pl* laɪvz] *n* **1.** (*existence*) Leben *nt;* **it's a matter of ~
and death!** es geht um Leben und
Tod!; **to lose one's ~** ums Leben
kommen; **to save sb's ~** jdm das Leben retten **2.** *no pl* (*quality, force*)
Leben *nt;* **I love ~** ich liebe das Leben
3. *no pl* (*living things collectively*) Leben *nt;* **plant ~** Pflanzenwelt *f* **4.** *no
pl* (*mode or aspect of existence*) Leben *nt;* **family ~** Familienleben *nt*
5. *no pl* (*energy*) Lebendigkeit *f;* **to
be full of ~** vor Leben [nur so] sprühen; **to come to ~** lebendig werden
fig **6.** (*human activities*) Leben *nt*
7. (*biography*) Biografie *f* **8.** (*time until death*) Leben *nt;* **for ~** *friendship*
lebenslang; **a job for ~** eine Stelle auf
Lebenszeit **9.** (*duration*) *of device, battery* Lebensdauer *f; of contract* Lauf-
zeit *f;* ▶ **to frighten the ~ out of sb**
jdn zu Tode erschrecken; **larger than
~** *car, house* riesig; *person* energiege-
laden und charismatisch; **that's ~!** so
ist das Leben [eben]!

lifebelt *n* BRIT Rettungsring *m* **lifeboat**
n Rettungsboot *nt* **lifeguard** *n* (*in
baths*) Bademeister(in) *m(f);* (*on
beach*) Rettungsschwimmer(in) *m(f)*

life insurance *n no pl* Lebensversicherung *f* **life jacket** *n* Schwimmweste *f*

lifelike *adj* lebensecht; *imitation a.* naturgetreu

life raft *n* Rettungsfloß *nt;* (*rubber dinghy*) Schlauchboot *nt* **lifesaver** *n*
1. (*person*) [Lebens]retter(in) *m(f);*
(*on beach*) Rettungsschwimmer(in)
m(f); (*in baths*) Bademeister(in) *m(f)*
2. (*fig fam: thing*) die Rettung **life-
size(d)** *adj* in Lebensgröße *nach n,*
lebensgroß **lifestyle** I. *n* Lebensstil
m II. *adj magazine* Lifestyle- **lifetime**
n usu sing **1.** (*time one is alive*) Lebenszeit *f;* **once in a ~** einmal im
Leben **2.** (*time sth exists*) Lebensdauer *f kein pl* **3.** (*fig: long time*) **it
seems like a ~** es kommt mir vor
wie eine Ewigkeit; **to last a ~** *objects,
devices* ein Leben lang halten; *memories, good luck* das ganze Leben
[lang] andauern ▶ **the chance of a
~** eine einmalige Chance

lift [lɪft] I. *n* **1.** BRIT (*elevator*) Aufzug
m; **to take the ~** den Aufzug nehmen
2. (*for skiers*) Skilift *m* **3.** (*act of lifting*) [Hoch]heben *nt kein pl* **4.** (*increase*) Anstieg *m kein pl;* (*increase
in amount*) Erhöhung *f* [eines
Betrags] **5.** (*ride*) Mitfahrgelegenheit
f; **to give sb a ~** jdn [im Auto] mitnehmen II. *vt* **1.** (*raise*) [hoch]heben;
(*slightly*) anheben **2.** (*direct upward*)
eyes aufschlagen **3.** (*increase*)
amount, prices, rates erhöhen **4.** *usu
passive* (*in surgery*) *face, breasts* straffen lassen **5.** (*dig up*) ausgraben
III. *vi* **1.** (*be raised*) sich heben
2. (*disperse*) *cloud, fog* sich auflösen
3. (*become happier*) *mood* sich heben ◆ **lift down** *vt* BRIT, AÜS herunter-

L

heben ◆ **lift off** *vi* **1.** (*leave the ground*) abheben **2.** (*come off*) sich hochheben lassen ◆ **lift up** *vt* hochheben; **to ~ up a lid** einen Deckel hochklappen

lift-off *n* AEROSP Start *m*, Abheben *nt kein pl;* **we have ~** der Start ist erfolgt

light¹ [laɪt] **I.** *n* **1.** *no pl* (*brightness*) Licht *nt;* **is there enough ~?** ist es hell genug? **2.** (*light-giving thing*) Licht *nt;* (*lamp*) Lampe *f* **3.** *no pl* (*fire*) Feuer *nt;* (*flame*) [Kerzen]flamme *f* **4.** *no pl* (*daylight*) [Tages]licht *nt* **5.** *usu pl* (*traffic light*) Ampel *f* **II.** *adj* **1.** (*bright*) hell **2.** (*pale*) hell; (*stronger*) blass- **III.** *vt* <lit, lit> **1.** (*illuminate*) erhellen **2.** (*guide with light*) leuchten ◆ **light up I.** *vt* **1.** *hall, room* erhellen **2.** *cigar, cigarette, pipe* anzünden **3.** (*make animated*) **to ~ up** ⇆ **sb's eyes** jds Augen aufleuchten lassen **II.** *vi* **1.** (*become illuminated*) aufleuchten **2.** (*start smoking*) sich *dat* eine [Zigarette] anstecken *fam*

light² [laɪt] **I.** *adj* **1.** leicht **2.** (*for small loads*) Klein- **3.** (*of food and drink*) leicht **4.** (*low in intensity*) **it's only ~ rain** es nieselt nur **5.** (*gentle*) leicht; *kiss* zart **II.** *adv* **to travel ~** mit leichtem Gepäck reisen

light bulb *n* Glühbirne *f*

lighten¹ [ˈlaɪtᵊn] **I.** *vt* **1.** (*make less heavy*) leichter machen **2.** (*fig: make easier to bear*) erleichtern **3.** (*fig: make less serious*) aufheitern **II.** *vi* **1.** (*become less heavy or severe*) leichter werden **2.** (*fig: cheer up*) bessere Laune bekommen

lighten² [ˈlaɪtᵊn] **I.** *vi* (*become brighter*) heller werden, sich aufhellen

II. *vt* **to ~ one's hair** sich *dat* die Haare heller färben

lighter [ˈlaɪtəʳ] *n* Feuerzeug *nt*

light-headed *adj* (*faint*) benommen; (*dizzy*) schwind[e]lig **light-hearted** *adj* (*carefree*) sorglos, unbeschwert; (*happy*) heiter, fröhlich; **to take a ~ look at sth** etw mit einem Augenzwinkern betrachten

lighthouse *n* Leuchtturm *m*

lighting [ˈlaɪtɪŋ] *n no pl* Beleuchtung *f;* (*equipment*) Beleuchtungsanlage *f*

lightly [ˈlaɪtli] *adv* **1.** (*not seriously*) leichtfertig **2.** (*gently*) leicht; (*not much*) wenig **3.** (*not deeply*) leicht **4.** (*slightly*) leicht; **~ cooked vegetables** Gemüse, das nur ganz kurz gegart wird

lightning [ˈlaɪtnɪŋ] METEO **I.** *n no pl* Blitz *m;* **thunder and ~** Blitz und Donner **II.** *adj attr* **~ quick** blitzschnell

lightning conductor, AM **lightning rod** *n* Blitzableiter *m a. fig*

lightweight I. *n* **1.** *no pl* SPORTS Leichtgewicht *nt* **2.** (*boxer*) Leichtgewichtler(in) *m(f)* **3.** (*lightly built person*) Leichtgewicht *nt fam;* (*pej: lacking endurance*) Schwächling *m fam* **II.** *adj* **1.** (*weighing little*) leicht **2.** (*trivial*) trivial **3.** (*pej: unimportant*) bedeutungslos

likable *adj* AM, AUS *see* **likeable**

like¹ [laɪk] **I.** *prep* **1.** (*similar to*) wie; **what does it taste ~?** wie schmeckt es?; **he looks ~ his brother** er sieht seinem Bruder ähnlich **2.** *after n* (*such as*) wie; **why are you talking to me ~ that?** warum sprichst du so mit mir? ▶ **it** looks **~ snow** es sieht nach Schnee aus; **that's** more **~ it!** das ist schon besser! **II.** *conj* (*fam*)

1. (*the same as*) wie; **let's go swimming in the lake ~ we used to** lass uns im See schwimmen gehen wie früher **2.** (*as if*) als ob; **she acts ~ she's the boss** sie tut so, als sei sie die Chefin **III.** *adj attr* (*similar*) ähnlich; **to be of** [a] **~ mind** gleicher Meinung sein **IV.** *adv* **1.** (*sl: somehow*) irgendwie; **it was kind of funny ~** es war irgendwie schon komisch, ne [*o* SÜDD gell] **2.** (*sl: in direct speech*) **I was ~, "what are you guys doing here?"** ich sagte nur, „was macht ihr hier eigentlich?"

like² [laɪk] **I.** *vt* **1.** (*enjoy*) mögen; **to ~ doing sth** etw gern tun **2.** (*want*) **whether you ~ it or not** ob es dir passt oder nicht; **would you ~ a drink?** möchten Sie etwas trinken? **3.** (*prefer*) **I ~ to get up early** ich stehe gerne früh auf **II.** *vi* **as you ~** wie Sie wollen **III.** *n* **~s** *pl* Neigungen *pl*

likeable [ˈlaɪkəbl] *adj* liebenswert

likely [ˈlaɪkli] **I.** *adj* <-ier, -iest> wahrscheinlich **II.** *adv* <more likely, most likely> **very ~** sehr wahrscheinlich; **not ~!** auf keinen Fall!

like-minded *adj* gleich gesinnt

likeness <*pl* -es> [ˈlaɪknəs] *n* **1.** (*resemblance*) Ähnlichkeit *f* (to mit) **2.** (*semblance*) Gestalt *f* **3.** (*portrait*) Abbild *nt*

likewise [ˈlaɪkwaɪz] *adv* ebenfalls, gleichfalls; **to do ~** es genauso machen

liking [ˈlaɪkɪŋ] *n no pl* Vorliebe *f;* (*for person*) Zuneigung *f;* **to have a ~ for sth** eine Vorliebe für etw *akk* haben ▶ **for** one's **~** für jds Geschmack

lilac [ˈlaɪlək] **I.** *n* **1.** (*bush*) Flieder *m* **2.** *no pl* (*colour*) Lila *nt* **II.** *adj* lila

lily [ˈlɪli] *n* Lilie *f*

lime¹ [laɪm] **I.** *n no pl* GEOL Kalk *m* **II.** *vt* kalken

lime² [laɪm] *n* (*fruit*) Limette *f;* (*tree*) Limonenbaum *m*

lime³ [laɪm] *n* (*linden tree*) Linde *f*

limit [ˈlɪmɪt] **I.** *n* **1.** (*utmost point*) [Höchst]grenze *f;* **to overstep the ~** zu weit gehen **2.** (*boundary*) Grenze *f* **3.** (*of a person*) Grenze[n] *f[pl]*; **to know one's ~s** seine Grenzen kennen **4.** (*restriction*) Beschränkung *f;* **age ~** Altersgrenze *f;* **weight ~** Gewichtsbeschränkung *f* **5.** (*speed*) [zulässige] Höchstgeschwindigkeit **II.** *vt* **1.** (*reduce*) einschränken **2.** (*restrict*) **to ~ oneself to sth** sich auf etw *akk* beschränken

limp¹ [lɪmp] **I.** *vi* hinken; (*fig*) mit Müh und Not vorankommen **II.** *n no pl* Hinken *nt;* **to walk with a ~** hinken

limp² [lɪmp] *adj* **1.** (*not stiff*) schlaff; *cloth, material* weich **2.** (*weak*) schlapp; *efforts* halbherzig

line¹ [laɪn] **I.** *n* **1.** (*mark, contour, policy*) Linie *f;* **dividing ~** Trennungslinie *f* **2.** SPORTS Linie *f* **3.** (*wrinkle*) Falte *f* **4.** (*boundary*) Grenze *f* **5.** (*cord*) Leine *f* **6.** TELEC [Telefon]leitung *f;* **please hold the ~!** bitte bleiben Sie am Apparat! **7.** COMPUT **to go on ~** online gehen **8.** (*row of words*) Zeile *f* **9.** (*row of things, people*) Reihe *f* **10.** *esp* AM (*queue*) Schlange *f* **11.** (*product type*) Sortiment *nt* **II.** *vt* **1.** (*mark*) *paper* linieren **2.** (*stand at intervals*) **to ~ the streets** die Straßen säumen *geh* ◆ **line up I.** *vt* **1.** (*put in row*) **to ~ up ⇆ sth** etw in einer Reihe aufstellen **2.** (*organize*) **have you got any-**

L

one ~d up to do the catering? haben Sie jemanden für das Catering engagiert? **II.** *vi* **1.** (*stand in row*) sich [in einer Reihe] aufstellen **2.** AM (*wait*) sich anstellen

line² [laɪn] *vt* **1.** (*cover*) *clothing* füttern; *drawers* von innen auslegen **2.** (*fam: fill*) **to ~ one's pockets [with sth]** sich *dat* die Taschen [mit etw *dat*] füllen

linen ['lɪnɪn] *n no pl* Leinen *nt;* **bed ~** Bettwäsche *f*

line-up *n* **1.** *of performers* Besetzung *f;* **a star-studded ~ of guests** eine illustre Gästeschar **2.** SPORTS [Mannschafts]aufstellung *f;* AM (*in baseball*) Schlagreihenfolge *f,* Lineup *f fachspr* **3.** *esp* AM LAW Gegenüberstellung *f;* **police ~** polizeiliche Gegenüberstellung

lining ['laɪnɪŋ] *n* **1.** (*fabric*) Futter *nt; of coat, jacket* Innenfutter *nt; of dress, skirt* Unterrock *m* **2.** *of stomach* Magenschleimhaut *f; of brake* Bremsbelag *m*

link [lɪŋk] **I.** *n* **1.** (*connection*) Verbindung *f* (**between** zwischen); (*between people, nations*) Beziehung *f* (**between** zwischen) **2.** RADIO, TELEC Verbindung *f;* INET, COMPUT Link *m fachspr* **3.** TRANSP **rail ~** Bahnverbindung *f* **II.** *vt* (*connect*) verbinden **III.** *vi* (*connect*) sich zusammenfügen lassen

lion ['laɪən] *n* ZOOL, ASTROL Löwe *m*

lioness <*pl* -es> ['laɪənes] *n* Löwin *f*

lip [lɪp] *n* **1.** ANAT Lippe *f* **2.** (*rim*) Rand *m; of a pitcher, jug* Schnabel *m* **3.** *no pl* (*fam: cheek*) Unverschämtheiten *pl*

lip-read <-read, -read> **I.** *vi* von den Lippen [*o* vom Mund] ablesen **II.** *vt*

to ~ sb jdm von den Lippen ablesen; **to ~ words** Worte von den Lippen ablesen

lipstick *n no pl* Lippenstift *m*

liqueur [lɪˈkjʊər] *n* Likör *m*

liquid ['lɪkwɪd] **I.** *adj* **1.** (*water-like*) flüssig, Flüssig- **2.** *attr* CHEM verflüssigt **3.** FIN [frei] verfügbar **II.** *n* Flüssigkeit *f*

liquidize ['lɪkwɪdaɪz] *vt food* pürieren

liquidizer ['lɪkwɪdaɪzər] *n* Mixgerät *nt,* Mixer *m fam*

lisp [lɪsp] **I.** *n no pl* Lispeln *nt* **II.** *vi, vt* lispeln

list¹ [lɪst] **I.** *n* Liste *f;* (*in books*) Namensverzeichnis *nt;* **shopping ~** Einkaufszettel *m* **II.** *vt* auflisten; **to be ~ed in the phone book** im Telefonbuch stehen

list² [lɪst] NAUT **I.** *vi* Schlagseite haben **II.** *n* Schlagseite *f*

listen ['lɪsᵊn] **I.** *vi* **1.** (*pay attention*) zuhören; **to ~ to sb** jdm zuhören; **~ to this!** hör dir das an! *fam;* **to ~ carefully** [ganz] genau zuhören; **to ~ to the radio** Radio hören **2.** (*pay heed*) zuhören; **don't ~ to them** hör nicht auf sie **II.** *interj* hör mal! **III.** *n no pl* **have a ~ to this!** hör dir das an! ◆ **listen in** *vi* (*secretly*) mithören; (*without participating*) mitanhören; (*to radio*) hören

listener ['lɪsᵊnər] *n* **1.** (*in a conversation*) Zuhörer(in) *m(f);* **to be a good ~** gut zuhören können **2.** (*to lecture, concert*) Hörer(in) *m(f)*

lit [lɪt] *vi, vt pt, pp of* **light**

liter *n* AM *see* **litre**

literally ['lɪtᵊrᵊli] *adv* **1.** (*in a literal manner*) [wort]wörtlich **2.** (*actually*) buchstäblich; **quite ~** in der Tat **3.** (*fig fam: for emphasis*) echt

literature [ˈlɪtrətʃəʳ] *n no pl* **1.** (*written works*) Literatur *f;* **nineteenth-century** ~ die Literatur des 19. Jahrhunderts **2.** (*specialist texts*) Fachliteratur *f* (**on/about** über) **3.** (*printed matter*) Informationsmaterial *nt*

litre [ˈliːtəʳ] *n* Liter *m o nt;* **two** ~**s** [**of milk**] zwei Liter [Milch]; **per** ~ pro Liter

litter [ˈlɪtəʳ] **I.** *n* **1.** *no pl* (*rubbish*) Müll *m*, Abfall *m* **2.** + *sing/pl vb* ZOOL Wurf *m* **II.** *vt* **1.** (*make untidy*) **dirty clothes** ~**ed the floor** dreckige Wäsche lag über den Boden verstreut **2.** *usu passive* (*fig: fill*) **to be** ~**ed with sth** mit etw *dat* übersät sein

little [ˈlɪtl] **I.** *adj* **1.** (*small*) klein; (*for emphasis*) richtige(r, s), kleine(r, s) **2.** (*young*) klein; ~ **brother** kleiner Bruder **3.** *attr* (*short in distance*) kurz **4.** *attr* (*unimportant*) klein **II.** *adv* **1.** (*somewhat*) **a** ~ **...** ein wenig **...** **2.** (*hardly*) wenig; ~ **more than an hour ago** vor kaum einer Stunde **III.** *pron sing* **1.** (*small quantity*) **a** ~ ein wenig (**of** von) **2.** (*not much*) wenig; **as** ~ **as possible** möglichst wenig **3.** (*short time*) **it's a** ~ **after six** es ist kurz nach sechs

live¹ [laɪv] **I.** *adj* **1.** *attr* (*living*) lebend; ~ **animals** echte Tiere **2.** RADIO, TV live; ~ **broadcast** Liveübertragung *f* **3.** ELEC geladen; ~ **wire** Hochspannungskabel *nt* **II.** *adv* RADIO, TV live

live² [lɪv] **I.** *vi* **1.** (*be alive*) leben; **will she** ~**?** wird sie überleben? **2.** (*spend life*) leben; **to** ~ **together** zusammenleben **3.** (*subsist*) leben (**by** von) **4.** (*have interesting life*) **to** ~ **a little** das Leben genießen **5.** (*reside*) wohnen **II.** *vt* **to** ~ **one's own life** sein eigenes Leben leben ▶ **to** ~ **a lie** mit

einer Lebenslüge leben ◆ **live off,** AM *a.* **live off of** *vi* **1.** (*depend*) **to** ~ **off sb** auf jds Kosten leben **2.** **to** ~ **off sth** (*support oneself*) inheritance, pension von etw *dat* leben; (*eat*) von etw *dat* leben ◆ **live on** *vi* **1.** (*continue*) weiterleben; *tradition* fortbestehen **2.** *see* **live off 2** ◆ **live through** *vi* überstehen; **to** ~ **through an experience** eine Erfahrung durchmachen ◆ **live together** *vi* zusammenleben; *residents* zusammenwohnen ◆ **live up to** *vi* **to** ~ **up to sb's expectations** jds Erwartungen gerecht werden

lively [ˈlaɪvli] *adj* **1.** (*full of energy*) *city, child, street* lebhaft; *child, eyes, tune* munter **2.** (*bright*) *colour* hell **3.** (*lifelike*) lebendig **4.** (*brisk*) rege **5.** (*stimulating*) *discussion, style* lebhaft

liver [ˈlɪvəʳ] *n* FOOD, ANAT Leber *f*

liver sausage *n no pl,* AM, AUS **liverwurst** [ˈlɪvəwɜːst] *n* Leberwurst *f*

living [ˈlɪvɪŋ] **I.** *n* **1.** *usu sing* (*livelihood*) Lebensunterhalt *m* **2.** *no pl* (*lifestyle*) Lebensstil *m* **3.** *pl* **the** ~ (*people*) die Lebenden *pl* **II.** *adj* **1.** (*alive*) lebend *attr;* ~ **creatures** Lebewesen *pl* **2.** (*still used*) lebendig; *language* lebend

living conditions *n* Lebensbedingungen *pl* **living quarters** *n pl* Wohnbereich *m;* MIL Quartier *nt* **living room** *n* Wohnzimmer *nt*

lizard [ˈlɪzəd] *n* Eidechse *f*

load [ləʊd] **I.** *n* **1.** (*amount carried*) Ladung *f;* **with a full** ~ **of passengers** mit Passagieren [voll] besetzt **2.** (*burden*) Last *f* **3.** (*fam: lots*) **a** ~ **of work** ein Riesenberg an Arbeit **4.** (*fam: plenty*) ~**s** jede Menge **II.** *adv pl* (*sl*) ~**s better** tausendmal besser *fam* **III.** *vt* **1.** (*fill*) *gun a.* la-

L

den; *container* beladen **2.** (*fig: burden*) aufladen **IV.** *vi* [ver]laden ◆ **load up I.** *vt* aufladen; *container* beladen **II.** *vi* beladen

loaded ['ləʊdɪd] *adj* **1.** (*carrying sth*) beladen **2.** (*with ammunition*) geladen **3.** (*having excess*) überladen (**with** mit) **4.** *pred* (*fam: rich*) steinreich **5.** *pred esp* AM (*sl: drunk*) besoffen *fam*

loaf¹ <*pl* loaves> [ləʊf] *n* Brot *nt*, Brotlaib *m*

loaf² [ləʊf] *vi* faulenzen; **to ~ about** herumgammeln *fam*

loan [ləʊn] **I.** *n* **1.** (*money*) Kredit *m*; **to take out a ~** ein Darlehen aufnehmen **2.** (*object*) Leihgabe *f* **3.** (*act*) **to be on ~** geliehen sein **II.** *vt* leihen

lobby ['lɒbi] **I.** *n* **1.** ARCHIT Eingangshalle *f*; **hotel ~** Hotelfoyer *nt* **2.** POL Lobby *f* **II.** *vi* <-ie-> **to ~ against sth** seinen Einfluss [mittels eines Interessensverbandes] gegen etw *akk* geltend machen **III.** *vt* <-ie-> **to ~ sb** [**to do sth**] jdn beeinflussen [etw zu tun]

lobster ['lɒbstə^r] *n* Hummer *m*

local ['ləʊk^əl] **I.** *adj* **1.** (*neighbourhood*) hiesig, örtlich; **~ branch** Filiale *f*; *of a bank, shop* Zweigstelle *f* **2.** MED lokal **II.** *n* **1.** *usu pl* (*inhabitant*) Ortsansässige(r) *f(m)* **2.** BRIT (*fam: pub*) Stammkneipe *f*

local authority *n* BRIT *of community* Gemeindeverwaltung *f*, Kommunalverwaltung *f*; *of city* Stadtverwaltung *f*, städtische Behörden **local call** *n* Ortsgespräch *nt* **local election** *n* Kommunalwahl *f*, Gemeindewahl *f* SCHWEIZ **local news** *n* + *sing vb* Lokalnachrichten *pl* **local time** *n* Ortszeit *f*

loch [lɒk, SCOT lɒx] *n* SCOT **1.** (*lake*) See *m* **2.** (*fjord*) Meeresarm *m*

lock¹ [lɒk] *n* (*curl*) [Haar]locke *f*

lock² [lɒk] **I.** *n* **1.** (*fastening device*) Schloss *nt* **2.** NAUT Schleuse *f* **3.** (*in wrestling*) Fesselgriff *m* **II.** *vt* **1.** (*fasten*) abschließen **2.** *usu passive* (*entangle*) sich verhaken **III.** *vi* **1.** (*become secured*) schließen **2.** (*become fixed*) binden ◆ **lock away** *vt* **1.** (*secure*) wegschließen **2.** (*for peace and quiet*) **to ~ oneself away** [**in one's office**] sich [in seinem Büro] einschließen ◆ **lock out** *vt* aussperren ◆ **lock up I.** *vt* **1.** (*shut, secure*) abschließen; *documents, money* wegschließen **2.** (*put in custody*) einsperren **II.** *vi* abschließen, zuschließen

locker ['lɒkə^r] *n* Schließfach *nt*

locksmith *n* Schlosser(in) *m(f)*

lodge [lɒdʒ] **I.** *n* **1.** (*house*) Hütte *f*; **gatekeeper's ~** Pförtnerhaus *nt* **2.** (*meeting place*) Loge *f* **II.** *vt* **1.** (*present formally*) *appeal, objection, complaint* einlegen **2.** *esp* BRIT, AUS (*form: store*) **to ~ sth with sb** etw bei jdm hinterlegen **III.** *vi* **1.** (*become fixed*) stecken bleiben **2.** (*form: reside*) logieren

lodger ['lɒdʒə^r] *n* Untermieter(in) *m(f)*; **to take in ~s** Zimmer [unter]vermieten

lodging ['lɒdʒɪŋ] *n* **1.** *no pl* (*form: accommodation*) Unterkunft *f* **2.** *esp* BRIT (*fam: rented room*) **~s** *pl* möbliertes Zimmer

lodging house *n* Pension *f*

loft [lɒft] **I.** *n* **1.** (*attic*) Speicher *m*, Estrich *m* SCHWEIZ; (*for living*) Dachwohnung *f*, Loft *m* **2.** (*gallery in church*) **choir ~** Empore *f* (*für den*

[*Kirchen*]*chor*) **II.** *vt ball* hochschlagen (**over** über)

log¹ [lɒg] *n* (*fam*) *short for* **logarithm** Logarithmus *m*

log² [lɒg] **I.** *n* **1.** (*branch*) [gefällter] Baumstamm; (*tree trunk*) [Holz]block *m;* (*for fire*) [Holz]scheit *nt* **2.** (*record*) NAUT Logbuch *nt* **3.** (*systematic record*) Aufzeichnungen *pl* **II.** *vt* <-gg-> **1.** (*enter into record*) aufzeichnen; *phone calls* registrieren **2.** *forest* abholzen **III.** *vi* <-gg-> Bäume fällen

logical [ˈlɒʤɪkəl] *adj* **1.** (*according to laws of logic*) logisch **2.** (*correctly reasoned*) vernünftig

lollipop [ˈlɒlipɒp] *n* Lutscher *m,* ÖSTERR a. Schlecker *m,* Schleckstängel *m* SCHWEIZ

lolly [ˈlɒli] *n* **1.** BRIT, AUS (*fam*) Lutscher *m* **2.** AUS, NZ (*boiled sweet*) Bonbon *m o nt*

lonely <-ier, -iest> [ˈləʊnli] *adj* einsam; **to feel** ~ sich einsam fühlen

loner [ˈləʊnəʳ] *n* (*usu pej*) Einzelgänger(in) *m(f)*

long¹ [lɒŋ] **I.** *adj* **1.** (*in space*) lang; (*over great distance*) weit; (*elongated*) lang, länglich; (*fam: tall*) groß, lang *fam* **2.** (*in time*) lang; (*tedious*) lang[wierig] **3.** (*in scope*) lang; *book* dick ▸ **in the** ~ **run** auf lange Sicht [gesehen] **II.** *adv* **1.** (*for a long time*) lang[e]; **have you been waiting ~?** wartest du schon lange? **2.** (*at a distant time*) lange; ~ **ago** vor langer Zeit **3.** (*after implied time*) lange; **how much ~er will it take?** wie lange wird es noch dauern? **4.** (*throughout*) **all night** ~ die ganze Nacht [lang] ▸ **as** ~ **as ...** (*during*) solange ... **III.** *n no pl* (*long time*) eine lange

Zeit; **it won't take** ~ es wird nicht lange dauern ▸ **before** [**very**] ~ schon [sehr] bald

long² [lɒŋ] *vi* sich sehnen (**for** nach)

long³ *n* GEOG *abbrev of* **longitude** Länge *f*

long-distance I. *adj attr* **1.** (*between distant places*) Fern-, Weit-; ~ **relationship** Beziehung zwischen zwei weit voneinander entfernt wohnenden Partnern **2.** SPORTS Langstrecken-; ~ **race** Langstreckenlauf *m* **II.** *adv* **to travel** ~ eine Fernreise machen **long-haired** <longer-, longest-> *adj* langhaarig; *animals* Langhaar-

longish [ˈlɒŋɪʃ] *adj* (*fam*) ziemlich lang

long jump *n* SPORTS **1.** (*sports discipline*) **the** ~ *no pl* der Weitsprung **2.** (*action*) ~**s** *pl* Weitsprünge *pl* **long-range** *adj* **1.** (*in distance*) Langstrecken- **2.** (*long-term*) langfristig **long-sighted** *adj* **1.** (*having long sight*) weitsichtig **2.** *esp* AM (*fig: having foresight*) vorausschauend **long-suffering** *adj* langmütig **long-term** *adj attr* langfristig; ~ **memory** Langzeitgedächtnis *nt*

long vacation, *fam* **long vac** *n* BRIT, AUS UNIV lange [Semester]ferien, Sommerferien *pl;* LAW Sommerpause *f* **long wave** *n* RADIO Langwelle *f* **long-winded** *adj* langatmig

loo [luː] *n* BRIT, AUS (*fam*) Klo *nt;* **to need to go to the** ~ aufs Klo [gehen] müssen

look [lʊk] **I.** *n* **1.** *usu sing* (*glance*) Blick *m;* **to have a** ~ **round** sich umsehen **2.** (*facial expression*) [Gesichts]ausdruck *m,* Miene *f* **3.** *no pl* (*examination*) Betrachtung *f;* **to have a** ~ **at sth** sich *dat* etw ansehen **4.** *no pl* (*search*) **to have a** ~ nach-

L

sehen **5.** *no pl* (*appearance*) Aussehen *nt;* **~s** *pl* Aussehen *nt kein pl* **6.** FASHION Look *m;* ▶ **if ~s could kill** wenn Blicke töten könnten **II.** *interj* (*explanatory*) schau mal *fam* **III.** *vi* **1.** (*glance*) schauen; **to ~ away/the other way** wegsehen **2.** (*search*) suchen; (*in an encyclopaedia*) nachschlagen **3.** (*appear*) **she doesn't ~ her age** man sieht ihr ihr Alter nicht an; **to ~ tired** müde aussehen; **to ~ like sb** (*resemble*) jdm ähnlich sehen **4.** (*pay attention*) **~ where you're going!** pass auf, wo du hintrittst! **IV.** *vt* **to ~ sb in the eye** jdm in die Augen sehen ▶ **to ~ daggers at sb** jdn mit Blicken durchbohren ◆ **look about** *vi* **to ~ about for sth** sich nach etw *dat* umsehen ◆ **look after** *vi* **1.** (*glance*) nachsehen +*dat* **2.** (*take care of, be responsible for*) **to ~ after sb** sich um jdn kümmern **3.** (*keep an eye on*) **to ~ after sth** auf etw aufpassen ◆ **look ahead** *vi* **1.** (*glance*) nach vorne sehen **2.** (*fig: plan*) vorausschauen ◆ **look around** *vi see* **look round** ◆ **look at** *vi* **1.** (*glance*) ansehen **2.** (*examine*) **to ~ at sth** sich *dat* etw ansehen **3.** (*regard*) **to ~ at sth** etw betrachten ◆ **look away** *vi* wegsehen ◆ **look back** *vi* **1.** (*glance*) zurückschauen **2.** (*remember*) zurückblicken (**on/at** auf) ◆ **look down** *vi* **1.** (*glance*) nach unten sehen; **to ~ down at/on sb** zu jdm hinuntersehen **2.** (*fig: despise*) **to ~ down [up]on sb** auf jdn herabsehen ◆ **look for** *vi* **1.** (*seek*) **to ~ for sb/sth** nach jdm/etw suchen; **to ~ for a job** Arbeit suchen **2.** (*anticipate*) **to ~ for sb/sth** jdn/etw erwarten ◆ **look forward** *vi* **1.** (*glance*) nach vorne sehen **2.** (*anti-*

cipate, enjoy) **to ~ forward to sth** sich auf etw *akk* freuen ◆ **look in** *vi* **1.** (*glance*) hineinsehen **2.** (*visit*) **to ~ in [on sb]** bei jdm vorbeischauen *fam* ◆ **look into** *vi* **to ~ into sth** **1.** (*glance*) in etw *akk* [hinein]sehen; **to ~ into sb's eyes/face** jdm in die Augen/ins Gesicht sehen **2.** (*examine*) etw untersuchen ◆ **look on** *vi* **1.** (*glance*) betrachten **2.** (*regard*) **to ~ on sth with disquiet/favour** etw mit Unbehagen/Wohlwollen betrachten ▶ **to ~ on the bright side** [of sth] die positiven Seiten [einer S. *gen*] sehen ◆ **look out** **I.** *vi* **1.** (*search, wait*) **to ~ out for sb** nach jdm Ausschau halten **2.** (*be careful*) aufpassen; **to ~ out for sb** sich vor jdm in Acht nehmen **3.** (*care for*) **to ~ out for oneself** seine eigenen Interessen verfolgen **II.** *vt* BRIT **to ~ out** ⇆ **sth** etw heraussuchen ◆ **look over** **I.** *vi* **to ~ over sth** **1.** (*glance*) über etw *akk* blicken **2.** (*offer a view*) *window, room* auf etw *akk* [hinaus]gehen **II.** *vt* **1.** (*view*) besichtigen; (*inspect, survey*) inspizieren **2.** (*examine briefly*) durchsehen ◆ **look round** *vi* BRIT, AUS **1.** (*glance*) sich umsehen **2.** (*search*) **to ~ round for sth** sich nach etw umsehen **3.** (*examine*) **to ~ round sth** sich *dat* etw ansehen ◆ **look through** *vi* **1.** (*glance*) **to ~ through sth** durch etw *akk* [hindurch]sehen; **to ~ through a window** aus einem Fenster sehen **2.** (*fig: ignore*) **to ~ [straight] through sb** [einfach] durch jdn hindurchschauen **3.** (*peruse*) **to ~ through sth** etw durchsehen ◆ **look to** *vi* **1.** (*consider*) **to ~ to sth** sich um etw *akk* kümmern; **to ~ to one's motives** seine Motive [genau] prüfen

2. (*rely on*) **to ~ to sb** auf jdn bauen
♦ **look up** I. *vi* **1.** (*glance*) **to ~ up at sb/sth** zu jdm/etw hinaufsehen; **to ~ up [from sth]** [von etw *dat*] aufsehen **2.** (*improve*) besser werden; *increase, rise* steigen II. *vt* **1.** (*fam: visit*) **to ~ up ⇆ sb** bei jdm vorbeischauen **2.** (*search for*) nachschlagen

lookalike *n* Doppelgänger(in) *m(f)*

lookout *n* **1.** (*observation post*) Beobachtungsposten *m* **2.** (*person*) Wache *f* **3.** *esp* BRIT (*fam: outlook*) Aussichten *pl* **4.** (*be alert for*) **to keep a ~ [for sb]** [nach jdm] Ausschau halten

loop [luːp] I. *n* **1.** (*shape*) Schleife *f; of a string, wire* Schlinge *f* **2.** AVIAT Looping *m* **3.** (*in skating*) Schleife *f* II. *vt* (*form into loop*) **~ the rope over the bar** schling das Seil um die Stange III. *vi* **1.** (*form a loop*) eine Schleife machen; *road, stream* sich schlängeln **2.** AVIAT einen Looping drehen

loose [luːs] I. *adj* **1.** (*not tight*) locker; *skin* schlaff; **~ cash/coins** Kleingeld *nt;* **~ sheets of paper** lose Blätter Papier; **to work itself ~** sich lockern **2.** *hair* offen **3.** (*not confined*) frei **4.** (*not exact*) ungefähr *attr;* (*not strict*) lose **5.** *clothing* weit, locker **6.** (*indiscreet*) **~ tongue** loses Mundwerk *fam* ▶ **to hang ~** AM (*sl*) cool bleiben II. *vt* (*untie*) *knot, rope* lösen

loosely ['luːsli] *adv* **1.** (*not tightly*) lose; **to hang ~** schlaff herunterhängen **2.** (*not exactly*) ungefähr; **~ speaking** grob gesagt **3.** (*not strictly*) locker

loosen ['luːsᵊn] I. *vt* **1.** (*make less tight*) **to ~ one's collar** seinen [Hemd]kragen aufmachen **2.** *policy, rules, muscles, grip* lockern II. *vi* sich lockern

lord [lɔːd] *n* **1.** (*nobleman*) Lord *m*

2. (*ruler*) **~ of the manor** Gutsherr *m;* (*fig*) Herr *m* im Haus

Lord Mayor *n* BRIT Oberbürgermeister(in) *m(f)*

lorry ['lɒri] *n* BRIT Last[kraft]wagen *m;* **~ driver** Lastwagenfahrer(in) *m(f)*

lose <lost, lost> [luːz] I. *vt* **1.** (*forfeit*) verlieren; **to ~ sth to sb** etw an jdn verlieren **2.** (*through death*) **she lost her son in the fire** ihr Sohn ist beim Brand umgekommen **3.** *usu passive* **to be lost** *things* verschwunden sein **4.** (*waste*) *opportunity* versäumen **5.** *watch, clock* **to ~ time** nachgehen **6.** (*not find, not win*) verlieren **7.** AM (*fam: get rid of*) abschütteln ▶ **to ~ heart** den Mut verlieren; **to ~ it** (*fam*) durchdrehen; **to ~ track [of sth]** (*not follow*) [etw *dat*] [geistig] nicht folgen können II. *vi* **1.** (*be beaten*) verlieren (**to** gegen) **2.** (*flop*) ein Verlustgeschäft sein **3.** (*invest badly*) Verlust machen (**on** bei)

loser ['luːzəʳ] *n* Verlierer(in) *m(f)*

loss <*pl* -es> [lɒs] *n* Verlust *m;* ▶ **to be at a ~** nicht mehr weiterwissen

lost [lɒst] I. *pt, pp of* **lose** II. *adj* **1.** (*unable to find way*) **to be ~** sich verirrt haben; **to get ~** sich verirren **2.** (*no longer to be found*) **~ articles** abhanden gekommene Artikel; **to get ~** verschwinden **3.** *pred* (*helpless*) **to feel ~** sich verloren fühlen **4.** (*perished, destroyed*) *soldiers* gefallen ▶ **to be ~ on sb** nicht verstanden werden

lot [lɒt] I. *pron* **1.** (*much, many*) **a ~** viel **2.** (*everything*) **the ~** alles II. *adv* (*fam*) **a ~** viel; **thanks a ~!** vielen Dank!; **we go on holidays a ~** wir machen oft Urlaub III. *n* **1.** + *sing/pl vb* BRIT, AUS (*group*) Trupp *m fam;* BRIT (*usu pej fam: group of people*) Hau-

L

fen *m;* **are you ~ coming to lunch?**
kommt ihr alle zum Essen? **2.** *no pl*
(*fate*) Los *nt geh* **4.** *esp* AM, AUS
(*land*) Stück *nt* Land; **parking ~**
Parkplatz *m*

lottery [ˈlɒtˤri] *n* Lotterie *f;* **~ ticket**
Lotterielos *nt*

loud [laʊd] **I.** *adj* **1.** (*audible*) laut
2. (*pej: insistent*) [aufdringlich] laut
3. (*pej: garish*) auffällig **II.** *adv* laut;
~ and clear laut und deutlich

loudmouth *n* (*fam*) Großmaul *nt*
loudspeaker *n* Lautsprecher *m*

lounge [laʊndʒ] **I.** *n* **1.** (*public room*)
Lounge *f; of hotel* Hotelhalle *f;* **departure ~** Abflughalle *f* **2.** BRIT (*sitting
room*) Wohnzimmer *nt* **II.** *vi* **~
[about/around]** (*lie*) [faul] herumliegen; (*sit*) [faul] herumsitzen; (*stand*)
[faul] herumstehen

lounge bar *n* BRIT *der vornehmere Teil
eines Pubs* **lounge suit** *n* BRIT Stra-
ßenanzug *m*

lousy [ˈlaʊzi] *adj* **1.** (*fam: bad*) lausig;
~ weather Hundewetter *nt* **2.** (*meagre*) lausig **3.** *pred* (*ill*) **to feel ~** sich
hundeelend fühlen

lout [laʊt] *n* (*fam*) Flegel *m;* **lager ~s**
BRIT (*pej*) Saufköpfe *pl derb*

loutish [ˈlaʊtɪʃ] *adj* (*fam*) rüpelhaft

love [lʌv] **I.** *n* **1.** *no pl* (*affection*) Liebe
f; **to be in ~ with sb** in jdn verliebt
sein; **to make ~ to sb** mit jdm schlafen **2.** (*interest*) Leidenschaft *f;* (*with
activities*) Liebe *f;* **she has a great ~
of music** sie liebt die Musik sehr
3. *esp* BRIT (*fam: darling*) Schatz *m*
4. *no pl* TENNIS null **II.** *vt* (*be in love
with*) lieben; (*greatly like*) sehr mögen

love life *n* Liebesleben *nt* **love letter**
n Liebesbrief *m* **love life** *n* Liebesleben *nt kein pl*

lovely [ˈlʌvli] *adj* **1.** (*beautiful*) schön;
house wunderschön; **to look ~** rei-
zend aussehen **2.** (*fam: pleasant*)
wunderbar, herrlich; **how ~ to see
you!** wie schön, dich zu sehen!
3. (*charming*) nett, liebenswürdig

lover [ˈlʌvər] *n* **1.** (*person in love*) Lie-
bende(r) *f(m)* **2.** (*sexual partner*)
Liebhaber(in) *m(f);* **~s** *pl* Liebespaar
nt sing **3.** (*enthusiast*) Liebhaber(in)
m(f) (**of** von)

lovesick *adj* **to be ~** Liebeskummer
haben **love song** *n* Liebeslied *nt*
love story *n* Liebesgeschichte *f*

loving [ˈlʌvɪŋ] *adj* (*feeling love*) liebend; (*showing love*) liebevoll

low¹ [ləʊ] **I.** *adj* **1.** (*in height*) niedrig;
neckline tief; *slope* flach **2.** (*in number*) gering, wenig **3.** (*depleted*)
knapp **4.** (*not loud*) leise; **~ groaning**
verhaltenes Stöhnen **5.** (*not high-
pitched*) *voice* tief **6.** (*not intense*)
niedrig **7.** (*not good*) *morale, visibility*
schlecht; *quality* minderwertig; **to
have a ~ opinion of sb** von jdm
nicht viel halten **8.** (*sad*) **in ~ spirits**
niedergeschlagen; **to feel ~** niedergeschlagen sein **II.** *adv* **1.** (*in height*)
niedrig; **to be cut ~** *dress, blouse* tief
ausgeschnitten sein **2.** (*to a low level*)
tief; **to turn the music ~er** die Musik
leiser stellen **3.** (*cheap*) billig **III.** *n*
1. (*low level*) Tiefpunkt *m* **2.** METEO
Tief *nt*

low² [ləʊ] **I.** *n* (*of cow*) Muhen *nt*
II. *vi cow* muhen

low-budget *adj airline, holiday* Billig-;
film mit kleinem Budget **low-calorie**,
fam **low-cal** *adj* kalorienarm **low-
cut** *adj dress* tief ausgeschnitten,
mit tiefem Ausschnitt *nach n*

lower¹ [ˈləʊər] **I.** *adj* **1.** (*less high*)

niedriger; (*situated below*) untere(r, s), Unter- **2.** (*less in hierarchy*) *status, rank* niedere(r, s), untere(r, s) **II.** *vt* **1.** (*move downward*) herunterlassen; *arms, hands* senken; **to ~ one's eyes** die Augen niederschlagen **2.** (*decrease*) verringern; *voice* senken **3.** (*demean*) **to ~ oneself to do sth** sich herablassen, etw zu tun **III.** *vi* sinken; *voice* leiser werden

lower² [laʊəʳ] *vi person* ein finsteres Gesicht machen; *light* dunkler werden; **~ing skies** verhangener Himmel

low-maintenance *adj* pflegeleicht **low-necked** *adj* ~ **dress** Kleid *nt* mit tiefem Ausschnitt **low-pressure** *adj* **1.** (*not stressful*) stressfrei **2.** (*not aggressive*) unaufdringlich **3.** METEO ~ **area** Tiefdruckgebiet *nt* **low season** *n* Nebensaison *f* **low tide** *n*, **low water** *n no pl* Niedrigwasser *nt; of sea* Ebbe *f*

luck [lʌk] *n no pl* **1.** (*fortune*) Glück *nt;* **as ~ would have it** wie es der Zufall wollte; **just my ~!** Pech gehabt!; **no such ~!** (*fam*) schön wär's!; **bad ~ [on sb]** Pech *nt* [für jdn]; **to be in ~** Glück haben **2.** (*success*) Erfolg *m;* **any ~ with booking your flight?** hat es mit der Buchung deines Fluges geklappt?

lucky [ˈlʌki] *adj* **1.** (*fortunate*) glücklich; **you ~ thing!** (*fam*) du Glückliche(r)! **2.** (*bringing fortune*) Glück bringend, Glücks-

luggage [ˈlʌgɪdʒ] *n no pl* [Reise]gepäck *nt;* **a piece of ~** ein Gepäckstück *nt*

luggage rack *n esp* BRIT Gepäckablage *f; of a bicycle* Gepäckträger *m*

lukewarm [ˌluːkˈwɔːm] *adj* **1.** (*tepid*) lau[warm] **2.** (*fig: not enthusiastic*) mäßig

luminous [ˈluːmɪnəs] *adj* **1.** (*bright*) leuchtend *a. fig,* strahlend *a. fig* **2.** (*phosphorescent*) phosphoreszierend, Leucht- **3.** (*brilliant*) genial

lump [lʌmp] **I.** *n* **1.** (*chunk*) Klumpen *m;* **three ~s of sugar** drei Stück Zucker **2.** (*sl: heap*) Haufen *m fam* **3.** MED (*swelling*) Schwellung *f* **II.** *vt* (*combine*) **to ~ sth with sth** etw mit etw *dat* zusammentun *fam* **III.** *vi* FOOD *flour, sauce* klumpen

lump sugar *n no pl* Würfelzucker *m* **lump sum** (**payment**) *n* Einmalzahlung *f;* **to pay sth in a ~** etw pauschal bezahlen

lumpy [ˈlʌmpi] *adj liquid* klumpig; *figure* plump; *person* pummelig

lunatic [ˈluːnətɪk] **I.** *n* Irre(r) *f(m) pej derb;* MED Geistesgestörte(r) *f(m);* LAW [geistig] Unzurechnungsfähige(r) *f(m)* **II.** *adj* verrückt *fam o pej;* MED geistesgestört; LAW [geistig] unzurechnungsfähig

lunch [lʌn(t)ʃ] **I.** *n <pl -es>* **1.** (*midday meal*) Mittagessen *nt;* **to have ~** zu Mittag essen **2.** (*mid-day break*) Mittagspause *f;* **to be out to ~** in der Mittagspause sein **3.** (*light meal*) Imbiss *m* **II.** *vi* zu Mittag essen; **to ~ on sth** etw zu Mittag essen

lunch break *n* Mittagspause *f*

luncheon [ˈlʌn(t)ʃən] *n* (*form*) Mittagessen *nt*

luncheon meat *n* Frühstücksfleisch *nt* **luncheon voucher** *n* BRIT Essensmarke *f*

lunch hour *n* Mittagspause *f* **lunchtime** *n* (*midday*) Mittagszeit *f;* (*lunchbreak*) Mittagspause *f;* **at ~** mittags

lung [lʌŋ] *n* Lungenflügel *m;* **the ~s** *pl* die Lunge *sing*

lung cancer *n no pl* Lungenkrebs *m*

L

lurch¹ [lɜ:tʃ] *n* **to leave sb in the ~** jdn im Stich lassen

lurch² [lɜ:tʃ] **I.** *n* <*pl* -es> Ruck *m a. fig* **II.** *vi crowd, person* torkeln

Luxembourg [ˈlʌksəmbɜ:g] *n* Luxemburg *nt*

Luxembourger [ˈlʌksəmbɜ:gəʳ] *n* Luxemburger(in) *m(f)*

luxury [ˈlʌkʃri] *n* **1.** *no pl* (*self-indulgence*) Luxus *m* **2.** (*luxurious item*) Luxus[artikel] *m*

lying¹ [ˈlaɪɪŋ] *vi present part of* **lie**

lying² [ˈlaɪɪŋ] **I.** *adj attr* verlogen, lügnerisch **II.** *n no pl* Lügen *nt*

M

m I. *n* <*pl* -'s> **1.** *abbrev of* **metre** m **2.** *abbrev of* **mile 3.** *abbrev of* **million** Mill., Mio.

M <*pl* -'s>, **m** <*pl* -'s> [em] *n* M *nt*, m *nt; see also* **A 1**

ma [mɑ:] *n* (*fam*) Mama *f*, Mutti *f*

MA [ˌemˈeɪ] *n abbrev of* **Master of Arts**

mac [mæk] *n esp* BRIT (*fam*) *short for* **macintosh** Regenmantel *m*

macaroni [ˌmækəˈreʊni] *n no pl* Makkaroni *pl*

machine [məˈʃi:n] *n* Maschine *f;* **by ~** maschinell

machine gun *n* Maschinengewehr *nt*

machinery [məˈʃi:nəri] *n no pl* Maschinen *pl*

mackerel <*pl* -s> [ˈmækəʳəl] *n* Makrele *f*

mackintosh [ˈmækɪntɒʃ] *n* BRIT Regenmantel *m*

mad <-dd> [mæd] *adj* **1.** *esp* BRIT (*fam*) verrückt *fam;* **to go ~** den Verstand verlieren **2.** (*frantic*) wahnsinnig *fam;* **I'm in a ~ rush** ich habs wahnsinnig eilig; **like ~** wie verrückt

madam [ˈmædəm] *n no pl* (*addressing*) gnädige Frau; (*in titles*) **M~ President** Frau Präsidentin; **Dear M~,** (*in letter*) Sehr geehrte gnädige Frau,

mad cow disease *n* Rinderwahnsinn *m*

maddening [ˈmædənɪŋ] *adj* äußerst ärgerlich; *habit* nervend; (*exasperating*) zum Verrücktwerden

made [meɪd] **I.** *pp, pt of* **make II.** *adj* **to have [got] it ~** es geschafft haben *fam*

made-to-measure *adj* maßgeschneidert

made-up *adj* **1.** [frei] erfunden **2.** *face* geschminkt

madly [ˈmædli] *adv* wie verrückt

madness [ˈmædnəs] *n no pl* **1.** *no pl* Wahnsinn *m geh* **2.** (*folly*) Verrücktheit *f*

mafia [ˈmæfiə] *n + sing/pl vb* Mafia *f*

mag [mæg] *n* (*fam*) *short for* **magazine** Blatt *nt*

magazine [ˌmægəˈzi:n] *n* **1.** Zeitschrift *f* **2.** (*holder*) Magazin *nt*

magic [ˈmædʒɪk] **I.** *n no pl* Magie *f;* (*tricks*) Zaubertrick[s] *m[pl];* **to do ~** zaubern **II.** *adj* magisch, Zauber-; (*extraordinary*) *moment* zauberhaft **III.** *interj* BRIT (*fam*) großartig

magical [ˈmædʒɪkəl] *adj* magisch, Zauber-; (*extraordinary*) *moment* zauberhaft

magician [məˈdʒɪʃən] *n* Zauberer, Zauberin *m, f*

magistrate [ˈmædʒɪstreɪt] *n* **to appear**

before a ~ vor einem Schiedsgericht erscheinen

maglev ['mæglev] *n no pl short for* **magnetic levitation** magnetisches Schweben; **~ train** Magnet[schwebe]-bahn *f*

magnet ['mægnət] *n* Magnet *m*

magnetic [mæg'netɪk] *adj* magnetisch, Magnet-

magnificent [mæg'nɪfɪsᵊnt] *adj* wunderbar, großartig; **to look ~** wunderschön aussehen

magnify <-ie-> ['mægnɪfaɪ] *vt* vergrößern

magpie ['mægpaɪ] *n* Elster *f*

mahogany [mə'hɒgᵊni] *n* **1.** *no pl* Mahagoni[holz] *nt* **2.** (*tree*) Mahagonibaum *m*

maid [meɪd] *n* Dienstmädchen *nt;* (*at hotel*) Zimmermädchen *nt*

maiden name *n* Mädchenname *m*

mail¹ [meɪl] AM **I.** *n no pl* Post *f;* **by ~** mit der Post **II.** *vt* einwerfen; (*at post office*) aufgeben

mail² [meɪl] *n no pl* Panzer *m;* **chain ~** Kettenpanzer *m*

mailbox *n* AM Briefkasten *m*

mailing list *n* Adressenliste *f*

mailman *n* AM Briefträger(in) *m(f)*, Postbote, -botin *m, f*

mail-order catalogue *n* [Versand]katalog *m*

main [meɪn] **I.** *adj attr* Haupt-; **~ concern** wichtigstes Anliegen **II.** *n* **1.** (*pipe*) Hauptleitung *f;* (*cable*) Hauptkabel *nt* **2.** BRIT ELEC **the ~s** *pl* der Hauptschalter; (*for water, gas*) der Haupthahn ▸ **in the ~** im Allgemeinen

mainframe *n* Hauptrechner *m*

mainland I. *n no pl* **the ~** das Festland **II.** *adj attr* **~ Britain** die britische Hauptinsel; **~ China** China *nt;* **~ Europe** europäisches Festland

mainly ['meɪnli] *adv* hauptsächlich

main road *n* Hauptstraße *f* **mainsail** *n* Hauptsegel *nt*, Großsegel *nt*

maintain [meɪn'teɪn] *vt* **1.** [bei]behalten; *blockade* aufrechterhalten; **to ~ the lead** in Führung bleiben; **to ~ a low profile** sich zurückhalten **2.** (*service*) instand halten

maintenance ['meɪntᵊnən(t)s] *n no pl* Beibehaltung *f*, Wahrung *f; of car, garden* Pflege *f; of building, monument* Instandhaltung *f; of machine* Wartung *f*

maison(n)ette [ˌmeɪzᵊn'et] *n* BRIT Maiso[n]nette *f*

maize [meɪz] *n no pl esp* BRIT Mais *m*

majesty ['mædʒəsti] *n* **1.** *no pl* Herrlichkeit *f* **2.** [Her/His/Your] M~ [Ihre/Seine/Eure] Majestät

major ['meɪdʒə'] **I.** *adj attr* (*important*) bedeutend; (*main*) Haupt-; (*serious*) schwer **II.** *n* **1.** MIL Major(in) *m(f)* **2.** AM, AUS UNIV Hauptfach *nt* **III.** *vi* UNIV **to ~ in biology** Biologie als Hauptfach studieren

majority [mə'dʒɒrəti] **I.** *n* **1.** + *sing/pl vb* Mehrheit *f; of cases* Mehrzahl *f;* **the ~ of the votes** die Stimmenmehrheit **2.** POL (*margin*) [Stimmen]mehrheit *f* **II.** *adj attr* POL Mehrheits-

make [meɪk] **I.** *n* **1.** Fabrikat *nt*, Marke *f* **2.** (*pej*) **to be on the ~** geldgierig sein **II.** *vt* <made, made> **1.** machen; *manufacture* herstellen; *coffee, soup* kochen; **to be made for sth** für etw *akk* [wie] geschaffen sein **2. she'll ~ a great mother** sie wird eine tolle Mutter abgeben **3.** + *vb* **to ~ sb laugh** jdn zum Lachen bringen **4. to ~ sb do sth** jdn zwingen, etw

M

zu tun **5.** + *adj* **to ~ sb angry** jdn wütend machen; **to ~ sth public** etw veröffentlichen **6.** (*perform*) machen; **to ~ a call** anrufen; **to ~ an effort** sich anstrengen; **to ~ a promise** es versprechen; **to ~ a start** anfangen **7. five plus five ~s ten** fünf und fünf ist zehn **8.** (*earn*) verdienen **9. don't ~ too much of his grumpiness** gib nicht zu viel auf seine mürrische Art **10.** (*fam*) **to ~ the front page** auf die Titelseite kommen; **to ~ it** es schaffen **11. that made my day!** das hat mir den Tag gerettet!; **you've got it made!** du hast ausgesorgt! ◆ **make for, make towards** *vi* **1. to ~ for sth** auf etw *akk* zugehen; *driver* auf etw *akk* zufahren **2. Kant ~s for hard reading** Kant ist schwer zu lesen ◆ **make of** *vt* **I can't ~ anything of this book** ich verstehe dieses Buch nicht; **what do you ~ of his speech?** was hältst du von seiner Rede? ◆ **make off** *vi* (*fam*) **1.** abhauen **2. to ~ off with sth** etw mitgehen lassen *fam* ◆ **make out I.** *vi* (*fam*) **1.** zurechtkommen **2.** AM (*sl: have sex*) rummachen *sl* **II.** *vt* **1.** (*write*) ausschreiben; *cheque* ausstellen **2.** (*decypher*) entziffern ◆ **make over** *vt* **1.** LAW (*transfer ownership*) **to ~ over ⇆ a house/a business/land to sb** jdm ein Haus/ein Geschäft/Land überschreiben **2.** *esp* AM (*redo*) umändern ◆ **make up I.** *vt* **1.** (*invent*) erfinden **2.** (*prepare*) fertig machen; *bed* machen **3. to ~ oneself up** sich schminken **4.** (*make good*) wieder gutmachen; *deficit* ausgleichen **5.** *usu passive* **to be made up of sth** aus etw *dat* bestehen **6. to ~ up one's mind** sich entschei-

den **7. to ~ it up with sb** sich mit jdm versöhnen **II.** *vi* sich versöhnen ◆ **make up to** *vi* BRIT, AUS **to ~ up to sb** sich bei jdm lieb Kind machen *fam*
maker ['meɪkəʳ] *n* Hersteller(in) *m(f)*
make-up *n* **1.** *no pl* (*cosmetics*) Make-up *nt;* **to put on ~** sich schminken **2.** (*composition*) Zusammensetzung *f;* (*character*) Veranlagung *f*
malaria [məˈleərɪə] *n no pl* Malaria *f*
male [meɪl] **I.** *adj* männlich; **~ choir** Männerchor *m* **II.** *n* Mann *m;* (*animal*) Männchen *nt*
malfunction [ˌmælˈfʌŋ(k)ʃəⁿn] **I.** *vi* (*not work properly*) nicht funktionieren; (*stop working*) ausfallen **II.** *n* Ausfall *m;* *of liver, kidney* Funktionsstörung *f*
malicious [məˈlɪʃəs] *adj* boshaft
mall [mɔːl] *n* (*shops*) [große] Einkaufspassage; (*shopping centre*) [überdachtes] Einkaufszentrum
malnutrition [ˌmælnjuːˈtrɪʃəⁿn] *n no pl* Unterernährung *f*
malpractice [ˌmælˈpræktɪs] *n no pl* (*faulty work*) Berufsvergehen *nt;* (*criminal misconduct*) [berufliches] Vergehen
malt [mɔːlt] *n no pl* Malz *nt;* (*whisky*) Maltwhisky *m*
Malta ['mɔːltə] *n no pl* Malta *nt*
mammal ['mæməⁱl] *n* Säugetier *nt*
man [mæn] **I.** *n* <*pl* men> **1.** Mann *m;* **he's not a ~ to ...** er ist nicht der Typ, der ...; **men's clothing** Herrenkleidung *f;* **the men's** [**room**] die Herrentoilette; **to take sth like a ~** etw wie ein [richtiger] Mann ertragen **2.** (*person*) Mensch *m;* **every ~ for himself** jeder für sich; **ladies' ~** Frauenheld *m;* **the ~ in the street** der kleine Mann; **odd ~ out** Außenseiter *m* **3.** *no pl, no art* **M~** der Mensch

II. *interj* (*fam*) Mensch!, Mann!
III. *vt* <-nn-> (*defend*) besetzen; *appliance* bedienen; *ship* bemannen
manage ['mænɪdʒ] **I.** *vt* **1.** leiten; (*control*) steuern; (*administer*) verwalten **2.** (*accomplish*) schaffen; **can you ~ 8 o'clock?** ginge es um 8 Uhr? **3.** (*cope with*) zurechtkommen mit **II.** *vi* es schaffen; (*cope, survive*) zurechtkommen; **we'll ~!** wir schaffen das schon!; **to ~ on/without sth** mit etw *dat*/ohne etw *akk* auskommen
management ['mænɪdʒmənt] *n* **1.** *no pl* [Geschäfts]führung *f* **2.** + *sing/pl vb* (*managers*) Management *nt; of hospital, theatre* Direktion *f* **3.** *no pl* (*handling*) Umgang *m* (**of** mit); *of finances* Verwalten *nt*
management studies *n* + *sing/pl vb* Betriebswirtschaft[slehre] *f*
manager ['mænɪdʒər] *n* Geschäftsführer(in) *m(f);* SPORTS Manager(in) *m(f);* **bank ~** Filialleiter(in) *m(f)* einer Bank
manageress <*pl* -es> [ˌmænɪdʒər'es] *n* Geschäftsführerin *f* (*in einem Laden oder Café*)
managing director *n* [Haupt]geschäftsführer(in) *m(f)*
mandarin ['mændərɪn] *n* **1.** Mandarine *f* **2.** (*hist: official*) Mandarin *m*
manhunt *n* [Ring]fahndung *f; (after a criminal*) Verbrecherjagd *f*
manifesto <*pl* -s> [ˌmænɪ'festəʊ] *n* Manifest *nt*
manipulate [mə'nɪpjəleɪt] *vt* **1.** (*esp pej: manage cleverly*) geschickt mit jdm/etw umgehen; (*influence*) jdn/etw manipulieren **2.** (*with hands*) handhaben; (*adjust*) einstellen

mankind [mæn'kaɪnd] *n no pl* die Menschheit
manly ['mænli] *adj* männlich
man-made *adj* künstlich
manner ['mænər] *n no pl* **1.** Art *f;* **in a ~ of speaking** sozusagen **2.** **~s** *pl* Manieren *pl;* **it's bad ~s to ...** es gehört sich nicht, ...
manoeuvre [mə'nuːvər] **I.** *n* **1.** *usu pl* (*military exercise*) Manöver *nt* **2.** (*planned move*) Manöver *nt,* Operation *f* **II.** *vt* **1.** (*move*) **to ~ sth somewhere** etw irgendwohin manövrieren **2.** (*pressure sb*) **to ~ sb into a compromise** jdn geschickt zu einem Kompromiss zwingen **III.** *vi* **1.** (*move*) manövrieren **2.** MIL (*hold exercises*) Manöver abhalten
manor ['mænər] *n* Landsitz *m*
manpower *n no pl* Arbeitskräfte *pl*
mansion ['mæn(t)ʃən] *n* Villa *f;* (*of ancient family*) Herrenhaus *nt*
manslaughter *n no pl* Totschlag *m*
mantelpiece ['mæntəlpiːs] *n* Kaminsims *m o nt*
manual ['mænjuəl] **I.** *adj* Hand-; **~ dexterity** handwerkliches Geschick; **~ labour** körperliche Arbeit; **~ transmission** Schaltgetriebe *nt* **II.** *n* **1.** Handbuch *nt; training* **~** Lehrbuch *nt* **2.** (*car*) Auto *nt* mit Gangschaltung
manually ['mænjuəli] *adv* manuell
manufacture [ˌmænjə'fæktʃər] **I.** *vt* herstellen; *lies* erfinden **II.** *n no pl* Herstellung *f*
manufacturer [ˌmænjə'fæktʃərər] *n* Hersteller *m*
manure [mə'njʊər] *n no pl* Dung *m*
manuscript ['mænjəskrɪpt] *n* **1.** (*author's script*) Manuskript *nt* **2.** (*handwritten text*) Manuskript *nt,* Handschrift *f*

M

many ['menɪ] I. *pron* viele; **as ~ as ...** so viele wie ...; **~ a/an ...** manch ein/eine ...; **~ a time** oft II. *n* **the ~** *pl* die Mehrheit *sing*

map [mæp] *n* [Land]karte *f;* *of city* Stadtplan *m;* (*sketch*) Plan *m;* **road ~** Straßenkarte *f*

marathon ['mærəθˀn] *n* 1. Marathon[lauf] *m;* **~ runner** Marathonläufer(in) *m(f)* 2. (*lengthy*) Marathon *nt fam*

marble ['mɑːbl̩] *n* 1. *no pl* Marmor *m* 2. (*ball*) Murmel *f;* ▶ **to lose one's ~s** (*fam*) verrückt werden

march [mɑːtʃ] I. *n* <*pl* -es> 1. Marsch *m;* **a 20 km ~** ein Marsch *m* über 20 km; **to be on the ~** auf dem Marsch sein 2. (*protest*) Demo[nstration] *f;* **to go on a ~** demonstrieren gehen II. *vi* marschieren III. *vt* **to ~ 12 miles** 12 Meilen marschieren; **to ~ sb off** jdn wegführen

March <*pl* -es> [mɑːtʃ] *n* März *m; see also* **February**

margarine [ˌmɑːdʒəˈriːn] *n no pl* Margarine *f*

margin ['mɑːdʒɪn] *n* 1. [Seiten]rand *m* 2. (*amount*) Differenz *f;* **~ of error** Fehlerspanne *f*

marina [məˈriːnə] *n* Jachthafen *m*

marinate ['mærɪneɪt] *vt* marinieren

marine [məˈriːn] I. *adj attr* Meeres-, See-; (*shipping*) Schiffs- II. *n* Marineinfanterist *m;* **the ~s** die Marineinfanterie

marital ['mærɪtˀl] *adj* ehelich, Ehe-; **~ status** Familienstand *m*

mark [mɑːk] I. *n* 1. Fleck *m;* (*on skin*) Mal *nt;* (*scratch*) Kratzer *m* 2. (*trait*) [Kenn]zeichen *nt* 3. (*indication*) Zeichen *nt* 4. (*on scale*) Markierung *f* 5. (*signature*) Kreuz *nt* 6. (*score*) **to get full ~s** [for sth] BRIT, AUS die Best-

note [für etw *akk*] erhalten 7. (*target*) Ziel *nt;* **to hit the ~** [genau] ins Schwarze treffen II. *vt* 1. (*stain*) schmutzig machen 2. *usu passive* (*scar*) **he's ~ed for life** die Narben trägt er sein Leben lang 3. (*indicate*) markieren 4. (*label*) beschriften 5. (*commemorate*) erinnern an +*akk* 6. SCH zensieren; *pupil* benoten III. *vi* SCH Noten vergeben ◆ **mark down** *vt price* heruntersetzen; *pupil* eine schlechtere Note geben +*dat* ◆ **mark off** *vt* (*separate*) abgrenzen; (*delete*) durchstreichen ◆ **mark out** *vt* 1. (*outline*) abstecken 2. BRIT, AUS (*distinguish*) unterscheiden ◆ **mark up** *vt price* heraufsetzen; *shares* aufwerten

marker ['mɑːkəʳ] *n* [Kenn]zeichen *nt*, Marke *f;* (*pen*) Filzstift *m*

market ['mɑːkɪt] I. *n* Markt *m;* **job ~** Stellenmarkt *m;* **stock ~** Börse *f;* **the open ~** der freie Markt; **to put sth on the ~** etw auf den Markt bringen II. *vt* vermarkten; (*launch*) auf den Markt bringen

marketplace *n* Marktplatz *m* **market research** *n no pl* Marktforschung *f* **market share** *n* Marktanteil *m*

marking ['mɑːkɪŋ] *n* 1. **~s** *pl* Markierungen *pl* 2. *no pl* SCH Korrigieren *nt*

markup ['mɑːkʌp] *n* [Kalkulations]aufschlag *m*

marmalade ['mɑːmˀleɪd] *n no pl* Orangenmarmelade *f*

marquee [mɑːˈkiː] *n* 1. BRIT, AUS (*tent*) Festzelt *nt* 2. AM (*canopy*) Vordach *nt*

marriage ['mærɪdʒ] *n* (*ceremony*) Heirat *f;* (*at church*) Trauung *f;* (*relationship*) Ehe *f* (**to** mit)

marriage ceremony *n* Trauung *f*

marriage certificate n Heirats-
urkunde f **marriage guidance** n
BRIT, AUS Eheberatung f; ~ **office** Ehe-
beratungsstelle f

married ['mærɪd] adj verheiratet; ~
couple Ehepaar nt; **to get** ~ [**to sb**]
[jdn] heiraten

marry ['mæri] I. vt heiraten; priest also
trauen; father verheiraten (**to** mit)
II. vi heiraten; **to** ~ **into wealth** in
eine reiche Familie einheiraten

marsh <pl -es> [mɑːʃ] n Sumpf m,
Sumpfland nt

marshy ['mɑːʃi] adj sumpfig

martial ['mɑːʃªl] adj Kriegs-; ~ **music**
Militärmusik f

marvellous, AM **marvelous** ['mɑːvª-
ləs] adj wunderbar, großartig

mascara [məˈskɑːrə] n no pl Wimperntusche f

masculine ['mæskjəlɪn] adj männlich,
maskulin

mash [mæʃ] I. n Brei m; BRIT (fam:
potatoes) Kartoffelbrei m II. vt [zer]
stampfen

mask [mɑːsk] I. n Maske f II. vt verbergen

masochist ['mɑːsəkɪst] n Maso-
chist(in) m(f)

mass [mæs] I. n 1. usu sing Masse f;
~ **of dough** Teigklumpen m; ~ **of**
rubble Haufen m Schutt 2. usu sing
(many) Menge f; (string) Reihe f; **the**
~ **of the people** die breite Masse
3. PHYS Masse f II. vi sich ansammeln; troops aufmarschieren

massacre ['mæsəkəʳ] I. n (killing)
Massaker nt, Blutbad nt II. vt
1. (kill) massakrieren 2. (fig: defeat)
vernichtend schlagen

massage ['mæsɑː(d)ʒ] I. n Massage f;
to give sb a ~ jdn massieren; **to have**

a ~ sich massieren lassen; ~ **parlour**
(for treatment) Massagepraxis f; (for
sex) Massagesalon m II. vt massieren

massive ['mæsɪv] adj riesig

mass media n + sing/pl vb **the** ~ die
Massenmedien pl **mass-produce** vt
serienmäßig herstellen **mass unem-**
ployment n no pl Massenarbeitslosigkeit f

mast [mɑːst] n [Schiffs]mast m; (pole)
[Fahnen]mast m

master ['mɑːstəʳ] I. n 1. Herr m; (of
dog) Herrchen nt; **to be** ~ **of the**
situation Herr der Lage sein 2. (expert) Meister(in) m(f); ~ **of disguise**
Verwandlungskünstler(in) m(f) 3. (instructor) Lehrer m; BRIT SCH Lehrer m
4. (copy) Original nt II. vt skill beherrschen; (cope with) meistern; fears
überwinden

master bedroom n großes Schlafzimmer **master key** n Generalschlüs-
sel m

masterpiece n Meisterwerk nt

mat [mæt] I. n Matte f; **a** ~ **of hair**
dichtes Haar II. vt <-tt-> usu passive
to be ~**ted with sth** mit etw dat bedeckt sein

match¹ <pl -es> [mætʃ] n Streichholz
nt

match² [mætʃ] I. n <pl -es> 1. (game)
Spiel nt 2. usu sing (complement) **to**
be a good ~ gut zusammenpassen
3. (one of pair) Gegenstück nt
4. usu sing (equal) ebenbürtiger Geg-
ner/ebenbürtige Gegnerin (**for** für)
II. vi zusammenpassen III. vt 1. **to** ~
sth zu etw dat passen; **to** ~ **sth with**
sth etw auf etw akk abstimmen
2. (equal) gleichkommen + dat

matchbox n Streichholzschachtel f

matching ['mætʃɪŋ] adj attr [zusam-

M

men]passend

match point n TENNIS Matchball m

matchstick n Streichholz nt; **~ man** Strichmännchen nt fam

mate¹ [meɪt] **I.** n **1.** BRIT, AUS (friend) Freund(in) m(f); (fam: addressing) Kumpel m **2.** (officer) Schiffsoffizier m; **first/second ~** Erster/Zweiter Offizier **II.** vi animals sich paaren (**with** mit)

mate² [meɪt] CHESS **I.** n [Schach]matt nt **II.** vt [schach]matt setzen

material [məˈtɪəriəl] **I.** n **1.** Material nt; (cloth) Stoff m; **raw ~** Rohmaterial nt **2.** (equipment) **~s** pl Material nt; **writing ~s** Schreibzeug nt **II.** adj **1.** materiell; **~ damage** Sachschaden m **2.** (important) wesentlich

maternal [məˈtɜːnºl] adj **1.** (motherly) mütterlich, Mutter- **2.** (of mother's family) mütterlicherseits nach n

maternity [məˈtɜːnəti] n no pl Mutterschaft f; **~ clinic** Entbindungsklinik f; **~ clothes** Umstandskleidung f kein pl; **~ leave** Mutterschaftsurlaub m; **~ ward** Entbindungsstation f

maternity dress n Umstandskleid nt

math [mæθ] n AM (fam) short for **mathematics** Mathe f

mathematical [ˌmæθºmˈætɪkºl] adj mathematisch

mathematician [ˌmæθºməˈtɪʃºn] n Mathematiker(in) m(f)

mathematics [mæθºmˈætɪks] n + sing vb Mathematik f

maths [mæθs] n + sing vb BRIT, AUS (fam) short for **mathematics** Mathe f

matriculation [məˌtrɪkjəˈleɪʃºn] n UNIV Immatrikulation f

matt, AM **matte** [mæt] adj matt

matter [ˈmætəʳ] **I.** n **1.** no pl Materie f; **printed ~** Gedrucktes nt; **reading ~** Lesestoff m **2.** (affair) Angelegenheit f; **the truth of the ~ is ...** in Wirklichkeit ...; **a ~ of urgency** etwas Dringendes **3.** no pl (question) **as a ~ of fact** eigentlich; **a ~ of time** eine Frage der Zeit **4.** no pl **it's no laughing ~** das ist nicht zum Lachen; **is anything the ~?** stimmt etwas nicht?; **what's the ~ with you?** was ist los mit dir?; **no ~ what/when ...** egal, was/wann ...; **subject ~** Thema nt **II.** vi **what does it ~?** was macht das schon?; **it doesn't ~** das ist egal

matter-of-fact adj sachlich; (straightforward) geradeheraus präd

mattress <pl -es> [ˈmætrəs] n Matratze f

mature [məˈtjʊəʳ] **I.** adj **1.** erwachsen; animal ausgewachsen; (adult-like) reif; (ripe) reif **2.** FIN fällig **II.** vi erwachsen werden; (ripen) [heran]reifen

maturity [məˈtjʊərəti] n no pl Erwachsensein nt; (developed) Reife f

maximum [ˈmæksɪməm] **I.** adj attr Höchst- **II.** n <pl -ima or -s> Maximum nt **III.** adv maximal

may <3rd pers. sing may, might, might> [meɪ] aux vb **1.** (possibly) können; **be that as it ~** wie dem auch [immer] sei **2.** (be allowed) dürfen, können **3.** (wishing) mögen; **~ she rest in peace** möge sie in Frieden ruhen form

May [meɪ] n Mai m; see also **February**

maybe [ˈmeɪbi] **I.** adv vielleicht; (approx.) ungefähr **II.** n **to be a definite ~** [sehr] wahrscheinlich sein

mayor [ˈmeəʳ] n Bürgermeister(in) m(f)

mayoress <pl -es> [ˌmeəˈres] n esp BRIT Bürgermeisterin f; (wife) Frau f des Bürgermeisters

maypole n Maibaum m

maze [meɪz] n Irrgarten m

MD [ˌemˈdi] n AM, AUS abbrev of **Doctor of Medicine** Dr. med.

me [miː, mɪ] pron object mir dat, mich akk; **wait for ~!** warte auf mich!; **hi, it's ~** hallo, ich bins; **you have more than ~** du hast mehr als ich; **between you and ~** unter uns [gesagt] ▶ **goodness ~!** du lieber Himmel!

meadow [ˈmedəʊ] n Wiese f

meal [miːl] n Mahlzeit f; **to go out for a ~** essen gehen

mean¹ [miːn] adj **1.** esp BRIT (miserly) geizig **2.** (unkind) gemein fam **3. he's no ~ cook** er ist kein schlechter Koch

mean² <meant, meant> [miːn] vt **1.** bedeuten; **no ~s no** nein heißt nein **2. what do you ~ by that?** was willst du damit sagen? **3. I ~ what I say** es ist mir ernst mit dem, was ich sage **4.** (intend) wollen; **he didn't ~ any harm** er wollte nichts Böses; **to ~ business** es ernst meinen; **to ~ well** es gut meinen

mean³ [miːn] **I.** n Mittel nt; (value) Mittelwert m **II.** adj durchschnittlich

meaning [ˈmiːnɪŋ] n Bedeutung f; **what is the ~ of this?** was soll das heißen?; **the ~ of life** der Sinn des Lebens; **to have ~ for sb** jdm etwas bedeuten

meaningful [ˈmiːnɪŋfəl] adj **1.** (important) bedeutsam, wichtig **2.** (implying something) bedeutungsvoll, viel sagend

meaningless [ˈmiːnɪŋləs] n (without importance) bedeutungslos; (nonsen-

sical) sinnlos

means <pl -> [miːnz] n **1.** Weg m; **ways and ~** Mittel und Wege; **~ of communication** Kommunikationsmittel nt; **~ of support** Einkommen nt **2.** pl (income) Geldmittel nt pl; **private ~** Privatvermögen nt; ▶ **a ~ to an end** ein Mittel nt zum Zweck

meant [ment] pt, pp of **mean**

meantime n **for/in the ~** vorerst/inzwischen

meanwhile [ˌmiːnˈ(h)waɪl] adv inzwischen

measles [ˈmiːzlz] n + sing vb Masern pl

measure [ˈmeʒər] **I.** n **1.** Maß nt, Maßeinheit f; **~ of length** Längenmaß nt **2.** (degree) Maß nt; **in large ~** in hohem Maß **3.** (instrument) Messgerät nt; (ruler) Messstab m **4.** (indicator) Maßstab m **II.** vt [ab]messen **III.** vi messen

measurement [ˈmeʒəmənt] n **1.** chest ~ Brustumfang m; **sb's ~s** pl jds Maße pl **2.** no pl (measuring) Messung f

measuring jug n BRIT Messbecher m

measuring spoon n Messlöffel m

measuring tape n Messband nt

meat [miːt] n Fleisch nt; (fig) Substanz f

meatball n Fleischklößchen nt **meat loaf** n Hackbraten m

mechanic [mɪˈkænɪk] n Mechaniker(in) m(f)

mechanical [mɪˈkænɪkəl] adj mechanisch; walk also automatisch; (technical) technisch

medal [ˈmedəl] n [Ehren]medaille f, Auszeichnung f; SPORTS Medaille f

medallist [ˈmedəlɪst] n Medaillengewinner(in) m(f)

meddle [ˈmedl] vi sich einmischen (**in**

M

in); **to ~ with sth** sich mit etw *dat* abgeben

media ['miːdiə] *n* 1. *pl of* **medium** 2. + *sing/pl vb* **the ~** die Medien *pl;* **in the ~** in den Medien; **~ coverage** Berichterstattung *f*

mediaeval *adj see* **medieval**

mediator ['miːdieɪtəʳ] *n* Vermittler(in) *m(f)*

medic ['medɪk] *n (fam)* 1. Arzt, Ärztin *m, f* 2. AM Sanitäter(in) *m(f)*

medical ['medɪkᵊl] I. *adj* medizinisch; **~ attention** ärztliche Behandlung II. *n (fam)* ärztliche Untersuchung; **to have a ~** sich ärztlich untersuchen lassen

medication [ˌmedɪ'keɪʃᵊn] *n* 1. *no pl* Medikamente *pl;* **to be on ~ for sth** Medikamente gegen etw *akk* [ein]nehmen 2. *(drug)* Medikament *nt;* **he was taken off the ~** das Medikament wurde bei ihm abgesetzt

medicine ['medsᵊn] *n* 1. *no pl* Medizin *f;* **to take [one's] ~** [seine] Medizin einnehmen 2. *(drug)* Medikament *nt;* **cough ~** Hustenmittel *nt* 3. *no pl (science)* Medizin *f;* **to practise ~** den Arztberuf ausüben

medieval [ˌmedi'iːvᵊl] *adj* mittelalterlich

meditate ['medɪteɪt] *vi* nachdenken **(on** über +*akk); (spiritually)* meditieren

Mediterranean [ˌmedɪtᵊr'eɪniən] I. *n* **the ~** das Mittelmeer II. *adj* mediterran; *looks* südländisch; **~ cooking** Mittelmeerküche *f*

medium ['miːdiəm] I. *adj* 1. durchschnittlich; **of ~ height** von mittlerer Größe 2. *steak* halb durch II. *n* <*pl* -s *or* -dia> Medium *nt,* Mittel *nt*

medium-dry *adj wine* halbtrocken

medium-size(d) *adj* mittelgroß

medium wave *n esp* BRIT Mittelwelle *f*

meet [miːt] I. *n* Sportveranstaltung *f;* BRIT *(fox hunt)* Jagdtreffen *nt (zur Fuchsjagd)* II. *vt* <met, met> 1. *(by chance)* treffen, begegnen +*dat* 2. *(by arrangement)* sich treffen mit +*dat* 3. *(collect)* abholen 4. **Peter, ~ Judith** Peter, darf ich dir Judith vorstellen? 5. *(contact)* treffen auf +*akk;* **his eyes met hers** ihre Blicke trafen sich 6. *(experience)* konfrontiert sein mit +*dat* ▶ **to ~ one's <u>death</u>** den Tod finden; **to make <u>ends</u> ~** über die Runden kommen III. *vi* <met, met> *(by chance)* sich begegnen; *(by arrangement)* sich treffen; **no, we haven't met** nein, wir kennen uns noch nicht

meeting ['miːtɪŋ] *n* 1. Treffen *nt; (organized)* Versammlung *f; (conference)* Sitzung *f;* SPORTS Veranstaltung *f;* **chance ~** zufälliges Treffen

melon ['melən] *n* Melone *f*

melt [melt] I. *n* 1. Schneeschmelze *f* 2. AM *Sandwich mit geschmolzenem Käse* II. *vi* schmelzen; *(fig)* dahinschmelzen; **to ~ in the mouth** auf der Zunge zergehen III. *vt* schmelzen; *(fig)* erweichen

member ['membəʳ] *n* Angehörige(r) *f(m); of club, party* Mitglied *nt;* BRIT **M~** Abgeordnete(r) *f(m)*

membership ['membəʃɪp] *n* 1. *no pl* Mitgliedschaft *f* 2. **the ~** + *sing/pl vb* die Mitglieder *pl* 3. *(fee)* Mitgliedsbeitrag *m*

membership card *n* Mitgliedsausweis *m*

memo¹ ['meməʊ] *n short for* **memorandum** Memo *nt*

memo² ['meməʊ] *vt* to ~ sb jdm ein Memo schicken

memo pad *n* Notizblock *m*

memorable ['memᵊrəbl] *adj* denkwürdig; (*unforgettable*) unvergesslich

memorial [mə'mɔːriəl] *n* Denkmal *nt*

memorize ['memᵊraɪz] *vt* sich *dat* einprägen

memory ['memᵊri] *n no pl* Gedächtnis *nt* (**for** für); (*remembrance*) Andenken *nt;* COMPUT Speicher *m;* **loss of ~** Gedächtnisschwund *m;* **within living/sb's ~** soweit man/jd zurückdenken kann; **in ~ of** zum Gedenken an +*akk*

men [men] *n pl of* **man**

men's toilet, AM **men's room** *n* Herrentoilette *f*

menacing ['menɪsɪŋ] *adj attr* drohend

menacingly ['menɪsɪŋli] *adv* drohend

mend [mend] **I.** *n* Flickstelle *f;* ▸ **to be on the ~** (*fam*) auf dem Weg der Besserung sein **II.** *vt* reparieren; *torn clothes* ausbessern; (*fig: improve*) verbessern ▸ **to ~ fences** Unstimmigkeiten ausräumen; **to ~ one's ways** sich bessern **III.** *vi* gesund werden; *bone* heilen

mental ['mentᵊl] *adj* geistig; (*psychological*) psychisch; **~ process** Denkprozess *m;* **~ illness** Geisteskrankheit *f*

mentally ['mentᵊli] *adv* geistig; (*psychologically*) psychisch

mention ['men(t)ʃᵊn] **I.** *n* **1.** Erwähnung *f;* (*honour*) lobende Erwähnung; **no ~ was made of sb/sth** jd/etw wurde nicht erwähnt; **to get a ~** erwähnt werden **II.** *vt* erwähnen; **don't ~ it!** gern geschehen!; **not to ~ ...** ganz zu schweigen von ...

menu ['menjuː] *n* Speisekarte *f;* COMPUT Menü *nt*

MEP [ˌemiːˈpiː] *n* BRIT *abbrev of* **Member of the European Parliament**

merchant ['mɜːtʃᵊnt] *n* Kaufmann *m,* Kauffrau *f*

merchant bank *n* Handelsbank *f*

merchant navy *n* BRIT Handelsmarine *f*

mercy ['mɜːsi] *n no pl* Erbarmen *nt;* (*forgiveness*) Gnade *f;* **to beg for ~** um Gnade bitten

merge [mɜːdʒ] *vi* **1.** (*join*) zusammenkommen; *roads* zusammenlaufen; *companies* fusionieren **2.** (*fuse*) verschmelzen (**with/into** mit); **to ~ into each other** ineinander übergehen

merger ['mɜːdʒəʳ] *n* Fusion *f*

merit ['merɪt] **I.** *n* **1.** *no pl* Verdienst *nt* **2.** (*quality*) Vorzug *m* **3.** (*nature*) **on its own ~s** für sich *akk* betrachtet **II.** *vt* verdienen

merry ['meri] *adj* **1.** fröhlich; **M~ Christmas** Frohe [*o* Fröhliche] Weihnachten **2.** BRIT (*fam: drunk*) angesäuselt

merry-go-round *n* Karussell *nt*

mess [mes] *n* <*pl* -es> *usu sing* Unordnung *f;* (*chaos*) Chaos *nt;* **you look a complete ~!** du siehst ja schlimm aus!; **to be in a ~** in Unordnung sein

message ['mesɪdʒ] *n* Nachricht *f;* *of advert* Botschaft *f;* **to deliver a ~** [**to sb**] [jdm] eine Nachricht überbringen; **to get the ~** (*fam*) kapieren

messenger ['mesɪndʒəʳ] *n* Bote(in) *m(f)*

messy ['mesi] *adj* unordentlich; *person* schlampig; (*dirty*) schmutzig

met [met] *vt, vi pt of* **meet**

metal ['metᵊl] **I.** *n* Metall *nt;* **precious ~** Edelmetall *nt* **II.** *adj* aus Metall *nach n*

M

metaphor [ˈmetəfəʳ] *n* Metapher *f* (**for** für)

meter¹ [ˈmiːtəʳ] *n* Zähler *m;* *parking* Parkuhr *f; taxi* Taxameter *nt o m*

meter² *n* AM *see* **metre**

method [ˈmeθəd] *n* **1.** Methode *f* **2.** *no pl* System *nt*

metre [ˈmiːtəʳ] *n* **1.** Meter *m;* **the 100 ~s** der 100-Meter-Lauf **2.** (*poetic rhythm*) Metrum *nt*

metric [ˈmetrɪk] *adj* metrisch

Metropolitan Police *n no pl* BRIT **the ~** die Londoner Polizei

metrosexual *adj* metrosexuell

mice [maɪs] *n pl of* **mouse**

mickey [ˈmɪki] *n* BRIT, AUS (*fam*) **to take the ~ out of sb** jdn aufziehen *fam*

microchip *n* Mikrochip *m*

microphone *n* Mikrofon *nt*

microscope [ˈmaɪkrəskəʊp] *n* Mikroskop *nt;* **to put sth under the ~** (*fig*) etw unter die Lupe nehmen

microscopic [ˌmaɪkrəˈskɒpɪk] *adj* **1.** (*fam: tiny*) winzig; **to look at sth in ~ detail** etw haargenau prüfen **2.** (*visible with microscope*) *algae, creature* mikroskopisch klein

microwave I. *n* Mikrowelle *f;* (*oven also*) Mikrowellenherd *m* **II.** *vt* in der Mikrowelle erwärmen

mid- [mɪd] *in compounds* in **~April** Mitte April; **in the ~80s** Mitte der achtziger Jahre; **temperatures in the ~20s** Temparaturen um 25 Grad; **he's in his ~thirties** er ist Mitte dreißig

midday *n no pl* Mittag *m;* **at ~** mittags

middle [ˈmɪdl] **I.** *n* **1.** Mitte *f; of fruit* Innere[s] *nt; of book, film* Mittelteil *m* **2. in the ~ of the night** mitten in der Nacht; **in the ~ of nowhere** (*fig*) am Ende der Welt **3.** (*between things*) Mitte *f;* **let's split the cost right down the ~!** lass uns die Kosten teilen! **II.** *adj attr* mittlere(r, s)

middle age *n no pl* mittleres Alter; **in ~ after** *n* mittleren Alters **middle-aged** *adj* mittleren Alters *nach n*

Middle Ages *n* **the ~** *pl* das Mittelalter **middle class** *n* **1.** (*with average income*) Mittelstand *m;* **lower/upper ~** unterer/gehobener Mittelstand **2.** (*as a whole*) **the ~** der Mittelstand **middle-class** *adj* Mittelstands-, mittelständisch; (*pej*) spießig **Middle East** *n* **the ~** der Nahe Osten **middle name** *n* zweiter Vorname **middle-of-the-road** *adj* gemäßigt; (*dull*) mittelmäßig

midfield *n* Mittelfeld *nt*

midge [mɪdʒ] *n* [kleine] Mücke

midnight *n no pl* Mitternacht *f;* **at ~** um Mitternacht

midsummer *n no pl* Hochsommer *m*

midterm I. *n no pl* (*mid-point*) *of political office* Halbzeit *f* der Amtsperiode; SCH Schulhalbjahr *nt;* UNIV Semesterhälfte *f* **II.** *adj* **~ elections** Zwischenwahlen *pl*

midway [ˌmɪdˈweɪ] *adj, adv* auf halbem Weg; **~ through the film** mitten im Film

midwife [ˈmɪdwaɪf] *n* Hebamme *f*

midwinter *n no pl* Mitte *f* des Winters; (*solstice*) Wintersonnenwende *f*

might¹ [maɪt] **I.** *pt of* **may II.** *aux vb* **1.** (*possibly*) **it ~ be dangerous** es könnte gefährlich sein; (*could*) **it ~ be Jane at the door** es könnte Jane sein an der Tür **2.** (*admitting*) **United ~ be an excellent team, but ...** United mag eine hervorragende Mannschaft sein, aber ... **3.** *esp* BRIT (*form:*

may) ~ **I ...?** dürfte ich [vielleicht] ...?
4. (*form: suggesting*) ~ **I make a suggestion?** dürfte ich vielleicht einen Vorschlag machen?

might² [maɪt] *n no pl* Macht *f;* (*strength*) Kraft *f;* MIL Stärke *f*

mighty ['maɪti] **I.** *adj* mächtig; *river, army* gewaltig **II.** *adv* AM (*fam*) sehr

migraine ['mi:greɪn] *n* Migräne *f*

mike [maɪk] *n* (*fam*) *short for* **microphone** Mikro *nt*

mild [maɪld] **I.** *adj person* sanft; *soap* schonend; (*lenient*) leicht; *drug* leicht; *food* mild **II.** *n no pl* BRIT *mild schmeckendes, dunkles Bier*

mildly ['maɪldli] *adv* leicht; *speak, smile* sanft; **to put it ~** um es [mal] milde auszudrücken

mile [maɪl] *n* **1.** Meile *f;* **nautical ~** Seemeile *f;* **to be ~s away** meilenweit entfernt sein; **to be ~ from anywhere** völlig abgeschieden sein **2. to be ~s better** bei weitem besser sein; **to be a ~ off** meilenweit danebenliegen

mileage ['maɪlɪdʒ] *n no pl* **1.** (*petrol efficiency*) Kraftstoffverbrauch *m;* **he gets bad/good ~ from his car** sein Auto verbraucht viel/wenig Kraftstoff **2.** (*distance travelled*) Meilenstand *m*

military ['mɪlɪtri] *n pl* **the ~** das Militär

military academy *n* **1.** (*for cadets*) Militärakademie *f* **2.** AM (*for pupils*) *sehr strenge Privatschule* **military police** *n pl* **the ~** die Militärpolizei **military service** *n no pl* Wehrdienst *m*

milk [mɪlk] **I.** *n no pl* Milch *f;* (*in coconuts*) Kokosmilch *f;* **goat's/sheep's ~** Ziegen-/Schafsmilch *f;* **full fat** [*or* AM **whole**] **~** Vollmilch *f;* **long-life ~**

H-Milch *f;* **skimmed ~** entrahmte Milch **II.** *vt cow, goat* melken; (*exploit also*) schröpfen *fam;* **to ~ a story** JOURN eine Story ausschlachten

milk chocolate *n no pl* Milchschokolade *f* **milkman** *n* BRIT Milchmann *m* **milk powder** *n no pl* Milchpulver *nt* **milk shake** *n* Milchshake *m* **milk tooth** *n* Milchzahn *m*

milky ['mɪlki] *adj* **1.** mit Milch *nach n;* ~ **coffee/tea** Milchkaffee/-tee *m* **2.** *glass, water* milchig

mill [mɪl] **I.** *n* Mühle *f;* (*factory*) Fabrik *f;* **cotton ~** Baumwollspinnerei *f* **II.** *vt* mahlen

millennium <*pl* -s> [mɪ'leniəm] *n* Jahrtausend *nt;* (*anniversary*) Jahrtausendfeier *f*

millepede ['mɪlɪpi:d] *n* Tausendfüßler *m*

miller ['mɪlər] *n* Müller(in) *m(f)*

milligramme, AM **milligram** ['mɪlɪgræm] *n* Milligramm *nt*

million ['mɪljən] *n* Million *f;* **eight ~** [**people**] acht Millionen [Menschen]; **half a ~** eine halbe Million

millionaire [ˌmɪljə'neər] *n* Millionär *m*

mince [mɪn(t)s] **I.** *vt* hacken ▶ **to not ~** [**one's**] <u>words</u> kein Blatt vor den Mund nehmen **II.** *vi* trippeln **III.** *n no pl* BRIT, AUS Hackfleisch *nt*

mince pie *n* BRIT *kleines Törtchen mit Füllung aus Dörrobst und Gewürze, das traditionell in der Weihnachtszeit gegessen wird*

mincer ['mɪn(t)sər] *n* Fleischwolf *m*

mind [maɪnd] **I.** *n* **1.** Geist *m,* Verstand *m;* **frame of ~** seelische Verfassung; **to have a logical ~** logisch denken können; **to use one's ~** seinen Verstand gebrauchen **2.** (*sanity*) Verstand *m;* **to be out of one's ~** den

M

Verstand verloren haben; **to drive sb out of his/her** ~ jdn wahnsinnig machen **3.** (*thoughts*) Gedanken *pl;* **what's on your** ~**?** woran denkst du?; **to be in the back of sb's** ~ in jds *dat* Hinterkopf sein; **to bear sth in** ~ etw nicht vergessen; **bearing in** ~ **that ...** angesichts der Tatsache, dass ...; **to read sb's** ~ jds Gedanken lesen **4. to know one's [own]** ~ wissen, was man will; **to make up one's** ~ sich entscheiden **5. to give sb a piece of one's** ~ jdm seine Meinung sagen; **to be of the same** ~ der gleichen Meinung sein **II.** *vt* **1.** (*be careful of*) aufpassen auf +*akk;* ~ **the step!** Vorsicht Stufe! **2.** (*care about*) sich kümmern um +*akk;* **don't** ~ **me** nimm keine Rücksicht auf mich; **don't** ~ **what she says** kümmere dich nicht darum, was sie sagt; **never** ~ **her!** vergiss sie doch einfach! **3.** (*make certain*) ~ **that ...** denk daran, dass ... **4.** (*look after*) aufpassen auf +*akk* **5.** (*fam*) **do you** ~ **my smoking?** stört es Sie, wenn ich rauche? ▶ **to** ~ **one's p's and q's** sich gut benehmen; ~ **you** allerdings **III.** *vi* **1.** (*care*) **I don't** ~ das ist mir egal; **never** ~**!** [ist doch] egal!; **never** ~**, I'll do it myself!** vergiss es, ich mach's selbst! **2.** (*object*) etwas dagegen haben; **do you** ~ **if I ...?** stört es Sie, wenn ich ...?

mine[1] [maɪn] *pron poss* meine(r, s); **an old friend of** ~ eine alte Freundin von mir

mine[2] [maɪn] **I.** *n* **1.** Bergwerk *nt;* (*fig: source*) Fundgrube *f;* **coal** ~ Kohlengrube *f* **2.** (*bomb*) Mine *f* **II.** *vt* **1.** (*extract*) abbauen **2.** MIL verminen

minefield *n* Minenfeld *nt;* (*fig*) gefährliches Terrain

miner ['maɪnə'] *n* Bergarbeiter(in) *m(f)*

mineral ['mɪnªrªl] *n* **1.** (*inorganic substance*) Mineral *nt* **2.** (*when obtained by mining*) [Gruben]erz *nt,* Mineral *nt* **3.** (*in nutrition*) Mineral *nt*

mineral water *n no pl* Mineralwasser *nt*

mingle ['mɪŋgl] **I.** *vt* mischen **II.** *vi* sich untereinander vermischen; **to** ~ **with the guests** sich unter die Gäste mischen

minibus *n* Kleinbus *m* **minicab** *n* BRIT Kleintaxi *nt*

minimal ['mɪnɪmªl] *adj* minimal, Mindest-; **with** ~ **effort** mit möglichst wenig Anstrengung

minimize ['mɪnɪmaɪz] *vt* **1.** (*reduce*) auf ein Minimum beschränken, minimieren **2.** (*underestimate*) schlechtmachen; **to** ~ **sb's concerns** jds Sorgen herunterspielen

minimum ['mɪnɪməm] **I.** *n* <*pl* -s> Minimum *nt;* **a** ~ **of 3 hours** mindestens 3 Stunden; **to keep sth to a** ~ etw so niedrig wie möglich halten **II.** *adj* **1.** Mindest-; ~ **requirements** Mindestanforderungen *pl* **2.** (*very low*) Minimal-

mining ['maɪnɪŋ] **I.** *n no pl* Bergbau *m* **II.** *adj attr* Bergbau-

miniskirt *n* Minirock *m*

minister ['mɪnɪstə'] **I.** *n* Minister(in) *m(f);* (*diplomat*) Gesandte(r) *f(m);* (*priest*) Pfarrer(in) *m(f)* **II.** *vi* **to** ~ **to sb** jdm zu Diensten sein

ministry ['mɪnɪstri] *n* **1.** Ministerium *nt;* ~ **of defence/transport** Verteidigungs-/Verkehrsministerium *nt* **2.** POL (*period*) Amtszeit *f* **3.** *no pl* (*priesthood*) **the** ~ der geistliche Stand

minor [ˈmaɪnəʳ] I. *adj detail, criticism* nebensächlich; *character, plot* unbedeutend; *crime, violation* geringfügig; *official, supervisor* untergeordnet; **to be of ~ importance** von geringer Bedeutung sein II. *n* 1. (*child*) Minderjährige(r) *f(m)* 2. MUS Moll *nt;* **D ~** d-Moll 3. AM SPORTS **the ~s** *pl* die niedrigen Klassen III. *vi* AM, AUS UNIV **to ~ in biology** Biologie im Nebenfach studieren

minority [maɪˈnɒrəti] *n* Minderheit *f;* **in a ~ of cases** in wenigen Fällen; **a ~ of people** eine Minderheit; **to be in the ~** in der Minderheit sein

mint¹ [mɪnt] I. *n* Münzanstalt *f;* **to make/cost a ~** (*fig fam*) einen Haufen Geld machen/kosten *fam* II. *vt* prägen III. *adj attr* nagelneu *fam;* **in ~ condition** in tadellosem Zustand

mint² [mɪnt] *n* 1. *no pl* Minze *f* 2. (*sweet*) Pfefferminz[bonbon] *nt*

minus [ˈmaɪnəs] I. *prep* minus; **two ~ one equals one** zwei minus eins ist gleich eins II. *n* <*pl* -es> Minus *nt;* (*sign also*) Minuszeichen *nt* III. *adj attr* minus; **~ point** Minuspunkt *m*

minute¹ [ˈmɪnɪt] *n* Minute *f;* (*moment also*) Moment *m;* [**wait**] **just a ~!** (*for delay*) einen Moment noch!; (*in disbelief*) Moment mal!; **at any ~** jede Minute; **in a ~** gleich; **this ~** sofort; **at the last ~** in letzter Minute

minute² [maɪˈnjuːt] *adj* winzig; **in ~ detail** bis ins kleinste Detail

minute hand *n* Minutenzeiger *m*

miracle [ˈmɪrəkl̩] *n* Wunder *nt;* **by some ~** wie durch ein Wunder

miraculous [mɪˈrækjələs] *adj* wunderbar; **to make a ~ recovery** wie durch ein Wunder genesen

mirror [ˈmɪrəʳ] I. *n* Spiegel *m;* (*fig: reflection*) Spiegelbild *nt* II. *vt* widerspiegeln

misbehave [ˌmɪsbɪˈheɪv] *vi adult* sich schlecht benehmen; *child* ungezogen sein

miscarriage [mɪˈskærɪʤ] *n* Fehlgeburt *f;* **~ of justice** Justizirrtum *m*

miscarry <-ie-> [mɪˈskæri] *vi* eine Fehlgeburt haben; (*fig: fail*) scheitern

mischief [ˈmɪstʃɪf] *n no pl* Unfug *m;* **to get up to ~** Unfug anstellen wollen; **to mean ~** Unfrieden stiften wollen

miscount I. *n* [ˈmɪskaʊnt] falsche Zählung; *of votes* falsche Auszählung II. *vi* [mɪˈskaʊnt] sich verzählen III. *vt* [mɪˈskaʊnt] falsch [ab]zählen; *votes* falsch auszählen

miser [ˈmaɪzəʳ] *n* Geizkragen *m*

miserable [ˈmɪzᵊrəbl̩] *adj* 1. (*unhappy*) unglücklich; **to feel ~** sich elend fühlen 2. *attr* (*bad-tempered*) griesgrämig; (*repulsive*) unausstehlich 3. (*unpleasant*) schauderhaft 4. (*inadequate*) armselig

misery [ˈmɪzᵊri] *n* 1. *no pl* (*suffering*) Elend *nt,* Not *f* 2. *no pl* (*unhappiness*) Jammer *m* 3. (*strain*) **miseries** *pl* Qualen *pl*

misfit [ˈmɪsfɪt] *n* Außenseiter(in) *m(f)*

misfortune [mɪsˈfɔːtʃuːn] *n no pl* (*bad luck*) Pech *nt,* Unglück *nt*

mishap [ˈmɪshæp] *n* Unglück *nt,* Unfall *m,* Panne *f*

misjudge [mɪsˈʤʌʤ] *vt* falsch einschätzen

mislead <-led, -led> [mɪsˈliːd] *vt* 1. (*deceive*) täuschen, irreführen 2. (*lead astray*) verführen, verleiten

misleading [mɪˈsliːdɪŋ] *adj* irreführend

misplace [mɪsˈspleɪs] *vt* verlegen

misprint [ˈmɪsprɪnt] *n* Druckfehler *m*

mispronounce [ˌmɪsprəˈnaʊn(t)s] *vt* falsch aussprechen

M

misread <-read, -read> [mɪsˈriːd] *vt word, text* falsch lesen

miss[1] [mɪs] *n* (*woman*) Fräulein *nt;* **M~ Brown** Fräulein Brown; **M~ America** Miss Amerika

miss[2] [mɪs] **I.** *n* <*pl* -es> **1.** Fehlschlag *m;* (*hit*) Fehltreffer *m;* (*shot*) Fehlschuss *m* **2.** BRIT, AUS (*fam: skip*) **to give sth a ~** etw auslassen **II.** *vi* **1.** (*not hit*) nicht treffen; *projectile a.* danebengehen **2.** (*be unsuccessful*) fehlschlagen **III.** *vt* **1.** (*not hit*) nicht treffen **2.** *bus, train* verpassen **3.** (*be absent*) verpassen **4.** *opportunity* verpassen **5.** (*avoid*) **I narrowly ~ed being run over** ich wäre fast überfahren worden **6.** (*oversee*) nicht bemerken ♦ **miss out I.** *vt* (*accidentally*) vergessen; (*deliberately*) auslassen **II.** *vi* zu kurz kommen; **you really ~ed out** da ist dir echt was entgangen *fam;* **to ~ out on sth** sich *dat* etw entgehen lassen

missile [ˈmɪsaɪl] *n* **1.** MIL Flugkörper *m,* Rakete *f* **2.** (*thrown object*) [Wurf]geschoss *nt*

missing [ˈmɪsɪŋ] *adj* verschwunden; *person* vermisst; *explorer* verschollen; **~ in action** [nach Kampfeinsatz] vermisst; **to report sb/sth ~** jdn/etw als vermisst melden

mission [ˈmɪʃⁿn] *n* **1.** (*task*) Einsatz *m,* Mission *f* **2.** (*goal*) Ziel *nt* **3.** (*group sent*) Delegation *f*

misspell <-spelt *or* AM -spelled, -spelt> [mɪsˈspel] *vt* **1.** (*spell wrongly*) falsch buchstabieren **2.** (*write wrongly*) falsch schreiben

mist [mɪst] **I.** *n* [leichter] Nebel *m;* (*blur*) Schleier *m;* (*condensation*) Beschlag *m;* (*vapour*) Hauch *m;* **there was a ~ on the windows** die Fenster waren beschlagen **II.** *vi glass* [sich] beschlagen

mistake [mɪˈsteɪk] **I.** *n* Fehler *m;* **there must be some ~** da kann etwas nicht stimmen; **to learn from one's ~s** aus seinen Fehlern lernen; **by ~** aus Versehen; **my ~** meine Schuld **II.** *vt* <-took, -taken> falsch verstehen; **there's no mistaking a Picasso** ein Picasso ist unverwechselbar

mistaken [mɪˈsteɪkⁿn] **I.** *pp of* **mistake II.** *adj* irrtümlich; **~ belief** Irrglaube *m;* **~ identity** Personenverwechslung *f;* **to be ~** sich irren (**about** in)

Mister [ˈmɪstəʳ, AM -ɚ] *n* **1.** **Mister Brown** Herr Brown; **~ Big** der große Chef **2.** (*a. iron, pej fam: addressing*) Meister *m,* Chef *m a. iron, pej fam;* **hey, ~!** he, Sie da! *fam;* **listen up, ~!** hör mal zu, mein Freund!

mistook [mɪˈstʊk] *pt of* **mistake**

mistreat [mɪsˈtriːt] *vt* misshandeln

mistress <*pl* -es> [ˈmɪstrəs] *n* **1.** Herrin *f;* **the ~ of the house** die Frau des Hauses **2.** (*lover*) Geliebte *f* **3.** BRIT (*teacher*) **German ~** Deutschlehrerin *f*

mistrust [mɪsˈtrʌst] **I.** *n no pl* Misstrauen *nt* **II.** *vt* misstrauen +*dat*

mistrustful [mɪsˈtrʌstfᵊl] *adj* misstrauisch (**of** gegenüber)

misty [ˈmɪsti] *adj* [leicht] neblig; (*blurred*) verschwommen

misunderstand <-stood, -stood> [ˌmɪsʌndəˈstænd] **I.** *vt* missverstehen **II.** *vi* sich irren

misunderstanding [ˌmɪsʌndəˈstændɪŋ] *n* Missverständnis *nt;* (*quarrel*) Meinungsverschiedenheit *f*

mitten [ˈmɪtᵊn] *n* Fausthandschuh *m*

mix [mɪks] **I.** *n* Mischung *f;* (*ingredients*) Fertigmischung *f;* **bread ~** Brotbackmischung *f;* **a ~ of people** eine bunt gemischte Gruppe **II.** *vi ingredients* sich mischen [lassen]; *colours* zusammenpassen; (*socialize*) unter Leute gehen; *host* sich unter die Gäste mischen **III.** *vt* [miteinander] [ver]mischen; *dough* anrühren; *drink* mixen; **to ~ love with toughness** Liebe und Strenge miteinander verbinden ◆ **mix in** *vt* untermischen ◆ **mix up** *vt* (*mistake*) verwechseln; (*muddle*) durcheinanderbringen

mixed [mɪkst] *adj* gemischt; **~ blessing** kein reiner Segen

mixture [ˈmɪkstʃəʳ] *n* **1.** Mischung *f;* (*liquid also*) Mixtur *f;* *of ingredients* Gemisch *nt;* **cough ~** Hustensaft *m* **2.** *no pl* Mischen *nt*

mix-up *n* Durcheinander *nt;* AM (*fight*) Schlägerei *f*

MMR [ˌeməmˈɑːʳ] *n* MED *abbrev of* **measles, mumps and rubella** MMR; **~ jab** MMR-Impfung *f*

moan [məʊn] **I.** *n* Stöhnen *nt;* (*complaint*) Klage *f* **II.** *vi* stöhnen; (*complain*) klagen, jammern (**about** über +*akk*); **to ~ at sb** jdm etw vorjammern; **to ~ that ...** darüber jammern, dass ...

mobcast *n* Mobcast *m* (*mobil verteilte Podcasts*)

mobcasting *n no pl* mobile Verteilung von Podcasts

mobile [ˈməʊbaɪl] **I.** *adj* beweglich; (*flexible also*) wendig; (*motorized*) mobil; **to be ~** ein Auto haben; **~ canteen** Kantine *f* auf Rädern **II.** *n* **1.** Handy *nt* **2.** (*decoration*) Mobile *nt*

mock [mɒk] **I.** *adj* **1.** (*fake*) nachgemacht; **~ leather** Lederimitat *nt* **2.** (*practice*) Probe- **II.** *n* BRIT (*fam*) Probeexamen *nt* **III.** *vi, vt* spotten; **to ~ sb** jdn verspotten

mod con [ˌmɒdˈkɒn] *n* BRIT, AUS *short for* **modern convenience** moderner Komfort

model [ˈmɒdᵊl] **I.** *n* **1.** Modell *nt;* COMPUT Simulation *f* **2.** (*example*) Vorbild *nt;* (*perfect*) Muster *nt;* **the very ~ of sth** der Inbegriff von etw *dat* **3.** (*mannequin*) Model *nt;* (*for painter*) Modell *nt* **4.** (*version*) Modell *nt* **II.** *vt* <-ll-> **1.** modellieren; (*on computer*) simulieren **2.** *fashion* vorführen

modem [ˈməʊdəm] *n* Modem *nt*

moderate I. *adj* [ˈmɒdᵊrət] **1.** mittlere (r, s); (*slight*) leicht **2.** (*not excessive*) gemäßigt; *drinker, eater* mäßig **3.** POL gemäßigt **II.** *n* [ˈmɒdᵊrət] POL Gemäßigte(r) *f(m)* **III.** *vt* [ˈmɒdᵊreɪt] **to ~ one's voice** seine Stimme senken

modern [ˈmɒdᵊn] *adj* modern; **~ times** die Neuzeit

modernize [ˈmɒdᵊnaɪz] **I.** *vt* modernisieren **II.** *vi* modern werden

modest [ˈmɒdɪst] *adj* bescheiden

modular [ˈmɒdjələʳ] *adj* modular, Modul-, Baukasten-; **~ system** UNIV Kursmodulsystem *nt*

module [ˈmɒdjuːl] *n* (*unit*) Modul *nt*, Baustein *m*

moist [mɔɪst] *adj* feucht; *cake* saftig

moisten [ˈmɔɪsᵊn] *vt* anfeuchten

moisture [ˈmɔɪstʃəʳ] *n* Feuchtigkeit *f*

moisturizer [ˈmɔɪstʃᵊraɪzəʳ] *n* Feuchtigkeitscreme *f*

molar [ˈməʊləʳ] *n* Backenzahn *m*

mold *n, vi* AM *see* **mould²**

mole¹ [məʊl] *n* ZOOL Maulwurf *m*

M

mole² [məʊl] *n* ANAT [kleines] Muttermal

molehill ['məʊlhɪl] *n* Maulwurfshügel *m*

moment ['məʊmənt] *n* Moment *m;* (*point in time*) Zeitpunkt *m;* **just a ~, please** nur einen Augenblick, bitte; **at any ~** jeden Augenblick; **in a ~** gleich; **the ~ of truth** die Stunde der Wahrheit

momentary ['məʊmənt°ri] *adj* kurz; (*transitory*) vorübergehend

monarch ['mɒnək] *n* Monarch(in) *m(f)*, Herrscher(in) *m(f)*

monarchy ['mɒnəki] *n* Monarchie *f*

monastery ['mɒnəst°ri] *n* [Mönchs]kloster *nt*

Monday ['mʌndeɪ] *n* Montag *m; see also* **Tuesday**

money ['mʌni] *n no pl* Geld *nt;* **short of ~** knapp bei Kasse *fam;* **to raise ~** Geld aufbringen ▶ **to be** <u>in</u> **the ~** in Geld schwimmen; **to be** [not] <u>made</u> **of ~** [k]ein Krösus sein

money-changer *n* [Geld]wechsler(in) *m(f);* (*device*) [tragbarer] Münzwechsler **money order** *n esp* AM, AUS Postanweisung *f*

monitor ['mɒnɪtə'] I. *n* 1. (*screen*) Bildschirm *m*, Monitor *m;* **colour ~** Farbbildschirm *m*, Farbmonitor *m* 2. POL (*observer*) Beobachter(in) *m(f)* 3. (*device*) Anzeigegerät *nt*, Monitor *m* II. *vt* 1. (*check*) beobachten, kontrollieren, überprüfen 2. (*view, listen in on*) abhören

monk [mʌŋk] *n* Mönch *m*

monkey ['mʌŋki] *n* Affe *m;* (*fam: child*) Schlingel *m;* ▶ **I don't** <u>give</u> **a ~'s** [what] ... BRIT (*sl*) es interessiert mich einen Dreck [was] ... *fam*

monopolize [mə'nɒp°laɪz] *vt* monopolisieren; **to ~ the conversation** das Gespräch an sich reißen

monorail ['mɒnə(ʊ)reɪl] *n* Einschienenbahn *f*

monsoon [mɒn'suːn] *n* Monsun *m;* **the ~[s]** der Monsun *kein pl*

monster ['mɒn(t)stə'] I. *n* Ungeheuer *nt;* (*person also*) Scheusal *nt* II. *adj attr* (*fam: huge*) ungeheuer

monstrous ['mɒn(t)strəs] *adj* ungeheuer; (*outrageous*) ungeheuerlich; (*awful*) grässlich

month [mʌn(t)θ] *n* Monat *m;* **to take a two ~ holiday** zwei Monate Urlaub nehmen; **a ~'s notice** eine einmonatige Kündigungsfrist

monthly ['mʌn(t)θli] I. *adj, adv* monatlich II. *n* Monatsschrift *f*

monument ['mɒnjəmənt] *n* Denkmal *nt;* (*memorial*) Mahnmal *nt*

mood¹ [muːd] *n* Laune *f;* **in a bad/ good ~** gut/schlecht gelaunt; **to be in a talkative ~** zum Erzählen aufgelegt sein

moody ['muːdi] *adj* missmutig; (*temperamental*) launisch

moon [muːn] I. *n* Mond *m;* **full ~** Vollmond *m;* **new ~** Neumond *m;* ▶ **to be** <u>over</u> **the ~ about sth** über etw *akk* überglücklich sein II. *vi* 1. (*sl*) **to ~** [**at sb**] [jdm] seinen nackten Hintern zeigen 2. (*reminisce*) träumen (**over** von + *dat*)

moonlight I. *n no pl* Mondlicht *nt* II. *vi* <-lighted> (*fam*) schwarzarbeiten

moonlit *adj attr* mondhell; **~ room** Zimmer *nt* im Mondlicht

moor¹ [mɔː'] *n* [Hoch]moor *nt*

moor² [mɔː'] NAUT I. *vt* vertäuen *fachspr* II. *vi* festmachen

mooring ['mɔːrɪŋ] *n* Anlegeplatz *m;*

(*ropes*) **~s** *pl* Vertäuung *f fachspr*

moose <*pl* -> [muːs] *n* Elch *m*

mop [mɒp] **I.** *n* Mopp *m;* **dish ~** BRIT Schwammtuch *nt* **II.** *vt* <-pp-> feucht wischen; **to ~ one's face/ brow** sich *dat* den Schweiß vom Gesicht/von der Stirn wischen

moped ['məʊped] *n* Moped *nt*

moral ['mɒrəl] **I.** *adj* moralisch; *person also* anständig; **on ~ grounds** aus moralischen Gründen **II.** *n* **1.** **~s** *pl* Moralvorstellungen *pl* **2.** (*of story*) Moral *f*

morale [məˈrɑːl] *n no pl* Moral *f;* **~ is high/low** die Stimmung ist gut/ schlecht

more [mɔːʳ] **I.** *adj comp of see* **many, much** noch mehr; **two ~ days until Christmas** noch zwei Tage bis Weihnachten; **some ~ coffee?** noch etwas Kaffee? **II.** *pron* mehr; **~ and ~** immer mehr; **is there any ~?** ist noch etwas da?; **all the ~ ...** umso mehr ...; **the ~ the merrier** je mehr desto besser; **no ~** nichts weiter; (*countable*) keine mehr **III.** *adv* **1.** (*forming comparatives*) **~ beautiful/sensible** schöner/vernünftiger; **~ importantly** wichtiger noch **2.** (*to a greater extent*) mehr; **to think ~ of sb** eine höhere Meinung von jdm haben; **we'll be ~ than happy to help** wir helfen sehr gerne **3.** (*longer*) **to be no ~** *times* vorüber sein; **I don't do yoga any ~** ich habe mit Yoga aufgehört **4.** (*rather*) eher; **~ dead than alive** mehr tot als lebendig ▶ **~ or less** mehr oder weniger; **that's ~ like it** schon besser; **~ often than not** meistens

moreover [mɔːˈrəʊvəʳ] *adv* (*form*) ferner

morgue [mɔːg] *n esp* AM, AUS (*mortuary*) Leichen[schau]haus *nt*

morning ['mɔːnɪŋ] **I.** *n* Morgen *m;* **good ~!** guten Morgen!; **all ~** den ganzen Vormittag; **at four in the ~** um vier Uhr früh; [**from**] **~ till night** von morgens bis abends; **tomorrow ~** morgen Vormittag; **yesterday ~** gestern Morgen **II.** *interj* (*fam*) Morgen!

morning (**news**)**paper** *n* Morgenzeitung *f* **morning-after pill** *n* **the ~** die Pille danach **morning sickness** *n no pl* morgendliche Übelkeit

mortal ['mɔːtəl] **I.** *adj* **1.** (*subject to death*) sterblich **2.** (*human*) menschlich, Menschen- **3.** (*temporal*) irdisch **II.** *n* (*liter*) Sterbliche(r) *f(m);* **ordinary ~** (*hum*) Normalsterbliche(r) *f(m)*

mortality [mɔːˈtæləti] *n no pl* **1.** (*condition*) Sterblichkeit *f* **2.** (*character*) Vergänglichkeit *f*

mortgage ['mɔːgɪdʒ] **I.** *n* Hypothek *f;* **to pay off a ~** eine Hypothek tilgen **II.** *vt* hypothekarisch belasten

mortuary ['mɔːtʃuəri] *n* Leichen[schau] haus *nt*

mosaic [mə(ʊ)ˈzeɪɪk] *n* Mosaik *nt*

Moslem *adj, n see* **Muslim**

mosque [mɒsk] *n* Moschee *f*

mosquito <*pl* -es> [mɒsˈkiːtəʊ] *n* Moskito *m;* **~ net** Moskitonetz *nt*

moss <*pl* -es> [mɒs] *n* Moos *nt*

most [məʊst] **I.** *pron* **1.** **the ~** am meisten; **at the** [**very**] **~** [aller]höchstens **2.** *pl* (*majority*) **the ~** die Mehrheit **3.** (*best*) **the ~** höchstens; **to make the ~ of sth** das Beste aus etw *dat* machen **II.** *adv* **1.** (*forming superlative*) **the ~ beautiful/sensible** der/die/das schönste/vernünftigste; **the ~ easily/rapidly** am leich-

M

testen/schnellsten; **that's what I'm**
~ afraid of davor habe ich die meiste
Angst **2.** (*form: extremely*) höchst;
~ certainly ganz bestimmt; **~ likely**
höchstwahrscheinlich; **~ unlikely**
höchst unwahrscheinlich **3. at ~**
höchstens; **~ of all, I hope that ...**
ganz besonders hoffe ich, dass ...

mostly ['məʊs(t)li] *adv* meistens; (*in*
the main) größtenteils

MOT [ˌeməʊ'tiː] BRIT (*fam*) **I.** *n abbrev*
of **Ministry of Transport 1. the ~**
das Verkehrsministerium **2.** (*test*)
TÜV *m;* (*certificate*) TÜV-Bescheini-
gung *f* **II.** *vt* <MOT'd, MOT'd> *usu*
passive **the car's been ~'d** das Auto
hat den TÜV bestanden

motel [məʊ'tel] *n* Motel *nt*

moth [mɒθ] *n* Motte *f*

mothball I. *n* Mottenkugel *f* **II.** *vt* ein-
motten **moth-eaten** *adj* mottenzer-
fressen; (*outmoded*) verstaubt

mother ['mʌðəʳ] **I.** *n* Mutter *f;* ▶ **the ~**
of all ... der/die/das allergrößte ...;
(*worst*) der/die/das Schlimmste aller
gen ...; **the ~ of all battles** die Mutter aller Schlachten; **the ~ of all**
storms der Sturm der Stürme **II.** *vt*
bemuttern

motherhood ['mʌðəhʊd] *n no pl* Mutterschaft *f*

mother-in-law <*pl* mothers-> *n*
Schwiegermutter *f*

motherly ['mʌðəli] *adj* (*usu approv*)
mütterlich; **~ love** Mutterliebe *f*

mother tongue *n* Muttersprache *f*

motion ['məʊʃən] **I.** *n* **1.** *no pl* (*move-*
ment) Bewegung *f*, Gang *m;* **in slow**
~ in Zeitlupe; **to put sth in ~** etw in
Gang bringen **2.** (*gesture*) Bewegung
f, Zeichen *nt;* **~ of the hand/head**
Hand-/Kopfbewegung *f* **3.** POL (*pro-*

posal) Antrag *m fachspr;* **to defeat**
a ~ einen Antrag ablehnen; **to pass**
a ~ einen Antrag annehmen **II.** *vt to*
~ sb to do sth jdn durch einen Wink
auffordern, etw zu tun

motionless ['məʊʃənləs] *adj* bewegungslos, reg[ungs]los

motion picture *n* AM [Spiel]film *m*

motivate ['məʊtɪveɪt] *vt* **1.** (*provide*
with motive) **what ~d their sudden**
change of heart? was war der innere
Anlass für ihren plötzlichen Sinneswandel?; **motivating force** treibende
Kraft **2.** (*arouse interest*) anregen, an-
spornen; **to ~ sb to do sth** jdn dazu
bewegen, etw zu tun

motivation [ˌməʊtɪ'veɪʃən] *n* **1.** (*rea-*
son) Begründung *f*, Veranlassung *f*
(**for** für) **2.** *no pl* (*drive*) Antrieb *m*,
Motivation *f*

motive ['məʊtɪv] *n* Beweggrund *m*
(**for** für); **ulterior ~** tieferer Beweggrund

motor ['məʊtəʳ] **I.** *n* Motor *m;* (*engine*
also) Triebwerk *nt;* BRIT (*fam: car*)
Auto *nt* **II.** *adj attr* BRIT, AUS Auto-
III. *vi* [Auto] fahren

motorbike *n* (*fam*) Motorrad *nt* **mo-**
torboat *n* Motorboot *nt* **motor car**
n BRIT Automobil *nt* **motorcycle** *n*
Motorrad *nt* **motorcycling** *n no pl*
Motorradfahren *nt* **motorcyclist** *n*
Motorradfahrer(in) *m(f)*

motoring ['məʊtərɪŋ] **I.** *adj attr* BRIT
Fahr-; **~ offence** Verkehrsdelikt *nt*
II. *n* Fahren *nt*

motorist ['məʊtərɪst] *n* Kraftfahrer(in)
m(f)

motor racing *n* BRIT Autorennsport *m*
motor scooter *n* Motorroller *m*
motor vehicle *n* Kraftfahrzeug *nt*
motorway *n* BRIT Autobahn *f*

motto <*pl* -s> ['mɒtəʊ] *n* Motto *nt*

mould¹ [məʊld] *n no pl* BOT Schimmel *m*

mould² [məʊld] I. *n* Form *f;* (*fig*) Typ *m;* **to be out of the same ~** sich *dat* gleichen wie ein Ei dem anderen II. *vt* formen; (*fig*) **to ~ sb into sth** jdn zu etw *dat* machen

mouldy ['məʊldi] *adj* verschimmelt; **to go ~** [ver]schimmeln

mound [maʊnd] *n* Haufen *m;* (*hill*) Hügel *m*

mount [maʊnt] I. *n* 1. (*horse*) Pferd *nt* 2. *of picture* Halterung *f* II. *vt* 1. (*suspend*) aufhängen 2. (*ascend*) hochsteigen 3. (*secure*) befestigen; **to ~ in a frame** rahmen III. *vi* 1. (*grow*) wachsen 2. *rider* aufsteigen

mountain ['maʊntɪn] *n* Berg *m;* **~s** Berge *pl;* (*group of mountains*) Gebirge *nt;* **~ chain** Bergkette *f*

mountaineer [ˌmaʊntɪ'nɪər] *n* Bergsteiger(in) *m(f)*

mountaineering [ˌmaʊntɪ'nɪərɪŋ] *n no pl* Bergsteigen *nt*

mountainous ['maʊntɪnəs] *adj* gebirgig; (*fig*) riesig

mountain range *n* Gebirgszug *m*

mourn [mɔːn] I. *vi* trauern (**for** um) II. *vt* 1. (*feel sorrow*) **to ~ sb/sth** um jdn/etw trauern 2. (*fig: regret*) beklagen

mourner ['mɔːnər] *n* Trauernde(r) *f(m);* (*at a funeral*) Trauergast *m*

mouse <*pl* mice> [maʊs] *n* Maus *f*

mouse hole *n* Mauseloch *nt* **mouse potato** *n* COMPUT Computerhocker(in) *m(f)* **mousetrap** *n* Mausefalle *f*

moustache [məˈstɑːʃ] *n* Schnurrbart *m*

mouth [maʊθ] *n* 1. Mund *m; of animal* Maul *nt;* **to have a big ~** ein großes Mundwerk haben *fam;* **to keep one's ~ shut** seinen Mund halten *fam* 2. (*opening*) Öffnung *f; of river* Mündung *f*

mouthful ['maʊθfʊl] *n* Bissen *m; of drink* Schluck *m;* **a ~ of abuse** (*fam*) ein Schwall *m* Schimpfwörter

mouth organ *n* Mundharmonika *f* **mouthpiece** *n* Mundstück *nt; of phone* Sprechmuschel *f* **mouth-to-mouth** (**resuscitation**) *n* Mund-zu-Mund-Beatmung *f* **mouthwash** *n* Mundwasser *nt* **mouth-watering** *adj* [sehr] appetitlich

move [muːv] I. *n* 1. *no pl* Bewegung *f;* **she made a sudden ~ towards me** plötzlich bewegte sie sich auf mich zu; **to be on the ~** unterwegs sein; **to make a ~** (*fam: leave*) sich auf den Weg machen 2. (*step*) Schritt *m;* (*measure*) Maßnahme *f;* (*in games*) Zug *m;* CHESS [Schach]zug *m;* **it's your ~** du bist dran; **to make the first ~** den ersten Schritt tun ▶ **to get a ~ on** (*fam*) sich beeilen II. *vi* 1. sich bewegen; (*go*) gehen; **no one ~d** keiner rührte sich; **keep moving!** bitte gehen Sie weiter!; **to ~** [out of the way] aus dem Weg gehen 2. **to ~ off a subject** das Thema wechseln 3. (*progress*) vorankommen; **to ~ with the times** mit der Zeit gehen; **to ~ forward** Fortschritte machen 4. (*tenant*) umziehen 5. (*fam: hurry*) sich beeilen; **~!** nun mach schon! 6. (*fam*) **to get moving** loslegen; **to get moving on sth** mit etw *dat* loslegen III. *vt* 1. bewegen; (*put elsewhere*) woanders hinstellen; (*push elsewhere*) verrücken; (*clear*) weg-

M

räumen; (*rearrange*) umstellen **2.** (*reschedule*) verlegen **3.** (*transfer*) verlegen; **to ~ office** in ein anderes Büro ziehen **4.** (*affect*) **to ~ sb** jdn bewegen; **to ~ sb to tears** jdn zu Tränen rühren ◆ **move about, move around** I. *vi* herumgehen; (*travel*) umherreisen; *tenant* oft umziehen II. *vt* [hin und her] bewegen; (*fam: worker*) oft versetzen ◆ **move along** I. *vt crowd* zum Weitergehen bewegen; *car* vorbeiwinken II. *vi* weitergehen; (*run*) weiterlaufen; (*make room*) aufrücken ◆ **move away** I. *vi* weggehen; *car* wegfahren; *tenant* wegziehen; **to ~ away from home** von zu Hause ausziehen II. *vt* wegräumen; (*push*) wegrücken ◆ **move back** I. *vi* (*return*) zurückkommen; (*withdraw*) zurückweichen; **~ back!** zurücktreten! II. *vt* (*replace*) zurückstellen; (*push*) zurückschieben; *car* zurücksetzen ◆ **move down** I. *vi* **1.** sich nach unten bewegen; (*slip*) runterrutschen *fam;* (*make room*) aufrücken **2.** *price* fallen **3.** SCH **to ~ down a class** AM eine Klasse zurückgestuft werden **4.** SPORTS absteigen II. *vt* nach unten bewegen; (*put lower*) nach unten stellen ◆ **move in** I. *vi* **1.** *tenant* einziehen; **to ~ in with sb** zu jdm ziehen **2.** (*advance*) anrücken; **the painters are moving in next week** (*fam*) nächste Woche kommen die Maler; **to ~ in on a new market** sich auf einem neuen Markt etablieren II. *vt* **1.** (*push*) nach innen bewegen **2.** *troops* einsetzen ◆ **move off** I. *vi* sich in Bewegung setzen; (*walk*) losgehen II. *vt* wegräumen ◆ **move on** I. *vi* **1.** sich wieder auf den Weg machen; (*walk*) weitergehen **2.** (*progress*) sich weiterentwickeln; *employee*

beruflich weiterkommen **3. to ~ on to sth** zu etw *dat* übergehen II. *vt crowd* zum Weitergehen auffordern; *driver* zum Weiterfahren auffordern ◆ **move out** I. *vi* **1.** *troops* abziehen; *tenant* ausziehen (**of** aus +*dat*) **2.** (*cease*) **to ~ out** [**of sth**] sich [von etw *dat*] zurückziehen II. *vt* **1.** (*clear*) wegräumen **2.** *tenant* kündigen +*dat; troops* abziehen ◆ **move over** I. *vi* **1.** aufrücken **2.** (*switch*) **to ~ over to sth** zu etw *dat* übergehen II. *vt* zur Seite räumen ◆ **move up** I. *vi* **1.** *troops* aufrücken **2.** (*make room*) Platz machen II. *vt* nach oben bewegen; (*place higher*) nach oben räumen

movement [ˈmuːvmənt] *n* **1.** Bewegung *f* **2.** *no pl* (*activity*) Bewegung *f;* (*tendency*) Tendenz *f* **3.** MUS Satz *m*

movie [ˈmuːviː] *n esp* AM, AUS (*film*) [Kino]film *m;* **the ~s** *pl* das Kino; **to be in the ~s** (*fam*) im Filmgeschäft sein

movie camera *n* Filmkamera *f* **movie star** *n* Filmstar *m*

moving [ˈmuːvɪŋ] I. *n no pl* Umziehen *nt* II. *adj* **1.** *attr* beweglich **2.** *attr* (*motivating*) Antriebs-; **the ~ force** die treibende Kraft **3.** (*appealing*) bewegend

mow <mowed, mown> [məʊ] *vi, vt* mähen; *field* abmähen

mower [ˈməʊəʳ] *n* Rasenmäher *m; (for crops*) Mähmaschine *f*

mown [məʊn] I. *pp of* **mow** II. *adj* gemäht; *field* abgemäht

MP [ˌemˈpiː] BRIT, CAN POL *abbrev of* **Member of Parliament**

mph [ˌempiːˈeɪtʃ] *abbrev of* **miles per hour: to do 50 ~** 50 Meilen pro Stunde fahren (*eine Meile entspricht 1,56 km*)

Mr ['mɪstə^r] *n no pl* ~ **Brown** Herr Brown

Mrs ['mɪsɪz] *n no pl* ~ **Brown** Frau Brown

Ms [ˌem'es] *n no pl* ~ **Brown** Frau Brown (*Alternativbezeichnung zu Mrs und Miss, die sowohl für verheiratete wie unverheiratete Frauen zutrifft*)

MS *n no pl abbrev of* **multiple sclerosis** MS *f*

much [mʌtʃ] **I.** *adj* <more, most> + *sing* viel; **how** ~ **...?** wie viel ...?; **half/twice as** ~ halb/doppelt so viel; [~] **too** ~ [viel] zu viel **II.** *pron* **1.** (*relative amount*) viel; **this** ~ **is certain** so viel ist sicher; **half/twice as** ~ halb/doppelt so viel; **however** ~ **you dislike her ...** wie unsympathisch sie dir auch sein mag, ... **2.** (*great deal*) viel; **my new stereo isn't up to** ~ meine neue Anlage taugt nicht viel *fam* **3.** *with neg* (*pej*) **he's not** ~ **to look at** er sieht nicht gerade umwerfend aus **4.** (*larger part*) ~ **of the day** der Großteil des Tages **5.** (*be redundant*) **so** ~ **for ...** das wars dann wohl mit ... **6.** *with interrog* **how** ~ **is it?** was kostet das? **III.** *adv* <more, most> **1.** (*greatly*) sehr; ~ **to our surprise** zu unserer großen Überraschung; **to be not** ~ **good at sth** in etw *dat* nicht sehr gut sein **2.** (*nearly*) ~ **the same** fast so **3. I like him as** ~ **as you do** ich mag ihn genauso sehr wie du; **thank you very** ~ herzlichen Dank **4. I had expected as** ~ so etwas hatte ich schon erwartet **5. do you see** ~ **of her?** siehst du sie öfters? **IV.** *conj* ~ **as I like you, ...** so gern ich dich auch mag, ... ◆ **muck about, muck**

around (*fam*) **I.** *vi* Unfug treiben; **to** ~ **about with sth** an etw *dat* herumfummeln **II.** *vt* **to** ~ **sb about** mit jdm umspringen[, wie es einem gefällt]; **stop** ~**ing me about!** sag mir endlich, was Sache ist! ◆ **muck up** *vt* BRIT (*fam*) vermasseln; *exam* versieben

mucky ['mʊki] *adj* **1.** dreckig **2.** (*fam*) *joke* schlüpfrig

mud [mʌd] *n no pl* Schlamm *m;* ▶ **to drag sb's** <u>name</u> **through the** ~ jds Namen in den Schmutz ziehen

muddle ['mʌdl] **I.** *n* Durcheinander *nt;* **to be/get in a** ~ durcheinander sein/ durcheinandergeraten **II.** *vi* **to** ~ **along** vor sich *akk* hin wurs[ch]teln *fam*

muddy ['mʌdi] **I.** *vt* schmutzig machen **II.** *adj* schlammig; (*dirty*) schmutzig

mudguard *n* Kotflügel *m; of bicycle* Schutzblech *nt* **mudpack** *n* Gesichtsmaske *f*

muesli ['mjuːzli] *n no pl* Müsli *nt,* Müesli *nt* SCHWEIZ

mug [mʌg] **I.** *n* Becher *m* (*mit Henkel*) **II.** *vt* <-gg-> überfallen und ausrauben

mugger ['mʌgə^r] *n* [Straßen]räuber(in) *m(f)*

muggy ['mʌgi] *adv* schwül

mule¹ [mjuːl] *n* Maultier *nt*

multicoloured *adj* bunt

multilingual *adj* mehrsprachig

multimillionaire *n* Multimillionär(in) *m(f)*

multinational I. *n* multinationaler Konzern **II.** *adj* multinational

multiplayer ['mʌltipleɪə^r] *adj attr computer game* Multiplayer-, für mehrere Spieler *nach n*

multiplication [ˌmʌltiplɪ'keɪʃ^ən] *n no pl* Multiplikation *f*

M

multiply <-ie-> ['mʌltɪplaɪ] **I.** *vt* multiplizieren (**by** mit) **II.** *vi* sich vermehren; (*reproduce also*) sich fortpflanzen

multi-purpose *adj* Mehrzweck- **multi-storey** *adj inv* mehrstöckig; **~ car park** BRIT Parkhaus *nt* **multi-tasking** **I.** *n* COMPUT Ausführen *nt* mehrerer Programme, Multitasking *nt* **II.** *adj attr* (*fig*) gleichzeitig mehreren Aufgaben nachkommend *attr;* **she is a hard-working, ~ singer, actor, dancer and producer** sie arbeitet hart und ist gleichzeitig Sängerin, Schauspielerin, Tänzerin und Produzentin

mum¹ [mʌm] *n* (*fam*) Mama *f*

mum² [mʌm] *adj* (*fam*) still; **to keep ~** den Mund halten

mumble ['mʌmbl] *vi, vt* nuscheln

mummy¹ ['mʌmi] *n* (*fam*) Mama *f*, Mami *f*

mummy² ['mʌmi] *n* (*corpse*) Mumie *f*

mumps [mʌmps] *n* + *sing vb* Mumps *m*

Munich ['mju:nɪk] *n* München *nt*

mural ['mjʊərəl] **I.** *n* Wandgemälde *nt* **II.** *adj* Wand-

murder ['mɜːdər] **I.** *n* Mord *m*, Ermordung *f* (**of** an); **mass ~** Massenmord *m* **II.** *vt* ermorden; (*fig a.*) umbringen

murderer ['mɜːdərər] *n* Mörder(in) *m(f)*

murderess ['mɜːdərɪs] *n* Mörderin *f*

murky ['mɜːki] *adj* düster; *night* finster

murmur ['mɜːmər] **I.** *vi* murmeln; **to ~ about sth** (*complain*) wegen einer S. *gen* murren **II.** *vt* murmeln, raunen **III.** *n* Gemurmel *nt kein pl*, Raunen *nt kein pl;* **a ~ of agreement** ein zustimmendes Raunen

muscle ['mʌsl] *n* Muskel *m;* (*fig: influence*) Stärke *f;* **to flex one's ~s** (*fig*) Stärke zeigen

muscular ['mʌskjələr] *adj* muskulös

museum [mju:'zi:əm] *n* Museum *nt*

mushroom ['mʌʃrʊm, -ru:m] *n* Pilz *m*

music ['mju:zɪk] *n no pl* Musik *f;* (*notes*) Noten *pl;* **classical ~** klassische Musik; **to put on ~** [etwas] Musik auflegen

musical ['mju:zɪkəl] **I.** *adj* musikalisch **II.** *n* Musical *nt*

musical box *n,* AM **music box** *n* Spieluhr *f*

musician [mju:'zɪʃən] *n* Musiker(in) *m(f)*

music stand *n* Notenständer *m*

Muslim ['mʊslɪm] **I.** *n* Moslem(in) *m(f)*, Muslim(in) *m(f)* **II.** *adj* moslemisch, muslimisch

mussel ['mʌsəl] *n* [Mies]muschel *f*

must [mʌst] **I.** *aux vb* **1.** (*be obliged*) müssen; **~ not** nicht dürfen **2.** (*be required*) müssen **3.** (*should*) **you ~ come and visit us** Sie sollten uns bald einmal besuchen kommen **4.** (*be certain to*) müssen; **you ~ be joking!** du machst wohl Witze! **5.** (*be necessary*) müssen; **you ~n't worry too much about it** jetzt mach dir deswegen nicht so viele Sorgen **6.** (*showing irritation*) müssen; **smoke if you ~ then** dann rauche, wenn es [denn] unbedingt sein muss **II.** *n no pl* **to be a ~** ein Muss *nt* sein; **this book is a ~!** dieses Buch muss man gelesen haben! **III.** *in compounds -see, -do* **this film is a ~-see** diesen Film muss man einfach gesehen haben

mustache *n* AM *see* **moustache**

mustard ['mʌstəd] *n no pl* Senf *m*

must-have *adj attr* (*fam*) unentbehrlich

mustn't ['mʌsᵊnt] *short for* **must not** *short for* **must**

mutton ['mʌtᵊn] *n no pl* Hammel *m*, Hammelfleisch *nt*

mutual ['mjuːtʃuːəl] *adj* gegenseitig; *benefit* beiderseitig; **the feeling is ~** das [Gefühl] beruht auf Gegenseitigkeit

my [maɪ] **I.** *adj poss* mein(e); **my brother and sister** mein Bruder und meine Schwester; **one of my friends** einer meiner Freunde/eine meiner Freundinnen; **I've hurt my foot** ich habe mir den Fuß verletzt; **I need a car of ~ own** ich brauche ein eigenes Auto **II.** *interj* ach, oh; **~ ~** na, so was

myself [maɪ'self] *pron refl* **1.** (*direct object of verb*) mir *dat*, mich *akk*; **I caught sight of ~ in the mirror** ich sah mich im Spiegel; **muttering to ~** vor mich hin murmelnd **2.** (*emph form*) ich; **people like ~** Menschen wie ich **3.** (*emph*) **I wrote it ~** ich schrieb es selbst **4. I never get an hour to ~** ich habe nie eine Stunde für mich; **by ~** allein; **all by ~** ganz allein

mysterious [mɪ'stɪəriəs] *adj* geheimnisvoll; **in ~ circumstances** unter mysteriösen Umständen

mystery ['mɪstᵊri] *n* Geheimnis *nt*; (*puzzle*) Rätsel *nt*; **that's a ~ to me** das ist mir schleierhaft

myth [mɪθ] *n* Mythos *m*; **creation ~** Schöpfungsmythos *m*

mythology [mɪ'θɒlədʒi] *n no pl* Mythologie *f*

N

n *n* MATH (*unknown number*) x

N <*pl* -'s>, **n** <*pl* -'s> [en] *n* N *nt*, n *nt; see also* **A 1**

N *n no pl abbrev of* **North** N

n/a, **NA 1.** *abbrev of* **not applicable** entf. **2.** *abbrev of* **not available** nicht verfügbar

naff [næf] BRIT *adj* (*sl*) geschmacklos

nag¹ [næg] *n* (*horse*) [alte Schind]mähre

nag² [næg] **I.** *vi* <-gg-> [herum]nörgeln (**at** an) **II.** *vt* <-gg-> (*annoy*) **to ~ sb** jdn nicht in Ruhe lassen **III.** *n* (*fam*) Nervensäge *f*

nail [neɪl] **I.** *n* **1.** (*small metal spike*) Nagel *m* **2.** (*body part*) [Finger-/Zeh]nagel *m; to bite one's ~s* an den Fingernägeln kauen **II.** *vt* (*fasten*) nageln (**to** an)

nail-biting I. *n no pl* Nägelkauen *nt* **II.** *adj film* spannungsgeladen **nail clippers** *n pl* Nagelknipser *m* **nail file** *n* Nagelfeile *f* **nail polish** *n* Nagellack *m* **nail scissors** *n pl* Nagelschere *f* **nail varnish** *n* Nagellack *m*

naked ['neɪkɪd] *adj* (*a. fig*) nackt; *flame* offen

name [neɪm] **I.** *n* **1.** (*title*) Name *m;* **what's your ~?** wie heißen Sie?; **first ~** Vorname *m* **2.** *no pl* (*reputation*) Ruf *m;* **to give sb a good ~** jdm einen guten Ruf verschaffen **II.** *vt* (*call*) **they ~d their little boy Peter** sie nannten ihren kleinen Sohn Peter

nameplate *n of a person* Namensschild *nt*

nan [næn] *n* (*fam*) Omi *f*

nanny ['næni] *n* **1.** (*grandmother*)

Oma *f* **2.** (*babyminder*) Kindermädchen *nt*

nap [næp] *n* (*short sleep*) Nickerchen *nt;* **to take a ~** ein Nickerchen machen

napkin ['næpkɪn] *n* Serviette *f*

nappy ['næpi] *n* Windel *f;* **disposable ~** Wegwerfwindel *f*

narcotic [nɑː'kɒtɪk] **I.** *n* Rauschgift *nt;* MED Narkotikum *nt* **II.** *adj* MED narkotisch

narrate [nə'reɪt] *vt* erzählen

narrator [nə'reɪtə^r] *n* Erzähler(in) *m(f)*

narrow ['nærəʊ] **I.** *adj* (*thin*) eng, schmal **II.** *vt* verengen

narrow boat *n* Kanalboot *nt*

narrowly ['nærəʊli] *adv* (*barely*) knapp

narrow-minded *adj* engstirnig

nasty ['nɑːsti] *adj* **1.** (*bad*) scheußlich, widerlich; **to be ~ to sb** zu jdm gemein sein **2.** (*serious*) schlimm, böse

nation ['neɪʃ^ən] *n* **1.** (*country, state*) Nation *f*, Land *nt* **2.** (*people*) Volk *nt*

national ['næʃ^ən^əl] **I.** *adj* **1.** (*of a nation*) *matter, organization* national; *flag, team, dish, hero* National-; **~ government** Landesregierung *f* **2.** (*particular to a nation*) Landes-, Volks- **II.** *n* Staatsangehörige(r) *f(m)*

National Health Service *n* BRIT staatlicher Gesundheitsdienst

nationality [ˌnæʃ^ən'æləti] *n* **1.** (*esp cultural*) Nationalität *f* **2.** *no pl* (*legal*) Staatsangehörigkeit *f*

nationwide I. *adv* landesweit, im ganzen Land **II.** *adj coverage, strike, campaign* landesweit

native ['neɪtɪv] **I.** *adj* (*of one's birth*) beheimatet; **~ language** Muttersprache *f* **II.** *n* Einheimische(r) *f(m)*

native American *n* amerikanischer Ureinwohner/amerikanische Ureinwohnerin

NATO, Nato ['neɪtəʊ] *n no pl, no art acr for* **North Atlantic Treaty Organization** NATO *f*

natural ['nætʃ^ər^əl] **I.** *adj* **1.** (*not artificial*) *flavour, ingredients, mineral water* natürlich; *colour, curls, dye, fertilizer* Natur- **2. to die of ~ causes** eines natürlichen Todes sterben **II.** *n* (*fam*) Naturtalent *nt*

natural childbirth *n no pl* natürliche Geburt **natural gas** *n no pl* Erdgas *nt* **natural history** *n no pl* Naturgeschichte *f;* (*as topic of study*) Naturkunde *f*

naturalist ['nætʃ^ər^əlɪst] *n* Naturforscher(in) *m(f)*

naturally ['nætʃ^ər^əli] *adv* (*of course*) natürlich; (*as expected*) verständlicherweise

natural resources *n pl* Bodenschätze *pl* **natural science** *n*, **natural sciences** *n pl* Naturwissenschaft *f* **natural selection** *n* natürliche Auslese

nature ['neɪtʃə^r] *n no pl* **1.** *no art* (*natural environment*) Natur *f;* **to let ~ take its course** der Natur ihren Lauf lassen **2.** (*innate qualities*) Art *f;* **by ~** von Natur aus **3.** (*character*) Naturell *nt*, Art *f*

nature conservation *n no pl* Naturschutz *m* **nature lover** *n* Naturfreund(in) *m(f)* **nature reserve** *n* Naturschutzgebiet *nt* **nature study** *n no pl* Naturkunde *f* **nature trail** *n* Naturlehrpfad *m*

naturopath ['nætʃ^ərə(ʊ)pæθ] *n* Naturheilkundler(in) *m(f)*

naturopathy [nætʃər'ɒpəθi] *n* Naturheilkunde *f*

naught [nɔːt] *n* **1.** *no pl* (*liter: nothing*) Nichts *nt* **2.** AM, AUS *see* **nought**

naughty ['nɔːti] *adj* **1.** (*badly behaved*) *children* ungezogen **2.** (*hum fam: erotic*) unanständig

nautical mile *n* Seemeile *f*

naval ['neɪvᵊl] *adj* Marine-; ~ **power** Seemacht *f*

navel ['neɪvᵊl] *n* ANAT Nabel *m*

navigate ['nævɪgeɪt] *vt, vi* navigieren

navigator ['nævɪgeɪtᵊr] *n* Navigator(in) *m(f)*

navy ['neɪvi] **I.** *n* **1.** + *sing/pl vb* (*armed forces*) **the N~** die Marine **2.** (*colour*) Marineblau *nt* **II.** *adj* marineblau

NB [ˌen'biː] *adv no pl abbrev of* **nota bene** NB

near [nɪəʳ] **I.** *adj* **1.** (*close in space, time*) nahe; **where's the ~est phone box?** wo ist die nächste Telefonzelle? **2.** (*most similar*) **he rounded up the sum to the ~est dollar** er rundete die Summe auf den nächsten Dollar auf **3.** *attr* (*close to being*) **that's a ~ impossibility** das ist so gut wie unmöglich **II.** *adv* **1.** (*close in space/time*) nahe **2.** (*almost*) beinahe, fast **III.** *prep* **1.** (*in proximity to*) ~ [to] nahe [bei] + *dat;* **do you live ~ here?** wohnen Sie hier in der Nähe? **2.** (*similar in quantity or quality*) **he's ~er 70 than 60** er ist eher 70 als 60 **IV.** *vt to* ~ **sth** sich etw *dat* nähern

nearby [ˌnɪə'baɪ] **I.** *adj* nahe gelegen **II.** *adv* in der Nähe

Near East *n* Naher Osten

nearly ['nɪəli] *adv* fast, beinahe

near miss *n* (*near-accident*) Beinaheunfall *m;* AVIAT Beinahezusammenstoß *m*

nearside BRIT, AUS **I.** *n* Beifahrerseite *f* **II.** *adj attr* auf der Beifahrerseite *nach n*

near-sighted *adj esp* AM kurzsichtig

neat [niːt] *adj* **1.** (*well-ordered*) ordentlich; ~ **and tidy** sauber und ordentlich **2.** (*undiluted*) pur **3.** *esp* AM, AUS (*fam: very good*) toll, klasse

necessarily ['nesəsᵊrᵊli] *adv* (*consequently*) notwendigerweise; (*inevitably*) unbedingt

necessary ['nesəsᵊri] *adj* nötig, notwendig; **strictly ~** unbedingt nötig

necessity [nə'sesəti] *n no pl* Notwendigkeit *f*

neck [nek] *n* **1.** ANAT Hals; (*nape*) Nacken *m* **2.** FASHION Kragen *m;* ▶ ~ **and** ~ Kopf an Kopf

necklace ['nekləs] *n* [Hals]kette *f* **neckline** *n* Ausschnitt *m* **necktie** *n esp* AM Krawatte *f*

née [neɪ] *adj pred* geborene

need [niːd] **I.** *n* **1.** *no pl* (*requirement*) Bedarf *m* (**for** an); **to be [badly] in ~ of sth** etw [dringend] brauchen **2.** *no pl* (*poverty, requiring help*) Not *f;* **children in ~** Kinder in Not **II.** *vt* **1.** (*require*) brauchen; **your trousers ~ washing** deine Hose müsste mal gewaschen werden **2.** (*must*) **to ~ to do sth** etw tun müssen **III.** *aux vb* **1.** BRIT (*must*) ~ **you ask?** (*iron*) da fragst du noch? **2.** BRIT (*didn't have to*) **you ~n't have washed all the dishes** du hättest nicht das ganze Geschirr abwaschen müssen

needle ['niːdl] **I.** *n* **1.** (*for sewing, injections*) Nadel *f;* **knitting ~** Stricknadel *f* **II.** *vt* ärgern

needless ['niːdləs] *adj* unnötig; ~ **to say …** selbstverständlich …

needlessly ['niːdləsli] *adv* unnötig[erweise]

needy ['niːdi] **I.** *adj* (*poor*) bedürftig, Not leidend *attr* **II.** *n* **the ~** *pl* die Bedürftigen *pl*

N

negative ['negətɪv] I. *adj* (*all meanings*) negativ; ~ **answer** ablehnende Antwort II. *n* 1. (*negation*) Verneinung *f* 2. PHOT Negativ *nt*

neglect [nɪ'glekt] *vt* vernachlässigen; **to ~ to do sth** [es] versäumen, etw zu tun

negotiate [nɪ'gəʊʃieɪt] I. *vt* (*discuss*) aushandeln II. *vi* verhandeln (**for/ on** über)

negotiation [nɪˌgəʊʃi'eɪʃⁿn] *n* Verhandlung *f*

negotiator [nɪ'gəʊʃieɪtər] *n* Unterhändler(in) *m(f)*

neigh [neɪ] I. *n* Wiehern *nt kein pl* II. *vi* wiehern

neighbour, AM **neighbor** ['neɪbər] I. *n* Nachbar(in) *m(f)* II. *vi* [an]grenzen (**on** an)

neighbourhood ['neɪbəhʊd] *n* (*district*) Viertel *nt*; (*people*) Nachbarschaft *f*

neighbouring ['neɪbⁿrɪŋ] *adj attr* benachbart, Nachbar-

neighbourly ['neɪbⁿli] *adj* gutnachbarlich

neither ['naɪðər] I. *adv* 1. (*not either*) weder; ~ ... **nor** ... [**nor** ...] weder ... noch ... [oder ...] 2. (*also not*) auch nicht II. *adj attr* keine(r, s) von beiden III. *pron* (*not either of two*) keine(r, s) von beiden IV. *conj* ~ ... **nor** ... weder ... noch

neon ['niɒn] *n no pl* Neon *nt*; ~ **lamp** Neonlampe *f*; ~ **sign** Leuchtreklame *f*

neonatal [ˌniə(ʊ)'neɪtⁿl] *adj attr* Neugeborenen-; ~ **care/unit** Neugeborenenpflege/-station *f*

neo-Nazi [ˌniə(ʊ)'nɑːtsi] I. *n* Neonazi *m* II. *adj group, newspaper* neonazistisch

nephew ['nefjuː] *n* Neffe *m*

nerve [nɜːv] *n* 1. ANAT Nerv *m* 2. *no pl* (*courage*) Mut *m;* **to keep one's ~** die Nerven behalten 3. (*nervousness*) **~s** *pl* Nervosität *f kein pl;* (*stress*) Nerven *pl* 4. (*impudence*) Frechheit *f;* ▶ **to get on sb's ~s** (*fam*) jdm auf die Nerven gehen

nervous ['nɜːvəs] *adj* nervös; (*anxious*) ängstlich; **to be ~ about sth** wegen einer S. *gen* nervös sein

nervousness ['nɜːvəsnəs] *n no pl* Nervosität *f*

nest [nest] I. *n* Nest *nt a. fig* II. *vi* nisten

nesting box *n esp* BRIT Nistkasten *m*

net¹ [net] I. *n* Netz *nt a. fig;* **fishing ~** Fischernetz *nt* II. *vt* <-tt-> 1. (*catch*) **to ~ sth** *fish* etw mit einem Netz fangen 2. (*fig: get*) **to ~ oneself sth** sich *dat* etw angeln

net² [net] I. *adj* FIN netto; ~ **profit** Reingewinn *m nt* II. *vt* (*after tax*) netto verdienen

Net *n no pl* INET, COMPUT **the ~** das Netz

netball *n no pl* BRIT Korbball *m*

net curtain *n* Tüllgardine *f*

Netherlands ['neðələn(d)z] *n* **the ~** die Niederlande *pl*

netiquette ['netɪket] *n no pl* COMPUT Netiquette *f*

Netspeak *adj* COMPUT Internet-Jargon *m*

netting ['netɪŋ] *n no pl* Netzgewebe *nt*

nettle ['netl] *n* Nessel *f;* **stinging ~s** Brennnesseln *pl*

network ['netˌwɜːk] I. *n* 1. (*structure*) Netz[werk] *nt* 2. (*fig: people*) Netz *nt* II. *vt* (*link*) *a.* COMPUT vernetzen (**to** mit) III. *vi* Kontakte knüpfen; **to**

~ **with sb** mit jdm Kontakt knüpfen
networking ['net̩wɜːkɪŋ] *n no pl*
1. (*making contacts*) Kontaktknüpfen
nt **2.** COMPUT Vernetzen *nt*
neurotic [njʊəˈrɒtɪk] **I.** *n* Neuroti-
ker(in) *m(f)* **II.** *adj* neurotisch
neuter ['njuːtəʳ] **I.** *adj* sächlich; ~
noun Neutrum *nt* **II.** *vt* **to ~ an animal** *male* ein Tier kastrieren; *female*
ein Tier sterilisieren
neutral ['njuːtrəl] **I.** *adj* neutral **II.** *n*
1. (*country*) neutrales Land **2.** (*gears*)
Leerlauf *m;* **in ~** im Leerlauf
neutrality [njuːˈtræləti] *n no pl* Neutralität *f*
never ['nevəʳ] *adv* nie, niemals; ~
again! nie wieder!; ~ **mind!** mach'
dir nichts draus! *fam*
never-ending *adj* endlos
nevertheless [ˌnevəðəˈles] *adv* dennoch, nichtsdestoweniger
new [njuː] **I.** *adj* neu; **I'm ~ around
here** ich bin neu hier **II.** *n no pl*
the ~ das Neue
newbie ['njuːbi] *n* COMPUT Anfänger(in)
m(f)
newcomer *n* (*new arrival*) Neu-
ankömmling *m;* (*novice*) Neuling *m*
newish ['njuːɪʃ] *adj* (*fam*) relativ neu
newly ['njuːli] *adv* kürzlich, neulich; ~
married jung verheiratet
news [njuːz] *n no pl* **1.** (*new information*) Neuigkeit *f;* **to break the ~ to
sb** jdm die schlechte Nachricht überbringen **2.** (*media*) Nachrichten *pl;*
to be in the ~ in den Schlagzeilen
sein
news agency *n* Nachrichtenagentur *f*
newsagent *n* BRIT, AUS **1.** (*shop*) Zeitschriftengeschäft *nt;* **at the ~'s** beim
Zeitschriftengeschäft **2.** (*person*) Zei-
tungshändler(in) *m(f)* **newsflash** *n*

Kurzmeldung *f* **news item** *n* Nachricht *f* **newsletter** *n* Rundschreiben
nt **news magazine** *n* Nachrichtenmagazin *nt* **newspaper** *n*
1. (*journal*) Zeitung *f;* **daily ~** Tageszeitung *f* **2.** (*material*) Zeitungspapier
nt **newsreader** *n* BRIT, AUS Nachrich-
tensprecher(in) *m(f)* **newsreel** *n*
Wochenschau *f* **newsroom** *n* Nach-
richtenredaktion *f* **newsstand** *n* Zei-
tungsstand *m* **newsworthy** *adj* be-
richtenswert
New Year *n* Neujahr *nt kein pl;* **Happy ~** gutes neues Jahr
next [nekst] **I.** *adj* **1.** (*coming immediately after*) nächste(r, s); **this time ~
year** nächstes Jahr um diese Zeit;
~ **month** nächsten Monat **2.** (*next
in order, space*) nächste(r, s), folgen-
de(r, s); **who's ~ please?** wer ist der/
die Nächste? **II.** *adv* **1.** (*subsequently*) dann, gleich darauf; **so what
happened ~?** was geschah als Nächs-
tes? **2.** (*again*) das nächste Mal **3.** (*second*) zweit-; **the ~ best thing** die
zweitbeste Sache **4.** (*to one side*) ~
to sth/sb neben etw/jdm ▶ **what
~!** und was kommt dann? **III.** *n* ~
in line der/die/das Nächste
next door **I.** *adv* nebenan; **we live ~
to the airport** wir wohnen direkt neben dem Flughafen **II.** *adj pred buildings* nebenan *nach n* **next-door** *adj
attr buildings* nebenan *nach n; people*
benachbart; *neighbour* direkt **next-
gen** *adj* (*fam*) *short for* **next-gen-
eration** futuristisch **next of kin** *n* +
sing/pl vb nächste(r) Angehörige(r)
NHS [ˌeneɪtʃˈes] *n* BRIT *abbrev of* **National Health Service**
nib [nɪb] *n* [Schreib]feder *f*
nibble ['nɪbl] **I.** *n* **1.** (*bite*) Bissen *m*

N

2. (*snack*) **~s** *pl* BRIT (*fam*) Häppchen *pl* **II.** *vt* knabbern **III.** *vi* **1. to ~ at/on sth** an etw *dat* herumknabbern **2.** (*eat into*) **to ~ away at sth** an etw *dat* nagen *fig*

nice [naɪs] *adj* nett; (*pleasant*) schön, angenehm; **did you have a ~ holiday?** war es schön im Urlaub?; **~ work!** (*fam*) gute Arbeit!

nicely ['naɪsli] *adv* (*pleasantly*) nett; (*well*) gut, nett; **that'll do ~** das reicht völlig

niche [niːʃ] *n* Nische *f*

nick [nɪk] **I.** *n* **1.** (*chip*) Kerbe *f* **2.** BRIT (*sl: prison*) **the ~** *no pl* der Knast *fam* **II.** *vt* **1.** (*chip*) einkerben; (*cut*) einschneiden **2.** BRIT, AUS (*fam: steal*) **to ~ sth** etw mitgehen lassen **3.** AM (*fam: cheat*) **to ~ sb** jdn abzocken *sl* **III.** *vi* BRIT, AUS (*sl*) **to ~ in/off** hinein-/davonhuschen

nickel ['nɪkḷ] *n* **1.** *no pl* (*metal*) Nickel *nt* **2.** AM (*coin*) Fünfcentstück *nt*

nickname ['nɪkneɪm] *n* Spitzname *m*; (*affectionate*) Kosename *m*

nicotine ['nɪkətiːn] *n no pl* Nikotin *nt*

niece [niːs] *n* Nichte *f*

niggling ['nɪglɪŋ] *adj attr* nagend *fig*

night [naɪt] *n* **1.** (*darkness*) Nacht *f*; **~ and day** Tag und Nacht; **at ~** nachts **2.** (*evening*) Abend *m*; **the other ~** neulich abends; **to have a ~ out** [abends] ausgehen; **by ~** abends

nightbird *n* BRIT Nachteule *f* **nightcap** *n* **1.** (*hat*) Schlafmütze *f* **2.** (*drink*) Schlaftrunk *m* **nightclothes** *n pl* Nachtwäsche *f kein pl*; (*pyjama*) Schlafanzug *m* **nightclub** *n* Nachtklub *m* **night cream** *n* Nachtcreme *f* **nightdress** *n* Nachthemd *nt* **nightfall** *n no pl* Einbruch *m* der Nacht **nightgown** *n* Nachthemd *nt*

nightie ['naɪti] *n* (*fam*) Nachthemd *nt*

nightingale ['naɪtɪŋgeɪl] *n* Nachtigall *f*

nightlife *n no pl* Nachtleben *nt* **nightlight** *n* Nachtlicht *nt*

nightly ['naɪtli] **I.** *adv* jede Nacht **II.** *adj* (*each night*) [all]abendlich; (*nocturnal*) nächtlich

nightmare ['naɪtmeəʳ] **I.** *n* Alptraum *m* **II.** *adj* (*fam*) *problems, scenario* alptraumhaft **night-nurse** *n* Nachtschwester *f* **night-porter** *n* Nachtportier *m* **night safe** *n* BRIT Nachttresor *m* **night school** *n* Abendschule *f* **night shift** *n* Nachtschicht *f* **nightshirt** *n* [Herren]nachthemd *nt* **nightspot** *n* (*fam*) Nachtklub *m* **night storage heater** *n* BRIT Nachtspeicherofen *m* **night-time** *n* Nacht[zeit] *f* **night-watch** *n* Nachtwache *f* **night watchman** *n* Nachtwächter *m*

nil [nɪl] *n no pl* (*nothing*) Nichts *nt*, Null *f*

nine [naɪn] **I.** *adj* neun; **~ times out of ten** in neun von zehn Fällen; *see also* **eight II.** *n* Neun *f*; *see also* **eight**

nineteen [ˌnaɪn'tiːn] **I.** *n* Neunzehn *f*; *see also* **eight II.** *adj* neunzehn; *see also* **eight**

nineteenth [ˌnaɪn'tiːn(t)θ] **I.** *n* **1.** (*after 18th*) Neunzehnte(r, s); *see also* **eighth 2.** (*fraction*) Neunzehntel *nt*; *see also* **eighth II.** *adj* neunzehnte(r, s); *see also* **eighth III.** *adv* an neunzehnter Stelle

ninetieth ['naɪntiəθ] **I.** *n* **1.** (*after 89th*) Neunzigste(r, s) **2.** (*fraction*) Neunzigstel *nt* **II.** *adj* neunzigste(r, s) **III.** *adv* an neunzigster Stelle

ninety ['naɪnti] **I.** *n* Neunzig *f* **II.** *adj* neunzig

ninth [ˈnaɪn(t)θ] **I.** *n* **1.** (*after 8th*) Neunte(r, s) **2.** (*fraction*) Neuntel *nt* **II.** *adj* neunte(r, s) **III.** *adv* an neunter Stelle

nip [nɪp] **I.** *vt* <-pp-> beißen **II.** *vi* <-pp-> **1.** (*bite*) beißen **2.** BRIT, AUS (*fam: go quickly*) **to ~ along** entlangflitzen *fam;* I **~ped round to Bill's to borrow some sugar** ich bin schnell zu Bill rübergegangen, um mir etwas Zucker zu borgen **III.** *n* **1.** (*pinch*) Kniff *m* **2.** *no pl* **there's a ~ in the air** es ist frisch

nipple [ˈnɪpl] *n* **1.** ANAT Brustwarze *f* **2.** (*of baby bottle*) Sauger *m*

nippy [ˈnɪpi] *adj* **1.** BRIT, AUS (*fam: quick*) schnell **2.** (*fam: cold*) kühl

nit [nɪt] *n* ZOOL Nisse *f*

nitpicking [ˈnɪtpɪkɪŋ] **I.** *adj* (*pej fam*) pingelig **II.** *n no pl* (*pej fam*) Krittelei *f*

nitrate [ˈnaɪtreɪt] *n* Nitrat *nt*

nitrogen [ˈnaɪtrədʒən] *n no pl* Stickstoff *m*

nitty-gritty [ˌnɪtiˈgrɪti] *n no pl* (*fam*) **to get down to the ~** zur Sache kommen

no [nəʊ, nə] **I.** *adj* **1.** (*not any*) kein(e); **~ one** keiner **2.** (*in signs*) '**~ parking**' ‚Parken verboten' **3.** *with gerund* (*impossible*) **there's ~ denying** es lässt sich nicht leugnen **II.** *adv* (*not at all*) nicht **III.** *n* <*pl* -es> (*negation*) Nein *nt kein pl;* (*refusal*) Absage *f* **IV.** *interj* **1.** (*refusal*) nein **2.** (*distress*) **oh ~!** oh nein!

No. *n*, **no.** <*pl* Nos. *or* nos.> *n abbrev of* **number** Nr.

Nobel prize [ˌnəʊbelˈ-] *n* Nobelpreis *m;* **~ winner** Nobelpreisträger(in) *m(f)*

nobility [nə(ʊ)ˈbɪləti] *n no pl* **1.** + *sing/pl vb* (*aristocracy*) **the ~** der Adel **2.** (*character*) hohe Gesinnung

noble [ˈnəʊbl] **I.** *adj* **1.** (*aristocratic*) ad[e]lig **2.** (*estimable*) *ideals, motives, person* edel *geh*, nobel *geh* **II.** *n* Ad[e]lige(r) *f(m)*

nobleman *n* Ad[e]liger *m*, Edelmann *m hist*

nobody [ˈnəʊbədi] **I.** *pron indef pron, sing* (*no people*) niemand, keiner; **~ else** niemand anders **II.** *n* <*pl* -dies> (*sb of no importance*) Niemand *m*

no-confidence vote *n* Misstrauensvotum *nt*

nocturnal [nɒkˈtɜːnəl] *adj* nächtlich *attr,* Nacht-

nod [nɒd] **I.** *n usu sing* Nicken *nt kein pl* **II.** *vt* <-dd-> **1. to ~ one's head** mit dem Kopf nicken **2. to ~ a farewell to sb** jdm zum Abschied zunicken **III.** *vi* <-dd-> nicken

no-frills *adj* [schlicht und] einfach; **~ airline** Billig[flug]linie *f*

no-go area, AM **no-go zone** *n* verbotene Zone

noise [nɔɪz] *n* **1.** *no pl* (*loudness*) Lärm *m*, Krach *m* **2.** (*sound*) Geräusch *nt*

noise barrier *n* Lärmschutzwand *f*

noiseless [ˈnɔɪzləs] *adj breath, flight* geräuschlos, lautlos

noise pollution *n no pl* Lärmbelästigung *f*

noisy [ˈnɔɪzi] *adj* laut, lärmend

nomad [ˈnəʊmæd] *n* Nomade, Nomadin *m, f;* (*fig*) Wandervogel *m hum*

nomadic [nə(ʊ)ˈmædɪk] *adj* nomadisch, Nomaden-

no-man's-land *n no pl* **1.** MIL Niemandsland *nt* **2.** (*limbo*) Schwebezustand *m*

N

nominate ['nɒmɪneɪt] *vt* **1.** (*propose*) nominieren **2.** (*appoint*) **to** ~ **sb** [**as**] **sth** jdn zu etw *dat* ernennen

nomination [ˌnɒmɪ'neɪʃ°n] *n* **1.** (*proposal*) Nominierung *f* (**for** für) **2.** (*appointment*) Ernennung *f* (**to** zu)

nominative ['nɒmɪnətɪv] **I.** *n* **the** ~ der Nominativ **II.** *adj* Nominativ-; **to be in the** ~ **case** im Nominativ stehen

nominee [ˌnɒmɪ'niː] **I.** *n* Kandidat(in) *m(f)* **II.** *adj attr* nominiert

non- [ˌnɒn] *in compounds* Nicht-, nicht-

non-aggression *n no pl* Gewaltverzicht *m;* ~ **pact/treaty** Nichtangriffspakt *m* **non-alcoholic** *adj drink, beer* alkoholfrei **non-aligned** *adj* neutral; POL blockfrei **non-attendance** *n no pl* (*at school, a hearing*) Abwesenheit *f*

nonchalance ['nɒn(t)ʃ°lən(t)s] *n no pl* Gleichgültigkeit *f*

nonchalant ['nɒn(t)ʃ°lənt] *adj* gleichgültig

non-committal [ˌnɒnkə'mɪt°l] *adj letter, tone* unverbindlich **non-compliance** *n no pl* **with an order** Nichtbeachtung *f; with a wish* Nichterfülung *f*

non compos mentis [ˌnɒn ˌkɒmpəs-'mentɪs] *adj pred* LAW nicht im Vollbesitz seiner geistigen Kräfte

non-deposit bottle *n* Einwegflasche *f*

nondescript ['nɒndɪskrɪpt] *adj person, building* unscheinbar

none [nʌn] **I.** *pron* **1.** (*not any*) keine (r, s); ~ **of it matters anymore** das spielt jetzt keine Rolle mehr; ~ **of the staff** + *sing/pl vb* keiner der Angestellten **2.** (*no person, no one*) ~

other than ... kein Geringerer/keine Geringere als ... ► **to be** **second** **to** ~ unvergleichlich sein **II.** *adv* kein bisschen; ~ **too pleased** (*form*) nicht sonderlich erfreut

non-essential **I.** *adj* überflüssig, unnötig **II.** *n* unnötige Sache

nonetheless [ˌnʌnðə'les] *adv* nichtsdestoweniger, trotzdem

non-event *n* (*fam*) *of party* Reinfall *m; in one's life* Enttäuschung *f* **non-existence** *n no pl* Nichtvorhandensein *nt* **non-existent** *adj* nicht vorhanden **non-fat** *adj food* fettfrei **non-fiction** *n no pl* Sachliteratur *f* **non-flammable** *adj material* nicht entflammbar **non-infectious** *adj disease* nicht ansteckend **non-iron** *adj* bügelfrei **non-member** *n* Nichtmitglied *nt* **non-negotiable** *adj* **1.** LAW *terms, conditions* nicht verhandelbar **2.** FIN *document, bill of exchange* nicht übertragbar

no-no <*pl* -es> *n* (*fam*) Unding *nt*

no-nonsense *adj attr person, manner* sachlich, nüchtern

non-polluting *adj by-product* ungiftig **nonprofit, non-profit-making** *adj* ~ **organization** gemeinnützige Organisation **non-proliferation** *n no pl* POL Nichtverbreitung *f* **non-refundable** *adj payment* nicht zurückzahlbar **non-renewable resources** *n pl* nicht erneuerbare Energien *pl* **non-resident** **I.** *adj* (*non local*) auswärtig **II.** *n* Nichtortsansässige(r) *f(m)* **non-returnable** *adj bottle, can* Einweg-

nonsense ['nɒns°n(t)s] **I.** *n no pl* Unsinn *m,* Quatsch *m* **II.** *adj attr* unsinnig, sinnlos

nonsensical ['nɒnsen(t)sɪkl] *adj idea,*

plan unsinnig

non-shrink *adj material, clothing* einlaufsicher **non-smoker** *n* **1.** (*person*) Nichtraucher(in) *m(f)* **2.** BRIT (*fam: in train*) Nichtraucherabteil *nt*
non-starter *n* **1.** SPORTS Nichtstartende(r) *f(m)* **2.** (*fam: idea*) Reinfall *m;* (*person*) Niete *f* **non-stick** *adj* antihaftbeschichtet **non-stop** **I.** *adj* Nonstop- **II.** *adv* nonstop **non-swimmer** *n* Nichtschwimmer(in) *m(f)*
non-taxable *adj income* steuerfrei **non-toxic** *adj material, substance* ungiftig **non-verbal** *adj communication* nonverbal **non-violent** *adj protest* gewaltfrei

noodle ['nu:dl] **I.** *n* Nudel *f;* AM Pasta *f* **II.** *vi* AM (*fam*) herumpfuschen; **to ~ [around] with sth** mit etw *dat* herummachen

nookie, nooky ['nʊki] *n no pl* (*sl*) Sex *m fam*

noon [nu:n] *n no pl* Mittag *m;* **about ~** um die Mittagszeit

no-one ['nəʊwʌn] *pron indef see* **nobody**

noose [nu:s] *n* Schlinge *f*

nope [nəʊp] *adv* (*sl*) nö *fam*

nor [nɔ:ʳ, nəʳ] *conj* **1.** (*and not*) noch; **neither ... ~ ...** weder ... noch ... **2.** *after neg esp* BRIT (*neither*) [und] ... auch nicht

norm [nɔ:m] *n* Norm *f*

normal ['nɔ:mᵊl] **I.** *adj* normal; **as [is] ~** wie üblich **II.** *n no pl* Normalzustand *m;* **to return to ~** sich normalisieren

normality [nɔ:'mæləti] *n no pl* Normalität *f*

normally ['nɔ:mᵊli] *adv* **1.** (*usually*) normalerweise **2.** (*in a normal way*) normal

Norman ['nɔ:mən] HIST **I.** *adj* normannisch; **the ~ Conquest** der normannische Eroberungszug **II.** *n* Normanne *m*, Normannin *f*

north [nɔ:θ] **I.** *n no pl* **1.** (*direction*) Norden *m;* **in the ~** im Norden **2.** (*region*) **the N~** BRIT (*North England*) Nordengland *nt;* AM der Norden, die Nordstaaten *pl* **II.** *adj* nördlich, Nord-; **~ of Manchester** nördlich von Manchester **III.** *adv* nordwärts

North America *n* Nordamerika *nt*
northeast **I.** *n no pl* Nordosten *m* **II.** *adj* nordöstlich **III.** *adv* nordostwärts **northeastern** *adj attr* nordöstlich, Nordost-

northerly ['nɔ:ðᵊli] *adj* nördlich, Nord-
northern ['nɔ:ðᵊn] *adj attr* nördlich
northerner ['nɔ:ðᵊnəʳ] *n* BRIT Nordengländer(in) *m(f);* AM Nordstaatler(in) *m(f);* (*fig, hum*) Nordlicht *nt*

Northern Ireland *n* Nordirland *nt*
northernmost ['nɔ:ðᵊnməʊst] *adj* nördlichste(r, s)

North Pole *n* **the ~** der Nordpol
North Sea *n* **the ~** die Nordsee
northward ['nɔ:θwəd] **I.** *adj migration* nach Norden *nach n*, Nord-; **~ direction** nördliche Richtung **II.** *adv* nach Norden

northwest **I.** *n no pl* Nordwesten *m* **II.** *adj* nordwestlich, Nordwest-; **~ wind** Wind *m* von Nordwest **III.** *adv* nach Nordwesten

northwesterly *adj* nordwestlich, Nordwest-; **~ wind** Wind *m* aus Nordwest

Norway ['nɔ:weɪ] *n* Norwegen *nt*
Norwegian [nɔ:'wi:dʒᵊn] **I.** *n* **1.** (*person*) Norweger(in) *m(f)* **2.** *no pl* (*language*) Norwegisch *nt* **II.** *adj* norwe-

N

gisch, Norwegisch-

nose [nəʊz] I. n 1. (organ) Nase f
2. (front) Schnauze f fam 3. no pl
(smell) Geruchssinn m; ▶ to get up
sb's ~ BRIT, AUS (fam) jdm auf den
Wecker gehen; on the ~ AM (fam)
genau II. vi to ~ forwards sich vorsichtig vorwärtsbewegen ◆ nose
about vi (fam) herumstöbern fam

nosebag n Hafersack m **nosebleed**
n Nasenbluten nt **nosedive** I. n
AVIAT Sturzflug m II. vi AVIAT im Sturzflug heruntergehen **nose job** n MED
(fam) Nasenkorrektur f **nose ring** n
Nasenring m

nosey ['nəʊzi] adj (pej) neugierig

nosh [nɒʃ] I. n no pl BRIT, AUS (sl: food)
Fressalien pl fam II. vi to ~ on sth
etw futtern III. vt futtern sl

no-show I. n jd, der nicht erscheint;
(on flight) No-show m fachspr II. n
modifier ~ **passenger** Fluggast, der
nicht erscheint **no-smoking** adj area
Nichtraucher-; ~ **area** Nichtraucher-
zone f

nostalgia [nɒsˈtældʒə] n no pl Nostalgie f

nostalgic [nɒsˈtældʒɪk] adj nostalgisch

nostril ['nɒstrəl] n of a person Nasenloch nt; of a horse Nüster f

nosy ['nəʊzi] adj (pej) neugierig; ~
parker esp BRIT (pej fam) neugierige
Person

not [nɒt] adv nicht; it's ~ **unusual** das
ist nicht ungewöhnlich; it's a girl, ~ a
boy es ist ein Mädchen, kein Junge;
it's cold, isn't it? es ist kalt, nicht
[wahr]?; I hope ~! ich hoffe nicht!

notably ['nəʊtəbli] adv (particularly)
insbesondere, vor allem

notary (**public**) <pl -ies public>
['nəʊtəri] n Notar(in) m(f)

note [nəʊt] I. n 1. (record) Notiz f; to
write sb a ~ jdm eine Nachricht hinterlassen 2. (attention) to take ~ of
sth von etw dat Notiz nehmen
3. (sound) Ton m II. vt (notice)
wahrnehmen; (remark) anmerken

notebook n 1. (book) Notizbuch nt
2. COMPUT Notebook nt

noted ['nəʊtɪd] adj attr bekannt (for
für)

notepad n 1. (pad) Notizblock m
2. COMPUT Notepad nt **notepaper** n
no pl Briefpapier nt

noteworthy ['nəʊtˌwɜːði] adj conclusions, results beachtenswert; **noth-
ing/something** ~ nichts/etwas Besonderes

not-for-profit adj organisation, company nicht auf Gewinn ausgerichtet
attr

nothing ['nʌθɪŋ] I. pron indef 1. (not
anything) nichts; ~ **else** nichts weiter
2. (of no importance) nichts; ~ **much**
nicht viel 3. (zero) Null f; ▶ [all] for
~ [vollkommen] umsonst; there's ~
in it es ist nichts dran II. adj attr
(fam) activity belanglos III. n (fam)
1. (person) Niemand m 2. (thing)
Unwichtigkeit f IV. adv (not) überhaupt nicht

nothingness ['nʌθɪŋnəs] n no pl
1. (emptiness) Nichts nt 2. (worth-
lessness) Bedeutungslosigkeit f

notice ['nəʊtɪs] I. vt 1. (see) bemerken; (catch) mitbekommen; (percei-
ve) wahrnehmen 2. (pay attention
to) beachten; to ~ **sb** (become aware
of) auf jdn aufmerksam werden II. n
1. no pl (attention) Beachtung f; to
take ~ of sb von jdm Notiz nehmen
2. (poster) Plakat nt 3. no pl (information in advance) to give sb ~ jdn

[vorab] informieren; **at four days' ~** binnen vier Tagen

noticeable ['nəʊtɪsəbl] *adj improvement, increase* merklich

notice-board *n* Aushang *m*, schwarzes Brett

notifiable ['nəʊtɪfaɪəbl] *adj disease* meldepflichtig; *offence* anzeigepflichtig

notification [ˌnəʊtɪfɪ'keɪʃᵊn] *n* Mitteilung *f*

notify <-ie-> ['nəʊtɪfaɪ] *vt* **to ~ sb** [**of sth**] jdn [über etw *akk*] unterrichten

notorious [nə(ʊ)'tɔːriəs] *adj temper, thief* notorisch

notwithstanding [ˌnɒtwɪθ'stændɪŋ] (*form*) **I.** *prep* ungeachtet +*gen* **II.** *adv* trotzdem **III.** *conj* **~ that ...** obwohl, ...

nougat ['nuːgɑː] *n no pl* Nougat *nt*

nought [nɔːt] *n* **1.** *esp* BRIT Null *f* **2.** *no pl see* **naught**

noun [naʊn] *n* Hauptwort *nt*, Substantiv *nt*

nourish ['nʌrɪʃ] *vt* **1.** (*feed*) ernähren **2.** (*form: cherish*) **to ~ ambitions** Ambitionen haben

nourishing ['nʌrɪʃɪŋ] *adj* (*healthy*) *food, drink* nahrhaft

novel[1] ['nɒvᵊl] *n* (*book*) Roman *m*

novel[2] ['nɒvᵊl] *adj* (*new*) neuartig; *way, approach, idea* neu

novelist ['nɒvᵊlɪst] *n* Romanautor(in) *m(f)*

novella <*pl* -s> [nə(ʊ)'velə] *n* LIT Novelle *f*

novelty ['nɒvᵊlti] *n* **1.** (*new thing*) Neuheit *f* **2.** *no pl* (*newness*) Neuartigkeit *f* **3.** (*trinket*) Krimskrams *m*; (*funny*) Scherzartikel *m*

November [nəʊ'vembᵊr] *n* November *m; see also* **February**

novice ['nɒvɪs] **I.** *n* **1.** (*learner*) Anfänger(in) *m(f)* **2.** REL Novize(in) *m(f)* **II.** *adj* **1.** (*learner*) *pilot, skier* unerfahren **2.** REL **~ monk/nun** Mönch *m*/Nonne *o f* in der Ausbildung

now [naʊ] **I.** *adv* **1.** (*at present*) jetzt; **until ~** bis jetzt **2.** (*at once*) [**right**] **~** jetzt, sofort, gleich **3.** (*soon*) **the puppies will be born any day ~** die Hundewelpen können jetzt jeden Tag zur Welt kommen **4.** (*short time ago*) **just ~** gerade eben **5.** (*after repetition*) **what do you want ~?** was willst du denn nun? **6.** (*occasionally*) [**every**] **~ and then** ab und zu **II.** *n* Jetzt *nt;* **by ~** mittlerweile; **from ~ on** ab sofort **III.** *conj* **~** [**that**] **...** jetzt, wo ... **IV.** *adj* (*fam: trendy, up to date*) in *präd*, aktuell

nowadays ['naʊədeɪz] *adv* heutzutage

nowhere ['nəʊ(h)weᵊr] **I.** *adv* nirgends, nirgendwo **II.** *n* Nirgendwo *nt* **III.** *adj attr* (*fam*) ausweglos

noxious ['nɒkʃəs] *adj* (*form: toxic*) *chemicals, fumes* giftig

nozzle ['nɒzl] *n* Düse *f; of petrol pump* [Zapf]hahn *m*

nuance ['njuːɑːn(t)s] *n* Nuance *f*

nubile ['njuːbaɪl] *adj* (*hum*) [sehr] anziehend

nuclear ['njuːkliər] *adj* **1.** (*of energy*) Kern-, Atom- **2.** MIL nuklear, atomar; **~-free zone** atomwaffenfreie Zone **3.** NUCL Kern-

nucleic acid [njuːˈkliːk'-] *n* Nukleinsäure *f*

nucleus <*pl* -clei> ['njuːkliəs] *n* Kern *m*

nude [njuːd] **I.** *adj* nackt; **~ model** Aktmodel *nt* **II.** *n* **1.** ART Akt *m* **2.** (*nakedness*) **in the ~** nackt; **to swim in the ~** nackt schwimmen

N

nudge [nʌdʒ] **I.** vt **1.** (push) stoßen **2.** (fig: urge) **to ~ sb into sth** jdn zu etw dat drängen **3.** (approach) **he must be nudging 60 now** er muss jetzt auch schon auf die 60 zugehen **II.** n (push) Schubs m

nudism ['njuːdɪzᵊm] n no pl Freikörperkultur f

nudist ['njuːdɪst] n Nudist(in) m(f); **~ beach** FKK-Strand m

nudity ['njuːdəti] n no pl Nacktheit f

nugget ['nʌgɪt] n **1.** (lump) Klumpen m **2.** FOOD **chicken ~** Hähnchennugget nt

nuisance ['njuːsᵊn(t)s] n **1.** (pesterer) Belästigung f, Plage f **2.** (annoyance) Ärger m; **what a ~!** wie ärgerlich!

nuke [njuːk] (sl) **I.** vt **1.** MIL atomar angreifen; (fig: destroy) zerstören **2.** esp AM, AUS (in microwave) warm machen **II.** n **1.** (power station) Atomkraftwerk nt **2.** (bomb) Atombombe f

null and void [nʌl] adj LAW null und nichtig

numb [nʌm] **I.** adj **1.** limbs taub; **~ with cold** taub vor Kälte **2.** (torpid) benommen; **to feel ~** sich benommen fühlen **3.** (shocked) **to be ~ with disbelief** ungläubig starren **II.** vt **1.** limbs taub machen **2.** (fig) **to be ~ed by sth** durch etw akk abgestumpft sein

number¹ ['nʌmbəʳ] **I.** n **1.** MATH Zahl f **2.** no pl, + sing/pl vb (amount) [An]zahl f; **for a ~ of reasons** aus vielerlei Gründen **3.** (issue) Ausgabe f; **back ~** frühere Ausgabe **II.** vt (mark in series) nummerieren

number² ['nʌmeᵊʳ] adj comp of **numb**

numbering ['nʌmbᵊrɪŋ] n no pl Nummerierung f

number plate n BRIT Nummernschild nt

numbness ['nʌmnəs] n no pl of limbs Taubheit f

numeracy ['njuːmᵊrəsi] n no pl MATH Rechnen nt

numeral ['njuːmᵊrᵊl] n Ziffer f

numerical [njuːˈmerɪkl] adj numerisch; **in ~ order** in numerischer Reihenfolge

numeric keypad n COMPUT Ziffernblock m

numerous ['njuːmᵊrəs] adj zahlreich

nun [nʌn] n Nonne f

nunnery ['nʌnᵊri] n (liter or dated) [Nonnen]kloster nt

nurse [nɜːs] **I.** n **1.** (at hospital) [Kranken]schwester f; (male) Krankenpfleger m **2.** (nanny) Kindermädchen nt **II.** vt **1.** (care for) pflegen **2.** (heal) [aus]kurieren

nursery ['nɜːsᵊri] **I.** n (crèche) Kindergarten m; (school) Vorschule f **II.** adj Kinder-; **~ facilities** Betreuungsmöglichkeiten pl für Kleinkinder; **~ teacher** (at crèche) Kindergärtner(in) m(f); (at school) Vorschullehrer(in) m(f)

nursery rhyme n Kinderreim m; (song) Kinderlied nt **nursery school** n Vorschule f **nursery slopes** n pl BRIT Anfängerhügel m

nursing ['nɜːsɪŋ] **I.** n no pl **1.** (taking care) [Kranken]pflege f; **to go into ~** Krankenpfleger(in) werden **2.** (feeding) Stillen nt **II.** adj (caring) Krankenpflege-; **~ profession** Krankenpflegeberuf m

nurture ['nɜːtʃəʳ] **I.** vt (form) **1.** (raise) aufziehen **2.** (encourage) fördern **II.** n no pl (upbringing) Erziehung f

nut [nʌt] **I.** n **1.** (fruit) Nuss f **2.** TECH Mutter f **3.** (fam: madman) Bekloppte(r) f(m) sl **4.** (fam: fool) Verrückte(r)

O

f(m) **5.** (*fam: head*) Schädel *m;* **to do one's ~** BRIT, AUS durchdrehen ► **a hard ~ to crack** (*problem*) eine harte Nuss **II.** *vt* <-tt-> (*fam*) **to ~ sb** jdm eine Kopfnuss geben

nutcracker *n* Nussknacker *m*

nutmeg ['nʌtmeg] *n* **1.** (*fruit*) Muskatnuss *f* **2.** *no pl* (*spice*) Muskat *m*

nutrient ['nju:triənt] **I.** *n* Nährstoff *m* **II.** *adj* **1.** FOOD Nährstoff- **2.** (*nourishing*) nahrhaft

nutrition [nju:'trɪʃ°n] *n no pl* **1.** (*eating*) Ernährung *f;* **~ content** Nährstoffgehalt *m* **2.** (*science*) Ernährungswissenschaft *f*

nutritional [nju:'trɪʃ°n°l] *adj* Ernährungs-; **~ supplement** Nahrungsergänzung *f;* **~ value** Nährwert *m*

nutritionist [nju:'trɪʃ°nɪst] *n* Ernährungswissenschaftler(in) *m(f)*

nutritious [nju:'trɪʃəs] *adj* nährstoffreich; (*nourishing*) nahrhaft

nuts [nʌts] **I.** *n pl esp* AM (*fam!*) Eier *pl vulg* **II.** *adj pred* **1.** (*madly foolish*) **to be ~** verrückt sein **2.** (*angry*) **to go ~** ausrasten **3.** (*enthusiastic*) **to be ~ about sb** verrückt nach jdm sein

nutshell *n no pl* Nussschale *f;* ► **in a ~** kurz gesagt

nutter ['nʌtər] *n* BRIT, AUS (*pej fam*) **1.** (*madman*) Verrückte(r) *f(m)* **2.** (*fool*) Spinner(in) *m(f)*

nutty ['nʌti] *adj* **1.** (*full of nuts*) mit vielen Nüssen *nach n* **2.** (*tasting like nuts*) taste, aroma nussig **3.** (*fam: enthusiastic*) **to be ~ about sb** ganz verrückt nach jdm sein

nylon ['naɪlɒn] *n no pl* Nylon *nt*

nymph [nɪm(p)f] *n* Nymphe *f*

nymphomaniac [ˌnɪm(p)fə(ʊ)'meɪniæk] (*pej*) **I.** *n* Nymphomanin *f* **II.** *adj* nymphomanisch

O <*pl* -'s>, **o** <*pl* -'s> [əʊ] *n* O *nt,* o *nt;* (*blood*) O; (*zero*) Null *f;* (*in phone number*) null; *see also* **A 1**

o'clock [ə'klɒk] *adv* **it's two ~** es ist zwei Uhr

oak [əʊk] **I.** *n* **1.** Eiche *f* **2.** *no pl* (*wood also*) Eichenholz *nt* **II.** *adj* aus Eichenholz *nach n; leaves* Eichen-

OAP [ˌəʊeɪ'pi] *n* BRIT *abbrev of* **old age pensioner**

oar [ɔːʳ] *n* Ruder *nt*

oasis <*pl* -ses> [əʊ'eɪsɪs] *n* Oase *f*

oat [əʊt] *n* **~s** *pl* Hafer *m;* **rolled ~s** *pl* Haferflocken *pl*

oath [əʊθ] *n* Eid *m;* (*curse*) Fluch *m;* **to be under ~** unter Eid stehen

obedience [ə(ʊ)'bi:diən(t)s] *n no pl* Gehorsam *m* (**to** gegenüber)

obedient [ə(ʊ)'bi:diənt] *adj* gehorsam; *child, dog a.* folgsam

obey [ə(ʊ)'beɪ] *vt* gehorchen +*dat; order, rules* befolgen

object¹ ['ɒbdʒɪkt] *n* **1.** Objekt *nt* **2.** *usu sing* (*form: focus*) Gegenstand *m*

object² [ɒb'dʒekt] *vi* dagegen sein; **to ~ to sth** mit etw *dat* nicht einverstanden sein; (*stronger*) sich *dat* etw verbitten

objection [əb'dʒekʃ°n] *n* Einwand *m*

objective [əb'dʒektɪv] **I.** *n* Ziel *nt;* (*lens*) Objektiv *nt* **II.** *adj* objektiv; (*actual*) sachlich

obligation [ˌɒblɪ'geɪʃ°n] *n* Verpflichtung *f* (**to** gegenüber)

oblige [ə'blaɪdʒ] **I.** *vt* **1.** **to feel ~d to do sth** sich verpflichtet fühlen, etw zu tun **2.** (*please*) einen Gefallen erweisen +*dat* **3. much** ~**d!** herzlichen Dank! **II.** *vi* helfen

oblong ['ɒblɒŋ] **I.** *n* Rechteck *nt* **II.** *adj* rechteckig

obscene [əb'siːn] *adj* obszön; *language* vulgär; (*immoral*) schamlos

obscure [əb'skjʊər] **I.** *adj* **1.** *author, place, origins* unbekannt **2.** *reasons, comment, text* schwer verständlich **II.** *vt* **1.** *view* versperren **2.** (*make unclear*) unklar machen

observant [əb'zɜːvənt] *adj* aufmerksam; *priest* praktizierend *attr*

observation [ˌɒbzə'veɪʃən] *n* **1.** *no pl* (*seeing, surveillance*) Beobachtung *f;* *by police* Überwachung *f* **2.** (*form: thought*) Überlegung *f*

observation tower *n* Aussichtsturm *m* **observation ward** *n* Beobachtungsstation *f*

observatory [əb'zɜːvətri] *n* Observatorium *nt*

observe [əb'zɜːv] **I.** *vt* **1.** beobachten; *by police* überwachen **2.** (*form: notice*) bemerken **3.** (*form*) *ceasefire, neutrality* einhalten **4.** (*maintain*) **to ~ silence** Stillschweigen bewahren **II.** *vi* zusehen

observer [əb'zɜːvər] *n* Beobachter(in) *m(f);* (*spectator*) Zuschauer(in) *m(f)*

obsess [əb'ses] *vt* verfolgen; **the idea of finding her real mother seemed to ~ her** sie schien von der Vorstellung besessen, ihre richtige Mutter zu finden

obsessed [əb'sest] *adj* **to be ~ed with sth/sb** von etw/jdm besessen sein

obsession [əb'seʃən] *n* **1.** (*preoccupation*) Besessenheit *f* **2.** PSYCH (*distressing idea*) Zwangsvorstellung *f*

obsessive [əb'sesɪv] **I.** *adj* zwanghaft;

~ **behaviour** Zwangsverhalten *nt* **II.** *n* Besessene(r) *f(m)*

obsolete ['ɒbsəliːt] *adj* veraltet; *design* altmodisch; *law* nicht mehr gültig

obstacle ['ɒbstəkl] *n* Hindernis *nt;* ~ **race** Hindernisrennen *nt*

obstinate ['ɒbstɪnət] *adj* hartnäckig; *refusal* stur

obstruct [əb'strʌkt] *vt* **1.** blockieren; *pipe* verstopfen; *reform* im Wege stehen **2.** (*interfere*) **to ~ the course of justice** die Rechtsfindung behindern

obstruction [əb'strʌkʃən] *n* Blockierung *f;* *of pipes* Verstopfung *f;* *of traffic* [Verkehrs|stau *m;* *of the law* Behinderung *f*

obtain [əb'teɪn] *vt* bekommen; *permission* erhalten; *access* sich *dat* verschaffen

obtainable [əb'teɪnəbl] *adj* erhältlich

obvious ['ɒbviəs] *adj* offensichtlich; *displeasure* deutlich; *lie* offenkundig; **for ~ reasons** aus ersichtlichen Gründen

obviously ['ɒbviəsli] *adv* offensichtlich; (*visibly also*) sichtlich

occasion [ə'keɪʒən] **I.** *n* Gelegenheit *f;* (*event*) Ereignis *nt;* (*opportunity*) Gelegenheit *f;* **on one ~** einmal **II.** *vt* (*form*) hervorrufen

occasional [ə'keɪʒənl] *adj* gelegentlich

occasionally [ə'keɪʒənli] *adv* gelegentlich

occupancy rate *n* Belegrate *f*

occupant ['ɒkjəpənt] *n* Bewohner(in) *m(f);* (*bearer*) Inhaber(in) *m(f)*

occupation [ˌɒkjə'peɪʃən] *n* **1.** (*form*) Beruf *m;* (*pastime*) Beschäftigung *f* **2.** *no pl* MIL Besetzung *f*

occupier ['ɒkjəpaɪər] *n* Bewohner(in) *m(f);* (*conqueror*) Besatzer(in) *m(f)*

occupy <-ie-> [ˈɒkjəpaɪ] *vt usu passive* **1.** *job* ausfüllen; *tenant* bewohnen; *room* belegen; *throne* innehaben; *troops* besetzen **2. to ~ oneself** sich beschäftigen

occur <-rr-> [əˈkɜːr] *vi* **1.** geschehen; *symptom* auftreten; *change* stattfinden **2.** (*exist*) vorkommen **3. to ~ to sb** jdm einfallen

occurrence [əˈkʌrən(t)s] *n* **1.** Vorfall *m* **2.** *no pl* (*incidence*) Vorkommen *nt*; *disease* Auftreten *nt*

ocean [ˈəʊʃən] *n* Meer *nt*; **Indian ~** Indischer Ozean

octagon [ˈɒktəgən] *n* Achteck *nt*

October [ɒkˈtəʊbər] *n* Oktober *m*; *see also* **February**

octopus <*pl* -es> [ˈɒktəpəs] *n* Tintenfisch *m*; (*large*) Krake *f*

odd [ɒd] **I.** *adj* **1.** merkwürdig; *person, thing a.* eigenartig **2.** *attr shoes* einzeln **3.** MATH ungerade **4.** *attr* gelegentlich; **~ jobs** Gelegenheitsarbeit **II.** *n* **the ~s are** [that] **...** es ist sehr wahrscheinlich, dass ... ▶ **~s and ends** Krimskrams *m kein pl* **against all** [the] **~s** entgegen allen Erwartungen

oddly [ˈɒdli] *adv* seltsam; **~ enough** merkwürdigerweise

odds-on *adj* sehr wahrscheinlich; *favourite* klar

odour [ˈəʊdər] *n* Geruch *m*; **sweet ~** Duft *m*

odourless [ˈəʊdələs] *adj* (*form*) geruchlos

of [ɒv, əv] *prep* **1.** *after n* von +*dat*; **both ~ us** wir beide; **most ~ them** die meisten von ihnen; **a friend ~ mine** ein Freund von mir; **an admirer ~ Picasso** ein Bewunderer *m* Picassos; **the cause ~ the disease** die Krankheitsursache; **the colour ~ her hair** ihre Haarfarbe; **one ~ the cleverest** eine(r) der Schlauesten **2.** *after n* **I want a few minutes ~ quiet!** ich will ein paar Minuten Ruhe!; **cup ~ tea** Tasse *f* Tee; **drop ~ rain** Regentropfen *m*; **a litre ~ water** ein Liter *m* Wasser; **a lot ~ money** eine Menge Geld; **a piece ~ cake** ein Stück Kuchen **3.** *after n* (*done to*) **the destruction ~ the rain forest** die Zerstörung des Regenwalds **4.** *after n* (*expressing position*) **in the back ~ the car** hinten im Auto; **on the corner ~ the street** an der Straßenecke; **on the left ~ the picture** links auf dem Bild **5.** *after n* **the eleventh ~ March** der elfte März **6.** *after vb* (*concerning*) **speaking ~ sb/ sth, ...** wo wir gerade von jdm/etw sprechen, ...; **I am certain ~ that** ich bin mir dessen sicher; **what ~ it?** na und? **7.** *after adj* **free ~ charge** kostenlos **8.** (*consisting*) aus +*dat* **9.** (*expressing cause*) **to die ~ sth** an etw *dat* sterben **10.** (*expressing age*) **he's a man ~ about 50** er ist um die 50 Jahre alt

off [ɒf] **I.** *prep* **1.** (*removed*) von +*dat* **2.** *after vb* (*leaving*) von +*dat*; *vehicle* aus +*dat*; (*descending*) hinunter [von +*dat*]; (*to sb*) herunter [von +*dat*] **3. ~ the point** nicht relevant; **~ the record** nicht für die Öffentlichkeit bestimmt; **~ the subject** nicht zum Thema gehörend **4.** (*fam: stop liking*) **to be ~ one's food** keinen Appetit haben; **to go ~ sb/sth** jdn/etw nicht mehr mögen **II.** *adv* **1.** (*away*) **to run ~** weglaufen; **to see sb ~** jdn verabschieden **2.** (*removed*) **to take ~** abnehmen; *coat* ausziehen **3. to**

O

burn ~ ⇆ sth etw verbrennen; **to kill ~ ⇆ sth** etw vernichten; **to pay ~ ⇆ sth** etw abbezahlen **4. to shut ~ streets** Straßen sperren; **to fence sth ~** etw abzäunen **5. to laugh sth ~** etw mit einem Lachen abtun **III.** *adj* **1. far ~** weit entfernt; *future also* weit weg **2.** *light aus; machine* aus[geschaltet]; (*not working*) außer Betrieb **3.** *meeting* abgesagt; **to call sth ~** etw absagen **4.** (*bad*) schlecht; *food also* verdorben; **to go ~** sich verschlechtern; *food* schlecht werden **5. 50% ~** 50 % reduziert; **to get money ~** Rabatt bekommen **6.** (*free*) **to be ~** freihaben; **to have/take some time ~** einige Zeit freibekommen/freinehmen **7. sb is badly/well ~** jdm geht es [finanziell] schlecht/gut **IV.** *n no pl* **to be ready for the ~** bereit zum Gehen sein

off-centre *adj* nicht in der Mitte *präd*
off-chance *n* **on the ~** auf gut Glück
off-colour, AM **off-color** *adj* (*sick*) unpässlich; *joke* schlüpfrig
offence [əˈfen(t)s] *n* **1.** Straftat *f;* **serious ~** schweres Vergehen **2.** *no pl* (*insult*) Beleidigung *f;* **no ~ intended** nimm es mir nicht übel; **to cause ~** Anstoß erregen; **to cause ~ to sb** (*hurt*) jdn kränken; (*insult*) jdn beleidigen **3.** AM SPORTS Angriff *m*
offend [əˈfend] **I.** *vi* **1.** eine Straftat begehen **2.** (*form: infringe*) verstoßen (**against** gegen) **II.** *vt* (*insult*) beleidigen; (*hurt*) kränken; **to be easily ~ed** schnell beleidigt sein
offender [əˈfendəʳ] *n* [Straf]täter(in) *m(f)*
offense *n esp* AM *see* **offence**
offensive [əˈfen(t)sɪv] **I.** *adj* **1.** anstößig; **~ language** Anstoß erregende

Ausdrucksweise **2.** (*attack*) Angriffs- **II.** *n* Angriff *m;* **to go on the ~** in die Offensive gehen; **to launch an ~** eine Offensive starten
offer [ˈɒfəʳ] **I.** *n* Angebot *nt* **II.** *vt* anbieten; (*provide*) bieten; *proposal* vorbringen; *congratulations* aussprechen; *incentive* geben **III.** *vi* sich bereit erklären
offhand **I.** *adj* gleichgültig; (*informal*) lässig **II.** *adv* ohne weiteres; **to quote sth ~** etw auf Anhieb angeben
office [ˈɒfɪs] *n* **1.** Büro *nt;* (*firm*) Geschäftsstelle *f; lawyer* Kanzlei *f;* BRIT POL **the Foreign/Home O~** das Außen-/Innenministerium **2.** POL (*position*) Amt *nt;* **to come into ~** sein Amt antreten
office block *n* BRIT, AUS Bürogebäude *nt* **office building** *n* Bürogebäude *nt* **office equipment** *n no pl* Büroeinrichtung *f* **office hours** *n pl* Geschäftszeit[en] *f[pl]*
officer [ˈɒfɪsəʳ] *n* Offizier(in) *m(f);* (*police*) Beamte(r), Beamtin *m, f,* Polizist(in) *m(f);* (*executive*) Referent(in); **~!** Herr Wachtmeister!
office staff *n* + *sing/pl vb* Büropersonal *nt* **office supplies** *n pl* Bürobedarf *m kein pl* **office worker** *n* Büroangestellte(r) *f(m)*
official [əˈfɪʃªl] **I.** *n* Beamte(r), Beamtin *m, f;* (*functionary*) Funktionär(in) *m(f);* (*referee*) Schiedsrichter(in) *m(f)* **II.** *adj* amtlich; (*authorized*) offiziell; **~ residence** Amtssitz *m*
officially [əˈfɪʃªli] *adv* offiziell
off-licence *n* BRIT Wein- und Spirituosengeschäft *nt* **off-peak** **I.** *adj* phone call außerhalb der Hauptsprechzeiten *nach n; electricity* Schwachlastzeit- **II.** *adv* außerhalb der Hauptsprech-

zeiten; *travel* außerhalb der Hauptsaison **off-putting** *adj* abschreckend; *appearance, manner* abstoßend; *experience* schrecklich **off season** *n* **the ~** die Nebensaison

offshore I. *adj* küstennah; FIN Auslands- II. *adv* von der Küste her; **to drop anchor/fish ~** vor der Küste ankern/fischen

offside I. *adj, adv* abseits II. *n* Abseits *nt*

offside rule *n* Abseitsregel *f*

off-white *n no pl* gebrochenes Weiß

often ['ɒfᵊn] *adv* oft; **it's not ~ that ...** es kommt selten vor, dass ...; **as ~ as not** meistens; **every so ~** gelegentlich

oh¹ [oʊ] *interj* **1.** (*to show surprise, disappointment, pleasure*) oh; **~ damn!** verdammt! *pej fam*; **~ dear!** oje!; **~ well** na ja; **~ yes?** ach ja? **2.** (*by the way*) ach, übrigens

oh² [əʊ] *n* BRIT (*in phone numbers*) Null *f*

OHP [ˌəʊeɪtʃ'piː] *n abbrev of* **overhead projector** Overheadprojektor *m*

oil [ɔɪl] I. *n* Öl *nt;* (*petroleum also*) Erdöl *nt;* (*food also*) Speiseöl; **suntan ~** Sonnenöl *nt;* (*paint*) **~s** *pl* Ölfarben *pl* II. *vt* ölen

oil change *n* Ölwechsel *m* **oil company** *n* Ölfirma *f* **oil-fired** *adj inv* ölbeheizt; *central heating* ölbetrieben **oil level** *n* Ölstand *m* **oil painting** *n* Ölgemälde *nt* **oil pipeline** *n* Ölpipeline *f* **oil-producing** *adj attr* [Erd]öl produzierend **oil rig** *n* Bohrinsel *f* **oilskin** *n* **1.** *no pl* Öltuch *nt* **2.** **~s** *pl* Ölzeug *nt kein pl* **oil slick** *n* Ölteppich *m* **oil tanker** *n* Öltanker *m* **oil well** *n* Ölquelle *f*

oily ['ɔɪli] *adj* ölig; *hair, skin* fettig; *objects* schmierig

ointment ['ɔɪntmənt] *n* Salbe *f*

OK, okay [ə(ʊ)'keɪ] (*fam*) I. *adj* **1.** *pred* okay; *person also* in Ordnung; **if it's ~ with you, ...** wenn es dir recht ist, ... **2.** *pred* (*middling*) nicht schlecht **3. to be ~ about sth** mit etw *dat* einverstanden sein **4. to be ~ for work** genug Arbeit haben **5. to be an ~ guy** [*or* BRIT *a.* **bloke**] ein prima Kerl sein II. *interj* okay; **~ then** also gut III. *vt* **to ~ sth** zu etw *dat* sein Okay geben IV. *n* **to get the ~** das Okay bekommen; **to give** [**sth**] **the ~** das Okay [zu etw *dat*] geben V. *adv* gut

old [əʊld] I. *adj* **1.** alt; **5 years ~** 5 Jahre alt **2.** *attr* (*former*) ehemalig; *job* alt **3.** *attr* (*fam: affectionate*) [gute(r)] alte(r) II. *n* **the ~** *pl* die Alten *pl;* **young and ~** Jung und Alt

old age *n no pl* Alter *nt* **old age pensioner** *n* BRIT, AUS Rentner(in) *m(f)* **old-fashioned** *adj* altmodisch **old people's home** *n* Seniorenheim *nt*

olive ['ɒlɪv] *n* Olive *f;* (*tree*) Olivenbaum *m;* **~ oil** Olivenöl *nt*

Olympic [ə(ʊ)'lɪmpɪk] *adj attr* olympisch; **~ champion** Olympiasieger(in) *m(f);* **~ stadium** Olympiastadion *nt*

omelet(te) ['ɒmlət] *n* Omelett *nt*

omit <-tt-> [ə(ʊ)'mɪt] I. *vt* auslassen; (*ignore*) übergehen II. *vi* **to ~ to do sth** es unterlassen, etw zu tun

on [ɒn] I. *prep* **1.** (*on top of*) auf +*dat;* (*to top of*) auf +*akk* **2.** (*contacting*) **to fall/lie ~ one's back** auf den/dem Rücken fallen/liegen **3.** (*against*) **to hang ~ the wall** an die Wand hängen; **to trip ~ a cable** an einem Kabel hängen bleiben; **to**

O

stumble ~ sth über etw *akk* stolpern 4. (*located*) ~ **the beach** am Strand 5. (*from*) **to hang** ~ **the ceiling** von der Decke hängen 6. (*clothing*) **with shoes** ~ **his feet** mit Schuhen an den Füßen; **hat** ~ **head** mit dem Hut auf dem Kopf 7. (*about*) über +*akk* 8. ~ **account of** wegen +*gen;* ~ **purpose** absichtlich 9. **how many people are** ~ **your staff?** wie viele Mitarbeiter haben Sie?; ~ **the team** im Team; **to sit** ~ **the board** Vorstandsmitglied sein 10. **don't be so hard** ~ **him!** sei nicht so streng mit ihm!; **to force one's will** ~ **sb** jdm seinen Willen aufzwingen 11. (*using*) ~ **the phone** am Telefon; AUS, BRIT telefonisch erreichbar; ~ **drums** am Schlagzeug 12. **to put sth down** ~ **paper** etw aufschreiben; **to come out** ~ **video** als Video herauskommen 13. **what are you doing** ~ **Friday?** was machst du am Freitag? 14. (*when*) ~ **the count of three, start running!** bei drei lauft ihr los!; ~ **receiving her letter** als ich ihren Brief erhielt 15. (*a far as*) **we were** ~ **page 42** wir waren auf Seite 42 16. (*taking*) **to be** ~ **medication** Medikamente einnehmen 17. BRIT (*paid by*) **to be** ~ **sb** auf jdn gehen 18. (*powered*) **does this radio run** ~ **batteries?** läuft dieses Radio mit Batterien? 19. (*experiencing*) **he's out** ~ **a date** er hat gerade eine Verabredung; **to set sth** ~ **fire** etw anzünden ▶ **to have** time ~ **one's hands** noch genug Zeit haben; **what** are you ~? (*fam*) bist du noch bei Sinnen? II. *adv* 1. (*in contact with*) **to screw sth** ~ etw anschrauben 2. (*on body*) an; **get your shoes** ~! zieh dir die

Schuhe an!; **to have/try sth** ~ etw anhaben/anprobieren; **with nothing** ~ nackt 3. (*continued*) weiter; **the noise just went** ~ **and** ~ der Lärm hörte gar nicht mehr auf; **he talked** ~ **and** ~ er redete pausenlos 4. (*forwards*) vorwärts; **from that day** ~ von diesem Tag an; **what are you doing later** ~? was hast du nachher vor? 5. (*scheduled*) **I've got nothing** ~ **next week** ich habe nächste Woche nichts vor 6. (*aboard*) **to get** ~ einsteigen ▶ **to go** ~ **about sth** AUS, BRIT dauernd über etw *akk* reden; **to hang** ~ warten; **that's not** ~ BRIT, AUS (*fam*) das ist nicht in Ordnung; ~ **and off** ab und zu; **to be** ~ **to something** (*fam*) etw spitz gekriegt haben; **you're** ~! abgemacht! *fam* III. *adj attr* 1. *light* an; **to leave the light** ~ das Licht anlassen; **to switch sth** ~ etw einschalten; ~ **switch** Einschalter *m* 2. AM (*good*) gut

once [wʌn(t)s] I. *adv* 1. einmal; ~ **a week** einmal pro Woche; ~ **and for all** ein für alle Mal; ~ **again** wieder einmal; ~ **or twice** ein paar Mal; **for** ~ ausnahmsweise 2. (*in the past*) früher; ~ **upon a time ...** (*liter*) es war einmal ... 3. (*some point in time*) ~ **more** noch einmal; **at** ~ (*simultaneously*) auf einmal; (*immediately*) sofort II. *conj* sobald

oncoming ['ɒnˌkʌmɪŋ] *adj attr* [heran]nahend; ~ **traffic** Gegenverkehr *m*

one [wʌn] I. *n* 1. eins; (*digit*) Eins *f*; (*size*) Größe eins; **a hundred and** ~ einhundert[und]eins; **to be** ~ eins sein; *see also* **eight** II. *adj* 1. *attr* ein(e); ~ **hundred/thousand/million** einhundert/eintausend/eine Million; *see also* **eight** 2. *attr* (*single*) einzige(r, s) **3.** *attr* ~ **day** eines Tages; (*sometime*) irgendwann **4. to be of ~ mind** einer Meinung sein; ~ **and the same** ein und der-/die-/dasselbe **5.** ~ [**o'clock**] ein Uhr; **at** ~ um eins **III.** *pron* **1.** eine(r, s); **one's loved** ~**s** seine Lieben; ~ **by** ~ nacheinander; **not a single** ~ kein Einziger/keine Einzige/kein Einziges; ~ **at a time** immer nur eine(r, s); ~ **after another** eine/einer/eins nach der/dem anderen; **this/that** ~ diese(r, s)/jene(r, s); **these/those** ~**s** diese/jene **2.** (*form*) man; (*I also*) ich/mich/mir; (*we also*) wir/uns ▶ **to get** ~ **up on sb** jdn übertrumpfen

one-piece (swimsuit) *n* Einteiler *m*

oneself [wʌn'self] *pron refl* **1.** sich; (*myself*) selbst **2.** (*personally*) selbst; **to do sth for** ~ etw selbst tun **3.** (*alone*) **to have sth to** ~ etw für sich haben; **to keep sth for** ~ sich *dat* etw behalten; [**all**] **by** ~ [ganz] alleine

one-way *adj* in einer Richtung *nach n;* (*fig*) einseitig; ~ **street** Einbahnstraße *f*

ongoing ['ɒnˌgəʊɪŋ] *adj* laufend *attr,* im Gang *präd*

onion ['ʌnjən] *n* Zwiebel *f*

online [ˌɒn'laɪn] *adj, adv* online

onlooker ['ɒnˌlʊkər] *n* Zuschauer(in) *m(f);* (*after accident*) Schaulustige(r) *f(m)*

only ['əʊnli] **I.** *adj attr* einzige(r, s); **the** ~ **one** der/die/das Einzige; **the** ~ **thing** das Einzige; **the** ~ **way** die einzige Möglichkeit **II.** *adv* **1.** nur; **for members** ~ nur für Mitglieder **2.** (*just*) erst; ~ **the other day** erst neulich; ~ **just** gerade erst **3.** (*merely*) nur; **not** ~ **...**, **but also ...** nicht nur ..., sondern auch ... **4. if** ~ **...**

wenn nur ... ▶ **you** ~ **live** once (*prov*) man lebt nur einmal **III.** *conj* **1.** aber; **he's a good athlete,** ~ **he smokes too much** er ist ein guter Sportler, bloß raucht er zu viel **2.** (*in addition*) **not** ~ **can she sing, she can act too** sie kann nicht nur singen, sie kann auch schauspielern

o.n.o. *adv* BRIT, AUS COMM *abbrev of* **or nearest offer** VHB

onside [ˌɒn'saɪd] *adj, adv* nicht abseits; **to be** ~ nicht im Abseits stehen; **to bring sb** ~ (*fig*) jdn auf seine Seite bringen

onto, on to ['ɒntu:] *prep* auf *+akk;* **to get** ~ **a bus** in einen Bus einsteigen; **to get** ~ **a bike** auf ein Fahrrad [auf] steigen

onward ['ɒnwəd] **I.** *adj attr* Weiter-; ~ **and upward** steil nach oben **II.** *adv* weiter; **from that day** ~ von diesem Tag an

open ['əʊpən] **I.** *adj* **1.** offen; *bottle also* geöffnet; **wide** ~ weit geöffnet; **to push sth** ~ etw aufstoßen **2.** *pred shop* geöffnet **3.** (*unsettled*) offen **4.** (*not enclosed*) offen; **to be in the** ~ **air** an der frischen Luft sein; **on the** ~ **road** auf freier Strecke **5.** (*public*) offen **6.** *pred* (*frank*) offen (**with** zu *+dat*) **7. to have/keep an** ~ **mind** unvoreingenommen sein/ bleiben; **to be** ~ **to sth** für etw *akk* offen sein **8.** *pred* (*exposed*) ungeschützt; **to be** ~ **to criticism** kritisierbar sein; **to be** ~ **to doubt** zweifelhaft sein ▶ **to be an** ~ **book** [wie] ein offenes Buch sein **II.** *n* **1.** *no pl* [**out**] **in the** ~ draußen **2.** *no pl* **to bring sth out into the** ~ etw publik machen; **to come out into the** ~ ans Licht kommen **3.** (*competition*) **O**~

O

[offene] Meisterschaft **III.** *vi* **1.** sich öffnen, aufgehen; *shop* öffnen; *new business* eröffnen; **to ~ onto sth** [direkt] zu etw *dat* führen **2.** (*start*) beginnen, anfangen **IV.** *vt* **1.** öffnen; *book* aufschlagen; *with lid* aufmachen; *business* eröffnen; *curtains* aufziehen **2.** *rally* eröffnen ▶ **to ~ sb's eyes to sb/sth** jdm die Augen über jdn/etw öffnen; **to ~ the floodgates** [to sb/ sth] [jdm/etw] Tür und Tor öffnen *pej* ◆ **open out I.** *vi* **1.** sich ausbreiten; (*grow wider*) sich erweitern; *street, river* breiter werden; *flower* aufblühen **2.** *person* sich öffnen; **to ~ to sb** sich jdm gegenüber öffnen **II.** *vt* **to ~ out ⇆ a map/newspaper** eine [Land]karte auseinanderfalten/eine Zeitung aufschlagen ◆ **open up I.** *vi* *shop* eröffnen; *person* sich öffnen **II.** *vt canal, pipe* passierbar machen; (*unlock*) aufschließen; (*expand*) erweitern

open-air *adj* im Freien *nach n;* **~ concert** Open-Air-Konzert *nt;* **~ stage** Freilichtbühne *f;* **~ swimming pool** Freibad *nt* **open-ended** *adj* mit offenem Ausgang *nach n; question* ungeklärt

opener ['əʊp³nə'] *n* Öffner *m;* (*remark*) Anfang *m;* **for ~s** AM (*fam*) für den Anfang

opening ['əʊp³nɪŋ] **I.** *n* **1.** *no pl* Öffnen *nt* **2.** (*inauguration*) Eröffnung **3.** (*hole*) Öffnung *f;* (*in traffic*) Lücke *f* **4.** (*opportunity*) günstige Gelegenheit **5.** (*introduction*) Einführung *f* o *f* **II.** *adj attr* Anfangs-

opening bid *n* Eröffnungsgebot *nt* **opening hours** *n pl* Öffnungszeiten *pl* **opening night** *n* THEAT Premierenabend *m* **opening time** *n* Öffnungszeit *f*

openly ['əʊp³nli] *adv* (*frankly*) offen; (*publicly*) öffentlich

open-minded *adj* aufgeschlossen; (*unbiased*) unvoreingenommen **open sandwich** *n* belegtes Brot **Open University** *n no pl esp* BRIT ≈ die Fernuniversität

opera ['ɒp³rə] *n* Oper *f*

operate ['ɒp³reɪt] **I.** *vi* vorgehen; MIL operieren; *machine* funktionieren; [*criminal*] *mind* arbeiten **II.** *vt* bedienen; (*manage*) betreiben

operating ['ɒp³reɪtɪŋ] *adj attr* Dienst habend; MED Operations-

operation [ˌɒp³r'eɪʃ³n] *n* **1.** *no pl* Funktionsweise *f;* (*state*) Betrieb *m;* **to come into ~** *machine* in Gang kommen; *rule, law* in Kraft treten **2.** (*process*) Vorgang *m* **3.** (*activity*) Unternehmung *f;* MIL Operation *f* **4.** (*surgery*) Operation *f*

operator ['ɒp³reɪtə'] *n* **1.** Bediener(in) *m(f);* (*switchboard*) Telefonist(in) *m(f)* **2.** (*company*) Unternehmer(in) *m(f);* **tour ~** Reiseveranstalter(in) *m(f)* **3.** (*fam*) gewiefte Person; **smooth ~** Schlawiner *m fam*

opinion [ə'pɪnjən] *n* Meinung *f;* (*view*) Standpunkt *m* (**on** zu); **difference of ~** Meinungsverschiedenheit *f;* **popular ~** weit verbreitete Meinung; **public ~** die öffentliche Meinung; **just a matter of ~** reine Ansichtssache; **in my ~** meiner Meinung nach

opinion poll *n* Meinungsumfrage *f*

opponent [ə'pəʊnənt] *n* Widersacher(in) *m(f);* SPORTS Gegner(in) *m(f)*

opportunity [ˌɒpə'tjuːnəti] *n* Gelegenheit *f;* (*for advancement*) Möglichkeit *f;* **a window of ~** eine Chance; **at the earliest ~** bei der erstbesten Gelegenheit; **at every ~** bei jeder Gelegenheit

oppose [ə'pəʊz] *vt* **1.** ablehnen; (*resist*) sich widersetzen +*dat;* SPORTS antreten gegen +*akk* **2.** POL **to ~ sb** jds Gegenspieler(in) *m(f)* sein

opposed [ə'pəʊzd] *adj pred* **1.** (*against*) **to be ~ to sth** gegen etw *akk* sein **2.** (*contrary*) **as ~ to** im Gegensatz zu +*dat*

opposing [ə'pəʊzɪŋ] *adj attr* entgegengesetzt; (*conflicting*) einander widersprechend

opposite ['ɒpəzɪt] **I.** *n* Gegenteil **II.** *adj* gegenüberliegend; *direction* entgegengesetzt; *interests* gegensätzlich; **who owns that shop ~?** wem gehört der Laden gegenüber? **III.** *adv* gegenüber **IV.** *prep* gegenüber +*dat;* **to play ~ sb** *actor* jds Gegenrolle spielen

opposition ['ɒpə'zɪʃ°n] *n* **1.** *no pl* Widerstand *m* (**to** gegen) **2.** +*sing/pl vb* POL Opposition[spartei] *f;* **leader of the O~** Oppositionsführer(in) *m(f)* **3.** (*contrast*) Gegensatz *m* **4.** SPORTS Gegner(in) *m(f)*

optician [ɒp'tɪʃ°n] *n* Optiker(in) *m(f)*

optimism ['ɒptɪmɪz°m] *n no pl* Optimismus *m*

optimist ['ɒptɪmɪst] *n* Optimist(in) *m(f)*

optimistic ['ɒptɪmɪstɪk] *adj* optimistisch

optimum ['ɒptɪməm] **I.** *n* <*pl* -tima *or* -s> Optimum *nt* **II.** *adj* optimal

option ['ɒpʃ°n] *n* **1.** Wahl *f;* (*possibility*) Möglichkeit *f;* (*freedom*) Wahlmöglichkeit *f;* **to not be an ~** nicht in Frage kommen **2.** FIN Option *f*

optional ['ɒpʃ°n°l] *adj* wahlfrei

or [ɔːʳ] *conj* oder; (*otherwise*) sonst; **someone ~ other** [irgend]jemand; **either ... ~ ...** entweder...[,] oder;

not ... ~ ... weder ... noch ...

oral ['ɔːrəl] **I.** *adj* oral; (*spoken*) mündlich **II.** *n* mündliche Prüfung

orange ['ɒrɪndʒ] **I.** *n* Orange *f;* (*colour*) Orange *nt* **II.** *adj* Orangen-; (*colour*) orange[farben]

orangeade [ˌɒrɪndʒ'eɪd] *n* BRIT Orangenlimonade *f*

orange juice *n no pl* Orangensaft *m*

orange peel *n* Orangenschale *f*

orbit ['ɔːbɪt] **I.** *n* **1.** Umlaufbahn *f;* (*circuit*) Umkreisung *f* **2.** ANAT Augenhöhle *f* **II.** *vi* kreisen **III.** *vt* umkreisen

orchard ['ɔːtʃəd] *n* Obstgarten *m*

orchestra ['ɔːkɪstrə] *n* + *sing/pl vb* Orchester *nt*

orchestra pit *n* Orchestergraben *m*

orchid ['ɔːkɪd] *n* Orchidee *f*

ordeal [ɔː'diːl] *n* Qual *f*

order ['ɔːdəʳ] **I.** *n* **1.** *no pl* Ordnung *f;* **to put sth in ~** etw ordnen **2.** *no pl* (*sequence*) Reihenfolge *f;* **word ~** Wortstellung *f* **3.** (*command*) Befehl *m;* LAW Verfügung *f;* **doctor's ~s** ärztliche Anweisung **4.** (*at restaurant*) Bestellung *f* **5.** COMM Auftrag *m* **6.** *no pl* (*discipline*) Disziplin *f;* **O~!** [O~!] Ruhe bitte!; **to be in ~** in Ordnung sein **7.** *no pl* **to be in good ~** in einem guten Zustand sein; **"out of ~"** „außer Betrieb" **8.** *no pl* **in ~ to do sth** um etw zu tun; **in ~ for ...** damit ... **9.** (*type*) Art *f;* (*dimension*) **~ [of magnitude]** Größenordnung *f;* **of the highest ~** von höchster Qualität **10.** REL **to take holy ~s** die Weihen empfangen **II.** *vi* bestellen **III.** *vt* (*instruct*) anordnen; (*command*) befehlen; (*at restaurant*) bestellen; COMM bestellen

order form *n* Bestellformular *nt*

O

ordinal (**number**) [ˈɔːdɪnᵊl] *n* Ordinalzahl *f*

ordinarily [ˈɔːdᵊnᵊrᵊli] *adv* gewöhnlich, normalerweise

ordinary [ˈɔːdᵊnᵊri] I. *adj* gewöhnlich II. *n* the ~ das Übliche; **out of the** ~ außergewöhnlich

ordnance [ˈɔːdnən(t)s] *n no pl* MIL Geschütze *pl*

organ [ˈɔːgən] I. *n* MUS Orgel *f;* ANAT Organ *nt; (fig: mouthpiece)* Organ *nt* II. *adj* Orgel-

organ donor *n* Organspender(in) *m(f)*

organic [ɔːˈgænɪk] *adj* organisch; ~ **fruits** Obst *nt* aus biologischem Anbau; ~ **farming methods** biodynamische Anbaumethoden

organism [ˈɔːgᵊnɪzᵊm] *n* Organismus *m*

organist [ˈɔːgᵊnɪst] *n* Organist(in) *m(f)*

organization [ˌɔːgᵊnaɪˈzeɪʃᵊn] *n* **1.** *no pl* Organisation *f* **2.** + *sing/pl vb (association)* Organisation *f* **3.** *no pl (tidiness)* Ordentlichkeit *f* **4.** *no pl (composition)* Anordnung *f*

organize [ˈɔːgᵊnaɪz] *vt* **1.** organisieren; *(sort)* ordnen; *(prepare)* vorbereiten **2.** POL [politisch] organisieren

orgasm [ˈɔːgæzᵊm] *n* Orgasmus *m*

oriental [ˌɔːriˈentᵊl] *adj* orientalisch

orientation [ˌɔːriənˈteɪʃᵊn] *n* **1.** *no pl (being oriented)* Orientierung *f;* **to lose one's** ~ die Orientierung verlieren **2.** *(tendency)* Ausrichtung *f;* **sexual** ~ sexuelle Neigung **3.** *(attitude)* Orientierung *f;* **political** ~ politische Gesinnung

origin [ˈɒrɪdʒɪn] *n* Ursprung *m; of river* Quelle *f; (birthplace)* Herkunft *f* kein *pl; (ancestry a.)* Abstammung *f* kein *pl;* **in** ~ ursprünglich

original [əˈrɪdʒɪnᵊl] I. *n* Original *nt* II. *adj* ursprünglich; *(unique)* originell; **is this an** ~ **Rembrandt?** ist das ein echter Rembrandt?; **the** ~ **version** die Originalversion

originally [əˈrɪdʒɪnᵊli] *adv* ursprünglich

ornament I. *n* [ˈɔːnəmənt] **1.** Schmuck *m;* **Christmas** ~**s** Weihnachtsschmuck *m; (figurine)* Figürchen *nt* **2.** *usu pl* MUS Ornament *nt* II. *vt* [ˈɔːnəment] dekorieren

ornithology [ˌɔːnɪˈθɒlədʒi] *n no pl* Ornithologie *f*

orphan [ˈɔːfᵊn] I. *n* Waise *f* II. *adj* Waisen- *f* III. *vt* **to be** ~**ed** [zur] Waise werden

orphanage [ˈɔːfᵊnɪdʒ] *n* Waisenhaus *nt*

orthodontist [ˌɔːθəˈ(ʊ)dɒntɪst] *n* Kieferorthopäde, Kieferorthopädin *m, f*

Oscar [ˈɒskəʳ] *n* FILM Oscar *m;* ~ **winner** Oscar-Preisträger(in) *m(f)*

ostrich [ˈɒstrɪtʃ] I. *n* Strauß *m* II. *adj* Straußen-

other [ˈʌðəʳ] I. *adj* **1.** andere(r, s); **there's no** ~ **way** anders geht es nicht; **some** ~ **time** ein anderes Mal; **in** ~ **words** mit anderen Worten **2. the** ~ **day** neulich; **the** ~ **evening** neulich abends **3.** *(alternative)* andere(r, s); **one's** ~ **half** *(euph)* seine bessere Hälfte; **on the** ~ **hand** andererseits **4. some man or** ~ irgendein Mann; **some time or** ~ irgendwann [einmal]; **somehow or** ~ irgendwie II. *pron* **the** ~ der/die/das andere; **one from the** ~ voneinander; **one or the** ~ eines davon; **one or** [the] ~ **of sth** eine(r, s) von etw *dat*

otherwise [ˈʌðəwaɪz] I. *adv* sonst; *(differently)* anders; **to be** ~ **engaged** anderweitig zu tun haben II. *conj* andernfalls

OTT [ˌəʊtiːˈtiː] BRIT *(fam) abbrev of*

over the top: her outfit was a bit ~ also diesmal ist sie mit ihrem Outfit definitiv zu weit gegangen!

ouch [aʊtʃ] *interj* aua, autsch

ought [ɔːt] *aux vb* **1. sb ~ to do sth** jd sollte etw tun; **we ~ not to have agreed** wir hätten nicht zustimmen sollen **2. ten minutes ~ to be enough time** zehn Minuten müssten eigentlich genügen

ounce [aʊn(t)s] *n* Unze *f*

our [aʊəʳ] *adj poss* unser(e)

ours [aʊəz] *pron poss* unsere(r, s); **a friend of ~** ein Freund von uns

ourselves [aʊə'selvz] *pron refl* **1.** *after vb, after prep* uns; **we enjoyed ~** wir hatten großen Spaß **2.** (*personally*) **we saw to it ~** wir haben es persönlich erledigt; **we invented it ~** wir erfanden das selbst **3.** (*alone*) **to have sth [all] to ~** etw [ganz] für uns haben; [**all**] **by ~** [ganz] allein

out [aʊt] **I.** *adj pred* **to be ~ 1.** (*not there*) nicht da sein; (*not inside*) draußen sein; (*not at home*) nicht zu Hause sein; (*absent*) abwesend sein; (*travelling*) unterwegs sein; **to be ~ and about** unterwegs sein; **to be ~ on one's rounds** seine Runde machen **2.** *flowers* blühen **3.** *product* erhältlich sein **4.** (*known*) heraus sein; *secret* gelüftet sein; [**the**] **truth will ~** die Wahrheit wird ans Licht kommen **5.** (*asleep*) schlafen; (*unconscious*) bewusstlos sein **6.** (*finished*) aus sein **7.** SPORTS (*not playing*) nicht [mehr] im Spiel sein; (*outside boundary*) im Aus sein **8.** *light, TV* aus sein **9.** (*unfashionable*) out sein **10.** *homosexual* sich geoutet haben *fam* **II.** *adv* **1.** außen; (*not in room*) draußen; **"keep ~!"** „betreten verboten!"; **to keep**

sb/sth ~ jdn/etw nicht hereinlassen **2.** (*outwards*) heraus; **get ~!** raus hier! *fam;* **~ with it** heraus damit! *fam;* **to turn sth inside ~** *clothes* etw auf links drehen **3.** (*away from home*) **to eat ~** auswärts essen; **to go ~** ausgehen **4.** (*extinguish*) **to put a fire ~** ein Feuer löschen; **to cross sth ~** etw ausstreichen **5.** (*fully*) **burnt ~** ausgebrannt; **tired ~** völlig erschöpft; **~ and away** AM bei weitem **6.** (*aloud*) **to cry ~ in pain** vor Schmerzen aufschreien **7.** (*finished*) **over and ~** AVIAT Ende; **to die ~** aussterben **8. to knock sb ~** jdn bewusstlos schlagen; **to pass ~** in Ohnmacht fallen **9. to open sth ~** etw auseinanderfalten **10.** (*at distant place*) **~ at sea** auf See; **~ west** im Westen **III.** *prep* (*fam*) aus +*dat;* **to run ~ the door** zur Tür hinausrennen

outboard (**motor**) *n* Außenbordmotor *m*

outbreak *n of a disease, hostilities, a war* Ausbruch *m*

outburst *n* Ausbruch *m;* **an ~ of anger** ein Wutanfall *m*

outcome *n* Ergebnis *nt*

outcry *n* lautstarker Protest (**over** gegen); **to provoke a public ~** einen Sturm der Entrüstung in der Öffentlichkeit auslösen

outdated *adj* veraltet; *ideas, views* überholt

outdo <-did, -done> *vt* übertreffen

outdoor *adj* **~ concert** Openairkonzert *nt;* **~ sports** Sportarten *pl* im Freien

outdoors [ˌaʊt'dɔːz] **I.** *n + sing vb* **in the great ~** in der freien Natur **II.** *adv* im Freien

O

outer [ˈaʊtəʳ] *adj* Außen-; **one's ~ circle of friends** jds weiterer Bekanntenkreis

outermost [ˈaʊtəməʊst] *n attr* äußerste(r, s); *layer* oberst

outfit I. *n* **1.** Kleidung *f;* **cowboy ~** Cowboykostüm *nt* **2.** (*equipment*) Ausrüstung *f* **3.** (*fam: group*) Verein *m* **II.** *vt* <-tt-> ausrüsten (**with mit** +*dat*)

outgoing *adj* **1.** (*approv: extroverted*) kontaktfreudig **2.** *attr* (*retiring*) [aus]scheidend

outgrow <-grew, -grown> *vt* **1.** (*become too big for*) **to ~ sth** aus etw *dat* herauswachsen **2.** (*leave behind*) **to ~ sth** einer S. *gen* entwachsen

outing [ˈaʊtɪŋ] *n* **1.** Ausflug *m;* **to go on an ~** einen Ausflug machen **2.** (*fam: appearance*) [öffentlicher] Auftritt **3.** *no pl of homosexuals* Outing *nt*

outlaw [ˈaʊtlɔː] **I.** *n* (*criminal*) Bandit(in) *m(f);* (*fugitive from law*) Geächtete(r) *f(m)* **II.** *vt* für ungesetzlich erklären

outlet *n* **1.** (*exit*) Ausgang *m; for water* Abfluss *m;* (*chimney*) Abzug *m* **2.** COMM Fabrikverkaufsstelle *f*

outline I. *n* **1.** (*brief description*) Übersicht *f* (**of** über); *in novel-writing* Entwurf *m;* (*general summary*) Zusammenfassung *f* **2.** (*contour*) Umriss *m; against fading light* Silhouette *f* **II.** *vt* **to ~ sth 1.** (*draw*) die Umrisse von etw *dat* zeichnen **2.** (*summarize*) etw [kurz] umreißen

outlook *n* Aussicht *f;* (*prospect also*) Aussichten *pl;* (*weather*) [Wetter]aussichten *pl*

outnumber *vt* zahlenmäßig überlegen

sein; **to be ~ed** in der Unterzahl sein

out of *prep* **1.** *after vb* (*towards outside*) aus +*dat* **2.** *after vb o n* (*situated away from*) außerhalb +*gen;* **he is ~ town this week** er ist diese Woche nicht in der Stadt; **she is ~ the country until July 4th** sie hält sich bis zum 4. Juli außer Landes auf; **he's ~ the office at the moment** er ist zurzeit nicht an seinem [Arbeits]platz; **five miles ~ San Francisco** fünf Meilen außerhalb von San Francisco **3.** *after vb* (*taken from*) von +*dat;* **he copied his essay straight ~ a textbook** er schrieb seinen Aufsatz wörtlich aus einem Lehrbuch ab; **she had to pay for it ~ her own pocket** sie musste es aus der eigenen Tasche bezahlen **4.** (*excluded from*) aus +*dat;* **I'm glad to be ~ it** ich bin froh, dass ich das hinter mir habe; **giving up is ~ the question** Aufgeben kommt überhaupt nicht infrage **5.** (*spoken by*) aus +*dat;* **I couldn't get the secret ~ her** ich konnte ihr das Geheimnis nicht entlocken **6.** (*made from*) aus +*dat* **7.** (*motivated by*) aus +*dat* **8.** *after n* (*ratio of*) von +*dat;* **no one got 20 ~ 20 for the test** niemand bekam alle 20 möglichen Punkte für den Test **9.** (*without*) **they were ~ luck** sie hatten kein Glück [mehr]; **you're ~ time** Ihre Zeit ist um; **they had run ~ cash** sie hatten kein Bargeld mehr; **I'm sorry sir, we're ~ the salmon** tut mir leid, der Lachs ist aus; **[all] ~ breath** [völlig] außer Atem; **to be ~ work** ohne Arbeit sein **10.** (*beyond*) außer +*dat;* **the photo is ~ focus** das Foto ist unscharf; **he's been ~ touch with his family for years** er hat seit Jahren keinen Kontakt mehr zu seiner Familie; **get ~ the way!** aus dem Weg!; **~ order** außer Betrieb ▶ **to get ~ hand** außer Kontrolle geraten; **he must be ~ his mind!** er muss den Verstand verloren haben!; **~ place** fehl am Platz

out of date *pred*, **out-of-date** *adj attr* veraltet; *clothing* altmodisch

out of the way *pred*, **out-of-the-way** *adj attr* abgelegen

out-patient *n* ambulanter Patient/ambulante Patientin

outplay *vt* **to ~ sb** besser spielen als jd

output I. *n no pl* ECON Ausstoß *m;* COMPUT Ausgabe *f;* ELEC Leistung *f* **II.** *vt image, data* ausgeben

outrageous [ˌaʊt'reɪdʒəs] *adj* empörend; *(unacceptable)* unerhört; *(unusual)* außergewöhnlich; *(exaggerated)* ungeheuerlich; *story a.* unwahrscheinlich

outside I. *n* **1.** Außenseite *f;* **from the ~** von außen; **on the ~** äußerlich **2. on the ~** *ball* draußen **II.** *adj attr* **1.** Außen-; **~ seat** Sitz *m* am Gang **2. the world ~** die Welt draußen **3.** *(highest)* höchste(r, s) *attr* **III.** *adv* **to be ~** *(not inside)* draußen sein; *(not in building)* nicht im Gebäude sein; *(in open air)* im Freien sein **IV.** *prep* außerhalb **(of** von)

outsider [ˌaʊt'saɪdə'] *n* **1.** *(not a member)* Außenstehende(r) *f(m)* **2.** *(outcast)* Außenseiter(in) *m(f)* **3.** *(in sports)* Außenseiter(in) *m(f)*

outskirts ['aʊtskɜ:ts] *n pl* Stadtrand *m*

outstanding [ˌaʊt'stændɪŋ] *adj* **1.** *(excellent)* außergewöhnlich; *effort, contribution* bemerkenswert **2.** *(clearly noticeable)* auffallend **3.** FIN *(unpaid)* ausstehend **4.** *problems* ungelöst

out there *adj pred* AM *(fam)* verrückt

outward ['aʊtwəd] **I.** *adj attr* Außen-; *(going out)* ausgehend; **~ flight** Hinflug *m* **II.** *adv* nach außen

outwardly ['aʊtwədli] *adv* nach außen hin

outwards ['aʊtwədz] *adv* nach außen

oven ['ʌvən] *n* [Back]ofen *m;* **microwave ~** Mikrowelle *f*

ovencloth *n* Topflappen *m*

oven glove, AM, AUS **oven mitt** *n* Topfhandschuh *m* **ovenproof** *adj* hitzebeständig **oven-ready** *adj* bratfertig; *pizza* backfertig

over ['əʊvə'] **I.** *adv pred* **1.** *(across)* hinüber; **~ here** hier herüber; **~ there** dort drüben **2. to turn ~** umdrehen **3. to fall ~** hinfallen; **to knock sth ~** etw umstoßen **4. to change ~ to sth** auf etw *akk* umsteigen *fam;* **to hand sth ~** etw übergeben **5. to be ~** vorbei sein; **to get sth ~ and done with** etw hinter sich *akk* bringen **6.** *(remaining)* übrig **7. to talk sth ~** etw durchsprechen **II.** *prep* **1.** *(moving across)* über *+akk;* *(spread across)* über *+dat* **2.** *(on other side)* über *+dat;* **the diagram is ~ the page** das Diagramm ist auf der nächsten Seite **3.** *(at above)* über *+dat;* *(to above)* über *+akk* **4.** *(everywhere)* **[all] ~** [überall] in *+dat;* **all ~ the world** in der ganzen Welt **5.** *(during)* während *+gen;* **~ the years** mit den Jahren **6.** *(greater)* über *+dat;* **~ and above that** darüber hinaus **7.** *(using)* **~ the phone** am Telefon **8.** *(past)* **is he ~ the flu yet?** hat er seine Erkältung auskuriert?

overall I. *n* ['əʊvərɔːl] BRIT [Arbeits]kittel *m;* **~s** *pl* Overall *m* **II.** *adj*

O

[ˌəʊvər'ɔːl] *attr* Gesamt-; *majority* absolut III. *adv* [ˌəʊvər'ɔːl] insgesamt

overbalance I. *vi* das Gleichgewicht verlieren II. *vt* aus dem Gleichgewicht bringen

overboard *adv* über Bord

overbook I. *vt usu passive* **to be ~ed** überbucht sein II. *vi* zu viele Buchungen vornehmen

overcast *adj* bedeckt

overcharge *vt, vi* zu viel berechnen; *battery* überlasten

overcoat *n* Mantel *m*

overcome <-came, -come> I. *vt* 1. (*cope with*) bewältigen; *crisis, opposition, fear* überwinden 2. *fumes, exhausts* von etw *dat* ohnmächtig werden II. *vi* siegen

overconfident *adj* (*extremely self-assured*) übertrieben selbstbewusst

overcrowded *adj* überfüllt; (*with things*) überladen; ~ **town** übervölkerte Stadt

overdo <-did, -done> *vt* 1. (*overexert oneself*) **to ~ it** sich überanstrengen; (*overindulge*) es übertreiben 2. (*exaggerate*) übertreiben 3. (*overcook*) *in water* verkochen; *in oven* verbraten

overdone *adj* übertrieben; *potatoes* verkocht; *roast* verbraten

overdose I. *n* [ˈəʊvədəʊs] Überdosis *f* II. *vi* [ˌəʊvə'dəʊs] eine Überdosis nehmen

overdraft *n* Kontoüberziehung *f*

overdraw <-drew, -drawn> *vi, vt* überziehen

overdue *adj usu pred* überfällig

overestimate I. *n* [ˌəʊvər'estɪmət] Überbewertung *f* II. *vt* [ˌəʊvər'estɪmeɪt] 1. (*value too highly*) überbewerten 2. (*estimate too much*) überschätzen

overexcited *adj usu pred* ganz aufgeregt

overflow I. *n* [ˈəʊvəfləʊ] 1. *no pl* Überlaufen *nt* 2. (*liquid*) überlaufende Flüssigkeit 3. (*outlet*) Überlauf *m* II. *vi* [ˌəʊvə'fləʊ] überlaufen III. *vt* [ˌəʊvə'fləʊ] zum Überlaufen bringen

overgrown *adj* überwuchert

overhead I. *n* [ˈəʊvəhed] 1. ~**s** *pl* BRIT, AUS laufende Geschäftskosten 2. (*fam*) Overheadprojektor *m* II. *adj* [ˈəʊvəhed] *attr* 1. Hoch-; ELEC oberirdisch 2. *costs* laufend III. *adv* [ˌəʊvə'hed] in der Luft; **a plane circled** ~ ein Flugzeug kreiste über uns

overhear <-heard, -heard> *vt* unabsichtlich belauschen

overheat I. *vt* überhitzen II. *vi* sich überhitzen; *motor a.* heiß laufen

overjoyed [ˌəʊvə'dʒɔɪd] *adj pred* überglücklich (**at** über)

overland I. *adj* [ˈəʊvəlænd] *attr* Überland-; ~ **journey** Reise *f* auf dem Landweg II. *adv* [ˌəʊvə'lænd] auf dem Landweg

overload I. *n* [ˈəʊvələʊd] 1. ELEC Überlast[ung] *f;* TRANSP Übergewicht *nt* 2. *no pl* (*excess*) Überbelastung *f* II. *vt* [ˌəʊvəl'əʊd] 1. *vehicle* überladen 2. COMPUT, ELEC überlasten

overlook [ˌəʊvə'lʊk] *vt* 1. (*look onto*) überblicken 2. (*not notice*) übersehen; (*forget*) vergessen 3. (*disregard*) **to ~ sth** über etw *akk* hinwegsehen

overnight I. *adj* 1. *attr* Übernachtungs-; ~ **stay** Übernachtung *f* 2. (*sudden*) ganz plötzlich; ~ **success** Blitzerfolg *m* II. *adv* über Nacht

overpass *n* AM Überführung *f*

overpay <-paid, -paid> *vt person*

überbezahlen; *commodity* zu viel bezahlen für +*akk*

overpopulated *adj* überbevölkert

overpowering *adj* überwältigend; *smell* durchdringend

overrate *vt* überbewerten

overreact *vi* überreagieren; **to ~ to sth** auf etw *akk* unangemessen reagieren

overreaction *n* Überreaktion *f* (**to** auf)

overriding I. *adj attr* vorrangig II. *n no pl* Fahren *nt* über das Fahrziel hinaus

overrun I. *n* Kostenüberschreitung *f* II. *vt* <-ran, -run> 1. MIL (*occupy*) überrollen 2. (*spread over*) sich in etw *dat* ausbreiten III. *vi* <-ran, -run> 1. (*exceed time*) überziehen 2. (*financially*) überschreiten

overseas I. *adj* ['əʊvəsi:z] *attr* Übersee-; **~ assignment** Auslandseinsatz *m* II. *adv* [ˌəʊvə'si:z] im Ausland

overshadow *vt* 1. (*cast shadow over*) überschatten 2. (*make insignificant*) in den Schatten stellen

oversight *n* 1. (*mistake*) Versehen *nt* 2. *no pl* (*form: surveillance*) Aufsicht *f*

oversleep *vi irreg* verschlafen

overspend *irreg* I. *vi* zu viel [Geld] ausgeben; **to ~ on a budget** ein Budget überschreiten II. *vt* überziehen; *budget* überschreiten

overstaffed *adj* überbesetzt

overstay *vt* **to ~ a visa** ein Visum überschreiten; **to ~ one's welcome** jds Gastfreundschaft *f* überbeanspruchen

overstep <-pp-> *vt* überschreiten ▶ **to ~ the mark** zu weit gehen

overtake *vt, vi irreg* überholen

overthrow *irreg* I. *n* ['əʊvəθrəʊ] 1. (*removal from power*) Sturz *m* 2. SPORTS (*in baseball, cricket*) zu weiter Wurf II. *vt* <-threw, -thrown> [ˌəʊvə'θrəʊ] (*topple*) stürzen; **to ~ the enemy** einen Gegner aus dem Weg räumen

overtime *n no pl* 1. Überstunden *pl* 2. AM SPORTS Verlängerung *f*

overturn I. *vi* umstürzen; *car* sich überschlagen II. *vt* umstoßen; (*reverse*) revidieren

overview *n* Überblick *m* (**of** über)

overweight I. *n* ['əʊvəˌweɪt] *no pl* AM Übergewicht *nt* II. *adj* [ˌəʊvə'weɪt] zu schwer; *person a.* übergewichtig

overwhelming [ˌəʊvə'(h)welmɪŋ] *adj* überwältigend; *desire, need* unwiderstehlich

overwork I. *n* ['əʊvəwɜːk] *no pl* Überarbeitung *f* II. *vi* [ˌəʊvə'wɜːk] sich überarbeiten III. *vt* [ˌəʊvə'wɜːk] [mit Arbeit] überlasten

owe [əʊ] *vt* **to ~ sb sth** 1. jdm etw schulden; **to ~ sb thanks** jdm zu Dank verpflichtet sein 2. (*be indebted*) jdm etw verdanken

owing ['əʊɪŋ] I. *adj pred* ausstehend II. *prep* **~ to** aufgrund +*gen*

owl [aʊl] *n* Eule *f*

own [əʊn] I. *pron* **sb's ~** jds eigene(r, s); (*people*) seine Leute *fam;* **his time is his ~** er kann über seine Zeit frei verfügen ▶ **to be in a class of one's ~** eine Klasse für sich *akk* sein; **[all] on one's/its ~** [ganz] allein[e] II. *adj attr* eigene(r, s); **you'll have to make up your ~ mind** das musst du für dich alleine entscheiden ▶ **to do one's ~ thing** (*fam*) tun, was man will; **sb's ~ flesh and blood** jds eigen[es] Fleisch und Blut *geh* III. *vt* 1. besitzen; **privately ~ed** im Privat-

O

besitz **2.** (*form*) **to ~ that ...** zugeben, dass ... **IV.** *vi* (*form*) **to ~ to sth** etw eingestehen

owner ['əʊnə^r] *n* Besitzer(in) *m(f)*

ownership ['əʊnəʃɪp] *n no pl* Besitz *m*

ox <*pl* -en> [ɒks] *n* Ochse *m*

oxen ['ɒksᵊn] *n pl of* **ox**

oxidize ['ɒksɪdaɪz] *vi, vt* oxidieren

oxtail soup *n* Ochsenschwanzsuppe *f*

oxygen ['ɒksɪdʒən] *n no pl* Sauerstoff *m;* **~ cylinder** Sauerstoffflasche *f;* **~ mask** Sauerstoffmaske *f*

oyster ['ɔɪstə^r] *n* Auster *f;* ▶ **the world is sb's ~** jdm steht die Welt offen

Oz [ɒz] *n* BRIT, AUS (*fam*) Australien *nt*

ozone ['əʊzəʊn, AM 'oʊzoʊn] *n no pl* **1.** Ozon *nt* **2.** (*fam*) saubere [frische] Luft

ozone layer *n* Ozonschicht *f*

P

p [pi:] **I.** *n* **1.** <*pl* -> *abbrev of* **penny, pence 2.** <*pl* pp> *abbrev of* **page** S. **II.** *adv* MUS *abbrev of* **piano** p

P <*pl* -'s>, **p** <*pl* -'s> [pi:] *n* p *nt*, P *nt; see also* **A 1**

pa [pɑ:] *n* (*fam or dated: father*) Papa *m*

p.a. [ˌpi:'eɪ] *adv abbrev of* **per annum** p.a.

PA [ˌpi:'eɪ] *n* **1.** *abbrev of* **personal assistant** pers. Ass. **2.** *abbrev of* **public address system**

pace [peɪs] **I.** *n* **1.** (*speed*) Tempo *nt;* **to set the ~** das Tempo vorgeben

2. (*step*) Schritt *m;* **to keep ~ with sb/sth** mit jdm/etw Schritt halten **II.** *vt* (*walk up and down*) **he ~d the room nervously** er ging nervös im Zimmer auf und ab

pacemaker *n* **1.** SPORTS Schrittmacher(in) *m(f)* **2.** MED [Herz]schrittmacher *m*

Pacific [pə'sɪfɪk] **I.** *n no pl* **the ~** der Pazifik **II.** *adj* pazifisch, Pazifik-

pacifist ['pæsɪfɪst] **I.** *n* Pazifist(in) *m(f)* **II.** *adj* pazifistisch

pack [pæk] **I.** *n* **1.** (*backpack*) Rucksack *m;* (*bundle*) Bündel *nt* **2.** (*packet*) Packung *f* **3.** + *sing/pl vb* (*group*) Gruppe *f* **II.** *vi* **1.** (*for a journey*) packen **2.** (*fit in*) passen (**into** in) **III.** *vt* **1.** (*put into a container*) einpacken, verpacken **2.** (*fill*) *bag, suitcase, trunk* packen **3.** (*a. fig: cram*) voll packen (**with** mit); **to be ~ed [with people]** gerammelt voll [mit Leuten] sein *fam* ◆ **pack in** *vt* **1.** (*put in*) einpacken; (*in units for sale*) abpacken **2.** (*cram in*) hineinstopfen **3.** (*fam: give up*) hinschmeißen ◆ **pack up** *vt* **1.** (*put away*) zusammenpacken **2.** (*fam: give up*) hinschmeißen

package ['pækɪdʒ] **I.** *n* Paket *nt* **II.** *vt* verpacken

package deal *n* Pauschalangebot *nt*

package tour, BRIT *a.* **package holiday**, AM *a.* **package trip** *n* Pauschalurlaub *m*

packaging ['pækɪdʒɪŋ] *n no pl* **1.** (*materials*) Verpackungsmaterial *nt* **2.** (*activity*) Verpackung *f*

packet ['pækɪt] *n* Packung *f,* Schachtel *f;* **a ~ of crisps** eine Tüte Chips

packing ['pækɪŋ] *n no pl* **1.** (*action*) Packen *nt* **2.** (*protective wrapping*)

Verpackung *f*

packing case, AM **packing box** *n* [Umzugs]karton *m*, [Umzugs]kiste *f*, [Zügel]kiste *f* SCHWEIZ

pad¹ [pæd] *vi* trotten; (*walk softly*) tappen

pad² [pæd] I. *n* 1. (*cushioning material*) Polster *nt*; (*protector*) **knee ~** Knieschoner *m*; (*for shaping*) **shoulder ~** Schulterpolster *nt* 2. (*of paper*) Block *m* 3. AEROSP, AVIAT Abflug- und Landeplatz *m* 4. (*fam: abode*) Bude *f* II. *vt* <-dd-> [aus]polstern

padded [ˈpædɪd] *adj* [aus]gepolstert; *envelope* gefüttert

padding [ˈpædɪŋ] *n no pl* (*protective material*) Polsterung *f*

paddle¹ [ˈpædl] I. *n* 1. (*oar*) Paddel *nt* 2. NAUT (*on paddle wheel*) Schaufel *f* II. *vt* (*row*) *boat* mit Paddeln bewegen III. *vi* (*row, swim*) paddeln

paddle² [ˈpædl] I. *n* Planschen *nt kein pl* II. *vi* planschen

paddling pool *n esp* BRIT, AUS Planschbecken *nt*

padlock [ˈpædlɒk] I. *n* Vorhängeschloss *nt* II. *vt* [mit einem Vorhängeschloss] verschließen

paediatrician [ˌpiːdiəˈtrɪʃⁿn] *n* Kinderarzt, -ärztin *m, f*

paediatrics [ˌpiːdiˈætrɪks] *n pl + sing vb* Kinderheilkunde *f*

page¹ [peɪdʒ] I. *n* (*single sheet*) Blatt *nt*; (*single side*) *a.* COMPUT Seite *f* II. *vi* 1. (*read*) *book, magazine* durchblättern 2. COMPUT **to ~ down** auf der Seite nach unten gehen

page² [peɪdʒ] I. *n* (*hotel worker*) Page *m* II. *vt* (*over loudspeaker*) ausrufen; (*by pager*) anpiepsen

pager [ˈpeɪdʒəʳ] *n* Pager *m*

paid [peɪd] I. *pt, pp of* **pay** II. *adj attr* bezahlt ▶ **to put ~ to sth** BRIT, AUS etw zunichtemachen

pain [peɪn] I. *n* 1. (*feeling*) Schmerz *m*; **a ~ in one's side** Schmerzen *pl* in der Seite 2. *no pl* (*physical suffering*) Schmerz[en] *m*[*pl*]; **to be in ~** Schmerzen haben II. *vt* **it ~s sb to do sth** es tut jdm leid, etw zu tun

painful [ˈpeɪnfⁿl] *adj* 1. (*causing physical pain*) schmerzhaft 2. (*upsetting*) schmerzlich

painkiller *n* Schmerzmittel *nt*

painless [ˈpeɪnləs] *adj* schmerzlos

paint [peɪnt] I. *n* 1. *no pl* (*substance*) Farbe *f*; (*on car*) Lack *m* 2. (*art colour*) **~s** *pl* Farben *pl* II. *vi* 1. ART malen; **to ~ in oils** mit Ölfarben malen 2. (*decorate rooms*) streichen III. *vt* 1. (*make picture*) malen 2. *nails* lackieren

paintbox *n* Malkasten *m* **paintbrush** *n* [Farb]pinsel *m*

painter [ˈpeɪntəʳ] *n* 1. (*artist*) [Kunst]maler(in) *m(f)* 2. (*decorator*) Maler(in) *m(f)*; **~ and decorator** Maler und Tapezierer

painting [ˈpeɪntɪŋ] *n* 1. (*picture*) Bild *nt* 2. *no pl* (*art*) Malerei *f* 3. *no pl* (*house decorating*) Streichen *nt*

paint stripper *n* Abbeizmittel *nt*

pair [peəʳ] *n* 1. (*two items*) Paar *nt*; **a ~ of socks** ein Paar *nt* Socken 2. (*two-part item*) Paar *nt*; **a ~ of glasses** eine Brille 3. + *sing/pl vb* (*two people, a. couple*) Paar *nt*; **in ~s** paarweise ◆ **pair off** I. *vi* einen Partner/eine Partnerin finden II. *vt* **to ~ sb off** [**with sb**] jdn [mit jdm] verkuppeln *fam*

pajamas *n pl* AM *see* **pyjamas**

Pakistan [ˌpɑːkɪˈstɑːn] *n* Pakistan *nt*

P

Pakistani [ˌpɑːkɪˈstɑːni] I. *n* Pakistani *m o f*, Pakistaner(in) *m(f)* II. *adj* pakistanisch

palace [ˈpælɪs] *n* Palast *m*

pale¹ [peɪl] I. *adj* blass II. *vi* (*go white*) bleich werden

pale² [peɪl] *n* (*post*) Pfosten *m;* ▶ **beyond** the ~ indiskutabel

Palestine [ˈpæləstaɪn] *n* Palästina *nt*

Palestinian [ˌpæləˈstɪniən] I. *n* Palästinenser(in) *m(f)* II. *adj* palästinensisch

palm¹ [pɑːm] *n* (*tree*) Palme *f*

palm² [pɑːm] *n* (*of hand*) Handfläche *f;* **to read sb's** ~ jdm aus der Hand lesen

palmtop *n* COMPUT Palmtop *m*

palm tree *n* Palme *f*

pamphlet [ˈpæmflɪt] *n* [kleine] Broschüre *f*

pan [pæn] *n* Pfanne *f;* AM (*for oven cooking*) Topf *m*

pancake *n* Pfannkuchen *m*

panda [ˈpændə] *n* Panda *m*

pane [peɪn] *n* [Fenster]scheibe *f*

panic [ˈpænɪk] I. *n* Panik *f*, panische Angst; **to get in[to] a** ~ in Panik geraten II. *vi* <-ck-> in Panik geraten

panic room *n* Panikraum *m*

pansy [ˈpænzi] *n* 1. (*flower*) Stiefmütterchen *nt* 2. (*pej fam: effeminate male*) Waschlappen *m*

pant [pænt] I. *vi* keuchen II. *n* Keuchen *nt kein pl*

panties [ˈpæntiz] *n pl* (*fam*) [Damen]slip *m*

pantomime [ˈpæntəmaɪm] *n* 1. BRIT (*play*) *lustiges, hauptsächlich für Kinder bestimmtes Weihnachtsspiel* 2. (*mime*) Pantomime *f*

pantry [ˈpæntri] *n* Vorratskammer *f*

pants [pænts] *n pl* [**a pair of**] ~s *esp*

BRIT [eine] Unterhose; AM [eine (lange)] Hose ▶ **to** **scare** the ~s off sb jdm einen Riesenschrecken einjagen; **to be caught with one's** ~ **down** (*fam*) auf frischer Tat ertappt werden

pantyhose *n pl* AM, AUS Strumpfhose *f*

panty liner *n* Slipeinlage *f*

paper [ˈpeɪpə'] I. *n* 1. *no pl* (*for writing*) Papier *nt;* **recycled** ~ Altpapier *nt* 2. (*newspaper*) Zeitung *f* 3. (*wallpaper*) Tapete *f* 4. *usu pl* (*document*) Dokument *nt* 5. (*credentials*) ~s *pl* [Ausweis]papiere *pl* II. *vt* tapezieren

paperback *n* Taschenbuch *nt* **paper bag** *n* Papiertüte *f* **paper boy** *n* Zeitungsausträger *m* **paper clip** *n* Büroklammer *f* **paper cup** *n* Pappbecher *m* **paper round**, AM **paper route** *n* Zeitungszustellung *f;* **to have a** ~ Zeitungen austragen **paperwork** *n no pl* Schreibarbeit *f;* **to do** ~ [den] Papierkram machen *fam*

paprika [ˈpæprɪkə] *n no pl* Paprika *m*

parachute [ˈpærəʃuːt] I. *n* Fallschirm *m* II. *vi* mit dem Fallschirm abspringen

parade [pəˈreɪd] I. *n* 1. (*procession*) Parade *f* 2. MIL [Truppen]parade *f* II. *vi* (*walk in procession*) einen Umzug machen III. *vt* vorführen

paradise [ˈpærədaɪs] *n no pl* Paradies *nt;* P~ das Paradies

paragraph [ˈpærəɡrɑːf] *n* 1. (*text*) Absatz *m* 2. (*newspaper article*) [kurze] Zeitungsnotiz

parallel [ˈpærəlel] I. *adj* parallel II. *n* Parallele *f;* **without** ~ ohnegleichen *f*

parallel bars *n pl* (*in gymnastics*) Barren *m*

Paralympic Games *n pl*, **Paralympics** [ˌpærəˈlɪmpɪks] *n pl* the ~ die Paralympischen Spiele *pl*

paralyse ['pærəlaɪz] *vt* BRIT, AUS **1.** MED (*a. fig*) lähmen **2.** (*bring to halt*) lahmlegen

paralysis <*pl* -ses> [pə'ræləsɪs] *n* Lähmung *f a. fig*

paralytic [ˌpærə'lɪtɪk] *adj* MED paralytisch, Lähmungs-

paralyze ['perəlaɪz] *vt* AM *see* **paralyse**

paramedic [ˌpærə'medɪk] *n* Sanitäter(in) *m(f)* **paratrooper** ['pærəˌtruːpəʳ] *n* Fallschirmjäger(in) *m(f)*

parboil ['pɑːbɔɪl] *vt* **to ~ food** Lebensmittel kurz vorkochen (*um sie dann weiterzuverarbeiten*)

parcel ['pɑːsəl] **I.** *n* (*for mailing*) Paket *nt;* (*small parcel*) Päckchen *nt* **II.** *vt* <BRIT -ll-> einpacken

parcel office *n* BRIT Paketabfertigung *f* **parcel post** *n* Paketpost *f*

pardon ['pɑːdən] **I.** *n no pl* LAW Begnadigung *f* **II.** *vt* **1.** (*forgive*) verzeihen, entschuldigen **2.** LAW begnadigen **III.** *interj* (*apology*) **I beg your ~!** Entschuldigung!, tut mir leid!; (*request for repetition*) **~?** wie bitte?

parent ['peərənt] **I.** *n* **1.** *of a child* Elternteil *m;* **~s** Eltern *pl;* **single ~** Alleinerziehende(r) *f(m)* **2.** (*parent company*) Muttergesellschaft *f* **II.** *vt* AM großziehen

parenthood ['peərənthʊd] *n no pl* Elternschaft *f*

parish ['pærɪʃ] *n* REL [Pfarr]gemeinde *f*

park [pɑːk] **I.** *n* **1.** (*for recreation*) Park *m* **2.** *esp* BRIT AUTO **car ~** [PKW-]Parkplatz *m* **II.** *vt* **1.** AUTO [ein]parken **2.** (*fig fam: position*) abladen; **to ~ oneself** sich [irgendwo] hinpflanzen **III.** *vi* parken

park-and-ride [ˌpɑːkən'raɪd] *n* Park-and-Ride-System *nt*

parking ['pɑːkɪŋ] *n no pl* **1.** (*action*) Parken *nt* **2.** (*space*) Parkplatz *m*

parking area *n* Parkplatz *m* **parking bay** *n* Parkbucht *f* **parking disc** *n* Parkscheibe *f* **parking light** *n* AM, AUS Standlicht *nt* **parking lot** *n esp* AM Parkplatz *m* **parking meter** *n* Parkuhr *f* **parking ticket** *n* Strafzettel *m* für unerlaubtes Parken

park keeper *n* BRIT Parkaufseher(in) *m(f)*

parkway *n* AM, AUS (*highway*) Autobahn *f*

parliament ['pɑːləmənt] *n no art, no pl* (*institution*) **P~** Parlament *nt;* **in P~** im Parlament

parrot ['pærət] **I.** *n* (*bird*) Papagei *m* **II.** *vt* (*pej*) nachplappern; **to ~ sb** jdn nachäffen

parsley ['pɑːsli] *n no pl* Petersilie *f*

parsnip ['pɑːsnɪp] *n* Pastinak *m*

part [pɑːt] **I.** *n* **1.** (*not the whole*) Teil *m;* **she's ~ of the family** sie gehört zur Familie; **in ~** teilweise **2.** *a.* TECH (*component*) Teil *nt;* [**spare**] **~s** Ersatzteile *pl* **3.** (*unit*) [An]teil *m* **4.** FILM, TV Folge *f* **5.** *usu pl* GEOG Gegend *f;* **in your ~ of the world** bei uns **6.** THEAT (*a. fig*) Rolle *f* **7.** *no pl* (*involvement*) Beteiligung *f* (**in** an); **to take ~ in sth** an etw *dat* teilnehmen ▶ **for my ~, ...** was mich betrifft, ... **II.** *adj attr* teilweise **III.** *vi* (*separate*) sich trennen **IV.** *vt* (*separate*) trennen (**from** von)

partially ['pɑːʃəli] *adv* teilweise

participant [pɑː'tɪsɪpənt] *n* Teilnehmer(in) *m(f)*

participate [pɑː'tɪsɪpeɪt] *vi* teilnehmen

participation [pɑːˌtɪsɪ'peɪʃən] *n no pl* Teilnahme *f* (**in** an)

P

participle [pɑ:'tɪsɪpl] *n* Partizip *nt*

particular [pɑ:'tɪkjələ'] **I.** *adj* **1.** *attr* (*individual*) bestimmt **2.** *attr* (*special*) besondere(r, s) **3.** *pred* (*fussy*) eigen; (*demanding*) anspruchsvoll **II.** *n* (*form*) (*information*) ~s *pl* Einzelheiten *pl*

particularly [pɑ:'tɪkjələli] *adv* besonders, vor allem

parting ['pɑ:tɪŋ] **I.** *n* **1.** (*farewell*) Abschied *m;* (*separation*) Trennung *f* **2.** BRIT, AUS *of hair* Scheitel *m* **II.** *adj attr* Abschieds-; ~ **shot** (*fig*) letztes [sarkastisches] Wort

partition [pɑ:'tɪʃ°n] **I.** *n* **1.** *no pl* POL Teilung *f* **2.** (*structure*) Trennwand *f* **II.** *vt* **1.** POL [auf]teilen **2.** (*divide*) [unter]teilen

partly ['pɑ:tli] *adv* zum Teil, teils, teilweise

partner ['pɑ:tnə'] **I.** *n* **1.** (*owner*) Teilhaber(in) *m(f);* (*in a law firm*) Sozius *m* **2.** (*accomplice*) ~ **in crime** Komplize *m*, Komplizin *f* **3.** (*spouse*) Ehepartner(in) *m(f);* (*unmarried*) [Lebens]partner(in) *m(f)* **II.** *vt* **to** ~ **sb** jds Partner sein

part payment *n* Teilzahlung *f* **part-time I.** *adj* Teilzeit-, Halbtags-; ~ **staff** Teilzeitkräfte *pl* **II.** *adv* **to work** ~ halbtags arbeiten

party ['pɑ:ti] **I.** *n* **1.** (*celebration*) Party *f* **2.** + *sing/pl vb* POL Partei *f* **3.** + *sing/pl vb* (*group*) [Reise]gruppe *f;* **school** ~ Schülergruppe *f;* **search** ~ Suchtrupp *m* **II.** *vi* <-ie-> (*fam*) feiern

party-goer *n* Partygänger(in) *m(f)*

pass [pɑ:s] **I.** *n* <*pl* -es> **1.** (*road*) Pass *m* **2.** SPORTS (*of a ball*) Pass *m*, Vorlage *f* (*für ein Tor*) **3.** SCH, UNIV Bestehen *nt* einer Prüfung; (*grade*)

„Bestanden" **4.** (*permit*) Passierschein *m;* (*for public transport*) [Wochen-/Monats-/Jahres-]karte *f* **II.** *vt* **1.** (*go past*) **to** ~ **sb/sth** an jdm/etw vorbeigehen; (*in car*) an jdm/etw vorbeifahren **2.** (*overtake*) überholen **3.** (*exceed*) **to** ~ **a limit** eine Grenze überschreiten **4.** (*hand to*) **to** ~ **sth to sb** jdm etw geben **5.** SPORTS **to** ~ **the ball** den Ball abgeben **6.** (*succeed*) *exam, test* bestehen **7.** (*of time*) **to** ~ **the time** sich *dat* die Zeit vertreiben **III.** *vi* **1.** (*move by*) vorbeigehen; *road* vorbeiführen; **to** ~ **unnoticed** unbemerkt bleiben **2.** (*overtake*) überholen **3.** SPORTS (*of a ball*) zuspielen **4.** SCH (*succeed*) bestehen ◆ **pass away** *vi* **1.** (*euph: die*) entschlafen *geh* **2.** *anger* verrauchen ◆ **pass off I.** *vt* **1.** (*hide*) abtun; **to** ~ **off one's embarrassment** seine Verlegenheit überspielen **2.** (*pretend*) **to** ~ **oneself off as sb** sich als jd ausgeben **II.** *vi* **1.** (*take place*) verlaufen **2.** (*fade*) nachlassen ◆ **pass on I.** *vi* (*proceed*) fortfahren, weitermachen **II.** *vt* **1.** BIOL weitergeben (**to** an) **2.** (*forward*) *information, news* weitergeben ◆ **pass out** *vi* (*faint*) in Ohnmacht fallen, bewusstlos werden ◆ **pass through I.** *vi* durchreisen; **we were only ~ing through** wir waren nur auf der Durchreise **II.** *vt* **the cook ~ed the carrots through the mixer** der Koch pürierte die Karotten im Mixer ◆ **pass up** *vt* **to** ~ **up** ⇆ **sth** sich *dat* etw entgehen lassen

passage ['pæsɪdʒ] *n* **1.** (*narrow corridor*) Gang *m*, Flur *m;* **underground** ~ Unterführung *f* **2.** (*long path*) Durchgang *m* **3.** LIT (*excerpt*) [Text] passage *f;* MUS Stück *nt*

passbook *n* Sparbuch *nt*

passenger ['pæsəndʒəʳ] *n* (*on a bus, tube*) Fahrgast *m;* (*on a plane*) Passagier(in) *m(f);* (*on a train*) Reisende(r) *f(m);* (*in a car*) Mitfahrer(in) *m(f)*, Insasse, Insassin *m, f*

passenger train *n* Personenzug *m*

passer-by <*pl* passers-> [ˌpɑːsəˈbaɪ] *n* Passant(in) *m(f)*

passing ['pɑːsɪŋ] *adj attr* **1.** (*going past*) *vehicle* vorbeifahrend; *person* vorbeikommend **2.** *glance, thought* flüchtig; **a ~ fancy** nur so eine Laune

passing place *n* Ausweichstelle *f*

passion ['pæʃən] *n* Leidenschaft *f;* **to have a ~ for doing sth** etw leidenschaftlich gerne tun; **crime of ~** Verbrechen *nt* aus Leidenschaft

passionate ['pæʃənət] *adj* leidenschaftlich

passive ['pæsɪv] **I.** *n no pl* LING Passiv *nt* **II.** *adj* **1.** (*inactive*) passiv **2.** (*indifferent*) teilnahmslos

pass key *n* Hauptschlüssel *m*

pass mark *n* BRIT, AUS SCH, UNIV Ausreichend *nt* (*Mindestnote für das Bestehen einer Prüfung*)

passport ['pɑːspɔːt] *n* [Reise]pass *m;* (*fig*) Schlüssel *m* (**to** zu); **~ control** Passkontrolle *f;* **~ holder** [Reise]passinhaber(in) *m(f)*

password *n* FIN Kennwort *nt;* COMPUT Passwort *nt*

password-protected *adj* passwortgeschützt

past [pɑːst] **I.** *n no pl* **1.** (*not present*) Vergangenheit *f;* (*past life*) Vorleben *nt* **2.** LING Vergangenheit[sform] *f* **II.** *adj* **1.** *attr* (*preceding*) vergangen; **over the ~ two days** während der letzten beiden Tage **2.** (*over*) vorüber,

vorbei **III.** *adv* **to go ~ sb** an jdm vorbeigehen; *vehicle* an jdm vorbeifahren **IV.** *prep* **1.** (*to other side*) an +*dat* ... vorbei; **to go ~** vorbeigehen **2.** (*after the hour of*) nach +*dat;* **it's quarter ~ five** es ist Viertel nach Fünf **3.** (*beyond*) **the meat was ~ the expiry date** das Fleisch hatte das Verfallsdatum überschritten

pasta ['pæstə] *n no pl* Nudeln *pl*

paste [peɪst] **I.** *n no pl* **1.** (*soft substance*) Paste *f* **2.** (*sticky substance*) Kleister *m* **3.** FOOD (*mixture*) Teig *m* **II.** *vt* **1.** (*affix*) kleben (**on**|**to**) auf) **2.** COMPUT einfügen

pasteurize [ˌpæstʃəˈraɪz] *vt* pasteurisieren

pastry ['peɪstri] *n* **1.** *no pl* (*dough*) [Kuchen]teig *m;* **shortcrust ~** Mürbeteig *m* **2.** (*cake*) Gebäckstück *nt*

pasty[1] ['pæsti] *n* BRIT, CAN (Teig)pastete *f*

pasty[2] ['peɪsti] *adj* (*pej*) *complexion* bleich, käsig *fam*

pat [pæt] **I.** *vt* <-tt-> tätscheln; **to ~ sb on the back** (*fig*) jdm auf die Schulter klopfen **II.** *n* (*tap*) [freundlicher] Klaps, Tätscheln *nt kein pl;* **a ~ on the back** (*fig*) ein [anerkennendes] Schulterklopfen

patch [pætʃ] **I.** *n* <*pl* -es> (*spot*) Fleck[en] *m;* **in ~es** stellenweise; **fog ~** Nebelfeld *nt* **II.** *vt* (*cover*) flicken ◆ **patch up** *vt* **1.** (*repair*) zusammenflicken *fam* **2.** (*fig: conciliate*) *marriage* kitten *fam; quarrel* beilegen

patchy ['pætʃi] *adj* **1.** METEO ungleichmäßig; **~ cloud** stellenweise wolkig **2.** (*fig: inconsistent*) von sehr unterschiedlicher Qualität *nach n, präd;* (*incomplete*) unvollständig

P

pâté [ˈpæteɪ] *n* Pastete *f*

paternal [pəˈtɜːn³l] *adj* väterlich; **~ relatives** Verwandte *pl* väterlicherseits

paternity leave *n no pl* Vaterschaftsurlaub *m*

path [pɑːθ] *n* **1.** (*way*) Weg *m*, Pfad *m* **2.** (*direction*) Weg *m; of a bullet* Bahn *f* **3.** (*fig: course*) Weg *m*

pathetic [pəˈθetɪk] *adj* **1.** (*heart-rending*) Mitleid erregend **2.** (*pej: pitiful*) jämmerlich; *attempt* kläglich

pathway *n* **1.** Weg *m* a. *fig* **2.** MED, BIOL Leitungsbahn *f*

patience [ˈpeɪʃ³n(t)s] *n no pl* **1.** Geduld *f* **2.** BRIT, AUS CARDS Patience *f*

patient [ˈpeɪʃ³nt] **I.** *adj* geduldig; **to be ~ with sb** mit jdm Geduld haben **II.** *n* MED Patient(in) *m(f)*

patio [ˈpætiəʊ] *n* **1.** (*courtyard*) Innenhof *m; on the ~* im Innenhof **2.** (*veranda*) Terrasse *f*, Veranda *f*

patriotic [ˌpætriˈɒtɪk] *adj* patriotisch

patrol [pəˈtrəʊl] **I.** *vi* <-ll-> patrouillieren **II.** *vt* <-ll-> **to ~ one's beat** (*police*) auf Streife sein; (*watchman*) seine Runde machen **III.** *n* Patrouille *f;* **highway ~** AM *Polizei, die die Highways überwacht*

patrol car *n* Streifenwagen *m* **patrol duty** *n* Streifendienst *m* **patrolman** *n* AM, AUS Streifenpolizist(in) *m(f)*

patronizing [ˈpætr³naɪzɪŋ] *adj* (*pej*) herablassend

pattern [ˈpætən] *n* **1.** (*structure, design*) a. ECON Muster *nt* **2.** FASHION (*for sewing*) Schnitt *m*

pause [pɔːz] **I.** *n* Pause *f* **II.** *vi speaker* innehalten; (*hesitate*) zögern; **to ~ for thought** eine Denkpause einlegen

pavement [ˈpeɪvmənt] *n* **1.** BRIT (*footway*) Gehsteig *m*, Bürgersteig *m* **2.** *no pl* AM, AUS (*road surface*)

Asphalt *m*

pavilion [pəˈvɪljən] *n* **1.** BRIT SPORTS Klubhaus *nt* **2.** AM (*block*) Gebäudeflügel *m* **3.** AM (*venue*) Pavillon *m*

paving stone *n esp* BRIT Pflasterstein *m*

paw [pɔː] **I.** *n* Pfote *f; of a big cat, bear* Pranke *f* **II.** *vt* **1.** (*scrape*) **to ~ the ground** scharren **2.** (*fam: touch*) begrabschen

pawn¹ [pɔːn] *n* CHESS Bauer *m*

pawn² [pɔːn] *vt* verpfänden

pawnbroker *n* Pfandleiher(in) *m(f)* **pawnshop** *n* Pfandleihe *f* **pawn ticket** *n* Pfandschein *m*

pay [peɪ] **I.** *n no pl* (*wages*) Lohn *m;* (*salary*) Gehalt *nt; of a civil servant* Bezüge *pl* **II.** *vt* <paid, paid> **1.** (*give*) [be]zahlen; *money* bezahlen **2.** (*deposit*) einzahlen (**into** auf) **3.** (*give money to*) **to ~ sb** jdn bezahlen **4.** (*bestow*) **to ~ attention** Acht geben **III.** *vi* <paid, paid> **1.** (*give money*) [be]zahlen **2.** (*be worthwhile*) sich auszahlen; **it ~s to do sth** es lohnt sich, etw zu tun ◆ **pay back** *vt* **1.** (*give back*) zurückzahlen **2.** (*fig: for revenge*) **to ~ sb back for sth** jdm etw heimzahlen ◆ **pay down** *vt* anzahlen ◆ **pay in I.** *vi* (*to a scheme*) einzahlen **II.** *vt* einzahlen ◆ **pay off I.** *vt* (*repay*) abbezahlen; *mortgage* tilgen **II.** *vi* (*fig fam*) sich auszahlen ◆ **pay out I.** *vt* **1.** (*spend*) ausgeben **2.** (*give out*) aus[be]zahlen **II.** *vi* FIN **to ~ out** [on a policy] [be]zahlen ◆ **pay up I.** *vi* [be]zahlen **II.** *vt* [vollständig] zurückzahlen

payable [ˈpeɪəbl] *adj attr* zahlbar; (*due*) fällig

pay-as-you-go *adj mobile phone* ohne Vertragsbindung

pay cheque n Lohnscheck m **pay day** n no pl Zahltag m **pay desk** n Kasse f

PAYE [ˌpiːeɪwɑːˈriː] n no pl BRIT abbrev of **pay as you earn**

payee [peɪˈiː] n Zahlungsempfänger(in) m(f)

payer [ˈpeɪəʳ] n Zahler(in) m(f)

paying [ˈpeɪɪŋ] adj attr zahlend

payment [ˈpeɪmənt] n 1. (sum) Zahlung f; (fig) Lohn m 2. (act of paying) Bezahlung f

payphone n Münzfernsprecher m

pay rise n BRIT, AUS (for blue-collar worker) Lohnerhöhung f; (for white-collar worker) Gehaltserhöhung f

payslip n (for blue-collar worker) Lohnzettel m; (for white-collar worker) Gehaltstreifen m

PC[1] [ˌpiːˈsiː] n abbrev of **personal computer** PC m

PC[2] [ˌpiːˈsiː] n BRIT abbrev of **police constable**

PC[3] [ˌpiːˈsiː] I. n abbrev of **political correctness** II. adj abbrev of **politically correct**

PE [ˌpiːˈiː] n no pl abbrev of **physical education**

pea [piː] n Erbse f

peace [piːs] n no pl 1. (no war) Frieden m; to make ~ Frieden schließen 2. (social order) Ruhe f, Frieden m 3. (tranquillity) ~ of mind Seelenfrieden m; ~ and quiet Ruhe und Frieden

peaceful [ˈpiːsfˀl] adj friedlich; nation a. friedfertig

peacekeeping I. n no pl Friedenssicherung f II. adj Friedens-; ~ force Friedenstruppe f **peace settlement** n Friedensabkommen nt

peach [piːtʃ] I. n <pl -es> (fruit) Pfir-

sich m; (tree) Pfirsichbaum m II. adj (colour) pfirsichfarben

peacock [ˈpiːkɒk] n Pfau m

peak [piːk] I. n Gipfel m a. fig; of a curve, line Scheitelpunkt m; to reach a ~ den Höchststand erreichen II. vi career den Höhepunkt erreichen; athletes [seine] Höchstleistung erbringen; figures, rates, production den Höchststand erreichen III. adj attr 1. (busiest) Haupt-; ~ hours Stoßzeit f 2. (best, highest) Spitzen-; ~ capacity Auslastung f; to reach ~ voll ausgelastet sein (for an); ~ productivity maximale Produktivität

peanut [ˈpiːnʌt] n 1. (nut) Erdnuss f; ~ butter Erdnussbutter f 2. (fam: very little) ~s pl Klacks m; to pay ~s einen Hungerlohn zahlen

pear [peəʳ] n Birne f; ~ tree Birnbaum m

pearl [pɜːl] I. n 1. (jewel) Perle f; string of ~s Perlenkette f 2. (fig: a drop) Tropfen m, Perle f; ▶ ~ of **wisdom** Weisheit f II. adj perlweiß

peasant [ˈpezˀnt] n 1. (small farmer) [Klein]bauer m, [Klein]bäuerin f 2. (pej! fam) Bauer m

pebble [ˈpebl] n Kieselstein m

peck [pek] I. n (quick kiss) Küsschen nt II. vt 1. (bite) to ~ sb/sth nach jdm/etw hacken 2. (kiss quickly) to ~ sb on the cheek jdn flüchtig auf die Wange küssen III. vi 1. picken; to ~ at sth (with beak) etw aufpicken; (with pointed tool) gegen etw akk hämmern 2. (nibble) to ~ at one's food in seinem Essen herumstochern

peckish [ˈpekɪʃ] adj BRIT, AUS to feel a bit ~ den kleinen Hunger verspüren

peculiar [prˈkjuːliəʳ] adj 1. (strange) seltsam, merkwürdig 2. (nauseous)

P

unwohl; **to have a ~ feeling** sich eigenartig fühlen

pedal ['ped^əl] I. *n* Pedal *nt* II. *vt* <BRIT, AUS -ll-> **to ~ a bicycle** Rad fahren III. *vi* <BRIT, AUS -ll-> Rad fahren; **she ~ed through the city** sie radelte durch die Stadt

pedal bin *n* Treteimer *m* **pedal boat** *n*, **pedalo** ['ped^ələʊ] *n* Tretboot *nt*

pedestrian [pɪ'destrɪən] *n* Fußgänger(in) *m(f);* **~ crossing** Fußgängerübergang *m*

pediatrician *n* AM *see* **paediatrician**

pedigree ['pedɪgriː] I. *n* 1. (*genealogy*) Stammbaum *m* 2. (*background*) Laufbahn *f* II. *adj dog, cattle, horse* reinrassig, mit Stammbaum *nach n*

pee [piː] (*fam*) I. *n no pl* 1. (*urine*) Pipi *nt Kindersprache* 2. (*act*) Pinkeln *nt;* **to have a ~** pinkeln gehen II. *vi* pinkeln *fam;* **to ~ in one's pants** in die Hose[n] machen III. *vt* **to ~ oneself** sich voll pinkeln

peek [piːk] I. *n* (*brief look*) flüchtiger Blick II. *vi* gucken *fam;* **to ~ into sth** in etw *akk* hineinspähen

peel [piːl] I. *n* (*skin of fruit*) Schale *f* II. *vt fruit* schälen III. *vi paint, rust, wallpaper* sich lösen; *skin* sich schälen

peeler ['piːlə^r] *n* Schäler *m*

peelings ['piːlɪŋz] *n pl* Schalen *pl*

peep¹ [piːp] I. *n* 1. (*sound*) Laut *m;* **to not give a ~** keinen Laut von sich *dat* geben 2. (*bird sound*) Piep[ser] *m;* **to make a ~** piepsen II. *vi* piepsen; **to ~ at sth/sb** etw/jdn anpiepsen

peep² [piːp] I. *n* (*look*) [verstohlener] Blick; **to have a ~ at sth** auf etw *akk* einen kurzen Blick werfen II. *vi* (*look*) **to ~ at sth/sb** verstohlen auf etw/jdn blicken; **to ~ into sth** einen

Blick in etw *akk* werfen

peer¹ [pɪə^r] *vi* (*look closely*) spähen; **to ~ over one's glasses** über die Brille schauen

peer² [pɪə^r] *n* 1. (*equal*) Gegenstück *nt;* **to have no ~s** unvergleichlich sein 2. BRIT (*noble*) Angehöriger *m* des britischen Hochadels; POL Peer *m*

peg [peg] I. *n* Haken *m;* **clothes ~** Wäscheklammer *f;* **to buy off the ~** (*fig*) von der Stange kaufen II. *vt* <-gg-> **to ~ sth** 1. (*bind down*) etw mit Haken sichern 2. (*hold at certain level*) etw fixieren ◆ **peg out** I. *vt* 1. (*hang out*) *washing* aufhängen 2. (*mark*) **to ~ sth ⇆ out** etw markieren II. *vi* 1. (*fig fam: die*) den Löffel abgeben 2. (*stop working*) *machine* den Geist aufgeben

pelican ['pelɪk^ən] *n* Pelikan *m*

pelt¹ [pelt] *n* (*animal skin*) Fell *nt;* (*fur*) Pelz *m*

pelt² [pelt] I. *vt* (*bombard*) **to ~ sb with sth** jdn mit etw *dat* bewerfen II. *vi* 1. *impers* (*rain heavily*) **it's ~ing** es schüttet 2. **to ~ across the yard** über den Hof rennen III. *n no pl* ▸ **to drive at full ~** mit Höchstgeschwindigkeit fahren

pen¹ [pen] I. *n* (*writing utensil*) Feder *f;* **ballpoint ~** Kugelschreiber *m;* **felt-tip ~** Filzstift *m* II. *vt* <-nn-> schreiben

pen² [pen] I. *n* 1. (*enclosed area*) Pferch *m* 2. AM (*fig sl: jail*) Knast *m fam* II. *vt* <-nn-> *usu passive* **to be ~ned** eingesperrt sein

penalty ['pen^əlti] *n* 1. LAW Strafe *f;* **maximum ~** Höchststrafe *f* 2. (*fig: punishment*) Strafe *f* 3. FBALL **to award a ~** einen Elfmeter geben

penalty area *n* Strafraum *m* **penalty**

clause *n* [restriktive] Vertragsklausel
penalty kick *n* SPORTS Strafstoß *m;*
FBALL Elfmeter *m*
pence [pen(t)s] *n pl of* **penny**
pencil [ˈpen(t)sᵊl] I. *n* Bleistift *m;* **coloured** ~ Farbstift *m;* **eyeliner** ~ Eye-
linerstift *m* II. *vt* <BRIT -ll-> mit Bleistift schreiben
pencil case *n* Federmäppchen *nt,* Fe-
derpennal *nt* ÖSTERR **pencil sharpener** *n* [Bleistift]spitzer *m* **pencil
skirt** *n* enger Rock
pendant [ˈpendənt] *n* Anhänger *m;* **to
wear a** ~ eine Halskette mit Anhänger tragen
penfriend *n* BRIT, AUS Brieffreund(in)
m(f)
penguin [ˈpeŋgwɪn] *n* Pinguin *m*
penicillin [ˌpenɪˈsɪlɪn] *n* Penicillin *nt*
peninsula [pəˈnɪn(t)sjələ] *n* Halbinsel *f*
penis <*pl* -es> [ˈpiːnɪs] *n* Penis *m*
penknife *n* Taschenmesser *nt*
penny <*pl* -nies> [ˈpeni] *n* Penny *m;*
▶ **to be** <u>worth</u> **every** ~ sein Geld
wert sein
pen pal *n* Brieffreund(in) *m(f)*
pension [ˈpen(t)ʃᵊn] *n* (*retirement
money*) Rente *f;* (*for civil servants*)
Pension *f;* **to live on a** ~ von der
Rente leben
pensioner [ˈpen(t)ʃᵊnəʳ] *n* BRIT Rent-
ner(in) *m(f);* (*civil servant*) Pensio-
när(in) *m(f)*
pension fund *n* Pensionskasse *f* **pension scheme** *n* BRIT, AUS Rentenversicherung *f*
pentagon [ˈpentəgᵊn] *n* **1.** MATH Fünfeck *nt* **2.** AM POL **the P~** das Pentagon
pentathlon [penˈtæθlɒn] *n* Fünf-
kampf *m*
penultimate [pəˈnʌltɪmət] (*form*) *adj
attr* vorletzte(r, s)

people [ˈpiːpl] *n* **1.** *pl* (*persons*) Leute
pl, Menschen *pl;* **the right** ~ die richtigen Leute **2.** *pl* (*comprising a nation*) Volk *nt* **3.** *pl* (*ordinary citizens*)
the ~ das Volk, die breite Masse
people carrier *n* Minivan *m*
pepper [ˈpepəʳ] I. *n* **1.** *no pl* (*spice*)
Pfeffer *m;* **black** ~ schwarzer Pfeffer
2. (*vegetable*) Paprika *f* II. *vt* **1.** (*add
pepper*) pfeffern **2.** (*pelt*) **to** ~ **sb
with sth** jdn mit etw *dat* bombardieren; **to be** ~**ed with mistakes** vor
Fehlern strotzen
pepper mill *n* Pfeffermühle *f* **peppermint** *n* **1.** *no pl* (*plant*) Pfefferminze
f **2.** (*sweet*) Pfefferminz[bonbon] *nt*
pepper pot, AM **pepper shaker** *n*
Pfefferstreuer *m*
pep talk *n* Motivationsgespräch *nt*
per [pɜːʳ, pəʳ] *prep* **1.** (*for a, in a*) pro;
~ **person** pro Person **2.** (*through
means of*) per; ~ **fax** per Fax
per cent, AM **percent** [pəˈsent] I. *n*
Prozent *nt* II. *adv* -prozentig; **I'm
100** ~ **sure that ...** ich bin mir hundertprozentig sicher, dass ... III. *adj
attr* **25/50** ~ 25-/50-prozentig
perch¹ [pɜːtʃ] I. *n* <*pl* -es> **1.** (*for
birds*) Sitzstange *f* **2.** (*high location*)
Hochsitz *m* II. *vi* **to** ~ **on sth** auf etw
dat sitzen III. *vt* **to** ~ **sth somewhere** etw auf etw *akk* stecken
perch² <*pl* -> [pɜːtʃ] *n* (*fish*) Fluss-
barsch *m*
percussion [pəˈkʌʃᵊn] *n no pl* Percussion *f,* Schlagzeug *nt*
perfect I. *adj* [ˈpɜːfɪkt] vollkommen,
perfekt II. *vt* [pəˈfekt] perfektionieren
III. *n* [ˈpɜːfɪkt] *no pl* LING Perfekt *nt;*
future ~ vollendete Zukunft; **past** ~
Plusquamperfekt *nt*
perfection [pəˈfekʃᵊn] *n no pl* Perfek-

P

tion *f*, Vollkommenheit *f*

perfectly ['pɜːfɪktli] *adv* vollkommen, perfekt; **~ clear** absolut klar *fam*; **to be ~ honest** ... ehrlich gesagt, ...

perform [pəˈfɔːm] **I.** *vt* **1.** (*entertain*) vorführen; *play, opera* aufführen **2.** (*do*) **to ~ one's duty/a function** seine Pflicht/eine Funktion erfüllen; **to ~ a task** eine Aufgabe verrichten **II.** *vi* **1.** (*on stage*) auftreten **2.** (*function*) funktionieren; **to ~ poorly/well** schlecht/gut funktionieren **3.** (*do, act*) **to ~ badly/well** schlecht/gut sein

performance [pəˈfɔːmən(t)s] *n* **1.** (*entertaining, showing*) Vorführung *f*; *of a play, opera, ballet, symphony* Aufführung *f*; *of a part* Darstellung *f*; *of a song, musical piece* Darbietung *f*; (*show, event*) Vorstellung *f*; **to put on a ~ of a play** ein Stück aufführen; **to give a ~** eine Vorstellung geben **2.** (*capability, effectiveness, level of achievement*) Leistung *f*; **high ~** hohe Leistung **3.** *no pl* (*execution*) **the ~ of a task** die Erfüllung einer Aufgabe

performer [pəˈfɔːməʳ] *n* (*artist*) Künstler(in) *m(f)*; (*actor*) Darsteller(in) *m(f)*

perfume I. *n* ['pɜːfjuːm] **1.** Parfüm *nt* **2.** *of a flower* Duft *m* **II.** *vt* [pəˈfjuːm] parfümieren

perhaps [pəˈhæps, præps] *adv* **1.** (*maybe*) vielleicht; **~ so** ja, vielleicht **2.** (*about*) etwa, ungefähr

period ['pɪəriəd] **I.** *n* **1.** (*length of time*) Zeitspanne *f*, Periode *f*; **for a ~ of three months** für die Dauer von drei Monaten **2.** (*lesson*) Stunde *f* **3.** (*time in life, history, development*) Zeit *f*; (*distinct time*) Zeit-

abschnitt *m*; (*phase*) Phase *f*; **incubation ~** Inkubationszeit *f* **4.** (*fam: menstruation*) Periode *f* **5.** AM LING (*a. fig: full stop*) Punkt *m* **II.** *adj* **1.** (*of an earlier period*) *chair, vase, drama* historisch **2.** (*concerning menstruation*) *cramps, pains* Menstruations-

perishable ['perɪʃəbl] *adj* **1.** *food* [leicht] verderblich **2.** (*transitory*) vergänglich

perk¹ [pɜːk] *n* **1.** (*additional benefit*) Vergünstigung *f* **2.** (*advantage*) Vorteil *m*

perk² [pɜːk] **I.** *vt* (*fam*) **to ~ coffee** Kaffee machen **II.** *vi* (*fam*) durchlaufen

perm [pɜːm] **I.** *n* (*fam*) *short for* **permanent wave** Dauerwelle *f* **II.** *vt* **to ~ hair** Dauerwellen machen

permanent ['pɜːmənənt] *adj* **1.** (*lasting indefinitely*) permanent, ständig; **~ abode** fester Wohnsitz **2.** (*continual*) ständig, permanent

permission [pəˈmɪʃən] *n no pl* Erlaubnis *f*; (*from an official body*) Genehmigung *f*; **with your ~, I'd like to ...** wenn Sie gestatten, würde ich gerne ...

permit I. *n* ['pɜːmɪt] Genehmigung *f*; **residence ~** Aufenthaltsgenehmigung *f*; **work ~** Arbeitserlaubnis *f* **II.** *vt* <-tt-> [pəˈmɪt] **1.** (*allow, give permission*) gestatten, erlauben **2.** (*make possible*) **to ~ sb to do sth** jdm ermöglichen, etw zu tun **III.** *vi* [pəˈmɪt] (*allow*) erlauben, gestatten; **weather ~ting** vorausgesetzt, das Wetter spielt mit

persecute ['pɜːsɪkjuːt] *vt usu passive* verfolgen; **to be ~d for sth** wegen einer S. *gen* verfolgt werden

persecution [ˌpɜːsɪˈkjuːʃᵊn] *n usu sing* Verfolgung *f;* ~ **complex/mania** Verfolgungswahn *m*

persevere [ˌpɜːsɪˈvɪəʳ] *vi* nicht aufgeben, beharrlich bleiben; (*continue*) mit etw *dat* weitermachen

persist [pəˈsɪst] *vi* 1. (*continue to exist*) andauern; *cold, heat, rain* anhalten 2. (*to not give up*) beharrlich bleiben 3. (*continue*) **to ~ in doing sth** nicht aufhören, etw zu tun

persistent [pəˈsɪstᵊnt] *adj* 1. (*long lasting*) *difficulties* anhaltend 2. (*constant*) unaufhörlich

person <*pl* people> [ˈpɜːsᵊn] *n* 1. (*human*) Person *f*, Mensch *m;* **not a single ~ came** kein Mensch kam; **morning ~** Morgenmensch *m;* **people ~** geselliger Mensch 2. LING (*verb form*) Person *f*

personal [ˈpɜːsᵊnᵊl] *adj* persönlich; ~ **belongings** persönliches Eigentum; ~ **data** Personalien *pl*

personality [ˌpɜːsᵊnˈæləti] *n* 1. (*character*) Persönlichkeit *f*, Charakter *m;* **to have a strong ~** eine starke Persönlichkeit sein 2. (*celebrity*) **a ~** eine Persönlichkeit

personally [ˈpɜːsᵊnᵊli] *adv* persönlich

personnel [ˌpɜːsᵊnˈel] *n* 1. *pl* (*employees*) Personal *nt kein pl* 2. *no pl* (*human resources department*) Personalabteilung *f*

perspective [pəˈspektɪv] *n* Perspektive *f;* ~ **on sth** Einschätzung *f* einer S. *gen;* **in ~** perspektivisch

perspire [pəˈspaɪəʳ] *vi* schwitzen

persuade [pəˈsweɪd] *vt* (*talk into*) überreden; (*convince*) überzeugen; **to ~ sb into sth** jdn zu etw *dat* überreden

persuasion [pəˈsweɪʒᵊn] *n* (*talking into*) Überredung *f;* (*convincing*) Überzeugung *f*

persuasive [pəˈsweɪsɪv] *adj* überzeugend

perverse [pəˈvɜːs] *adj* (*pej*) pervers

perversion [pəˈvɜːʃᵊn] *n* (*pej*) 1. (*unnatural behaviour*) Perversion *f* 2. (*corruption*) Pervertierung *f geh;* ~ **of justice** Rechtsbeugung *f*

pervert I. *n* [ˈpɜːvɜːt] (*pej*) 1. (*sexual deviant*) Perverse(r) *f(m)* 2. (*creepy person*) Perversling *m pej fam* II. *vt* [pəˈvɜːt] (*pej*) 1. (*corrupt*) verderben 2. (*distort*) verdrehen

pessimism [ˈpesɪmɪzᵊm] *n* Pessimismus *m*

pessimist [ˈpesɪmɪst] *n* Pessimist(in) *m(f)*

pessimistic [ˌpesɪˈmɪstɪk] *adj* pessimistisch

pest [pest] *n* 1. (*destructive animal*) Schädling *m* 2. (*fig fam: annoying person*) Nervensäge *f fam;* (*annoying thing*) Plage *f*

pester [ˈpestəʳ] *vt* belästigen; **to ~ sb for sth** jdm mit etw *dat* keine Ruhe lassen

pesticide [ˈpestɪsaɪd] *n* Schädlingsbekämpfungsmittel *nt*

pet [pet] I. *n* 1. (*animal*) Haustier *nt* 2. (*pej: favourite*) Liebling II. *adj* 1. (*animals*) Tier-; ~ **cat** Hauskatze *f* 2. (*favourite*) *project, charity* Lieblings- III. *vt* <-tt-> streicheln

petal [ˈpetᵊl] *n* Blütenblatt *nt*

peter [ˈpiːtəʳ] *vi* **to ~ out** zu Ende gehen; *conversation, interest* sich totlaufen

petition [pəˈtɪʃᵊn] I. *n* 1. (*signed document*) Petition *f* (**against** gegen/**for** für) 2. LAW (*written request*) Gesuch *nt* II. *vi* 1. (*start a written action*) **to**

P

~ **about sth** für etw *akk* Unterschriften sammeln **2.** LAW *(request formally)* **to** ~ **for sth** einen Antrag auf etw *akk* stellen **III.** *vt* **to** ~ **sb for sth** jdn um etw *akk* ersuchen *form*

petrol [ˈpetrəl] *n no pl* BRIT, AUS Benzin *nt;* **unleaded** ~ bleifreies Benzin

petrol can *n* BRIT, AUS Benzinkanister *m* **petrol engine** *n* BRIT, AUS Benzinmotor *m*

petroleum [pəˈtrəʊliəm] *n* Erdöl *nt*

petrol gauge *n* Benzinuhr *f* **petrol pump** *n* BRIT, AUS Zapfsäule *f; (nozzle)* Zapfhahn *m* **petrol station** *n* BRIT, AUS Tankstelle *f*

petticoat [ˈpetɪkəʊt] *n (hist)* Unterrock *m; (stiff)* Petticoat *m*

petty [ˈpeti] *adj (pej: insignificant)* unbedeutend; *(trivial)* trivial

pew [pjuː] *n* Kirchenbank *f*

pharmacist [ˈfɑːməsɪst] *n* Apotheker(in) *m(f)*

pharmacy [ˈfɑːməsi] *n* **1.** *(store)* Apotheke *f* **2.** *no pl (course of study)* Pharmazie *f*

phase [feɪz] **I.** *n* Phase *f;* **moon** ~ Mondphase *f;* **developmental** ~ Entwicklungsphase *f;* **to go through a** ~ eine Phase durchlaufen **II.** *vt usu passive (implement)* stufenweise durchführen; *(introduce)* stufenweise einführen

PhD [ˌpiːeɪtʃˈdiː] *n abbrev of* **Doctor of Philosophy** Dr., Doktor *m;* ~ **student** Doktorand(in) *m(f)*

pheasant <*pl* -s> [ˈfezənt] *n* Fasan *m*

philistine [ˈfɪlɪstaɪn] *(pej)* **I.** *n* Banause *m* **II.** *adj* banausisch

philosopher [fɪˈlɒsəfər] *n* Philosoph(in) *m(f)*

philosophy [fɪˈlɒsəfi] *n no pl* Philosophie *f*

phisher [ˈfɪʃər] *n* INET Phisher(in) *m(f)* *(Betrüger, der mit gefälschten E-Mails Passwörter und persönliche Benutzerdaten ausspioniert)*

phishing [ˈfɪʃɪŋ] *n* INET Phishing *nt (betrügerisches Ausspionieren von Passwörtern und persönlichen Benutzerdaten)*

phobia [ˈfəʊbiə] *n* Phobie *f*

phone [fəʊn] **I.** *n* Telefon *nt;* **to answer the** ~ ans Telefon gehen; **to hang up the** ~ auflegen; **to pick up the** ~ abheben; **to speak [to sb] on the** ~ [mit jdm] telefonieren; **on the** ~ am Telefon **II.** *vt* anrufen **III.** *vi* telefonieren ◆ **phone back** *vt* zurückrufen

phone booth *n* Telefonzelle *f* **phone call** *n* Telefonanruf *m* **phonecard** *n* Telefonkarte *f* **phone-in** **I.** *n* Sendung, bei der sich das Publikum telefonisch beteiligen kann **II.** *adj attr* ~ **programme** Sendung mit telefonischer Publikumsbeteiligung **phone number** *n* Telefonnummer *f*

phonetic [fə(ʊ)ˈnetɪk] *adj* LING phonetisch

phosphorescent [ˌfɒsfərˈesənt] *adj* phosphoreszierend

photo [ˈfəʊtəʊ] *n short for* **photograph** Foto *nt*

photocall *n* Fototermin *m*

photocopier *n* [Foto]kopierer *m*

photocopy **I.** *n* [Foto]kopie *f* **II.** *vt* [foto]kopieren

photo-editing *n* COMPUT, PHOT digitale Bildbearbeitung

photograph [ˈfəʊtəɡrɑːf] **I.** *n* Fotografie *f*, Foto *nt;* **aerial** ~ Luftaufnahme *f;* **colour** ~ Farbfotografie *f* **II.** *vt* fotografieren **III.** *vi* **to** ~ **well** gut auf Fotos aussehen

photograph album *n* Fotoalbum *nt*

photographer [fə'tɒɡrəfəʳ] *n* Fotograf(in) *m(f)*

photographic [ˌfəʊtə'ɡræfɪk] *adj* fotografisch; ~ **equipment** Fotoausrüstung *f*

photography [fə'tɒɡrəfi] *n no pl* Fotografie *f*

photojournalism *n no pl* Fotojournalismus *m* **photoshoot** *n* Fototermin *m*

photosynthesis *n* Photosynthese *f*

phrasal ['freɪzᵊl] *adj* LING Satz-; ~ **verb** Phrasal Verb *nt* (*Grundverb mit präpositionaler oder adverbialer Ergänzung*)

phrase [freɪz] I. *n* (*words*) Satz *m;* (*idiomatic expression*) Ausdruck *m* II. *vt* formulieren

phrase book *n* Sprachführer *m*

physical ['fɪzɪkᵊl] *adj* **1.** (*of the body*) *condition, strength* körperlich, physisch *geh;* **to have a ~ disability** körperbehindert sein **2.** (*sexual*) *contact, love* körperlich **3.** (*material*) physisch

physical education *n no pl* SCH Sport[unterricht] *m*

physician [fɪ'zɪʃᵊn] *n esp* AM (*GP*) Hausarzt, -ärztin *m, f*

physicist ['fɪzɪsɪst] *n* Physiker(in) *m(f)*

physics ['fɪzɪks] *n* + *sing vb* Physik *f*

physiotherapist [ˌfɪziə(ʊ)'θerəpɪst] *n esp* BRIT Physiotherapeut(in) *m(f) fachspr,* Krankengymnast(in) *m(f)*

physiotherapy [ˌfɪziə(ʊ)'θerəpi] *n no pl esp* BRIT Physiotherapie *f fachspr*

pianist ['piːənɪst] *n* Klavierspieler(in) *m(f);* (*professional*) Pianist(in) *m(f)*

piano [pi'ænəʊ] *n* Klavier *nt,* Piano *nt;* **to play [the] ~** Klavier spielen; **at the ~** am Klavier; **~ recital** Klavierkonzert *nt*

pick [pɪk] I. *n* **1.** (*choice*) Auswahl *f;* **to have first ~** die erste Wahl haben; **to take one's ~** sich *dat* etw aussuchen **2.** + *sing/pl vb* (*best*) **the ~ of sth** das Beste **3.** MUS Plättchen *nt* II. *vt* **1.** (*select*) aussuchen **2.** (*fam: start*) **to ~ a fight with sb** mit jdm einen Streit anzetteln **3.** (*scratch*) **to ~ sth** an etw *dat* kratzen III. *vi* **1.** (*be choosy*) aussuchen **2.** (*toy with*) **to ~ at one's food** in seinem Essen herumstochern ◆ **pick on** *vi* **to ~ on sb 1.** (*select*) jdn aussuchen **2.** (*victimize*) auf jdm herumhacken ◆ **pick out** *vt* **1.** (*select*) aussuchen **2.** (*recognize*) erkennen **3.** (*highlight*) hervorheben ◆ **pick up** I. *vt* **1.** (*lift*) aufheben; **to ~ up the phone** [den Hörer] abnehmen **2.** (*learn*) aufschnappen **3.** (*collect*) abholen; **to ~ up passengers** Fahrgäste aufnehmen **4.** (*on radio*) *a signal* empfangen **5.** (*increase*) *speed* schneller werden II. *vi* **1.** (*improve*) sich bessern, besser werden **2.** (*resume*) **to ~ up where one left off** da weitermachen, wo man aufgehört hat

picket ['pɪkɪt] I. *n* **1.** (*striker*) Streikposten *m;* (*blockade*) Streikblockade *f* **2.** (*stake*) Palisade *f* II. *vt* **to ~ sth** vor etw *dat* Streikposten aufstellen III. *vi* demonstrieren

pickle ['pɪkᵊl] I. *n* **1.** *no pl* [Mixed] Pickles *pl;* (*sauce*) Relish *nt* **2.** AM (*conserved gherkin*) saure Gurke II. *vt* einlegen

pickled ['pɪkᵊld] *adj* (*preserved*) eingelegt

pickpocket *n* Taschendieb(in) *m(f)*

pickup *n* **1.** (*fam: collection*) Abholen *nt kein pl;* **we arranged a ten o'clock ~ to take Cathy to the sta-**

P

tion wir verabredeten mit Cathy, dass wir sie um zehn Uhr abholen und zum Bahnhof bringen würden **2.** (*increase*) Ansteigen *nt kein pl,* Zunahme *f* **3.** (*van*) Kleintransporter *m*

picnic ['pɪknɪk] **I.** *n* Picknick *nt;* **to go on a ~** ein Picknick machen; **to be no ~** (*fig*) kein Spaziergang sein **II.** *vi* <-ck-> picknicken

picture ['pɪktʃər] **I.** *n* **1.** (*painting, drawing*) Bild *nt* **2.** (*photograph*) Bild *nt,* Foto *nt;* **to take a ~** ein Foto machen **3.** (*on TV screen*) [Fernseh]bild *nt* **4.** (*film*) Film *m* **5.** (*cinema*) **the ~s** *pl* das Kino **6.** (*fig: impression*) Bild *nt;* ▶ **to get the ~** etw verstehen **II.** *vt* **to ~ sth** sich *dat* etw vorstellen; (*depict*) etw darstellen **III.** *vi* **to ~ to oneself how ...** sich *dat* vorstellen, wie ...

picture book *n* Bilderbuch *nt* **picture frame** *n* Bilderrahmen *m* **picture gallery** *n* [Kunst]galerie *f* **picture messaging** *n* Picture Messaging *nt* **picture postcard** *n* Ansichtskarte *f*

pie [paɪ] *n* Pastete *f*

piece [piːs] **I.** *n* **1.** (*bit*) Stück *nt;* (*part*) Teil *nt o m;* *of bread* Scheibe *f; of cake* Stück *nt;* **a ~ of broken glass** ein Glasscherbe; **~ by ~** Stück für Stück **2.** (*item*) Stück *nt;* **~ of baggage** Gepäckstück *nt;* **~ of paper** Blatt *nt* Papier **3.** (*non-physical item*) **a ~ of advice** ein Rat *m;* **a ~ of information** eine Information **4.** MUS, THEAT Stück *nt,* Werk *nt;* ▶ **to be a ~ of** <u>cake</u> (*fam*) kinderleicht sein **II.** *vt* **to ~ together sth** etw zusammensetzen; (*reconstruct*) etw rekonstruieren

pier [pɪər] *n* NAUT Pier *m o fachspr f,* Hafendamm *m;* (*landing stage*) Landungsbrücke *f*

pierce [pɪəs] **I.** *vt* (*make hole in*) durchstechen; (*more forceful*) durchstoßen; **to have ~d ears** Ohrlöcher haben **II.** *vi* (*drill*) **to ~ into sth** sich in etw *akk* bohren

piercing ['pɪəsɪŋ] **I.** *adj* **1.** (*loud*) durchdringend; (*pej*) *voice a.* schrill **2.** (*cold*) eisig **3.** (*penetrating*) *eyes, gaze, look* durchdringend **II.** *n no pl* (*body-piercing*) Piercing *nt*

pig [pɪg] *n* **1.** Schwein *nt* **2.** (*fam: greedy person*) Vielfraß *m* **3.** (*pej fam: bad person*) Schwein *nt*

pigeon ['pɪdʒən] *n* Taube *f*

pigeon-hole I. *n* [Post]fach *nt,* Ablage *f* **II.** *vt* (*categorize*) **to ~ sb** jdn in eine Schublade stecken

piggyback I. *n* **to give sb a ~** jdn huckepack nehmen **II.** *vi* huckepack machen

piggy bank *n* Sparschwein *nt*

piglet ['pɪglət] *n* Ferkel *nt*

pigsty *n* (*a. fig, pej*) Schweinestall *m*

pigtail *n* (*hair*) Pferdeschwanz *m;* (*braided*) Zopf *m*

pile [paɪl] **I.** *n* **1.** (*stack*) Stapel *m;* (*heap*) Haufen *m* **2.** (*fam: large amount*) Haufen *m* **II.** *vt* stapeln (on|to auf) **III.** *vi* **1.** (*fam: crowd into*) **to ~ onto the bus** sich in den Bus reindrücken **2.** (*collide*) **to ~ into sth** ineinanderrasen ◆ **pile in** *vi* in etw *akk* [hinein]strömen; (*forcefully*) sich in etw *akk* [hinein]drängen ◆ **pile on** *vt* anhäufen; **you're really piling it on with the compliments tonight** du bist ja heute Abend so großzügig mit Komplimenten *hum* ◆ **pile up I.** *vi* *debts, problems* sich anhäufen; (*get more frequent*) sich häufen **II.** *vt* anhäufen

piles [paɪlz] *n pl* (*fam*) Hämorrhoiden *pl*

pile-up *n* Massenkarambolage *f*

pilgrimage ['pɪlgrɪmɪʤ] *n* REL Pilger-fahrt *f*

pill [pɪl] *n* 1. (*tablet*) Tablette *f* 2. (*contraceptive*) **the ~** die Pille

pillar ['pɪlər] *n* 1. (*column*) Pfeiler *m*, Säule *f* 2. (*fig: mainstay*) Stütze *f*

pillar box *n* BRIT Briefkasten *m*

pillow ['pɪləʊ] *n* 1. [Kopf]kissen *nt* 2. AM (*cushion*) Kissen *nt*

pillowcase *n* [Kopf]kissenbezug *m*

pilot ['paɪlət] I. *n* 1. AVIAT Pilot(in) *m(f)*; NAUT Lotse, Lotsin *m, f* 2. TV Pilotfilm *f* 3. TECH (*pilot light*) Kontrolllampe *f* II. *vt* 1. AVIAT, NAUT *aircraft* fliegen 2. (*test*) **to ~ a project** ein Pilotprojekt durchführen III. *adj usu attr* Pilot-; **a ~ test** ein erster Test

pilot's licence, AM **pilot's license** *n* Pilotenschein *m*

pilot boat *n* Lotsenboot *nt* **pilot light** *n* 1. (*monitoring light*) Kontrolllampe *f* 2. (*flame*) Zündflamme *f* **pilot scheme** *n* BRIT, AUS Testreihe *f*

pimp [pɪmp] *n* Zuhälter *m*

pimple ['pɪmpl] *n* Pickel *m*

pin [pɪn] I. *n* 1. (*sharp object*) Nadel *f*; **drawing ~** Reißzwecke *f* 2. (*for clothing*) [Ansteck]nadel *f* II. *vt* <-nn-> 1. (*attach with pin*) befestigen ([**up**]**on/to** an) 2. (*hold firmly*) **she was ~ned under a fallen beam** sie saß unter einem heruntergefallenen Balken fest ◆ **pin down** *vt* 1. (*define exactly*) genau definieren 2. (*make decide*) **to ~ down ⇆ sb** jdn festnageln 3. (*hold fast*) **to ~ down ⇆ sb** jdn fest halten ◆ **pin up** *vt* anstecken; **to ~ up a picture on the wall** ein Bild an die Wand hängen

PIN [pɪn] *n abbrev of* **personal identification number** PIN *f*

pinball machine *n* Flipper *m*

pinch [pɪn(t)ʃ] I. *vt* 1. (*nip*) kneifen, zwicken *bes* SÜDD, ÖSTERR 2. (*fam: steal*) klauen II. *vi* kneifen, zwicken III. *n* <*pl* -es> 1. (*nip*) Kneifen *nt*, Zwicken *nt* 2. (*small quantity*) *of salt* Prise *f*

pine[1] [paɪn] *n* 1. (*tree*) Kiefer *f* 2. *no pl* (*wood*) Kiefer *f*, Kiefernholz *nt* 3. BRIT (*stone pine*) Pinie *f*

pine[2] [paɪn] *vi* sich vor Sehnsucht verzehren *liter;* **to ~ for sb** sich nach jdm sehnen

pineapple ['paɪnæpl] *n* Ananas *f*

pine cone *n* Kiefernzapfen *m;* BRIT (*of stone pine*) Pinienzapfen *m*

ping-pong ['pɪŋˌpɒŋ] *n* (*fam*) Ping-pong *nt*

pink [pɪŋk] I. *n* Rosa *nt*, Pink *nt* II. *adj* rosa, pink

pinpoint I. *vt* [genau] feststellen II. *adj attr* sehr genau; **~ accuracy** hohe Genauigkeit III. *n* winziger Punkt

pinstripe *n* 1. *no pl* (*pattern*) Nadelstreifen *m* 2. (*suit*) Nadelstreifenanzug *m*

pint [paɪnt] *n* 1. (*measurement*) Pint *nt* (*0,568 l*) 2. BRIT (*fam: beer*) ≈ eine Halbe

pioneer [ˌpaɪəˈnɪər] I. *n* Pionier(in) *m(f)* II. *adj* Pionier-, bahnbrechend; (*innovative*) innovativ III. *vt* **to ~ sth** den Weg für etw *akk* bereiten

pip[1] [pɪp] *n* BOT Kern *m*

pip[2] [pɪp] *n usu pl esp* BRIT Piep *m*

pip[3] <-pp-> [pɪp] *vt* BRIT (*fam*) **to ~ sb** jdn [knapp] besiegen

pipe [paɪp] I. *n* 1. TECH (*tube*) Rohr *nt* 2. (*for smoking*) Pfeife *f* II. *vt* (*transport*) *gas, oil, water* leiten

pipeline *n* Pipeline *f;* **in the ~** (*fig*) in

P

Planung

piper [ˈpaɪpəʳ] n Dudelsackspieler(in) m(f)

piracy [ˈpaɪ(ə)rəsi] n no pl **1.** (at sea) Piraterie f, Seeräuberei f **2.** (of copyrights) Raubkopieren nt; **software/ video** ~ Software-/Videopiraterie f

pirate [ˈpaɪ(ə)rət] I. n **1.** Pirat(in) m(f) **2.** (plagiarizer) Raubkopierer(in) m(f) II. adj attr video, CD raubkopiert III. vt to ~ sth eine Raubkopie von etw dat machen

Pisces <pl -> [ˈpaɪsiːz] n ASTROL **1.** no pl (sign) Fische pl **2.** (person) Fisch m

piss [pɪs] (fam!) I. n no pl Pisse f derb ▶ to take the ~ [out of sb] BRIT jdn verarschen derb II. vi pissen fam; ~ off! verpiss dich! III. vt to ~ oneself in die Hose machen; (laugh) sich dat vor Lachen in die Hosen machen ◆ **piss about, piss around** BRIT, AUS I. vi (fam!: be silly) Blödsinn machen II. vt (fam!) to ~ sb about (waste time) jds Zeit f verschwenden

pissed [pɪst] adj (fam!) **1.** BRIT, AUS besoffen fam **2.** ~ [off] [stink]sauer

piss-up n BRIT, AUS (fam!) Besäufnis nt

pistachio [pɪˈstɑːʃiəʊ] n Pistazie f

pistol [ˈpɪstəl] n Pistole f

piston [ˈpɪstən] n Kolben m

pit[1] [pɪt] n **1.** (in ground) Grube f; (scar) Narbe f **2.** (mine) Bergwerk nt

pit[2] [pɪt] I. n esp AM (stone) Kern m II. vt <-tt-> **1.** FOOD entkernen **2.** to ~ sth against sth products etw gegen etw akk ins Rennen schicken

pitch[1] n no pl (tar) Pech nt

pitch[2] [pɪtʃ] I. n <pl -es> **1.** BRIT, AUS (sports field) [Spiel]feld nt; BRIT (for camping) [Zelt]platz m **2.** (baseball throw) Wurf m **3.** no pl MUS Tonhöhe

f **4.** no pl (persuasion) [sales] ~ [Verkaufs]sprüche pl a. pej fam II. vt **1.** (throw) werfen **2.** (set up) aufstellen; tent aufschlagen **3.** (target) to ~ sth at sb etw auf jdn ausrichten III. vi SPORTS (in baseball) werfen; (in cricket) [auf den Boden] aufkommen

pitfall n usu pl Falle f; of a language, subject Hauptschwierigkeit f

pitta (**bread**) [ˈpɪtə] n no pl Pittabrot nt

pity [ˈpɪti] I. n no pl **1.** (compassion) Mitleid nt; to feel ~ for sb mit jdm Mitleid haben **2.** (shame) **what a ~!** wie schade! II. vt <-ie-> to ~ sb Mitleid mit jdm haben

pizza [ˈpiːtsə] n Pizza nt

place [pleɪs] I. n **1.** (location) Ort m; ~ **of birth** Geburtsort m; ~ **of work** Arbeitsplatz m **2.** (position) Stelle f; **if I were in your** ~ ... ich an deiner Stelle ... **3.** (home) Wohnung f; **I'm looking for a** ~ **to live** ich bin auf Wohnungssuche **4.** (fig: position, rank) Stellung f **5.** (instead of) **in** ~ **of** stattdessen **6.** (proper position) **to be in** ~ an seinem Platz sein; (fig: completed) fertig sein; **to be out of** ~ nicht an der richtigen Stelle sein **7.** (ranking) Platz m; ▶ **in the first** ~ zuerst II. vt **1.** (position) **to ~ sth somewhere** etw irgendwohin stellen; (lay) etw irgendwohin legen; **to ~ a bet on sth** auf etw akk wetten **2.** (impose) **to ~ a limit on sth** etw begrenzen **3.** (arrange for) **to ~ sth at sb's disposal** jdm etw überlassen **4.** (burden) **to ~ a strain on sb** jdn belasten

place mat n Set nt o m, Platzdeckchen nt **place name** n Ortsname m

plaice <*pl* -> [pleɪs] *n* Scholle *f*

plain [pleɪn] **I.** *adj* **1.** (*simple*) einfach; (*not flavoured*) natur *nach n;* ~ **food** einfaches Essen **2.** (*uncomplicated*) einfach **3.** (*clear*) klar, offensichtlich; **her meaning was** ~ es war klar, was sie meinte **II.** *adv* **1.** (*simply*) ohne großen Aufwand **2.** (*fam: downright*) einfach **III.** *n* (*area of flat land*) Ebene *f*

plainly ['pleɪnli] *adv* **1.** (*simply*) einfach, schlicht **2.** (*clearly*) deutlich, klar

plait [plæt] *esp* BRIT **I.** *n* (*hair*) Zopf *m* **II.** *vt, vi* flechten

plan [plæn] **I.** *n* **1.** (*detailed scheme*) Plan *m* **2.** (*intention*) Plan *m*, Absicht *f;* **what are your ~s for this weekend?** was hast du dieses Wochenende vor? **3.** (*drawing*) ~s *pl* Pläne *pl* **II.** *vt* <-nn-> **1.** (*draft*) planen **2.** (*prepare*) vorbereiten **3.** (*envisage*) planen **4.** (*intend*) vorhaben **III.** *vi* **1.** (*prepare*) planen **2.** (*expect*) **to ~ on sth** mit etw *dat* rechnen

plane¹ [pleɪn] **I.** *n* (*aircraft*) Flugzeug *nt;* **to board the ~** das Flugzeug besteigen; **by ~** mit dem Flugzeug **II.** *vi* (*glide*) gleiten

plane² [pleɪn] *n* **1.** (*surface*) Fläche *f;* MATH Ebene *f* **2.** (*level*) Ebene *f*

plane³ [pleɪn] **I.** *n* (*tool*) Hobel *m* **II.** *vt* hobeln; (*until smooth*) abhobeln

plane⁴ [pleɪn] *n* BOT Platane *f*

planet ['plænɪt] *n* Planet *m;* **to be on a different ~** (*fig*) in einer anderen Welt sein

planetarium <*pl* -s> [ˌplænɪˈteəriəm] *n* Planetarium *nt*

plank [plæŋk] *n* **1.** (*timber*) Brett *nt,*

Latte *f* **2.** (*fig: element*) Pfeiler *m*

planner ['plænə'] *n* Planer(in) *m(f)*

planning ['plænɪŋ] *n no pl* Planung *f;* ~ **permission** Baugenehmigung *f;* **at the ~ stage** in der Planung[sphase]

plant [plɑːnt] **I.** *n* **1.** BOT Pflanze *f* **2.** (*factory*) Werk *nt,* Betrieb *m* **II.** *vt* **1.** (*put in earth*) pflanzen **2.** (*lodge*) platzieren; **to ~ oneself on the sofa** (*fam*) sich aufs Sofa pflanzen

plantation [ˌplænˈteɪʃən] *n* **1.** (*estate*) Plantage *f* **2.** (*plants*) Pflanzung *f;* (*trees*) Schonung *f*

plaque [plɑːk, plæk] *n* **1.** (*plate*) Tafel *f;* **brass ~** Messingschild *nt* **2.** *no pl* MED [Zahn]belag *m*

plaster ['plɑːstə'] **I.** *n no pl* **1.** (*in building*) [Ver]putz *m* **2.** MED Gips[verband] *m* **3.** BRIT (*for cuts*) Pflaster *nt* **II.** *vt* **1.** (*mortar*) verputzen **2.** (*fam: put all over*) voll kleistern

plaster cast *n* Gipsverband *m;* ART Gipsabguss *m*

plastered ['plɑːstəd] *adj pred* (*fam*) stockbesoffen; **to get ~** sich zusaufen

plastic ['plæstɪk] **I.** *n* **1.** (*material*) Plastik *nt kein pl* **2.** (*industry*) ~s *pl* Kunststoffindustrie *f* **3.** *no pl* (*fam: credit card*) Plastikgeld *nt* **II.** *adj* **1.** (*of plastic*) Plastik-; ~ **bag** Plastiktüte *f;* ~ **bullet** Gummigeschoss *nt* **2.** (*pej: artificial*) künstlich

plastic surgery *n no pl* Schönheitschirurgie *f*

plate [pleɪt] **I.** *n* **1.** (*dish*) Teller *m* **2.** (*panel*) Platte *f* **3.** (*sign*) Schild *nt* **4.** AUTO Nummernschild *nt;* **licence ~** Nummernschild *nt* **II.** *vt* überziehen

platform ['plætfɔːm] *n* **1.** (*elevated area*) Plattform *f;* (*raised structure*)

Turm *m* **2.** (*on station*) Bahnsteig *m*
platinum ['plætɪnəm] *n no pl* Platin *nt*
platonic [plə'tɒnɪk] *adj* platonisch
play [pleɪ] **I.** *n* **1.** *no pl* (*game, recreation*) Spiel *nt;* **to be at ~** spielen
2. AM SPORTS (*move*) Spielzug *m*
3. THEAT [Theater]stück *nt* **II.** *vi*
1. (*amuse oneself*) spielen **2.** SPORTS
spielen; **to ~ in the match** am Spiel
teilnehmen **3.** THEAT spielen **III.** *vt*
1. (*take part in*) spielen; **to ~ cards**
Karten spielen **2.** (*compete against*)
to ~ sb gegen jdn spielen **3.** (*execute*) **to ~ a shot** schießen; (*in snooker*) stoßen **4.** (*have*) **to ~ a part** eine
Rolle spielen **5.** THEAT, MUS spielen; **to
~ the lead** die Hauptrolle spielen
▶ **to ~ one's** <u>cards</u> **right** geschickt
taktieren; **to ~ the** <u>game</u> BRIT sich
an die [Spiel]regeln halten ◆ **play
along I.** *vi* **to ~ along with it** gute
Miene zum bösen Spiel machen; **to ~
along with sth** etw [zum Schein] mitmachen **II.** *vt* (*pej*) **to ~ sb along** jdn
hinhalten ◆ **play down** *vt* herunterspielen ◆ **play off I.** *vi* **to ~ off for
sth** um etw *akk* spielen **II.** *vt* **to ~ off
⇆ sb against sb** jdn gegen jdn ausspielen ◆ **play on** *vi* (*exploit*) **to ~ on
sth** etw ausnutzen ◆ **play up I.** *vt*
1. (*emphasize*) hochspielen **2.** BRIT
(*fam: cause trouble*) **to ~ up ⇆ sb**
jdm zu schaffen machen **II.** *vi* (*fam*)
1. (*flatter*) **to ~ up to sb** sich bei jdm
einschmeicheln **2.** BRIT (*misbehave*)
sich danebenbenehmen *fam*
playboy *n* (*usu pej*) Playboy *m*
player ['pleɪəʳ] *n* **1.** Spieler(in) *m(f)*
2. (*playback machine*) **CD ~** CD-
Player *m;* **video ~** Videorecorder *m*
3. POL (*fam: participant*) **to be a ~**
eine Rolle spielen

playful ['pleɪfᵊl] *adj* **1.** (*not serious*)
spielerisch, scherzhaft **2.** (*frolicsome*) verspielt; **he was in a ~ mood**
er war zum Spielen/Scherzen aufgelegt
playground *n* Spielplatz *m* **playgroup** *n* Spielgruppe *f;* (*kindergarten*) Kindergarten *m*
playing card ['pleɪɪŋ-] *n* Spielkarte *f*
playing field *n* Sportplatz *m*
playmate *n* **1.** (*for child*) Spielkamerad(in) *m(f)* **2.** (*fam: for adult*) Geliebte(r) *f(m)*, Gespiele, Gespielin *m,
f iron* **3.** (*in magazine*) Pin-up-Girl *nt*
play-off *n* Play-off *nt;* **~ game** Entscheidungsspiel *nt*
playpen *n* Laufstall *m* **playroom** *n*
Spielzimmer *nt* **playschool** *n* BRIT
Kindergarten *m*
playwright *n* Dramatiker(in) *m(f)*
plc [ˌpiːel'siː] *n esp* BRIT *abbrev of* **public limited company** AG *f*
plead <pleaded, pleaded> [pliːd] **I.** *vi*
1. (*implore*) [flehentlich] bitten, flehen; **to ~ with sb** [**to do sth**] jdn
anflehen[, etw zu tun] **2.** LAW (*as advocate*) plädieren **3.** + *adj* LAW (*answer charge*) **to ~ guilty** sich schuldig
bekennen **II.** *vt* **1.** (*claim*) behaupten; **to ~ insanity** auf Unzurechnungsfähigkeit plädieren **2.** (*argue
for*) **to ~ sb's cause** jds Fall vortragen
pleasant ['plezᵊnt] *adj* **1.** (*pleasing*)
day, experience, sensation, time angenehm, schön **2.** (*friendly*) freundlich,
liebenswürdig
please [pliːz] **I.** *interj* **1.** (*in requests*)
bitte **2.** (*when accepting sth*) ja, bitte;
may I ...? — **~ do** darf ich ...? —
selbstverständlich **II.** *vt* (*make happy*)
to ~ sb jdm gefallen; **it ~s me to see
...** es freut mich, ... zu sehen **III.** *vi*

(*be agreeable*) **eager to ~** [unbedingt] gefallen wollen

pleased [pli:zd] *adj* **1.** (*happy*) froh, erfreut; (*content*) zufrieden; **to be ~ about sth** sich über etw *akk* freuen **2.** (*willing*) **I'm only too ~ to help** ich helfe wirklich gerne

pleasing ['pli:zɪŋ] *adj* angenehm

pleasurable ['pleʒərəbl] *adj* angenehm

pleasure ['pleʒəʳ] *n* **1.** *no pl* (*enjoyment*) Freude *f*, Vergnügen *nt;* **to give sb ~** jdm Freude bereiten **2.** (*source of enjoyment*) Freude *f*

pleasure boat *n* Vergnügungsdampfer *m*

pleat [pli:t] *n* Falte *f*

pleb [pleb] *n usu pl* BRIT (*pej fam*) *short for* **plebeian** Proll *m;* **the ~s** der Mob

plenty ['plenti] I. *n no pl* (*form: abundance*) Reichtum *m* II. *adv* (*fam*) **~ more** noch viel mehr; **she has ~ more ideas** sie hat noch viele Ideen III. *pron* **1.** (*more than enough*) mehr als genug; **~ of money** viel Geld **2.** (*a lot*) genug; **~ to do** viel zu tun; AM (*fam*) **this car cost me ~** dieses Auto hat mich eine Stange Geld gekostet

pliers ['plaɪəz] *n pl* [**a pair of**] **~** [eine] Zange

plonk[1] [plɒŋk] *n no pl esp* BRIT, AUS (*fam: wine*) Gesöff *nt pej*

plonk[2] [plɒŋk] I. *n* (*fam: sound*) Ploppen *nt* II. *adv* (*fam*) dumpf knallend III. *vt* (*fam*) **1.** (*set down heavily*) **to ~ sth somewhere** etw irgendwo hinknallen **2.** (*sit heavily*) **to ~ oneself down on a sofa** sich auf ein Sofa plumpsen lassen

plot [plɒt] I. *n* **1.** (*conspiracy*) Verschwörung *f* **2.** LIT (*storyline*) Handlung *f* **3.** (*of land*) Parzelle *f* II. *vt* <-tt-> (*conspire*) [im Geheimen] planen *a.* hum III. *vi* <-tt-> **to ~ to do sth** (*a. hum*) planen, etw zu tun

plough [plaʊ] I. *n* Pflug *m* II. *vt* **1.** AGR pflügen **2.** (*move with difficulty*) **to ~ one's way through sth** sich *dat* seinen Weg durch etw *akk* bahnen III. *vi* **1.** AGR pflügen **2.** (*move with difficulty*) **to ~ through sth** sich durch etw *akk* durchkämpfen

ploughman's lunch *n* BRIT, AUS *Mittagessen, das aus Brot, Käse und Pickles besteht*

plow *n* AM *see* **plough**

pluck [plʌk] I. *n* Mut *m*, Schneid *m o* ÖSTERR *f fam* II. *vt* **1.** (*pick*) *fruit, flower* abpflücken **2.** (*remove*) *feathers* ausrupfen **3.** (*remove from situation*) **to ~ sb from sth** jdn aus etw *dat* herausholen III. *vi* zupfen (**at** an)

plug [plʌg] I. *n* **1.** (*connector*) Stecker *m* **2.** (*socket*) Steckdose *f* **3.** (*for basin, sink*) Stöpsel *m* **4.** (*stopper*) Pfropfen *m* **5.** (*fam: publicity*) Werbung II. *vt* <-gg-> **1.** (*stop up*) *hole, leak* stopfen **2.** (*publicize*) anpreisen ◆ **plug in** I. *vt* anschließen II. *vi* (*electrical device*) sich anschließen lassen

plughole *n* Abfluss *m*

plug-in *n* COMPUT Plug-in *nt* (*Erweiterung für ein existierendes Softwareprogramm*)

plum [plʌm] I. *n* **1.** (*fruit*) Pflaume *f* **2.** (*tree*) Pflaumenbaum *m* **3.** (*colour*) Pflaumenblau *nt* II. *adj* (*colour*) pflaumenfarben

plumber ['plʌməʳ] *n* Klempner(in) *m(f)*, Sanitär(in) *m(f)* SCHWEIZ

plumbing ['plʌmɪŋ] I. *n no pl* Wasserleitungen *pl* II. *adj attr* **~ contractor**

beauftragter Installateur/beauftragte Installateurin

plump [plʌmp] **I.** *adj* (*rounded*) rund; (*euph*) *person* füllig, mollig **II.** *vi* **to ~ for sth** sich für etw entscheiden **III.** *vt* **to ~ a cushion** ein Kissen aufschütteln

plunge [plʌndʒ] **I.** *n* (*drop*) Sprung *m;* (*fall, sharp decline*) Sturz *m,* Fall *m* **II.** *vi* **1.** (*fall*) stürzen (**into** in) **2.** (*dash*) stürzen (**into** in); **she ~d forward** sie warf sich nach vorne **3.** (*fig: begin abruptly*) **to ~ into sth** sich in etw *akk* [hinein]stürzen *fig* **III.** *vt* **1.** (*immerse*) **to ~ sth into sth** etw in etw *akk* eintauchen **2.** (*thrust*) **to ~ a dagger into sb** jdn mit einem Dolch stechen

pluperfect [ˌpluːˈpɜːfɪkt] *n* LING **the ~** das Plusquamperfekt

plural [ˈplʊərəl] **I.** *n* **the ~** der Plural **II.** *adj* Plural-

plus [plʌs] **I.** *prep* plus +*dat* **II.** *n* <*pl* -es> Plus *nt kein pl fam;* MATH *a.* Pluszeichen *nt* **III.** *adj* **1.** *attr* (*above zero*) plus; **~ two degrees** zwei Grad plus **2.** (*slightly better than*) **A ~** ≈ Eins plus *f*

plush [plʌʃ] **I.** *adj* **1.** (*luxurious*) exklusiv; **~ restaurant** Nobelrestaurant *nt* **2.** (*made of plush*) Plüsch- **II.** *n* Plüsch *m*

plutonium [pluːˈtəʊniːəm] *n no pl* Plutonium *nt*

pm, p.m. [ˌpiːˈem] *adv abbrev of* **post meridiem**: **eight ~** acht Uhr abends, zwanzig Uhr

PM [ˌpiːˈem] *n* BRIT *abbrev of* **Prime Minister** Premierminister(in) *m(f)*

pneumonia [njuːˈməʊniːə] *n no pl* Lungenentzündung *f*

poach¹ [pəʊtʃ] *vt* FOOD pochieren

poach² [pəʊtʃ] **I.** *vt* **1.** (*catch illegally*) wildern **2.** (*steal*) **to ~ sth** sich *dat* etw unrechtmäßig aneignen **II.** *vi* **1.** (*catch illegally*) wildern **2.** (*steal*) stehlen

PO box *n abbrev of* **Post Office Box**: **~ 3333** Postfach 3333

pocket [ˈpɒkɪt] **I.** *n* **1.** (*in clothing*) Tasche *f* **2.** (*on bag, in car*) Fach *nt* **II.** *vt* **1.** (*put in one's pocket*) in die Tasche stecken **2.** (*keep sth for oneself*) behalten **3.** SPORTS (*in snooker, billiards*) **to ~ a ball** einen Ball ins Loch spielen **III.** *adj* (*pocket-sized*) *knife, phone, calculator* Taschen-

pocketbook *n* AM **1.** (*woman's handbag*) Handtasche *f* **2.** (*paperback*) Taschenbuch *nt* **pocket-cam** *n short for* **pocket camera** Pocketkamera *f*

pocket knife *n* Taschenmesser *nt*

pocket money *n no pl* Taschengeld *nt*

podcast [ˈpɒdkɑːst] **I.** *n* Podcast *m* **II.** *vi* podcasten, einen Podcast erstellen

podcaster [ˈpɒdkɑːstər] *n* Podcaster(in) *m(f)*

podcasting [ˈpɒdkɑːstɪŋ] *n no pl* Podcasten *nt*

Poddie [ˈpɒdi] *n* (*fam*) Benutzer oder Fan des Apple iPod® Music Player

podium <*pl* -dia> [ˈpəʊdiəm] *n* Podium *nt*

poem [ˈpəʊɪm] *n* (*a. fig*) Gedicht *nt*

poet [ˈpəʊɪt] *n* Dichter(in) *m(f)*

poetry [ˈpəʊɪtri] *n no pl* **1.** (*genre*) Dichtung *f,* Lyrik *f* **2.** (*poetic quality*) Poesie *f*

point [pɔɪnt] **I.** *n* **1.** (*sharp end*) Spitze *f* **2.** (*dot, punctuation mark*) Punkt *m* **3.** (*decimal point*) Komma *nt* **4.** (*particular time*) Zeitpunkt *m;* **at this ~**

in time zu dieser Zeit **5.** (*about to do*) **I was on the ~ of leaving him** ich war kurz davor, ihn zu verlassen **6. my ~ exactly** das sag ich ja *fam;* **ok, ~ taken** ok, ich hab schon begriffen *fam* **7.** *no pl* (*most important idea*) **the ~ is ...** der Punkt ist nämlich der, ...; **that's beside the ~!** darum geht es doch gar nicht! **8.** (*stage in process*) Punkt *m;* **from that ~ on ...** von diesem Moment an ...; **up to a ~** bis zu einem gewissen Grad **II.** *vi* **1.** (*with finger*) deuten, zeigen (**at/to** auf) **2.** (*be directed*) weisen; **to ~ west** nach Westen zeigen **3.** (*indicate*) hinweisen (**to** auf) **III.** *vt* **1.** (*aim*) **to ~ sth at sb** *weapon* etw [auf jdn] richten **2.** (*direct*) **to ~ sb in the direction of sth** jdm den Weg zu etw *dat* beschreiben ◆ **point out** *vt* **1.** (*show*) **to ~ out ⇆ sth** auf etw *akk* hinweisen; (*with finger*) etw zeigen **2.** (*inform*) **to ~ out that ...** darauf aufmerksam machen, dass ...

point-blank I. *adv* **1.** (*at very close range*) aus nächster Nähe **2.** (*bluntly*) geradewegs, unumwunden **II.** *adj attr* **1.** (*very close*) nah **2.** (*blunt*) unverhohlen

pointed ['pɔɪntɪd] *adj* **1.** (*with sharp point*) spitz **2.** (*emphatic*) pointiert *geh; criticism* scharf; *question* unverblümt

pointless ['pɔɪntləs] *adj* sinnlos, zwecklos

poison ['pɔɪzən] **I.** *n* Gift *nt;* (*fig*) **to lace sth with ~** etw mit Gift präparieren **II.** *vt* **to poison sb/sth** jdn/ etw vergiften

poison gas *n no pl* Giftgas *nt*

poisonous ['pɔɪzənəs] *adj* **1.** (*containing poison*) giftig; **~ mushroom**

Giftpilz *m* **2.** (*malicious*) giftig *fig,* boshaft

poker¹ ['pəʊkər] *n* (*card game*) Poker *m o nt;* **a game of ~** eine Runde Poker

poker² ['pəʊkər] *n* (*fireplace tool*) Schürhaken *m*

Poland ['pəʊlənd] *n* Polen *nt*

polar ['pəʊlər] *adj attr* **1.** (*near pole*) polar; **~ bear** Eisbär *m* **2.** (*opposite*) gegensätzlich, polar *geh*

pole¹ [pəʊl] *n* Stange *f;* (*pointed at one end*) Pfahl *m;* **flag~** Fahnenmast *m*

pole² [pəʊl] *n* **1.** GEOG, ELEC Pol *m;* **the North P~** der Nordpol **2.** (*extreme*) Extrem *nt;* **to be ~s apart** Welten voneinander entfernt sein

Pole [pəʊl] *n* Pole, Polin *m, f*

Pole Star *n no pl* Polarstern *m*

police [pəˈliːs] **I.** *n + pl vb* **1.** (*force*) **the ~** die Polizei *kein pl* **2.** (*police officers*) Polizisten *mpl,* Polizistinnen *fpl* **II.** *vt* **1.** (*guard*) überwachen **2.** (*regulate*) kontrollieren **3.** AM MIL **to ~ sth** *an event* irgendwo Wache halten

police car *n* Polizeiauto *nt* **police constable** *n* BRIT Polizeiwachtmeister(in) *m(f)* **police dog** *n* Polizeihund *m* **police force** *n no pl* **the ~** die Polizei **policeman** *n* Polizist *m* **police officer** *n* Polizeibeamte(r), -beamtin *m, f* **police raid** *n* Razzia *f* **police station** *n* Polizeiwache *f* **policewoman** *n* Polizistin *f*

policy¹ ['pɒləsi] *n* **1.** (*plan*) Programm *nt,* Strategie *f* **2.** *no pl* Politik *f;* **a change in ~** ein Richtungswechsel *m* in der Politik; **company ~** Firmenpolitik *f*

policy² ['pɒləsi] *n* (*in insurance*) Police *f,* Polizze *f* ÖSTERR

P

policyholder *n* Versicherungsneh-mer(in) *m(f)* **policy number** *n* Ver-sicherungsnummer *f*, Polizzennum-mer *f* ÖSTERR

polio ['pəʊliəʊ], **poliomyelitis** [ˌpəʊliə(ʊ)maɪə'laɪtɪs] *n* (*spec*) Kinderläh-mung *f*

polish ['pɒlɪʃ] I. *n* 1. (*substance*) Poli-tur *f;* **shoe ~** Schuhcreme *f* 2. *usu sing* (*act*) Polieren *nt kein pl* II. *vt* (*rub*) polieren

Polish ['pəʊlɪʃ] I. *n* Polnisch *nt* II. *adj* polnisch

polite [pə'laɪt] *adj* 1. (*courteous*) höf-lich 2. (*cultured*) vornehm

politeness [pə'laɪtnəs] *n no pl* Höf-lichkeit *f*

political [pə'lɪtɪkəl] *adj* 1. (*of politics*) politisch; **~ leaders** politische Größen *pl* 2. *esp* AM (*pej: tactical*) taktisch

politically correct *adj* politisch korrekt

politician [ˌpɒlɪ'tɪʃən] *n* Politiker(in) *m(f)*

politics ['pɒlətɪks] *n pl* 1. + *sing vb* Politik *f kein pl* 2. + *pl vb* (*political beliefs*) politische Ansichten *pl* 3. + *sing vb* (*within group*) **office ~** Büro-klüngelei *f pej*

poll [pəʊl] I. *n* 1. (*public survey*) Erhe-bung *f;* **an opinion ~** eine Meinungs-umfrage 2. (*voting places*) **the ~s** *pl* die Wahllokale *pl* 3. (*result of vote*) [Wähler]stimmen *pl* II. *vt* 1. (*canvass in poll*) befragen 2. (*receive*) **the party ~ed 67% of the vote** die Partei hat 67 % der Stimmen erhalten

pollen ['pɒlən] *n no pl* Blütenstaub *m;* **~ count** Pollenflug *m kein pl*

polling booth *n* BRIT, AUS Wahlkabine *f* **polling card** *n* BRIT, AUS Wahlbenach-richtigung *f form* **polling station** *n* BRIT, AUS Wahllokal *nt*

pollutant [pə'luːtⁿnt] *n* Schadstoff *m*

pollute [pə'luːt] *vt* 1. (*contaminate*) verschmutzen 2. (*fig: corrupt*) besu-deln *fig, pej*

polluter [pə'luːtəʳ] *n* Umweltver-schmutzer(in) *m(f)*

pollution [pə'luːʃⁿn] *n no pl* (*polluting*) Verschmutzung *f;* **environmental ~** Umweltverschmutzung *f*

polo ['pəʊləʊ] *n* SPORTS Polo *nt*

polo neck *n* Rollkragen *m*

polystyrene [ˌpɒlɪ'staɪ(ə)riːn] *n no pl* BRIT, AUS Styropor® *nt*

polytechnic [ˌpɒlɪ'teknɪk] *n esp* BRIT Fachhochschule *f*

polyunsaturated fats *n pl,* **polyun-saturates** [ˌpɒlɪʌn'sætʃⁱʳreɪts] *n pl* mehrfach ungesättigte Fettsäuren

pompous ['pɒmpəs] *adj* 1. (*self-im-portant*) selbstgefällig 2. (*preten-tious*) *language* geschraubt *pej*

pond [pɒnd] *n* 1. (*body of water*) Teich *m* 2. (*hum: Atlantic Ocean*) **the ~** der große Teich

pong [pɒŋ] BRIT, AUS (*fam*) I. *n* Mief *m pej* II. *vi* **to ~ of sth** nach etw *dat* miefen *pej*

pony ['pəʊni] *n* (*small horse*) Pony *nt*

ponytail *n* Pferdeschwanz *m;* (*brai-ded*) Zopf *m*

poodle ['puːdl] *n* Pudel *m*

pool¹ [puːl] I. *n* 1. (*natural*) Tümpel *m* 2. (*of liquid*) Lache *f;* **~ of blood** Blutlache *f* 3. (*construction*) Becken *nt;* [**swimming**] **~** Schwimmbecken *nt* II. *vi liquid* sich stauen

pool² [puːl] I. *n* 1. (*supply*) Pool *m fachspr;* **gene ~** Erbmasse *f* 2. *no pl* SPORTS Poolbillard *nt;* **to shoot ~** *esp* AM (*fam*) Poolbillard spielen 3. *pl* BRIT **the ~s** Toto *nt o m* II. *vt* zusam-menlegen

poor [pɔːʳ] I. *adj* 1. (*lacking money*) arm 2. (*inadequate*) unzureichend, schlecht; *attendance* gering; **their French is still quite ~** ihr Französisch ist noch ziemlich bescheiden; **to make a ~ job of sth** bei etw *dat* schlechte Arbeit leisten 3. *attr* (*deserving of pity*) arm II. *n* **the ~** *pl* die Armen *pl*

poorly [ˈpɔːli] I. *adv* 1. (*not rich*) arm; **to be ~ off** arm [dran] sein *fam* 2. (*inadequately*) schlecht II. *adj pred* **to feel ~** sich schlecht fühlen

pop[1] [pɒp] I. *n no pl* (*music*) Pop *m* II. *adj attr* 1. (*popular*) populär; **~ concert** Popkonzert *nt;* **~ singer** Popsänger(in) *m(f);* **~ star** Popstar *m* 2. (*a. pej: popularized*) populär

pop[2] [pɒp] *n esp* AM (*esp childspeak fam*) Papa *m*

pop[3] [pɒp] I. *n* 1. (*noise*) Knall *m* 2. *no pl* (*fam: effervescent drink*) Brause *f* II. *adv* **to go ~** (*make noise*) einen Knall machen III. *vi* <-pp-> 1. (*make noise*) knallen 2. (*burst*) platzen 3. (*go quickly*) **to ~ out** hinausgehen; **to ~ over** vorbeikommen IV. *vt* <-pp-> 1. (*burst*) platzen lassen 2. (*put quickly*) **~ the pizza in the oven** schieb die Pizza in den Ofen ◆ **pop up** *vi* 1. (*appear unexpectedly*) auftauchen 2. (*in pop-up book*) sich aufrichten

popcorn *n no pl* Popcorn *nt*

pope [pəʊp] *n* Papst *m*

popper [ˈpɒpəʳ] *n* BRIT (*fam*) Druckknopf *m*

poppy [ˈpɒpi] *n* Mohn *m kein pl,* Mohnblume *f;* **~ seed** Mohnsamen *m*

Poppy Day *n* BRIT *Sonntag, der dem 11. November am nächsten kommt,*

an dem insbesondere der Gefallenen der beiden Weltkriege gedacht wird

popular [ˈpɒpjələʳ] *adj* 1. (*widely liked*) beliebt, populär; **to be ~ with sb** bei jdm beliebt sein 2. *attr* (*not high-brow*) populär; **the ~ press** die Massenmedien *pl* 3. *attr* (*widespread*) weit verbreitet; **it is a ~ belief that ...** viele glauben, dass ...

popularity [ˌpɒpjəˈlærəti] *n no pl* Beliebtheit *f*, Popularität *f*

population [ˌpɒpjəˈleɪʃ°n] *n* 1. *usu sing* (*inhabitants*) Bevölkerung *f kein pl* 2. *no pl* (*number of people*) Einwohnerzahl *f;* **a ~ of 1.2 million** 1,2 Millionen Einwohner 3. BIOL Population *f fachspr*, Bestand *m;* **the deer ~** der Hirschbestand

porcelain [ˈpɔːs°lɪn] *n no pl* Porzellan *nt*

porch <*pl* -es> [pɔːtʃ] *n* 1. (*without walls*) Vordach *nt;* (*with walls*) Vorbau *m; of a church* Portal *nt* 2. AM (*veranda*) Veranda *f*

porcupine [ˈpɔːkjəpaɪn] *n* Stachelschwein *nt*

pork [pɔːk] *n no pl* Schweinefleisch *nt;* **~ chop** Schweinekotelett *nt*

pornographic [ˌpɔːnəˈɡræfɪk] *adj* pornografisch, Porno-

pornography [pɔːˈnɒɡrəfi] *n no pl* Pornografie *f*

porpoise [ˈpɔːpəs] *n* Tümmler *m*

porridge [ˈpɒrɪdʒ] *n no pl* Porridge *m o nt*, Haferbrei *m;* **~ oats** Haferflocken *pl*

port[1] [pɔːt] *n* 1. (*harbour*) Hafen *m* 2. (*town*) Hafenstadt *f*

port[2] [pɔːt] *n no pl* AVIAT, NAUT Backbord *nt o* ÖSTERR *a. m*

port[3] [pɔːt] *n* COMPUT Anschluss *m*, Port *m fachspr*

P

port⁴ [pɔːt] *n no pl* (*wine*) Portwein *m*

portable ['pɔːtəbl] *adj* tragbar; **~ radio** Kofferradio *nt*

Portakabin®, portacabin *n* BRIT Wohncontainer *m*

porter ['pɔːtər] *n* **1.** (*baggage-carrier*) Gepäckträger *m;* (*on expedition*) Träger *m* **2.** *esp* BRIT (*doorkeeper*) Portier *m*, Portiersfrau *f*

portfolio [ˌpɔːt'fəʊliəʊ] *n* **1.** (*case*) Aktenmappe *f* **2.** (*of drawings, designs*) Mappe *f* **3.** POL (*ministerial position*) Geschäftsbereich *m*

portion ['pɔːʃn] I. *n* **1.** (*part*) Teil *m* **2.** (*share*) Anteil *m* **3.** (*serving*) Portion *f* II. *vt* **to ~ out** ⇆ **sth** etw aufteilen

portrait ['pɔːtrɪt] *n* **1.** (*picture*) Porträt *nt*, Bildnis *nt;* **to paint a ~ of sb** jds Porträt malen **2.** (*fig: description*) Bild *nt*

portraitist ['pɔːtrɪtɪst] *n*, **portrait painter** *n* Porträtmaler(in) *m(f)*

portray [pɔː'treɪ] *vt* **1.** (*paint*) porträtieren **2.** (*describe*) darstellen

Portugal ['pɔːtʃəgəl] *n* Portugal *nt*

Portuguese [ˌpɔːtʃə'giːz] I. *n* **1.** <*pl* -> (*person*) Portugiese, Portugiesin *m, f* **2.** *no pl* (*language*) Portugiesisch *nt* II. *adj* **1.** (*of Portugal*) portugiesisch **2.** (*of language*) *course, teacher* Portugiesisch-

pose [pəʊz] I. *n* **1.** (*bodily position*) Haltung *f*, Pose *f* **2.** *usu sing* (*pretence*) Getue *nt* II. *vi* **1.** (*adopt position*) posieren **2.** (*pretend*) **to ~ as sth** sich als etw ausgeben III. *vt* (*cause*) aufwerfen; **to ~ a threat to sb/sth** eine Bedrohung für jdn/etw darstellen

poser ['pəʊzər] *n* (*fam*) **1.** (*problem*) schwierige Frage **2.** (*pej: person*) Angeber(in) *m(f)*

posh [pɒʃ] (*fam*) I. *adj* **1.** (*stylish*) vornehm, piekfein; **~ car** Luxusschlitten *m fam* **2.** *esp* BRIT (*upper-class*) vornehm; **a ~ woman** eine feine Dame II. *adv* BRIT (*fam*) vornehm; **she talks dead ~** sie spricht so furchtbar gestelzt

position [pə'zɪʃn] I. *n* **1.** (*place*) Platz *m*, Stelle *f;* *building* Lage *f* **2.** (*appointed place*) Platz *m;* **to be in ~** an seinem/ihrem Platz sein **3.** (*in navigation*) Position *f*, Standort *m* **4.** (*posture*) Stellung *f*, Lage *f;* **sitting ~** sitzend **5.** (*rank*) Position *f*, Stellung *f* **6.** BRIT, AUS (*in race*) Platz *m* II. *vt* platzieren

positive ['pɒzətɪv] *adj* **1.** (*certain*) sicher, bestimmt; **to be ~ about sth** sich *dat* einer S. *gen* sicher sein **2.** (*optimistic*) positiv; *criticism* konstruktiv **3.** MED positiv

positively ['pɒzətɪvli] *adv* **1.** (*definitely*) bestimmt; *say, promise* fest **2.** (*optimistically*) positiv **3.** (*fam: completely*) völlig, absolut

possess [pə'zes] *vt* **1.** (*own, have*) besitzen **2.** LAW (*carry illegally*) [illegal] besitzen **3.** (*fam: cause*) **what ~ed you?** was ist denn [bloß] in dich gefahren? **4.** *usu passive* (*control*) **to be ~ed by demons/the Devil** von Dämonen/vom Teufel besessen sein

possession [pə'zeʃn] *n* **1.** *no pl* (*having*) Besitz *m;* **to be in sb's ~** sich in jds *dat* Besitz befinden **2.** *usu pl* (*something owned*) Besitz *m kein pl* **3.** *no pl* SPORTS **to gain ~** in Ballbesitz gelangen

possessive [pə'zesɪv] *adj* **1.** (*not sharing*) eigen **2.** (*jealous*) besitzergreifend; **he's very ~ towards his wife** was seine Frau angeht, ist er sehr besitzergreifend **3.** LING (*showing possession*) possessiv

possibility [ˌpɒsəˈbɪləti] *n* **1.** (*event or action*) Möglichkeit *f;* **there is every ~ that ...** es ist sehr wahrscheinlich, dass ... **2.** *no pl* (*likelihood*) Möglichkeit *f,* Wahrscheinlichkeit *f;* **there's a ~ that ...** es kann sein, dass ... **3.** (*potential*) **possibilities** *pl* Möglichkeiten *pl*

possible [ˈpɒsəbl] *adj* **1.** *usu pred* (*feasible*) möglich; **it's just not ~** das ist einfach nicht machbar; **as soon as ~** so bald wie möglich **2.** (*that could happen*) möglich, vorstellbar

possibly [ˈpɒsəbli] *adv* **1.** (*feasibly*) **to do all that one ~ can** alles Menschenmögliche tun **2.** (*perhaps*) möglicherweise, vielleicht; **very ~** durchaus möglich

post [pəʊst] I. *n* **1.** (*pole*) Pfosten *m,* Pfahl *m;* **wooden ~** Holzpfosten *m* **2.** (*in a race*) **the finishing ~** der Zielpfosten **3.** (*job, position*) Stelle *f;* a. MIL Posten **4.** *no pl* BRIT (*mail*) Post *f;* **by ~** mit der Post; **by separate ~** mit getrennter Post II. *vt* **1.** (*send sth*) [per Post] schicken; (*at a post office*) aufgeben; (*in a post/pillar box*) werfen in +*akk* **2.** (*send sb*) versetzen; **she was ~ed to London** sie wurde nach London versetzt **3.** (*stick*) **~ no bills!** Plakate ankleben verboten!

postage [ˈpəʊstɪdʒ] *n no pl* Porto *nt;* **~ paid** [porto]frei; **~ stamp** Postwertzeichen *nt*

postal [ˈpəʊstəl] *adj attr* Post-, postalisch *geh*

postbag *n* BRIT **1.** (*letters*) Zuschriften *pl* **2.** (*bag*) Postsack *m* **postbox** *n*

esp BRIT, AUS Briefkasten *m* **postcard** *n* Postkarte *f* **postcode** *n* BRIT, AUS Postleitzahl *f*

post-date *vt* (*give later date*) vordatieren

poster [ˈpəʊstəʳ] *n* **1.** (*advertisement*) [Werbe]plakat *nt* **2.** (*large picture*) Poster *nt*

poste restante [ˌpəʊstˈrestɑːnt] I. *n usu sing* Aufbewahrungs- und Abholstelle *f* für postlagernde Briefe und Sendungen; (*on envelopes*) '**~**' ‚postlagernd' II. *adv* postlagernd, poste restante

post-free BRIT I. *adj* gebührenfrei II. *adv* portofrei, gebührenfrei

postgraduate I. *n* Postgraduierte(r) *f(m)* fachspr, Student(in) *m(f)* im Aufbaustudium (*nach Erreichen des ersten akademischen Grades*) II. *adj attr* weiterführend, Postgraduierten-

posting [ˈpəʊstɪŋ] *n esp* BRIT **1.** (*appointment to job*) Versetzung *f* **2.** (*location*) Ort, an den jd versetzt wird

postman *n* Postbote *m,* Briefträger *m* **postmark** I. *n* Poststempel *m* II. *vt usu passive* **to be ~ed** abgestempelt sein

post-mortem [ˌpəʊs(t)ˈmɔːtem] I. *n* MED Autopsie *f* II. *adj attr* nach dem Tod *nach n,* postmortal **postnatal** *adj* nach der Geburt *nach n*

post office *n* Postamt *nt,* Post *f;* **the P~ O~** die Post *kein pl* **post-paid** *adj, adv* portofrei, gebührenfrei

postpone [pəʊs(t)ˈpəʊn] *vt* verschieben

postscript *n* **1.** (*to a letter*) Postskript[um] *nt* **2.** (*to piece of writing*) Nachwort *nt*

post-war *adj* Nachkriegs-, der Nachkriegszeit *nach n*

P

pot¹ [pɒt] I. *n* 1. (*for cooking*) Topf *m* 2. (*container*) Topf *m*; (*glass*) Glas *nt*; **coffee** ~ Kaffeekanne *f* 3. (*amount*) **a** ~ **of tea** eine Kanne Tee II. *vt* <-tt-> 1. (*put in pot*) plants eintopfen 2. SPORTS (*in billiards, snooker*) einlochen

pot² *n no pl* (*sl: hashish*) Pot *nt*

potato <*pl* -es> [pə'teɪtəʊ] *n* Kartoffel *f*, Erdapfel *m* ÖSTERR; **fried** ~es Bratkartoffeln *pl*; **mashed** ~[es] Kartoffelbrei *m*

potato chips *n pl* AM, AUS *see* **potato crisps potato crisps** *n pl* BRIT Kartoffelchips *pl* **potato peeler** *n* Kartoffelschäler *m*

potent ['pəʊtᵊnt] *adj* 1. (*strong*) mächtig; antibiotic, drink stark; argument schlagkräftig 2. (*sexual*) potent

potential [pə(ʊ)'ten(t)ʃᵊl] I. *adj* potenziell *geh*, möglich II. *n no pl* Potenzial *nt geh*; **to have [a lot of]** ~ building, idea [vollkommen] ausbaufähig sein; person [sehr] begabt sein

potentially [pə(ʊ)'ten(t)ʃᵊli] *adv* potenziell *geh*; ~ **disastrous/successful** möglicherweise verheerend/erfolgreich

pothole *n* 1. (*in road*) Schlagloch *nt* 2. (*underground hole*) Höhle *f*

pot roast *n* Schmorbraten *m*

potted ['pɒtɪd] *adj attr* 1. (*in a pot*) Topf- 2. (*preserved*) eingelegt

potter¹ ['pɒtər] *n* (*with clay*) Töpfer(in) *m(f)*

potter² ['pɒtər] *esp* BRIT I. *n no pl* (*stroll*) Bummel *m* II. *vi* bummeln

pottery ['pɒtᵊri] *n* 1. *no pl* (*activity*) Töpfern *nt* 2. (*objects*) Keramik *f* kein *pl*

potty ['pɒti] I. *adj esp* BRIT (*fam*) verrückt II. *n* Töpfchen *nt*

pouch <*pl* -es> [paʊtʃ] *n* Beutel *m*

poultry ['pəʊltri] *n* Geflügel *nt*; ~ **farming** Geflügelzucht *f*

pound [paʊnd] I. *n* 1. (*money*) Pfund *nt*; ~ **coin** Pfundmünze *f* 2. (*weight*) ≈ Pfund *nt* (*454 g*) II. *vt* (*hit repeatedly*) **to** ~ **sth** auf etw *akk* hämmern III. *vi* 1. (*strike repeatedly*) hämmern (**on** an/gegen) 2. (*run noisily*) stampfen

pound note *n* SCOT (*or old*) Pfundnote *f*

pour [pɔːr] I. *vt* (*cause to flow*) gießen (**into** in/**onto** auf); drink eingießen, einschenken; ~ **yourself a drink** nimm dir was zu trinken II. *vi* 1. (*fill glasses, cups*) eingießen, einschenken 2. (*flow*) fließen (**into** in/**out** aus) 3. *impers* (*rain*) **it's** ~**ing [with rain]** es schüttet *fam* ◆ **pour in** *vi* hereinströmen, hineinströmen ◆ **pour out** I. *vt* 1. (*serve from a container*) liquids ausgießen; solids ausschütten 2. (*fig: recount*) **to** ~ **out one's worries** sich *dat* Sorgen von der Seele reden II. *vi* 1. (*come out*) ausströmen 2. (*be expressed*) words herauskommen *fig*

pout [paʊt] I. *vi* schmollen II. *n* Schmollmund *m*

poverty ['pɒvəti] *n no pl* (*state of being poor*) Armut *f*

poverty-stricken *adj* bitterarm

powder ['paʊdər] I. *n* 1. *no pl* Pulver *nt*; ~ **snow** Pulverschnee *m* 2. *no pl* (*make-up*) Puder *m* II. *vt* pudern; **to be** ~**ed with sth** mit etw *dat* bestreut sein

powdered ['paʊdəd] *adj* 1. (*in powder form*) Pulver-, pulverisiert 2. (*covered with powder*) gepudert **powder room** *n* (*dated*) Damentoilette *f*

power [ˈpaʊəʳ] I. *n* 1. *no pl* (*control*) Macht *f;* (*influence*) Einfluss *m;* **to have sb in one's** ~ jdn in seiner Gewalt haben 2. *no pl* (*political control*) Macht *f;* **to come to** ~ an die Macht kommen; **to seize** ~ die Macht ergreifen 3. (*nation*) [Führungs]macht *f* 4. (*person, group*) Macht *f;* (*person a.*) treibende Kraft 5. *no pl* (*ability*) Vermögen *nt;* **it is beyond my** ~ **to ...** es steht nicht in meiner Macht, ...; **to do everything in one's** ~ alles in seiner Macht Stehende tun 6. *no pl* (*strength*) Kraft *f;* (*of sea, wind, explosion*) Gewalt *f;* (*of nation, political party*) Stärke *f,* Macht *f* 7. *no pl* (*electricity*) Strom *m,* Elektrizität *f;* **nuclear** ~ Atomenergie *f* 8. *no pl* (*output*) Leistung *f,* Kraft *f* II. *vt* antreiben

power-assisted *adj attr* Servo-; ~ **steering** Servolenkung *f* **powerboat** *n* Rennboot *nt* **power brakes** *n pl* Servobremsen *pl* **power cable** *n* Stromkabel *nt* **power cut** *n* BRIT, AUS Stromausfall *m*

powerful [ˈpaʊəfˀl] *adj* 1. (*mighty*) mächtig; (*influential*) einflussreich 2. (*physically strong*) stark, kräftig 3. *effect, influence* stark 4. TECH, TRANSP leistungsstark

powerfully [ˈpaʊəfˀli] *adv* 1. (*strongly*) stark 2. (*using great force*) kraftvoll, mit Kraft

powerless [ˈpaʊələs] *adj* machtlos (**against** gegen)

power line *n* Stromkabel *nt* **power point** *n* BRIT, AUS Steckdose *f* **power station** *n* Kraftwerk *nt* **power steering** *n no pl* Servolenkung *f*

PR [ˌpiːˈɑːʳ] *n no pl* 1. *abbrev of* **public relations** PR; **a** ~ **campaign/exer-** cise eine PR-Kampagne/PR-Maßnahme 2. *abbrev of* **proportional representation** Verhältniswahlsystem *nt*

practical [ˈpræktɪkˀl] I. *adj* 1. (*reliable, not theoretical*) praktisch 2. (*good at doing things*) praktisch [veranlagt] II. *n* praktische Prüfung

practically [ˈpræktɪkˀli] *adv* praktisch; **we're** ~ **home** wir sind fast zu Hause

practice [ˈpræktɪs] I. *n* 1. *no pl* (*preparation*) Übung *f;* **to be out of** ~ aus der Übung sein 2. (*training session*) [Übungs]stunde *f;* SPORTS Training *nt* 3. (*business*) Praxis *f* II. *vt* AM *see* **practise**

practise [ˈpræktɪs] I. *vt* 1. (*rehearse*) **to** ~ [**doing**] **sth** etw üben; (*improve particular skill*) an etw *dat* arbeiten 2. (*do regularly*) praktizieren 3. (*work in*) praktizieren II. *vi* 1. (*improve skill*) üben; SPORTS trainieren 2. (*work in a profession*) praktizieren

praise [preɪz] I. *vt* 1. (*express approval*) loben 2. (*worship*) **to** ~ **God** Gott preisen *geh* II. *n no pl* (*approval*) Lob *nt;* **to heap** ~ **on sb** jdn mit Lob überschütten

pram [præm] *n* BRIT, AUS Kinderwagen *m*

prank [præŋk] *n* Streich *m*

prawn [prɔːn] *n* Garnele *f,* Krabbe *f* fam

pray [preɪ] *vi* 1. beten 2. (*fig: hope*) **to** ~ **for sth** auf etw *akk* hoffen

prayer [preəʳ] *n* Gebet *nt;* **to answer sb's** ~[**s**] jds Gebet[e] erhören; **to say a** ~ **for sb** für jdn beten; ~ **book** Gebetbuch *nt*

praying mantis *n* Gottesanbeterin *f*

preach [priːtʃ] I. *vi* 1. (*give a sermon*) predigen; **to** ~ **to sb** vor jdm predigen 2. (*pej: lecture*) **to** ~ **at sb** jdm eine

Predigt halten *fig* **II.** *vt* **to ~ a sermon** eine Predigt halten

preacher ['priːtʃəʳ] *n* **1.** (*priest*) Geistliche(r) *f(m)*, Pfarrer(in) *m(f)* **2.** *esp* AM Prediger(in) *m(f)*

pre-arrange [ˌpriːəˈreɪndʒ] *vt usu passive* vorplanen

precarious [prɪˈkeəriəs] *adj* (*hazardous*) gefährlich

precaution [prɪˈkɔːʃᵃn] *n* Vorkehrung *f;* **fire ~s** Brandschutzmaßnahmen *pl*

precede [priːˈsiːd] *vt* (*in space*) vorangehen; **sb/sth is ~d by sb/sth** jd/ etw geht jdm/etw voran

preceding [priːˈsɪːdɪŋ] *adj attr* vorhergehend, vorangegangen; **the ~ page** die vorige Seite

precinct ['priːsɪŋ(k)t] *n* **1.** (*boundaries*) **~s** *pl* Bereich *m* **2.** BRIT (*restricted traffic zone*) verkehrsberuhigte Zone; **pedestrian ~** Fußgängerzone *f*

precious ['preʃəs] **I.** *adj* **1.** (*of great value*) wertvoll, kostbar; **to be ~ to sb** jdm viel bedeuten; **~ stone** Edelstein *m* **2.** (*pej: affected*) *manner, style* geziert **II.** *adv* (*fam*) **~ little** herzlich wenig

precipice ['presɪpɪs] *n* (*steep drop*) Abgrund *m;* (*cliff face*) Steilhang *m*

precise [prɪˈsaɪs] *adj* **1.** (*exact*) genau, präzise **2.** (*careful*) sorgfältig; **to be ~ about doing sth** etw sehr genau nehmen

precisely [prɪˈsaɪsli] *adv* **1.** (*exactly*) genau, präzise **2.** (*just*) genau; **~ because** eben wegen

precocious [prɪˈkəʊʃəs] *adj* **1.** (*developing early*) frühreif **2.** (*pej: maturing too early*) altklug

pre-cook [ˌpriːˈkʊk] *vt* vorkochen

predator ['predətəʳ] *n* (*animal*) Raubtier *nt;* (*bird*) Raubvogel *m*

predecessor [ˌpriːdɪˈsesəʳ] *n* Vorgänger(in) *m(f)*

predict [prɪˈdɪkt] *vt* vorhersagen; *sb's future* prophezeien

predictable [prɪˈdɪktəbl] *adj* **1.** (*foreseeable*) vorhersehbar, voraussagbar **2.** (*pej: not very original*) berechenbar

preface ['prefɪs] **I.** *n* **1.** (*introduction*) Einleitung *f* **2.** (*fig: preceding event*) **as a ~** als Einstieg **II.** *vt* **1.** (*provide with preface*) **to ~ sth** eine Einleitung zu etw *dat* verfassen **2.** (*lead up to*) einleiten

prefect ['priːfekt] *n* **1.** (*official*) Präfekt(in) *m(f)* **2.** *esp* BRIT, AUS SCH *Schüler, der die Jüngeren beaufsichtigen muss*

prefer <-rr-> [prɪˈfɜːʳ] *vt* vorziehen, bevorzugen; **she ~s Daniel to his brother** sie mag Daniel lieber als seinen Bruder

preferably ['prefᵃrəbli] *adv* am besten, vorzugsweise

preference ['prefᵃrᵊn(t)s] *n* **1.** *no pl* (*priority*) Priorität *f*, Vorzug *m;* **to be given ~** Vorrang haben **2.** *no pl* (*greater liking*) Vorliebe *f* (**for** für)

preferential [ˌprefᵊrˈen(t)ʃᵊl] *adj attr* Vorzugs-, Präferenz-; **to get ~ treatment** bevorzugt behandelt werden

prefix I. *n* <*pl* -es> ['priːfɪks] **1.** LING Präfix *nt* *fachspr*, Vorsilbe *f* **2.** (*something prefixed*) Namensvorsatz *m* **II.** *vt* [ˌpriːˈfɪks] **to ~ sth with sth** etw einer S. *dat* voranstellen

pregnancy ['pregnən(t)si] *n* Schwangerschaft *f;* ZOOL Trächtigkeit *f*

pregnant ['pregnənt] *adj woman* schwanger; *animal* trächtig; **she's eight months ~** sie ist im achten Monat [schwanger]

prejudge [ˌpriːˈʤʌʤ] *vt* to ~ sb/sth vorschnell ein Urteil über jdn/etw fällen

prejudice [ˈpreʤədɪs] **I.** *n* Vorurteil *nt* (**against** gegen) **II.** *vt* **1.** (*harm*) schädigen; **to ~ sb's chances** jds Chancen beeinträchtigen **2.** (*bias*) beeinflussen; **to ~ sb against sb** jdn gegen jdn einnehmen

prejudiced [ˈpreʤədɪst] *adj* voreingenommen; **to be ~ against sth** Vorurteile gegen etw haben

preliminary [prɪˈlɪmɪnᵊri] **I.** *adj attr* einleitend; (*preparatory*) vorbereitend; **~ arrangements** Vorbereitungen *pl* **II.** *n* **1.** (*introduction*) Einleitung *f;* (*preparation*) Vorbereitung *f* **2.** SPORTS (*heat*) Vorrunde *f*

premarital [ˌpriːˈmærɪtᵊl] *adj* vorehelich

premature [ˈpremətʃᵊr] *adj* **1.** (*too early*) verfrüht, vorzeitig **2.** MED ~ **baby** Frühgeburt *f*

premier [ˈpremiᵊr] **I.** *n* Premierminister(in) *m(f);* CAN, AUS Ministerpräsident(in) *m(f)* **II.** *adj attr* führend

premium quality *n* Spitzenqualität *f*

prep [prep] *n no pl* (*fam*) **1.** (*preparation*) Vorbereitung *f* **2.** BRIT SCH (*homework*) Hausaufgaben *pl*

prepaid [ˌpriːˈpeɪd] *adj* im Voraus bezahlt; **~ reply** frankierte Rückantwortkarte

preparation [ˌprepᵊrˈeɪʃᵊn] *n* **1.** *no pl* (*getting ready*) Vorbereitung *f; of food* Zubereitung *f;* **to do very little ~ [for sth]** sich kaum [auf etw *akk*] vorbereiten **2.** (*measures*) ~**s** *pl* Vorbereitungen *pl* (**for** für); (*precautions*) Vorkehrungen *pl* **3.** (*substance*) Präparat *nt*, Mittel *nt*

prepare [prɪˈpeᵊr] **I.** *vt* **1.** (*get ready*)

vorbereiten (**for** auf); **to ~ the way [for sb/sth]** den Weg [für jdn/etw] bereiten **2.** (*make*) zubereiten; **to ~ breakfast** das Frühstück machen **II.** *vi* **to ~ for sth** sich auf etw *akk* vorbereiten

prepay <-paid, -paid> [ˌpriːˈpeɪ] *vt* im Voraus bezahlen

preposition [ˌprepəˈzɪʃᵊn] *n* Verhältniswort *nt*, Präposition *f*

prep school *n* (*fam*) **1.** BRIT *vorbereitende Privatschule für die Aufnahme an einer „Public School" (höheren Privatschule)* **2.** AM *vorbereitende [Privat]schule für die Aufnahme an einem College*

pre-school [ˈpriːskuːl] **I.** *n* AM, AUS Kindergarten *m* **II.** *adj attr* vorschulisch, Vorschul-

prescribe [prɪˈskraɪb] *vt* **1.** (*medical*) **to ~ sth** etw verschreiben **2.** (*recommend*) **to ~ sth [to sb]** *special diet* [jdm] etw verordnen

prescription [prɪˈskrɪpʃᵊn] *n* (*medical*) Rezept *nt* (**for** für); **on ~** auf Rezept

presence [ˈprezᵊn(t)s] *n* **1.** *no pl* (*attendance*) Anwesenheit *f* **2.** (*dignified bearing*) Haltung *f*

present¹ [ˈprezᵊnt] **I.** *n* **1.** *no pl* (*now*) **the ~** die Gegenwart; **at ~** zurzeit [*o* gegenwärtig] **2.** *no pl* LING Präsens *nt* **II.** *adj* **1.** *attr* (*current*) derzeitig, gegenwärtig **2.** *attr* (*in attendance*) anwesend; (*existing*) vorhanden

present² [ˈprezᵊnt] *n* Geschenk *nt; to* **get sth as a ~** etw geschenkt bekommen

present³ [prɪˈzent] *vt* **1.** (*give formally*) *gift* schenken; *award, medal* überreichen **2.** (*hand over, show*) vorlegen **3.** (*put forward*) präsentieren; *argument* anführen; *suggestion* unterbrei-

P

ten **4.** (*face, confront*) **to ~ sb with a challenge** jdn vor eine Herausforderung stellen **5.** (*compère*) *TV programme* moderieren

presentation [ˌprezᵊn'teɪʃᵊn] *n* **1.** (*giving*) Präsentation *f*; *of a theory* Darlegung *f*; *of a dissertation, thesis* Vorlage *f* **2.** (*lecture, talk*) Präsentation *f* (**on** zu) **3.** *no pl* (*display*) *of photographs, works* Ausstellung *f*

presently ['prezᵊntli] *adv* **1.** (*soon*) bald, gleich **2.** *esp* BRIT, AUS (*now*) zurzeit, gegenwärtig

preservative [prɪ'zɜːvətɪv] *n* Konservierungsstoff *m*

preserve [prɪ'zɜːv] I. *vt* **1.** (*maintain*) erhalten; *customs, tradition* bewahren **2.** (*conserve*) konservieren; *wood* [mit Holzschutzmittel] behandeln II. *n* **1.** *usu pl* (*food*) Eingemachte(s) *nt kein pl* **2.** (*domain*) Domäne *f*; *of a department* Ressort *nt* **3.** *esp* AM (*reserve*) Reservat *nt;* **nature/wildlife ~** Naturschutzgebiet *nt*

preserved [prɪ'zɜːvd] *adj* **1.** (*maintained*) konserviert **2.** FOOD eingemacht, eingelegt

pre-shrunk [ˌpriː'ʃrʌŋk] *adj clothes* vorgewaschen

presidency ['prezɪdᵊn(t)si] *n* Präsidentschaft *f*

president ['prezɪdᵊnt] *n* Präsident(in) *m(f)*

press [pres] I. *n* <*pl* -es> **1.** (*push*) Druck *m;* **at the ~ of a button** auf Knopfdruck **2.** (*ironing*) Bügeln *nt kein pl* **3.** (*news media, newspapers*) **the ~** + *sing/pl vb* die Presse II. *vt* **1.** (*push*) **to ~ sth** [auf] etw *akk* drücken; **to ~ on the brake pedal** auf das Bremspedal treten **2.** (*flatten*) zusammendrücken **3.** (*extract juice*

from) auspressen **4.** (*iron*) bügeln **5.** (*manufacture*) *CD, record* pressen III. *vi* **1.** (*push*) drücken **2.** (*be urgent*) drängen ♦ **press ahead** *vi* **to ~ ahead [with sth]** [mit etw *dat*] weitermachen, etw vorantreiben [*o geh* forcieren] ; **to ~ ahead with the talks** mit den Gesprächen fortfahren ♦ **press on** *vi* **to ~ on [with sth]** [mit etw *dat*] weitermachen; **to ~ on with one's journey** seine Reise fortsetzen

press conference *n* Pressekonferenz *f*

pressing ['presɪŋ] I. *adj* (*urgent*) *issue, matter* dringend II. *n* (*manufacture of CD, record*) Pressung *f*

press photographer *n* Pressefotograf(in) *m(f)* **press report** *n* Pressebericht *m*

press-up *n* BRIT Liegestütz *m*

pressure ['preʃᵊr] I. *n* **1.** *no pl* (*physical force*) Druck *m;* **to apply ~** Druck ausüben **2.** *no pl* (*stress*) Druck *m*, Stress *m*, Belastung *f;* **to be under ~** unter Druck stehen II. *vt esp* AM **to ~ sb to do sth** jdn dazu drängen, etw zu tun

pressure cooker *n* Schnellkochtopf *m* **pressure group** *n* Interessengruppe *f*

pressurize ['preʃᵊraɪz] *vt* **1.** (*control air pressure*) druckfest halten; **~d cabin** Druckkabine *f* **2.** (*persuade by force*) **to ~ sb to do sth** jdn [massiv] dazu drängen, etw zu tun

presumably [prɪ'zjuːməbli] *adv* vermutlich

presume [prɪ'zjuːm] *vt* (*suppose, believe*) annehmen, vermuten; **to be ~d innocent** als unschuldig gelten

pretend [prɪ'tend] *vt* vorgeben, vortäuschen; **to ~ surprise** so tun, als ob man überrascht wäre; **I'll just ~ that I didn't hear that** ich tue einfach so, als hätte ich das nicht gehört

pretty ['prɪti] **I.** *adj* (*attractive*) *person* hübsch; *thing* nett **II.** *adv* (*fam*) **1.** (*fairly*) ziemlich; **~ good** (*fam*) ganz gut **2.** (*almost*) **~ well everything** beinah alles; **~ much** fast **III.** *vt* **to ~ oneself ⇆ up** sich zurechtmachen; **to ~ up ⇆ sth** etw verschönern

prevent [prɪ'vent] *vt* verhindern; *crime* verhüten; MED vorbeugen; **to ~ sb [from] doing sth** jdn daran hindern, etw zu tun

preview ['pri:vju:] *n of a film, play* Vorpremiere *f;* (*trailer*) Vorschau *f; of an exhibition* Vernissage *f*

previous ['pri:viəs] *adj attr* **1.** (*former*) vorig, vorausgegangen; (*prior*) vorherig; **~ conviction** Vorstrafe *f* **2.** (*preceding*) vorig, vorhergehend; **on the ~ day** am Tag davor

previously ['pri:viəsli] *adv* (*beforehand*) zuvor, vorher

prey [preɪ] **I.** *n no pl* Beute *f a. fig* **II.** *vi* **to ~ on sth** Jagd auf etw *akk* machen; **to ~ on sb** jdn ausnutzen

price [praɪs] **I.** *n* Preis *m* **II.** *vt* **to ~ sth** (*mark with price*) etw auszeichnen

priceless ['praɪsləs] *adj* **1.** (*invaluable*) unbezahlbar, von unschätzbarem Wert *nach n* **2.** (*fig fam: funny*) köstlich

price list *n* Preisliste *f* **price tag**, **price ticket** *n* **1.** (*label*) Preisschild *nt* **2.** (*fam: cost*) Preis *m* (**for** für)

pricey ['praɪsi] *adj* (*fam*) teuer

prick [prɪk] **I.** *n* **1.** (*act of piercing*) Stechen *nt;* (*pierced hole, mark*) Stich *m* **2.** (*sharp pain*) Stich *m*

II. *vt* stechen; **to ~ a potato with a fork** eine Kartoffel mit einer Gabel einstechen

prickly ['prɪkli] *adj* **1.** (*thorny*) stachelig **2.** (*scratchy*) kratzig **3.** (*fam: easily offended*) *person* [leicht] reizbar

pride [praɪd] **I.** *n* **1.** *no pl* (*satisfaction*) Stolz *m* **2.** *no pl* (*arrogance*) Hochmut *m*, Überheblichkeit *f* **3.** (*animal group*) **a ~ of lions** ein Rudel *nt* Löwen **II.** *vt* **to ~ oneself on sth** auf etw *akk* [besonders] stolz sein

priest [pri:st] *n* Priester (in) *m(f)*

primary ['praɪməri] **I.** *adj* **1.** (*principal*) primär *geh* **2.** (*not derivative*) roh gewonnen, Roh- **3.** *esp* BRIT, AUS (*education*) Grundschul-; **~ school** Grundschule *f* **II.** *n* AM POL (*election*) Vorwahl *f*

prime minister *n* Premierminister(in) *m(f)*

prime number *n* Primzahl *f*

prime time *n* Hauptsendezeit *f*

primitive ['prɪmɪtɪv] *adj* **1.** (*early stage*) primitiv; ZOOL urzeitlich **2.** (*pej: simple*) primitiv

primrose ['prɪmrəʊz] *n* [gelbe] Schlüsselblume

Primus®, Primus stove® ['praɪməs] *n* Campingkocher *m*

prince [prɪn(t)s] *n* (*royal*) Prinz *m;* (*head of principality*) Fürst *m*

princess <*pl* -es> [prɪn'ses] *n* Prinzessin *f*

principal ['prɪn(t)səpəl] **I.** *adj attr* (*most important*) Haupt-, hauptsächlich; **one of the ~ towns** eine der bedeutendsten Städte **II.** *n* **1.** AM, AUS SCH Direktor(in) *m(f)* **2.** MUS Solist(in) *m(f)*

principle ['prɪn(t)səpl] *n* **1.** (*basic con-*

P

cept) Prinzip *nt;* **basic** ~ Grundprinzip *nt* **2.** (*fundamental*) Grundlage *f* **3.** (*moral code*) Prinzip *nt*

print [prɪnt] **I.** *n* **1.** (*lettering*) Gedruckte(s) *nt;* **the small** ~ das Kleingedruckte **2.** *no pl* (*printed form*) Druck *m;* **to appear in** ~ veröffentlicht werden; **to be out of** ~ vergriffen sein **3.** (*photo*) Abzug *m;* (*film*) Kopie *f;* (*copy of artwork*) Druck *m* **4.** (*footprint*) Fußabdruck *m;* (*fam: fingerprint*) Fingerabdruck *m* **II.** *vt* **1.** TYPO drucken; **to** ~ **a newspaper** eine Zeitung herausgeben **2.** PUBL veröffentlichen; (*in magazine, newspaper*) abdrucken **3.** COMPUT etw ausdrucken **4.** (*write by hand*) in Druckschrift schreiben **III.** *vi* **1.** (*be in preparation*) sich im Druck befinden **2.** (*make copy*) drucken **3.** (*write in unjoined letters*) in Druckschrift schreiben

printer ['prɪntər] *n* **1.** (*person*) Drucker(in) *m(f)* **2.** (*machine*) Drucker *m;* ~ **driver** Druckertreiber *m*

printout *n* Ausdruck *m*

prior[1] ['praɪər] **I.** *adv* ~ **to sth** vor etw *dat* **II.** *adj attr* (*earlier*) frühere(r, s), vorherige(r, s); ~ **engagement** vorher getroffene Verabredung

prior[2] ['praɪər] *n* (*of abbey/priory*) Prior *m*

priority [praɪˈɒrəti] **I.** *n* **1.** (*deserving greatest attention*) vorrangige Angelegenheit; **first/top** ~ Angelegenheit *f* von höchster Priorität; **to get one's priorities right** seine Prioritäten richtig setzen **2.** *no pl* (*great importance*) Priorität *f* **3.** *no pl* (*precedence*) Vorrang *m;* **to give** ~ **to sb** jdm den Vorzug geben **4.** *no pl* (*right of way*) Vorfahrt *f* **II.** *adj* **1.** (*urgent*) *task* vor-

dringlich; ~ **mail** AM Expresszustellung *f* **2.** (*preferential*) vorrangig

prism ['prɪzəm] *n* Prisma *nt*

prison ['prɪzən] *n* Gefängnis *nt a. fig;* **to be in** ~ im Gefängnis sitzen

prison cell *n* Gefängniszelle *f*

prisoner ['prɪzənər] *n* Gefangene(r) *f(m) a. fig,* Häftling *m;* **to take sb** ~ jdn gefangen nehmen

privacy ['prɪvəsi] *n no pl* **1.** (*personal realm*) Privatsphäre *f* **2.** (*time alone*) Zurückgezogenheit *f*

private ['praɪvɪt] **I.** *adj* **1.** (*personal, not open to public*) privat, Privat- **2.** (*confidential*) vertraulich **3.** (*not social*) zurückhaltend, introvertiert **II.** *n* **1.** *no pl* (*not in public*) **in** ~ privat **2.** (*soldier*) Gefreiter *m*

privately ['praɪvɪtli] *adv* **1.** (*not in public*) privat; **to speak** ~ **with sb** mit jdm unter vier Augen sprechen **2.** (*secretly*) heimlich, insgeheim

privatization [ˌpraɪvɪtaɪˈzeɪʃən] *n no pl* Privatisierung *f*

privatize ['praɪvɪtaɪz] *vt* privatisieren

privilege ['prɪvəlɪdʒ] *n* **1.** (*special right*) Privileg *nt,* Vorrecht *nt* **2.** (*honour*) Ehre *f* **3.** *no pl* (*advantage*) Privileg *nt,* Sonderrecht *nt*

privileged ['prɪvəlɪdʒd] *adj* **1.** privilegiert **2.** LAW *communication, information* vertraulich

prize [praɪz] **I.** *n* **1.** (*sth won*) Preis *m;* (*in lottery*) Gewinn *m* **2.** (*reward*) Lohn *m* **II.** *adj attr* (*prize-winning*) preisgekrönt **III.** *vt* schätzen; **to** ~ **sth above sth** etw über etw *dat* stellen

prize money *n no pl* Geldpreis *m;* SPORTS Preisgeld *nt* **prizewinner** *n* Gewinner(in) *m(f)* **prize-winning** *adj attr* preisgekrönt

pro¹ [prəʊ] (*fam*) I. *n* Profi *m* II. *adj attr* Profi-

pro² [prəʊ] I. *adv* dafür II. *n* Pro *nt;* **the ~s and cons of sth** das Pro und Kontra einer S. *gen* III. *prep* (*in favour of*) für +*akk* IV. *adj* pro-

probability [ˌprɒbəˈbɪləti] *n* Wahrscheinlichkeit *f;* **strong ~** große Wahrscheinlichkeit

probable [ˈprɒbəbl] I. *adj* wahrscheinlich II. *n* Kandidat(in) *m(f)*

problem [ˈprɒbləm] *n* 1. (*difficulty*) Schwierigkeit *f*, Problem *nt;* **what's your ~?** was ist [mit dir] los?; **no ~** (*sure*) kein Problem; (*don't mention it*) keine Ursache 2. (*task*) Aufgabe *f*

procedure [prəˈ(ʊ)siːdʒər] *n* 1. (*particular course of action*) Verfahren *nt;* **standard ~** übliche Vorgehensweise 2. (*operation*) Vorgang *m*

proceed [prəˈ(ʊ)siːd] *vi* (*form*) 1. (*make progress*) fortschreiten, vorangehen 2. (*advance*) vorrücken 3. (*continue*) fortfahren 4. **to ~ from sth** von etw *dat* kommen

proceeds [ˈprəʊsiːdz] *n pl* Einnahmen *pl*

process [ˈprəʊses] I. *n* <*pl* -es> 1. (*set of actions*) Prozess *m* 2. (*method*) Verfahren *nt* 3. *no pl* (*going on*) Verlauf *m* II. *vt* 1. (*deal with*) bearbeiten; **to ~ sb** jdn abfertigen 2. COMPUT verarbeiten 3. (*treat*) behandeln; *food* haltbar machen, konservieren

procession [prəˈseʃən] *n* (*line*) Umzug *m;* REL Prozession *f;* **funeral ~** Trauerzug *m*

produce I. *vt* [prəˈdjuːs] 1. (*make*) herstellen, produzieren; *coal, oil* fördern; *electricity* erzeugen 2. (*bring about*) bewirken, hervorrufen 3. FILM, MUS

produzieren II. *vi* [prəˈdjuːs] 1. (*bring results*) Ergebnisse erzielen; ECON einen Gewinn erwirtschaften 2. (*give output*) produzieren III. *n* [ˈprɒdjuːs] *no pl* 1. AGR Erzeugnisse *pl*, Produkte *pl* 2. AM (*fruit and vegetables*) Obst *nt* und Gemüse *nt*

producer [prəˈdjuːsər] *n* 1. (*manufacturer*) Hersteller *m;* AGR Erzeuger *m* 2. FILM, TV Produzent(in) *m(f)*

product [ˈprɒdʌkt] *n* 1. (*sth produced*) Produkt *nt*, Erzeugnis *nt* 2. (*result*) Ergebnis *nt*

production [prəˈdʌkʃən] *n* 1. *no pl* (*process*) Produktion *f*, Herstellung *f;* *of coal* Förderung *f;* *of energy* Erzeugung *f* 2. *no pl* (*yield*) Produktion *f* 3. *no pl* FILM, TV Produktion *f;* THEAT Inszenierung *f*

production manager *n* Produktionsleiter(in) *m(f)*

profession [prəˈfeʃən] *n* 1. (*field of work*) Beruf *m* 2. (*body of workers*) Berufsstand *m*

professional [prəˈfeʃənəl] I. *adj* 1. (*of a profession*) beruflich, Berufs- 2. (*not tradesman*) freiberuflich, akademisch 3. (*expert*) fachmännisch 4. (*businesslike*) professionell II. *n* 1. (*not an amateur*) Fachmann, -frau *m, f;* SPORTS Profi *m fam* 2. (*not a tradesman*) Akademiker(in) *m(f)*

professor [prəˈfesər] *n* UNIV Professor(in) *m(f);* AM *a.* (*lecturer*) Dozent(in) *m(f)*

proficient [prəˈfɪʃənt] *adj* fähig; **to be ~ in a language** eine Sprache beherrschen

profile [ˈprəʊfaɪl] I. *n* 1. (*side view*) Profil *nt* 2. (*description*) Porträt *nt* *fig* 3. (*public image*) **to raise sb's ~** jdn hervorheben ▶ **to keep a** <u>low</u> **~**

P

sich zurückhalten **II.** *vt* **1.** (*write*) porträtieren *fig* **2.** (*draw*) im Profil zeichnen

profit ['prɒfɪt] **I.** *n* **1.** (*money earned*) Gewinn *m* **2.** (*advantage*) Nutzen *m* **II.** *vi* **1.** (*gain financially*) profitieren (**by/from** von), Gewinn machen **2.** (*benefit*) profitieren (**by/from** von)

profitable ['prɒfɪtəbl] *adj* **1.** (*in earnings*) Gewinn bringend, rentabel, profitabel **2.** (*advantageous*) nützlich, vorteilhaft

profiteering [ˌprɒfɪ'tɪərɪŋ] *n no pl* **1.** (*profit-seeking*) Geschäftemacherei *f pej* **2.** (*selling at too high prices*) Wucher *m pej*

profit margin *n* Gewinnspanne *f*

profound [prə'faʊnd] *adj* **1.** (*extreme*) tief gehend; *change* tief greifend **2.** (*strongly felt*) tief, heftig

program ['prəʊgræm] **I.** *n* **1.** COMPUT Programm *nt* **2.** *esp* AM, AUS *see* **programme II.** *vt* <-mm-> **1.** COMPUT programmieren **2.** *esp* AM, AUS *see* **programme**

programmable [prə(ʊ)'græməbl] *adj* programmierbar

programme ['prəʊgræm] **I.** *n* **1.** RADIO, TV Programm *nt;* (*single broadcast*) Sendung *f* **2.** Programm *nt,* Plan *m* **II.** *vt* <-mm-> programmieren

programmer, AM **programer** ['prəʊgræmə'] *n* **1.** (*operator*) Programmierer(in) *m(f)* **2.** (*component*) Programmiergerät *nt*

programming ['prəʊgræmɪŋ] *n no pl* **1.** COMPUT Programmieren *nt* **2.** RADIO, TV Programmgestaltung *f*

progress I. *n* ['prəʊgres] *no pl* **1.** (*onward movement*) Vorwärts-

kommen *nt;* **to make good** ~ gut vorwärtskommen **2.** (*development*) Fortschritt *m* **3.** (*to be going*) **to be in** ~ im Gange sein **II.** *vi* [prə(ʊ)'gres] **1.** (*develop*) Fortschritte machen; **how's the work ~ing?** wie geht's mit der Arbeit voran? **2.** (*move onward*) *in space* vorankommen; *in time* fortschreiten

prohibit [prə(ʊ)'hɪbɪt] *vt* **1.** (*forbid*) verbieten; **to be ~ed by law** gesetzlich verboten sein; **to ~ sb from doing sth** jdm verbieten, etw zu tun **2.** (*prevent*) verhindern

prohibition [ˌprəʊ(h)ɪ'bɪʃ°n] *n* **1.** (*ban*) Verbot *nt* **2.** *no pl* (*banning*) Verbieten *nt*

project I. *n* ['prɒdʒekt] **1.** (*undertaking*) Projekt *nt* **2.** (*plan*) Plan *m* **II.** *vt, vi* [prə(ʊ)'dʒekt] **1.** (*forecast*) vorhersagen **2.** (*propel*) schleudern **3.** *slides, film* projizieren (**onto** auf) **III.** *vi* [prə(ʊ)'dʒekt] (*protrude*) hervorragen, [hinaus]ragen (**over** über)

projector [prə(ʊ)'dʒektə'] *n* Projektor *m*

prolong [prə(ʊ)'lɒŋ] *vt* verlängern

prom [prɒm] *n* **1.** AM (*school dance*) *Ball am Ende des Jahres in einer amerikanischen High School* **2.** BRIT (*concert*) **the P~s** *Konzertreihe in London in der Albert Hall, bei der die meisten Parkettsitze zugunsten billiger Stehplätze entfernt werden* **3.** BRIT (*seaside walkway*) [Strand]promenade *f*

promenade [ˌprɒmə'nɑːd] *n* [Strand] promenade *f*

promenade concert *n* BRIT *Konzert, bei dem die meisten Parkettsitze zugunsten billiger Stehplätze entfernt werden*

promiscuous [prəˈmɪskjuəs] *adj* (*pej*) promisk

promise [ˈprɒmɪs] **I.** *vt* versprechen *a. fig* **II.** *vi* **1.** (*pledge*) versprechen; I ~! ich verspreche es! **2.** (*be promising*) **to ~ well** viel versprechen **III.** *n* **1.** (*pledge*) Versprechen *nt* **2.** *no pl* (*potential*) **to show ~** aussichtsreich sein

promising [ˈprɒmɪsɪŋ] *adj* viel versprechend

promote [prəˈməʊt] *vt* **1.** (*raise in rank*) befördern (**to** zu) **2.** SPORTS **to be ~d** befördert werden **3.** (*encourage*) fördern; **to ~ awareness of sth** etw ins Bewusstsein rufen

promotion [prəˈməʊʃⁿn] *n* **1.** *no pl* (*in rank*) Beförderung *f* (**to** zu) **2.** (*raise in status*) Beförderung *f* **3.** SPORTS Aufstieg *m* **4.** (*encouragement*) Förderung *f*

promotional material *n* Werbematerial *nt*

prompt [prɒm(p)t] **I.** *vt* **1.** (*spur*) veranlassen; **to ~ sb** [**to do sth**] jdn [dazu] veranlassen, etw zu tun **2.** THEAT soufflieren **3.** COMPUT auffordern **II.** *adj* **1.** (*swift*) prompt; **to be ~ in doing sth** etw schnell tun **2.** (*punctual*) pünktlich **III.** *adv* pünktlich **IV.** *n* **1.** COMPUT Prompt *m fachspr* **2.** THEAT Stichwort *nt*

promptly [ˈprɒm(p)tli] *adv* **1.** (*quickly*) prompt **2.** (*fam: immediately afterward*) gleich danach

pronoun [ˈprəʊnaʊn] *n* Pronomen *nt*

pronounce [prəˈnaʊn(t)s] *vt* **1.** (*speak*) aussprechen **2.** (*announce*) verkünden **3.** (*declare*) erklären

pronunciation [prəˌnʌn(t)siˈeɪʃⁿn] *n usu no pl* Aussprache *f*

proof [pruːf] **I.** *n* **1.** *no pl* (*confirma-*

tion, evidence) Beweis *m* (**of** für) **2.** TYPO Korrekturfahne *f* **3.** *no pl* (*degree of strength*) Volumenprozent *nt*, Vol.-% *nt* **II.** *adj* unempfindlich (**against** gegen) **III.** *vt* (*treat*) imprägnieren

propeller [prəˈpelər] *n* Propeller *m*

proper [ˈprɒpər] *adj* **1.** (*real*) echt, richtig **2.** (*correct*) richtig **3.** (*socially respectable*) anständig

properly [ˈprɒpⁿli] *adv* **1.** (*correctly*) richtig; **~ speaking** genau genommen **2.** (*socially respectably*) anständig

property [ˈprɒpəti] *n* **1.** *no pl* (*things owned*) Eigentum *nt* **2.** *no pl* (*owned buildings*) Immobilienbesitz *m;* (*owned land*) Grundbesitz *m* **3.** (*piece of real estate*) Immobilie *f;* **~ developer** Immobilienmakler(in) *m(f)*

prophecy [ˈprɒfəsi] *n* **1.** (*prediction*) Prophezeiung *f* **2.** *no pl* (*ability*) Weissagen *nt*

prophet [ˈprɒfɪt] *n* (*a. fig*) Prophet *m*

proportion [prəˈpɔːʃⁿn] *n* **1.** (*part*) Anteil *m* **2.** *no pl* (*relation*) Proportion *f*, Verhältnis *nt* (**to** zu) **3.** (*size*) **~s** *pl* Ausmaße *pl*

proportional [prəˈpɔːʃⁿnⁿl] *adj* proportional (**to** zu)

proposal [prəˈpəʊzⁿl] *n* **1.** (*suggestion*) Vorschlag *m* **2.** (*offer of marriage*) Antrag *m*

propose [prəˈpəʊz] **I.** *vt* **1.** (*suggest, nominate*) vorschlagen **2.** (*intend*) **to ~ to do/doing sth** beabsichtigen, etw zu tun **II.** *vi* **to ~** [**to sb**] [jdm] einen [Heirats]antrag machen

proprietor [prəˈpraɪətər] *n* Inhaber(in) *m(f)*

prose [prəʊz] *n* Prosa *f*

P

prosecute ['prɒsɪkjuːt] **I.** vt to ~ sb jdn strafrechtlich verfolgen **II.** vi (bring a charge) Anzeige erstatten, gerichtlich vorgehen

prosecuting ['prɒsɪkjuːtɪŋ] adj attr Anklage-; ~ **attorney** Staatsanwalt m, Staatsanwältin f

prosecution [ˌprɒsɪ'kjuːʃən] n **1.** no pl (legal action) strafrechtliche Verfolgung **2.** (case) Anklage[erhebung] f (**for** wegen) **3.** no pl (legal team) **the** ~ die Anklagevertretung

prosecutor ['prɒsɪkjuːtər] n Ankläger(in) m(f)

prospect ['prɒspekt] n **1.** (idea) Aussicht f (**of** auf) **2.** (likelihood) Aussicht f, Wahrscheinlichkeit f (**of** auf) **3.** (opportunities) ~**s** pl Aussichten pl, Chancen pl

prospective [prə'spektɪv] adj voraussichtlich; candidate möglich

prospector [prə'spektər] n MIN Prospektor(in) m(f)

prospectus [prə'spektəs] n Prospekt m

prosper ['prɒspər] vi **1.** (financially) florieren **2.** (physically) gedeihen

prostitute ['prɒstɪtjuːt] n Prostituierte(r) f(m)

prostitution [ˌprɒstɪ'tjuːʃən] n Prostitution f

protect [prə'tekt] vt schützen (**against** gegen/**from** vor)

protection [prə'tekʃən] n **1.** (defence) Schutz m (**against** gegen/**from** vor) **2.** no pl (paid to criminals) Schutzgeld nt **protection factor** n Lichtschutzfaktor m

protective [prə'tektɪv] adj **1.** (affording protection) Schutz- **2.** (wishing to protect) fürsorglich (**towards** gegenüber)

protector [prə'tektər] n **1.** (person) Beschützer m **2.** (device) Schutzvorrichtung f

protein ['prəʊtiːn] n **1.** no pl (collectively) Eiweiß nt **2.** (specific substance) Protein nt

protest I. n ['prəʊtest] **1.** (strong complaint) Protest m **2.** (demonstration) Protestkundgebung f **II.** vi [prə(ʊ)'test] protestieren **III.** vt [prə(ʊ)'test] **1.** (assert) beteuern **2.** AM (object to) to ~ sth gegen etw akk protestieren

Protestant ['prɒtɪstənt] **I.** n Protestant(in) m(f) **II.** adj protestantisch; (in Germany) evangelisch

protester [prə'testər] n (objector) Protestierende(r) f(m); (demonstrator) Demonstrant(in) m(f)

protest march n Protestmarsch m

proud [praʊd] **I.** adj **1.** (pleased) stolz (**of** auf) **2.** (having self-respect) stolz **3.** (pej: arrogant) eingebildet **II.** adv to do sb ~ BRIT, AUS (treat well) jdn verwöhnen; (please by doing well) jdn mit Stolz erfüllen

prove <-d, -d> [pruːv] **I.** vt **1.** (establish) beweisen **2.** (show) **during the rescue she ~d herself to be a highly competent climber** während der Rettungsaktion erwies sie sich als sehr geübte Kletterin **II.** vi + n/adj sich erweisen; **to ~ successful** sich als erfolgreich erweisen

proven ['pruːvən] **I.** vt, vi esp AM pp of **prove II.** adj nachgewiesen; remedy erprobt

proverb ['prɒvɜːb] n Sprichwort nt

provide [prə(ʊ)'vaɪd] **I.** vt zur Verfügung stellen, bereitstellen; evidence, explanation liefern; **to ~ sb with sth** jdn mit etw dat versorgen **II.** vi (look *after*) **to ~ for oneself** für sich selbst sorgen

provided [prə(ʊ)'vaɪdɪd] *adj* mitgeliefert, beigefügt

providing (**that**) [prə(ʊ)'vaɪdɪŋ] *conj* sofern

province ['prɒvɪn(t)s] *n* (*territory*) Provinz *f*

provision [prə(ʊ)'vɪʒ°n] *n* **1.** *no pl* (*providing*) Versorgung *f*; (*financial precaution*) Vorkehrung *f* **2.** (*something supplied*) Vorrat *m* (**of** an) **3.** (*stipulation*) Auflage *f*; **with the ~ that ...** unter der Bedingung, dass ...

provisional [prə(ʊ)'vɪʒ°n°l] *adj* vorläufig

provocative [prə'vɒkətɪv] *adj* **1.** (*provoking*) provokativ *geh* **2.** (*sexually arousing*) provokant

provoke [prə'vəʊk] *vt* **1.** (*vex*) **to ~ sb** jdn provozieren **2.** (*give rise to*) surprise, outrage hervorrufen

prowl [praʊl] **I.** *n* (*fam*) Streifzug *m* **II.** *vt* durchstreifen **III.** *vi* **to ~ [around]** umherstreifen

proximity [prɒk'sɪməti] *n no pl* Nähe *f*

prune [pruːn] **I.** *vt* HORT [be]schneiden; (*fig*) reduzieren **II.** *n* (*plum*) Dörrpflaume *f*

PS [ˌpiː'es] *n abbrev of* **postscript** PS *nt*

psychiatric [ˌsaɪki'ætrɪk] *adj* psychiatrisch

psychiatrist [saɪ'kaɪətrɪst] *n* Psychiater(in) *m(f)*

psychiatry [saɪ'kaɪətri] *n no pl* Psychiatrie *f*

psychic(al) ['saɪkɪk(°l)] *adj* **1.** (*supernatural*) übernatürlich **2.** (*of the mind*) psychisch

psychoanalyst [ˌsaɪkəʊ'æn°lɪst] *n* Psychoanalytiker(in) *m(f)* **psychobab-**

ble ['saɪkəʊˌbæbl] *n no pl* (*pej fam*) Psychogeschwätz *nt sl*

psychological [ˌsaɪkə'lɒdʒɪk°l] *adj* **1.** (*of the mind*) psychisch **2.** (*of psychology*) psychologisch

psychologist [saɪ'kɒlədʒɪst] *n* Psychologe(in) *m(f)*

psychology [saɪ'kɒlədʒi] *n* Psychologie *f*

psychotherapist [ˌsaɪkə(ʊ)'θerəpɪst] *n* Psychotherapeut(in) *m(f)* **psychotherapy** [ˌsaɪkə(ʊ)'θerəpi] *n no pl* Psychotherapie *f*

pt¹ *n abbrev of* **part** I 3, 4

pt² *n abbrev of* **pint** Pint *nt* (*0,568 l*)

pt³ *n abbrev of* **point** I

PT [ˌpiː'tiː] *n* **1.** *no pl* MED *abbrev of* **physical therapy** Physiotherapie *f* **2.** *abbrev of* **physical therapist** Physiotherapeut(in) *m(f)*

PTA [ˌpiːtiː'eɪ] *n abbrev of* **parent-teacher association** Eltern-Lehrer-Organisation *f*

pto [ˌpiːtiː'əʊ] *abbrev of* **please turn over** b.w.

pub [pʌb] *n* (*fam*) *short for* **public house** Kneipe *f*

puberty ['pjuːbəti] *n no pl* Pubertät *f*

public ['pʌblɪk] **I.** *adj* öffentlich **II.** *n* + *sing/pl vb* **1.** (*the people*) **the ~** die Öffentlichkeit, die Allgemeinheit **2.** (*patrons*) Anhängerschaft *f*; *of newspapers* Leser *pl*

publican ['pʌblɪkən] *n* BRIT, AUS Kneipenbesitzer(in) *m(f)*

public bar *n* **1.** [Steh]ausschank *m* **2.** BRIT *der weniger vornehme Teil eines Pubs* **public company** *n* BRIT Aktiengesellschaft *f* **public convenience** *n* BRIT, AUS (*form*) öffentliche Toilette **public health service** *n* [staatliches] Gesundheitssystem **pub-**

P

lic holiday n gesetzlicher Feiertag
public house n BRIT (form) Kneipe f fam
publicity [pʌbˈlɪsəti] I. n no pl 1. (promotion) Publicity f, Reklame f 2. (attention) Aufmerksamkeit f II. adj Publicity-, Werbe-; ~ **campaign** Werbekampagne f
publicize [ˈpʌblɪsaɪz] vt bekannt machen
public library n öffentliche Bibliothek
publicly [ˈpʌblɪkli] adv 1. (not privately) öffentlich 2. (by the state) staatlich
public property n no pl Staatseigentum nt **public school** n BRIT höhere Privatschule f; AM, AUS, SCOT staatliche Schule **public telephone** n esp BRIT öffentlicher Fernsprecher **public transport**, esp AM **public transportation** n öffentliche Verkehrsmittel
publish [ˈpʌblɪʃ] vt article, result veröffentlichen; book, magazine herausgeben
publisher [ˈpʌblɪʃəʳ] n 1. (company) Verlag m 2. (person) Verleger(in) m(f) 3. AM (newspaper owner) Herausgeber(in) m(f)
publishing [ˈpʌblɪʃɪŋ] I. n no pl, no art Verlagswesen nt II. adj attr Verlags-
pudding [ˈpʊdɪŋ] n 1. BRIT (dessert course) Nachspeise f 2. esp BRIT (with suet pastry) [Fleisch]pastete f
puddle [ˈpʌdl] n Pfütze f
puff [pʌf] I. n 1. (fam: short blast) Windstoß m; of breath Atemstoß m 2. no pl BRIT (fam: breath) Puste f fam; **to be out of ~** außer Puste sein 3. (on a cigarette) Zug m II. vi 1. (breathe heavily) schnaufen 2. (smoke) paffen III. vt 1. (smoke)

paffen 2. (fam: praise) aufbauschen
◆ **puff up** I. vt (make swell) [an]schwellen lassen II. vi [an]schwellen
puff pastry n no pl Blätterteig m
puffy [ˈpʌfi] adj geschwollen, verschwollen
puke [pjuːk] I. vi (sl) **to ~ [up]** kotzen sl II. n no pl (sl) Kotze f sl
pull [pʊl] I. n 1. (tug) Zug m, Ziehen nt 2. no pl (force) Zugkraft f 3. (on a cigarette) Zug m; (on a bottle) Schluck m II. vt 1. (draw) ziehen; **to ~ the trigger** abdrücken 2. (put on) **to ~ sth over one's head** sich dat etw über den Kopf ziehen 3. MED (strain) muscle, tendon zerren 4. AM SPORTS (withdraw) **to ~ a player** einen Spieler aus dem Spiel nehmen ▶ **to ~ a face [at sb]** [jdm] eine Grimasse schneiden; **to ~ sb's leg** (fam) jdn auf den Arm nehmen III. vi 1. (draw) **to ~ [at sth]** [an etw dat] ziehen; "~" „Ziehen" 2. (drive) **to ~ into sth** in etw akk hineinfahren ◆ **pull apart** vt 1. (break) zerlegen 2. (separate) auseinanderziehen 3. (criticize) book, play zerpflücken ◆ **pull away** I. vi **to ~ away from sb** 1. (leave) sich von jdm wegbewegen 2. SPORTS runner sich vom Feld absetzen II. vt wegreißen; **to ~ sth away ⇆ from sb/sth** jdm/etw etw entreißen ◆ **pull back** I. vi 1. (recoil) zurückschrecken 2. (back out) **to ~ back** einen Rückzieher machen (from von) II. vt 1. (draw back) zurückziehen 2. (score) [wieder] aufholen ◆ **pull down** vt 1. (move down) herunterziehen 2. (demolish) building abreißen ◆ **pull in** I. vi TRANSP 1. (arrive) einfahren 2. (move over) [wieder] einscheren II. vt 1. (attract) anziehen

2. (*fam: arrest*) einkassieren ◆ **pull off I.** *vt* **1.** (*take off*) [schnell] ausziehen **2.** (*fam: succeed*) durchziehen **II.** *vi* losfahren, abfahren ◆ **pull out I.** *vi* **1.** (*move out*) *vehicle* ausscheren; **to ~ out of a road** von einer Straße abfahren **2.** (*leave*) ausfahren **3.** (*withdraw*) aussteigen *fam* **II.** *vt* **1.** MIL *troops* abziehen **2.** (*get out*) **to ~ sth out of sth** etw aus etw *dat* [heraus]ziehen ◆ **pull over I.** *vt* **1.** (*make fall*) umreißen **2.** (*stop*) anhalten **II.** *vi vehicle* zur Seite fahren ◆ **pull round** BRIT **I.** *vi* (*recover*) sich erholen **II.** *vt* (*turn round*) [her]umdrehen ◆ **pull through I.** *vi* (*survive*) durchkommen **II.** *vt* **to ~ sb through** [**sth**] jdn [durch etw *akk*] durchbringen ◆ **pull together I.** *vt* **1.** (*regain composure*) **to ~ oneself together** sich zusammennehmen **2.** (*organize*) auf die Beine stellen *fig fam* **II.** *vi* zusammenarbeiten ◆ **pull up I.** *vt* **1.** (*raise*) hochziehen; *chair* heranziehen **2.** (*fam: reprimand*) **to ~ sb up** jdn zurechtweisen **II.** *vi vehicle* [heranfahren und] anhalten

pull-in *n* BRIT Raststätte *f*

pull-out I. *n* **1.** MIL Rückzug *m* **2.** MEDIA [Sonder]beilage *f* **II.** *adj* herausziehbar

pullover *n esp* BRIT Pullover *m*

pulpit [ˈpʊlpɪt] *n* Kanzel *f*

pulse¹ [pʌls] **I.** *n* **1.** (*heartbeat*) Puls *m* **2.** (*vibration*) [Im]puls *m* **3.** (*fig: mood*) **to have one's finger on the ~** am Ball sein **II.** *vi* pulsieren

pulse² [pʌls] *n* FOOD Hülsenfrucht *f*

pump¹ [pʌmp] *n* **1.** BRIT, AUS (*for gymnastics*) Gymnastikschuh *m;* (*for dancing*) Tanzschuh *m* **2.** AM, AUS (*court shoe*) Pumps *m*

pump² [pʌmp] **I.** *n* Pumpe *f* **II.** *vt* pumpen

pumpkin [ˈpʌmpkɪn] *n* (*vegetable*) [Garten]kürbis *m*

pun [pʌn] **I.** *n* Wortspiel *nt* **II.** *vi* <-nn-> Wortspiele machen

punch¹ [pʌn(t)ʃ] *n* (*drink: hot or cold*) Punsch *m;* (*cold*) Bowle *f*

punch² [pʌn(t)ʃ] **I.** *n* <*pl* -es> **1.** (*hit*) [Faust]schlag *m* **2.** (*perforation*) Lochen *nt kein pl* **3.** (*piercing tool*) Stanzwerkzeug *nt;* [**hole**] ~ (*for paper*) Locher *m* **II.** *vt* **1.** (*hit*) schlagen; **to ~ sb in the nose** jdm auf die Nase schlagen **2.** (*stamp*) *coin, ring* stempeln; *paper* lochen

punchline *n* Pointe *f*

punch-up *n* BRIT Schlägerei *f*

punctual [ˈpʌŋktʃuəl] *adj* pünktlich

punctuation [ˌpʌŋktʃuˈeɪʃ°n] *n no pl* Zeichensetzung *f*

puncture [ˈpʌŋktʃər] **I.** *vt* **1.** (*pierce*) *cardboard, leather* durchstechen **2.** (*fig: make collapse*) *dream, hope* zerstören; *mood* verderben **II.** *vi* (*burst*) *tyre* ein Loch bekommen; *plastic* einreißen **III.** *n* Reifenpanne *f*

punish [ˈpʌnɪʃ] *vt* **1.** (*penalize*) bestrafen **2.** (*treat roughly*) strapazieren **3.** (*exert oneself*) **to ~ oneself** sich [ab]quälen

punishment [ˈpʌnɪʃmənt] *n* **1.** (*penalty*) Bestrafung *f*, Strafe *f* **2.** TECH (*severe handling*) Strapazierung *f;* (*rough treatment*) grobe Behandlung **3.** (*strain*) Strapaze *f*

punk [pʌŋk] *n* **1.** *no pl* (*music*) Punk [rock] *m;* (*fan*) Punker(in) *m(f)* **2.** *esp* AM (*pej sl: worthless person*) Dreckskerl *m;* (*troublemaker*) Rabauke *m fam*

punnet [ˈpʌnɪt] *n* BRIT, AUS [Obst]körbchen *nt*

P

punt¹ [pʌnt] SPORTS **I.** *vt* to ~ the ball den Ball aus der Hand schießen; *in American football* einen Befreiungsschlag ausführen **II.** *n* (*kick*) *in American football* Befreiungsschlag *m; in rugby* Falltritt *m*

punt² [pʌnt] NAUT **I.** *vt, vi* staken *fachspr;* to go ~ing Stechkahn fahren **II.** *n* Stechkahn *m*

punt³ [pʌnt] **I.** *vi at card game* gegen die Bank setzen; *at horse races* wetten **II.** *n* Wette *f*

puny ['pju:ni] *adj* **1.** (*pej: sickly*) *person* schwächlich **2.** (*fig, pej: lacking in power*) schwach

pup [pʌp] *n* **1.** (*baby dog*) junger Hund, Welpe *m* **2.** (*baby animal*) *of a fox, otter, seal* Junge(s) *nt*

pupil¹ ['pju:pəl] *n* SCH Schüler(in) *m(f)*

pupil² ['pju:pəl] *n* ANAT Pupille *f*

puppet ['pʌpɪt] *n* [Hand]puppe *f;* (*on strings*) Marionette *f a. pej, fig*

puppeteer [ˌpʌpɪ'tɪəʳ] *n* THEAT Puppenspieler(in) *m(f)*

puppy ['pʌpi] *n* **1.** (*baby dog*) junger Hund, Welpe *m* **2.** (*baby animal*) Junge(s) *nt*

purchase ['pɜːtʃəs] **I.** *vt* **1.** (*form: buy*) kaufen, erstehen *geh* **2.** (*pej: by bribery*) to ~ sth *career, success* sich *dat* etw erkaufen **II.** *n* (*form*) **1.** (*something to be bought*) [Handels]ware *f;* (*something bought*) Kauf *m;* to make a ~ einen Kauf tätigen; *bulky goods* eine Anschaffung machen **2.** (*act of buying*) Kauf *m*

pure [pjʊəʳ] *adj* **1.** (*unmixed*) rein, pur **2.** (*clean*) *air, water* sauber, klar **3.** (*fig: utter*) pur **4.** (*free of evil*) unschuldig, rein

purée ['pjʊəreɪ] **I.** *vt* <puréed, puréeing> pürieren **II.** *n no pl* Püree *nt*

purely ['pjʊəli] *adv* **1.** (*completely*) rein, ausschließlich **2.** (*merely*) bloß, lediglich **3.** (*free of evil*) unschuldig

purify ['pjʊərɪfaɪ] *vt* (*cleanse*) *air, metal, water* reinigen (**of** von)

purple ['pɜːpl] **I.** *adj* (*red/blue mix*) violett; (*more red*) lila[farben] **II.** *n* (*blue/red mix*) Violett *nt;* (*more red*) Lila *nt*

purpose ['pɜːpəs] *n* **1.** (*reason*) Grund *m;* to do sth for financial ~s etw aus finanziellen Gründen tun **2.** (*goal*) Absicht *f*, Ziel *nt;* to all intents and ~s in jeder Hinsicht

purpose-built *adj* **1.** (*manufactured*) *part of machinery* speziell gefertigt, Spezial- **2.** (*erected*) speziell gebaut, Zweck-

purse [pɜːs] **I.** *n* **1.** BRIT (*for money*) Geldbeutel *m*, Geldbörse *f* **2.** AM (*handbag*) Handtasche *f* **3.** (*financial resources*) **public** ~ Staatskasse *f* **II.** *vt* to ~ one's lips die Lippen schürzen

pursue [pə'sju:] *vt* verfolgen *a. fig*

pursuer [pə'sju:əʳ] *n* Verfolger(in) *m(f)*

pursuit [pə'sju:t] *n* **1.** (*chase*) Verfolgung[sjagd] *f; of knowledge, fulfilment* Streben *nt* (**of** nach) **2.** (*activity*) Aktivität *f*, Beschäftigung *f*

pus [pʌs] *n no pl* Eiter *m*

push [pʊʃ] **I.** *n* <*pl* -es> **1.** (*shove*) Stoß *m;* (*slight push*) Schubs *m fam* **2.** (*press*) Druck *m* **3.** (*concerted effort*) Anstrengung[en] *f[pl]*, Kampagne *f* **II.** *vt* **1.** (*shove*) schieben; (*in a crowd*) drängeln **2.** (*move forcefully*) schieben; (*give a push*) stoßen **3.** (*manoeuvre*) to ~ sb towards sth jdn in eine Richtung drängen **4.** (*impose*) to ~ sth [on sb] [jdm] etw aufdrängen **5.** (*pressure*) to ~ sb into

doing sth jdn [dazu] drängen, etw zu tun **6.** (*press*) drücken **III.** *vi* **1.** (*exert force*) dränge[l]n; (*press*) drücken **2.** (*manoeuvre through*) sich durchdrängen ◆ **push around** *vt* **1.** (*move around*) herumschieben; (*violently*) herumstoßen **2.** (*fig, pej: bully*) **to ~ sb ⇆ around** jdn herumkommandieren ◆ **push away** *vt* wegschieben ◆ **push back** *vt* zurückschieben, zurückdrängen ◆ **push down** *vt* **1.** (*knock down*) umstoßen **2.** (*press down*) lever hinunterdrücken ◆ **push forward I.** *vt* **1.** (*fig: advance*) *development, process* [ein großes Stück] voranbringen **2.** (*present forcefully*) in den Vordergrund stellen **3.** (*draw attention*) **to ~ oneself forward** sich vordrängen **II.** *vi* **1.** (*continue*) weitermachen **2.** (*continue travelling*) weiterfahren ◆ **push in I.** *vt* (*break*) eindrücken **II.** *vi* **1.** (*fig, a. pej: force way in*) sich hineindrängen **2.** (*fig, a. pej: jump queue*) sich vordränge[l]n ◆ **push off I.** *vi* (*fig, a. pej fam: leave*) sich verziehen **II.** *vt* NAUT abstoßen ◆ **push on I.** *vi* **1.** (*continue despite trouble*) **to ~ on with sth** *plan, project* mit etw *dat* weiterkommen **2.** (*continue travelling*) [noch] weiterfahren **II.** *vt* [energisch] vorantreiben ◆ **push out I.** *vt* **1.** (*force out*) *person* hinausjagen **2.** (*dismiss*) hinauswerfen **II.** *vi* HORT *buds, flowers* sprießen ◆ **push over** *vt* umwerfen, umstoßen ◆ **push through I.** *vi* (*manoeuvre through*) **to ~ through sth** sich durch etw *akk* drängen **II.** *vt* POL (*make pass*) *bill, motion* durchdrücken *fam* ◆ **push up I.** *vt* **1.** (*move higher*) **to ~ a bike up a**

hill ein Fahrrad den Hügel hinaufschieben **2.** ECON (*cause increase*) *demand* steigern **II.** *vi* **1.** (*fig: grow*) *weeds* [nach oben] schießen **2.** (*fig fam: move*) [rüber]rutschen

pushbike *n* BRIT, AUS (*fam*) [Fahr]rad *nt*
push-button I. *adj* Druckknopf-, [Druck]tasten- **II.** *n* Druckknopf *m*, [Druck]taste *f* **pushcart** *n* **1.** (*barrow*) Schubkarren *m* **2.** (*trolley*) Einkaufswagen *m* **pushchair** *n* BRIT [Kinder]sportwagen *m* **pushover** *n* **1.** (*fig fam: easy success*) Kinderspiel *nt kein pl* **2.** (*fig, pej fam: easily defeated opponent*) leichter Gegner/leichte Gegnerin **pushpin** *n* AM Reißzwecke *f* **push-up** *n* Liegestütz *m*
pushy ['pʊʃi] *adj* (*fig fam*) **1.** (*ambitious*) tatkräftig **2.** (*pej: aggressive*) aggressiv
puss <*pl* -es> [pʊs] *n* (*fam*) Mieze[katze] *f*
pussy ['pʊsi] *n* (*fam*) Mieze[katze] *f*
put <-tt-, put, put> [pʊt] *vt* **1.** (*place*) **to ~ sth somewhere** etw irgendwohin stellen; (*lay down*) etw irgendwohin legen; **~ your clothes in the closet** häng deine Kleider in den Schrank; **to stay ~** *person* sich nicht von der Stelle rühren **2.** (*invest*) **to ~ time into sth** Zeit in etw *akk* stecken **3.** (*impose*) **to ~ the blame on sb** jdm die Schuld geben; **to ~ an embargo on sth** ein Embargo über etw *akk* verhängen **4.** (*include*) **to ~ sth in[to] sth** etw in etw *akk o dat* aufnehmen; **to ~ sth on the agenda** etw auf die Tagesordnung setzen **5.** (*indicating change of condition*) **to ~ sb at risk** jdn in Gefahr bringen; **to ~ sb in a bad mood** jds Laune verderben **6.** (*express*) **how should I ~ it?** wie

P

soll ich mich ausdrücken?; **to ~ it bluntly** um es deutlich zu sagen **7.** (*write*) **to ~ a cross next to sth** etw ankreuzen ◆ **put about** *vt* **1.** (*scatter within*) verteilen **2.** (*spread rumour*) verbreiten **3.** (*fam: be extroverted*) **to ~ oneself about** sich in Szene setzen ◆ **put across** *vt* **1.** (*make understood*) vermitteln **2.** (*fam: trick*) **to ~ one across sb** jdn hintergehen ◆ **put aside** *vt* **1.** (*save*) auf die Seite legen **2.** (*postpone*) **to ~ aside ⇆ sth** mit etw *dat* aufhören ◆ **put away** *vt* **1.** (*tidy up*) wegräumen; (*in storage place*) einräumen **2.** (*set aside*) *book, game, glasses* beiseitelegen **3.** (*save*) *money, savings* zurücklegen ◆ **put back** *vt* **1.** (*replace*) zurückstellen **2.** (*reassemble*) **to ~ sth back together** etw wieder zusammensetzen **3.** (*postpone*) verschieben; *time, clock* zurückstellen ◆ **put by** *vt* zurücklegen; *money a.* auf die hohe Kante legen ◆ **put down** *vt* **1.** (*set down*) ablegen, abstellen **2.** (*put to bed*) **to ~ a child down** ein Kind ins Bett bringen **3.** (*lower*) *arm, feet* herunternehmen; **to ~ sb ⇆ down** jdn runterlassen **4.** (*spread*) **~ down poison** Gift auslegen; **to ~ down roots** (*a. fig*) Wurzeln schlagen **5.** (*write*) aufschreiben **6.** ECON (*leave as deposit*) *money* anzahlen **7.** (*stop*) *rebellion* niederschlagen ◆ **put forward** *vt* **1.** (*propose*) *idea, plan* vorbringen; *candidate* vorschlagen **2.** (*make earlier*) vorverlegen (**to** auf) **3.** (*set later*) **to ~ the clock forward** die Uhr vorstellen ◆ **put in** I. *vt* **1.** (*place in*) hineinsetzen/-legen/-stellen **2.** (*add*) *food, ingredients* hin-

zufügen; *plants* [ein]pflanzen **3.** (*install*) installieren **4.** (*enter, submit*) **to ~ sb/sth ⇆ in for sth** jdn/etw für etw anmelden; **to ~ in an order for sth** etw bestellen II. *vi* **to ~ in for sth** *job* sich um etw *akk* bewerben; *pay rise, transfer* etw beantragen ◆ **put off** *vt* **1.** (*delay*) verschieben **2.** (*fob off*) vertrösten **3.** (*deter*) abschrecken **4.** (*distract*) ablenken; **you're ~ting me right off** du bringst mich völlig raus ◆ **put on** *vt* **1.** (*wear*) *clothes, shoes* anziehen; *make-up* auflegen **2.** (*pretend*) vorgeben; **it's all ~ on** es ist alles nur Schau **3.** (*turn on*) einschalten; **to ~ on the brakes** bremsen **4.** (*provide*) bereitstellen; *exhibition* veranstalten **5.** (*increase*) **to ~ on weight** zunehmen ◆ **put out** *vt* **1.** (*place outside*) **to ~ the washing out** [**to dry**] die Wäsche draußen aufhängen **2.** (*extend*) *hand, foot* ausstrecken; **she ~ her head out of the window** sie lehnte den Kopf aus dem Fenster **3.** MEDIA (*publish, circulate*) veröffentlichen **4.** (*produce*) herstellen **5.** (*place ready*) **to ~ sth out** [**for sb**] *cutlery, plate* [jdm] etw hinstellen **6.** (*bother*) **to be ~ out by sth** über etw *akk* verärgert sein ◆ **put over** *vt* **1.** (*make understood*) verständlich machen **2.** (*fool*) **to ~ one over on sb** sich mit jdm einen Scherz erlauben ◆ **put through** *vt* **1.** (*insert through*) **to ~ sth through sth** etw durch etw *akk* schieben; (*pierce*) etw durch etw *akk* stechen **2.** TELEC (*connect*) **to ~ sb through to sb** jdn mit jdm verbinden **3.** (*cause to undergo*) **to ~ sb through hell** jdm das Leben zur Hölle machen **4.** (*support*) **to ~ sb** through college jdn zum College schicken ◆ **put together** vt **1.** (*assemble*) zusammensetzen; *machine, model* zusammenbauen **2.** (*place near*) zusammenschieben **3.** (*make*) zusammenstellen; *list* aufstellen **4.** MATH (*add*) **to ~ 10 and 15 together** 10 und 15 zusammenzählen ◆ **put up** vt **1.** (*hang up*) *decorations, curtains* aufhängen **2.** (*raise*) hochheben; **to ~ one's feet up** die Füße hochlegen **3.** (*build*) bauen **4.** (*pay*) bezahlen; **to ~ up a reward** eine Belohnung aussetzen **5.** (*give shelter to*) unterbringen **6.** (*resist*) **to ~ up a struggle** kämpfen; **the villagers did not ~ up any resistance** die Dorfbewohner leisteten keinen Widerstand

put-on n AM (*fam*) **1.** (*act of teasing*) Scherz m **2.** (*affected manner*) Schau f fig fam, Getue nt fam

putt [pʌt] SPORTS I. vt, vi putten II. n Putt m

put-up adj (*fam*) abgekartet

put-upon adj (*fam*) ausgenutzt

puzzle ['pʌzl] I. n **1.** (*test of ingenuity*) Rätsel nt; **jigsaw ~** Puzzle nt **2.** (*test of patience*) Geduldsspiel nt II. vt vor ein Rätsel stellen III. vi **to ~ about sth** über etw akk nachgrübeln

puzzled ['pʌzld] adj **1.** (*helpless*) *expression* ratlos **2.** (*confused*) verwirrt

puzzling ['pʌzlɪŋ] adj **1.** (*mysterious*) *mechanism, story* rätselhaft **2.** (*difficult*) *question, situation* schwierig

pyjamas [prˈdʒɑːməz] n pl [**a pair of**] **~** [ein] Pyjama m

pylon ['paɪlɒn] n **1.** ELEC freitragender Leitungsmast; [**electricity**] **~** Hochspannungsmast m **2.** AVIAT Orientierungsturm m

pyramid ['pɪrəmɪd] n Pyramide f

Pyrenees [ˌpɪrəˈniːz] n pl **the ~** die Pyrenäen pl

python <pl -s> ['paɪθ°n] n Python m

Q

Q <pl -'s>, **q** <pl -'s> [kjuː] n Q nt, q nt; see also **A 1**

Q [kjuː] n abbrev of **Queen** Königin f

qualification [ˌkwɒlɪfɪˈkeɪʃ°n] n **1.** Qualifikation f; (*certificate*) Abschlusszeugnis nt; *from school* [Schul]abschluss m; *from university* [Studien]abschluss m **2.** (*restriction*) Einschränkung f **3.** (*change*) [Ab]änderung f **4.** (*condition*) [notwendige] Voraussetzung f

qualified ['kwɒlɪfaɪd] adj **1.** qualifiziert; (*certified*) ausgebildet; (*at university*) graduiert; **well ~** gut geeignet; **~ mason** Maurermeister(in) m(f); **~ radiologist** ausgebildeter Radiologe/ausgebildete Radiologin **2.** (*restricted*) bedingt; **a ~ success** ein mäßiger Erfolg **3.** (*eligible*) berechtigt

qualify <-ie-> ['kwɒlɪfaɪ] I. vt **1.** qualifizieren **2.** (*make eligible*) **to ~ sb** [**for sth**] jdm das Recht [auf etw dat] geben; **to ~ sb to do sth** jdn berechtigen, etw zu tun **3.** *criticism* einschränken II. vi **1.** *apprentice* die Ausbildung abschließen; *student* das Studium abschließen **2.** (*be suitable*) **to ~** [**for sth**] sich [für etw akk] qualifizieren; *for membership* die [nötigen] Voraussetzungen erfüllen; *for benefits* in Frage kommen

quality ['kwɒləti] I. n **1.** Qualität f;

~ **of life** Lebensqualität *f* **2.** (*charac-ter*) Art *f;* **the unique ~ of their re-lationship** die Einzigartigkeit ihrer Beziehung **3.** (*feature*) Merkmal *nt;* **managerial qualities** Führungsquali-täten *pl;* **to have many excellent qualities** viele Vorzüge haben **II.** *adj* Qualitäts-; ~ **control** Quali-tätskontrolle *f*

quantity ['kwɒntəti] *n* Menge *f;* (*large amount*) große Menge[n] *f*[*pl*]*;* (*huge amount*) **quantities** Unmenge[n] *f*[*pl*]

quarantine ['kwɒrⁿnti:n] **I.** *n* Quaran-täne *f* **II.** *vt* unter Quarantäne stellen

quarrel ['kwɒrⁿl] **I.** *n* Streit *m;* (*cause*) Einwand *m;* **to have a ~** sich streiten **II.** *vi* <-ll-> sich streiten; (*disagree*) **you can't ~ with that** daran gibt es nichts auszusetzen

quarry¹ ['kwɒri] **I.** *n* Steinbruch *m;* (*fig*) Fundgrube *f* **II.** *vt* <-ie-> brechen

quarter ['kwɔːtəʳ] **I.** *n* **1.** Viertel *nt;* **a ~** [**of a pound**] **of tea** ein Viertel [pfund] Tee; ~ **of a century** Viertel-jahrhundert *nt;* ~ **of an hour** Viertel-stunde *f;* **an hour and a ~** eineinvier-tel Stunden **2.** (*1/4 of year*) Quartal *nt* **3.** AM (*coin*) Vierteldollar *m* **4.** (*area*) Gegend *f* **5.** *pl* (*lodgings*) Wohnung *f;* ▶ **at** close **~s** in jds Nä-he **II.** *vt* vierteln **III.** *adj* Viertel-

quarterly ['kwɔːtⁿli] *adj, adv* viertel-jährlich

quartet(te) [kwɔː'tet] *n* Quartett *nt*

quartz [kwɔːts] *n no pl* Quarz *m;* **rose ~** Rosenquarz *m;* ~ **clock** Quarzuhr *f*

quay [kiː] *n* Kai *m*

queen [kwiːn] **I.** *n* **1.** Königin *f;* (*in cards, chess*) Dame *f;* **beauty ~** Schönheitskönigin *f;* **the ~ of Eng-land** die englische Königin **2.** (*pej fam: homosexual*) Tunte *f oft pej*

sl; **drag ~** Transvestit *m* **II.** *vt* [zur Königin] krönen

Queen Mother *n* Königinmutter *f*

queer [kwɪəʳ] **I.** *adj* **1.** seltsam; (*suspi-cious*) merkwürdig; **to have ~ ideas** schräge Ideen haben **2.** (*usu pej: homosexual*) schwul *fam* **II.** *n* (*pej fam*) Schwule(r) *m oft pej; female ~* Lesbe *f oft pej*

query ['kwɪəri] **I.** *n* Rückfrage *f* **II.** *vt* <-ie-> (*form*) **1.** in Frage stellen; **to ~ whether ...** bezweifeln, dass ... **2.** AM (*question*) befragen

question ['kwestʃən] **I.** *n* **1.** Frage *f;* **to put a ~ to sb** jdm eine Frage stellen; **in answer to your ~** um Ihre Frage zu beantworten; **to pop the ~** jdm einen [Heirats]antrag machen **2.** *no pl* **to be beyond ~** außer Zweifel ste-hen; **to call sth into ~** etw bezwei-feln; **without ~** zweifellos **3. to be out of the ~** nicht in Frage kommen **II.** *vt* **1.** befragen (**about** über +*akk*)*;* (*interrogate*) verhören (**about** zu +*dat*) **2.** (*doubt*) bezweifeln **3.** SCH **to ~ sb on sth** jdn in etw *akk* prüfen

questionable ['kwestʃənəbl] *adj* **1.** zweifelhaft; *future* ungewiss **2.** (*shady*) fragwürdig; *business* be-denklich

questionnaire [ˌkwestʃə'neəʳ] *n* Fra-gebogen *m*

queue [kjuː] **I.** *n* BRIT, AUS Schlange *f;* ~ **of people** Menschenschlange *f;* **to join the ~** sich mit anstellen; **to jump the ~** sich vordränge[l]n **II.** *vi* anste-hen

quick [kwɪk] **I.** *adj* **1.** schnell; **to be ~ about sth** sich mit etw *dat* beeilen; **in ~ succession** in schneller [Ab]folge **2.** (*short*) kurz; **to have a ~ look at sth** sich *dat* etw kurz ansehen; **could**

I have a ~ **word?** könnte ich Sie kurz sprechen? **3.** (*alert*) [geistig] gewandt; ~ **wit** Aufgewecktheit *f* **II.** *adv* schnell **III.** *interj* schnell!

quick-frozen *adj* tiefgefroren *attr*

quickly ['kwɪklɪ] *adv* schnell

quicksand *n no pl* Treibsand *m*

quick-witted *adj* aufgeweckt; *rejoinder* schlagfertig

quid <*pl* -> [kwɪd] *n* BRIT (*fam*) Pfund *nt;* **can you lend me ten ~?** leihst du mir zehn Piepen?

quiet [kwaɪət] **I.** *adj* <-er, -est *or* more quiet, most quiet> ruhig; *voice, machine* leise; (*shy*) still; (*taciturn*) schweigsam; *street, town* ruhig; **please be ~** Ruhe bitte!; **to keep ~** ruhig sein ▶ **as ~ as a mouse** mucksmäuschenstill *fam* **II.** *n no pl* Ruhe *f;* (*silence*) Stille *f;* **peace and ~** Ruhe und Frieden ▶ **on the ~** heimlich **III.** *vt esp* AM besänftigen; *children* zur Ruhe bringen **IV.** *vi esp* AM sich beruhigen

quieten ['kwaɪətən] **I.** *vi* sich beruhigen; (*calm*) ruhiger werden **II.** *vt* beruhigen; *fears* zerstreuen ◆ **quieten down I.** *vi* leiser werden; (*calm*) sich beruhigen **II.** *vt* zur Ruhe bringen; **go and ~ those children down!** stell die Kinder mal ruhig! *fam*

quietly ['kwaɪətlɪ] *adv* leise; (*silently*) still; **to wait ~** ruhig warten

quilt [kwɪlt] **I.** *n* Steppdecke *f;* **patchwork ~** Quilt *m* **II.** *vt* [ab]steppen

quince [kwɪn(t)s] **I.** *n* Quitte *f;* (*tree*) Quittenbaum *m* **II.** *adj* Quitten-

quit <-tt-, quit *or* quitted, quit> [kwɪt] **I.** *vi* **1.** *worker* kündigen; *manager, official* zurücktreten **2.** COMPUT aussteigen **3.** (*give up*) aufgeben **II.** *vt* **1.** *esp* AM **will you ~ that!** wirst du

wohl damit aufhören!; **to ~ smoking** das Rauchen aufgeben **2.** (*give up*) aufgeben; (*leave*) verlassen; **to ~ one's job** kündigen **3.** COMPUT **to ~ the program** aus dem Programm aussteigen

quite [kwaɪt] *adv* ziemlich; (*fully*) ganz; **I had to wait ~ a time** ich musste ganz schön lange warten *fam;* **she's ~ something!** (*fam*) sie ist wirklich klasse!; **~ honestly, ...** ehrlich gesagt ...

quits [kwɪts] *adj pred* quitt (**with** mit +*dat*); (*fam*) **to call it ~** es gut sein lassen

quiz [kwɪz] **I.** *n* <*pl* -es> Quiz *nt;* AM (*test*) [kurze] Prüfung **II.** *adj* Quiz-; AM Prüfungs-; **~ night** BRIT Quizabend *m;* **~ team** Rateteam *nt* **III.** *vt* befragen (**about** zu); AM prüfen (**on** über)

quotation [kwə(ʊ)'teɪʃən] *n* **1.** Zitat *nt;* **~ from sb/sth** Zitat *nt* von jdm/aus etw *dat* **2.** *no pl* Zitieren *nt* **3.** (*estimate*) Kostenvoranschlag *m*

quote [kwəʊt] **I.** *n* (*fam*) **1.** Zitat *nt* **2.** ~**s** *pl* Gänsefüßchen *pl fam* **3.** (*estimate*) Kostenvoranschlag *m;* ▶ **Mr Brown stated that, ~, ... [unquote]** Hr. Brown meinte, ich zitiere, ... **II.** *vt* **1.** zitieren (**on** zu +*dat*); **but don't ~ me on that!** aber sags nicht weiter! *fam* **2.** *price* nennen **III.** *vi* zitieren

R

R

R <*pl* -'s>, **r** <*pl* -'s> [ɑːʳ] *n* R *nt*, r *nt;* *see also* **A 1**

r *adv abbrev of* **right** re.

R *adv* AM FILM *abbrev of* **Restricted: rated** ~ nicht für Jugendliche unter 16 Jahren

rabbi ['ræbaɪ] *n* Rabbiner *m*

rabbit ['ræbɪt] *n* Kaninchen *nt;* ~ **hole** Kaninchenbau *m;* ~ **hutch** Kaninchenstall *m*

rabies ['reɪbiːz] *n* + *sing vb* Tollwut *f*

RAC <*pl* -> [ˌɑːˈrɛiˈsiː] *n abbrev of* **Royal Automobile Club: the** ~ der RAC

race[1] [reɪs] **I.** *n* **1.** Rennen *nt* **2.** *no pl* (*rush*) Hetze *f* **II.** *vi* Rennen laufen; (*rush*) rennen

race[2] [reɪs] *n* **1.** Rasse *f;* **the human** ~ die menschliche Rasse **2.** + *sing/pl vb* (*people*) Volk *nt*

racecourse *n* Rennbahn *f* **racehorse** *n* Rennpferd *nt*

racial ['reɪʃ(ə)l] *adj* Rassen-; (*racist*) rassistisch; ~ **discrimination/segregation** Rassendiskriminierung/-trennung *f;* ~ **profiling** Profiling *nt* aufgrund der Rassenzugehörigkeit

racing ['reɪsɪŋ] *n no pl* Rennen *nt,* event, Pferderennen *nt*

racing bicycle, *fam* **racing bike** *n* Rennrad *nt* **racing car** *n* Rennwagen *m* **racing driver** *n* Rennfahrer(in) *m(f)*

racism ['reɪsɪz(ə)m] *n no pl* Rassismus *m*

rack[1] [ræk] *n no pl* **to go to** ~ **and ruin** verkommen *fam*

rack[2] [ræk] **I.** *n* Regal *nt;* (*torture*) Folterbank *f;* **clothes** ~ AM Kleiderständer *m;* **newspaper** ~ Zeitungsständer *m;* ~ **of lamb** Lammrippchen *pl* **II.** *vt* quälen; **to be ~ed with doubts** von Zweifeln gequält werden ▶ **to** ~ **one's** brains sich *dat* den Kopf zerbrechen

racket[1] ['rækɪt] *n* Schläger *m;* **~s** *pl* Racketball *nt kein pl*

racket[2] ['rækɪt] *n* (*fam*) **1.** *no pl* Krach *m* **2.** (*fam: scheme*) unsauberes Geschäft; **protection** ~ Schutzgelderpressung *f*

radial ['reɪdɪəl] *adj* radial *fachspr; beams* strahlenförmig

radiation [ˌreɪdiˈeɪʃ(ə)n] *n no pl* Strahlung *f;* (*emitting*) Abstrahlen *nt*

radiator ['reɪdieɪtə(r)] *n* Heizkörper *m;* AUTO Kühler *m*

radio ['reɪdiəʊ] **I.** *n* **1.** Radio *nt;* (*broadcasting also*) [Rund]funk *m;* (*communicator*) Funkgerät *nt;* **on/over the** ~ über Funk; **to listen to the** ~ Radio hören; **what's on the ~?** was kommt im Radio? **II.** *adj* Radio-; (*of broadcasting also*) Funk- **III.** *vt* funken; *base* anfunken **IV.** *vi* **to** ~ **for help/assistance** über Funk Hilfe/Unterstützung anfordern

radioactive [ˌreɪdiəʊˈæktɪv] *adj* radioaktiv

radio alarm (**clock**) *n* Radiowecker *m* **radio broadcast** *n* Radiosendung *f* **radio cassette recorder** *n* Radiorecorder *m* **radio contact** *n* Funkkontakt *m*

radiography [ˌreɪdiˈɒgrəfi] *n* Röntgenographie *f*

radiologist [ˌreɪdiˈɒlədʒɪst] *n* Radiologe(in) *m(f)*

radio play *n* Hörspiel *nt* **radio-telephone** *n* Funktelefon *nt*

radish <*pl* -es> ['rædɪʃ] *n* Rettich *m*

RAF [ˌɑːˈreɪˈef] *n abbrev of* **Royal Air Force: the** ~ die RAF

raffle ['ræf(ə)l] **I.** *n* Tombola *f* **II.** *vt* verlosen

raft [rɑːft] **I.** *n* Floß *nt* **II.** *vi* an einem Rafting teilnehmen **III.** *vt* auf einem Floß transportieren

rag[1] [ræg] *n* Lumpen *m*

rag² [ræg] **I.** *n* BRIT *studentische karne-valistische Veranstaltung, um Spen-den für wohltätige Zwecke zu sam-meln* **II.** *vi* <-gg-> AM (*pej sl*) **to ~ on sb** jdn nerven *sl*

rag³ [ræg] *n* MUS Ragtime *m*

rage [reɪʤ] **I.** *n* **1.** *no pl* Wut *f* **2. to get in a ~** sich aufregen (**about** über) **3. to be** [all] **the ~** der letzte Schrei sein *fam* **II.** *vi* toben; **to ~ at sb** jdn anschreien

ragged ['rægɪd] *adj* zerlumpt; *hem* ausgefranzt; **~ coastline** zerklüftete Küste

raging ['reɪʤɪŋ] *adj river* reißend *attr; fire* lodernd *attr; inferno* flammend *attr;* (*fam: extreme*) äußerst; *bore* total *fam*

raid [reɪd] **I.** *n* Angriff *m;* (*robbery*) Überfall *m* (**on** auf); (*by police*) Razzia *f* **II.** *vt* überfallen; (*rob*) ausplündern; (*by police*) eine Razzia durchführen; *fridge* plündern *hum*

rail¹ [reɪl] *vi* wettern (**against/at** ge-gen)

rail² [reɪl] **I.** *n* **1.** *no pl* die Bahn; **by ~** mit der Bahn **2.** (*track*) Schiene *f* **3.** (*on stairs*) Geländer *nt;* (*on fence*) Stange *f;* (*on ship*) Reling *f* **4.** [**han-ging**] **~** Stange *f;* **off the ~** von der Stange **II.** *adj* Bahn-

railroad I. *n* AM [Eisen]bahn *f kein pl;* (*tracks*) Schienen *pl* **II.** *vt* zwingen; **to have been ~ed into sth** gezwun-gen worden sein, etw zu tun

railway ['reɪlweɪ] **I.** *n esp* BRIT **the ~**[**s**] die [Eisen]bahn; (*tracks*) Schienen *pl* **II.** *adj* [Eisen]bahn-; **~ yard** Rangier-bahnhof *m*

railway crossing *n* Bahnübergang *m*
railway station *n* Bahnhof *m*

rain [reɪn] **I.** *n* **1.** *no pl* Regen *m;*

pouring ~ strömender Regen; **in the ~** im Regen **2. the ~s** *pl* die Re-genzeit **II.** *vi impers* **it's ~ing** es reg-net ◆ **rain off,** AM **rain out** *vt usu passive* **to be ~ed off** wegen Regens abgesagt werden

rainbow ['reɪnbəʊ] *n* Regenbogen *m*
raincoat *n* Regenmantel *m* **rainfall** *n no pl* Niederschlag *m;* (*quantity*) Niederschlagsmenge *f* **rain forest** *n* Regenwald *m*

rainy ['reɪni] *adj* regnerisch

raise [reɪz] **I.** *n* AM, AUS (*rise*) Gehalts-erhöhung *f* **II.** *vt* heben; *anchor* lich-ten; *drawbridge* hochziehen; *funds* aufbringen; *child* aufziehen; *eyebrow* hochziehen; *morale* heben; *issue* auf-werfen; *objection* erheben; *quality* ver-bessern; *laugh* hervorrufen; *hopes* we-cken

raisin ['reɪzɪn] *n* Rosine *f*

rake [reɪk] **I.** *n* Harke *f* **II.** *vt* harken; *leaves* zusammenrechen **III.** *vi* **to ~ through sth** etw durchsuchen ◆ **rake in** *vt* rechen; (*fam*) *money* kassieren

rally ['ræli] **I.** *n* Rallye *f;* (*in tennis*) Ballwechsel *m;* (*meeting*) [Massen]-versammlung *f;* **~ driver** Rallyefah-rer(in) *m(f)* **II.** *vt* <-ie-> sammeln; *support* gewinnen **III.** *vi* <-ie-> **to ~ behind sb** sich geschlossen hinter jdn stellen

ram [ræm] **I.** *n* Widder *m;* (*of war*) Rammbock *m* **II.** *vt* <-mm-> ram-men; **he ~med the sweets into his mouth** er stopfte sich die Süßig-keiten in den Mund; **to ~ down the soil** den Boden feststampfen; **to ~ sth home** *bolt* etw zuknallen **III.** *vi* <-mm-> **to ~ into sth** gegen etw *akk* prallen

R

ramble ['ræmbl̩] I. *n* Wanderung *f*
II. *vi* wandern (**through** durch); (*bab-ble*) faseln *fam;* (*expound*) vom Hun-dertsten ins Tausendste kommen

rambler ['ræmblə'] *n* Wanderer, Wan-derin *m, f;* (*rose*) Kletterrose *f*

ramp [ræmp] *n* Rampe *f;* AVIAT Gang-way *f*

ran [ræn] *pt of* **run**

ranch [rɑːn(t)ʃ] AM I. *n* < -es> Ranch *f*
II. *vi* Viehwirtschaft treiben III. *vt*
züchten

rancid ['ræn(t)sɪd] *adj* ranzig; **to go ~**
ranzig werden

random ['rændəm] I. *n no pl* **at ~**
(*aimlessly*) willkürlich; (*by chance*)
zufällig II. *adj* zufällig; **~ sample**
Stichprobe *f*

randy ['rændi] *adj* (*fam*) geil

rang [ræŋ] *pt of* **ring**

range¹ [reɪndʒ] I. *n* 1. *no pl* Reichwei-te *f;* (*area*) Bereich *m;* **to be out of ~**
außer Reichweite sein 2. (*series*) Rei-he *f;* (*choice*) Angebot *nt;* **narrow/wide ~ of sth** kleine/große Auswahl
an etw *dat* 3. **firing ~** Schießplatz *m*
II. *vi* schwanken; **to ~ from sth to
sth** von etw *dat* bis zu etw *dat* rei-chen

range² [reɪndʒ] *n* (*of mountains*) Hü-gelkette/Bergkette *f*

range³ [reɪndʒ] *n* (*stove*) [Koch]herd *m*

ranger ['reɪndʒə'] *n* Förster(in) *m(f);*
AM (*soldier*) Ranger(in) *m(f)*

rank¹ [ræŋk] I. *n* 1. *no pl* Position *f;*
MIL Dienstgrad *m,* Rang *m;* **the ~s** *pl*
(*non-officers*) die einfachen Soldaten
2. (*membership*) **the ~s** Mitglieder
pl II. *vi* **to ~ above sb** einen höheren
Rang als jd einnehmen; **to ~ among**
zählen zu *dat*

rank² [ræŋk] *adj plant* üppig wu-

chernd; (*rancid*) stinkend *attr;* **to be
~ with sth** nach etw *dat* stinken

ransom ['ræn(t)səm] I. *n* Lösegeld *nt*
II. *adj* Lösegeld- III. *vt* auslösen

rape¹ [reɪp] I. *n no pl* Vergewaltigung
f; (*fig*) Zerstörung *f* II. *vt* vergewalti-gen III. *vi* eine Vergewaltigung bege-hen

rape² [reɪp] *n no pl* AGR Raps *m*

rapid ['ræpɪd] *adj* schnell; (*sudden*)
plötzlich; *change* rasch

rare¹ [reə'] *adj* selten

rare² [reə'] *adj meat* blutig

rarely ['reəli] *adv* selten

rarity ['reərəti] *n* Rarität *f*

rascal ['rɑːskəl] *n* Schlingel *m;* (*child*)
Frechdachs *m*

rash¹ [ræʃ] *n* <*pl* -es> MED Aus-schlag *m*

rash² [ræʃ] *adj* hastig

rasher ['ræʃə'] *n* **~ [of bacon]** Speck-scheibe *f*

raspberry ['rɑːzbʳri] *n* Himbeere *f*

rat [ræt] I. *n* Ratte *f;* ▸ **to smell a ~**
Lunte riechen II. *vi* <-tt-> **to ~ on sb**
jdn verraten

rate [reɪt] I. *n* 1. Geschwindigkeit *f;* **at
one's own ~** in seinem eigenen
Rhythmus 2. (*measure*) Maß *nt;* **un-employment ~** Arbeitslosenrate *f*
3. (*payment*) Satz *m;* ▸ **at any ~**
auf jeden Fall II. *vt* einschätzen; **she
~s him among her closest friends**
sie zählt ihn zu ihren engsten Freun-den; **to ~ a mention** erwähnenswert
sein

rather ['rɑːðə'] *adv* I **~ doubt ...** ich bin
nicht ganz sicher, ob ...; **it's ~ a
shame that ...** es ist wirklich schade,
dass ...; **I'd like to stay at home this
evening ~ than going out** ich möch-te heute Abend lieber zu Hause blei-

ben und nicht ausgehen

rating ['reɪtɪŋ] *n* **1.** *no pl* Einschätzung *f* **2.** (*regard*) Einstufung *f* **3.** (*audience*) ~s *pl* [Einschalt]quoten *pl*

ratio ['reɪʃiəʊ] *n* Verhältnis *nt*

ration ['ræʃ°n] **I.** *n* **1.** Ration *f;* ~ **of food** Essensration *f* **2.** (*voucher*) ~s *pl* [Lebensmittel]marken *pl* **II.** *vt* rationieren (**to** auf)

rational ['ræʃ°n°l] *adj* rational

rat race *n* erbarmungsloser Konkurrenzkampf; **to join the** ~ sich ins Heer der arbeitenden Bevölkerung einreihen

rattle ['rætl] **I.** *n* **1.** *no pl* Klappern *nt* **2.** MUS Rassel *f* **II.** *vi* **1.** klappern; *engine* knattern; *keys* rasseln; (*move*) rattern **2.** (*talk*) **to** ~ **on** [drauflos]quasseln *fam* **III.** *vt* **to** ~ **sth** *windows* etw zum Klirren bringen; *keys* mit etw *dat* rasseln

rattlesnake *n* Klapperschlange *f*

ratty ['ræti] *adj* BRIT (*fam*) gereizt

rave [reɪv] **I.** *n* BRIT (*fam*) Rave *m* o *nt* (*mit Technomusik*) **II.** *adj attr* begeistert; *reviews* glänzend **III.** *vi* **1.** wüten; **to rant and** ~ toben **2.** (*fam: praise*) schwärmen; **to** ~ **about sth** von etw *dat* schwärmen

raven ['reɪv°n] *n* Rabe *m*

raving ['reɪvɪŋ] **I.** *n no pl* wirres Gerede **II.** *adj attr* absolut; ~ **lunatic** kompletter Idiot **III.** *adv* völlig

raw [rɔː] *adj* roh; *unprocessed also* unbehandelt; *sewage* ungeklärt; *information* Roh-; (*unbridled*) rein; *energy* pur; *power* roh; (*sore*) wund; *nerves* empfindlich; ~ **figures** Schätzungen *pl*

Rawlplug® ['rɔːlˌplʌg] *n* BRIT Dübel *m*

ray[1] [reɪ] *n* Strahl *m*

ray[2] [reɪ] *n* (*fish*) Rochen *m*

razor ['reɪzəʳ] *n* Rasierapparat *m;* (*cutthroat*) Rasiermesser *nt;* ~ **blade** Rasierklinge *f*

RC [ˌɑːˈsiː] *n abbrev of* **Roman Catholic** röm.-kath.

RDA [ˌɑːdiːˈeɪ] *n abbrev of* **recommended daily allowance** empfohlene Tagesmenge

RE [ˌɑːʳˈiː] *n* BRIT **1.** *no pl* SCH *abbrev of* **religious education** Religionslehre *f* **2.** + *pl vb* MIL *abbrev of* **Royal Engineers** Pionierkorps *nt* der britischen Armee

re [riː] *prep* bezüglich +*gen;* (*in letter*) betrifft; ~**: your letter of 03/15/02** Ihr Schreiben vom 15.03.02

reach [riːtʃ] **I.** *n* <*pl* -es> *no pl* Reichweite *f;* **to be within** [**easy**] ~ [ganz] in der Nähe sein **II.** *vi* **1.** (*stretch*) greifen **2.** (*touch*) herankommen **3.** (*extend*) reichen (**to** bis zu) **III.** *vt* **1.** (*arrive at*) erreichen; *consensus* erzielen; **I** ~**ed chapter five** ich bin bis Kapitel fünf gekommen **2.** (*extend to*) **to** ~ **sth** bis zu etw *dat* führen **3.** (*touch*) **to be able to** ~ **sth** an etw *akk* herankommen **4.** (*contact*) erreichen ◆ **reach down** *vi* hinuntergreifen; (*extend*) hinabreichen; **to** ~ **down for sth** nach etw *dat* greifen ◆ **reach out I.** *vt* ausstrecken **II.** *vi* die Hand ausstrecken; **to** ~ **out for sth** nach etw *dat* greifen ◆ **reach over** *vi* hinübergreifen; **to** ~ **over for sth** nach etw *dat* greifen ◆ **reach up** *vi* nach oben greifen; **to** ~ **up for sth** nach etw *dat* greifen

react [riˈækt] *vi* reagieren (**to** auf); **to be slow to** ~ langsam reagieren

reaction [riˈækʃ°n] *n* **1.** Reaktion *f* (**to** auf) **2.** *pl* (*reflexes*) Reaktionsver-

R

mögen *nt kein pl*

reactionary [rɪˈækʃ[ə]nᵊri] I. *adj* reaktionär II. *n* Reaktionär(in) *m(f)*

reactor [rɪˈæktər] *n* Reaktor *m;* **nuclear** ~ Kernreaktor *m*

read¹ [riːd] I. *n usu sing* 1. BRIT, AUS (*act*) Lesen *nt* 2. (*fam: book*) **to be a good** ~ sich gut lesen [lassen] II. *vt* <read, read> 1. lesen; **to** ~ **sth aloud** etw laut vorlesen 2. BRIT UNIV (*form*) studieren III. *vi* <read, read> lesen; **to** ~ **aloud** laut vorlesen; **to** ~ **well** sich gut lesen ◆ **read out** *vt* laut vorlesen; COMPUT auslesen ◆ **read over, read through** *vt* [schnell] durchlesen ◆ **read up** *vi* nachlesen; **to** ~ **up on sth** sich über etw *akk* informieren

read² [red] I. *vt, vi pt, pp of* **read** II. *adj* ▶ **to** take **sth as** ~ etw als selbstverständlich voraussetzen

reader [ˈriːdər] *n* 1. Leser(in) *m(f)*; (*aloud*) Vorleser(in) *m(f)* 2. (*book*) Aufsatzsammlung *f;* SCH Lesebuch *nt*

readily [ˈredɪli] *adv* bereitwillig; (*easily*) ohne weiteres

readiness [ˈredɪnəs] *n no pl* Bereitwilligkeit *f;* (*preparedness*) Bereitschaft *f*

reading [ˈriːdɪŋ] *n* 1. *no pl* Lesen *nt;* (*material*) Lesestoff *m;* **to catch up on one's** ~ den Stoff nachholen; **compulsory** ~ Pflichtlektüre *f* 2. (*recital*) Lesung *f* 3. (*interpretation*) Deutung *f;* *of facts* Einschätzung *f* 4. (*display*) Anzeige *f;* **meter** ~ Zählerstand *m*

reading glasses *n pl* Lesebrille *f*

reading lamp *n* Leselampe *f*

ready [ˈredi] *adj* 1. *pred* fertig; (*willing also*) bereit; **to get** ~ sich fertig machen; **he is always** ~ **with compli-**ments er verteilt gerne Komplimente 2. (*about*) **to be** ~ **to do sth** kurz davor stehen, etw zu tun; **he looked** ~ **to collapse** er sah aus, als würde er gleich zusammenbrechen ▶ ~, **steady, go!** BRIT SPORTS auf die Plätze, fertig, los!

ready cash *n* Bargeld *nt*

real [rɪəl] I. *adj* 1. wirklich; (*genuine*) echt 2. (*actual*) ~ **bargain** echt günstiges Angebot; **to be a** ~ **dump** die reinste Müllkippe sein *fam* 4. (*hum: proper*) *man* richtig; *gentleman* wahr 5. (*fam: utter*) *disaster* echt ▶ get ~! *esp* AM (*fam*) mach dir doch nichts vor!; for ~ (*fam*) echt II. *adv esp* AM (*fam*) wirklich

realistic [ˌrɪəˈlɪstɪk] *adj* realistisch

realize [ˈrɪəlaɪz] *vt* 1. (*be aware of*) **to** ~ **sth** sich *dat* einer S. *gen* bewusst sein; (*become aware of*) etw erkennen 2. *dream* verwirklichen

really [ˈrɪəli] I. *adv* wirklich; (*in fact also, tatsächlich, seriously*) ernsthaft; **the film was** ~ **good** der Film war echt stark *fam;* **did you** ~ **believe that ...** haben Sie im Ernst geglaubt, dass ... II. *interj* 1. wirklich; (*annoyed*) also wirklich; **I'm getting married to Fred —** ~**? when?** Fred und ich werden heiraten — nein, wirklich? wann denn?

rear¹ [rɪər] I. *n* 1. **the** ~ der hintere Teil 2. (*fam: buttocks*) Hintern *m* II. *adj attr* Hinter-; AUTO Heck-; ~ **axle** Hinterachse *f*

rear² [rɪər] I. *vt* 1. *usu passive child* großziehen 2. *livestock* züchten 3. **to** ~ **one's head** den Kopf heben II. *vi* sich aufbäumen

rear-engined *adj* mit Heckantrieb *nach n*

rearrange [ˌriːəˈreɪndʒ] *vt* umstellen; *meeting* [zeitlich] verlegen

rear-view mirror *n* Rückspiegel *m*

rear-wheel drive *n* Hinterradantrieb *m*

reason [ˈriːzⁿn] I. *n* 1. Grund *m* (**for** für); **for some** ~ aus irgendeinem Grund 2. *no pl* (*thought*) Denkvermögen *nt;* (*sense*) Vernunft *f;* **to see** ~ auf die Stimme der Vernunft hören II. *vi* **to** ~ **with sb** vernünftig mit jdm reden III. *vt* **to** ~ **that ...** schlussfolgern, dass ...

reasonable [ˈriːzⁿnəbl] *adj* vernünftig; (*understanding*) einsichtig; (*justified*) angebracht; *chance* reell; *compromise* vernünftig; **be** ~! sei [doch] vernünftig!

reasonably [ˈriːzⁿnəbli] *adv* vernünftig; (*fairly*) ziemlich

reassure [ˌriːəˈʃʊəʳ] *vt* [wieder] beruhigen

reassuring [ˌriːəˈʃʊərɪŋ] *adj* beruhigend

rebate [ˈriːbeɪt] *n* Rückzahlung *f*

rebel I. *n* [ˈrebⁿl] Rebell(in) *m(f)* II. *adj* [ˈrebⁿl] aufständisch III. *vi* <-ll-> [rɪˈbel] rebellieren (**against** gegen)

rebellion [rɪˈbeliən] *n no pl* Rebellion *f*

rebellious [rɪˈbeliəs] *adj* aufständisch; *child* aufsässig

reboot [ˌriːˈbuːt] COMPUT I. *vt* neu starten II. *vi* rebooten *fachspr* III. *n* Rebooten *nt kein pl fachspr*

receipt [rɪˈsiːt] I. *n* 1. *no pl* Eingang *m* 2. (*voucher*) Quittung *f* II. *vt* quittieren

receive [rɪˈsiːv] I. *vt* 1. erhalten; (*be given also*) bekommen; *shock* erleiden; *guest* empfangen; RADIO, TV empfangen; *Communion* empfangen II. *vi* (*in tennis*) den Ball bekommen

receiver [rɪˈsiːvəʳ] *n* Empfänger(in) *m(f);* (*phone*) Hörer *m;* RADIO, TV Empfänger *m*

recent [ˈriːsⁿnt] *adj* kürzlich; ~ **developments** die neuesten Entwicklungen; ~ **events** die jüngsten Ereignisse; **in** ~ **times** in der letzten Zeit

recently [ˈriːsⁿntli] *adv* vor kurzem

reception [rɪˈsepʃⁿn] *n* 1. *no pl* Aufnehmen *nt;* RADIO, TV Empfang *m* 2. (*party*) Empfang *m* 3. *no pl, no art* (*at hotel*) Rezeption *f*

reception desk *n* Rezeption *f*

receptionist [rɪˈsepʃⁿnɪst] *n* Empfangschef *m;* (*female*) Empfangsdame *f;* (*with offices*) Empfangssekretär(in) *m(f)*

recharge [ˌriːˈtʃɑːdʒ] I. *vt* [neu] aufladen; **to** ~ **one's batteries** (*fig*) neue Kräfte tanken II. *vi* sich [neu] aufladen

rechargeable [ˌriːˈtʃɑːdʒəbl] *adj* [wieder] aufladbar

recipe [ˈresɪpi] *n* Rezept *nt;* (*fig*) ~ **for success** Erfolgsrezept *nt*

recipient [rəˈsɪpiənt] *n* Empfänger(in) *m(f)*

recital [rɪˈsaɪtⁿl] *n* Vortrag *m;* (*description*) Schilderung *f;* **piano** ~ Klavierkonzert *nt*

reckless [ˈrekləs] *adj* leichtsinnig; *speed* rücksichtslos; LAW grob fahrlässig

reckon [ˈrekⁿn] I. *vt* berechnen; **I don't** ~ **much to their chances of winning** bei ihnen rechne ich nicht wirklich mit Gewinnchancen II. *vi* 1. (*fam*) meinen 2. **to** ~ **on sth/sb** auf etw/jdn zählen 3. **to** ~ **with sth/sb** mit etw/jdm rechnen ◆ **reckon on** *vt* **to** ~ **on sth/sb** (*need*) auf etw/jdn zählen; (*hope*) mit etw/jdm rech-

R

nen ◆ **reckon up** *vt* zusammenrechnen ◆ **reckon with** *vt* **to ~ with sth/sb** mit etw/jdm rechnen

reckoning ['rekᵊnɪŋ] *n* **1.** *no pl* Berechnung *f* **2.** (*vengeance*) Abrechnung *f*

reclaim [rɪ'kleɪm] **I.** *vt* zurückverlangen; *luggage* abholen; **to ~ land from the sea** dem Meer Land abgewinnen **II.** *n* **baggage ~ [area]** Gepäckausgabe *f*

recline [rɪ'klaɪn] **I.** *vi* sich *akk* zurücklehnen; *chair* verstellbar sein **II.** *vt* **to ~ one's chair** die Rückenlehne seines Stuhls nach hinten stellen; **to ~ one's head against [or on] sth** den Kopf an etw *akk* lehnen

recliner [rɪ'klaɪnə^r] *n* [verstellbarer] Lehnstuhl

reclining seat *n* [verstellbarer] Lehnstuhl; (*in coach*) Liegesitz *m*

recognition [ˌrekəg'nɪʃᵊn] *n no pl* [Wieder]erkennung *f*; (*appreciation*) Anerkennung *f*; **to have changed beyond ~** nicht mehr zu erkennen sein

recognizable [ˌrekəg'naɪzəbl] *adj* erkennbar

recognize ['rekəgnaɪz] *vt* erkennen; (*know again*) wiedererkennen; (*appreciate*) anerkennen

recognized ['rekəgnaɪzd] *adj attr* anerkannt

recommend [ˌrekə'mend] *vt* empfehlen

recommendable [ˌrekə'mendəbl] *adj* empfehlenswert

recommendation [ˌrekəmen'deɪʃᵊn] *n* Empfehlung *f*

record I. *n* ['rekɔːd] **1.** Aufzeichnungen *pl*; (*document*) Akte *f*; (*minutes*) Protokoll *nt* **2.** *no pl* (*history*)

Vorgeschichte *f*; **medical ~** Krankenblatt *nt* **3.** (*music*) [Schall]platte *f* **4.** SPORTS Rekord *m*; **world ~** Weltrekord *m* **II.** *adj* ['rekɔːd] Rekord-; **to reach a ~ high/low** ein Rekordhoch/Rekordtief erreichen **III.** *vt* [rɪ'kɔːd] aufzeichnen; *birth, death* registrieren; *event* dokumentieren; *film* aufnehmen; *speed, temperature* messen **IV.** *vi* [rɪ'kɔːd] Aufnahmen machen

recorded [rɪ'kɔːdɪd] *adj* dokumentiert; (*electronically*) aufgezeichnet

recorder [rɪ'kɔːdə^r] *n* **1.** (*device*) Registriergerät *nt* **2.** MUS Blockflöte *f* **3.** BRIT LAW Anwalt, Anwältin *m, f in Richterfunktion*

recording [rɪ'kɔːdɪŋ] *n* Aufnahme *f*; **~ session** Aufnahme *f*; **~ studio** Aufnahmestudio *nt*

recover [rɪ'kʌvə^r] **I.** *vt* *health* zurückerlangen; *sth lent* zurückbekommen; *stolen goods* sicherstellen; *resources* gewinnen; *data* wiederherstellen; **to ~ consciousness** wieder zu Bewusstsein kommen **II.** *vi* sich erholen; **to ~ from sth** sich von etw *dat* erholen

recovery [rɪ'kʌvᵊri] *n no pl* Erholung *f*; *of sight* Wiedererlangung *f*; *of investments* Wiedererlangung *f*; **to be beyond ~** nicht mehr zu retten sein

recovery service *n* Abschleppdienst *m*

recreation [ˌrekri'eɪʃᵊn] *n* **1.** Freizeitbeschäftigung *f* **2.** *no pl* (*fun*) Erholen *nt*; **to do sth for ~** etw zur Erholung tun

recreational [ˌrekri'eɪʃᵊnᵊl] *adj* Freizeit-; **~ drug** weiche Droge; **~ vehicle** AM Wohnwagen *m*

rectangular [rek'tæŋgjələ^r] *adj* rechteckig; *coordinates* rechtwinklig

rector ['rektər] *n* BRIT REL Pfarrer(in) *m(f)*; SCOT UNIV Rektor(in) *m(f)*; AM (*headmaster*) Rektor(in) *m(f)*

recycle [riː'saɪkl̩] *vt* recyceln; (*fig*) wiederverwenden

recycling [riː'saɪklɪŋ] I. *n no pl* Recycling *nt* II. *adj attr* Recycling-; **~ bin** Wertstofftonne *f*

red [red] I. *adj* <-dd-> rot; **she's gone bright ~ with anger** sie ist ganz rot vor Wut [geworden] II. *n* 1. Rot *nt*; [**dressed**] **all in ~** ganz in Rot gekleidet 2. *no pl* **to be in the ~** in den roten Zahlen sein ▶ **to see ~** rot sehen

Red Cross *n* **the ~** das Rote Kreuz

redcurrant I. *n* [rote] Johannisbeere II. *n modifier* Johannisbeer-; **~ jelly** Johannisbeergelee *nt* **red deer** *n no pl* Rothirsch *m*; (*species*) Rotwild *nt*

reddish ['redɪʃ] *adj* rötlich

redecorate [ˌriː'dekəreɪt] I. *vt* (*by painting*) neu streichen; (*by wallpapering*) neu tapezieren II. *vi* renovieren

redevelop [ˌriː dɪ'veləp] *vt* sanieren

redevelopment [ˌriː dɪ'veləpmənt] I. *n* Sanierung *f* II. *adj* Sanierungs-

red-haired *adj* rothaarig **red-handed** *adj* **to catch sb ~** jdn auf frischer Tat ertappen **redhead** *n* Rothaarige(r) *f(m)* **red herring** *n* Ablenkungsmanöver *nt*; (*fish*) Räucherhering *m* **red-hot** *adj* 1. **to be ~** [rot] glühen; (*fig*) glühend heiß sein 2. *news* brandaktuell *fam*

redial [ˌriː'daɪəl] I. *vt* <BRIT -ll- *or* AM -l-> nochmals wählen II. *vi* <BRIT -ll- *or* AM *usu* -l-> wieder anrufen III. *n no pl* Wahlwiederholung *f*

Red Indian *n* (*pej! dated*) Indianer(in) *m(f)*

redirect [ˌriː dɪ'rekt] *vt letter* nachsenden; *traffic* umleiten; *interests* neu ausrichten

red light *n* rote Ampel

redness ['rednəs] *n no pl* Röte *f*

red pepper *n* 1. roter Paprika 2. *no pl* (*powder*) Paprikagewürz *nt* **Red Sea** *n* **the ~** das Rote Meer **red tape** *n no pl* Bürokratie *f*

reduce [rɪ'djuːs] *vt* reduzieren; *price* heruntersetzen; *taxes* senken; (*make smaller*) verkleinern; *sauce* einkochen lassen; **to ~ sb to tears** jdn zum Weinen bringen

reduced [rɪ'djuːst] *adj attr* reduziert; *price also* heruntergesetzt; *number also* verringert; *risk* niedrig; *sentence* herabgesetzt

reduction [rɪ'dʌkʃən] *n no pl* Reduzierung *f*; *of taxes* Senkung *f*; *of output* Drosselung *f*

redundant [rɪ'dʌndənt] *adj* 1. überflüssig; LING redundant 2. BRIT, AUS (*unemployed*) arbeitslos; **to make sb ~** jdn entlassen

reed [riːd] I. *n* (*plant*) Schilf[gras] *nt*; MUS Rohrblatt *nt*; BRIT (*straw*) Stroh *nt* (*zum Dachdecken*) II. *adj* aus Schilfrohr

reef [riːf] *n* Riff *nt*; NAUT Reff *nt*; **coral ~** Korallenriff *nt*

reel [riːl] I. *n* Rolle *f*; (*bobbin*) Spule *f*; **~ of film** Filmrolle *f*; **~ of thread** Fadenspule *f* II. *vt* aufspulen

re-entry [ˌriː'entri] *n no pl* Wiedereintritt *m*; *of traveller* Wiedereinreise *f*; *of examinee* Wiederantreten *nt*

ref [ref] *n* (*fam*) *abbrev of* **referee** Schiri *m*

refectory [rɪ'fektəri] *n* Speisesaal *m*; *of university* Mensa *f*

refer <-rr-> [rɪ'fɜːr] I. *vt* 1. **the patient**

R

was ~red to a specialist der Patient wurde an einen Facharzt überwiesen; **to ~ a decision to sb** jdm eine Entscheidung übergeben **2.** (*allude*) **who are you ~ring to?** wen meinst du?; **~ring to your letter/phone call, ...** Bezug nehmend auf Ihren Brief/Anruf ... **II.** *vi* **to ~ to sb** sich an jdn wenden; **to ~ to sth** etw zu Hilfe nehmen

referee [ˌrefəˈriː] **I.** *n* Schiedsrichter *m;* BRIT (*endorser*) Referenz *f* **II.** *vt* **to ~ a match** bei einem Spiel Schiedsrichter sein **III.** *vi* Schiedsrichter sein

reference [ˈrefərən(t)s] *n* **1.** (*to authority*) Rücksprache *f;* (*to article*) Verweis *m;* **to make ~ to sth** etw erwähnen **2.** (*responsibility*) **terms of ~** Aufgabenbereich *m* **3.** (*allusion*) Anspielung *f;* (*direct mention*) Bezugnahme *f* **4.** (*recommendation*) [Arbeits]zeugnis *nt*

reference library *n* Präsenzbibliothek *f* **reference number** *n* Aktenzeichen *nt;* (*on goods*) Artikelnummer *f*

refill I. *n* [ˈriːfɪl] Auffüllen *nt;* cartridge Nachfüllpatrone *f* **II.** *vt* [ˌriːˈfɪl] wieder füllen

refined [rɪˈfaɪnd] *adj* raffiniert; *foods* aufbereitet; (*sophisticated*) [hoch] entwickelt; (*well-mannered*) kultiviert; **~ taste** feiner Geschmack

refinery [rɪˈfaɪnəri] *n* Raffinerie *f*

reflect [rɪˈflekt] **I.** *vt* widerspiegeln; *heat* reflektieren; *work, views* zeigen; **to ~ that ...** denken, dass ... **II.** *vi* reflektieren; (*ponder also*) nachdenken (**on** über)

reflection [rɪˈflekʃən] *n* **1.** Reflexion *f;* (*image*) Spiegelbild *nt;* (*indication*) Ausdruck *m* **2.** no pl (*consideration*) Betrachtung *f;* **on ~** nach reiflicher Überlegung

reflector [rɪˈflektər] *n* Reflektor *m; on car* Rückstrahler *m;* (*telescope*) Spiegelteleskop *nt*

reflex [ˈriːfleks] *n* <*pl* -es> Reflex *m;* **~ action** Reflexhandlung *f*

refrain¹ [rɪˈfreɪn] *n* MUS Refrain *m*

refrain² [rɪˈfreɪn] *vi* sich zurückhalten; **kindly ~ from smoking** wir bitten, das Rauchen zu unterlassen

refresh [rɪˈfreʃ] *vt* erfrischen; (*cool also*) abkühlen; *knowledge* auffrischen; **to ~ sb's glass** AM jds Glas nachfüllen

refreshing [rɪˈfreʃɪŋ] *adj* erfrischend; (*pleasing*) [herz]erfrischend; **~ change** willkommene Abwechslung

refreshment [rɪˈfreʃmənt] *n* Erfrischung *f;* **~s** *pl* Erfrischungen *pl;* **light ~s** Erfrischungsgetränke und Snacks

refrigerate [rɪˈfrɪdʒəreɪt] **I.** *vt* im Kühlschrank aufbewahren **II.** *vi* **~ after opening** nach dem Öffnen kühl aufbewahren

refrigerator [rɪˈfrɪdʒəreɪtər] *n* Kühlschrank *m*

refuel <BRIT -ll-> [ˌriːˈfjuːəl] *vi, vt* auftanken

refuge [ˈrefjuːdʒ] *n* Zufluchtsort *m;* **women's ~** Frauenhaus *nt;* **to seek ~ in sth** in etw *dat* Zuflucht suchen

refugee [ˌrefjʊˈdʒiː] *n* Flüchtling *m;* **economic ~** Wirtschaftsflüchtling *m;* **political ~** politischer Flüchtling; **~ camp** Flüchtlingslager *nt*

refund I. *vt* [ˌriːˈfʌnd] zurückerstatten **II.** *n* [ˈriːfʌnd] Rückzahlung *f*

refusal [rɪˈfjuːzəl] *n* Ablehnung *f; of offer* Zurückweisung *f; of invitation* Absage *f*

refuse¹ [rɪˈfjuːz] *vt, vi* ablehnen; *horse* verweigern; *offer* ausschlagen; **to ~ sb credit** jdm keinen Kredit gewähren

refuse² [ˈrefjuːs] *n* Müll *m;* **~ collection** Müllabfuhr *f;* **~ collector** Müllwerker *m*

regain [rɪˈgeɪn] *vt* wiederbekommen; **to ~ one's footing** wieder Halt finden; **to ~ one's health** wieder gesund werden

regard [rɪˈgɑːd] **I.** *vt* betrachten; **to ~ sb with great respect** jdn sehr schätzen; **as ~s ...** was ... angeht, **II.** *n* **1.** Rücksicht *f;* **without ~ for sb/ sth** ohne Rücksicht auf jdn/etw **2.** *(respect)* Achtung *f* **(for** vor); **to hold sb in high ~** Hochachtung vor jdm haben **3. in this ~** in dieser Hinsicht; **with ~ to ...** in Bezug auf ...

regarding [rɪˈgɑːdɪŋ] *prep* bezüglich +*gen*

regardless [rɪˈgɑːdləs] *adv* trotzdem; **to press on ~** trotzdem weitermachen; **~ of sth** ungeachtet einer S. +*gen*

region [ˈriːdʒən] *n* **1.** Region *f;* (*administrative*) [Verwaltungs]bezirk *m;* **the Birmingham ~** die Region um Birmingham **2.** (*approximately*) **in the ~ of ...** im Bereich von ..

regional [ˈriːdʒənəl] *adj* regional

register [ˈredʒɪstər] **I.** *n* **1.** Register *nt* **2.** BRIT SCH Klassenbuch *nt;* **to take the ~** die Namen aufrufen **3.** (*device*) Registriergerät *nt;* AM (*till*) Kasse *f* **II.** *vt* **1.** registrieren; *birth, death* anmelden; *car* zulassen **2.** (*notice*) **to ~ sth** sich *dat* etw merken **III.** *vi* **to ~ at a hotel** sich in einem Hotel anmelden; **to ~ as unemployed** sich arbeitslos melden

registered [ˈredʒɪstəd] *adj* registriert; **~ nurse** staatlich anerkannte Krankenschwester

registration [ˌredʒɪˈstreɪʃən] *n* **1.** Anmeldung *f;* (*at university*) Einschreibung *f;* **car ~** Autozulassung *f* **2.** AUTO (*certificate*) Kraftfahrzeugbrief *m;* (*number*) Kraftfahrzeugkennzeichen *nt*

registration document *n* BRIT Kraftfahrzeugbrief *m* **registration fee** *n* Anmeldegebühr *f;* UNIV Einschreibegebühr *f* **registration number** *n* Kraftfahrzeugkennzeichen *nt*

registry [ˈredʒɪstri] *n* BRIT Standesamt *nt;* **business ~** Handelsregister *nt;* **land ~** Katasteramt *nt*

regret [rɪˈgret, re-] **I.** *vt* <-tt-> bedauern **II.** *vi* <-tt-> **to ~ having to do sth** bedauern, etw tun zu müssen **III.** *n* Bedauern *nt kein pl;* **pang of ~** Anflug *m* von Reue

regretful [rɪˈgretfəl, re-] *adj* bedauernd; **to be ~ about sth** etw bedauern

regretfully [rɪˈgretfəli, re-] *adv* mit Bedauern; **I left New York ~** schweren Herzens verließ ich New York

regrettable [rɪˈgretəbl, re-] *adj* bedauerlich

regular [ˈregjələr] **I.** *adj* **1.** regelmäßig; (*usual*) üblich; **~ customer** Stammkunde *m*/Stammkundin *f;* **~ gas** AM Normalbenzin *nt;* **to keep ~ hours** sich an feste Zeiten halten; **~ income** geregeltes Einkommen **2.** *attr* AM (*size*) **~ fries** normale Portion Pommes Frites **II.** *n* Stammgast *m*

regularity [ˌregjəˈlærəti] *n no pl* Gleichmäßigkeit *f;* (*in time*) Regelmäßigkeit *f*

regulate [ˈregjəleɪt] *vt* regeln; (*adjust*) regulieren; **to ~ whether/how/**

R

when ... festlegen, ob/wie/wann ...

regulation [ˌregjə'leɪʃ°n] I. *n* 1. Vorschrift *f* (**on** über); **in accordance with the ~s** vorschriftsmäßig; **rules and ~s** Regeln und Bestimmungen 2. *no pl* (*supervision*) Überwachung *f* II. *adj* vorgeschrieben; **the ~ pinstripe suit** der obligatorische Nadelstreifenanzug

regulator ['regjəleɪtər] *n* Regulator *m*

rehearsal [rɪ'hɜːs°l] *n* Probe *f;* **to be in ~** geprobt werden

rehearse [rɪ'hɜːs] I. *vt* proben; (*in thought*) [in Gedanken] durchgehen; **to ~ sb** jdn vorbereiten II. *vi* proben

reign [reɪn] I. *vi* 1. regieren; **to ~ over a country** ein Land regieren 2. (*be dominant*) dominieren; **to ~ over sb/sth** jdn/etw beherrschen II. *n* Herrschaft *f;* **during the ~ of Queen Victoria** unter der Herrschaft von Königin Victoria

reimburse [ˌriːɪm'bɜːs] *vt* entschädigen; *losses* ersetzen; *expenses* [rück]erstatten

rein [reɪn] I. *n usu pl* Zügel *m;* ▶ **to give free ~ to sb** jdm freie Hand lassen; **to keep a tight ~ on sb/sth** jdn/etw an der kurzen Leine halten II. *vt* **to ~ sb/sth in** jdn/etw zügeln

reindeer <*pl* -> ['reɪndɪər] *n* Rentier *nt*

reinforce [ˌriːɪn'fɔːs] *vt* verstärken; *argument* untermauern

reinforcement [ˌriːɪn'fɔːsmənt] *n no pl* Verstärkung *f*

reject I. *vt* [rɪ'dʒekt] 1. ablehnen; **to ~ an excuse** eine Entschuldigung nicht annehmen 2. **to ~ sb** jdn abweisen; **to feel ~ed** sich als Außenseiter fühlen 3. **to ~ a drug** ein Medikament nicht vertragen II. *n* ['riːdʒekt] Außenseiter(in) *m(f);* (*product*) Ausschussware *f*

rejection [rɪ'dʒekʃ°n] *n* Ablehnung *f;* MED Abstoßung *f*

rejoice [rɪ'dʒɔɪs] *vi* sich freuen; **to ~ in doing sth** genießen, etw zu tun

rejuvenate [rɪ'dʒuːv°neɪt] *vt* revitalisieren *geh;* (*make younger*) verjüngen; (*modernize*) modernisieren

relapse I. *n* ['riːlæps] Rückfall *m;* (*economic*) Rückschlag *m* II. *vi* [rɪ'læps] **to ~ into coma/sleep** in ein Koma/einen Schlaf verfallen

relate [rɪ'leɪt] I. *vt* 1. in Verbindung bringen (**to** mit) 2. erzählen; **to ~ sth to sb** jdm etw berichten II. *vi* (*fam*) **to ~ to sb/sth** eine Beziehung zu jdm/etw finden

related [rɪ'leɪtɪd] *adj* verbunden; *species* verwandt (**to** mit); **to be ~ by blood** blutsverwandt sein; **closely/distantly ~** nah/entfernt verwandt

relating to [rɪ'leɪtɪŋ-] *prep* in Zusammenhang mit +*dat*

relation [rɪ'leɪʃ°n] *n* 1. *no pl* Verbindung *f;* **in ~ to** in Bezug auf +*akk* 2. Verwandte(r) *f(m);* **is Hans any ~ to you?** ist Hans irgendwie mit dir verwandt?

relationship [rɪ'leɪʃ°nʃɪp] *n* Beziehung *f;* (*in family*) Verwandtschaftsverhältnis *nt;* (*association*) Verhältnis *nt;* **to be in a ~ with sb** mit jdm eine feste Beziehung haben

relative ['relətɪv] I. *adj* relevant (**to** für); (*corresponding*) jeweilig; (*comparative*) relativ; **to be ~ to sth** von etw *dat* abhängen II. *adv* **~ to** sich beziehend auf +*akk* III. *n* Verwandte(r) *f(m);* **distant ~** entfernter Verwandter/entfernte Verwandte

relatively ['relətɪvli] *adv* relativ

relax [rɪ'læks] **I.** *vi* sich entspannen; **~!** entspann dich!; (*don't worry*) beruhige dich! **II.** *vt* **to ~ one's muscles** (*by resting*) die Muskeln entspannen; (*limber*) die Muskeln lockern

relaxation [,ri:læk'seɪʃᵊn] **I.** *n* Entspannung *f*; **~ of discipline** Nachlassen *nt* der Disziplin; **~ of laws** Liberalisierung *f* von Gesetzen **II.** *adj attr* Entspannungs-

relay ['ri:leɪ] **I.** *vt* **to ~ sth** [**to sb**] [jdm] etw mitteilen; *message* [jdm] etw weiterleiten; *TV pictures* [jdm] etw übertragen **II.** *n* **1.** Ablösung *f*; *of workers* Schicht *f* **2. ~** [**race**] Staffellauf *m* **3.** ELEC Relais *nt*

release [rɪ'li:s] **I.** *vt* **1.** freilassen; LAW entlassen; (*fig*) befreien; *brake* lösen; *shutter* betätigen; *gas* freisetzen; *hold* loslassen; *grip* lockern **2.** (*publicize*) verbreiten; (*issue*) veröffentlichen; *media* herausbringen **II.** *n* **1.** *no pl* Entlassung *f*; *of brake* Lösen *nt* **2.** (*mechanism*) Auslöser *m* **3.** *no pl* (*publication*) Veröffentlichung *f*; **press ~** Pressemitteilung *f*; *of new media* Neuerscheinung *f*

relegate ['relɪgeɪt] *vt usu passive* **1.** degradieren **2.** BRIT SPORTS absteigen lassen; **to be ~d** absteigen

relent [rɪ'lent] *vi* nachgeben; (*abate*) nachlassen

relentless [rɪ'lentləs] *adj* unnachgiebig; (*without stopping*) unablässig; *heat* anhaltend; **to be ~ in doing sth** etw unermüdlich tun

relevant ['reləvənt] *adj* relevant; (*important*) wichtig; **to be** [**hardly**] **~ to sth** für etw *akk* [kaum] von Bedeutung sein

reliability [rɪ,laɪə'bɪləti] *n no pl* Zuverlässigkeit *f*; (*trustworthiness*) Vertrau-

enswürdigkeit *f*

reliable [rɪ'laɪəbl] *adj* zuverlässig; (*credible*) glaubwürdig; (*trustworthy*) seriös

reliance [rɪ'laɪən(t)s] *n no pl* Verlass *m* (**on** auf); (*trust*) Vertrauen *nt*

reliant [rɪ'laɪənt] *adj* **to be ~ on sb/ sth** von jdm/etw abhängig sein

relief [rɪ'li:f] *n* **1.** *no pl* Hilfsgüter *pl*; **to be on ~** AM (*fam*) von der Sozialhilfe leben; **disaster/famine ~** Katastrophen-/Hungerhilfe *f* **2.** (*diminution*) Entlastung *f*; **tax ~** Steuerermäßigung *f* **3.** (*from tension*) Erleichterung *f*; **to breathe a sigh of ~** erleichtert aufatmen

relief worker *n* Mitarbeiter(in) *m(f)* einer Hilfsorganisation; (*in third-world countries*) Entwicklungshelfer(in) *m(f)*

relieve [rɪ'li:v] *vt* **1.** **to ~ sb** jdm [in einer Notsituation] helfen **2.** (*unburden*) **to ~ sb of sth** jdm etw abnehmen **3.** (*take over*) **to ~ sb** jdn ablösen **4.** *pain* lindern; *tension* abbauen; *pressure* verringern

religion [rɪ'lɪdʒᵊn] *n no pl* Religion *f*; (*beliefs*) Glaube *m*

religious [rɪ'lɪdʒəs] *adj* religiös; (*pious also*) fromm; **deeply ~** tief religiös; **~ freedom** Religionsfreiheit *f*; **~ holiday** religiöser Feiertag; **~ service** Gottesdienst *m*

relish ['relɪʃ] **I.** *n* **1.** *no pl* Genuss *m*; **with ~** genüsslich **2.** (*sauce*) Relish *nt* **II.** *vt* genießen; **to ~ doing sth** etw sehr gern tun

reluctance [rɪ'lʌktᵊn(t)s] *n no pl* Widerwillen *m*; **with ~** widerwillig

reluctant [rɪ'lʌktᵊnt] *adj* widerwillig; **to be ~ to do sth** sich dagegen sträuben, etw zu tun

R

rely [rɪˈlaɪ] *vi* **to ~ on sb/sth** sich auf jdn/etw verlassen; (*depend*) von jdm/etw abhängen

remain [rɪˈmeɪn] *vi* bleiben; **to ~ aloof** Distanz wahren; **to ~ in bed** im Bett bleiben; **to ~ behind** zurückbleiben; **to ~ undecided** sich nicht entscheiden können

remaining [rɪˈmeɪnɪŋ] *adj attr* übrig; **our only ~ hope** unsere letzte Hoffnung

remains [rɪˈmeɪnz] *n pl* Überbleibsel *pl;* (*form: corpse*) sterbliche Überreste; **animal/human ~** tierische/menschliche Überreste

remand [rɪˈmɑːnd] **I.** *vt usu passive* (*form*) **to ~ on bail** auf Kaution freilassen **II.** *n no pl* **to be on ~** in Untersuchungshaft sitzen *fam;* **~ centre** Untersuchungsgefängnis *nt*

remark [rɪˈmɑːk] **I.** *vt* bemerken; **sb once ~ed [that]** ... jd hat einmal gesagt, dass ... **II.** *vi* eine Bemerkung machen; **to ~ on sb/sth** sich über jdn/etw äußern **III.** *n* Bemerkung *f* (**about** über)

remarkable [rɪˈmɑːkəbl] *adj* bemerkenswert; (*surprising*) merkwürdig; **it's ~ [that]** ... es ist erstaunlich, dass ...

remedy [ˈremədi] **I.** *n* Heilmittel *nt* (**for** gegen); (*solution*) Mittel *nt* (**for** zu) **II.** *vt* in Ordnung bringen; *mistake* berichtigen; *poverty* beseitigen

remember [rɪˈmembər] **I.** *vt* **1.** **to ~ sb/sth** sich an jdn/etw erinnern; (*commemorate*) jds/einer S. gedenken **2.** (*memorize*) **to ~ sth** sich *dat* etw merken **3.** (*form: greet*) **to ~ sb to sb** jdn von jdm grüßen **II.** *vi* sich erinnern; **to ~ [that]** ... sich daran erinnern, [dass] ...

remind [rɪˈmaɪnd] *vt* erinnern; **that ~s me!** das erinnert mich an etwas!; **to ~ sb to do sth** jdn daran erinnern, etw zu tun; **to ~ sb about sth** jdn an etw *akk* erinnern

remote <-er, -est> [rɪˈməʊt] *adj* fern; (*isolated*) abgelegen; (*in time*) lang vergangen; (*slight*) gering; *resemblance* entfernt

remote-controlled *adj* ferngesteuert

removal [rɪˈmuːvəl] *n* **1.** *esp* BRIT *of tenant* Umzug *m;* **~ expenses** Umzugskosten *pl;* **~ firm** Umzugsfirma *f;* **~ man** Möbelpacker(in) *m(f);* **~ van** Möbelwagen *m* **2.** *no pl* (*ousting*) Beseitigung *f; of dictator* Absetzung *f* **3.** *no pl* (*cleaning*) Entfernung *f*

remove [rɪˈmuːv] *vt* **1.** entfernen; *obstacle* beseitigen; *landmine* räumen; *roadblock* beseitigen; (*cancel*) streichen; *stain* entfernen; **to ~ the film from the camera** den Film aus der Kamera nehmen **2.** (*form: dismiss*) entlassen

remover [rɪˈmuːvər] *n* **1.** BRIT Möbelpacker *m* **2.** (*cleaner*) Reinigungsmittel *nt;* **nail-varnish ~** Nagellackentferner *m;* **stain ~** Fleckenentferner *m*

rename [ˌriːˈneɪm] *vt* umbenennen

rendezvous [ˈrɒndɪvuː] **I.** *n* <*pl* -> Rendezvous *nt;* (*place*) Treffpunkt *m* **II.** *vi* sich heimlich treffen

renew [rɪˈnjuː] *vt* erneuern; (*revalidate*) verlängern lassen; *passport* verlängern; **to ~ the pressure** erneut Druck ausüben

renewable [rɪˈnjuːəbl] **I.** *adj* erneuerbar; *visa* verlängerbar **II.** *n usu pl* erneuerbare Energiequelle

renewed [rɪˈnjuːd] *adj* erneuert *attr; interest* wieder erwacht

renovate ['renəveɪt] *vt* renovieren

rent [rent] **I.** *n* Miete *f; (lease)* Pacht *f;* **for ~** zu vermieten **II.** *vt* vermieten; *(hire)* mieten; *(lease)* pachten

rental ['rentᵊl] **I.** *n* Miete *f;* **video and television ~** Leihgebühr *f* für Video- und Fernsehgeräte **II.** *adj attr* Miet-; **~ agency** Verleih *m;* **~ library** AM Leihbücherei *f*

rent-free *adj* mietfrei

reopen [ˌriːˈəʊpᵊn] **I.** *vt* wieder aufmachen; *talks* wieder aufnehmen **II.** *vi* wieder eröffnen

reorder [ˌriːˈɔːdəʳ] **I.** *n* Nachbestellung *f* **II.** *vt* nachbestellen; *(rearrange)* umordnen

reorganize [riːˈɔːgᵊnaɪz] *vt, vi* reorganisieren

rep [rep] *n (fam)* **1.** *short for* **representative** Vertreter(in) *m(f)* **2.** *no pl* THEAT *short for* **repertory company/ theatre** Repertoireensemble *nt*

repair [rɪˈpeəʳ] **I.** *vt* reparieren; *(remedy)* [wieder] in Ordnung bringen; *road* ausbessern; *damage* wieder gutmachen **II.** *n* Reparatur *f;* **~s** *pl* Reparaturarbeiten *pl* **(to** an); **to be in good/ bad ~** in gutem/schlechtem Zustand sein; **in need of ~** reparaturbedürftig

repair kit *n* Flickzeug *nt* **repairman** *n* Handwerker *m; (for cars)* Mechaniker *m;* **TV ~** Fernsehtechniker *m* **repair shop** *n* Reparaturwerkstatt *f*

repay <-paid, -paid> [ˌriːˈpeɪ] *vt* zurückzahlen; **to ~ sb** jdm Geld zurückzahlen

repayable [ˌriːˈpeɪəbl] *adj* rückzahlbar

repayment [ˌriːˈpeɪmənt] *n* Rückzahlung *f*

repeat [rɪˈpiːt] **I.** *vt* wiederholen; **~ after me** bitte mir nachsprechen;

don't ~ this but ... sag es nicht weiter, [aber] ...; **history ~s itself** die Geschichte wiederholt sich **II.** *n* Wiederholung *f* **III.** *adj attr* Wiederholungs-; **~ business** Stammkundschaft *f*

repeated [rɪˈpiːtɪd] *adj* wiederholt

repel <-ll-> [rɪˈpel] *vt* **1.** abweisen **2.** *(disgust)* **sb is ~led by sth** etw stößt jdn ab

repellent [rɪˈpelᵊnt] **I.** *n* Insektenspray *nt* **II.** *adj* abstoßend

repetition [ˌrepɪˈtɪʃᵊn] *n* Wiederholung *f*

repetitive [rɪˈpetətɪv] *adj* sich wiederholend *attr; (monotonous)* monoton

replace [rɪˈpleɪs] *vt* ersetzen **(with** durch); *(put back)* [an seinen Platz] zurücklegen

replacement [rɪˈpleɪsmənt] **I.** *n* **1.** Ersatz *m* **2.** *no pl (substitution)* Ersetzung *f* **II.** *adj attr* Ersatz-; **~ hip** künstliches Hüftgelenk

replay I. *vt* [ˌriːˈpleɪ] wiederholen; *video* nochmals abspielen **II.** *n* ['riːpleɪ] Wiederholung *f; (match)* Wiederholungsspiel *nt*

reply [rɪˈplaɪ] **I.** *vi* <-ie-> **1.** antworten; **to ~ to letters/a question** Briefe/eine Frage beantworten **2.** *(fig: react)* **to ~ to sth** auf etw *akk* reagieren **II.** *n* Antwort *f* **(to** auf); *(reaction)* Reaktion *f* **(to** auf)

reply-paid *adj* BRIT **~ envelope** Freiumschlag *m;* **to make a letter ~** einen Brief freimachen

report [rɪˈpɔːt] **I.** *n* **1.** Meldung *f* **(on** über); *(statement)* Bericht *m* **(on** über); **~s in the newspaper/press** Zeitungs-/Presseberichte *pl;* [school] **~** BRIT Schulzeugnis *nt;* **stock market/weather ~** Börsen-/Wetterbericht *m* **2.** *(claim)* Gerücht *nt;* **ac-**

R

cording to ~s ... Gerüchten zufolge ... **II.** *vt* **1. to ~ sth** etw berichten **2.** (*denounce*) **to ~ sb** jdn melden; **to ~ sb to the police** jdn anzeigen **III.** *vi* **1.** Bericht erstatten **2.** (*be accountable*) **to ~ to sb** jdm unterstehen

reported [rɪˈpɔːtɪd] *adj* gemeldet; **there has been a ~ hijack in Tel Aviv** einer Meldung zufolge hat in Tel Aviv eine Entführung stattgefunden

reporter [rɪˈpɔːtəʳ] *n* Reporter(in) *m(f)*

represent [ˌreprɪˈzent] *vt* vertreten; (*depict*) darstellen

representative [ˌreprɪˈzentətɪv] **I.** *adj* repräsentativ; **~ democracy** parlamentarische Demokratie **II.** *n* [Stell]vertreter(in) *m(f)*; ECON Vertreter(in) *m(f)*; POL Abgeordnete(r) *f(m)*; AM Mitglied *nt* des Repräsentantenhauses; **elected ~** gewählter Vertreter/gewählte Vertreterin

repression [rɪˈpreʃ°n] *n no pl* Unterdrückung *f*; PSYCH Verdrängung *f*

repressive [rɪˈpresɪv] *adj* repressiv *geh*; *regime* unterdrückerisch

reproach [rɪˈprəʊtʃ] **I.** *vt* **to ~ sb** jdm Vorwürfe machen; **to ~ sb with sth** jdm etw vorwerfen; **to ~ oneself** sich *dat* Vorwürfe machen **II.** *n* <*pl* -es> Vorwurf *m*

reproachful [rɪˈprəʊtʃf°l] *adj* vorwurfsvoll

reprocessing plant *n* Wiederaufbereitungsanlage *f*

reproduce [ˌriːprəˈdjuːs] **I.** *vi* sich fortpflanzen; (*multiply*) sich vermehren; *documents* sich kopieren lassen **II.** *vt* **1. to ~ oneself** sich fortpflanzen; (*multiply*) sich vermehren **2.** *documents* reproduzieren

reproduction [ˌriːprəˈdʌkʃ°n] **I.** *n* **1.** *no pl* Fortpflanzung *f*; (*multiplying*) Vermehrung *f* **2.** *no pl* (*copying*) Vervielfältigung *f* **3.** (*copy*) Reproduktion *f* **II.** *adj* nachgebaut

reptile [ˈreptaɪl] *n* Reptil *nt*

republic [rɪˈpʌblɪk] *n* Republik *f*

republican [rɪˈpʌblɪkən] **I.** *n* Republikaner(in) *m(f)* **II.** *adj* republikanisch

repulsive [rɪˈpʌlsɪv] *adj* abstoßend

reputable [ˈrepjətəbl] *adj* angesehen

reputation [ˌrepjəˈteɪʃ°n] *n no pl* Ruf *m;* (*esteem*) Ansehen *nt;* **to have a ~ for sth** für etw *akk* bekannt sein; **to have a ~ as sth** einen Ruf als etw haben

request [rɪˈkwest] **I.** *n* **1.** Bitte *f* (**for** um); ECON Anfrage *f* (**for** nach); **at sb's ~** auf jds Bitte hin **2.** (*formal*) Antrag *m;* **to submit a ~ that ...** beantragen, dass ... **II.** *vt* **to ~ sth** um etw *akk* bitten; RADIO (*ask for song*) [sich *dat*] etw wünschen

request stop *n* BRIT Bedarfshaltestelle *f*

require [rɪˈkwaɪəʳ] *vt* **1.** brauchen; **to be ~d for sth** für etw *akk* erforderlich sein **2.** (*demand*) **to ~ sth** [**of sb**] etw [von jdm] verlangen

requirement [rɪˈkwaɪəmənt] *n* Voraussetzung *f* (**for** für); **minimum ~** Grundvoraussetzung *f*

rescue [ˈreskjuː] **I.** *vt* retten; **to ~ sb from danger** jdn aus einer Gefahr retten **II.** *n* Rettung *f;* **to come to sb's ~** jdm zu Hilfe kommen; **~ operation** Rettungsarbeiten *pl*

research I. *n* [rɪˈsɜːtʃ] **1.** *no pl* Forschung *f;* (*specific*) Erforschung *f* **II.** *adj* [rɪˈsɜːtʃ] Forschungs-; **~ scientist/worker** Forscher(in) *m(f)* **III.** *vi* [rɪˈsɜːtʃ] forschen; **to ~ in[to] sth** etw erforschen **IV.** vt [rɪˈsɜːtʃ] erforschen; JOURN recherchieren

researcher [rɪˈsɜːtʃər] n Forscher(in) m(f)

resemble [rɪˈzembl] vt ähneln +dat

resent [rɪˈzent] vt **to ~ sb/sth** sich [sehr] über jdn/etw ärgern; **to ~ doing sth** etw [äußerst] ungern tun

resentful [rɪˈzentfəl] adj verbittert; (grudging) nachtragend; **to be ~ of sb/sth** sich über jdn/etw ärgern

resentment [rɪˈzentmənt] n Verbitterung f; **to feel [a] ~ against sb** einen Groll gegen jdn hegen

reservation [ˌrezəˈveɪʃn] n **1.** usu pl Bedenken pl **2.** (booking) Reservierung f; **to make a ~** reservieren

reserve [rɪˈzɜːv] **I.** n **1.** no pl (form) Zurückhaltung f; **with ~** mit Vorbehalt **2.** (store) Reserve f **3.** (area) Reservat nt; **wildlife ~** Naturschutzgebiet nt **II.** vt aufheben; (save) reservieren

reserved [rɪˈzɜːvd] adj reserviert

residence [ˈrezɪdən(t)s] n **1.** (form) Wohnsitz m; **to take up ~ in a country** sich in einem Land niederlassen **2.** no pl (act of residing) Wohnen nt; **to be in ~** wohnen **3.** (building) Wohngebäude nt **4.** UNIV Forschungsaufenthalt m

residence permit n Aufenthaltserlaubnis f

resident [ˈrezɪdənt] **I.** n Bewohner(in) m(f); of hotel [Hotel]gast m; **local ~** Anwohner(in) m(f); **is she a ~ of Canada?** lebt sie in Kanada? **II.** adj wohnhaft; employee im Haus lebend nach n; doctor im Haus nach n

residential [ˌrezɪˈden(t)ʃəl] adj Wohn-; permit Aufenthalts-; **~ district** Wohngebiet nt

resign [rɪˈzaɪn] **I.** vi kündigen; **to ~ from an office** von einem Amt zurücktreten **II.** vt aufgeben

resignation [ˌrezɪgˈneɪʃn] n Kündigung f; **to hand in one's ~** seine Kündigung einreichen

resigned [rɪˈzaɪnd] adj resigniert; **to be ~ to sth** sich mit etw dat abgefunden haben

resilient [rɪˈzɪliənt] adj elastisch; (fig) unverwüstlich

resist [rɪˈzɪst] **I.** vt **1. to ~ sth** etw dat Widerstand leisten; **to ~ arrest** LAW sich der Verhaftung widersetzen **2.** (refuse) **to ~ sth** sich gegen etw akk wehren **3.** (not yield) widerstehen +dat; **she couldn't ~ laughing** sie musste einfach loslachen fam **II.** vi sich wehren; (refuse) widerstehen +dat

resistance [rɪˈzɪstən(t)s] n **1.** no pl Widerstand m (**to** gegen) **2. the R~** der Widerstand; **the [French] R~** die [französische] Résistance **3.** (refusal) Widerstand m (**to** gegen)

resistant [rɪˈzɪstənt] adj **1.** resistent (**to** gegen) **2.** (denying) ablehnend; **to be ~ to sth** etw dat ablehnend gegenüberstehen

reskill [ˌriːˈskɪl] vt umschulen

resort [rɪˈzɔːt] **I.** n **1.** Urlaubsort m **2.** no pl (recourse) Einsatz m; **as a last ~** als letzter Ausweg **II.** vi **to ~ to sth** auf etw akk zurückgreifen

resourceful [rɪˈzɔːsfəl] adj einfallsreich

respect [rɪˈspekt] **I.** n no pl Respekt m (**for** vor); (consideration) Rücksicht f; **out of ~ for sb's feelings** aus Rücksicht auf jds Gefühle ▶ **in all /many /some ~s** in allen/vielen/einigen Punkten; **in every ~** in jeglicher Hinsicht **II.** vt respektieren

R

respectable [rɪˈspektəbl] *adj* anständig; (*presentable also*) ordentlich; **to make oneself ~** (*hum*) sich *dat* was anziehen *fam*

respected [rɪˈspektɪd] *adj* angesehen

respectful [rɪˈspektfºl] *adj* respektvoll; **to be ~ of sth** etw respektieren

respectively [rɪˈspektɪvli] *adv* **black and/or white ~** schwarz bzw. weiß

respirator [ˈrespºreɪtəʳ] *n* Beatmungsgerät *nt;* (*mask*) Atem[schutz]gerät *nt*

respond [rɪˈspɒnd] **I.** *vt* **to ~ that ...** erwidern, dass ... **II.** *vi* **1.** antworten (**to** auf) **2. to ~ to treatment** auf eine Behandlung ansprechen

response [rɪˈspɒn(t)s] *n* **1.** Antwort *f* (**to** auf) **2.** (*reaction*) Reaktion *f;* **to meet with a bad/good ~** eine schlechte/gute Resonanz finden

responsibility [rɪˌspɒn(t)səˈbɪləti] *n* **1.** *no pl* Verantwortung *f* (**for** für); **sense of ~** Verantwortungsbewusstsein *nt;* **to carry a lot of ~** eine große Verantwortung tragen **2.** (*duty*) Verantwortlichkeit *f*

responsible [rɪˈspɒn(t)səbl] *adj* verantwortlich (**for** für); (*in charge also*) zuständig; (*sensible*) verantwortungsbewusst; **to hold sb ~** jdn verantwortlich machen; LAW jdn haftbar machen

responsive [rɪˈspɒn(t)sɪv] *adj* gut reagierend; (*friendly*) entgegenkommend

rest[1] [rest] *n + sing/pl vb* **the ~** der Rest

rest[2] [rest] **I.** *n* **1.** [Ruhe]pause *f;* **to have a ~** eine Pause machen **2.** *no pl* (*repose*) Erholung *f;* **for a ~** zur Erholung **3.** (*support*) Stütze *f* **II.** *vt* **1. to ~ oneself** sich ausruhen **2.** (*support*) lehnen **3. to ~ one's**

case seine Beweisführung abschließen **III.** *vi* **1.** [sich aus]ruhen; **to let sth ~** etw ruhen lassen; **let it ~!** (*fam*) lass es doch auf sich beruhen! **3.** (*depend*) **to ~ on sb/sth** auf jdm/ etw ruhen

restaurant [ˈrest°rɔ̃(ŋ)] *n* Restaurant *nt;* **~ car** BRIT Speisewagen *m*

restful [ˈrestfºl] *adj* erholsam; *sound* beruhigend

rest home *n* Altersheim *nt*

restless [ˈrestləs] *adj* unruhig; (*uneasy*) rastlos; (*wakeful*) ruhelos; **to get ~** anfangen, sich unwohl zu fühlen

restoration [ˌrest°rˈeɪʃºn] *n* **1.** *no pl* Restaurieren *nt* **2.** (*instance*) Restaurierung *f* **3.** *no pl* (*re-establishment*) Wiederherstellung *f* **4.** *no pl* (*form: reappropriation*) Rückgabe *f*

restore [rɪˈstɔːʳ] *vt* **1.** restaurieren **2.** (*re-establish*) wiederherstellen; **to ~ a law** ein Gesetz wieder einführen **3.** (*form: reappropriate*) **to ~ sth to sb** jdm etw zurückgeben **4.** (*reinstate*) **to ~ sb to power** jdn wieder an die Macht bringen

restrain [rɪˈstreɪn] *vt* zurückhalten; (*forcefully*) bändigen; **to ~ oneself** sich beherrschen

restraint [rɪˈstreɪnt] *n* **1.** *no pl* Beherrschung *f;* **to exercise ~** Zurückhaltung *f* üben **2.** (*restriction*) Einschränkung *f*

restrict [rɪˈstrɪkt] *vt* einschränken; **to ~ sb from sth** jdm etw untersagen

restricted [rɪˈstrɪktɪd] *adj* begrenzt; (*subject to limitation*) eingeschränkt

restriction [rɪˈstrɪkʃºn] *n* (*limit*) Beschränkung *f*

restrictive [rɪˈstrɪktɪv] *adj* einschränkend; *measure* restriktiv

restroom *n esp* AM Toilette *f*

result [rɪˈzʌlt] **I.** *n* Folge *f;* (*outcome*) Ergebnis *nt;* (*satisfactory*) Erfolg *m;* **with the ~ that ...** mit dem Ergebnis, dass ...; **as a ~ of sth** als Folge einer S. *gen* **II.** *vi* sich ergeben (**from** aus); **to ~ in sth** etw zur Folge haben

retail price *n* Einzelhandelspreis *m*

retake **I.** *vt* <-took, -taken> [ˌriːˈteɪk] wiedergewinnen; *exam* wiederholen; **to ~ the lead** SPORTS sich wieder an die Spitze setzen **II.** *n* [ˈriːteɪk] **1.** *esp* BRIT (*exam*) Wiederholungsprüfung *f* **2.** (*refilm*) Neuaufnahme *f*

retch [retʃ] *vi* würgen; **to make sb ~** jdn zum Würgen bringen

rethink **I.** *vt* <-thought, -thought> [ˌriːˈθɪŋk] überdenken **II.** *vi* <-thought, -thought> [ˌriːˈθɪŋk] überlegen **III.** *n* [ˈriːθɪŋk] *no pl* Überdenken *nt;* **to have a ~** es noch einmal überdenken

retina <*pl* -s> [ˈretɪnə] *n* Netzhaut *f*

retire [rɪˈtaɪəʳ] **I.** *vi* **1.** in den Ruhestand treten; *worker* in Rente gehen; *civil servant* in Pension gehen **2.** (*form: withdraw*) sich zurückziehen **II.** *vt* in den Ruhestand versetzen

retired [rɪˈtaɪəd] *adj* im Ruhestand *präd; worker* in Rente *präd; civil servant* pensioniert

retirement [rɪˈtaɪəmənt] *n* **1.** Ausscheiden *nt* aus dem Arbeitsleben; *of civil servant* Pensionierung *f;* **~ age** *of worker* Rentenalter *nt; of civil servant* Pensionsalter *nt;* **~ pension** *for worker* [Alters]rente *f; for civil servant* Pension *f* **2.** *no pl of team* Ausscheiden *nt* **3.** *no pl* (*after working life*) Ruhestand *m*

retiring [rɪˈtaɪərɪŋ] *adj* **1.** *attr* ausscheidend **2.** (*reserved*) zurückhaltend

retreat [rɪˈtriːt] **I.** *vi* sich zurückziehen; (*from assault*) zurückweichen; (*hide*) sich verstecken; (*flood*) zurückgehen; *shares* fallen **II.** *n* **1.** *no pl* Abkehr *f* (**from** von); *of troops* Rückzug *m* **2.** (*refuge*) Zufluchtsort *m* **3.** REL **to go on ~** in Klausur gehen

retriever [rɪˈtriːvəʳ, AM -ɚ] *n* Retriever *m*

return [rɪˈtɜːn] **I.** *n* **1.** Rückkehr *f* (**to** zu); **~ home** Heimkehr *f;* **sb's ~ to power** POL jds Wiederwahl **2.** (*reoccurrence*) Wiederauftreten *nt* **3.** (*reappropriation*) Rückgabe *f* **4.** BRIT, AUS (*ticket*) Hin- und Rückfahrkarte *f* **5.** SPORTS (*stroke*) Rückschlag *m* **6.** *no pl* COMPUT Returntaste *f* **II.** *adj attr* Rück- **III.** *vi* **1.** zurückkehren **2.** (*revert*) **to ~ to sth** etw wieder aufnehmen; **to ~ to a subject** auf ein Thema zurückkommen **IV.** *vt* **1.** zurückgeben; **to ~ sth to sb** (*in person*) jdm etw zurückgeben; (*by post*) jdm etw zurückschicken **2.** (*reciprocate*) erwidern; **to ~ sb's call** jdn zurückrufen; **to ~ a favour** sich revanchieren **3.** (*put back*) zurückstellen/-legen

return fare *n* Preis *m* für eine Rückfahrkarte/ein Rückflugticket **return match** *n* Rückspiel *nt* **return ticket** *n* **1.** BRIT, AUS Hin- und Rückfahrkarte *f;* AVIAT Hin- und Rückflugticket *nt* **2.** AM (*ticket for return*) Rückfahrkarte *f*

reunification [ˌriːjuːnɪfɪˈkeɪʃən] *n no pl* Wiedervereinigung *f*

reunion [ˌriːˈjuːnɪən] *n* **1.** Zusammenkunft *f* **2.** *no pl* (*form*) Wiedervereinigung *f;* **~ of people** Zusammenführung *f* von Menschen

reunite [ˌriːjuːˈnaɪt] **I.** *vt* **to ~ sb with**

R

sb jdn mit jdm [wieder] zusammenbringen **II.** *vi* sich wiedervereinigen; *people* wieder zusammenkommen

reusable [ˌriːˈjuːzəbl̩] *adj* wiederverwendbar; (*reprocessed*) wiederverwertbar

reuse [ˌriːˈjuːz] *vt* wiederverwenden; (*recycle*) wiederverwerten

revenge [rɪˈvendʒ] **I.** *n no pl* Rache *f;* (*desire*) Rachedurst *m;* **to get one's ~** sich rächen **II.** *vt* rächen

revenue [ˈrevᵊnjuː] *n* **1.** *no pl* Einkünfte *pl* (**from** aus); (*national*) Staatseinkünfte *pl* **2.** *pl* **sales ~s** Verkaufseinnahmen *pl*

reverend [ˈrevᵊrᵊnd] *n* ≈ Pfarrer *m,* ≈ Pastor *m*

reverse [rɪˈvɜːs] **I.** *vt* **1.** *esp* BRIT, AUS *car* zurücksetzen **2.** (*change over*) umkehren; **to ~ the charges** ein R-Gespräch führen **II.** *vi esp* BRIT, AUS *car* rückwärts fahren; (*briefly*) zurücksetzen **III.** *n* **1.** *no pl* **the ~** das Gegenteil; **no, quite the ~!** nein, ganz im Gegenteil! **2.** (*gear*) Rückwärtsgang *m* **3.** (*back*) **the ~** die Rückseite **IV.** *adj* umgekehrt; *direction* entgegengesetzt

reversible [rɪˈvɜːsəbl̩] *adj* zum Wenden nach *n;* (*alterable*) umkehrbar; **~ coat** Wendejacke *f*

review [rɪˈvjuː] **I.** *vt* **1.** [erneut] [über]prüfen; (*reconsider*) überdenken; **to ~ salaries** die Gehälter revidieren **2.** (*look back over*) zurückblicken auf +*akk* **3.** AM (*study again*) wiederholen **II.** *n* **1.** Überprüfung *f;* **to come under ~** überprüft werden **2.** (*summary*) Überblick *m* (**of** über); **wage ~** Gehaltsrevision *f* **3.** (*criticism*) Kritik *f;* **film ~** Filmbesprechung *f*

reviewer [rɪˈvjuːəʳ] *n* Kritiker(in) *m(f);* *of literature a.* Rezensent(in) *m(f)*

revise [rɪˈvaɪz] **I.** *vt* überarbeiten; *book* redigieren; (*reconsider*) überdenken; BRIT, AUS (*study again*) wiederholen **II.** *vi* BRIT, AUS **to ~ for an exam** auf eine Prüfung lernen

revive [rɪˈvaɪv] **I.** *vt* wiederbeleben; (*revitalize*) beleben; (*resurrect*) wieder aufleben lassen; *economy* ankurbeln; *idea* wieder aufgreifen; **to ~ sb's hopes** jdm neue Hoffnungen machen **II.** *vi* wieder zu sich *dat* kommen; (*recuperate*) sich erholen; *economy a.* wieder aufblühen

revolting [rɪˈvəʊltɪŋ] *adj* abstoßend; *smell* ekelhaft; **it is ~ that ...** es ist widerlich, dass ...

revolution [ˌrevᵊlˈuːʃᵊn] *n* **1.** Revolution *f* **2.** TECH Umdrehung *f;* **~s per minute** Umdrehungen *pl* pro Minute

revolutionary [ˌrevᵊlˈuːʃᵊnᵊri] **I.** *n* Revolutionär(in) *m(f)* **II.** *adj* revolutionär; (*fig*) bahnbrechend

revolving [rɪˈvɒlvɪŋ] *adj attr* Dreh-

reward [rɪˈwɔːd] **I.** *n* Belohnung *f;* *acknowledgement* Anerkennung *f;* **to offer a ~** eine Belohnung aussetzen **II.** *vt* belohnen

rewarding [rɪˈwɔːdɪŋ] *adj* befriedigend; *experience* lohnend; *task* dankbar

rewind *vt* <-wound, -wound> [ˌriːˈwaɪnd] aufwickeln; *cassette* zurückspulen

rheumatism [ˈruːmətɪzᵊm] *n no pl* Rheuma *nt*

rhinoceros [raɪˈnɒsᵊrəs] *n, fam* **rhino** [ˈraɪnəʊ] *n* Nashorn *nt*

rhubarb [ˈruːbɑːb] *n no pl* Rhabarber *m*

rhythm [ˈrɪðᵊm] *n* Rhythmus *m;* **sense of ~** Rhythmusgefühl *nt*

rib [rɪb] *n* **1.** Rippe *f;* ~ **cage** Brustkorb *m* **2.** FOOD ~**s** Rippchen *nt* **3.** *no pl* (*in knitting*) Rippung *f*

ribbon ['rɪbᵊn] *n* **1.** Band *nt;* (*fig*) Streifen *m* **2.** (*rag*) **in** ~**s** in Fetzen

rice [raɪs] **I.** *n no pl* Reis *m;* **brown** ~ Naturreis *m* **II.** *vt* AM **to** ~ **vegetables** Gemüse passieren

rice pudding *n no pl* Milchreis *m*

rich [rɪtʃ] **I.** *adj* **1.** reich; (*fertile*) fruchtbar; *soil a.* fett; (*opulent*) prachtvoll; *food* gehaltvoll; (*hard to digest*) schwer; *colour* satt; **to get** ~ **quick** schnell zu Reichtum kommen **2.** (*abounding*) reich (**in** an); ~ **in detail** sehr detailliert; ~ **in vitamins** vitaminreich **II.** *n* **the** ~ *pl* die Reichen *pl*

rid <-dd-, rid *or* (*old*) ridded, rid> [rɪd] *vt* **to** ~ **sth/sb of sth** etw/jdn von etw *dat* befreien; **to be** ~ **of sb/sth** jdn/etw los sein; **to get** ~ **of sb/sth** jdn/etw loswerden

ridden ['rɪdᵊn] *pp of* **ride**

riddle ['rɪdl] *n* Rätsel *nt*

ride [raɪd] **I.** *n* **1.** Fahrt *f* (**on** mit); (*on horse*) Ritt *m;* **bus** ~ Busfahrt *f;* **to go for a** ~ eine Fahrt machen; (*on horse*) ausreiten **2.** AM (*driver*) Fahrer(in) *m(f)* **3.** (*free trip*) Mitfahrgelegenheit *f;* **to give sb a** ~ jdn [im Auto] mitnehmen **4.** (*at fair*) [Karussell]fahrt *f;* ▶ **to take sb for a** ~ (*fam*) jdn übers Ohr hauen **II.** *vt* <rode, ridden> **1.** fahren; *horse* reiten **2.** *usu passive* **to be ridden with guilt** von [schweren] Schuldgefühlen geplagt werden **III.** *vi* <rode, ridden> fahren (**on** mit); (*on horse*) reiten; **to** ~ **by** vorbeireiten

rider ['raɪdə'] *n* Fahrer(in) *m(f);* *of horse* Reiter(in) *m(f)*

ridge [rɪdʒ] *n* Grat *m;* *of roof* Dachfirst *m;* ~ **of high/low pressure** Hoch-/Tiefdruckkeil *m*

ridiculous [rɪ'dɪkjələs] **I.** *adj* lächerlich; BRIT (*sl: incredible*) unglaublich **II.** *n no pl* **the** ~ das Absurde

riding ['raɪdɪŋ] **I.** *n* **1.** *no pl* Reiten *nt* **2.** CAN POL (*constituency*) Wahlbezirk *m* **II.** *adj attr* Reit-; ~ **crop** Reitgerte *f;* ~ **school** Reitschule *f*

rifle ['raɪfl] *n* Gewehr *nt*

rig[1] [rɪg] *vt* <-gg-> (*forge*) manipulieren

rig[2] [rɪg] *n* **1.** NAUT Takelage *f* **2.** (*apparatus*) Vorrichtung *f* **3.** **drilling** ~ Bohrinsel *f;* **gas/oil** ~ Gas-/Ölbohrinsel *f*

rigging[1] ['rɪgɪŋ] *n no pl* NAUT Auftakeln *nt;* AVIAT Aufrüstung *f*

rigging[2] ['rɪgɪŋ] *n no pl* Manipulation *f;* **ballot** ~ Wahlmanipulation *f*

right [raɪt] **I.** *adj* **1.** richtig; (*fair*) gerecht; **you're** ~ **to be annoyed** du bist zu Recht verärgert; **to do the** ~ **thing** das Richtige tun **2.** (*correct*) richtig; *time* genau; **the** ~ **way round** richtig herum; **to get sth** ~ etw richtig machen; **am I** ~ **in thinking that ...** gehe ich recht in der Annahme, dass ... **3.** (*best*) richtig; **to be in the** ~ **place at the** ~ **time** zur rechten Zeit am rechten Ort sein **4.** (*healthy*) **to be not** [quite] ~ **in the head** (*fam*) nicht [ganz] richtig im Kopf sein **5.** (*not left*) rechte(r, s); **to make a** ~ **turn** rechts abbiegen **6.** (*conservative*) rechte(r, s) **7.** *attr esp* BRIT (*fam: complete*) total **II.** *adv* **1.** (*completely*) völlig; ~ **through** durch und durch **2.** (*all the way*) ganz; (*directly*) direkt **3.** (*fam: immediately*) gleich; **I'll be** ~ **with you** ich komme sofort

R

4. to do ~ by sb sich jdm gegenüber anständig verhalten **5.** (*properly*) gut **6.** (*not left*) **to turn ~** [nach] rechts abbiegen ▶ **~ away** (*fam*) sofort **III.** *n* **1.** *no pl* (*goodness*) Recht *nt* **2.** (*morality*) das Richtige **3.** *of claim* Recht *nt;* **women's ~s** die Rechte *pl* der Frau[en] **4.** *pl of ownership* Rechte *pl* **5.** *no pl* (*not left*) rechte Seite; **on the ~** rechts; **on my/her ~** rechts [von mir/ihr] **6.** + *sing/pl vb* POL **the R~** die Rechte; **the far ~** die Rechtsextremen *pl* **IV.** *vt* (*align*) aufrichten; (*remedy*) in Ordnung bringen; (*rectify*) wiedergutmachen **V.** *interj* (*fam*) **1.** (*okay*) in Ordnung *fam;* **~ you are!** in Ordnung! **2.** BRIT **too ~!** wohl wahr! **3. ~, let's go** also, nichts wie los *fam*

right-hand *adj attr* **1.** (*on the right*) rechte(r, s); **~ drive** Rechtslenkung *f* **2.** (*with right hand*) mit der Rechten *nach n;* **~ punch** rechter Haken
right-handed *adj* rechtshändig
rightly ['raɪtli] *adv* richtig; (*justifiably*) zu Recht; **quite ~** völlig zu Recht
right of way <*pl* rights-> *n* **1.** *no pl* Durchgangsrecht *nt* **2.** AUTO Vorfahrt *f*
right-wing *adj* rechts *präd,* rechte(r, s)
right wing *n* + *sing/pl vb* **the ~** der rechte Flügel
rind [raɪnd] *n no pl* Schale *f;* (*bark*) [Baum]rinde *f;* **bacon ~** [Speck]schwarte *f;* [**grated**] **lemon ~** [geriebene] Zitronenschale
ring[1] [rɪŋ] **I.** *n* **1.** Ring *m;* (*circle*) Kreis *m* **2.** BRIT (*hob*) Kochplatte *f* **3.** (*arena*) Ring *m;* **circus ~** Manege *f* **II.** *vt* **1.** *usu passive* umringen **2.** BRIT (*draw*) einkreisen
ring[2] [rɪŋ] **I.** *n* **1.** Klingeln *nt kein pl*

2. *usu sing esp* BRIT **to give sb a ~** jdn anrufen **II.** *vi* <rang, rung> klingeln; *ears* dröhnen **III.** *vt* <rang, rung> **1.** *bell* läuten; **to ~ the alarm** Alarm auslösen **2. to ~ the hour** die Stunde schlagen **3.** *esp* BRIT (*phone*) anrufen; **to ~ sb back** jdn zurückrufen ◆ **ring off** *vi* BRIT auflegen ◆ **ring up I.** *vt* **1.** *esp* BRIT anrufen **2. to ~ up an amount** einen Betrag [in die Kasse] eintippen **II.** *vi* BRIT anrufen

ringleader *n* Anführer(in) *m(f)*
ring road *n* BRIT, AUS Ringstraße *f*
ringside *n* **the ~** (*in boxing*) die Sitzreihe am Boxring; (*at circus*) die Sitzreihe an der Manege
rink [rɪŋk] *n* **ice ~** Eisbahn *f;* **roller-skating ~** Rollschuhbahn *f*
rinse [rɪns] **I.** *n* Spülung *f;* (*for mouth*) Mundspülung *f;* **to give one's hair a ~** sich *dat* die Haare spülen **II.** *vt, vi* spülen; **to ~ one's mouth** [**out**] sich *dat* den Mund ausspülen
riot ['raɪət] **I.** *n* **1.** Unruhen *pl;* (*uproar*) Aufstand *m* **2.** *no pl* (*fig*) **~ of colour**[s] Farbenpracht *f;* **~ of emotions** Gefühlsausbruch *m* **II.** *vi* randalieren; (*fig*) wild feiern
rioting ['raɪətɪŋ] *n no pl* Randalieren *nt*
rip [rɪp] **I.** *n* **1.** Riss *m* **2.** *usu sing* (*act*) Zerreißen *nt;* (*with knife*) Zerschlitzen *nt* **II.** *vt* <-pp-> zerreißen; **to ~ sth into shreds** etw zerfetzen; **to ~ sth open** etw aufreißen; **to ~ sth apart** etw auseinanderreißen **III.** *vi* <-pp-> **1.** reißen **2.** (*rush*) **to ~ through sth** durch etw *akk* fegen ◆ **rip off** *vt* **1.** abreißen **2.** (*fam: overcharge*) **to ~ off** ⇆ **sb** jdn übers Ohr hauen **3.** (*fam: steal*) mitgehen

lassen; *ideas* klauen ◆ **rip up** *vt* zerreißen; **to ~ the carpets up** den Teppichboden herausreißen

ripen ['raɪpᵊn] I. *vi* [heran]reifen II. *vt* reifen lassen

rip-off *n* (*fam*) Wucher *m kein pl pej;* (*fraud*) Schwindel *m*

rise [raɪz] I. *n* 1. *of curtain* Heben *nt kein pl; of sun* Aufgehen *nt kein pl* 2. (*in fishing*) Steigen *nt kein pl* 3. (*in society*) Aufstieg *m* (**to** an +*akk*) II. *vi* <rose, risen> steigen; (*awake*) aufstehen; (*from chair*) sich erheben; *sun* aufgehen; *slope* ansteigen; *dough* aufgehen; *mood* steigen; (*socially*) aufsteigen; **to ~ to fame** berühmt werden; **to ~ against sb/sth** sich gegen jdn/etw auflehnen

risen ['rɪzᵊn] *pp of* **rise**

risk [rɪsk] I. *n* Risiko *nt;* **~ assessment** Risikoanalyse *f;* **fire ~** Brandgefahr *f;* **at the ~ of doing sth** auf die Gefahr hin, etw zu tun II. *vt* riskieren

risky ['rɪski] *adj* riskant

rival ['raɪvᵊl] I. *n* Rivale, Rivalin *m, f;* COMM Konkurrent *m;* **arch ~** Erzrivale, -rivalin *m, f;* **bitter ~s** scharfe Rivalen; **closest ~** größter Rivale/größte Rivalin II. *adj* konkurrierend *attr;* **~ brand** Konkurrenzmarke *f* III. *vt* <BRIT -ll- *or* AM *usu* -l-> **to ~ sb/ sth** mit jdm/etw konkurrieren

river ['rɪvᵊr] *n* Fluss *m;* (*fig*) Strom *m;* **the R~ Thames** die Themse; **down ~** stromabwärts; **up ~** stromaufwärts

river police *n no pl,* + *sing/pl vb* Wasserschutzpolizei *f*

RN [ˌɑːrˈen] *n* 1. BRIT *abbrev of* **Royal Navy** 2. AM *abbrev of* **registered nurse** examinierte Krankenschwester/examinierter Krankenpfleger

RNLI [ˌɑːreneˈlaɪ] *n* BRIT *abbrev of* **Royal National Lifeboat Institution** ≈ DLRG *f*

road [rəʊd] *n* Straße *f;* (*fig*) Weg *m;* **main ~** Hauptstraße *f;* **to cross the ~** die Straße überqueren; **to be on the ~ to recovery** sich auf dem Wege der Besserung befinden

road accident *n* Verkehrsunfall *m* **roadblock** *n* Straßensperre *f* **road haulage** *n no pl* BRIT Güterverkehr *m* (*auf den Straßen*) **road map** *n* Straßenkarte *f* **road rage** *n no pl* aggressives Verhalten im Straßenverkehr **roadside** I. *n no pl* Straßenrand *m;* **at** [*or* **by**] **the ~** am Straßenrand II. *n modifier* Straßen-; **~ shop** Laden *m* an der Straße; **~ stop** Rastplatz *m* **road sign** *n* Verkehrsschild *nt* **roadworks** *n pl* Straßenbauarbeiten *pl*

roar [rɔːʳ] I. *n* Brüllen *nt kein pl; of cannon* Donnern *nt kein pl;* (*laughter*) schallendes Gelächter II. *vi* brüllen; *cannon* donnern; **to ~ at sb** jdn anbrüllen III. *vt* brüllen

roast [rəʊst] I. *vt* rösten; *meat* braten II. *vi* braten III. *adj attr* Brat-; **~ beef** Rinderbraten *m;* **~ chicken** Brathähnchen *nt* IV. *n* 1. Braten *m* 2. *no pl* (*process*) Rösten *nt; of coffee* Röstung *f*

rob <-bb-> [rɒb] *vt* **to ~ sb** 1. jdn bestehlen; (*violently*) jdm rauben; **to ~ a bank** eine Bank ausrauben 2. *usu passive* (*fam: overcharge*) jdn ausnehmen

robber ['rɒbᵊʳ] *n* Räuber(in) *m(f)*

robbery ['rɒbᵊri] *n* Raubüberfall *m;* **bank ~** Bankraub *m;* **armed ~** bewaffneter Raubüberfall

robe [rəʊb] *n* langes Kleid; (*dressing gown*) Morgenmantel *m*

R

robin, *liter* **robin redbreast** [ˈrɒbɪn] *n* Rotkehlchen *nt*

robot [ˈrəʊbɒt] *n* Roboter *m*

rock¹ [rɒk] *n* **1.** Fels[en] *m*, Stein *m* **2.** (*Gibraltar*) **the R~** der Felsen von Gibraltar **3.** AM, AUS (*stone*) Stein *m* **4.** *no pl* BRIT **stick of ~** Zuckerstange *f* **5.** (*fam: diamond*) Klunker *m*

rock² [rɒk] **I.** *n* **1.** *no pl* (*music*) Rockmusik *f* **2.** (*seesaw*) Schaukeln *nt* *kein pl* **II.** *vt* schaukeln; (*gently*) wiegen; **to ~ a child to sleep** ein Kind in den Schlaf wiegen **III.** *vi* **1.** schaukeln; **to ~ back and forth** hin und her schaukeln **2.** Rock[musik] spielen

rock climbing *n no pl* Klettern *nt*

rocket [ˈrɒkɪt] **I.** *n* [Marsch]flugkörper *m;* (*for space*) Rakete *f;* (*firework*) [Feuerwerks]rakete *f* **II.** *vi* **to ~ [up]** *prices* hochschnellen

rocking [ˈrɒkɪŋ] *adj* schaukelnd; **~ chair** Schaukelstuhl *m;* **~ horse** Schaukelpferd *nt*

rocky [ˈrɒki] *adj* felsig; *soil* steinig

rod [rɒd] *n* Stange *f;* (*staff*) Stab *m;* (*cane*) Rohrstock *m*

rode [rəʊd] *pt of* **ride**

roe¹ [rəʊ] *n no pl* Rogen *m; of male fish* Milch

roe² <*pl* -s *or* -> [rəʊ] *n* (*deer*) Reh *nt*

roll [rəʊl] **I.** *n* **1.** Rolle *f;* **~ of film/ paper** Rolle *f* Film/Papier **2.** (*list*) [Namens]liste *f;* **electoral ~** Wählerverzeichnis *nt* **3.** (*bread*) Brötchen *nt;* (*meat*) Roulade *f;* (*cake*) Rolle *f* **4.** (*turn over*) Rollen *nt;* *sway* Schlingern *nt;* **backward ~** Rolle *f* rückwärts **5.** *usu sing of thunder* [G]rollen *nt kein pl* **II.** *vt* **1.** rollen; **to ~ one's eyes** die Augen verdrehen **2.** (*turn over*) drehen **3.** (*push*) rollen; (*when heavier*) schieben **4.** (*wind*) aufrol-

len; **to ~ wool into a ball** Wolle aufwickeln **5.** *pastry* ausrollen **6.** *dice* würfeln **III.** *vi* **1.** rollen (**off** von); (*turn over*) sich herumrollen; (*wallow*) sich [herum]wälzen **2.** *waves* rollen; *tears* kullern **3.** (*on wheels*) rollen **4.** *acrobat* eine Rolle machen; *ship* schlingern ♦ **roll back I.** *vt* zurückrollen; (*push back*) zurückschieben; (*fold back*) zurückschlagen; (*fig*) umkehren; **to ~ back the years** die Uhr zurückdrehen **II.** *vi* zurückrollen; *wages* sinken ♦ **roll in** *vi, vt* hinein-/hereinrollen; *offers* [massenhaft] eingehen ♦ **roll out** *vt, vi* hinaus-/herausrollen; *dough* ausrollen ♦ **roll over I.** *vi* herumrollen; *person, animal* sich umdrehen; **to ~ over onto one's side** sich auf die Seite rollen **II.** *vt* umdrehen; *credit* erneuern; **~ him over onto his back/side** dreh ihn auf den Rücken/ die Seite ♦ **roll up I.** *vt* hochrollen; *sleeves* hochkrempeln; (*coil*) aufrollen; *credit* verlängern **II.** *vi* **1.** hochrollen **2.** (*fam: arrive*) aufkreuzen **3.** BRIT, AUS (*participate*) **~ up!** treten Sie näher!

roll bar *n* Überrollbügel *m*

roller [ˈrəʊləʳ] *n* Rolle *f;* TECH Walze *f*

roller blind *n esp* BRIT, AUS Rollo *nt* **roller coaster** *n* Achterbahn *f*

roller-skate *vi* Rollschuh laufen

rolling pin *n* Nudelholz *nt*

roll-neck *n* Rollkragen *m;* (*sweater*) Rollkragenpullover *m*

Roman [ˈrəʊmən] **I.** *adj* römisch **II.** *n* Römer(in) *m(f)*

Roman Catholic I. *adj* römisch-katholisch **II.** *n* Katholik(in) *m(f)*

romance [rə(ʊ)ˈmæn(t)s] *n* **1.** *no pl* Romantik *f* **2.** (*affair*) Romanze *f;*

(*film*) Liebesfilm *m;* (*book*) Liebes-
roman *m;* **whirlwind** ~ heftige Lie-
besaffäre

romantic [rə(ʊ)'mæntɪk] **I.** *adj* roman-
tisch **II.** *n* Romantiker(in) *m(f)*

Rome [rəʊm] *n* Rom *nt*

roof [ruːf] **I.** *n* Dach *nt;* (*attic*) Dachboden; (*ceiling*) Decke *f* **II.** *vt* über-
dachen

roof garden *n* Dachgarten *m* **roof
rack** *n* Dachgepäckträger *m*

rook¹ [rʊk] *n* ORN Krähe *f*

rook² [rʊk] *n* CHESS Turm *m*

rookie ['rʊki] *n esp* AM, AUS (*fam*) Neuling *m;* MIL Rekrut(in) *m(f)*

room [ruːm] *n* **1.** *no pl* (*space*) Platz
m **2.** (*scope*) Raum *m;* ~ **for manoeuvre** Bewegungsspielraum *m*
3. (*in walls*) Zimmer *nt;* **double/
single** ~ Doppel-/Einzelzimmer *nt*

room-mate, AM *usu* **roommate** *n*
Zimmergenosse, -genossin *m, f;* AM
(*co-tenant*) Mitbewohner(in) *m(f)*
room service *n no pl* Zimmerser-
vice *m*

roomy ['ruːmi] *adj* geräumig

rooster ['ruːstər] *n* AM, AUS Hahn *m*

root [ruːt] **I.** *n* Wurzel *f;* (*fig a.*) Ursprung *m;* (*essence*) Kern *m kein
pl;* LING Stamm *m;* **to take** ~ Wurzeln
schlagen **II.** *vt* einpflanzen **III.** *vi*
1. wurzeln **2.** (*fam*) **to** ~ **for sb** jdm
die Daumen drücken **3. to** ~
through sth etw durchstöbern

root vegetable *n* Wurzelgemüse *nt;*
(*celery*) Knolle *f*

rope [rəʊp] **I.** *n* Seil *nt;* NAUT Tau *nt;*
AM (*lasso*) Lasso *nt* **II.** *vt* anseilen (**to**
an)

rope ladder *n* Strickleiter *f*

rose¹ [rəʊz] **I.** *n* **1.** Rose *f;* (*bush*) Rosenstrauch *m* **2.** *no pl* (*colour*) Rosa

nt; ▶ **to come up** [smelling of] ~s
bestens laufen *fam* **II.** *adj* rosa

rose² [rəʊz] *pt of* **rise**

rosebud *n* Rosenknospe *f* **rose bush**
n Rosenstrauch *m* **rose hip** *n* Hagebutte *f*

rosemary ['rəʊzmᵊri] *n no pl* Rosmarin *m*

rosy ['rəʊzi] *adj* rosig

rot [rɒt] **I.** *n no pl* **1.** Fäulnis *f;* (*matter*) Verfaultes *nt* **2.** BRIT **the** ~ der
Verfall **II.** *vi* <-tt-> verrotten; *teeth,
meat* verfaulen; (*deteriorate*) verkommen

rota ['rəʊtə] *n esp* BRIT Liste *f;* (*plan*)
Plan *m*

rota system *n* BRIT Dienstplan *m*

rotate [rə(ʊ)'teɪt] **I.** *vi* rotieren
(**around** um); (*alternate*) wechseln
II. *vt* drehen; *troops* auswechseln;
to ~ **crops** im Fruchtwechsel anbau-
en

rotten ['rɒtᵊn] **I.** *adj* **1.** verfault; *fruit*
verdorben; (*corrupt*) korrupt
2. (*fam: bad*) mies; **to feel** ~ sich
mies fühlen **II.** *adv* (*fam*) total *fam;*
to be spoiled ~ *child* völlig verzogen
sein

rough [rʌf] **I.** *adj* **1.** rau; *voice also*
hart; *terrain* uneben; *estimate* grob
2. (*fam: difficult*) schwer **3.** BRIT
(*fam: ill*) **to look** ~ mitgenommen
aussehen **II.** *adv* (*fam*) rau ▶ **to
sleep** ~ BRIT im Freien schlafen
III. *vt* (*fam*) **to** ~ **it** [ganz] primitiv
leben

roughly ['rʌfli] *adv* grob; ~ **built** grob
zusammengezimmert; ~ **the same**
ungefähr gleich

round [raʊnd] **I.** *adj* <-er, -est> rund;
face rundlich; (*number*) rund **II.** *adv
esp* BRIT **1.** (*turn*) **to go** ~ sich umdre-

R

hen **2.** (*here and there*) **to run** ~ herumrennen *fam* **3.** (*visit*) **to come** ~ vorbeikommen *fam;* **to go** ~ *virus, rumours* umgehen **4.** (*surrounding*) rundherum; **all year** ~ das ganze Jahr hindurch **5.** (*to opposite*) **to turn** ~ sich umdrehen **III.** *prep* um +*akk;* **he put his arms** ~ **her** er legte seine Arme um sie; **the moon goes** ~ **the earth** der Mond kreist um die Erde; **to be just** ~ **the corner** gleich um die Ecke sein **IV.** *n* **1.** Runde *f;* (*series*) Folge *f;* ~ **of talks** Gesprächsrunde *f;* ~ **of applause** Beifall *m* **2.** *esp* BRIT, AUS (*route*) Runde *f;* **to do a paper** ~ Zeitungen austragen **V.** *vt* **to** ~ **the corner** um die Ecke biegen ◆ **round off** *vt* abrunden ◆ **round up** *vt* zusammentrommeln *fam; things* zusammentragen; *number* aufrunden

roundabout ['raʊndəˌbaʊt] **I.** *n* **1.** BRIT, AUS (*traffic*) Kreisverkehr *m* **2.** BRIT (*at funfair*) Karussell *nt* **II.** *adj* umständlich; **to take a** ~ **route** einen Umweg machen; **to give a** ~ **statement** eine unklare Aussage machen

round-the-clock *adj, adv* rund um die Uhr; **to be open** ~ durchgehend geöffnet haben; **to work** ~ rund um die Uhr arbeiten **round trip I.** *n* Rundreise *f* **II.** *adv* AM **to fly** ~ ein Rückflugticket haben

route [ruːt , AM raʊt] *n* **1.** Route *f;* (*bus*) Linie *f;* **the** ~ **to success** der Weg zum Erfolg **2.** AM (*delivery*) Runde *f;* **to have a paper** ~ Zeitungen austragen

routine [ruːˈtiːn] **I.** *n* Routine *f;* (*dancing*) Figur *f* **II.** *adj* routinemäßig; **to become** ~ zur Gewohnheit werden

row¹ [rəʊ] *n* Reihe *f;* (*street*) Straße *f;* ~**s of people** Menschenschlangen *pl;* **in a** ~ hintereinander; **in** ~**s** reihenweise

row² [raʊ] **I.** *n esp* BRIT, AUS Streit *m;* (*noise*) Krach *m kein pl* **II.** *vi esp* BRIT (*fam*) sich streiten

row³ [rəʊ] **I.** *vt, vi* rudern **II.** *n usu sing* Rudern *nt kein pl*

rowboat ['rəʊbəʊt] *n* AM (*rowing boat*) Ruderboot *nt*

rowing ['rəʊɪŋ] *n no pl* Rudern *nt;* ~ **boat** Ruderboot *nt;* ~ **club** Ruderklub *m*

royal ['rɔɪəl] **I.** *adj* <-er, -est> **1.** königlich; (*fig*) fürstlich **2.** *esp* AM (*fam: big*) gewaltig **II.** *n* (*fam*) Angehörige(r) *f(m)* der königlichen Familie

rpm <*pl* -> [ˌɑːpiːˈem] *n abbrev of* **revolutions per minute** U/min

RSPCA [ˌɑːesˌpiːsiːˈeɪ] *n no pl,* + *sing/ pl vb* BRIT *abbrev of* **Royal Society for the Prevention of Cruelty to Animals** ≈ Tierschutzverein *m*

RSVP [ˌɑːesviːˈpiː] *abbrev of* **répondez s'il vous plaît** u. A. w. g.

rub [rʌb] **I.** *n* Reiben *nt kein pl;* **to give sth a** ~ etw reiben **II.** *vt* <-bb-> reiben; (*with ointment*) einreiben; **to** ~ **one's hands together** sich *dat* die Hände reiben; **to** ~ **sth clean** etw sauber wischen **III.** *vi* <-bb-> reiben; *abrade* scheuern ◆ **rub down** *vt* abreiben; (*clean*) abwischen; *dog* trocken reiben ◆ **rub in** *vt* einreiben; **to** ~ **it in** (*fam*) auf etw *dat* herumreiten ▶ **to** ~ **sb's** <u>nose</u> **in it** es jdm unter die Nase reiben *fam* ◆ **rub off I.** *vi* **1.** sich wegreiben lassen; *stains* rausgehen **2.** (*fam*) **sth** ~**s off on sb** etw färbt auf jdn ab **II.** *vt* wegwischen ◆ **rub out I.** *vt* **1.** ausradieren **2.** AM (*sl*) **to** ~ **out** ⇆ **sb** jdn abmurksen *sl* **II.** *vi* stain herausgehen; (*erase*) sich ausradieren lassen

rubber ['rʌbəʳ] *n* **1.** *no pl* Gummi *m o nt* **2.** BRIT, AUS (*eraser*) Radiergummi *m* **3.** AM (*shoes*) ~**s** *pl* Überschuhe *pl* (*aus Gummi*)

rubber band *n* Gummiband *nt* **rubber boot** *n* Gummistiefel *m* **rubber glove** *n* Gummihandschuh *m* **rubber tree** *n* Kautschukbaum *m*

rubbery ['rʌbəri] *adj* gummiartig; *meat* zäh

rubbish ['rʌbɪʃ] **I.** *n no pl esp* BRIT **1.** Müll *m* **2.** (*fig fam: nonsense*) Quatsch *m* **II.** *vt* BRIT, AUS (*fam*) als Unsinn abtun **III.** *adj* BRIT (*fam*) **I'm ~ at maths** in Mathe bin ich eine absolute Null

rubbish bin *n* Abfalleimer *m* **rubbish chute** *n* Müllschlucker *m* **rubbish collection** *n* Müllabfuhr *f* **rubbish dump**, **rubbish tip** *n* Mülldeponie *f*

rubble ['rʌbl] *n no pl* Trümmer *pl;* **to reduce sth to ~** etw in Schutt und Asche legen

rubella [ruːˈbelə] *n no pl* Röteln *pl*

ruby ['ruːbi] **I.** *n* Rubin *m* **II.** *adj* rubinrot

rucksack ['rʌksæk] *n* BRIT Rucksack *m*

rudder ['rʌdəʳ] *n* [Steuer]ruder *nt*

rude [ruːd] *adj* **1.** unhöflich; *behaviour* unverschämt; *gesture* ordinär; *joke* unanständig **2.** *attr* (*sudden*) unerwartet; *awakening* böse

rug [rʌg] *n* Teppich *m*

ruin ['ruːɪn] **I.** *vt* zerstören; **to ~ sb's day** jdm den Tag vermiesen; **to ~ one's eyesight** sich *dat* die Augen verderben **II.** *n* **1.** Ruine *f;* **to be in ~s** eine Ruine sein; **to fall into ~s** zu einer Ruine verfallen **2.** *no pl* (*bankruptcy*) Ruin *m*

rule [ruːl] **I.** *n* **1.** Regel *f;* **~s and regulations** Regeln und Bestimmungen; **to be against the ~s** gegen die Regeln verstoßen **2.** *no pl* (*control*) Herrschaft *f;* **the ~ of law** die Rechtsstaatlichkeit ▸ **as a [general] ~** in der Regel **II.** *vt* **1.** regieren **2.** (*decide*) **to ~ that ...** entscheiden, dass ... **III.** *vi* **1.** herrschen; *sovereign* regieren **2.** LAW **to ~ on sth** in etw *dat* entscheiden ◆ **rule out** *vt* ausschließen

ruler ['ruːləʳ] *n* Herrscher(in) *m(f);* (*scale*) Lineal *nt*

rum [rʌm] *n* Rum *m*

rumble ['rʌmbl] **I.** *n* **1.** Grollen *nt kein pl; of stomach* Knurren *nt;* ~**s of discontent** Anzeichen *pl* von Unzufriedenheit **2.** *esp* AM, AUS (*fam*) Schlägerei *f* **II.** *vi* rumpeln; *stomach* knurren **III.** *vt* BRIT (*fam*) durchschauen

rummy ['rʌmi] *n no pl* Rommé *nt*

rumour, AM **rumor** ['ruːməʳ] **I.** *n* Gerücht *nt;* **~ has it [that] ...** es geht das Gerücht um, dass ...; **to spread a ~ that ...** das Gerücht verbreiten, dass ... **II.** *vt passive* **it is ~ed that ...** es wird gemunkelt, dass ...

run [rʌn] **I.** *n* **1.** Lauf *m;* **to break into a ~** zu laufen beginnen; **to go for a ~** laufen gehen **2.** (*journey*) Strecke *f* **3.** (*period*) Dauer *f;* **~ of bad/good luck** Pech-/Glückssträhne *f* **4.** test ~ Probelauf *m* **5. chicken ~** Hühnerhof *m* **6.** SPORTS Run *m* **7.** (*fam*) **to have the ~s** Dünnpfiff haben *sl* ▸ **in the long ~** auf lange Sicht gesehen; **in the short ~** kurzfristig **II.** *vi* <ran, run> **1.** laufen; **to ~ for the bus** dem Bus nachlaufen; **to ~ for cover** schnell in Deckung gehen; **to ~ for one's life** um sein Leben rennen **2.** (*operate*) fahren; **to keep the**

economy ~**ning** die Wirtschaft am Laufen halten **3.** *road* verlaufen **4.** (*last*) [an]dauern; **the film ~s for two hours** der Film dauert zwei Stunden **5.** (*be*) **inflation is ~ning at 10%** die Inflationsrate beträgt 10 % **6.** (*flow*) fließen; **my nose is ~ning** meine Nase läuft ▶ **to ~ amok** Amok laufen; **to ~ low** *supplies* [langsam] ausgehen **III.** *vt* <ran, run> **1.** (*drive*) **to ~ sb to the station** jdn zum Bahnhof bringen **2.** (*pass*) **he ran a vacuum cleaner over the carpet** er saugte den Teppich ab **3.** *program, engine* laufen lassen; **to ~ additional trains** zusätzliche Züge einsetzen **4.** *business* leiten; *household* führen; **don't tell me how to ~ my life!** erklär mir nicht, wie ich mein Leben leben soll! **5. to ~ a story about sth** über etw *akk* berichten **6. to ~ a risk** ein Risiko eingehen **7. to ~ errands** Botengänge machen ▶ **to ~ the show** verantwortlich sein ◆ **run across** *vi* zufällig treffen; **to ~ across a problem** auf ein Problem stoßen ◆ **run after** *vi* hinterherlaufen +*dat* ◆ **run along** *vi* (*fam*) ~! troll dich! ◆ **run away** *vi* weglaufen; **to ~ away from sb** jdn verlassen; **to ~ away from home** von zu Hause weglaufen; **to ~ away together** gemeinsam durchbrennen *fam* ◆ **run back** *vi* zurücklaufen ◆ **run down I.** *vt* **1.** (*fam: criticize*) runtermachen **2. to ~ oneself down** sich auslaugen *fam* **II.** *vi* BRIT reduziert werden ◆ **run in** *vt* (*fam*) einlochen ◆ **run into** *vi* **1. to ~ into sb/sth** in jdn/etw hineinrennen **2.** (*meet*) **to ~ into sb** jdm über den Weg laufen; **to ~ into sth** (*fig*) auf etw *akk* stoßen; **to**

~ **into debt** sich in Schulden stürzen; **to ~ into bad weather** in schlechtes Wetter geraten ◆ **run off** *vi* **1.** (*fam*) abhauen; **to ~ off with sb/sth** mit jdm/etw durchbrennen **2.** *track* abbiegen ◆ **run out** *vi* **1.** ausgehen; **the milk has ~ out** die Milch ist alle; **to ~ out of time** keine Zeit mehr haben **2.** *passport* ablaufen; *licence* auslaufen **3. to ~ out on sb** jdn verlassen ◆ **run over I.** *vt* überfahren **II.** *vi* **1. to ~ over time** überziehen **2.** (*overflow*) überlaufen ◆ **run through I.** *vt* durchbohren **II.** *vi* durchgehen; (*practise*) durchspielen ◆ **run up I.** *vt* *debts* machen; *dress* nähen **II.** *vi* **to ~ up against opposition** auf Widerstand stoßen

runabout *n* [kleiner] Stadtflitzer *fam*

runaround *n no pl* **to get the ~** im Dunkeln gelassen werden

runaway I. *adj attr* außer Kontrolle geraten; *prisoner* entlaufen; ~ **success** Riesenerfolg *m fam* **II.** *n* Ausreißer(in) *m(f) fam*

rundown I. *n* ['rʌndaʊn] **1.** zusammenfassender Bericht **2.** *no pl* (*reduction*) Kürzung *f* **II.** *adj* [ˌrʌnˈdaʊn] heruntergekommen

rung[1] [rʌŋ] *n* Sprosse *f*; (*fig*) Stufe *f*

rung[2] [rʌŋ] *pp of* **ring**

runner ['rʌnə'] *n* **1.** Läufer(in) *m(f)*; (*horse*) Rennpferd *nt* **2.** AUS (*shoe*) Turnschuh *m*

runner bean *n* BRIT Stangenbohne *f*

runner-up *n* Zweite(r); **to be the ~** den zweiten Platz belegen

running ['rʌnɪŋ] **I.** *n no pl* Laufen *nt*; ▶ **to be in/out of the ~** mit/nicht mit im Rennen sein **II.** *adj* **1.** *after n* nacheinander *nach n* **2.** (*ongoing*) [fort]laufend

running costs n pl Betriebskosten pl; of car Unterhaltskosten pl

runny ['rʌni] adj **I've a ~ nose** meine Nase läuft

run-off n (in election) Stichwahl f; (in race) Entscheidungslauf m

run-up n **1.** SPORTS Anlauf m [zum Absprung] **2.** esp BRIT (prelude) Vorlauf m

runway n Start- und Landebahn f; SPORTS Anlaufbahn f

rural ['rʊərəl] adj ländlich

rush[1] [rʌʃ] n Binse f

rush[2] [rʌʃ] **I.** n **1.** Eile f; (dash) Losstürzen nt; (fig: surge) Schwall m; **slow down! what's the ~?** mach langsam! wozu die Eile?; **gold ~** Goldrausch m; **to be in a ~** in Eile sein; **to leave in a ~** sich eilig auf den Weg machen **II.** vi **1.** eilen; **stop ~ing!** hör auf zu hetzen!; **to ~ about** herumhetzen; **to ~ in** hineinstürmen; **to ~ out** hinausstürzen; water herausschießen **2.** (precipitate) **to ~ into sth** etw überstürzen **III.** vt **1. she was ~ed to hospital** sie wurde auf schnellstem Weg ins Krankenhaus gebracht **2.** (pressure) **to ~ sb [into sth]** jdn [zu etw dat] treiben; **don't ~ me!** dräng mich nicht! **3.** (precipitate) **let's not ~ things** lass uns nichts überstürzen; **to ~ one's food** hastig essen ◆ **rush out** vt COMM schnell auf den Markt bringen

rush hour n Hauptverkehrszeit f

Russia ['rʌʃə] n Russland nt

Russian ['rʌʃən] **I.** adj russisch **II.** n **1.** Russe, Russin m, f **2.** no pl (language) Russisch nt

rust [rʌst] **I.** n no pl Rost m; (colour) Rostbraun nt **II.** vi rosten; **to ~ away/through** ver-/durchrosten **III.** vt rostig machen; (fig) einrosten lassen

rustler ['rʌslər] n esp AM, AUS Viehdieb(in) m(f)

rusty ['rʌsti] adj verrostet; (fig) eingerostet; **my Russian is a bit rusty** ich bin mit meinem Russisch etwas aus der Übung

rut [rʌt] n [Rad]spur f; ▶ **to be [stuck] in a ~** in einen [immer gleichen] Trott geraten sein

ruthless ['ruːθləs] adj unbarmherzig; remark mitleid[s]los

RV [ˌɑːrˈviː] n AM abbrev of **recreational vehicle** Wohnmobil nt

rye [raɪ] n no pl Roggen m

S

S <pl -'s>, **s** <pl -'s> [es] n S nt, s nt; see also **A 1**

s <pl -> abbrev of **second** s, Sek.

S[1] n no pl abbrev of **south** S

S[2] adj FASHION abbrev of **small** S

sabotage ['sæbətɑː(d)ʒ] **I.** vt sabotieren **II.** n Sabotage f

sachet ['sæʃeɪ] n [kleiner] Beutel; **~ of sugar** Zuckertütchen nt

sack [sæk] **I.** n **1.** Sack m **2.** no pl **to get the ~** rausgeschmissen werden fam **II.** vt rausschmeißen fam

sacred ['seɪkrɪd] adj heilig; music geistlich

sacrifice ['sækrɪfaɪs] **I.** vt opfern **II.** vi **to ~ to the gods** den Göttern Opfer bringen **III.** n Opfer nt

sad <-dd-> [sæd] adj traurig; (unsatisfactory also) bedauerlich; incident betrüblich; *weather* trist; **to look** ~ betrübt aussehen; **to make sb** ~ jdn betrüben

saddle ['sædl] **I.** *n* Sattel *m* **II.** *vt* satteln; (*fam: burden*) **to be** ~**d with sth** etw am Hals haben

sadness ['sædnəs] *n no pl* Traurigkeit *f* (**about/at** über)

sae *n*, **SAE** [ˌeseɪ'iː] *n abbrev of* **stamped addressed envelope** frankierter Rückumschlag

safari [sə'fɑːri] *n* Safari *f;* ~ **park** Safaripark *m*

safe [seɪf] **I.** *adj* **1.** sicher; ~ **journey!** gute Reise!; **to keep sth in a** ~ **place** etw sicher aufbewahren; **to feel** ~ sich sicher fühlen **2.** (*sure*) [relativ] sicher; **it's a** ~ **bet that ...** man kann davon ausgehen, dass ... **3.** (*careful*) vorsichtig; **to make the** ~ **choice** auf Nummer Sicher gehen *fam* ▶ **to be in** ~ **hands** in guten Händen sein; **to be as** ~ **as houses** BRIT bombensicher sein *fam;* **to play it** ~ auf Nummer Sicher gehen *fam* **II.** *n* Tresor *m*

safe-deposit box *n* Tresorfach *nt*

safekeeping *n no pl* [sichere] Aufbewahrung; **in sb's** ~ in jds Gewahrsam **safe sex** *n no pl* Safersex *m*

safety ['seɪfti] *n no pl* Sicherheit *f;* **place of** ~ sicherer Ort ▶ **there's** ~ **in numbers** (*prov*) in der Gruppe ist man sicherer

safety belt *n* Sicherheitsgurt *m* **safety lock** *n* Sicherheitsschloss *nt;* (*on gun*) Sicherung *f* **safety pin** *n* Sicherheitsnadel *f* **safety regulations** *n pl* Sicherheitsvorschriften *pl*

Sagittarius [ˌsædʒɪ'teəriəs] *n* ASTROL Schütze *m*

said [sed] **I.** *pp, pt of* **say II.** *adj attr* besagt

sail [seɪl] **I.** *n* Segel *nt;* (*of windmill*) Flügel *m;* **to hoist/lower the** ~**s** die Segel setzen/einholen ▶ **to set** ~ **in See stechen II.** *vi* **1.** fahren, reisen; **to** ~ **around the world** die Welt umsegeln **2.** (*glide*) gleiten; **to** ~ **along** dahingleiten **III.** *vt ship* steuern; *yacht* segeln

sailboard *n* Surfbrett *nt* **sailboat** *n* AM Segelboot *nt*

sailing ['seɪlɪŋ] *n* Segeln *nt;* ~ **boat** Segelboot *nt*

sailor ['seɪlər] *n* Segler(in) *m(f);* (*crew*) Matrose *m*

saint [seɪnt, sᵊnt] *n* Heilige(r) *f(m);* **S~ Peter** der heilige Petrus; **S~ Paul's Cathedral** die Paulskathedrale

sake [seɪk] *n* **for sb's** ~ jdm zuliebe; **for the** ~ **of sth** um einer S. *gen* willen; **for the** ~ **of peace** um des [lieben] Friedens willen ▶ **for goodness** [*or* **heaven's**] ~ um Gottes [*o* Himmels] willen

salad ['sæləd] *n* Salat *m;* ~ **cream** BRIT [Salat]mayonnaise *f;* ~ **dressing** Dressing *nt*

salami [sə'lɑːmi] *n* Salami *f*

salary ['sælᵊri] *n* Gehalt *nt;* **to raise sb's** ~ jds Gehalt erhöhen; ~ **cut** Gehaltskürzung *f;* ~ **earner** Gehaltsempfänger(in) *m(f)*

sale [seɪl] *n* **1.** (*act*) Verkauf *m;* **for** ~ zu verkaufen **2.** (*quantity*) Absatz *m* **3.** (*cut-priced*) Ausverkauf *m;* **the** ~**s** *pl* der Schlussverkauf *kein pl* **4.** *pl* (*department*) **S~s** die Verkaufsabteilung

sale price *n* Verkaufspreis *m* **sales department** *n* Verkaufsabteilung *f* **salesgirl** *n* Verkäuferin *f* **salesman** *n* Verkäufer *m;* **door-to-door** ~ Hausierer *m* **sales receipt** *n* Kassenzettel *m* **saleswoman** *n* Verkäuferin *f*

salmon ['sæmən] *n <pl - or -s>* no pl Lachs *m;* **smoked ~** Räucherlachs *m*

salmonella poisoning *n no pl* Salmonellenvergiftung *f*

saloon [sə'luːn] *n* BRIT Limousine *f*

salt [sɔːlt] I. *n* Salz *nt;* **a pinch of ~** eine Prise Salz ▸ **to rub ~ in sb's wound** Salz in jds Wunde streuen II. *vt* salzen

salt cellar *n* Salzstreuer *m* **salt water** *n no pl* Salzwasser *nt* **salt-water** *adj attr* Salzwasser-; **~ fish** Meeresfisch *m;* **~ lake** Salzsee *m*

salty ['sɔːlti] *adj* salzig

salvation [sæl'veɪʃ°n] *n no pl* Rettung *f;* REL Erlösung *f;* **to be beyond ~** nicht mehr zu retten sein

Salvation Army *n no pl* Heilsarmee *f*

same [seɪm] I. *adj attr* **the ~ ...** der/die/das gleiche ...; *(identical)* der-/die-/dasselbe; **she's the ~ age as me** sie ist genauso alt wie ich; **at the ~ time** gleichzeitig; **it's the ~ old story** es ist die alte Geschichte ▸ **to be in the ~ boat** im gleichen Boot sitzen II. *pron* **the ~** der-/die-/dasselbe; **men are all the ~** die Männer sind alle gleich; **to be one and the ~** ein und der-/die-/dasselbe sein; **I feel just the ~ as you do** mir geht es genauso wie dir ▸ **all the ~** trotzdem; **[the] ~ to you** danke, gleichfalls

sample ['sɑːmpl] I. *n* 1. Probe *f;* **free ~** Gratisprobe *f* 2. *(representative) of people* Querschnitt *m; of things* Stichprobe *f* II. *vt* 1. *[aus]probieren; food* kosten 2. MUS mischen

sand [sænd] I. *n* Sand *m;* **~s** *pl (beach)* Sandstrand *m* II. *vt wood* [ab]schmirgeln

sandal ['sænd°l] *n* Sandale *f* **sand-**

bank *n* Sandbank *f* **sandcastle** *n* Sandburg *f* **sand dune** *n* Sanddüne *f* **sandpaper** I. *n no pl* Schmirgelpapier *nt* II. *vt* abschmirgeln **sandpit** *n esp* BRIT Sandkasten *m*

sandwich ['sænwɪdʒ] I. *n <pl -es>* Sandwich *m o nt;* **sub[marine] ~** AM Riesensandwich *m o nt fam* ▸ **to be one ~ short of a picnic** *(hum fam)* völlig übergeschnappt sein II. *vt* **to ~ sth in between sth** etw [zwischen etw *dat*] dazwischenschieben

sandwich counter *n Tresen, an dem ausschließlich Sandwiches verkauft werden*

sandy ['sændi] *adj* sandig; *texture* körnig

sang [sæŋ] *pt of* **sing**

sanitary ['sænɪt°ri] *adj* hygienisch; *(installations)* sanitär *attr*

sanitation [ˌsænɪ'teɪʃ°n] *n no pl* Hygiene *f; (sewers)* Abwasserkanalisation *f*

sank [sæŋk] *pt of* **sink**

Santa *n,* **Santa Claus** [ˌsæntə'klɔːz] *n no pl* der Weihnachtsmann; *(on December 6)* der Nikolaus

sarcasm ['sɑːkæz°m] *n no pl* Sarkasmus *m*

sarcastic [sɑː'kæstɪk] *adj* sarkastisch; *tongue* scharf

sardine [sɑː'diːn] *n* Sardine *f;* **to be squashed like ~s** wie die Ölsardinen zusammengepfercht sein

SARS, Sars [sɑːz] *n acr for* **severe acute respiratory syndrome** SARS *kein art*

sat [sæt] *pt, pp of* **sit**

satchel ['sætʃ°l] *n* [Schul]ranzen *m*

satellite ['sæt°laɪt] *n* Satellit *m;* **~ dish** Satellitenschüssel *f;* **~ television** Satellitenfernsehen *nt;* **~ town** Traban-

S

tenstadt *f*

satisfaction [ˌsætɪsˈfækʃᵊn] *n no pl* Zufriedenheit *f;* **to demand ~** Genugtuung verlangen *geh;* **sb derives ~ from** [doing] sth etw bereitet jdm [große] Befriedigung

satisfactory [ˌsætɪsˈfæktᵊri] *adj* befriedigend, zufriedenstellend

satisfy <-ie-> [ˈsætɪsfaɪ] I. *vt* zufrieden stellen; *desire* befriedigen II. *vi* (*form*) befriedigen

satisfying [ˈsætɪsfaɪɪŋ] *adj* zufrieden stellend, befriedigend

Saturday [ˈsætədeɪ] *n* Samstag *m; see also* **Tuesday**

sauce [sɔːs] I. *n* 1. Soße *f;* **apple ~** Apfelmus *nt,* Apfelkompott *nt* 2. (*fam: cheek*) Unverschämtheit *f* II. *vt* (*fam*) **to ~ sth up** etw würzen

sauceboat *n* Sauciere *f* **saucepan** *n* Kochtopf *m*

saucer [ˈsɔːsəʳ] *n* Untertasse *f;* **to have eyes like ~s** große Augen haben

saucy [ˈsɔːsi] *adj* 1. (*cheeky*) frech 2. BRIT freizügig; **~ underwear** Reizwäsche *f*

sauna [ˈsɔːnə, ˈsaʊnə] *n* Sauna *f*

sausage [ˈsɒsɪdʒ] *n no pl* Wurst *f;* (*small*) Würstchen *nt*

sausage dog *n* BRIT (*fam*) Dackel *m* **sausage meat** *n no pl* Wurstfüllung *f* **sausage roll** *n* BRIT, AUS ≈ Würstchen *nt* im Schlafrock

save [seɪv] I. *vt* 1. retten (**from** vor); **to ~ the day** die Situation retten 2. (*keep*) aufheben; *money* sparen; *stamps* sammeln 3. *time, energy* sparen; **to ~ one's breath** sich *dat* seine Worte sparen 4. **to ~ sb** [doing] sth jdm etw ersparen 5. COMPUT speichern 6. SPORTS **to ~ a goal** ein Tor verhindern ▶ **a** stitch **in time ~s**

nine (*prov*) was du heute kannst besorgen, das verschiebe nicht auf morgen II. *vi* sparen (**for** für) III. *n* FBALL Abwehr *f*

saving [ˈseɪvɪŋ] I. *n* 1. *usu pl* ~s Ersparte(s) *nt kein pl,* Ersparnisse *pl* 2. *no pl* (*reduction*) Ersparnis *f* 3. *no pl* (*rescue*) Rettung *f* II. *adj* rettend

savings account [ˈseɪvɪŋz-] *n* Sparkonto *nt* **savings bank** *n* Sparkasse *f*

savoury [ˈseɪvᵊri] I. *adj* pikant; (*salty*) salzig II. *n* BRIT [pikantes] Häppchen

savoy [səˈvɔɪ] *n,* **savoy cabbage** *n no pl* Wirsing *m*

saw¹ [sɔː] *pt of* **see**

saw² [sɔː] I. *n* Säge *f;* **chain ~** Kettensäge *f* II. *vt* <-ed, sawn *or esp* AM -ed> [zer]sägen; **to ~ a tree down** einen Baum umsägen III. *vi* sägen

sawdust *n no pl* Sägemehl *nt*

sawn [ˈsɔːn] *pp of* **saw**

saxophone [ˈsæksəfəʊn] *n* Saxophon *nt*

say [seɪ] I. *vt* <said, said> sagen; **what did you ~ to him?** was hast du ihm gesagt?; **to ~ goodbye to sb** sich von jdm verabschieden; **to ~ yes/no to sth** etw annehmen/ablehnen; **having said that, ...** abgesehen davon ...; **to have a lot/nothing to ~** viel/nicht viel reden; **~ no more!** alles klar!; **when all is said and done** letzten Endes; **it is said** [that] **he's over 100** er soll über 100 Jahre alt sein; **the sign ~s ...** auf dem Schild steht ...; **my watch ~s 3 o'clock** auf meiner Uhr ist es 3 [Uhr]; **to ~ when/ where ...** sagen, wann/wo ...; **to ~ when** sagen, wenn es genug ist; [let's] **~ ...** sagen wir [mal] ...; (*assu-*

ming) angenommen **II.** _vi_ <said, said> sagen; **I can't ~ for certain, but ...** ich kann es nicht mit Sicherheit behaupten, aber ...; **hard to ~** schwer zu sagen; **is Spanish hard to learn? — they ~ not** ist Spanisch schwer zu lernen? — angeblich nicht; **~s you!** (_fam_) das glaubst aber auch nur du!; **~s who?** (_fam_) wer sagt das? **III.** _n no pl_ Meinung _f;_ **to have one's ~** seine Meinung sagen **IV.** _interj_ AM sag mal ...

saying ['seɪɪŋ] _n_ **1.** _no pl_ das Sprechen; **it goes without ~** es versteht sich von selbst **2.** (_adage_) Sprichwort _nt;_ **as the ~ goes** wie es so schön heißt

scab [skæb] _n_ Kruste _f_

scaffolding ['skæfəldɪŋ] _n no pl_ [Bau]gerüst _nt_

scald [skɔːld] **I.** _vt_ verbrühen **II.** _n_ Verbrühung _f_

scalding ['skɔːldɪŋ] _adj_ kochend; _criticism_ scharf

scale¹ [skeɪl] **I.** _n_ **1.** (_on fish_) Schuppe _f_ **2.** _no pl_ (_deposit_) Ablagerung _f_ **3.** (_plaque_) Zahnstein _m;_ ▶ **the ~s fall from sb's eyes** (_liter_) es fällt jdm wie Schuppen von den Augen **II.** _vt fish_ abschuppen; **to ~ teeth** Zahnstein entfernen

scale² [skeɪl] _n usu pl_ (_weigher_) Waage _f_

scale³ [skeɪl] **I.** _n_ **1.** (_grader_) Skala _f;_ (_on map_) Maßstab _m;_ **to ~ maßstab[s]getreu 2.** (_extent_) Umfang _m;_ **on a large/small ~** im großen/kleinen Rahmen **3.** _no pl_ (_size_) Ausmaß _nt_ **II.** _vt_ erklimmen _geh; mountain_ besteigen

scalp [skælp] **I.** _n_ Kopfhaut _f_ **II.** _vt_ **1.** skalpieren **2.** AM, AUS (_fam: resell_) zu einem Wucherpreis weiterverkaufen

scaly ['skeɪli] _adj_ schuppig; _kettle_ verkalkt

scam [skæm] _n_ (_fam_) Betrug _m_

scandal ['skændəl] _n_ Skandal _m_

Scandinavia [ˌskændɪ'neɪviə] _n no pl_ Skandinavien _nt_

Scandinavian [ˌskændɪ'neɪviən] **I.** _adj_ skandinavisch **II.** _n_ Skandinavier(in) _m(f)_

scar [skɑːʳ] **I.** _n_ Narbe _f;_ GEOL blanker Fels **II.** _vt_ <-rr-> **to be ~red for life** fürs [ganze] Leben gezeichnet sein **III.** _vi_ vernarben

scarcely ['skeəsli] _adv_ kaum

scare [skeəʳ] **I.** _n_ **1.** Schreck[en] _m;_ **to give sb a ~** jdm einen Schreck[en] einjagen **2.** (_panic_) Hysterie _f;_ **bomb ~** Bombendrohung _f_ **II.** _adj attr_ Panik-; **~ tactic** Panikmache _f_ **III.** _vt_ **to ~ sb** jdm Angst machen ▶ **to ~ sb to death** jdn zu Tode ängstigen

scarecrow ['skeəkrəʊ] _n_ Vogelscheuche _f_

scarf <_pl_ scarves _or_ -s> [skɑːf] _n_ Schal _m;_ **silk ~** Seidentuch _nt_

scarlet ['skɑːlət] **I.** _n no pl_ Scharlachrot _nt_ **II.** _adj_ scharlachrot

scarlet fever _n no pl_ Scharlach _m_

scary ['skeəri] _adj_ Furcht erregend; (_uncanny_) unheimlich

scattered ['skætəd] _adj_ verstreut; (_far apart_) weit verstreut

scene [siːn] _n_ **1.** Szene _f;_ (_scenery_) Kulisse _f;_ **change of ~** Szenenwechsel _m_ **2.** LAW Tatort _m_ **3.** (_milieu_) Szene _f_

scenery ['siːnəri] _n no pl_ Landschaft _f;_ THEAT, FILM Bühnenbild _nt;_ (_fig_) **change of ~** Tapetenwechsel _m_

scent [sent] **I.** _n_ Duft _m;_ (_spoor_) Fähr-

S

te *f;* **to be on sb's ~/the ~ of sth** (*a. fig*) jdm/etw auf der Fährte sein **II.** *vt* wittern; **to ~ danger** Gefahr ahnen

sceptical [ˈskeptɪkᵊl] *adj* skeptisch

schedule [ˈʃedjuːl] **I.** *n* [Zeit-/Fahr]plan *m;* (*for work*) Zeitplan *m;* **to draw up a ~** einen Plan erstellen; **to keep to a ~** sich an einen Zeitplan halten; **ahead of ~** früher als geplant **II.** *vt* ansetzen; **they've ~d him to speak at three o'clock** sie haben seine Rede für drei Uhr geplant

scheduled [ˈʃedjuːld] *adj attr* geplant; TRANSP planmäßig

schizophrenic [ˌskɪtsə(ʊ)ˈfrenɪk] **I.** *adj* schizophren **II.** *n* Schizophrene(r) *f(m)*

scholarship [ˈskɒləʃɪp] *n* **1.** *no pl* **a work of great ~** eine großartige wissenschaftliche Arbeit **2.** (*grant*) Stipendium *nt*

school¹ [skuːl] **I.** *n* **1.** Schule *f;* **primary** [*or* AM **elementary**] **~** Grundschule *f;* **secondary ~** ≈ weiterführende Schule; **to attend** [*or* go to] **~** zur Schule gehen; **dance/driving ~** Tanz-/Fahrschule *f* **2.** AM (*fam: university*) Universität *f* **3.** (*faculty*) Fakultät *f* **II.** *vt* erziehen; (*train*) schulen; *dog* dressieren

school² [skuːl] **I.** *n* ZOOL Schule *f;* (*shoal*) Schwarm *m* **II.** *vi* einen Schwarm bilden

schoolboy *n* Schuljunge *m,* Schüler *m* **schoolchild** *n* Schulkind *nt* **schooldays** *n pl* Schulzeit *f kein pl* **schoolgirl** *n* Schulmädchen *nt,* Schülerin *f* **schoolmaster** *n* (*dated*) Lehrer *m* **schoolmate** *n* Schulfreund(in) *m(f),* Schulkamerad(in) *m(f)* **schoolmistress** *n* (*dated*) Lehrerin *f* **schoolroom** *n* Klassenzim-

mer *nt* **schoolteacher** *n* Lehrer(in) *m(f)*

science [ˈsaɪən(t)s] *n no pl* [Natur]wissenschaft *f;* **applied/pure ~** angewandte/reine Wissenschaft

scientific [ˌsaɪənˈtɪfɪk] *adj* wissenschaftlich; (*relating to exact science*) naturwissenschaftlich; **~ community** Wissenschaftsgemeinde *f*

scientist [ˈsaɪəntɪst] *n* Wissenschaftler(in) *m(f);* **research ~** Forscher(in) *m(f)*

scissors [ˈsɪzəz] *n pl* [**a pair of**] **~** eine Schere

scone [skɒn] *n* brötchenartiges Gebäck, das lauwarm mit einer Art dicker Sahne und Marmelade gegessen wird

scoop [skuːp] **I.** *n* **1.** Schaufel *f;* (*ladle*) Schöpflöffel *m;* **ice-cream ~** Eisportionierer *m;* **measuring ~** Messlöffel *m* **2.** (*amount*) Löffel *m;* of ice cream Kugel *f* **II.** *vt* schaufeln; *ice cream* löffeln

scooter [ˈskuːtəʳ] *n* [Tret]roller *m;* **motor ~** Motorroller *m*

scorching [ˈskɔːtʃɪŋ] *adj* sengend; **it's ~** [**hot**] **outside** es ist glühend heiß draußen

score [skɔːʳ] **I.** *n* **1.** (*of points*) Punktestand *m;* (*of game*) Spielstand *m;* **at half time the ~ stood at two all** zur Halbzeit stand es zwei zu zwei; **final ~** Endstand *m* **2.** (*esp form*) **~s** *pl* Dutzende *pl* **3.** (*dispute*) Streit[punkt] *m;* **to settle a ~** eine Rechnung begleichen ▶ **to know the ~** wissen, wie der Hase läuft *fam* **II.** *vt* **1.** *goal* schießen; *point* machen **2.** (*cut*) einkerben **III.** *vi* einen Punkt machen; **to ~ badly/well** schlecht/gut abschneiden

scoreboard *n* Anzeigetafel *f* **score-card** *n* Spielstandskarte *f*

scorer ['skɔːrəʳ] *n* FBALL Torschütze *m*, Torschützin *f; (counter)* Punktezähler(in) *m(f)*

Scorpio ['skɔːpiəʊ] *n* ASTROL Skorpion *m*

scorpion ['skɔːpiən] *n* Skorpion *m*

Scot [skɒt] *n* Schotte , Schottin *m, f*

Scotch [skɒtʃ] I. *n <pl -es>* 1. *no pl (whisky)* Scotch *m* 2. *(dated)* **the ~** *pl* die Schotten II. *adj (dated)* schottisch

Scotland ['skɒtlənd] *n* Schottland *nt*

Scotland Yard *n + sing/pl vb* Scotland Yard *m*

Scots [skɒts] I. *adj* schottisch II. *n* 1. *no pl* Schottisch *nt* 2. *pl* **the ~** die Schotten *pl*

Scotsman *n* Schotte *m* **Scotswoman** *n* Schottin *f*

Scottish ['skɒtɪʃ] I. *adj* schottisch II. *n* **the ~** *pl* die Schotten *pl*

scout [skaʊt] I. *n* 1. Pfadfinder *m; AM (girl scout)* Pfadfinderin *f; (organization)* **the S~s** *pl* die Pfadfinder *pl* 2. *(searcher)* Talentsucher(in) *m(f)* 3. *(soldier)* Kundschafter(in) *m(f)* II. *vi* kundschaften; **to ~ for new talent** nach neuen Talenten suchen III. *vt* auskundschaften

scoutmaster *n* Pfadfinderführer(in) *m(f)*

scramble ['skræmbl] I. *n no pl* Gedränge *nt* II. *vi* 1. *(climb)* klettern 2. *(rush)* hasten; **to ~ for the exit** zum Ausgang stürzen 3. *(compete)* **to ~ for sth** sich um etw *akk* reißen III. *vt* 1. **to ~ eggs** Rührei machen 2. *(encode)* verschlüsseln

scrap¹ [skræp] I. *n* 1. Stück[chen] *nt; of cloth, paper* Fetzen *m;* **not a ~** kein

bisschen 2. *(leftover)* **~s** *pl* Speisereste *pl* 3. *no pl (metal)* Schrott *m* II. *vt <-pp->* wegwerfen; *(fam: abandon)* aufgeben

scrap² [skræp] *n (fam: fight)* Gerangel *nt*

scrape [skreɪp] I. *n* 1. *no pl (for cleaning)* [Ab]kratzen *nt* 2. *(on skin)* Abschürfung *f* II. *vt* 1. *[ab]schaben; (to remove dirt)* [ab]kratzen 2. *(scratch)* **to ~ sth** sich *dat* etw aufschürfen; *car* etw zerkratzen III. *vi* reiben; *(brush)* bürsten; *(scratch)* kratzen

scratch [skrætʃ] I. *n <pl -es>* 1. Kratzer *m* 2. *no pl* **to be not up to ~** zu wünschen übrig lassen 3. **to start [sth] from ~** [mit etw *dat*] bei null anfangen II. *vt* 1. **to ~ sth** etw zerkratzen; **to ~ sb** jdn kratzen 2. *itch* kratzen III. *vi* kratzen; *itcher* sich kratzen

scratchy ['skrætʃi] *adj* kratzig

scrawl [skrɔːl] I. *vt* [hin]kritzeln II. *n no pl* Gekritzel *nt pej*

scream [skriːm] I. *n* Schrei *m; (of animal also)* Gekreisch[e] *nt kein pl;* **a ~ of fear/for help** ein Aufschrei/Hilfeschrei *m* II. *vi, vt* schreien; **to ~ at sb** jdn anschreien; **to ~ with laughter** vor Lachen brüllen

screen [skriːn] I. *n* 1. *(display)* Bildschirm *m; (in cinema)* Leinwand *f* 2. *(panel)* Trennwand *f; (on car)* Windschutzscheibe *f* 3. *(test)* Kontrolle *f;* **health ~** Vorsorgeuntersuchung *f* II. *vt* 1. *(hide)* abschirmen; **to ~ sth from view** etw vor Einblicken schützen 2. *(shield)* schützen (**from** vor) 3. *(examine)* überprüfen; **to ~ sb for sth** jdn auf etw *akk* hin untersuchen

S

screening ['skri:nɪŋ] *n* **1.** (*in cinema*) Filmvorführung *f* **2.** (*X-ray*) Röntgenuntersuchung *f*

screw [skru:] I. *n* **1.** Schraube *f* **2.** *no pl* (*turn*) Drehung *f;* ▶ **to have a ~ loose** (*hum fam*) nicht ganz dicht sein *pej* II. *vt* **1.** schrauben; (*twist*) zudrehen **2.** (*vulg*) bumsen *sl* ◆ **screw down** *vt* festschrauben; (*by twisting*) fest zudrehen ◆ **screw up** I. *vt* **1.** zuschrauben; (*by twisting*) zudrehen **2.** (*crush*) zusammenknüllen **3. to ~ up one's face/mouth** das Gesicht/den Mund verziehen II. *vi* (*sl*) Mist bauen *fam*

screwdriver *n* Schraubenzieher *m;* (*drink*) Screwdriver *m*

screwed [skru:d] *adj pred* (*sl*) festgefahren; (*in hopeless situation*) geliefert

screw top *n* Schraubverschluss *m*

Scrooge [skru:dʒ] *n* (*pej*) Geizhals *m*

scrounge [skraʊndʒ] (*fam*) I. *n no pl* (*pej or hum*) **to be on the ~** schnorren II. *vt* (*pej*) **to ~ sth [off sb]** etw [von jdm] schnorren *fam*

scrub¹ [skrʌb] *n no pl* Gestrüpp *nt;* (*area*) Busch *m*

scrub² [skrʌb] I. *n* **to give sth a [good] ~** etw [gründlich] [ab]schrubben *fam* II. *vt* <-bb-> **1.** [ab]schrubben *fam* **2.** (*fam: abandon*) fallen lassen

scrubber ['skrʌbəʳ] *n*, **scrubbing brush** *n* Schrubber *m;* (*smaller*) Scheuerbürste *f*

scruffy ['skrʌfi] *adj* schmuddelig *pej fam; person* vergammelt *pej fam*

scuba diving *n no pl* Sporttauchen *nt*

scuffle ['skʌfl] I. *n* **1.** (*fight*) Handgemenge *nt* **2.** (*movement*) Schlurfen *nt* II. *vi* **to ~ [with sb]** sich [mit jdm] balgen

sculpture ['skʌlptʃəʳ] I. *n* **1.** *no pl* Bildhauerei *f* **2.** (*work*) Skulptur *f* II. *vt* [heraus]meißeln; (*in clay*) modellieren III. *vi* bildhauern *fam*

scum [skʌm] *n no pl* **1.** Schaum *m;* (*dirt*) Schmutzschicht *f* **2.** (*pej: people*) Abschaum *m*

sea [si:] *n* **the ~** das Meer, die See; **the open ~** das offene Meer, die hohe See; **the Dead ~** das Tote Meer; **a ~ of flames/people** ein Flammen-/Menschenmeer *nt*

seafood *n no pl* Meeresfrüchte *pl*

seafront *n* Strandpromenade *f;* (*beach*) Strand *m* **seagull** *n* Möwe *f*

seahorse *n* Seepferdchen *nt*

seal¹ [si:l] *n* Robbe *f*

seal² [si:l] I. *n* **1.** (*stamp*) Siegel *nt* **2.** *on goods* Verschluss *m;* (*on doors*) Siegel *nt* II. *vt* **1.** (*stamp*) siegeln **2.** *packaging* [fest] verschließen **3.** (*make airtight*) luftdicht verschließen; (*make watertight*) wasserdicht verschließen; *gaps* abdichten

sea level *n no pl* Meeresspiegel *m;* **at ~** auf Meereshöhe **sea lion** *n* Seelöwe *m*

seam [si:m] *n* Naht *f;* **to be bursting at the ~s** (*fig*) aus allen Nähten platzen *fam;* **to fall apart at the ~s** aus den Nähten gehen

search [sɜ:tʃ] I. *n* Suche *f;* LAW Durchsuchung *f;* COMPUT Suchlauf *m* (**for** nach) II. *vi* suchen; **to ~ through sth** etw durchsuchen III. *vt* **1.** *building, bag* durchsuchen; *place, street* absuchen **2.** (*examine*) absuchen; *heart* prüfen

searchlight *n* Suchscheinwerfer *m*

search warrant *n* Durchsuchungsbefehl *m*

seashell *n* Muschel *f* **seashore** *n no*

pl Strand *m* **seasick** *adj* seekrank
seasickness *n no pl* Seekrankheit *f*
seaside *esp* BRIT I. *n no pl* **the ~** die
[Meeres]küste; **at the ~** am Meer
II. *adj attr* See-; **a ~ holiday** Ferien
pl am Meer

season ['si:z°n] I. *n* 1. Jahreszeit *f;*
the ~ of Advent/Lent die Advents-/
Fastenzeit; **the Christmas/Easter ~**
die Weihnachts-/Osterzeit 2. (*ripeness*) Saison *f;* **apple/strawberry ~**
Apfel-/Erdbeerzeit *f* 3. ZOOL fruchtbare Zeit; **to be in ~** brünstig sein
4. SPORTS Saison *f;* **fishing/hunting
~** Angel-/Jagdzeit *f* II. *vt* würzen

seasonal ['si:z°n°l] *adj* 1. jahreszeitlich
bedingt; **~ work** Saisonarbeit *f*
2. *fruit* Saison-

seasoning ['si:z°nɪŋ] *n* 1. *no pl* (*salt
and pepper*) Würze *f* 2. (*spice*) Gewürz *nt*

season ticket *n* Dauerkarte *f;* (*for
public transport*) Monats-/Jahreskarte *f;* SPORTS Saisonkarte *f;* THEAT Abonnement *nt*

seat [si:t] I. *n* 1. [Sitz]platz *m;* (*in car*)
Sitz *m;* (*in bus, train*) Sitzplatz *m;* **is
this ~ free/taken?** ist dieser Platz
frei/besetzt? 2. (*form: buttocks*) Gesäß *nt* 3. POL Sitz *m;* **marginal/safe
~** knappes/sicheres Mandat
4. (*home*) Sitz *m* II. *vt* **to ~ oneself**
(*form*) sich setzen; **to ~ 2500** *stadium* 2500 Menschen fassen

seat belt *n* Sicherheitsgurt *m;* **to fasten one's ~** sich anschnallen

seating ['si:tɪŋ] *n no pl* Sitzgelegenheiten *pl;* **~ for 2000** Sitzplätze *pl* für
2000 Personen

seating arrangements *n pl*, **seating
plan** *n* Sitzordnung *f*

seaweed *n no pl* [See]tang *m* **sea-**

worthy *adj* seetauglich
secluded [sɪˈkluːdɪd] *adj* abgelegen; **to
live a ~ life** zurückgezogen leben

second[1] ['sek°nd] I. *adj* 1. *usu attr*
zweite(r, s); **the ~ biggest town** die
zweitgrößte Stadt; **to finish ~** Zweite(r) werden; **to be ~ to none** unübertroffen sein; **to be in ~ place** auf Platz
zwei sein; **the ~ time** das zweite Mal
2. *attr* (*another*) zweite(r, s), Zweit-;
~ car Zweitwagen *m;* ▶ **to be ~ nature to sb** jdm in Fleisch und Blut
übergegangen sein II. *n* 1. BRIT UNIV
≈ Zwei *f;* **an upper/a lower ~** eine
Zwei plus/minus 2. *no pl* AUTO zweiter Gang 3. (*food*) **~s** *pl* Nachschlag
m kein pl III. *adv* zweitens IV. *vt* unterstützen

second[2] ['sek°nd] *n* Sekunde *f;* (*short
time also*) Augenblick *m;* **you go on,
I'll only be a ~** geh du weiter, ich
komme gleich nach; **with [only] ~s
to spare** in [aller]letzter Sekunde

secondary ['sek°nd°ri] *adj* 1. zweitrangig; **to play a ~ role** eine untergeordnete Rolle spielen 2. **~ education**
höhere Schulbildung

secondary school *n* weiterführende
Schule

second best *adj* zweitbeste(r, s); **to
feel ~** sich minderwertig fühlen

second class I. *n no pl* (*mail*) gewöhnliche Post; (*ride*) zweite Klasse
II. *adv* 1. **to travel ~** zweiter Klasse
reisen 2. BRIT *mail* auf dem gewöhnlichen Postweg **second-class** *adj*
1. *ride* zweiter Klasse *nach n*
2. (*bad*) zweitklassig **second cousin**
n Cousin *m*/Cousine *o f* zweiten
Grades **second floor** *n* BRIT, AUS
zweiter Stock; AM, AUS erster Stock
second-hand I. *adj* 1. gebraucht;

S

clothes Secondhand-; ~ **car** Gebrauchtwagen *m* **2.** *attr shop* Gebraucht-, Secondhand-; ~ **bookshop** Antiquariat *nt* **II.** *adv* gebraucht **second language** *n* erste Fremdsprache

secondly ['sekᵊndli] *adv* zweitens

second-rate *adj* zweitklassig

secrecy ['si:krəsi] *n no pl* (*act*) Geheimhaltung *f;* (*ability*) Verschwiegenheit *f*

secret ['si:krət] **I.** *n* Geheimnis *nt;* **in ~** insgeheim; **the ~ of success** das Geheimnis des Erfolgs **II.** *adj* **1.** geheim; **to keep sth ~** etw geheim halten **2.** (*covert*) heimlich

secretary ['sekrətᵊri] *n* **1.** Sekretär(in) *m(f)* **2.** BRIT Staatssekretär(in) *m(f);* AM Minister(in) *m(f)*

secretive ['sikrətɪv] *adj* geheimnisvoll; (*taciturn*) verschlossen

sect [sekt] *n* Sekte *f*

section ['sekʃᵊn] **I.** *n* **1.** Teil *nt; of road* Teilstrecke *f; of book* Abschnitt *m; of newspaper* Teil *m* **2.** (*area*) Bereich *m;* **non-smoking ~** (*in restaurant*) Nichtraucherbereich *m;* (*in railway carriage*) Nichtraucherabteil *nt* **3.** (*department*) Abteilung *f* **4.** (*profile*) Schnitt *m* **II.** *vt* |unter|teilen; (*cut*) zerschneiden

secure [sɪ'kjʊər] **I.** *adj* <-r, -st *or* more secure, the most secure> **1.** sicher; **financially ~** finanziell abgesichert **2.** *usu pred* (*confident*) sicher **3.** (*guarded*) bewacht; (*against bugging*) abhörsicher; ~ **against theft** diebstahlsicher **II.** *vt* **1.** (*get*) sich *dat* sichern **2.** (*guard*) [ab]sichern; **to ~ sb/sth against sth** jdn/etw vor etw *dat* schützen **3.** (*fasten*) befestigen (**to** an)

security [sɪ'kjʊərəti] *n* Sicherheit *f;* maximum-~ **prison** Hochsicherheitsgefängnis *nt;* **lax/tight ~** lasche/strenge Sicherheitsvorkehrungen

security guard *n* Sicherheitsbeamte (r), -beamtin *m, f*

sedative ['sedətɪv] **I.** *adj* beruhigend **II.** *n* Beruhigungsmittel *nt*

seduce [sɪ'dju:s] *vt* verführen; **to ~ sb into doing sth** jdn dazu verleiten, etw zu tun

seduction [sɪ'dʌkʃᵊn] *n no pl* Verführung *f*

seductive [sɪ'dʌktɪv] *adj* verführerisch; *offer* verlockend

see <saw, seen> [si:] **I.** *vt* **1.** sehen; **I've never ~n anything quite like this before** so etwas habe ich ja noch nie gesehen; **I saw her coming** ich habe sie kommen sehen **2.** (*watch*) [sich *dat*] [an]sehen; **this film is really worth ~ing** dieser Film ist echt sehenswert **3.** (*visit*) ansehen; **to ~ the sights** die Sehenswürdigkeiten besichtigen **4.** (*understand*) verstehen; **I ~ what you mean** ich weiß, was du meinst **5.** (*regard*) sehen; **as I ~ it …** so wie ich das sehe … **6.** (*learn*) feststellen; **that remains to be ~n** das wird sich zeigen **7.** (*meet*) sehen; (*talk to*) sprechen; (*receive*) empfangen; ~ **you later!** (*fam*) bis später! **8. to be ~ing sb** mit jdm zusammen sein *fam* **9.** (*foresee*) sich *dat* vorstellen; **to ~ it coming** es kommen sehen **10.** (*witness*) [mit]erleben; **I've ~n it all** mich überrascht nichts mehr; **to live to ~ sth** etw erleben **11.** (*escort*) begleiten; **to ~ sb to the door/home** jdn zur Tür/ nach Hause bringen **12.** *in imperative* ~ **…** siehe …; ~ **below/page**

23 siehe unten/Seite 23 II. *vi* **1.** sehen; **let me ~!** lass mich mal sehen!; **but ~ing is believing!** doch, ich habe es mit eigenen Augen gesehen! **2.** (*realize*) **... — oh, I ~!** ... — aha!; I ~ ich verstehe; **~?!** siehst du?!; **I ~ from your report ...** Ihrem Bericht entnehme ich, ... **3.** (*find out*) nachsehen; (*in the future*) herausfinden; **wait and ~** abwarten und Tee trinken ◆ **see about** *vi* **1.** (*fam: deal with*) **to ~ about sth** sich um etw *akk* kümmern; **I've come to ~ about the TV** ich soll mir den Fernseher ansehen **2.** (*consider*) **I'll ~ about it** ich will mal sehen ▶ **we'll ~ about that!** (*fam*) das werden wir ja sehen! ◆ **see in** I. *vi* hineinsehen II. *vt* hineinbringen; **to ~ in ⇆ the New Year** das neue Jahr begrüßen ◆ **see into** *vi* hineinsehen; **to ~ into the future** in die Zukunft schauen ◆ **see off** *vt* **1.** verabschieden; **to ~ sb off at the airport/station** jdn zum Flughafen/Bahnhof bringen **2.** (*drive away*) verjagen **3.** (*better*) **to ~ off ⇆ sb/sth** mit jdm/etw fertigwerden *fam* ◆ **see out** I. *vt* **1.** (*escort*) hinausbegleiten; **I can ~ myself out** ich finde alleine hinaus **2.** (*endure*) durchstehen II. *vi* hinaussehen ◆ **see through** I. *vt* **1. to ~ through sth** durch etw *akk* hindurchsehen **2.** (*wise up to*) durchschauen II. *vi* **1. to ~ sb through** jdm über die Runden helfen *fam;* (*comfort*) jdm beistehen **2.** (*endure*) zu Ende bringen ◆ **see to** *vi* **to ~ to sb/sth** sich um jdn/etw kümmern; **to ~ to it that ...** dafür sorgen, dass ...

seed [si:d] *n* Same[n] *m; of grain* Korn *nt;* (*fig*) Keim *m;* **~s** *pl* Saat *f kein pl;*

to go to ~ Samen bilden; *person* herunterkommen; **to sow the ~s of sth** etw säen

seem [si:m] *vi* scheinen; **he's sixteen, but he ~s younger** er ist sechzehn, wirkt aber jünger; **to ~ as if ...** so scheinen, als ob ...; **it ~s** [**that**] **...** anscheinend ...; **it ~s as if ...** es scheint, als ob ...

seemingly ['si:mɪŋli] *adv* scheinbar

seen [si:n] *pp of* see

seep [si:p] *vi* sickern; *information* durchsickern

see-saw ['si:sɔ:] I. *n* Wippe *f* II. *vi* wippen; (*fig*) sich auf und ab bewegen

see-through *adj* durchsichtig; *dress* durchscheinend

seize [si:z] *vt* **1.** ergreifen *a. fig;* (*confiscate*) beschlagnahmen; (*capture*) einnehmen; *criminal* festnehmen **2.** *usu passive* **to be ~d with sth** von etw *dat* ergriffen werden ◆ **seize up** *vi* stehen bleiben; *economy* zum Erliegen kommen

seizure ['si:ʒər] *n no pl* Ergreifung *f;* **~ of power** Machtergreifung *f*

seldom ['seldəm] *adv* selten; **~ if ever** fast nie

select [sɪ'lekt] I. *adj* **1.** (*high-class*) exklusiv **2.** (*chosen*) ausgewählt; *team* auserwählt II. *vt* aussuchen; **to ~ sb** jdn auswählen III. *vi* **to ~ from sth** aus etw *dat* [aus]wählen

selection [sɪ'lekʃən] *n* **1.** *no pl* Auswahl *f;* BIOL Selektion *f geh;* **to make one's ~** seine Wahl treffen **2.** *usu sing* (*range*) Auswahl *f,* Sortiment *nt*

self <*pl* selves> [self] *n* **one's ~** das Selbst; **to be** [**like**] **one's former ~** wieder ganz der/die Alte sein

self-addressed envelope *n* adressierter Rückumschlag **self-adhesive** *adj* selbstklebend **self-assured** *adj* selbstbewusst **self-catering** *n no pl* BRIT, AUS Selbstverpflegung *f* **self-centred**, AM **self-centered** *adj* egozentrisch; ~ **person** Egozentriker(in) *m(f)* **self-confidence** *n no pl* Selbstvertrauen *nt* **self-conscious** *adj* gehemmt; *laugh* verlegen **self-contained** *adj* selbstgenügsam; *community* autark; *apartment* separat **self-control** *n no pl* Selbstbeherrschung *f;* **to exercise** ~ Selbstdisziplin üben **self-defence**, AM **self-defense** *n no pl* Selbstverteidigung *f;* **to kill sb in** ~ jdn in Notwehr töten **self-employed** I. *adj* selbstständig; *journalist* freiberuflich II. *n* **the** ~ *pl* die Selbstständigen **self-explanatory** *adj* selbsterklärend **self-harmer** *n* Selbstverstümmler(in) *m(f)* **self-harming** *n* Selbstverstümmelung *f* **self-important** *adj* selbstgefällig **self-indulgent** *adj* genießerisch

selfish ['selfɪʃ] *adj* selbstsüchtig; *motive* eigennützig

selfishness ['selfɪʃnəs] *n no pl* Selbstsucht *f* **self-possessed** *adj* selbstbeherrscht **self-reliant** *adj* selbstständig **self-respect** *n no pl* Selbstachtung *f* **self-satisfied** *adj* selbstzufrieden **self-service** *n no pl* Selbstbedienung *f* **self-sufficient** *adj* selbstständig **self-willed** [-'wɪld] *adj* starrköpfig **self-winding watch** *n* Armbanduhr *f* mit Selbstaufzug

sell [sel] I. *vt* <sold, sold> 1. verkaufen; *real estate also* veräußern; **I sold him my car for £600** ich verkaufte ihm mein Auto für 600 Pfund 2. (*persuade*) **to** ~ **sth** [**to sb**] jdn für etw *akk* gewinnen; **to** ~ **an idea to sb**

jdm eine Idee schmackhaft machen *fam* II. *vi* <sold, sold> verkaufen ▶ **to** ~ **like hot <u>cakes</u>** wie warme Semmeln weggehen III. *n no pl* 1. Ware *f;* **to be a hard/soft** ~ schwer/leicht verkäuflich sein 2. STOCKEX **to be a** ~ *shares* zum Verkauf stehen ◆ **sell off** *vt* verkaufen ◆ **sell out** I. *vi* 1. ausverkaufen 2. (*sell*) **to** ~ **out to sb** an jdn verkaufen; (*under duress*) sich jdm verkaufen II. *vt* **to be sold out** ausverkauft sein ◆ **sell up** *vi, vt* BRIT, AUS verkaufen

sell-by date *n esp* BRIT Mindesthaltbarkeitsdatum *nt;* **past the** ~ nach Ablauf des Mindesthaltbarkeitsdatums; **to be past one's** ~ (*hum fam*) seine besten Jahre hinter sich *dat* haben

seller ['selə^r] *n* Verkäufer(in) *m(f);* (*product*) Verkaufsschlager *m*

Sellotape® ['selə(ʊ)teɪp] *n no pl* BRIT Tesafilm® *m*

sell-out *n* Ausverkauf *m;* (*betrayal*) Auslieferung *f*

selves [selvz] *n pl of* **self**

semi <*pl* -s> ['semi] *n* (*fam*) 1. BRIT, AUS Doppelhaushälfte *f* 2. SPORTS Halbfinale *nt*

semicircle *n* Halbkreis *m* **semi-conscious** *adj* halb bewusstlos; *memory* teilweise unbewusst **semi-detached** I. *n* Doppelhaushälfte *f* II. *adj* Doppelhaus- **semi-final** *n* Halbfinale *nt* **semi-finalist** *n* SPORTS Halbfinalist(in) *m(f)* **semi-precious** *adj* ~ **stone** Halbedelstein *m*

semolina [ˌseməˈliːnə] *n no pl* Gries *m*

send <sent, sent> [send] *vt* 1. **to** ~ [**sb**] **sth** jdm etw [zu]schicken; **to** ~ **sth by airmail/post** etw per Luftpost/mit der Post schicken; **to** ~ **in-**

vitations Einladungen verschicken
2. (*pass on*) **to ~ sb sth** jdm etw
übermitteln [lassen]; **Maggie ~s her
love** Maggie lässt dich grüßen 3. (*dispatch*) schicken; **to ~ sb to prison**
jdn ins Gefängnis stecken 4. (*transmit*) senden; **to ~ a message in
Morse code** eine Nachricht morsen;
to ~ a signal ein Signal aussenden
5. (*cause*) versetzen; **to ~ sb into a
panic** jdn in Panik versetzen ◆ **send
away I.** *vi* to ~ **away for sth** sich *dat*
etw zuschicken lassen **II.** *vt* wegschicken ◆ **send back** *vt* zurückschicken ◆ **send for** *vi* 1. (*summon*) rufen 2. *brochure* anfordern; **to ~ for
help** Hilfe holen ◆ **send in** *vt* einsenden; *report* einschicken; *troops* einsetzen ◆ **send off I.** *vt* 1. (*post*) abschicken 2. BRIT, AUS SPORTS **to get sent
off** einen Platzverweis bekommen
3. (*dismiss*) wegschicken 4. (*dispatch*) fortschicken **II.** *vi* to ~ **off
for sth** etw anfordern ◆ **send on** *vt*
nachsenden ◆ **send out I.** *vi* to ~
out for sth etw telefonisch bestellen
II. *vt* 1. (*emit*) abgeben 2. (*post*) verschicken (**to an**) ◆ **send up** *vt* 1. zuschicken 2. (*fam*) **to ~ up ⇆ sb** jdn
nachäffen

sender ['sendə'] *n* Absender(in) *m(f)*;
**return to ~ — not known at this
address** Empfänger unbekannt verzogen

send-off *n* Verabschiedung *f*; **to give
sb a ~** jdn verabschieden

send-up *n* (*fam*) Parodie *f*

senile ['si:naɪl] *adj* senil

senior ['si:niə'] **I.** *adj* 1. (*form*) älter
2. *attr* (*chief*) Ober-; **~ executive**
Vorstandsvorsitzende(r) *f(m)* **II.** *n*
1. Senior(in) *m(f)*; **she's my ~ by**

three years sie ist drei Jahre älter
als ich 2. (*employee*) Vorgesetzte(r)
f(m) 3. (*pupil*) Oberstufenschüler(in)
m(f) (*in Großbritannien und USA
Bezeichnung für Schüler einer
Highschool oder einer College-
abgangsklasse*)

sensation [sen'seɪʃən] *n* 1. Gefühl *nt*;
~ of heat/cold Hitze-/Kälteempfindung *f* 2. (*stir*) Sensation *f*; **to cause
a ~** Aufsehen erregen

sensational [sen'seɪʃənəl] *adj* sensationell; (*very good a.*) fantastisch

sense [sen(t)s] **I.** *n* 1. *no pl* Verstand
m; **to make [good] ~** sinnvoll sein
2. (*reason*) **one's ~s** *pl* sein gesunder
Menschenverstand; **to take leave of
one's ~s** den Verstand verlieren
3. (*faculty*) Sinn *m*; **~ of hearing**
Gehör *nt*; **~ of sight** Sehvermögen
nt; **~ of smell/taste/touch** Geruchs-/
Geschmacks-/Tastsinn *m* 4. (*feeling*)
Gefühl *nt*; **~ of direction** Orientierungssinn *m*; **~ of duty** Pflichtgefühl
nt; **~ of time** Zeitgefühl *nt* 5. (*meaning*) Bedeutung *f*, Sinn *m*; **to make
~** einen Sinn ergeben 6. (*way*) Art *f*; **in
a ~** in gewisser Weise **II.** *vt* wahrnehmen; **to ~ that ...** spüren, dass ...; **to ~
danger** Gefahr wittern

senseless ['sen(t)sləs] *adj* 1. (*pointless*) sinnlos 2. (*foolish*) töricht
3. (*unconscious*) besinnungslos

sensible ['sen(t)sɪbl] *adj* vernünftig;
clothes angemessen; **~ decision** weise Entscheidung

sensibly ['sen(t)sɪbli] *adv* vernünftig;
(*suitably*) angemessen; *dressed* passend

sensitive ['sen(t)sɪtɪv] *adj* 1. (*kind*)
verständnisvoll 2. *issue* heikel
3. (*touchy*) empfindlich; **to be ~ to**

S

sth empfindlich auf etw *akk* reagieren **4.** (*responsive*) empfindlich (**to** gegenüber)

sent [sent] *pp, pt of* **send**

sentence ['sentən(t)s] **I.** *n* **1.** Urteil *nt;* (*punishment*) Strafe *f;* **to serve a ~** eine Strafe verbüßen **2.** (*words*) Satz *m* **II.** *vt* verurteilen (**to** zu)

sentimental [ˌsentɪˈmentəl] *adj* **1.** gefühlvoll; *value* ideell **2.** (*kitschy*) sentimental; *music, style* kitschig; *story* rührselig

sentry ['sentri] *n* Wache *f;* **~ box** Wachhäuschen *nt*

separate I. *adj* ['sepərət] getrennt; (*independent*) einzeln *attr;* **to keep sth ~** etw auseinanderhalten **II.** *vi* ['sepəreɪt] **1.** (*detach*) sich trennen; CHEM sich scheiden **2.** *spouses* sich trennen; (*divorce*) sich scheiden lassen **III.** *vt* ['sepəreɪt] trennen

separated ['sepəreɪtɪd] *adj* getrennt

September [sep'tembəʳ] *n* September *m; see also* **February**

septic ['septɪk] *adj* septisch; **to go ~** eitern

sequin ['siːkwɪn] *n* Paillette *f*

sergeant ['saːʤənt] *n* Unteroffizier *m;* (*police*) ≈ Polizeimeister(in) *m(f)*

serial ['sɪəriəl] **I.** *n* Fortsetzungsgeschichte *f* **II.** *adj* Serien-; **~ port** COMPUT serielle Schnittstelle

series <*pl* -> ['sɪəriːz] *n* **1.** Reihe *f;* (*succession*) Folge *f* **2.** TV Serie *f;* PUBL Reihe *f* (**on** über)

serious ['sɪəriəs] *adj* **1.** ernst; **to be ~ about sb/sth** es mit jdm/etw ernst meinen **2.** (*grave*) ernsthaft; *accident, crime* schwer; *allegation* schwerwiegend **3.** (*significant*) bedeutend; (*sophisticated*) anspruchsvoll

seriously ['sɪəriəsli] *adv* **1.** ernst; **to**

take sb/sth ~ jdn/etw ernst nehmen; **no, ~, ...** nein, [ganz] im Ernst, ... **2.** (*gravely*) schwer

sermon ['sɜːmən] *n* Predigt *f* (**on** über); **to deliver a ~** eine Predigt halten

servant ['sɜːvᵊnt] *n* Bedienstete(r) *f(m)*

serve [sɜːv] **I.** *n* (*in tennis*) Aufschlag *m;* (*in volleyball*) Angabe *f* **II.** *vt* **1.** *guest* bedienen; *food* servieren; (*suffice*) reichen; **~s 4 to 5** ergibt 4 bis 5 Portionen **2.** (*work for*) **to ~ sth** etw *dat* dienen; **to ~ the public** im Dienste der Öffentlichkeit stehen **3.** (*complete*) ableisten; **to ~ a prison sentence** eine Haftstrafe absitzen *fam* **4.** (*supply*) versorgen **5. to ~ a purpose** einen Zweck erfüllen **6.** TENNIS **to ~ an ace** ein Ass schlagen **III.** *vi* **1.** servieren **2.** (*work for*) dienen; **to ~ in the army** in der Armee dienen; **to ~ on a jury** Geschworene(r) *f(m)* sein **3.** (*function*) **to ~ as sth** als etw dienen **4.** (*be acceptable*) seinen Zweck erfüllen; (*suffice*) genügen **5.** SPORTS aufschlagen, Aufschlag haben ◆ **serve up** *vt* servieren

server ['sɜːvəʳ] *n* **1.** COMPUT Server *m* **2.** REL Ministrant(in) *m(f)*

service ['sɜːvɪs] **I.** *n* **1.** *no pl* Service *m;* (*in restaurants, shops*) Bedienung *f;* **customer ~** Kundendienst *m* **2.** (*act*) Dienst *m,* Dienstleistung *f* **3.** (*form: assistance*) Unterstützung *f;* (*aid*) Hilfe *f;* **to be of ~** [**to sb**] [jdm] von Nutzen sein **4.** POL Dienst *m;* **civil/diplomatic ~** öffentlicher/ diplomatischer Dienst **5.** (*public system*) Dienst *m;* **ambulance ~** Rettungsdienst *m;* **bus/train ~** Bus-/ Zugverbindung *f;* **postal ~** Postwesen *nt* **6.** (*roadside facilities*) **~s** *pl* Raststätte *f* **7.** REL Gottesdienst *m* **8.** *esp* BRIT (*maintenance*) Wartung *f;* AUTO Inspektion *f* **II.** *vt* warten

service area *n* Raststätte *f* **service centre** *n* (*garage*) Werkstatt *f* **service charge** *n* Bedienungsgeld *nt* **service department** *n* Kundendienstabteilung *f* **service entrance** *n* Personaleingang *m* **service hatch** *n* Durchreiche *f* **service lift** *n* Personalaufzug *m; for goods* Warenaufzug *m* **service manual** *n* Wartungshandbuch *nt* **service road** *n* Nebenstraße *f;* (*access road*) Zufahrtsstraße *f;* (*for residents*) Anliegerstraße *f* **service station** *n* Tankstelle *f*

serviette [ˌsɜːviˈet] *n esp* BRIT Serviette *f*

serving [ˈsɜːvɪŋ] **I.** *n* Portion *f* **II.** *adj attr* **1.** dienend; **the longest-~ minister** der am längsten im Amt befindliche Minister **2.** *prisoner* inhaftiert

session [ˈseʃ°n] *n* **1.** Sitzung *f;* (*term of office*) Legislaturperiode *f* **2. recording ~** Aufnahme *f;* **training ~** Trainingsstunde *f*

set [set] **I.** *adj* **1.** *pred* bereit; **to be [all] ~ [for sth]** [für etw *akk*] bereit sein; **ready, get ~, go!** auf die Plätze, fertig, los! **2.** (*fixed*) fest[gesetzt]; **~ phrase** feststehender Ausdruck; **~ menu** Tageskarte *f;* **~ price** Festpreis *m* **3. to be ~ in one's ways** in seinen Gewohnheiten festgefahren sein; **the rain is ~ to continue all week** der Regen wird wohl noch die ganze Woche andauern **4.** *attr* (*assigned*) vorgegeben; **~ book** Pflichtlektüre **5. to be [dead] ~ on sth** zu etw *dat* [wild] entschlossen sein **II.** *n* **1.** Satz *m;* (*of two*) Paar *nt;* **chess ~** Schachspiel *nt;* **~ of encyclopedias** Enzyklopädierei-

he *f;* **~ of rules** Regelwerk *nt;* **~ of teeth** Gebiss *nt* **2.** + *sing/pl vb* (*people*) Kreis *m* **3.** THEAT Bühnenbild *nt;* FILM Szenenaufbau *m* **4.** (*device*) Gerät *nt;* (*TV*) Fernseher *m* **5.** SPORTS Satz *m* **III.** *vt* <set, set> **1.** setzen; (*upright*) stellen; (*on side*) legen; **to ~ sb on his/her way** (*fig*) jdn losschicken **2.** *usu passive* **their house is ~ on a hill** ihr Haus liegt auf einem Hügel **3.** (*start*) **to ~ a boat afloat** ein Boot zu Wasser lassen; **to ~ sth on fire** etw in Brand setzen; **to ~ sb straight** jdn berichtigen **4.** (*prepare*) vorbereiten; **to ~ the table** den Tisch decken **5.** (*adjust*) einstellen; *alarm, clock* stellen **6.** (*fix*) festsetzen; *date, time* ausmachen; *deadline* setzen **7.** *record* aufstellen; **to ~ the pace** das Tempo angeben **8.** *dislocation* einrenken; *broken bone* einrichten **9.** *esp* BRIT, AUS *homework* aufgeben; **to ~ a task for sb** jdm eine Aufgabe stellen **IV.** *vi* <set, set> **1.** *bones* zusammenwachsen **2.** (*harden*) fest werden **3.** *sun* untergehen ◆ **set back** *vt* **1.** (*delay*) zurückwerfen; *deadline* verschieben **2.** (*position*) zurücksetzen (**from** von) ◆ **set down** *vt* **1.** absetzen **2.** AVIAT landen **3.** (*note*) aufschreiben **4. to ~ down codes of practice** Verfahrensregeln aufstellen ◆ **set off I.** *vi* sich auf den Weg machen; (*in car*) losfahren **II.** *vt* **1.** (*start*) auslösen **2. to ~ sb off doing sth** jdn dazu bringen, etw zu tun ◆ **set out I.** *vt* **1.** (*arrange*) auslegen; *chairs, chess pieces* aufstellen **2.** *idea, point* darlegen **II.** *vi* **1.** sich auf den Weg machen; (*in car*) losfahren **2. to ~ out to do sth** beabsichtigen, etw zu tun ◆ **set up** *vt* **1.** *camp*

S

aufschlagen; *roadblock* errichten **2.** *business* einrichten; **to ~ up shop** sich niederlassen **3.** COMPUT *program* installieren; *system* konfigurieren **4.** (*fam: deceive*) übers Ohr hauen

setback *n* Rückschlag *m;* **to suffer a ~** einen Rückschlag erleiden

setting ['setɪŋ] *n usu sing* **1.** Lage *f;* (*surroundings*) Umgebung *f;* (*in film, novel*) Schauplatz *m* **2.** (*adjustment*) Einstellung *f* **3.** (*at table*) Gedeck *nt*

setting lotion *n* [Haar]festiger *m*

settle ['setl] **I.** *vi* **1.** (*get comfortable*) es sich *dat* bequem machen **2.** (*calm down*) sich beruhigen; *weather* beständig werden **3.** (*agree*) sich einigen **4.** (*form: pay*) **to ~ with sb** mit jdm abrechnen **5.** (*live*) sich niederlassen **6. to ~ into sth** sich an etw *akk* gewöhnen **II.** *vt* **1.** beruhigen **2.** (*decide*) entscheiden; (*deal with*) regeln; (*end*) erledigen; *argument* beilegen; **to ~ one's affairs** (*form*) seine Angelegenheiten regeln **3.** (*colonize*) besiedeln ◆ **settle down** *vi* **1.** es sich *dat* bequem machen **2.** (*adjust*) sich eingewöhnen **3.** (*calm down*) sich beruhigen ◆ **settle for** *vt* **to ~ for sth** mit etw *dat* zufrieden sein ◆ **settle in** *vi* sich einleben; *things* sich einpendeln ◆ **settle up** *vi* abrechnen

settled ['setld] *adj* **1.** *pred* **to be ~** sich eingelebt haben; **to feel ~** sich heimisch fühlen **2.** (*calm*) ruhig

settler ['setlər] *n* Siedler(in) *m(f)*

set-up *n* **1.** Aufbau *m;* (*arrangement*) Einrichtung *f* **2.** (*fam: fraud*) abgekartetes Spiel

seven ['sevən] **I.** *adj* sieben; *see also* **eight II.** *n* Sieben *f; see also* **eight**

seventeen ['sevənti:n] **I.** *adj* siebzehn; *see also* **eight II.** *n* Siebzehn *f; see*

also **eight**

seventh ['sevən(t)θ] **I.** *adj* siebte(r, s) ▶ **to be in ~ heaven** im siebten Himmel sein **II.** *n* **1. the ~** der Siebte **2.** (*fraction*) Siebtel *nt*

seventy ['sevənti] **I.** *adj* siebzig **II.** *n* Siebzig *f*

several ['sevərəl] **I.** *adj* mehrere **II.** *pron* mehrere

severe [sə'vɪər] *adj* **1.** schwer; *pain* heftig; *cutback* drastisch **2.** (*harsh*) hart; (*strict*) streng; *cold* eisig; *reprimand* scharf

sew <sewed, sewn> [səʊ] **I.** *vt* nähen; **to ~ on a button** einen Knopf annähen; **to ~ on a patch** einen Flicken aufnähen **II.** *vi* nähen ◆ **sew up** *vt* **1.** zunähen; *wound* nähen **2.** (*fam: complete*) zum Abschluss bringen

sewage ['su:ɪdʒ] *n no pl* Abwasser *nt*

sewer[1] ['suər] *n* Abwasserkanal *m*

sewer[2] ['səuər] *n* Näher(in) *m(f)*

sewing ['səʊɪŋ] **I.** *n no pl* Nähen *nt;* (*clothes*) Näharbeit *f* **II.** *adj attr* Näh-; **~ machine** Nähmaschine *f*

sewn [səʊn] *pp of* **sew**

sex [seks] *n* <*pl* -es> **1.** Geschlecht *nt;* **the battle of the ~es** (*fig*) der Kampf der Geschlechter; **the opposite ~** das andere Geschlecht **2.** *no pl* (*intercourse*) Sex *m;* **to have ~** Sex haben; **to have ~ with sb** mit jdm schlafen

sexual ['sekʃʊəl] *adj* **1.** geschlechtlich; **~ discrimination** Diskriminierung *f* aufgrund des Geschlechts **2.** (*erotic*) sexuell; **~ attraction** sexuelle Anziehung

sexuality [ˌsekʃu'æləti] *n no pl* Sexualität *f*

sexually ['sekʃʊəli] *adv* **1.** geschlechtlich **2.** (*erotically*) sexuell

shabby [ˈʃæbi] *adj* schäbig; (*poorly dressed*) ärmlich gekleidet

shade [ʃeɪd] I. *n* 1. *no pl* Schatten *m;* **a patch of ~** ein schattiges Plätzchen; **in the ~** im Schatten 2. (*lampshade*) [Lampen]schirm *m* 3. (*colour*) Farbton *m;* **~s of grey** Grautöne *pl* 4. (*fam*) **~s** *pl* Sonnenbrille *f* II. *vt* [vor der Sonne] schützen; **an avenue ~d by trees** eine von Bäumen beschattete Allee; **to ~ one's eyes** seine Augen beschirmen

shadow [ˈʃædəʊ] I. *n* 1. Schatten *m;* (*under eye*) Augenring *m;* **to cast a ~ over sth/sb** [s]einen Schatten auf etw/jdn werfen 2. (*hint*) Hauch *m* 3. (*follower*) Beschatter(in) *m(f)* II. *vt* 1. verdunkeln 2. (*follow*) beschatten; *player* decken

shady [ˈʃeɪdi] *adj* 1. schattig 2. (*fam: dubious*) fragwürdig

shake [ʃeɪk] I. *n* 1. Schütteln *nt kein pl;* **a ~ of one's head** ein Kopfschütteln 2. **to get the ~s** (*fam*) Muffensausen kriegen 3. *esp* AM (*fam: milkshake*) Shake *m* II. *vt* <shook, shaken> 1. schütteln; **~ well before using** vor Gebrauch gut schütteln; **to ~ sth over sth** etw über etw *akk* streuen; **to ~ one's head** den Kopf schütteln 2. (*shock*) erschüttern; **the whole country was ~n** das ganze Land wurde schwer getroffen III. *vi* <shook, shaken> 1. beben, zittern (**with** vor) 2. (*fam*) **to ~ [on sth]** sich *dat* [in einer Sache] die Hand reichen ▶ **to ~ like a** <u>leaf</u> wie Espenlaub zittern ◆ **shake off** *vt* 1. abschütteln 2. (*get rid of*) überwinden; **to ~ off ⇆ sb** jdn loswerden; *pursuer* jdn abschütteln ◆ **shake out** *vt* ausschütteln ◆ **shake up** *vt* (*mix*) mischen;

(*shock*) aufwühlen

shaken [ˈʃeɪkən] I. *vi*, *vt pp of* **shake** II. *adj* erschüttert

shakily [ˈʃeɪkɪli] *adv* 1. wack[e]lig; *speak, move* zittrig 2. (*uncertainly*) unsicher

shaky [ˈʃeɪki] *adj* 1. zittrig; *ladder, table* wack[e]lig 2. *basis* unsicher; **his English is rather ~** sein Englisch ist etwas holprig

shall [ʃæl, ʃəl] *aux vb* 1. *usu* BRIT (*will*) **I ~ ...** ich werde ... 2. *esp* BRIT (*must*) **I/he/she ~ ...** ich/er/sie soll ... 3. **it ~ be unlawful ...** es ist verboten, ...

shallow [ˈʃæləʊ] *adj* 1. seicht; *pit, pan* flach; **~ pool** Kinderbecken *nt* 2. **~ breathing** flacher Atem

shambles [ˈʃæmblz] *n + sing vb* (*fam*) **a ~** ein heilloses Durcheinander; **to be in a ~** sich in einem chaotischen Zustand befinden

shame [ʃeɪm] I. *n no pl* 1. Scham *f;* **have you no ~?** schämst du dich nicht?; **~ on you!** schäm dich! 2. (*disgrace*) Schande *f* 3. (*pity*) Jammer *m;* **what a ~!** wie schade! II. *vt* 1. beschämen 2. (*disgrace*) Schande machen +*dat*

shameless [ˈʃeɪmləs] *adj* schamlos

shampoo [ʃæmˈpuː] I. *n* Shampoo *nt;* **a ~ and set** Waschen und Legen II. *vt* shamponieren

shandy [ˈʃændi] *n esp* BRIT, AUS Radler *nt bes* SÜDD, Alsterwasser *nt* NORDD

shape [ʃeɪp] I. *n* 1. Form *f;* BIOL Gestalt *f;* MATH Figur *f;* **to lose its ~** die Form verlieren; **to take ~** Form annehmen 2. *no pl* **to be in great ~** in Hochform sein; **to knock sb into ~** jdn zurechtstutzen *fam* II. *vt* 1. (*mould*) [aus]formen 2. (*influence*) prägen; **to ~ sb's character/per-**

S

sonality jds Charakter *m*/Persönlichkeit *o f* formen **III.** *vi* sich entwickeln

share [ʃeəʳ] **I.** *n* **1.** [An]teil *m;* **the lion's ~ of sth** der Löwenanteil von etw *dat; ~* **of the vote** Stimmenanteil *m* **2.** *usu pl* (*in company*) Aktie *f;* **stocks and ~s** Wertpapiere *pl* **II.** *vi* **1.** (*with others*) teilen **2. to ~ in sth** (*have part of*) an etw *dat* teilhaben; (*participate*) an etw *dat* beteiligt sein **III.** *vt* **1.** teilen; **to ~ responsibility** Verantwortung gemeinsam tragen **2.** (*have in common*) gemeinsam haben; **to ~ sb's concern** jds Besorgnis *f* teilen **3. to ~ a secret [with sb]** jdn in ein Geheimnis einweihen ▶ **a problem ~d is a problem halved** (*prov*) geteiltes Leid ist halbes Leid

shark <*pl* -s> [ʃɑːk] *n* Hai[fisch] *m*

sharp [ʃɑːp] **I.** *adj* **1.** scharf; (*pointed*) spitz; *bend* scharf **2.** (*scathing*) scharf; *criticism* beißend **3.** (*sudden*) plötzlich; (*marked*) drastisch; *drop, rise* stark **4.** (*perceptive*) scharfsinnig; *mind* scharf **5. C ~** Cis *nt;* **F ~** Fis *nt* **II.** *adv* genau; **the performance will start at 7.30 ~** die Aufführung beginnt um Punkt 7.30 Uhr **III.** *n* MUS Kreuz *nt*

sharpen [ʃɑːpᵊn] *vt* **1.** schärfen; *pencil* spitzen; (*grind*) schleifen **2.** (*boost*) verschärfen **3. to ~ one's mind** den Verstand schärfen

sharpener [ʃɑːpᵊnəʳ] *n* *pencil ~* Bleistiftspitzer *m;* **knife ~** Messerschleifgerät *nt*

sharp-tempered *adj* leicht erregbar

shatter [ʃætəʳ] **I.** *vi* zerspringen (**into** in +*akk*) **II.** *vt* **1.** zertrümmern; (*fig*) vernichten; **to ~ sb's dreams/illusions** jds Träume/Illusionen zunichtemachen **2.** BRIT (*fam: tire*) schlau-

chen; **I'm ~ed!** ich bin fix und fertig!

shattering [ʃætᵊrɪŋ] *adj* (*fam*) **1.** vernichtend **2.** (*upsetting*) erschütternd **3.** BRIT (*tiring*) aufreibend

shave [ʃeɪv] **I.** *n* Rasur *f;* **I need a ~** ich muss mich rasieren ▶ **a close ~** ein knappes Entkommen **II.** *vi* sich rasieren **III.** *vt* rasieren

shaven [ʃeɪvᵊn] *adj* rasiert; *head* kahl geschoren

shaver [ʃeɪvəʳ] *n* Rasierapparat *m*

shaving [ʃeɪvɪŋ] **I.** *adj attr* Rasier-; **~ cream** Rasiercreme *f* **II.** *n usu pl* Hobelspan *m*

shawl [ʃɔːl] *n* Schultertuch *nt*

she [ʃiː, ʃi] **I.** *pron* **1.** sie; **~ who ...** (*particular*) diejenige, die ...; (*any*) wer **2.** (*thing*) er/es/sie **II.** *n usu sing* **a ~** (*person*) eine Sie; (*animal*) ein Weibchen *nt*

sheath knife *n* Dolch *m*

shed[1] [ʃed] *n* Schuppen *m;* **garden ~** Gartenhäuschen *nt*

shed[2] <-dd-, shed, shed> [ʃed] **I.** *vt* **1.** ablegen; *antlers, leaves* abwerfen; *hair* verlieren; **to ~ a few kilos/pounds** ein paar Kilo/Pfund abnehmen; **to ~ one's skin** sich häuten; **to ~ one's winter coat** das Winterfell verlieren **2.** (*get rid of*) ablegen; **to ~ one's inhibitions/insecurity** seine Hemmungen/Unsicherheit verlieren **3.** *blood, tears* vergießen; *light* verbreiten **4.** BRIT (*drop*) **a lorry has a load of gravel across the road** ein LKW hat eine Ladung Kies auf der Straße verloren **II.** *vi snakes* sich häuten; *cats* haaren

sheep <*pl* -> [ʃiːp] *n* Schaf *nt;* **flock of ~** Schafherde *f;* ▶ **to separate the ~ from the goats** die Schafe von den Böcken trennen

sheepdog *n* Schäferhund *m*

sheepskin *n* Schaffell *nt*

sheer [ʃɪəʳ] I. *adj* 1. rein; ~ **bliss** eine wahre Wonne; ~ **coincidence** reiner Zufall 2. *cliff, drop* steil II. *adv* steil hinauf/hinab

sheet [ʃiːt] *n* 1. Laken *nt* 2. (*paper*) Blatt *nt* 3. ~ **of ice** Eisschicht *f;* ~ **of water** ausgedehnte Wasserfläche

sheet lightning *n no pl* Wetterleuchten *nt*

sheik(h) [ʃeɪk, ʃiːk] *n* Scheich *m*

shelf <*pl* shelves> [ʃelf] *n* [Regal]brett *nt;* (*set of shelves*) Regal *nt*

shell [ʃel] I. *n* 1. Schale *f; of tortoise* Panzer *m; of pea* Hülse *f;* (*on beach*) Muschel *f* 2. (*bomb*) Granate *f;* AM (*cartridge*) Patrone *f* II. *vt* 1. schälen 2. (*bombard*) [mit Granaten] bombardieren ◆ **shell out** *vi* (*fam*) **to ~ out for sth/sb** für etw/jdn bezahlen

shellfish <*pl* -> *n* Schalentier *nt*

shelter [ˈʃeltəʳ] I. *n* 1. *no pl* Schutz *m;* **to find/take ~** Schutz finden/suchen 2. (*structure*) Unterstand *m;* (*with seats*) Häuschen *nt; bus ~* Häuschen *nt* an der Bushaltestelle; **a ~ for the homeless/battered wives** ein Obdachlosenheim *nt*/Frauenhaus *nt* II. *vi* Schutz suchen III. *vt* schützen (**from** vor)

sheltered [ˈʃeltəd] *adj* 1. geschützt 2. (*overprotected*) behütet 3. ~ **accommodation** Alten[wohn]heim *nt*

shield [ʃiːld] I. *n* 1. [Schutz]schild *m;* (*with coat of arms*) [Wappen]schild *m o nt* 2. (*protection*) Schutz *m kein pl* 3. SPORTS Trophäe *f* II. *vt* beschützen (**from** vor); **to ~ one's eyes** die Augen schützen

shift [ʃɪft] I. *vt* 1. [weg]bewegen; (*slightly*) verschieben 2. **to ~ the emphasis** die Betonung verlagern 3. AM **to ~ gears** schalten II. *vi* 1. sich bewegen; (*to new position*) die Position verändern; **it won't ~** es lässt sich nicht bewegen 2. AM **to ~ into reverse** den Rückwärtsgang einlegen 3. BRIT (*sl*) ~ **up/over a bit!** rutsch mal ein bisschen rüber! *fam* III. *n* 1. Wechsel *m*, Änderung *f;* **a ~ in opinion** ein Meinungsumschwung *m* 2. (*work*) Schicht *f;* **day/night ~** Tag-/Nachtschicht *f* 3. (*dress*) Hänger *m*

shine [ʃaɪn] I. *n no pl* Glanz *m;* ▸ **to take a ~ to sb** jdn ins Herz schließen II. *vi* <shone *or* shined, shone *or* shined> 1. *moon, sun* scheinen; *stars* leuchten 2. *talent* glänzen III. *vt* <shone *or* shined, shone *or* shined> 1. **to ~ a beam of light at sth/sb** etw/jdn anstrahlen 2. *shoes* polieren

shingles [ˈʃɪŋglz] *n pl + sing vb* MED Gürtelrose *f*

shiny [ˈʃaɪni] *adj* glänzend; (*clean*) [spiegel]blank; **to be ~** glänzen

ship [ʃɪp] I. *n* Schiff *nt;* **cargo/passenger ~** Fracht-/Passagierschiff *nt;* **by ~** mit dem Schiff; (*goods*) per Schiff II. *vt* <-pp-> verschiffen

shipping company *n* Reederei *f*

shipshape *adj pred* (*fam*) aufgeräumt; **to get sth ~** etw aufräumen

shipwreck I. *n* Schiffbruch *m;* (*remains*) [Schiffs]wrack *nt* II. *vt usu passive* **to be ~ed** Schiffbruch erleiden **shipyard** *n* [Schiffs]werft *f*

shirker [ˈʃɜːkəʳ] *n* Drückeberger(in) *m(f) fam*

shirt [ʃɜːt] *n* Hemd *nt;* ▸ **keep your ~ on!** reg dich ab!

shirtsleeve *n usu pl* Hemdsärmel *m;* ▸ **to roll up one's ~s** die Ärmel hochkrempeln *fam*

S

shirty ['ʃɜːti] *adj* BRIT, AUS (*fam*) sauer *sl;* **don't get ~ with me!** sei nicht so griesgrämig!

shit [ʃɪt] (*fam!*) **I.** *n* **1.** *no pl* (*faeces*) Scheiße *f derb* **2.** (*diarrhoea*) **the ~s** *pl* Dünnschiss *m kein pl derb* **3.** *no pl* (*nonsense*) Scheiße *m derb* **II.** *interj* Scheiße *derb* **III.** *vi* <-tt-, shit *or* shitted, shit *or* shitted> scheißen *derb*

shitty ['ʃɪti] *adj* (*fam!*) beschissen *derb*

shiver ['ʃɪvəʳ] **I.** *n* **1.** Schauder *m;* **a ~ went up and down my spine** mir lief es kalt den Rücken hinunter **2.** MED **the ~s** *pl* Schüttelfrost *m kein pl* **II.** *vi* zittern; **to ~ with cold** frösteln; **to ~ like a leaf** wie Espenlaub zittern

shivery ['ʃɪvᵊri] *adj* fröstelnd; **to feel ~** frösteln

shock [ʃɒk] **I.** *n* **1.** Schock *m;* **a ~ to the system** eine schwierige Umstellung; **to come as a ~** ein Schock sein **2.** (*fam*) ELEC elektrischer Schlag **3.** *no pl* Schock[zustand] *m;* **to be in [a state of] ~** unter Schock stehen **II.** *vt, vi* schockieren; (*deeply*) [zutiefst] erschüttern

shock absorber *n* Stoßdämpfer *m*

shocking ['ʃɒkɪŋ] *adj* **1.** schockierend; *crime* abscheulich **2.** *esp* AM (*surprising*) völlig überraschend **3.** *esp* BRIT (*fam: bad*) schrecklich

shoddy ['ʃɒdi] *adj* schlampig [gearbeitet] *fam;* (*rundown*) schäbig

shoe [ʃuː] **I.** *n* Schuh *m;* (*horseshoe*) Hufeisen *nt;* **a pair of ~s** ein Paar *nt* Schuhe ► **to put oneself in sb's ~s** sich in jds *akk* Lage *f* versetzen **II.** *vt* <shod *or* AM *a.* shoed, shod *or* AM *a.* shoed> *horse* beschlagen

shoelace *n usu pl* Schnürsenkel *m;* to

do up one's ~s sich *dat* die Schuhe zubinden **shoe polish** *n no pl* Schuhcreme *f* **shoe size** *n* Schuhgröße *f*

shone [ʃɒn] *pt, pp of* **shine**

shoo [ʃuː] (*fam*) **I.** *interj* husch [husch] **II.** *vt* wegscheuchen

shook [ʃʊk] *n pt of* **shake**

shoot [ʃuːt] **I.** *n* **1.** (*on plant*) Trieb *m;* **green ~s** (*fig*) erste [hoffnungsvolle] Anzeichen **2.** (*hunt*) Jagd *f* **3.** PHOT Aufnahmen *pl* **II.** *vi* <shot, shot> **1.** schießen (**at** auf); **to ~ to kill** mit Tötungsabsicht schießen **2.** SPORTS schießen **3.** **to ~ to fame** über Nacht berühmt werden **4.** (*film*) drehen **III.** *vt* <shot, shot> **1.** schießen **2.** (*hit*) anschießen; (*dead*) erschießen **3.** FILM drehen ◆ **shoot down** *vt* **1.** (*kill*) erschießen **2.** *plane* abschießen ◆ **shoot off** **I.** *vt usu passive* wegschießen ► **to ~ one's** <u>mouth</u> **off** (*sl*) sich *dat* das Maul zerreißen *derb* **II.** *vi vehicle* schnell losfahren; *person* eilig aufbrechen ◆ **shoot up** *vi* **1.** (*increase*) schnell ansteigen; *skyscraper* in die Höhe schießen **2.** (*fam*) *child* schnell wachsen

shooting ['ʃuːtɪŋ] **I.** *n* **1.** Schießerei *f;* (*from several sides*) Schusswechsel *m* **2.** *no pl* (*sport*) Jagen *nt;* **grouse ~** Moorhuhnjagd *f* **3.** *no pl* FILM Drehen *nt* **II.** *adj attr* **~ pain** stechender Schmerz

shooting star *n* Sternschnuppe *f;* (*person*) Shootingstar *m*

shop [ʃɒp] **I.** *n* **1.** Geschäft *nt*, Laden *m;* **baker's ~** *esp* BRIT Bäckerei *f* **2.** BRIT, AUS (*shopping*) Einkauf *m;* **to do the weekly ~** die wöchentlichen Einkäufe erledigen ► **to be** <u>all</u>

over the ~ BRIT (*fam*) ein [völliges] Durcheinander sein **II.** *vi* <-pp-> einkaufen; **to ~ till you drop** (*hum*) eine Shoppingorgie veranstalten

shop assistant *n* Verkäufer(in) *m(f)* **shopkeeper** *n* Ladeninhaber(in) *m(f)* **shoplifting** *n no pl* Ladendiebstahl *m*

shopper [ˈʃɒpəʳ] *n* Käufer(in) *m(f)*

shopping [ˈʃɒpɪŋ] *n no pl* **1.** Einkaufen *nt;* **Christmas ~** Weihnachtseinkäufe *pl;* **to go ~** einkaufen gehen **2.** (*purchases*) Einkäufe *pl;* **bags of ~** volle Einkaufstaschen

shopping arcade *n* Einkaufspassage *f* **shopping bag** *n* Einkaufstasche *f;* **plastic ~** Plastiktragetasche *f* **shopping cart** *n* AM Einkaufswagen *m* **shopping centre** *n* Einkaufszentrum *nt* **shopping mall** *n esp* AM, AUS Einkaufszentrum *nt* **shopping trolley** *n* BRIT Einkaufswagen *m*

shop-soiled *adj* BRIT, AUS leicht beschädigt **shop window** *n* Schaufenster *nt* **shopworn** *adj* **1.** *inv* AM leicht beschädigt **2.** (*clichéd*) abgedroschen

shore [ʃɔːʳ] *n* Küste *f; of river, lake* Ufer *nt;* (*beach*) Strand *m*

short [ʃɔːt] **I.** *adj* **1.** kurz; (*not tall*) klein; (*not far*) kurz; **Bob's ~ for Robert** Bob ist die Kurzform von Robert; **~ distance** kurze Strecke; **at ~ range** aus kurzer Entfernung **2.** (*brief*) kurz; **to have a ~ memory** ein kurzes Gedächtnis haben; **at ~ notice** kurzfristig; **~ and sweet** kurz und schmerzlos **3. to be ~ [of cash]** (*fam*) knapp bei Kasse sein; **to be ~ of space** wenig Platz haben **4.** *pred* **to be ~ [with sb]** [jdm gegenüber] kurz angebunden sein ► **to have a ~ fuse** schnell wütend werden; **to draw the ~ straw**

den Kürzeren ziehen **II.** *n* (*fam*) **1.** ELEC Kurzer *m* **2.** BRIT (*drink*) Kurzer *m* **III.** *adv* **to cut sth ~** etw abkürzen; **to fall ~ of sth** etw nicht erreichen ► **in ~** kurz gesagt

shortage [ˈʃɔːtɪdʒ] *n* Mangel *m kein pl* (**of** an); **water ~** Wassermangel *m*

short-change *vt* **to ~ sb** jdm zu wenig Wechselgeld herausgeben

short circuit *n* Kurzschluss *m* **short cut** *n* Abkürzung *f*

shorten [ˈʃɔːtᵊn] **I.** *vt* kürzen; *name* abkürzen **II.** *vi* kürzer werden

shortly [ˈʃɔːtli] *adv* bald; **~ after ...** kurz nachdem ...; **~ afterwards** kurz danach

shorts [ʃɔːts] *n pl* **1.** kurze Hose **2.** AM (*underpants*) Unterhose *f*

short-sighted *adj* kurzsichtig **short-sleeved** [-ˌsliːvd] *adj* kurzärmelig **short-staffed** [-ˈstɑːft] *adj* unterbesetzt **short story** *n* Kurzgeschichte *f* **short-tempered** [-ˈtempəd] *adj* cholerisch **short-term** *adj* kurzfristig; **~ memory** Kurzzeitgedächtnis *nt* **short-termism** *n* kurzfristiges Denken **short wave** *n* Kurzwelle *f*

shot [ʃɒt] **I.** *n* **1.** *of gun* Schuss *m* **2.** SPORTS Kugel *f;* (*in tennis, golf*) Schlag *m;* (*in football, ice hockey*) Schuss *m* **3.** *no pl* (*ammunition*) Schrot *m o nt* **4.** (*photo*) Aufnahme *f* **5.** (*fam: injection*) Spritze *f* **6.** *of alcohol* Schuss *m* **II.** *vt, vi pp, pt of* **shoot**

shotgun *n* Schrotflinte *f;* ► **to ride ~** AM (*fam*) vorne sitzen (*im Auto*)

shot put *n* **the ~** das Kugelstoßen *kein pl*

shot putter *n* Kugelstoßer(in) *m(f)*

should [ʃʊd] *aux vb* **1.** (*mandatory*) **sb/sth ~ ...** jd/etw sollte ...; **you ~**

S

be ashamed of yourselves ihr solltet euch [was] schämen; ~ **I apologize to him?** soll[te] ich mich bei ihm entschuldigen? **2.** (*expectant*) **sb/sth ~ ...** jd/etw sollte [*o* müsste] [eigentlich] ...; **there ~n't be any problems** es dürfte eigentlich keine Probleme geben; **I ~ be so lucky** (*fam*) schön wärs! **3.** (*form: possible*) **in case sth/sb ~ do sth** falls etw/jd etw tun sollte **4.** (*rhetorical*) **why ~ sb/sth ...?** warum sollte jd/etw ...? **5.** (*could*) **where's Stuart? — how ~ I know?** wo ist Stuart? — woher soll[te] ich das wissen?

shoulder [ˈʃəʊldəʳ] **I.** n **1.** Schulter f; **a ~ to cry on** eine Schulter zum Ausweinen; **to shrug one's ~s** mit den Achseln zucken **2.** (*meat*) Schulter f; *of beef* Bug m **3. soft/hard ~** unbefestigtes/befestigtes Bankett **II.** vt auf sich *akk* nehmen; **to ~ the cost of sth** die Kosten für etw *akk* tragen; **to ~ responsibility** die Verantwortung übernehmen

shoulder bag n Umhängetasche f
shoulder pad n Schulterpolster nt; SPORTS a. Schulterschoner m **shoulder strap** n Riemen m

shout [ʃaʊt] **I.** n **1.** Ruf m; **a ~ from the audience** ein Zuruf m aus dem Publikum; **~ of joy** Freudenschrei m **2.** BRIT, AUS (*fam: drinks*) Runde f **II.** vi schreien; **to ~ at sb** jdn anschreien; **to ~ for help** um Hilfe rufen **III.** vt rufen ◆ **shout out** vt [aus]rufen

shouting [ˈʃaʊtɪŋ] n no pl Schreien nt

shove [ʃʌv] **I.** n Ruck m; **to give sth a ~** etw [weg]rücken **II.** vt **1.** schieben; **to ~ sb around** jdn herumstoßen fam **2. to ~ sth into a bag** etw in eine

Tasche stecken **III.** vi **1.** drängen **2.** (*fam*) **to ~ along** beiseiterücken ◆ **shove off** vi **1.** (*fam*) abhauen sl **2.** NAUT [vom Ufer] abstoßen

shovel [ˈʃʌvəl] **I.** n Schaufel f; *of earthmover* Baggerschaufel f; **a ~ of coal/dirt/snow** eine Schaufel [voll] Kohle/Erde/Schnee **II.** vt, vi <BRIT -ll- *or* AM *usu* -l-> schaufeln

show [ʃəʊ] **I.** n **1.** Demonstration f geh; **~ of kindness** Geste f der Freundlichkeit; **~ of solidarity** Solidaritätsbekundung f geh **2.** no pl (*display*) Schau f; **to make a ~ of sth** etw zur Schau stellen **3.** no pl (*sight*) Schauspiel nt geh **4.** (*event*) Schau f, Ausstellung f; **slide ~** Diavortrag m; **to be on ~** ausgestellt sein **5.** (*entertainment*) Show f; (*on TV a.*) Unterhaltungssendung f; (*at theatre*) Vorstellung f; **puppet ~** Puppenspiel nt **6.** no pl (*fam: affair*) Sache f; **who's running the ~?** wer ist hier der Boss? fam **II.** vt <showed, shown or showed> **1.** zeigen; (*exhibit*) ausstellen; (*perform*) vorführen **2.** (*expose*) sehen lassen; **this carpet ~s all the dirt** bei dem Teppich kann man jedes bisschen Schmutz sehen **3.** (*reveal*) zeigen; **to ~ promise** viel versprechend sein; **to ~ compassion [for sb]** [mit jdm] Mitleid haben **4.** (*record*) anzeigen; *statistics* [auf] zeigen; **to ~ a loss/profit** einen Verlust/Gewinn aufweisen **5.** (*explain*) **to ~ sb sth** jdm etw zeigen ▸ **to ~ sb the <u>door</u>** jdm die Tür weisen **III.** vi <showed, shown or showed> **1.** zu sehen sein; **to let sth ~** sich *dat* etw anmerken lassen **2.** esp AM, AUS (*fam: arrive*) auftauchen **3.** (*be shown*) *film* laufen fam ◆ **show in** vt herein-

führen/hineinführen ◆ **show off** I. *vt*
to ~ off ⇆ **sb/sth** mit jdm/etw angeben II. *vi* prahlen ◆ **show out** *vt* hi-
nausführen; **will you ~ Ms Richards
out please?** würden Sie Frau Richards
bitte zur Tür bringen?; **I'll ~ myself out**
ich finde schon allein hinaus ◆ **show
up** I. *vi* sich zeigen II. *vt* 1. zeigen
2. (*expose*) aufdecken; **to ~ up** ⇆ **sb**
jdn entlarven

shower [ˈʃaʊəʳ] I. *n* 1. Schauer *m;*
~ of rain/snow Regen-/Schnee-
schauer *m* 2. (*spray*) Regen *m;* **~ of
sparks** Funkenregen *m* 3. (*for bathing*) Dusche *f;* **to have a ~** duschen
4. AM (*party*) Frauenparty vor einer
*Hochzeit, Geburt etc., bei der Ge-
schenke überreicht werden* II. *vt*
1. bespritzen (**with** mit) **2.** (*fig*) **to
~ sb with sth** *compliments, presents*
jdn/etw mit etw *dat* überhäufen
III. *vi* duschen

shower gel *n* Duschgel *nt*
showery [ˈʃaʊəri] *adj* mit vereinzelten
Regenschauern *nach n;* **~ weather**
regnerisches Wetter

showground *n* Veranstaltungsgelände
nt **show home** *n* BRIT Musterhaus *nt*
show jumping *n no pl* Springreiten
nt

shown [ˈʃəʊn] *vt, vi pp of* **show**
show-off *n* Angeber(in) *m(f)*
showroom *n* Ausstellungsraum *m*
shrank [ʃræŋk] *vt, vi pt of* **shrink**
shrink [ʃrɪŋk] I. *vi* <shrank *or esp* AM
shrunk, shrunk *or* AM *a.* shrunken>
1. schrumpfen; *clothes* eingehen
2. to ~ away zurückweichen; **to ~
from** [**doing**] **sth** sich vor etw *dat*
drücken *fam* II. *vt* <shrank *or* AM
esp shrunk, shrunk *or* AM *a.* shrun-
ken> schrumpfen lassen; **to ~ costs**

die Kosten senken III. *n* (*fam*) Psy-
chiater(in) *m(f)* ◆ **shrivel up** *vi* zu-
sammenschrumpfen; *fruit* schrum-
peln ▶ **to** <u>want</u> **to ~ up and die** in
den Boden versinken wollen

shrub [ʃrʌb] *n* Strauch *m*
shrug [ʃrʌg] I. *n* Achselzucken *nt kein
pl* II. *vi* <-gg-> die Achseln zucken
III. *vt* <-gg-> **to ~ one's shoulders**
die Achseln zucken; (*fig*) tatenlos zusehen

shrunk [ʃrʌŋk] *vt, vi pp, pt of* **shrink**
shuffle [ˈʃʌfl] I. *n* 1. **to give the cards
a ~** die Karten mischen **2.** (*rearrange-
ment*) Neuordnung *f kein pl* **3.** AM,
AUS, CAN (*shake-up*) **cabinet ~** Kabi-
nettsumbildung *f* **4.** *no pl of feet*
Schlurfen *nt* II. *vt* 1. *cards* mischen
2. to ~ one's feet schlurfen III. *vi*
1. Karten mischen **2. to ~ through
sth** etw durchblättern **3.** (*walk*)
schlurfen; **to ~ along** (*fig*) sich dahin-
schleppen

shut [ʃʌt] I. *adj* geschlossen; *curtains*
zugezogen; **to slam a door ~** eine
Tür zuschlagen; **to slide ~** sich automatisch schließen II. *vt* <-tt-, shut,
shut> schließen; *book* zuklappen
▶ **~ your** <u>face</u> /<u>mouth</u>! (*fam!*) halt
die Klappe! *fam* III. *vi* <-tt-, shut,
shut> schließen ◆ **shut off** *vt* 1. **to
~ oneself off** sich zurückziehen
2. (*turn off*) abstellen ◆ **shut out** *vt*
1. ausschließen; (*fig*) *thoughts* verdrängen; **to ~ out the light** das Licht
abschirmen; **to ~ out pain** Schmerz
ausschalten **2. to ~ out sb** [**from sth**]
jdn [von etw *dat*] ausschließen
◆ **shut up** I. *vt* 1. einsperren **2.** AUS,
BRIT (*close*) schließen; **to ~ up shop**
das Geschäft schließen **3.** (*fam: silence*) zum Schweigen bringen II. *vi*

1. AUS, BRIT (*close*) [seinen Laden] schließen **2.** (*fam: stop talking*) den Mund halten

shutter [ˈʃʌtəʳ] *n* **1.** PHOT Blende *f* **2.** *usu pl of window* Fensterladen *m*

shuttle [ˈʃʌtl] **I.** *n* **1.** (*train*) Pendelzug *m;* (*plane*) Pendelmaschine *f;* **air ~** [**service**] Shuttleflug *m;* **space ~** Raumfähre *f* **2.** SPORTS (*fam*) Federball *m* **II.** *vt* hin- und zurückbefördern **III.** *vi* hin- und zurückfahren

shuttle bus *n* Zubringerbus *m* **shuttle flight** *n* Shuttleflug *m* **shuttle service** *n* Shuttleservice *nt*

shy [ʃaɪ] **I.** *adj* schüchtern; **~ smile** scheues Lächeln **II.** *vi* <-ie-> *horse* scheuen

shyness [ˈʃaɪnəs] *n no pl* Schüchternheit *f*

sick [sɪk] **I.** *adj* **1.** krank; **to be off ~** krankgemeldet sein; **to call in ~** sich krankmelden **2.** *pred* (*vomit*) **to be ~** sich erbrechen; **to feel ~** sich schlecht fühlen **3.** *pred* (*fam*) **it makes me ~ ...** es regt mich auf ...; **to be ~ of sth/ sb** von etw/jdm die Nase voll haben *fam* **4.** (*fam: cruel*) geschmacklos **II.** *n* **1. the ~** *pl* die Kranken *pl* **2.** *no pl* BRIT (*fam: vomit*) Erbrochene(s) *nt*

sick bag *n* Speibeutel *m* **sickbay** *n* MIL Krankenstation *f*

sickening [ˈsɪkⁿnɪŋ] *adj* entsetzlich; (*disgusting*) ekelhaft; (*annoying*) [äußerst] ärgerlich

sick leave *n no pl* **to be on ~** krankgeschrieben sein

sickness <*pl* -es> [ˈsɪknəs] *n* **1.** Krankheit *f;* (*nausea*) Übelkeit *f* **2.** *no pl* (*vomiting*) Erbrechen *nt*

side [saɪd] **I.** *n* **1.** Seite *f;* *of hill, cliff* Hang *m; of house, cave* [Seiten]wand *f;*

this ~ up! diese Seite oben!; **~ by ~** Seite an Seite; **at the ~ of sth** neben etw *dat* **2.** (*page*) Seite *f* **3.** (*edge*) Rand *m; of table, shape* Seite *f; of road* [Straßen]rand *m;* **on all ~s** auf allen Seiten **4.** (*half*) Hälfte *f; of town, road, brain, room* Seite *f* **5.** (*direction*) Seite *f;* **to put sth to one ~** etw beiseitelassen; **to take sb to one ~** jdn auf die Seite nehmen **6.** + *sing/pl vb* (*opposing party*) Partei *f,* Seite *f;* **to take ~s** Partei ergreifen **7.** + *sing/pl vb* (*team*) Mannschaft *f,* Seite *f* **8.** (*aspect*) Seite *f;* **to look on the bright[er] ~ of life** zuversichtlich[er] sein **9.** *esp* AM (*side dish*) Beilage *f;* ▶ **the other ~ of the coin** die Kehrseite der Medaille; **to get on the wrong ~ of sb** es sich *dat* mit jdm verderben **II.** *adj* Neben-; **~ job** Nebenbeschäftigung *f* **III.** *vi* **to ~ against sb** sich gegen jdn stellen; **to ~ with sb** zu jdm halten

sideboard *n* **1.** (*buffet*) Anrichte *f* **2.** BRIT (*fam: sideburns*) **~s** *pl* Koteletten *pl*

side dish *n* Beilage *f* **side effect** *n* Nebenwirkung *f* **sideline** *n* **1.** Nebenbeschäftigung *f;* (*money*) Nebenerwerb *m* **2.** *esp* AM SPORTS Seitenlinie *f* **side road** *n* Seitenstraße *f* **side salad** *n* Beilagensalat *m*

sidestep I. *vt, vi* <-pp-> ausweichen **II.** *n* Schritt *m* zur Seite; (*fig*) Ausweichmanöver *nt;* (*in dancing*) Seitenschritt *m;* (*in sports*) Ausfallschritt *m*

side street *n* Seitenstraße *f* **sidewalk** *n* AM Bürgersteig *m*

sideways [ˈsaɪdweɪz] **I.** *adv* seitwärts; **the fence is leaning ~** der Zaun steht schief **II.** *adj* seitlich; **he gave her a ~ glance** er sah sie von der Seite an

sieve [sɪv] I. *n* Sieb *nt;* ▶ **to have a memory like a** ~ ein Gedächtnis wie ein Sieb haben II. *vt* sieben III. *vi* ~ **through a contract** einen Vertrag genau durchgehen

sigh [saɪ] I. *n* Seufzer *m;* ~ **of relief** Seufzer *m* der Erleichterung; **to heave a** ~ seufzen II. *vi* seufzen; **to** ~ **with relief** vor Erleichterung [auf] seufzen

sight [saɪt] I. *n* 1. *no pl* [**sense of**] ~ Sehvermögen *nt;* (*strength*) Sehkraft *f;* **to lose one's** ~ das Sehvermögen verlieren 2. *no pl* (*access*) Sicht *f;* (*range*) Sichtweite *f;* **get out of my** ~! (*fam*) geh mir aus den Augen!; **to be in/come into** ~ in Sichtweite sein/kommen; **out of** ~ außer Sichtweite; **to keep out of** ~ sich nicht sehen lassen 3. *no pl* (*seeing*) Anblick *m;* **love at first** ~ Liebe auf den ersten Blick; **to know sb by** ~ jdn vom Sehen her kennen 4. *no pl* (*image*) Anblick *m;* **to be not a pretty** ~ kein angenehmer Anblick sein; **to be a** ~ (*fam: ridiculous*) lächerlich aussehen; (*terrible*) furchtbar aussehen 5. (*attractions*) ~s *pl* Sehenswürdigkeiten *pl* ▶ **out of** ~, **out of mind** (*prov*) aus den Augen, aus dem Sinn; **to set one's** ~s **on sth** sich *dat* etw zum Ziel machen II. *vt* sichten

sightseeing I. *n no pl* Besichtigungen *pl* II. *adj attr* Sightseeing-

sign [saɪn] I. *n* 1. Zeichen *nt;* **to make the** ~ **of the cross** sich bekreuzigen; **a rude** ~ eine unverschämte Geste 2. (*notice*) [Straßen-/Verkehrs]schild *nt;* **stop** ~ Stoppschild *nt* 3. ASTROL Sternzeichen *nt* 4. (*indication*) [An]zeichen *nt;* ~ **of life** Lebenszeichen *nt;* **a** ~ **of the times** ein Zeichen

nt der Zeit 5. MATH Zeichen *nt* II. *vt* 1. *letter* unterschreiben; *contract, cheque* unterzeichnen; *book, painting* signieren 2. *athlete, musician* [vertraglich] verpflichten III. *vi* 1. unterschreiben 2. (*gesture*) gestikulieren ◆ **sign in** I. *vi* sich eintragen II. *vt* eintragen ◆ **sign up** I. *vi* sich verpflichten; (*for course*) sich einschreiben II. *vt* **to** ~ **up** ⇆ **sb** jdn verpflichten; **to** ~ **up** ⇆ **sb for a course** jdn für einen Kurs anmelden

signal [ˈsɪgnəl] I. *n* 1. Zeichen *nt* 2. (*hint*) [An]zeichen *nt* 3. (*traffic light*) Ampel *f;* (*for trains*) Signal *nt* 4. (*transmission*) Signal *nt;* (*reception*) Empfang *m* 5. AM (*indicator*) Blinker *m* II. *vt, vi* <BRIT -ll- *or* AM *usu* -l-> signalisieren

signature [ˈsɪgnətʃər] *n* 1. Unterschrift *f;* *of artist* Signatur *f;* **to give sth one's** ~ etw unterschreiben 2. (*characteristic*) Erkennungszeichen *nt*

significant [sɪgˈnɪfɪkənt] *adj* 1. bedeutend; (*important*) bedeutsam; *date, event* wichtig 2. (*meaningful*) bedeutsam; **a** ~ **look** ein viel sagender Blick

sign language *n* Gebärdensprache *f*

signpost I. *n* Wegweiser *m;* (*fig: advice*) Hinweis *m* II. *vt usu passive* aufzeigen; *route* ausschildern

silence [ˈsaɪlən(t)s] I. *n no pl* Stille *f;* *of individual* Schweigen *nt;* (*calmness*) Ruhe *f;* **a minute of** ~ eine Schweigeminute; **to eat/sit/work in** ~ still essen/sitzen/arbeiten ▶ ~ **is golden** (*prov*) Schweigen ist Gold II. *vt* zum Schweigen bringen; *doubts* verstummen lassen

silent [ˈsaɪlənt] *adj* 1. still; (*inactive*) ruhig 2. (*taciturn*) schweigsam; **to**

S

be ~ schweigen; **to go ~** verstummen

silently ['saɪləntli] *adv* lautlos; *(taciturn)* schweigend; *(subdued)* leise

silk [sɪlk] *n* Seide *f;* ~ **paper** Seidenpapier *nt*

silly ['sɪli] *adj* **1.** albern; **don't be ~!** red keinen Unsinn!; **to look ~** albern aussehen **2.** *pred* **to be bored ~** zu Tode gelangweilt sein *fam*

silver ['sɪlvə'] *n no pl* **1.** Silber *nt* **2.** *(coins)* Münzgeld *nt* **3.** *(cutlery)* **the ~** das [Tafel]silber

silver foil *n* Alufolie *f* **silver wedding anniversary** *n* silberne Hochzeit

similar ['sɪmɪlə'] *adj* ähnlich **(to** +*dat*)

similarity [ˌsɪmɪ'lærəti] *n* Ähnlichkeit *f* (to sth)

simmer ['sɪmə'] **I.** *n usu sing* Sieden *nt* **II.** *vt* auf kleiner Flamme kochen lassen; *water* sieden lassen

simple <-r, -st> ['sɪmpl] *adj* **1.** einfach **2.** *attr (honest)* schlicht; **the ~ fact is that ...** Tatsache ist, dass ...

simply ['sɪmpli] *adv* **1.** einfach **2.** *(just)* nur; *(absolutely)* einfach; **you ~ must try this!** du musst das einfach versuchen!

simultaneous [ˌsɪmᵊl'teɪnɪəs] *adj* gleichzeitig

sin [sɪn] **I.** *n* Sünde *f;* **[as] ugly as ~** unglaublich hässlich; **to live in ~** in wilder Ehe leben **II.** *vi* <-nn-> sündigen

since [sɪn(t)s] **I.** *adv* **1.** [ever] ~ seitdem **2.** *(ago)* **long ~** seit langem; **not long ~** vor kurzem [erst] **II.** *prep* seit +*dat;* **I haven't worked since Monday** seit Montag arbeite ich nicht mehr **III.** *conj* **1.** *(because)* da **2.** *(from when)* seit[dem]

sincere [sɪn'sɪə'] *adj* ehrlich; *(heartfelt)* aufrichtig

sincerely [sɪn'sɪəli] *adv* **1.** aufrichtig **2.** [yours] ~ mit freundlichen Grüßen

sing <sang *or* AM *a.* sung, sung> **I.** *vi* **1.** singen **2.** *kettle* pfeifen; *locusts* zirpen; *wind* pfeifen **II.** *vt* singen; **to ~ the praises of sb/sth** ein Loblied auf jdn/etw singen ◆ **sing along** *vi* mitsingen

singer ['sɪŋə'] *n* Sänger(in) *m(f)*

singing ['sɪŋɪŋ] *n no pl* das Singen; ~ **lesson** Gesang[s]stunde *f*

single ['sɪŋgl] **I.** *adj* **1.** *attr* einzig; **with a ~ blow** mit nur einem Schlag; **not a ~ soul** keine Menschenseele; **every ~ thing** [absolut] alles; **every ~ time** jedes Mal **2.** *(without partner)* ledig; ~ **father/mother** allein erziehender Vater/allein erziehende Mutter **II.** *n* **1.** BRIT, AUS *(ticket)* Einzelfahrkarte *f* **2.** *(record)* Single *f*

single-handed I. *adv* [ganz] allein; **he sailed round the world ~** er segelte als Einhandsegler um die Welt **II.** *adj* allein **single-minded** *adj* zielstrebig

single-parent family *n* Familie *f* mit [nur] einem Elternteil

singlet ['sɪŋglɪt] *n esp* BRIT, AUS ärmelloses Trikot; *(underwear)* Unterhemd *nt*

single ticket *n* BRIT Einzelfahrkarte *f*

sink [sɪŋk] **I.** *n* Spüle *f;* *(washbasin)* Waschbecken *nt* **II.** *vi* <sank *or* sunk, sunk> **1.** sinken; *(in mud, snow)* einsinken; *sun, moon* untergehen **2.** *(decrease)* sinken; *(fall off)* zurückgehen **3.** *(frequency)* sich senken **4.** *(decline)* nachlassen **III.** *vt* <sank *or* sunk, sunk> **1.** *ship* versenken **2.** *(ruin)* zunichtemachen **3.** *differences* beilegen ◆ **sink in I.** *vi* **1.** einsinken **2.** *(be absorbed)* einziehen **3. has that sunk in?** verstehst du das jetzt? **II.** *vt* **1. to ~ a knife in sth** ein Messer in etw *akk* rammen **2. to ~ one's money in sth** sein Geld in etw *akk* stecken *fam*

sinking ['sɪŋkɪŋ] *adj attr* **1.** sinkend **2. a ~ feeling** ein flaues Gefühl [in der Magengegend]; **with a ~ heart** resigniert

sip [sɪp] **I.** *vt, vi* <-pp-> nippen **II.** *n* Schlückchen *nt;* **to have a ~** einen kleinen Schluck nehmen

sir [sɜːʳ, səʳ] *n no pl* **1.** BRIT ~! Herr Lehrer! **2. Dear ~ or Madam, ...** Sehr geehrte Damen und Herren ... **3. no, ~!** AM *(fam)* auf keinen Fall!

siren ['saɪ(ə)rən] *n* Sirene *f*

sissy ['sɪsi] *(fam)* **I.** *n* Waschlappen *m* **II.** *adj* verweichlicht

sister ['sɪstəʳ] *n* **1.** Schwester *f* **2.** *(nun)* [Ordens]schwester *f* **3.** BRIT, AUS *(nurse)* [Kranken]schwester *f*

sister-in-law <*pl* sisters-> *n* Schwägerin *f*

sit <-tt-, sat, sat> [sɪt] **I.** *vi* **1.** sitzen; **to ~ at the desk/table** am Schreibtisch/Tisch sitzen; **to ~ for one's portrait** jdm Porträt sitzen; **to ~ for an exam** *esp* BRIT eine Prüfung ablegen **2.** *(sit down)* sich hinsetzen; ~! *(to dog)* Platz! **3.** *(fit)* passen; *clothes* sitzen ▶ **to ~ on the fence** sich nicht entscheiden können; **to ~ tight** sich nicht rühren **II.** *vt* **1.** *baby* setzen **2.** BRIT **to ~ an exam** eine Prüfung ablegen ◆ **sit about**, **sit around** *vi* herumsitzen ◆ **sit back** *vi* sich zurücklehnen; *(idle)* die Hände in den Schoß legen ◆ **sit down I.** *vi* **1.** sich [hin]setzen; *(be sitting)* sitzen; **to ~ down to dinner** sich zum Essen an den Tisch begeben **2.** *(take time)* sich [in Ruhe] hinsetzen; **to ~ down**

with sb sich mit jdm zusammensetzen **II.** *vt* **1.** *baby* setzen **2. to ~ oneself down** sich hinsetzen ◆ **sit out I.** *vi* **1.** draußen sitzen **2.** *(not dance)* einen Tanz auslassen **II.** *vt* *(miss)* auslassen; *in game* aussetzen ◆ **sit through** *vi* über sich *akk* ergehen lassen ◆ **sit up I.** *vi* **1.** aufrecht sitzen; **to ~ up straight** sich gerade hinsetzen **2.** *(fam)* **to ~ up and take notice** aufhorchen **II.** *vt* aufrichten

sitcom ['sɪtkɒm] *n* *(fam) short for* **situation comedy** Sitcom *f*

site [saɪt] *n* **1.** Stelle *f* **2.** *(plot)* Grundstück *nt;* **building ~** Baugelände *nt;* **caravan ~** Campingplatz *m* [für Wohnwagen] **3.** *(building location)* Baustelle *f;* **on ~** vor Ort **4.** *(on Internet)* [**web**] ~ Website *f;* **fan ~** Fanpage *f*

sitting room *n* *esp* BRIT Wohnzimmer *nt*

situated ['sɪtjueɪtɪd] *adj pred* **1.** gelegen; **to be ~ near the church** in der Nähe der Kirche liegen **2. to be well/badly ~** [finanziell] gut/ schlecht gestellt sein

situation [ˌsɪtjuˈeɪʃ°n] *n* **1.** Situation *f* **2.** *(place)* Standort *m*

six [sɪks] **I.** *adj* sechs; *see also* **eight** ▶ **to be ~ feet under** *(hum)* sich *dat* die Radieschen von unten anschauen *sl* **II.** *pron* sechs; *see also* **eight** ▶ **~ of one and half a dozen of the other** [das ist] gehüpft wie gesprungen; **to knock sb for ~** BRIT jdn umhauen **III.** *n* Sechs *f; see also* **eight**

sixteen [ˌsɪkˈstiːn] **I.** *adj* sechzehn; *see also* **eight II.** *n* Sechzehn *f; see also* **eight**

sixth [sɪksθ] **I.** *adj* sechste(r, s) **II.** *n*

S

1. (*date*) **the ~** der Sechste **2.** (*fraction*) Sechstel *nt*

sixtieth ['sɪkstiəθ] **I.** *adj* sechzigste(r, s) **II.** *n* **1. the ~** der/die/das Sechzigste/sechzigste **2.** (*fraction*) Sechzigstel *nt*

sixty ['sɪksti] **I.** *adj* sechzig **II.** *n* Sechzig *f*

size [saɪz] *n* **1.** *usu sing* Größe *f; of sum* Höhe *f;* **to be the same ~** genauso groß sein; **to increase/decrease in ~** größer/kleiner werden; **to double in ~** seine Größe verdoppeln **2.** (*measurement*) Größe *f;* **the shirt is a ~ too big** das Hemd ist eine Nummer zu groß; **collar/shoe ~** Kragenweite *f*/Schuhgröße *f*

skate¹ [skeɪt] *n* (*fish*) Rochen *m*

skate² [skeɪt] **I.** *n* Rollschuh *m; (ice)* Schlittschuh *m;* ▶ **to put one's ~s on** BRIT (*fam*) einen Zahn zulegen *sl* **II.** *vi* Rollschuh fahren; (*on ice*) Schlittschuh laufen ▶ **to be skating on thin ice** sich auf dünnem Eis bewegen *fig*

skateboard ['skeɪtbɔːd] *n* Skateboard *nt*

skateboarder ['skeɪtˌbɔːdəʳ] *n* Skateboarder(in) *m(f)*

skater ['skeɪtəʳ] *n* **1.** Rollschuhfahrer(in) *m(f); (on roller blades)* Skater(in) *m(f)* **2.** (*on ice*) Schlittschuhläufer(in) *m(f);* **figure ~** Eiskunstläufer(in) *m(f)*

skating rink *n* **1.** Rollschuhbahn *f* **2.** (*ice rink*) Eisbahn *f*

skeleton ['skelɪtᵊn] *n* **1.** Skelett *nt* **2.** *of boat, plane* Gerippe *nt; of building* Skelett *nt;* ▶ **to have ~s in one's cupboard** [*or* AM *a.* **closet**] eine Leiche im Keller haben *fam*

sketch [sketʃ] **I.** *n* <*pl* -es> Skizze *f*

II. *vt* **1.** skizzieren **2.** (*write*) umreißen **III.** *vi* Skizzen machen

skewer ['skjuːəʳ] **I.** *n* Spieß *m* **II.** *vt* aufspießen

ski [skiː] **I.** *n* Ski *m;* **on ~s** auf Skiern **II.** *vi* Ski fahren [*o* laufen] ; **to ~ down the slope** die Piste herunterfahren

ski boot *n* Skischuh *m*

skid [skɪd] **I.** *vi* <-dd-> *person* rutschen; *car* schleudern; **to ~ to a halt** schlitternd zum Stehen kommen **II.** *n* Rutschen *nt;* **to go into a ~** ins Schleudern geraten

skier ['skiːəʳ] *n* Skifahrer(in) *m(f)*

ski goggles *n pl* Skibrille *f*

skiing ['skiːɪŋ] *n no pl* Skifahren *nt;* **~ holiday** Skiurlaub *m*

ski instructor *n* Skilehrer *m* **ski jump** *n* **1.** Sprungschanze *f* **2.** *no pl* (*jump*) Skisprung *m; (event)* Skispringen *nt*

skilful ['skɪlfᵊl] *adj* (*adroit*) geschickt; (*skilled*) gekonnt

skimmed milk [ˌskɪmd'-] *n no pl* Magermilch *f*

skin [skɪn] **I.** *n* **1.** *usu sing* Haut *f; (hide)* Fell *nt;* **to have a thick ~** ein dickes Fell haben **2.** (*rind*) Schale *f;* ▶ **to be nothing but ~ and bone[s]** nur noch Haut und Knochen sein; **by the ~ of one's teeth** nur mit knapper Not **II.** *vt* <-nn-> häuten; *fruit* schälen; **to ~ sb alive** (*hum*) Hackfleisch aus jdm machen *fam*

skinny ['skɪni] *adj* mager

skinny-dip <-pp-> *vi* (*fam*) im Adams-/Evakostüm baden *hum sl*

skint [skɪnt] *adj pred* BRIT (*sl*) **to be ~** pleite sein *fam*

skintight *adj* hauteng

skip¹ [skɪp] **I.** *vi* <-pp-> **1.** hüpfen;

(*with rope*) seilspringen **2.** (*omit*) **to ~ over sth** etw überspringen **3.** (*fam*) **to ~ over to France** eine Spritztour nach Frankreich machen **II.** *vt* <-pp-> **1.** AM **to ~ rope** seilspringen **2.** (*leave out*) auslassen **3.** (*not partake*) **to ~ sth** an etw *dat* nicht teilnehmen; **to ~ breakfast** das Frühstück auslassen; **to ~ classes** den Unterricht schwänzen *fam* **III.** *n* Hüpfer *m;* **to give a ~ of joy** einen Freudensprung machen

skip² [skɪp] *n* BRIT, AUS (*for waste*) [Müll]container *m*

ski pole *n* Skistock *m*

skipper [ˈskɪpəʳ] *n* Kapitän *m*

skipping rope, AM **skip rope** *n* Springseil *nt*

ski rack *n* Skiträger *m* **ski resort** *n* Wintersportort *m*

skirt [skɜːt] **I.** *n* Rock *m* **II.** *vt* **1.** (*encircle*) umgeben; *driver* umfahren **2.** (*avoid*) [bewusst] umgehen

ski run *n* Skipiste *f*

skittle [ˈskɪtl] *n esp* BRIT **1.** Kegel *m* **2.** (*game*) **~s** *pl* Kegeln *nt kein pl*

skive [skaɪv] *vi* BRIT (*fam*) sich drücken

skiver [ˈskaɪvəʳ] *n* BRIT (*fam*) Drückeberger(in) *m(f)*

skull [skʌl] *n* Schädel *m*

sky [skaɪ] *n* Himmel *m;* **the skies** *pl* der Himmel; **sunny skies** sonniges Wetter ▶ **the ~'s the** limit alles ist möglich

sky-blue *adj attr* himmelblau **sky-high I.** *adv* [hoch] in die Luft; (*position*) [hoch] am Himmel; **to blow sth ~** etw in die Luft sprengen; **to go ~** *prices* in die Höhe schnellen **II.** *adj prices* Schwindel erregend hoch **sky-jack I.** *vt* entführen **II.** *n* Flugzeugentführung *f* **skylight** *n* Oberlicht

nt; in roof Dachfenster *nt* **skyline** *n of city* Skyline *f;* (*horizon*) Horizont *m* **skyscraper** *n* Wolkenkratzer *m*

slack [slæk] **I.** *adj* **1.** schlaff; *market* flau **2.** (*lazy*) träge **II.** *adv* schlaff **III.** *n no pl* Schlaffheit *f;* **to cut sb some ~** AM (*fam*) jdm Spielraum einräumen **IV.** *vi* (*fam*) faulenzen

slacken [ˈslækᵊn] **I.** *vt* **1.** locker lassen; **to ~ one's grip** seinen Griff lockern **2.** *pace* verlangsamen **II.** *vi* **1.** sich lockern **2.** (*diminish*) langsamer werden; (*fall off*) nachlassen

slacks [slæks] *n pl* [**a pair of**] **~** eine Hose

slag [slæg] **I.** *n* **1.** *no pl* Schlacke *f* **2.** BRIT (*pej fam*) Schlampe *f derb* **II.** *vt* <-gg-> BRIT (*fam*) **to ~** [**off**] ⇆ **sb/sth** über jdn/etw herziehen

slam [slæm] **I.** *n* **1.** Knall *m; of door* Zuschlagen *nt* **2.** (*punch*) Schlag *m* **II.** *vt* <-mm-> **1.** *door* zuschlagen **2.** (*hit*) schlagen **III.** *vi* <-mm-> **1.** *door* zuschlagen **2.** (*hit*) **to ~ on the brakes** voll auf die Bremsen treten

slander [ˈslɑːndəʳ] **I.** *n no pl* Verleumdung *f* **II.** *vt* verleumden

slanging match *n esp* BRIT, AUS Schlagabtausch *m*

slap [slæp] **I.** *n* **1.** Klaps *m fam;* **to give sb a ~ on the back** jdm [anerkennend] auf den Rücken klopfen; **a ~ in the face** eine Ohrfeige; (*fig*) ein Schlag ins Gesicht **2.** (*noise*) Klatschen *nt* **II.** *vt* <-pp-> schlagen; **to ~ sb in the face** jdn ohrfeigen; **to ~ sb on the back** jdn auf den Rücken schlagen; **to ~ sb's wrist** (*fig*) jdn zurechtweisen **III.** *vi* **to ~ against sth** *water* gegen etw *akk* schlagen

S

slap-bang *adv* BRIT (*fam*) genau **slap-dash** *adj* schlampig **slap-up** *adj attr* BRIT, AUS **a ~ meal** ein Schlemmermahl *nt fam*

slash [slæʃ] I. *vt* 1. aufschlitzen *fam;* **to ~ one's wrists** sich *dat* die Pulsadern aufschneiden 2. *budget* kürzen; *price* senken II. *vi* **to ~ at sb/sth** [mit einem Messer] auf jdn/etw losgehen III. *n* <*pl* -es> 1. Schnittwunde *f;* (*in object*) Schnitt *m* 2. *in prices* Reduzierung *f* 3. (*punctuation*) Schrägstrich *m*

slate [sleɪt] I. *n* 1. *no pl* Schiefer *m* 2. (*on roof*) [Dach]schindel *f;* ▶ **to have a <u>clean</u> ~** eine weiße Weste haben; **to wipe the ~ <u>clean</u>** reinen Tisch machen II. *adj* Schiefer- III. *vt* 1. *roof* decken 2. *usu passive* AM, AUS **to be ~d for sth** für etw *akk* vorgesehen sein 3. BRIT, AUS (*fam: criticize*) zusammenstauchen

slave [sleɪv] I. *n* Sklave, Sklavin *m, f* II. *vi* schuften; **to ~ [away] at sth** sich mit etw *dat* herumschlagen

sleazy ['sli:zi] *adj* anrüchig; *area* zweifelhaft; **~ bar** Spelunke *f fam*

sledge [sledʒ] I. *n* Schlitten *m* II. *vi esp* BRIT **to go sledging** Schlittenfahren gehen III. *vt* mit dem Schlitten transportieren

sleep [sli:p] I. *n no pl* 1. Schlaf *m;* (*nap*) Nickerchen *nt;* **to go [back] to ~** [wieder] einschlafen; **to put an animal to ~** ein Tier einschläfern 2. (*in eyes*) Schlaf *m* II. *vi* <slept, slept> 1. schlafen; **~ tight!** schlaf schön!; **to ~ late** lange schlafen; **to ~ sound[ly]** [tief und] fest schlafen; **to ~ rough** BRIT auf der Straße schlafen; **to ~ with sb** mit jdm schlafen 2. (*fig: be buried*) ruhen ▶ **to ~ on**

it eine Nacht darüber schlafen III. *vt* **to ~ two/ten** zwei/zehn Personen beherbergen können ◆ **sleep around** *vi* (*fam*) herumschlafen ◆ **sleep in** *vi* ausschlafen; (*at workplace*) im Hause wohnen ◆ **sleep off** *vt hangover* ausschlafen; *cold, headache* sich gesund schlafen; **to ~ it off** seinen Rausch ausschlafen ◆ **sleep out** *vi* draußen schlafen ◆ **sleep through** *vi* **to ~ through sth** weiterschlafen; **to ~ through the alarm** den Wecker verschlafen

sleeper ['sli:pər] *n* 1. Schläfer(in) *m(f);* **to be a heavy/light ~** einen festen/leichten Schlaf haben 2. *esp* AM (*pyjamas*) **~s** *pl* Schlafanzug *m* 3. BRIT, AUS RAIL Schwelle *f* 4. (*earring*) Kreole *f* 5. (*spy*) Sleeper *m*

sleeping ['sli:pɪŋ] *adj attr* schlafend *attr* ▶ **let ~ <u>dogs</u> lie** (*prov*) schlafende Hunde soll man nicht wecken *prov*

sleeping bag *n* Schlafsack *m* **sleeping car** *n* Schlafwagen *m* **sleeping pill** *n* Schlaftablette *f* **sleeping policeman** *n* BRIT Bodenschwelle *f*

sleepless ['sli:pləs] *adj* schlaflos **sleepwalker** *n* Schlafwandler(in) *m(f)* **sleepy** ['sli:pi] *adj* schläfrig; **to feel ~** müde sein

sleet [sli:t] I. *n no pl* Eisregen *m* II. *vi impers* **it is ~ing** es fällt Eisregen

sleeve [sli:v] *n* 1. Ärmel *m;* **to roll up one's ~s** die Ärmel hochkrempeln 2. (*liner*) Manschette *f* 3. (*for record*) [Schallplatten]hülle *f*

sleeveless ['sli:vləs] *adj* ärmellos *attr*

sleigh [sleɪ] *n* Pferdeschlitten *m; ~* **bed** Schlittenbett *nt*

slept [slept] *pt, pp of* **sleep**

slice [slaɪs] I. *n* 1. Scheibe *f;* *of cake, pizza* Stück *nt* 2. (*portion*) Anteil *m*

3. (*tool*) Pfannenwender *m;* **cake ~** Tortenheber *m* **II.** *vt* in Scheiben schneiden; *cake, pizza* in Stücke schneiden **III.** *vi* **1.** sich schneiden lassen **2. to ~ through sth** etw durchschneiden ◆ **slice off** *vt* abschneiden ◆ **slice up** *vt* in Scheiben schneiden; *bread* aufschneiden; *profits* aufteilen

sliced [slaɪst] *adj* geschnitten; *bread* aufgeschnitten

slide [slaɪd] **I.** *vi* <slid, slid> **1.** rutschen; (*smoothly*) gleiten; **to ~ down the banisters** das Geländer herunterrutschen **2.** (*depreciate*) sinken **3. to ~ into chaos** in ein Chaos geraten ▶ **to let sth/things ~** etw/die Dinge schleifen lassen **II.** *vt* <slid, slid> **she slid the hatch open** sie schob die Luke auf **III.** *n* **1.** Rutschen *nt* **2.** (*at playground*) Rutsche *f* **3. earth ~** Erdrutsch *m* **4.** *usu sing* (*decline*) Sinken *nt* **5.** PHOT Dia *nt* **6.** BRIT (*clip*) Haarspange *f*

slide projector *n* Diaprojektor *m*

sliding [ˈslaɪdɪŋ] *adj attr* Schiebe-; **~ door** Schiebetür *f*

slight [slaɪt] **I.** *adj* **1.** gering; **the ~est thing** die kleinste Kleinigkeit; **not in the ~est** nicht im Geringsten **2.** (*negligible*) klein; **to have a ~ accent** einen leichten Akzent haben **3.** *person* zierlich **II.** *n* Beleidigung *f* **III.** *vt* beleidigen

slightly [ˈslaɪtli] *adv* ein wenig; **I feel ~ peculiar** ich fühle mich irgendwie komisch; **to know sb ~** jdn flüchtig kennen

slim [slɪm] **I.** *adj* <-mm-> **1.** schlank; *object* dünn **2.** *chance* gering; *profits* mager **II.** *vi* <-mm-> abnehmen

slimy [ˈslaɪmi] *adj* schleimig

sling [slɪŋ] **I.** *n* (*for arm*) Schlinge *f;* (*for baby*) Tragetuch *nt;* (*for gun*) Tragegurt *m* **II.** *vt* <slung, slung> **1.** schleudern **2. soldiers with rifles slung over their shoulders** Soldaten mit geschulterten Gewehren

slip [slɪp] **I.** *n* **1. to have a ~** ausrutschen und hinfallen **2.** *in prices* Fall *m* **3. sales ~** Kassenzettel *m;* **~ of paper** Stück *nt* Papier **4.** (*mistake*) Flüchtigkeitsfehler *m;* **~ of the tongue** Versprecher *m* **5.** (*petticoat*) Unterrock *m* **II.** *vi* <-pp-> **1.** ausrutschen; *knife, hand* abrutschen **2. to ~ into the house** ins Haus schleichen **3.** (*decline*) sinken **4.** (*err*) sich versprechen; **to let sth ~** *secret* etw ausplaudern **5.** *clothing* **to ~ out of sth** etw ausziehen; **to ~ into sth** in etw *akk* schlüpfen **III.** *vt* <-pp-> **1. he ~ped his arm around her waist** er legte seinen Arm um ihre Taille; **to ~ sb money/a note** jdm Geld/eine Nachricht zustecken **2. to ~ a disc** sich *dat* einen Bandscheibenschaden zuziehen ◆ **slip away** *vi* **1.** sich wegstehlen **2. to ~ away [from sb]** *control, power* [jdm] entgleiten **3.** (*time*) verstreichen *geh* ◆ **slip by** *vi* **1.** vorbeihuschen; *years* verfliegen **2.** *remark* durchgehen ◆ **slip down** *vi* **1.** herunterrutschen **2. a cool beer ~s down wonderfully easily** ein kühles Bier geht runter wie nichts ◆ **slip off I.** *vi* **1.** sich davonstehlen **2.** (*fall off*) herunterrutschen **II.** *vt* abstreifen ◆ **slip on** *vt* anziehen; *ring* sich *dat* anstecken ◆ **slip out** *vi* **1. to ~ out for a moment** kurz weggehen **2.** *secret* herausrutschen ◆ **slip up** *vi* einen Fehler begehen

slip-on I. *adj attr* **~ shoes** Slipper *pl* **II.** *n* **~s** *pl* Slipper *pl*

S

slippers ['slɪpəz] *n pl* Hausschuhe *pl*

slippery ['slɪpᵊri] *adj* **1.** rutschig; *road* glatt; (*fig*) *situation* unsicher **2.** (*unreliable*) windig *fam*

slip road *n* BRIT Zubringer *m*

slit [slɪt] **I.** *vt* <-tt-, slit, slit> aufschlitzen; **to ~ one's wrists** sich *dat* die Pulsadern aufschneiden **II.** *n* **1.** Schlitz *m* **2.** *of door* Spalt *m*

slob [slɒb] BRIT (*fam*) **I.** *n* Gammler(in) *m(f)* **II.** *vi* **to ~ about** herumgammeln *fam o pej*

slope [sləʊp] **I.** *n* **1.** Hang *m;* **ski ~** Skipiste *f* **2.** *no pl* (*angle*) Neigung *f; ~* **of a roof** Dachschräge *f;* **to be at a ~** eine Schräge haben **II.** *vi* **1. to ~** [**down/up**] abfallen/ansteigen **2.** (*lean*) sich neigen **III.** *vt* schräg anlegen

sloping ['sləʊpɪŋ] *adj attr* schräg; (*upwards*) ansteigend; (*downwards*) abfallend; ~ **shoulders** hängende Schultern

sloppy ['slɒpi] *adj* **1.** schlampig **2.** (*kitschy*) kitschig; ~ **love song** Schnulze *f fam* **3.** (*wet*) triefend *attr; kiss* feucht

slot [slɒt] **I.** *n* **1.** Schlitz *m;* (*groove*) Rille *f;* (*for coin*) Geldeinwurf *m* **2.** TV Sendezeit *f;* **advertising ~** Werbepause *f* **II.** *vt* <-tt-> [hinein]stecken (**into** in) **III.** *vi* <-tt-> **to ~ into sth** in etw *akk* hineinpassen ◆ **slot in I.** *vi* hineinstecken **II.** *vt* (*into frame*) einpassen; (*into schedule*) dazwischenschieben *fam* ◆ **slot together I.** *vi* zusammenpassen **II.** *vt* **to ~ together** ⇆ **sth** etw ineinanderstecken

slot machine *n* **1.** Spielautomat *m* **2.** BRIT, AUS (*vender*) [Münz]automat *m* **slot meter** *n* Münzautomat *m*

slow [sləʊ] **I.** *adj* **1.** langsam; *business, market* flau; **to be ~ to do sth** lange brauchen, um etw zu tun; **to make ~ progress** [nur] langsam vorankommen **2.** (*stupid*) begriffsstutzig; **to be ~ on the uptake** schwer von Begriff sein **3.** *clock* **to be** [**5 minutes**] **~** [5 Minuten] nachgehen **II.** *vi* langsamer werden; **to ~ to a crawl** fast zum Stillstand kommen **III.** *vt* verlangsamen ◆ **slow down I.** *vt* verlangsamen **II.** *vi* **1.** langsamer werden **2.** (*relax*) kürzertreten *fam*

slowly ['sləʊli] *adv* langsam; ~ **but surely** langsam, aber sicher

slow motion I. *n no pl* Zeitlupe *f* **II.** *adj* Zeitlupen- **slow train** *n* Bummelzug *m fam*

slum [slʌm] **I.** *n* Slum *m,* Elendsviertel *nt* **II.** *vi* <-mm-> **to go ~ming** sich unters gemeine Volk mischen **III.** *vt* <-mm-> **to ~ it** (*iron*) primitiv leben

slump [slʌmp] **I.** *n* ECON **1.** [plötzliche] Abnahme; ~ **in prices** Preissturz *m* **2.** (*recession*) Rezession *f;* **economic ~** Wirtschaftskrise *f* **II.** *vi* **1.** *prices* stürzen; *sales* zurückgehen **2.** (*fall*) fallen

slur [slɜːʳ] **I.** *vt* <-rr-> **1.** undeutlich artikulieren; *drunkard* lallen **2.** *reputation* verleumden **II.** *n* Verleumdung *f;* **to cast a ~ on sb/sth** jdn/etw in einem schlechten Licht erscheinen lassen

slush [slʌʃ] *n no pl* **1.** [Schnee]matsch *m* **2.** (*fam: kitsch*) Gefühlsduselei *f*

slushy ['slʌʃi] *adj* matschig; (*kitschy*) kitschig

smack¹ [smæk] **I.** *n* **1.** [klatschender] Schlag; **a ~ on the bottom** ein fester Klaps auf den Hintern **2.** (*kiss*) Schmatz[er] *m* **3.** (*noise*) Knall *m*

II. *adv* **1.** direkt; **his shot landed ~ in the middle** sein Schuss landete haargenau in der Mitte **2. I walked ~ into a lamp post** ich lief voll gegen einen Laternenpfahl **III.** *vt* **1. to ~ sb** jdm eine knallen *fam* **2. to ~ sth on sth** etw auf etw *akk* knallen

smack² [smæk] *n no pl* (*sl*) Heroin *nt*

small [smɔːl] **I.** *adj* **1.** klein; *sum also* gering; **~ town** Kleinstadt *f* **2.** (*young*) klein; **~ child** Kleinkind *nt* **3.** (*insignificant*) unbedeutend; **~ consolation** ein schwacher Trost; **to make sb look ~** jdn niedermachen *fam* ▶ **to be grateful for ~ mercies** für jede Kleinigkeit dankbar sein; **it's a ~ world!** (*prov*) die Welt ist klein! **II.** *n no pl* **the ~ of the back** das Kreuz

small ad *n* Kleinanzeige *f* **small change** *n no pl* Kleingeld *nt* **small-minded** *adj* engstirnig

smallpox *n no pl* Pocken *pl*

small print *n no pl* **the ~** das Kleingedruckte

smart [smɑːt] **I.** *adj* **1.** schlau; **to make a ~ move** klug handeln **2.** (*stylish*) schick **3.** (*quick*) [blitz]schnell **II.** *n* **1.** AM (*sl*) **the ~s** *pl* die [nötige] Intelligenz **2.** (*pain*) Schmerz *m* **III.** *vi* brennen; **to ~ from sth** unter etw *dat* leiden

smart alec(k) [ˈsmɑːtˌælek] *n* (*fam*) Schlauberger(in) *m(f)* **smart arse**, *esp* AM **smart ass** *n* (*fam*) Klugscheißer(in) *m(f)* *sl*

smarten [ˈsmɑːtᵊn] **I.** *vt* **to ~ oneself ⇆ up** sich in Schale werfen *fam*; **to ~ up one's act** sich ins Zeug legen *fam* **II.** *vi* **to ~ up** mehr Wert auf sein Äußeres legen

smart phone *n* Smart Phone *nt*

smash [smæʃ] **I.** *n* <*pl* -es> **1.** Krachen *nt* **2.** SPORTS Schlag *m;* TENNIS Schmetterball *m* **3.** (*song*) Superhit *m fam* **II.** *vt* **1.** zerschlagen; *window* einschlagen **2.** (*hit*) schmettern (**against** gegen) **3.** *record* brechen **III.** *vi* **1.** zerbrechen **2.** (*hit*) prallen (**into** gegen); **to ~ through sth** etw durchbrechen ◆ **smash up** *vt* zertrümmern; *car* zu Schrott fahren

smashing [ˈsmæʃɪŋ] *adj* BRIT (*fam*) klasse

smear [smɪəʳ] **I.** *vt* **to ~ paint on the walls** die Wände mit Farbe beschmieren **II.** *n* **1.** Fleck *m* **2.** (*accusations*) Verleumdung *f;* **~ tactics** Verleumdungstaktik *f* **3.** ~ [*test*] Abstrich *m*

smell [smel] **I.** *n* Geruch *m;* (*bad odour*) Gestank *m;* scent Duft *m;* **sense of ~** Geruchssinn *m* **II.** *vi* <smelt *or* AM -ed, smelt *or* AM -ed> riechen; (*pleasantly*) duften; (*badly*) stinken; **to ~ of sth** nach etw *dat* riechen ▶ **to ~ fishy** verdächtig sein **III.** *vt* <smelt *or* AM -ed, smelt *or* AM -ed> riechen ▶ **to ~ sth a mile off** etw schon von weitem riechen; **to ~ a rat** den Braten riechen *fam*

smelly [ˈsmeli] *adj* stinkend *attr*

smelt [smelt] *vi, vt* BRIT, AUS *pt, pp of* **smell**

smile [smaɪl] **I.** *n* Lächeln *nt;* **wipe that ~ off your face!** hör auf, so zu grinsen!; **to be all ~s** über das ganze Gesicht strahlen; **to give sb a ~** jdm zulächeln **II.** *vi* lächeln; **to ~ at sb** jdn anlächeln; **to ~ to oneself** in sich *akk* hineinlächeln

smiling [ˈsmaɪlɪŋ] *adj* lächelnd

smog [smɒg] *n no pl* Smog *m;* **~ alert** Smogalarm *m*

S

smoke [sməʊk] **I.** *n* **1.** *no pl* Rauch *m;* **drifts of ~** Rauchschwaden *pl* **2. to have a ~** eine rauchen *fam* **3.** (*fam*) **~s** *pl* Glimmstängel *pl* ▶ **to go up in ~** in Rauch [und Flammen] aufgehen **II.** *vt, vi* rauchen; FOOD räuchern

smoked [sməʊkt] *adj* geräuchert; **~ fish** Räucherfisch *m*

smoke detector *n* Rauchmelder *m*

smokeless ['sməʊkləs] *adj* **1.** rauchfrei **2.** AM **~ tobacco** Kautabak *m*

smoker ['sməʊkəʳ] *n* Raucher(in) *m(f);* **~'s cough** Raucherhusten *m*

smoking ['sməʊkɪŋ] **I.** *n no pl* Rauchen *nt;* **~ ban** Rauchverbot *nt* **II.** *adj* **non-~** Nichtraucher-

smoking compartment *n* RAIL Raucherabteil *nt*

smoky ['sməʊki] *adj* *room* verraucht; *chimney* rauchend *attr*

smooch [smuːtʃ] (*fam*) **I.** *vi* schmusen; (*snog*) knutschen **II.** *n usu sing* Schmusen *nt;* (*snogging*) Knutschen *nt*

smooth [smuːθ] **I.** *adj* **1.** glatt; *sea, flight* ruhig; **as ~ as silk** seidenweich **2.** (*well-mixed*) sämig; **~ sauce** glatte Soße **3.** (*hitch-free*) problemlos **II.** *vt* **1.** **to ~ the path** [to sth] den Weg [zu etw *dat*] ebnen **2. to ~ sth into sth** etw in etw *akk* einmassieren ◆ **smooth over** *vt* in Ordnung bringen

smoothie ['smuːθi] *n* **1.** (*fam*) Charmeur *m* **2.** *esp* AM, AUS, NZ (*drink*) Smoothie *m* (*Getränk aus Yoghurt und Früchten*)

smug <-gg-> [smʌg] *adj* selbstgefällig

smuggle ['smʌgl] *vt* schmuggeln

snack [snæk] **I.** *n* Imbiss *m;* **to have a ~** eine Kleinigkeit essen **II.** *vi* naschen

snag [snæg] **I.** *n* **1.** Haken *m fam* **2.** (*tear*) gezogener Faden **II.** *vt* <-gg-> aufreißen; **she ~ged her coat on a nail** sie blieb mit ihrer Jacke an einem Nagel hängen

snail [sneɪl] *n* Schnecke *f;* **at a ~'s pace** im Schneckentempo

snake [sneɪk] **I.** *n* Schlange *f* **II.** *vi* sich schlängeln

snap [snæp] **I.** *n* **1.** *usu sing* Knacken *nt* **2.** (*photo*) Schnappschuss *m* **3.** AM (*fastener*) Druckknopf *m* **4.** *no pl* BRIT (*game*) Schnippschnapp *nt* **II.** *interj* (*fam*) schnippschnapp! **III.** *vi* <-pp-> **1.** auseinanderbrechen **2.** (*engage*) einrasten **3.** (*dog*) schnappen (**at** nach) **4.** (*rebuke*) bellen *fam;* **to ~ at sb** jdn anfahren **IV.** *vt* <-pp-> **1.** entzweibrechen; **to ~ off ⇆ sth** etw abbrechen **2. to ~ sth closed** etw zuknallen; *book* etw zuklappen **3. to ~ one's fingers** mit den Fingern schnippen ◆ **snap out** *vi* **to ~ out of sth** etw überwinden; **~ out of it!** krieg dich wieder ein! ◆ **snap up** *vt* schnell kaufen

snarl[1] [snɑːl] **I.** *vi* knurren; **to ~ at sb** jdn anknurren **II.** *n* Knurren *nt;* **to say sth with a ~** etw knurren

snarl[2] [snɑːl] **I.** *n* Knoten *m* **II.** *vi* sich verheddern

snatch [snætʃ] **I.** *n* <*pl* -es> schneller Griff; (*theft*) Diebstahl *m* (*durch Entreißen*)*;* **to make a ~ at sth** nach etw *dat* greifen **II.** *vt* schnappen; (*steal*) sich *dat* greifen **III.** *vi* greifen (**at** nach)

snazzy ['snæzi] *adj* (*sl*) schick *fam*

sneaker ['sniːkɚ] *n usu pl* AM Turnschuh *m*

sneaky ['sniːki] *adj* raffiniert

sneeze [sniːz] **I.** *vi* niesen ▶ **that's not**

to be ~d at das ist nicht zu verachten
II. *n* Niesen *nt*

sniff [snɪf] **I.** *n* Riechen *nt; dog* Schnüffeln *nt* **II.** *vi* **1.** die Luft einziehen; *animal* wittern; **to ~ at sth** an etw *dat* schnuppern **2.** (*despise*) **to ~ at sth** über etw *akk* die Nase rümpfen ▶ **that's <u>not</u> to be ~ed at** das ist nicht zu verachten **III.** *vt* **to ~ sth** an etw *dat* riechen

snigger [ˈsnɪɡəʳ] **I.** *vi* kichern (**at** über) **II.** *n* Kichern *nt*

snip [snɪp] **I.** *n* **1.** Schnitt *m;* **to give sth a ~** etw [ab]schneiden **2. a ~ of cloth** ein Stück *nt* Stoff **II.** *vt* schneiden

sniper [ˈsnaɪpəʳ] *n* MIL Heckenschütze *m*

snog [snɒɡ] **I.** *vi* <-gg-> BRIT (*fam*) [rum]knutschen (**with** mit) **II.** *vt* <-gg-> BRIT (*fam*) küssen **III.** *n* (*fam*) **to have a ~** rumknutschen

snooze [snuːz] (*fam*) **I.** *vi* ein Nickerchen machen **II.** *n* Nickerchen *nt*

snore [snɔːʳ] **I.** *vi* schnarchen **II.** *n* Schnarchen *nt kein pl*

snot [snɒt] *n no pl* (*fam*) Rotz *m*

snout [snaʊt] *n* Schnauze *f; of pig* Rüssel *m*

snow [snəʊ] **I.** *n no pl* Schnee *m;* **a blanket of ~ lay on the ground** der Boden war schneebedeckt **II.** *vi impers* **it's ~ing** es schneit ◆ **snow in** *vt usu passive* **to be/get ~ed in** eingeschneit sein/werden ◆ **snow under** *vt usu passive* **to be ~ed under with work** mit Arbeit eingedeckt sein

snowball I. *n* Schneeball *m* **II.** *vi* lawinenartig anwachsen; **to keep ~ing** eskalieren **snowboard** *n* Snowboard *nt* **snow chains** *n pl* Schneeketten *pl* **snowdrift** *n* Schneewehe *f*

snowflake *n* Schneeflocke *f* **snow goggles** *n pl* Schneebrille *f* **snowman** *n* Schneemann *m* **snowmobile** [ˈsnəʊməˌbiːl] *n* Schneemobil *nt* **snow tyre,** AM **snow tire** *n* Winterreifen *m*

snowy [ˈsnəʊi] *adj* verschneit; *mountain* schneebedeckt

snub [snʌb] **I.** *vt* <-bb-> brüskieren **II.** *n* Brüskierung *f*

snub-nosed *adj attr* stupsnasig

snug [snʌɡ] *adj* **1.** kuschelig; (*warm*) mollig warm **2. to be a ~ fit** eng anliegen ▶ **to feel as ~ as a <u>bug</u> in a rug** es so richtig mollig warm und gemütlich haben

so [səʊ] **I.** *adv* **1. it was about ~ big** es war ungefähr so groß **2. I am ~ cold** mir ist so kalt; **what's ~ wrong with that?** was ist denn daran so falsch? **3. gently fold in the eggs like ~** rühren Sie die Eier auf diese Weise vorsichtig unter **4.** [to be] **just ~** genau richtig [sein]; **I want everything just ~** ich will, dass alles perfekt ist **5. I** [very much] **hope ~!** das hoffe ich doch sehr! **6. I'm afraid ~** ich fürchte ja **7. ~ they say** so sagt man; **I told you ~** ich habe es dir ja gesagt **8. is that ~?** stimmt das?; **~ it is** das stimmt; **if ~ ...** wenn das so ist ... **9. and ~ it was that ...** und so kam es, dass ...; **and ~ on** und so weiter; **~ to speak** sozusagen ▶ **~ <u>far</u> ~ good** so weit, so gut; **~ <u>what</u>?** na und? *fam* **II.** *conj* **1. I couldn't find you ~ I left** ich konnte dich nicht finden, also bin ich gegangen **2. ~ where have you been?** wo warst du denn die ganze Zeit?; **~ what's the problem?** wo liegt denn das Problem? **3. be quiet ~ she can concentrate** sei still, da-

S

mit sie sich konzentrieren kann ▶ ~ **long** as ... sofern; ~ **there!** (*hum*) ätsch! **III.** *adj* (*sl*) typisch *fam;* **that's** ~ **70's** das ist typisch 70er

soak [səʊk] **I.** *n* Einweichen *nt kein pl* **II.** *vt* durchnässen; *bread* einweichen **III.** *vi* einweichen lassen ◆ **soak up** *vt* aufsaugen; (*fig*) [gierig] in sich *akk* aufnehmen; **to** ~ **up the atmosphere** die Atmosphäre in sich *akk* aufnehmen

soaking ['səʊkɪŋ] **I.** *n* Nasswerden *nt kein pl; of bread* Einweichen *nt kein pl;* **to get a** ~ patschnass werden *fam* **II.** *adj* ~ [**wet**] klatschnass *fam*

soap [səʊp] **I.** *n* **1.** *no pl* Seife *f* **2.** TV (*fam*) Seifenoper *f* **II.** *vt* einseifen

soap dispenser *n* Seifenspender *m*

soap opera *n* Seifenoper *f*

sober ['səʊbə'] *adj* nüchtern; (*unemotional also*) sachlich; **to be stone cold** ~ stocknüchtern sein *fam* ◆ **sober up I.** *vi* nüchtern werden **II.** *vt* nüchtern machen

so-called ['səʊkɔːld] *adj attr* so genannt

soccer ['sɒkə'] *n no pl* Fußball *m*

sociable ['səʊʃəbl] **I.** *adj* gesellig; (*friendly*) umgänglich **II.** *n* AM Treffen *nt;* **church** ~ Gemeindefest *nt*

social ['səʊʃ°l] *adj* gesellschaftlich, Gesellschafts-; (*of human behaviour*) sozial, Sozial-; **I'm a** ~ **drinker** ich trinke nur, wenn ich in Gesellschaft bin; ~ **science** Gesellschaftswissenschaften *pl;* ~ **skills** soziale Fähigkeiten

social engineering *n* COMPUT Social Engineering *nt* (*Versuch, persönliche Daten eines Computersystems durch Täuschung zu erhalten, oft über das Internet*)

socialize ['səʊʃ°laɪz] **I.** *vi* unter Leuten

sein; **to** ~ **with sb** mit jdm gesellschaftlich verkehren **II.** *vt* sozialisieren; *offender* [re]sozialisieren

society [sə'saɪəti] *n* Gesellschaft *f;* (*elite*) die [feine] Gesellschaft; (*form: company*) Gesellschaft *f;* (*organization*) Verein *m*

sock [sɒk] *n* Socke *f*

socket ['sɒkɪt] *n* (*for plug*) Steckdose *f;* (*for lamp*) Fassung *f;* **arm/hip/knee** ~ Arm-/Hüft-/Kniegelenkpfanne *f;* **eye** ~ Augenhöhle *f*

sofa ['səʊfə] *n* Sofa *nt;* ~ **bed** Schlafcouch *f*

soft [sɒft] *adj* weich; (*delicate*) zart; *music* gedämpft; (*quiet*) leise ▶ **to have a** ~ **spot for sb** eine Schwäche für jdn haben

soft-boiled *adj* weich [gekocht] **soft-hearted** *adj* weichherzig; (*gullible*) leichtgläubig

softly ['sɒftli] *adv* sanft; (*quietly*) leise; ~ **lit** schwach beleuchtet

soggy ['sɒgi] *adj* durchnässt; (*boggy*) glitschig *fam; soil* aufgeweicht; *food* matschig

soil[1] [sɔɪl] *vt* (*form*) verschmutzen; (*foul*) verunreinigen

soil[2] [sɔɪl] *n no pl* **1.** (*earth*) Boden *m,* Erde *f* **2.** (*territory*) Boden *m*

solar ['səʊlə'] *adj* Solar-, Sonnen-; ~ **cell** Solarzelle *f;* ~ **eclipse** Sonnenfinsternis *f;* ~ **energy** Solarenergie *f;* ~ **panel** Sonnenkollektor *m;* ~ **power** Sonnenkraft *f;* ~ **powered** Sonnenenergie betrieben; ~ **system** Sonnensystem *nt*

sold [səʊld] *pt, pp of* **sell**

soldier ['səʊldʒə'] *n* Soldat(in) *m(f)*

sold out *adj* ausverkauft

sole[1] [səʊl] *adj attr* einzig; (*exclusive*) Allein-, alleinig

sole² [səʊl] *n* [Schuh]sohle *f; of foot* [Fuß]sohle *f*

sole³ <*pl* - *or* -s> [səʊl] *n* (*fish*) Seezunge *f*

solely ['səʊlli] *adv* einzig und allein

solicitor [səˈlɪsɪtəʳ] *n* 1. *esp* BRIT, AUS Rechtsanwalt, -anwältin *m, f* (*der/ die seine/ ihre Mandanten nur in den unteren Instanzen vertreten darf, im Gegensatz zum 'barrister'*) 2. AM POL Rechtsreferent(in) *m(f)* (*einer Stadt*)

solid ['sɒlɪd] I. *adj* 1. fest; *structure* solide; *foundation* stabil 2. (*not liquid*) fest 3. (*fully*) ganz; *silver, wood* massiv 4. *plan* konkret; *evidence* handfest; *grounding* solide II. *n* PHYS fester Stoff; (*particle*) Festkörper *m;* MATH Körper *m;* FOOD ~s *pl* feste Nahrung *kein pl*

solitary ['sɒlɪtəʳri] *adj* einzeln *attr;* ZOOL solitär; (*lonely*) einsam; (*remote*) abgeschieden

soluble ['sɒljəbl] *adj* löslich

solution [səˈljuːʃᵊn] *n* 1. (*to problem*) Lösung *f;* (*to riddle*) [Auf]lösung *f* 2. (*product*) Vorrichtung *f;* **software** ~s Softwareanwendungen *pl* 3. CHEM Lösung *f*

solve [sɒlv] *vt* lösen; *crime* aufklären

some [sʌm, sᵊm] I. *adj attr* 1. + *pl n* (*a number*) einige, ein paar 2. + *sing n* (*a quantity*) **there's ~ cake left** es ist noch Kuchen da 3. + *pl n* (*certain*) gewiss 4. (*unknown*) irgendein(e); **he's in ~ kind of trouble** er steckt in irgendwelchen Schwierigkeiten 5. (*noticeable*) gewiss; **to ~ extent** bis zu einem gewissen Grad 6. (*a little*) etwas; **there is ~ hope yet** es besteht noch etwas Hoffnung II. *pron* 1. (*a quantity*) welche(r, s); **if you need money, I can lend you** ~ wenn du Geld brauchst, kann ich dir gerne welches leihen 2. *pl* (*a number*) einige, manche 3. *pl* (*certain people*) ~ **just never learn!** gewisse Leute lernen es einfach nie! 4. (*a little*) ein bisschen; **have ~ of this champagne** trink ein wenig von dem Champagner III. *adv* (*roughly*) ungefähr

somebody ['sʌmbədi] *pron indef* jemand; ~ **or other** irgendwer; ~ **else** jemand anders **somehow** ['sʌmhaʊ] *adv* irgendwie **someone** ['sʌmwʌn] *pron see* **somebody someplace** ['sʌmpleɪs] *adv* AM *see* **somewhere**

somersault ['sʌməsɔːlt] I. *n* Salto *m* II. *vi* einen Salto machen; *car* sich überschlagen

something ['sʌm(p)θɪŋ] *pron indef* 1. etwas; ~ **else** etwas anderes; **to do ~** [**about sth/sb**] etwas [gegen etw/jdn] unternehmen; ~ **about her frightened me** etwas an ihr machte mir Angst 2. (*quality*) etwas; **there's ~ about her** sie hat etwas 3. (*fam: not exact*) **she was seventeen or ~** sie war 17 oder so; **it was a bat or ~** es war eine Fledermaus oder so was **sometime** ['sʌmtaɪm] *adv* irgendwann; **come up and see me ~** komm mich mal besuchen; ~ **soon** demnächst irgendwann **sometimes** ['sʌmtaɪmz] *adv* manchmal **somewhat** ['sʌm(h)wɒt] *adv* etwas, ein wenig [*o* bisschen] **somewhere** ['sʌm(h)weəʳ] *adv* 1. (*at place*) irgendwo; ~ **else** woanders 2. (*to place*) irgendwohin; ~ **else** woandershin

son [sʌn] *n* Sohn *m*

song [sɒŋ] *n* Lied *nt;* (*singing*) Gesang *m*

S

songbook *n* Liederbuch *nt*

son-in-law <*pl* sons-> *n* Schwiegersohn *m*

soon [su:n] *adv* **1.** bald; (*early*) früh; ~ **after sth** kurz nach etw *dat;* **the ~er the better** je eher, desto besser; **not a moment too ~** gerade noch rechtzeitig; **no ~er said than done** gesagt, getan **2.** (*rather*) ~**er/~est** lieber/am liebsten; **I'd ~er not speak to him** ich würde lieber nicht mit ihm sprechen

soot [sʊt] *n no pl* Ruß *m*

soothing ['su:ðɪŋ] *adj* beruhigend; *bath* entspannend; (*analgesic*) schmerzlindernd

sopping ['sɒpɪŋ] (*fam*) *adj, adv* klatschnass; ~ **wet** klatschnass

soppy ['sɒpi] *adj* (*fam*) gefühlsdus[e]lig *pej; story* schmalzig

sore [sɔ:ʳ] **I.** *adj* schlimm; ~ **muscles** Muskelkater *m;* ~ **point** (*fig*) wunder Punkt; **to be ~** wehtun **II.** *n* wunde Stelle; **to open an old ~** (*fig*) alte Wunden aufreißen

sorrow ['sɒrəʊ] *n* (*form*) Betrübnis *f*

sorry ['sɒri] **I.** *adj* **1.** *pred* **I'm/she's ~** es tut mir/ihr leid; **to be ~ about sth** etw bedauern; **to say ~** [**to sb**] sich [bei jdm] entschuldigen **2.** *pred* (*sad*) traurig; **to be ~ for oneself** sich selbst bemitleiden; **sb feels ~ for sb/ sth** jd/etw tut jdm leid **3.** *attr* (*wretched*) jämmerlich **II.** *interj* **1.** ~**!** Entschuldigung! **2.** *esp* BRIT, AUS ~**?** wie bitte?

sort [sɔ:t] **I.** *n* **1.** Sorte *f*, Art *f* **2. I know your ~!** Typen wie euch kenne ich [zur Genüge]! *fam* ► **nothing of the ~** nichts dergleichen; **something of the ~** so etwas in der Art **II.** *adv* (*fam*) ~ **of 1.** (*rather*) ir-

gendwie; **that's ~ of difficult to explain** das ist nicht so einfach zu erklären **2.** (*not exactly*) so ungefähr **III.** *vt, vi* sortieren; **to ~ through sth** etw sortieren ◆ **sort out** *vt* ordnen; *mess* in Ordnung bringen

so-so ['səʊsəʊ] (*fam*) **I.** *adj* so lala *präd,* mittelprächtig *hum* **II.** *adv* so lala

soul [səʊl] *n* **1.** Seele *f;* **not a ~** keine Menschenseele **2.** *no pl* MUS Soul *m*

soul-scarring ['səʊlˌskɑːrɪŋ, AM 'soʊl-] *adj* (*fam*) verletzend *attr;* **it was a ~ experience** die Erfahrung hat tiefe Narben hinterlassen

sound¹ [saʊnd] *n* Meerenge *f;* (*inlet*) Meeresarm *m*

sound² [saʊnd] **I.** *n* **1.** Geräusch *nt;* (*music*) Klang *m* **2.** *no pl* PHYS der Schall **3.** *no pl* RADIO, TV (*volume*) Ton *m* **4.** *no pl* **I don't like the ~ of it** das klingt gar nicht gut **II.** *vi* **1.** erklingen; *alarm* ertönen **2.** (*fam: gripe*) **to ~ off** herumtönen **III.** *vt* **to ~ the alarm** den Alarm auslösen; **to ~ the** [**car**] **horn** hupen

sound effect *n* Geräuscheffekt *m,* Toneffekt *m* **soundproof I.** *adj* schalldicht **II.** *vt* schalldicht machen

soup [su:p] *n* Suppe *f;* **packet ~** Tütensuppe *f;* ~ **kitchen** Armenküche *f;* ~ **plate** Suppenteller *m*

sour ['saʊəʳ] **I.** *adj* sauer; (*fig: bad-tempered*) griesgrämig **II.** *vt* sauer machen; (*fig: spoil*) trüben **III.** *vi* sauer werden; (*fig*) getrübt werden

source [sɔ:s] *n* Quelle *f;* ~ **of information** Informationsquelle *f;* ~**s** *pl* LIT Quellen[angaben] *pl;* **according to Government ~s** wie in Regierungskreisen verlautet

south [saʊθ] **I.** *n no pl* **1.** Süden *m;* **to**

the ~ of sth südlich von etw *dat*
2. (*in USA*) **the S~** die Südstaaten
pl II. *adj* Süd-, südlich III. *adv* **my
room faces** ~ mein Zimmer ist nach
Süden ausgerichtet; **due** ~ direkt
nach Süden

South Africa *n* Südafrika *nt* **South
African** I. *adj* südafrikanisch II. *n*
Südafrikaner(in) *m(f)* **South America** *n* Südamerika *nt* **South American** I. *adj* südamerikanisch II. *n*
Südamerikaner(in) *m(f)* **south-east**
I. *n no pl* Südosten *m* II. *adj* Süd-
ost-, südöstlich; ~ **wind** Südostwind
m III. *adv* südostwärts, nach Südosten **south-easterly, south-eastern** *adj* südöstlich **south-eastward**
(**s**) *inv* I. *adj* südostwärts *präd;* **in a ~
direction** in südöstlicher Richtung
II. *adv* südostwärts, nach Südosten

southerly ['sʌðəˀli] I. *adj* südlich; **in a ~
direction** in südlicher Richtung
II. *adv* südlich; (*going south*) südwärts III. *n* Südwind *m*

southern ['sʌðən] *adj* südlich, Süd-

southerner ['sʌðəˀnəʳ] *n* **to be a ~** aus
dem Süden kommen; AM Südstaatler/
Südstaatlerin sein

South Pole *n* Südpol *m*

southward(s) ['saʊθwəd(z)] *adj, adv*
südlich

south-west I. *n no pl* Südwesten *m*
II. *adj* südwestlich, Südwest- III. *adv*
südwestwärts, nach Südwesten

souvenir [ˌsuːvˀnˀɪəʳ] *n* Andenken *nt*
(**of** an)

sow¹ <sowed, sown *or* sowed> [səʊ]
vt, vi säen; **to ~ doubts** [**in sb's
mind**] Zweifel [in jdm] wecken

sow² [saʊ] *n* Sau *f*

sown [səʊn] *vt, vi pp of* **sow**¹

soya ['sɔɪə], AM **soy** [sɔɪ] *n no pl* Soja *f;*

~ **bean** Sojabohne *f;* ~ **sauce** Sojaso-
ße *f*

spa [spɑː] *n* (*spring*) Heilquelle *f;* (*place*) [Bade]kurort *m*, Bad *nt*

space [speɪs] *n* 1. *no pl* Raum *m;*
wide open ~ das weite, offene Land
2. (*gap*) Platz *m;* (*between two
things*) Zwischenraum *m* 3. *no pl*
(*vacancy*) Platz *m*, Raum *m* 4. *no
pl* (*cosmos*) der Weltraum

space blanket *n* Rettungsdecke *f*
spacecraft <*pl* -> *n* Raumfahrzeug
nt **space flight** *n* [Welt]raumflug *m*
space lab *n*, **space laboratory** *n*
Weltraumlabor *nt*

space-saving *adj* Platz sparend; *furniture* Raum sparend

spaceship *n* Raumschiff *nt* **space
shuttle** *n* [Welt]raumfähre *f* **space
travel** *n no pl* die Raumfahrt

spacing ['speɪsɪŋ] *n no pl* Abstände *pl*

spacious ['speɪʃəs] *adj* geräumig

spade [speɪd] *n* Spaten *m;* CARDS Pik
nt; **ace of ~s** Pikas *nt*

spaghetti [spəˈɡeti] *n no pl* Spaghetti
pl

Spain [speɪn] *n no pl* Spanien *nt*

spam [spæm] *n no pl* 1. **S~®** Frühstücksfleisch *nt* 2. INET Spam *nt*

spangled ['spæŋgld] *adj* glitzernd;
(*dress*) mit Pailletten besetzt; (*fig*) **to
be ~ with sth** mit etw *dat* übersät
sein

Spanglish ['spæŋglɪʃ] *n* Spanglish *nt*

Spaniard ['spænjəd] *n* Spanier(in)
m(f)

Spanish ['spænɪʃ] I. *n* 1. *no pl* Spanisch *nt* 2. + *pl vb* **the ~** die Spanier
pl II. *adj* spanisch

spanner [spænəʳ] *n* BRIT, AUS Schraubenschlüssel *m*

spare [speəʳ] I. *vt* (*not kill*) verscho-

S

nen; (*go easy on*) schonen; (*avoid*) ersparen; (*not use*) sparen; **there's no time to** ~ es ist keine Zeit übrig; **to** ~ **no costs** keine Kosten scheuen; **to** ~ **sb embarrassment/worry** jdm Peinlichkeiten/Sorgen ersparen II. *adj* 1. Ersatz-; ~ [bed]room Gästezimmer *nt;* **to have some** ~ **cash** noch etwas Geld übrig haben 2. BRIT (*sl*) **to drive sb** ~ jdn wahnsinnig machen *fam* III. *n* Reserve *f;* ~s *pl* Ersatzteile *pl*

spark [spɑːk] I. *n* Funke[n] *m;* (*fig*) **a** ~ **of hope** ein Fünkchen *nt* Hoffnung; **a bright** ~ ein Intelligenzbolzen *m* II. *vt* entfachen; *interest* wecken III. *vi* Funken sprühen

sparkler [ˈspɑːklər] *n* Wunderkerze *f*

sparkling [ˈspɑːklɪŋ] *adj* glänzend; *eyes* funkelnd; *drink* mit Kohlensäure nach *n;* (*lively*) vor Leben sprühend

spark plug *n* Zündkerze *f*

sparrow [ˈspærəʊ] *n* Spatz *m*

spat¹ [spæt] *vt, vi pt, pp of see* **spit**

spat² [spæt] I. *n* (*fam*) Krach *m* II. *vi* <-tt-> [sich] streiten [*o* zanken]

speak <spoke, spoken> [spiːk] I. *vi* 1. sprechen; (*converse*) sich unterhalten; **to** ~ **to** [*or esp* AM **with**] **sb** mit jdm reden; **to** ~ **on the telephone** telefonieren 2. + *adv* **broadly** ~ing im Allgemeinen; **strictly** ~ing genau genommen II. *vt* sagen; *language* sprechen; **to not** ~ **a word** kein Wort herausbringen ◆ **speak for** *vt* 1. (*support*) **to** ~ **for sb/sth** jdn/etw unterstützen 2. (*represent*) **to** ~ **for sb** in jds Namen sprechen ◆ **speak out** *vi* seine Meinung deutlich vertreten; **to** ~ **out on sth** sich über etw *akk* äußern ◆ **speak up** *vi* 1. lauter sprechen 2. (*support*) seine Meinung

sagen; **to** ~ **up for sb/sth** für jdn/ etw eintreten

speaker [ˈspiːkər] *n* Redner(in) *m(f);* (*chair*) S~ Sprecher(in) *m(f);* (*loudspeaker*) Lautsprecher *m*

speaking [ˈspiːkɪŋ] I. *n no pl* das Sprechen II. *adj attr* sprechend ▶ **to be on** ~ **terms** miteinander bekannt sein

spear [spɪər] I. *n* Speer *m* II. *vt* aufspießen

special [ˈspeʃəl] I. *adj* besondere(r, s); (*for particular purpose*) speziell; *circumstances* außergewöhnlich; **to pay** ~ **attention to sth** bei etw *dat* ganz genau aufpassen; ~ **case** Ausnahme *f* II. *n* 1. *esp* AM, AUS (*meal*) Tagesgericht *nt* 2. *pl esp* AM (*bargains*) ~s Sonderangebote *pl*

specialist [ˈspeʃəlɪst] I. *n* Fachmann, -frau *m, f;* (*doctor*) Facharzt, -ärztin *m, f* II. *adj attr* Fach-

speciality [ˌspeʃiˈæləti] *n esp* BRIT 1. (*product*) Spezialität *f* 2. (*feature*) besonderes Merkmal; (*iron or pej*) Spezialität *f iron*

specialize [ˈspeʃəlaɪz] *vi* sich spezialisieren (**in** auf)

specially [ˈspeʃli] *adv* speziell; (*particularly*) besonders

specialty [ˈspeʃəlti] *n esp* AM, AUS *see* **speciality**

species <*pl* -> [ˈspiːʃiːz] *n* Art *f,* Spezies *f fachspr*

specific [spəˈsɪfɪk] *adj* 1. genau; **could you be a bit more** ~? könntest du dich etwas klarer ausdrücken? 2. *attr* (*particular*) speziell; ~ **details** besondere Einzelheiten 3. (*typical*) typisch

specifically [spəˈsɪfɪkli] *adv* speziell; (*clearly*) ausdrücklich

specification [ˌspesɪfɪˈkeɪʃən] *n* (*data*)

Angabe *f;* (*plan*) detaillierter Entwurf; (*for building*) Bauplan *m*

specimen ['spesəmɪn] *n* Exemplar *nt;* MED Probe *f;* **soil ~** Bodenprobe *f*

spectacle case *n* BRIT Brillenetui *nt*

spectacles ['spektək|z] *n pl* BRIT Brille *f*

spectacular [spek'tækjələʳ] *adj* großartig; (*striking*) spektakulär

spectator [spek'teɪtəʳ] *n* Zuschauer(in) *m(f)*

speech <*pl* -es> [spiːtʃ] *n* **1.** *no pl* (*faculty*) die Sprache; (*act*) das Sprechen; **in everyday ~** in der Alltagssprache **2.** (*oration*) Rede *f;* **freedom of ~** Redefreiheit *f*

speech defect *n* Sprachfehler *m*

speechless ['spiːtʃləs] *adj* sprachlos

speed [spiːd] **I.** *n* **1.** Geschwindigkeit *f;* **~ of light/sound** Licht-/Schallgeschwindigkeit *f;* **maximum ~** Höchstgeschwindigkeit *f* **2.** *no pl* (*fastness*) Schnelligkeit *f* **3.** (*gear*) Gang *m* **4.** *no pl* (*sl: drug*) Speed *nt* **II.** *vi* <sped, sped> sausen; *driver* rasen; **to ~ along** dahinsausen ♦ **speed up** *vi* beschleunigen; (*improve*) sich verbessern

speedboat *n* Rennboot *nt* **speed bump** *n* Bodenschwelle *f* **speed dating** *n organisierte Partnersuche, bei der man mit jedem Kandidaten nur wenige Minuten spricht* **speed-dial button** *n* Kurzwahltaste *f*

speeding ['spiːdɪŋ] *n no pl* Geschwindigkeitsüberschreitung *f,* Rasen *nt fam*

speed limit *n* Geschwindigkeitsbegrenzung *f*

speedy ['spiːdi] *adj* schnell; *decision a.* rasch; (*prompt*) prompt

spell¹ [spel] *n* Zauber *m;* (*words*) Zau-

berspruch *m;* **to cast a ~ on sb** jdn verzaubern

spell² [spel] *n* Weile *f;* **to go through a bad ~** eine schwierige Zeit durchmachen; **~ of sunny weather** Schönwetterperiode *f;* **cold/hot ~** Kälte-/Hitzewelle *f*

spell³ <spelled, spelled> [spel] **I.** *vt* buchstabieren; (*signify*) bedeuten **II.** *vi* richtig schreiben

spelling ['spelɪŋ] **I.** *n no pl* Rechtschreibung *f* **II.** *adj attr* Rechtschreib-; **~ check** Rechtschreibüberprüfung *f*

spelt [spelt] *pp, pt of* **spell**

spend [spend] *vt* <spent, spent> ausgeben; (**on** für); *time* verbringen; **to ~ time doing sth** Zeit damit verbringen, etw zu tun

spending money *n no pl* Taschengeld *nt*

spent [spent] **I.** *pp, pt of* **spend** **II.** *adj* verbraucht; (*tired*) ausgelaugt; **to feel ~** sich erschöpft fühlen

spice [spaɪs] **I.** *n* Gewürz *nt* **II.** *vt* würzen (**with** mit)

spicy ['spaɪsi] *adj* würzig; (*hot*) scharf

spider ['spaɪdəʳ] *n* Spinne *f;* **~'s web** Spinnennetz *nt*

spike [spaɪk] **I.** *n* **1.** Nagel *m; of rail* Spitze *f; of plant, animal* Stachel *m; of shoe* Spike *m* **2.** AM (*stilettos*) **~s** *pl* Pfennigabsätze *pl* **II.** *vt* **1.** aufspießen **2.** (*fam*) **to ~ sb's drink** Drogen/einen Schuss Alkohol in jds Getränk geben

spiky ['spaɪki] *adj* (*thorny*) dornig; (*prickly*) stachelig; *fence* mit Metallspitzen *nach n*

spill [spɪl] **I.** *n* Verschüttete(s) *nt;* (*pool*) Lache *f;* (*stain*) Fleck *m;* **oil ~** Ölteppich *m* **II.** *vt* <spilt *or* AM,

S

AUS *usu* spilled, spilt *or* AM, AUS *usu* spilled> verschütten; (*scatter*) verstreuen

spilt [spɪlt] *pp, pt of* spill

spin [spɪn] **I.** *n* **1.** Drehung *f;* (*in washing machine*) Schleudern *nt kein pl;* **to send a car into a ~** ein Auto zum Schleudern bringen **2.** *no pl* (*fam: slant*) **to put a ~ on sth** etw ins rechte Licht rücken **II.** *vi* <-nn-, spun *or* BRIT *a.* span, spun> **1.** drehen; *washing machine* schleudern; (*fig*) **my head is ~ning** mir dreht sich alles *fam* **2.** (*make yarn*) spinnen **III.** *vt* <-nn-, spun *or* BRIT *a.* span, spun> **1.** drehen **2.** (*slant*) ins rechte Licht rücken **3.** *yarn* spinnen

spinach [ˈspɪnɪtʃ] *n no pl* Spinat *m*

spine [spaɪn] *n* **1.** Wirbelsäule *f;* of *book* [Buch]rücken *m* **2.** (*spike*) Stachel *m*

spiral [ˈspaɪərəl] **I.** *n* Spirale *f* **II.** *adj attr* spiralförmig **III.** *vi* <BRIT -ll- *or* AM *usu* -l-> sich hochwinden; *smoke, hawk* spiralförmig aufsteigen; *prices* ansteigen

spire [spaɪər] *n* Turmspitze *f*

spirit [ˈspɪrɪt] *n* **1.** Geist *m;* (*ghost also*) Gespenst *nt;* **the** [**Holy**] **S~** der Heilige Geist **2.** *no pl* (*mood*) Stimmung *f;* **team ~** Teamgeist *m;* **to lift sb's ~s** jds Stimmung heben **3.** *no pl* (*vitality*) Temperament *nt* **4.** (*alcohol*) **~s** *pl* Spirituosen *pl*

spit¹ [spɪt] *n* Bratspieß *m;* (*beach*) Sandbank *f*

spit² [spɪt] **I.** *n* (*fam*) Spucke *f* **II.** *vi* <-tt-, spat *or* spit, spat *or* spit> **1.** spucken; **to ~ at sb** jdn anspucken **2.** *impers* (*fam*) **it is ~ting** [**with rain**] es tröpfelt **3.** *bacon* brutzeln; *fire* zischen; *cat* fauchen **III.** *vt* <-tt-, spat

or spit, spat *or* spit> ausspucken
◆ **spit out** *vt* ausspucken; (*growl*) fauchen

spite [spaɪt] **I.** *n no pl* **1.** Bosheit *f* **2. in ~ of sth** trotz einer S. *gen* **II.** *vt* ärgern

spiteful [ˈspaɪtfəl] *adj* gehässig

splash [splæʃ] **I.** *n* <*pl* -es> **1.** Platschen *nt kein pl* **2.** (*jet*) Spritzer *m* **3.** *of sauce* Klecks *m fam;* in drink Spritzer *m* **II.** *vt* verspritzen; (*spray*) bespritzen **III.** *vi* rain, waves klatschen; **to ~** [**about**] [herum]planschen
◆ **splash out** *vi* BRIT, AUS (*fam*) **to ~ out on sth** Geld für etw *akk* hinauswerfen

splendid [ˈsplendɪd] *adj* großartig

splint [splɪnt] *n* Schiene *f*

splinter [ˈsplɪntər] **I.** *n* Splitter *m;* of *wood also* Holzsplitter *m* **II.** *vi* splittern

split [splɪt] **I.** *n* **1.** Riss *m;* (*in wall, wood*) Spalt *m;* in *opinion* Kluft *f;* of *spouses* Trennung *f* **2.** (*share*) Anteil *m* **3. to do the ~s** [einen] Spagat machen **II.** *vt* <-tt-, split, split> teilen; *group* spalten; **to ~ sth in half** etw halbieren **III.** *vi* <-tt-, split, split> *wood, stone* [entzwei]brechen; *seam, cloth* aufplatzen; *hair* splissen; *spouses* sich trennen; **to ~ into groups** sich aufteilen ◆ **split up** **I.** *vt* aufteilen; (*separate*) teilen **II.** *vi* sich teilen; *spouses* sich trennen; **to ~ up into groups** sich in Gruppen aufteilen; **to ~ up with sb** sich von jdm trennen

splitting [ˈsplɪtɪŋ] *n no pl* FIN Splitting *nt*

split-up *n* Trennung *f*

spoil [spɔɪl] **I.** *n* **~s** *pl* Beute *f kein pl* **II.** *vt* <spoiled *or* BRIT *usu* spoilt,

spoiled *or* BRIT *usu* **spoilt**> **1.** verderben; **to ~ the coastline** die Küste verschandeln *fam* **2.** (*pamper*) verwöhnen; *child* verziehen

spoilsport ['spɔɪlspɔːt] *n* Spielverderber(in) *m(f)*

spoilt [spɔɪlt] **I.** *vt, vi esp* BRIT *pp, pt of* **spoil** **II.** *adj* verdorben; *view* verschandelt *fam; child* verzogen

spoke¹ [spəʊk] *n* Speiche *f;* ▶ **to put a ~ in sb's** <u>wheel</u> BRIT jdm einen Knüppel zwischen die Beine werfen

spoke² [spəʊk] *pt of* **speak**

spoken [spəʊkⁿn] **I.** *pp of* **speak** **II.** *adj attr* gesprochen

spokesperson <*pl* -people> *n* Sprecher(in) *m(f)*

sponge [spʌndʒ] **I.** *n* **1.** Schwamm *m* **2.** (*cake*) Rührkuchen *m;* (*without fat*) Biskuit[kuchen] *m* **3.** (*fam: cadger*) Schnorrer(in) *m(f)* **II.** *vt* [mit einem Schwamm] abwischen ◆ **sponge down, sponge off** *vt* to **~ down** ⇆ **sth** etw [mit einem Schwamm] abwaschen; **to ~ down** ⇆ **sb** jdn [mit einem Schwamm] waschen

sponge bag *n* BRIT, AUS Waschbeutel *m* **sponge cake** *n* Biskuitkuchen *m*

sponger ['spʌndʒər] *n* (*fam*) Schmarotzer(in) *m(f)*

sponsor ['spɒn(t)sər] **I.** *vt* (*commercially*) sponsern; (*noncommercially*) unterstützen **II.** *n* Sponsor(in) *m(f);* (*of charity*) Förderer , Förderin *m, f*

spontaneous [spɒn'teɪniəs] *adj* spontan; (*unrestrained*) impulsiv

spooky ['spuːki] *adj* (*fam*) schaurig; (*eerie*) unheimlich; *film* gespenstisch

spoon [spuːn] **I.** *n* Löffel *m* **II.** *vt* löffeln

spoonful <*pl* -s> ['spuːnfʊl] *n* Löffel *m*

sport [spɔːt] **I.** *n* **1.** Sport *m;* (*specific*) Sportart *f;* **indoor ~** Hallensport *m;* **outdoor ~** Sport *m* im Freien **2.** AUS **hello ~** na, Kumpel *fam* **II.** *vt* **to ~ sth** etw tragen

sporting ['spɔːtɪŋ] *adj* SPORTS **1.** *attr* Sport- **2.** (*fam*) fair

sports car *n* Sportwagen *m* **sportsman** *n* Sportler *m* **sportsmanship** *n no pl* Fairness *f* **sportswear** *n no pl* Sportkleidung *f* **sportswoman** *n* Sportlerin *f*

sporty ['spɔːti] *adj* sportlich; *car* schnell

spot [spɒt] **I.** *n* **1.** Fleck *m;* (*dot*) Punkt *m;* (*pattern*) Tupfen *m* **2.** BRIT (*acne*) Pickel *m* **3.** (*place*) Stelle *f;* **on the ~** an Ort und Stelle **II.** *vt* <-tt-> entdecken; **to ~ sb doing sth** jdn bei etw *dat* erwischen

spotless ['spɒtləs] *adj* makellos

spotlight *n* Scheinwerfer *m;* **to be in the ~** (*fig*) im Rampenlicht stehen

spot-on *adj pred* BRIT, AUS (*fam*) haargenau; (*correct*) goldrichtig

spotted ['spɒtɪd] *adj* gepunktet; (*patterned*) getupft

spotty ['spɒti] *adj* **1.** BRIT, AUS (*pimply*) pickelig **2.** AM, AUS (*patchy*) bescheiden *iron*

sprain [spreɪn] **I.** *vt* **to ~ one's ankle** sich *dat* den Knöchel verstauchen **II.** *n* Verstauchung *f*

sprang [spræŋ] *vi, vt pt of* **spring**

spray¹ [spreɪ] **I.** *n* **1.** *no pl* Sprühnebel *m; of perfume* Wolke *f; of water* Gischt *m o f* **2.** (*jet*) Spritzer *m* **3.** (*sprinkler*) Sprühvorrichtung *f* **4.** (*aerosol*) Spray *m o nt* **II.** *vt* **1.** besprühen; *plants* spritzen **2.** (*vaporize*)

S

sprühen **III.** *vi* spritzen

spray² [spreɪ] *n* Zweig *m;* (*bouquet*) Strauß *m*

spread [spred] **I.** *n* **1.** Verbreitung *f* **2.** (*range*) Vielfalt *f* **3.** JOURN Doppelseite *f* **4.** FOOD Aufstrich *m* **II.** *vi* <spread, spread> **1.** *fire* sich ausbreiten; *news, panic* sich verbreiten **2.** (*stretch*) sich erstrecken **3.** FOOD sich streichen lassen **III.** *vt* <spread, spread> **1.** ausbreiten **2. to ~ toast with jam** Toast mit Marmelade bestreichen **3.** *fertilizer* streuen; *disease* übertragen; *panic, rumour* verbreiten

spree [spriː] *n* Gelage *nt;* **killing ~** Gemetzel *nt;* **shopping ~** Einkaufstour *f*

spring [sprɪŋ] **I.** *n* **1.** Frühling *m;* **in the ~** im Frühling **2.** (*coil*) Feder *f* **3.** (*elasticity*) Sprungkraft *f* **4.** (*water*) Quelle *f* **II.** *vi* <sprang *or* AM *a.* sprung, sprung> **1.** springen; **to ~ into action** den Betrieb aufnehmen; **to ~ open** aufspringen; **to ~ shut** zufallen **2. to ~ up** auftauchen; **to ~ to mind** in den Kopf schießen

springboard *n* Sprungbrett *nt*

spring-clean I. *vi* Frühjahrsputz machen **II.** *vt* **to ~ a house/room** in einem Haus/einem Zimmer Frühjahrsputz machen **spring onion** *n* BRIT, AUS Frühlingszwiebel *f* **spring roll** *n* Frühlingsrolle *f*

springy [ˈsprɪŋi] *adj* federnd *attr,* elastisch

sprinkle [ˈsprɪŋkl̩] **I.** *vt* **1.** streuen (**on** auf); (*cover*) bestreuen (**with** mit) **2. to ~ the lawn** den Rasen sprengen **II.** *n usu sing* **a ~ of rain/snow** ein leichter Regen/Schneefall

sprinkling [ˈsprɪŋklɪŋ] *n see* **sprinkle II**

sprint [sprɪnt] **I.** *vi* sprinten **II.** *n* Sprint *m;* **100-metre ~** Hundertmeterlauf *m*

sprout [spraʊt] **I.** *n* **1.** Spross *m* **2.** *esp* BRIT (*vegetable*) Rosenkohl *m* *kein pl* **II.** *vi* wachsen **III.** *vt* treiben

sprung [sprʌŋ] **I.** *adj* BRIT gefedert **II.** *pp, pt of* **spring**

spud [spʌd] *n* BRIT (*fam*) Kartoffel *f*

spun [spʌn] *pp, pt of* **spin**

spy [spaɪ] **I.** *n* Spion(in) *m(f)* **II.** *vi* **1.** spionieren **2.** (*peep*) **to ~ into sth** in etw *akk* spähen **III.** *vt* sehen

squad [skwɒd] *n* + *sing/pl vb* Einheit *f;* SPORTS Kader *m*

square [skweəʳ] **I.** *n* Quadrat *nt;* (*street*) Platz *m;* **town ~** zentraler Platz **II.** *adj* **1.** quadratisch; **~ metre** Quadratmeter *m o nt* **2.** (*fam: level*) plan; **to be [all] ~** auf gleich sein **III.** *adv* direkt **IV.** *vt* **to ~ sth 1.** etw quadratisch machen **2.** (*settle*) etw in Ordnung bringen **3.** MATH etw quadrieren

squash¹ [skwɒʃ] *n esp* AM (*pumpkin*) Kürbis *m*

squash² [skwɒʃ] **I.** *n* **1.** *no pl* (*crowd*) Gedränge *nt* **2.** *no pl* SPORTS Squash *nt;* **~ court** Squashcourt *m* **3.** BRIT, AUS (*drink*) Fruchtsaftgetränk *nt* **II.** *vt* **1.** zerdrücken; **to ~ sth flat** etw platt drücken **2. can you ~ this into your bag for me?** kannst du das für mich in deine Tasche stecken?

squashy [ˈskwɒʃi] *adj* weich

squatter [ˈskwɒtəʳ] *n* Hausbesetzer(in) *m(f)*

squeak [skwiːk] **I.** *n* Quietschen *nt kein pl;* *of mouse* Pieps[er] *m fam* **II.** *vi* quietschen; *mouse* piepsen

squeeze [skwiːz] **I.** *n* **1.** Drücken *nt kein pl* **2.** ECON **a ~ on spending** eine Beschränkung der Ausgaben **3.** *no pl* **it was a tight ~** es ging gerade noch hinein **4.** (*fam: lover*) Freund(in) *m(f)* **II.** *vt* **1.** drücken; *lemon* auspressen; *sponge* ausdrücken; **freshly ~d orange juice** frisch gepresster Orangensaft **2.** (*push in*) [hinein]zwängen; (*push through*) [durch]zwängen **III.** *vi* **to ~ into sth** sich in etw *akk* [hinein]zwängen; **to ~ past sth** sich an etw *dat* vorbeizwängen

squid <*pl* -> [skwɪd] *n* Tintenfisch *m*

squint [skwɪnt] **I.** *vi* die Augen zusammenkneifen; MED schielen **II.** *n* MED Schielen *nt kein pl*

squirrel ['skwɪrəl] *n* Eichhörnchen *nt*

squirt [skwɜ:t] **I.** *vt* spritzen; **to ~ sb with sth** jdn mit etw *dat* bespritzen **II.** *vi* **to ~ out** herausspritzen **III.** *n* **1.** Spritzer *m* **2.** (*fam*) Zwerg *m*

stab [stæb] **I.** *vt* <-bb-> **to ~ sb** auf jdn einstechen; **the victim was ~bed** das Opfer erlitt eine Stichverletzung; **to ~ sb in the back** (*fig*) jdm in den Rücken fallen **II.** *vi* <-bb-> **to ~ at sb/sth** auf jdn/etw einstechen **III.** *n* **1.** Stich *m* **2.** (*wound*) Stichwunde *f* **3.** (*pain*) Stich *m*; **~ of envy** Anflug *m* von Neid

stabbing ['stæbɪŋ] **I.** *n* Messerstecherei *f* **II.** *adj pain* stechend; *fear* durchdringend

stable¹ <more stable, most stable> ['steɪbl] *adj* stabil

stable² ['steɪbl] **I.** *n* Stall *m* **II.** *vt horse* unterstellen

stack [stæk] **I.** *n* **1.** Stapel *m*; *of papers* Stoß *m*; *of hay* Schober *m*; (*stereo*) Stereoturm *m* **2.** (*fam: much*) Haufen *m sl*; **we've got ~s of time** wir haben massenhaft Zeit **II.** *vt* [auf]

stapeln; *dishwasher* einräumen; *shelves* auffüllen

stadium <*pl* -s> ['steɪdiəm] *n* Stadion *nt*

staff¹ [stɑ:f] **I.** *n* + *sing/pl vb* Belegschaft *f*; SCH, UNIV Lehrkörper *m*; **members of ~** Mitarbeiter *pl*; **nursing ~** Pflegepersonal *nt*; **teaching ~** Lehrpersonal *nt* **II.** *vt usu passive* **many charities are ~ed with volunteers** viele Wohltätigkeitsvereine beschäftigen ehrenamtliche Mitarbeiter

staff² [stɑ:f] *n* Stab *m*; (*stick*) Stock *m*

stag [stæg] *n* Hirsch *m*; **~ night/party** Junggesellenabschiedsparty *f*

stage [steɪdʒ] **I.** *n* **1.** Etappe *f*; *of journey, race also* Abschnitt *m*; **crucial ~** entscheidende Phase; **early ~** Frühphase *f* **2.** THEAT Bühne *f*; **the world ~** die [ganze] Welt; **the political ~** die politische Bühne **II.** *vt congress* veranstalten; *demonstration* organisieren; THEAT aufführen; **to ~ a concert** ein Konzert geben

stagger ['stægəʳ] **I.** *vi* schwanken, torkeln; **to ~ to one's feet** sich aufrappeln **II.** *vt* **1.** **to ~ sb** jdn erstaunen **2.** (*grade*) **to ~ sth** etw staffeln

staggered ['stægəd] *adj* erstaunt; (*graded*) gestaffelt

stagnant ['stægnənt] *adj* stagnierend; **~ air** stehende Luft

stain [steɪn] **I.** *vt* verfärben; (*spot*) Flecken auf etw *dat* machen **II.** *vi* Flecken machen; (*discolour*) sich verfärben **III.** *n* Verfärbung *f*, Fleck *m*; (*blemish*) Makel *m*

stained [steɪnd] *adj* verfärbt; (*spotted*) fleckig; (*dyed*) gefärbt; (*blemished*) befleckt

stainless ['steɪnləs] *adj* makellos; *char-*

S

acter tadellos

stair [steə^r] *n* Treppenstufe *f;* ~**s** *pl* Treppe *f;* **a flight of** ~**s** eine Treppe

stake¹ [steɪk] *n* Pfahl *m*

stake² [steɪk] **I.** *n* **1.** (*bet*) Einsatz *m* **2.** FIN, ECON Anteil *m;* ▸ **to be at** ~ (*in question*) zur Debatte stehen; (*at risk*) auf dem Spiel stehen **II.** *vt* **to** ~ **money** Geld setzen

stale [steɪl] *adj drink* abgestanden; *air* muffig; *bread* alt

stalk¹ [stɔːk] *n* (*stem*) Stiel *m*

stalk² [stɔːk] **I.** *vt* **1.** jagen; **to go** ~**ing** auf die Pirsch gehen **2. to** ~ **sb** jdm nachstellen **II.** *vi* **to** ~ **by** vorbeistolzieren **III.** *n* Pirsch *f;* (*gait*) Stolzieren *nt*

stall [stɔːl] **I.** *n* **1.** [Verkaufs]stand *m;* (*for animal*) Stall *m;* (*for racehorse*) Box *f* **2.** AM [markierter] Parkplatz **II.** *vi* **1.** zum Stillstand kommen; *car* stehen bleiben **2.** (*fam: delay*) zögern **III.** *vt* **1.** *car* abwürgen **2.** (*delay*) verzögern

stamina [ˈstæmɪnə] *n no pl* Durchhaltevermögen *nt*

stammer [ˈstæmə^r] **I.** *n* Stottern *nt;* **to have a** ~ stottern **II.** *vi* stottern

stamp [stæmp] **I.** *n* **1.** Stempel *m;* ~ **of approval** Genehmigungsstempel *m* **2.** [postage] ~ Briefmarke *f;* ~ **album** Briefmarkenalbum *nt* **3.** (*step*) Stampfer *m fam* **II.** *vt* **1.** [ab]stempeln **2. to** ~ **a letter** einen Brief frankieren **3.** (*crush*) zertreten; **to** ~ **one's foot** mit dem Fuß aufstampfen **III.** *vi* stampfen; (*walk also*) stapfen; **to** ~ **on sth** auf etw *akk* treten

stampede [stæmˈpiːd] **I.** *n* wilde Flucht; *of people* [Menschen]auflauf *m* **II.** *vi* durchgehen; *people* irgendwohin stürzen

stand [stænd] **I.** *n* **1.** Einstellung *f* (**on** zu); **to make a** ~ **against sth** sich gegen etw *akk* auflehnen **2.** *usu pl* (*in stadium*) [Zuschauer]tribüne *f* **3.** (*support*) Ständer *m* **4.** (*stall*) [Verkaufs]stand *m* **II.** *vi* <stood, stood> **1.** stehen; **to** ~ **clear** beiseitetreten; **to** ~ **tall** gerade stehen; **to** ~ **still** stillstehen; **to** ~ **in sb's way** jdm im Weg stehen **2.** + *adj* **I never know where I** ~ **with my boss** ich weiß nie, wie ich mit meinem Chef dran bin *fam;* **to** ~ **alone** beispiellos sein **3.** *rule* gelten; **does that still** ~? ist das noch gültig? **4.** BRIT, AUS *candidate* **to** ~ **for sth** für etw *akk* kandidieren **III.** *vt* <stood, stood> **1. to** ~ **sth somewhere** etw irgendwohin hinstellen **2. to** ~ **one's ground** wie angewurzelt stehen bleiben **3.** (*bear*) **to** ~ **sth** etw ertragen **4.** (*fam*) **to** ~ **a chance of doing sth** gute Aussichten haben, etw zu tun ◆ **stand about, stand around** *vi* herumstehen ◆ **stand aside** *vi* **1.** zur Seite treten **2. to** ~ **aside** [from sth] sich [aus etw *dat*] heraushalten **3.** (*resign*) zurücktreten ◆ **stand back** *vi* zurücktreten; **to** ~ **back from sth** abseits von etw *dat* liegen; (*fig*) etw aus der Distanz betrachten ◆ **stand by** *vi* dabeistehen; (*be ready*) bereitstehen; **to** ~ **by sb** zu jdm stehen ◆ **stand down** *vi* **1.** BRIT, AUS (*resign*) zurücktreten **2.** (*relax*) entspannen ◆ **stand for** *vi* **1. to not** ~ **for sth** sich *dat* etw nicht gefallen lassen **2.** (*mean*) **to** ~ **for sth** für etw *akk* stehen ◆ **stand in** *vi* **to** ~ **in for sb** für jdn einspringen ◆ **stand out** *vi* hervorragen; **to** ~ **out in a crowd** sich von der Menge abheben ◆ **stand over** *vi* **1. to** ~ **over**

sb jdm auf die Finger schauen *fam*
2. (*adjourn*) aufgeschoben werden
◆ **stand up** *vi* **1.** aufstehen; (*be standing*) stehen **2. to ~ up** [**to sth**] [etw *dat*] standhalten **3. to ~ up to sb** sich jdm widersetzen

standard ['stændəd] **I.** *n* **1.** Standard *m;* **to raise ~s** das Niveau heben **2.** (*criterion*) Richtlinie *f* **3.** (*principles*) **~s** *pl* Wertvorstellungen *pl* **II.** *adj* **1.** Standard-; (*average*) durchschnittlich **2.** AM **~ transmission** Standardgetriebe *nt*

standard lamp *n* BRIT, AUS Stehlampe *f*

standby <*pl* -s> ['stæn(d)baɪ] **I.** *n* **1.** *no pl* **on ~** in Bereitschaft **2.** (*backup*) Reserve *f* **3.** (*ticket*) Stand-by-Ticket *nt;* (*traveller*) Fluggast *m* mit Stand-by-Ticket **II.** *adj attr* Ersatz-

stand-in *n* Vertretung *f;* FILM, THEAT Ersatz *m*

standing ['stændɪŋ] **I.** *n no pl* Ansehen *nt* **II.** *adj attr* [aufrecht] stehend; (*permanent*) ständig; (*stationary*) stehend

stand-offish [-'ɒfɪʃ] *adj* (*fam*) reserviert **standpoint** *n* Standpunkt *m;* **depending on your ~, ...** je nachdem, wie man es betrachtet, ... **standstill** *n no pl* Stillstand *m;* **to be at a ~** zum Erliegen kommen **stand-up** *adj attr* **~ comedian** Alleinunterhalter(in) *m(f)*

stank [stæŋk] *pt of* **stink**

staple¹ ['steɪpl] **I.** *n* Heftklammer *f;* (*for wood*) Krampe *f* **II.** *vt* heften; **to ~ sth together** etw zusammenheften

staple² ['steɪpl] **I.** *n* Grundstock *m;* ECON Hauptprodukt *nt;* FOOD Grundnahrungsmittel *nt* **II.** *adj attr* Haupt-;

~ foods Grundnahrungsmittel *pl*
stapler ['steɪplə'] *n* Hefter *m*
star [stɑː'] **I.** *n* **1.** Stern *m;* (*asterisk*) Sternchen *nt* **2.** (*performer*) Star *m* **II.** *vi* <-rr-> **to ~ in a film/play** in einem Film/Theaterstück die Hauptrolle spielen **III.** *adj attr* Star-; **this year's ~ student** der diesjährige beste Student

starboard ['stɑːbəd] *n* NAUT Steuerbord *nt kein pl*

stare [steə'] **I.** *n* Starren *nt;* **she gave him a long ~** sie starrte ihn unverwandt an; **accusing ~** vorwurfsvoller Blick **II.** *vi* starren; (*surprised also*) große Augen machen; **to ~ at sb/sth** jdn/etw anstarren **III.** *vt* **to ~ sb in the eye** jdn anstarren

staring ['steərɪŋ] *adj* starrend

star-studded *adj* mit Sternen übersät; FILM, THEAT (*fam*) mit Stars besetzt; **~ cast** Starbesetzung *f*

start [stɑːt] **I.** *n usu sing* **1.** Anfang *m;* *of company* Gründung *f;* SPORTS Start *m;* **to make a ~ on sth** mit etw *dat* anfangen; **from the ~** von Anfang an; **from ~ to finish** von Anfang bis Ende **2.** (*jerk*) Zucken *nt;* **to give a ~** zusammenzucken **II.** *vi* **1.** anfangen; *car* anspringen; **don't you ~!** jetzt fang du nicht auch noch an! *fam;* **to ~ afresh** von neuem beginnen; **to ~ to do sth** anfangen[,] etw zu tun **2.** (*fam*) **to ~ on sb** sich *dat* jdn vornehmen *fam* **III.** *vt* **1. to ~** [**doing**] **sth** anfangen[,] etw zu tun; **he ~ed work at 16** mit 16 begann er zu arbeiten **2.** (*initiate*) ins Leben rufen; (*activate*) einschalten; **to ~ a car** ein Auto starten; **to ~ a fight** Streit anfangen ◆ **start back** *vi* zurückschrecken; (*return*) sich auf den Rückweg

S

machen ◆ **start off I.** *vi* anfangen; (*embark*) losfahren; **they ~ed off in New Orleans** sie starteten in New Orleans **II.** *vt* **to ~ sth** ⇆ **off** etw beginnen ◆ **start out** *vi* anfangen; (*embark*) aufbrechen ◆ **start up I.** *vt business* gründen; *motor* anlassen **II.** *vi* beginnen; *car* anspringen

starter ['stɑːtəʳ] *n* **1.** *esp* BRIT (*fam*) Vorspeise *f* **2.** AUTO Anlasser *m*

starting ['stɑːtɪŋ] *adj attr* Start-

startle ['stɑːtl̩] *vt* erschrecken; *bird* aufschrecken

startling ['stɑːtl̩ɪŋ] *adj* überraschend; (*alarming*) erschreckend

starvation [stɑːˈveɪʃ°n] *n no pl* der Hungertod; (*malnutrition*) Unterernährung *f;* **to die of ~** verhungern

starve [stɑːv] **I.** *vi* **1.** hungern; (*die*) verhungern **2.** (*fam*) **to be starving** ausgehungert sein **II.** *vt* **1.** aushungern; **to ~ oneself to death** sich zu Tode hungern **2.** *usu passive* (*fig*) **to be ~d of sth** um etw *akk* gebracht werden

state [steɪt] **I.** *n* **1.** Zustand *m;* (*constitution*) körperliche Verfassung; PSYCH Gemütszustand *m;* **~ of exhaustion/fatigue** Erschöpfungs-/Ermüdungszustand *m;* **unconscious ~** Bewusstlosigkeit *f;* **to be in a ~** mit den Nerven fertig sein; **to be in a fit ~ to do sth** in der Lage sein, etw zu tun **2.** (*nation*) Staat *m;* (*in USA*) [Bundes]staat *m;* (*in Germany*) Land *nt* **3. the ~** der Staat **II.** *adj attr* Staats-; (*government*) Regierungs-; **~ secret** Staatsgeheimnis *nt;* **~ subsidy** [staatliche] Subvention **III.** *vt* äußern; (*specify*) nennen; **to ~ that ...** erklären, dass ...; **to ~ one's case** seine Sache vortragen; **to ~ one's objec-**

tions seine Einwände vorbringen; **to ~ the source** die Quelle angeben

State Department *n no pl, + sing/pl vb* AM **the ~** das US-Außenministerium

statement ['steɪtmənt] *n* **1.** Äußerung *f;* (*formal*) Stellungnahme *f;* LAW Aussage *f;* **to make a ~ to the press** eine Presseerklärung abgeben **2.** *of account* [Konto]auszug *m*

station ['steɪʃ°n] **I.** *n* **1.** Bahnhof *m;* (*specific*) -station *f;* **petrol** [*or* AM **gas**] **~** Tankstelle *f;* **police ~** Polizeiwache *f;* **tube** [*or* AM **subway**] **~** U-Bahn-Haltestelle *f* **2.** (*broadcaster*) Sender *m;* **radio ~** Radiosender *m;* **TV ~** Fernsehsender *m* **II.** *vt* postieren; *troops* stationieren

stationary ['steɪʃ°n°ri] *adj* ruhend

stationery ['steɪʃ°n°ri] *n no pl* Schreibwaren *pl;* (*paper*) Schreibpapier *nt*

station wagon *n* AM, AUS Kombi[wagen] *m*

statistics [stəˈtɪstɪks] *n pl* Statistik *f*

statue ['stætʃuː] *n* Statue *f*

status ['steɪtəs] *n no pl* Status *m;* (*prestige a.*) Prestige *nt;* **legal ~** Rechtsposition *f*

stay [steɪ] **I.** *n* Aufenthalt *m;* **overnight ~** Übernachtung *f* **II.** *vi* bleiben; (*reside*) wohnen; **to ~ overnight** übernachten; **to ~ in touch** in Verbindung bleiben; **to ~ tuned** RADIO, TV am Apparat bleiben ◆ **stay away** *vi* fernbleiben; **to ~ away from sb/sth** jdn/etw meiden ◆ **stay behind** *vi* [noch] [da]bleiben ◆ **stay in** *vi* zu Hause bleiben ◆ **stay on** *vi* [noch] bleiben; *lid* halten; *sticker* haften; *light* an bleiben; *device* eingeschaltet bleiben ◆ **stay out** *vi* wegbleiben; *striker* weiter streiken; **to ~ out of**

trouble sich *dat* Ärger vom Hals halten *fam* ◆ **stay up** *vi* aufbleiben; *tent* stehen bleiben; *poster* hängen bleiben; **his socks won't ~ up** seine Socken rutschen ständig

steady [ˈstedi] **I.** *adj* stabil; (*regular*) kontinuierlich; (*boyfriend*) fest; *hand* ruhig; *breathing, flow* regelmäßig; *rain* anhaltend; *speed* konstant **II.** *vt* <-ie-> stabilisieren; **to ~ oneself** Halt finden; **to ~ one's aim** sein Ziel fixieren; **to ~ one's nerves** seine Nerven beruhigen **III.** *adv* (*still*) **to hold sth ~** etw festhalten

steak [steɪk] *n* Steak *nt;* (*poorer-quality*) Rindfleisch *nt;* **braising ~** Schmorfleisch *nt;* **rump ~** Rumpsteak *nt*

steal [stiːl] **I.** *n esp* AM (*fam*) Schnäppchen *nt* **II.** *vt* <stole, stolen> stehlen; **she stole a glance at her watch** sie lugte heimlich auf ihre Armbanduhr **III.** *vi* <stole, stolen> stehlen; (*move*) sich wegstehlen; **he stole out of the room** er stahl sich aus dem Zimmer

steam [stiːm] **I.** *n no pl* Dampf *m* **II.** *vi, vt* dampfen; **to ~ open a letter** einen Brief über Wasserdampf öffnen

steel [stiːl] **I.** *n no pl* Stahl *m* **II.** *vt* **to ~ oneself** [**to do sth**] all seinen Mut zusammennehmen[, um etw zu tun]

steep¹ [stiːp] *adj* steil; *slope* abschüssig; (*dramatic*) dramatisch

steep² [stiːp] *vt* **1.** tränken **2.** *usu passive* **to be ~ed in sth** von etw *dat* durchdrungen sein; **~ed in history** geschichtsträchtig

steeple [ˈstiːpl] *n* Turmspitze *f;* of *church* Kirchturm *m*

steer [stɪər] **I.** *n* junger Ochse **II.** *vt* steuern; **to ~ a course** einen Kurs einschlagen **III.** *vi* steuern; *car* sich lenken lassen

steering lock *n* AUTO Lenkradschloss *nt* **steering wheel** *n* Steuer[rad] *nt;* of *car a.* Lenkrad *nt*

step¹ [step] **I.** *n* **1.** Schritt *m;* of *dance* [Tanz]schritt *m;* **to be/walk in ~** im Gleichschritt sein/laufen **2.** *no pl* (*gait*) Gang *m* **3.** (*stair*) Stufe *f;* **a flight of ~s** eine Treppe **4.** (*fig*) Schritt *m;* **one ~ at a time** eins nach dem anderen; **to take drastic ~s** zu drastischen Mitteln greifen **II.** *vi* <-pp-> treten; (*walk*) gehen; **to ~ over sth** über etw *akk* steigen; **to ~ on sb's foot** jdm auf den Fuß treten ◆ **step aside** *vi* zur Seite treten ◆ **step back** *vi* zurücktreten; (*fig*) Abstand nehmen ◆ **step down** *vi* zurücktreten; *witness* den Zeugenstand verlassen ◆ **step in** *vi* eintreten; (*in car*) einsteigen; (*intervene*) einschreiten ◆ **step out** *vi* [kurz] weggehen; (*walk*) ausschreiten ◆ **step up** *vt* verstärken; **the reforms are being ~ped up** die Reformen werden jetzt beschleunigt

stepbrother *n* Stiefbruder *m*

stepladder *n* Stehleiter *f*

stepping stone *n* [Tritt]stein *m;* (*fig*) Sprungbrett *nt*

stereo <*pl* -os> [ˈsteriəʊ] *n* **1.** *no pl* Stereo *nt* **2.** (*fam*) Stereoanlage *f*

sterile [ˈsteraɪl] *adj* steril; (*infertile*) unfruchtbar

sterling [ˈstɜːlɪŋ] **I.** *n no pl* **1.** FIN Sterling *m,* [britisches] Pfund **2.** (*metal*) Sterlingsilber *nt* **II.** *adj* meisterhaft; **to make a ~ effort** beachtliche Anstrengungen unternehmen

stern¹ [stɜːn] *adj* ernst; (*strict*) streng; **a ~ warning** eine eindringliche Warnung

S

stern² [stɜːn] *n* NAUT Heck *nt*

stew [stjuː] **I.** *n* Eintopf *m* **II.** *vt* schmoren; **to ~ plums** Pflaumenkompott kochen **III.** *vi* **1.** [vor sich *dat* hin] schmoren **2.** (*fam*) schmollen

stick¹ [stɪk] *n* **1.** Stock *m;* (*twig*) Zweig *m;* **carrot ~s** lange Mohrrübenstücke; **~ of chewing gum** Stück *nt* Kaugummi; **hockey/polo ~** Hockey-/Poloschläger *m* **2. to get ~** herbe Kritik einstecken müssen; **to give sb ~** jdn heruntermachen

stick² <stuck, stuck> [stɪk] **I.** *vi* **1.** kleben; (*be fixed*) zugeklebt bleiben **2.** (*immobile*) feststecken; *jam* klemmen **3.** (*fig*) **to be stuck** nicht weiter wissen **4. to ~ at sth** an etw *dat* dranbleiben **5. to ~ to one's budget** sich an sein Budget halten; **to ~ to a diet** eine Diät einhalten ▶ **to ~ to one's guns** nicht lockerlassen **II.** *vt* **1.** kleben (**to** an) **2.** (*fam*) **~ your things wherever you like** stellen Sie Ihre Sachen irgendwo ab; **to ~ one's head around the door** seinen Kopf durch die Tür stecken ◆ **stick around** *vi* (*fam*) da bleiben ◆ **stick down** *vt* festkleben ◆ **stick in** *vi* ▶ **to get stuck in** BRIT (*fam: start*) anfangen; (*start eating*) [mit dem Essen] anfangen ◆ **stick out I.** *vt* ausstrecken; *tongue* herausstrecken; **to ~ it out** es [bis zum Ende] durchhalten **II.** *vi* [her]vorstehen; *hair, ears* abstehen; *nail* herausstehen ◆ **stick together I.** *vt* zusammenkleben **II.** *vi* zusammenkleben; (*fig*) *friends* zusammenhalten ◆ **stick up I.** *vt* (*fam*) **1. to ~ up a notice** einen Aushang machen **2. if you have a question, ~ your hand up** meldet euch, wenn ihr eine Frage habt **II.** *vi* empor-

ragen; *hair* abstehen; **to ~ up for sb** sich für jdn einsetzen; (*support*) jdn unterstützen

sticker [ˈstɪkər] *n* Aufkleber *m;* **price ~** Preisschild[chen] *nt*

sticking plaster *n* BRIT [Heft]pflaster *nt*

stick-on *adj attr* Klebe-

sticky [ˈstɪki] *adj* klebrig; (*sweaty*) verschwitzt; *weather* schwül; *air* stickig; (*fig: difficult*) heikel

stiff [stɪf] **I.** *adj* **1.** steif (**with** vor); *paste* dick; *dough* fest **2.** *manner* steif; *smile* gezwungen; **to keep a ~ upper lip** Haltung bewahren **3.** *opposition* stark; *breeze* steif; *criticism* herb **II.** *adv* **to be scared ~** zu Tode erschrocken sein

still¹ [stɪl] **I.** *n* **1.** *no pl* Stille *f* **2.** *usu pl* (*photo*) Standfoto *nt* **II.** *adj* **1.** ruhig **2.** (*immobile*) reglos; **to keep ~** still halten; **to sit/stand ~** still sitzen/stehen **3.** *drink* ohne Kohlensäure *nach n*

still² [stɪl] *adv* noch [immer]; (*in future as in past*) nach wie vor; (*nevertheless*) trotzdem; **..., but he's ~ your brother** ..., er ist immer noch dein Bruder; **better/worse ~** noch besser/schlimmer

sting [stɪŋ] **I.** *n* **1.** *of bee* Stachel *m; of jellyfish* Brennfaden *m* **2.** (*wound*) Stich *m; by jellyfish* Brennen *nt* **II.** *vi* <stung, stung> *bee* stechen; (*burn*) brennen; *cut* schmerzen **III.** *vt* <stung, stung> *insect* stechen; (*jellyfish*) brennen; (*burn*) brennen

stinging nettle *n* Brennnessel *f*

stink [stɪŋk] **I.** *n usu sing* Gestank *m* **II.** *vi* <stank *or* stunk, stunk> **1.** stinken; **to ~ of sth** nach etw *dat* stinken **2.** (*fig fam*) **his acting ~s** er ist ein miserabler Schauspieler

stinker ['stɪŋkəʳ] *n* (*fam*) **1. what a ~ that man is!** was ist er nur für ein Ekel! **2.** (*problem*) harter Brocken

stir [stɜːʳ] **I.** *n usu sing* **1.** Bewegung *f*; (*of emotion*) Erregung *f*; (*with spoon*) [Um]rühren *nt* **2.** (*uproar*) Aufruhr *f*; **to cause a ~** Aufsehen erregen **II.** *vt* <-rr-> **1.** rühren; **to ~ sth into sth** etw in etw *akk* [hin]einrühren **2.** (*move*) bewegen; **to ~ sb from a dream** jdn aus einem Traum reißen; **to ~ emotions** Emotionen aufwühlen **III.** *vi* <-rr-> **1.** (*mix*) rühren **2.** (*move*) sich regen; *person a.* sich rühren **3.** (*awaken*) wach werden **4.** BRIT, AUS Unruhe stiften

stir-fry I. *n* Chinapfanne *f* **II.** *vi, vt* <-ie-> kurz anbraten

stitch [stɪtʃ] **I.** *n* <*pl* -es> **1.** Stich *m*; (*method*) Stichart *f*; (*in knitting, crocheting*) Masche *f*; **blanket/cross ~** Langetten-/Kreuzstich *m*; **to have one's ~es taken out** die Fäden gezogen bekommen **2.** (*pain*) Seitenstechen *nt kein pl*; **to be in ~es** (*fig*) sich schieflachen **II.** *vi* sticken; (*sew*) nähen **III.** *vt* nähen

stock¹ [stɒk] *n no pl* Brühe *f*; **fish ~** Fischfond *m*

stock² [stɒk] **I.** *n* **1.** Vorrat *m* (**of** an); **housing ~** Bestand *m* an Wohnhäusern; **~ of knowledge** (*fig*) Wissensschatz *m* **2.** *no pl* (*inventory*) Bestand *m*; **to be in/out of ~** vorrätig/ nicht vorrätig sein; **to take ~** Inventur machen **3.** FIN **~s** *pl* Aktien *pl*; **~s and shares** Wertpapiere *pl* **II.** *adj attr* Lager-; (*standard*) Standard- **III.** *vt* **1. to ~ sth** etw führen **2. to ~ the shelves** die Regale auffüllen

stockbroker *n* Börsenmakler(in) *m(f)*

stock exchange *n* Börse *f*

stocking ['stɒkɪŋ] *n* **~s** *pl* Strümpfe *pl*

stock market *n* [Wertpapier]börse *f*

stole¹ [stəʊl] *pt of* **steal**

stole² [stəʊl] *n* Stola *f*; *of priest* [Priester]stola *f*

stolen ['stəʊlən] **I.** *pp of* **steal II.** *adj* gestohlen; **~ goods** Diebesgut *nt*; *kiss* verstohlen

stomach ['stʌmək] **I.** *n* Magen *m*; (*abdomen*) Bauch *m*; **to have a big/flat ~** einen dicken/flachen Bauch haben; **to have a pain in one's ~** Magenschmerzen haben; **to have an upset ~** eine Magenverstimmung haben **II.** *adj* Magen-; **~ muscles** Bauchmuskeln *pl* **III.** *vt* (*fam*) **to be hard to ~** schwer zu verkraften sein

stomach ache *n usu sing* Magenschmerzen *pl* **stomach upset** *n* Magenverstimmung *f*

stone [stəʊn] **I.** *n* **1.** Stein *m* **2.** <*pl* -> BRIT *britische Gewichtseinheit, die 6,35 kg entspricht* **II.** *adj attr* Stein-; **~ statue** Statue *f* aus Stein **III.** *vt* **1. to ~ sb [to death]** jdn steinigen **2.** *fruit* entsteinen

Stone Age *n* **the ~** die Steinzeit

stood [stʊd] *pt, pp of* **stand**

stool [stuːl] *n* **1.** Hocker *m*; **kitchen ~** Küchenschemel *m*; **piano ~** Klavierstuhl *m* **2.** (*faeces*) Stuhl *m*

stop [stɒp] **I.** *vt* <-pp-> **1. to ~ sb/a car** jdn/ein Auto anhalten; **to ~ one's car** anhalten; **~ that man!** haltet den Mann! **2.** (*interrupt*) beenden; (*temporarily*) unterbrechen; *bleeding* stillen; *clock* anhalten; **~ it!** hör auf [damit]! **3.** (*suspend*) **to ~ sth** mit etw *dat* aufhören; **what time do you usually ~ work?** wann hören

S

Sie normalerweise auf zu arbeiten? **4. to ~ sb [from] doing sth** jdn davon abhalten, etw zu tun **5.** (*block*) verstopfen; (*bung*) [zu]stopfen **II.** *vi* <-pp-> **1.** stehen bleiben; *car* [an]halten; *bus, train* halten; *machine* nicht mehr laufen; *clock, heart* stehen bleiben; *rain* aufhören; **~!** halt!; **to ~ dead** abrupt innehalten **2.** (*discontinue*) aufhören; **she ~ped drinking** sie trinkt nicht mehr **3.** BRIT (*fam: stay*) bleiben; **to ~ at a hotel** in einem Hotel übernachten **III.** *n* **1.** Halt *m;* **to come to a ~** stehen bleiben; *car a.* anhalten; **to put a ~ to sth** etw *dat* ein Ende setzen **2.** (*break*) Pause *f;* AVIAT Zwischenlandung *f* **3.** TRANSP Haltestelle *f* ◆ **stop by** *vi* (*fam*) vorbeischauen ◆ **stop off** *vi* Halt machen; *traveller* Zwischenstation machen ◆ **stop over** *vi* **1.** *traveller* Zwischenstation machen **2.** BRIT über Nacht bleiben ◆ **stop up** **I.** *vi* BRIT (*fam*) aufbleiben **II.** *vt* verstopfen; (*bung*) [zu]stopfen

stopover *n* Zwischenstation *f; of plane* Zwischenlandung *f;* (*duration*) Zwischenaufenthalt *m*

stopping ['stɒpɪŋ] **I.** *n no pl* Anhalten *nt;* **~ and going** Verkehrsstockung *f* **II.** *adj attr, inv* Nahverkehrs-; **~ service** Nahverkehr *m;* **~ train** Nahverkehrszug *m*

stop sign *n* Stoppschild *nt*

stopwatch *n* Stoppuhr *f*

storage space *n no pl* Stauraum *m;* (*in warehouse*) Lagerraum *m*

store [stɔːʳ] **I.** *n* **1.** Vorrat *m* (**of** an) **2.** *esp* AM, AUS (*shop*) Laden *m; esp* BRIT (*larger*) Geschäft *nt* **3.** (*warehouse*) Lager *nt;* **grain ~** Getreidespeicher *m* **II.** *vt* [auf]speichern; *supplies*

lagern; COMPUT [ab]speichern

store card *n* Kunden[kredit]karte *f*

storey ['stɔːri] *n* Stockwerk *nt;* **a three-~[ed] house** ein dreistöckiges Haus

storm [stɔːm] **I.** *n* **1.** Sturm *m;* (*with thunder*) Gewitter *nt* **2.** (*assault*) [An]sturm *m* **II.** *vi* stürmen; **to ~ off** davonstürmen **III.** *vt* stürmen

stormy ['stɔːmi] *adj* stürmisch

story¹ ['stɔːri] *n* **1.** Geschichte *f;* (*narrative*) Erzählung *f;* (*plot*) Handlung *f;* (*rumour*) Gerücht *nt;* **the ~ goes that ...** man erzählt sich, dass ... **2.** (*version*) Fassung *f;* **sb's side of the ~** jds Version der Geschichte **3.** (*report*) Beitrag *m;* (*in newspaper*) Artikel *m*

story² *n* AM *see* **storey**

stove [stəʊv] *n* Ofen *m;* (*oven*) Herd *m*

stowaway ['stəʊəˌweɪ] *n* blinder Passagier/blinde Passagierin

straggler ['stræɡləʳ] *n* Nachzügler(in) *m(f)*

straight [streɪt] **I.** *n* Gerade *f;* CARDS Sequenz *f;* **in the home ~** in der Zielgeraden **II.** *adj* **1.** gerade; *hair* glatt; **the picture isn't ~** das Bild hängt schief **2.** (*frank*) offen **3.** (*heterosexual*) heterosexuell **4.** **~ answer** eindeutige Antwort; **~ A's** glatte Einser **5.** (*fam: serious*) ernst[haft]; **to keep a ~ face** ernst bleiben **6.** *pred* (*fam: quits*) **to be ~** quitt sein **III.** *adv* **1.** gerade[aus]; **go ~ along this road** folgen Sie immer dieser Straße; **he drove ~ into the tree** er fuhr frontal gegen den Baum **2.** (*directly*) direkt *fam*

straightaway [ˌstreɪtəˈweɪ] *adv esp* BRIT sofort

straighten ['streɪtᵊn] I. vt gerade machen; (align) richten; hair glätten; necktie zurechtrücken II. vi sich aufrichten; road gerade werden ◆ **straighten out** I. vt clothes glatt streichen; (put right) in Ordnung bringen; (clarify) klarstellen; **to ~ out a misunderstanding** ein Missverständnis aus der Welt schaffen II. vi gerade werden ◆ **straighten up** I. vi sich aufrichten; car [wieder] geradeaus fahren; aircraft [wieder] geradeaus fliegen II. vt gerade machen; room aufräumen

strain¹ [streɪn] n of virus Art f

strain² [streɪn] I. n usu sing 1. no pl Druck m; **to put a ~ on sth** einen Druck auf etw akk ausüben 2. (muscle) Zerrung f II. vi 1. ziehen; **the dog was ~ing at the leash** der Hund zerrte an der Leine 2. (try) sich anstrengen III. vt **to ~ sth** 1. (pull) an etw dat ziehen; muscle etw zerren 2. (overexert) etw [stark] beanspruchen; **to ~ one's eyes** die Augen überanstrengen

strange [streɪndʒ] adj merkwürdig; (unusual) ungewöhnlich; (exceptional) bemerkenswert; (alien) fremd; **a ~ twist of fate** eine besondere Laune des Schicksals

strangely ['streɪndʒli] adv merkwürdig; **she was ~ calm** sie war auffällig still; **~ enough** seltsamerweise

stranger ['streɪndʒəʳ] n Fremde(r) f(m); **she is a ~ to me** ich kenne sie nicht; **hello, ~!** (fam) hallo, lange nicht gesehen!

strangle ['stræŋgl] vt erdrosseln; (suppress) unterdrücken

strap [stræp] I. n Riemen m; (for safety) Gurt m; (for clothes) Träger m; **watch ~** Uhrarmband nt II. vt <-pp-> befestigen; (bandage) bandagieren

strapless ['stræpləs] adj trägerlos

straw [strɔː] n 1. no pl Stroh nt 2. (drinking) Strohhalm m; ▸ **to be the final ~** das Fass zum Überlaufen bringen; **to draw the short ~** den Kürzeren ziehen

strawberry ['strɔːbᵊri] n Erdbeere f

streak [striːk] I. n 1. Streifen m; of colour Spur f; (on window) Schliere f 2. (strip) Strahl m 3. (trait) [Charakter]zug m II. vt usu passive **to be ~ed** gestreift sein III. vi 1. flitzen fam; **to ~ across the street** über die Straße fegen 2. (fam: naked) flitzen fam

streaker ['striːkəʳ] n (fam) Flitzer(in) m(f) fam

streaky ['striːki] adj streifig; pattern gestreift; **~ bacon** durchwachsener Speck

stream [striːm] I. n 1. Bach m; (current) Strömung f; (flow) Strahl m; of people Strom m; **the Gulf S~** der Golfstrom 2. (series) Flut f; **~ of abuse** Schimpfkanonade f II. vi strömen; water also fließen

streamer ['striːməʳ] n Band nt; of paper Luftschlange f

street [striːt] n Straße f; **in the ~** auf der Straße; **I live in [or AM on] King S~** ich wohne in der King Street; **main/side ~** Haupt-/Seitenstraße f; **to cross the ~** die Straße überqueren

streetcar n AM (tram) Straßenbahn f

street credibility, fam **street cred** n In-Sein nt sl; **that jacket won't do much for your ~** mit diesem Jackett bist du einfach nicht in **street light** n Straßenlicht nt **streetwear** ['striːtweəʳ] n Streetwear f

S

streetwise *adj* gewieft

strength [streŋ(k)θ] *n* **1.** *no pl* Kraft *f;* **brute ~** schiere Muskelkraft **2.** *no pl* (*health*) Robustheit *f;* **to gain ~** wieder zu Kräften kommen **3.** (*potency*) Stärke *f; of drug* Konzentration *f; of medicine* Wirksamkeit *f* **4.** (*trait*) Stärke *f* **5.** (*intensity*) Intensität *f; of colour* Leuchtkraft *f; of belief* Stärke *f*

strengthen ['streŋ(k)θ³n] **I.** *vt* **1.** stärken; (*fortify*) verstärken **2.** (*support*) **to ~ sb** jdn bestärken; **to ~ sth** etw untermauern **II.** *vi* stärker werden; *muscles* kräftiger werden; *wind* auffrischen; *shares* an Wert gewinnen; *currency* zulegen

stress [stres] **I.** *n* <*pl* -es> **1.** Stress *m* **2.** *no pl* (*emphasis*) Bedeutung *f* **3.** LING (*pronunciation*) Betonung *f* **II.** *vt* belasten; (*emphasize*) betonen; **I'd just like to ~ that ...** ich möchte lediglich darauf hinweisen, dass ...

stressful ['stresfʊl] *adj* stressig *fam,* anstrengend; **~ situation** Stresssituation *f*

stretch [stretʃ] **I.** *n* <*pl* -es> **1.** *no pl* Dehnbarkeit *f; of fabric* Elastizität *f* **2.** *of muscle* Strecken *nt kein pl;* **to have a ~** sich [recken und] strecken **3.** (*area*) Stück *nt; ~ of coast* Küstenabschnitt *m;* **the home ~** die Zielgerade; **~ of railway** Bahnstrecke *f* **4.** (*period*) Zeitspanne *f* **II.** *adj attr* Stretch- **III.** *vi* **1.** sich dehnen; *clothes* weiter werden **2.** (*train*) Dehnungsübungen machen **3.** (*extend*) sich erstrecken **IV.** *vt* **1.** [aus]dehnen; (*by pulling*) dehnen; **to ~ one's legs** sich *dat* die Beine vertreten **2.** **to ~ sb/sth** jdn/etw fordern; **to ~ sb's budget** jds Budget *nt* strapazieren **3.** SPORTS **to ~ one's lead** seinen Vor-

sprung ausbauen **4.** (*go beyond*) **to ~ sth** über etw *akk* hinausgehen

stretcher ['stretʃər] **I.** *n* Tragbahre *f* **II.** *vt* **to ~ sb [off]** jdn auf einer Tragbahre [weg]tragen

strict [strɪkt] *adj* streng; *boss* strikt; *penalty* hart; *rules* streng; **~ time limit** festgesetzte Frist; **~ neutrality** strikte Neutralität; **in the ~est confidence** streng vertraulich; **~ Catholics** strenggläubige Katholiken

strictly ['strɪktli] *adv* streng; **~ forbidden** streng verboten; **~ defined** genau definiert; **~ speaking** genau genommen; **~ confidential** streng vertraulich

stride [straɪd] **I.** *vi* <strode, stridden> **to ~ across sth** über etw *akk* hinwegschreiten; **to ~ purposefully up to sth** zielstrebig auf etw *akk* zugehen **II.** *n* Schritt *m;* **to take sth in [** BRIT **one's] ~** (*fig*) mit etw *dat* gut fertigwerden

strike¹ [straɪk] **I.** *n* Streik *m;* **to call a ~** einen Streik ausrufen **II.** *vi* streiken

strike² [straɪk] **I.** *n* Angriff *m;* (*discovery*) Fund *m* **II.** *vt* <struck, struck *or* AM *a.* stricken> **1.** **to ~ sth** (*bang*) gegen etw *akk* schlagen; (*bump*) gegen etw *akk* stoßen **2.** *ball* schlagen; FBALL schießen **3.** (*impress*) **to be struck by sth** von etw *dat* beeindruckt sein **4.** **to ~ sb as ...** jdm ... scheinen **5.** **has it ever struck you that ...?** ist dir je der Gedanke gekommen, dass ...?; **it's just struck me that ...** mir ist gerade eingefallen, dass ... **6.** (*achieve*) erreichen; **to ~ a balance** einen Mittelweg finden **7.** **to ~ gold** auf Gold stoßen **8.** **to ~ a chord/note** einen Akkord/Ton anschlagen **III.** *vi* <struck, struck *or*

AM *a. old* stricken> **1.** treffen; *lightning* einschlagen; *illness* ausbrechen; *fate* zuschlagen; **to ~ home** ins Schwarze treffen **2. to ~ on sth** etw finden; **she has just struck on an idea** ihr ist gerade eine Idee gekommen **3.** *clock* schlagen ◆ **strike down** *vt* **1. to ~ down** ⇆ **sb** jdn niederschlagen **2.** *usu passive* **to be struck down with sth** [schwer] an etw *dat* erkranken ◆ **strike out** *vi* **1.** zuschlagen; **to ~ out at sb** nach jdm schlagen; (*fig*) jdn scharf angreifen **2.** (*start*) neu beginnen; **to ~ out on one's own** eigene Wege gehen ◆ **strike up I.** *vt* anfangen; **to ~ up a conversation** ein Gespräch anfangen; **to ~ up a song** ein Lied anstimmen **II.** *vi* anfangen

striker ['straɪkə^r] *n* Streikende(r) *f(m)*; FBALL Stürmer(in) *m(f)*

striking ['straɪkɪŋ] *adj* bemerkenswert; *differences* erheblich; *personality* beeindruckend; *result* erstaunlich

string [strɪŋ] *n* **1.** *no pl* Schnur *f*; *of puppet* Faden *m pl*; **ball of ~** Knäuel *m o nt*; (*fig*) **with ~s attached** mit Bedingungen verknüpft **2.** MUS Saite *f*; **to pluck a ~** eine Saite zupfen **3.** (*orchestra*) **the ~s** *pl* die Streichinstrumente *pl* **4.** COMPUT Zeichenfolge *f*; **search ~** Suchbegriff *m* ◆ **string along** *vt* (*fam*) täuschen; (*delay*) hinhalten

strip [strɪp] **I.** *n* **1.** Streifen *m*; **narrow ~ of land** schmales Stück Land **2.** BRIT, AUS SPORTS (*kit*) Trikot *nt* **3.** (*undressing*) Strip[tease] *m* **II.** *vt* <-pp-> **1.** leer räumen; (*dismantle*) auseinandernehmen; **~ped pine** abgebeizte Kiefer; **to ~ sth bare** *pests* etw kahl fressen **2.** *usu passive* **to ~**

sb of sth jdn einer S. *gen* berauben **III.** *vi* <-pp-> sich ausziehen; **~ped to the waist** mit nacktem Oberkörper

stripe [straɪp] *n* Streifen *m*; MIL [Ärmel] streifen *m*

striped [straɪpt] *adj* gestreift

stripper ['strɪpə^r] *n* Stripper(in) *m(f)*; (*solvent*) Farbentferner *m*; (*for wallpaper*) Tapetenlöser *m*

strode [strəʊd] *pt of* **stride**

stroke [strəʊk] **I.** *vt* streicheln; **to ~ one's hair into place** sich das Haar glatt streichen; **to ~ the ball** den Ball [leicht] streifen **II.** *n* **1.** Streicheln *nt kein pl* **2.** MED Schlaganfall *m* **3.** (*mark*) Strich *m* **4.** (*form: blow*) Schlag *m* **5.** *no pl* breast ~ Brustschwimmen *nt* **6. ~ of luck** Glücksfall *m*; **a ~ of bad luck** Pech *nt*

stroll [strəʊl] **I.** *n* Spaziergang *m*; **to go for a ~** spazieren gehen **II.** *vi* schlendern

strong [strɒŋ] **I.** *adj* **1.** stark; (*effective also*) gut; (*deep-seated*) überzeugt; *conviction* fest; *economy* gesund; *reaction* heftig; *resistance* erbittert; (*pungent*) streng; *flavour* kräftig; *smell* beißend; **tact is not her ~ point** Takt ist nicht gerade ihre Stärke; [as] ~ **as an ox** bärenstark; **to have ~ views on sth** eine Meinung über etw *akk* energisch vertreten **2.** (*likely*) hoch; ~ **likelihood** hohe Wahrscheinlichkeit **II.** *adv* (*fam*) **to come on ~** (*sexually*) rangehen *fam*; (*aggressively*) in Fahrt kommen *fam*; **still going ~** noch gut in Form

strongly ['strɒŋli] *adv* stark; **to ~ criticize sb** jdn heftig kritisieren; **to ~ deny sth** etw energisch bestreiten; **to be ~ opposed to sth** entschieden gegen etw *akk* sein; **to ~ recom-**

S

mend sth etw dringend empfehlen; **to smell ~ of sth** stark nach etw *dat* riechen

strong-minded *adj* willensstark

stroppy ['strɒpi] *adj* BRIT, AUS (*fam*) muffig *fam;* **to get ~** pampig werden *fam*

struck [strʌk] *pt, pp of* **strike**

struggle ['strʌɡl] I. *n* Kampf *m* (**for** um/**against** gegen); **uphill ~** harter Kampf; **without a ~** kampflos *m* II. *vi* 1. kämpfen (**for** um +*akk*) 2. (*toil*) sich abmühen; **to ~ with sth** sich mit etw *dat* herumschlagen

strung [strʌŋ] *pt, pp of* **string**

stub [stʌb] I. *n* (*of ticket*) Abriss *m;* (*of cigarette*) [Zigaretten]stummel *m; of pencil* Stummel *m* II. *vt* <-bb-> **~ one's toes** sich die Zehen anstoßen

stubborn ['stʌbən] *adj* stur *fam;* (*persistent*) hartnäckig; *problem* vertrackt

stuck [stʌk] I. *pt, pp of* **stick** II. *adj* 1. fest; **the door is ~** die Tür klemmt 2. *pred* (*trapped*) **to be ~ in sth** in etw *dat* feststecken; **to be ~ with sb** jdn am Hals haben 3. *pred* (*at a loss*) **to be ~** nicht klarkommen *fam;* **I'm really ~** ich komme einfach nicht weiter

stuck-up *adj* (*fam*) hochnäsig *fam*

stud¹ [stʌd] *n* Zuchthengst *m;* (*farm*) Gestüt *nt*

stud² [stʌd] *n* 1. (*jewellery*) Stecker *m* 2. TECH Stift *m* 3. AM (*in tire*) Spike *m*

student ['stjuːdˀnt] *n* 1. Student(in) *m(f);* (*pupil*) Schüler(in) *m(f);* **postgraduate ~** Habilitand(in) *m(f)* 2. **to be a ~ of sth** sich mit etw *dat* befassen

student teacher *n* Referendar(in) *m(f)*

studio ['stjuːdiəʊ] *n of artist* Atelier *nt; of photographer, musician* Studio *nt; of firm* Filmgesellschaft *f*

study ['stʌdi] I. *vt* <-ie-> 1. studieren; (*at school*) lernen 2. (*examine*) **to ~ sth/sb** etw/jdn studieren, sich mit etw/jdm befassen II. *vi* <-ie-> lernen; (*at university*) studieren III. *n* 1. Untersuchung *f;* (*academic*) Studie *f* 2. *no pl* (*studying*) Lernen *nt;* (*at university*) Studieren *nt* 3. (*room*) Arbeitszimmer *nt*

stuff [stʌf] I. *n no pl* (*fam*) Zeug *nt oft pej fam;* (*possessions also*) Sachen *pl;* **his latest book is good ~** sein neues Buch ist echt gut; **that's the ~!** BRIT (*fam*) so ists richtig!; **to know one's ~** sich auskennen II. *vt* 1. (*fam*) **to ~ sb/oneself** jdn/sich voll stopfen; **to ~ down ⇆ sth** etw in sich hineinstopfen *pej;* **to ~ one's face** sich *dat* den Bauch vollschlagen *fam* 2. *esp* BRIT, AUS (*fam*) **~ it!** Scheiß drauf! *derb;* **~ him!** der kann mich mal! *derb* 3. (*push in*) stopfen 4. **to ~ animals** Tiere ausstopfen

stuffing ['stʌfɪŋ] *n no pl* Füllung *f*

stuffy ['stʌfi] *adj* spießig; *room* stickig

stumble ['stʌmbl] *vi* stolpern; **to ~ from one mistake to another** vom einen Fehler zum nächsten stolpern; **to ~ about** herumtappen; **to ~ across sb/sth** [zufällig] auf jdn/etw stoßen; **to ~ on sth** über etw *akk* stolpern

stump [stʌmp] I. *n* 1. Stumpf *m; of arm* Armstumpf *m* 2. AM POL **out on the ~** im Wahlkampf II. *vt* 1. (*fam*) **to ~ sb** jdn verwirren 2. *esp* AM POL **to ~ the country/a state** Wahlkampfreisen durch das Land/einen Staat machen

stun <-nn-> [stʌn] *vt* betäuben; (*ama-*

ze) verblüffen; **~ned silence** fassungsloses Schweigen

stung [stʌŋ] *pp, pt of* **sting**

stunk [stʌŋk] *pt, pp of* **stink**

stunning ['stʌnɪŋ] *adj* umwerfend; (*amazing*) unfassbar

stupid ['stju:pɪd] **I.** *adj* <-er, -est *or* more stupid, most stupid> dumm; (*silly*) blöd *fam;* **don't be ~!** sei doch nicht blöd! *fam* **II.** *n* (*fam*) Dummkopf *m*

stupidity [stju:'pɪdəti] *n no pl* Dummheit *f*

stutter ['stʌtər] **I.** *vi, vt* stottern **II.** *n* Stottern *nt kein pl;* **to have a bad ~** stark stottern

style [staɪl] **I.** *n* Stil *m;* **in the ~ of sb/ sth** im Stil von jdm/etw; **in the Gothic ~** im gotischen Stil; **to have real ~** Klasse haben; **to travel in ~** mit allem Komfort [ver]reisen; **the latest ~** die neueste Mode **II.** *vt* entwerfen; **to ~ hair** die Haare frisieren

stylish ['staɪlɪʃ] *adj* elegant; (*smart*) flott *fam;* (*polished*) stilvoll

stylist ['staɪlɪst] *n* **hair ~** Friseur(in) *m(f)*, Friseuse *f*

sub I. *n* (*fam*) **1.** *short for* **substitute** Vertretung *f* **2.** *short for* **submarine** U-Boot *nt* **3.** AM *short for* **submarine sandwich** Jumbo-Sandwich *nt* **II.** *vi* <-bb-> *short for* **substitute: to ~ for sb** jdn vertreten

subconsciously [sʌb'kɒn(t)ʃəsli] *adv* unterbewusst; (*intuitively also*) intuitiv

subject I. *n* ['sʌbdʒɪkt, -dʒekt] **1.** Thema *nt;* **to wander off the ~** vom Thema abschweifen **2.** (*person*) Versuchsperson *f* **3.** (*field*) Fach *nt;* (*at school*) [Schul]fach *nt* **4.** LING Subjekt *nt* **II.** *adj* ['sʌbdʒɪkt] **1.** *attr* POL (*domi-*

nated) unterworfen **2.** *pred* **to be ~ to sth** etw *dat* ausgesetzt sein; **to be ~ to depression** zu Depressionen neigen **3.** (*contingent on*) **~ to** wenn; **to be ~ to sth** von etw *dat* abhängig sein; **~ to payment** vorbehaltlich einer Zahlung *gen* **III.** *vt* [səb'dʒekt] **to ~ sb to sth** jdn etw *dat* aussetzen; **to be ~ed to sth** etw ausgesetzt sein

subjective [səb'dʒektɪv] *adj* subjektiv

submarine [ˌsʌbmərˈiːn] **I.** *n* **1.** U-Boot *nt* **2.** AM (*sandwich*) Jumbo-Sandwich *nt* **II.** *adj* Unterwasser-

submerged [səb'mɜːdʒd] *adj* unter Wasser *nach n;* (*sunken*) versunken; (*hidden*) versteckt

sub-post office [ˌsʌb'pəʊstˌɒfɪs] *n* BRIT Poststelle *f*

subscribe [səb'skraɪb] **I.** *vt* subskribieren *fachspr* **II.** *vi* **1.** **to ~ to sth** etw abonnieren **2.** (*donate*) spenden; **to ~ to an appeal** sich an einer Spendenaktion beteiligen **3.** STOCKEX **to ~ for shares** Aktien *pl* zeichnen

subscriber [səb'skraɪbər] *n* Abonnent(in) *m(f);* (*to fund*) Spender(in) *m(f);* (*to opinion*) Befürworter(in) *m(f)* (**to** +*gen*)

subsequent ['sʌbsɪkwənt] *adj* anschließend; **~ to sth** im Anschluss an etw *akk*

subsequently ['sʌbsɪkwəntli] *adv* anschließend

subsidiary [səb'sɪdiˀri] **I.** *adj* untergeordnet; **~ reasons** zweitrangige Gründe **II.** *n* ECON Tochtergesellschaft *f*

subsidize ['sʌbsɪdaɪz] *vt* subventionieren

subsidy ['sʌbsɪdi] *n* Subvention *f* (**to** für); **to receive a ~** subventioniert werden

S

substance ['sʌbstᵊn(t)s] *n* **1.** Substanz *f;* **chemical** ~ Chemikalie *f;* **illegal** ~ (*form*) Droge *f* **2.** *no pl* (*essence*) Substanz *f* **3.** (*significance*) Gewicht *nt;* **the book lacks** ~ das Buch hat keine Substanz

substandard [sʌb'stændəd] *adj* unterdurchschnittlich

substantial [səb'stæn(t)ʃᵊl] *adj attr* bedeutend; *fortune also* beträchtlich; *contribution* wesentlich; *difference* erheblich; *proof* hinreichend; (*weighty*) überzeugend

substitute ['sʌbstɪtjuːt] **I.** *vt* ersetzen; **to** ~ **sb for sb** SPORTS jdn gegen jdn auswechseln **II.** *vi* als Ersatz dienen (**for** für); **to** ~ **for sb** jdn vertreten **III.** *n* Ersatz *m;* **there's no** ~ **for sth/sb** es geht nichts über etw/jdn

substitution [ˌsʌbstɪ'tjuːʃᵊn] *n* Ersetzung *f;* SPORTS Austausch *m*

subtitle ['sʌbˌtaɪtl] **I.** *vt* untertiteln **II.** *n* ~**s** *pl* Untertitel *pl*

subtle <-er, -est> ['sʌtl] *adj* subtil; *flavour* fein; *hint* klein; ~ **tact** ausgeprägtes Taktgefühl

subtotal ['sʌbˌtəʊtᵊl] *n* Zwischensumme *f*

subtract [səb'trækt] *vt* **to** ~ **sth** [**from sth**] etw [von etw *dat*] abziehen; **four** ~**ed from ten equals six** zehn minus vier ergibt sechs

subtropical [sʌb'trɒpɪkᵊl] *adj* subtropisch; ~ **regions** Subtropen *pl*

suburb ['sʌbɜːb] *n* Vorort *m;* **the** ~**s** *pl* der Stadtrand

subway ['sʌbweɪ] *n* **1.** BRIT, AUS (*walkway*) Unterführung *f* **2.** *esp* AM (*railway*) U-Bahn *f*

sub-zero [sʌb'zɪərəʊ] *adj* unter Null [Grad] *nach n;* ~ **temperatures** Minusgrade *pl*

succeed [sək'siːd] **I.** *vi* **1.** erfolgreich sein; **to** ~ **in sth** mit etw *dat* Erfolg haben; **to** ~ **in doing sth** etw mit Erfolg tun **2.** (*follow*) nachfolgen; **to** ~ **to the throne** die Thronfolge antreten **II.** *vt* **to** ~ **sb in office** jds Amt übernehmen

success <*pl* -es> [sək'ses] *n no pl* Erfolg *m;* **to be a big** ~ **with sb** bei jdm einschlagen; **to make a** ~ **of sth** mit etw *dat* Erfolg haben

successful [sək'sesfᵊl] *adj* erfolgreich

succession [sək'seʃᵊn] *n no pl* **1.** Folge *f;* (*series*) Serie *f;* **in** [**close**] ~ [dicht] hintereinander **2.** *of heirs* Nachfolge *f;* ~ **to the throne** Thronfolge *f*

successive [sək'sesɪv] *adj attr* aufeinanderfolgend; **six** ~ **weeks** sechs Wochen hintereinander

successor [sək'sesəʳ] *n* Nachfolger(in) *m(f);* ~ **in office** Amtsnachfolger(in) *m(f);* ~ **to the throne** Thronfolger(in) *m(f)*

such [sʌtʃ] **I.** *adj attr* solche(r, s); **I said no** ~ **thing** so etwas habe ich nie gesagt; **there's no** ~ **thing as ghosts** so etwas wie Geister gibt es nicht **II.** *pron* **1.** solche(r, s); ~ **is life** so ist das Leben; **the wound was** ~ **that ...** die Wunde war so groß, dass ... **2.** ~ **as ...** wie ... **3. as** ~ an [und für] sich **III.** *adv* so; ~ **a thing** so etwas; **he's** ~ **an idiot!** er ist so ein Idiot!; **why are you in** ~ **a hurry?** warum bist du derart in Eile?; ~ **a big city!** was für eine große Stadt!; **it's** ~ **a long time ago** es ist [schon] so langer her; **to be** ~ **a long way** [**away**] so weit weg sein; ~ **that ...** so [...] dass ...

suck [sʌk] **I.** *vt* **1. to** ~ **sth** an etw *dat*

saugen; **to ~ sweets** Bonbons lutschen; **to ~ one's thumb** [am] Daumen lutschen **2. to ~ sb/sth under** jdn/etw in die Tiefe ziehen **II.** *vi* **1.** saugen (**on** an +*dat*)*;* *sweets* lutschen **2.** *esp* AM (*sl*) ätzend sein; **man this job ~s!** Mann, dieser Job ist echt Scheiße! **III.** *n* Saugen *nt; on sweets* Lutschen *nt* ◆ **suck in** *vt* einsaugen; *engine also* einziehen; (*import*) anziehen ◆ **suck up I.** *vt* aufsaugen **II.** *vi* (*fam*) **to ~ up to sb** sich bei jdm einschmeicheln

sudden ['sʌdᵊn] *adj* plötzlich; **so why the ~ change?** wieso plötzlich diese Änderung?; **it was so ~** es kam so überraschend; **to get a ~ fright** plötzlich Angst bekommen; **~ movement** abrupte Bewegung; **all of a ~** (*fam*) [ganz] plötzlich

suddenly ['sʌdᵊnli] *adv* plötzlich

sudoku ['suːdəkuː] *n* Sudoku *kein art* (*Zahlenrätsel*)

sue [suː] **I.** *vt* verklagen (**for** auf +*akk*)*;* **to ~ sb for divorce** gegen jdn die Scheidung einreichen **II.** *vi* klagen (**for** wegen +*gen*)*;* **to ~ for peace** um Frieden bitten

suede [sweɪd] *n* Wildleder *nt*

suffer ['sʌfəʳ] **I.** *vi* leiden; (*deteriorate also*) Schaden erleiden; **to ~ for sth** für etw *akk* büßen; **to ~ from sth** an etw *dat* leiden, unter etw *dat* zu leiden haben; **his work ~s from it** seine Arbeit leidet darunter; **the economy ~ed from the strikes** die Streiks machten der Wirtschaft zu schaffen **II.** *vt* **to ~ sth** etw erleiden; **to ~ a breakdown** einen Zusammenbruch haben; **to ~ misfortune** Pech haben; **to ~ neglect** vernachlässigt werden

suffering ['sʌfᵊrɪŋ] *n* **1.** Leiden *nt*

2. *no pl* (*distress*) Leid *nt*

sufficient [səˈfɪʃᵊnt] **I.** *adj* ausreichend; **to be ~ for sth/sb** für etw/jdn ausreichen **II.** *n* genügende Menge; **they didn't have ~ to live on** sie hatten nicht genug zum Leben

suffocate ['sʌfəkeɪt] **I.** *vi* ersticken **II.** *vt* ersticken; (*suppress*) erdrücken

suffocating ['sʌfəkeɪtɪŋ] *adj usu attr* erstickend; *air* stickig; *atmosphere* erdrückend

sugar ['ʃʊgəʳ] **I.** *n* **1.** *no pl* Zucker *m;* **caster ~** BRIT Streuzucker *f* **2.** *esp* AM Schätzchen *nt fam* **II.** *vt* zuckern; *tea* süßen **sugar bowl** *n* Zuckerdose *f* **sugar-coated** *adj* verzuckert **sugar lump** *n esp* BRIT Zuckerwürfel *m*

sugary ['ʃʊgᵊri] *adj* zuckerhaltig; (*sugar-like*) zuckerig; **the cake was far too ~** der Kuchen war viel zu süß

suggest [səˈdʒest] *vt* **1. to ~ sth** [**to sb**] [jdm] etw vorschlagen; **to ~ doing sth** vorschlagen, etw zu tun **2.** (*indicate*) **to ~ sth** auf etw *akk* hinweisen **3.** (*imply*) andeuten **4. to ~ itself** sich aufdrängen; **does anything ~ itself?** fällt euch dazu etwas ein?

suggestion [səˈdʒestʃᵊn] *n* **1.** Vorschlag *m;* **to be always open to ~** immer ein offenes Ohr haben; **at sb's ~** auf jds Vorschlag *akk* hin **2.** *no pl* (*hint*) Andeutung *f* **3.** (*indication*) Hinweis *m*

suicide ['suːɪsaɪd] *n* Selbstmord *m;* **to commit ~** Selbstmord begehen

suicide bomber *n* Selbstmordattentäter(in) *m(f)* **suicide bombing** *n* Selbstmordattentat *nt*

suit [suːt] **I.** *n* **1.** Anzug *m;* **~ of armour** [Ritter]rüstung *f;* **bathing/diving/ski ~** Bade-/Taucher-/Skianzug *m;* **three-piece ~** Dreiteiler *m*

2. CARDS Farbe *f* **3.** LAW Prozess *m* **II.** *vt* **to ~ sb 1.** (*please*) jdm passen; **that ~s me fine** das passt mir gut; **to ~ oneself** tun, was man will **2.** (*complement*) jdm stehen; **to ~ sth** zu etw *dat* passen **3.** (*be right for*) jdm [gut] bekommen; **to ~ sth** sich für etw *akk* eignen **III.** *vi* angemessen sein

suitable [ˈsuːtəbl] *adj* geeignet; *clothes* angemessen

suitcase *n* Koffer *m*

sulk [sʌlk] **I.** *vi* schmollen **II.** *n* **to be in a ~** schmollen; **to go into a ~** einschnappen *fam*

sulky [ˈsʌlki] *adj* beleidigt; *face* mürrisch

sullen [ˈsʌlən] *adj* mürrisch

sultana [sʌlˈtɑːnə] *n* Sultanine *f*

sultry [ˈsʌltri] *adj* schwül; (*sexy*) erotisch

sum [sʌm] *n* **1.** Betrag *m;* **five-figure ~** fünfstelliger Betrag **2.** *no pl* (*total*) Summe *f* **3. to do ~s** rechnen

summarize [ˈsʌməraɪz] **I.** *vt* [kurz] zusammenfassen **II.** *vi* zusammenfassen; **to ~, ...** kurz gesagt, ...

summary [ˈsʌməri] **I.** *n* Zusammenfassung *f; of contents* [kurze] Inhaltsangabe **II.** *adj* knapp; LAW im Schnellverfahren *nach n*

summer [ˈsʌməʳ] *n* Sommer *m;* **a ~'s day** ein Sommertag *m;* **in [the] ~** im Sommer

summit [ˈsʌmɪt] *n* Gipfel *m*

sun [sʌn] **I.** *n* Sonne *f;* **the rising/setting ~** die aufgehende/untergehende Sonne; **to sit in the ~** in der Sonne sitzen; **to try everything under the ~** alles Mögliche versuchen **II.** *vt* **to ~ oneself** sich sonnen

sun-baked *adj* [von der Sonne] ausgedörrt **sunbathe** *vi* sonnenbaden

sunbed *n esp* BRIT (*chair*) Liegestuhl *m;* (*bed*) Sonnenbank *f* **sunblind** *n* BRIT Markise *f* **sunblock** *n no pl* Sunblocker *m* **sunburn I.** *n no pl* Sonnenbrand *m;* **to get/prevent ~** einen Sonnenbrand bekommen/vermeiden **II.** *vi* <-ed *or* -burnt, -ed *or* -burnt> sich *dat* verbrennen **sunburned, sunburnt** *adj* sonnenverbrannt **suncream** *n no pl* Sonnen[schutz]creme *f*

sundae [ˈsʌndeɪ] *n* Eisbecher *m*

Sunday [ˈsʌndeɪ] *n* Sonntag *m; see also* **Tuesday**

sun deck *n* Sonnendeck *nt* **sundial** *n* Sonnenuhr *f* **sundown** *n esp* AM, AUS Sonnenuntergang *m* **sunflower** *n* Sonnenblume *f*

sung [sʌŋ] *pp of* **sing**

sunglasses *n pl* Sonnenbrille *f* **sun hat** *n* Sonnenhut *m*

sunk [sʌŋk] *pp of* **sink**

sunlamp *n* Höhensonne *f;* FILM Jupiterlampe® *f;* **to lie under the ~** unter der Höhensonne liegen **sunlight** *n no pl* Sonnenlicht *nt*

sunny [ˈsʌni] *adj* sonnig; **~ intervals** Aufheiterungen *pl;* **a few ~ spells** einige sonnige Abschnitte

sunrise *n* Sonnenaufgang *m* **sunroof** *n* Schiebedach *nt* **sun room, sun parlor, sun porch** *n* AM Wintergarten *m* **sunset** *n* Sonnenuntergang *m* **sunshade** *n* Sonnenschirm *m;* AM (*awning*) Markise *f* **sunshine** [ˈsʌnʃaɪn] *n no pl* Sonnenschein *m;* (*weather*) sonniges Wetter; **to bask in the ~** sich in der Sonne aalen *fam* **sunstroke** *n no pl* Sonnenstich *m* **suntan I.** *n* Sonnenbräune *f;* **deep ~** tiefe Bräune; **to get a ~** braun werden **II.** *vi* <-nn-> braun werden **suntan cream, suntan lotion** *n* Sonnencreme *f* **suntanned** *adj* sonnengebräunt **suntrap** *n* BRIT, AUS sonniges Plätzchen **sunup** *n* AM Sonnenaufgang *m*

super ['suːpə] *adj* super, klasse *fam*

superb [suːˈpɜːb] *adj* hervorragend; (*impressive*) erstklassig

superficial [ˌsuːpəˈfɪʃ°l] *adj* oberflächlich

superfluous [suːˈpɜːfluəs] *adj* überflüssig

superglue® I. *n* Sekundenkleber *m;* **to stick like ~ to sb** (*fig*) an jdm wie eine Klette hängen II. *vt* festkleben

superintendent [ˌsuːpə°rɪnˈtendənt] *n* Aufsicht *f;* *of schools* Oberschulrat, -rätin *m, f;* BRIT (*police*) Hauptkommissar(in) *m(f)*

superior [suːˈpɪəriə°] I. *adj* 1. *officer* vorgesetzt (**to** +*dat*) 2. (*better*) überlegen; **to be ~ in numbers** in der Überzahl sein II. *n* Vorgesetzte(r) *f(m)*

superjumbo *n* Großraumflugzeug *nt*

supermarket ['suːpəˌmɑːkɪt] *n* Supermarkt *m;* **~ trolley** Einkaufswagen *m*

supersonic [ˌsuːpəˈsɒnɪk] *adj* Überschall-

superstitious [ˌsuːpəˈstɪʃəs] *adj* abergläubisch

superstore ['suːpəstɔː°] *n* Großmarkt *m*

supervisor ['suːpəvaɪzə°] *n* Aufsichtsbeamte(r), -beamtin *m, f;* (*in factory*) Vorarbeiter(in) *m(f)*

supper ['sʌpə°] *n* Abendessen *nt*

supplier [səˈplaɪə°] *n* Lieferant(in) *m(f);* (*company*) Lieferfirma *f*

supply [səˈplaɪ] I. *vt* <-ie-> 1. **to ~ sth** für etw *akk* sorgen, etw bereitstellen;

(*commercially*) etw liefern 2. **to ~ sb** jdn versorgen; **to ~ sb with sth** jdn mit etw *dat* beliefern 3. **to ~ a demand** eine Nachfrage befriedigen II. *n* 1. Vorrat *m* (**of** an) 2. *no pl* (*action*) Versorgung *f;* **oil/petrol ~** Öl-/Benzinzufuhr *f* 3. ECON Angebot *nt;* **~ and demand** Angebot und Nachfrage; **to be in short ~** Mangelware sein 4. (*provisions*) **supplies** *pl* Versorgung *f kein pl;* **to cut off supplies** die Lieferungen einstellen

supply teacher *n* BRIT, AUS Aushilfslehrer(in) *m(f)*

support [səˈpɔːt] I. *vt* 1. stützen; **to be ~ed on/by sth** von etw *dat* gestützt werden; **to ~ oneself on sth** sich auf etw *akk* stützen 2. (*provide for*) **to ~ sb** für jds *akk* Lebensunterhalt *m* aufkommen; **to ~ a family** eine Familie unterhalten 3. (*encourage*) unterstützen; *plan* befürworten; **to ~ a sportsman/team** für einen Sportler/ein Team sein II. *n* 1. (*prop*) Stütze *f;* ARCHIT Träger *m* 2. *no pl* **to give sth ~** etw *dat* Halt geben 3. *no pl* (*assistance*) Unterstützung *f;* LAW Unterhalt *m;* (*comfort*) Stütze *f;* **to give sb moral ~** jdn moralisch unterstützen 4. COMPUT Support *m*

supporter [səˈpɔːtə°] *n* Anhänger(in) *m(f);* *of campaign* Befürworter(in) *m(f)*

supporting [səˈpɔːtɪŋ], AM -ˈpɔːr̬t-] *adj attr, inv* BRIT FILM **~ programme** Vorprogramm *nt;* **~ role** Nebenrolle *f*

supportive [səˈpɔːtɪv] *adj* **to be ~ of sb/sth** jdn/etw unterstützen

suppose [səˈpəʊz] *vt* 1. **to ~ [that]** ... annehmen, dass ...; **I don't ~ you could** ... Sie könnten mir nicht zufällig ... 2. (*believe*) glauben; **her new**

S

book is ~d to be very good ihr neues Buch soll sehr gut sein **3.** *(expect)* **you're ~d to be asleep** du solltest eigentlich schon schlafen **4.** *(allow)* **you're not ~d to park here** Sie dürfen hier nicht parken ▶ **I ~ so** wahrscheinlich

surcharge ['sɜ:tʃɑːdʒ] *n* Zuschlag *m*

sure [ʃʊəʳ] **I.** *adj* **1.** *pred* sicher; **to be ~ [that] ...** [sich *dat*] sicher sein, dass ...; **are you ~?** bist du sicher?; **I'm not really ~** ich weiß nicht so genau; **where are we ~ to have good weather?** wo werden wir aller Voraussicht nach gutes Wetter haben?; **to feel ~ [that] ...** überzeugt [davon] sein, dass ...; **one ~ way [of doing sth]** ein sicherer Weg [etw zu tun]; **a ~ sign of sth** ein sicheres Zeichen für etw *akk* ▶ **~ enough** tatsächlich **II.** *adv esp* AM *(fam)* echt; **I ~ am hungry!** hab ich vielleicht einen Hunger! **III.** *interj (fam)* **oh ~!** *(iron)* [aber] natürlich!

surely ['ʃɔːli, 'ʃʊə-] *adv* sicher[lich]; **~ you don't expect me to believe that!** du erwartest doch wohl nicht, dass ich dir das abnehme!; **~ not!** das darf doch wohl nicht wahr sein!

surf [sɜ:f] **I.** *n* Brandung *f* **II.** *vi* surfen; *(windsurf)* windsurfen **III.** *vt* **to ~ the Internet** im Internet surfen

surface ['sɜ:fɪs] **I.** *n* Oberfläche *f;* **road ~** Straßenbelag *m;* **on the ~** *(fig)* äußerlich betrachtet **II.** *vi* auftauchen **III.** *adj attr* oberflächlich; *(outward)* äußerlich; *(not underwater)* Überwasser-

surfboard ['sɜ:fbɔːd] *n* Surfbrett *nt*

surfer ['sɜ:fəʳ] *n*, AUS *fam* **surfie** ['sɜ:fi] *n* Surfer(in) *m(f)*

surgeon ['sɜ:dʒᵊn] *n* Chirurg(in) *m(f)*

surgery ['sɜ:dʒᵊri] *n* **1.** BRIT, AUS [Arzt]praxis *f;* **~ hours** Sprech[stunden]zeiten *pl* **2.** *no pl (treatment)* chirurgischer Eingriff

surname ['sɜ:neɪm] *n* Nachname *m*

surplus ['sɜ:pləs] **I.** *n* <*pl* -es> Überschuss *m* (of an) **II.** *adj* überschüssig

surprise [sə'praɪz] **I.** *n* Überraschung *f;* **~! ~!** *(fam)* Überraschung!; **to take sb by ~** jdn überraschen; **to sb's [great] ~** zu jds [großem] Erstaunen **II.** *vt* überraschen; **well, you do ~ me** nun, das erstaunt mich!; **to ~ sb doing sth** jdn bei etw *dat* ertappen **III.** *adj attr* unerwartet

surprising [sə'praɪzɪŋ] *adj* überraschend

surprisingly [sə'praɪzɪŋli] *adv* erstaunlich; *(unexpectedly)* überraschenderweise

surrender [sᵊr'endəʳ] **I.** *vi* aufgeben; *troops also* kapitulieren; **to ~ to sb** sich jdm ergeben; **to ~ to temptation** der Versuchung erliegen **II.** *vt (form)* **1. to ~ sth [to sb]** [jdm] etw übergeben; **to ~ a claim** auf einen Anspruch verzichten; **to ~ weapons** Waffen abgeben **2. to ~ oneself to sth** sich etw *dat* überlassen **III.** *n no pl* Kapitulation *f* (to vor)

surround [sə'raʊnd] **I.** *vt* umgeben; *(encircle)* einkreisen; MIL umstellen; **to ~ oneself with sb** sich mit jdm umgeben **II.** *n esp* BRIT Rahmen *m;* *(area)* Umrahmung *f*

surrounding [sə'raʊndɪŋ] *adj attr* umgebend; **~ area** Umgebung *f;* **the ~ buildings** die umliegenden Gebäude

surroundings [sə'raʊndɪŋz] *n pl* Umgebung *f*

survey I. *vt* [sə'veɪ] befragen; *(look at)* betrachten; *(map out)* vermessen; BRIT *house* begutachten **II.** *n* ['sɜːveɪ] Untersuchung *f;* (*research*) Studie *f;* (*overview*) Übersicht *f;* **local/nationwide ~** örtliche/landesweite Umfrage

survival [sə'vaɪvəl] *n no pl* Überleben *nt;* **chance of ~** Überlebenschance *f;* ► **the ~ of the** <u>fittest</u> das Überleben des Stärkeren

survive [sə'vaɪv] **I.** *vi* **1.** überleben; **to ~ on sth** sich mit etw *dat* am Leben halten **2.** (*fig*) erhalten bleiben; *monument* überdauern; *tradition* fortbestehen **II.** *vt* überleben

survivor [sə'vaɪvəʳ] *n* Überlebende(r) *f(m)*

suspect I. *vt* [sə'spekt] **1.** vermuten; **I ~ed as much** das habe ich mir gedacht **2.** (*in crime*) verdächtigen; **to be ~ed of sth** einer S. *gen* verdächtigt werden **II.** *n* ['sʌspekt] Verdächtige(r) *f(m);* (*fig*) Verursacher(in) *m(f)* **III.** *adj* ['sʌspekt] **1.** *usu attr* verdächtig **2.** (*defective*) zweifelhaft

suspender [sə'spendəʳ] *n* **1. ~** [**belt**] Strumpfbandhalter *m* **2.** AM (*braces*) **~s** *pl* Hosenträger *pl*

suspense [sə'spen(t)s] *n no pl* Spannung *f;* **to keep sb in ~** jdn im Ungewissen lassen

suspension [sə'spen(t)ʃən] *n* **1.** *no pl* [zeitweilige] Einstellung **2.** (*from school*) Suspendierung *f;* SPORTS Sperrung *f* **3.** AUTO Federung *f*

suspension bridge *n* Hängebrücke *f*

suspicion [sə'spɪʃən] *n* Verdacht *m;* **to be above ~** über jeglichen Verdacht erhaben sein; **to be under ~** unter Verdacht stehen

suspicious [sə'spɪʃəs] *adj* verdächtig; (*distrustful*) misstrauisch; **to be ~ of sth** einer S. *dat* gegenüber skeptisch sein

sustain [sə'steɪn] *vt* **1.** (*form*) **to ~ damage** Schaden erleiden; *object* beschädigt werden **2.** (*maintain*) aufrechterhalten

sustainable [sə'steɪnəbl] *adj* **1.** haltbar; *argument* stichhaltig; **sth is ~** etw kann aufrechterhalten werden **2.** ECOL erhaltbar; *resources* erneuerbar

sustained [sə'steɪnd] *adj* anhaltend; (*determined*) nachdrücklich; **to make a ~ effort to do sth** entschieden an etw *akk* herangehen

sustaining [sə'steɪnɪŋ] *adj* nahrhaft; *meal* kräftig

SUV *n abbrev of* **sport utility verhicle** Geländewagen *m*

swab [swɒb] *n* Tupfer *m;* (*sample*) Abstrich *m*

swallow¹ ['swɒləʊ] *n* Schwalbe *f*

swallow² ['swɒləʊ] **I.** *n* Schlucken *nt kein pl;* (*quantity*) Schluck *m* **II.** *vt* [hinunter]schlucken; (*greedily*) verschlingen; (*suppress*) hinunterschlucken; **to ~ one's pride** seinen Stolz überwinden; **to ~ [up]** ⇆ **sb/sth** (*fig*) jdn/etw verschlingen **III.** *vi* schlucken

swam [swæm] *pt of* **swim**

swamp [swɒmp] **I.** *vt* überschwemmen; *boat* voll laufen lassen; **I'm ~ed with work at the moment** im Moment ersticke ich in Arbeit **II.** *n* Sumpf *m*

swan [swɒn] **I.** *n* Schwan *m* **II.** *vi* <-nn-> BRIT, AUS (*fam*) **to ~ about** herumtrödeln; **to ~ down the street** die Straße hinunterschlendern; **to ~ into the room** ins Zimmer spaziert kommen; **to ~ off** abziehen

swap [swɒp] **I.** *n* Tausch *m;* (*interchange*) Austausch *m;* (*deal*) Tausch-

S

handel *m* **II.** *vt, vi* <-pp-> tauschen; **to ~ sth for sth** etw gegen etw *akk* eintauschen; **to ~ with sb** mit jdm tauschen

swarm [swɔːm] **I.** *n* + *sing/pl vb* Schwarm *m; (of people)* Schar *f* **II.** *vi* schwärmen

sway [sweɪ] **I.** *vi* schwanken; *trees* sich wiegen; **to ~ from side to side** hin und her schwanken **II.** *vt* **1.** schwenken; *wind* wiegen **2.** *usu passive* **to be ~ed by sb/sth** sich von jdm/etw beeinflussen lassen

swear <swore, sworn> [sweəʳ] **I.** *vi* fluchen (**at** auf); *(promise)* schwören **II.** *vt* schwören; **to ~ an oath** einen Eid leisten

swear word *n* Fluch *m*

sweat [swet] **I.** *n no pl* Schweiß *m;* **to work oneself into a ~** [**about sth**] *(fig fam)* sich [wegen einer S. *gen*] verrückt machen *fam* **II.** *vi* schwitzen (**with** vor) **III.** *vt* ▶ **to ~ blood** Blut [und Wasser] schwitzen *fam*

sweater [ˈswetəʳ] *n* Sweater *m*

sweatshirt *n* Sweatshirt *nt*

sweaty [ˈsweti] *adj* verschwitzt; *work* schweißtreibend

swede [swiːd] *n* BRIT, AUS Kohlrübe *f*

Swede [swiːd] *n* Schwede, Schwedin *m, f*

Sweden [ˈswiːdən] *n no pl* Schweden *nt*

Swedish [ˈswiːdɪʃ] **I.** *n no pl* Schwedisch *nt* **II.** *adj* schwedisch

sweep [swiːp] **I.** *n* **1.** *no pl* Kehren *nt* **2.** *(hist: sweeper)* Schornsteinfeger(in) *m(f)* **3.** *(range)* Reichweite *f* **II.** *vt, vi* <swept, swept> kehren; **he swept me into his arms** er schloss mich in seine Arme; **a 1970s fashion revival is ~ing Europe** ein Mode-

trend wie in den 70ern rollt derzeit über Europa hinweg ▶ **to ~ sb off his/her feet** jdm den Kopf verdrehen *fam* ◆ **sweep away** *vt* [hin]wegfegen; *flood* fortspülen ◆ **sweep down I.** *vt* **to ~ down ⇆ sth** etw mitreißen **II.** *vi* **the mountains ~ down to the sea** die Berge fallen zum Meer hin ab ◆ **sweep off** *vt* **to ~ sb/sth off** sich *dat* jdn schnappen *fam;* **to ~ sb off his/her feet** jdn mitreißen; *(fig)* jdn begeistern ◆ **sweep out I.** *vt* auskehren **II.** *vi* hinausstürmen ◆ **sweep up I.** *vt* zusammenkehren **II.** *vi* heranrauschen

sweeper [ˈswiːpəʳ] *n* Kehrmaschine *f;* *(person)* [Straßen]feger(in) *m(f);* FBALL Libero *m*

sweet [swiːt] **I.** *adj* süß; *(endearing also)* niedlich; *wine* lieblich; *(pleasant)* angenehm **II.** *n* **1.** *esp* BRIT, AUS Süßigkeit *f meist pl; (dessert)* Nachspeise *f;* **boiled ~** Bonbon *nt* **2.** *(fam: address)* Schatz *m*

sweet-and-sour *adj* süßsauer **sweet chestnut** *n* Esskastanie *f* **sweet-corn** *n no pl* [Zucker]mais *m*

sweeten [ˈswiːtən] *vt* süßen; **to ~** [**up**] **⇆ sb** jdn günstig stimmen

sweetener [ˈswiːtənəʳ] *n no pl* Süßstoff *m*

sweetheart *n* Liebling *m; (liter: lover)* Freund(in) *m(f)* **sweet-talk** *vt* **to ~ sb** jdn einwickeln *fam;* **to ~ sb into doing sth** jdn beschwatzen, etw zu tun **sweet tooth** *n* **to have a ~** gerne Süßigkeiten essen

swell <swelled, swollen> [swel] **I.** *vt* anwachsen lassen; *rain* anschwellen lassen; *prices* [an]steigen lassen **II.** *vi* **to ~** [**up**] anschwellen; *price* zunehmen; *population* ansteigen

swelling ['swelɪŋ] *n* Schwellung *f*

sweltering ['sweltᵊrɪŋ] *adj* drückend heiß; *heat* schwül

swept [swept] *pt of* **sweep**

swerve [swɜːv] **I.** *vi* [plötzlich] ausweichen; *horse* seitlich ausbrechen; *car* ausscheren **II.** *n* plötzliche Seitenbewegung; (*fig*) Abweichung *f*; POL Richtungswechsel *m*

swift¹ [swɪft] *adj* schnell

swift² [swɪft] *n* Mauersegler *m*

swiftly ['swɪftli] *adv* schnell

swig [swɪg] (*fam*) **I.** *vt* <-gg-> schlucken **II.** *n* Schluck *m*

swim [swɪm] **I.** *vi* <-mm-, swam *or* AUS *a.* swum, swum> schwimmen; **to go ~ming** schwimmen gehen **II.** *vt* <-mm-, swam *or* AUS *a.* swum, swum> **to ~ a river/channel** einen Fluss/Kanal durchschwimmen; **to ~ a few strokes** ein paar Züge schwimmen **III.** *n* Schwimmen *nt kein pl;* **to go for/have a ~** schwimmen gehen/ schwimmen

swimmer ['swɪmə'] *n* **1.** Schwimmer(in) *m(f)* **2.** AUS (*fam: clothes*) **~s** *pl* Schwimmsachen *pl*

swimming ['swɪmɪŋ] *n no pl* Schwimmen *nt*

swimming baths *n pl* BRIT Schwimmbad *nt* **swimming cap** *n* Badekappe *f* **swimming costume** *n* BRIT, AUS Badeanzug *m* **swimming pool** *n* Schwimmbecken *nt;* (*private*) Swimmingpool *m;* (*public*) Schwimmbad *nt;* **indoor/outdoor ~** Hallen-/ Freibad *nt* **swimming trunks** *n pl* Badehose *f*

swimsuit *n esp* AM Badeanzug *m*

swindle ['swɪndl] **I.** *vt* betrügen (**out of** um +*akk*) **II.** *n* Betrug *m*

swine [swaɪn] *n* **1.** <*pl - or* -s> (*fam:*

person) Schwein *nt* **2.** <*pl ->* (*liter: pig*) Schwein *nt*

swing [swɪŋ] **I.** *n* **1.** Schwingen *nt kein pl* **2.** (*seat*) Schaukel *f* **3.** (*change*) Schwankung *f;* POL Umschwung *m* **4.** *no pl* MUS Swing *m;* ▶ **to be in full ~** voll im Gang sein **II.** *vi* <swung, swung> **1.** [hin und her] schwingen; (*circularly*) sich drehen; (*in playground*) schaukeln **2.** *hitter* zum Schlag ausholen; **to ~ at sb** nach jdm schlagen **3.** (*alternate*) schwanken **III.** *vt* <swung, swung> **1.** [hin- und her]schwingen; *child* schaukeln **2.** (*fam*) **to ~ it** es deichseln; **to ~ an election** eine Wahl herumreißen **IV.** *adj voter, state* entscheidend ◆ **swing around, swing round I.** *vi* sich schnell umdrehen; (*in surprise, fright*) herumfahren; **she swung around the corner at full speed** sie kam mit vollem Tempo um die Ecke geschossen **II.** *vt* **to ~ sth around** etw [her]umdrehen; **to ~ a conversation around to sth** ein Gespräch auf etw *akk* bringen

swing door *n* BRIT, AUS Schwingtür *f*

Swiss [swɪs] **I.** *adj* schweizerisch **II.** *n* <*pl* -> Schweizer(in) *m(f)*

switch [swɪtʃ] **I.** *n* <*pl* -es> **1.** Schalter *m;* **to flick a ~** einen Schalter an-/ausknipsen **2.** (*substitution*) Wechsel *m* **3.** AM RAIL (*points*) Weiche *f* **II.** *vi* tauschen **III.** *vt* **1.** (*adjust*) umschalten **2.** (*change*) wechseln **3.** (*substitute*) auswechseln ◆ **switch off** *vt, vi* ausschalten; (*fig*) abschalten *fam* ◆ **switch on** *vt, vi* einschalten; *TV* anmachen; **to ~ on the charm** seinen ganzen Charme aufbieten ◆ **switch over** *vi* wechseln (**to** zu); TV umschalten (**to** auf) ◆ **switch round** *vt* umstellen

S

Switzerland ['swɪtsᵊlənd] *n* die Schweiz

swivel chair *n* Drehstuhl *m*

swollen ['swəʊlən] I. *pp of* **swell** II. *adj* geschwollen; *face* aufgequollen; (*larger*) angeschwollen

swop <-pp-> [swɒp] *vt, vi esp* BRIT, CAN *see* **swap**

sword [sɔːd] *n* Schwert *nt*

swore [swɔːʳ] *pt of* **swear**

sworn [swɔːʳn] I. *pp of* **swear** II. *adj attr* beschworen; ~ **enemy** Todfeind(in) *m(f)*

swot <-tt-> [swɒt] BRIT, AUS (*fam*) I. *vt, vi* büffeln II. *n* (*pej*) Streber(in) *m(f)*

swum [swʌm] *pp, a.* Aus *pt of* **swim**

swung [swʌŋ] *pt, pp of* **swing**

symbol ['sɪmbᵊl] *n* Symbol *nt*

symbolic [sɪm'bɒlɪk, AM -'bɑː-] *adj* symbolisch; ~ **gesture** symbolische Geste

symbolize ['sɪmbᵊlaɪz] *vt* symbolisieren

sympathetic [ˌsɪmpə'θetɪk] *adj* verständnisvoll; (*likeable*) sympathisch; (*sympathizing*) mitfühlend; **to be** ~ **about sth** für etw *akk* Verständnis haben

sympathize ['sɪmpəθaɪz] *vi* Verständnis haben; (*pity*) Mitleid haben; (*agree*) sympathisieren

sympathy ['sɪmpəθi] *n* 1. *no pl* Mitleid *nt* (**for** mit); (*commiseration*) Mitgefühl *nt* 2. **sympathies** *pl* Beileid *nt kein pl*

symphony ['sɪm(p)fəni] *n* Sinfonie *f;* ~ **orchestra** Sinfonieorchester *nt*

symptom ['sɪm(p)təm] *n* Symptom *nt;* (*fig a.*) [An]zeichen *nt*

synagogue ['sɪnəgɒg] *n* Synagoge *f*

synchronize ['sɪŋkrənaɪz] I. *vt* aufeinander abstimmen II. *vi* zeitlich zusammenfallen

synthetic [sɪn'θetɪk] I. *adj* künstlich; ~ **fibre** Kunstfaser *f* II. *n* synthetischer Stoff

syringe [sɪ'rɪndʒ] *n* Spritze *f*

syrup ['sɪrəp] *n no pl* Sirup *m*

system ['sɪstəm] *n* System *nt*

systematic [ˌsɪstə'mæɪk] *adj* systematisch

T

t *n abbrev of* **metric ton** t

T <*pl* -'s>, **t** <*pl* -'s> [tiː] *n* T *nt*, t *nt; see also* **A 1 ▸ that fits him to a ~** (*fam*) das passt ihm wie angegossen; **that's Philip to a ~** das ist Philip, wie er leibt und lebt

ta [tɑː] *interj* BRIT (*fam: thanks*) danke

table ['teɪbl] *n* 1. Tisch *m;* **to lay the ~** den Tisch decken 2. (*information*) Tabelle *f;* ▸ **to turn the ~s on sb** jdm gegenüber den Spieß umdrehen *fam*

tablecloth *n* Tischtuch *nt* **tablespoon** *n* (*for measuring*) Esslöffel *m;* (*for serving*) Servierlöffel *m*

tablet ['tæblət] *n* 1. (*pill*) Tablette *f* 2. (*flat slab*) Block *m;* ~ **of soap** BRIT Stück *nt* Seife 3. (*writing pad*) Notizblock *m*

table tennis *n no pl* Tischtennis *nt*

tabloid ['tæblɔɪd] *n* Boulevardzeitung *f*

tack [tæk] I. *n* 1. (*nail*) kurzer Nagel; (*pin*) Reißzwecke *f* 2. *no pl* (*riding gear*) Sattel- und Zaumzeug *nt* II. *vt* 1. (*nail down*) festnageln 2. *hem* heften III. *vi* NAUT wenden

tackle ['tækl] I. *n no pl* 1. (*gear*) Ausrüstung *f;* NAUT Tauwerk *nt* **2.** (*lifting device*) Winde *f;* **block and ~** Flaschenzug *m* **II.** *vt* **1.** *problem* angehen **2.** SPORTS **to ~ sb** jdn angreifen

tacky¹ ['tæki] *adj* (*sticky*) klebrig

tacky² ['tæki] *adj esp* AM (*pej fam: in bad taste*) billig

tactful ['tæktfəl] *adj* taktvoll

tactic ['tæktɪk] *n* (*strategy*) Taktik *f;* **delaying ~s** Verzögerungstaktik *f*

tactical ['tæktɪkəl] *adj a.* MIL, POL taktisch

tactless ['tæktləs] *adj* taktlos

tadpole ['tædpəʊl] *n* Kaulquappe *f*

tag [tæg] **I.** *n* **1.** (*label*) Schild[chen] *nt;* (*on food, clothes*) Etikett *nt* **2.** *no pl* (*children's game*) Fangen *nt* **II.** *vt* <-gg-> (*label*) mit einem Schild versehen; *suitcase* mit Anhänger versehen ◆ **tag along** *vi* (*fam*) hinterherlaufen

tail [teɪl] *n* **1.** (*of animal*) Schwanz *m; of horse also* Schweif *m geh;* **to wag one's ~** mit dem Schwanz wedeln **2.** *of aeroplane* Rumpfende *nt; of car* Heck *nt* **3.** (*reverse of coin*) **heads or ~s?** Kopf oder Zahl? ▶ **to keep on sb's ~** jdm auf den Fersen bleiben ◆ **tail back** *vi* BRIT sich stauen

tailback *n* BRIT [Rück]stau *m* **tail light** *n* Rücklicht *nt*

tailor ['teɪlər] **I.** *n* Schneider(in) *m(f)* **II.** *vt* **1.** (*make clothes*) [nach Maß] schneidern **2.** (*modify*) *to sb's needs* abstimmen

tailor-made *adj* maßgeschneidert; **to have sth ~** [sich *dat*] etw [maß] schneidern lassen

take [teɪk] **I.** *n* **1.** *no pl* (*money received*) Einnahmen *pl* **2.** (*filming of a scene*) Take *m o nt* **II.** *vt* <took, taken> **1.** nehmen; (*accept*) *advice,* bet, offer* annehmen; (*receive*) erhalten, bekommen; **to ~ sth badly** etw schlecht aufnehmen; **to ~ offence** beleidigt sein; **to ~ sth seriously** etw ernst nehmen **2.** (*tolerate*) ertragen; **to be able to ~ a joke** einen Spaß verstehen **3.** (*require*) erfordern; **I ~ [a] size five** ich habe Schuhgröße fünf **4.** (*travel by*) nehmen; **to ~ the train** mit dem Zug fahren **5.** (*consume*) *medicine* einnehmen **6.** (*have*) **to ~ a walk** einen Spaziergang machen **7.** (*write*) **to ~ an exam** eine Prüfung ablegen; **to ~ notes** sich *dat* Notizen machen **8.** (*for example*) **~ last week, ...** letzte Woche zum Beispiel ... **9.** (*understand*) **I ~ it [that]** ... ich nehme an, [dass] ...; **to ~ sb's point** jds Standpunkt verstehen; **point ~n** [habe] verstanden ▶ **to ~ sb by surprise** jdn überraschen; **what do you ~ me for?** wofür hältst du mich? ◆ **take after** *vi* **to ~ after sb** nach jdm kommen ◆ **take along** *vt* mitnehmen ◆ **take apart** *vt* auseinandernehmen ◆ **take away** *vt* wegnehmen; **to ~ away ⇆ sb** jdn mitnehmen ◆ **take back** *vt* **1.** (*retract*) *remark* zurücknehmen **2.** (*return*) [wieder] zurückbringen; **to ~ sb back [home]** jdn nach Hause bringen ◆ **take down** *vt* **1.** (*write down*) [sich *dat*] notieren; **to ~ down notes** sich *dat* Notizen machen **2.** (*remove*) abnehmen **3.** (*disassemble*) abschlagen ◆ **take in** *vt* **1.** (*bring inside*) *person* hineinführen; *sth* hineinbringen **2.** (*accommodate*) aufnehmen; **to ~ in lodgers** Zimmer vermieten **3.** (*deceive*) hereinlegen; **to be ~n in [by sb/sth]** sich [von jdm/etw] täuschen lassen ◆ **take off I.** *vt* **1.** (*remove*)

T

abnehmen; *clothes* ausziehen; *coat a.* ablegen; *hat* absetzen; **to ~ sth off sb** (*fam*) jdm etw wegnehmen **2.** (*not work*) **to ~ time off** [**work**] [sich *dat*] freinehmen **II.** *vi* **1.** *aeroplane* abheben **2.** (*fam: leave*) verschwinden ◆ **take on** *vt* **1.** *responsibility* auf sich *akk* nehmen **2.** *colour, expression* annehmen **3.** *workers, staff* einstellen **4.** *goods, a load* laden ◆ **take out** *vt* **1.** herausnehmen; (*bring outside*) hinausbringen; **to ~ out the rubbish** den Müll hinausbringen **2.** AM FOOD (*take away*) mitnehmen **3.** (*deduct*) herausnehmen; **to ~ time out** sich *dat* eine Auszeit nehmen ◆ **take over I.** *vt* übernehmen; (*fig*) in Beschlag nehmen **II.** *vi* (*assume responsibility*) **to ~ over** [**from sb**] jdn ablösen ◆ **take to** *vi* **1.** (*start to like*) **to ~ to sb** an jdm Gefallen finden **2.** (*begin as a habit*) anfangen; **to ~ to drugs** anfangen Drogen zu nehmen **3.** (*go to*) **to ~ to the hills** in die Berge flüchten ◆ **take up** *vt* **1.** (*bring up*) hinaufbringen; (*pick up*) aufheben; **to ~ up arms against sb** die Waffen gegen jdn erheben **2.** (*start doing*) anfangen; **to ~ up fishing** anfangen zu angeln **3.** (*start to discuss*) **to ~ sth up with sb** etw mit jdm erörtern **4.** (*accept*) *challenge, offer* annehmen

takeaway *n* BRIT, AUS **1.** Imbissbude *f* **2.** (*food*) Essen *nt* zum Mitnehmen

taken ['teɪkⁿn] **I.** *pp of* **take II.** *adj pred* begeistert; **to be ~ with sb** von jdm angetan sein

take-off *n* **1.** AVIAT Start *m;* **to be ready for ~** startklar sein **2.** BRIT, AUS (*imitation*) Parodie *f* (**of** auf) **take-out** *n* AM *see* **takeaway take-**

over *n* Übernahme *f*

tale [teɪl] *n* **1.** (*story*) Geschichte *f;* LIT Erzählung *f;* **fairy ~** Märchen *nt* **2.** (*lie*) Märchen *nt;* ▶ **to <u>live</u> to tell the ~** (*a. hum fam*) überleben

talent ['tælənt] *n* **1.** (*natural ability*) Talent *nt,* Begabung *f;* **of great ~** sehr talentiert **2.** *no pl* (*talented person*) Talente *pl;* **new ~** neue Talente

talented ['tæləntɪd] *adj* begabt

Taliban ['tælibæn] *n* Taliban *f*

talk [tɔːk] **I.** *n* **1.** (*discussion*) Gespräch *nt;* (*conversation*) Unterhaltung *f;* **to have a ~ with sb** mit jdm reden; **heart-to-heart ~** offene Aussprache **2.** (*lecture*) Vortrag *m* **3.** (*formal discussions*) **~s** *pl* Gespräche *pl;* **peace ~s** Friedensverhandlungen *pl* **II.** *vi* (*speak*) sprechen, reden (**about** über/to mit); **to ~ to sb on the phone** mit jdm telefonieren; **to ~ to oneself** Selbstgespräche führen **III.** *vt* (*fam: discuss*) **to ~ business** über Geschäfte sprechen ▶ **to ~ <u>nonsense</u>** (*pej*) Unsinn reden ◆ **talk back** *vi* eine freche Antwort geben ◆ **talk out** *vt* **1.** (*discuss thoroughly*) **to ~ out ⇆ sth** etw ausdiskutieren **2.** (*be persuasive*) **to ~ one's way out of sth** sich aus etw *dat* herausreden **3.** (*convince not to*) **to ~ sb out of sth** jdm etw ausreden ◆ **talk over** *vt* durchsprechen ◆ **talk through** *vt* durchsprechen; (*reassure with talk*) **to ~ sb through sth** jdm bei etw *dat* gut zureden

talkative ['tɔːkətɪv] *adj* gesprächig, redselig

talking point *n* **1.** (*topic*) Gesprächsthema *nt* **2.** (*fig: feature*) wesentlicher Vorzug

talking-to *n* (*pej*) Standpauke *f fam;*

to **give sb a** [**good**] ~ jdm eine [ordentliche] Standpauke halten

talk show n TV Talkshow f **talk time** n Sprechzeit f

tall [tɔːl] adj 1. building, fence, grass hoch; person groß; **to be six feet** ~ 1,83 m groß sein 2. (long) rod, stalk lang ▶ ~ **story** unglaubliche Geschichte

tame [teɪm] I. adj 1. animal zahm; child folgsam 2. book, joke lahm II. vt (a. fig) person, river, animal zähmen, bändigen

tamper ['tæmpə'] vi **to** ~ **with sth** an etw dat herummachen fam

tampon ['tæmpɒn] n Tampon m

tan [tæn] I. vi <-nn-> braun werden II. vt <-nn-> 1. skin bräunen 2. CHEM hides, leather gerben III. n 1. (skin) [Sonnen]bräune f; **to get a** ~ braun werden 2. (light brown) Gelbbraun nt IV. adj clothing, shoes gelbbraun

tandem ['tændəm] I. n (bicycle) Tandem nt; (carriage) [Wagen]gespann nt II. adv **to ride** ~ Tandem fahren

tangent ['tændʒ³nt] n MATH Tangente f fachspr ▶ **to fly off on a** ~ [plötzlich] das Thema wechseln

tangerine [ˌtændʒə'riːn] n Mandarine f

tangle ['tæŋgl] I. n 1. (a. fig, pej: mass) of hair, wool [wirres] Knäuel 2. (a. fig, pej: confusion) Durcheinander nt; **to get into a** ~ sich verfangen II. vt (a. fig, pej) durcheinanderbringen; threads verwickeln

tank [tæŋk] n 1. for liquid [Flüssigkeits]behälter m; for gas, oil Tank m; **fish** ~ Aquarium nt 2. MIL Panzer m

tanker ['tæŋkə'] n 1. NAUT Tanker m; **oil** ~ Öltanker m 2. AVIAT Tankflugzeug nt

tanned [tænd] adj 1. skin braun [gebrannt] 2. hides, leather gegerbt

tantalizing ['tænt³laɪzɪŋ] adj verlockend; smile verführerisch

tantrum ['tæntrəm] n Wutanfall m; **to throw a** ~ einen Wutanfall bekommen

tap¹ [tæp] I. n 1. BRIT Wasserhahn m; **to turn the** ~ **on** den Hahn aufdrehen 2. (outlet) Hahn m; **beer on** ~ Bier nt vom Fass; **to be on** ~ (fig) [sofort] verfügbar sein II. vt <-pp-> 1. TELEC conversation abhören 2. energy, sources erschließen

tap² [tæp] I. n 1. [leichter] Schlag 2. (tap-dancing) Stepp[tanz] m II. adj attr Stepp- III. vt <-pp-> door, window [leicht] klopfen (an/gegen); **to** ~ **sb on the shoulder** jdm auf die Schulter tippen

tap dance n Stepptanz m

tape [teɪp] I. n 1. (strip) Band nt; SPORTS (for marking) Zielband nt; (for measuring) Maßband nt; **sticky** ~ BRIT, AUS Klebeband nt 2. (spool) for recording [Ton-/Magnet]band nt; **audio** ~ Audiokassette f II. vt 1. (kleben) **she** ~**d a note to the door** sie heftete eine Nachricht an die Tür 2. (record) aufnehmen

tape-deck n Tapedeck nt

tape measure n Maßband nt

tape recorder n Tonbandgerät nt

tar [tɑː'] I. n no pl Teer m, Asphalt m II. vt <-rr-> road teeren

target ['tɑːgɪt] I. n 1. Ziel nt; **to hit the** ~ ins Schwarze treffen 2. ECON (goal) Zielsetzung f, [Plan]ziel nt II. vt <BRIT -tt-> (address, direct) [ab]zielen (auf), sich richten (an)

tariff ['tærɪf] n 1. (form: table of charges) Preisliste f; of insurance

[Versicherungs]tarif *m* **2.** (*table of customs*) Zolltarif *m*

tarmac® ['tɑːmæk] **I.** *n no pl* BRIT (*paving material*) Asphalt *m;* **the ~** (*road*) die Fahrbahn **II.** *vt* <-ck-> BRIT asphaltieren

tarnish ['tɑːnɪʃ] **I.** *vi* **1.** (*dull*) stumpf werden **2.** (*fig, pej: lose shine*) an Glanz verlieren **II.** *vt* (*dull*) trüben **III.** *n* **1.** (*dull condition*) Stumpfheit *f* **2.** (*coating*) Belag *m*

tarpaulin [tɑːˈpɔːlɪn] *n no pl* (*fabric*) [wasserdichtes] geteertes Leinwandgewebe

tart¹ [tɑːt] **I.** *n* **1.** (*small pastry*) [Obst]törtchen *nt* **2.** BRIT (*cake*) [Obst]torte *f;* **custard ~** Vanillecremetorte *f* **II.** *adj* (*sharp*) sauce, soup scharf

tart² [tɑːt] *n* (*usu pej fam: loose female*) Schlampe *f* ◆ **tart up** *vt esp* BRIT (*pej fam*) **to ~ oneself up** sich aufdonnern

tartan ['tɑːtᵊn] **I.** *n no pl* (*cloth*) Schottenstoff **II.** *adj* Schotten-

tartar(e) sauce *n no pl* Remouladensoße *f*

task [tɑːsk] *n* Aufgabe *f;* **to set sb the ~ of doing sth** jdn [damit] beauftragen, etw zu tun

task force *n* **1.** MIL (*unit*) Eingreiftruppe *f* **2.** COMM (*group*) Arbeitsgruppe *f*

taste [teɪst] **I.** *n no pl* Geschmack *m;* **to have [good] ~** [einen guten] Geschmack haben **II.** *vt* **1.** schmecken; (*test*) probieren **2.** (*experience briefly*) luxury, success [einmal] erleben **III.** *vi* schmecken; **to ~ like sth** wie etw schmecken

tasteful ['teɪstfᵊl] *adj* **1.** (*appetizing*) schmackhaft **2.** (*decorous*) geschmackvoll, stilvoll

tasteless ['teɪstləs] *adj* **1.** geschmacks-

neutral; (*unappetizing*) fad[e] **2.** (*pej: unstylish, offensive*) geschmacklos

tasty ['teɪsti] *adj* lecker

tattoo¹ [tætˈuː] *n* MIL Zapfenstreich *m*

tattoo² [tætˈuː] **I.** *n* Tätowierung *f* **II.** *vt* tätowieren

tatty ['tæti] *adj* (*pej*) **1.** (*tawdry*) geschmacklos [aufgemacht] **2.** (*showing wear*) zerfleddert; *book also* abgegriffen

taught [tɔːt] *pt, pp of* **teach**

taunt [tɔːnt] *vt* **1.** (*mock*) verspotten **2.** (*tease*) **to ~ sb about sth** jdn wegen einer S. *gen* hänseln

Taurus ['tɔːrəs] *n* ASTROL Stier *m*

tavern ['tævᵊn] *n* BRIT (*old: pub*) Schenke *f*

tax [tæks] **I.** *n* <*pl* -es> **1.** Steuer *f;* **income ~** Einkommenssteuer *f* **2.** *no pl* (*levying*) Besteuerung *f* **II.** *vt* **1.** besteuern; **to be ~ed [heavily]** [hoch] besteuert werden **2.** (*burden*) belasten

taxable ['tæksəbl] *adj* steuerpflichtig; **~ income** zu versteuerndes Einkommen

tax allowance *n* FIN Steuerfreibetrag *m* **tax assessment** *n* FIN (*valuation*) Steuerveranlagung *f*

taxation [tækˈseɪʃᵊn] *n no pl* **1.** Besteuerung *f* **2.** (*money obtained*) Steuereinnahmen *pl;* **direct ~** direkte Steuern

tax-deductible *adj* AM, AUS FIN steuerlich absetzbar **tax disc** *n* BRIT FIN (*on motor vehicle*) Steuerplakette *f*, Vignette *f* ÖSTERR, SCHWEIZ **tax-free** *adj* steuerfrei

taxi ['tæksi] **I.** *n* Taxi *nt* **II.** *vi* AVIAT (*move*) rollen

taxi-driver *n* Taxifahrer(in) *m(f)* **taxi rank**, AM **taxi stand** *n* Taxistand *m*

taxpayer *n* Steuerzahler(in) *m(f)* **tax relief** *n* Steuervergünstigung *f* **tax return** *n* Steuererklärung *f* **tax system** *n* Steuerwesen *nt* **tax year** *n* Steuerjahr *nt*

tea [ti:] *n* 1. *no pl* (*plant*) Tee *m*, Teepflanze *f* 2. (*drink*) Tee *m*; **peppermint** ~ Pfefferminztee *m* 3. (*cup of tea*) Tasse *f* Tee; **two ~s, please** zwei Tee, bitte

tea bag *n* Teebeutel *m* **tea break** *n* Teepause *f*

teach <taught, taught> [ti:tʃ] I. *vt* unterrichten; **to ~ sb sth** jdm etw beibringen II. *vi* unterrichten

teacher [ˈtiːtʃəʳ] *n* Lehrer(in) *m(f)*; **supply** [*or* AM **substitute**] ~ Aushilfslehrer(in) *m(f)*

teacher training *n* Lehrerausbildung *f* **teacher training college, teacher's college** *n* pädagogische Hochschule

teaching [ˈtiːtʃɪŋ] I. *n* 1. *no pl* Unterrichten *nt* 2. *no pl* (*profession*) Lehrberuf *m* II. *adj* aids, methods Lehr-, Unterrichts-

teaching staff *n* + *sing/pl vb* Lehrerkollegium *nt*

tea cloth *n* 1. BRIT (*for dishes*) Geschirrtuch *nt* 2. (*for table*) [kleine] Tischdecke **tea cosy** *n* Teewärmer *m* **teacup** *n* Teetasse *f* **tea-leaves** *n pl* Teeblätter *pl*

team [ti:m] *n* + *sing/pl vb* 1. Team *nt*; SPORTS *a.* Mannschaft *f*; **research ~** Forschungsgruppe *f* 2. (*harnessed animals*) Gespann *nt* ◆ **team up** *vi* ein Team bilden (**with** mit)

team effort *n* Teamarbeit *f* **teammate** *n* Mitspieler(in) *m(f)* **team spirit** *n* Teamgeist *m* **team work** *n* Teamarbeit *f*

tea party *n* Teegesellschaft *f* **teapot** *n* Teekanne *f*

tear¹ [tɪəʳ] *n* (*watery fluid*) Träne *f*; **to be in ~s** weinen

tear² [teəʳ] I. *n* in *cloth, muscle* Riss *m*; in *wall* Spalte *f* II. *vt* <tore, torn> 1. *fabric, paper* zerreißen; **to ~ a hole in one's trousers** sich *dat* ein Loch in die Hose reißen 2. **to ~ a muscle** sich *dat* einen Muskelriss zuziehen III. *vi* <tore, torn> [zer]reißen ◆ **tear apart** *vt* 1. *fabric, paper* zerreißen 2. (*attack*) *article, book* verreißen ◆ **tear away** *vt* (*make leave*) **to ~ sb away** jdn wegreißen; **to ~ oneself away** sich losreißen ◆ **tear down** *vt* 1. (*destroy*) abreißen 2. (*discredit*) **to ~ sb ⇆ down** jdn schlechtmachen ◆ **tear off** *vt* abreißen ◆ **tear open** *vt* envelope, parcel aufreißen ◆ **tear out** *vt* hair ausreißen; *page* herausreißen ◆ **tear up** *vt* 1. (*rip*) zerreißen 2. (*destroy*) kaputtmachen *fam*

tearaway [ˈteərəweɪ] *n* BRIT, AUS (*fam*) Randalierer(in) *m(f)*

teardrop *n* (*tear*) Träne *f*

tearful [ˈtɪəfᵊl] *adj* 1. (*inclined to cry*) den Tränen nah *präd* 2. *farewell, reunion* tränenreich

tear gas *n no pl* Tränengas *nt* **tear jerker** *n* (*fam*) Schnulze *f*

tea room, tea shop *n* Teestube *f*

tease [ti:z] I. *n* Quälgeist *m* fam; (*playfully*) neckische Person II. *vt* 1. (*make fun of*) aufziehen 2. (*provoke*) provozieren III. *vi* sticheln

teaser [ˈtiːzəʳ] *n* (*riddle*) harte Nuss *fam*

teaspoon *n* Teelöffel *m* **teaspoonful** *n* Teelöffelvoll *m* **tea-strainer** *n* Teesieb *nt* **teatime** *n* Teestunde *f* **tea towel** *n* Geschirrtuch *nt* **tea tray** *n* Tablett *nt* zum Teeservieren

T

technical ['teknɪkᵊl] *adj* **1.** technisch **2.** (*detailed*) Fach-; ~ **term** Fachausdruck *m* **3.** (*in technique*) technisch

technician [tek'nɪʃᵊn] *n* Techniker(in) *m(f)*

technique [tek'niːk] *n* Technik *f*, Verfahren *nt;* (*method*) Methode *f*

techno ['teknəʊ] *n no pl* Techno *m o nt*

technocrat ['teknəʊ] *n* Technokrat(in) *m(f)*

technological [ˌteknə'lɒdʒɪkᵊl] *adj* technologisch

technology [tek'nɒlədʒi] *n* Technologie *f*, Technik *f;* **computer** ~ Computertechnik *f*

teddy bear *n* Teddybär *m*

tee [tiː] *n* (*in golf*) Abschlagstelle *f* ◆ **tee off** *vi* **1.** (*in golf*) abschlagen **2.** (*fam: begin*) beginnen

teenage(d) ['tiːneɪdʒ(d)] *adj attr* im Teenageralter *nach n*

teenager ['tiːnˌeɪdʒəʳ] *n* Teenager *m*

teens [tiːnz] *n pl* Jugendjahre *pl;* **to be in one's** ~ im Teenageralter sein

tee shirt *n* T-Shirt *nt*

teeth [tiːθ] *n pl of* **tooth**

teethe [tiːð] *vi* zahnen

teetotal [ˌtiː'təʊtᵊl] *adj* **to be** ~ abstinent sein

teetotaller, AM **teetotaler** [ˌtiː'təʊtᵊləʳ] *n* Abstinenzler(in) *m(f)*

telecommunications [ˌtelɪkəˌmjuːnɪ'keɪʃᵊnz] *n pl + sing vb* Fernmeldewesen *nt kein pl*

telecommute *vi* Telearbeit *f* machen

telecommuting *n no pl* Telearbeit *f*

telephone ['telɪfəʊn] **I.** *n* **1.** (*device*) Telefon *nt;* **mobile** [*or* AM *a.* **cell[ular]**] ~ Handy *nt fam* **2.** *no pl* (*system*) **by** ~ telefonisch **II.** *vt* anrufen

telephone book *n* Telefonbuch *nt*

telephone box, AM **telephone booth** *n* Telefonzelle *f* **telephone call** *n* Telefonanruf *m;* **to make a** ~ telefonieren **telephone directory** *n* Telefonverzeichnis *nt* **telephone exchange** *n* Fernsprechvermittlung *f* **telephone number** *n* Telefonnummer *f* **telephone operator** *n* AM Vermittlung *f* **telephone rates** *n pl* Telefontarife *pl*

telephoto lens *n* Teleobjektiv *nt*

telesales ['telɪseɪlz] *n pl* Telefonmarketing *nt kein pl*

telescope ['telɪskəʊp] *n* Teleskop *nt*

televise ['telɪvaɪz] *vt* [im Fernsehen] übertragen

television ['telɪvɪʒᵊn] *n* **1.** (*device*) Fernsehgerät *nt*, Fernseher *m fam* **2.** *no pl* (*TV broadcasting*) Fernsehen *nt*

television camera *n* Fernsehkamera *f* **television programme,** AM **television program** *n* Fernsehprogramm *nt* **television set** *n* Fernsehapparat *m*, Fernseher *m* **television studio** *n* Fernsehstudio *nt*

teleworker ['telɪˌwɜːkəʳ] *n* Telearbeiter(in) *m(f)*

tell [tel] *vt* <told, told> **1.** sagen; (*relate*) erzählen; **to** ~ **a lie** lügen; **to** ~ **the truth** die Wahrheit sagen **2.** (*instruct*) **do as you're told!** (*fam*) mach, was man dir sagt! **3.** (*discern*) erkennen; (*notice*) [be]merken; **to** ~ **the time** *Kind* die Uhr lesen ◆ **tell apart** *vt* auseinanderhalten ◆ **tell off** *vt* (*reprimand*) ausschimpfen (**about/for**) wegen)

telling-off <*pl* tellings-> [ˌtelɪŋ'ɒf] *n* Tadel *m;* **to give sb a** ~ **for** [**doing**] **sth** jdn für etw *akk* tadeln

telly ['teli] *n* BRIT, AUS (*fam*) Glotze *f*

pej; **on** ~ im Fernsehen

temp [temp] (*fam*) **I.** *n* (*temporary employee*) Zeitarbeiter(in) *m(f)* **II.** *vi* aushilfsweise arbeiten; **to be ~ing** auf befristete Zeit arbeiten

temper ['tempər] *n usu sing* (*state of mind*) Laune *f;* (*angry state*) Wut *f kein pl;* **to have a ~** leicht reizbar sein

temperamental [ˌtempərə'mentəl] *adj* launisch

temperature ['temprətʃər] *n* Temperatur *f;* **to have a ~** Fieber haben; **to take sb's ~** jds Temperatur messen

temple¹ ['templ] *n* REL Tempel *m*

temple² ['templ] *n* ANAT Schläfe *f*

temporarily ['tempərəli] *adv* vorübergehend

temporary ['tempərəri] *adj* (*not permanent*) vorübergehend; (*with specific limit*) befristet; **~ staff** Aushilfspersonal *nt*

tempt [tempt] *vt* **1.** (*entice*) in Versuchung führen; **to be ~ed to do sth** versucht sein, etw zu tun **2.** (*attract*) reizen ▶ **to ~ fate** das Schicksal herausfordern

temptation [temp'teɪʃən] *n* (*enticement*) Versuchung *f*

tempting ['temptɪŋ] *adj* verführerisch; *offer also* verlockend

ten [ten] **I.** *adj* zehn; *see also* **eight II.** *n* Zehn *f;* **~s of thousands** zehntausende; *see also* **eight**

tenant ['tenənt] *n of rented accommodation* Mieter(in) *m(f);* *of leasehold* Pächter(in) *m(f)*

tend¹ [tend] *vi* **1.** (*be directed towards*) tendieren **2.** (*incline*) neigen (**to**[**wards**] zu)

tend² [tend] *vt* sich kümmern (um); **to ~ sheep** Schafe hüten

tendency ['tendən(t)si] *n* Tendenz *f;* (*inclination*) Neigung *f;* **to have a ~ to**[**wards**] **sth** zu etw *dat* neigen

tender¹ ['tendər] *adj* **1.** *meat, skin* zart **2.** (*liter: youthful*) zart; **at the ~ age of 5** im zarten Alter von 5 Jahren **3.** (*affectionate*) zärtlich; **to have a ~ heart** ein weiches Herz haben

tender² ['tendər] **I.** *n* COMM (*price quote*) Angebot *nt;* **to submit a ~** ein Angebot machen **II.** *vi* COMM ein Angebot machen

tenderness ['tendənəs] *n no pl* **1.** (*fondness*) Zärtlichkeit *f* **2.** (*physical sensitivity*) [Schmerz]empfindlichkeit *f*

tendon ['tendən] *n* Sehne *f*

tenfold I. *adj* zehnfach **II.** *adv* um das Zehnfache

tennis ['tenɪs] *n no pl* Tennis *nt*

tennis ball *n* Tennisball *m* **tennis court** *n* Tennisplatz *m* **tennis racket** *n* Tennisschläger *m*

tenor ['tenər] *n* Tenor *m;* (*voice also*) Tenorstimme *f*

tenpin bowling *n no pl* Bowling *nt*

tense¹ [ten(t)s] *n* LING Zeit[form] *f*

tense² [ten(t)s] **I.** *adj muscle, person, voice* angespannt **II.** *vt muscle* anspannen

tension ['ten(t)ʃən] *n no pl* **1.** (*tightness*) Spannung *f* **2.** (*uneasiness*) [An]spannung *f*

tent [tent] *n* Zelt *nt*

tentacle ['tentəkl] *n* Tentakel *m;* (*as a sensor*) Fühler *m*

tentative ['tentətɪv] *adj* **1.** (*provisional*) vorläufig **2.** (*hesitant*) vorsichtig

tenth [ten(t)θ] **I.** *n* **the ~** der Zehnte; **a ~** ein Zehntel *nt* **II.** *adj attr* zehnte(r, s); **to be ~** Zehnte(r, s) sein **III.** *adv*

T

als Zehnte(r, s)

tent peg n Hering m **tent pole** n Zeltstange f

tepid ['tepɪd] adj lau[warm]; applause schwach

terabyte ['terəbaɪt] n COMPUT Terabyte m

term [tɜːm] I. n 1. (of two) Semester nt; (of three) Trimester nt 2. (set duration) of job Amtszeit f; of prison sentence Gefängnisstrafe f 3. (range) Dauer f 4. (phrase) Ausdruck m; ~ **of abuse** Schimpfwort nt II. vt bezeichnen

terminal ['tɜːmɪnᵊl] I. adj 1. (fatal) End-; ~ **cancer** Krebs im Endstadium 2. TRANSP Terminal-; ~ **building** Flughafengebäude nt II. n 1. TRANSP Terminal m o nt; **air** ~ Flughafengebäude nt; **rail** ~ Endstation f 2. (part of computer) Terminal nt

terminate ['tɜːmɪneɪt] I. vt beenden; contract aufheben II. vi enden

terminus <pl -es> ['tɜːmɪnəs] n Endstation f; of train also Endbahnhof m

terrace ['terɪs] I. n Terrasse f; BRIT ~s pl (in a stadium) Tribüne f II. vt terrassenförmig anlegen

terraced house n Reihenhaus nt

terrible ['terəbl̩] adj schrecklich, furchtbar

terribly ['terəbli] adv 1. (awfully) schrecklich 2. (fam: extremely) außerordentlich

terrific [təˈrɪfɪk] adj (fam: excellent) großartig, toll fam

terrify <-ie-> ['terəfaɪ] vt [fürchterlich] erschrecken; **terrified** verängstigt

terrifying ['terəfaɪɪŋ] adj thought, sight entsetzlich; speed Angst erregend

territory ['terɪtᵊri] n 1. (area of land) Gebiet nt 2. no pl POL Hoheitsgebiet

nt 3. BIOL Revier nt

terror ['terəʳ] n 1. no pl (great fear) schreckliche Angst 2. (political violence) Terror m; **war on** ~ Bekämpfung f des Terrorismus

terror attack n Terroranschlag m **terror cell** n Terrorzelle f

terrorism ['terᵊrɪzᵊm] n no pl Terrorismus m; **act of** ~ Terrorakt m

terrorist ['terᵊrɪst] I. n Terrorist(in) m(f) II. adj attr terroristisch

test [test] I. n Prüfung f, Test m; SCH Klassenarbeit f; UNIV Klausur f; **blood** ~ Blutuntersuchung f; **driving** ~ Fahrprüfung f II. vt 1. SCH prüfen, testen 2. (try to discover) untersuchen 3. (try to the limit) **to** ~ **sth** etw auf die Probe stellen

testament ['testəmənt] n 1. LAW Testament nt; **last will and** ~ Testament nt 2. (evidence) Beweis m; **to be [a]** ~ **to sth** etw beweisen 3. REL **the New/Old T~** das Neue/Alte Testament

test drive n Probefahrt f

testicle ['testɪkl̩] n Hoden m

testify <-ie-> ['testɪfaɪ] vi 1. LAW (give evidence) [als Zeuge(in) m(f)] aussagen; **to** ~ **against sb** gegen jdn aussagen 2. (prove) **to** ~ **to sth** von etw dat zeugen geh

testimony ['testɪməni] n [Zeugen]aussage f; **to give** ~ aussagen

test pilot n Testpilot(in) m(f) **test tube** n Reagenzglas nt

tetanus ['tetᵊnəs] n no pl Tetanus m

text¹ [tekst] I. n 1. no pl Text m 2. (book) Schrift f; **set** ~ Pflichtlektüre f II. vt TELEC **to** ~ **[sb]** [jdm] eine SMS[-Nachricht] senden

text² n short for **text message** SMS f

textbook I. n Lehrbuch nt II. adj attr

(*usual*) Lehrbuch-; ~ **methods** Schulbuchmethoden *pl*

textile ['tekstaɪl] *n* Stoff *m;* ~**s** *pl* Textilien *pl*

text-message ['tekst,mesɪdʒ] *n* SMS *f*

Thai [taɪ] **I.** *n* **1.** (*person*) Thai *m o f,* Thailänder(in) *m(f)* **2.** (*language*) Thai *nt* **II.** *adj* thailändisch

Thailand ['taɪlænd] *n* Thailand *nt*

Thames [temz] *n no pl* Themse *f*

than [ðæn, ð°n] **I.** *prep* **1.** *after superl* als; **bigger** ~ größer als **2.** (*instead of*) **rather** ~ sth anstatt einer S. *gen* **3.** (*besides*) **other** ~ sb außer jdm; **other** ~ **that ...** abgesehen davon ... **II.** *conj* als

thank [θæŋk] *vt* **to** ~ **sb** jdm danken, sich bei jdm bedanken; ~ **you** [**very much**]! danke [sehr]!, vielen herzlichen Dank

thankful ['θæŋkfªl] *adj* **1.** (*grateful*) dankbar (**for** für) **2.** (*pleased*) froh

thankless ['θæŋkləs] *adj* **1.** (*not rewarding*) wenig lohnend **2.** (*ungrateful*) *person, behaviour* undankbar

thanksgiving [,θæŋks'gɪvɪŋ] *n no pl* **1.** (*gratitude*) Dankbarkeit *f* **2.** AM (*public holiday*) **T~** Thanksgiving *nt*

thank you *n* Danke[schön] *nt;* **to say** [**a**] ~ **to sb** sich *akk* bei jdm bedanken

that [ðæt, ðət] **I.** *adj dem* (*person, thing specified*) der/die/das; (*farther away*) der/die/das [... dort]; **who is** ~ **girl?** wer ist das Mädchen? **II.** *pron* **1.** *dem* (*person, thing, action specified*) das; (*farther away*) das [da]; ~'**s enough** das reicht; **who's** ~? wer ist das? **2.** *dem, after prep* **after** ~ danach; **under** ~ darunter **3.** *rel* (*which, who*) der/die/das; **the baby smiles at anyone** ~ **smiles at her** das Baby lächelt alle

an, die es anlächeln **4.** *rel* (*when*) als; **the year** ~ **Anna was born** das Jahr, in dem Anna geboren wurde **III.** *conj* **1.** dass; **I knew** ~ **...** ich wusste, dass ...; **it was so dark** [~] **I couldn't see anything** es war so dunkel, dass ich nichts sehen konnte; **supposing** [~] **...** angenommen, dass ... **2.** (*with a purpose*) **so** ~ damit **3.** (*as a reason*) weil, da [ja]; **now** ~ **we've bought a house ...** jetzt, wo wir ein Haus gekauft haben ... **IV.** *adv* so; **it wasn't** [**all**] ~ **good** so gut war es [nun] auch wieder nicht

thatch [θætʃ] **I.** *n no pl* (*roof*) Reetdach *nt* **II.** *vt* mit Reet decken

thaw [θɔː] **I.** *n* (*weather*) Tauwetter *nt* **II.** *vi* (*unfreeze*) auftauen **III.** *vt* FOOD auftauen

the [ðiː, ði, ðə] **I.** *art def* **1.** *before masc n* der; *before fem n* die; *before neuter n* das; **at** ~ **cinema** im Kino **2.** (*in titles*) der/die; **Edward** ~ **Seventh** Eduard der Siebte **3.** (*before adjective*) der/die/das; ~ **inevitable** das Unvermeidliche **4.** (*to represent group*) der/die/das; (*with mass group*) die; ~ **democrats** die Demokraten **5.** (*with superlative*) der/die/das; ~ **highest ...** der/die/das höchste ... **6.** (*with dates*) der; ~ **24th of May** [*or* May ~ **24th**] der 24. Mai; (*with time period*) **in** ~ **eighties** in den achtziger Jahren **II.** *adv + comp* **all** ~ **better** umso besser; ~ **colder it got,** ~ **more she shivered** je kälter es wurde, desto mehr zitterte sie

theatre, AM **theater** ['θɪətər] *n* **1.** Theater *nt;* **lecture** ~ Hörsaal *m* **2.** BRIT MED Operationssaal *m* **3.** *no pl* (*dramatic art*) Theater *nt;* **the Greek** ~ das griechische Theater

T

theft |θeft| *n* Diebstahl *m*

their |ðeəʳ, ðᵊr| *adj poss* **1.** (*of them*) ihr(e); **the children brushed ~ teeth** die Kinder putzten sich die Zähne **2.** (*his or her*) **has everybody got ~ passport?** hat jeder seinen Pass dabei?

theirs |ðeəz| *pron* ihr(e, es); **they think everything is ~** sie glauben, dass ihnen alles gehört

them |ðem, ðəm| *pron object pron* **1.** (*persons, animals*) sie *in akk*, ihnen *in dat;* **I told ~ that ...** ich habe ihnen gesagt, dass ...; **the dogs are hungry — could you feed ~?** die Hunde haben Hunger — könntest du sie füttern? **2.** (*objects*) sie *in akk;* **I've lost my keys — I can't find ~ anywhere** ich habe meine Schlüssel verloren — ich kann sie nirgends finden **3.** (*him or her*) ihm/ihr *in dat,* ihn/sie *in akk;* **we want to show every customer that we appreciate ~** wir wollen jedem Kunden zeigen, wie sehr wir ihn schätzen

theme |θi:m| *n* (*subject*) Thema *nt*

themed |θi:md| *adj inv* thematisch bestimmt, themenorientiert; *hotel, restaurant* Themen-

theme music *n no pl* FILM, TV Titelmusik *f* **theme park** *n* Themenpark *m*

themselves |ðəm'selvz| *pron refl* **1.** (*direct object*) sich; **the children behaved ~ very well** die Kinder benahmen sich sehr gut **2.** (*form: them*) sie selbst; **besides their parents and ~, no one else will attend their wedding** außer ihren Eltern und ihnen selbst wird niemand zu ihrer Hochzeit kommen **3.** (*emph: personally*) selbst; **to see sth for ~** etw

selbst sehen

then |ðen| **I.** *adj* (*form*) damalige(r, s) **II.** *adv* **1.** (*after that*) dann, danach **2.** (*at an aforementioned time*) damals; **before ~** davor, vorher; **by ~** bis dahin **3.** (*however*) **but ~** aber schließlich

theology |θi'ɒlədʒi| *n no pl* Theologie *f*

theoretical |θɪəˈretɪkᵊl| *adj* theoretisch

theory |ˈθɪəri| *n* **1.** *no pl* (*rules*) Theorie *f* **2.** (*possible explanation*) Theorie *f;* **in ~** theoretisch

therapeutic |ˌθerəˈpju:tɪk| *adj* therapeutisch

therapist |ˈθerəpɪst| *n* Therapeut(in) *m(f)*

therapy |ˈθerəpi| *n* Therapie *f,* Behandlung *f*

there |ðeəʳ, ðəʳ| **I.** *adv* **1.** dort, da; **to be ~ for sb** für jdn da sein; **over ~** da drüben **2.** (*to a place*) dahin, dorthin; **~ and back** hin und zurück **3.** (*sentence introduction*) **~ appears to be ...** es scheint ...; **~ comes a point where ...** es kommt der Punkt, an dem ... ▶ **to be neither** here **nor ~** keine Rolle spielen **II.** *interj* **1.** (*expressing sympathy*) da!; **~, ~!** ganz ruhig!, schon gut! **2.** (*fam*) **so ~!** und damit basta!

thereabouts |ˈðeərəbaʊts| *adv* **1.** (*in that area*) dort in der Nähe **2.** (*approximate time*) **or ~** oder so

thereafter *adv* (*form*) darauf; **shortly ~** kurze Zeit später

thereby *adv* dadurch

therefore |ˈðeəfɔ:ʳ| *adv* deshalb, daher

therein |ˌðeəˈrɪn| *adv* (*form or dated*) darin

thereupon |ˌðeərəˈpɒn| *adv* (*form*) daraufhin

thermal ['θɜːmᵊl] I. *n* **1.** (*air current*) Thermik *f* **2.** (*underwear*) ~s *pl* Thermounterwäsche *f kein pl* II. *adj attr* MED Thermal-; ~ **bath** Thermalbad *nt*

thermometer ['θɜːmɒmɪtəʳ] *n* Thermometer *nt o* SCHWEIZ *a. m*

Thermos® *n*, **Thermos® bottle** *n*, **Thermos® flask** ['θɜːmɒs-] *n* Thermosflasche *f*

thermostat ['θɜːməstæt] *n* Thermostat *m*

these [ðiːz] I. *adj pl of* **this** II. *pron dem pl of see* **this** diese; **are ~ your bags?** sind das hier deine Taschen?; ~ **here** die da

thesis <*pl* -ses> ['θiːsəs] *n* (*written study*) wissenschaftliche Arbeit; (*for diploma*) Diplomarbeit *f;* **doctoral ~** Doktorarbeit *f*

they [ðeɪ] *pron pers* **1.** (*3rd person plural*) sie; ~ **are pretty** sie sind hübsch **2.** (*he or she*) er/sie; **ask a friend if ~ could help** frag einen Freund, ob er/sie helfen kann **3.** (*people in general*) sie; ~ **say ...** es heißt ...

they'll [ðeɪl] = *see* **they will** *see* **will**[1]

they're [ðeəʳ] = *see* **they are** *see* **be**

they've [ðeɪv] = *see* **they have** *see* **have**

thick [θɪk] I. *adj* **1.** *coat, layer* dick; (*bushy*) *eyebrows* dicht; *hair also* voll **2.** *after n* (*measurement*) dick **3.** (*dense*) dicht; ~ **with smoke** verraucht **4.** (*pej sl: mentally slow*) dumm II. *n no pl* (*fam*) **in the ~ of sth** mitten[drin] in etw *dat* III. *adv* (*heavily*) dick; **the snow lay ~ on the path** auf dem Weg lag eine dicke Schneedecke

thicken ['θɪkᵊn] I. *vt sauce* eindicken II. *vi* **1.** (*become less fluid*) dick[er]

werden **2.** (*become denser*) dicht[er] werden

thief <*pl* thieves> [θiːf] *n* Dieb(in) *m(f)*

thieving ['θiːvɪŋ] I. *n* (*liter form*) Stehlen *nt* II. *adj attr* diebisch; **take your ~ hands off my cake!** (*hum*) lass deine Finger von meinem Kuchen!

thigh [θaɪ] *n* [Ober]schenkel *m*

thimble ['θɪmbl] *n* Fingerhut *m*

thin <-nn-> [θɪn] I. *adj* dünn; *fog* leicht; *hair, crowd* spärlich; ~ **line** feine Linie; (*fig*) schmaler Grat ▶ **to disappear into ~ air** sich in Luft auflösen II. *vt* <-nn-> **1.** (*make more liquid*) verdünnen **2.** (*remove some*) ausdünnen, lichten III. *vi* <-nn-> **1.** *soup* dünner werden; *crowd* sich zerstreuen; *fog* sich lichten **2.** (*become worn*) *material* sich verringern, abnehmen

thing [θɪŋ] *n* **1.** (*unspecified object*) Ding *nt,* Gegenstand *m;* (*unspecified idea, event*) Sache *f;* **to not be sb's ~** nicht jds Ding *nt* sein *fam;* **just the ~** genau das Richtige **2.** (*possessions*) ~s *pl* Besitz *m kein pl;* (*for special purpose*) Sachen *pl* **3.** (*the situation*) **how are ~s [with you]?** (*fam*) wie geht's [dir]? **4.** (*fam: person*) **you lucky ~!** du Glückliche(r)!

think [θɪŋk] I. *n no pl* (*fam*) **to have a ~ about sth** sich *dat* etw überlegen, über etw *akk* nachdenken II. *vi* <thought, thought> **1.** (*reason, have views/ideas*) denken; **not everybody ~s like you** nicht jeder denkt wie du; **I thought as much!** das habe ich mir schon gedacht!; **to ~ of sb/ sth** an jdn/etw denken **2.** (*believe*) denken, glauben; **yes, I ~ so** ich glaube schon; **no, I don't ~ so** ich glaube

T

nicht **3.** (*intend*) **to ~ of doing sth** erwägen, etw zu tun **4.** (*come up with*) **to ~ of an idea** auf eine Lösung kommen **5.** (*reflect*) [nach]denken, überlegen **III.** *vt* <thought, thought> **1.** (*hold an opinion*) denken, glauben; **to ~ to oneself that ...** [bei] sich *dat* denken, dass ...; **who do you ~ you are?** für wen hältst du dich eigentlich? **2.** (*intend*) **I ~ I'll go for a walk** ich denke, ich mache einen Spaziergang ◆ **think about** *vi* **1.** denken (an) **2.** (*reflect*) nachdenken (über) **3.** (*consider*) **to ~ about sth** sich *dat* etw überlegen ◆ **think ahead** *vi* vorausdenken; (*be foresighted*) sehr vorausschauend sein ◆ **think back** *vi* zurückdenken (**to** an); **to ~ back over sth** sich *dat* etw noch einmal vergegenwärtigen ◆ **think over** *vt* überdenken, ich überleg's mir noch mal *fam* ◆ **think through** *vt* [gründlich] durchdenken ◆ **think up** *vt* (*fam*) sich *dat* ausdenken

thinking ['θɪŋkɪŋ] **I.** *n no pl* **1.** Denken *nt;* **to do some ~ about sth** sich *dat* über etw *akk* Gedanken machen **2.** (*reasoning*) Überlegung *f;* **good ~! that's a brilliant idea!** nicht schlecht! eine geniale Idee! **3.** (*opinion*) Meinung *f;* **to my way of ~** meiner Ansicht nach **II.** *adj attr* denkend, vernünftig

third [θɜːd] **I.** *n* **1.** (*fraction*) Drittel *nt* **2.** (*number 3*) Dritte(r, s); **George the T~** Georg der Dritte **II.** *adj* dritte(r, s); **~ best** drittbeste(r, s)

thirdly ['θɜːdli] *adv* drittens

third-party liability *n no pl* Haftpflicht *f* **third rate** *adj* minderwertig **Third World** *n* **the ~** die Dritte Welt

thirst [θɜːst] *n no pl* **1.** Durst *m;* **to die of ~** verdursten **2.** (*fig*) Verlangen *nt;* **~ for power** Machtgier *f*

thirsty ['θɜːsti] *adj* durstig; **gardening is ~ work** Gartenarbeit macht durstig

thirteen [θɜːˈtiːn] **I.** *n* Dreizehn *f; see also* **eight II.** *adj* dreizehn; *see also* **eight**

thirteenth [θɜːˈtiːn(t)θ] **I.** *n* **1.** (*after twelfth*) **the ~** der/die/das Dreizehnte; *see also* **eighth 2.** (*fraction*) Dreizehntel *nt; see also* **eighth II.** *adj* dreizehnte(r, s); *see also* **eighth III.** *adv* als Dreizehnte(r, s); *see also* **eighth**

thirtieth ['θɜːtiəθ] **I.** *n* **1.** Dreißigste(r, s); *see also* **eighth 2.** (*date*) **the ~** der Dreißigste; *see also* **eighth 3.** (*fraction*) Dreißigstel *nt; see also* **eighth II.** *adj* dreißigste(r, s); *see also* **eighth**

thirty ['θɜːti] **I.** *n* Dreißig *f; see also* **eight II.** *adj* dreißig; *see also* **eight**

this [ðɪs, ðəs] **I.** *adj attr* **1.** diese(r, s); **can you sign ~ form for me?** kannst du dieses Formular für mich unterschreiben? **2.** (*close in future*) diese (r, s); **I'll do it ~ Monday** ich erledige es diesen Montag; (*of today*) **~ morning** heute Morgen; **~ minute** sofort **II.** *pron* **1.** (*the thing/matter here*) das; **is ~ your bag?** ist das deine Tasche?; **listen to ~ ...** hör dir das an ... **2.** (*the person here*) das; **~ is the captain speaking** hier spricht der Kapitän **3.** (*with an action*) das; **like ~ so ► ~ and** that (*fam*) dies und das **III.** *adv* so; **~ far and no further** (*a. fig*) bis hierher und nicht weiter

thistle ['θɪsl] *n* Distel *f*

thorn [θɔːn] *n* Dorn *m;* (*bush with prickles*) Dornenstrauch *m*

thorny [ˈθɔːni] *adj* **1.** (*with thorns*) dornig **2.** (*difficult*) schwierig; *issue* heikel

thorough [ˈθʌrə] *adj* **1.** (*detailed*) genau **2.** (*careful*) sorgfältig, gründlich **3.** *attr* (*complete*) komplett

thoroughfare *n* (*form*) Durchgangsstraße *f;* **"no ~"** „keine Durchfahrt"

thoroughly [ˈθʌrəli] *adv* **1.** (*in detail*) genau, sorgfältig **2.** (*completely*) völlig; **to ~ enjoy sth** etw ausgiebig genießen

those [ðəʊz] **I.** *adj dem pl of see* **that 1.** diese; **how much are ~ brushes?** wie viel kosten die Bürsten da? **2.** (*familiar referent*) jene; **several people died in ~ riots** mehrere Menschen starben bei jenen Unruhen **3.** (*singling out*) **I like ~ biscuits with the almonds in them** ich mag die Kekse mit den Mandeln drinnen **II.** *pron pl of see* **that 1.** (*people, objects over there*) diejenigen; **these peaches aren't ripe, try ~ on the table** diese Pfirsiche sind noch nicht reif, versuch' die auf dem Tisch; **~ are my kids over there** das sind meine Kinder da drüben **2.** (*the people*) **~ who ...** diejenigen, die ...

though [ðəʊ] **I.** *conj* **1.** (*despite the fact that*) obwohl **2.** (*however*) [je]doch **3.** (*fam: nevertheless*) dennoch; **the report was fair, ~** der Bericht war trotz allem fair **4.** (*if*) **as ~** als ob **II.** *adv* trotzdem, dennoch

thought [θɔːt] **I.** *n* **1.** *no pl* Nachdenken *nt,* Überlegen *nt;* **freedom of ~** Gedankenfreiheit *f* **2.** (*opinion, idea*) Gedanke *m;* **to spare a ~ for sb** an jdn denken ▶ **it's the ~ that** <u>counts</u> (*fam*) der gute Wille zählt **II.** *pt, pp of* **think**

thoughtful [ˈθɔːtfᵊl] *adj* **1.** (*considerate*) aufmerksam **2.** (*mentally occupied*) nachdenklich

thoughtless [ˈθɔːtləs] *adj* **1.** (*inconsiderate*) rücksichtslos **2.** (*without thinking*) unüberlegt

thought-out *adj* durchdacht **thought-provoking** *adj* nachdenklich stimmend; **she made some very ~ remarks** ihre Bemerkungen gaben mir zu denken

thousand [ˈθaʊzᵊnd] **I.** *n* **1.** *no pl* Tausend *f;* **one ~/two ~** [ein]tausend/zweitausend; **the year two ~ and five** [das Jahr] zweitausend und fünf; **a ~ pounds** [ein]tausend Pfund **2.** *pl* (*fam: lots*) **~s** Tausende *pl* **II.** *adj attr* tausend; **I've said it a ~ times** ich habe es jetzt unzählige Male gesagt

thousandth [ˈθaʊzᵊn(d)θ] **I.** *n* (*in series*) Tausendste(r, s); (*fraction*) Tausendstel *nt* **II.** *adj* tausendste(r, s); **the ~ ...** der/die/das tausendste ...; **a ~ part** ein Tausendstel *nt*

thread [θred] **I.** *n* **1.** *no pl* (*for sewing*) Garn *nt* **2.** (*fibre*) Faden *m,* Faser *f* **II.** *vt* *a needle* einfädeln

threat [θret] *n* **1.** Drohung *f;* **death ~** Morddrohung *f* **2.** *no pl* (*potential danger*) Gefahr *f,* Bedrohung *f;* **~ of war** Kriegsgefahr *f*

threaten [ˈθretᵊn] **I.** *vt* **1.** **to ~ sb** jdn bedrohen; **to ~ sb with sth** jdm mit etw *dat* drohen **2.** (*be a danger*) gefährden **II.** *vi* drohen; **to ~ to do sth** damit drohen, etw zu tun

threatening [ˈθretᵊnɪŋ] *adj* **1.** (*hostile*) drohend, Droh-; **~ letter** Drohbrief *m* **2.** (*menacing*) bedrohlich; *clouds* dunkel

three [θriː] **I.** *n* **1.** Drei *f; see also*

eight 2. (*quantity*) drei; **in ~s** in Dreiergruppen **3.** (*the time*) drei [Uhr] ▶ **two's company, ~'s a crowd** drei sind einer zu viel **II.** *adj* drei; **I'll give you ~ guesses** dreimal darfst du raten; *see also* **eight three-dimensional,** *fam* **three-D** *adj* dreidimensional, 3-D-

threefold I. *adj* dreifach **II.** *adv* **the ~** das Dreifache

three-part *adj attr story, series* dreiteilig; *song* dreistimmig **three-piece I.** *adj* **1.** (*of three items*) dreiteilig **2.** (*of three people*) Dreimann- **II.** *n* Dreiteiler *m* **three-quarter** *adj attr* dreiviertel

threshold ['θreʃ(h)əʊld] *n* **1.** [Tür]schwelle *f* **2.** (*beginning*) Anfang *m*, Beginn *m* **3.** (*limit*) Grenze *f*, Schwelle *f*; **pain ~** Schmerzgrenze *f*

threw [θruː] *pt of* **throw**

thrill [θrɪl] **I.** *n* (*wave of emotion*) Erregung *f*; (*titillation*) Nervenkitzel *m* **II.** *vt* (*excite*) erregen; (*fascinate*) faszinieren

thriller ['θrɪləʳ] *n* Thriller *m*

thrilling ['θrɪlɪŋ] *adj* aufregend; *story* spannend

throat [θrəʊt] *n* **1.** (*inside the neck*) Rachen *m*, Hals *m*; **to clear one's ~** sich räuspern **2.** (*front of the neck*) Kehle *f*, Hals *m*

throb [θrɒb] **I.** *n* Klopfen *nt*; *of heart, pulse* Pochen *nt* **II.** *vi* <-bb-> klopfen; *pulse, heart* pochen

throne [θrəʊn] *n* Thron *m*; **heir to the ~** Thronerbe(in) *m(f)*

throttle ['θrɒtl] **I.** *n* AUTO Gaspedal *nt*; **at full/half ~** mit voller/halber Geschwindigkeit **II.** *vt* **1.** AUTO **to ~ the engine** Gas wegnehmen **2.** (*strangle*) erdrosseln ◆ **throttle back I.** *vi*

den Motor drosseln **II.** *vt* drosseln

through [θruː] **I.** *prep* **1.** durch; **we drove ~ the tunnel** wir fuhren durch den Tunnel; **he cut ~ the string** er durchschnitt die Schnur; **she looked ~ her mail** sie sah ihre Post durch **2.** (*during*) während; **they drove ~ the night** sie fuhren durch die Nacht **3.** (*to the finish*) **to get ~ sth** etw durchstehen **4.** *esp* AM (*up until*) bis; **she works Monday ~ Thursday** sie arbeitet von Montag bis Donnerstag **5.** (*because of*) wegen, durch **6.** MATH (*divided into*) durch **II.** *adj* **1.** *pred* (*finished*) fertig **2.** *attr* TRANSP (*without stopping*) durchgehend; **~ station** Durchgangsbahnhof *m* **III.** *adv* **1.** durch; **the train goes ~ to Hamburg** der Zug fährt bis nach Hamburg durch; **to think sth ~** etw durchdenken **2.** (*from outside to inside*) völlig; **soaked ~** völlig durchnässt

throughout [θruːˈaʊt] **I.** *prep* **1.** (*all over in*) **people ~ the country** Menschen im ganzen Land **2.** (*at times during*) während; **~ the performance** die ganze Vorstellung über **II.** *adv* **1.** (*in all parts*) vollständig **2.** (*the whole time*) die ganze Zeit [über]

through traffic *n no pl* Durchgangsverkehr *m*; **"no ~!"** „keine Durchfahrt!" **through train** *n* durchgehender Zug **throughway** *n* AM Autobahn *f*

throw [θrəʊ] **I.** *n* **1.** Wurf *m*; **a stone's ~** [away] (*fig*) nur einen Steinwurf von hier **2.** (*fam: each*) **a ~** pro Stück; **they're charging nearly £100 a ~ for concert tickets!** eine Konzertkarte kostet fast

100 Pfund **3.** (*furniture cover*) Überwurf *m* **II.** *vi* <threw, thrown> werfen **III.** *vt* <threw, thrown> **1.** werfen; *dice* würfeln; (*hurl*) schleudern; **to ~ sb sth** jdm etw zuwerfen; **to ~ oneself onto sb/sth** sich auf jdn stürzen/auf etw *akk* werfen **2.** (*dedicate*) **to ~ oneself into sth** sich in etw *akk* stürzen **3.** (*give*) **to ~ a party** eine Party geben ◆ **throw away I.** *vt* **1.** (*discard*) wegwerfen **2.** (*waste*) verschwenden; **to ~ money away on sth** Geld für etw *akk* zum Fenster hinauswerfen **II.** *vi* (*in card games*) abwerfen ◆ **throw back** *vt hair, head* nach hinten werfen; *curtains* aufreißen; *whisky, beer* hinunterstürzen ◆ **throw down** *vt* **1.** herunterwerfen; **to ~ oneself down** sich niederwerfen **2.** (*deposit forcefully*) hinwerfen; **to ~ down one's weapons** die Waffen strecken ◆ **throw in I.** *vt* **to ~ sth in[to] sth** etw in etw *akk* [hinein] werfen; (*include in price*) **to ~ sth ⇆ in** etw gratis dazugeben **II.** *vi* [den Ball] einwerfen ◆ **throw open** *vt* aufreißen; (*fig*) etw zugänglich machen ◆ **throw out** *vt* **1.** (*fling outside, eject*) hinauswerfen **2.** (*discard*) wegwerfen; **to ~ out a case** einen Fall abweisen ◆ **throw together** *vt* (*fam: make quickly*) **to ~ a meal together** eine Mahlzeit zaubern ◆ **throw up I.** *vt* **1.** hochwerfen; **to ~ up one's hands** die Hände hochreißen **2.** (*build quickly*) schnell errichten **3.** (*fam: vomit*) erbrechen **II.** *vi* (*fam*) sich übergeben

throwaway [ˈθrəʊəweɪ] *adj attr* (*disposable*) wegwerfbar; **~ razor** Einwegrasierer *m*

throw-in *n* SPORTS Einwurf *m*

throwing [ˈθrəʊɪŋ] *n no pl* Werfen *nt*

thrown [θrəʊn] *pp of* **throw**

thru [θruː] *prep adj, adv usu* AM (*fam*) *see* **through**

thrush¹ <*pl* -es> [θrʌʃ] *n* ORN Drossel *f*

thrush² <*pl* -es> [θrʌʃ] *n* MED Soor *m;* (*of vagina*) Pilzinfektion *f*

thrust [θrʌst] **I.** *n* **1.** Stoß *m* **2.** *no pl* (*impetus, purpose*) Stoßrichtung *f;* **the main ~ of an argument** die Hauptaussage eines Arguments **3.** *no pl* TECH Schubkraft *f* **II.** *vi* <thrust, thrust> **to ~ at sb with a knife** nach jdm mit einem Messer stoßen **III.** *vt* <thrust, thrust> **1.** (*push with force*) **to ~ the money into sb's hand** jdm das Geld in die Hand stecken **2.** (*stab, pierce*) stechen **3.** (*impel*) hineinstoßen

thruway *n esp* AM *see* **throughway**

thug [θʌg] *n* (*pej*) Schlägertyp *m*

thumb [θʌm] **I.** *n* Daumen *m;* ▸ **to stand out like a** <u>sore</u> **~** unangenehm auffallen **II.** *vt* **to ~ a ride** per Anhalter fahren, trampen

thumb-index *n* Daumenregister *nt*

thumbnail *n* Daumennagel *m*

thumbnail sketch *n* Abriss *m*

thumb-print *n* **1.** (*impression*) Daumenabdruck *m* **2.** (*fig: identifying feature*) Erkennungsmerkmal *nt*

thumbtack *n* AM, AUS (*drawing-pin*) Reißnagel *m*

thump [θʌmp] **I.** *n* dumpfer Knall; **to give sb a ~** jdm eine knallen **II.** *vt* schlagen **III.** *vi heart* klopfen; **to ~ on sth** auf etw *akk* schlagen

thumping [ˈθʌmpɪŋ] (*fam*) *adj* kolossal; **to have a ~ headache** grässliches Kopfweh haben

thunder [ˈθʌndəʳ] **I.** *n no pl* **1.** METEO Donner *m;* **clap of ~** Donnerschlag

T

m **2.** (*loud sound*) Getöse *nt* **II.** *vi* (*make rumbling noise*) donnern; **to ~ by** vorbeidonnern **III.** *vt* brüllen

thunderclap *n* Donnerschlag *m* **thundercloud** *n usu pl* Gewitterwolke *f*

thunderous ['θʌndᵊrəs] *adj attr* donnernd; **~ applause** Beifallsstürme *pl*

thunderstorm *n* Gewitter *nt*

thundery ['θʌndᵊri] *adj* gewittrig

Thursday ['θɜːzdeɪ] *n* Donnerstag *m*; *see also* **Tuesday**

thus [ðʌs] *adv* **1.** (*therefore*) folglich **2.** (*in this way*) so

thyme [taɪm] *n no pl* Thymian *m*

Tibet [tɪ'bet] *n no pl* Tibet *nt*

tick¹ [tɪk] *n* ZOOL Zecke *f*

tick² [tɪk] **I.** *n* **1.** (*sound of watch*) Ticken *nt kein pl*; '~ **tock**' (*fam*) ‚ticktack' **2.** (*mark*) Haken *m* **II.** *vi* ▶ **what <u>makes</u> sb ~** was jdn bewegt **III.** *vt* abhaken ◆ **tick off** *vt* **1.** abhaken; **to ~ off sth on one's fingers** etw an den Fingern abzählen **2.** BRIT, AUS (*fam: reproach*) schelten ◆ **tick over** *vi esp* BRIT **1.** TECH (*operate steadily*) auf Leerlauf geschaltet sein **2.** (*function at minimum level*) am Laufen halten

ticket ['tɪkɪt] *n* **1.** (*card*) Karte *f*; **cloakroom ~** Garderobenmarke *f*; **lottery ~** Lottoschein *m*; **plane ~** Flugticket *nt* **2.** (*price tag*) Etikett *nt*

ticket agency *n* Kartenbüro *nt* **ticket-collector** *n* (*on the train*) Schaffner(in) *m(f)*; (*on the platform*) Bahnsteigschaffner(in) *m(f)* **ticket counter** *n* Fahrkartenschalter *m* **ticket holder** *n* Kartenbesitzer(in) *m(f)* **ticket machine** *n* Fahrkartenautomat *m* **ticket-office** *n* RAIL Fahrkartenschalter *m*; THEAT Vorverkaufsschalter *m*

ticking-off <*pl* tickings-> *n* BRIT (*fam*) Tadel *m*; **to get a ~ from sb** von jdm getadelt werden

tickle ['tɪkl] **I.** *vi* kitzeln **II.** *vt* kitzeln; **to be ~d that ...** sich darüber amüsieren, dass ... **III.** *n no pl* **1.** (*itch*) Jucken *nt* **2.** (*irritation*) **a ~ in one's throat** ein Kratzen *nt* im Hals

ticklish ['tɪklɪʃ] *adj* kitzlig

tidal ['taɪdᵊl] *adj* **~ basin** Tidebecken *nt*; **~ harbour** den Gezeiten unterworfener Hafen

tidal wave *n* Flutwelle *f*

tide [taɪd] *n* **1.** Gezeiten *pl*; **high ~** Flut *f*; **low ~** Ebbe *f*; **the ~ is out** es ist Ebbe **2.** (*trend*) Welle *f*; **the ~ has turned** die Meinung ist umgeschlagen

tidy ['taɪdi] **I.** *adj* **1.** ordentlich; **neat and ~** sauber und ordentlich **2.** (*fam: considerable*) beträchtlich; **~ sum** hübsche Summe *fam* **II.** *n* **he gave his room a good ~** er räumte sein Zimmer gründlich auf **III.** *vt* aufräumen

tie [taɪ] **I.** *n* **1.** Krawatte *f*; **bow ~** Fliege *f* **2.** *pl* (*links*) **family ~s** Familienbande *pl* **3.** (*equal score*) Punktegleichstand *m kein pl* **II.** *vi* <-y-> **1.** (*fasten*) schließen **2.** (*equal in points*) **to ~ with sb** denselben Platz wie jd belegen **III.** *vt* <-y-> *parcel* verschnüren; *shoelaces* zubinden; *ribbon* binden; **to ~ a knot** einen Knoten machen ▶ **sb's <u>hands</u> are ~d** jds Hände sind gebunden ◆ **tie back** *vt* zurückbinden ◆ **tie down** *vt* festbinden; (*restrict*) **to be ~d down** gebunden sein; **to ~ sb down to sth** (*fam*) jdn auf etw *akk* festlegen ◆ **tie up** *vt* **1.** (*bind*) festbinden; *hair* hochbinden **2.** (*delay*) aufhalten **3.** (*busy*) **to be**

~**d up** beschäftigt sein **4. to be** ~**d up with sth** mit etw *dat* zusammenhängen

tiepin *n* Krawattennadel *f*

tier [tɪəʳ] I. *n* (*row*) Reihe *f;* (*level*) Lage *f* II. *vt* (*next to each other*) aufreihen

tiger [ˈtaɪɡəʳ] *n* Tiger *m*

tight [taɪt] I. *adj* **1.** (*firm*) fest; *clothes, bend* eng; *budget* knapp; **to keep a ~ hold on sth** etw streng kontrollieren **2.** (*close together*) dicht; **in ~ formation** in geschlossener Formation **3.** (*stretched tautly*) gespannt; *muscle* verspannt ▶ **to run a ~ ship** ein strenges Regime führen II. *adv pred* straff; **to close sth ~** etw fest verschließen ▶ **sleep ~** schlaf gut

tighten [ˈtaɪtᵊn] I. *vt* **1.** festziehen; *rope* festbinden **2.** (*increase pressure*) verstärken ▶ **to ~ one's belt** den Gürtel enger schnallen II. *vi* straff werden

tightrope *n* Drahtseil *nt;* **to walk the ~** auf dem Drahtseil tanzen

tights [taɪts] *n pl* **pair of ~** Strumpfhose *f*

tigress <*pl* -es> [ˈtaɪɡres] *n* Tigerin *f*

tile [taɪl] I. *n* Fliese *f;* *roof ~* Dachziegel *m* II. *vt* fliesen

till[1] [tɪl] I. *prep see* **until** II. *conj see* **until**

till[2] [tɪl] *n* Kasse *f;* ▶ **to be caught with one's hand in the ~** auf frischer Tat ertappt werden *fam*

till[3] [tɪl] *vt soil* bestellen

tiller [ˈtɪləʳ] *n* Ruderpinne *f fachspr;* **at the ~** am Ruder

tilt [tɪlt] I. *n* **1.** (*slope*) Neigung *f* **2.** (*of opinion*) Schwenk *m;* ▶ **[at] full ~** mit voller Kraft II. *vi* **1.** (*slope*) sich neigen **2.** (*of opinion*) **to ~ away**

from sth sich von etw abwenden

timber [ˈtɪmbəʳ] I. *n no pl esp* BRIT Bauholz *nt;* **to fell ~** Holz fällen II. *interj* "T~!" „Achtung, Baum!"

time [taɪm] I. *n* **1.** *no pl* Zeit *f;* **in ~** mit der Zeit; **over ~** im Lauf[e] der Zeit **2.** *no pl* (*period, duration*) Zeit *f;* **~'s up** (*fam*) die Zeit ist um; **it will take some ~** es wird eine Weile dauern; **breakfast ~** Frühstückszeit *f;* **free ~** Freizeit *f;* **injury ~** BRIT SPORTS Nachspielzeit *f;* **period of ~** Zeitraum *m;* **in one week's ~** in einer Woche; **a long ~ ago** vor langer Zeit; **to pass the ~** sich *dat* die Zeit vertreiben; **for the ~ being** vorläufig; **in no ~** [**at all**] im Nu **3.** (*pertaining to clocks*) **what's the ~?** wie spät ist es?; **the ~ is 8:30** es ist 8.30 Uhr; **to tell the ~** *Kind* die Uhr lesen; (*specific time or hour*) Zeit *f;* **departure ~** Abfahrtszeit *f;* **this ~ next month** nächsten Monat um diese Zeit **4.** (*occasion*) Mal *nt;* **for the first ~** zum ersten Mal; **some other ~** ein andermal; **from ~ to ~** ab und zu **5.** (*frequency*) Mal *nt;* **~ and** [~] **again** immer [und immer] wieder; **three ~s as much** dreimal so viel **6.** *no pl* (*correct moment*) **in** [**good**] **~** rechtzeitig; **on ~** pünktlich **7.** *usu pl* (*era, lifetime*) Zeit *f;* **at his ~ of life** in seinem Alter **8.** *no pl* MUS Takt *m;* **to keep ~** den Takt halten **9.** ([*not*] *like*) **to not have much ~ for sb** jdn nicht mögen ▶ **~ is of the essence** die Zeit drängt II. *vt* **1.** (*measure duration*) **to ~ sb over 100 metres** jds Zeit beim 100-Meter-Lauf nehmen **2.** (*choose best moment for*) **to ~ sth** den richtigen Zeitpunkt wählen

time bomb *n* (*a. fig*) Zeitbombe *f* **time-**

consuming *adj* zeitintensiv **time difference** *n* Zeitunterschied *m* **timekeeper** *n* **1.** (*in sports*) Zeitnehmer *m* **2.** (*clock, watch*) Zeitmesser *m;* **to be a good ~** *person* sein Zeitsoll immer erfüllen **time limit** *n* Zeitbeschränkung *f*

timely ['taɪmli] *adj* rechtzeitig; *remark* passend; **~ arrival** Ankunft *f* zur rechten Zeit

time management *n* Zeitmanagement *nt* **time-out** I. *n* <*pl* -s> (*in sports*) Auszeit *f* II. *interj* AM Stopp

timer ['taɪmər] *n* **1.** Timer *m;* (*for eggs*) Eieruhr *f* **2.** (*time recorder*) Zeitmesser *m* **3.** AM (*time switch*) Zeitschalter *m*

time-saving *adj* Zeit sparend **time switch** *n* BRIT, AUS Zeitschalter *m*

timetable I. *n* (*for bus, train*) Fahrplan *m;* (*for events, project*) Programm *nt* II. *vt usu passive* planen **time zone** *n* Zeitzone *f*

timid <-er, -est> ['tɪmɪd] *adj* ängstlich; (*shy*) schüchtern

timing ['taɪmɪŋ] *n no pl* Timing *nt;* **perfect ~!** genau zum richtigen Zeitpunkt!

tin [tɪn] *n* **1.** *no pl* (*metal*) Zinn *nt* **2.** *esp* BRIT (*can*) Büchse *f*, Dose *f*

tin can *n* Blechdose *f* **tinfoil** ['tɪnfɔɪl] *n no pl* Alufolie *f*

tingle ['tɪŋgl] I. *vi* kribbeln; **to ~ with desire** vor Verlangen brennen; **to ~ with excitement** vor Aufregung zittern; **sb's spine ~s** jdm läuft ein Schauer über den Rücken II. *n no pl* Kribbeln *nt*

tinned [tɪnd] *adj* BRIT, AUS konserviert; **~ fruit** Dosenfrüchte *pl*

tin-opener *n* BRIT, AUS Dosenöffner *m* **tinsel** ['tɪn(t)səl] *n no pl* Lametta *nt* **tint** [tɪnt] I. *n* (*hue*) Farbton *m;* **warm**

~ warme Farbe II. *vt hair* tönen

tiny ['taɪni] *adj* winzig; **teeny ~** (*fam*) klitzeklein

tip¹ [tɪp] I. *n* Spitze *f;* ▶ **it's on the ~ of my** <u>tongue</u> es liegt mir auf der Zunge II. *vt* <-pp-> **to ~ a spear with poison** einen Speer in Gift [ein]tauchen

tip² [tɪp] I. *n* BRIT **1.** (*rubbish dump*) Deponie *f* **2.** (*fam: mess*) Saustall *m pej sl* II. *vt* <-pp-> **1.** (*empty out*) **to ~ sth into sth** etw in etw *akk* ausschütten **2.** (*tilt*) neigen III. *vi* <-pp-> (*tilt*) umkippen

tip³ [tɪp] I. *n* **1.** (*money*) Trinkgeld *nt;* **to leave a 10% ~** 10 % Trinkgeld geben **2.** (*suggestion*) Rat[schlag] *m*, Tipp *m fam;* **take a ~ from me ...** wenn du mich fragst, ... II. *vt* <-pp-> *a waiter* Trinkgeld geben III. *vi* <-pp-> Trinkgeld geben ◆ **tip off** *vt* einen Tipp geben ◆ **tip out** I. *vi* herauskippen II. *vt* ausleeren ◆ **tip over** *vt, vi* umschütten, umkippen ◆ **tip up** *vt, vi* kippen; *seat* hochklappen

tip-off *n* (*fam*) Tipp *m*

tipsy ['tɪpsi] *adj* beschwipst

tiptoe ['tɪptəʊ] I. *n* on ~[s] auf Zehenspitzen II. *vi* auf Zehenspitzen gehen; **to ~ in** hineinschleichen

tip-up seat *n* Klappsitz *m*

tire¹ ['taɪər] *n* AM Reifen *m*

tire² ['taɪər] I. *vt* ermüden; **to ~ oneself doing sth** von etw *dat* müde werden II. *vi* müde werden; **to ~ of sth** etw satthaben *fam*

tired <-er, -est> ['taɪəd] *adj* **1.** müde **2.** (*bored with*) **to be sick and ~ of sth/sb** von etw/jdm die Nase gestrichen voll haben *fam*

tiredness ['taɪədnəs] *n no pl* Müdigkeit *f*

tireless ['taɪələs] *adj* unermüdlich

tiresome ['taɪəsəm] *adj* mühsam; *habit* unangenehm

tiring ['taɪərɪŋ] *adj* ermüdend

tissue ['tɪʃuː, -sjuː] *n* **1.** (*for noses*) Papiertaschentuch *nt*, Tempo® *nt* **2.** (*for wrapping*) Seidenpapier *nt* **3.** *no pl* (*of animals or plants*) Gewebe *nt*

tit [tɪt] *n* **1.** (*bird*) Meise *f*; **blue ~** Blaumeise *f* **2.** (*vulg: breast*) Titte *f*; ▶ **~ for <u>tat</u>** wie du mir, so ich dir

title ['taɪtl] **I.** *n* **1.** Titel *m*; **job ~** Berufsbezeichnung *f* **2.** (*film credits*) **~s** *pl* Vor-/Nachspann *m* **II.** *vt book, film* betiteln

titleholder *n* Titelverteidiger(in) *m(f)* **title page** *n* Titelblatt *nt* **title role** *n* Titelrolle *f* **title track** *n* Titelsong *m*

to [tuː, tu, tə] **I.** *prep* **1.** (*moving towards*) zu; (*a named place*) nach; **she goes ~ university** sie geht auf die Universität; **~ the north** nördlich; **from place ~ place** von Ort zu Ort **2.** (*in direction of*) auf; **to point ~ sth** auf etw *akk* zeigen **3.** (*in contact with*) an; **cheek ~ cheek** Wange an Wange **4.** (*with indirect object*) **~ sb/sth** jdm/etw; **to be married ~ sb** mit jdm verheiratet sein; **to show sth ~ sb** jdm etw zeigen **5.** (*in response*) auf; **and what was her response ~ that?** und wie lautete ihr Antwort darauf? **6.** (*compared to*) mit; **I prefer beef ~ seafood** ich ziehe Rindfleisch Meeresfrüchten vor **7.** (*until*) bis, zu; **unemployment has risen ~ almost 5 million** die Arbeitslosigkeit ist auf fast 5 Millionen angestiegen; **and ~ this day ...** und bis auf den heutigen Tag ...; **from morning ~ night** von morgens bis abends **8.** BRIT (*in clock times*) vor, bis SÜDD; **it's twenty ~ six** es ist zwanzig vor sechs ▶ **there's not <u>much</u> ~ it** das ist nichts Besonderes **II.** *to form infin* **1.** (*expressing intention*) **I'll have ~ tell him** ich werde es ihm sagen müssen; **to be about ~ do sth** gerade etw tun wollen; **we tried ~ help** wir versuchten zu helfen **2.** (*omitting verb*) **would you like to go? — yes, I'd love ~** möchtest du hingehen? — ja, sehr gern **3.** (*expressing requests, wishes*) zu; **I asked her ~ give me a call** ich bat sie, mich anzurufen; (*expressing wish*) **would you like ~ dance?** möchten Sie tanzen? **4.** (*after wh-words*) **I don't know what ~ do** ich weiß nicht, was ich tun soll **III.** *adv* zu; **to push the door ~** die Tür anlehnen; **to come ~** zu sich *dat* kommen

toad [təʊd] *n* Kröte *f*

toad-in-the-hole *n* BRIT *in Teig gebackene Wurst* **toadstool** *n* Giftpilz *m*

toast [təʊst] **I.** *n* **1.** *no pl* Toast *m*; **slice of ~** Scheibe *f* Toast **2.** (*when drinking*) Toast *m*; **to drink a ~ to sb** auf jdn trinken **II.** *vt* **1.** *nuts* rösten; *bread, muffin* toasten **2.** (*drink to*) trinken (auf)

toaster ['təʊstər] *n* Toaster *m*

toast rack *n* Toastständer *m*

tobacco [təˈbækəʊ] *n no pl* Tabak *m*

tobacconist [təˈbækᵊnɪst] *n* Tabakwarenhändler(in) *m(f)*

-to-be [təˈbiː] *in compounds boss-, husband-* zukünftige(r, s) *attr*; **bride-~** zukünftige Braut; **mother-~** werdende Mutter

toboggan [təˈbɒgᵊn] **I.** *n* Schlitten *m*, Rodel *f* ÖSTERR **II.** *vi* Schlitten fahren, rodeln ÖSTERR

T

toboggan run, **toboggan slide** *n* Rodelbahn *f*

today [tə'deɪ] **I.** *adv* heute; (*nowadays*) heutzutage **II.** *n no pl* heutiger Tag; ~'s **paper** Zeitung *f* von heute

toddler ['tɒdlə^r] *n* Kleinkind *nt*

toe [təʊ] *n* (*on foot*) Zehe *f;* *of sock, shoe* Spitze *f;* ▶ **to** step **on sb's ~s** jdm [zu] nahetreten

toe cap *n* Schuhkappe *f* **toenail** *n* Zehennagel *m*

toffee ['tɒfi] *n* Toffee *nt*, Sahnebonbon *nt*

toffee apple *n* kandierter Apfel

tofu ['təʊfuː] *n* Tofu *m*

together [tə'geðə^r] **I.** *adv* **1.** zusammen; **close ~** nah beisammen; **to go ~** zusammenpassen **2.** (*collectively*) zusammen, gemeinsam; **all ~ now** jetzt alle miteinander **3.** (*in relationship*) zusammen; **to get ~** zusammenkommen **II.** *adj* (*fam*) ausgeglichen

toilet ['tɔɪlɪt] *n* Toilette *f*, Klo *nt fam;* **to go to the ~** *esp* BRIT auf die Toilette gehen

toilet paper *n* Toilettenpapier *nt*

toiletries ['tɔɪlɪtriz] *n pl* Toilettenartikel *pl*

toiletries bag *n* Kulturbeutel *m*

toilet roll *n* BRIT, AUS Rolle *f* Toilettenpapier

token ['təʊk^ən] **I.** *n* **1.** (*symbol*) Zeichen *nt;* **a ~ of sb's affection** ein Zeichen *nt* für jds Zuneigung **2.** BRIT, AUS (*voucher*) Gutschein *m* **3.** (*money substitute*) Chip *m* **II.** *adj attr* **1.** (*symbolic*) nominell **2.** (*pej: an appearance of*) Schein-; **a ~ offer** ein Pro-forma-Angebot *nt*

told [təʊld] *pt, pp of* **tell**

tolerance ['tɒl^ər^ən(t)s] *n* **1.** *no pl* Toleranz *f* (**of/towards** gegenüber) **2.** (*capacity to endure*) Toleranz *f,* Widerstandsfähigkeit *f* (**to** gegen); ~ **to alcohol** Alkoholverträglichkeit *f*

tolerant ['tɒl^ər^ənt] *adj* tolerant (**of/towards** gegenüber)

tolerate ['tɒl^əreɪt] *vt* **1.** tolerieren; **to ~ sb** jdn ertragen **2.** (*resist*) *pain, stress* aushalten; *drug* vertragen

toll¹ [təʊl] *n* **1.** (*for motorways etc.*) Maut *f* **2.** AM (*for phone call*) [Fernsprech]gebühr *f*

toll² [təʊl] *vt, vi bell* läuten

toll call *n* AM Ferngespräch *nt* **toll-free** *adj* gebührenfrei **toll road** *n* Mautstraße *f*

tomato <*pl* -es> [tə'mɑːtəʊ] *n* Tomate *f,* Paradeiser *m* ÖSTERR

tomato juice *n no pl* Tomatensaft *m*

tomb [tuːm] *n* Grab *nt;* (*mausoleum*) Gruft *f*

tomboy ['tɒmbɔɪ] *n* Wildfang *m*

tombstone ['tuːmstəʊn] *n* Grabstein *m*

tomcat ['tɒmkæt] *n* Kater *m*

tomorrow [tə'mɒrəʊ] **I.** *adv* morgen **II.** *n* morgiger Tag; ~'s **youth** Jugend *f* von morgen; ~ **morning** morgen Früh ▶ ~ **is another** day (*prov*) morgen ist auch noch ein Tag

ton <*pl* -> [tʌn] *n* **1.** Tonne *f;* **long ~** *1016,05 kg;* **short ~** *907,185 kg* **2.** (*fam*) **to weigh a ~** Unmengen wiegen

tone [təʊn] **I.** *n* **1.** MUS **half ~** Halbton *m;* (*of instrument*) Klang *m* **2.** (*manner of speaking*) Ton *m;* **a disrespectful ~** ein respektloser Ton **3.** TELEC Ton *m;* **dialling** [*or* AM **dial**] ~ Wählton *m* **4.** (*of colour*) Farbton *m* **II.** *vt muscles* fit halten **III.** *vi* **to ~ with sth** mit etw *dat* harmonieren

tone control n Klangregler m

tone-deaf adj **to be ~** unmusikalisch sein

toner [ˈtəʊnər] n 1. (for skin) Gesichtswasser nt 2. (for photographs) Toner m

toner cartridge, toner cassette n TYPO Tonerpatrone f

tongs [tɒŋz] n pl Zange f; **fire ~** Feuerzange f

tongue [tʌŋ] n Zunge f; **to bite one's ~** sich dat in die Zunge beißen ▸ **to set ~s wagging** Gerede verursachen

tongue-tied adj sprachlos; **to be ~ with surprise** vor Überraschung kein Wort herausbekommen **tongue twister** n Zungenbrecher m

tonic [ˈtɒnɪk] n 1. (medicine) Tonikum nt geh 2. (sth that rejuvenates) Erfrischung f

tonic (water) [ˈtɒnɪk-] n Tonic[water] nt

tonight [təˈnaɪt] I. adv heute Abend; (after midnight) heute Nacht II. n der heutige Abend; **~'s meeting** das Treffen des heutigen Abends

tonsillitis [ˌtɒn(t)səˈlaɪtɪs] n no pl Mandelentzündung f

tonsils [ˈtɒn(t)səlz] n pl MED Mandeln pl

tony [ˈtəʊni] adj attr AM (fam: classy) clothing todschick; restaurant, boutique, resort nobel

too [tuː] adv 1. (overly) big, heavy, small zu; **far ~ difficult** viel zu schwierig 2. (very) sehr; **to not be ~ sure if ...** sich dat nicht ganz sicher sein, ob ... 3. (also) auch; **me ~!** ich auch!

took [tʊk] pt of take

tool [tuːl] n 1. Werkzeug nt 2. (aid) Mittel nt 3. (occupational necessity) Instrument nt; **to be a ~ of the trade** zum Handwerkszeug gehören

tool bag n Werkzeugtasche f **tool box** n Werkzeugkiste f **tool kit** n 1. (container) Werkzeugkasten m 2. COMPUT (for program) Werkzeug nt, Werkzeugausrüstung f

tooth <pl teeth> [tuːθ] n 1. Zahn m; **to brush one's teeth** die Zähne putzen 2. usu pl of comb Zinke f; of saw [Säge]zahn m; of cog Zahn m; ▸ **to get one's teeth into sth** sich in etw akk hineinstürzen

toothache n no pl Zahnschmerzen pl **toothbrush** n Zahnbürste f **toothpaste** n no pl Zahnpasta f **toothpick** n Zahnstocher m

top[1] [tɒp] n Kreisel m

top[2] [tɒp] I. n 1. oberes Ende, Spitze f; of mountain [Berg]gipfel m; of tree [Baum]krone f; **from ~ to bottom** von oben bis unten 2. no pl (highest rank) Spitze f 3. FASHION Top nt 4. (lid) Deckel m; ▸ **from ~ to toe** von Kopf bis Fuß; **to go over the ~** überreagieren II. adj 1. attr (highest) oberste(r, s) 2. (best) beste(r, s); **sb's ~ choice** jds erste Wahl 3. athlete, candidate Spitzen- 4. (maximum) höchste(r, s); **~ speed** Höchstgeschwindigkeit f III. adv BRIT **to come ~ [of the class]** Klassenbeste(r) f(m) sein IV. vt <-pp-> 1. (be at top of) anführen; **to ~ a list** obenan auf einer Liste stehen 2. (surpass) übertreffen ◆ **top off** vt 1. FOOD garnieren (**with** mit) 2. esp AM, AUS (conclude satisfactorily) abrunden (**with** mit) ◆ **top up** vt nachfüllen; **to ~ sb up** (fam) jdm nachschenken

topcoat n Deckanstrich m **top dog** n (fam) Boss m **top hat** n Zylinder m **top-heavy** adj kopflastig

T

topic ['tɒpɪk] *n* Thema *nt*

topical ['tɒpɪkªl] *adj* aktuell

topless ['tɒpləs] **I.** *adj* oben ohne *präd* **II.** *adv* **to go ~** oben ohne gehen

topmost *adj attr* oberste(r, s)

topping ['tɒpɪŋ] *n* Garnierung *f*

topple ['tɒpl] **I.** *vt* (*knock over*) umwerfen **II.** *vi* stürzen; *prices* fallen ◆ **topple over I.** *vt* umwerfen **II.** *vi* umfallen, stürzen (über)

top priority *n* höchste Priorität **top quality** *n* Spitzenqualität *f* **top secret** *adj* streng geheim **top-selling** *adj attr* meistverkauft **top speed** *n* Höchstgeschwindigkeit *f*

torch [tɔːtʃ] **I.** *n* <*pl* -es> **1.** AUS, BRIT Taschenlampe *f* **2.** (*burning stick*) Fackel *f;* **Olympic ~** olympisches Feuer **II.** *vt* (*fam*) in Brand setzen

torchlight I. *n no pl* Fackelschein *m* **II.** *adj attr* Fackel-

tore [tɔːʳ] *pt of* tear

torn [tɔːn] **I.** *pp of* tear **II.** *adj pred* (*unable to choose*) [innerlich] zerrissen

tornado [tɔːˈneɪdəʊ] *n* <*pl* -es> Tornado *m*

torpedo [tɔːˈpiːdəʊ] MIL, NAUT **I.** *n* <*pl* -es> Torpedo *m* **II.** *vt* torpedieren

torrential [təˈren(t)ʃªl] *adj* sintflutartig

tortoise ['tɔːtəs] *n* [Land]schildkröte *f*

tortoiseshell I. *n no pl* Schildpatt *nt* **II.** *adj attr* Schildpatt-

torture ['tɔːtʃəʳ] **I.** *n* **1.** *no pl* Folter *f* **2.** (*painful suffering*) Qual *f*, Tortur *f* **II.** *vt* foltern; **to be ~d by sth** von etw *dat* gequält werden

Tory ['tɔːri] POL **I.** *n* BRIT (*British Conservative*) Tory *m* (*Angehöriger der britischen konservativen Partei*) **II.** *adj* Tory-

toss <*pl* -es> [tɒs] **I.** *n* Wurf *m;* **to win the ~** den Münzwurf gewinnen **II.** *vt* werfen; **to ~ one's head** den Kopf zurückwerfen; **to ~ a coin** eine Münze werfen **III.** *vi* knobeln (**for** um) ▶ **to ~ and turn** sich hin und her wälzen ◆ **toss about, toss around** *vt* hin und her werfen; (*fig*) *proposal* zur Debatte stellen ◆ **toss away** *vt* wegwerfen ◆ **toss up** *vi* eine Münze werfen

total ['təʊtªl] **I.** *n* Gesamtsumme *f;* **in ~** insgesamt **II.** *adj* **1.** *attr* (*complete*) gesamt **2.** (*absolute*) völlig; **to be a ~ stranger** vollkommen fremd sein **III.** *vt* < -ll-> (*add up*) zusammenrechnen

totally ['təʊtªli] *adv* völlig

toucan ['tuːkæn] *n* Tukan *m*

touch [tʌtʃ] **I.** *n* <*pl* -es> **1.** Berührung *f;* **at the ~ of a button** auf Knopfdruck **2.** *no pl* (*ability to feel*) Tasten *nt;* **the sense of ~** der Tastsinn **3.** *no pl* (*communication*) Kontakt *m;* **to be in ~ with sb/sth** mit jdm/etw in Kontakt sein **II.** *vt* **1.** berühren, anfassen **2.** (*move emotionally*) bewegen ▶ **to ~ a [raw] nerve** einen wunden Punkt berühren **III.** *vi* berühren ◆ **touch down** *vi* AVIAT landen ◆ **touch off** *vt* auslösen ◆ **touch on, touch upon** *vi* ansprechen ◆ **touch up** *vt* **1.** (*improve*) auffrischen; *photograph* retuschieren **2.** BRIT (*fam: assault sexually*) **to ~ sb up** jdn begrapschen *pej*

touchdown *n* AEROSP, AVIAT Landung *f*

touched [tʌtʃt] *adj pred* gerührt

touching ['tʌtʃɪŋ] **I.** *adj* berührend **II.** *n* Berühren *nt kein pl*

touchline *n* BRIT SPORTS Seitenlinie *f*

touchy ['tʌtʃi] *adj* (*fam*) **1.** *person* empfindlich **2.** *situation* heikel

tough [tʌf] *adj* **1.** *object* robust; *person, animal, meat* zäh; *law* streng; **to be as ~ as old boots** nicht unterzukriegen sein **2.** (*fam: unlucky*) **~ luck!** so ein Pech! *a. iron*

toughen ['tʌfⁿn] **I.** *vt* **1.** verstärken; **~ed glass** gehärtetes Glas **2.** (*make difficult to cut*) hart werden lassen **II.** *vi* stärker werden

toupee ['tuːpeɪ] *n* Toupet *nt*

tour [tɔːʳ, tʊəʳ] **I.** *n* Reise *f*, Tour *f*; **guided ~** Führung *f*; **to be on ~** auf Tournee sein **II.** *vt* (*travel around*) bereisen **III.** *vi* **to ~ [with sb]** [mit jdm] auf Tournee gehen

tourism ['tɔːrɪzᵊm, 'tʊə-] *n no pl* Tourismus *m*

tourist ['tʊərɪst] *n* Tourist(in) *m(f)* **tourist class** *n* Touristenklasse *f* **tourist guide** *n* **1.** (*book*) Reiseführer *m* **2.** (*person*) Fremdenführer(in) *m(f)* **tourist (information) office** *n* Touristeninformation *f* **tourist visa** *n* Reisevisum *nt*

tournament ['tɔːnəmənt] *n* Turnier *nt* **tour operator** *n* Reiseveranstalter *m*

tout [taʊt] **I.** *n* (*pej*) Schwarzhändler(in) *m(f)* **II.** *vt* (*advertise*) Reklame machen (für)

tow² [təʊ] **I.** *n* Schleppen *nt kein pl;* **to give sb a ~** jdn abschleppen **II.** *vt* ziehen; *vehicle* abschleppen

toward(s) [təˈwɔːd(z)] *prep* **1.** (*in direction of*) in Richtung; **she walked ~ him** sie ging auf ihn zu **2.** (*near*) nahe; **we're well ~ the front of the queue** wir sind nahe dem Anfang der Schlange **3.** (*just before*) gegen; **~ midnight** gegen Mitternacht **4.** (*to goal of*) **to count ~ sth** auf etw *akk* angerechnet werden

tow bar *n* Abschleppstange *f* **tow**

boat *n* AM NAUT Schlepper *m*

towel ['taʊəl] **I.** *n* Handtuch *nt;* **paper ~** Papiertuch *nt;* ▸ **to throw in the ~** das Handtuch werfen **II.** *vt* <-ll-> **to ~ sth dry** etw trockenreiben

towelette [ˌtaʊəˈlet] *n* Erfrischungstuch *nt*

towelling, AM **toweling** ['taʊəlɪŋ] *n* Frottee *nt o m*

towel rail *n* BRIT, AUS Handtuchstange *f*

tower [taʊəʳ] *n* Turm *m;* **office ~** Bürohochhaus *nt;* ▸ **a ~ of strength** ein Fels in der Brandung ◆ **tower above, tower over** *vi* aufragen; **to ~ above sb/sth** jdn/etw überragen

tower block *n* BRIT Hochhaus *nt*

town [taʊn] *n* Stadt *f;* **home ~** Heimatstadt *f*

town centre, AM **town center** *n* **the ~** das Stadtzentrum **town hall** *n* Rathaus *nt* **town house** *n* **1.** (*residence*) Stadthaus *nt* **2.** *esp* AM (*row house*) Reihenhaus *nt* **town twinning** *n no pl* Städtepartnerschaft *f*

tow truck *n* AM, AUS Abschleppwagen *m*

toy [tɔɪ] *n* Spielzeug *nt;* **cuddly ~** Kuscheltier *nt*

toy car *n* Spielzeugauto *nt* **toyshop** *n* Spielwarengeschäft *nt*

trace [treɪs] **I.** *n* **1.** (*sign*) Zeichen *nt*, Spur *f;* **to disappear without a ~** spurlos verschwinden **2.** (*slight amount*) Spur *f;* **~ of a smile** Anflug *m* eines Lächelns **3.** (*electronic search*) Aufzeichnung *f* **II.** *vt* (*follow trail*) auffinden; **to ~ sb** jds Spur verfolgen

track [træk] **I.** *n* **1.** (*path*) Weg *m*, Pfad *m* **2.** RAIL **~s** *pl* Gleise *pl*, Schienen *pl;* AM (*platform*) Bahnsteig *m* **3.** (*for curtains*) Schiene *f* **4.** *usu pl* (*mark*) Spur *f; of deer* Fährte *f*

T

5. SPORTS *for running* Laufbahn *f;* ▶ **to be off the** beaten **~** abgelegen sein; **to** keep **~ of sth** etw im Auge behalten **II.** *vt (pursue)* verfolgen; **to ~ sb** jds Spur verfolgen ◆ **track down** *vt* aufspüren; *information* ausfindig machen

track and field *n no pl* SPORTS Leichtathletik *f*

tracker dog *n* Spürhund *m*

track event *n* SPORTS Laufwettbewerb *m* **track record** *n* **1.** SPORTS Streckenrekord *m* **2.** *of company, person* Erfolgsbilanz *f* **track shoe** *n* Laufschuh *m* **tracksuit** *n* Trainingsanzug *m*

traction ['trækʃⁿn] *n no pl* **1.** *of car, wheels* Bodenhaftung *f* **2.** MED Strecken *nt;* **to be in ~** im Streckverband liegen

tractor ['træktəʳ] *n* Traktor *m*

trade [treɪd] **I.** *n* **1.** *no pl* Handel *m; (type of business)* Branche *f;* **building ~** Baugewerbe *nt* **2.** *(handicraft)* Handwerk *nt;* **to learn a ~** ein Handwerk erlernen **II.** *vi* **1.** *(exchange)* tauschen **(with** mit) **2.** *(do business)* Geschäfte machen **3.** STOCKEX handeln **III.** *vt* **1.** austauschen; *bets* abschließen; *insults, punches* austauschen **2.** STOCKEX handeln ◆ **trade in** *vt* in Zahlung geben

trade fair *n* Messe *f* **trademark** *n* **1.** *(of company)* Warenzeichen *nt* **2.** *(of person, music)* charakteristisches Merkmal **trade name** *n* Markenname *m* **trade price** *n* BRIT Großhandelspreis *m* **trade route** *n* Handelsweg *m*

tradesman ['treɪdzmən] *n (shopkeeper)* Händler *m; (craftsman)* Handwerker *m*

trade union *n* Gewerkschaft *f*

trade wind *n* Passat *m*

trading ['treɪdɪŋ] *n no pl* Handel *m;* **Sunday ~** BRIT Offenhalten *nt* der Geschäfte am Sonntag

trading estate *n* BRIT Industriegelände *nt*

tradition [trə'dɪʃⁿn] *n* Tradition *f,* Brauch *m*

traditional [trə'dɪʃⁿnᵊl] *adj* traditionell; *person* konservativ

traffic ['træfɪk] **I.** *n no pl* **1.** Verkehr *m;* **air ~** Luftverkehr *m* **2.** *(in illegal items)* illegaler Handel **(in** mit); **drug ~** Drogenhandel *m* **II.** *vi* <-ck-> handeln; **to ~ in drugs** mit Drogen handeln

traffic accident *n* Verkehrsunfall *m* **traffic circle** *n* AM Kreisverkehr *m* **traffic island** *n* **1.** *(pedestrian island)* Verkehrsinsel *f* **2.** AM *(central reservation)* Mittelstreifen *m* **traffic jam** *n* Stau *m* **traffic light** *n* BRIT Ampel *f* **traffic warden** *n* BRIT Verkehrspolizist(in) *m(f)*

tragedy ['trædʒədi] *n* Tragödie *f;* **it's a ~ that ...** es ist tragisch, dass ...

tragic ['trædʒɪk] *adj* tragisch

trail [treɪl] **I.** *n* **1.** *(path)* Weg *m,* Pfad *m* **2.** *(track)* Spur *f;* **~ of dust/ smoke** Staubwolke *f*/Rauchfahne *f* **II.** *vt* **to ~ sb 1.** *(follow)* jdm auf der Spur sein **2.** *(in a competition)* hinter jdm liegen **III.** *vi* **1.** *(drag)* schleifen **2.** *(be losing)* zurückliegen **3.** *(move sluggishly)* **to ~** [after sb] [hinter jdm her] trotten ◆ **trail behind I.** *vi* zurückbleiben **II.** *vt* hinterherlaufen

trailer ['treɪləʳ] *n* **1.** Anhänger *m* **2.** AM *(caravan)* Wohnwagen *m*

trailer camp, trailer park *n* AM Wohnwagenabstellplatz *m*

trailwear *n* Outdoor-Kleidung *f*

train [treɪn] **I.** *n* **1.** RAIL Zug *m;* **to change ~s** umsteigen **2.** (*series*) Serie *f;* **~ of thought** Gedankengang *m* **II.** *vi* trainieren (**for** für) **III.** *vt* (*teach*) ausbilden; **to ~ sb for sth** jdn für etw *akk* ausbilden

train accident *n* Zugunglück *nt* **train driver** *n* Lokführer(in) *m(f)*

trained [treɪnd] *adj* **1.** (*educated*) ausgebildet **2.** (*expert*) *ear, eye* geschult

trainee [ˌtreɪˈniː] *n* Auszubildende(r) *f(m)*

traineeship [ˌtreɪˈniːʃɪp] *n* Ausbildung *f*

trainee teacher *n* Referendar(in) *m(f)*, Probelehrer(in) *m(f)* ÖSTERR

trainer [ˈtreɪnər] *n* **1.** (*teacher*) Trainer(in) *m(f);* (*of animals*) Dresseur(in) *m(f);* (*in circus*) Dompteur, Dompteuse *m, f* **2.** BRIT (*shoe*) Turnschuh *m*

train ferry *n* Zugfähre *f*

training [ˈtreɪnɪŋ] **I.** *n no pl* **1.** Ausbildung *f;* (*seminar*) Schulung *f* **2.** SPORTS Training *nt* **II.** *adj attr* Schulungs-

training camp *n* SPORTS Trainingscamp *nt* **training course** *n* Vorbereitungskurs *m*

training programme, AM **training program** *n* Ausbildungsprogramm *nt* **training ship** *n* Schulschiff *nt*

train service *n no pl* Zugverkehr *m;* (*between two towns*) [Eisen]bahnverbindung *f*

traitor [ˈtreɪtər] *n* Verräter(in) *m(f)*

tram [træm] *n* BRIT, AUS Straßenbahn *f*

tramline *n* BRIT, AUS **1.** (*route*) Straßenbahnlinie *f* **2.** (*tracks*) **~s** *pl* Straßenbahnschienen *pl*

tramp [træmp] **I.** *vi* (*walk*) marschieren; (*walk heavily*) trampeln **II.** *n* **1.** (*poor person*) Vagabund(in) *m(f)*, Sandler(in) *m(f)* ÖSTERR **2.** *no pl* (*stomping sound*) schwere Schritte *pl;* (*tiring walk*) Fußmarsch *m*

trample [ˈtræmpl] **I.** *vt* niedertrampeln; *flowers, crops* zertrampeln **II.** *vi* **to ~ on sth** auf etw *dat* herumtrampeln

trampoline [ˈtræmpəliːn] *n* Trampolin *nt*

tranquil [ˈtræŋkwɪl] *adj setting* ruhig; *voice, expression* gelassen

tranquillizer, AM **tranquilizer** [ˈtræŋkwɪlaɪzər] *n* Beruhigungsmittel *nt*

transfer I. *vt* <-rr-> [træn(t)sˈfɜːr] **1.** *money* überweisen **2.** (*re-assign*) versetzen; *power* abgeben; *responsibility* übertragen **3.** (*redirect*) übertragen; *a call* weiterleiten **II.** *vi* <-rr-> [træn(t)sˈfɜːr] (*change job*) überwechseln **III.** *n* [ˈtræn(t)sfɜːr] **1.** *of money* Überweisung *f; of ownership* Übertragung *f* **2.** *no pl of patients, prisoners* Verlegung *f* (**to** in/nach) **3.** (*at work*) Versetzung *f*

transferred charge call [ˌtræn(t)sfɜːdˈtʃɑːdʒ-] *n* BRIT R-Gespräch *nt*

transform [træn(t)sˈfɔːm] *vt* **1.** (*change*) verwandeln **2.** ELEC transformieren *fachspr*

transformation [ˌtræn(t)sfəˈmeɪʃən] *n* Verwandlung *f*

transfusion [træn(t)sˈfjuːʒən] *n no pl* MED Transfusion *f*

transgenic [trænzˈdʒenɪk] *adj* BIOL, AGR transgen

transistor [trænˈzɪstər] *n* ELEC Transistor *m fachspr*

transit [ˈtræn(t)sɪt] **I.** *n no pl* Transit *m* **II.** *vt* durchqueren

T

transit desk *n* Transitschalter *m*

transition [træn'zɪʃᵊn] *n* Übergang *m;* **to be in ~** in einer Übergangsphase sein

transit lounge *n* Transitraum *m* **transit passenger** *n* Transitreisende(r) *f(m)* **transit visa** *n* Transitvisum *nt*

translate [trænz'leɪt] *vt* übersetzen; **to ~ sth from English into German** etw aus dem Englischen ins Deutsche übersetzen

translation [trænz'leɪʃᵊn] *n* **1.** Übersetzung *f* **2.** *no pl (process)* Übersetzen *nt*

translator [trænz'leɪtəʳ] *n* Übersetzer(in) *m(f)*

transmission [trænz'mɪʃᵊn] *n* **1.** *no pl (act of broadcasting)* Übertragen *nt;* *(broadcast)* Sendung *f* **2.** *no pl of disease* Übertragung *f;* *of hereditary disease* Vererbung *f* **3.** *(in car engine)* Getriebe *nt*

transmission speed *n* COMPUT Übertragungsgeschwindigkeit *f*

transmit <-tt-> [trænz'mɪt] I. *vt* **1.** MED *(pass on)* übertragen **2.** *(impart)* übermitteln II. *vi* RADIO senden

transmitter [trænz'mɪtəʳ] *n* Sender *m*

transparency [træns'pærᵊn(t)si] *n* **1.** *no pl (quality)* Lichtdurchlässigkeit *f* **2.** *no pl (obviousness)* Durchschaubarkeit *f* **3.** *(slide)* Dia *nt;* *(for overhead)* Overheadfolie *f*

transparent [træns'pærᵊnt] *adj* **1.** durchsichtig **2.** *(fig)* transparent *geh*

transplant I. *vt* [træn'splɑːnt] **1.** MED *(from donor)* transplantieren **2.** *(replant)* umpflanzen **3.** *(relocate)* umsiedeln II. *n* ['træn(t)splɑːnt] MED Transplantation *f fachspr*

transport I. *vt* [træn'spɔːt] *(carry)*

transportieren, befördern II. *n* ['træn(t)spɔːt] **1.** *no pl (conveying)* Transport *m,* Beförderung *f* **2.** *no pl (traffic)* Verkehrsmittel *nt;* **public ~** öffentliche Verkehrsmittel *pl*

trap [træp] I. *n* *(snare)* Falle *f;* *(ambush)* Hinterhalt *m;* **to fall into a ~** in die Falle gehen II. *vt* <-pp-> **1.** *(snare)* **to ~ an animal** ein Tier [in einer Falle] fangen **2.** *usu passive (confine)* **to be ~ped** eingeschlossen sein; **to feel ~ped** sich gefangen fühlen **3.** *(catch)* *finger, nerve* einklemmen

trapdoor *n* *(door)* Falltür *f*

trapeze [trə'piːz] *n* Trapez *nt*

trash [træʃ] I. *n* *no pl* AM **1.** *(waste)* Müll *m,* Abfall *m* **2.** *(pej fam: junk)* Ramsch *m* II. *vt* *(fam: wreck)* kaputt machen

trash can *n* AM *(dustbin)* Mülltonne *f*

trashy ['træʃi] *adj* *(pej fam)* wertlos

trauma ['trɔːmə] *n* <*pl* -s> **1.** *no pl (shock)* Trauma *nt* **2.** MED *(injury)* Trauma *nt*

traumatic [trɔː'mætɪk] *adj* *(disturbing)* traumatisierend; *(upsetting)* furchtbar

traumatize ['trɔːmətaɪz] *vt* *usu passive* **to be ~d by sth** durch etw *akk* traumatisiert sein

travel ['trævᵊl] I. *vi* < -ll-> reisen; *(by air)* fliegen; **to ~ by train** mit dem Zug fahren II. *vt* < -ll-> **to ~ the world** die Welt bereisen III. *n* **1.** *no pl* Reisen *nt* **2.** *pl (journey)* ~**s** *pl* Reise *f*

travel agency *n* Reisebüro *nt* **travel allowance** *n* Reisekostenzuschuss *m* **travel card** *n* Tages-/Wochen-/Monatskarte *f;* *(for train also)* Netzkarte *f* **travel cot** *n* BRIT Kinderreisebett[chen] *nt*

traveler n AM see **traveller**

travel expenses n pl Reisekosten pl

traveling n AM see **travelling**

travel insurance n Reiseversicherung f; (for cancellations) Reiserücktrittsversicherung f

traveller ['trævᵊləʳ] n 1. Reisende(r) f(m) 2. BRIT (gypsy) Zigeuner(in) m(f)

travelling ['trævᵊlɪŋ] n Reisen nt

travelling bag n Reisetasche f **travelling circus** n Wanderzirkus m **travelling clock** n Reisewecker m **travelling salesman** n (dated) Vertreter(in) m(f)

travel-sick adj reisekrank **travel sickness** n Reisekrankheit f

trawler ['trɔːləʳ] n Trawler m

tray [treɪ] n 1. Tablett nt 2. esp BRIT (for papers) Ablage f; **in-~** Ablage für Posteingänge

treacle ['triːkl] n no pl BRIT Melasse f

tread [tred] I. vi <trod, trodden> 1. (step) treten; **to ~ carefully** vorsichtig auftreten 2. (maltreat) **to ~ on sb** jdn treten II. vt <trod, trodden> **to ~ sth down** grass etw niedertreten; **to ~ water** Wasser treten III. n 1. no pl Tritt m, Schritt m 2. (profile) of tyre [Reifen]profil nt

treason ['triːzᵊn] n no pl [Landes]verrat m

treasure ['treʒəʳ] I. n 1. no pl (hoard) Schatz m 2. (valuables) ~s pl Schätze pl II. vt [hoch]schätzen; **to ~ the memory of sb** die Erinnerung[en] an jdn bewahren

treasure hunt n Schatzsuche f

treasurer ['treʒᵊrəʳ] n Schatzmeister(in) m(f); of club Kassenwart(in) m(f)

treasury ['treʒri] n no pl POL **the T~** das Finanzministerium

Treasury Secretary n AM Finanzminister(in) m(f)

treat [triːt] I. vt 1. MED a. behandeln; **to ~ sb badly** jdn schlecht behandeln 2. (regard) betrachten (**as** als); **to ~ sth with contempt** etw mit Verachtung begegnen 3. (pay for) **to ~ sb** [**to sth**] jdn [zu etw dat] einladen; **to ~ oneself** [**to sth**] sich dat etw gönnen 4. usu passive (process) behandeln (**with** mit); sewage klären II. n [besonderes] Vergnügen; **to give oneself a ~** sich dat etw gönnen

treatment ['triːtmənt] n Behandlung f

treaty ['triːti] n Vertrag m (**between** zwischen/**on** über)

treble ['trebl] I. adj 1. (three) dreifach 2. attr MUS Diskant- II. adv das Dreifache III. vt verdreifachen IV. n Sopran m

treble clef n MUS Violinschlüssel m

treble recorder n MUS Altflöte f

tree [triː] n Baum m

treeline n no pl **the ~** die Baumgrenze **tree-lined** adj von Bäumen gesäumt **treetops** n pl **the ~** die [Baum]wipfel pl **tree trunk** n Baumstamm m

trek [trek] I. vi <-kk-> wandern II. n Wanderung f

trekking ['trekɪŋ] n Trekking nt

tremble ['trembl] I. vi (shake) zittern; lip, voice beben; **to ~ like a leaf** zittern wie Espenlaub II. n Zittern nt

tremendous [trɪ'mendəs] adj 1. (big) enorm; crowd, scope riesig; success enorm 2. (good) super

tremor ['treməʳ] n 1. Zittern nt 2. (earthquake) Beben nt

trend [trend] n Trend m, Tendenz f; **the latest ~** der letzte Schrei fam

trend-conscious ['trendkɒn(t)ʃəs] adj trendbewusst, modebewusst

T

trendsetter [ˈtrendˌsetəʳ] n Trendsetter(in) m(f)

trendy [ˈtrendi] adj modisch

trespass I. n <pl -es> [ˈtrespəs] LAW (intrusion) unbefugtes Betreten II. vi [ˈtrespəs] (intrude) unbefugt eindringen; **to ~ on sb's land** jds Land unerlaubt betreten

trespasser [ˈtrespəsəʳ] n Eindringling m; **"~s will be prosecuted!"** „unbefugtes Betreten wird strafrechtlich verfolgt!"

trial [traɪəl] I. n 1. LAW Prozess m, [Gerichts]verhandlung f; **to stand ~** vor Gericht stehen 2. (test) Probe f, Test m; **clinical ~s** klinische Tests pl II. vt <-ll-> drugs testen

trial period n Probezeit f

triangle [ˈtraɪæŋgl̩] n 1. Dreieck nt 2. (percussion) Triangel f

triangular [traɪˈæŋgjələʳ] adj dreieckig

tribal [ˈtraɪbəl] adj Stammes-

triband [ˈtraɪbænd] adj mobile phone Triband-

tribe [traɪb] n + sing/pl vb Stamm m

tribesman n Stammesangehöriger m

tribunal [traɪˈbjuːnəl] n 1. (court) Gericht nt 2. (investigative body) Untersuchungsausschuss m

tribune [ˈtrɪbjuːn] n (dais) Tribüne f

tributary [ˈtrɪbjətəri] n Nebenfluss m

tribute [ˈtrɪbjuːt] n (respect) Tribut m; **to pay ~ to sb/sth** jdm/etw Tribut zollen geh

trick [trɪk] I. n 1. (ruse) Trick m; **to play a ~ on sb** jdm einen Streich spielen 2. (knack) Kunstgriff m 3. (illusion) **a ~ of the light** eine optische Täuschung ▸ **a dirty ~** ein gemeiner Trick II. adj attr question Fang- III. vt 1. (deceive) täuschen; **to ~ sb into doing sth** jdn dazu bringen,

etw zu tun 2. (fool) reinlegen fam

trickle [ˈtrɪkl̩] I. vi (flow) sickern; (in drops) tröpfeln II. vt tröpfeln, träufeln III. n (flow) Rinnsal nt geh; of blood Tropfen pl

tricky [ˈtrɪki] adj 1. (deceitful) betrügerisch 2. (sly) raffiniert

tricycle [ˈtraɪsɪkl̩] n Dreirad nt

trier [ˈtraɪəʳ, AM -ɚ] n Kämpfernatur f; **to be a ~** sich dat sehr viel Mühe geben

trifle [ˈtraɪfl̩] n 1. BRIT Trifle nt (Biskuitdessert mit Obst und Schlagsahne) 2. (form: petty thing) Kleinigkeit f

trigger [ˈtrɪgəʳ] I. n (gun part) Abzug m; **to pull the ~** abdrücken II. vt auslösen

trike [traɪk] n short for **tricycle** Dreirad nt

trilogy [ˈtrɪlədʒi] n Trilogie f

trim [trɪm] I. n no pl 1. (cutting) Nachschneiden nt 2. (edging) Applikation f II. adj <-mer, -mest> 1. (neat) ordentlich; lawn gepflegt 2. (slim) schlank III. vt <-mm-> 1. (cut) [nach]schneiden; beard, hedge stutzen 2. (decorate) schmücken (**with** mit) ◆ **trim off** vt 1. (cut) abschneiden 2. (reduce) kürzen

trimming [ˈtrɪmɪŋ] n 1. no pl (cutting) Nachschneiden nt 2. (pieces) ~s pl Abfälle pl

trio <pl -s> [ˈtriːəʊ] n Trio nt

trip [trɪp] I. n 1. (journey) Reise f, Fahrt f; **round ~** Rundreise f 2. esp BRIT (outing) Ausflug m II. vi <-pp-> (unbalance) stolpern ▸ **to ~ off the tongue** leicht von der Zunge gehen III. vt <-pp-> (unbalance) **to ~ sb** jdm ein Bein stellen ◆ **trip over** vt (be hindered) stolpern (über) ▸ **to ~**

over one's words über seine Worte stolpern ◆ **trip up** I. vt 1. (*unbalance*) to ~ up ⇆ sb jdm ein Bein stellen 2. (*foil*) zu Fall bringen II. vi 1. (*stumble*) stolpern 2. (*blunder*) einen Fehler machen

triple ['trɪpl̩] I. adj 1. attr (*threefold*) dreifach 2. attr (*of three parts*) Dreier- II. adv dreimal so viel III. vt verdreifachen

triplet ['trɪplət] n usu pl (*baby*) Drilling m

tripod ['traɪpɒd] n Stativ nt

triumph ['traɪəm(p)f] I. n 1. (*victory*) Triumph m, Sieg m (**over** über) 2. no pl (*joy*) Siegesfreude f II. vi (*win*) triumphieren (**over** über)

triumphant [traɪˈʌm(p)fənt] adj 1. (*victorious*) siegreich 2. (*successful*) erfolgreich

trivial ['trɪvɪəl] adj (*unimportant*) trivial; *issue* belanglos

trod [trɒd], **trodden** ['trɒdᵊn] pt, pp of **tread** I, II

trolley ['trɒli] n esp BRIT, AUS (*cart*) Karren m; **luggage** ~ Gepäckwagen m

trombone [trɒmˈbəʊn] n Posaune f

troop [truːp] I. n 1. (*group*) Truppe f; *of animals* Schar f 2. (*soldiers*) ~s pl Truppen pl II. vi to ~ off (*fam*) abziehen

trophy ['trəʊfi] n (*prize*) Preis m; (*memento*) Trophäe f

tropic ['trɒpɪk] n 1. (*latitude*) Wendekreis m 2. (*hot region*) **the** ~s pl die Tropen pl

tropical ['trɒpɪkᵊl] adj Tropen-; ~ **hardwoods** tropische Harthölzer

trot [trɒt] I. n no pl (*pace*) Trab m; *of horse* Trott; **the** ~s pl Dünnpfiff m II. vi <-tt-> 1. (*walk*) trotten 2. (*ride*) im Trab reiten III. vt <-tt-> *horse*

traben lassen ◆ **trot along** vi traben ◆ **trot off** vi (*fam*) losziehen

trotter ['trɒtər] n 1. FOOD ~s pl Schweinshaxen pl 2. (*horse*) Traber m

trouble ['trʌbl̩] I. n 1. no pl (*difficulties*) Schwierigkeiten pl; (*annoyance*) Ärger m; (*problem*) Problem nt 2. no pl (*inconvenience*) Umstände pl; it's no ~ **at all** das macht gar keine Umstände dat 3. no pl (*physical ailment*) **stomach** ~ Magenbeschwerden pl II. vt 1. (*form: cause inconvenience*) to ~ sb for sth jdn um etw akk bemühen geh 2. (*cause worry*) beunruhigen III. vi sich bemühen

troubled ['trʌbl̩d] adj 1. (*beset*) situation bedrängt 2. (*worried*) besorgt

troublemaker n Unruhestifter(in) m(f) **troubleshooter** n 1. (*examiner*) Troubleshooter m (*jd, der Störungen aufspürt und beseitigt*) 2. (*mediator*) Vermittler(in) m(f); (*in crisis*) Krisenmanager m

troubleshooting n no pl 1. (*fixing*) Fehler-/Störungsbeseitigung f 2. (*mediation*) Vermittlung f

troublesome ['trʌbl̩səm] adj schwierig

trouble spot n Unruheherd m

trough [trɒf] n 1. (*bin*) Trog m 2. (*low*) Tiefpunkt m; METEO Trog m

trousers ['traʊzəz] n pl BRIT Hose f; **a pair of** ~ eine Hose

trouser suit n BRIT Hosenanzug m

trout [traʊt] n <pl -> Forelle f

trout farm n Forellenzucht f

truant ['truːənt] I. n Schulschwänzer(in) m(f) fam; **to play** ~ [**from school**] esp BRIT, AUS [die Schule] schwänzen fam II. vi [die Schule] schwänzen fam

T

truck [trʌk] **I.** *n* **1.** (*lorry*) Last[kraft]wagen *m;* **pickup ~** Lieferwagen *m* **2.** BRIT (*train*) Güterwagen *m* **II.** *vt esp* AM per Lastwagen transportieren

truck driver, trucker ['trʌkəʳ] *n* Lastwagenfahrer(in) *m(f);* (*long-distance*) Fernfahrer(in) *m(f)*

true [truː] **I.** *adj* <-r, -st> **1.** wahr; **it is ~** [**to say**] **that ...** es stimmt, dass ... **2.** *attr* (*actual*) echt, wahr, wirklich; **~ love** wahre Liebe **3.** (*loyal*) treu; **to be ~ to sb** jdm treu sein ▸ **~ to** **form** wie zu erwarten **II.** *adv* **1.** (*admittedly*) stimmt **2.** (*exactly*) genau

truffle ['trʌfl] *n* Trüffel *f o m*

truly ['truːli] *adv* **1.** (*not falsely*) wirklich, wahrhaftig **2.** (*genuinely*) wirklich, echt

trump [trʌmp] **I.** *n* CARDS Trumpf *m* **II.** *vt* CARDS übertrumpfen

trumpet ['trʌmpɪt] **I.** *n* Trompete *f* **II.** *vi* trompeten **III.** *vt* (*esp pej*) ausposaunen *fam*

trumpeter ['trʌmpɪtəʳ] *n* Trompeter(in) *m(f)*

truncheon ['trʌn(t)ʃ°n] *n* BRIT, AUS Schlagstock *m*

trunk [trʌŋk] *n* **1.** (*stem*) Stamm *m* **2.** (*body*) Rumpf *m* **3.** (*of elephant*) Rüssel *m* **4.** AM (*boot of car*) Kofferraum *m*

trunk road *n* BRIT Fern[verkehrs]straße *f*

trust [trʌst] **I.** *n* **1.** *no pl* Vertrauen *nt* **2.** FIN Treuhand *f kein pl;* **charitable ~** Stiftung *f* **II.** *vt* vertrauen (auf); **to ~ sb to do sth** jdm zutrauen, dass er/sie etw tut; **to ~ sb with sth** jdm etw anvertrauen

trust fund *n* Treuhandfonds *m*

trusting ['trʌstɪŋ] *adj* **1.** (*artless*) vertrauensvoll **2.** (*gullible*) leichtgläubig

trustworthy ['trʌstˌwɜːði] *adj* vertrauenswürdig

trusty ['trʌsti] *adj attr* (*hum*) zuverlässig

truth <*pl* -s> [truːθ] *n no pl* Wahrheit *f;* **the ~** die Wahrheit (**about** über)

truthful ['truːθfʰl] *adj* **1.** (*true*) wahr **2.** (*sincere*) ehrlich

try [traɪ] **I.** *n* **1.** Versuch *m;* **to give sth a ~** etw ausprobieren **2.** (*in rugby*) Versuch *m* **II.** *vi* <-ie-> **1.** versuchen **2.** (*make an effort*) sich bemühen **III.** *vt* <-ie-> **1.** versuchen **2.** (*put to test*) *patience* auf die Probe stellen **3.** LAW vor Gericht stellen ◆ **try for** *vt* sich bemühen (um) ◆ **try on** *vt* anprobieren ◆ **try out** *vt* ausprobieren

trying ['traɪɪŋ] *adj* anstrengend; *time, phase* schwierig

try-on *n* BRIT, AUS (*fam*) [Täuschungs]versuch *m*

try-out *n* (*fam*) SPORTS Testspiel *nt*

tsetse fly ['tetsiˌflaɪ] *n* Tsetsefliege *f*

T-shirt ['tiːʃɜːt] *n* T-Shirt *nt*

tsunami [tsuːˈnɑːmi] *n* Tsunami *m*

tub [tʌb] *n* **1.** (*vat*) Kübel *m* **2.** (*fam: bath*) [Bade]wanne *f*

tubby ['tʌbi] *adj* (*fam*) pummelig

tube [tjuːb] *n* **1.** (*pipe*) Röhre *f;* (*bigger*) Rohr *nt;* **inner ~** Schlauch *m* **2.** *of toothpaste, cream* Tube *f* **3.** *no pl* BRIT (*fam: railway*) **the ~** die [Londoner] U-Bahn

tubeless ['tjuːbləs] *adj* **~ tyre** schlauchloser Reifen

tuberculosis [tjuːˌbɜːkjəˈləʊsɪs] *n no pl* Tuberkulose *f*

tube station *n* BRIT U-Bahnstation *f*

tuck [tʌk] **I.** *n* **1.** (*pleat*) Abnäher *m;* (*ornament*) Biese *f* **2.** (*med*) **a tummy ~** *Operation, bei der am Bauch*

Fett abgesaugt wird II. *vt* (*fold*) stecken; **to ~ sb into bed** jdn ins Bett [ein]packen *fam* ◆ **tuck in** I. *vt* (*fold*) hineinstecken; **to ~ in one's shirt** sein Hemd in die Hose stecken II. *vi* (*fam*) reinhauen ◆ **tuck up** *vt* **1.** (*fold*) **to ~ up one's feet** seine Füße anziehen **2.** BRIT (*put to bed*) **to ~ up ⇆ sb** jdn ins Bett stecken *fam*

tuck shop *n* BRIT (*dated*) Schulkiosk *nt* (*für Snacks und Süßwaren*)

Tuesday ['tju:zdeɪ] *n* Dienstag *m;* [on] **~ afternoon** [am] Dienstagnachmittag; **a week on ~** Dienstag in einer Woche; **a week last ~** Dienstag vor einer Woche; **one ~** an einem Dienstag; [on] **~** [am] Dienstag; [on] **~s** dienstags

tuft [tʌft] *n* Büschel *nt*

tug [tʌg] I. *n* **1.** (*pull*) Ruck *m* (**at** an); **to give sth a ~** an etw *dat* zerren **2.** (*boat*) Schlepper *m* II. *vt* <-gg-> ziehen III. *vi* <-gg-> zerren (**at** an)

tuition [tju'ɪʃ°n] *n no pl esp* BRIT (*teaching*) Unterricht *m* (**in** in)

tulip ['tju:lɪp] *n* Tulpe *f*

tumble ['tʌmbl] I. *vi* (*fall*) fallen; (*faster*) stürzen II. *n* (*fall*) Sturz *m;* **to take a ~** stürzen

tumbledown *adj attr building* baufällig

tumble drier, tumble dryer *n* Wäschetrockner *m*

tumbler ['tʌmblə'] *n* (*glass*) [Trink]glas *nt*

tummy ['tʌmi] *n* (*fam*) Bauch *m*

tummy ache *n* (*fam*) Bauchweh *nt kein pl*

tumour, AM **tumor** ['tju:mə'] *n* Geschwulst *f*, Tumor *m*

tuna ['tju:nə] *n no pl* Thunfisch *m*

tune [tju:n] I. *n* Melodie *f* II. *vt* RADIO, AUTO einstellen

tuner ['tju:nə'] *n* **1.** TECH Empfänger *m* **2.** MUS (*person*) Stimmer(in) *m(f)*

tuning fork *n* MUS Stimmgabel *f*

Tunisia [tju:'nɪziə] *n* Tunesien *nt*

Tunisian [tju:'nɪziən] I. *n* Tunesier(in) *m(f)* II. *adj* tunesisch

tunnel ['tʌn°l] I. *n* Tunnel *m* II. *vi* < -ll-> einen Tunnel graben; **to ~ under a river** einen Fluss untertunneln

turbocharged *adj* **1.** TECH mit Turboaufladung *nach n* **2.** (*sl: energetic*) Turbo-

turbulence ['tɜ:bjələn(t)s] *n no pl* Turbulenz *f;* **air ~** Turbulenzen *pl*

turd [tɜ:d] *n* (*vulg*) Scheißhaufen *m derb*

turf <*pl* -s> [tɜ:f] I. *n* **1.** *no pl* (*grassy earth*) Rasen *m* **2.** (*square of grass*) Sode *f* II. *vt* Rasen verlegen

Turk [tɜ:k] *n* Türke, Türkin *m, f*

turkey ['tɜ:ki] *n* **1.** ZOOL Pute(r) *f(m)* **2.** *no pl* (*meat*) Truthahn *m*, Putenfleisch *nt*

Turkey ['tɜ:ki] *n* Türkei *f*

Turkish ['tɜ:kɪʃ] I. *adj* türkisch II. *n* Türkisch *nt*

turn [tɜ:n] I. *n* **1.** (*rotation*) Drehung *f;* **give the screw a couple of ~s** drehen Sie die Schraube einige Male um **2.** (*change in direction*) Kurve *f;* SPORTS Wende *f* **3.** (*allotted time*) **it's my ~ now!** jetzt bin ich dran!; **to do sth in ~** etw abwechselnd tun **4.** (*service*) **to do sb a good ~** jdm einen guten Dienst erweisen II. *vt* **1.** (*rotate*) drehen **2.** (*switch direction*) wenden; **to ~ round the corner** um die Ecke biegen **3.** (*change*) **to ~ sth into sth** etw in etw *akk* umwandeln ▶ **to ~ the** <u>tables</u> [on

T

sb] den Spieß umdrehen **III.** *vi*
1. (*rotate*) sich drehen; *person* sich
umdrehen **2.** (*switch direction*) car
wenden; *wind* drehen **3.** (*change*)
werden; **to ~ into sth** zu etw *dat*
werden **5.** (*turn attention to*) **to ~
to sth** sich etw *dat* zuwenden ◆ **turn
away I.** *vi* sich abwenden **II.** *vt*
1. (*move*) wegrücken **2.** (*refuse entry*) abweisen ◆ **turn back I.** *vi*
[wieder] zurückgehen; (*fig*) **there's
no ~ing back now!** jetzt gibt es kein
Zurück [mehr]! **II.** *vt* **1.** (*send back*)
zurückschicken **2.** (*put back*) **to ~
back ⇆ the clocks** die Uhren zurückstellen ◆ **turn down** *vt* **1.** (*reject*) abweisen **2.** (*reduce level*) niedriger stellen ◆ **turn in I.** *vt* **1.** (*give to
police*) abgeben **2.** (*fam: to the police*) **to ~ sb ⇆ in** jdn verpfeifen
II. *vi* **1.** (*fam: go to bed*) sich in die
Falle hauen **2.** (*inwards*) **his toes ~
in when he walks** er läuft über den
großen Onkel *fam* ◆ **turn off I.** *vt*
(*switch off*) abschalten; *light* ausmachen; *radio, TV* ausschalten **II.** *vi*
abbiegen; **to ~ off the path** den
Weg verlassen ◆ **turn on I.** *vt* **1.** *computer, radio* einschalten **2.** (*fam: excite*) anmachen **II.** *vi* **1.** (*switch on*)
einschalten **2.** (*attack*) **to ~ on sb**
auf jdn losgehen ◆ **turn out I.** *vi*
1. (*work out*) sich entwickeln; **how
did it ~ out?** wie ist es gelaufen?
fam **2.** (*be revealed*) sich herausstellen; **it ~ed out that ...** es stellte sich
heraus, dass ... **II.** *vt* **1.** (*empty contents*) [aus]leeren; *pockets* umdrehen
2. (*produce*) produzieren ◆ **turn over
I.** *vi* **1.** *person* sich umdrehen; *car*
sich überschlagen **2.** *engine* laufen
3. BRIT TV umschalten **II.** *vt* (*move*)

umdrehen; *page* umblättern; *soil* umgraben ▶ **to ~ over a new leaf** einen
[ganz] neuen Anfang machen ◆ **turn
up I.** *vi* **1.** (*show up*) erscheinen
2. (*become available*) sich ergeben
II. *vt* (*increase volume*) aufdrehen

turnabout *n* Umschwung *m*

turning ['tɜ:nɪŋ] *n* (*road*) Abzweigung *f*

turning area *n* AUTO Wendeplatz *m*

turning point *n* Wendepunkt *m*

turnip ['tɜ:nɪp] *n* [Steck]rübe *f*

turn-off ['tɜ:nɒf] *n* **1.** (*sth unappeal-
ing*) Gräuel *nt* **2.** (*fam: sexually un-
appealing*) **to be a real ~** abstoßend
sein

turnout ['tɜ:naʊt] *n* no pl (*attendance*)
Teilnahme *f* (**for** an)

turnover ['tɜ:n͵əʊvəʳ] *n* **1.** COMM Umsatz *m* **2.** (*in staff*) Fluktuation *f* geh

turnstile *n* SPORTS Drehkreuz *nt* **turntable** *n* TECH, RAIL Drehscheibe *f*

turn-up ['tɜ:nʌp] *n* esp BRIT Aufschlag
m; ▶ **to be a ~ for the book[s]** (*fam*)
mal ganz was Neues sein

turquoise ['tɜ:kwɔɪz] **I.** *n* **1.** GEOL
(*stone*) Türkis *m* **2.** (*colour*) Türkis
nt **II.** *adj* türkis[farben]

turret ['tʌrɪt] *n* [Mauer]turm *m*

turtle <*pl ->* ['tɜ:tl] *n* Schildkröte *f*

tusk [tʌsk] *n* Stoßzahn *m*

tutor ['tju:təʳ] **I.** *n* Nachhilfelehrer(in)
m(f); BRIT UNIV Tutor(in) *m(f)* **II.** *vt*
Privatunterricht erteilen

tutorial [tju:'tɔ:riəl] *n* Tutorium *nt* geh

tux <*pl -es>* [tʌks] *n* AM (*fam*) short
for **tuxedo** Smoking *m*

TV [͵ti:'vi:] *n* abbrev of **television** Fernseher *m*

TV guide *n* Fernsehzeitschrift *f*

tweezers ['twi:zəz] *n pl* Pinzette *f*

twelfth [twelfθ] **I.** *adj* zwölfte(r, s)

II. *adv* als zwölfte(r, s) **III.** *n* **the ~** der/die/das Zwölfte

twelve [twelv] **I.** *adj* zwölf; *see also* **eight II.** *n* Zwölf *f*

twentieth ['twentiiθ] **I.** *adj* zwanzigste (r, s) **II.** *adv* an zwanzigster Stelle **III.** *n* **the ~** der/die/das Zwanzigste

twenty ['twenti] **I.** *adj* zwanzig; *see also* **eight II.** *n* Zwanzig *f; see also* **eight**

twice [twaɪs] **I.** *adv* zweimal; **~ a day** zweimal täglich **II.** *adj* doppelt

twig[1] [twɪg] *n* Zweig *m*

twig[2] <-gg-> [twɪg] *vt, vi* (*understand*) kapieren *fam*

twilight ['twaɪlaɪt] *n no pl* Dämmerung *f*, Zwielicht *nt;* **the ~ of sb's life** jds Lebensabend

twin [twɪn] **I.** *n* Zwilling *m* **II.** *adj* Zwillings- **III.** *vt* <-nn-> **to ~ sth** [**with sth**] etw [mit etw *dat*] [partnerschaftlich] verbinden

twin bed *n* Einzelbett *nt* (*eines von zwei gleichen Betten*) **twin brother** *n* Zwillingsbruder *m*

twinkle ['twɪŋkl] **I.** *vi* funkeln **II.** *n no pl* Funkeln *nt*

twin sister *n* Zwillingsschwester *f* **twin town** *n* BRIT Partnerstadt *f*

twist [twɪst] **I.** *vt* **1.** [ver]drehen; (*coil*) herumwickeln (**around** um); **to ~ sth on** etw aufdrehen **2.** (*sprain*) sich verrenken **II.** *vi* **1.** (*squirm*) sich winden **2.** (*dance*) twisten **III.** *n* **1.** Drehung *f;* **to give sth a ~** etw [herum] drehen **2.** (*sharp bend*) Kurve *f* **3.** (*unexpected change*) Wendung *f*

twisted ['twɪstɪd] *adj* **1.** (*bent and turned*) verdreht; **~ ankle** gezerrter Knöchel **2.** (*winding*) verschlungen **3.** (*perverted*) verdreht; **a ~ mind** ein verworrener Geist

twister ['twɪstər] *n* Tornado *m*

twitch ['twɪtʃ] **I.** *vi, vt* zucken **II.** *n* <*pl* -es> **to have a** [**nervous**] **~** nervöse Zuckungen haben

two [tuː] **I.** *adj* zwei; **are you ~ coming over?** kommt ihr zwei 'rüber?; **to break sth in ~** etw entzwei brechen; **the ~ of you** ihr beide; *see also* **eight** ▶ **~ can play at that** <u>game</u> (*prov*) wie du mir, so ich dir **II.** *n* Zwei *f; see also* **eight**

two-door I. *adj attr* AUTO zweitürig **II.** *n* zweitüriges Auto **two-faced** *adj* (*pej*) falsch

twofold ['tuːfəʊld] **I.** *adj* (*double*) zweifach; (*with two parts*) zweiteilig **II.** *adv* (*double*) zweifach; **to increase sth ~** etw verdoppeln

two-part *adj attr* zweiteilig **two-piece** *n* **1.** (*suit*) Zweiteiler *m* **2.** (*bikini*) Bikini *m* **two-seater** *n* (*car, sofa*) Zweisitzer *m*

twosome ['tuːsəm] *n* **1.** (*duo*) Duo *nt;* (*couple*) Paar *nt* **2.** (*dance for two*) Paartanz *m*

two-way *adj attr* **1.** (*traffic*) **~ street** Straße *f* mit Gegenverkehr **2.** *conversation, process* wechselseitig **3.** ELEC **~ switch** Wechselschalter *m*

tycoon [taɪˈkuːn] *n* [Industrie]magnat(in) *m(f)*

type [taɪp] **I.** *n* **1.** (*kind*) Art *f; of hair, skin* Typ *m; of food, vegetable* Sorte *f* **2.** (*character*) Typ *m;* **to be sb's ~** jds Typ sein *fam* **II.** *vt* (*write with machine*) tippen ◆ **type up** *vt report* erfassen

typewriter *n* Schreibmaschine *f* **typewritten** *adj* Maschine geschrieben

typhoon [taɪˈfuːn] *n* Taifun *m*

typical ['tɪpɪkəl] *adj* typisch; *symptom also* charakteristisch (**of** für)

T

typing ['taɪpɪŋ] I. *n no pl* Tippen *nt*
II. *adj attr* Tipp-; ~ **error** Tippfehler *m*

typist ['taɪpɪst] *n* Schreibkraft *f*

tyrant ['taɪrᵊnt] *n* Tyrann(in) *m(f)*

tyre [taɪə'] *n* Reifen *m;* **spare** ~ Ersatzreifen *m*

tyre pressure *n no pl* Reifendruck *m*

tzetze fly ['tetsi͵flaɪ] *n see* **tsetse fly**

U

U <*pl* -'s>, **u** <*pl* -'s> [juː] *n* 1. U *nt*, u *nt; see also* **A 1 2.** (*sl: you*) du

U¹ [juː] *n* BRIT FILM *see* **universal** jugendfrei

U² [juː] AM, AUS (*fam*) *abbrev of* **university** Uni *f*

udder ['ʌdə'] *n* Euter *nt*

UFO [͵juːef'əʊ] *n* <*pl* -s> *abbrev of* **unidentified flying object** UFO *nt*

ugly ['ʌgli] *adj* hässlich; *weather* scheußlich; *rumours* übel; **to turn** ~ eine üble Wendung nehmen

UK [juː'keɪ] *n abbrev of* **United Kingdom: the** ~ das Vereinigte Königreich

ulcer ['ʌlsə'] *n* Geschwür *nt;* **stomach** ~ Magengeschwür *nt*

Ulster ['ʌlstə', AM -stɚ] *n no pl* Ulster *nt*

ulterior [ʌl'tɪərɪə'] *adj* versteckt; ~ **motive** Hintergedanke *m*

ultimate ['ʌltɪmət] I. *adj attr* beste(r, s); (*fundamental*) grundsätzlich; (*highest*) höchste(r, s); (*final*) letzte(r, s); *decision also* endgültig; **the** ~ **destination** das Endziel; **the** ~ **problem** das Grundproblem II. *n* **the** ~ das Nonplusultra

ultimately ['ʌltɪmətli] *adv* letzten Endes; (*eventually*) letztlich

ultimatum <*pl* -ta> [͵ʌltɪ'meɪtəm] *n* Ultimatum *nt*

ultrasound *n no pl* Ultraschall *m*

umbilical cord [ʌm'bɪlɪkl] *n* Nabelschnur *f*

umbrella [ʌm'brelə] *n* Regenschirm *m;* (*from sun*) Sonnenschirm *m*

umbrella organization *n* Dachorganisation *f*

umpire ['ʌmpaɪə'] I. *n* Schiedsrichter(in) *m(f)* II. *vt* leiten

umpteen [ʌm(p)'tiːn] *adj* (*fam*) zig; ~ **times** zigmal

umpteenth [ʌm(p)'tiːnθ] *adj* (*fam*) x-te(r, s)

UN [͵juː'en] *n abbrev of* **United Nations: the** ~ die UN[O]; **ambassador to the** ~ UN[O]-Botschafter(in) *m(f)*

unable [ʌn'eɪbl] *adj* unfähig; **to be** ~ **to do sth** etw nicht tun können

unacceptable [͵ʌnək'septəbl] *adj* inakzeptabel; *offer* unannehmbar

unaccompanied [͵ʌnə'kʌmpᵊnɪd] *adj* ohne Begleitung *nach n*

unadventurous [͵ʌnəd'ventʃᵊrəs] *adj* wenig unternehmungslustig; *life* unspektakulär

unafraid [͵ʌnə'freɪd] *adj* unerschrocken; **to be** ~ **of sb/sth** vor jdm/etw keine Angst haben; **to be** ~ **of doing sth** keine Angst davor haben, etw zu tun

unanimous [juː'nænɪməs] *adj* einstimmig

unappetizing [ʌn'æpətaɪzɪŋ] *adj* unappetitlich

unapproachable [͵ʌnə'prəʊtʃəbl] *adj* unzugänglich; *person also* unnahbar

unassuming [͵ʌnə'sjuːmɪŋ] *adj* bescheiden

unattached [ˌʌnəˈtætʃt] *adj* einzeln; *batchelor* ungebunden

unattended [ˌʌnəˈtendɪd] *adj* unbeaufsichtigt; **to leave sth/sb ~** etw/jdn allein lassen

unattractive [ˌʌnəˈtræktɪv] *adj* unattraktiv

unauthorized [ʌnˈɔːθəraɪzd] *adj* nicht autorisiert

unavailable [ˌʌnəˈveɪləbl] *adj* **1.** nicht verfügbar; *person* nicht erreichbar; (*busy*) nicht zu sprechen **2.** *fiancé* **to be ~** vergeben sein

unavoidable [ˌʌnəˈvɔɪdəbl] *adj* unvermeidlich

unaware [ˌʌnəˈweəʳ] *adj* **to be ~ of sth** sich *dat* einer S. *gen* nicht bewusst sein

unawares [ˌʌnəˈweəz] *adv* unerwartet; **to catch sb ~** jdn überraschen

unbearable [ʌnˈbeərəbl] *adj* unerträglich

unbeatable [ʌnˈbiːtəbl] *adj* unschlagbar

unbeaten [ʌnˈbiːtᵊn] *adj* ungeschlagen

unbelievable [ˌʌnbɪˈliːvəbl] *adj* unglaublich

unbreakable [ʌnˈbreɪkəbl] *adj* unzerbrechlich; *record* nicht zu brechen *präd;* *rule* unumstößlich

unbroken [ʌnˈbrəʊkᵊn] *adj* unbeschädigt; *promise* gehalten

unbutton [ʌnˈbʌtᵊn] *vt* aufknöpfen

uncalled for *pred*, **uncalled-for** [ʌnˈkɔːldfɔːʳ] *adj attr* unnötig; *remark* unpassend

uncertain [ʌnˈsɜːtᵊn] *adj* unsicher; *future* ungewiss; **in no ~ terms** klar und deutlich

uncertainty [ʌnˈsɜːtᵊnti] *n* **1.** Unbeständigkeit *f* **2.** *no pl* (*doubt*) Ungewissheit *f*

unchallenged [ʌnˈtʃælɪndʒd] *adj* unangefochten; **to go ~** unangefochten bleiben

unchanged [ʌnˈtʃeɪndʒd] *adj* unverändert

uncharacteristic [ˌʌnkærəktᵊrˈɪstɪk] *adj* untypisch (**of** für)

unclaimed [ʌnˈkleɪmd] *adj* nicht beansprucht; *letter* nicht abgeholt

uncle [ˈʌŋkl] *n* Onkel *m*

unclear [ʌnˈklɪəʳ] *adj* unklar; (*vague*) vage; **to be ~ about sth** in Bezug auf etw *akk* nicht sicher sein

uncomfortable [ʌnˈkʌm(p)ftəbl] *adj* unbequem; *silence* gespannt; **to feel ~** sich unwohl fühlen

uncommon [ʌnˈkɒmən] *adj* selten; *name also* ungewöhnlich

unconcerned [ˌʌnkənˈsɜːnd] *adj* unbekümmert; (*indifferent*) desinteressiert; **to be ~ about sth/sb** sich *dat* keine Sorgen über etw/jdn machen; **to be ~ with sth/sb** nicht an etw/jdm interessiert sein

unconditional [ˌʌnkənˈdɪʃᵊnᵊl] *adj* bedingungslos; *love also* rückhaltlos

unconfirmed [ˌʌnkənˈfɜːmd] *adj* unbestätigt

unconnected [ˌʌnkəˈnektɪd] *adj* unzusammenhängend

unconscious [ʌnˈkɒn(t)ʃəs] **I.** *adj* bewusstlos; (*unaware*) unbewusst; **to knock sb ~** jdn bewusstlos schlagen; **the ~ mind** das Unterbewusste **II.** *n no pl* **the ~** das Unterbewusstsein

unconsciously [ʌnˈkɒn(t)ʃəsli] *adv* unbewusst

unconsciousness [ʌnˈkɒn(t)ʃəsnəs] *n no pl* Bewusstlosigkeit *f;* (*unawareness*) Unbewusstheit *f*

uncontrollable [ˌʌnkənˈtrəʊləbl] *adj* unkontrollierbar; *urge* unstillbar

U

uncontrolled [ˌʌnkən'trəʊld] *adj* unkontrolliert; *aggression* unbeherrscht

unconvinced [ˌʌnkən'vɪn(t)st] *adj* nicht überzeugt

unconvincing [ˌʌnkən'vɪn(t)sɪŋ] *adj* nicht überzeugend; (*not credible*) unglaubwürdig; **rather ~** wenig überzeugend

uncooked [ʌn'kʊkt] *adj* roh

uncooperative [ˌʌnkəʊ'ɒpʳrətɪv] *adj* unkooperativ

uncork [ʌn'kɔːk] *vt* entkorken; **to ~ one's feelings** (*fig*) aus sich *dat* herausgehen

uncover [ʌn'kʌvəʳ] *vt* freilegen; (*disclose*) entdecken; *scandal* aufdecken

undecided [ˌʌndɪ'saɪdɪd] *adj* unentschlossen

undelivered [ˌʌndɪ'lɪvəd] *adj* nicht zugestellt

undemanding [ˌʌndɪ'mɑːndɪŋ] *adj* anspruchslos

under ['ʌndəʳ] **I.** *prep* **1.** (*below*) **he waited/walked ~ the bridge** er wartete unter der/lief unter die Brücke **2.** (*supporting*) **to break ~ the weight** unter dem Gewicht zusammenbrechen **3.** (*less than*) unter +*dat;* **to cost ~ £5** weniger als fünf Pfund kosten **4.** (*governed by*) unter +*dat;* **they are ~ strict orders** sie haben strenge Anweisungen **5. ~ repair** in Reparatur ▶ [**already**] **~ way** [bereits] im Gange **II.** *adv* **to go ~** untergehen; *company* Pleite machen

underage *adj inv* minderjährig; **there are laws against ~ drinking** es gibt Gesetze, die Minderjährigen den Genuss von Alkohol verbieten

undercharge *vt, vi* zu wenig berechnen

underclothes *n pl*, **underclothing** *n*

no pl (*form*) Unterwäsche *f*

underdeveloped *adj* unterentwickelt; *resource* unzureichend ausgebeutet; **~ country** Entwicklungsland *nt*

underdone *adj* nicht gar

underestimate **I.** *vt* unterschätzen **II.** *vi* eine zu geringe Schätzung abgeben **III.** *n* Unterbewertung *f*

undergraduate *n* Student(in) *m(f)*

underground **I.** *adj* **1.** *attr* RAIL U-Bahn-; **~ station** U-Bahn-Station *f* **2.** unterirdisch; **~ cable** Erdkabel *nt* **3.** POL Untergrund-; **~ movement** Untergrundbewegung *f* **II.** *adv* unter der Erde **III.** *n* **1.** *no pl esp* BRIT RAIL U-Bahn *f;* **by ~** mit der U-Bahn **2.** POL **the ~** der Untergrund

undermine *vt* untertunneln; (*weaken*) untergraben; *confidence* schwächen

underneath [ˌʌndə'niːθ] **I.** *prep* unter +*dat;* (*with verbs of motion*) unter +*akk* **II.** *adv* darunter **III.** *n no pl* **the ~** die Unterseite

underpaid *adj* unterbezahlt

underpants *n pl* Unterhose *f*

underpass <*pl* -es> *n* Unterführung *f*

understaffed *adj* unterbesetzt

understand <-stood, -stood> [ˌʌndə'stænd] **I.** *vt* **1.** verstehen; **to not ~ a single word** kein einziges Wort verstehen; **to ~ one another** sich verstehen **2.** (*sympathize with*) **to ~ sb/ sth** für jdn/etw Verständnis haben **3.** (*empathize*) **to ~ sb** sich in jdn einfühlen können **4.** (*be informed*) **to ~** [**that**] ... hören, dass ... **II.** *vi* verstehen; **to ~ from sth that ...** aus etw *dat* schließen, dass ...

understandable [ˌʌndə'stændəbl] *adj* verständlich

understanding [ˌʌndə'stændɪŋ] **I.** *n*

1. *no pl* Verständnis *nt* **2.** (*agreement*) Übereinkunft *f*; **to come to an ~** zu einer Übereinkunft kommen **3.** *no pl* (*harmony*) Verständigung *f* **II.** *adj* verständnisvoll

understatement [ˌʌndəˈsteɪtmənt] *n* Untertreibung *f*

understood [ˌʌndəˈstʊd] *pt, pp of* **understand**

undertaker [ˈʌndəteɪkəʳ] *n* Leichenbestatter(in) *m(f)*; (*firm*) Bestattungsinstitut *nt*

underwater **I.** *adj* Unterwasser- **II.** *adv* unter Wasser

underwear *n no pl* Unterwäsche *f*

underwhelming *adj* enttäuschend

undesirable [ˌʌndɪˈzaɪ(ə)rəbl] **I.** *adj* unerwünscht; **~ character** windiger Typ **II.** *n usu pl* unerwünschte Person

undeveloped [ˌʌndɪˈveləpt] *adj nation* unterentwickelt; *site* unerschlossen; (*immature*) unausgereift; PHOT nicht entwickelt

undid [ʌnˈdɪd] *pt of* **undo**

undo <-did, -done> [ʌnˈduː] *vt* **1.** (*untie*) öffnen **2.** **to ~ the damage** den Schaden beheben; **to ~ the good work** die gute Arbeit zunichtemachen **3.** COMPUT rückgängig machen

undone [ʌnˈdʌn] **I.** *vt pp of* **undo** **II.** *adj* **to come ~** aufgehen

undoubtedly [ʌnˈdaʊtɪdli] *adv* zweifellos

undress [ʌnˈdres] **I.** *vt* ausziehen; **to ~ sb with one's eyes** (*fig*) jdn mit den Augen ausziehen **II.** *vi* sich ausziehen **III.** *n no pl* (*hum*) **in a state of ~** spärlich bekleidet

undressed [ʌnˈdrest] *adj pred* unbekleidet; **to get ~** sich ausziehen

unease [ʌnˈiːz], **uneasiness** [ʌnˈiːzɪnəs]

n no pl Unbehagen *nt* (**over/at** über)

uneasy [ʌnˈiːzi] *adj* besorgt; *smile* gequält; (*unpleasant*) unangenehm; *feeling* ungut

unemployed [ˌʌnɪmˈplɔɪd] **I.** *n* **the ~** *pl* die Arbeitslosen **II.** *adj* arbeitslos

unemployment [ˌʌnɪmˈplɔɪmənt] *n no pl* Arbeitslosigkeit *f*; (*rate*) Arbeitslosenrate *f*; **long-/short-term ~** Langzeit-/Kurzzeitarbeitslosigkeit *f*; **mass ~** Massenarbeitslosigkeit *f*

uneven [ʌnˈiːvªn] *adj* uneben; (*unequal*) ungleich; *quality* uneinheitlich; (*odd*) ungerade

unexpected [ˌʌnɪkˈspektɪd] **I.** *adj* unerwartet; *opportunity* unvorhergesehen **II.** *n no pl* **the ~** das Unerwartete

unfair [ʌnˈfeəʳ] *adj* ungerecht

unfaithful [ʌnˈfeɪθfªl] *adj* untreu; (*disloyal*) illoyal *geh*

unfamiliar [ˌʌnfəˈmɪljəʳ] *adj* unvertraut; *experience* ungewohnt; **to be ~ to sb** jdm fremd sein; **to be ~ with sth** mit etw *dat* nicht vertraut sein

unfit [ʌnˈfɪt] *adj* nicht fit; (*incompetent*) ungeeignet (**for** für); **to be ~ to do sth** unfähig sein, etw zu tun

unfold [ʌnˈfəʊld] **I.** *vt* entfalten; *idea* darlegen; *story* entwickeln **II.** *vi* sich entwickeln

unforgettable [ˌʌnfəˈgetəbl] *adj* unvergesslich

unforgivable [ˌʌnfəˈgɪvəbl] *adj* unverzeihlich; **~ sin** Todsünde *f*

unfortunate [ʌnˈfɔːtʃªnət] **I.** *adj* unglücklich; (*regrettable*) bedauerlich; **to be ~ that ...** ungünstig sein, dass ... **II.** *n* (*form or hum*) Unglücksselige(r) *f(m)*

unfortunately [ʌnˈfɔːtʃªnətli] *adv* unglücklicherweise

U

unfriendly [ʌn'frendli] *adj* unfreundlich; (*hostile*) feindlich; **environmentally** ~ umweltschädlich

unfurnished [ʌn'fɜːnɪʃt] *adj* unmöbliert

ungrateful [ʌn'greɪtfəl] *adj* undankbar

unhappy [ʌn'hæpi] *adj* unglücklich

unharmed [ʌn'hɑːmd] *adj* unversehrt

unhealthy [ʌn'helθi] *adj* ungesund; (*unwell*) kränklich

unhip [ʌn'hɪp] *adj* (*sl*) uncool *sl*

unhook [ʌn'hʊk] *vt* abhängen; *fish* vom Haken nehmen; *clothing* aufmachen

unhurt [ʌn'hɜːt] *adj* unverletzt

unification [ˌjuːnɪfɪˌkeɪʃən] *n no pl* Vereinigung *f*

uniform ['juːnɪfɔːm] I. *n* Uniform *f* II. *adj* einheitlich; *treatment* gleich bleibend; *rate* konstant

unify ['juːnɪfaɪ] *vt, vi* [sich] vereinigen

uninhabited [ˌʌnɪn'hæbɪtɪd] *adj* unbewohnt

uninhibited [ˌʌnɪn'hɪbɪtɪd] *adj* ungehemmt

unintentional [ˌʌnɪn'ten(t)ʃənəl] *adj* unabsichtlich; *humour* unfreiwillig

unintentionally [ˌʌnɪn'ten(t)ʃənəli] *adv* unabsichtlich

uninterested [ʌn'ɪntrəstɪd] *adj* uninteressiert; **to be ~ in sth/sb** kein Interesse an etw/jdm haben

uninteresting [ʌn'ɪntrəstɪŋ] *adj* uninteressant

union ['juːnjən] *n* 1. *no pl* Union *f;* **monetary** ~ Währungsunion *f* 2. + *sing/pl vb* (*organization*) Verband *m;* (*trade union*) Gewerkschaft *f*

Union Jack *n* Union Jack *m* (*britische Nationalflagge*)

unique [juː'niːk] *adj* einzigartig; *opportunity* einmalig

unit ['juːnɪt] *n* 1. Einheit *f;* **central**

processing ~ Zentraleinheit *f;* ~ **of currency** Währungseinheit *f* 2. + *sing/pl vb* (*group*) Abteilung *f* 3. AM, AUS (*apartment*) Wohnung *f*

unite [juː'naɪt] I. *vt* vereinigen (**with** mit); (*fasten*) verbinden (**with** mit) II. *vi* sich vereinigen

united [juː'naɪtɪd] *adj* vereinigt; ~ **Germany** wiedervereinigtes Deutschland; **to present a ~ front** Einigkeit demonstrieren

United Kingdom *n* **the** ~ das Vereinigte Königreich **United Nations**, **UN** I. *n* **the** ~ die Vereinten Nationen *pl* II. *n modifier* UN- **United States of America**, **USA** *n* die Vereinigten Staaten *pl* von Amerika

unity ['juːnəti] *n usu no pl* Einheit *f;* (*harmony*) Einigkeit *f*

universal [ˌjuːnɪ'vɜːsəl] *adj* universell; *agreement* allgemein; *truth* allgemein gültig; ~ **language** Weltsprache *f*

universe ['juːnɪvɜːs] *n* **the** ~ das Universum

university [ˌjuːnɪ'vɜːsəti] *n* Universität *f* **university lecturer** *n* Hochschuldozent(in) *m(f)* **university town** *n* Universitätsstadt *f*

unjustified [ʌn'dʒʌstɪfaɪd] *adj* ungerechtfertigt

unjustly [ʌn'dʒʌstli] *adv* ungerecht; (*wrongfully*) zu Unrecht

unkind [ʌn'kaɪnd] *adj* unfreundlich; (*nasty*) gemein; **to be ~ to hair/skin** die Haare/die Haut angreifen

unknown [ʌn'nəʊn] I. *adj* unbekannt; ~ **to me, ...** ohne mein Wissen ... II. *n* Ungewissheit *f*

unleaded [ʌn'ledɪd] *adj* unverbleit; *petrol* bleifrei

unless [ʌn'les] *conj* ~ **I'm mistaken** wenn ich mich nicht irre; **he won't**

come ~ he has time er wird nicht kommen, außer wenn er Zeit hat

unlike [ʌnˈlaɪk] **I.** *adj pred* unähnlich **II.** *prep* **1. to be ~ sb/sth** jdm/etw nicht ähnlich sein **2.** (*in contrast to*) im Gegensatz zu

unlikely [ʌnˈlaɪkli] *adj* unwahrscheinlich; **it seems ~ that ...** es sieht nicht so aus, als ob ...

unlimited [ʌnˈlɪmɪtɪd] *adj* unbegrenzt

unload [ʌnˈləʊd] **I.** *vt* **1.** entladen; *container* ausladen **2.** (*fam: get rid of*) abstoßen **II.** *vi* **1.** abladen **2.** (*ship*) entladen

unlock [ʌnˈlɒk] *vt* aufschließen; (*release*) freisetzen

unlocked [ʌnˈlɒkt] *adj* unverschlossen

unlucky [ʌnˈlʌki] *adj* glücklos; **to be ~** Pech haben; *portent* Unglück bringen

unmarried [ʌnˈmærɪd] *adj* unverheiratet

unmistak(e)able [ʌnmɪˈsteɪkəbl] *adj* unverkennbar; *symptom* eindeutig

unmoved [ʌnˈmuːvd] *adj usu pred* unbewegt

unnatural [ʌnˈnætʃərəl] *adj* unnatürlich; PSYCH abnorm

unnecessary [ʌnˈnesəsri] *adj* unnötig

unnoticed [ʌnˈnəʊtɪst] *adj pred* unbemerkt; **to go ~** nicht bemerkt werden

unobtainable [ʌnəbˈteɪnəbl] *adj* unerreichbar

unoccupied [ʌnˈɒkjəpaɪd] *adj* unbewohnt; MIL nicht besetzt

unofficial [ʌnəˈfɪʃəl] *adj* inoffiziell; **in an ~ capacity** inoffiziell

unpack [ʌnˈpæk] *vt, vi* auspacken; *car* ausladen

unpaid [ʌnˈpeɪd] *adj* unbezahlt

unpleasant [ʌnˈplezənt] *adj* unangenehm; (*unfriendly*) unfreundlich

unplug <-gg-> [ʌnˈplʌg] *vt* ausstecken

unpopular [ʌnˈpɒpjələr] *adj* unbeliebt; (*not widely accepted*) unpopulär; **to be ~** wenig Anklang finden

unpredictable [ʌnprɪˈdɪktəbl] *adj* unvorhersehbar; *weather* unberechenbar

unprofessional [ʌnprəˈfeʃənl] *adj* unprofessionell; **~ conduct** berufswidriges Verhalten

unqualified [ʌnˈkwɒlɪfaɪd] *adj* **1.** unqualifiziert **2.** (*unreserved*) bedingungslos; **an ~ disaster** eine Katastrophe grenzenlosen Ausmaßes

unreadable [ʌnˈriːdəbl] *adj* unleserlich

unreal [ʌnˈrɪəl] *adj* unwirklich

unrealistic [ʌnrɪəˈlɪstɪk] *adj* unrealistisch

unreasonable [ʌnˈriːzənəbl] *adj* unvernünftig; (*unfair*) übertrieben; *demand* überzogen; **don't be so ~! he's doing the best he can** verlang nicht so viel! er tut sein Bestes

unreliable [ʌnrɪˈlaɪəbl] *adj* unzuverlässig

unrepeatable [ʌnrɪˈpiːtəbl] *adj* nicht wiederholbar

unreserved [ʌnrɪˈzɜːvd] *adj* uneingeschränkt; *table* nicht reserviert; *open* offen; **~ friendliness** Herzlichkeit *f*

unrestricted [ʌnrɪˈstrɪktɪd] *adj* uneingeschränkt

unripe [ʌnˈraɪp] *adj* unreif

unroll [ʌnˈrəʊl] **I.** *vt* aufrollen **II.** *vi* sich abrollen [lassen]

unsafe [ʌnˈseɪf] *adj* **1.** unsicher; *sex* ungeschützt; **to be ~ to do sth** gefährlich sein, etw zu tun **2.** *pred* (*in danger*) nicht sicher

unsaid [ʌnˈsed] **I.** *adj* (*form*) ungesagt; **to leave sth ~** etw ungesagt lassen **II.** *vt pt, pp of* **unsay**

unsatisfactory [ʌnsætɪsˈfæktəri] *adj* unzureichend; *answer* unbefriedi-

U

gend; (grade) ungenügend

unsatisfied [ʌnˈsætɪsfaɪd] adj unzufrieden; (unconvinced) nicht überzeugt; **to leave sb/sth ~** jdn/etw nicht befriedigen

unscheduled [ʌnˈʃedjuːld] adj außerplanmäßig; stop außerfahrplanmäßig

unscrupulous [ʌnˈskruːpjələs] adj skrupellos

unsealed [ʌnˈsiːld] adj unversiegelt

unseen [ʌnˈsiːn] adj ungesehen

unselfish [ʌnˈselfɪʃ] adj selbstlos

unsettle [ʌnˈsetl] vt verunsichern; balance stören

unsettled [ʌnˈsetld] adj instabil; weather unbeständig; (troubled) unruhig; issue noch anstehend

unsettling [ʌnˈsetlɪŋ] adj beunruhigend; **to have the ~ feeling that ...** das ungute Gefühl haben, dass ...

unshaved [ʌnˈʃeɪvd], **unshaven** [ʌnˈʃeɪvᵊn] adj unrasiert

unsightly <-ier, -iest> [ʌnˈsaɪtli] adj unansehnlich

unskilled [ʌnˈskɪld] adj 1. ungeschickt 2. worker ungelernt; ~ **job** Tätigkeit f für ungelernte Arbeitskräfte

unsociable [ʌnˈsəʊʃəbl] adj ungesellig

unsocial [ʌnˈsəʊʃᵊl] adj BRIT nicht sozialverträglich; **to work ~ hours** außerhalb der normalen Arbeitszeiten arbeiten

unsold [ʌnˈsəʊld] adj unverkauft

unspeakable [ʌnˈspiːkəbl] adj unbeschreiblich

unstable [ʌnˈsteɪbl] adj nicht stabil; (fig) instabil; **emotionally ~** [psychisch] labil

unsuccessful [ˌʌnsəkˈsesfᵊl] adj erfolglos; attempt vergeblich

unsuitable [ʌnˈsjuːtəbl] adj nicht geeignet

unsure [ʌnˈʃʊəʳ] adj unsicher; **to be ~ of oneself** kein Selbstvertrauen haben

unthinkable [ʌnˈθɪŋkəbl] I. adj undenkbar; (shocking) unfassbar II. n no pl **the ~** das Unvorstellbare

unthinking [ʌnˈθɪŋkɪŋ] adj unbedacht; (unintentional) unabsichtlich

untidy [ʌnˈtaɪdi] adj unordentlich; (unorganized) unsystematisch

untie <-y-> [ʌnˈtaɪ] vt lösen; boat losbinden

until [ʌnˈtɪl] I. prep bis; **two more days ~ Easter** noch zwei Tage bis Ostern; **not ~ seven** erst um sieben; **not ~ tomorrow** erst morgen II. conj (esp form) bis; **I laughed ~ tears rolled down my face** ich lachte, bis mir die Tränen kamen; **he won't stop ~ everything is finished** er hört nicht auf, bevor nicht alles fertig ist; **to not do sth ~ ...** etw erst [dann] tun, wenn ...

untouched [ʌnˈtʌtʃt] adj unberührt; drink nicht angerührt; **to be ~ by sth** von etw dat nicht betroffen sein

untreated [ʌnˈtriːtɪd] adj unbehandelt; sewage ungeklärt

untrue [ʌnˈtruː] adj 1. unwahr 2. pred (not faithful) untreu (to +dat)

untrustworthy [ʌnˈtrʌstˌwɜːði] adj unzuverlässig

unused¹ [ʌnˈjuːzd] adj unbenutzt; **to go ~** nicht genutzt werden

unused² [ʌnˈjuːst] adj pred **to be ~ to sth** an etw akk nicht gewöhnt sein

unusual [ʌnˈjuːʒᵊl] adj ungewöhnlich; (uncharacteristic) untypisch; (remarkable) außergewöhnlich

unusually [ʌnˈjuːʒᵊli] adv ungewöhnlich; **~ for me, ...** ganz gegen meine Gewohnheit ...

unwaged [ʌnˈweɪʤd] *adj* BRIT unbezahlt; (*unemployed*) arbeitslos

unwell [ʌnˈwel] *adj pred* **sb is** ~ jdm geht es nicht gut

unwilling [ʌnˈwɪlɪŋ] *adj* widerwillig; **to be** ~ **to do sth** nicht gewillt sein, etw zu tun

unwillingly [ʌnˈwɪlɪŋli] *adv* ungern

unwind <unwound, unwound> [ʌnˈwaɪnd] **I.** *vi* sich abwickeln; (*relax*) sich entspannen **II.** *vt* abwickeln

unwise [ʌnˈwaɪz] *adj* unklug

unwrap <-pp-> [ʌnˈræp] *vt* auspacken; (*reveal*) enthüllen

unwritten [ʌnˈrɪtᵊn] *adj* nicht schriftlich fixiert; *tradition* mündlich

unzip <-pp-> [ʌnˈzɪp] *vt* den Reißverschluss aufmachen; COMPUT auspacken

up [ʌp] **I.** *adv* **1.** nach oben; **hands** ~! Hände hoch!; **four flights** ~ vier Etagen höher; **halfway** ~ auf halber Höhe; **farther** ~ weiter oben **2.** (*awake*) auf; **to be** ~ **late** lange aufbleiben; ~ **and about** auf den Beinen **3.** (*toward*) ~ **to sb/sth** auf jdn/etw zu; **to walk** ~ **to sb** auf jdn zugehen **4.** ~ **until** bis +*akk;* ~ **to yesterday** bis gestern **5. to be** ~ **against sb/sth** es mit jdm/etw zu tun haben **6. to be** ~ **to sb** von jdm abhängen; **I'll leave it** ~ **to you** ich überlasse dir die Entscheidung **7.** (*contrive*) **to be** ~ **to sth** etw vorhaben; **to be** ~ **to no good** nichts Gutes im Schilde führen **8.** (*be adequate*) **to be** ~ **to sth** etw *dat* gewachsen sein; **are you sure you're** ~ **to it?** bist du sicher, dass du das schaffst?; **his German isn't** ~ **to much** sein Deutsch ist nicht besonders gut **II.** *prep* **1.** hinauf/herauf; ~ **the ladder/mountain/stairs** die Leiter/den Berg/die Treppe hinauf; ~ **and down** auf und ab; **he's** ~ **that ladder** er steht dort oben auf der Leiter **2.** (*along*) [*just*] ~ **the road** ein Stück die Straße hinauf; ~ **the river** flussauf[wärts] ▶ **to be** ~ **the creek** [**without a paddle**] [schön] in der Klemme sitzen; ~ **yours!** (*vulg*) ihr könnt/du kannst mich mal! **III.** *adj* **1.** *attr* nach oben *nach n* **2.** *pred* (*leading*) **Liverpool is two goals** ~ Liverpool liegt mit zwei Toren in Führung **3.** *pred* (*working*) funktionstüchtig; **do you know when the server will be** ~ **again?** weißt du, wann der Server wieder in Betrieb sein wird? **4.** *pred* (*finished*) vorbei; **your time is** ~! Ihre Zeit ist um! **5.** *pred* **to be** ~ **for sale** zum Verkauf stehen **6.** *pred* (*fam*) **something is** ~ irgendetwas ist im Gange; **what's** ~? was ist los?; **how well** ~ **are you in Spanish?** (*fam*) wie fit bist du in Spanisch?; **who's** ~ **for a walk?** wer hat Lust auf einen Spaziergang? **IV.** *n* Hoch *nt;* ~**s and downs** Höhen und Tiefen *pl* ▶ **to be on the** ~ **and** ~ BRIT, AUS (*fam*) im Aufwärtstrend begriffen sein **V.** *vt* <-pp-> erhöhen; *price, tax* anheben

upbringing [ˈʌpˌbrɪŋɪŋ] *n usu sing* Erziehung *f*

upcoming [ˈʌpˌkʌmɪŋ] *adj* bevorstehend

update **I.** *vt* [ʌpˈdeɪt] aktualisieren **II.** *n* [ˈʌpdeɪt] Aktualisierung *f;* COMPUT Update *nt*

upfront [ʌpˈfrʌnt] *adj* (*fam*) **1.** *pred* offen; **to be** ~ **about sth** etw offen sagen **2.** *attr* Voraus-; ~ **payment** Anzahlung *f*

upgrade **I.** *vt* [ʌpˈgreɪd] verbessern; COMPUT erweitern; *person* befördern

U

II. *n* ['ʌpgreɪd] **1.** COMPUT Aufrüsten *nt* **2.** AM Steigung *f*

upgradeable [ʌp'greɪdəbl] *adj* COMPUT aufrüstbar

upheaval [ʌp'hiːvəl] *n no pl* Aufruhr *m;* **political** ~ politische Umwälzung[en]

uphill [ʌp'hɪl] **I.** *adv* bergauf **II.** *adj* bergauf; (*difficult*) mühselig; *struggle* hart **III.** *n* Steigung *f*

upholstery [ʌp'həʊlstəri] *n no pl* Polsterung *f*

upkeep ['ʌpkiːp] *n no pl* Instandhaltung *f; of ex* Unterhalt *m*

upon [ə'pɒn] *prep* (*usu form*) **1.** auf *+dat;* (*with verbs of motion*) auf *+akk;* **he put his hand ~ her shoulder** er legte seine Hand auf ihre Schulter **2.** (*at time of*) bei *+dat;* ~ **arrival** bei Ankunft **3.** (*concerning*) **we settled ~ a price** wir einigten uns auf einen Preis; **he was intent ~ following in his father's footsteps** er war entschlossen, in die Fußstapfen seines Vaters zu treten

upper ['ʌpər] **I.** *adj attr* **1.** obere(r, s); *arm, jaw etc.* Ober- **2.** *rank* höhere(r, s); **the ~ middle class** die gehobene Mittelschicht **3.** *location* höher gelegen; **the U~ Rhine** der Oberrhein **II.** *n* Obermaterial *nt*

upper class *n + sing/pl vb* Oberschicht *f* **upper-class** *adj* der Oberschicht *nach n;* **in ~ circles** in den gehobenen Kreisen

upright ['ʌpraɪt] *adj* aufrecht; (*honest*) anständig

uproot [ʌp'ruːt] *vt* herausreißen; (*fig*) **to ~ oneself** seine Heimat verlassen

upset I. *vt* [ʌp'set] **1.** aus der Fassung bringen; (*distress*) mitnehmen; **to ~ oneself** sich aufregen **2.** (*push*) um-

werfen; *glass* umstoßen; *boat* zum Kentern bringen **II.** *adj* [ʌp'set] **1.** *pred* traurig; (*distressed*) bestürzt; **to be ~** [**that**] **...** traurig sein, dass ...; **to be ~ to hear/read/see that ...** mit Bestürzung hören/lesen/sehen, dass ... **2.** *boat* umgestoßen **III.** *n* ['ʌpset] **1.** *no pl* Ärger *m* **2.** (*fam*) **stomach ~** Magenverstimmung *f*

upside down *adj* auf dem Kopf stehend *attr;* **that picture is ~** das Bild hängt verkehrt herum

upstairs [ʌp'steəz] **I.** *adj* oben *präd,* obere(r, s) *attr* **II.** *adv* **the people who live ~** die Leute über uns; **to run ~** nach oben rennen

upstream [ʌp'striːm] **I.** *adj* **the ~ part of the river** der obere Teil des Flusses **II.** *adv* flussaufwärts; **to swim ~** gegen den Strom schwimmen

uptake ['ʌpteɪk] *n no pl* Aufnahme *f;* ► **to be quick /slow on the ~** (*fam*) schnell schalten/schwer von Begriff sein

uptight [ʌp'taɪt] *adj* (*fam*) nervös; **don't get ~ about the exam** mach dich wegen der Prüfung nicht verrückt

up-to-date *adj attr* zeitgemäß

upward ['ʌpwəd] **I.** *adj usu* AM Aufwärts-; ~ **movement** Aufwärtsbewegung *f* **II.** *adv* aufwärts

urban ['ɜːbən] *adj attr* städtisch; ~ **area** Stadtgebiet *nt;* ~ **decay** Verfall *m* der Innenstadt; ~ **population** Stadtbevölkerung *f*

urgency ['ɜːdʒn(t)si] *n no pl* Dringlichkeit *f; of problem also* Vordringlichkeit *f;* (*insistence*) Eindringlichkeit *f*

urgent ['ɜːdʒənt] *adj* dringend; (*insistent*) eindringlich; *steps* eilig; *plea* deutlich; **to be in ~ need of sth** dringend etw benötigen

urgently [ˈɜːdʒəntli] adv dringend; (insistently) eindringlich

urinal [jʊəˈraɪnəl, -rɪ-] n Pissoir nt

urine [ˈjʊərɪn] n no pl Urin m

urn [ɜːn] n [Grab]urne f; **tea ~** Teekessel m

us [ʌs, əs] pron uns in dat o akk; **let ~ know** lassen Sie es uns wissen; **both/many of ~** wir beide/viele von uns; **it's ~** wir sinds; **older than ~** älter als wir

USA [ˌjuːesˈeɪ] n no pl abbrev of **United States of America: the ~** die USA pl

use I. vt [juːz] **1.** benutzen; chance, skills nutzen; dictionary, idea verwenden **2.** (manipulate) benutzen; (exploit) ausnutzen **3. I could ~ some help** ich könnte etwas Hilfe gebrauchen; **I could ~ a drink now** ich könnte jetzt einen Drink vertragen **II.** n [juːs] **1.** Verwendung f; **for ~ in an emergency** für den Notfall; **for ~ in case of fire** bei Feuer; **for external ~ only** nur zur äußerlichen Anwendung; **to make ~ of sth** etw benutzen; **can you make ~ of that?** kannst du das gebrauchen? **2.** (usefulness) Nutzen m; **is this of any ~ to you?** kannst du das vielleicht gebrauchen?; **it's no ~ [doing sth]** es hat keinen Zweck[, etw zu tun] **3. to have the ~ of sth** etw benutzen dürfen **4. to be out of ~** nicht funktionieren ◆ **use up** vt verbrauchen

used¹ [juːst] vt **he ~ to teach** er hat früher unterrichtet; **my father ~ to say ...** mein Vater sagte [früher] immer, ...

used² [juːzd] adj **1.** gebraucht; **~ clothes** Secondhandkleidung f

2. (familiar with) **to be ~ to sth** etw gewohnt sein; **to become ~ to sth** sich an etw akk gewöhnen

useful [ˈjuːsfəl] adj nützlich (**for** für); **to make oneself ~** sich nützlich machen; **to come in ~** gut zu gebrauchen sein

usefulness [ˈjuːsflnəs] n no pl Nützlichkeit f; of contribution also Brauchbarkeit f

useless [ˈjuːsləs] adj **1.** sinnlos; **it's ~ [doing sth]** es ist sinnlos[, etw zu tun] **2.** (fam: inept) **he's a ~ goalkeeper** er taugt nichts als Torwart; **to be ~** nichts taugen; object zu nichts zu gebrauchen sein **3. to render sth ~** etw unbrauchbar machen

user [ˈjuːzə] n Benutzer(in) m(f); **drug ~** Drogenkonsument(in) m(f)

user-friendly adj COMPUT benutzerfreundlich

usual [ˈjuːʒəl] **I.** adj üblich; **as [per] ~** wie üblich **II.** n (fam) **the ~** das Übliche

usually [ˈjuːʒəli] adv normalerweise

utility [juːˈtɪləti] **I.** n **1.** Nützlichkeit f **2.** usu pl (public service) Leistungen pl der öffentlichen Versorgungsbetriebe **II.** adj Mehrzweck-; **~ vehicle** Mehrzweckfahrzeug nt

utmost [ˈʌtməʊst] **I.** adj attr größte(r, s); **with the ~ care/precision** so sorgfältig/genau wie möglich **II.** n no pl **the ~** das Äußerste (**in** an); **at the ~** höchstens; **to the ~** bis zum Äußersten; **to try one's ~** sein Bestes geben

utter¹ [ˈʌtə] adj attr vollkommen; **~ fool** Vollidiot(in) m(f) fam; **~ nonsense** absoluter Blödsinn; **a complete and ~ waste of time** eine totale Zeitverschwendung

U

utter² [ˈʌtər] vt (liter) **1.** **no one ~ed a sound** keiner brachte einen Ton heraus; **to ~ a groan** stöhnen; **without ~ing a word** ohne ein Wort zu sagen **2.** (put into words) sagen; oath schwören; prayer sprechen

utterly [ˈʌtəli] adv vollkommen; **to be ~ convinced that ...** vollkommen [davon] überzeugt sein, dass ...

U-turn [ˈjuːtɜːn] n **1.** Wende f; of plan Kehrtwendung f; **to do a ~** wenden

V

V <pl -'s> n, **v** <pl -'s> [viː] n **1.** V nt, v nt; see also **A 1 2.** (shape) V nt; **V-shaped neck** V-Ausschnitt m

v [viː] **I.** adv abbrev of **very II.** n LING abbrev of **verb** v **III.** prep abbrev of **verse, verso, versus** vs.

vacancy [ˈveɪkən(t)si] n **1.** (unoccupied room) freies Zimmer; 'vacancies' ,Zimmer frei' **2.** (employment) freie Stelle

vacant [ˈveɪkənt] adj **1.** bed, chair, seat frei; (on toilet door) '~' ,frei' **2.** position, job unbesetzt; **to fall ~** frei werden **3.** (expressionless) leer

vacate [vəˈkeɪt] vt räumen; job aufgeben; seat frei machen

vacation [vəˈkeɪʃən] n **1.** AM (holiday) Ferien pl, Urlaub m; **to take a ~** Urlaub machen **2.** UNIV Semesterferien pl

vaccinate [ˈvæksɪneɪt] vt impfen (against gegen)

vaccination [ˌvæksɪˈneɪʃən] n [Schutz]impfung f (against gegen)

vaccine [ˈvæksiːn] n Impfstoff m

vacuum <pl -s> [ˈvækjuːm] **I.** n **1.** Vakuum nt **2.** (fig: gap) Vakuum nt fig, Lücke f; **to fill a ~** eine Lücke füllen **II.** vt [staub]saugen; **to ~ up ⇆ sth** etw aufsaugen

vacuum bottle, vacuum flask n esp BRIT Thermosflasche f

vacuum cleaner n Staubsauger m

vagina [vəˈdʒaɪnə] n ANAT Vagina f

vagrant [ˈveɪgrənt] n (dated) Landstreicher(in) m(f)

vague [veɪg] adj **1.** ungenau; memory, promises vage; figure, shape verschwommen **2.** (imprecise) zerstreut; **to be ~ about sth** sich [nur] vage zu etw dat äußern

vain [veɪn] adj **1.** (pej) eitel; (conceited) eingebildet **2.** (futile) sinnlos; **in ~** vergeblich, umsonst

valentine [ˈvæləntaɪn] n Person, die am Valentinstag von ihrem Verehrer/ ihrer Verehrerin beschenkt wird

valid [ˈvælɪd] adj **1.** argument, decision begründet **2.** passport, qualification gültig

valley [ˈvæli] n Tal nt

valuable [ˈvæljʊəbl] adj wertvoll; gems kostbar

value [ˈvæljuː] **I.** n **1.** no pl Wert m; (significance) Bedeutung f **2.** (moral ethics) **~s** pl Werte pl **II.** vt **1.** (deem significant) schätzen; **to ~ sb as a friend** jdn als Freund schätzen **2.** FIN schätzen

value-added tax n Mehrwertsteuer f

valued [ˈvæljuːd] adj (form) geschätzt

valve [vælv] n **1.** (control device) Ventil nt **2.** (body part) Klappe f

vampire [ˈvæmpaɪər] n Vampir m

van [væn] n **1.** Transporter m; **delivery ~** Lieferwagen m **2.** AM (car type) Kleinbus m

vandal ['vændəl] *n* Vandale *m pej*

vandalism ['vændəlɪzəm] *n no pl* Vandalismus *m*

vandalize ['vændəlaɪz] *vt* mutwillig zerstören; *building* verwüsten

vanilla [və'nɪlə] *n no pl* Vanille *f*

vanish ['vænɪʃ] *vi* verschwinden; **to ~ into thin air** sich in Luft auflösen

vanity ['vænəti] *n* 1. *no pl* Eitelkeit *f* 2. AM, AUS (*Vanitory unit*) Schminktisch *m*

vanity bag, vanity case *n* Schminktasche *f*

vantage point *n* 1. (*outlook*) Aussichtspunkt *m* 2. (*fig: ideological perspective*) Blickpunkt *m*

vapour, AM **vapor** ['veɪpər] *n* (*steam*) Dampf *m;* (*breath*) Atem[hauch] *m*

vapour trail *n* Kondensstreifen *m*

variable ['veəriəbl] I. *n* Variable *f* II. *adj* variabel, veränderlich; *quality* wechselhaft

variation [ˌveəri'eɪʃən] *n* 1. *no pl* Abweichung *f* 2. (*difference*) Schwankung[en] *f[pl]*

varied ['veərid] *adj* unterschiedlich; *career* bewegt

variety [və'raɪəti] *n* 1. *no pl* Vielfalt *f;* (*differing from one another*) Verschiedenartigkeit *f;* **a ~ of courses** verschiedene Kurse 2. (*type*) Sorte *f;* **a new ~ of tulip** eine neue Tulpensorte

variety show *n* Varieteeshow *f*

various ['veəriəs] *adj* verschieden

varnish ['vɑːnɪʃ] I. *n <pl -es>* Lack *m;* (*on painting*) Firnis *m* II. *vt* lackieren

vary *<-ie->* ['veəri] I. *vi* variieren, verschieden sein; **to ~ greatly** stark voneinander abweichen II. *vt* variieren; **to ~ one's diet** abwechslungsreich essen

varying ['veəriɪŋ] *adj* unterschiedlich;

(*fluctuating*) variierend

vase [vɑːz] *n* Vase *f*

VAT [ˌviːeɪ'tiː] *n no pl* BRIT *abbrev of* **value added tax** MwSt *f*

Vatican ['vætɪkən] *n no pl* **the ~** der Vatikan

vault [vɔːlt] I. *n* 1. (*arch*) Gewölbebogen *m* 2. (*ceiling*) Gewölbe *nt* 3. (*strongroom*) Tresorraum *m* II. *vt* (*jump*) **to ~ sth** über etw *akk* springen

vaulting horse *n* Sprungpferd *nt*

VCR [ˌviːsiː'ɑː, AM -'ɑːr] *n* AM *abbrev of* **video cassette recorder** Videorekorder *m*

veal [viːl] *n no pl* Kalbfleisch *nt*

veg¹ [vedʒ] *n no pl* (*fam*) *short for* **vegetable(s)** Gemüse *nt*

veg² [vedʒ] *vi* (*fam*) **to ~ out** herumhängen

vegan ['viːgən] I. *n* Veganer(in) *m(f)* II. *adj* vegan

vegetable ['vedʒtəbl] *n* 1. (*plant*) Gemüse *nt;* **fresh fruit and ~s** frisches Obst und Gemüse 2. (*fig, pej fam*) **to be a ~** vor sich *dat* hin vegetieren

vegetable fat *n* pflanzliches Fett **vegetable garden** *n* Gemüsegarten *m* **vegetable oil** *n* pflanzliches Öl

vegetarian [ˌvedʒɪ'teəriən] I. *n* Vegetarier(in) *m(f)* II. *adj* vegetarisch

vehicle ['vɪəkl] *n* Fahrzeug *nt*

vehicle registration number *n* Kfz-Kennzeichen *nt*

veil [veɪl] I. *n* (*a. fig*) Schleier *m* II. *vt usu passive* 1. (*cover by veil*) **to be ~ed** verschleiert sein 2. (*envelop*) einhüllen

vein [veɪn] *n* Vene *f;* (*any blood vessel*) Ader *f*

Velcro® ['velkrəʊ] *n no pl* Klettverschluss *m*

V

velvet ['velvɪt] *n no pl* Samt *m*

vending machine *n* Automat *m*

vendor ['vendɔːʳ] *n* Straßenverkäufer(in) *m(f)*

venetian blind *n* Jalousie *f*

venison ['venɪsⁿn] *n no pl* Rehfleisch *nt*

venom ['venəm] *n no pl* Gift *nt*

venomous ['venəməs] *adj* giftig *a. fig*

ventilation [ˌventɪ'leɪʃⁿn] *n no pl* Belüftung *f*

ventilator ['ventɪleɪtəʳ] *n* **1.** (*air outlet*) Abzug *m* **2.** (*breathing apparatus*) Beatmungsgerät *nt*

ventriloquist [ven'trɪləkwɪst] *n* Bauchredner(in) *m(f)*

venture ['ventʃəʳ] **I.** *n* Projekt *nt;* ECON Unternehmen *nt* **II.** *vt* **to ~ sth** etw vorsichtig äußern ◆ **venture out** *vi* sich *akk* hinauswagen

venue ['venjuː] *n* Veranstaltungsort *m;* (*for competition*) Austragungsort *m*

Venus ['viːnəs] *n no pl* Venus *f*

veranda(h) [və'rændə] *n* Veranda *f*

verbal ['vɜːbⁿl] *adj* **1.** (*oral*) mündlich **2.** (*pertaining to verb*) **~ noun** Verbalsubstantiv *nt*

verdict ['vɜːdɪkt] *n* Urteil *nt;* **~ of not guilty** Freispruch *m*

verge [vɜːʤ] *n* (*physical edge*) Rand *m;* **on the ~ of the desert** am Rand der Wüste ◆ **verge on** *vi* **to ~ on the ridiculous** ans Lächerliche grenzen

verification [ˌverɪfɪ'keɪʃⁿn] *n no pl* Verifizierung *f geh;* (*checking*) Überprüfung *f*

verify <-ie-> ['verɪfaɪ] *vt* verifizieren *geh;* (*check*) überprüfen; (*confirm*) belegen

versatile ['vɜːsətaɪl] *adj* vielseitig

verse [vɜːs] *n* **1.** *no pl* (*poetical writing*) Dichtung *f;* **volume of ~** Gedichtband *m* **2.** (*stanza*) *a.* MUS Strophe *f*

version ['vɜːʃⁿn, -ʒⁿn] *n* Version *f; of book, text, film* Fassung *f*

versus ['vɜːsəs] *prep* gegen

vertebra <*pl* -brae> ['vɜːtɪbrə] *n* Wirbel *m*

vertebrate ['vɜːtɪbreɪt] BIOL **I.** *n* Wirbeltier *nt* **II.** *adj attr* Wirbel-

vertical ['vɜːtɪkⁿl] **I.** *adj* senkrecht, vertikal **II.** *n* (*vertical line*) Senkrechte *f*

vertigo ['vɜːtɪgəʊ] *n no pl* Schwindel *m;* MED Gleichgewichtsstörung *f*

very ['veri] **I.** *adv* **1.** sehr; **how are you? — ~ well, thanks** wie geht es dir? — sehr gut, danke; **~ much** sehr **2.** + *superl* (*to add force*) aller-; **the ~ best** der/die/das Allerbeste; **the ~ next day** schon am nächsten Tag **3.** (*I agree*) **~ well** [also] gut **II.** *adj attr* genau; **at the ~ bottom** zuunterst; **the ~ thought ...** allein der Gedanke ...

vest [vest] *n* **1.** BRIT (*underwear*) Unterhemd *nt* **2.** *esp* AM (*outer garment*) Weste *f* **3.** BRIT (*T-shirt*) **~ [top]** ärmelloses T-Shirt

vet [vet] **I.** *n* Tierarzt, Tierärztin *m, f* **II.** *vt* <-tt-> (*examine*) überprüfen

veterinary ['vetⁿrɪnⁿri] *adj attr* tierärztlich; **~ medicine** Tiermedizin *f*

VHF [ˌviːeɪtʃ'ef] **I.** *n no pl abbrev of* **very high frequency** UKW **II.** *adj attr abbrev of* **very high frequency** UKW-

via ['vaɪə] *prep* **1.** (*through*) über **2.** (*using*) per, via

viaduct ['vaɪədʌkt] *n* Viadukt *m o nt;* (*bridge*) Brücke *f*

vibes [vaɪbz] *n pl* (*fam*) **1.** (*atmosphere*) Schwingungen *pl* **2.** (*vibraphone*) Vibraphon *nt*

vibrant ['vaɪbrənt] *adj person* lebhaft; (*dynamic*) dynamisch; *economy* boomend; *colour* leuchtend

vibrate [vaɪ'breɪt] *vi* vibrieren; *person* zittern

vibration [vaɪ'breɪʃⁿn] *n* Vibration *f*, Erschütterung *f*

vicar ['vɪkə'] *n* Pfarrer *m*

vicarage ['vɪkⁿrɪʤ] *n* Pfarrhaus *nt*

vice¹ [vaɪs] *n* (*weakness*) Laster *nt*

vice² [vaɪs] *n* (*tool*) Schraubstock *m*

vice-chairman *n* stellvertretende(r) Vorsitzende(r) **vice-chancellor** *n* (*senior official*) Vizekanzler(in) *m(f)*; BRIT UNIV Rektor(in) *m(f)* **vice president** *n* Vizepräsident(in) *m(f)*

vice versa [ˌvaɪsi'vɜːsə] *adv* umgekehrt

vicinity [vɪ'sɪnəti] *n* Nähe *f*; (*surrounding area*) Umgebung *f*

vicious ['vɪʃəs] *adj* 1. (*malicious*) boshaft, gemein 2. (*causing pain*) grausam

vicious circle, vicious cycle *n* Teufelskreis *m*

victim ['vɪktɪm] *n* Opfer *nt*; **to fall ~ to sth** etw zum Opfer fallen

Victorian [vɪk'tɔːriən] I. *adj* viktorianisch II. *n* Viktorianer(in) *m(f)*

victorious [vɪk'tɔːriəs] *adj* siegreich; **to emerge ~** als Sieger/Siegerin hervorgehen

victory ['vɪktⁿri] *n* Sieg *m* (**against** über); **to win a ~** [**in sth**] [bei etw *dat*] einen Sieg erringen

video ['vɪdiəʊ] I. *n* 1. *no pl* (*recording*) Video *nt* 2. (*tape*) Videokassette *f* II. *vt* auf Video aufnehmen

video game *n* Videospiel *nt* **videophone** *n* Bildtelefon *nt* **videotape** *n* 1. (*cassette*) Videokassette *f* 2. *no pl* (*tape*) Videoband *nt*

Vienna [vi'enə] *n* Wien *nt*

view [vjuː] I. *n* 1. *no pl* (*sight*) Sicht *f*; **to disappear from ~** [in der Ferne] verschwinden 2. (*panorama*) [Aus]blick *m*; **he lifted his daughter up so that she could get a better ~** er hob seine Tochter hoch, so dass sie besser sehen konnte 3. (*opportunity to observe*) Besichtigung *f* 4. (*opinion*) Ansicht *f*, Meinung *f* (**about/on** über); **point of ~** Standpunkt *m*; **in sb's ~** jds Ansicht *f* nach 5. (*fig: perspective*) Ansicht *f*; **in ~ of sth** angesichts einer S. *gen* II. *vt* 1. (*watch*) **to ~ sth** etw betrachten; (*as a spectator*) etw zusehen 2. (*fig: consider*) betrachten 3. (*inspect*) **to ~ sth** sich *dat* etw ansehen

viewer ['vjuːə'] *n* 1. (*person*) [Fernseh]zuschauer(in) *m(f)* 2. (*for film*) Filmbetrachter *m*; (*for slides*) Diabetrachter *m*

viewfinder *n* PHOT [Bild]sucher *m*

viewpoint *n* 1. (*fig: opinion*) Standpunkt *m*; (*aspect*) Gesichtspunkt *m* 2. (*place*) Aussichtspunkt *m*

vigorous ['vɪgⁿrəs] *adj* 1. (*energetic*) energisch 2. (*flourishing*) kräftig

vile [vaɪl] *adj* 1. (*disgusting*) gemein, niederträchtig 2. (*fam: unpleasant*) abscheulich

village ['vɪlɪʤ] *n* Dorf *nt*

village green *n* Dorfwiese *f*

villager ['vɪlɪʤə'] *n* Dorfbewohner(in) *m(f)*

villain ['vɪlən] *n* Verbrecher(in) *m(f)*

vindictive [vɪn'dɪktɪv] *adj* nachtragend; (*longing for revenge*) rachsüchtig

vine [vaɪn] *n* 1. (*grape plant*) Weinrebe *f* 2. (*climbing plant*) Rankengewächs *nt*

vinegar ['vɪnɪgə'] *n no pl* Essig *m*

V

vinegary ['vɪnɪgᵊri] *adj* **1.** (*of taste*) sauer **2.** (*full of vinegar*) Essig-

vineyard ['vɪnjəd] *n* Weinberg *m*

vintage ['vɪntɪdʒ] **I.** *n* **1.** (*wine*) Jahrgangswein *m* **2.** (*wine year*) Jahrgang *m* **II.** *adj* **1.** FOOD Jahrgangs- **2.** BRIT, AUS AUTO Oldtimer-; ~ **car** Oldtimer *m*

viola¹ [vi'əʊlə] *n* MUS Viola *f*, Bratsche *f*

viola² ['vaɪələ] *n* BOT Veilchen *nt*

violation [ˌvaɪə'leɪʃᵊn] *n* *of rules, the law* Verletzung *f*, Verstoß *m*

violence ['vaɪᵊlᵊn(t)s] *n no pl* Gewalt *f* (**against** gegen); **act of** ~ Gewalttat *f*

violent ['vaɪᵊlᵊnt] *adj* **1.** gewalttätig; *person also* brutal **2.** *attack, protest, pain* heftig

violet ['vaɪələt] **I.** *n* Veilchen *nt;* (*colour*) Violett *nt* **II.** *adj* violett

violin [ˌvaɪə'lɪn] *n* Violine *f*, Geige *f*

violinist [vaɪə'lɪnɪst] *n* Violinist(in) *m(f)*

V.I.P., VIP [ˌviːaɪ'piː] **I.** *n abbrev of* **very important person** Promi *m* *fam* **II.** *adj attr abbrev of* **very important person** *area, tent* VIP-

virgin ['vɜːdʒɪn] **I.** *n* Jungfrau *f* **II.** *adj attr* **1.** (*chaste*) jungfräulich **2.** (*fig: unexplored*) unerforscht; ~ **territory** Neuland *nt*

virgin forest *n* Urwald *m*

Virgo ['vɜːgəʊ] *n no art* ASTROL Jungfrau *f*

virile ['vɪraɪl] *adj* **1.** (*full of sexual energy*) potent **2.** (*energetic*) *voice* kraftvoll

virility [vɪ'rɪləti] *n no pl* **1.** (*sexual vigour*) Potenz *f* **2.** (*vigour*) Kraft *f*

virtual ['vɜːtʃʊəl] *adj* **1.** (*almost certain*) so gut wie, quasi; **to be a** ~ **unknown** praktisch unbekannt sein **2.** COMPUT, PHYS virtuell

virtually ['vɜːtʃʊəli] *adv* **1.** (*almost*) praktisch **2.** COMPUT virtuell

virtuous ['vɜːtʃʊəs, -tju-] *adj* **1.** tugendhaft **2.** (*pej: morally better*) moralisch überlegen

virus ['vaɪ(ə)rəs] *n <pl* -es> **1.** MED Virus *nt* **2.** COMPUT Virus *m*

visa ['viːzə] *n* Visum *nt*

vise *n* AM *see* **vice**

visibility [ˌvɪsə'bɪləti] *n no pl* **1.** (*of view*) Sichtweite *f*; **good** ~ gute Sicht **2.** (*being seen*) Sichtbarkeit *f*

visible ['vɪsəbl] *adj* sichtbar

vision ['vɪʒᵊn] *n* **1.** *no pl* (*sight*) Sehvermögen *nt* **2.** (*mental image*) Vorstellung *f*; ~ **of the future** Zukunftsvision *f*

visit ['vɪzɪt] **I.** *n* **1.** Besuch *m;* **to pay a** ~ **to sb** jdn besuchen; (*for professional purposes*) jdn aufsuchen **2.** AM (*fam: chat*) Plauderei *f* **II.** *vt* besuchen; (*for professional purposes*) aufsuchen **III.** *vi* einen Besuch machen

visiting ['vɪzɪtɪŋ] *adj attr* Gast-; ~ **professor** Gastprofessor

visitor ['vɪzɪtər] *n* Besucher(in) *m(f)*; (*in a hotel*) Gast *m*

visor ['vaɪzər] *n* **1.** Visier *nt* **2.** AM (*brim of cap*) Schild *nt*

visualize ['vɪʒuᵊlaɪz] *vt* **to** ~ **sth 1.** (*imagine*) sich *dat* etw *akk* vorstellen **2.** (*foresee*) etw erwarten

vital ['vaɪtᵊl] *adj* **1.** (*essential*) unerlässlich; **to be of** ~ **importance** von entscheidender Bedeutung sein **2.** (*energetic*) vital, lebendig

vitality [vaɪ'tæləti] *n no pl* (*energy*) Vitalität *f*

vitamin ['vɪtəmɪn] *n* Vitamin *nt*

vitamin deficiency *n no pl* Vitaminmangel *m* **vitamin tablets** *n pl* Vitamintabletten *pl*

vivacious [vɪˈveɪʃes] *adj* (*lively*) lebhaft; (*cheerful*) munter

vivid [ˈvɪvɪd] *adj* 1. *account, description* anschaulich, lebendig 2. (*of mental ability*) lebhaft; **to have ~ memories of sth** sich lebhaft an etw *akk* erinnern können

vocabulary [vəˈ(ʊ)ˈkæbjələri], *fam* **vocab** *n* Vokabular *nt,* Wortschatz *m*

vocal [ˈvəʊkəl] *adj* 1. (*of voice*) stimmlich; *communication* mündlich 2. (*outspoken*) laut; **to be ~** sich freimütig äußern; **to become ~** laut werden

vocalist [ˈvəʊkəlɪst] *n* Sänger(in) *m(f)*

vocation [vəˈ(ʊ)ˈkeɪʃən] *n* 1. (*calling*) Berufung *f;* **to have a ~ for sth** sich zu etw *dat* berufen fühlen 2. *usu sing* (*trade*) Beruf *m*

vocational [vəˈ(ʊ)ˈkeɪʃənəl] *adj* beruflich; **~ training** Berufsausbildung *f*

voice [vɔɪs] I. *n* 1. Stimme *f;* **at the top of one's ~** in voller Lautstärke; **inner ~** innere Stimme 2. (*opinion*) Stimme *f;* **to make one's ~ heard** sich *dat* Gehör verschaffen II. *vt* zum Ausdruck bringen; *complaint* vorbringen; *desire* aussprechen

voice mail *no pl* Voicemail *f fachspr*

void [vɔɪd] I. *n* Leere *f* kein *pl* a. *fig;* (*in building*) Hohlraum *m;* **into the ~** ins Leere II. *adj* (*invalid*) nichtig III. *vt esp* AM (*declare invalid*) aufheben

VoIP *n* TELEC *abbrev of* **Voice over Internet Protocol** Internettelefonie *f*

volatile [ˈvɒlətaɪl] *adj* 1. (*changeable*) unbeständig; (*unstable*) instabil 2. (*explosive*) *situation* explosiv 3. CHEM flüchtig

volcanic [vɒlˈkænɪk] *adj* 1. GEOL vulkanisch, Vulkan- *m* 2. (*fig*) *emotion* aufbrausend

volcano <*pl* -oes> [vɒlˈkeɪnəʊ] *n* Vulkan *m* a. *fig;* (*of emotion*) Pulverfass *nt fig*

vole [vəʊl] *n* Wühlmaus *f*

volition [vəˈ(ʊ)ˈlɪʃən] *n no pl* (*form*) Wille *m*

volley [ˈvɒli] I. *n* 1. (*fig: onslaught*) Flut *f* 2. (*hail*) Hagel *m* 3. TENNIS Volley *m* II. *vi* TENNIS einen Volley schlagen III. *vt* TENNIS **to ~ a ball** einen Ball volley nehmen

volleyball [ˈvɒlibɔːl] *n no pl* Volleyball *m*

volt [vɒlt] *n* Volt *nt*

voltage [ˈvəʊltɪdʒ] *n* Spannung *f;* **high ~** Hochspannung *f*

volume [ˈvɒljuːm] *n* 1. *no pl* (*space*) Volumen *nt* 2. *no pl* (*amount*) Umfang *m* 3. *no pl* (*sound level*) Lautstärke *f* 4. (*book of set*) Band *m*

volume control, volume regulator *n* Lautstärkeregler *m*

voluntary [ˈvɒləntəri] *adj* freiwillig; **~ work for the Red Cross** ehrenamtliche Tätigkeit für das Rote Kreuz

voluntary organization *n +* *sing/pl vb* Freiwilligenorganisation *f*

volunteer [ˌvɒlənˈtɪəʳ] I. *n* 1. (*unpaid worker*) ehrenamtlicher Mitarbeiter/ ehrenamtliche Mitarbeiterin 2. (*willing person*) Freiwillige(r) *f(m)* II. *vt* **to ~ oneself for sth** sich freiwillig zu etw *dat* melden III. *vi* 1. **to ~ to do sth** sich [freiwillig] anbieten, etw zu tun 2. (*join*) **to ~ for the army** sich freiwillig zur Armee melden

vomit [ˈvɒmɪt] I. *vi* [sich] erbrechen II. *vt* **to ~ [up]** ⇆ **sth** etw erbrechen III. *n no pl* Erbrochene(s) *nt*

vote [vəʊt] I. *n* 1. Stimme *f* 2. (*election*) Abstimmung *f;* **to hold a ~** eine

V

Abstimmung durchführen **3.** *no pl*
(*right*) **the ~** das Wahlrecht **II.** *vi*
1. (*elect*) wählen; **to ~ in an elec-**
tion zu einer Wahl gehen **2.** (*formal-*
ly choose) **to ~ on sth** über etw *akk*
abstimmen **III.** *vt* (*elect*) **to ~ sb into**
office jdn ins Amt wählen

voter ['vəʊtər] *n* Wähler(in) *m(f)*

voting ['vəʊtɪŋ] **I.** *adj attr* wahlberechtigt **II.** *n no pl* Wählen *nt*

voting booth *n* Wahlkabine *f* **voting**
box <*pl* -es> *n* Wahlurne *f*

vouch [vaʊtʃ] *vi* **to ~ for sb** sich für jdn
verbürgen; **to ~ that ...** dafür bürgen,
dass ...

voucher ['vaʊtʃər] *n* BRIT, AUS Gutschein
m; **school ~** AM *öffentliche Mittel,*
die in Amerika bereitgestellt werden,
damit Eltern ihre Kinder in Privat-
schulen schicken können

voyage ['vɔɪɪʤ] *n* Reise *f;* (*by sea*) Seereise *f*

vulgar ['vʌlgər] *adj* ordinär, vulgär

vulnerable ['vʌlnərəbl] *adj* verletzlich;
to be ~ to sth anfällig für etw *akk*
sein; **to be ~ to criticism** Kritik ausgesetzt sein; **to feel ~** sich verwund-
bar fühlen

vulture ['vʌltʃər] *n* (*a. fig*) Geier *m a. fig*

W

W <*pl* -'s>, **w** <*pl* -'s> ['dʌblju:] *n* W
nt, w *nt; see also* **A 1**

W¹ *n no pl abbrev of* **West** W

W² <*pl* -> *n abbrev of* **Watt** W

waddle ['wɒdl] **I.** *vi* watscheln **II.** *n*
no pl Watschelgang *m*

wade [weɪd] *vi* waten

wader ['weɪdər] *n* **1.** ORN Watvogel *m*
2. (*boots*) **~s** *pl* Watstiefel *pl*

wafer ['weɪfər] *n* Waffel *f*

waffle¹ ['wɒfl] *vi* (*pej fam*) **to ~ on**
schwafeln

waffle² ['wɒfl] *n* FOOD Waffel *f*

waffle iron *n* Waffeleisen *nt*

wag [wæg] **I.** *vt* <-gg-> **to ~ one's**
finger mit dem Finger drohen; **to ~**
one's tail *dog* mit dem Schwanz wedeln **II.** *n usu sing* Wackeln *nt kein*
pl; of the tail Wedeln *nt kein pl*

wag(g)on ['wægən] *n* **1.** (*cart*) Wagen
m **2.** BRIT, AUS (*for freight*) Wagon *m*

wage [weɪʤ] *n* Lohn *m;* **to get a low**
~ wenig verdienen

wage claim *n* Lohnforderung *f* **wage**
costs *n pl* Lohnkosten *pl* **wage dis-**
pute *n* Lohnstreitigkeit *f* **wage**
earner *n* Lohnempfänger(in) *m(f)*
wage increase *n* Lohnerhöhung *f*

wager ['weɪʤər] **I.** *n* Wette *f* **II.** *vt* **to**
~ that ... wetten, dass ...

waggle ['wægl] **I.** *n* Wackeln *nt kein*
pl **II.** *vt, vi* wackeln

wail [weɪl] (*esp pej*) **I.** *vi* jammern
II. *vt* **to ~ that ...** jammern, dass ...
III. *n* Gejammer *nt kein pl*

wailing ['weɪlɪŋ] *adj* jammernd; **~**
cries Klagegeschrei *nt*

waist [weɪst] *n* Taille *f;* of skirts, trousers Bund *m*

waistband *n* Bund *m* **waistcoat** *n*
BRIT Weste *f* **waist-deep** *adj, adv*
hüfthoch **waistline** *n* Taille *f*

wait [weɪt] **I.** *n no pl* Warten *nt* (**for**
auf) ▶ **to lie in ~** [**for sb**] [jdm] auf-
lauern **II.** *vi* **1.** warten (**for** auf); **~ a**
minute! Moment mal!; **I can't ~** ich
kann's kaum erwarten; **to keep sb**
~ing jdn warten lassen **2.** (*serve*) **to**

~ **on sb** jdn bedienen ◆ **wait about**, **wait around** *vi* warten ◆ **wait behind** *vi* zurückbleiben ◆ **wait in** *vi* zu Hause warten ◆ **wait on** I. *vi* noch länger warten II. *vt* to ~ **on sb** jdn bedienen ◆ **wait out** *vt* aussitzen ◆ **wait up** *vi* 1. (*not go to bed*) to ~ **up for sb** wegen jdm aufbleiben 2. AM (*wait*) ~ **up!** warte mal!

wait-and-see *adj inv* abwartend *attr;* ~ **attitude** abwartende Haltung; ~ **policy** Politik *f* des Abwartens

waiter ['weɪtə'] *n* Bedienung *f,* Kellner *m;* ~! Herr Ober!

waiting ['weɪtɪŋ] *n no pl* 1. die Warterei (**for** auf) 2. BRIT (*parking*) "**no ~**" „Halten verboten" 3. (*service*) Bedienen *nt*

waiting list *n* Warteliste *f* **waiting room** *n* Wartezimmer *nt*

waitress <*pl* -es> ['weɪtrɪs] *n* Kellnerin *f,* Bedienung *f*

wake¹ [weɪk] *n* NAUT Kielwasser *nt;* **in the ~ of sth** (*fig*) infolge einer S. *gen*

wake² [weɪk] *n* (*vigil*) Totenwache *f*

wake³ <woke, woken> [weɪk] I. *vi* aufwachen II. *vt* aufwecken ◆ **wake up** I. *vi* aufwachen *a. fig* II. *vt* (*rouse*) aufwecken ▶ to ~ **the** dead die Toten auferwecken

Wales [weɪlz] *n no pl* Wales *nt*

walk [wɔːk] I. *n* Gehen *nt;* (*as recreation*) Spaziergang *m* II. *vi* (*on foot*) laufen; (*not running*) gehen; (*for recreation*) spazieren gehen III. *vt* dog ausführen; **to ~ sb home** jdn nach Hause bringen ◆ **walk about, walk around** *vi* herumlaufen ◆ **walk away** *vi* to ~ **away with sth** etw spielend gewinnen ◆ **walk back** *vi* zurücklaufen ◆ **walk in** *vi* hereinkommen; **to ~ in on sb** bei jdm he-

reinplatzen *fam* ◆ **walk off** I. *vt* to ~ **off a meal** einen Verdauungsspaziergang machen II. *vi* weggehen ◆ **walk on** *vi* THEAT eine Nebenrolle spielen ◆ **walk out** *vi* (*leave*) gehen; **to ~ out on sb** jdn im Stich lassen ◆ **walk over** *vt* (*fig*) to ~ [**all**] **over sb** jdn ausnutzen [*o bes* SÜDD, ÖSTERR ausnützen] ◆ **walk through** *vt* 1. (*accompany*) **to ~ sb through sth** etw mit jdm durchgehen 2. THEAT **to ~ through sth** etw [ein]üben ◆ **walk up** *vi* 1. (*go up*) hinaufgehen 2. (*approach*) **to ~ up to sb** auf jdn zugehen

walkabout *n esp* BRIT (*fam*) Rundgang *m;* ▶ **to** go ~ (*hum*) person verschwinden

walker ['wɔːkə'] *n* Fußgänger(in) *m(f);* (*for recreation*) Spaziergänger(in) *m(f)*

walkie-talkie [ˌwɔːkiˈtɔːki] *n* [tragbares] Funksprechgerät, Walkie-Talkie *nt*

walking ['wɔːkɪŋ] I. *n no pl* Gehen *nt;* (*as recreation*) Spazierengehen *nt* II. *adj attr* 1. Geh-; **to be within ~ distance** zu Fuß erreichbar sein 2. (*hum fam*) wandelnd; **to be a ~ encyclopaedia** ein wandelndes Lexikon sein

walking shoes *n pl* Wanderschuhe *pl* **walking stick** *n* Spazierstock *m; for old people* Stock *m* **walking tour** *n* (*in town*) [Stadt]rundgang *m*

walkout *n* Arbeitsniederlegung *f;* **to stage a ~** aus Protest die Arbeit niederlegen

walkover *n* (*easy victory*) leichter Sieg, Spaziergang *m fam*

walk-through *n* Probe *f*

walkway *n* [Fuß]weg *m;* **moving ~** Laufband *nt*

W

wall [wɔ:l] *n* **1.** Mauer *f;* (*of a room*) Wand *f;* **city ~** Stadtmauer *f;* **the Berlin W~** (*hist*) die Berliner Mauer *hist* **2.** MED, ANAT Wand *f* **3.** (*barrier*) Mauer *f;* ▶ **~s have** <u>ears</u> (*prov*) die Wände haben Ohren; **to be a** <u>fly</u> **on the ~** Mäuschen spielen

wall bars *n pl* Sprossenwand *f* **wall chart** *n* Schautafel *f* **wall clock** *n* Wanduhr *f*

wallet ['wɒlɪt] *n* Brieftasche *f;* (*for documents*) Dokumentenmappe *f*

wallpaper I. *n* Tapete *f;* **a roll of ~** eine Tapetenrolle; **to put up ~** tapezieren II. *vt* tapezieren **wall socket** *n* [Wand]steckdose *f* **wall-to-wall** *adj inv* **1.** (*covering floor*) **~ carpet** Teppichboden *m,* Spannteppich *m* SCHWEIZ, ÖSTERR **2.** (*fig: continuous*) ständig; **~ coverage** Berichterstattung *f* rund um die Uhr

walnut ['wɔ:lnʌt] *n* Walnuss *f*

walrus <*pl* -> ['wɔ:lrəs] *n* Walross *nt*

waltz [wɒls] I. *n* <*pl* -es> Walzer *m* II. *vi* (*dance*) Walzer tanzen ◆ **waltz about, waltz around** *vi* herumtanzen ◆ **waltz in** *vi* hereintanzen *fam* ◆ **waltz off** *vi* abtanzen *fam*

wand [wɒnd] *n* Zauberstab *m*

wander ['wɒndər] I. *n usu sing* (*fam*) Bummel *m* II. *vi* (*go aimlessly*) umherirren; (*walk slowly*) bummeln

wane [weɪn] *vi* abnehmen; *interest, popularity* schwinden *geh*

wangle ['wæŋgl] *vt* (*fam*) deichseln; **to ~ one's way into sth** sich in etw *akk* [hinein]mogeln

wanna ['wɒnə] (*fam*) = *see* **want to** *see* **want II**

want [wɒnt] I. *n* **1.** (*need*) Bedürfnis *nt;* **to be in ~ of sth** etw benötigen **2.** *no pl* (*lack*) Mangel *m;* **to live in**

~ Not leiden II. *vt* **1.** (*wish*) wünschen, wollen; (*politely*) mögen; **to ~ sb to do sth** wollen, dass jd etw tut; **what do you ~ to eat?** was möchtest du essen? **2.** (*need*) brauchen; **you'll ~ a coat on** du wirst einen Mantel brauchen

wanting ['wɒntɪŋ] *adj pred* **to be ~** fehlen; **to be found to be ~** sich als unzulänglich erweisen

war [wɔ:ʳ] *n* **1.** *no pl* Krieg *m;* **state of ~** Kriegszustand *m;* **at ~** (*a. fig*) im Kriegszustand; **to go to ~** in den Krieg ziehen; **the cold ~** (*hist*) der Kalte Krieg **2.** (*conflict*) Kampf *m*

war correspondent *n* Kriegsberichterstatter(in) *m(f)* **war crime** *n* Kriegsverbrechen *nt* **war criminal** *n* Kriegsverbrecher(in) *m(f)*

ward [wɔ:d] *n* **1.** (*in hospital*) Station *f* **2.** BRIT (*political area*) Wahlbezirk *m* ◆ **ward off** *vt* abwehren

warden ['wɔ:dən] *n* **1.** (*building manager*) [Heim]leiter(in) *m(f)* **2.** (*public official*) **park ~** Parkwächter(in) *m(f);* **traffic ~** BRIT Verkehrspolizist(in) *m(f)*

warder ['wɔ:dəʳ] *n esp* BRIT [Gefängnis]aufseher(in) *m(f)*

wardrobe ['wɔ:drəʊb] *n* **1.** (*cupboard*) [Kleider]schrank *m* **2.** *no pl* (*clothes*) Garderobe *f*

warehouse ['weəhaʊs] *n* Lagerhaus *nt*

warfare ['wɔ:feəʳ] *n no pl* Krieg[s]führung *f*

warhead ['wɔ:hed] *n* Sprengkopf *m*

warm [wɔ:m] I. *adj* **1.** warm **2.** (*affectionate*) warm; *person* warmherzig; *welcome* herzlich II. *vt* wärmen; **to ~ the soup** die Suppe aufwärmen ▶ **to ~ the** <u>heart</u> das Herz erwärmen ◆ **warm up** I. *vi* **1.** *engine, machine*

warm laufen 2. (*limber up*) aufwärmen **II.** *vt engine* warm laufen lassen

warm-blooded *adj* warmblütig **warm front** *n* METEO Warmfront *f* **warm-hearted** *adj* warmherzig

warmth [wɔːmθ] *n no pl* **1.** (*heat*) Wärme *f* **2.** (*affection*) Herzlichkeit *f*

warm-up *n* [Sich]aufwärmen *nt kein pl*

warn [wɔːn] **I.** *vi* warnen **II.** *vt* warnen; **to ~ that ...** darauf hinweisen, dass ...

warning ['wɔːnɪŋ] *n* Warnung *f;* **a word of ~** ein guter Rat

warning light *n* Warnleuchte *f*

warpath *n no pl* **to be on the ~** (*hum fam*) auf dem Kriegspfad sein

warrant ['wɒrᵊnt] **I.** *n* **1.** (*document*) [Vollziehungs]befehl *m;* **arrest ~** Haftbefehl *m;* **search ~** Durchsuchungsbefehl *m* **2.** FIN Bezugsrecht *nt* **II.** *vt* **1.** (*justify*) rechtfertigen **2.** (*form: guarantee*) garantieren

warranty ['wɒrᵊnti] *n* Garantie *f*

warren ['wɒrᵊn] *n* **1.** (*burrows*) Kaninchenbau *m* **2.** (*maze*) Labyrinth *nt*

warrior ['wɒriəʳ] *n* (*usu hist*) Krieger *m*

warship ['wɔːʃɪp] *n* Kriegsschiff *nt*

wart [wɔːt] *n* Warze *f;* **~s and all** (*fig fam*) mit all seinen/ihren Fehlern und Schwächen

warthog ['wɔːthɒg] *n* Warzenschwein *nt*

wartime *n no pl* Kriegszeit[en] *f*[*pl*] **wartorn** *adj usu attr* vom Krieg erschüttert

wary ['weəri] *adj* vorsichtig; **to be ~ about doing sth** etw nur ungern tun; **to be ~ of sb** sich vor jdm in Acht nehmen

war zone *n* Kriegsgebiet *nt*

was [wɒz, wəz] *pt of* **be**

wash [wɒʃ] **I.** *n* <*pl* **-es**> **1.** *usu sing* Waschen *nt kein pl;* **to have a ~** sich waschen **2.** *no pl* (*clothes*) **to be in the ~** in der Wäsche sein **II.** *vt* **1.** (*clean*) waschen; *dishes* abwaschen **2.** *usu passive* (*sweep*) **to be ~ed ashore** an Land gespült werden ◆ **wash away** *vt* wegspülen ◆ **wash down** *vt* **1.** (*swallow*) hinunterspülen **2.** (*clean*) waschen ◆ **wash off I.** *vi* sich abwaschen lassen **II.** *vt* abwaschen ◆ **wash out I.** *vi* sich herauswaschen lassen **II.** *vt* **1.** (*clean inside*) auswaschen **2.** (*remove*) herauswaschen ◆ **wash over** *vi* **1.** (*flow over*) **to ~ over sb** über jdn [hinweg]spülen **2.** (*fig: overcome*) überkommen ◆ **wash up I.** *vi dishes* spülen, abwaschen **II.** *vt sea* anspülen

washable ['wɒʃəbl] *adj* **machine-~** waschmaschinenfest

washbag *n* Kulturbeutel *m* **washbasin** *n* Waschbecken *nt* **wash-bowl** *n* AM (*washbasin*) Waschbecken *nt;* (*bowl*) Waschschüssel *f* **washcloth** *n* AM (*face cloth*) Waschlappen *m* **washday** *n* Waschtag *m*

washed-out [ˌwɒʃt'aʊt] *adj* **1.** *clothes* verwaschen **2.** (*tired*) fertig *fam*

washer ['wɒʃəʳ] *n* **1.** AM (*washing machine*) Waschmaschine *f* **2.** (*ring*) Unterlegscheibe *f*

washing ['wɒʃɪŋ] *n no pl* Wäsche *f;* **to do the ~** [Wäsche] waschen

washing machine *n* Waschmaschine *f* **washing powder** *n* BRIT Waschpulver *nt* **washing-up** *n no pl* BRIT, AUS **to do the ~** spülen, abwaschen **washing-up bowl** *n* BRIT Spülschüssel *f* **washing-up liquid** *n* BRIT Spülmittel *nt*

W

washout *n usu sing* (*fam*) Reinfall *m*
washroom *n* AM (*toilet*) Toilette *f*
wasn't ['wɒzᵊnt] = *see* **was not** *see*
be
wasp [wɒsp] *n* Wespe *f*
waste [weɪst] I. *n* 1. *no pl* (*misuse*)
Verschwendung *f;* ~ **of effort** vergeu-
dete Mühe; ~ **of resources** Vergeudung von Ressourcen *f* 2. *no pl* (*unwanted matter*) Abfall *m;* **to go to** ~
verkommen 3. (*excrement*) Exkre-
mente *pl* II. *vt* verschwenden III. *vi*
▶ ~ **not**, **want** not (*prov*) spare in der
Zeit, dann hast du in der Not
◆ **waste away** *vi* dahinsiechen *geh;*
(*get thinner*) immer dünner werden
wastebasket *n* AM Papierkorb *m*
waste disposal *n no pl* Abfallbesei-
tigung *f*, Müllentsorgung *f* **waste-
disposal unit** *n* Müllschlucker *m*
wasteful ['weɪs(t)fᵊl] *adj* verschwenderisch
wasteland *n* 1. (*neglected land*) un-
bebautes Land 2. (*fig: unproductive
area*) Öde *f* **wastepaper** *n no pl* Pa-
piermüll *m;* (*for recycling*) Altpapier
nt **wastepaper basket**, BRIT, AUS *a.*
wastepaper bin *n* Papierkorb *m*
waste pipe *n* Abflussrohr *nt* **waste
separation** *n no pl* Mülltrennung *f*
wastewater *n* Abwasser *nt*
watch [wɒtʃ] I. *n* 1. (*on wrist*) Armbanduhr *f* 2. *no pl* (*observation*) Wache *f* II. *vt* 1. beobachten; **to** ~ **TV**
fernsehen 2. (*keep vigil*) **to** ~ **sb** auf
jdn aufpassen 3. (*be careful*) ~ **it!** pass
auf! ▶ **to** ~ **one's step** aufpassen
III. *vi* 1. (*look*) zusehen, zuschauen
2. (*be attentive*) aufpassen ◆ **watch
out** *vi* 1. (*keep lookout*) **to** ~ **out
for sb** nach jdm Ausschau halten
2. (*beware of*) ~ **out!** Achtung!

watchdog *n* 1. (*guard dog*) Wachhund *m* 2. (*fig: organization*) Über-
wachungsgremium *nt;* (*state-controlled*) Aufsichtsbehörde *f*
watchful ['wɒtʃfᵊl] *adj* wachsam
watchman *n* Wachmann *m;* **night** ~
Nachtwächter *m*
watchstrap *n esp* BRIT Uhr[arm]band
nt
water ['wɔːtəʳ] I. *n* 1. *no pl* Wasser *nt*
2. (*urine*) **to pass** ~ Wasser lassen
3. (*area of water*) ~**s** *pl* Gewässer
pl ▶ **to keep one's head above** ~
sich über Wasser halten II. *vt* bewässern; *garden* sprengen; *flowers, plants*
gießen III. *vi* 1. (*produce tears*) tränen 2. (*salivate*) **my mouth is
watering** mir läuft das Wasser im
Munde zusammen
water-borne *adj* 1. (*transported*) zu
Wasser befördert 2. (*transmitted*) *disease* durch Trinkwasser übertragen
water bottle *n* Wasserflasche *f*
water butt *n* BRIT Regentonne *f*
water cannon *n* Wasserwerfer *m*
water colour, AM **water color** *n*
1. (*paint*) Aquarellfarbe *f* 2. (*picture*) Aquarell *nt* **water content** *n*
Wassergehalt *m* **water-cooled** *adj*
wassergekühlt **watercress** *n no pl*
BOT Brunnenkresse *f* **waterfall** *n*
Wasserfall *m* **waterfront** *n* Ufer *nt*
water heater *n* Heißwassergerät *nt*
water hole *n* Wasserloch *nt*
watering can *n* Gießkanne *f*
water level *n* 1. (*of surface water*)
Wasserstand *m;* *of river* Pegel[stand]
m 2. (*of groundwater*) Grundwasserspiegel *m* **water lily** *n* Seerose *f*,
Teichrose *f* **water line** *n no pl* NAUT
Wasserlinie *f* **water-logged** *adj boat*,
ship voll gelaufen; *ground* feucht

water main n Haupt[wasser]leitung f **watermelon** n Wassermelone f **water meter** n Wasserzähler m **water pipe** n (*conduit*) Wasserleitung f **water pistol** n Wasserpistole f **water polo** n Wasserball m *kein pl* **water pressure** n Wasserdruck m **waterproof I.** *adj* wasserdicht **II.** n *esp* BRIT (*coat*) Regenmantel m **III.** *vt* wasserundurchlässig machen **water-repellent** *adj* Wasser abweisend

watershed n **1.** Wasserscheide f **2.** (*fig: great change*) Wendepunkt m

water shortage n Wassermangel m *kein pl*

waterside n *no pl* (*beside lake*) Seeufer nt; (*beside river*) Flussufer nt

water-ski I. *vi* Wasserski fahren **II.** n Wasserski m **water softener** n Wasserenthärter m **water-soluble** *adj* wasserlöslich **water supply** n *usu sing* Wasservorrat m **watertable** n Grundwasserspiegel m **water tank** n Wassertank m

watertight ['wɔːtətaɪt] *adj* wasserdicht **waterway** n Wasserstraße f, Schifffahrtsweg m **waterwings** n *pl* Schwimmflügel *pl* **waterworks** n *pl* **1.** (*facility*) Wasserwerk nt **2.** (*fam: in body*) [Harn]blase f; ▸ to <u>turn</u> on the ~ (*pej*) losheulen

watery <more, most> ['wɔːtri] *adj* **1.** (*pej: bland, thin*) drink dünn; soup wässrig **2.** light, sun fahl; smile müde

watt n ELEC, PHYS Watt nt

wattage ['wɒtɪdʒ] n *no pl* ELEC Wattzahl f

wave [weɪv] **I.** n **1.** Welle f **2.** (*fig*) ~ of emotion Gefühlswallung f; ~ of terrorism Terrorwelle f **3.** (*gesture*) Wink m; **to give sb a** ~ jdm [zu]winken **II.** *vi* **1.** winken; **I** ~d at him across the room ich winkte ihm durch den Raum zu **2.** *flag* wehen **III.** *vt* **to** ~ **sb goodbye** jdm zum Abschied [nach]winken; **to** ~ **a magic wand** einen Zauberstab schwingen
◆ **wave aside** *vt* **to** ~ **aside a suggestion** einen Vorschlag abtun ◆ **wave down** *vt* anhalten ◆ **wave on** *vt* **the policeman** ~**d the traffic on** der Polizist winkte den Verkehr durch ◆ **wave through** *vt* durchwinken

wave-band n Wellenbereich m **wavelength** n PHYS Wellenlänge f **wave power** n PHYS Wellenkraft f, Wellenenergie f

wavy ['weɪvi] *adj* wellig; ~ **pattern** Wellenmuster nt

wax[1] [wæks] **I.** n **1.** Wachs nt; (*for shoes*) Schuhcreme f **2.** (*inside ear*) Ohrenschmalz nt **II.** *vt* **1.** (*polish*) wachsen; shoes wichsen **2.** (*remove hair*) enthaaren

wax[2] [wæks] *vi* moon zunehmen

waxwork n Wachsfigur f

way [weɪ] **I.** n **1.** (*road*) Weg m; **one-**~ **street** Einbahnstraße f **2.** (*route*) **on the** ~ **out ...** beim Hinausgehen ...; **I'm on my** ~ **out** ich bin gerade am Gehen; **"W~In/Out"** „Eingang/Ausgang"; **to ask the** ~ nach dem Weg fragen; **to be on the** ~ *letter, baby* unterwegs sein; **to go the wrong** ~ sich verlaufen; (*in car*) sich verfahren; **to lead the** ~ vorausgehen; **to lose one's** ~ sich verirren; **to show sb the** ~ jdm den Weg zeigen **3.** (*fig: be just doing*) **to be [well] on the** ~ **to doing sth** auf dem besten Weg[e] sein, etw zu tun

W

4. (*distance*) Weg *m*, Strecke *f*; **to be a long ~ off** (*in space*) weit entfernt sein; (*in time*) fern sein **5.** (*facing direction*) **"this ~ up"** „hier oben"; **this ~ round** so herum; **to be the wrong ~ up** auf dem Kopf stehen **6.** (*manner*) Art *f*, Weise *f*; **that's just the ~ it is** so ist das nun einmal **7.** (*respect*) Weise *f*, Hinsicht *f*; **in some ~s** in gewisser Hinsicht **8.** *no pl* (*free space*) Weg *m*, Platz *m*; **to be in sb's ~** jdm im Weg sein *a. fig*; **to keep out of the ~** wegbleiben **9.** (*method*) Art *f* [und Weise]; **~s and means** Mittel und Wege ► **by the ~** übrigens **II.** *adv* (*fam: used for emphasis*) weit; **to be ~ past sb's bedtime** (*fam*) für jdn allerhöchste Zeit zum Schlafengehen sein

way out *n* Ausgang *m*
way-out *adj* (*sl*) irre, abgefahren
wayside *n* Straßenrand *m*; **to fall by the ~** (*fig*) auf der Strecke bleiben
we [wiː, wi] *pron pers* **1.** (*1st person plural*) wir; **if you don't hurry up, ~'ll be late** wenn du dich nicht beeilst, kommen wir zu spät **2.** (*speaker/writer for group*) wir; **in this section ~ discuss ...** in diesem Abschnitt besprechen wir .. **3.** (*all people*) wir; **~ all ...** wir alle ...
we'd[1] [wiːd, wid] = *see* **we had** *see* **have**
we'd[2] [wiːd, wid] = *see* **we would** *see* **would**
we'll [wiːl, wil] = *see* **we will** *see* **will**[1]
we're [wiːəʳ] = *see* **we are** *see* **be**
we've [wiːv, wiv] = *see* **we have** *see* **have**
weak [wiːk] *adj* **1.** schwach; *coffee, tea* dünn **2.** (*ineffective*) *leader* unfähig;

argument, attempt schwach
weaken ['wiːkᵊn] **I.** *vi* schwächer werden **II.** *vt* schwächen
weakling ['wiːklɪŋ] *n* (*pej*) Schwächling *m*
weakly ['wiːkli] *adv* **1.** (*without strength*) schwach, kraftlos **2.** (*unconvincingly*) schwach, matt
weakness <*pl* -es> ['wiːknəs] *n* **1.** *no pl* (*physical frailty*) Schwäche *f* **2.** (*area of vulnerability*) Schwachstelle *f*
wealth [welθ] *n no pl* **1.** Reichtum *m* **2.** (*large amount*) Fülle *f*; **to have a ~ of sth** reich an etw *dat* sein
wealthy ['welθi] **I.** *adj* reich, wohlhabend **II.** *n* **the ~** *pl* die Reichen *pl*
weapon ['wepən] *n* (*a. fig*) Waffe *f*; **nuclear ~s** Atomwaffen *pl*
wear [weəʳ] **I.** *n* **1.** (*clothing*) Kleidung *f*; **sports ~** Sport[be]kleidung *f* **2.** (*amount of use*) Gebrauch *m*; **~ and tear** Verschleiß *m* **II.** *vt* <wore, worn> *clothes, glasses* tragen **III.** *vi* <wore, worn> (*get thinner*) *clothes* abtragen; *machine parts* abnutzen ◆ **wear away** *vi* sich abnutzen ◆ **wear down** *vt* zermürben ◆ **wear off** *vi effect* nachlassen ◆ **wear out** **I.** *vi* abnutzen **II.** *vt* erschöpfen
weary ['wɪəri] **I.** *adj* **1.** (*tired*) müde **2.** (*bored*) gelangweilt **II.** *vt* <-ie-> (*liter*) **1.** (*make tired*) ermüden **2.** (*make bored*) langweilen **III.** *vi* <-ie-> **to ~ of sth** von etw *dat* genug haben
weasel ['wiːzᵊl] *n* Wiesel *nt*
weather ['weðəʳ] **I.** *n no pl* METEO Wetter *nt*; (*climate*) Witterung *f*; **in all ~s** bei jedem Wetter ► **to be under the ~** (*fam*) angeschlagen sein **II.** *vi object* verwittern; *person* altern **III.** *vt*

usu passive wood auswittern

weather-beaten *adj face, skin* wettergegerbt; *object* verwittert **weather forecast** *n* Wettervorhersage *f* **weatherman** *n* Wettermann *m fam*

weave [wiːv] **I.** *vt* <wove, woven> **1.** weben **2.** (*a. fig: intertwine things*) **to ~ sth together** etw zusammenflechten **3.** (*a. fig: move*) **to ~ one's way through sth** sich *dat* einen Weg durch etw *akk* bahnen **II.** *vi* <wove, woven> **1.** weben **2.** (*a. fig: move*) sich durchschlängeln

web [web] *n* **1.** Netz *nt;* **to spin a ~** ein Netz spinnen; **a ~ of intrigue** (*fig*) ein Netz von Intrigen *nt* **2.** COMPUT **the ~** das Netz

web-footed [-'fʊtɪd] *adj* mit Schwimmfüßen *nach n*

weblog *n* (*an amateur diary posted on the Internet*) Weblog *nt* **web page** *n* Webseite *f* **website** *n* Website *f* **web surfer** *n* COMPUT Internetsurfer(in) *m(f)* **webzine** ['webziːn] *n* INET Webzine *nt*

wed <wedded *or* wed, wedded> [wed] **I.** *vt* **1.** (*form or dated: marry*) **to ~ sb** jdn ehelichen *veraltend hum* **2.** (*fig: unite*) **to ~ sth and sth** etw mit etw *dat* vereinen **II.** *vi* sich vermählen *geh*

wedded ['wedɪd] **I.** *adj attr* verheiratet, Ehe-; **~ bliss** Eheglück *nt* **II.** *pt, pp of* **wed**

wedding ['wedɪŋ] *n* Hochzeit *f* **wedding anniversary** *n* Hochzeitstag *m* **wedding cake** *n no pl* Hochzeitstorte *f* **wedding day** *n* Hochzeitstag *m* **wedding dress** *n* Brautkleid *nt* **wedding ring** *n* Ehering *m,* Trauring *m*

wedge [wedʒ] **I.** *n* (*tapered block*) Keil

m; ▶ **the thin end of the ~** der Anfang vom Ende **II.** *vt* (*jam into*) einkeilen

Wednesday ['wenzdeɪ] *n* Mittwoch *m; see also* **Tuesday**

wee [wiː] *adj attr* SCOT (*fam*) winzig

weed [wiːd] **I.** *n* **1.** Unkraut *nt kein pl* **2.** *no pl* (*sl: marijuana*) Gras *nt* **II.** *vt* **to ~ the garden** den Garten jäten

weedkiller *n* Unkrautvernichtungsmittel *nt*

weedy ['wiːdi] *adj* **1.** von Unkraut überwachsen **2.** BRIT (*pej fam: of person*) [spindel]dürr

week [wiːk] *n* **1.** (*seven days*) Woche *f;* **for ~s [on end]** wochenlang; **twice a ~** zweimal die Woche **2.** (*work period*) [Arbeits]woche *f*

weekday *n* Wochentag *m;* **on ~s** an Wochentagen, wochentags

weekend *n* Wochenende *nt;* **this ~** (*present*) dieses Wochenende; (*future*) kommendes Wochenende; **at the ~[s]/at ~s** am Wochenende/an Wochenenden

weekly ['wiːkli] **I.** *adj* wöchentlich; **~ magazine** Wochenzeitschrift *f* **II.** *adv* wöchentlich; **to exercise ~** wöchentlich trainieren **III.** *n* (*newspaper*) Wochenzeitung *f*

weep [wiːp] **I.** *vi* <wept, wept> **1.** (*cry*) weinen; (*sob*) schluchzen; **to ~ with joy/sorrow** vor Freude/Kummer weinen **2.** (*secrete liquid*) nässen **II.** *n no pl* (*liter*) Weinen *nt;* **to have a [good] ~** sich [ordentlich] ausweinen

weeping ['wiːpɪŋ] **I.** *adj attr* **1.** (*of person*) weinend **2.** (*of wound*) nässend **II.** *n no pl* Weinen *nt*

wee-wee ['wiːwiː] *n no pl* (*childspeak fam*) Pipi *nt*

W

weigh [weɪ] I. *vi* 1. (*in measurement*) wiegen 2. (*fig: be important*) **to ~ heavily** eine große Bedeutung haben II. *vt* (*measure*) wiegen ◆ **weigh down** *vt* (*to burden*) niederdrücken; **to be ~ed down with sth** schwer mit etw *dat* beladen sein ◆ **weigh out** *vt* abwiegen ◆ **weigh up** *vt* 1. (*consider*) abwägen 2. (*evaluate*) einschätzen

weigh-in *n no pl* SPORTS Wiegen *nt*

weight [weɪt] I. *n no pl* Gewicht; **to lose ~** abnehmen; SPORTS **to lift ~s** Gewicht[e] heben ▶ **to take the ~ off one's feet** es sich *dat* bequem machen II. *vt* **to ~ sth down** etw beschweren

weightless ['weɪtləs] *adj* schwerelos

weightlessness ['weɪtləsnəs] *n no pl* Schwerelosigkeit *f*

weightlifter *n* Gewichtheber(in) *m(f)*

weightlifting *n no pl* Gewichtheben *nt*

weighty ['weɪti] *adj* 1. (*heavy*) schwer 2. (*fig: important*) [ge]wichtig; **~ issues** wichtige Angelegenheiten

weir [weɪər] *n* Wehr *nt*

weird [weɪəd] *adj* (*fam*) seltsam, komisch; **that's ~** das ist aber merkwürdig

weirdo ['wɪədəʊ] *n* <*pl* -os> (*pej fam*) seltsame Person

welcome ['welkəm] I. *vt* willkommen heißen; (*be glad of*) begrüßen II. *n* **to give sb a warm ~** jdm einen herzlichen Empfang bereiten III. *adj* willkommen; **to make sb very ~** jdn sehr freundlich aufnehmen IV. *interj* **~ to Birmingham** [herzlich] willkommen in Birmingham

welcoming ['welkəmɪŋ] *adj* Begrüßungs-; **~ smile** freundliches Lächeln

weld [weld] I. *vt* (*join material*) schweißen; **to ~ sth together** etw zusammenschweißen II. *n* Schweißnaht *f*

welfare ['welfeər] *n no pl* 1. Wohlergehen *nt* 2. (*state aid*) Sozialhilfe *f*; **~ policy** Gesundheits- und Sozialpolitik *f*; **to be on ~** AM von [der] Sozialhilfe leben

welfare services *n pl* 1. (*state support*) Sozialleistungen *pl* 2. + *sing vb* (*office*) Sozialamt *nt* **welfare state** *n* Sozialstaat *m*, Wohlfahrtsstaat *m oft pej* **welfare worker** *n* Sozialarbeiter(in) *m(f)*

well¹ [wel] I. *adj* <better, best> *usu pred* 1. (*healthy*) gesund; **to feel ~** sich gut fühlen; **get ~ soon!** gute Besserung! 2. (*okay*) **all's ~ here** hier ist alles in Ordnung II. *adv* <better, best> 1. gut; **~ done!** gut gemacht!, super! *fam*; **to mean ~** es gut meinen; **to know sb ~** jdn gut kennen 2. (*used for emphasis*) [sehr] wohl; **~ and truly** ganz einfach 3. (*justifiably*) wohl; **you may ~ ask!** das kann man wohl fragen! 4. (*also*) **as ~** auch; (*and*) **... as ~ as ...** sowie III. *interj* also; (*showing hesitation*) tja; **oh ~, it doesn't matter** ach [was], das macht doch nichts IV. *n no pl* **to wish sb ~** jdm alles Gute wünschen

well² [wel] *n* 1. (*for water*) Brunnen *m* 2. (*for mineral*) Schacht *m*; **oil ~** Ölquelle *f*

well-advised *adj pred* (*form*) **to be ~ to do sth** gut beraten sein, etw zu tun **well-balanced** *adj* 1. (*not one-sided*) article, report objektiv 2. (*of food*) diet, meal ausgewogen **well-behaved** *adj* (*of child*) artig; (*of dog*) brav **well-being** *n no pl* Wohl[ergehen] *nt*; **a feeling of ~** ein wohliges Gefühl **well-bred** *adj* wohlerzogen *geh* **well-chosen** *adj* gut gewählt; [to say] a few ~ words ein paar passende Worte [sagen] **well-connected** *adj* to be ~ gute Beziehungen haben; a ~ family eine angesehene Familie **well-deserved** *adj* wohlverdient **well-developed** *adj* gut entwickelt; a ~ sense of humour ein ausgeprägter Sinn für Humor **well-done** *adj* 1. (*of meat*) gut durch[gebraten] 2. (*of work*) gut gemacht **well-dressed** *adj* gut gekleidet **well-earned** *adj* wohlverdient **well-educated** *adj* gebildet **well-fed** *adj* [ausreichend] mit Nahrung versorgt **well-founded** *adj* [wohl]begründet; ~ suspicions [wohl]begründete Vermutungen **well-informed** *adj* gut informiert; to be ~ on a subject über ein Thema gut Bescheid wissen

wellington (**boot**) ['welɪŋtən-] *n esp* BRIT Gummistiefel *m*

well-intentioned *adj* gut gemeint **well-known** *adj* [allgemein] bekannt; (*famous*) berühmt **well-mannered** *adj* wohlerzogen **well-meaning** *adj* wohlmeinend; ~ advice gut gemeinte Ratschläge **well-meant** *adj* gut gemeint **well-off** <better-, best-> 1. (*wealthy*) wohlhabend 2. *pred* (*fortunate*) gut dran *fam;* to not know when one is ~ nicht wissen, wann es einem gut geht **well-organized** *adj* gut organisiert **well-paid** *adj* gut bezahlt **well-placed** *adj* gut platziert; a ~ remark eine an richtiger Stelle gemachte Bemerkung **well-read** *adj* 1. (*knowledgeable*) [sehr] belesen 2. (*frequently read*) viel gelesen *attr* **well-spoken** *adj* (*speaking*

pleasantly) höflich; (*articulate*) beredt **well-thought-of** *adj* (*highly regarded*) angesehen; (*recognized*) anerkannt **well-timed** *adj* zeitlich gut gewählt; his remark was ~ seine Bemerkung kam zur rechten Zeit **well-to-do** (*fam*) *adj* [gut] betucht **well-wisher** *n* Sympathisant(in) *m(f)* **well-worn** *adj clothes* abgetragen; *object* abgenützt

welly ['weli] *n esp* BRIT (*fam*) *short for* **wellington** Gummistiefel *m*

Welsh [welʃ] I. *adj* walisisch II. *n* 1. *no pl* (*Celtic language*) Walisisch *nt* 2. (*inhabitants, people of Wales*) the ~ *pl* die Waliser *pl*

Welshman *n* Waliser *m* **Welshwoman** *n* Waliserin *f*

went [went] *pt of* go

wept [wept] *pt, pp of* weep

were [wɜːʳ, wəʳ] *pt of* be

weren't [wɜːnt] = *see* were not *see* be

west [west] I. *n no pl* 1. (*direction*) W~ Westen *m;* ~-facing westwärts; to be to the ~ of sth westlich von etw *dat* liegen 2. + *sing/pl vb* POL the W~ die westliche Welt II. *adj* westlich; the ~ coast of Ireland die Westküste Irlands; to be due ~ of sth genau westlich von etw *dat* liegen III. *adv* westwärts; to travel ~ nach Westen reisen

westbound *adj* in Richtung Westen

West End I. *n no pl* the ~ das [Londoner] Westend II. *adj attr* (*of central London*) the ~ theatres die Theater *pl* des Londoner Westends

westerly ['westəli] *adj* westlich; ~ winds Westwinde *pl*

western ['westən] I. *adj attr* GEOG West-, westlich; ~ Europe Westeuro-

W

pa *nt* **II.** *n* (*film*) Western *m*

westerner ['westənəʳ] *n* POL Abendländer(in) *m(f)*

westernize ['westənaɪz] **I.** *vt* verwestlichen **II.** *vi* sich dem Westen anpassen

westward(s) ['wes(t)wəd(z)] *adj* westlich; *road* nach Westen

wet [wet] **I.** *adj* <-tt-> nass; (*moist*) feucht; *weather* regnerisch; "**~ paint!**" „frisch gestrichen!" **II.** *vt* <-tt-, wet, wet> (*moisten*) anfeuchten; (*saturate*) nass machen **III.** *n* **1.** *no pl* (*rain*) **the ~** die Nässe **2.** *no pl* (*liquid*) Flüssigkeit *f*

wet shave *n* Nassrasur *f*

whale [(h)weɪl] *n* Wal *m;* ▶ **to have a ~ of a** <u>time</u> eine großartige Zeit haben

whaling ['(h)weɪlɪŋ] *n* *no pl* Walfang *m*

wharf <*pl* wharves> [(h)wɔ:f] *n* Kai *m*

what [(h)wɒt] **I.** *pron* **1.** *interrog* (*asking for specific information*) was; **~ is your name?** wie heißt du?; **~ are you looking for?** wonach suchst du?; **~ is sb like?** wie ist jd?; **~ if ...?** was ist, wenn ...?; **so ~?** (*fam*) na und? **2.** *rel* was; **~'s more ...** darüber hinaus ...; **you'll never guess ~ ...** du wirst es nie erraten ... **II.** *adj* **1.** (*which*) welche(r, s); **~ time is it?** wie spät ist es?; **~ sort of** was für ein[e] **2.** (*emphasis*) was für; **~ luck!** was für ein Glück!; **~ a pity!** wie schade! **III.** *adv* was; **~ does it matter?** was macht's? *fam* **IV.** *interj* (*fam: pardon?*) **~? I can't hear you** was? ich höre dich nicht

whatever [(h)wɒt'evəʳ] **I.** *pron* **1.** (*anything that*) was [auch immer]; **I eat ~ I want** ich esse, was ich will; **~ that means** was auch immer das heißen

soll **2.** (*fam*) wie du willst; **I'll bring red wine then — sure, ~** ich hole also Rotwein — ja, ist mir recht **3.** *rel* was auch immer, egal was; **~ happens** was auch passieren mag **II.** *adj* **1.** (*any*) was auch immer; **take ~ action is needed** mach, was auch immer nötig ist **2.** (*regardless of*) gleichgültig welche(r, s); **we'll go ~ the weather** wir fahren bei jedem Wetter **III.** *adv* *with neg* (*whatsoever*) überhaupt; **there is no evidence ~ to show that ...** es gibt keinerlei Beweis dafür, dass ...

whatsoever [ˌ(h)wɒtsəʊ'evəʳ] *adv* überhaupt; **I have no idea ~** ich habe nicht die leiseste Idee

wheat [(h)wi:t] *n* *no pl* Weizen *m*

wheatgerm *n* *no pl* Weizenkeim *m*

wheel [wi:l] **I.** *n* **1.** Rad *nt;* **rear ~** Hinterrad *nt* **2.** (*for steering*) Steuer *nt;* **to be at the ~** am Steuer sitzen **3.** (*fam*) **~s** *pl* fahrbarer Untersatz *hum* **II.** *vt* **to ~ sth** etw rollen

wheelbarrow *n* Schubkarre *f* **wheelchair** *n* Rollstuhl *m* **wheel clamp** **I.** *n* *esp* BRIT, AUS Parkkralle *f* **II.** *vt* **to ~ a car** ein Auto mit einer Parkkralle festsetzen

wheelie bin *n* BRIT, AUS Mülltonne *f* mit Rollen

wheeling ['(h)wi:lɪŋ] *n* *no pl* ▶ **~ and** <u>dealing</u> (*pej fam*) Mauschelei *f*

wheeze [(h)wi:z] **I.** *vi* keuchen **II.** *n* Keuchen *nt kein pl*

when [(h)wen] **I.** *adv* **1.** *interrog* wann; **~ do you want to go?** wann möchtest du gehen?; **do you know ~ he'll be back?** weißt du, wann er zurückkommt?; **since ~ ...?** seit wann ...? **2.** *rel* wenn; (*at which, on which*) wo; **there are times ~ ...** es gibt Momente, wo ... **II.** *conj* **1.** (*at, during the time*) als; **I loved that film ~ I was a child** als Kind liebte ich diesen Film **2.** (*after*) wenn; **call me ~ you've finished** ruf mich an, wenn du fertig bist **3.** (*whenever*) wenn; **I hate it ~ there's no one in the office** ich hasse es, wenn niemand im Büro ist **4.** (*and just then*) als; **I was just getting into the bath ~ the telephone rang** ich stieg gerade in die Badewanne, als das Telefon läutete

whenever [(h)wen'evə^r] **I.** *conj* wann auch immer; (*every time*) jedes Mal, wenn ...; **I blush ~ I think about it** ich werde immer rot, wenn ich daran denke **II.** *adv* **1.** wann auch immer; **~ possible** wenn möglich **2.** *interrog* wann denn [nur]; **~ am I going to be finished with all this work?** wann werde ich je mit dieser ganzen Arbeit fertig sein?

where [(h)weə^r] *adv* **1.** *interrog* wo; **~ does he live?** wo wohnt er?; **~ are you going?** wohin gehst du? **2.** *rel* wo; **this is ~ I live** hier wohne ich

whereabouts I. *n* ['(h)weərəbaʊts] + *sing/pl vb, no pl* Aufenthaltsort *m* **II.** *adv* [‚(h)weərə'baʊts] (*fam*) wo [genau]; **~ in Manchester do you live?** wo genau in Manchester wohnst du?

whereas [(h)weə'ræz] *conj* **1.** (*in contrast to*) während, wo[hin]gegen **2.** (*considering that*) in Anbetracht dessen, dass ...

whereby [(h)weə^r'baɪ] *conj* (*form*) wodurch, womit

wherein [(h)weə'rɪn] *conj* (*old form: in which*) worin

whereupon [‚(h)weərə'pɒn] *conj* (*form*) worauf[hin]

wherever [(h)weə'revə^r] **I.** *conj* wohin auch immer; (*in all places*) wo auch immer; **~ you look there are pictures** wohin du auch schaust, überall sind Bilder **II.** *adv* **1.** (*in every case*) wann immer; **~ possible** wenn möglich **2.** *interrog* wo [nur]; **~ did you get that idea!** wie bist du nur auf diese Idee gekommen!

whet <-tt-> [(h)wet] *vt* (*stimulate*) **to ~ sb's appetite [for sth]** jdm Appetit [auf etw *akk*] machen

whether ['(h)weðə^r] *conj* **1.** (*if*) ob; **to ask ~** fragen, ob **2.** (*no difference if*) **~ you like it or not** ob es dir [nun] gefällt oder nicht

which [(h)wɪtʃ] **I.** *pron* **1.** *interrog* welche(r, s); **~ [one] is mine?** welches gehört mir? **2.** *rel* (*with defining clause*) der/die/das; (*with non-defining clause*) was; **at/upon ~** ... woraufhin ... **II.** *adj* **1.** *interrog* welche (r, s); **~ doctor did you see?** bei welchem Arzt warst du? **2.** *rel* der/die/das; **it might be made of plastic, in ~ case you could probably carry it** es könnte aus Plastik sein – in dem Fall könntest du es wahrscheinlich tragen

whichever [(h)wɪtʃ'evə^r] **I.** *pron* wer/was auch immer; **which bar would you prefer to meet in? — ~, it doesn't matter to me** in welcher Bar sollen wir uns treffen? — wo du willst – mir ist es egal **II.** *adj attr* **1.** (*any one*) **choose ~ brand you prefer** wähle die Marke, die du lieber hast **2.** (*regardless of which*) egal welche(r, s); **~ way** wie auch immer

while [(h)waɪl] **I.** *n no pl* Weile *f*; **a ~ ago** vor einer Weile; **in a ~** in Kürze; **to be worth [the] ~** die Mühe wert sein **II.** *conj* **1.** (*during which time*) während **2.** (*although*) obwohl; **~ I fully understand your point of view, ...** wenn ich Ihren Standpunkt auch vollkommen verstehe, ...

whim [(h)wɪm] *n* Laune *f;* **to indulge sb's every ~** jds Launen ertragen

whimper ['(h)wɪmpə'] **I.** *vi* (*of person*) wimmern; (*of dog*) winseln **II.** *n* (*of person*) Wimmern *nt kein pl;* (*of dog*) Winseln *nt kein pl*

whine [(h)waɪn] **I.** *vi* jammern **II.** *n usu sing* Jammern *nt kein pl*

whinge [(h)wɪnʤ] **I.** *n usu sing* Gejammer *nt pej fam* **II.** *vi* BRIT, AUS (*pej fam*) meckern

whip [(h)wɪp] **I.** *n* Peitsche *f* **II.** *vt* <-pp-> **1.** (*hit*) [mit der Peitsche] schlagen; *a horse* die Peitsche geben **2.** *cream, egg whites* schlagen ◆ **whip out** *vt* **to ~ out ⇆ sth** (*take out quickly*) *credit card* etw zücken ◆ **whip up** *vt* (*excite*) **to ~ up support** Unterstützung finden

whiplash *n* **1.** (*blow*) Peitschenhieb *m* **2.** *no pl* MED (*injury to neck*) ~ [injury] Schleudertrauma *nt*

whipped cream, whipping cream *n no pl* Schlagsahne *f*, Schlagobers *nt* ÖSTERR, Nidel *m o f* SCHWEIZ

whip-round *n* BRIT (*fam*) **to have a ~** [for sb] [für jdn] sammeln

whirlpool ['(h)wɜ:lpu:l] *n* (*pool*) Whirlpool *m;* (*in river, sea*) Strudel *m* **whirlwind** ['(h)wɜ:lwɪnd] *n* METEO Wirbelwind *m*

whisk [(h)wɪsk] **I.** *n* (*kitchen tool*) Schneebesen *m;* **electric ~** [elektrisches] Rührgerät **II.** *vt cream, egg whites* schlagen

whisker ['(h)wɪskə'] *n* **1.** *usu pl* (*of animal*) Schnurrhaar[e] *nt[pl]* **2.** ~s *pl*

(*beard*) Bartstoppeln *pl* ▶ **by a ~** um Haaresbreite

whisky, *esp* AM, IRISH **whiskey** ['(h)wɪski] *n no pl* Whisk[e]y *m*

whisper ['(h)wɪspə'] **I.** *vi, vt* flüstern **II.** *n* Flüstern *nt kein pl*, Geflüster *nt*

whistle ['(h)wɪsl] **I.** *vi* pfeifen; **to ~ at sb** hinter jdm herpfeifen **II.** *vt* pfeifen **III.** *n* **1.** *no pl* (*sound*) *also of wind* Pfeifen *nt* **2.** (*device*) Pfeife *f*

white [(h)waɪt] **I.** *n* **1.** *no pl* (*colour*) Weiß *nt* **2.** *of egg* Eiweiß *nt* **II.** *adj* (*colour*) weiß; *coffee* mit Milch; **black and ~** schwarz-weiß

Whitehall *n* **1.** (*offices of Britain's government*) Whitehall **2.** (*fig: government of Britain*) Whitehall **white horse** *n* **1.** ZOOL Schimmel *m* **2.** BRIT ~s *pl* Schaumkronen *pl* **White House** *n no pl* **the ~** das Weiße Haus **white lie** *n* Notlüge *f*

whiten ['(h)waɪtən] **I.** *vt* weiß machen; *shoe, wall* weißen ÖSTERR, SCHWEIZ, SÜDD **II.** *vi* weiß werden

white-out *n* **1.** (*blizzard*) [starker] Schneesturm **2.** *no pl* AM, AUS (*for erasing*) Tipp-Ex® *nt* **whitewash I.** *n* **1.** *no pl* (*solution*) Tünche *f* **2.** (*pej: coverup*) Schönfärberei *f* **II.** *vt* **1.** *walls* tünchen **2.** (*pej, fig: conceal*) schönfärben **whitewater rafting** *n no pl* Wildwasserfahren *nt* **white wine** *n* Weißwein *m*

Whit Monday *n* Pfingstmontag *m*

Whitsun ['(h)wɪtsən] *n* Pfingsten *nt;* **at ~** an Pfingsten

Whit Sunday *n* Pfingstsonntag *m*

whiz(z) kid *n* Wunderkind *nt,* Genie *nt oft hum*

who [hu:] *pron* **1.** *interrog* (*which person*) wer; (*whom*) wem *in dat*, wen *in akk;* **~ did this?** wer war das?;

~ **knows?** wer weiß?; ~ **do you want to talk to?** mit wem möchten Sie sprechen? **2.** *rel (with defining clause)* der/die/das; **I think it was your dad ~ phoned** ich glaube, das war dein Vater, der angerufen hat

who'll [huːl] = *see* **who will** *see* **who**

who's [huːz] = *see* **who is, who has** *see* **who**

whoa [(h)wəʊ] *interj (command to stop horse)* brr, hoo

whodun(n)it [ˌhuːˈdʌnɪt] *n (fam)* Krimi *m*

whoever [huːˈevər] *pron* **1.** *rel* wer auch immer; **come out, ~ you are** kommen Sie heraus, wer auch immer Sie sind **2.** *interrog (who on earth)* wer; ~ **told you that?** wer hat dir das erzählt?

whole [həʊl] **I.** *adj* **1.** *(entire)* ganz, gesamt; **the ~** [**wide**] **world** die ganze [weite] Welt **2.** *(in one piece)* ganz, heil; *(intact)* intakt **II.** *n* **1.** *(entire thing)* **a ~** ein Ganzes *nt* **2.** *(in total)* **as a ~** als Ganzes [betrachtet] **III.** *adv* ganz; **a ~ new approach** ein ganz neuer Ansatz

wholefood *n no pl* BRIT Vollwertkost *f*

wholefood shop *n* BRIT Reformhaus *nt*

whole-hearted [-ˈhɑːtɪd] *adj* **1.** *(sincere)* aufrichtig; *(cordial)* herzlich **2.** *(committed)* engagiert, rückhaltlos

wholemeal I. *n* BRIT Vollkornmehl *nt* **II.** *adj inv* BRIT Vollkorn-; ~ **bread** Vollkornbrot *nt*

wholesale [ˈhəʊlseɪl] *adj* **1.** *attr* ~ **business** Großhandel *m* **2.** *(usu pej: on large scale)* Massen-

wholesaler [ˈhəʊlseɪlər] *n* Großhändler(in) *m(f)*

wholesome [ˈhəʊlsəm] *adj (promoting well-being)* wohltuend; *(healthy)* gesund

wholly [ˈhəʊl(l)i] *adv* ganz, völlig

whom [huːm] *pron (form)* **1.** *interrog, after vb or prep* wem *dat,* wen *akk;* **to ~ do you wish to speak?** mit wem möchten Sie sprechen? **2.** *rel* der/die/das; **all of ~ ...** alle, die ...

whooping cough *n no pl* Keuchhusten *m*

whoops [(h)wʊps] *interj (fam)* hoppla; ~ **a daisy** *(childspeak)* hopsala

whopper [ˈ(h)wɒpər] *n (hum fam: huge thing)* Apparat *m sl;* **that's a ~ of a fish** das ist ja ein Riesenfisch

whopping [ˈ(h)wɒpɪŋ] *(fam) adj* saftig; **a ~ lie** eine faustdicke Lüge

whore [hɔːr] *n (pej)* Nutte *f sl*

whose [huːz] **I.** *adj* **1.** *(in questions)* wessen; ~ **round is it?** wer ist dran? **2.** *(indicating possession)* dessen; **she's the woman ~ car I crashed into** sie ist die Frau, in deren Auto ich gefahren bin **II.** *pron poss, interrog* wessen; ~ **is this bag?** wessen Tasche ist das?

why [(h)waɪ] *adv* warum; ~ **did he say that?** warum hat er das gesagt?; *(for that reason)* **the reason ~ I ...** der Grund, warum ich ...

wick [wɪk] *n* Docht *m*

wicked [ˈwɪkɪd] **I.** *adj* **1.** *(evil)* böse **2.** *(sl: excellent)* saugut **II.** *n pl* **the ~** die Bösen *pl*

wicker [ˈwɪkər, AM -ɚ] **I.** *n no pl* Korbgeflecht *nt;* *(rattan)* Rattan *nt* **II.** *n modifier ((furniture))* Korb-; ~ **basket** Weidenkorb *m*

wicket [ˈwɪkɪt] *n* BRIT **1.** *(target in cricket)* Tor *nt,* Wicket *nt fachspr* **2.** *(area in cricket)* Spielbahn *f*

wicket-keeper *n* BRIT Torwächter(in)

W

m(f), Goalie *m* SCHWEIZ

wide [waɪd] **I.** *adj* **1.** breit; (*consider-able*) enorm, beträchtlich **2.** *after n* (*with a width of*) breit; **the swimming pool is 5 metres ~** der Swimmingpool ist 5 Meter breit **3.** (*varied*) breit gefächert; **a ~ range of goods** ein großes Sortiment an Waren **II.** *adv* weit; **~ open** weit geöffnet

wide-angle (**lens**) *n* PHOT Weitwinkelobjektiv *nt*

wide-awake *adj* hellwach **wide-eyed** *adj* mit großen Augen *nach n;* (*fig*) blauäugig

widely ['waɪdli] *adv* breit; (*extensively*) weit; **~ accepted** weithin akzeptiert

widen ['waɪdᵊn] *vt* (*make broader*) verbreitern; (*make wider*) erweitern

wide-open *adj* **1.** (*undecided*) völlig offen **2.** (*vulnerable, exposed*) anfällig; **to be ~ to comments** der Kritik schutzlos ausgeliefert sein **widespread** *adj* weit verbreitet; **there is ~ speculation that ...** es wird weithin spekuliert, dass ...

widow ['wɪdəʊ] **I.** *n* (*woman*) Witwe *f* **II.** *vt usu passive* **to be ~ed** zur Witwe/zum Witwer werden

widow's allowance *n* Witwenunterstützung *f* **widow's pension** *n* Witwenrente *f*

widowed ['wɪdəʊd] *adj* verwitwet

widower ['wɪdəʊəʳ] *n* Witwer *m*

width [wɪtθ] *n* **1.** *no pl* (*measurement*) Breite *f;* *of clothes* Weite *f* **2.** *no pl* (*fig: scope, range*) Größe *f*

wield [wiːld] *vt* **to ~ sth** *tool, weapon* etw schwingen

wife <*pl* wives> [waɪf] *n* [Ehe]frau *f*, Gattin *f form o hum*

wig [wɪg] *n* Perücke *f*

wiggle ['wɪgl] **I.** *vt, vi* wackeln **II.** *n* (*movement*) Wackeln *nt kein pl;* **she walks with a sexy ~** sie hat einen sexy Gang *fam*

wild [waɪld] **I.** *adj* **1.** wild; *cat, duck, goose* Wild- **2.** *country, landscape* rau, wild; **~ flowers** wild wachsende Blumen **3.** (*uncontrolled*) unbändig; *hair, lifestyle* wirr **4.** (*stormy*) *wind, weather* stürmisch **5.** (*excited*) wild, ungezügelt; (*angry*) wütend; **in ~ rage** in blinder Wut **II.** *adv* wild; **to run ~** *child, person* sich *dat* selbst überlassen sein; *animals* frei herumlaufen **III.** *n* (*natural environment*) **the ~** die Wildnis

wild boar *n* ZOOL Wildschwein *nt*

wilderness <*pl* -es> ['wɪldənəs] *n usu no pl* Wildnis *f*

wildfire *n no pl* Lauffeuer *nt;* **to spread like ~** (*fig*) sich wie ein Lauffeuer verbreiten **wild goose** <- geese> *n* Wildgans *f* **wild-goose chase** *n* (*hopeless search*) aussichtslose Suche; (*pointless venture*) fruchtloses Unterfangen

wildlife I. *n no pl* [natürliche] Tier- und Pflanzenwelt **II.** *adj club, photography* Natur-; **~ reserve** Wildreservat *nt*

wildly ['waɪldli] *adv* **1.** wild; (*boisterously*) unbändig; **to behave ~** sich wie wild aufführen *fam* **2.** (*haphazardly*) ungezielt **3.** (*fam: extremely*) äußerst; **~ exaggerated** maßlos übertrieben

wilful ['wɪlfᵊl] *adj* **1.** *usu attr* (*deliberate*) bewusst, absichtlich **2.** (*self-willed*) eigensinnig

will¹ <would, would> [wɪl] *aux vb* **1.** (*in future tense*) werden; **do you think he ~ come?** glaubst du, dass er kommt? **2.** (*with tag question*) **you**

won't forget to tell him, ~ you? du vergisst aber nicht, es ihm zu sagen, oder? **3.** (*expressing intention*) werden; I ~ **always love you** ich werde dich immer lieben **4.** (*expressing facts*) **fruit ~ keep longer in the fridge** Obst hält sich im Kühlschrank länger

will² [wɪl] I. *n* **1.** *no pl* (*faculty*) Wille *m;* **strength of ~** Willensstärke *f* **2.** *no pl* (*desire*) Wille *m* **3.** LAW letzter Wille, Testament *nt;* ▶ **with the best ~ in the** world beim besten Willen II. *vt* **to ~ sb to do sth** jdn [durch Willenskraft] dazu bringen, etw zu tun

willing [ˈwɪlɪŋ] I. *adj* **1.** *pred* (*not opposed*) bereit, gewillt *geh;* **to be ~ to do sth** bereit sein, etw zu tun **2.** (*enthusiastic*) willig; **~ hands** bereitwillige Hilfe II. *n no pl* BRIT **to show ~** [seinen] guten Willen zeigen

willingly [ˈwɪlɪŋli] *adv* **1.** (*gladly*) gern[e] **2.** (*voluntarily*) freiwillig

willingness [ˈwɪlɪŋnəs] *n no pl* (*readiness*) Bereitschaft *f*

willow [ˈwɪləʊ] *n* BOT Weide *f*

willpower *n no pl* Willenskraft *f*

wilt¹ [wɪlt] *vi* **1.** (*droop*) *plants* [ver]welken **2.** (*lose energy*) *person* schlappmachen *fam*

wilt² [wɪlt, ᵊlt] (*old*) *2nd pers sing of* **will**

win [wɪn] I. *vt* <won, won> gewinnen; **to ~ a victory** einen Sieg erringen; **to ~ sb's approval** jds Anerkennung finden II. *vi* <won, won> gewinnen; **to ~ hands down** (*fam*) spielend gewinnen III. *n* Sieg *m;* **away ~** Auswärtssieg *m* ◆ **win back** *vt* etw ◆ **win over** *vt* (*persuade*) überzeugen; (*gain support*) jdn für sich gewinnen

◆ **win through** *vi* [letztlich] Erfolg haben

wince [wɪn(t)s] I. *n* Zusammenzucken *nt* II. *vi* zusammenzucken

wind¹ [wɪnd] I. *n* **1.** (*current of air*) Wind *m;* **gust of ~** Windböe *f* **2.** *no pl* (*breath*) Atem *m* **3.** *no pl* (*flatulence*) Blähungen *pl* **4.** MUS **the ~s** die [Blech]bläser, innen *m, fpl* II. *vt* (*knock breath out*) **to ~ sb** jdm den Atem nehmen

wind² [waɪnd] I. *vt* <wound, wound> **1.** *a clock, watch* aufziehen **2.** (*turn*) winden, kurbeln II. *vi* <wound, wound> *stream, road* sich schlängeln ◆ **wind down** I. *vt* **1.** (*lower*) *a car window* herunterkurbeln **2.** (*gradually reduce*) zurückschrauben; *a business* auflösen II. *vi* **1.** (*become less active*) ruhiger werden **2.** (*cease*) auslaufen ◆ **wind up** I. *vt* **1.** (*raise*) hochziehen **2.** TECH aufziehen **3.** BRIT (*fam*) **to ~ up ⇆ sb** (*tease*) jdn aufziehen II. *vi* **1.** (*fam: end up*) enden; **to ~ up in prison** im Gefängnis landen **2.** (*bring to an end*) schließen

windbreak *n* Windschutz *m* **wind energy** *n no pl* Windenergie *f*

windfall *n* **1.** (*fruit*) **~s** *pl* Fallobst *nt kein pl* **2.** (*money*) warmer [Geld]regen *fam*

wind farm *n* Windpark *m*

winding [ˈwaɪndɪŋ] I. *adj* *path, river* gewunden; *road* kurvenreich II. *n* **1.** *no pl* (*of course*) Windung *f* **2.** ELEC (*coils*) Wicklung *f*

wind instrument *n* Blasinstrument *nt* **windmill** *n* **1.** (*for grinding*) Windmühle *f* **2.** (*wind turbine*) Windrad *nt*

window [ˈwɪndəʊ] *n* **1.** (*in building*) *a.* COMPUT Fenster *nt;* **French ~** Veran-

W

datür *f* **2.** (*of shop*) Schaufenster *nt* **3.** (*of vehicle*) [Fenster]scheibe *f*
window box *n* Blumenkasten *m* **window cleaner** *n* **1.** (*person*) Fensterputzer(in) *m(f)* **2.** *no pl* (*detergent*) Glasreiniger *m* **window frame** *n* Fensterrahmen *m* **window pane** *n* Fensterscheibe *f* **window-shopping** *n no pl* Schaufensterbummel *m* **window sill** *n* (*inside*) Fensterbank *f;* (*outside*) Fenstersims *m o nt*
wind power *n no pl* **1.** (*force of wind*) Windkraft *f* **2.** ECOL Windenergie *f*
windscreen *n* BRIT, AUS Windschutzscheibe *f*
windscreen wiper *n* BRIT, AUS Scheibenwischer *m*
windshield *n* AM (*windscreen*) Windschutzscheibe *f*
windsurfer ['wɪn(d)ˌsɜːfəʳ] *n* Windsurfer(in) *m(f)*
windsurfing ['wɪn(d)ˌsɜːfɪŋ] *n no pl* Windsurfen *nt*
wind tunnel *n* Windkanal *m*
windward ['wɪn(d)wəd] NAUT I. *adj, adv* windwärts II. *n* Windseite *f*
windy ['wɪndi] *adj* **1.** METEO windig; a ~ **street** eine zugige Straße **2.** (*of digestion*) blähend
wine [waɪn] I. *n* Wein *m;* red ~ Rotwein *m* II. *vt* **to ~ and dine sb** jdn fürstlich bewirten III. *vi* **to ~ and dine** fürstlich essen
wine cooler *n* Weinkühler *m* **wine glass** *n* Weinglas *nt* **wine list** *n* Weinkarte *f*
winery ['waɪnᵊri, AM -ə·i] *n esp* AM Weinkellerei *f*
wine tasting *n* Weinprobe *f* **wine waiter** *n* BRIT Weinkellner(in) *m(f)*
wing [wɪŋ] *n* **1.** ZOOL *of bird* Flügel *m*

2. AVIAT Tragfläche *f* **3.** ARCHIT *of building* Flügel *m* **4.** FBALL Flügel *m;* **to play right** ~ rechts Außen spielen
winger ['wɪŋəʳ] *n* FBALL (*on the left wing*) Linksaußen *m*
wing nut *n* Flügelmutter *f*
wingspan *n* Flügelspannweite *f*
wink [wɪŋk] I. *vi* zwinkern; **to ~ at sb** jdm zuzwinkern II. *vt* **to ~ one's eye** [mit den Augen] zwinkern III. *n* [Augen]zwinkern *nt;* **to give sb a ~** jdm zuzwinkern ▶ **to not <u>sleep</u> a ~** kein Auge zutun
winner ['wɪnəʳ] *n* **1.** (*sb that wins*) Gewinner(in) *m(f);* (*in competition*) Sieger(in) *m(f)* **2.** SPORTS (*fam: goal*) Siegestor *nt*
winning ['wɪnɪŋ] I. *adj attr* (*that wins*) Gewinn-; (*in competition*) Sieger-; **to be on a ~ streak** eine Glückssträhne haben II. *n* ~s *pl* Gewinn *m*
wint(e)ry ['wɪntri] *adj* **1.** (*typical of winter*) winterlich **2.** (*fig: unfriendly*) *greeting, smile* frostig
winter ['wɪntəʳ] I. *n* Winter *m;* **in** [the] ~ im Winter II. *vi animals* überwintern; *person* den Winter verbringen
winter sports *n pl* Wintersport *m kein pl*
wipe [waɪp] I. *vt* **1.** (*clean*) abwischen; *feet* abtreten **2.** (*dry*) *hands, dishes* abtrocknen **3.** (*erase*) *cassette, disk* löschen II. *vi* BRIT, AUS abtrocknen III. *n* **1.** (*act of cleaning*) Wischen *nt* **2.** (*tissue*) Reinigungstuch *nt* ◆ **wipe down** *vt* abwischen; (*with water*) abwaschen ◆ **wipe off** *vt* **1.** (*clean*) wegwischen; *from hand, shoes, surface* abwischen **2.** (*erase*) löschen ◆ **wipe out** I. *vt* **1.** (*clean inside of*) auswischen **2.** (*destroy*) auslöschen; *disease* ausrotten II. *vi esp*

AM, AUS (*fam: have accident*) einen Unfall bauen ◆ **wipe up** I. *vt* aufwischen; (*dry*) abtrocknen II. *vi* abtrocknen

wiper ['waɪpəʳ] *n* AUTO [Scheiben]wischer *m*

wiper blade *n* Wischerblatt *nt*

wire ['waɪəʳ] I. *n* 1. *no pl* Draht *m* 2. ELEC Leitung *f*; ► **to be a** <u>live</u> ~ (*fam*) ein Energiebündel sein II. *vt* 1. **to** ~ **sth to sth** etw mit Draht an etw *akk* binden 2. ELEC mit elektrischen Leitungen versehen 3. *esp* AM **to** ~ **sb money** jdm telegrafisch Geld überweisen III. *vi* telegrafieren

wireless ['waɪələs] I. *n* <*pl* -es> BRIT (*dated*) 1. (*set*) Radioapparat *m* 2. *no pl* (*radio*) **on the** ~ im Rundfunk II. *adj* (*lacking wire*) drahtlos; (*radio*) Funk-, Radio-

wirelessly *adv* COMPUT, INET drahtlos

wireless networking *n* COMPUT drahtlose Vernetzung

wiretapping [-ˌtæpɪŋ] *n no pl* Abhören *nt* von Telefonleitungen **wire transfer** *n* AM telegrafische Geldüberweisung

wiring ['waɪərɪŋ] *n no pl* ELEC 1. (*system of wires*) elektrische Leitungen *pl* 2. (*electrical installation*) Stromverlegen *nt*

wiring diagram *n* Schaltplan *m*

wisdom ['wɪzdəm] *n no pl* (*good judgement*) Weisheit *f*; (*sensibleness*) Klugheit *f*

wisdom tooth *n* Weisheitszahn *m*

wise [waɪz] I. *adj* 1. weise *geh*, klug; (*sensible*) vernünftig; ~ **words** weise Worte; **a** ~ **choice** eine gute Wahl 2. *pred* (*fam: aware*) **to get** ~ **to sb** jdn durchschauen II. *n* **the** ~ *pl* die Weisen *pl* ◆ **wise up** *vi esp* AM (*fam*)

to ~ **up** aufwachen *fig;* **to** ~ **up to sb** jdn durchschauen; **to** ~ **up to sth** etw spitzkriegen

wise guy *n* (*pej fam*) Klugschwätzer *m*

wish [wɪʃ] I. *n* <*pl* -es> 1. Wunsch *m*, Verlangen *nt*; **to have a** ~ sich *dat* etwas wünschen; **to make a** ~ sich *dat* etwas wünschen 2. (*regards*) ~**es** *pl* Grüße *pl*; **with best** ~**es** mit den besten Wünschen; (*at end of letter*) mit herzlichen Grüßen II. *vt* 1. wünschen; **to** ~ [**that**] ... sich *dat* wünschen, dass ...; **I** ~ **you were here** ich wünschte, du wärst hier 2. (*express greetings*) **to** ~ **sb happy birthday** jdm zum Geburtstag gratulieren III. *vi* 1. (*want*) wollen, wünschen; [**just**] **as you** ~ [ganz] wie Sie wünschen 2. (*make a wish*) **to** ~ **for sth** sich *dat* etw wünschen

wishful ['wɪʃfəl] *adj* 1. (*desirous*) sehnsuchtsvoll 2. (*fanciful*) traumverloren

wish list *n* Wunschliste *f*

wisp [wɪsp] *n* (*small bundle*) Büschel *nt*; ~**s of cloud** Wolkenfetzen *pl*

wispy ['wɪspi] *adj* dünn; *person* schmächtig

wistful ['wɪs(t)fəl] *adj note, smile* wehmütig; *glance, look* sehnsüchtig

wit [wɪt] *n* 1. *no pl* (*humour*) Witz *m*; **dry** ~ trockener Humor 2. *no pl* (*intelligence*) Verstand *m* 3. (*practical intelligence*) ~**s** *pl* geistige Fähigkeiten; **to be at one's** ~**s'** **end** mit seiner Weisheit am Ende sein

witch <*pl* -es> [wɪtʃ] *n* Hexe *f*

witchcraft *n no pl* Hexerei *f* **witch doctor** *n* Medizinmann *m* **witch-hunt** *n* Hexenjagd *f*

with [wɪθ] *prep* 1. mit +*dat*; ~ **friends** mit Freunden; **to talk** ~ **sb** mit jdm

W

reden; ~ **a look of surprise** mit einem erstaunten Gesichtsausdruck; ~ **that ...** [und] damit ...; ~ **the current** mit der Strömung; **she paints ~ watercolours** sie malt mit Wasserfarben **2.** (*in a state of*) vor +*dat;* **she was shaking ~ rage** sie zitterte vor Wut **3.** (*in company of*) bei +*dat;* **to stay ~ relatives** bei Verwandten übernachten

withdraw <-drew, -drawn> [wɪðˈdrɔː] I. *vt* 1. (*remove*) herausziehen; **to ~ one's hand** seine Hand zurückziehen **2.** (*from bank account*) abheben **3.** *coins, notes, stamps* aus Verkehr ziehen II. *vi* 1. (*retreat*) MIL *a.* sich zurückziehen **2.** (*fig: become incommunicative*) sich zurückziehen

withdrawal [wɪðˈdrɔːˀl] *n* **1.** FIN [Geld]abhebung *f* **2.** MIL Rückzug *m* **3.** *no pl* (*taking back*) Zurücknehmen *nt;* (*cancel*) Zurückziehen *nt; from a contract* Rücktritt *m* **4.** *no pl from drugs* Entzug *m*

withdrawal symptoms *n pl* Entzugserscheinungen *pl*

wither [ˈwɪðəʳ] *vi* **1.** (*of plants*) verdorren **2.** *person* verfallen; **to ~ with age** mit dem Alter an Vitalität verlieren

withering [ˈwɪðrɪŋ] I. *adj* **1.** (*destructive*) *fire* verzehrend *geh* **2.** (*contemptuous*) *look* vernichtend II. *n no pl* (*becoming shrivelled*) Verdorren *nt*

withhold <-held, -held> [wɪθˈhəʊld] *vt* (*not give*) zurückhalten; **to ~ sth from sb** jdm etw *akk* vorenthalten

within [wɪˈðɪn] I. *prep* innerhalb +*gen;* ~ **the EU** innerhalb der EU; ~ **reach** in Reichweite; ~ **hours** innerhalb von Stunden II. *adv* innen; **from ~** von innen [heraus]

without [wɪˈðaʊt] *prep* ohne +*akk;* ~ **a dime** ohne einen Pfennig; ~ **warning** ohne [Vor]warnung

withstand <-stood, -stood> [wɪðˈstænd, wɪθ-] *vt* **to ~ sb/sth** jdm/ etw standhalten; **to ~ temptation** der Versuchung widerstehen

witness [ˈwɪtnəs] I. *n <pl -es>* Zeuge, Zeugin *m, f* (**to** +*gen*); ~ [**to a marriage**] Trauzeuge, -zeugin *m, f* II. *vt* **1.** (*see*) beobachten; **to ~ sb doing sth** sehen, wie jd etw tut **2.** (*attest*) bestätigen; **to ~ a will** ein Testament als Zeuge/Zeugin unterschreiben

witness box, *esp* AM **witness stand** *n* Zeugenstand *m kein pl*

witty [ˈwɪti] *adj* (*clever*) geistreich; (*funny*) witzig

wives [waɪvz] *n pl of* **wife**

wizard [ˈwɪzəd] *n* **1.** (*magician*) Zauberer *m* **2.** (*expert*) Genie *nt oft hum;* **computer ~** Computergenie *nt*

WMD [ˌdʌbljuːemˈdiː] *n abbrev of* **weapons of mass destruction** Massenvernichtungswaffen *pl*

wobble [ˈwɒbl] I. *vi* **1.** (*move*) wackeln; *wheel* eiern *fam; jelly, fat* schwabbeln *fam* **2.** (*tremble*) zittern II. *vt* rütteln III. *n usu sing* Wackeln *nt kein pl*

wobbly [ˈwɒbli] *adj* **1.** (*unsteady*) wack[e]lig; **I've got a ~ tooth** bei mir wackelt ein Zahn **2.** (*wavering*) zittrig

wok [wɒk] *n* Wok *m*

woke [wəʊk] *vt, vi pt of* **wake**

woken [ˈwəʊkˀn] *vt, vi pp of* **wake**

wolf *n <pl wolves>* [wʊlf] Wolf *m;* ▶ **to cry ~** blinden Alarm schlagen

woman [ˈwʊmən] I. *n <pl women>* **1.** (*female*) Frau *f* **2.** (*fam: used as*

term of address) Weib *pej* **II.** *adj*
weiblich; ~ **police officer** Polizistin *f*
womb [wuːm] *n* Mutterleib *m;* MED
Gebärmutter *f*
women ['wɪmɪn] *n pl of* **woman**
women's centre *n* Frauenzentrum *nt*
women's lib [-'lɪb] *n* (*dated fam*)
short for **women's liberation** Fraue-
n[rechts]bewegung *f*
won [wʌn] *vt, vi pt, pp of* **win**
won't [wəʊnt] = *see* **will not** *see*
will[1]
wonder ['wʌndər] **I.** *vt* **1.** (*ask oneself*)
sich fragen; **it makes you ~ why**
they ... man fragt sich [schon], warum
sie ... **2.** (*feel surprise*) **to ~ that ...**
überrascht sein, dass ... **II.** *vi* **1.** (*ask
oneself*) sich fragen; **to ~ about sb**
sich Gedanken über jdn machen
2. (*feel surprise*) **to ~ at sb** sich über
jdn wundern **III.** *n* **1.** *no pl* (*feeling*)
Staunen *nt,* Verwunderung *f* **2.** (*mar-
vel*) Wunder *nt;* **no ~ ...** kein Wunder, dass ...
wonder drug *n* Wundermittel *nt*
wonderful ['wʌndəfˀl] *adj* wunderbar
wonderland *n* Wunderland *nt*
wonky ['wɒŋki] *adj* BRIT, AUS (*fam*)
1. (*unsteady*) wack[e]lig *a. fig* **2.** (*askew*) schief
woo [wuː] *vt* (*attract*) **to ~ custo-
mers/voters** Kunden/Wähler umwerben
wood [wʊd] *n* **1.** *no pl* Holz *nt;* **block
of ~** Holzklotz *m* **2.** (*forest*) **~s** *pl*
Wald *m;* ▶ **touch ~!** unberufen!
wooded ['wʊdɪd] *adj* bewaldet; **~
area** Waldgebiet *nt*
wooden ['wʊdˀn] *adj* **1.** (*made of
wood*) Holz-, hölzern, aus Holz
2. (*fig, pej: stiff*) *movements* hölzern
woodland *n* ~ Wald *m* **woodpecker**

n Specht *m* **woodpile** *n* Holzstoß *m*
woodshed **I.** *n* Holzschuppen *m*
II. *vi* <-dd-> AM (*fam*) intensiv üben
woodwind *n* MUS **1.** (*instrument*)
Holzblasinstrument *nt* **2.** + *sing/pl*
vb **the ~** (*orchestra section*) die Holz-
bläser *pl* **woodwork** *n no pl*
1. (*parts of building*) Holzwerk *nt*
2. BRIT (*carpentry*) Tischlern *nt*
woodworm <*pl* -> *n* **1.** (*larva*) Holzwurm *m* **2.** *no pl* (*damage*) Wurm-
fraß *m*
woody ['wʊdi] *adj* **1.** HORT holzig,
Holz- **2.** FOOD holzig **3.** (*wooded*) bewaldet
wool [wʊl] *n no pl* Wolle *f;* **ball of ~**
Wollknäuel *nt*
woolen *adj* AM *see* **woollen**
woollen ['wʊlən] *adj* wollen, aus Wolle; **~ dress** Wollkleid *nt*
woolly ['wʊli] *adj* **1.** Woll-, wollen
2. (*vague*) verschwommen
Worcester sauce [ˌwʊstərˈsɔːs-], AM,
AUS **Worcestershire sauce**
[ˌwʊstəfərˈsɔːs-] *n* Worcestersoße *f*
word [wɜːd] **I.** *n* **1.** Wort *nt;* **in other
~s** mit anderen Worten; **in a ~** um es
kurz zu sagen **2.** *no pl* (*short conversation*) [kurzes] Gespräch; (*formal*)
Unterredung *f;* **to have a ~ with sb
[about sth]** mit jdm [über etw *akk*]
sprechen **3.** *no pl* (*news*) Nachricht
f; (*message*) Mitteilung *f* **4.** *no pl* (*order*) Kommando *nt;* **to give the ~**
den Befehl geben **5.** (*remark*) Bemerkung *f;* **~ of warning** Warnung *f*
6. *no pl* (*promise*) Wort *nt,* Versprechen *nt;* **to go keep one's ~** sein
Wort halten **7.** (*lyrics*) **~s** *pl* Text *m*
II. *vt* **to ~ sth** etw formulieren
wording ['wɜːdɪŋ] *n no pl* **1.** (*words
used*) Formulierung *f* **2.** (*manner of*

W

expression) Formulieren *nt*

word order *n no pl* Wortstellung *f*

word-perfect *adj pred* textsicher

word processor *n* **1.** (*computer*) Textverarbeitungssystem *nt* **2.** (*program*) Textverarbeitungsprogramm *nt*

wordy ['wɜːdi] *adj* (*pej*) langatmig, weitschweifig

wore [wɔːʳ] *vt, vi pt of* **wear**

work [wɜːk] **I.** *n* **1.** *no pl* Arbeit *f;* **to be at** ~ bei der Arbeit sein **2.** (*construction, repairs*) ~s *pl* Arbeiten *pl;* **road** ~s Straßenarbeiten *pl* **3.** ART, LIT, MUS Werk *nt* **II.** *vi* **1.** arbeiten; **to** ~ **like a slave** AM, AUS (*fam*) wie ein Tier schuften; **to** ~ **at/on sth** an etw *dat* arbeiten **2.** (*have an effect*) sich auswirken; **to** ~ **in sb's favour** sich zu jds Gunsten auswirken **3.** (*function*) funktionieren; **my cell phone doesn't** ~ mein Handy geht nicht **III.** *vt* **1.** arbeiten; **to** ~ **oneself to death** (*fam*) sich zu Tode arbeiten **2.** (*operate*) *machine* bedienen; *equipment* betätigen **3.** (*move*) **to** ~ **one's way up** sich hocharbeiten; **to** ~ **sth free** etw losbekommen ◆ **work away** *vi* vor sich hinarbeiten ◆ **work in** *vt* (*mix in, rub in*) einarbeiten; *food* hineingeben ◆ **work off** *vt* **1.** (*counter effects of*) abarbeiten; **to** ~ **off stress** Stress abbauen **2.** (*pay by working*) *a debt, a loan* abtragen ◆ **work out I.** *vt* **1.** (*calculate*) errechnen, ausrechnen **2.** (*develop*) ausarbeiten; **to** ~ **out a solution** eine Lösung erarbeiten **3.** (*understand*) verstehen **II.** *vi* **1.** (*amount to*) **to** ~ **out cheaper** billiger kommen **2.** (*develop*) sich entwickeln; (*progress*) laufen *fam;* **to** ~ **out well** gut laufen *fam* **3.** (*do exer-*

cise) trainieren ◆ **work over** *vt* (*fam*) **to** ~ **over** ⇆ **sb** jdn zusammenschlagen *fam* ◆ **work round** *vi* (*fam: approach cautiously*) **what are you** ~**ing round to?** worauf willst du hinaus? ◆ **work up I.** *vt* **1.** (*generate*) **to** ~ **up courage** sich *dat* Mut machen **2.** (*upset, make angry*) **to** ~ **oneself up** sich aufregen **3.** (*develop*) **to** ~ **up a sweat** ins Schwitzen kommen **II.** *vi* (*progress to*) **to** ~ **up to sth** sich zu etw *dat* hocharbeiten

workaholic [ˌwɜːkəˈhɒlɪk] *n* (*fam*) Arbeitssüchtige(r) *f(m)*, Arbeitstier *nt fig, oft pej*

workbench *n* Werkbank *f* **workday** *n* AM, AUS **1.** (*time at work*) Arbeitstag *m* **2.** (*not holiday*) Werktag *m*

worker ['wɜːkəʳ] *n* Arbeiter(in) *m(f);* **blue-collar** ~ [Fabrik]arbeiter(in) *m(f);* **white-collar** ~ [Büro]angestellte(r) *f(m)*

work ethic *n* Arbeitsethos *nt* **workforce** *n* + *sing/pl vb* Belegschaft *f*, Betriebspersonal *nt*

working ['wɜːkɪŋ] **I.** *adj attr* **1.** (*pertaining to work*) Arbeits-; ~ **conditions** Arbeitsbedingungen *pl* **2.** (*employed*) berufstätig **3.** (*functioning*) funktionierend *attr* **II.** *n no pl* (*activity*) Arbeiten *nt*, Arbeit *f*

working-class *adj* der Arbeiterklasse *nach n*

workload *n* Arbeitspensum *nt kein pl*

workman *n* **1.** (*craftsman*) Handwerker *m* **2.** (*worker*) Arbeiter *m*

workmanlike *adj* **1.** (*skilful*) fachmännisch **2.** (*pej: sufficient*) annehmbar

workmanship ['wɜːkmənʃɪp] *n no pl* Verarbeitung[sgüte] *f;* **fine** ~ feine Verarbeitung

work of art *n* Kunstwerk *nt*

workout *n* SPORTS Training *nt*
work permit *n* Arbeitserlaubnis *f*, Arbeitsgenehmigung *f* **workplace** *n* Arbeitsplatz *m* **works committee**, **works council** *n* Betriebsrat *m* **workshop** *n* 1. (*room*) Werkstatt *f* 2. (*meeting*) Workshop *m* **workstation** *n* 1. COMPUT Workstation *f* *fachspr* 2. (*work area*) Arbeitsplatz *m* **worktop** *n* BRIT Arbeitsfläche *f*

world [wɜːld] *n* 1. *no pl* (*earth*) **the ~** die Welt, die Erde 2. (*planet*) Welt *f* 3. (*society*) **the ancient ~** die antike Welt ▶ **to be ~s apart** Welten auseinanderliegen; **not for [all] the ~** nie im Leben

World Bank *n no pl* **the ~** die Weltbank **World Cup** *n* 1. (*competition*) Weltmeisterschaft *f;* (*in soccer*) Fußballweltmeisterschaft *f* 2. (*trophy*) Worldcup *m,* Weltpokal *m* **world-famous** *adj* weltberühmt

worldly [ˈwɜːldli] *adj attr* (*physical*) weltlich; **~ goods** materielle Güter

world record *n* Weltrekord *m* **world war** *n* Weltkrieg *m;* **W~ W~ II** 2. Weltkrieg *m*

worldwide [ˌwɜːldˈwaɪd] I. *adj* weltweit; **of ~ reputation** von Weltruf II. *adv* weltweit; **to travel ~** die ganze Welt bereisen

worm [wɜːm] I. *n* Wurm *m* II. *vt* (*wriggle*) **to ~ one's way through the crowd** sich *dat* seinen Weg durch die Menge bahnen

worn [wɔːn] I. *vt, vi pp of* **wear** II. *adj* (*damaged*) abgenutzt; *carpet* abgetreten

worn out *pred*, **worn-out** *adj attr* 1. (*exhausted*) *person* erschöpft 2. (*damaged*) *clothes* verschlissen

worried [ˈwʌrɪd] *adj* beunruhigt, besorgt; **to be ~ about sb** sich *dat* um jdn Sorgen machen

worry [ˈwʌri] I. *vi* <-ie-> sich *dat* Sorgen machen (**about** um) ▶ **not to ~!** (*fam*) keine Sorge! II. *vt* <-ie-> 1. (*cause worry*) beunruhigen 2. (*bother*) stören III. *n* 1. *no pl* (*state of anxiety*) Sorge *f,* Besorgnis *f* 2. (*source of anxiety*) Sorge *f*

worrying [ˈwʌriɪŋ] *adj* Besorgnis erregend, beunruhigend

worse [wɜːs] I. *adj comp of see* **bad** schlechter; (*more difficult, unpleasant*) schlimmer II. *adv comp of see* **bad badly** 1. (*less well*) schlechter 2. (*to introduce statement*) **even ~, ...** was noch schlimmer ist, ...

worsen [ˈwɜːsən] I. *vi* sich verschlechtern II. *vt* verschlechtern

worship [ˈwɜːʃɪp] I. *n no pl* 1. (*homage*) Verehrung *f; act of* **~** Anbetung *f* 2. (*religious service*) Gottesdienst *m* II. *vt* <-pp-> 1. (*revere*) **to ~ a deity** einer Gottheit huldigen *geh* 2. (*adore*) vergöttern 3. (*be obsessed with*) besessen sein III. *vi* <-pp-> beten

worst [wɜːst] I. *adj* 1. *superl of* **bad** 2. **the ~ ...** der/die/das schlechteste ...; (*most dangerous*) der/die/das übelste(r, s) ...; der/die/das schlimmste(r, s) ...; (*least advantageous*) der/die/das ungünstigste(r, s) ... II. *adv superl of see* **badly** 1. (*least well*) am schlechtesten 2. (*most severely*) am schlimmsten III. *n no pl* **the ~** der/die/das Schlimmste

worth [wɜːθ] I. *adj pred* wert; **to be ~ a try** einen Versuch wert sein ▶ **to be [well] ~ it** die Mühe wert sein II. *n*

W

no pl Wert *m;* **of comparable ~** von vergleichbarem Wert

worthless ['wɜːθləs] *adj* wertlos *a. fig*

worthwhile [ˌwɜːθˈ(h)waɪl] *adj* lohnend; **to be ~** sich lohnen

worthy ['wɜːði] *adj* 1. (*form: estimable*) würdig; **~ principles** achtbare Prinzipien 2. (*meriting*) **~ of praise** lobenswert

would [wʊd] *aux vb* 1. (*in indirect speech*) **they promised that they ~ help** sie versprachen zu helfen 2. (*to express condition*) **what ~ you do if ...?** was würdest du tun, wenn ...? 3. (*to express inclination*) **sb ~ rather/sooner do sth** jd würde lieber etw tun 4. (*polite question*) **~ you like some cake?** hätten Sie gern ein Stück Kuchen?

would-be I. *adj attr* Möchtegern- *pej* II. *n* Möchtegern *m pej*

wouldn't ['wʊdⁿnt] = *see* **would not** *see* **would**

wound¹ [wuːnd] I. *n* 1. (*injury*) Wunde *f;* **gunshot ~** Schussverletzung *f* 2. (*fig*) PSYCH Wunde *f,* Kränkung *f* II. *vt* 1. (*physically*) verletzen, verwunden 2. (*fig*) PSYCH kränken

wound² [waʊnd] *vt, vi pt, pp of* **wind**

wounded ['wuːndɪd] I. *adj* 1. (*physically*) verletzt, verwundet 2. (*fig*) PSYCH gekränkt, verletzt II. *n* **the ~ pl** die Verletzten *pl;* MIL die Verwundeten *pl*

woven ['wəʊvⁿn] I. *vt, vi pp of* **weave** II. *adj* 1. (*on loom*) gewebt; **~ fabric** Gewebe *nt* 2. (*intertwined*) *basketwork, wreath* geflochten

wow [waʊ] (*fam*) I. *interj* wow *sl,* toll! *fam* II. *vt* **to ~ sb** jdn hinreißen

wow factor *n* (*fam*) Überraschungseffekt *m*

wrap [ræp] I. *n* 1. FASHION Umhang *m;* (*stole*) Stola *f* 2. *no pl* (*packaging*) Verpackung *f* 3. FOOD [Tortilla]wrap *m* II. *vt* <-pp-> 1. (*cover*) einpacken; *in paper* einwickeln 2. (*draw round*) **to ~ sth around sb** etw um jdn wickeln 3. COMPUT **to ~ text/words** Texte/Wörter umbrechen III. *vi* <-pp-> 1. COMPUT umbrechen 2. FILM (*fam*) die Dreharbeiten beenden ◆ **wrap up** *vt* 1. (*completely cover*) einwickeln 2. (*dress warmly*) warm einpacken 3. (*conclude*) abschließen

wrapper ['ræpəʳ] *n* 1. (*packaging*) Verpackung *f* 2. (*for book*) [Schutz]umschlag *m* 3. AM (*robe*) Umhang *m*

wrapping paper *n no pl* (*for present*) Geschenkpapier *nt;* (*for package*) Packpapier *nt*

wreath [riːθ] *n* Kranz *m*

wreck [rek] I. *n* 1. (*boat*) [Schiffs]wrack *nt* 2. (*vehicle*) Wrack *nt* 3. (*disorganized remains*) Trümmerhaufen *m,* Ruine *f* 4. (*person*) **to be a nervous ~** ein nervliches Wrack sein II. *vt* 1. *ship* **to be ~ed** Schiffbruch erleiden 2. (*destroy*) zerstören 3. (*fig: spoil*) ruinieren; *chances, hopes plans* zunichtemachen

wreckage ['rekɪʤ] *n no pl* Wrackteile *pl,* Trümmer *pl a. fig*

wren [ren] *n* Zaunkönig *m*

wrench [ren(t)ʃ] I. *n* <*pl* -es> 1. (*spanner*) Schraubenschlüssel *m* 2. *usu sing* (*twisting*) Ruck *m* 3. *usu sing* (*fig: pain caused by a departure*) Trennungsschmerz *m* II. *vt* 1. (*twist*) **to ~ sth from sb** jdm etw entreißen *a. fig;* **to ~ off** abreißen; **to ~ free** losreißen 2. (*injure*) *a muscle* zerren

wrestle ['resl] I. *vi* 1. SPORTS ringen 2. (*fig: struggle*) to ~ with sth mit etw *dat* ringen II. *vt* SPORTS ringen III. *n* (*fig: struggle*) Ringen *nt kein pl*

wrestler ['reslər] *n* Ringer(in) *m(f)*

wrestling ['reslɪŋ] *n no pl* Ringen *nt*

wretched ['retʃɪd] *adj* 1. (*unhappy*) unglücklich; to feel ~ sich elend fühlen 2. (*very bad*) schlimm; *state, condition* jämmerlich 3. (*to express anger*) verflixt

wriggle ['rɪgl] I. *vi* 1. (*twist and turn*) sich winden; to ~ free [of sth] sich [aus etw *dat*] herauswinden 2. (*move*) schlängeln ▶ to ~ off the hook (*fam*) sich herausreden II. *vt* 1. ~ one's toes in the sand die Zehen in den Sand graben III. *n usu sing* Schlängeln *nt*

wring <wrung, wrung> [rɪŋ] I. *n usu sing* [Aus]wringen *nt* II. *vt* 1. (*twist*) auswringen 2. (*break*) to ~ sb's neck (*a. fig*) jdm den Hals umdrehen

wrinkle ['rɪŋkl] I. *n* (*in the face*) Falte *f*; (*in a material*) Knitterfalte *f* II. *vt* zerknittern ▶ to ~ one's brow die Stirn runzeln III. *vi face, skin* Falten bekommen; *material* zerknittern

wrinkled ['rɪŋkld] *adj face, skin* faltig; *clothes* zerknittert

wrinkle-free *adj* knitterfrei

wrinkly ['rɪŋkli] I. *adj clothes* zerknittert; *face, skin* faltig, runzlig; *fruit* schrumpelig, verschrumpelt II. *n* BRIT, AUS (*pej or hum sl*) Grufti *m pej o hum sl*

wrist [rɪst] *n* ANAT Handgelenk *nt*

wristband *n* 1. (*strap*) Armband *nt* 2. (*absorbent material*) Schweißband *nt*

wristwatch *n* Armbanduhr *f*

write <wrote, written> [raɪt] I. *vt* 1. schreiben; *a cheque, a prescription* ausstellen 2. COMPUT to ~ sth to sth etw auf etw *dat* speichern II. *vi* 1. schreiben; to know how to read and ~ Lesen und Schreiben können 2. COMPUT speichern ◆ **write away** *vi* to ~ away for sth etw [schriftlich] anfordern ◆ **write back** *vt, vi* zurückschreiben ◆ **write down** *vt* aufschreiben ◆ **write in** *vt* (*put in*) to ~ in ⇆ sth (*in text*) etw einfügen; (*in form*) etw eintragen ◆ **write off** I. *vi* to ~ off for sth etw [schriftlich] anfordern II. *vt* 1. (*dismiss*) abschreiben *fam* 2. FIN *an asset, a debt* abschreiben ◆ **write out** *vt* 1. (*remove*) streichen 2. (*write in full*) ausschreiben ◆ **write up** *vt* 1. *an article, notes* ausarbeiten 2. (*critique*) to ~ up a concert eine Kritik zu einem Konzert schreiben

write-off *n* 1. BRIT (*vehicle*) to be a complete ~ ein absoluter Totalschaden sein 2. (*worthless person*) Versager(in) *m(f)*; (*worthless event*) Reinfall *m* 3. FIN Abschreibung *f*

writer ['raɪtər] *n* 1. (*person who writes*) Verfasser(in) *m(f)* 2. (*author*) Autor(in) *m(f)*; sports ~ Sportreporter(in) *m(f)*

writer-in-residence *n* <*pl* -s-in-residence> *Schriftsteller, der Gast an einer Universität oder einer anderen Institution ist und evt. dort Workshops veranstaltet*

write-up *n of play, film* Kritik *f; of book also* Rezension *f*

writing ['raɪtɪŋ] *n no pl* 1. (*skill*) Schreiben *nt*; in ~ schriftlich 2. (*occupation*) Schriftstellerei *f* 3. (*literature*) Literatur *f*

W

writing desk *n* Schreibtisch *m* **writing paper** *n no pl* Schreibpapier *nt*

written ['rɪtᵊn] I. *vt, vi pp of* **write** II. *adj* schriftlich; **the ~ word** das geschriebene Wort

wrong [rɒŋ] I. *adj* 1. falsch; **it's all ~** das ist völlig verkehrt 2. *pred* (*amiss*) **is there anything ~?** stimmt etwas nicht? 3. (*morally reprehensible*) verwerflich *geh;* **it was ~ of her to ...** es war nicht richtig von ihr, ... II. *adv* 1. falsch; **to spell sth ~** etw falsch buchstabieren 2. (*morally reprehensible*) falsch 3. (*amiss*) **to go ~** schiefgehen *fam* III. *n no pl* (*moral reprehensibility*) **to know right from ~** richtig und falsch unterscheiden können

wrongful ['rɒŋfᵊl] *adj* unrechtmäßig

wrongly ['rɒŋli] *adv* fälschlicherweise; (*incorrectly*) falsch; **to ~ convict sb of a crime** jdn zu Unrecht verurteilen

wrote [rəʊt] *vt, vi pt of* **write**

wrung [rʌŋ] *vt pt, pp of* **wring**

wry <-ier, -iest> [raɪ] *adj usu attr comments, humour* trocken; *smile* bitter

WWW [ˌdʌbljuːdʌbljuːˈdʌbljuː] *n no pl abbrev of* **World Wide Web** WWW *nt*

X

X <*pl* -s>, **x** <*pl* -'s> [eks] *n* X *nt*, x *nt;* *see also* **A 1**

x [eks] I. *vt* AM **to ~** [out] [aus]streichen II. *n* 1. MATH x *nt;* **x-axis** x-Achse *f* 2. (*symbol for kiss*) Kusssymbol, *z.B. am Briefende*

xenophobia [ˌzenə(ʊ)ˈfəʊbiə] *n no pl* Fremdenhass *m*

Xmas ['krɪs(t)məs, 'eksməs] (*fam*) I. *n* <*pl* -es> *short for* **Christmas** Weihnachten *nt* II. *adj* Weihnachts-

X-ray ['eksreɪ] I. *n* 1. (*radiation*) Röntgenstrahl[en] *m[pl]* 2. (*examination*) Röntgenuntersuchung *f;* **to go for an ~** sich röntgen lassen II. *vt* röntgen

xylophone ['zaɪləfəʊn] *n* Xylophon *nt*

Y

Y <*pl* -s>, **y** <*pl* -'s> [waɪ] *n* Y *nt*, y *nt; see also* **A 1**

y [waɪ] *n* MATH y *nt;* **y-axis** y-Achse *f*

yacht [jɒt] *n* Jacht *f*

yachting ['jɒtɪŋ] *n no pl* Segeln *nt*

yak <-kk-> [jæk] *vi* (*sl*) quasseln

yank [jæŋk] (*fam*) I. *n* Ruck *m* II. *vt* **to ~ sth** an etw *dat* [ruckartig] ziehen III. *vi* **to ~** [**on sth**] [an etw *dat*] zerren ◆ **yank out** *vt* herausreißen; *tooth* ziehen

Yank [jæŋk] *n* (*fam*) Ami *m*

yap [jæp] I. *vi* <-pp-> *dog* kläffen; (*pej fam*) *person* quasseln II. *n no pl* Kläffen *nt*

yard¹ [jɑːd] *n* (*3 feet*) Yard *nt* (*= 0,914 m*); **a list a ~ long** (*fig*) eine ellenlange Liste

yard² [jɑːd] *n* (*paved area*) Hof *m*

yardstick *n* Zollstock *m*

yawn [jɔːn] I. *vi* gähnen *a. fig* II. *vt* **to ~ one's head off** (*fam*) hemmungslos gähnen III. *n* Gähnen *nt kein pl*

yawning ['jɔːnɪŋ] *adj* gähnend *a. fig*

yea [jeɪ] *adv* (*form*) ~ **or nay** ja oder nein

yeah [jeə] *adv* (*fam: yes*) ja[wohl]; ~**?** ach wirklich?; **oh ~!** (*iron*) klar!, ganz bestimmt!

year [jɪərʳ] *n* **1.** Jahr *nt;* **all** [**the**] ~ **round** das ganze Jahr über; **next ~** nächstes Jahr; **for two ~s** zwei Jahre lang **2.** (*age, time of life*) [Lebens]jahr *nt;* **a two-~-old child** ein zweijähriges Kind **3.** (*fam: indefinite time*) ~**s** *pl* Jahre *pl;* **for ~s** (*since a long time ago*) seit Jahren; (*for a long time*) jahrelang **4.** (*academic year*) SCH Schuljahr *nt;* UNIV Studienjahr *nt;* **a three-~ course** ein dreijähriger Kurs

year-long *adj* (*lasting one year*) einjährig

yearly [ˈjɪəli] *adj, adv* jährlich; **twice-~** zweimal pro Jahr

yearn [jɜːn] *vi* **to ~ for sth/sb** sich nach etw/jdm sehnen

yearning [ˈjɜːnɪŋ] *n* Sehnsucht *f*

yeast [jiːst] *n no pl* Hefe *f*

yell [jel] I. *n* [Auf]schrei *m;* **to let out a ~** einen Schrei ausstoßen II. *vi* gellend schreien; **to ~ at each other** sich anschreien III. *vt* **to ~ sth** [**at sb**] [jdm] etw laut [zu]rufen

yellow [ˈjeləʊ] I. *adj* gelb II. *n no pl* Gelb *nt;* **to paint sth ~** etw gelb streichen III. *vi* vergilben

Yellow Pages® *n pl + sing vb* **the ~** die Gelben Seiten *pl*

yelp [jelp] I. *vi dog* kläffen, aufjaulen; *of person* aufschreien II. *n dog* Gebell *nt,* Gejaule *nt; person* ~ **of pain** Schmerzensschrei *m*

yep [jep] *adv* (*fam*) ja

yes [jes] I. *adv* **1.** ja; ~ **sir/madam** jawohl; ~ **please** ja bitte **2.** (*contradicting a negative*) aber ja [doch]; **I'm not a very good cook — ~, you are**

ich bin kein sehr guter Koch — ach was, bist du doch II. *n* <*pl* -**es**> Ja *nt;* **was that a ~ or a no?** war das ein Ja oder ein Nein? III. *vt* <-ss-> AM **to ~ sb** jdm nach dem Mund reden

yes-man *n* (*pej*) Jasager *m*

yesterday [ˈjestədeɪ] I. *adv* gestern; **the day before ~** vorgestern II. *n no pl* Gestern *nt;* **this is ~'s paper** das ist die Zeitung von gestern

yet [jet] I. *adv* **1.** (*up to now*) bis jetzt; **as ~** bis jetzt **2.** (*still*) **not ~** noch nicht **3.** (*despite that*) trotzdem; (*but*) aber [auch] II. *conj* doch

yew [juː] *n* Eibe *f*

Yiddish [ˈjɪdɪʃ] *n no pl* Jiddisch *nt*

yield [jiːld] I. *n* **1.** AGR Ertrag *m* **2.** MIN gewonnene Menge **3.** FIN [Zins]ertrag *m* II. *vt* **1.** (*produce*) hervorbringen; *cereals, fruit* erzeugen **2.** FIN abwerfen **3.** (*concede*) **to ~ ground to sb** jdm [gegenüber] nachgeben

yob [jɒb] *n,* **yobbo** <*pl* -os *or* -oes> [ˈjɒbəʊ] *n* BRIT, AUS (*fam*) Rabauke *m*

yodel [ˈjəʊdəl] *vi, vt* <BRIT -ll- *or* AM *usu* -l-> jodeln

yoga [ˈjəʊgə] *n no pl* Yoga *nt*

yog(h)urt [ˈjɒgət] *n* Joghurt *m o nt*

yoke [jəʊk] I. *n* (*for pulling*) Joch *nt* II. *vt* **to ~ animals to a plough** Tiere vor einen Pflug spannen

yolk [jəʊk] *n* Eigelb *nt*

you [juː, ju, jə] *pron* **1.** (*singular*) du *in nom,* dich *in akk,* dir *in dat;* (*polite form*) Sie *in nom, akk,* Ihnen *in dat;* **if I were ~** wenn ich dich/Sie wäre **2.** (*plural*) ihr *in nom,* euch *in akk o dat;* (*polite form*) Sie *in nom, akk,* Ihnen *in dat;* **how many of ~ are there?** wie viele seid ihr? **3.** (*one*) man; **it's not good for ~** das ist nicht gesund; ~ **never know** man weiß nie

you'll [juːl] = *see* **you will** *see* **will**[1]

young [jʌŋ] I. *adj* jung; ~ **children** kleine Kinder II. *n pl* 1. (*young people*) **the** ~ die jungen Leute 2. ZOOL Junge *pl*

your [jɔːʳ, jʊəʳ] *adj poss* 1. (*of you, singular*) dein(e); (*plural*) euer/eure; (*polite form*) Ihr(e) 2. (*one's*) sein(e); (*referring to sb else*) **it's enough to break ~ heart** es bricht einem förmlich das Herz

you're [jɔːʳ, jəʳ] = *see* **you are** *see* **be**

yours [jɔːz] *pron poss* 1. (*belonging to you*) deine(r, s); (*polite form*) Ihre(r, s); **is this pen ~?** ist das dein Stift?; **it's no business of ~** das geht dich nichts an 2. (*at end of letter*) **Y~ sincerely/faithfully, ...** mit freundlichen Grüßen, ...

yourself <*pl* yourselves> [jɔːˈself] *pron* 1. (*singular*) dich *in akk,* dir *in dat;* (*plural*) euch; (*polite form, sing/pl*) sich; **please help ~** bitte bedienen Sie sich; **help yourselves, boys** bedient euch, Jungs 2. (*oneself*) sich; **to have sth** [all] **to ~** etw für dich/sich allein haben 3. (*personally*) selbst; **you can do that ~** du kannst das selbst machen; **just be ~** sei ganz natürlich; [**all**] **by ~** [ganz] allein

youth [juːθ] *n* 1. *no pl* (*period*) Jugend *f* 2. (*young man*) junger Mann, Jugendliche(r) *m* 3. (*young people*) **the ~ of today** die Jugend von heute

youth club *n* Jugendzentrum *nt*

youthful [ˈjuːθfᵊl] *adj* jugendlich; ~ **good looks** jugendlich-hübsche Erscheinung

youth hostel *n* Jugendherberge *f*

Youth Training Scheme *n,* **YTS** *n* BRIT *Berufsfindungsprojekt für Jugendliche*

you've [juːv] = *see* **you have** *see* **have**

yo-yo <*pl* -os> [ˈjəʊjəʊ] *n* Jo-Jo *nt;* **to go up and down like a ~** rauf- und runterschnellen

yo-yo dieting *n no pl* (*fam*) Abnehmen *nt* und gleich wieder Zunehmen

yucky [ˈjʌki] *adj* (*fam*) ek[e]lig

Z

Z <*pl* -s>, **z** <*pl* -'s> [zed] *n* Z *nt,* z *nt; see also* **A** 1

z [zed] *n* MATH z *nt;* ~-**axis** z-Achse *f*

zap [zæp] (*fam*) I. *vt* <-pp-> 1. (*destroy*) **to ~ sb** jdn erledigen; **to ~ sth** etw kaputtmachen 2. (*send fast*) blitzschnell übermitteln II. *vi* <-pp-> (*change channels*) zappen

zapping [ˈzæpɪŋ] *n* (*fam*) Zappen *nt fam*

zebra <*pl* -s> [ˈzebrə] *n* Zebra *nt*

zebra crossing *n* BRIT, AUS Zebrastreifen *m*

zero [ˈzɪərəʊ] I. *n* <*pl* -os *or* -oes> Null *f a. fig;* **10 degrees above/below** zehn Grad über/unter Null II. *adj* **at ~ gravity** bei Schwerelosigkeit; ~ **hour** die Stunde Null ◆ **zero in** *vi* sich einschießen; **to ~ in on a target** ein Ziel anvisieren

zigzag [ˈzɪgzæg] I. *n* Zickzack *m* II. *adv* im Zickzack III. *vi* <-gg-> sich im Zickzack bewegen

zinc [zɪŋk] *n no pl* Zink *nt*

zine [ziːn] *n* (*fam*) *short for* **magazine** Hochglanzmagazin *nt*

zip [zɪp] I. *n* BRIT Reißverschluss *m*

II. *pron* AM (*fam*) **I know ~ about computers** ich habe null Ahnung von Computern **III.** *vt* <-pp-> **to ~ sth together** etw mit einem Reißverschluss zusammenziehen **IV.** *vi* <-pp-> **1.** (*fasten*) **it ~s [up] at the back** es hat hinten einen Reißverschluss **2.** (*go quickly*) rasen, flitzen

zip code *n* AM (*postal code*) ≈ Postleitzahl *f*

zip fastener *n*, AM, AUS **zipper** ['zɪpəʳ] *n* Reißverschluss *m*

zippy ['zɪpi] *adj* (*fam*) spritzig

zodiac ['zəʊdiæk] *n* ASTROL **sign of the ~** Tierkreiszeichen *nt*

zombie ['zɒmbi] *n* Zombie *m*

zone [zəʊn] **I.** *n* Zone *f;* **war ~** Kriegs-gebiet *nt;* **danger ~** Gefahrenzone *f;* **no-parking ~** Parkverbotszone *f* **II.** *vt* in [Nutzungs]zonen aufteilen

zoo [zuː] *n* Zoo *m*

zoological [ˌzəʊə(ʊ)'lɒdʒɪkəl] *adj* zoologisch

zoom [zuːm] **I.** *n* ~ [lens] Zoom[objektiv] *nt* **II.** *vi* (*fam*) **1.** (*move very fast*) rasen; **to ~ ahead** davonsausen; **to ~ past** vorbeirasen **2.** PHOT zoomen ◆ **zoom in** *vi* [nahe] heranfahren, heranzoomen; **to ~ in on sth** auf etw *akk* [ein]schwenken ◆ **zoom out** *vi* wegzoomen

zucchini <*pl* -s> [zʊ'kiːni] *n* AM, AUS Zucchini *f*

Z

Nützliche Redewendungen

Useful Phrases

Uhrzeit

Time

Wie viel Uhr ist es?	What time is it?
Können Sie mir bitte sagen, wie spät es ist?	Could you tell me the time, please?
Es ist genau ein Uhr.	It's one o'clock exactly.
Es ist (fast) …	It's nearly …
drei Uhr.	three o'clock.
fünf nach drei.	five past three.
Viertel nach drei [o DIAL viertel vier].	quarter past three.
fünf vor halb vier.	twenty-five (minutes) past three.
halb vier.	half past three, three thirty.
fünf nach halb vier.	twenty-five (minutes) to four.
Viertel vor vier [o DIAL drei viertel vier].	quarter to four.
zwölf Uhr Mittag/nachts.	twelve o'clock midday/midnight.
Es ist schon nach vier.	It's already after [or gone] four (o'clock).
Komm so zwischen vier und halb fünf.	Come between four and half past (four).

Begrüßung, Vorstellung, Verabschiedung

Greetings, Introductions, Farewells

Guten Morgen!	Good morning!
Guten Tag!	Hello!/Good day! (Aus)
Grüß Gott! (südd)	Hello!/Good day! (Aus)
Guten Abend!	Good evening!
Hallo!	Hello!
Grüß dich!	Hi!
Mein Name ist Becker.	My name is Becker.
Wie geht es Ihnen/dir?	How are you?

Wie geht's?	How are you? How are things?
Danke, gut. Und Ihnen/dir?	Fine, thanks. And you?
Auf Wiedersehen!	Goodbye!
Tschüs(s)!	Bye!
Bis morgen!	See you tomorrow!
Bis später!	See you later!
Viel Vergnügen!/Viel Spaß!	Enjoy yourself!/Have fun!
Gute Nacht!	Good night!
Grüßen Sie/Grüß(e) Frau Maier von mir.	Say hello to Frau Maier for me./ Give my regards to Frau Maier.

Verabredung — Appointments

Darf ich Sie/dich zum Essen einladen? (nach Hause)	May I take you out for a meal? Would you like to come round for a meal?
Haben Sie/Hast du für morgen schon etwas vor?	Do you already have plans for tomorrow?
Wann treffen wir uns?	When are we meeting up?
Darf ich Sie/dich abholen?	Can I pick you up?
Treffen wir uns um neun Uhr vor dem Kino.	Let's meet in front of the cinema at nine o'clock.

Bitte und Danke — Saying please and thank you

Ja, bitte.	Yes, please.
Nein, danke.	No, thanks.
Danke, sehr gern!	Yes, please!
Danke, gleichfalls!	Thank you, (and) the same to you!
Könnten Sie mir bitte helfen?	Can/Could you help me, please?
Bitte sehr [o Gern geschehen]!	My pleasure!/Not at all!/ You're welcome!
Vielen Dank!	Thanks a lot!/Many thanks!
Das ist doch nicht der Rede wert.	Don't mention it.

Entschuldigung, Bedauern	Apologies, Regrets
Entschuldigung!	Sorry!/Excuse me!
Ich muss mich entschuldigen.	I must/I'd like to apologize!
Es [o Das] tut mir (sehr) Leid.	I'm (very) sorry (about that)!
Es war nicht so gemeint.	It wasn't meant like that!
Schade!	Pity!/Shame!
Das ist traurig.	That's sad!

Glückwünsche zu verschiedenen Anlässen	Congratulations and terms used for various occasions
Herzlichen Glückwunsch!	Congratulations!
Viel Erfolg!	Good luck!
Viel Glück!	Best of luck!/Good luck!
Gute Besserung!	Get well soon!
Schöne Ferien!	Have a great holiday!
Frohe Ostern!	Happy Easter!
Frohe Weihnachten und ein gutes neues Jahr!	Merry Christmas and a Happy New Year!
Alles Gute zum Geburtstag!	Happy Birthday!
Meine besten Wünsche zum Geburtstag!	Best wishes on your birthday!/Many happy returns of the day!
Ich drücke dir die Daumen.	I'll keep my fingers crossed for you!

Nach dem Weg fragen — Asking directions

Nach dem Weg fragen	Asking directions
Entschuldigung, wie komme ich bitte nach …?	Excuse me, how do I get to …?
Können Sie mir sagen, wie ich zur Post komme?	Can you tell me how to get to the post office?
Immer geradeaus bis zu …	Straight ahead until …
Dann bei der Ampel rechts abbiegen.	Turn right at the traffic lights.
Folgen Sie den Schildern.	Follow the signs.
Sie können es nicht verfehlen.	You can't miss it.
Welcher Bus fährt nach …?	Which bus goes to …?
Ist dies der richtige Bus nach …?	Is this the right bus for …?
Wie weit ist das?	How far is it?
Sie sind hier falsch. Sie müssen zurückfahren bis zu …	You're in the wrong place. You need to go back to …

Im Restaurant — In a restaurant

Im Restaurant	In a restaurant
Ich möchte einen Tisch für vier Personen reservieren.	I would like to reserve a table for four (people).
Einen Tisch für zwei Personen, bitte.	A table for two, please.
Ist dieser Tisch/Platz noch frei?	Is this table/seat free?
Ich nehme …	I'll have …
Könnten wir noch etwas Brot bekommen?	Could we have some more bread, please?
Bezahlen, bitte.	I'd/We'd like to pay./Can I/we have the bill, please.
Bitte alles zusammen.	All together/All on one bill, please.
Getrennte Rechnungen, bitte.	Separate bills, please.

Einkaufen	Shopping
Wo finde ich …?	Where can I find …?
Können Sie mir ein Feinkost-/Lebensmittelgeschäft empfehlen?	Can you recommend a delicatessen/food store?
Werden Sie schon bedient?	Are you being served?
Danke, ich sehe mich nur um.	Thanks, I'm just looking around./browsing./having a look round.
Was darf es sein?	What would you like?
Geben Sie mir bitte …	Could/Can I have …, please?
Ich möchte …	I'd like …
Darf es sonst noch etwas sein?	Would you like anything else?
Nehmen Sie Kreditkarten?	Do you take/accept credit cards?
Können Sie es mir einpacken?	Could you wrap it up for me?

Auf der Bank	At the bank
Ich möchte € 100 in Dollars wechseln.	I'd like to change 100 euros into dollars.
Ich möchte diesen Reisescheck einlösen.	I'd like to cash this traveller's cheque.
Auf welchen Betrag kann ich den Scheck maximal ausstellen?	What is the maximum limit on the cheque?
Ich möchte € 1.000 von meinem Konto abheben.	I'd like to withdraw 1,000 euros from my account.
Darf ich bitte Ihren Ausweis sehen?	May I see your ID?
Ihre Unterschrift, bitte.	Sign here, please.

Auf der Post	At the Post Office
Wo ist der nächste Briefkasten/ das nächste Postamt?	Where is the nearest postbox/ post office?
Was kostet ein Brief nach Deutschland?	How much is a letter to Germany?
Drei Briefmarken zu € 1,– bitte.	Three 1-euro stamps, please!
Ich möchte ein Telegramm aufgeben.	I'd like to send a telegram.
Ich möchte eine Telefonkarte.	I'd like a phone card.
Kann ich von hier aus ein Fax nach Heidelberg schicken?	Can I send a fax to Heidelberg from here?

Telefonieren	Making a phone call
Wo ist die nächste Telefonzelle?	Where's the nearest phone box?
Wie ist die Vorwahl von der Schweiz?	What's the (international dialling) code for Switzerland?
Ich möchte ein R-Gespräch anmelden.	I'd like to make a reverse-charge call.
Hallo, mit wem spreche ich?	Hello, who's speaking, please?
Kann ich bitte Frau Wagner sprechen?	May/Can/Could I speak to Frau Wagner, please?
Ich verbinde.	I'm putting/I'll put you through.
Bleiben Sie bitte am Apparat.	Please hold the line.
Tut mir Leid, sie ist nicht da.	I'm sorry, she's not here/in.
Möchten Sie eine Nachricht hinterlassen?	Would you like to leave a message?
Ich rufe später noch mal an.	I'll call/phone/ring again later.
Kein Anschluss unter dieser Nummer.	The number you have called has not been recognized.

Interkulturelle Tipps zu den englischsprachigen Ländern

Anrede: In den englischsprachigen Ländern ist es durchaus üblich, sich schon bei der ersten Begegnung beim Vornamen zu nennen. (Das gilt auch für Vorgesetzte und ihre Mitarbeiter.) Das bedeutet aber nicht, dass man deshalb vertrauter miteinander umgehen würde.

Titel: Die Titel *Dr, Mr* und *Mrs* sowie der neutrale Titel für eine Frau *Ms* werden in Großbritannien (GB) <u>ohne</u> Punkt und in den USA meistens <u>mit</u> Punkt geschrieben. Der Titel *Esq.* (die Abkürzung für *esquire*) wird in GB oft bei Anschriften hinter den Nachnamen eines Herrn als Zeichen des Respekts gesetzt, z. B. *Hugh Grant Esq.*. Die Titel *Sir* und *Madam* werden fast nur noch am Briefanfang verwendet für „Sehr geehrte Damen und Herren, …" = *Dear Sir or Madam …* Als Ehrentitel gehört *Sir* zum Vornamen, z. B. David Attenborough wird als *Sir David* angesprochen. Frauen werden dann mit *Dame*, z. B. *Dame Iris Murdoch* angeredet. Die Ehrentitel *Baron* und *Baroness* werden vor den Nachnamen gestellt, z. B. Richard Attenborough als *Baron Attenborough* und Ruth Rendell als *Baroness Rendell.*

Die Ehrentitel *Lord* und *Lady* werden jeweils vor den Nachnamen gestellt.

Dr. und Prof.: In der englischsprachigen Welt werden keine Titel vor dem Namen angesammelt. Man spricht eine Person immer nur mit <u>einem</u> Titel an, z. B. *Prof. Sinclair.* Es gibt also keine Titel wie ‚Frau Prof. Dr. Schmid'. Der Doktortitel *Doctor* wird gewöhnlich nur für Ärzte und Ärztinnen verwendet. Man stellt sich nur mit Vor- und Nachnamen vor; Titel werden <u>nicht</u> genannt.

Berufsbezeichnungen: In den USA werden Personen in öffentlichen Ämtern häufig mit ihren Berufsbezeichnungen genannt, z. B. *Senator Kennedy, Reverend Smith* oder *Judge O'Brian.*

Händeschütteln: In formellen Situationen oder wenn Männer sich geschäftlich treffen, wird die Hand gegeben. In den USA gibt ein Mann einer Frau nur die Hand, wenn sie ihm zuerst die Hand gibt. Wenn man jemanden seit längerer Zeit nicht mehr gesehen hat, begrüßt man auch mit einem kurzen Händedruck, wobei man in den USA oft mit der linken Hand gleichzeitig den Arm oder den Ellenbogen des anderen kurz hält.

Höflichkeit: Im täglichen Leben ist die Höflichkeit von größter Bedeutung. Immer wenn man jemanden auf irgendeine Weise stört oder man auch nur jemands Aufmerksamkeit erregen will, sagt man *Excuse me, …* oder in Nordamerika auch *Pardon me, …* Um nicht so direkt und höflicher zu sein, leitet man eine Frage oft auch mit *Could you tell me …?* oder *Do you know …?* ein. Es gilt übrigens als äußerst unhöflich, wenn man versucht, sich irgendwo vorzudrängen. Bevor man in öffentlichen Verkehrsmitteln, z. B. im Bus oder im Zug das Fenster öffnet, sollte man unbedingt fragen, ob es jemanden stören würde = *Do you mind if I open the window?*

Bitten: In Bitten sollte das *please* immer am Satz<u>ende</u> stehen, z.B *Could you help me with ..., please?* Denn wird ein *please* an den Satzanfang gestellt, wird die Bitte als Aufforderung verstanden.

Auch in der Korrespondenz sollte man sich so höflich wie möglich ausdrücken.

Einladung: Fangen Sie bei einer Einladung nie vor der Gastgeberin an zu essen. Es ist außerdem üblich, sich nach dem Essen noch kurz schriftlich bei den Gastgebern zu bedanken.

Im Restaurant: In Nordamerika und in Großbrittanien geht man im Restaurant nicht einfach an einen freien Tisch, sondern man wartet an der Tür. Ein *host/hostess* begrüßt die Gäste und erkundigt sich, ob sie Raucher/Nichtraucher sind und wie viele Leute mitessen. Danach werden die Gäste zu einem freien Tisch gebracht. Sobald man sich hingesetzt hat, nimmt man die Serviette, macht sie auf und legt sie auf den Schoß. Wenn man dann bezahlen möchte, fragt man *Could we have the check, please?* (in den USA) – *Could we have the bill, please?* (in GB). Die Bedienung/der Ober bringt die Rechnung, legt sie auf den Tisch und geht dann wieder weg. Erst wenn man das Geld auf die Rechnung gelegt hat, kommt sie/er wieder. Das Trinkgeld, durchschnittlich 15 %, – weniger heißt, dass man nicht zufrieden war – wird auf dem Tisch gelassen, wenn man das Restaurant verlässt.

Sich bedanken: Man sagt normalerweise *Thank you* oder kurz *Thanks*; informeller sagen in GB einige Leute *Cheers* und auch einfach *Ta* (britischer Slang). Als Antwort würde man *You're welcome* (vor allem in den USA)/*Sure* (amerikanisch)/*Not at all* (britisch)/*Don't mention it* oder *It's a pleasure/My pleasure* sagen.

Begrüßung: Bis zur Mittagszeit verwendet man *Good morning*, danach sagt man bis etwa 18 Uhr *Good afternoon* und darauf folgt *Good evening*; *Good night* sagt man, wie im Deutschen, erst bevor man ins Bett geht. In Australien sagt man auch den ganzen Tag über *Good day*. Und informell kann man überall zu jeder Tageszeit *Hello* oder auch *Hi* sagen. Wenn man Bekannte trifft, fragt man nach ihrem Befinden = *How are you?* oder informeller *How are you doing?/How's life?/How's it going?* (in den USA)/*How's things?* (in Schottland). Für diese Frage bedankt man sich und antwortet meist kurz = *Fine, thanks!/Very well, thanks!/Good, thanks!* Außerdem fragt man immer ebenso nach, wie es dem anderen geht = *And you?/And yourself/How about you?*

Abschied: Um sich zu verabschieden, sagt man *Goodbye* oder informeller *Bye/Cheerio* und *Ta-ta* (in GB). Man gibt sich zum Abschied <u>nicht</u> die Hand, in den USA winkt man oft kurz zum Abschied.

Telefonieren: In den USA melden sich die meisten Leute privat einfach mit *Hello?*, in GB meistens mit ihrer schnell heruntergesagten Telefonnummer. Die Zahlen einer Telefonnummer werden einzeln gesprochen, z. B. 638459 = six, three, eight, four, five, nine. Bei der Verdoppelung einer Zahl sagt man in GB, z. B. 55 = *double five*, in den USA *five, five*. Für die Null wird *oh* oder *zero* verwendet, z. B. *0131 – oh one three one.*

Zahlen: Die Null heißt *zero*, in GB auch *nought*; die Eins wird handschriftlich als einfacher Strich geschrieben: I, die Sieben wird ohne kleinen Querstrich geschrieben: 7. Dadurch kann es passieren, dass unsere Eins als eine Sieben gelesen wird. In den USA lässt man nach *hundred* oft das *and* weg, z. B. *one hundred twenty.* Eine Milliarde heißt jetzt auch in GB *one billion* = *1,000,000,000.* Im Englischen werden Tausender mit einem <u>Komma</u> gegliedert (im Deutschen mit einem <u>Punkt</u>). Dagegen werden dezimale Zahlen mit einem <u>Punkt</u> gegliedert, z. B. *2.4* (*two point four*) *metres/meters* (USA). Bei Währungsangaben folgt die Zahl <u>direkt nach</u> dem Währungszeichen, also <u>ohne</u> Freizeichen, z. B. *$32.50* (*thirty-two dollars and fifty cents*).

Datum: In GB war es früher üblich, nach dem Tag die beiden letzten Buchstaben der Ordnungszahl zu setzen, z. B. *1st May* (fir<u>st</u> of May/May first -in den USA), *22nd June* (twenty-seco<u>nd</u> of June/June twenty-second – in den USA), *3rd March* (thi<u>rd</u> of March/March third – in den USA) oder *4th July* (fou<u>rth</u> of July/July fourth – in den USA). Inzwischen wird dies jedoch immer häufiger weggelassen. Wenn das Datum nur in Zahlen geschrieben wird, kommt in Nordamerika der <u>Monat vor der Zahl</u>, z. B. *5/8/05* = 8. Mai 2005. Bis zum neunten Jahr eines Jahrhunderts werden die Zahlen mit *oh* oder *hundred* gebildet, z. B. *1507 = fifteen oh seven/fifteen hundred and seven.*

Uhrzeit: Die 24-Stundeneinteilung wird meist nur bei Fahrplänen benutzt. Die Zeit von Mitternacht bis 12 Uhr mittags wird mit *a.m.* bezeichnet, von 12 Uhr mittags bis Mitternacht wird mit *p.m.* verwendet, z. B. 10.30 = *10:30 a.m.*, 14.50 = *2:50 p.m.* Vorsicht: In GB sagt man *half two*, das bedeutet *half past two*, also14.30! Im Englischen gibt es kein „fünf vor/nach halb zwei", stattdessen sagt man *it's twenty-five past one* (*after one* – in den USA)/*it's twenty-five to one* (*before one* – in the USA). Auch das süddeutsche „viertel zwei = viertel nach eins" und auch „drei viertel zwei = viertel vor zwei" gibt es im Englischen nicht.

Intercultural tips for German-speaking countries (Germany, Austria and Switzerland)

General

German is spoken not only in Germany but also in Austria and Switzerland. There are, however, numerous differences. In general, people in Austria and Switzerland speak more slowly than those in Germany; their intonation is softer, so that it is sometimes difficult to differentiate between a '**b**' and a '**p**'. Only the context would show whether an Austrian was talking about a cake or a case when (s)he said '**Gepäck**'.

In contrast to German and Austrian regional dialects, Swiss German is treated as a separate language and is spoken on TV and radio, and at school. Some words are derived from French, although stress is often placed on the first syllable. The Swiss also use a lot of English words, especially those for sport, like '**goal**' instead of '**Tor**', or '**corner**' instead of '**Eckball**'.

There is no '**ß**' in Swiss German; all words that are written with an '**ß**' in German – even after the recent spelling reforms – are written with **ss** in Swiss German: e.g. '**Grüsse**' instead of '**Grüße**', or '**Füsse**' instead of '**Füße**'. Some nouns in Swiss German are also a different gender to their counterparts in German: thus the Swiss say '**der Dessert**', '**der Butter**' and '**das Tram**'.

Forms of address

Until you become closely acquainted, you should use the formal **Sie** when speaking to an adult. On meeting someone for the first time, it is usual to shake hands and give your surname; only when you have got to know each other well and exchanged first names, should you use the informal '**du**'. Between children and young people it is normal to use '**du**'. A short handshake is also common when meeting up with someone, and young people often give each other a kiss on the cheek.

In Austria, it is normal for work colleagues and people of the same age to use '**du**' to each other, and especially in rural areas, '**du**' is sometimes even used between strangers.

Although '**Fräulein**' (*'Miss'*) is no longer used as a form of address in Germany, it is still fairly common in Austria. In Vienna, women can expect to be addressed as '**Gnädige Frau**', usually shortened to '**Gnä' Frau**', meaning *'madam'*.

Titles are important in Germany. For example, someone with a doctorate (PhD) would be addressed as '**Frau/Herr Doktor**'. Titles are less important in Switzerland but great store is set by them in Austria. There are academic titles such as '**Magister/Magistra**' (i.e. someone with a Master's degree), '**Doktor**', '**Diplomingenieur**' (engineer with a diploma), or '**Professor**', and numerous honorary titles such as **'Hofrat'** (title rather like *'counsellor'* awarded to senior civil servants), **'Studienrat'** (established secondary school teacher), **'Oberstudienrat'** (senior secondary school teacher), **'Kommerzialrat'** (title conferred on distinguished businessmen), or **'Professor'**.

Greetings

The most general form of greeting in German-speaking countries is **'Guten Tag'** or the more informal **'Hallo'**; in the morning you could say **'Guten Morgen'**, in the afternoon **'Guten Tag'** (**not** *'Guten Nachmittag'*) and in the evening **'Guten Abend'**. In southern Germany and Austria it is common to hear **'Grüß Gott'**, and in northern Germany **'Moin, Moin!'**, both of which just mean *'Hello!'*
If you know someone well, you could say **'Grüß dich!'** and then **'Wie geht's?'**, meaning *'How are things?'* or *'How are you doing?'*; more formally, you would use **'Wie geht es Ihnen/dir?'**, meaning *'How are you?'* In reply, you could say **'Danke, gut. Und Ihnen/dir?'** = *'Fine, thanks. And you?'*
The Swiss greet each other with **'Grüezi'**, or more informally **'Hoi'** or **'Sali'**. In Austria, they say **'Servus'** or more rarely **'Habe die Ehre'**.

Farewells

The most common way of saying goodbye is **'Auf Wiedersehen!'** or informally **'Tschüs(s)'** or **'Mach's gut!'** = *'See you!'* or **'Bis morgen'** = *'See you tomorrow'*. Among friends, you could hear the Italian **'Ciao'**, and on parting late at night, you might also say **'Gute Nacht!'**
In Austria and parts of Bavaria, rather than **'Tschüs(s)'**, you are likely to hear **'Pfiat' Di'** (which roughly means *'may God be with you'*). In Switzerland, they say **'Auf Wiederluege'** or **'Adieu'**.

Please and Thank You

It is not nearly as common in Germany as in the UK to use *'please'* and *'thank you'*, so do not take it as a sign of impoliteness or curtness if you do not hear a **'bitte'** or **'danke'** where you might expect to hear one in English. It <u>is</u> common in Germany, however, to reply to someone who says *'thank you'* to you. So if someone says **'Vielen Dank'** or **'Danke schön'**, you could reply **'Bitte schön'** or **'Bitte sehr'** or **'Gern geschehen'** = *'Not at all'* or *'You're welcome'* or *'It's a pleasure/My pleasure'*. In Austria you reply **'Gerne'**.
A Swiss person is more likely to say **'Merci'** or **'Merci vielmals'** rather than **'Danke'**.

Mealtimes

At mealtimes it is common to say **'Guten Appetit!'** or **'Mahlzeit!'** and to reply **'Danke, gleichfalls!'** = *'Thank you, and the same to you!'* As in the UK, there are numerous expressions for *'Cheers!'* when having a drink together, but the most common is **'Prost!'** or more formally **'Zum Wohl!'** In Switzerland, you wish each other **'Guten Appetit'** or **'En Guete'**.

In Germany, it is usual to eat one hot meal a day. A typical meal will consist of a single main course, usually with rice, pasta or potatoes. In Switzerland, breakfast is called **'Morgenessen'** or **'Zmorge'**, lunch is **'Zmittag'** and dinner/supper is **'Nachtessen'** or **'Znacht'**.

Telephone

When answering the telephone it is usual to give your surname or to say **'Hallo'** or **'Ja, bitte?'** if you prefer to stay anonymous – rather than state your phone number; children give their first name. When saying goodbye on the phone, you say **'(Auf) Wiederhören'** rather than **'(Auf) Wiedersehen'**.

Numbers

To make a clear distinction between 1 and 7, Germans put a short horizontal line through the stem of the seven. One billion (1,000,000,000: a thousand million) = **'eine Milliarde'** in German; **'eine Billion'** in German = *'one trillion'* in English (= a million million). Decimal points are written with a comma in German: **'3,14'** and you should say: **'drei Komma eins vier'** but it is common to hear **'drei Komma vierzehn'**. There is usually a space between the **€** sign (for **'Euro'**) and the amount: **€ 98,90** (**achtundneunzig Euro, neunzig**).

Letters

When writing the date on a letter, it is usual to write one's location, then the date: **'Stuttgart, den 31. Dezember 2006'**. The first line of the address is simply **'Herrn'** or **'Frau'**, followed on the next line by the full name; on the back of the envelope, you write **'Absender'** or the short form **'Abs.'** and then your own name and address.

Time

Use of the 24-hour clock is widespread, but beware! – **'halb zwei'** does <u>NOT</u> mean *'half two'* but *'half past one'*. In southern Germany you could also hear **'viertel zwei'** = *'(a) quarter past one'* or **'drei viertel zwei'** = *'(a) quarter to two'*.

School

Most schoolchildren wear a satchel or rucksack (for older children) to school; pupils do not wear a school uniform and there are usually no lessons in the afternoons.

Bar/Restaurant

Buying a round of drinks is not common practice in Germany. Drinks are brought directly to your table and a mark made on your coaster or beer mat. At the end of the evening, these marks are counted up and you are asked if you want to pay **'zusammen'** (all together) or **'getrennt'** (individually). Tipping is normal, but in smaller amounts than in the UK; more than 10% of the bill would be considered excessive unless the service had been absolutely wonderful.

In the wine-growing regions of Austria, you are likely to find a **'Heuriger'**, an inn selling new local wine, accompanied by a **'Jause'** (snack) or **'Hausmannskost'** (pub grub). In Switzerland, a pub is called a **'Beiz'**; the waitress is called a **'Serviertochter'** and you can order such things as a **'Panaschee'** (shandy), a **'Stange'** (small beer) or a **'Jus'** (fruit juice). The phrase **'à discrétion'** on a menu means that you can help yourself to as much as you want for a set price.

Domestic matters

Expect to pay for plastic bags in supermarkets and to pay a (refundable) deposit on bottles of beer and non-alcoholic drinks. Household rubbish is sorted into sometimes five different containers: one for glass, one for paper, one for packaging such as plastic, foil, cartons and tins, one for organic waste that can be used as compost, and one for everything else.

There is a collection for bulky household waste on demand, called **'Sperrmüll'**, which is simply placed in piles by the roadside. It is quite acceptable to take anything from these piles that takes your fancy – thus are many items recycled rather than just thrown away.

In conclusion

There are many more dedicated bicycle lanes than in the UK, and some are integrated into the normal pavement – so watch out where you walk! And finally, if you read or hear **'Marmelade'** somewhere, don't expect marmalade – what you'll get is *jam*!

A

Aal <-[e]s, -e> [a:l] *m* eel

Aas <-es, e> [a:s] *nt* carrion

Aasgeier *m* vulture

ab [ap] **I.** *adv* off; **das liegt weit ~ vom Weg** that's far off the beaten track; **mein Knopf ist ~** I've lost a button; **~ ins Bett!** off to bed! ▸ **~ und zu** now and then **II.** *präp* from; **~ wann ...?** from when ...?; **~ sofort** as of now; **Kinder ~ 14 Jahren** children from the age of 14 up; **~ Köln** from Cologne

Abart ['ap?a:ɐt] *f* BIOL mutation; BOT variety

abartig *adj* **1.** (*abnorm*) deviant; (*pervers a.*) perverted **2.** (*sl: verrückt*) crazy, mad

Abbau <-s> *m kein pl* **1.** BERGB mining; **der ~ von Bodenschätzen** mining for mineral resources **2.** (*Verringerung*) cut (**von** in)

ab|bauen *vt* **1.** BERGB to mine **2.** (*demontieren*) to dismantle **3.** (*verringern*) to reduce **4.** CHEM, MED to break down *sep*

ab|bestellen *vt* to cancel

ab|bezahlen *vt* to pay off *sep*

ab|biegen *irreg vi sein* **1.** *Fahrer* to turn; [**nach**] **links/rechts ~** to turn left/right **2.** *Straße* to bend

ab|bilden *vt* to depict

Abbildung <-, -en> *f* **1.** image; **siehe ~ 3.1** see figure 3.1 **2.** (*Illustration*) illustration

Abblendlicht *nt* dipped [*or* AM dimmed] headlights

ab|brechen *irreg* **I.** *vt haben* **1.** (*abtrennen*) to break off *sep* **2.** *Zelt* to strike **3.** *Haus* to pull down *sep* **4.** (*beenden*) to stop; *Beziehung* to break off; **das Studium ~** to drop out of college; **den Urlaub ~** to cut short one's holidays **II.** *vi* **1.** *sein: Zweig* to break off **2.** (*aufhören*) to stop

Abbruch *m* **1.** *eines Hauses* demolition **2.** *kein pl* (*Beendigung*) breaking off; *eines Studiums* dropping out ▸ **etw** *dat* **keinen ~ tun** to not spoil sth

ab|buchen *vt* to debit (**von** from)

Abbuchung *f* direct debit; (*Betrag*) debit

ab|decken *vt* **1.** *Tisch* to clear; *Bett* to strip **2.** *Gebäude* to lift the roof off **3.** (*bedecken*) to cover [over]

Abdeckstift *m* concealer stick

ab|dichten *vt* **1.** to seal **2.** *gegen Feuchtigkeit* to damp-proof

Abdichtung *f* **1.** seal **2.** *kein pl* (*das Abdichten*) sealing

ab|drehen **I.** *vt haben* (*abstellen*) to turn off *sep* **II.** *vi sein o haben* (*Richtung ändern*) to turn [off]; **nach Norden ~** to turn to the north

Abend <-s, -e> ['a:bn̩t] *m* evening; **guten ~!** good evening!; **gestern ~** last night; **heute ~** tonight; **morgen ~** tomorrow evening; **zu ~ essen** to eat dinner; **am ~** in the evening; **am ~ des 12.** on the evening of the 12th; **~ für ~** night after night

Abendbrot *nt* supper **Abendessen** *nt* dinner **Abendkleid** *nt* evening dress **Abendmahl** *nt* [Holy] Communion; **das Letzte ~** the Last Supper **Abendrot** ['a:bn̩tro:t] *nt* (*geh*) [red] sunset; **im ~** in the evening glow

abends ['a:bn̩ts] *adv* in the evening

Abenteuer <-s, -> ['a:bn̩tɔyɐ] *nt* adventure

abenteuerlich [ˈaːbn̩tɔyɐlɪç] *adj* adventurous

aber [ˈaːbɐ] **I.** *konj* (*jedoch*) but; ~ **dennoch ...** but in spite of this ...; **oder** ~ or else **II.** *part* (*wirklich*) really; **das ist** ~ **schön!** that really is wonderful! ▶ ~ **selbstverständlich** but of course; ~ **ja!** yes [of course]!; ~ **nein!** goodness, no!; ~**,** ~**!** now, now!

Aberglaube *m* superstition

abergläubisch [ˈaːbɐɡlɔybɪʃ] *adj* superstitious

ab|fahren *irreg vi sein* **1.** to depart **2.** (*fam*) **auf jdn/etw** ~ to be crazy about sb/etw

Abfahrt *f* **1.** departure **2.** (*Autobahnabfahrt*) exit **3.** SKI run

Abfahrtslauf *m* downhill [event] **Abfahrtszeit** *f* departure time

Abfall *m* rubbish *esp* BRIT, garbage AM

Abfalleimer *m* [rubbish] bin BRIT, garbage can AM

abfällig I. *adj* derogatory **II.** *adv* disparagingly

ab|färben *vi* **1.** *Wäsche* to run (**auf** into) **2.** (*fig*) **auf jdn** ~ to rub off on sb

ab|fertigen *vt* **1.** (*bedienen*) to serve; *Passagiere* to handle **2.** (*abspeisen*) to fob off (**mit** with)

Abfindung <-, -en> *f* compensation; (*bei Entlassung*) severance pay

ab|flauen *vi sein* (*schwächer werden*) to subside; *Interesse* to wane

Abflughalle *f* departure lounge **Abflugzeit** *f* [time of] departure

Abfluss^{RR} <-es, -flüsse>, **Abfluß**^{ALT} <-sses, -flüsse> *m* **1.** (*Abflussstelle*) drain **2.** *kein pl* (*das Abfließen*) drainage

Abführmittel *nt* laxative

Abgas *nt* exhaust *no pl*

ab|geben *irreg* **I.** *vt* **1.** (*übergeben*) to give (**an** to); *etw* [**bei jdm**] ~ to leave sth [with sb] **2.** (*teilen*) **jdm etw** ~ to give sb sth; **jdm nichts** ~ to not share with sb **3.** *Erklärung* to make; *Stimme* to cast **4.** *Ball* to pass (**an** to) **II.** *vr* **1.** (*sich beschäftigen*) **sich mit jdm** ~ to look after sb; **sich mit etw** *dat* ~ to spend [one's] time on sth **2.** (*sich einlassen*) **sich mit jdm** ~ to associate with sb

abgebrüht *adj* (*fam*) unscrupulous

abgefahren I. *pp von* **abfahren II.** *adj* (*fam*) **1.** (*schräg*) way-out *sl* **2.** (*begeisternd*) cool *fam*, wicked BRIT *sl*

abgehärtet *adj* [**gegen etw** *akk*] ~ **sein** to be hardened [to sth]

abgelaufen *adj* **1.** *Pass* expired **2.** *Schuhe* worn-down

abgelegen *adj* remote

abgenutzt *adj* worn

Abgeordnete(r) [ˈapɡəʔɔrdnətə, -tɐ] *f(m) dekl wie adj* Member of Parliament

abgeschieden I. *adj* (*geh*) isolated **II.** *adv* in isolation

abgespannt *adj, adv* weary

abgestanden *adj* stale; *Limonade* flat

abgestumpft *adj* insensitive

ab|gewöhnen *vt* **ich versuche ihm das Rauchen abzugewöhnen** I'm trying to get him to stop smoking; **sich** *dat* **etw** ~ to give up sth

ab|grenzen I. *vt* **1.** (*einfrieden*) to enclose **2.** (*begrifflich*) to differentiate **II.** *vr* **sich** [**gegen jdn/etw**] ~ to distance oneself [from sb/sth]

Abgrund *m* abyss; **am Rande des ~s stehen** to be on the brink of disaster

ab|hacken *vt* to chop down

A

ab|haken *vt* to tick off

ab|halten *vt irreg* **1. jdn von etw** *dat* **~** to keep sb from sth; **sich [von jdm/etw] ~ lassen** to be deterred [by sb/sth] **2.** (*veranstalten*) to hold

abhanden|kommen[RR] [ap'handṇ-] *vi* to go missing; **mir sind Unterlagen abhandengekommen** I've lost some documents

Abhang *m* inclination

ab|hängen[1] **I.** *vt haben* **1.** to take down **2. jdn ~** to lose sb **II.** *vi* (*meist pej sl*) to laze about

ab|hängen[2] *vi irreg haben* (*abhängig sein*) to depend (**von** on); **das hängt davon ab** that [all] depends

abhängig *adj* **1.** (*bedingt*) **von etw** *dat* **~ sein** to depend on sth **2.** (*angewiesen*) **von jdm ~ sein** to be dependent on sb **3.** (*süchtig*) addicted; **[von etw** *dat*] **~ sein** to be addicted [to sth] **4.** LING subordinate

ab|härten *vt, vi* to harden (**gegen** to)

ab|heben *irreg* **I.** *vi* **1.** LUFT to take off (**von** from) **2.** TELEK to answer [the phone] **II.** *vt irreg Geld* to withdraw **III.** *vr* **sich von jdm/etw ~** to stand out from sb/sth

ab|hetzen I. *vr* **sich ~** to stress oneself out **II.** *vt* **jdn/etw ~** to push sb/sth

ab|holen *vt* to collect

Abitur <-s, *selten* -e> [abi'tuːɐ̯] *nt* school examination, approximately equivalent to the British A level/American SAT exam; **[das] ~ machen** ≈ to do [one's] A-levels

Abiturient(in) <-en, -en> [abitu'ri̯ɛnt] *m(f)* student who has passed the Abitur

ab|kapseln *vr* **sich [von jdm/etw] ~** to cut oneself off [from sb/sth]

ab|kaufen *vt* **1.** (*von jdm kaufen*) **jdm**

etw ~ to buy sth off sb **2.** (*fam: glauben*) **das kaufe ich dir nicht ab!** I don't buy that!

ab|klingen *vi irreg sein* to subside

ab|kommen *vi irreg sein* **1.** (*Richtung ändern*) **vom Kurs ~** to go off course **2.** (*aufgeben*) **von einer Angewohnheit ~** to break a habit; **von seiner Meinung ~** to change one's mind; **davon ~, etw zu tun** to stop doing sth

Abkommen <-s, -> *nt* agreement; **ein ~ schließen** to conclude an agreement

ab|kühlen I. *vi sein* to cool **II.** *vt haben* to leave to cool **III.** *vr impers haben* **sich ~** to cool off; *Wetter* to become cooler

Abkühlung *f* cooling; **sich** *dat* **eine ~ verschaffen** to cool oneself down

ab|kürzen *vt* **1.** *Wort, Name* **etw [mit etw** *dat*] **~** to abbreviate sth [to sth] **2.** (*kürzer machen*) **etw [um etw** *akk*] **~** to cut sth short [by sth]

Abkürzung *f* **1.** (*Wort*) abbreviation **2.** (*Weg*) short cut

ab|laden *vt irreg* **1.** to unload **2.** (*abwälzen*) **etw auf jdn ~** to shift sth on to sb

Ablagerung *f* sediment

ab|lassen *irreg* **I.** *vt Öl, Wasser* to drain; *Dampf* to let off **II.** *vi* (*geh: aufhören*) **[von etw** *dat*] **~** to give up [sth *sep*]

ab|laufen *vi irreg sein* **1.** (*abfließen*) to run (**aus** out of); **das Badewasser ~ lassen** to let the bath water out **2.** *Pass* to expire; *Frist* to run out **3.** (*verlaufen*) to proceed

ab|lehnen I. *vt* **1.** (*zurückweisen*) to reject **2.** (*missbilligen*) to disapprove of **3.** (*sich weigern*) **es ~, etw zu tun** to refuse to do sth **II.** *vi* (*nein sagen*) to refuse

Ablehnung <-, -en> *f* **1.** (*Zurückweisung*) rejection **2.** (*Missbilligung*) disapproval; **auf ~ stoßen** to meet with disapproval

ab|lenken I. *vt* **jdn ~** to distract sb (**von** from) **II.** *vi* **vom Thema ~** to change the subject

Ablenkung *f* (*Zerstreuung*) diversion; **zur ~** in order to relax

ab|liefern *vt* **1.** (*abgeben*) to turn in *sep* **2.** (*liefern*) to deliver (**bei** to)

ab|lösen I. *vt* **1.** (*abmachen*) to remove (**von** from) **2.** (*abwechseln*) **sich** [**bei etw** *dat*] **~** to take turns [at sth]; **einen Kollegen ~** to take over from a colleague **3.** (*ersetzen*) to replace **II.** *vr* (*abgehen*) **sich ~** to peel off

ab|machen *vt* **1.** (*entfernen*) to take off **2.** (*vereinbaren*) **etw** [**mit jdm**] **~** to arrange sth [with sb]; **abgemacht** arranged; **abgemacht!** agreed!

Abmachung <-, -en> *f* agreement; **sich** [**nicht**] **an eine ~ halten** to [not] carry out an agreement

ab|melden *vt* **1.** cancel; **ein Auto ~** to cancel a car's registration; **das Telefon ~** to request the disconnection of the phone **2. jdn von einer Schule ~** to withdraw sb from a school

ab|messen *vt irreg* to measure

Abnahme <-, -n> ['apna:mə] *f* (*Verringerung*) reduction (+*gen* of)

ab|nehmen I. *vi irreg* **1.** (*an Gewicht*) to lose weight **2.** (*an Zahl*) to decrease **II.** *vt irreg* **1.** (*wegnehmen*) **jdm etw ~** to take sth [away] from sb *sep* **2.** *Hut* take off; *Hörer* to pick up *sep*

Abneigung *f* dislike (**gegen** of); **eine ~ dagegen haben, etw zu tun** to be reluctant to do sth

ab|nutzen, ab|nützen SÜDD, ÖSTERR **I.** *vt* to wear out; **abgenutzt** worn **II.** *vr* **1.** (*verschleißen*) **sich ~** to wear **2.** (*an Wirksamkeit verlieren*) **sich ~** to lose effect; **abgenutzt** worn-out

Abonnement <-s, -s> [abɔnə'mãː] *nt* subscription; **etw im ~ beziehen** to subscribe to sth

abonnieren [abɔ'niːrən] *vt haben* to subscribe to

ab|prallen *vi sein* to rebound (**von** off)

ab|putzen *vt* to clean; **etw** [**von etw** *dat*] **~** to wipe sth [off sth]

ab|raten *vi irreg* **jdm** [**von etw** *dat*] **~** to advise sb [against sth]; **von diesem Arzt kann ich Ihnen nur ~** I really can't recommend that doctor

ab|räumen *vt* to clear

ab|reagieren ['apreagiːrən] **I.** *vt Wut* to work off **II.** *vr* **sich ~** to let off steam *fig*

ab|rechnen I. *vi* **mit jdm ~** (*zahlen*) to settle up with sb; (*zur Rechenschaft ziehen*) to call sb to account **II.** *vt* (*abziehen*) to deduct (**von** from)

Abrechnung *f* **1.** (*Erstellung der Rechnung*) calculation of the bill **2.** (*Rache*) pay off; **der Tag der ~** the day of reckoning

ab|regen *vr* (*fam*) **sich ~** to calm down; **reg dich ab!** keep your shirt on!

Abreise *f kein pl* departure

ab|reißen *irreg* **I.** *vt haben* **1. etw** [**von etw** *dat*] **~** to tear sth [off sth] **2.** *Haus* to tear down **II.** *vi sein* to tear off; **einen Kontakt nicht ~ lassen** to not lose contact

ab|runden *vt* [**auf etw** *akk*] **~** to round down [to sth]; **abgerundet** rounded down

Abrüstung *f kein pl* disarmament

ABS <-> [aːbeːˈɛs] *nt Abk von* **Anti-blockiersystem** ABS

Absage *f* refusal; *auf eine Bewerbung* rejection; **jdm eine ~ erteilen** (*geh*) to refuse sb

ab|sagen *vt* to cancel; **jdm ~** to decline sb's invitation

Absatz *m* **1.** (*am Schuh*) heel **2.** (*Abschnitt*) paragraph **3.** (*Verkauf*) sales *pl;* **~ finden** to find a market ▶ **auf dem ~ kehrtmachen** to turn on one's heel

ab|schaffen *vt* to do away with sth

ab|schalten I. *vt* to turn off **II.** *vi* (*fam: unaufmerksam werden*) to switch off

abscheulich [apˈʃɔylɪç] *adj* revolting

Abschiebehaft *f* remand pending deportation

ab|schieben *irreg vt haben* **1.** *Ausländer* to deport **2. die Schuld auf jdn ~** to shift the blame onto sb

Abschied <-[e]s, -e> [ˈapʃiːt] *m* farewell; **von jdm ~ nehmen** to say goodbye to sb

ab|schirmen *vt* to shield; **abgeschirmt** isolated

Abschlag *m* **1.** (*Preisnachlass*) discount **2.** FBALL kickout; (*beim Golf*) tee-off

ab|schleppen *vt* **1.** *Fahrzeug* to tow [away] **2.** (*fam: mitnehmen*) to pick up

Abschleppseil *nt* tow rope **Abschleppwagen** *m* recovery vehicle BRIT, tow truck AM

ab|schließen *irreg* **I.** *vt* **1.** (*verschließen*) to lock **2.** (*beenden*) to finish; *Studium* to complete **3.** *Geschäft* to close; *Versicherung* to take out; *Vertrag* to sign **II.** *vi* **mit jdm/etw abgeschlossen haben** to be through with sb/sth

Abschluss^RR <-es, Abschlüsse>, **Abschluß**^ALT <-sses, Abschlüsse> *m* **1.** *kein pl* (*Ende*) conclusion; **etw zum ~ bringen** to bring sth to a conclusion; **zum ~ kommen** to draw to a conclusion; **kurz vor dem ~ stehen** to be shortly before the end **2.** *s.* **Abschlusszeugnis**

Abschlussprüfung^RR *f* final exam[s] **Abschlusszeugnis**^RR *nt* leaving certificate BRIT, diploma AM

ab|schnallen I. *vt* to unbuckle **II.** *vr* **sich ~** to undo one's seat belt

ab|schneiden *irreg* **I.** *vt* **1.** to cut [off] **2.** (*behindern*) **jdm den Weg ~** to intercept sb; **jdm das Wort ~** to cut sb short **II.** *vi* (*fam*) **bei etw** *dat* **gut/schlecht ~** to do well/badly at sth; **wie hast du bei der Prüfung abgeschnitten?** how did you do in the exam?

Abschnitt *m* **1.** (*Zeitabschnitt*) period; **ein neuer ~ der Geschichte** a new era in history; **es begann ein neuer ~ in seinem Leben** a new chapter of his life began **2.** (*Unterteilung*) part

ab|schrauben *vt* to unscrew

ab|schrecken I. *vt* **1. jdn** [**von etw** *dat*] **~** to put sb off [sth] **2.** KOCHK to rinse with cold water **II.** *vi* to deter

ab|schreiben *irreg vt* **1.** to copy; **etw** [**bei jdm**] **~** to copy sth [from sb]; **er hatte seitenweise abgeschrieben** he plagiarized entire pages **2.** (*a. fig*) to write off; **bei jdm abgeschrieben sein** (*fam*) to be out of favour with sb

Abschrift *f* duplicate

Abschürfung <-, -en> *f* graze

abschüssig [ˈapʃʏsɪç] *adj* steep

ab|schweifen *vi sein* to deviate (**von** from); **vom Thema ~** to digress [from a topic]; **bitte schweifen Sie nicht**

ab! please stick to the point

absehbar ['apze:baːɐ̯] *adj* foreseeable; **das Ende ist nicht ~** the end is not in sight; **in ~er Zeit** in the foreseeable future

abseits ['apzaits] I. *adv* 1. (*entlegen*) off the beaten track 2. (*entfernt*) **sich ~ halten** to be aloof 3. SPORT **~ sein** to be offside II. *präp* (*entfernt von etw*) **~ einer S.** *gen* at a distance from sth; **das Haus liegt ein wenig ~ der Straße** the house isn't far from the road

Abseits <-, -> ['apzaits] *nt* SPORT offside; **im ~ stehen** to be offside; (*fig*) to be on the edge

abseits|stehen^RR *vi* to stand off to one side

Absender(in) <-s, -> *m(f)* sender

Absicht <-, -en> *f* intention; **das war nicht meine ~!** I didn't mean to do it!; **ernste ~en haben** to have honourable intentions

absichtlich ['apzɪçtlɪç] I. *adj* intentional II. *adv* on purpose

ab|sondern I. *vt* 1. BIOL, MED to secrete 2. (*isolieren*) to isolate (**von** from) II. *vr* **sich ~** to keep oneself apart

ab|spalten *vr* **sich** [**von etw** *dat*] **~** to split away/off [from sth]

ab|speichern *vt* to save (**auf** onto)

ab|sperren *vt* 1. (*versperren*) to cordon off (**mit** with) 2. *Strom, Wasser* to cut off 3. SÜDD (*zuschließen*) to lock

Absprache *f* agreement; **eine ~ treffen** to come to an agreement; **nach ~** as agreed

ab|sprechen *irreg* I. *vt* 1. (*verabreden*) to arrange 2. **jdm etw ~** to deny sb sth II. *vr* **sich mit jdm** [**über etw** *akk*] **~** to come to an agreement with

sb [about sth]

ab|spülen I. *vt* to rinse II. *vi* (*spülen*) to do the dishes

Abstand *m* 1. (*räumlich*) distance; **~ halten** *mit Fahrzeug* to leave a space 2. (*zeitlich*) interval; **in kurzen/regelmäßigen Abständen** at short/regular intervals 3. SPORT **mit zwei Punkten ~** with a two-point margin

Abstecher <-s, -> *m* detour

ab|stellen *vt* 1. (*ausschalten*) to switch off *sep* 2. (*absetzen*) to put down 3. (*aufbewahren*) **etw** [**bei jdm**] to leave sth [with sb] 4. (*parken*) to park

Abstieg <-[e]s, -e> *m* 1. *vom Berg* descent 2. (*Niedergang*) decline; **der berufliche/gesellschaftliche ~** descent down the job/social ladder

ab|stimmen I. *vi* [**über jdn/etw**] **~** to vote on sb/sth; [**über etw** *akk*] **~ lassen** to have a vote [on sth] II. *vt* **Dinge aufeinander ~** to coordinate things [with each other] III. *vr* **sich** [**mit jdm**] **~** to coordinate [with sb]

Abstimmung *f* vote (**über** on); **geheime ~** secret ballot; **etw zur ~ bringen** to put sth to the vote

abstinent [apsti'nɛnt] *adj* 1. (*keinen Alkohol trinken*) abstinent; **~ sein** to be a teetotaller 2. (*sexuell*) celibate

ab|stoßen *irreg vt* 1. MED to reject 2. (*nicht eindringen lassen*) to repel 3. (*anwidern*) to repel; **sich von etw** *dat* **abgestoßen fühlen** to be repelled by sth 4. (*verkaufen*) to get rid of

abstoßend I. *adj* 1. (*widerlich*) repulsive 2. (*undurchlässig*) **Wasser ~** water-repellent II. *adv* (*widerlich*) in a repulsive way; **~ aussehen** to look repulsive; **~ riechen** to smell disgusting

abstrakt [apˈstrakt] **I.** *adj* abstract **II.** *adv* in the abstract; **etw zu ~ darstellen** to present sth too much in the abstract

ab|streiten *vt irreg* to deny; **er stritt ab, sie zu kennen** he denied knowing her; **jdm etw ~** to deny sb sth

Absturz *m* **1.** fall; LUFT crash **2.** *eines Computers* crash

ab|stürzen *vi sein* **1.** *Person* to fall; *Flugzeug* to crash **2.** *Computer* to crash

ab|suchen *vt* to search (**nach** for)

Abszess^RR <-es, -sse>, **Abszeß**^ALT <-sses, -sse> [apsˈtsɛs] *m* abscess

Abtei <-, -en> *f* abbey

Abteil *nt* compartment

Abteilung *f* department; *eines Krankenhauses* ward

Abteilungsleiter(in) *m(f) einer Verkaufsabteilung* department[al] manager; *einer Firma* head of department

ab|treiben *irreg vi* **1.** *haben* MED to have an abortion **2.** *sein: Boot* to be carried [away]

Abtreibung <-, -en> *f* abortion

ab|trennen *vt* **1.** (*ablösen*) to detach (**von** from) **2.** (*abteilen*) to divide off *sep* (**von** from) **3.** (*abschneiden*) to cut off *sep*

ab|trocknen *vt, vi* to dry; **Geschirr ~** to dry the dishes; **sich ~** to dry oneself

Abverkauf *m* ÖSTERR (*Ausverkauf*) sale

ab|wägen *vt irreg* to weigh up; **die Vor- und Nachteile ~** to weigh [up] the disadvantages and advantages; **seine Worte gut ~** to choose one's words carefully

ab|warten I. *vt* to wait [for]; **das**

bleibt abzuwarten that remains to be seen; **sie konnte es einfach nicht mehr ~** she simply couldn't wait any longer **II.** *vi* to wait; **wart' mal ab!** [just] [you] wait and see!

abwärts [ˈapvɛrts] *adv* downhill

abwärts|gehen^RR *vt* to go downhill

Abwasch^1 <-[e]s> *m kein pl* **den ~ machen** to do the dishes

Abwasch^2 <-, -en> *f* ÖSTERR (*Spülbecken*) sink

ab|waschen *irreg* **I.** *vt* **1.** (*spülen*) to wash up **2.** *Fleck* to wash off **II.** *vi* to do the dishes **III.** *vr* **sich ~** to wash oneself

Abwaschmaschine *f* SCHWEIZ dishwasher

Abwasser <-wässer> *nt* waste water

ab|wechseln *vi, vr* [**sich**] **~ 1.** (*im Wechsel handeln*) to take turns **2.** (*im Wechsel erfolgen*) to alternate; **Sonne und Regen wechselten sich ab** it alternated between sun and rain

abwechselnd *adv* alternately

Abwechs(e)lung <-, -en> *f* change; **eine willkommene ~ sein** to be a welcome change; **die ~ lieben** to like a bit of variety

abwegig [ˈapveːgɪç] *adj* absurd

Abwehrkräfte *pl* the body's defences

ab|weichen *vi irreg sein* **1.** to deviate (**von** from) **2.** (*sich unterscheiden*) **von jdm/etw ~** to differ from sb/sth

ab|weisen *vt irreg* **1.** (*wegschicken*) to turn away **2.** (*ablehnen*) to turn down *sep; Bitte* to deny; **jdn ~** to reject sb **3.** *Klage* to dismiss

ab|wenden I. *vr* **sich ~** to turn away **II.** *vt* **1.** (*verhindern*) *Katastrophe* to avert; **etw [von jdm/etw] ~** to protect [sb/sth] from sth **2.** (*wegbewegen*) **die Augen ~** to avert one's gaze

abwesend ['apveːznt] *adj* **1.** (*nicht da*) absent **2.** (*geistesabwesend*) absent-minded

Abwesenheit <-, *selten* -en> *f* **1.** absence; **in jds ~** in sb's absence **2.** (*Geistesabwesenheit*) absent-mindedness

ab|wischen *vt* to wipe (**von** from); **sich den Schweiß von der Stirn ~** to mop the sweat from one's brow; **sich die Tränen ~** to dry one's tears

abzüglich ['aptsyːklɪç] *präp* **~ einer S.** *gen* minus sth

Abzweigung <-, -en> *f* turning

ach [ax] *interj* **1.** (*jammernd, ärgerlich*) oh no!; **~ je!** oh dear [me]! **2.** (*verwundert*) **~ so!** [oh,] I see!; **~ wirklich?** really? **3.** (*verneinend*) **~ was!** come on!

Achse <-, -n> ['aksə] *f* **1.** AUTO axle **2.** (*Linie*) axis ► **auf ~ sein** (*fam*) to be on the move

Achsel <-, -n> ['aksl̩] *f* **1.** ANAT armpit **2.** (*fam: Schulter*) shoulder; **mit den ~n zucken** to shrug one's shoulders

acht¹ [axt] *adj* eight; **~ mal drei sind [gleich] 24** eight times three is 24; **das kostet ~ Euro** that costs eight euros; **es steht ~ zu drei** the score is eight three [*or* 8-3]; **~ [Jahre alt] sein/werden** to be/turn eight [years old]; **mit ~ [Jahren]** at the age of eight; **alle ~ Tage** [regularly] every week; **heute/Freitag in ~ Tagen** a week today/on Friday; **heute/Freitag vor ~ Tagen** a week ago today/on Friday; **~ Uhr sein** to be eight o'clock; **gegen ~ [Uhr]** [at] about eight [o'clock]; **kurz nach/vor ~ [Uhr]** just [*or* shortly] after/before eight [o'clock]; **um ~** at eight [o'clock]

acht² [axt] *adv* **zu ~ sein: wir waren zu ~** there were eight of us

achte(r, s) ['axtə, -tɐ, -təs] *adj* eighth; **die ~ Klasse** third year of senior school BRIT, eighth grade AM; **am ~n September** on the eighth of September; **an ~r Stelle** [in] eighth [place]

achten ['axtn̩] **I.** *vt* to respect **II.** *vi* **1.** (*aufpassen*) **auf jdn/etw ~** to look after sb/sth **2.** (*beachten*) **auf jdn/etw ~** to pay attention to sb/sth; **achtet aber darauf, dass ihr nichts umwerft!** be careful not to knock anything over!

Achterbahn *f* roller-coaster

Achterdeck *nt* after deck

achtjährig, 8-jährigᴿᴿ ['axtjɛːrɪç] *adj* **1.** (*Alter*) eight-year-old *attr*, eight years old *pred* **2.** (*Zeitspanne*) eight-year *attr*

achtlos I. *adj* careless **II.** *adv* without noticing

Achtung¹ ['axtʊŋ] *interj* **~!** **1.** (*Vorsicht*) watch out! **2.** (*Aufmerksamkeit*) [your] attention please! ► **~, fertig, los!** ready, steady, go!

Achtung² <-> ['axtʊŋ] *f kein pl* respect (**vor** for); [**keine**] **~ vor jdm/etw haben** to have [no] respect for sb/sth; **alle ~!** well done!

achtzehn ['axtseːn] *adj* eighteen; **~ Uhr** 6pm; *s.a.* **acht¹**

achtzig ['axtsɪç] *adj* **1.** eighty; **über ~ sein** to be over eighty; **Mitte ~ sein** to be in one's mid-eighties **2.** (*fam: Stundenkilometer*) [**mit**] **~ fahren** to do eighty [kilometres an hour]

Acker <-s, Äcker> ['akɐ] *m* field

Ackerbau *m kein pl* [arable] farming; **~ betreiben** to farm [the land]

Adapter <-s, -> [a'daptɐ] *m* adapter

adaptieren [adap'tiːrən] *vt* **1.** to adapt

(**für** for) **2.** ÖSTERR (*herrichten*) to renovate

addieren [a'di:rən] *vt* to add up *sep;* **etw zu etw** *dat* ~ to add sth to sth

Adel <-s> ['a:dl] *m kein pl* nobility

adelig ['a:dəlɪç] *adj s.* **adlig**

Ader <-, -n> ['a:dɐ] *f* **1.** (*Vene*) vein; (*Schlagader*) artery **2.** (*Begabung*) **eine ~ für etw** *akk* **haben** to have a talent for sth; **eine künstlerische ~ haben** to have an artistic bent

Adjektiv <-s, -e> ['atjɛkti:f] *nt* adjective

Adler <-s, -> ['a:dlɐ] *m* eagle

adoptieren [adɔp'ti:rən] *vt* to adopt

Adoption <-, -en> [adɔp'tsjo:n] *f* adoption; **ein Kind zur ~ freigeben** to put a child up for adoption

Adoptiveltern [adɔp'ti:f-] *pl* adoptive parents **Adoptivkind** *nt* adopted child

Adressat(in) <-en, -en> [adrɛ'sa:t] *m(f)* addressee

Adresse <-, -n> [a'drɛsə] *f* address ▶ **bei jdm** [**mit etw** *dat*] **an der** <u>fal-schen</u> /<u>richtigen</u> ~ **sein** to have addressed the wrong/right person [with sth]; **sich an die** <u>falsche</u> /<u>richtige</u> ~ **wenden** (*fam*) to knock at the wrong/right door

adressieren [adrɛ'si:rən] *vt* to address (**an** to)

Adria <-> ['a:dria] *f* Adriatic [Sea]

Advent <-s, -e> [at'vɛnt] *m* Advent [season]; **erster ~** first Sunday in Advent

Adverb <-s, -ien> [at'vɛrp] *nt* adverb

Advokat(in) <-en, -en> [atvo'ka:t] *m(f)* advocate

Affe <-n, -n> ['afə] *m* monkey ▶ **ich glaub', mich** <u>laust</u> **der ~!** (*fam*) I think my eyes are deceiving me!

affektiert [afɛk'ti:ɐt] **I.** *adj* (*pej*) affected **II.** *adv* (*pej*) affectedly

Afrika <-s> ['a:frika] *nt* Africa

Afrikaner(in) <-s, -> [afri'ka:nɐ] *m(f)* African; **~ sein** to be [an] African

afrikanisch [afri'ka:nɪʃ] *adj* African

Afroamerikaner(in) ['a:fro-] *m(f)* Afro-American

afroamerikanisch ['a:fro-] *adj* Afro-American

Agentur <-, -en> [agɛn'tu:ɐ] *f* agency

Aggregat <-[e]s, -e> [agre'ga:t] *nt* unit; (*Stromaggregat*) power unit

Ägypten <-s> [ɛ'gʏptn̩] *nt* Egypt

Ägypter(in) <-s, -> [ɛ'gʏptɐ] *m(f)* Egyptian

ägyptisch [ɛ'gʏptɪʃ] *adj* Egyptian

aha [a'ha:] *interj* **1.** (*ach so*) aha **2.** (*sieh da*) look!

ähneln ['ɛ:nl̩n] *vt* to resemble; **du ähnelst meiner Frau** you remind me of my wife

ahnen ['a:nən] *vt* **1.** (*vermuten*) to suspect; (*erahnen*) to guess [at]; **das kann/konnte ich doch nicht ~!** how can/could I know that?; **ohne zu ~, dass ...** without suspecting that ...; **etwas/nichts** [**von etw** *dat*] ~ to have an/no idea [about sth] **2.** (*voraussehen*) **etw ~** to have a premonition of sth

ähnlich ['ɛ:nlɪç] **I.** *adj* similar; [**etwas**] **Ähnliches** something similar **II.** *adv* similarly; **jdm ~ sehen** to look like sb ▶ **das** <u>sieht</u> **ihr** [**ganz**] ~! (*fam*) that's just like her

Ähnlichkeit <-, -en> *f* **1.** (*Aussehen*) resemblance (**mit** to); **mit jdm/etw ~ haben** to resemble sb/sth **2.** (*Vergleichbarkeit*) similarity; **mit etw** *dat* ~ **haben** to be similar to sth

Ahnung <-, -en> *f* **1.** (*Vorgefühl*) premonition; **es ist eher so eine ~** it's more of a hunch *fam* **2.** (*Vorstellung*) **keine ~!** [I've] no idea!; [**keine**] ~ [**von etw** *dat*] **haben** to [not] understand [sth]

ahnungslos I. *adj* **1.** unsuspecting **2.** (*unwissend*) ignorant **II.** *adv* unsuspectingly

Ahorn <-s, -e> ['a:hɔrn] *m* maple [tree]

Ähre <-, -n> ['ɛ:rə] *f* **1.** (*Samenstand*) ear **2.** (*Blütenstand*) spike

Akademie <-, -n> [akade'mi:] *f* **1.** (*Hochschule*) college **2.** (*Gesellschaft*) academy

Akademiker(in) <-s, -> [aka'de:mikɐ] *m(f)* graduate

akademisch [aka'de:mɪʃ] **I.** *adj* academic **II.** *adv* ~ **gebildet sein** to be academically educated

Akazie <-, -n> [a'ka:tsi̯ə] *f* **1.** acacia **2.** (*Robinie*) robinia

akklimatisieren [aklimati'zi:rən] *vr* **sich ~** to become acclimatized

Akkord¹ <-[e]s, -e> [a'kɔrt] *m* MUS chord

Akkord² <-[e]s, -e> [a'kɔrt] *m* piecework; **im ~ arbeiten** to be on piecework

Akkordeon <-s, -s> [a'kɔrdeɔn] *nt* accordion

Akku <-s, -s> ['aku] *m* (*fam*) *kurz für* **Akkumulator** accumulator

Akkusativ <-s, -e> ['akuzati:f] *m* accusative [case]

Akne <-, -n> ['aknə] *f* acne

Akt <-[e]s, -e> [akt] *m* **1.** (*Bild*) nude [painting] **2.** (*Handlung*) act; **ein ~ der Rache** an act of revenge **3.** ÖSTERR (*Akte*) file

Aktenordner *m* file

Aktie <-, -n> ['aktsi̯ə] *f* BÖRSE share, stock *esp* AM; **die ~n stehen gut/**

schlecht the shares are doing well/badly

Aktiengesellschaft *f* public limited company BRIT, [stock] corporation AM

Aktienkurs *m* share [*or* AM *a.* stock] price

Aktion <-, -en> [ak'tsi̯o:n] *f* **1.** action; **in ~ sein** to be [constantly] in action; **in ~ treten** to come into action **2.** (*Militäraktion, Werbeaktion*) campaign

Aktionär(in) <-s, -e> [aktsi̯o'nɛ:ɐ] *m(f)* shareholder, AM *a.* stockholder

aktiv [ak'ti:f] **I.** *adj* active; **in etw** *dat* ~ **sein** to be active in sth **II.** *adv* actively

aktualisieren *vt* to update; **aktualisiert** updated

Aktualität <-, -en> [aktu̯ali'tɛ:t] *f* topicality

aktuell [ak'tu̯ɛl] *adj* **1.** (*gegenwärtig*) topical; **die ~sten Nachrichten** the latest news; **~e Vorgänge** current events **2.** (*modern*) latest *attr*, in fashion *pred*

Akupunktur <-, -en> [akupʊŋktu:ɐ] *f* acupuncture

Akustik <-> [a'kʊstɪk] *f kein pl* acoustics + *pl vb*

akustisch [a'kʊstɪʃ] **I.** *adj* acoustic **II.** *adv* acoustically; **ich habe dich rein ~ nicht verstanden** I just didn't hear what you said

Akzent <-[e]s, -e> [ak'tsɛnt] *m* **1.** (*Aussprache*) accent; **mit ~ sprechen** to speak with an accent **2.** (*Zeichen*) accent **3.** (*Schwerpunkt*) stress; **den ~ auf etw** *akk* **legen** to emphasize sth; **~e setzen** to set [new] trends

akzeptieren [aktsɛp'ti:rən] *vt, vi* to accept

Alarmanlage *f* alarm [system]

albern¹ ['albɐn] I. *adj* childish II. *adv* childishly

albern² ['albɐn] *vi* to fool around

Albtraum^RR *m* nightmare

Album <-s, Alben> ['albʊm] *nt* album

Alge <-, -n> ['algə] *f* alga

Algebra <-> ['algebra] *f* algebra

Alimente [ali'mɛntə] *pl* maintenance *no pl*

alkalisch [al'kaːlɪʃ] *adj* alkaline

Alkohol <-s, -e> ['alkohoːl] *m* alcohol

alkoholfrei *adj* non-alcoholic **alkoholhaltig** *adj* alcoholic

Alkoholiker(in) <-s, -> [alko'hoːlike] *m(f)* alcoholic; **Anonyme ~** Alcoholics Anonymous

All <-s> [al] *nt kein pl* space

alle(r, s) ['alə, -lɐ, -ləs] *pron indef* **1.** *adjektivisch* all **2.** *substantivisch* **sie/ihr ~** all of them/you; **~s** everything; **vor ~m** above all

Allee <-, -n> [a'leː] *f* avenue

allein, alleine [a'lain(ə)] I. *adj pred* **1.** (*ohne andere*) alone; **jdn ~ lassen** to leave sb alone; **sich ~ gelassen fühlen** to feel abandoned **2.** (*einsam*) lonely II. *adv* **1.** (*ohne Hilfe*) by oneself; **~ erziehend sein** to be a single parent; **~ stehend** single; **von ~** by itself/oneself **2.** (*nur*) just; **~ der Gedanke daran** the mere thought of it **3.** (*ausschließlich*) exclusively; **das ist ~ deine Entscheidung** it's your decision [and yours alone]

Alleinerziehende(r) *f(m) dekl wie adj* single parent

allerdings ['alɐdɪŋs] *adv* **1.** (*jedoch*) although **2.** (*in der Tat*) definitely; **~!** indeed!

Allergie <-, -n> [alɛr'giː] *f* allergy;

~ auslösend allergenic; **eine ~ [gegen etw** *akk*] **haben** to have an allergy [to sth]

allergisch [a'lɛrgɪʃ] I. *adj* allergic (**gegen** to) II. *adv* **~ [auf etw** *akk*] **reagieren** to have an allergic reaction [to sth]

Allerheiligen <-s> ['alɐ'hailɪɡn̩] *nt* All Saints' Day

allgemein ['algə'main] I. *adj* **1.** *attr* (*alle betreffend*) general; **zur ~en Überraschung** to everyone's surprise; **das ~e Wohl** the common good ▶ **im A~en** (*normalerweise*) generally speaking; (*insgesamt*) on the whole II. *adv* generally; **~ bekannt sein** to be common knowledge; **~ gültig** general; **~ verständlich** intelligible to everybody; **~ zugänglich sein** to be open to the general public

Allgemeinbildung *f kein pl* general education **Allgemeinheit** <-> ['algə'mainhait] *f kein pl* general public

Allianz <-, -en> [a'li̯ants] *f* alliance

alljährlich ['al'jɛːɐ̯lɪç] I. *adj attr* annual II. *adv* annually

allmählich [al'mɛːlɪç] I. *adj attr* gradual II. *adv* gradually; **~ geht er mir auf die Nerven** he's beginning to get on my nerves

Allradantrieb *m* four-wheel drive

Alltag ['altaːk] *m* everyday life

alltäglich ['altɛːklɪç] *adj* **1.** *attr* (*tagtäglich*) daily **2.** (*gang und gäbe*) usual; **diese Probleme sind bei uns ~** these problems are part of everyday life here

allzu ['altsuː] *adv* [all] too; **magst du Fisch? — nicht ~ gern** do you like fish? — not very much; **~ früh** far too early; **~ oft** only too often; **nicht ~ oft**

not [all] too often; ~ **viel** too much

Alm <-, -en> [alm] *f* mountain pasture

Alpen ['alpn̩] *pl* **die** ~ the Alps

Alpenveilchen *nt* cyclamen

Alphabet <-[e]s, -e> [alfa'be:t] *nt* alphabet

alphabetisch [alfa'be:tɪʃ] *adj* alphabetical

Alptraum ['alptraum] *m* nightmare

als [als] *konj* **1.** (*in dem Moment, da*) when; **damals, ~ ...** in the days when ...; **gerade ~ ...** just when ... **2.** *bei Vergleichen* than; **kleiner/größer ~ ...** smaller/bigger than ...; **der Bericht ist interessanter ~ erwartet** the report is more interesting than would have been expected; **alles andere ~ ...** everything but ... **3.** ~ **habe/könne/sei/würde X ...** as if X had/could/were/would ...; **~ ob ...** as if ... **4.** (*vor Substantiv, Adjektiv*) as; **schon ~ Kind hatte er immer Albträume** even as a child, he had nightmares; **sich ~ falsch erweisen** to prove to be false

also ['alzo] **I.** *adv* (*folglich*) so; **es regnet, ~ bleiben wir zu Hause** it's raining, so we'll stay at home **II.** *part* **1.** (*nun ja*) well **2.** (*tatsächlich*) so; **er hat ~ doch nicht die Wahrheit gesagt!** so he wasn't telling the truth after all! **3.** (*na*) ~ **gut** [well,] all right; **~ doch!** you see!; **na ~!** just as I thought!

alt <älter, älteste(r,s)> [alt] *adj* **1.** (*Lebensalter*) old; **wie ~ ist er?** how old is he?; **er ist 21 Jahre ~** he's 21 [years old]; **älter werden** to get older **2.** (*aus alter Zeit*) ancient

Altar <-s, -täre> [al'taːɐ̯] *m* altar

Alten(pflege)heim *nt* old people's home

Alter <-s, -> ['altɐ] *nt* **1.** (*Lebensalter*) age; **er ist in meinem ~** he's my age; **mittleren ~s** middle-aged **2.** (*Bejahrtheit*) old age; **im ~** in old age

altern ['altɐn] *vi* to age

alternativ [altɐna'tiːf] *adj* alternative; **~ leben** to live an alternative lifestyle

Alternative <-n, -n> [altɐna'tiːvə] *f* alternative; **die ~ haben, etw zu tun** to have the alternative of doing sth

Altersasyl *nt* SCHWEIZ old peoples' home **Altersheim** *nt* old people's home **Altersschwäche** *f kein pl* infirmity **Altersteilzeit** *f* partial retirement (*part-time employment scheme for people approaching retirement in Germany*) **Altersversorgung** *f* retirement pension; (*betrieblich*) pension scheme [*or* AM plan]

Altertum <-> ['altɛtuːm] *nt kein pl* antiquity; **das Ende des ~s** the end of the ancient world

Altjahresabend ['altjaːɐ̯əsʔaːbn̩t] *m* SCHWEIZ New Year's Eve **Altkanzler(in)** *m(f)* former German Chancellor **altmodisch I.** *adj* old-fashioned **II.** *adv* ~ **gekleidet** dressed in old-fashioned clothes

Altöl *nt* used oil

Altpapier *nt* waste paper **Altstadt** *f* old town

Alufolie *f* tin foil

Aluminium <-s> [alu'miːni̯ʊm] *nt kein pl* aluminium BRIT, aluminum AM

am [am] = *s.* **an dem 1.** *beim Superlativ* ~ **schnellsten/schönsten sein** to be [the] fastest/most beautiful **2.** (*fam: beschäftigt mit*) **ich bin ~ Schreiben!** I'm writing!

Amateur(in) <-s, -e> [ama'tøːɐ̯] *m(f)* amateur

Ambulanz <-, -en> [ambu'lants] *f*

1. out-patient department **2.** (*Unfallwagen*) ambulance

Ameise <-, -n> ['a:maizə] *f* ant

Ameisenbär *m* anteater **Ameisenhaufen** *m* anthill

Amerika <-s> [a'me:rika] *nt* America

Amerikaner(in) <-s, -> [ameri'ka:nɐ] *m(f)* American

amerikanisch [ameri'ka:nɪʃ] *adj* American

Ammoniak <-s> [amo'niak] *nt kein pl* ammonia

Amnestie <-, -n> [amnɛs'ti:] *f* amnesty; **eine ~ verkünden** to declare amnesty

Amöbe <-, -n> [a'mø:bə] *f* amoeba

Amok <-s> ['a:mɔk] *m* **~ laufen** to run amok

Ampel <-, -n> ['ampl] *f* traffic lights *pl;* **die ~ ist auf rot gesprungen** the lights have turned red; **du hast eine rote ~ überfahren** you've just driven through a red light

Amphibie <-, -n> [am'fi:biə] *f* amphibian

amputieren [ampu'ti:rən] *vt, vi* to amputate

Amsel <-, -n> ['amzl] *f* blackbird

Amt <-[e]s, Ämter> [amt] *nt* **1.** (*Behörde*) office; **aufs ~ gehen** (*fam*) to go to the authorities **2.** (*öffentliche Stellung*) post; (*hohe, ehrenamtliche Stellung*) office; **ein ~ innehaben** to hold an office; **für ein ~ kandidieren** to be a candidate for a post; **im ~ sein** to be in office

amtlich I. *adj* official II. *adv* officially

amüsant [amy'zant] I. *adj* amusing II. *adv* entertainingly; **sich ~ unterhalten** to have an amusing conversation

amüsieren [amy'zi:rən] I. *vr* **sich ~** to enjoy oneself; **amüsiert euch gut!** have a good time!; **sich über jdn/etw ~** to laugh about sb/sth II. *vt* **jdn ~** to amuse sb

an [an] I. *präp* **1.** *räumlich* at; **er setzte sich ~ den Tisch** he sat down at the table; **~ dieser Stelle** in this place **2.** *zeitlich* on; **~ Weihnachten** at Christmas; **~ den Abenden** in the evenings; **~ jenem Morgen** that morning **3.** (*verbunden mit einer Person/Sache*) about; **das Angenehme ~ etw** *dat* the pleasant thing about sth II. *adv* **1.** (*ungefähr*) **~ die ...** about ... **2.** (*fam: angeschaltet*) on **3.** (*zeitlich*) **von jetzt ~** from now on

analog [ana'lo:k] I. *adj* **1.** (*entsprechend*) analogous **2.** INFORM analog II. *adv* **1.** (*entsprechend*) analogously **2.** INFORM as an analog

Analphabet(in) <-en, -en> [an'ʔalfa'be:t] *m(f)* illiterate

Analyse <-, -n> [ana'ly:zə] *f* analysis

analysieren [analy'zi:rən] *vt* to analyse

Ananas <-, -> ['ananas] *f* pineapple

anatomisch [ana'to:mɪʃ] I. *adj* anatomic II. *adv* anatomically

Anbau[1] *m kein pl* AGR cultivation

Anbau[2] <-bauten> *m* (*Nebengebäude*) extension BRIT, annex AM

an|bauen *vt* Gemüse to grow

an|bieten *irreg* I. *vt* **jdm etw ~** to offer [sb] sth II. *vr* **1.** (*sich zur Verfügung stellen*) **sich ~** to offer one's services; **sich ~, etw zu tun** to offer to do sth **2.** (*naheliegen*) **sich** [**für etw** *akk*] **~** to be just the right thing [for sth]

an|binden *vt irreg* to tie (**an** to)

Anblick *m* sight; **beim ~ einer S.** *gen* at the sight of sth

an|blicken *vt* to look at

Anbot <-[e]s, -e> *nt* ÖSTERR (*geh*) offer

an|brennen *irreg vi sein* to burn; **etw ~ lassen** to let sth burn

an|dauern *vi* to continue

andauernd I. *adj* continuous **II.** *adv* continuously; **jetzt schrei mich nicht ~ an** stop shouting at me all the time

Andenken <-s, -> *nt* **1.** (*Souvenir*) souvenir **2.** (*Erinnerungsstück*) keepsake **3.** *kein pl* (*Erinnerung*) memory; **zum ~ an jdn** in memory of sb

andere(r, s) ['andərə] *pron indef* **1.** (*verschieden*) different; **etwas/ nichts ~s** something/nothing else; **es bleibt uns nichts ~s übrig** there's nothing else we can do; **ein ~r/eine ~** someone else; **ein ~s Mal** another time **2.** (*weitere*) other; **haben Sie noch ~ Fragen?** have you got any more questions?; **die ~n** the others

and(e)rerseits ['andərəzaits] *adv* on the other hand

ändern ['ɛndən] *vt, vr* to change; **ich kann es nicht ~** I can't do anything about it; **daran kann man nichts ~** there's nothing you can do about it

anders ['andəs] *adv* **1.** (*verschieden*) differently; **~ als ...** different to [*or* AM *a.* than] ...; **~ als sonst** different than usual; **es sich** *dat* **~ überlegen** to change one's mind; **~ denkend** dissenting **2.** (*sonst*) **jemand ~** somebody else; **niemand ~** nobody else; **es ging leider nicht ~** I'm afraid I couldn't do anything about it

andersherum ['andəshɛrʊm] *adv* the other way round **anderswo** ['andəsvoː] *adv* elsewhere **anderswoher** ['andəsvoːheːɐ̯] *adv* from somewhere else **anderswohin** ['andəsvoːhɪn] *adv* elsewhere

anderthalb ['andət'halp] *adj* one and a half; **~ Stunden** an hour and a half

Änderung <-, -en> *f* change (**an** to); **geringfügige ~en** slight alterations

an|deuten I. *vt* to indicate **II.** *vr* **etw deutet sich ~** there are signs of sth

aneinander [anʔai'nandə] *adv* to one another; **~ denken** to think about each other; **~ vorbeireden** to talk at cross purposes

aneinander|geratenᴿᴿ *vi* to have a fight [*or* BRIT row]

aneinander|reihenᴿᴿ **I.** *vt* to string together **II.** *vr* to follow one another

an|ekeln *vt* **jdn ~** to make sb sick; **von etw** *dat* **angeekelt sein** to be disgusted by sth

Anemone <-, -n> [ane'moːnə] *f* anemone

an|erkennen ['anʔɛɐ̯kɛnən] *vt irreg* **1.** (*akzeptieren*) to accept; (*offiziell*) to recognize (**als** as) **2.** (*würdigen*) to appreciate

an|fahren *irreg vt haben* **1.** (*beim Fahren streifen*) to hit **2.** *irreg* (*schelten*) **jdn ~** to snap at sb

Anfall <-[e]s, -fälle> *m* **1.** MED attack; **epileptischer ~** epileptic fit **2.** (*Wutanfall*) fit of rage

an|fallen I. *vi irreg sein* to arise; *Arbeit* to pile up **II.** *vt irreg* to attack

Anfang <-[e]s, -fänge> *m* **1.** (*Beginn*) beginning; **er ist ~ 40** he is in his early 40s; **am ~** in the beginning; **von ~ an** from the [very] start; **von ~ bis Ende** from start to finish; **~ Juni/der Woche** at the beginning of June/the week; **einen neuen ~ machen** to make a fresh start **2.** (*Ursprung*) origin[s] *usu pl*

an|fangen *irreg vt, vi* to begin; *etwas mit jdm/etw ~ können* (*fig*) to be able to do sth with sb/sth; **nichts mit sich** *dat* **anzufangen wissen** (*fig*) to not know what to do with oneself

Anfänger(in) <-s, -> *m(f)* beginner; ~ **sein** to be a novice

anfangs I. *adv* at first II. *präp* SCHWEIZ at the start of

an|fassen I. *vt* to touch II. *vi* **mit** ~ to lend a hand III. *vr* **es fasst sich rau an** it feels rough

an|fechten *vt irreg* JUR to contest

an|flehen *vt* to beg (**um** for)

Anflug <-[e]s, -flüge> *m* LUFT approach

an|fordern *vt* to request; *Katalog* to order

Anforderung <-, -en> *f* 1. *kein pl* request; *Katalog* ordering; **auf** ~ on request 2. *meist pl* (*Anspruch*) demands; ~**en** [**an jdn**] **stellen** to place demands [on sb]; **du stellst zu hohe** ~**en** you're too demanding

Anfrage <-, -n> *f* inquiry; **auf** ~ on request

an|fragen *vi* to ask (**um** for)

an|freunden ['anfrɔyndn̩] *vr* **sich mit jdm** ~ to make friends with sb; **sich** ~ to become friends

Anführer(in) <-s, -> *m(f)* leader; *von Truppen* commander

Anführungsstrich *m*, **Anführungszeichen** *nt meist pl* quotation mark[s]; ~ **unten/oben** quote/unquote

Angabe <-, -n> *f* 1. *meist pl* (*Mitteilung*) details *pl*; ~**n zur Person** personal details 2. *kein pl* (*Prahlerei*) boasting

an|geben *irreg* I. *vt* 1. (*nennen*) to give; **jdn als Zeugen** ~ to cite sb as a witness 2. (*behaupten*) to claim 3. (*anzeigen*) to indicate II. *vi* (*prahlen*) to boast (**mit** about)

Angeber(in) <-s, -> *m(f)* poser

angeblich ['ange:plɪç] I. *adj attr* alleged II. *adv* allegedly

angeboren *adj* innate

Angebot <-[e]s, -e> *nt* offer; (*Warenangebot*) range of goods; (*Sonderangebot*) special offer; **im** ~ on special offer; ~ **und Nachfrage** supply and demand

an|gehen *irreg* I. *vi sein: Maschine, Licht* to come on II. *vt haben* (*betreffen*) to concern; **was geht mich das an?** what's that got to do with me?; **was mich angeht, ...** as far as I am concerned, ...

Angehörige(r) *f(m) dekl wie adj* 1. (*Familienangehörige(r)*) relative 2. (*Mitglied*) member

Angeklagte(r) *f(m) dekl wie adj* accused

Angel <-, -n> ['aŋl̩] *f* 1. fishing pole 2. (*Türangel*) hinge ▶ **etw aus den** ~**n heben** (*fam*) to turn sth upside down

Angelegenheit <-, -en> *f* matter; **sich um seine eigenen** ~**en kümmern** to mind one's own business; **jds** ~ **sein** to be sb's responsibility

angeln ['aŋl̩n] I. *vi* to fish; [**das**] **A~** fishing II. *vt* to catch

Angelrute *f* fishing rod

angemessen I. *adj* appropriate II. *adv* appropriately

angenehm I. *adj* pleasant ▶ **das A~e mit dem** Nützlichen **verbinden** to mix business with pleasure; [sehr] ~! (*geh*) pleased to meet you! II. *adv* pleasantly

angesehen *adj* respected

angesichts *präp* ~ **einer S.** *gen* in the face of sth

Angestellte(r) *f(m) dekl wie adj* employee

an|gewöhnen *vt* **sich** *dat* **etw** ~ to get into the habit of [doing] sth

Angewohnheit <-, -en> *f* habit

Angina <-, Anginen> [aŋˈgiːna] *f* angina

Anglistik <-> [aŋˈglɪstɪk] *f kein pl* study of English [language and literature]

an|greifen *irreg* I. *vi* to attack II. *vt* 1. (*bekämpfen*) to attack; **angegriffen werden** to be under attack 2. (*schädigen*) to damage; **angegriffen sein** to be weakened 3. (*beeinträchtigen*) to affect; **angegriffen sein** to be exhausted

angrenzend *adj attr* bordering

Angriff *m* attack; **zum ~ übergehen** (*fig*) to go on the offensive ► ~ **ist die beste Verteidigung** (*prov*) offence is the best defence; **etw in ~ nehmen** to tackle sth

Angst <-, Ängste> [aŋst] *f* 1. fear (**vor** of); ~ **und Schrecken verbreiten** to spread fear and terror; ~ **bekommen** (*fam*) to become frightened; ~ [**vor etw** *dat*] **haben** to be afraid [of sth]; ~ **um etw** *akk* **haben** to be worried about sth; **jdm** ~ **machen** to frighten sb; **vor** ~ **zittern** to tremble with fear; **aus** ~, **etw zu tun** for fear of doing sth 2. (*seelische Unruhe*) anxiety

ängstlich [ˈɛŋstlɪç] *adj* frightened

an|gurten I. *vt* to strap in II. *vr* **sich** ~ to fasten one's seat belt

an|haben *vt irreg* 1. *Kleidung* to have on 2. (*Schaden zufügen*) **jdm nichts** ~ **können** to be unable to harm sb

an|halten *irreg* I. *vi* 1. to stop 2. (*fort-* *dauern*) to continue II. *vt* to bring to a stop

Anhalter(in) <-s, -> [ˈanhaltɐ] *m(f)* hitch-hiker; **per** ~ **fahren** to hitch-hike

Anhang <-[e]s, -hänge> *m* 1. (*Nachtrag*) appendix 2. *kein pl* (*Angehörige*) [close] family

an|hängen *vt* 1. (*daran hängen*) to hang [up] (**an** on) 2. (*hinzufügen*) to add 3. (*fam: anlasten*) **jdm etw** ~ to blame sth on sb

Anhänger <-s, -> *m* AUTO trailer

Anhänger(in) <-s, -> *m(f)* (*fig*) supporter

anhänglich [ˈanhɛŋlɪç] *adj* devoted

an|heben *irreg vt* 1. (*hochheben*) to lift [up] 2. (*erhöhen*) to increase

an|heizen *vt* 1. (*zum Brennen bringen*) to set alight 2. (*fig*) to stimulate; (*negativ*) to aggravate

Anhieb *m* **auf** ~ (*fam*) straight away

an|hören I. *vt* [**sich** *dat*] **etw** ~ to listen to sth II. *vr* (*klingen*) **sich** ~ to sound; **sich gut** ~ to sound good

Animateur(in) <-s, -e> [animaˈtøːɐ̯] *m(f)* host *masc*, *fem* hostess

Anime *nt* anime

animieren [aniˈmiːrən] *vt, vi* to encourage

Anis <-[es], -e> [aˈniːs] *m* aniseed

Ankauf <-[e]s, -käufe> *m* buy

Anker <-s, -> [ˈaŋkɐ] *m* anchor; **den** ~ **lichten** to weigh anchor; **vor** ~ **liegen** to lie at anchor

an|ketten *vt* to chain up (**an** to)

Anklage <-, -n> *f* 1. *kein pl* JUR charge; **gegen jdn** ~ [**wegen einer S.** *gen*] **erheben** to charge sb [with sth]; **unter** ~ **stehen** to be charged 2. (*Beschuldigung*) accusation

an|klagen *vt* 1. JUR to charge 2. (*beschuldigen*) to accuse

an|knüpfen I. *vt* to tie (**an** to) II. *vi* (*fig*) **an etw** *akk* ~ to resume sth

an|kommen *irreg* I. *vi sein* 1. to arrive; **seid ihr gut angekommen?** did you arrive safely?; **bei etw** *dat* ~ to reach sth 2. (*Anklang finden*) [**bei jdm**] ~ *Sache* to go down well [with sb]; *Person* to make an impression [on sb] II. *vi impers sein* 1. (*wichtig sein*) **es kommt darauf an, dass ...** what matters is that ... 2. (*von etw abhängen*) **es kommt darauf an, dass/ob ...** it depends on/on whether ...; **das kommt darauf an** it depends

an|kündigen *vt* to announce

Ankündigung <-, -en> *f* announcement

Ankunft <-, -künfte> ['ankʊnft] *f* arrival

an|lächeln *vt* to smile at

Anlage <-, -n> *f* 1. (*Fabrik*) plant 2. SPORT facilities *pl* 3. (*Einrichtung*) **sanitäre ~n** sanitary facilities 4. FIN investment 5. *meist pl* (*Veranlagung*) disposition

Anlass^{RR} <-es, -lässe>, **Anlaß**^{ALT} <-sses, -lässe> ['anlas] *m* 1. (*Grund*) reason; **es besteht kein ~ zu etw** *dat/*, **etw zu tun** there are no grounds for sth/to do sth; [**jdm**] ~ **zu etw** *dat* **geben** to give [sb] grounds for sth; **aus diesem ~** for this reason 2. (*Gelegenheit*) occasion; **bei jedem ~** at every opportunity

Anlasser <-s, -> *m* starter [motor]

an|laufen *irreg* I. *vi sein* 1. *Metall* to tarnish 2. *Film* **der neue James Bond läuft jetzt an** the new James Bond is now showing at the cinema II. *vt haben* **den Hafen ~** to put into port

an|legen I. *vt* 1. (*erstellen*) to compile 2. *Garten* to lay out 3. *Vorrat* to lay in 4. (*investieren*) to invest (**in** in) II. *vi Schiff* to berth III. *vr* **sich mit jdm ~** to pick an argument with sb

an|lehnen I. *vt* 1. to lean [against] 2. *Tür* to leave ajar II. *vr* **sich ~** to lean (**an** against)

Anleihe <-, -n> *f* (*Kredit*) loan; (*Wertpapier*) bond

an|leiten *vt* to instruct

Anleitung <-, -en> *f* TECH instructions

an|locken *vt* to attract

an|lügen *vt irreg* to lie to

an|machen *vt* 1. (*einschalten*) to turn on 2. (*anzünden*) to light 3. *Salat* to dress 4. (*sl: erregen*) to turn on 5. (*sl: aufreißen wollen*) to pick up

anmaßend ['anmaːsn̩t] *adj* arrogant

an|melden I. *vt* 1. (*ankündigen*) to announce; **ich bin angemeldet** I have an appointment 2. (*vormerken lassen*) to enrol (**bei** at/**zu** in) 3. ADMIN to register II. *vr* **sich ~** 1. (*ankündigen*) to give notice of a visit (**bei** to) 2. (*sich eintragen lassen*) to apply (**zu** for)

Anmeldung <-, -en> *f* 1. (*zum Besuch*) [advance] notice [of a visit]; **ohne ~** without an appointment 2. SCH enrolment 3. (*Registrierung*) registration

an|merken *vt* 1. (*eine Bemerkung machen*) to add 2. (*ansehen*) **er ließ sich nichts anmerken** he didn't let it show

Anmerkung <-, -en> *f* 1. (*Erläuterung*) note 2. (*Fußnote*) footnote

Anmut <-> ['anmuːt] *f kein pl* (*geh*) grace[fulness]

anmutig *adj* (*geh*) graceful

an|nähen *vt* to sew on

Annäherungsversuch *m* advance[s] *esp pl;* **~e machen** to make advances

Annahme <-, -n> ['annaːmə] *f* assumption; **in der ~, [dass]** on the assumption [that]

an|nehmen *irreg* **I.** *vt* **1.** (*entgegennehmen*) *Angebot* to accept; *Anruf* to take; *Auftrag* to take [on]; *Patienten, Schüler* to take on **2.** (*meinen*) to assume; **etw [von jdm] ~** to think sth [of sb] **II.** *vr* **sich einer S.** *gen* **~** to take care of sth

Annonce <-, -n> [a'nõːsə] *f* advertisement

anonym [ano'nyːm] **I.** *adj* anonymous **II.** *adv* anonymously

Anorak <-s, -s> ['anorak] *m* anorak

an|packen I. *vt* (*fam*) **1.** to touch **2.** (*beginnen*) to tackle; **packen wir's an!** let's get started! **II.** *vi* (*fam: helfen*) **jd packt [mit] an** sb lends a hand

an|passen I. *vt* to adjust **II.** *vr* **sich [an etw** *dat*] **~** to adjust [to sth]; (*gesellschaftlich*) to conform [to sth]

Anpassungsfähigkeit *f* adaptability (**an** to)

an|pflanzen *vt* to grow

an|probieren *vt, vi* to try on *sep*

an|regen *vt* **1.** **jdn [zu etw** *dat*] **~** to encourage sb [to do sth]; **jdn zum Nachdenken ~** to make sb ponder **2.** (*geh: vorschlagen*) to suggest **3.** (*stimulieren*) to stimulate

anregend *adj* stimulating

Anregung *f* (*Vorschlag*) idea; **auf jds ~** at sb's suggestion

Anreise *f* journey [here/there]

Anreiz *m* incentive

Anrichte <-, -n> *f* (*Büfett*) sideboard

an|richten *vt* **1.** *Speisen* to prepare **2.** *Schaden* to cause; **was hast du**

da wieder angerichtet! what have you done now!

anrüchig ['anryçıç] *adj* indecent

Anruf *m* [telephone] call

Anrufbeantworter <-s, -> *m* answering machine

an|rufen *irreg vt, vi* **1.** to call; **angerufen werden** to get a telephone call **2.** JUR to appeal to

Ansage *f* announcement

an|sagen *vt* to announce; **angesagt sein** to be called for

an|sammeln *vr, vt* to accumulate

ansässig ['anzɛsıç] *adj* (*geh*) resident

an|schaffen I. *vt* (*kaufen*) to buy **II.** *vi* (*sl*) **~ [gehen]** to be on the game BRIT, to hook AM

Anschaffung <-, -en> *f* purchase

an|schalten *vt* to switch on

an|schauen *vt* to look at; *Film* to watch; **sich** *dat* **etw [genauer] ~** to take a [closer] look at sth

anschaulich I. *adj* illustrative **II.** *adv* vividly

anscheinend *adv* apparently

Anschlag *m* (*Überfall*) assassination; (*ohne Erfolg*) attempted assassination; **einem ~ zum Opfer fallen** to be assassinated; **einen ~ [auf jdn/etw] verüben** to make an attack [on sb/sth]; **einen ~ auf jdn vorhaben** (*hum fam*) to have a request for sb

an|schließen *irreg* **I.** *vt* TECH to connect (**an** to) **II.** *vr* **1.** (*sich zugesellen*) **sich jdm ~** to join sb **2.** (*beipflichten*) **sich jdm/etw ~** to fall in with sb/sth **3.** (*angrenzen*) **sich [an etw** *akk*] **~** to adjoin [sth]

Anschluss^RR <-es, Anschlüsse>, **Anschluß**^ALT <-sses, Anschlüsse> *m* **1.** TELEK, TECH connection; **kein ~ unter dieser Nummer** the number you are trying to call is not available **2.** *kein pl* (*Kontakt*) contact; ~ **finden** to make friends; ~ **suchen** to want to make friends **3.** BAHN, LUFT connection; **den ~ verpassen** to miss one's connecting train/flight

Anschlusszug^{RR} *m* connecting train

an|schmiegen *vr* **sich** [**an jdn/etw**] ~ to cuddle up [to sb/sth]

an|schnallen I. *vt* (*festgurten*) to strap on **II.** *vr* AUTO **sich** ~ to fasten one's seat belt

an|schneiden *vt irreg Thema* to touch on

an|schreiben *irreg* **I.** *vt* **jdn** ~ to write to sb **II.** *vi* (*fam*) [**bei jdm**] ~ **lassen** to buy on credit [from sb]

an|schreien *vt irreg* to shout at

Anschrift *f* address

an|sehen *irreg vt* to look at; (*betrachten*) to take a look at; *Film* to watch; **man sieht ihm sein Alter nicht an** he doesn't look his age; **das kann ich nicht länger mit ~** I can't stand it any more; **jdn böse ~** to give sb an angry look

Ansehen <-s> *nt kein pl* reputation; [**bei jdm**] [**großes**] ~ **genießen** to enjoy a [good] reputation [with sb]; **an ~ verlieren** to lose standing

Ansicht <-, -en> *f* view; **ich bin ganz Ihrer ~** I agree with you completely; **meiner ~ nach ...** in my opinion ...

Ansichtskarte *f* [picture] postcard

Anspannung *f* strain; (*körperlich*) effort

an|spielen *vi* to allude (**auf** to)

an|spornen *vt* to spur on (**zu** to); *Spieler* to cheer on

Ansprache *f* speech; **eine ~ halten** to make a speech

an|sprechen *irreg* **I.** *vt* **1.** (*anreden*)

to speak to; **jdn** [**mit Peter/seinem Namen**] ~ to address sb [as Peter/by his name] **2.** (*erwähnen*) to mention **3.** (*gefallen*) **jdn** ~ to appeal to sb **II.** *vi* MED to respond (**auf** to)

Ansprechpartner(in) *m(f)* contact

Anspruch *m* claim; **einen ~ auf etw** *akk* **haben** to be entitled to sth; **jdn in ~ nehmen** to preoccupy sb; **hohe Ansprüche** [**an jdn/etw**] **stellen** to place great demands on sb/sth

anspruchslos *adj* (*bescheiden*) modest **anspruchsvoll** *adj* demanding

Anstand *m kein pl* decency; **keinen ~ haben** to have no sense of decency

anständig I. *adj* **1.** decent **2.** (*fam: ordentlich*) proper **II.** *adv* decently; **sich ~[er] benehmen** to behave oneself

an|starren *vt* to stare at

anstatt [anˈʃtat] **I.** *präp* instead of **II.** *konj* ~ **etw zu tun** instead of doing sth

an|stecken I. *vt* **1.** (*befestigen*) to pin on **2.** *Zigarette* to light [up] **3.** (*in Brand stecken*) to set on fire **4.** (*infizieren*) to infect (**mit** with) **II.** *vr* **sich** [**bei jdm**] [**mit etw** *dat*] ~ to catch sth [from sb]

ansteckend *adj* infectious; (*durch Berührung*) contagious

Anstecknadel *f* pin

an|stehen *vi irreg haben* o SÜDD *sein* **1.** (*warten*) to queue [*or* AM *line*] [up] (**nach** for) **2.** (*zu erledigen sein*) **etw steht** [**bei jdm**] **an** sth must be dealt with [by sb]

an|steigen *vi irreg sein* **1.** (*sich erhöhen*) to go up (**auf** to/**um** by); ~**d** increasing **2.** (*steiler werden*) to ascend; **stark/steil** ~ to ascend steeply

anstelle [anˈʃtɛlə] *präp* instead of

an|stellen I. *vt* **1.** (*einschalten*) to turn on **2.** (*beschäftigen*) to employ **3.** (*fam: machen*) to manage; **was hast du da wieder angestellt?** what have you done now?; **etw geschickt ~** to bring sth off II. *vr* **sich ~ 1.** (*Schlange stehen*) to queue [up] BRIT, to line up AM **2.** (*fam: sich verhalten*) to act; **sich dumm ~** to act as if one is stupid

Anstellung *f* post

Anstoß *m* **1.** (*Ansporn*) impetus (**zu** for); **jdm den ~ geben, etw zu tun** to encourage sb to do sth **2.** (*geh: Ärgernis*) annoyance; **an etw** *dat* **~ nehmen** to take offence **3.** FBALL kick off

an|stoßen *irreg* I. *vi* **1.** *sein* **mit etw** *dat* [**an etw** *akk*] **~** to bump sth [on sth] **2.** *haben* (*zusammen trinken*) to drink (**auf** to); **lasst uns ~!** let's drink to it! II. *vt haben* **1.** to bump **2.** (*in Gang setzen*) to set in motion III. *vr haben* **sich** [**an etw** *dat*] **~** to knock oneself [on sth]; **sich** *dat* **den Kopf ~** to knock one's head

Anstreicher(in) <-s, -> *m(f)* [house] painter

an|strengen I. *vr* to exert oneself (**bei** in); **sich ~, etw zu tun** to try hard to do sth II. *vt* to strain; *Geist, Muskeln* to exert

anstrengend *adj* strenuous; **das ist ~ für die Augen** it's a strain on the eyes

Anstrengung <-, -en> *f* effort; **mit letzter ~** with one last effort

Ansturm *m* rush (**auf** on)

Antarktis <-> [ant'ʔarktɪs] *f* Antarctic

antarktisch [ant'ʔarktɪʃ] *adj* Antarctic

Anteil ['antail] *m* share (**an** of); **der ~ an Asbest** the proportion of asbestos; **~ an etw** *dat* **nehmen** to show an interest in sth

Anteilnahme <-> ['antailna:mə] *f kein pl* sympathy (**an** with)

Antenne <-, -n> [an'tɛnə] *f* aerial

Antibabypille [anti'be:bipɪlə] *f* (*fam*) **die ~** the pill

Antibiotikum <-s, -biotika> [anti'bi̯o:-tikʊm] *nt* antibiotic

Antiblockiersystem [antiblɔ'ki:ɐ̯-] *nt* anti-lock [braking] system, ABS

antik [an'ti:k] *adj* **1.** (*alt*) antique **2.** (*aus der Antike*) ancient

Antike <-> [an'ti:kə] *f kein pl* antiquity

Antikörper *m* antibody

Antilope <-, -n> [anti'lo:pə] *f* antelope

Antiquariat <-[e]s, -e> [antikva'ri̯a:t] *nt* second-hand bookshop

Antiquität <-, -en> [antikvi'tɛ:t] *f* antique

Antrag <-[e]s, -träge> ['antra:k] *m* **1.** application **2.** JUR petition; **einen ~** [**auf etw** *akk*] **stellen** to file a petition [for sth] **3.** (*Heiratsantrag*) [marriage] proposal; **jdm einen ~ machen** to propose [to sb]

Antrieb *m* **1.** TECH drive (for) **2.** (*Motivation*) energy *no indef art;* **aus eigenem ~** on one's own initiative

Antwort <-, -en> ['antvɔrt] *f* **1.** answer (**auf** to) **2.** (*Reaktion*) response (**auf** to); **als ~ auf etw** *akk* in response to sth

antworten ['antvɔrtn̩] *vi* **1.** to answer; **mit Ja/Nein ~** to answer yes/no; **schriftlich ~** to answer in writing **2.** (*reagieren*) to respond (**mit** with)

an|vertrauen ['anfɛɐ̯trauən] I. *vt* **jdm etw ~ 1.** (*geben*) to entrust sb with sth **2.** (*erzählen*) to confide sth to sb II. *vr* **sich jdm ~** to confide in sb

Anwalt, Anwältin <-[e]s, -wälte> ['anvalt, 'anvɛltɪn] *m, f* lawyer; **sich** *dat* **einen ~ nehmen** to engage the services of a lawyer

an|weisen *vt irreg* jdn ~, etw zu tun to order sb to do sth

Anweisung *f* 1. (*Anordnung*) order; ~ **haben, etw zu tun** to have instructions to do sth; **auf** [jds *akk*] ~ on [sb's] instruction 2. (*Anleitung*) instruction

an|wenden *vt reg o irreg* 1. (*gebrauchen*) to use (**bei** on) 2. (*übertragen*) to apply (**auf** to)

Anwender(in) <-s, -> *m(f)* user

anwenderfreundlich *adj* INFORM userfriendly

Anwendung *f* 1. (*Gebrauch*) use 2. (*Übertragung*) application (**auf** to) 3. MED administration

anwesend *adj* present *pred;* [bei etw *dat*] ~ **sein** to be present [at sth]

Anwesenheit <-> *f kein pl* presence

an|widern ['anvi:dən] *vt* to nauseate; **angewidert** nauseated *attr*

Anzahl *f kein pl* number

Anzahlung *f* deposit; **eine ~ machen** to pay a deposit

an|zapfen *vt* to tap

Anzeige <-, -n> *f* 1. (*Strafanzeige*) charge (**wegen** for) 2. (*Inserat*) ad[vertisement]

an|zeigen *vt* 1. JUR jdn [wegen einer S. *gen*] ~ to report sb [for sth] 2. (*angeben*) to indicate; (*digital*) to display

an|ziehen *irreg* I. *vt* 1. *Kleider* to put on *sep; Person* to dress 2. *Arm, Bein* to draw up 3. (*anlocken*) to attract; **sich von jdm/etw angezogen fühlen** to be attracted to sb/sth II. *vr* **sich ~** to get dressed; **sich leger/ schick/warm ~** to put on casual/ smart/warm clothing

anziehend *adj* attractive

Anziehungskraft *f* 1. PHYS gravitation

2. PSYCH appeal; **auf jdn eine ~ ausüben** to appeal to sb

Anzug *m* 1. suit; **ein einreihiger/ zweireihiger ~** a single-/double-breasted suit 2. SCHWEIZ (*Bezug*) duvet cover

an|zünden *vt* 1. *Feuer* to light 2. *Haus* to set on fire 3. *Zigarette* to light

Apfel <-s, Äpfel> ['apfl] *m* apple

Apfelbaum *m* apple tree **Apfelsaft** *m* apple juice

Apfelsine <-, -n> [apfl'zi:nə] *f* orange

Apfelwein *m* cider

Apostel <-s, -> [a'pɔstl] *m* apostle

Apotheke <-, -n> [apo'te:kə] *f* pharmacy

Apotheker(in) <-s, -> [apo'te:kɐ] *m(f)* pharmacist

Apparat <-[e]s, -e> [apa'ra:t] *m* 1. apparatus *no pl form;* (*kleineres Gerät*) gadget 2. (*Telefon*) telephone; **am ~ bleiben** to hold the line; **am ~!** speaking!

Appartement <-s, -s> [apartə'mã:] *nt* 1. (*im Hotel*) suite [of rooms] 2. (*Wohnung*) flat BRIT, apartment AM

appellieren [apɛ'li:rən] *vi* to appeal (**an** to)

Appetit <-[e]s> [ape'ti:t] *m kein pl* appetite; **guten ~!** enjoy your meal!; ~ **auf etw** *akk* **haben** to feel like [having] sth; **den ~ anregen** to work up an [*or* one's] appetite; **jdm den ~ [auf etw** *akk*] **verderben** (*fam*) to spoil sb's appetite [for sth]

appetitlich *adj* appetizing

applaudieren [aplau'di:rən] *vi* (*geh*) to applaud

Applaus <-es> [a'plaus] *m kein pl* applause; **stehender ~** standing ovation

Aprikose <-, -n> [apri'ko:zə] *f* apricot

April <-s, *selten* -e> [a'prɪl] *m* April;

s.a. **Februar** ▶ **jdn in den ~ schicken** to make an April fool of sb; **~! ~!** (*fam*) April fool!

Aquarell <-s, -e> [akva'rɛl] *nt* watercolour

Äquator <-s> [ɛ'kva:to:ɐ] *m kein pl* equator

Ära <-, Ären> ['ɛ:ra] *f* (*geh*) era

Araber(in) <-s, -> ['arabɐ] *m(f)* Arab

arabisch [a'ra:bɪʃ] *adj* **1.** Arabian; **A~es Meer** Arabian Sea **2.** (*Sprache*) Arabic; **auf ~** in Arabic

Arbeit <-, -en> ['arbait] *f* **1.** (*Tätigkeit*) work *no pl, no indef art;* **gute/ schlechte ~ leisten** to do a good/ bad job; **sich an die ~ machen** to get down to working; **an die ~!** get to work! **2.** (*Aufgabe, Beruf*) job **3.** (*Werk*) work **4.** (*Klassenarbeit*) test; **eine ~ schreiben** to do a test **5.** *kein pl* (*Mühe*) troubles *pl;* **sich** *dat* **~** [**mit etw** *dat*] **machen** to go to trouble [with sth] ▶ **erst die ~, dann das** <u>Vergnügen</u> (*prov*) business before pleasure

arbeiten ['arbaitn̩] I. *vi* **1.** to work; **an etw** *dat* **~** to be working on sth **2.** (*berufstätig sein*) to have a job II. *vt* (*tun*) **etwas/nichts ~** to do something/nothing

Arbeiter(in) <-s, -> *m(f)* worker

Arbeitgeber(in) <-s, -> *m(f)* employer **Arbeitnehmer(in)** *m(f)* employee

Arbeitsamt *nt* job centre BRIT, employment office AM **Arbeitsbedingungen** *pl* working conditions **Arbeitserlaubnis** *f* work permit

arbeitslos *adj* unemployed

Arbeitslose(r) *f(m) dekl wie adj* unemployed person

Arbeitslosengeld *nt* unemployment benefit **Arbeitslosenhilfe** *f* unemployment aid **Arbeitslosigkeit** <-> *f kein pl* unemployment **Arbeitsplatz** *m* **1.** (*Arbeitsstätte*) workplace; **am ~** at work **2.** (*Stelle*) job; **freier ~** vacancy **Arbeitszeit** *f* working hours *pl;* **gleitende ~** flexitime

Archäologe, -login <-n, -n> [arçɛo'lo:gə, -'lo:gɪn] *m, f* archaeologist

Archäologie <-> [arçɛolo'gi:] *f kein pl* archaeology

archäologisch [arçɛo'lo:gɪʃ] *adj* archaeological

Architekt(in) <-en, -en> [arçi'tɛkt] *m(f)* architect

Architektur <-, -en> [arçitɛk'tu:ɐ] *f* architecture

Archiv <-s, -e> [ar'çi:f] *nt* archives *pl*

Arena <-, Arenen> [a're:na] *f* arena

arg <ärger, ärgste> [ark] I. *adj* **1.** (*schlimm*) bad; **im A~en liegen** to be at sixes and sevens **2.** *attr* (*groß*) great; **eine ~e Enttäuschung** a great disappointment II. *adv* SÜDD (*fam: sehr*) badly

Argentinien <-s> [argɛn'ti:niən] *nt* Argentina

Argentinier(in) <-s, -> [argɛn'ti:niɐ] *m(f)* Argentinian

argentinisch [argɛn'ti:nɪʃ] *adj* Argentinian

Ärger <-s> ['ɛrgɐ] *m kein pl* **1.** (*Wut*) anger **2.** (*Unannehmlichkeiten*) trouble; **~ bekommen** to get into trouble; **~ haben** to have problems; [**jdm**] **~ machen** to cause [sb] trouble

ärgerlich *adj* **1.** (*verärgert*) annoyed (**über** about) **2.** (*unangenehm*) unpleasant

ärgern ['ɛrgɐn] I. *vt* **1.** (*verärgern*) to annoy **2.** (*reizen*) to tease (**wegen** about) II. *vr* **sich** [**über jdn/etw**] **~** to be annoyed [about sb/sth]

A

Argument <-[e]s, -e> [arguˈmɛnt] *nt* argument

argumentieren *vi* to argue; **mit etw** *dat* ~ to use sth as an argument

argwöhnisch [ˈarkvøːnɪʃ] **I.** *adj* suspicious **II.** *adv* suspiciously

Arie <-, -n> [ˈaːri̯ə] *f* aria

Arktis <-> [ˈarktɪs] *f* Arctic

arktisch [ˈarktɪʃ] *adj* arctic

arm <ärmer, ärmste> [arm] *adj* poor

Arm <-[e]s, -e> [arm] *m* arm; **jdn in die ~e nehmen** to take sb in one's arms; **ein Kind auf den ~ nehmen** to pick up a child

Armatur <-, -en> [armaˈtuːɐ̯] *f meist pl* **1.** (*Wasserhahn*) fitting **2.** AUTO instrument

Armaturenbrett *nt* dashboard

Armband <-bänder> *nt* **1.** (*Uhrarmband*) [watch] strap **2.** (*Schmuckarmband*) bracelet

Armbanduhr *f* [wrist-]watch

Armee <-, -n> [arˈmeː] *f* army

Ärmel <-s, -> [ˈɛrml̩] *m* sleeve

Ärmelkanal *m* **der ~** the [English] Channel

ärmlich [ˈɛrmlɪç] **I.** *adj* **1.** (*arm*) poor; (*Kleidung*) shabby **2.** (*dürftig*) meagre **II.** *adv* poorly

armselig *adj* **1.** (*ärmlich*) shabby **2.** (*dürftig*) miserable

Armut <-> [ˈarmuːt] *f kein pl* poverty; **geistige ~** intellectual poverty

Aroma <-s, Aromen> [aˈroːma] *nt* **1.** (*Geruch*) aroma **2.** (*Geschmack*) flavour

aromatisch [aroˈmaːtɪʃ] *adj* **1.** aromatic **2.** (*wohlschmeckend*) flavoursome BRIT, flavorful AM

Arrest <-[e]s, -s> [aˈrɛst] *m* detention

arrogant [aroˈɡant] **I.** *adj* arrogant **II.** *adv* arrogantly

Arroganz <-> [aroˈɡants] *f kein pl* arrogance

Arsch <-[e]s, Ärsche> [arʃ] *m* (*derb*) **1.** arse BRIT, ass AM **2.** (*blöder Kerl*) [stupid] bastard ▶ **am ~ der Welt** (*sl*) out in the sticks; **jdm in den ~ kriechen** to kiss *sl* sb's arse [*or* AM ass]; **leck mich am ~!** (*verpiss dich*) fuck off!; (*verdammt noch mal*) fuck it! *fam*

Arschkriecher(in) *m(f)* (*pej sl*) arselicker BRIT, ass-kisser AM **Arschloch** *nt* (*vulg*) arsehole BRIT, asshole AM

Art <-, -en> [aːɐ̯t] *f* **1.** (*Sorte*) kind **2.** (*Methode*) way; **auf diese ~ und Weise** [in] this way; **nach ~ des Hauses** à la maison **3.** (*Wesens~*) nature **4.** BIOL species

Arterie <-, -n> [arˈteːri̯ə] *f* artery

Arterienverkalkung *f*, **Arteriosklerose** <-, -n> [arteri̯oskleˈroːzə] *f* hardening of the arteries

artig [ˈaːɐ̯tɪç] *adj* well-behaved

Artikel <-s, -> [arˈtiːkl̩, arˈtɪkl̩] *m* **1.** (*Zeitungs~*) article **2.** (*Ware*) item **3.** LING article

Artischocke <-, -n> [artiˈʃɔkə] *f* artichoke

Artist(in) <-en, -en> [arˈtɪst] *m(f)* performer

Arznei <-, -en> [aːɐ̯tsˈnai] *f* medicine

Arzt, Ärztin <-es, Ärzte> [aːɐ̯tst, ˈɛːɐ̯tstɪn] *m, f* doctor; ~ **für Allgemeinmedizin** general practitioner, GP; **behandelnder ~** personal doctor

Arzthelfer(in) *m(f)* [doctor's] receptionist

Ärztin <-, -nen> [ˈɛːɐ̯tstɪn] *f fem form von* **Arzt**

Asche <-, -n> [ˈaʃə] *f* ash

Aschenbecher *m* ashtray

Aschermittwoch [aʃeˈmɪtvɔx] *m* Ash

Wednesday

Asiat [a'zia:t], **Asiate, Asiatin** <-en, -en> [a'zia:tə, a'zia:tɪn] *m, f* Asian

asiatisch [a'zia:tɪʃ] *adj* Asian

Asien <-s> ['a:zjən] *nt* Asia

asozial ['azotsja:l] **I.** *adj* antisocial **II.** *adv* antisocially

Asphalt <-[e]s, -e> [as'falt] *m* asphalt *no pl*

Assᴿᴿ <-es, -e> [as] *nt* ace

Assistent(in) <-en, -en> [asɪs'tɛnt] *m(f)* assistant

Ast <-[e]s, Äste> [ast] *m* branch

Ästhetik <-> [ɛs'te:tɪk] *f kein pl* aesthetics *pl*

ästhetisch [ɛs'te:tɪʃ] *adj* (*geh*) aesthetic

Asthma <-s> ['astma] *nt kein pl* asthma

asthmatisch [ast'ma:tɪʃ] *adj* asthmatic

Astrologe, -login <-n, -n> [a-stro'lo:gə, -'lo:gɪn] *m, f* astrologer

Astrologie <-> [astrolo'gi:] *f kein pl* astrology

astrologisch [astro'lo:gɪʃ] *adj* astrological

Astronom(in) <-en, -en> [astro'no:m] *m(f)* astronomer

Astronomie <-> [astrono'mi:] *f kein pl* astronomy

astronomisch [astro'no:mɪʃ] *adj* astronomical

Asyl <-s, -e> [a'zy:l] *nt* asylum; **um ~ bitten** to apply for asylum; **jdm ~ gewähren** to grant sb asylum

Asylant(in) <-en, -en> [azy'lant] *m(f)*, **Asylbewerber(in)** *m(f)* applicant for [political] asylum

Asylbehörde *f* asylum authority

Atelier <-s, -s> [atə'lje:] *nt* studio

Atem <-s> ['a:təm] *m kein pl* breath; **den ~ anhalten** to hold one's breath;

~ **holen** to take a breath; **nach ~ ringen** to be gasping for breath; **außer ~** out of breath

Atemgerät *nt* respirator; (*für Taucher*) breathing apparatus

atemlos **I.** *adj* breathless **II.** *adv* breathlessly

Atemnot *f* shortness of breath

Atheismus <-> [ate'ɪsmʊs] *m kein pl* atheism

Atheist(in) <-en, -en> [ate'ɪst] *m(f)* atheist

atheistisch *adj* atheist

Äther <-s> ['ɛ:tɐ] *m kein pl* ether

Athlet(in) <-en, -en> [at'le:t] *m(f)* athlete

athletisch [at'le:tɪʃ] *adj* athletic

Atlantik <-s> [at'lantɪk] *m* Atlantic

atlantisch [at'lantɪʃ] *adj* Atlantic

Atlas <- , Atlanten> ['atlas] *m* atlas

atmen ['a:tmən] *vi, vt* to breathe

Atmosphäre <-, -n> [atmo'sfɛ:rə] *f* atmosphere

atmosphärisch [atmo'sfɛ:rɪʃ] *adj* atmospheric

Atmung <-> *f kein pl* breathing

Atom <-s, -e> [a'to:m] *nt* atom

atomar [ato'ma:ɐ̯] *adj* nuclear; **~ angetrieben sein** to be nuclear-powered

Atombombe *f* nuclear bomb **Atomenergie** *f* nuclear energy **Atomkern** *m* nucleus **Atomkraftwerk** *nt* nuclear power station **Atomreaktor** *m* nuclear reactor

Attentat <-[e]s, -e> ['atn̩ta:t] *nt* an attempt on sb's life; (*mit tödlichem Ausgang*) assassination; **ein ~ auf jdn verüben** to make an attempt on sb's life; (*mit tödlichem Ausgang*) to assassinate sb

Attentäter(in) ['atn̩tɛ:tɐ] *m(f)* assassin

Attest <-[e]s, -e> [a'tɛst] *nt* certificate; **jdm ein ~ über etw** *akk* **ausstellen** to certify sth for sb

Attrappe <-, -n> [a'trapə] *f* dummy

ätzend *adj* **1.** corrosive **2.** *Geruch* pungent

Aubergine <-, -n> [obɛr'ʒiːnə] *f* aubergine BRIT, egg-plant AM

auch [aux] *adv* **1.** (*ebenfalls*) too, also; **ich habe Hunger, du ~?** I'm hungry, you too?; **... ~ nicht!** not ... either, ... neither, nor ...; **ich gehe nicht mit! — ich ~ nicht!** I'm not coming! — nor am I!; **wenn du nicht hingehst, gehe ich ~ nicht** if you don't go, I won't either **2.** (*sogar*) even; **~ wenn** even if; **so schnell sie ~ laufen mag** however fast she may run ...; **wie dem ~ sei** whatever **3.** (*verstärkend*) **so was Ärgerliches aber ~!** that's really too annoying!

auf [auf] **I.** *präp* **1.** on, upon *form;* **~ dem Stuhl** on the chair **2.** (*in Richtung*) on, onto; **sie fiel ~ den Rücken** she fell on[to] her back **3.** (*zur*) to; **er muss ~ die Post** he has to go to the post office **4.** (*bei*) **sein Geld ist ~ der Bank** his money is in the bank; **er arbeitet ~ dem Finanzamt** he works at the tax office **5.** (*beschränkend*) to; **~ den Millimeter genau** exact to a millimetre **II.** *adv* **1.** (*fam: geöffnet*) open **2.** (*fam: nicht mehr im Bett*) **~ sein** to be up ▶ **~ und ab** up and down; **~ und davon** (*fort*) up and away **III.** *interj* (*los!*) **~!** let's go! **IV.** *konj* (*geh: Wunsch*) **~ dass ...** that ...

Aufbau *m kein pl* **1.** (*Zusammenbau*) assembling **2.** (*Schaffung*) building; *eines sozialen Netzes* creation **3.** (*Struktur*) structure

auf|bauen I. *vt* **1.** TECH to assemble **2.** (*schaffen*) *Existenz, Organisation* to build up *sep* **II.** *vi* (*basieren*) to be based (**auf** on)

auf|bewahren *vt* to keep

Aufbewahrung <-, -en> *f* [safe]keeping

auf|blasen *irreg* **I.** *vt* to inflate **II.** *vr* **sich ~** (*pej*) to puff oneself up; **aufgeblasen** [**sein**] [to be] puffed-up

auf|bleiben *vi irreg sein* **1.** (*nicht schlafen*) to stay up **2.** (*offen bleiben*) to stay open

auf|blühen *vi sein* to bloom

auf|brechen *irreg* **I.** *vt haben* to break open *sep;* **ein Auto ~** to break into a car **II.** *vi sein* **1.** (*aufplatzen*) to break up **2.** (*starten*) to start off

auf|decken *vt* to uncover

auf|drehen *vt* **1.** (*öffnen*) to turn on *sep; Schraubverschluss* to unscrew **2.** (*fam*) *Radio, Heizung* to turn up *sep* **3.** (*fam*) **aufgedreht sein** to be full of go

aufdringlich *adj* **1.** obtrusive; **~ werden** to become obtrusive **2.** *Geruch* pungent

aufeinander [auf?ai'nandɐ] *adv* **1.** (*gegeneinander*) **~ losgehen** to hit away at each other **2.** (*wechselseitig*) **~ angewiesen sein** to be dependent on each other; **~ zugehen** to approach each other

aufeinander|folgen^{RR} *vi* to follow each other; **dicht ~** to come thick and fast **aufeinanderfolgend**^{RR} *adj* successive **aufeinander|stapeln**^{RR} *vt* to pile on top of each other **aufeinander|stoßen**^{RR} *vi* to clash

Aufenthalt <-[e]s, -e> ['auf?ɛnthalt] *m* **1.** stay **2.** BAHN stop[over]; **wie lange haben wir in Köln ~?** how long do we stop [for] in Cologne?

Aufenthaltsgenehmigung *f* JUR residence permit **Aufenthaltsraum** *m* day room

Auferstehung <-, -en> *f* resurrection

Auffahrt *f* 1. (*Autobahn~*) slip road BRIT, entrance ramp AM 2. SCHWEIZ *s.* **Himmelfahrt**

Auffahrunfall *m* rear-end collision

auffallend I. *adj* conspicuous; ~e **Ähnlichkeit** striking likeness II. *adv* strangely

auffällig I. *adj* conspicuous; **an jdm ~ sein** to be noticeable about sb II. *adv* conspicuously

auf|fordern *vt* **jdn ~, etw zu tun** to ask sb to do sth; **wir fordern Sie auf, ...** you are requested ...

auf|frischen *vt haben: Beziehung* to renew; *Erinnerung* to refresh; **sein Französisch ~** to brush up one's French *sep*

auf|führen I. *vt* 1. THEAT to perform 2. (*auflisten*) to list; *Beispiele, Zeugen* to cite II. *vr* (*sich benehmen*) to behave; **sich ~, als ob ...** to act as if ...

Aufführung *f* THEAT performance

auf|füllen *vt, vi* (*nachfüllen*) to top up *sep*

Aufgabe <-, -n> *f* 1. task 2. *meist pl* SCH exercise; (*zu Hause zu erledigen*) homework *no pl* 3. (*Kapitulation*) surrender

auf|geben *irreg* I. *vt* 1. *Aufgabe* to give 2. *Gepäck* to register; LUFT to check in 3. *Gewohnheit* to give up *sep; Stellung* to resign 4. (*verloren geben*) **jdn ~** to give up with sb 5. (*vorzeitig beenden*) abandon II. *vi* (*sich geschlagen geben*) to give up

auf|gehen *vi irreg sein* 1. *Mond, Sonne* to rise 2. (*sich öffnen*) to open; *Knoten* to come undone 3. *Teig* to rise

aufgeregt I. *adj* excited II. *adv* excitedly

aufgrund, auf Grund [auf'grʊnt] *präp* +*gen* owing to

auf|halten *irreg* I. *vt* 1. (*zurückhalten*) to hold up *sep* 2. (*offen hinhalten*) **die Hand ~** to hold out one's hand *sep* II. *vr* (*verweilen*) **sich ~** to stay; **sich bei etw** *dat* **~** to dwell on sth

auf|hängen I. *vt* 1. to hang up; **die Wäsche ~** to hang out the washing 2. (*erhängen*) to hang II. *vr* **sich ~** to hang oneself (**an** from)

Aufhänger <-s, -> *m* (*Anknüpfungspunkt*) peg

auf|heben *irreg* I. *vt* 1. (*vom Boden*) to pick up *sep* 2. (*aufbewahren*) to keep 3. (*widerrufen*) to abolish II. *vr* **sich** [**gegenseitig**] **~** to offset each other

auf|heitern *vt* to cheer up *sep*

auf|hellen *vr* **sich ~** to brighten [up]

auf|hetzen *vt* (*pej*) to incite (**gegen** against)

auf|holen I. *vt Zeit* to make up *sep* II. *vi* to catch up

auf|hören *vi* to stop; **hör endlich auf!** [will you] stop it!; **~, etw zu tun** to stop doing sth

auf|klären I. *vt* 1. *Missverständnis* to clear up *sep; Verbrechen* to solve 2. (*informieren*) to inform (**über** about) 3. (*sexuell*) to explain the facts of life II. *vr* **sich ~** 1. to resolve itself 2. *Wetter* to brighten [up]

Aufkleber *m* sticker

auf|laden *irreg vt* 1. to load (**auf** on[to]) 2. (*fig*) **jdm etw ~** to burden sb with sth 3. ELEK to charge

Auflage <-, -n> *f* 1. (*von Buch*) edition; (*Auflagenhöhe*) number of copies 2. (*Polster*) pad

Auflauf *m* 1. KOCHK *savoury or sweet*

dish baked in the oven **2.** (*Menschen~*) crowd

auf|laufen *vi irreg sein* **1.** FIN **aufgelaufene Zinsen** accrued interest **2. jdn ~ lassen** (*fam*) to drop sb in it

auf|legen *vt* **1.** VERLAG to publish **2. den Hörer ~** to hang up **3. Holz/Kohle ~** to put on more wood/coal *sep*

auf|lehnen *vr* to revolt (**gegen** against)

auf|lösen I. *vt* **1.** (*in Flüssigkeit*) to dissolve **2.** *Gruppe* to disband **3.** *Konto* to close **II.** *vr* **sich ~ 1.** (*in Flüssigkeit*) to dissolve **2.** *Gruppe* to break up *sep* **3. sich** [**in nichts/Luft**] **~** to disappear [into thin air]

Auflösung *f* **1.** *einer Gruppe* disbanding **2.** FOTO resolution

aufmerksam I. *adj* attentive; [**auf jdn/etw**] **~ werden** to take notice [of sb/sth]; **jdn auf etw** *akk* **~ machen** to draw sb's attention to sth; [**das ist**] **sehr ~** [**von Ihnen**]**!** [that's] most kind [of you] **II.** *adv* attentively

Aufmerksamkeit <-> *f kein pl* **1.** attention **2.** (*Zuvorkommenheit*) attentiveness

auf|muntern *vt* **1.** (*beleben*) to liven up *sep* **2.** (*Mut machen*) to encourage

Aufnahme <-, -n> *f* **1.** photo[graph]; (*Tonband*) [tape-]recording; **von jdm/etw eine ~ machen** to take a photo of sb/sth; (*Tonband*) to record sb/sth [on tape] **2.** (*in eine Gruppe*) admission

Aufnahmeprüfung *f* entrance examination

auf|nehmen *vt irreg* **1.** to photograph; (*auf Film*) to film; (*auf Tonband*) to record **2.** (*unterbringen*) **jdn** [**bei**

sich *dat*] **~** to take in sb *sep* **3.** (*in eine Gruppe*) to admit

auf|passen *vi* **1.** (*aufmerksam sein*) to pay attention **2.** (*beaufsichtigen*) to keep an eye (**auf** on)

Aufprall <-[e]s, -e> *m* impact

auf|prallen *vi sein* [**auf etw** *akk o dat*] **~** to hit sth

Aufpreis *m* extra charge; **gegen ~** for an extra charge

auf|pumpen *vt* to pump up *sep;* **aufgepumpt** inflated

Aufputschmittel *nt* stimulant

auf|räumen I. *vt* *Platz* to clear [up] *sep; Sachen* to clear away *sep;* **aufgeräumt sein** to be [neat and] tidy **II.** *vi* to tidy up

aufrecht ['aufrɛçt] *adj, adv* upright

aufrecht|erhalten ['aufrɛçtʔɛɐ̯haltn̩] *vt irreg* to maintain

auf|regen I. *vt* (*verärgern*) to annoy; (*nervös machen*) to make nervous; **reg mich nicht auf!** stop getting on my nerves! **II.** *vr* **sich** [**über jdn/etw**] **~** to get worked up [about sb/sth]; **reg dich nicht so auf!** don't get [yourself] so worked up!

Aufregung *f* **1.** (*aufgeregte Erwartung*) excitement *no pl* **2.** (*Beunruhigung*) agitation *no pl;* **nur keine ~!** don't get flustered; **jdn in ~ versetzen** to get sb into a state

auf|reißen *irreg* **I.** *vt haben* **1.** (*durch Reißen öffnen*) to tear open *sep* **2.** *Augen, Mund* to open wide **3.** (*sl: aufgabeln*) to pick up *sep* **II.** *vi sein:* *Naht* to split

auf|richten I. *vt* **1.** (*in aufrechte Lage bringen*) to put upright **2.** (*ermutigen*) **jdn** [**wieder**] **~** to put new heart into sb **II.** *vr* **sich ~** to straighten up

aufrichtig I. *adj* honest; *Gefühl* sincere II. *adv* sincerely

Aufrichtigkeit <-> *f kein pl* sincerity

auf|runden *vt* to round up *sep* (**auf** to)

auf|rütteln *vt* to rouse (**aus** from)

aufsässig ['aufzɛsɪç] *adj* rebellious

Aufsatz *m* essay

auf|schieben *vt irreg* to postpone (**auf** until)

Aufschlag *m* 1. SPORT service *no pl;* ~ **haben** to be serving 2. (*Aufpreis*) extra charge

auf|schlagen *irreg* I. *vi* 1. *sein* (*auftreffen*) to strike; **mit dem Kopf** [**auf etw** *akk o dat*] ~ to hit one's head [on sth] 2. *haben* SPORT to serve II. *vt haben* 1. *Buch* to open 2. *Lager, Zelt* to pitch 3. (*verteuern*) to raise (**um** by)

auf|schließen *irreg vt* to unlock

auf|schneiden *irreg vt* 1. (*in Scheiben*) to slice 2. (*auseinanderschneiden*) to cut open *sep*

Aufschnitt *m kein pl* assorted sliced cold meats *pl,* cold cuts *pl* AM

auf|schreiben *vt irreg* to write down *sep*

Aufschub *m* delay

Aufschwung *m* upswing

auf|setzen I. *vt* 1. *Hut, Topf* to put on *sep* 2. (*auf den Boden*) to put down *sep* II. *vr* **sich** ~ to sit up

Aufsicht <-, -en> *f* 1. *kein pl* (*Überwachung*) supervision (**über** of) 2. (*Aufsichtsperson*) person in charge; (*bei einer Prüfung*) invigilator BRIT, proctor AM

Aufsichtsrat *m* supervisory board

auf|stacheln *vt* **jdn gegen jdn** ~ to turn sb against sb

Aufstand *m* rebellion; **einen** ~ **niederschlagen** to quell a rebellion

auf|stehen *vi irreg sein* 1. to stand up

(**von** from) 2. (*aus dem Bett*) to get up

auf|stellen I. *vt* 1. (*aufbauen*) to put up *sep;* *Maschine* to install 2. (*ausarbeiten*) to draw up *sep;* *Theorie* to elaborate 3. **jdn** [**als/für etw** *akk*]~ to nominate sb [sth/for sth] 4. *Mannschaft* to organize II. *vr* **sich** ~ to stand; **sich hintereinander** ~ to line up

Aufstieg <-[e]s, -e> ['aufʃtiːk] *m* 1. (*Verbesserung*) rise; **sozialer** ~ social advancement 2. (*zum Gipfel*) climb (**auf** up) 3. SPORT promotion (**in** to)

auf|tauchen *vi sein* 1. (*aus dem Wasser*) to surface 2. (*zum Vorschein kommen*) to turn up 3. (*plötzlich da sein*) to suddenly appear 4. (*sichtbar werden*) to appear (**aus** out of)

auf|teilen *vt* 1. to divide [up *sep*] (**in** into) 2. to share out *sep* (**unter** between)

Auftrag <-[e]s, Aufträge> ['auftraːk] *m* 1. (*Beauftragung*) contract; (*an Freiberufler*) commission 2. (*Anweisung*) orders *pl;* **jdm den** ~ **geben, etw zu tun** to instruct sb to do sth; **im** ~ by order; **in jds** ~ on sb's instructions 3. *kein pl* (*Mission*) mission

Auftraggeber(in) *m(f)* client

auf|wachen *vi sein* to wake [up]

auf|wachsen *vi irreg sein* to grow up

Aufwand <-[e]s> ['aufvant] *m kein pl* 1. (*Einsatz*) expenditure; **der** ~ **war umsonst** it was a waste of energy/money/time 2. (*Luxus*) extravagance

aufwändigRR I. *adj* lavish II. *adv* lavishly

auf|wärmen I. *vt* 1. to heat up *sep* 2. (*fam*) *Thema* to drag up *sep* II. *vr* **sich** ~ 1. to warm oneself [up] 2. SPORT to warm up

aufwärts ['aufvɛrts] *adv* up[ward[s]]; **den Fluss ~** upstream

aufwärts|gehen *vi* es geht [mit jdm/ etw] **aufwärts** things are looking up [for sb/sth]

auf|wecken *vt* to wake [up *sep*]

auf|wenden *vt irreg o reg* 1. (*einsetzen*) to use 2. (*ausgeben*) to spend

Aufwertung <-, -en> *f* FIN revaluation (**um** by)

auf|wiegeln ['aufvi:gln] *vt* to stir up *sep;* **Leute gegeneinander ~** to set people at each other's throats

auf|wühlen *vt* 1. to churn [up *sep*] 2. **jdn** [**innerlich**] **~** to stir up sb *sep;* **~d** stirring; **aufgewühlt** agitated

auf|zählen *vt* to list

auf|ziehen *irreg vt haben* 1. (*durch Ziehen öffnen*) to open; *Vorhang* to draw back 2. (*großziehen*) to raise 3. (*fam: verspotten*) to tease (**mit** about)

Aufzug *m* lift BRIT, elevator AM; **~ fahren** to take the lift

Auge <-s, -n> ['augə] *nt* eye; **mit bloßem ~** with the naked eye; **gute/ schlechte ~n** [**haben**] [to have] good/poor eyesight *sing*

Augenarzt, -ärztin *m, f* eye specialist

Augenblick ['augnblɪk] *m* moment; **im ersten ~** for a moment; **im letzten ~** at the [very] last moment; **~ mal!** just a minute!

augenblicklich ['augnblɪklɪç] I. *adj* 1. (*sofortig*) immediate 2. (*derzeitig*) present II. *adv* 1. (*sofort*) immediately; (*herausfordernd*) at once 2. (*zurzeit*) at present

Augenbraue *f* eyebrow; **die ~n hochziehen** to raise one's eyebrows **Augenlid** *nt* eyelid **Augentropfen** *pl* eye drops

August <-[e]s, -e> [au'gʊst] *m* Au-

gust; *s.a.* **Februar**

Auktion <-, -en> [auk'tsi̯o:n] *f* auction

Aula <-, Aulen> ['aula] *f* hall

aus [aus] I. *präp* 1. (*räumlich*) from; (*von innen heraus*) out of; **~ der Tür** out of the door; **Zigaretten ~ dem Automaten** cigarettes from a machine 2. (*Ursache*) **~ Angst/ Dummheit** out of fear/stupidity; **~ Unachtsamkeit** due to carelessness 3. (*Herkunft*) from; **~ Stuttgart kommen** to be from Stuttgart; **~ dem 17. Jahrhundert stammen** to be [from the] 17th century; **~ dem Englischen** from [the] English 4. (*hergestellt aus*) [made] of II. *adv pred* 1. (*gelöscht*) out 2. (*ausgeschaltet*) off 3. (*zu Ende*) **~ sein** to have finished; *Krieg* to have ended; *Schule* to be out; **es ist ~ zwischen ihnen** it's over between them; **~ und vorbei sein** to be over and done with 4. **auf jdn/etw ~ sein** to be after sb/sth

Aus <-> [aus] *nt kein pl* FBALL out of play; **ins ~ gehen** to go out of play

aus|bauen *vt* 1. *Gebäude* to extend (**zu** into) 2. (*herausmontieren*) to remove sth (**aus** from)

aus|bessern *vt* to mend

aus|beuten *vt* to exploit

Ausbeutung <-, -en> *f* exploitation *no pl*

aus|bilden *vt* 1. to train; **jdn zum Arzt ~** to train sb to be a doctor; **ausgebildet** qualified 2. (*entwickeln*) to develop

Ausbild(n)er(in) <-s, -> *m(f)* trainer

Ausbildung <-, en> *f* training *no pl, no indef art*

Ausbildungsplatz *m* place to train

Ausblick *m* view; **ein Zimmer mit ~ aufs Meer** a room overlooking the sea

aus|brechen *irreg vi sein* **1.** (*aus dem Gefängnis*) to escape (**aus** from) **2.** *Vulkan* to erupt **3.** *Feuer, Sturm* to break out **4.** (*plötzlich beginnen*) **in Gelächter/Tränen** ~ to burst into laughter/tears

aus|breiten I. *vt* **1.** to spread [out *sep*] **2.** *einzelne Gegenstände* to lay out *sep* **II.** *vr* **sich** ~ to spread [out]

Ausbruch *m* **1.** (*aus Gefängnis*) escape (**aus** from) **2.** (*Beginn*) outbreak **3.** (*Eruption*) eruption **4.** (*fam: emotional*) outburst

Ausdauer *f kein pl* **1.** (*Beharrlichkeit*) perseverance **2.** (*Durchhaltevermögen*) stamina

aus|dehnen I. *vt Besuch, Unterhaltung* to prolong; **ausgedehnt** extensive **II.** *vr* **sich** ~ **1.** (*durch Wärme*) *Metall* to expand **2.** *Gewässer, Land* to extend (**bis zu** as far as/**über** over) **3.** *Besprechung, Sitzung* to go on; **sich endlos** ~ to go on forever

Ausdruck¹ <-drücke> *m* expression; **etw zum** ~ **bringen** to express sth

Ausdruck² <-drucke> *m* [computer] print-out; **einen** ~ [**von etw** *dat*] **machen** to run off a copy *sep* [of sth]

aus|drucken *vt* to print [out *sep*]

aus|drücken I. *vt* **1.** (*bekunden*) to express **2.** (*formulieren*) to put into words; **anders ausgedrückt** in other words; **einfach ausgedrückt** put simply **3.** (*auspressen*) to squeeze **II.** *vr* **sich** ~ to express oneself; **sich falsch** ~ to use the wrong word

ausdruckslos *adj* inexpressive; *Gesicht* expressionless

ausdrucksvoll *adj* expressive

Ausdrucksweise *f* mode of expression

auseinander [ausʔaiˈnandɐ] *adv* apart

  auseinander|brechenᴿᴿ *vt* to break in two **auseinander|fallen**ᴿᴿ *vi* to fall apart **auseinander|gehen**ᴿᴿ *vi Menschen* to part; *Beziehung* to end; *Meinungen* to differ **auseinander|halten**ᴿᴿ *vt* **zwei Dinge** ~ to distinguish between two things **auseinander|leben**ᴿᴿ *vr* **sich** ~ to drift apart **auseinander|setzen**ᴿᴿ *vr* **sich mit etw** *dat* ~ to tackle sth

Ausfahrt *f* exit; (*Autobahnausfahrt*) slip road BRIT, exit [ramp] AM

aus|fallen *vi irreg sein* **1.** (*nicht stattfinden*) to be cancelled; **etw** ~ **lassen** to cancel sth **2.** (*nicht funktionieren*) to fail

ausfallend, ausfällig I. *adj* abusive **II.** *adv* **sich** ~ **ausdrücken** to use abusive language

aus|flippen [ˈausflɪpn̩] *vi sein* (*fam*) **1.** (*wütend werden*) to freak out **2.** (*vor Freude*) to jump for joy **3.** (*überschnappen*) to lose it [completely]; **ausgeflippt** freaky

Ausflug *m* outing; **einen** ~ **machen** to go on an outing

Ausflussᴿᴿ <-es, Ausflüsse>, **Ausfluß**ᴬᴸᵀ <-sses, Ausflüsse> *m* (~*stelle*) outlet

Ausfuhr <-> *f kein pl* export

aus|führen *vt* **1.** (*spazieren gehen mit*) to take out *sep* **2.** (*exportieren*) to export (**in** to)

ausführlich [ˈausfyːɐ̯lɪç, ausˈfyːɐ̯lɪç] **I.** *adj* detailed **II.** *adv* [**sehr**] ~ in [great] detail; ~**er** in more detail

aus|füllen *vt* **1.** *Formular* to fill in *sep* **2.** (*befriedigen*) to satisfy **3.** (*voll füllen*) to fill (**mit** with)

Ausgabe *f* **1.** *kein pl* (*das Austeilen*) distribution **2.** *von Buch* edition; *von Zeitschrift a.* issue; **alte** ~**n** back issues **3.** *pl* (*Kosten*) expenses

Ausgang *m* exit (+*gen* from)

aus|geben *vt irreg* **1.** (*aufwenden*) to spend (**für** on) **2.** (*austeilen*) to distribute (**an** to) **3.** (*fam: spendieren*) |**jdm**| **etw** ~ to treat sb to sth; **eine Runde** ~ to buy a round; |**jdm**| **einen** ~ (*fam*) to buy sb a drink **4. sich als jd/etw** ~ to pass oneself off as sb/sth

ausgebucht *adj* booked up

ausgefallen *adj* unusual

ausgeglichen *adj* equable

aus|gehen *vi irreg sein* **1.** (*aus dem Haus*) to go out **2.** *Feuer* to go out **3.** *Haare* to fall out **4. etw geht von jdm/etw aus** sb/sth radiates sth **5.** (*enden*) to end; **gut/schlecht** ~ to turn out well/badly **6.** (*annehmen*) **davon** ~, **dass ...** to start out from the fact that ... **7.** (*zu Grunde legen*) **von etw** *dat* ~ to take sth as a basis

ausgeschnitten *adj Bluse* low-cut

ausgestorben *adj* **1.** extinct **2.** |**wie**| ~ **sein** to be deserted

ausgewogen *adj* balanced

ausgezeichnet ['ausɡətsaiçnət, 'ausɡəˈtsaiçnət] **I.** *adj* excellent **II.** *adv* extremely well; **mir geht es** ~ I'm feeling just great

ausgiebig ['ausɡiːbɪç] **I.** *adj* extensive; *Mahlzeit* substantial **II.** *adv* extensively; ~ **schlafen** to have a good |long| sleep

aus|gießen *vt irreg* (*entleeren*) to empty; (*weggießen*) to pour away *sep*

aus|gleichen *irreg* **I.** *vt* **1.** to balance (**durch** with) **2.** (*wettmachen*) to compensate for **II.** *vr* **sich** |**durch etw** *akk*| ~ to balance out |as a result of sth|

Ausgleichssport *m* keep-fit activities

aus|graben *vt irreg* to dig up *sep*

Ausgrabung *f* **1.** *kein pl* (*das Ausgraben*) digging up; *einer Leiche* exhumation **2.** (*Grabungsarbeiten*) excavation|s *pl*|

Ausguss^RR <-es, Ausgüsse>, **Ausguß**^ALT <-sses, Ausgüsse> *m* (*Spüle*) sink

aus|halten *irreg* **I.** *vt* **1.** (*ertragen können*) to bear; **die Kälte** ~ to endure the cold; **es ist nicht** |**länger**| **auszuhalten** it's |getting| unbearable; **es lässt sich** |**mit jdm**| ~ it's bearable |being with sb| **2.** (*standhalten*) to be resistant to; **viel** ~ to take a lot; **den Druck** ~ to |with|stand the pressure **3.** (*fam: Unterhalt leisten*) **jdn** ~ to keep sb **II.** *vi* to hold out

Aushang *m* notice

Aushilfe *f* temporary worker; |**bei jdm**| **zur** ~ **arbeiten** to temp |for sb| *fam*

aus|kennen *vr irreg* **1. sich** |**irgendwo**| ~ to know one's way around |somewhere| **2. sich** |**in etw** *dat*| ~ to know a lot |about sth|

aus|kommen *vi irreg sein* **1.** (*genug haben*) **mit etw** *dat* ~ to get by on sth; **ohne jdn/etw** ~ to manage without sb/sth **2.** (*sich verstehen*) **mit jdm** |**gut**| ~ to get on well with sb **3.** ÖSTERR (*entkommen*) to escape

Auskunft <-, Auskünfte> ['auskʊnft] *f* **1.** information *no pl, no indef art* (**über** about); **eine** ~ a bit of information; **nähere** ~ more information; **Auskünfte** |**über jdn/etw**| |**bei jdm**| **einholen** to make |some| enquiries |to sb| |about sb/sth|; **jdm eine** ~ **geben** to give sb some information **2.** (*Auskunftsstelle*) information office; (*Telefon~*) directory enquiries BRIT, the operator AM

aus|lachen *vt* to laugh at

Ausland <-[e]s> ['auslant] *nt kein pl* [**das**] ~ foreign countries *pl;* **aus dem** ~ from abroad; **im/ins** ~ abroad

Ausländer(in) <-s, -> ['auslɛndɐ] *m(f)* foreigner; JUR alien

ausländerfeindlich *adj* racist

ausländisch ['auslɛndɪʃ] *adj attr* foreign

Auslandsaufenthalt *m* stay abroad **Auslandseinsatz** *m* MIL deployment [of troops] abroad **Auslandsgespräch** *nt* international call **Auslandsreise** *f* trip abroad

aus|lassen *irreg* **I.** *vt* **1.** (*weglassen*) to omit; (*überspringen*) to skip **2.** (*abreagieren*) **etw an jdm** ~ to vent sth on sb **3.** (*fam: ausgeschaltet lassen*) to keep switched off **4.** ÖSTERR (*loslassen*) to let go of **II.** *vr* (*pej*) **sich über jdn/etw** ~ to go on about sb/sth **III.** *vi* ÖSTERR to let go

aus|laufen *irreg vi sein* **1.** (*ausströmen*) *Wasser* to leak out **2.** (*undicht sein*) *Fass* to leak **3.** (*losfahren*) *Schiff* to set sail (**nach** for) **4.** (*enden*) to end; *Vertrag* to expire

Ausläufer *m* **1.** *eines Hochs* ridge; *eines Tiefs* trough **2.** *meist pl* (*Vorberge*) foothills *pl*

aus|leeren *vt* (*ausgießen*) to empty [out *sep*]; (*ausladen*) to dump

aus|leihen *irreg vt* **1.** [**jdm**] **etw** ~ to lend [sb] sth **2. sich** *dat* **etw** ~ to borrow sth

Auslese <-, -n> *f* **1.** (*Wein*) superior wine (*made from selected grapes*) **2.** BIOL **die natürliche** ~ natural selection

aus|liefern *vt* **1.** *Waren* to deliver (**an** to) **2.** (*übergeben*) to hand over *sep* (**an** to) **3.** (*hilflos sein*) **jdm/etw aus-**

geliefert sein to be at sb's mercy

aus|löschen *vt* to extinguish; *Erinnerung* to obliterate

aus|losen I. *vt* to draw **II.** *vi* to draw lots

Auslöser <-s, -> *m* **1.** FOTO [shutter] release **2.** (*fam: Anlass*) trigger

Auslosung *f* draw

aus|machen *vt* **1.** (*Kerze*) to extinguish; *Gerät* to turn off *sep;* *Motor* to switch off *sep* **2.** (*vereinbaren*) to agree [up]on]; **ausgemacht** agreed **3.** (*betragen*) to amount to **4.** (*bewirken*) **nichts** ~ to not make any difference; **viel** ~ to make a big difference **5.** (*bedeuten*) **es macht jdm nichts/viel aus, etw zu tun** sb doesn't mind doing sth/it matters a great deal to sb to do sth; **macht es Ihnen etwas aus, wenn ...?** do you mind if ...?

Ausmaß *nt* **1.** (*Fläche*) area; **das** ~ **von etw** *dat* **haben** to cover the area of sth **2.** (*Größe*) size; **die ~e** the dimensions **3.** (*Umfang*) extent *no pl*

Ausnahme <-, -n> ['ausnaːmə] *f* exception ▶ **~n bestätigen die <u>Regel</u>** (*prov*) the exception proves the rule

ausnahmsweise *adv* as a special exception; **heute ging er** ~ **eine Stunde früher** today he left an hour earlier [for a change]

aus|nutzen *vt* **1.** (*ausbeuten*) to exploit **2.** (*voll nutzen*) to make the most of sth; **jds Leichtgläubigkeit** ~ to take advantage of sb's gullibility

aus|packen *vt* to unpack; *Geschenk* to unwrap

aus|probieren I. *vt* to try [out *sep*] **II.** *vi* ~, **ob/wie ...** to see whether/how ...

Auspuff <-[e]s, -e> *m* exhaust [pipe]

Auspuffrohr *nt* exhaust [pipe] **Aus-**

pufftopf *m* silencer BRIT, muffler AM

aus|rauben *vt* to rob

aus|räumen *vt Möbel* to move out *sep; Raum* to clear out *sep; Zweifel* to dispel

aus|rechnen *vt* to calculate

Ausrede *f* excuse; **eine faule ~** a feeble excuse

aus|reichen *vi* to be sufficient (**für** for); **es muss für uns alle ~** it will have to do for us all

aus|reisen *vi sein* to leave the country

Ausreisevisum *nt* exit visa

aus|reißen *irreg* I. *vt haben* to pull out *sep; Haare* to tear out *sep* II. *vi sein* (*fam: davonlaufen*) to run away

aus|renken *vt* to dislocate

aus|rotten *vt* to exterminate

Ausrufezeichen *nt* LING exclamation mark [*or* AM point]

aus|ruhen *vi, vr* to [take a] rest; **ausgeruht** [**sein**] [to be] well rested

Ausrüstung <-> *f kein pl* 1. (*das Ausrüsten*) equipping 2. (*Ausrüstungsgegenstände*) equipment

aus|rutschen *vi sein* to slip (**auf** on); **mir ist die Hand ausgerutscht** my hand slipped

Aussage *f* 1. statement; (*Zeugen~*) evidence *no pl;* **die ~ verweigern** to refuse to make a statement 2. (*Inhalt*) message

aus|sagen I. *vt* **etw** [**über jdn/etw**] **~** (*darstellen*) to say sth [about sb/sth] II. *vi Zeuge* to testify (**vor** before); *Angeklagter* to make a statement; **für/ gegen jdn ~** to give evidence in sb's favour/against sb

aus|schalten *vt* 1. ELEK to turn off *sep* 2. (*fig*) to eliminate

aus|scheiden *irreg* I. *vi sein* 1. (*aus dem Dienst*) to retire (**aus** from); *aus*

Verein to leave 2. SPORT to drop out (**aus** of) 3. (*nicht in Betracht kommen*) to be ruled out II. *vt haben* MED to excrete; *Organ* to secrete

aus|schlafen *irreg vi, vr* [**sich**] **~** to have a good [night's] sleep

Ausschlag *m* 1. MED rash 2. [**bei etw** *dat*] **den ~ geben** (*fig*) to be the decisive factor [for *or* in] sth]

aus|schließen *vt irreg* to exclude (**aus** from); *Mitglied* to expel

ausschließlich ['ausʃliːslɪç] I. *adj attr* exclusive II. *adv* exclusively III. *präp* excluding

Ausschluss^RR <-es, Auschlüsse>, **Ausschluß**^ALT <-sses, Auschlüsse> *m* exclusion; *von Mitglied* expulsion

aus|schneiden *vt irreg* to cut out *sep* (**aus** of)

Ausschnitt *m* 1. (*Zeitungs~*) clipping 2. *von Kleid* neckline; **ein tiefer ~** a low neckline 3. (*Teil*) part (**aus** of)

Ausschuss^RR <-es, Ausschüsse>, **Ausschuß**^ALT <-sses, Ausschüsse> *m* 1. committee 2. *kein pl* (*fehlerhafte Produkte*) rejects *pl*

aus|schütten *vt* 1. (*ausleeren*) to empty 2. (*verschütten*) to spill 3. *Gelder* to distribute

aus|sehen *vi irreg* to look; **~ wie ...** to look like ...; **wie sieht's aus?** (*fam*) how's things?; **es sieht gut/schlecht aus** things are looking good/not looking too good; **nach Regen ~** to look as if it is going to rain; **nach etwas/ nichts aussehen** to look good/not look anything special

Aussehen <-s> *nt kein pl* appearance

außen ['ausn̩] *adv* on the outside; **nach ~** outwards; **von ~** from the outside; **nach ~ hin** outwardly

Außenhandel *m* foreign trade **Au-**

ßenminister(in) *m(f)* foreign minister **außenpolitisch** [ˈausn̩poliˈtɪʃ] **I.** *adj attr* foreign policy **II.** *adv* as regards foreign policy **Außenseiter(in)** <-s, -> *m(f)* outsider **Außenspiegel** *m* [out]side mirror **Außenstürmer(in)** *m(f)* wing

außer [ˈausə] **I.** *präp +dat o gen* **1.** except; (*abgesehen von*) apart from **2.** (*zusätzlich zu*) in addition to **3.** (*nicht in*) out of; ~ **Betrieb/Gefahr sein** to be out of order/danger ▶ [über jdn/etw] ~ **sich** *dat* <u>sein</u> to be beside oneself [about sb/sth] **II.** *konj* ~ **dass** ... except that ...; ~ [**wenn**] except [when]

außerdem [ˈausədeːm] *adv* besides

Äußere(s) [ˈɔysərə, -rəs] *nt dekl wie adj* outward appearance

äußere(r, s) [ˈɔysərə, -rɐ, -rəs] *adj* **1.** (*außerhalb gelegen*) outer **2.** (*von außen wahrnehmbar*) exterior **3.** (*außenpolitisch*) external

außergewöhnlich [ˈausəgəˈvøːnlɪç] **I.** *adj* unusual; *Leistung* extraordinary **II.** *adv* extremely

außerhalb [ˈausəhalp] **I.** *adv* outside; ~ **stehen** to be on the outside; **von** ~ from out of town **II.** *präp* outside

äußerlich [ˈɔysəlɪç] *adj* **1.** external **2.** (*oberflächlich*) superficial

äußern [ˈɔysən] **I.** *vr* **1.** **sich** [**zu etw** *dat*] ~ to say something [about sth] **2.** (*in Erscheinung treten*) **sich** [**irgendwie**] ~ to manifest itself [somehow] **II.** *vt* (*vorbringen*) to voice; *Wunsch* to express

außerordentlich [ˈausəˈʔɔrdn̩tlɪç] **I.** *adj* extraordinary **II.** *adv* extraordinarily

äußerst [ˈɔysəst] *adv* extremely

äußerste(r, s) *adj* **1.** (*entfernteste*)

outermost **2.** (*höchste*) utmost; **von** ~**r Wichtigkeit** of supreme importance

Äußerung <-, -en> *f* **1.** (*Bemerkung*) comment **2.** (*Ausdruck*) expression

aus|setzen *vt* **1.** (*im Stich lassen*) to abandon **2.** *Pflanzen* to plant out; *Tiere* to release **3.** (*preisgeben*) **jdn/etw etw** *dat* ~ to expose sb/sth to sth **4.** (*kritisieren*) **an etw** *dat* **etwas auszusetzen haben** to find fault with sth; **daran ist nichts auszusetzen** there's nothing wrong with that

Aussicht *f* **1.** (*Blick*) view; **die** ~ **auf etw** *akk* the view overlooking sth **2.** (*Chance*) prospect; **die** ~ **auf etw** *akk* the chance of sth; **keine** ~**en** [**auf etw** *akk*] **haben** to have no chance [of sth]; **etw in** ~ **haben** to have good prospects of sth; **jdm etw in** ~ **stellen** to promise sb sth

aussichtslos *adj* hopeless

Aussprache *f* **1.** (*von Worten*) pronunciation **2.** (*Unterredung*) talk

aus|sprechen *irreg* **I.** *vt* **1.** (*artikulieren*) to pronounce **2.** (*äußern*) to express **II.** *vr* **1.** **sich** ~ to talk things over **2.** (*Stellung nehmen*) **sich für/gegen jdn/etw** ~ to voice one's support for/opposition against sb/sth **III.** *vi* (*zu Ende reden*) to finish [speaking]

aus|statten [ˈausʃtatn̩] *vt* to equip (**mit** with); *Haus, Zimmer* to furnish (**mit** with)

Ausstattung <-, -en> *f* **1.** *kein pl* (*Ausrüstung*) equipment; (*das Ausrüsten*) equipping **2.** (*Einrichtung*) furnishings *pl*

aus|steigen *vi irreg sein* **1.** to get off; **aus einem Auto** ~ to get out of a car **2.** (*aufgeben*) to drop out (**aus** of);

(*sich zurückziehen*) to withdraw (**aus** from)

Aussteiger(in) <-s, -> *m(f)* (*aus Beruf, Studium*) dropout *esp pej*; (*aus Terroristenkreisen*) deserter

Ausstellung *f* exhibition

aus|sterben *vi irreg sein* to die out

Ausstieg <-[e]s, -e> *m* 1. (*Ausgang*) exit 2. (*fig*) der ~ aus etw *dat* abandoning sth

aus|stoßen *vt irreg* 1. to eject (**in** into); *Gase* to emit 2. *Schrei* to give [out]; *Laute* to make 3. (*aus einer Gruppe*) to expel (**aus** from)

Ausstrahlung *f* 1. (*Charisma*) charisma; **eine besondere ~ haben** to have a special charisma 2. (*Sendung*) broadcast[ing]

aus|strecken I. *vt* to extend (**nach** to); *Hände, Beine* to stretch out **II.** *vr* sich ~ to stretch oneself out

aus|suchen *vt* to choose

Austausch *m* exchange; **im ~ gegen etw** *akk* in exchange for sth

austauschbar *adj* (*gegeneinander ~*) interchangeable; (*ersetzbar*) replaceable

aus|tauschen I. *vt* 1. (*ersetzen*) to replace (**gegen** with) 2. (*gegeneinander*) to exchange **II.** *vr* (*sich besprechen*) **sich [über jdn/etw] ~** to exchange stories [about sb/sth]

aus|teilen *vt* to distribute (**an** to); *Essen* to serve; *Karten* to deal [out]

Auster <-, -n> ['auste] *f* oyster

Austernpilz *m* Chinese mushroom

aus|treten *irreg vi sein* 1. (*herausdringen*) to come out (**aus** of) 2. (*fam: zur Toilette gehen*) to go to the loo BRIT *fam* [*or* AM bathroom] 3. (*ausscheiden*) to leave

aus|ufern ['aʊsʔuːfɐn] *vi sein* to esca-

late (**zu** into)

Ausverkauf *m* clearance sale

ausverkauft *adj* sold out

Auswahl *f* selection (**an** of); **die ~ haben** to have the choice; **eine ~ [unter** *dat* ...**] treffen** to make one's choice [from ...]

aus|wählen *vt, vi* to choose (**unter** from)

Auswanderer, -wanderin *m, f* emigrant

aus|wandern *vi sein* to emigrate (**nach** to)

auswärtig ['aʊsvɛrtɪç] *adj attr* 1. (*nicht vom Ort*) from out of town 2. POL foreign

auswärts ['aʊsvɛrts] *adv* (*außerhalb des Ortes*) out of town; **~ essen** to eat out

aus|wechseln *vt* to replace (**gegen** with); *Spieler* to substitute (**gegen** for)

Ausweg *m* way out (**aus** of); **der letzte ~** the last resort

aus|weichen *vi irreg sein* 1. (*vermeiden*) **jdm/etw ~** to evade sb/sth; **~d** evasive 2. (*zurückgreifen*) **auf etw** *akk* **~** to fall back on sth [as an alternative]

Ausweis <-es, -e> ['aʊsvaɪs] *m* identity card

Ausweispapiere *pl* identity papers

aus|weiten I. *vt* 1. (*weiter machen*) to stretch 2. (*umfangreicher machen*) to expand **II.** *vr* sich ~ 1. (*weiter werden*) to stretch [out] 2. (*sich ausdehnen*) to extend 3. (*eskalieren*) **sich [zu etw** *dat*] **~** to escalate [into sth]

auswendig *adv* [off] by heart; **etw ~ können** to know sth [off] by heart

aus|wirken *vr* **sich ~** to have an effect (**auf** on)

Auswirkung *f* (*Wirkung*) effect; (*Folge*) consequence; **negative ~en haben** to have negative repercussions

aus|zählen *vt* to count

Auszahlung *f* 1. (*Zahlung*) paying out 2. (*Abfindung*) paying off

Auszeichnung *f* 1. (*Preisetikett*) price tag 2. (*Ehrung*) honour; (*Orden*) decoration; (*Preis*) award; [**etw**] **mit ~ bestehen** to pass [sth] with distinction

aus|ziehen *irreg* I. *vt haben* 1. (*ablegen*) [**sich** *dat*] **etw ~** to take off sth *sep* 2. (*entkleiden*) to undress 3. (*verlängern*) to extend II. *vi sein* (*aus Wohnung*) to move out (**aus** of)

Auszubildende(r) *f(m) dekl wie adj* trainee

autark [au'tark] *adj* self-sufficient

authentisch [au'tɛntɪʃ] *adj* authentic

Auto <-s, -s> ['auto] *nt* car; **~ fahren** to drive [a car]; **mit dem ~ fahren** to go by car

Autoatlas *m* road atlas

Autobahn *f* motorway BRIT, freeway AM **Autobahndreieck** *nt* motorway junction **Autobahnkreuz** *nt* motorway intersection

Autobiografie^RR, **Autobiographie** [autobiogra'fi:] *f* autobiography **Autofähre** *f* car ferry **Autofahrer(in)** *m(f)* [car] driver

Autogramm <-s, -e> [auto'gram] *nt* autograph

Autokennzeichen *nt* number plate BRIT, license plate AM; (*Länderkennzeichen*) international number [*or* AM license] plate code

Automat <-en, -en> [auto'ma:t] *m* FIN cash dispenser; (*für Glücksspiel*) slot-machine; (*für Verkauf*) vending machine

Automatik <-> [auto'ma:tɪk] *f* 1. automatic system 2. AUTO automatic transmission

Automatikschaltung *f* automatic transmission

automatisch [auto'ma:tɪʃ] *adj* automatic

Autonomie <-, -n> [autono'mi:] *f* autonomy

Autor(in) <-s, -en> ['auto:ɐ̯] *m(f)* author

autoritär [autori'tɛ:ɐ̯] *adj* authoritarian

Autorität <-, -en> [autori'tɛ:t] *f* authority

Autoverleih *m*, **Autovermietung** *f* car rental firm

Axt <-, Äxte> [akst] *f* axe

Azalee <-, -n> [atsa'le:ə] *f*, **Azalie** <-, -n> [a'tsa:li̯ə] *f* azalea

Azoren [a'tso:rən] *pl* **die ~** the Azores

Azubi <-s, -s> [a'tsu:bi] *m*, **Azubi** <-, -s> [a'tsu:bi] *f kurz für* **Auszubildende(r)** trainee

B

B, b <-, -s> *nt* 1. (*Buchstabe*) B [*or* b] 2. MUS B flat

Baby <-s, -s> ['be:bi] *nt* baby

Babynahrung *f* baby food **Babysitter(in)** <-s, -> ['be:bizɪtɐ] *m(f)* babysitter **Babytragetasche** *f* carrycot, baby carrier AM

Bach <-[e]s, Bäche> [bax] *m* brook

Backbord <-[e]s> ['bakbɔrt] *nt kein pl* port [side]

Backe <-, -n> ['bakə] *f* cheek

backen <backt *o* bäckt, backte *o* (*veraltet*) buk, gebacken> ['bakn̩] *vt*,

vi (*im Ofen*) to bake; (*in Fett*) to fry
Backenzahn *m* back tooth
Bäcker(in) <-s, -> ['bɛkɐ] *m(f)* baker; **beim ~** at the baker's [shop]
Bäckerei <-, -en> [bɛkə'raɪ] *f* baker's
Backfisch ['bakfɪʃ] *m* fried fish in batter **Backform** *f* baking tin **Backofen** ['bak?o:fn̩] *m* oven **Backpflaume** *f* prune **Backpulver** *nt* baking powder
Bad <-[e]s, Bäder> [ba:t] *nt* **1.** bath; **ein ~ nehmen** to take a bath **2.** (*Badezimmer*) bathroom **3.** (*Schwimm~*) swimming pool **4.** (*Heil~*) spa
Badeanzug *m* swimming costume **Badehose** *f* swimming trunks *pl* **Badekappe** *f* swimming cap **Bademantel** *m* bathrobe **Bademeister(in)** *m(f)* [pool] attendant
baden ['ba:dn̩] **I.** *vi* **1.** to have a bath **2.** (*schwimmen*) to swim; **~ gehen** to go for a swim **II.** *vt* **1.** jdn ~ to bath sb; **sich ~** to have a bath **2.** MED to bathe (**in** in)
Badeort *m* seaside resort; (*Kurort*) spa resort **Badestrand** *m* bathing beach **Badetuch** *nt* bath towel **Badewanne** *f* bath [tub] **Badezimmer** *nt* bathroom
Bagatelle <-, -n> [baga'tɛlə] *f* trifle
Bagger <-s, -> ['bagɐ] *m* excavator
Bahamas [ba'ha:mas] *pl* **die ~** the Bahamas *pl*
Bahn <-, -en> [ba:n] *f* **1.** (*Zug*) train; (*auf Straße*) tram; (*Verkehrsnetz, Verwaltung*) railway[s]; **mit der ~** by train **2.** SPORT track **3.** ASTRON orbit
Bahnfahrt *f* train journey
Bahnhof *m* [railway] station
Bahnhofsgaststätte *f* station restaurant **Bahnhofshalle** *f* station concourse
Bahnpolizei *f* railway police **Bahnsteig** <-[e]s, -e> *m* platform **Bahn-**

übergang *m* level crossing
Baisse <-, -n> ['bɛ:sə] *f* slump
Bakterie <-, -n> [bak'te:rjə] *f meist pl* bacterium
Balance <-, -n> [ba'lã:sə] *f* balance
balancieren [balã'si:rən] *vi, vt* to balance (**auf** on/**über** across)
bald [balt] **I.** *adv* soon; **komm ~ wieder!** come back soon!; **wird's ~?** (*fam*) move it!; **bis ~!** see you later!; **~ darauf** soon after[wards]; **so ~ wie möglich** as soon as possible **II.** *konj* **~ ..., ~ ...** one moment ..., the next ...
Baldrian <-s, -e> ['baldria:n] *m* valerian
Balearen [bale'a:rən] *pl* **die ~** the Balearic Islands *pl*
Balkan <-s> ['balka:n] *m* **1. der ~** the Balkans *pl* **2.** (*Gebirge*) **the ~** the Balkan Mountains *pl*
Balken <-s, -> ['balkn̩] *m* (*aus Holz*) beam; (*aus Stahl*) girder; (*Stütze*) prop
Balkon <-s, -s> [bal'kɔŋ] *m* balcony
Ball <-[e]s, Bälle> [bal] *m* ball; **am ~ sein** to have the ball; **jdm den ~ zuspielen** to feed sb the ball ▶ **am ~ bleiben** to stay on the ball *fig*
Ballast <-[e]s, *selten* -e> [ba'last] *m* ballast; (*fig*) burden
Ballaststoffe *pl* roughage *sing*
Ballen <-s, -> ['balən] *m* **1.** (*Packen*) bale **2.** ANAT ball
Ballermann *nt* (*fam*) beach bar on the Spanish island of Majorca especially popular with Germans on cheap package tours
Ballett <-[e]s, -e> [ba'lɛt] *nt* ballet
Balletttänzer[RR]**(in)** *m(f)* ballet dancer
Ballon <-s, -s> [ba'lɔŋ] *m* balloon
Ballungsgebiet *nt*, **Ballungsraum** *m* conurbation
Balsam <-s, -e> ['balza:m] *m* **1.** (*Sal-*

be) balsam **2.** (*fig*) balm; ~ **für die Seele sein** to be like balm for the soul

Baltikum <-s> ['baltikʊm] *nt* **das ~** the Baltic states *pl*

baltisch ['baltɪʃ] *adj* Baltic

Bambus <-ses *o* -, -se> ['bambʊs] *m* bamboo

Bambussprossen *pl* bamboo shoots *pl*

banal [ba'naːl] *adj* banal

Banane <-, -n> [ba'naːnə] *f* banana

Band¹ <-[e]s, Bänder> [bant] *nt* **1.** (*aus Stoff*) ribbon **2.** (*aus Metall*) metal band **3.** (*zur Verpackung*) packaging tape **4.** MEDIA [recording] tape; **etw auf ~ aufnehmen** to tape sth **5.** (*in Fabrik*) conveyor belt; **am ~ arbeiten** to work on an assembly line; **am laufenden ~** (*fam*) non-stop **6.** *meist pl* ANAT ligament; **sich** *dat* **die Bänder zerren** to strain ligaments

Band² <-[e]s, Bände> [bant] *m* (*Buch*) volume

Band³ <-, -s> [bɛnt] *f* MUS band

Bandage <-, -n> [ban'daːʒə] *f* bandage

bandagieren [banda'ʒiːrən] *vt* to bandage

Bandbreite *f* **1.** (*geh*) range **2.** TECH bandwidth

Bänderrissᴿᴿ ['bɛndɐ-] *m* MED torn ligament

Bandscheibe *f* [intervertebral] disc

Bandscheibenvorfall *m* MED slipped disc

Bandwurm *m* tapeworm

Bank¹ <-, Bänke> [baŋk] *f* bench; (*im Garten*) [garden] seat; (*in Schule*) desk

Bank² <-, -en> [baŋk] *f* FIN bank; **auf der ~** in the bank; **ein Konto bei**

einer ~ haben to have an account with a bank

Bankangestellte(r) *f(m) dekl wie adj* bank employee

Bankett <-[e]s, -e> [baŋ'kɛt] *nt* banquet

Bankier <-s, -s> [baŋ'kie:] *m* banker

Bankkonto *nt* bank account **Bankleitzahl** *f* bank sorting code [number]

bankrott [baŋk'rɔt] *adj* bankrupt

Bankrott <-[e]s, -e> [baŋk'rɔt] *m* bankruptcy

bankrott|gehen *vi* to go bankrupt

Bankverbindung *f* banking arrangements; **wie ist Ihre ~?** what are the particulars of your bank account?

bar [baːɐ] *adj* **1.** FIN cash; **[in] ~ bezahlen** to pay [in] cash; **gegen ~** for cash **2.** *attr* (*rein*) pure **3.** *pred* (*geh: ohne*) ~ **einer S.** *gen* devoid of sth

bar, Bar <-s, -s> [baːɐ] *nt* (*Maßeinheit*) bar

Bär(in) <-en, -en> [bɛːɐ] *m(f)* bear; **stark wie ein ~** (*fam*) strong as an ox ▶ **jdm einen ~en aufbinden** (*fam*) to have [*or* AM put] sb on

Baracke <-, -n> [ba'rakə] *f* shack

barfuß ['baːɐfuːs] *adj pred* barefoot[ed]

Bargeld *nt* cash

bargeldlos **I.** *adj* cashless **II.** *adv* without using cash

Barkauf *m* cash purchase

barock [ba'rɔk] *adj* baroque

Barock <-[s]> [ba'rɔk] *nt o m kein pl* baroque

Barometer <-s, -> [baro'meːtɐ] *nt* barometer

Barren <-s, -> ['barən] *m* **1.** (*Gold*) ingot **2.** SPORT parallel bars *pl*

Barriere <-, -n> [ba'rie:rə] *f* (*a. fig*) barrier

Barrikade <-, -n> [bari'ka:də] *f* barricade

Barsch <-[e]s, -e> [barʃ] *m* (*Fisch*) perch

Barscheck *m* open cheque BRIT, cashable check AM

Bart <-[e]s, Bärte> [ba:ɐ̯t] *m* 1. (*voll*) beard; **sich** *dat* **einen ~ wachsen lassen** to grow a beard 2. (*über Oberlippe*) moustache

Barzahlung *f* payment in cash

Basar <-s, -e> [ba'za:ɐ̯] *m* bazaar

Base <-, -n> ['ba:zə] *f* CHEM base

Basilikum <-s> [ba'zi:likʊm] *nt kein pl* basil

Basis <-, Basen> ['ba:zɪs] *f* 1. (*Grundlage*) basis 2. POL *einer Partei* **die ~** the grass roots 3. ARCHIT, MIL base

Baskenland *nt* **das ~** Basque region

Baskenmütze *f* beret

BassRR <-es, Bässe> *m*, **Baß**ALT <-sses, Bässe> [bas] *m* bass

Bassin <-s, -s> [ba'sɛ̃:] *nt* 1. (*Schwimmbecken*) pool 2. (*Gartenteich*) pond

basteln ['bastl̩n] I. *vi* 1. to do handicrafts 2. (*an etw arbeiten*) **an etw** *dat* ~ to work on sth; **er bastelt am Computer herum** he's fiddling around with the computer II. *vt* (*fertigen*) to make

Batterie <-, -n> [batə'ri] *f* battery

batteriebetrieben *adj* battery-powered

Bau[1] <-[e]s, -ten> [bau] *m* 1. *kein pl* (*das Bauen*) building; **im ~ sein** to be under construction 2. (*Gebäude*) building; (*Bauwerk*) construction 3. *kein pl* (*fam: Baustelle*) **auf dem ~ arbeiten** to work on a building site

Bau[2] <-[e]s, -e> [bau] *m* (*Tierhöhle*) burrow

Bauarbeiter(in) *m(f)* building [*or* AM construction] worker

Bauch <-[e]s, Bäuche> [baux] *m* stomach; **einen [dicken] ~ bekommen** to develop a paunch; **sich** *dat* **den ~ vollschlagen** (*fam*) to stuff oneself ▶ **aus dem ~** (*fam*) from the heart

Bauchschmerzen *pl* stomach ache

Bauchspeicheldrüse *f* pancreas

Bauchtanz *m* belly-dance

bauen ['bauən] I. *vt* 1. (*errichten*) to build 2. (*zusammen~*) to construct 3. (*fam*) **Mist ~** to mess things up; **einen Unfall ~** to cause an accident II. *vi* 1. (*ein Haus errichten [lassen]*) to build a house 2. (*vertrauen*) **auf jdn/etw ~** to rely on sb/sth

Bauer, Bäuerin[1] <-n *o selten* -s, -n> ['bauɐ] *m, f* 1. farmer 2. HIST (*Vertreter einer Klasse*) peasant 3. (*Schach*) pawn

Bauer[2] <-s, -> ['bauɐ] *nt o selten m* (*Vogelkäfig*) [bird] cage

Bäuerin <-, -nen> ['bɔyərɪn] *f* 1. *fem form von* **Bauer** 2. (*Frau des Bauern*) farmer's wife

Bauernhof *m* farm

baufällig *adj* dilapidated

Baufirma *f* building firm **Bauherr(in)** *m(f)* client for whom a building is being built **Baujahr** *nt* 1. (*Jahr der Errichtung*) year of construction 2. (*Produktionsjahr*) year of manufacture **Bauland** ['baulant] *nt* building land

Baum <-[e]s, Bäume> [baum] *m* tree

Baumarkt *m* (*Geschäft*) DIY superstore, building supplies store AM

Baumgrenze *f* tree line **Baumnuss**RR *f* SCHWEIZ (*Walnuss*) walnut **Baumstamm** *m* tree-trunk **Baumsterben** *nt* dying[-off] of trees

Baumwolle *f* cotton

Bauplan *m* building plans *pl;* **genetischer** ~ genetic structure **Bauplatz** *m* site **Baustelle** *f* building site; (*Straßenbau*) roadworks *npl* BRIT, [road] construction site AM

Bayer(in) <-n, -n> ['baiɐ] *m(f)* Bavarian

bayerisch ['baiərɪʃ] *adj* Bavarian

Bayern <-s> ['baiɐn] *nt* Bavaria

beabsichtigen [bə'ʔapzɪçtɪgn̩] *vt* **1.** to intend; **das hatte ich nicht beabsichtigt!** I didn't mean to do that! **2.** (*geh: planen*) to plan

beachten [bə'ʔaxtn̩] *vt* **1.** (*befolgen*) to observe; *Rat* to follow **2.** (*darauf achten*) to notice **3.** (*berücksichtigen*) **bitte ~ Sie, dass ...** please note that ...

beachtlich *adj* considerable; **B~es leisten** to achieve a considerable amount

Beachtung *f* observance; **~ finden** to receive attention; **keine ~ finden** to be ignored; **jdm ~ schenken** to pay attention to sb

Beamte(r) [bə'ʔamtə, -'ʔamtɐ] *f(m) dekl wie adj* public official; (*bei der Post*) post-office official; (*im Staatsdienst*) civil servant; (*beim Zoll*) customs officer

beängstigend I. *adj* alarming II. *adv* alarmingly

beanspruchen [bə'ʔanʃprʊxn̩] *vt* **1.** (*fordern*) to claim **2.** (*brauchen*) to require **3.** (*Anforderungen stellen*) **jdn ~** to make demands on sb; **ich will Sie nicht länger ~** I don't want to take up any more of your time; **etw ~** to demand sth; **jds Geduld ~** to try sb's patience **4.** (*belasten*) to put under stress

beanstanden [bə'ʔanʃtandn̩] *vt* **etw [an etw** *dat*] **~** to complain about sth [of sth]

beantragen *vt* **1. etw ~** to apply for sth **2.** POL to propose

beantworten *vt* to answer; **etw mit etw** *dat* **~** to respond to sth with sth

bearbeiten *vt* **1.** (*behandeln*) **etw ~** to work on sth; **Holz ~** to work wood; **etw mit einer Chemikalie ~** to treat sth with a chemical **2.** (*sich befassen mit*) to deal with; *Bestellung* to process **3.** (*redigieren*) to revise **4.** (*fam: auf jdn einwirken*) **jdn ~** to work on sb

beaufsichtigen [bə'ʔaufzɪçtɪgn̩] *vt* to supervise; *Kinder* to look after

beauftragen *vt* **jdn mit etw** *dat* **~** to give sb the task of doing sth; *Firma* to hire

bebauen *vt* **etw ~ 1.** (*mit Gebäuden*) to build [sth] on sth; **dicht bebaut sein** to be heavily built-up **2.** *Feld* to cultivate sth

beben ['be:bn̩] *vi* **1.** (*zittern*) to tremble **2.** (*erbeben*) to quiver (**vor** with)

Beben <-s, -> ['be:bn̩] *nt* **1.** GEOL earthquake **2.** (*Zittern*) trembling **3.** (*leichtes Zittern*) quivering

Becher <-s, -> ['bɛçɐ] *m* glass; (*aus Plastik*) beaker; (*für Tee/Kaffee*) mug; SCHWEIZ (*Bierglas*) mug

Becken <-s, -> ['bɛkn̩] *nt* **1.** (*Bassin*) basin; (*zum Schwimmen*) pool; (*Spüle*) sink **2.** ANAT pelvis

bedächtig [bə'dɛçtɪç] I. *adj* **1.** (*ohne Hast*) deliberate **2.** (*besonnen*) thoughtful II. *adv* **1.** (*ohne Hast*) deliberately **2.** (*besonnen*) carefully

bedanken *vr* **sich bei jdm [für etw** *akk*] **~** to thank sb [for sth]; **ich bedanke mich!** thank you!

bedauerlich adj regrettable; **sehr ~!** how unfortunate!; **~ sein, dass ...** to be unfortunate, that ...

bedauern vt 1. (schade finden) to regret 2. (bemitleiden) to feel sorry [for]; **er ist zu ~** he is to be pitied

bedauernswert, **bedauernswürdig** adj (geh) pitiful; **ein ~er Zwischenfall** an unfortunate incident

bedeckt adj präd overcast

bedenken irreg vt to consider; [jdm] **etw zu ~ geben** (geh) to ask [sb] to consider sth; [jdm] **zu ~ geben, dass ...** to ask [sb] to keep in mind that ...

Bedenken <-s, -> nt meist pl (Zweifel) doubt; **moralische ~** moral scruples; **jdm kommen ~** sb has second thoughts; **ohne ~** without hesitation

bedenkenlos I. adv 1. (ohne Überlegung) without hesitation 2. (skrupellos) unscrupulously II. adj unhesitating

bedenklich adj 1. (fragwürdig) questionable 2. (Besorgnis erregend) disturbing; Gesundheitszustand serious

bedeuten vt 1. to mean; **das hat nichts zu ~** that doesn't mean anything 2. (versinnbildlichen) to symbolize 3. (wichtig sein) **jdm etwas ~** to mean sth to sb

bedeutend adj 1. (wichtig) important; **eine ~e Rolle spielen** to play a significant role 2. (beachtlich) considerable

bedeutsam adj important

Bedeutung <-, -en> f 1. (Sinn) meaning; **in wörtlicher/übertragener ~** in the literal/figurative sense 2. (Wichtigkeit) significance; [für jdn/etw] **von ~ sein** to be of importance [for sb/sth]; **etw** dat **~ beimessen** to attach importance to sth;

nichts von ~ nothing important

bedienen I. vt 1. (in Restaurant) to serve; **sich** [von jdm] **~ lassen** to be waited on [by sb] 2. (benutzen) **eine Maschine ~** to operate a machine II. vi Kellner to serve III. vr 1. (sich Essen nehmen) **sich ~** to help oneself; **~ Sie sich!** help yourself! 2. (geh: gebrauchen) **sich einer S.** gen **~** to make use of sth

bedienstet [bəˈdiːnstət] adj ÖSTERR in employment

Bedienung <-, -en> f 1. (Kellner) waiter masc, waitress fem 2. kein pl Gerät operation 3. kein pl des Kunden service

Bedienungsanleitung f operating instructions pl

Bedingung <-, -en> f 1. condition; [nur] **unter einer ~!** [only] on one condition!; **unter welcher ~?** on what condition?; **unter gewissen ~en** in certain conditions; [es] **zur ~ machen, dass ...** to make it a condition that ...; **unter der ~, dass ...** on condition that ... 2. pl ÖKON terms; **zu** [un]**günstigen ~en** on [un]favourable terms

bedrohen vt 1. to threaten (**mit** with) 2. (gefährden) to endanger

bedrohlich I. adj threatening II. adv alarmingly

bedrücken vt to depress; **was bedrückt dich?** what's troubling you?

bedrückt adj depressed

Beduine, **Beduinin** <-n, -n> [beduˈiːnə, beduˈiːnɪn] m, f Bed[o]uin

Bedürfnis <-ses, -se> [bəˈdʏrfnɪs] nt 1. (Bedarf) need; **die ~se des täglichen Lebens** everyday needs; **das ~ haben, etw zu tun** to feel the need to do sth 2. kein pl (Verlangen) desire

beeilen *vr* sich [mit etw *dat*] ~ to hurry [up] [with sth]; **sich ~, etw zu tun** to hurry to do sth

beeindrucken [bə'ʔaindrʊkn̩] *vt* to impress; **sich [von etw *dat*] nicht ~ lassen** to not be impressed [by sth]

beeinflussen [bə'ʔainflʊsn̩] *vt* to influence

beeinträchtigen [bə'ʔaintrɛçtɪgn̩] *vt* to disturb; *Leistungsfähigkeit* to impair; *Kreativität* to curb; *Verhältnis* to damage; **jdn in seiner Freiheit ~** to restrict sb's freedom; **~d** adverse

beenden *vt* to end

beerdigen [bə'ʔeːɐ̯dɪgn̩] *vt* to bury

Beerdigung <-, -en> *f* funeral

Beere <-, -n> ['beːrə] *f* berry

Beerenauslese *f wine whose characteristic richness derives from noble rot induced by the use of overripe grapes*

Beet <-[e]s, -e> [beːt] *nt* bed

befallen *vt irreg* **1.** MED to infect; **von etw *dat* ~ werden** to be infected by sth **2.** HORT to infest **3.** (*geh*) **jdn ~** to overcome sb

befangen [bə'faŋən] *adj* **1.** (*gehemmt*) inhibited **2.** (*voreingenommen*) biased

befassen *vr* sich mit etw *dat* ~ to concern oneself with sth; **sich mit jdm ~** to spend time with sb

Befehl <-[e]s, -e> [bə'feːl] *m* **1.** (*Anweisung*) order; **einen ~ ausführen** to carry out an order; **einen ~ befolgen** to obey an order; **jdm den ~ geben, etw zu tun** to order sb to do sth; **den ~ haben** MIL to be in command; **auf ~ handeln** to act under orders; **einen ~ verweigern** to disobey an order **2.** INFORM command

befehlen <befahl, befohlen> [bə'feːlən] **I.** *vt* to order; **von dir lasse ich mir nichts ~!** I won't take orders from you! **II.** *vi* MIL **über jdn/ etw ~** to be in command of sb/sth

befestigen *vt* to fasten (**an** to)

befinden *irreg* **I.** *vr* (*sein*) to be; **unter den Geiseln ~ sich zwei Deutsche** there are two Germans amongst the hostages; **sich in bester/schlechter Laune ~** to be in an excellent/a bad mood **II.** *vt* (*geh*) **jdn/etw für etw ~** to consider sb/sth [to be] sth

befolgen *vt Rat* to follow; *Vorschrift* to obey

befördern *vt* **1.** (*transportieren*) transport; **jdn nach draußen ~** (*iron fam*) to escort sb outside **2.** (*dienstlich*) to promote (**zu** to)

Beförderung *f* **1.** (*Transport*) transport[ation] **2.** (*im Dienst*) promotion (**zu** to)

befragen *vt* to question (**zu** about); **jdn nach seiner Meinung ~** to ask sb for his/her opinion

befreien I. *vt* **1.** to free (**aus/von** from) **2.** (*von etw reinigen*) **etw von etw *dat* ~** to clear sth of sth **3.** (*freistellen*) **jdn von etw *dat* ~** to excuse sb from sth; **jdn vom Wehrdienst ~** to exempt sb from military service **II.** *vr* **1.** (*freikommen*) **sich [aus etw *dat*] ~** to escape [from sth] **2.** (*etw abschütteln*) **sich [von etw *dat*] ~** to free oneself [from sth]

Befreiung <-, *selten* -en> *f* **1.** (*Freilassen*) release **2.** (*aus der Unterdrückung*) liberation

befreunden [bə'frɔyndn̩] *vr* sich mit **jdm ~** to make friends with sb

befreundet *adj* **1.** friendly **2.** mit jdm **~ sein** to be friends with sb

befriedigen [bəˈfriːdɪgn̩] I. *vt* to satisfy; *Wünsche* to fulfil; **leicht/schwer zu ~ sein** to be easily/not easily satisfied II. *vi* to be satisfactory; **diese Lösung befriedigt nicht** this is an unsatisfactory solution III. *vr* **sich [selbst] ~** to masturbate

befriedigend *adj* satisfactory; [**für jdn**] **~ sein** to be satisfying [for sb]

befristet *adj* restricted; *Tätigkeit* fixedterm; *Vertrag* of limited duration; *Visum* temporary; **auf etw** *akk* **~ sein** ÖKON, JUR to be limited [to sth]

befugt [bəˈfuːkt] *adj* (*geh*) authorized; **zu etw** *dat* **~ sein** to be authorized to do sth

Befund <-[e]s, -e> *m* MED result[s *pl*]

befürchten *vt* to fear; **~, dass ...** to be afraid that ...; **nichts zu ~ haben** to have nothing to fear; **wie befürchtet** as feared

befürworten [bəˈfyːɐ̯vɔrtn̩] *vt* to be in favour of sth

Befürworter(in) <-s, -> *m(f)* supporter

begabt [bəˈgaːpt] *adj* gifted; **für etw [nicht] ~ sein** to [not] have a gift for sth; **sie ist künstlerisch/musikalisch sehr ~** she's very artistic/musical

Begabung <-, -en> *f* gift

begegnen [bəˈgeːgnən] *vi sein* **1.** (*treffen*) **jdm ~** to meet sb; **sich ~** to meet **2.** (*antreffen*) **etw** *dat* **~** to encounter sth

Begegnung <-, -en> *f* **1.** (*Treffen*) meeting **2.** (*Kennenlernen*) encounter (**mit** with)

begehren [bəˈgeːrən] *vt* (*geh*) **1.** (*Person*) to desire **2.** (*Sache*) to covet; **alles, was das Herz begehrt** everything the heart could wish for

begehrenswert *adj* desirable

begehrt *adj* **1.** (*umworben*) [much] sought-after; *Frau, Mann* desirable **2.** (*beliebt*) popular

begeistern I. *vt* to fill with enthusiasm (**für** for); **sie ist für nichts zu ~** you can't interest her in anything II. *vr* **sich für jdn/etw ~** to be enthusiastic about sb/sth

begeistert I. *adj* enthusiastic; [**von etw** *dat*] **~ sein** to be thrilled [by sth] II. *adv* enthusiastically

Begeisterung <-> *f kein pl* enthusiasm (**über** about/**für** for); **~ auslösen** to arouse enthusiasm; **jdn in ~ versetzen** to arouse sb's enthusiasm; **mit ~** enthusiastically

Begierde <-, -n> [bəˈgiːɐ̯də] *f* (*geh*) desire (**nach** for)

begierig I. *adj* **1.** (*gespannt*) eager (**auf** for) **2.** (*verlangend*) longing **3.** (*sexuell*) lascivious II. *adv* **1.** (*gespannt*) eagerly **2.** (*verlangend*) longingly **3.** (*sexuell*) lasciviously

Beginn <-[e]s> [bəˈgɪn] *m kein pl* beginning; **zu ~** at the beginning

beginnen <begann, begonnen> [bəˈgɪnən] *vi, vt* to begin; **als etw ~** to start out as sth

beglaubigen [bəˈglaubɪgn̩] *vt* to authenticate; **etw notariell ~** to attest sth by a notary; **eine beglaubigte Kopie** a certified copy

begleiten *vt* **jdn ~** (*a. fig*) to accompany sb; **jdn zur Tür ~** to take sb to the door; **etw ~** to escort sth

Begleiter(in) <-s, -> *m(f)* companion

Begleitung <-, -en> *f* **1.** (*das Begleiten*) company; **in [jds] ~** accompanied [by sb]; **ohne ~** unaccompanied **2.** (*Begleiter[in]*) companion **3.** MUS accompaniment; **ohne ~ spielen** to play unaccompanied

beglückwünschen *vt* to congratulate (**zu** on)

begnadigen [bə'gnaːdɪgn̩] *vt* to pardon; (*bei Todesurteil*) to reprieve

begnügen [bə'gnyːgn̩] *vr* **sich mit etw** *dat* ~ to be content with sth; **sich damit** ~, **etw zu tun** to be content to do sth

begraben *vt irreg* **1.** (*beerdigen*) to bury **2.** *Hoffnung, Plan* to abandon; **einen/den Streit** ~ to bury the hatchet

Begräbnis <-ses, -se> [bə'grɛpnɪs] *nt* burial

begreifen *irreg* **I.** *vt* **1.** (*verstehen*) to understand; **begreife das, wer will!** that's beyond me!; ~, **dass ...** to realize that ...; **kaum zu** ~ **sein** to be incomprehensible **2.** (*für etw halten*) **etw als etw** ~ to regard sth as sth **II.** *vr* **sich als etw** ~ to consider oneself to be sth

begrenzen *vt* to limit (**auf** to); **die Geschwindigkeit auf ... km/h** ~ to impose a speed limit of ... km/h

Begriff <-[e]s, -e> *m* **1.** (*Terminus*) term **2.** (*Vorstellung*) idea; **sich** *dat* **einen** ~ **von etw** *dat* **machen** to have an idea of sth; **jdm ein/kein** ~ **sein** to mean something/nothing to sb **3.** (*Verständnis*) **schnell/schwer von** ~ **sein** (*fam*) to be quick/slow on the uptake ▶ **im** ~ **sein, etw zu tun** to be on the point of doing sth

begründen *vt* **1.** (*Gründe angeben*) to give reasons for **2.** (*gründen*) to found

begründet *adj* well-founded; **in etw** *dat* ~ **liegen** to be the result of sth

Begründung <-, -en> *f* reason

begrüßen *vt* **1.** to greet; **ich begrüße**

Sie! welcome!; **jdn bei sich zu Hause** ~ **dürfen** (*geh*) to have the pleasure of welcoming sb into one's home **2.** (*gutheißen*) to welcome; **es ist zu** ~, **dass ...** it is to be welcomed that ... **3.** SCHWEIZ (*ansprechen*) **jdn/etw** ~ to approach sb/sth

Begrüßung <-, -en> *f* greeting; **zur** ~ **erhielt jeder Gast ein Glas Sekt** each guest was welcomed with a glass of sekt; **jdm zur** ~ **die Hand schütteln** to greet sb with a handshake

begünstigen [bə'gʏnstɪgn̩] *vt* to favour; **von etw** *dat* **begünstigt werden** to be helped by sth

begutachten *vt* **1.** to examine (**auf** for); **etw** ~ **lassen** to get sth examined **2.** (*fam: mustern*) **jdn/etw** ~ to have a look at sb/sth

behäbig [bə'hɛːbɪç] *adj* **1.** (*gemütlich*) placid; (*schwerfällig*) ponderous **2.** SCHWEIZ (*stattlich*) imposing

behagen [bə'haːgn̩] *vi* **etw behagt jdm** sth pleases sb

Behagen <-s> [bə'haːgn̩] *nt kein pl* contentment

behaglich [bə'haːklɪç] **I.** *adj* cosy **II.** *adv* cosily

behalten *vt irreg* **1.** to keep; **etw für sich** *akk* ~ to keep sth to oneself; **die Nerven** ~ to keep one's nerve **2.** (*im Gedächtnis* ~) to remember; **etw im Kopf** ~ to keep sth in one's head

Behälter <-s, -> *m* container

behandeln *vt* to treat (**mit** with); **jdn mit Nachsicht** ~ to be lenient with sb; **chemisch behandelt** chemically treated; **jdn gut/schlecht** ~ to treat sb well/badly; **etw vorsichtig** ~ to handle sth with care

Behandlung <-, -en> *f* treatment

beharren *vi* to insist (**auf** on); **auf sei-**

B

ner Meinung ~ to persist with one's opinion

beharrlich I. *adj* insistent; (*ausdauernd*) persistent **II.** *adv* persistently; ~ **schweigen** to persist in remaining silent

behaupten [bə'hauptn̩] **I.** *vt* **1.** (*äußern*) **etw** ~ to claim sth (**von** about); **von jdm** ~, **dass ...** to say of sb that ...; **es wird behauptet, dass ...** it is said that ... **2.** (*aufrechterhalten*) to maintain **II.** *vr* **sich** [**gegen jdn/etw**] ~ to assert oneself [over sb/sth]; **Agassi konnte sich gegen Sampras** ~ Agassi held his own against Sampras

Behauptung <-, -en> *f* **1.** (*Äußerung*) assertion **2.** (*Durchsetzen*) maintaining *no pl*

beheben *vt irreg* **1.** (*beseitigen*) to remove; *Missstände* to remedy; *Schaden* to repair **2.** FIN ÖSTERR **Geld** ~ to withdraw money

beherbergen *vt* to accommodate

beherrschen I. *vt* **1.** (*gut können*) to have mastered; **sein Handwerk** ~ to be good at one's trade; **ein Instrument** ~ to play an instrument well; **eine Sprache** ~ to have good command of a language, to know sth inside out **2.** (*regieren*) to rule **3.** (*beeinflusst werden*) **von etw** *dat* **beherrscht werden** to be ruled by sth **II.** *vr* **sich** ~ to control oneself

behindern *vt* **1.** (*hinderlich sein*) hinder (**bei** in) **2.** (*hemmen*) to hamper

behindert *adj* disabled; **geistig/körperlich** ~ mentally/physically disabled

Behinderte(r) *f(m) dekl wie adj* disabled person

Behinderung <-, -en> *f* **1.** obstruction **2.** MED disability; **geistige/kör-**

perliche ~ mental/physical disability

Behörde <-, -n> [bə'hø:ɐ̯də] *f* **1.** (*Amt*) department **2.** (*Gebäude*) council offices

behutsam [bə'hu:tza:m] **I.** *adj* (*geh*) gentle **II.** *adv* (*geh*) gently; **jdm etw** ~ **beibringen** to break sth to sb gently

bei [bai] *präp* +*dat* **1.** (*räumlich*) at; ~ **jdm** with sb; ~ **uns zu Hause** at our house; **ich war** ~ **meinen Eltern** I was at my parents' [house]; **beim Bäcker** at the baker's; **etw** ~ **sich** *dat* **haben** to have sth with one; **ich habe gerade kein Geld** ~ **mir** I haven't any money on me at the moment **2.** (*in der Nähe von*) near; **Böblingen ist eine Stadt** ~ **Stuttgart** Böblingen is a town near Stuttgart **3.** (*zeitlich*) at; ~ **einer Hochzeit** at a wedding; ~ **Nacht/Tag** at night/by day **4.** (*während einer Tätigkeit*) while; **störe mich bitte nicht** ~ **der Arbeit!** please stop disturbing me when I'm working! **5.** (*Begleitumstände*) by; **wir aßen** ~ **Kerzenlicht** we had dinner by candlelight; ~ **dieser Hitze** in such a heat **6.** (*trotz*) ~ **all/aller ...** in spite of all

bei|bringen *vt irreg* **jdm etw** ~ to teach sb sth

Beichte <-, -n> ['baiçtə] *f* confession

beichten ['baiçtn̩] *vt, vi* [**jdm etw**] ~ to confess [sth to sb]

beide ['baidə] *pron* **1.** (*alle zwei*) both; ~ **Mal[e]** both times; **ihr** ~ you two; **euch** ~n both of you **2.** (*ich und du*) **wir** ~ the two of us; **uns** ~n both of us **3.** (*die zwei*) **die** ~n both [of them]; **einer von** ~n one of the two **4.** (*sowohl dies als auch jenes*) ~s both; ~s **ist möglich** both are possible

beieinander [baiʔaiˈnandɐ] *adv* together ▶ **gut /schlecht ~ sein** (*fam: körperlich*) to be in good/bad shape

Beifahrer(in) *m(f)* front-seat passenger

Beifahrersitz *m* [front] passenger seat

Beifall <-[e]s> *m kein pl* 1. (*Applaus*) applause; **~ klatschen** to applaud 2. (*Zustimmung*) approval; [jds] **~ finden** to meet with [sb's] approval

bei|fügen *vt* 1. (*mitsenden*) to enclose 2. (*hinzufügen*) to add

beige [be:ʃ, ˈbe:ʒə] *adj* beige

bei|geben *vt irreg* to add

Beigeschmack *m* 1. [after]taste 2. (*fig*) overtone[s]

Beil <-[e]s, -e> [bail] *nt* [short-handled] axe

Beilage *f* 1. KOCHK side dish 2. (*Beiheft*) supplement 3. ÖSTERR (*Anlage*) enclosure

beiläufig I. *adj* passing II. *adv* 1. (*nebenbei*) in passing 2. ÖSTERR (*ungefähr*) about

Beileid *nt kein pl* condolence[s *pl*]; [mein] **herzliches ~** [you have] my heartfelt sympathy; **jdm** [zu etw *dat*] **sein ~ aussprechen** to offer sb one's condolences [on sth]

Bein <-[e]s, -e> [bain] *nt* leg; **sich** *dat* **kaum noch auf den ~en halten können können** to be hardly able to stand on one's [own two] feet; **jdm ein ~ stellen** to trip up sb *sep* ▶ **mit beiden ~en auf dem Boden stehen** to have both feet on the ground; **jdm ~e machen** (*fam*) to give sb a kick in the arse [*or* AM ass]; **auf eigenen ~en stehen** to be able to stand on one's own two feet; **etw auf die ~e stellen** to get sth going

beinah [ˈbaina:], **beinahe** [ˈbaina:ə] *adv* almost

Beinbruch *m* fracture of the leg; **das ist kein ~!** (*fig fam*) it's not as bad as all that! **Beinfreiheit** *f* legroom

Beipackzettel *m* instruction leaflet

beisammen [baiˈzamən] *adv* together; **~ sein** to be [all] together

Beisammensein *nt* get-together

beiseite|gehen^{RR} *vi* to step aside

beiseite|lassen^{RR} *vt* to leave aside

beiseite|legen^{RR} *vt* to put to one side

Beispiel <-[e]s, -e> [ˈbaiʃpiːl] *nt* example; **anschauliches/praktisches ~** illustration/demonstration; **mit gutem ~ vorangehen** to set a good example; **sich** *dat* **an jdm ein ~ nehmen** to take a leaf out of sb's book; **zum ~** for example; **wie zum ~** such as

beispiellos *adj* 1. (*unerhört*) outrageous 2. (*einzigartig*) unprecedented (**in** in)

beispielsweise *adv* for example

beißen <biss, gebissen> [ˈbaisn̩] I. *vt* **jdn/etw ~** to bite sb/sth II. *vi* 1. **auf/in etw** *akk* **~** to bite into sth 2. (*brennen*) to sting; *Säure* to burn; **in den Augen ~** to make one's eyes sting III. *vr* **sich ~** *Farben* to clash (**mit** with)

beißend *adj* 1. (*scharf*) pungent 2. (*brennend*) burning

Beißzange *f* DIAL pincers *pl*

bei|stehen *vi irreg* **jdm** [gegen jdn/etw] **~** to stand by sb [before sb/sth]

bei|stellen *vt* ÖSTERR to provide

Beitrag <-[e]s, -träge> [ˈbaitra:k] *m* 1. (*Zahlung*) fee 2. (*Mitwirkung*) contribution 3. SCHWEIZ (*Subvention*) subsidy

Beitragserhöhung *f* increase in contributions **Beitragssenkung** *f* drop in contributions

bei|treten *vi irreg sein* **1.** to join sth **2.** *einem Staatenbund* to enter into

Beitritt *m* **1.** entry (**zu** into) **2.** POL (*zu einem Staatenbund*) accession (**zu** to)

Beiwagen *m* sidecar

bejahen [bə'ja:ən] *vt* **1.** *Frage* to answer in the affirmative **2.** (*gutheißen*) to approve [of]

bekämpfen *vt* to fight [against]; **sich [gegenseitig] ~** to fight one another

bekannt [bə'kant] *adj* **1.** (*allgemein gekannt*) well-known; **etw ~ geben** to announce sth; **jdn ~ machen** (*berühmt*) to make sb famous; **~ werden** to become famous **2.** (*vertraut*) familiar; **ist dir dieser Name ~?** are you familiar with this name?; **allgemein ~ sein** to be common knowledge; **jdn/sich [mit jdm] ~ machen** to introduce sb/oneself [to sb]; **jdm ~ vorkommen** to seem familiar to sb

Bekannte(r) *f(m) dekl wie adj* acquaintance

bekannt|geben *vt irreg s.* **bekannt 1**

bekannt|machen *vt s.* **bekannt 1**

bekehren I. *vt* to convert (**zu** to) **II.** *vr* **sich [zu etw** *dat***] ~** to be[come] converted [to sth]

bekennen *irreg* **I.** *vt* **1.** to confess **2.** (*öffentlich dafür einstehen*) to bear witness to **II.** *vr* **sich zu jdm/etw ~** to declare one's support for sb/sth; **sich zu einem Glauben ~** to profess a faith; **sich zu einer Tat ~** to confess to a deed; **sich zu einer Überzeugung ~** to stand up for one's convictions

beklagen I. *vt* to lament **II.** *vr* **sich [über jdn/etw] ~** to complain

[about sb/sth]; **man hat sich bei mir über Sie beklagt** I have received a complaint about you

bekleckern I. *vt* (*fam*) to stain **II.** *vr* (*fam*) **sich mit Brei ~** to spill porridge all down oneself

Bekleidung *f* clothing

bekommen *irreg* **I.** *vt* *haben* **1.** (*erhalten*) to receive; *Genehmigung, Mehrheit* to obtain; *Massage, Spritze* to be given; **Ärger/Schwierigkeiten ~** to get into trouble/difficulties; **etw bezahlt ~** to get paid for sth; **etw zu essen/trinken ~** to get sth to eat/drink; **etw geschenkt ~** to be given sth [as a present] **2.** (*entwickeln*) **eine Erkältung ~** to catch a cold; **eine Glatze/graue Haare ~** to go bald/to go grey; **Heimweh ~** to get homesick; **Lust ~, etw zu tun** to feel like doing sth **II.** *vi* **jdm [gut]/schlecht ~** *Essen* to agree/to disagree with sb

bekömmlich [bə'kœmlıç] *adj* [easily] digestible

bekümmert *adj* worried (**über** about)

beladen *irreg vt* to load [up *sep*]

Belag <-[e]s, Beläge> [bə'la:k] *m* **1.** KOCHK topping **2.** (*auf Zahn*) film; (*auf Zunge*) fur **3.** (*Schicht*) coating

belagern *vt* to besiege

belämmert^RR [bə'lɛmɐt] *adj* (*sl*) sheepish

belanglos *adj* irrelevant

belasten *vt* **1.** (*beladen*) to load (**mit** with) **2.** (*bedrücken*) to burden; **~d** crippling; **jdn zu sehr belasten** to overstrain sb **3.** *Umwelt* to pollute **4.** FIN *Konto* to debit; **etw mit einer Hypothek ~** to mortgage sth

belästigen [bə'lɛstɪgn̩] *vt* (*stören*) to bother; (*zudringlich werden*) to pester

Belästigung <-, -en> *f* annoyance *no pl*

Belastung <-, -en> *f* **1.** (*Gewicht*) load **2.** (*Anstrengung, Last*) burden **3.** ÖKOL pollution **4.** (*Beanspruchung*) strain (**für** on) **5.** FIN charge (+*gen* on)

beleben I. *vt* **1.** (*anregen*) to stimulate **2.** (*erfrischen*) to make feel better **3.** (*lebendiger gestalten*) to liven up **II.** *vr* **sich ~ 1.** (*sich mit Leben füllen*) to come to life **2.** (*lebhafter werden*) to light up

belebend *adj* **1.** (*anregend*) invigorating **2.** (*erfrischend*) refreshing

belebt [bə'le:pt] *adj* **1.** (*bevölkert*) busy **2.** (*lebendig*) animate

Beleg <-[e]s, -e> [bə'le:k] *m* **1.** (*Quittung*) receipt **2.** (*Unterlage*) proof *no art, no pl*

belegen *vt* **1. ein Brot mit etw** *dat* ~ to spread sth on a slice of bread; **belegte Brote** open sandwiches **2.** (*beweisen*) to verify; *Behauptung* to substantiate **3.** (*sich einschreiben*) **einen Kurs** ~ to enrol for a course

Belegschaft <-, -en> *f* staff

belegt *adj* **1.** (*mit Belag*) coated **2.** *Stimme* hoarse

belehren *vt* to inform; **jdn eines besseren** ~ to teach sb otherwise; **sich von jdm** ~ **lassen** to listen to sb

beleidigen [bə'laidɪgn̩] *vt* to insult; (*stärker*) to offend

Beleidigung <-, -en> *f* insult; **etw als** [**eine**] ~ **auffassen** to take sth as an insult

belemmert^{ALT} *adj* (*sl*) *s.* **belämmert**

belesen [bə'le:zn̩] *adj* well-read

beleuchten *vt* **1.** to light **2.** (*anstrahlen*) to light up *sep*

Beleuchtung <-, *selten* -en> *f* **1.** (*das Beleuchten*) lighting **2.** (*Lichter*) lights *pl*

Belgien <-s> ['bɛlɡjən] *nt* Belgium

Belgier(in) <-s, -> ['bɛlɡjɐ] *m(f)* Belgian

belgisch ['bɛlɡɪʃ] *adj* Belgian

Belichtung *f* FOTO exposure

Belichtungsmesser *m* light meter

beliebig [bə'li:bɪç] **I.** *adj* any; [**irgend**] **eine** [*o* **jede**] ~**e Zahl** any number at all; **nicht jede** ~**e Zahl** not every number; **etwas B~es** anything at all; **jeder B~e** anyone at all; **irgendein B~er** just anybody **II.** *adv* ~ **häufig/ lange** as often/long as you like; **etw** ~ **verändern** to change sth at will

beliebt [bə'li:pt] *adj* popular (**bei** with); **sich** [**bei jdm**] ~ **machen** to make oneself popular [with sb]

Beliebtheit <-> *f kein pl* popularity

bellen ['bɛlən] *vi* to bark

belohnen *vt* to reward (**mit** with/**für** for)

Belohnung <-, -en> *f* **1.** (*das Belohnen*) rewarding **2.** (*Lohn*) reward; **eine** ~ [**für etw** *akk*] **aussetzen** to offer a reward [for sth]

Belüftung *f kein pl* ventilation *no indef art*

belügen *irreg vt* **jdn** ~ to lie to sb; **sich** [**selbst**] ~ to deceive oneself

bemängeln [bə'mɛŋln̩] *vt* to find fault with

bemerkbar *adj* noticeable; **sich** [**durch etw** *akk*] ~ **machen** to make itself felt [with sth]; **sich** [**bei jdm**] [**durch etw** *akk*] ~ **machen** to attract [sb's] attention [by doing sth]

bemerken *vt* **1.** (*wahrnehmen*) to notice **2.** (*äußern*) to remark

bemerkenswert I. *adj* remarkable **II.** *adv* remarkably

Bemerkung <-, -en> *f* remark; **eine ~ über etw** *akk* **machen** to remark on sth

bemitleiden [bə'mɪtlaidn̩] *vt* to pity; **sich** [**selbst**] **~** to feel sorry for oneself; **sie ist zu ~** she is to be pitied

bemitleidenswert *adj* pitiable

bemühen *vr* **1. sich ~** to try hard; **~ Sie sich nicht** don't bother yourself; **sich um eine Stelle ~** to try hard to get a job; **sich vergebens ~** to try in vain **2.** (*sich kümmern*) **sich um jdn ~** to court sb

Bemühung <-, -en> *f* effort; **danke für Ihre ~en** thank you for your trouble

bemuttern [bə'mʊtən] *vt* to mother

benachbart [bə'naxbaːɐ̯t] *adj* neighbouring *attr*; **das ~e Haus** the house next door

benachrichtigen [bə'naːxrɪçtɪɡn̩] *vt* to inform; (*amtlich*) to notify (**über** of)

Benachrichtigung <-, -en> *f* notification (**über** of)

benachteiligen [bə'naːxtailɪɡn̩] *vt* to put at a disadvantage; (*diskriminieren*) to discriminate against

Benachteiligung <-, -en> *f* discrimination

benehmen *vr irreg* **sich ~** to behave [oneself]; **benimm dich!** behave yourself!; **sich gut/schlecht ~** to behave well/badly

Benehmen <-s> *nt kein pl* manners *pl;* **kein ~ haben** to have no manners

beneiden *vt* **jdn** [**um etw** *akk*] **~** to envy sb [sth]

beneidenswert *adj* enviable

benommen [bə'nɔmən] *adj* dazed

benutzen, DIAL **benützen** *vt* **1.** (*gebrauchen*) to use (**als** as); **das B~** the use; **nach dem B~** after use; be-

nutzt used; **den Aufzug ~** to take the lift **2.** (*ausnützen*) **jdn ~** to take advantage of sb; **sich benutzt fühlen** to feel [that one has been] used

Benzin <-s, -e> [bɛn'tsiːn] *nt* **1.** (*Kraftstoff*) petrol BRIT, gas[oline] AM; **~ sparendes Auto** economical car **2.** (*Lösungsmittel*) benzine

beobachten [bə'ʔoːbaxtn̩] *vt* **1.** (*genau betrachten*) to observe; **gut beobachtet!** well spotted!; **jdn** [**bei etw** *dat*] **~** to watch sb [doing sth] **2.** (*observieren*) [**durch jdn**] **beobachtet werden** to be kept under [the] surveillance [of sb]; **jdn** [**durch jdn**] **~ lassen** to put sb under [the] surveillance [of sb]

Beobachter(in) <-s, -> *m(f)* observer; **ein guter ~** a keen observer

Beobachtung <-, -en> *f* **1.** (*das Beobachten*) observation **2.** (*Observierung*) surveillance

bequem [bə'kveːm] **I.** *adj* **1.** comfortable; **es sich** *dat* **~ machen** to make oneself comfortable **2.** (*pej: träge*) idle **II.** *adv* **1.** (*angenehm*) comfortably **2.** (*leicht*) easily

Bequemlichkeit <-, -en> *f* **1.** comfort **2.** (*Trägheit*) idleness; **aus** [**reiner**] **~** out of [sheer] laziness

beraten *irreg* **I.** *vt* **1.** (*Rat geben*) **jdn ~** to advise sb (**in** on); **jdn finanziell ~** to give sb financial advice; **sich** [**von jdm**] **~ lassen** to ask sb's advice **2.** (*besprechen*) **etw ~** to discuss sth **II.** *vi* [**über etw** *akk*] **~** to discuss [sth] **III.** *vr* **sich** [**über jdn/etw**] **~** to discuss [sb/sth]

Berater(in) <-s, -> *m(f)* adviser

Beratung <-, -en> *f* **1.** (*das Beraten*) advice **2.** (*Besprechung*) discussion

berauschend *adj* intoxicating

berechenbar [bə'rɛçn̩baːɐ̯] *adj* **1.** (*zu berechnen*) calculable **2.** (*einzuschätzen*) predictable

berechnen *vt* **1.** (*ausrechnen*) to calculate **2.** (*in Rechnung stellen*) to charge; **das hat er mir mit 135 Euro berechnet** he charged me 135 euros for it

berechnend *adj* (*pej*) scheming

berechtigt [bə'rɛçtɪçt] *adj* legitimate

Bereich <-[e]s, -e> *m* **1.** (*Gebiet*) area **2.** (*Sachgebiet*) field

bereichern [bə'raiçɐn] **I.** *vr* **sich** [an etw *dat*] ~ to grow rich [on sth] **II.** *vt* **1.** to enrich **2.** (*innerlich*) **etw bereichert jdn** sb gains a lot from sth

Bereicherung <-, -en> *f* enrichment; **das Gespräch mit Ihnen war mir eine** ~ I gained a lot from our conversation

bereit [bə'rait] *adj meist pred* **1.** (*fertig*) ~ **sein** to be ready (**für/zu** for); (*vorbereitet*) to be prepared for sth; **etw** ~ **haben** to have sth at the ready **2.** (*willens*) **zu etw** *dat* ~ **sein** to be prepared to do sth; **sich** ~ **erklären, etw zu tun** to agree to do sth; **sich zu etw** *dat* ~ **finden** to be willing to do sth

bereiten *vt* **1.** *Freude, Überraschung* to give; **jdm Kopfschmerzen** ~ to give sb a headache **2.** (*geh*) KOCHK to prepare

bereits [bə'raits] *adv* (*geh*) already; ~ **damals** even then

Bereitschaft <-, -en> [bə'raitʃaft] *f* **1.** *kein pl* willingness; **seine** ~ **zu etw** *dat* **erklären** to express one's willingness to do sth **2.** *kein pl* (*Bereitschaftsdienst*) emergency service; ~ **haben** *Apotheke* to provide emergency services; *Arzt, Feuerwehr* to be on call; (*im Krankenhaus*) to be on duty

Bereitschaftsdienst *m* emergency service

bereitwillig I. *adj* willing **II.** *adv* readily

bereuen *vt* to regret; **das wirst du noch** ~! you'll be sorry [for that]!; **seine Missetaten** ~ to repent of one's misdeeds

Berg <-[e]s, -e> [bɛrk] *m* **1.** mountain; (*kleiner*) hill; **den** ~ **hinauf/hinunter** uphill/downhill; **am** ~ **liegen** to lie at the foot of the hill **2.** (*große Menge*) **ein** ~/~**e von etw** *dat* a pile/piles of sth; ~**e von Papier** mountains of paper

bergab [bɛrk'ʔap] *adv* (*a. fig*) downhill; **mit seinem Geschäft geht es** ~ his business is going downhill

Bergarbeiter(in) *m(f)* miner

bergauf [bɛrk'ʔauf] *adv* uphill; **es geht wieder** ~ (*fig*) things are looking up

Bergbahn *f* mountain railway **Bergbau** *m kein pl* **der** ~ mining

bergen <barg, geborgen> ['bɛrgn̩] *vt* **1.** (*retten*) to rescue (**aus** from); *Tote* to recover; *Schiff* to salvage **2.** (*mit sich bringen*) to involve

Bergführer(in) *m(f)* mountain guide **Bergkette** *f* mountain range **Bergkristall** *m* rock crystal *no art* **Bergmann** <-leute> ['bɛrkman] *m* miner **Bergrutsch** *m* landslide **Bergsteigen** *nt* mountaineering **Bergsteiger(in)** *m(f)* mountain climber

Bergung <-, -en> *f* (*Rettung*) rescuing; *eines Schiffes* salvaging; *von Toten* recovering

Bergwacht *f* mountain rescue service **Bergwand** *f* mountain face **Bergwerk** *nt* mine

Bericht <-[e]s, -e> [bə'rɪçt] *m* report

berichten I. *vt* **jdm etw** ~ to tell sb

B

sth; **falsch/recht berichtet** SCHWEIZ wrong/right **II.** *vi* **1.** [**über etw** *akk*] ~ to report [on sth] **2.** (*Bericht erstatten*) **jdm über etw** *akk* ~ to tell sb about sth **3.** SCHWEIZ (*erzählen*) to talk

Berichterstattung *f* reporting (**über** on)

berichtigen [bəˈrɪçtɪgn̩] *vt, vi* to correct

Berliner[1] [bɛrˈliːnə] *adj attr* Berlin

Berliner[2] <-s, -> [bɛrˈliːnə] *m* DIAL ~ [**Pfannkuchen**] doughnut

Bernstein [ˈbɛrnʃtain] *m kein pl* amber

bersten <barst, geborsten> [ˈbɛrstn̩] *vi sein* (*geh*) **1.** to burst; **zum B~ voll** (*fam*) full to bursting[-point] **2.** (*fig*) **vor etw** *dat* ~ to burst with sth

berüchtigt [bəˈrʏçtɪçt] *adj* **1.** (*in schlechtem Ruf stehend*) notorious **2.** (*gefürchtet*) feared

berücksichtigen [bəˈrʏkzɪçtɪgn̩] *vt* to take into consideration

Beruf <-[e]s, -e> [bəˈruːf] *m* job; **sie ist Ärztin von** ~ she's a doctor; **was sind Sie von** ~? what do you do [for a living]?; **ein akademischer** ~ an academic profession; **ein freier** ~ a profession; **ein handwerklicher** ~ a trade; **ein gewerblicher** ~ a commercial trade; **einen** ~ **ergreifen** to take up an occupation; **seinen** ~ **verfehlt haben** to have missed one's vocation

beruflich I. *adj* professional **II.** *adv* **was macht sie** ~? what does she do for a living?; **sich** ~ **weiterbilden** to undertake further training; ~ **unterwegs sein** to be away on business

Berufsausbildung *f* [professional] training **Berufsfachschule** *f* training college **Berufskrankheit** *f* occupa-

tional disease **Berufsschule** *f* vocational school **berufstätig** *adj* working; ~ **sein** to have a job; **sie ist nicht mehr** ~ she's left work **Berufsverkehr** *m* rush-hour traffic

beruhigen [bəˈruːɪgn̩] **I.** *vt* to calm [down] **II.** *vr* **sich** ~ to calm down

Beruhigungsmittel *nt* sedative

berühmt [bəˈryːmt] *adj* famous (**für** for)

Berühmtheit <-, -en> *f* **1.** fame; ~ **erlangen** to rise to fame **2.** (*berühmter Mensch*) celebrity

berühren *vt* **1.** to touch **2.** (*seelisch*) to move

besänftigen [bəˈzɛnftɪgn̩] **I.** *vt* to soothe; **sie war nicht zu** ~ she was inconsolable **II.** *vr* **sich** ~ to calm down

Besatzung <-, -en> [bəˈzatsʊn] *f* **1.** (*Mannschaft*) crew **2.** MIL occupying army

beschädigen *vt* to damage; [**leicht/ schwer**] **beschädigt** [slightly/badly] damaged

Beschädigung *f* damage *no pl*

beschaffen[1] **I.** *vt* [**jdm**] **etw** ~ to get sth [for sb]; **eine Waffe ist nicht so leicht zu** ~ a weapon is not so easy to come by **II.** *vr* **sich** *dat* **etw** ~ to get sth; **du musst dir Arbeit** ~ you've got to find yourself a job

beschaffen[2] *adj* (*geh*) **irgendwie** ~ **sein** to be made in some way

beschäftigen [bəˈʃɛftɪgn̩] **I.** *vr* **1.** (*etw tun*) **sich** ~ to occupy oneself **2.** (*sich befassen*) **sich mit jdm** ~ to pay attention to sb; **sich mit etw** *dat* ~ to deal with sth **II.** *vt* **1.** (*in Anspruch nehmen*) **jdn** ~ to be on sb's mind; **mit einer Frage beschäftigt sein** to be preoccupied with a question **2.** (*anstel-*

len) **jdn** ~ to employ sb **3.** (*eine Tätigkeit geben*) **jdn** [**mit etw** *dat*] ~ to keep sb busy [with sth]

beschäftigt [bə'ʃɛftɪçt] *adj* **1.** (*befasst*) busy (**mit** with) **2.** (*angestellt*) employed (**als** as); **wo bist du** ~? where do you work?

Beschäftigte(r) *f(m) dekl wie adj* employee

Beschäftigung <-, -en> *f* **1.** (*Anstellung*) employment *no pl* **2.** (*Tätigkeit*) occupation **3.** (*Auseinandersetzung*) consideration (**mit** of)

beschämt *adj* ashamed

beschaulich *adj* peaceful; **ein ~es Leben führen** to lead a contemplative life

Bescheid <-[e]s, -e> [bə'ʃait] *m* information *no pl, no indef art;* ADMIN answer; **jdm** ~ **geben** to inform sb (**über** about); **jdm ordentlich** ~ **sagen** (*fam*) to give sb a piece of one's mind; **gut** ~ **wissen** to be well-informed; [**über etw** *akk*] ~ **wissen** to know [about sth]

bescheiden[1] [bə'ʃaidn̩] *adj* modest; **nur eine ~e Frage ...** just one small question ...; **ein ~es Leben führen** to lead a humble life; **aus ~en Verhältnissen kommen** to have a humble background

bescheiden[2] [bə'ʃaidn̩] *irreg vr* (*geh*) **sich mit etw** *dat* ~ to be content with sth

bescheinigen [bə'ʃainɪɡn̩] *vt* **jdm etw** ~ to certify sth for sb *form;* [**jdm**] ~, **dass ...** to confirm [to sb] in writing that ...

Bescheinigung <-, -en> *f* certification

beschenken I. *vt* **jdn** [**mit etw** *dat*] ~ to give sb sth [as a present]; **reich beschenkt werden** to be showered

with presents **II.** *vr* **sich** [**gegenseitig**] ~ to give each other presents

Bescherung <-, -en> *f* giving of Christmas presents ▶ **eine <u>schöne</u> ~!** (*ironisch*) this is a nice mess!; **da haben <u>wir</u> die ~!** (*ironisch*) what did I tell you!

beschimpfen I. *vt* to insult; **jdn auf's Übelste** ~ to abuse sb in the worst possible manner **II.** *vr* **sich** [**gegenseitig**] ~ to insult each other

beschissen I. *adj* (*sl*) lousy **II.** *adv* (*sl*) in a lousy fashion; **es geht ihr wirklich** ~ she's having a miserable time of it; ~ **aussehen** to look like a piece of shit

beschlagen *irreg vi sein: Scheibe* to mist up

beschlagnahmen [bə'ʃlaːknaːmən] *vt* to confiscate

beschleunigen [bə'ʃlɔynɪɡn̩] *vt, vi* to accelerate

Beschleunigung <-, -en> *f* acceleration *no pl*

beschließen *irreg* **I.** *vt* **1.** (*entscheiden*) to decide; **ein Gesetz** ~ to pass a motion **2.** (*geh: beenden*) to conclude **II.** *vi* **über etw** *akk* ~ to decide on sth

Beschluss[RR] <-es, Beschlüsse>, **Beschluß**[ALT] <-sses, Beschlüsse> *m* decision; **zu einem** ~ **kommen** to reach a decision; **auf jds** ~ on sb's authority; **auf** ~ **des Parlaments** by order of parliament

beschmutzen I. *vt* to dirty **II.** *vr* **sich** [**mit etw** *dat*] ~ to get oneself dirty [with sth]

Beschneidung <-, -en> *f Vorhaut* circumcision

beschönigen [bə'ʃøːnɪɡn̩] *vt* to gloss over

beschränken I. *vt* 1. (*begrenzen*) to limit (**auf** to) 2. (*einschränken*) **jdn in etw** *dat* ~ to curtail sb's sth II. *vr* **sich** ~ to restrict oneself (**auf** to); **sich auf das Wesentliche** ~ to keep to the essential points

beschränkt *adj* 1. restricted 2. (*dumm*) limited

Beschränkung <-, -en> *f* restriction

beschreiben *vt irreg* to describe; **ich kann dir nicht ~, wie erleichtert ich war** I can't tell you how relieved I was; **nicht zu ~ sein** to be indescribable

Beschreibung *f* description; *eines Verlaufs* account; **das spottet jeder ~** it beggars description; **eine kurze ~** a sketch

beschriften [bəˈʃrɪftn̩] *vt* (*mit Inschrift*) to inscribe; (*mit Aufschrift*) to label

beschuldigen [bəˈʃʊldɪɡn̩] *vt* to accuse (+*gen* of)

Beschuldigung <-, -en> *f* accusation

beschützen *vt* to protect (**vor** from); **~d** protective

Beschützer(in) <-s, -> *m(f)* protector

Beschwerde <-, -n> [bəˈʃveːɐ̯də] *f* 1. complaint; **Grund zur ~ haben** to have grounds for complaint 2. *pl* MED complaint *form;* **mein Magen macht mir ~n** my stomach is giving me trouble

beschweren [bəˈʃveːrən] *vr* **sich** [**bei jdm**] [**über jdn/etw**] ~ to complain [about sb/sth] [to sb]; **ich kann mich nicht ~** I can't complain

beschwipst [bəˈʃvɪpst] *adj* (*fam*) tipsy

beschwören *vt irreg* 1. (*beeiden*) to swear [to]; ~ **kann ich das nicht** I wouldn't like to swear to it 2. (*anflehen*) to beg 3. (*herbeirufen*) to conjure up; *Geister* to raise

beseitigen [bəˈzaɪtɪɡn̩] *vt* (*entfernen*) to dispose of; *Zweifel* to dispel; *Missverständnis* to clear up; *Hindernis* to clear away; *Fehler* to eliminate; **sich leicht ~ lassen** to be easily removed

Besen <-s, -> [ˈbeːzn̩] *m* broom; (*kleiner*) brush

besessen [bəˈzɛsn̩] *adj* 1. REL possessed (**von** by) 2. (*unter einem Zwang stehend*) [**von etw** *dat*] ~ **sein** to be obsessed [with sth]; **wie ~** like mad

besetzen *vt* 1. (*belegen*) to reserve 2. (*okkupieren*) to occupy; **einen Posten** ~ to fill a post

besetzt *adj* 1. (*vergeben*) taken, occupied; **voll/dicht** ~ full crowded 2. (*belegt*) ~ **sein** *Toilette* to be occupied [*or* BRIT *a.* engaged] [*or* AM *a.* busy] 3. MIL occupied; (*bemannt*) manned

besichtigen [bəˈzɪçtɪɡn̩] *vt* (*ansehen*) to visit; *Sehenswürdigkeit a.* to have a look at; *einen Betrieb* to have a look round, have a tour of; *ein Haus, eine Wohnung* to view; *eine Schule* to inspect; *Truppen* to inspect

Besichtigung <-, -en> *f* visiting; *Wohnung* viewing; **die ~ einer Stadt** a tour of a town

besiedelt *adj* populated; **nicht ~** unpopulated

Besied(e)lung <-, -en> *f* settlement; (*Kolonisierung*) colonization

besinnen *vr irreg* **sich** ~ to think [for a moment]; **sich anders** ~ to change one's mind; **nach kurzem B~** after brief consideration

besinnlich [bəˈzɪnlɪç] *adj* contemplative

Besinnung <-> *f kein pl* 1. (*Bewusst-*

sein) consciousness; **die ~ verlieren** to faint; [**wieder**] **zur ~ kommen** to come round; **jdn** [**wieder**] **zur ~ bringen** to revive sb; (*fig*) to bring sb round **2.** (*Reflexion*) reflection; **zur ~ kommen** to gather one's thoughts

besinnungslos *adj* **1.** (*ohnmächtig*) unconscious **2.** (*blind*) insensate; *Wut* blind; [**wie**] **~ sein vor etw** *dat* to be beside oneself with sth

Besitz <-es> [bə'zɪts] *m kein pl* possession; (*Eigentum*) property; **im ~ von etw** *dat* **sein** to be in possession of sth; **in privatem/staatlichem ~** privately-/state-owned; **von etw** *dat* **~ ergreifen** to take possession of sth

besitzen *vt irreg* **1.** (*Eigentümer sein*) to own **2.** (*haben*) to have [got]

Besitzer(in) <-s, -> *m(f)* owner; *eines Tickets, Passes* holder; **den ~ wechseln** to change hands

besitzergreifend *adj* possessive

besondere(r, s) [bə'zɔndrə, -rɐ, -rəs] *adj* **1.** (*speziell*) special; **von ~r Bedeutung** of great significance **2.** (*ungewöhnlich*) unusual; (*eigentümlich*) peculiar; (*außergewöhnlich*) particular

Besonderheit <-, -en> *f* peculiarity

besonders [bə'zɔndɐs] *adv* **1.** (*außergewöhnlich*) particularly; **~ viel** a great deal; **nicht ~ klug** not particularly bright; **nicht ~ sein** (*fam*) to be nothing out of the ordinary; **jd fühlt sich nicht ~** (*fam*) sb feels not too good **2.** (*vor allem*) in particular **3.** (*speziell*) specially

besonnen [bə'zɔnən] *adj* sensible

besorgen *vt* **1.** (*beschaffen*) to get; (*kaufen*) to buy; **sich einen Job ~** to find oneself a job **2.** (*erledigen*) to

see to; **den Haushalt ~** to run the household

besorgt [bə'zɔrkt] *adj* **1.** (*voller Sorge*) worried (**wegen/um** about); **ein ~es Gesicht machen** to look troubled **2.** (*fürsorglich*) **um jdn/etw ~ sein** to be anxious about sb/sth

besprechen *irreg vt* to discuss (**mit** with); **wie besprochen** as agreed

Besprechung <-, -en> *f* (*Konferenz*) meeting; (*Unterredung*) discussion

besser ['bɛsɐ] **I.** *adj comp von s.* **gut** better; **etwas/nichts B~es** something/nothing better; **nicht ~ als ...** no better than ...; **etw wird ~** sth is getting better **II.** *adv comp von s.* **gut 1.** better; **es geht jdm ~** MED sb is better **2.** (*lieber*) **dem solltest du ~ aus dem Wege gehen!** it would be better if you avoided him! ▶ **jd will alles ~ wissen** sb knows better; **um so ~!** (*fam*) all the better!

bessern ['bɛsɐn] *vr* **sich ~** to improve; **sein** [**Gesundheits**]**zustand hat sich gebessert** he has recovered

Besserung <-> *f kein pl* improvement; **gute ~!** get well soon!; **auf dem Weg der ~ sein** to be on one's way to recovery

Besserwisser(in) <-s, -> *m(f)* (*pej*) know-all

beständig *adj* **1.** *attr* (*ständig*) constant **2.** (*gleich bleibend*) consistent; *Wetter* settled

Bestandteil *m* part; SCI component; **sich in seine ~e auflösen** to fall apart; **etw in seine ~e zerlegen** to take sth to pieces

bestärken *vt* **jdn ~** to encourage sb; **jdn in seinem Vorhaben ~** to confirm sb in their intention; **jdn in einem Verdacht ~** to reinforce sb's suspicion

bestätigen [bəˈʃtɛːtɪɡn̩] *vt* to confirm; **die Richtigkeit einer S.** *gen* ~ to verify sth; **jdn** ~ to support sb (**in** in)

Bestätigung <-, -en> *f* confirmation; *Richtigkeit* verification; [keine] ~ finden (*geh*) to [not] be validated

Bestattungsinstitut *nt*, **Bestattungsunternehmen** *nt* (*geh*) funeral parlour

beste(r, s) [ˈbɛstɐ, ˈbɛstə, ˈbɛstəs] I. *adj attr superl von s.* **gut** best; **mit den ~n Wünschen** with all best wishes II. *adv* 1. **am ~n** + *verb* best 2. (*ratsam*) **am ~n ...** it would be best if ...

bestechen *irreg vt* to bribe (**mit** with)

bestechlich [bəˈʃtɛçlɪç] *adj* corrupt

Bestechung <-, -en> *f* bribery

Besteck <-[e]s, -e> [bəˈʃtɛk] *nt* (*Messer, Gabel, Löffel*) cutlery *n sing*

bestehen *irreg* I. *vt Prüfung* to pass (**mit** with); **etw nicht** ~ to fail sth II. *vi* 1. (*existieren*) to be; **es besteht kein Zweifel** there is no doubt; **das Unternehmen besteht seit 50 Jahren** the company is 50 years old; **es besteht die Gefahr, dass ...** there is a danger of ...; **das Problem besteht darin, dass ...** the problem is that ... 2. (*sich zusammensetzen*) to consist (**aus** of) 3. (*insistieren*) **auf etw** *dat* ~ to insist on sth; **darauf ~, dass ...** to insist that ...

besteigen *vt irreg* 1. *Berg* to climb [up onto] 2. *Pferd, Rad* to mount 3. *Schiff* to go on board 4. (*begatten*) ZOOL to cover

bestellen *vt* 1. to order (**bei** from); *Zeitung* to subscribe to; *Taxi* to call 2. (*reservieren*) to reserve 3. (*ausrichten*) to tell; [jdm] **Grüße** ~ to send [sb] one's regards 4. *Acker* to plant

▶ **mit etw** *dat* **ist es schlecht bestellt** sth is in a bad way

Bestellnummer *f* order number

Bestellung <-, -en> *f* order; **eine** ~ **aufgeben** to make an order; **auf ~ arbeiten** to work to order; **etw auf ~ machen** to make sth to order ▶ **wie auf** ~ in the nick of time

bestimmen I. *vt* 1. (*festsetzen*) to decide on; *Ort, Preis, Zeit* to fix 2. (*vorsehen*) **füreinander bestimmt** meant for each other; **etw ist für jdn bestimmt** sth is for sb 3. (*beeinflussen*) to influence; **durch etw** *akk* **bestimmt werden** to be determined by sth II. *vi* **über jdn/etw** ~ to control sb/sth

bestimmt [bəˈʃtɪmt] I. *adj* 1. (*ein gewisser*) certain 2. (*ein spezieller*) particular; **etwas B~es** something [in] particular 3. (*festgesetzt*) fixed; (*deutlich*) exact; **~er Artikel** LING definite article II. *adv* definitely; ~ **nicht** certainly not; **etw ganz** ~ **wissen** to be positive about sth

bestmöglich [ˈbɛstˈmøːklɪç] *adj* best possible; **das ~e tun** to do one's best

bestrafen *vt* to punish (**mit** by/with); **etw wird mit Gefängnis bestraft** sth is punishable by imprisonment

Bestrafung <-, -en> *f* punishment; **zur** ~ as a punishment

Bestrahlung *f* MED radiotherapy

Bestreben *nt* endeavour[s]; **das** ~ **haben, etw zu tun** to make every effort to do sth

bestreiten *vt irreg* 1. (*leugnen*) to deny; *Behauptung* to reject; **es lässt sich nicht** ~, **dass ...** it cannot be denied that ... 2. (*finanzieren*) to finance; **seinen Unterhalt** ~ to earn a living

B

bestürzt *adj* dismayed (**über** by); **zutiefst** ~ deeply dismayed

Besuch <-[e]s, -e> [bə'zuːx] *m* **1.** visit (**bei** to); **jdm einen** ~ **abstatten** to pay sb a visit; [**bei jdm**] **auf** ~ **sein** to be on a visit [to sb] **2.** (*Besucher*) visitor[s]; **hoher** ~ important visitor[s]

besuchen *vt* **1.** to visit; **besuch mich bald mal wieder!** come again soon! **2.** (*teilnehmen*) to attend

Besucher(in) <-s, -> *m(f)* visitor; *Theater* theatre goer; SPORT spectator

Besuchszeit *f* visiting hours *pl*

betäuben [bə'tɔybn̩] *vt* **1.** (*narkotisieren*) to anaesthetize; **die Entführer betäubten ihr Opfer** the kidnappers drugged their victim **2.** MED *Schmerz* to kill; [**wie**] **betäubt** [as if] paralysed **3.** (*unterdrücken*) *Emotionen* to suppress

Betäubungsmittel *nt* drug

Bete <-, *selten* -n> ['beːtə] *f* **rote** ~ beetroot

beteiligen [bə'tailɪgn̩] *vr* **sich** ~ to participate (**an** in)

Beteiligung <-, -en> *f* (*Teilnahme*) participation (**an** in)

beten ['beːtn̩] **I.** *vi* to pray **II.** *vt* **etw** ~ to recite sth

beteuern [bə'tɔyen] *vt* **jdm** ~, **dass** ... to protest to sb that ...; **seine Unschuld** ~ to protest one's innocence

Beton <-, *selten* -s> [be'tɔŋ, be'tõː, be'toːn] *m* concrete

betonen *vt* to stress

betonieren [beto'niːrən] *vt* to concrete; **betoniert** concrete

Betonung <-, -en> *f* stress

betrachten *vt* **1.** to look at; **bei näherem B~** on closer examination **2.** (*halten für*) to regard (**als** as)

beträchtlich [bə'trɛçtlɪç] *adj* considerable

Betrag <-[e]s, Beträge> [bə'traːk] *m* amount

betragen *irreg* **I.** *vi* to be; **die Rechnung beträgt 10 Euro** the bill comes to 10 euros **II.** *vr* **sich** ~ to behave

Betragen <-s> *nt kein pl* behaviour; SCH conduct

betreffen *vt irreg* **1.** **jdn** ~ to concern sb; **etw** ~ to affect sth; **was das betrifft, ...** as far as that is concerned; **„Betrifft: ...“** "Re: ..." **2.** (*geh: widerfahren*) to befall **3.** (*geh: seelisch treffen*) to affect

betreffend *adj* in question *pred;* **die ~e Person** the person in question

betreiben *vt irreg* **1.** (*vorantreiben*) to proceed **2.** (*ausüben*) to carry on; *Firma* to run **3.** (*sich beschäftigen mit*) to do **4.** *Maschine* to operate **5.** (*antreiben*) to power (**mit** with); **das U-Boot wird atomar betrieben** the submarine is nuclear-powered

betreten¹ *vt irreg* **1.** (*hineingehen*) to enter; **„B~ für Unbefugte verboten“** "no entry to unauthorized persons" **2.** (*auf etw treten*) to walk on sth

betreten² **I.** *adj* embarrassed **II.** *adv* embarrassedly

Betrieb <-[e]s, -e> [bə'triːp] *m* **1.** (*Firma*) company **2.** *kein pl* **heute war nur wenig/herrschte großer** ~ it was very quiet/busy today **3.** *Maschine* operation; **außer** ~ out of order; **in** ~ in operation; **etw in** ~ **nehmen** to put sth into operation

Betriebsrat *m* employee representative committee **Betriebsrat, -rätin** *m, f* employee representative **Betriebssystem** *nt* INFORM operating system **Betriebsunfall** *m* ≈ industrial accident

betrinken *vr irreg* **sich [mit etw** *dat*] ~ to get drunk [on sth]

betroffen I. *imp von* **betreffen** II. *adj* shocked; ~**es Schweigen** stunned silence III. *adv* with dismay

betrübt *adj* sad (**über** about)

Betrug <-[e]s, *pl* SCHWEIZ **Betrüge**> [bə'tru:k] *m* fraud

betrügen *irreg vt* **1.** (*täuschen*) to cheat (**um** out of); **sich [selbst]** ~ to deceive oneself; **betrogen** cheated; **ich fühle mich betrogen!** I feel betrayed! **2.** (*Seitensprung*) **jdn [mit jdm]** ~ to be unfaithful to sb [with sb]

Betrüger(in) <-s, -> [bə'try:gɐ] *m(f)* con man

betrunken [bə'trʊŋkn̩] I. *adj* drunken *attr*, drunk *pred* II. *adv* drunkenly

Bett <-[e]s, -en> [bɛt] *nt* bed; **jdn ins** ~ **bringen** to put sb to bed; **ins** ~ **gehen** to go to bed; **jdn aus dem** ~ **holen** to get sb out of bed; **das** ~ **hüten müssen** to be confined to [one's] bed; **an jds** ~ at sb's bedside

Bettbezug *m* duvet cover **Bettdecke** *f* blanket

betteln ['bɛtl̩n] *vi* to beg (**um** for)

Bettflasche *f* SÜDD, SCHWEIZ hot-water bottle **Bettlaken** *nt s.* **Betttuch**

Bettler(in) <-s, -> ['bɛtlɐ] *m(f)* beggar

Betttuch^RR, **Bettuch**^ALT ['bɛttu:x] *nt* sheet **Bettwäsche** *f* bedlinen **Bettzeug** *nt* bedding

beugen ['bɔygn̩] I. *vt* to bend; *Kopf* to bow II. *vr* **1. sich** ~ to bend; **sich aus dem Fenster** ~ to lean out of the window **2.** (*sich unterwerfen*) **sich [jdm/etw]** ~ to submit [to sb/sth]; **ich werde mich der Mehrheit**

~ I will bow to the majority

Beule <-, -n> ['bɔylə] *f* **1.** (*Delle*) dent **2.** (*Schwellung*) bump

beunruhigen [bə'ʔʊnru:ɪgn̩] *vt* to worry

beurteilen *vt* **1.** (*einschätzen*) to judge **2.** (*abschätzen*) to assess

Beurteilung <-, -en> *f* **1.** (*das Beurteilen*) assessment **2.** (*schriftlich*) report

Beute <-> ['bɔytə] *f kein pl* **1.** JAGD prey; **eine leichte** ~ [an] easy prey **2.** (*Diebesgut*) haul; **[fette]** ~ **machen** to make a [big] haul

Beutel <-s, -> ['bɔytl̩] *m* bag

bevölkert *adj* (*besiedelt*) populated

Bevölkerung <-, -en> *f* population

bevollmächtigen *vt* to authorize (**zu** to)

bevor [bə'fo:ɐ̯] *konj* **1.** (*ehe*) before **2.** (*solange*) until; **nicht** ~ not until

bevormunden [bə'fo:ɐ̯mʊndn̩] *vt* to treat like a child

bevor|stehen *vi irreg* **jdm** ~ to await sb; **etw steht bevor** sth is approaching

bevorstehend *adj* approaching; *Fest, Geburtstag* upcoming; *Gefahr* impending

bevorzugen [bə'fo:ɐ̯tsu:gn̩] *vt* **1.** (*begünstigen*) to favour (**vor** over) **2.** (*den Vorzug geben*) to prefer

bewachen *vt* to guard

bewaffnet *adj* armed

bewahren *vt* to save (**vor** from); **vor etw** *dat* **bewahrt bleiben** to be spared sth ▶ **das** <u>Gesicht</u> ~ to save face; <u>Gott</u> **bewahre!** (*fam*) [good] Lord no!

bewähren *vr* **sich** ~ to prove itself

bewährt *adj* tried and tested

Bewährung <-, -en> *f* JUR probation; **eine Strafe zur** ~ **aussetzen** to suspend a sentence; ~ **bekommen** to be put on probation

Bewährungshelfer(in) *m(f)* probation officer

bewältigen [bə'vɛltɪgn̩] *vt* **1.** to cope with **2.** *Vergangenheit* to come to terms with

bewässern *vt Feld* to irrigate; *Garten* to water

bewegen¹ [bə've:gn̩] **I.** *vt* to move **II.** *vr* **sich ~ 1.** to move **2.** (*sich körperlich betätigen*) to [take some] exercise **3.** (*sich ändern*) to change

bewegen² <bewog, bewogen> [bə've:gn̩] *vt* **jdn dazu ~, etw zu tun** to move sb to do sth

beweglich [bə've:klɪç] *adj* **1.** movable; *Glieder* supple **2.** (*manövrierfähig*) manoeuvrable

Bewegung <-, -en> *f* **1.** movement; (*Hand~*) gesture; **jdn in ~ bringen/halten** to get/keep sb moving; **in ~ sein** *Mensch* to be on the move; **ich war heute den ganzen Tag in ~** I was on the go all day today; **sich in ~ setzen** to start moving; **etw in ~ setzen** to get sth going **2.** (*körperliche Betätigung*) exercise **3.** (*Ergriffenheit*) emotion **4.** (*Änderung*) change

bewegungslos *adj* motionless

Beweis <-es, -e> [bə'vais] *m* proof; **den ~ [für etw** *akk*] **erbringen** to provide conclusive proof [of sth]

beweisen *irreg vt* **1.** to prove **2.** (*erkennen lassen*) to show; **~, dass ...** to show that ...

bewerben *vr irreg* **sich ~** to apply (**auf** in response to/**bei** to/**um** for)

Bewerber(in) <-s, -> *m(f)* applicant

Bewerbung *f* application

bewerten *vt* to assess; *Wertsachen* to value; **jdn/etw nach etw** *dat* **~** to

judge sb/sth according to sth; **etw zu hoch/niedrig ~** to overvalue/undervalue sth

Bewertung *f* assessment; *von Wertsachen* valuation; SCH marking

bewilligen [bə'vɪlɪgn̩] *vt* to approve; FIN to grant

bewirken *vt* **1.** (*verursachen*) to cause **2.** (*erreichen*) **[bei jdm] etwas ~** to achieve sth [with sb]

bewirten *vt* to entertain (**mit** with)

bewohnen *vt Haus* to live in; *Gegend* to inhabit

Bewohner(in) <-s, -> *m(f)* (*Einwohner*) inhabitant; *von Wohnung* occupant

bewölken *vr* **sich ~** to cloud over

bewölkt *adj* cloudy

Bewunderer, Bewundererin <-s, -> [bə'vʊndərɐ, bə'vʊndərərɪn] *m, f* admirer

bewundern *vt* to admire (**wegen** for); **was ich an dir bewundere ist ...** what I admire about you is ...

bewundernswert, bewundernswürdig *adj* (*geh*) admirable (**an** about)

Bewunderung <-, *selten* -en> *f* admiration

bewusst^RR, **bewußt**^ALT [bə'vʊst] **I.** *adj* **1.** (*vorsätzlich*) deliberate **2.** (*wissend*) **sich** *dat* **einer S.** *gen* **~ sein** to be aware of sth; **jdm ~ sein** to be clear to sb **II.** *adv* **1.** (*überlegt*) **~ leben** to live with great awareness **2.** (*vorsätzlich*) deliberately **3.** (*klar*) **jdm etw ~ machen** to make sb realize sth; **sich** *dat* **etw ~ machen** to realize sth

bewusstlos^RR, **bewußtlos**^ALT [bə'vʊstlo:s] *adj* unconscious

Bewusstsein^RR <-s>, **Bewußtsein**^ALT *nt kein pl* consciousness; **bei**

[**vollem**] ~ **sein** to be [fully] conscious; **etw aus dem ~ verdrängen** to banish sth from one's mind; **jdm etw ins ~ rufen** to remind sb of sth

bezahlen *vi, vt* to pay; [**Herr Ober,**] [**bitte**] ~! waiter, the bill please!; **ich bezahle den Wein!** I'll pay for the wine!

Bezahlung *f* 1. (*das Bezahlen*) payment; *Getränke, Speisen* paying for 2. (*Lohn, Gehalt*) pay; **gegen/ohne** ~ for/without payment

bezaubernd *adj* 1. (*entzückend*) enchanting; **sie war eine Frau von ~er Schönheit** she was a woman of captivating beauty 2. (*iron*) **wirklich ~!** that's really great!, oh how wonderful!

bezeichnen I. *vt* 1. (*benennen*) to call 2. (*kennzeichnen*) to mark (**mit** with) II. *vr* **sich als etw ~** to call oneself sth

bezeichnend *adj* typical (**für** of)

Bezeichnung *f* 1. (*Ausdruck*) term 2. (*Kennzeichnung*) marking

beziehen *irreg* I. *vt* 1. (*mit Stoff*) to cover 2. (*erhalten*) to receive (**von** from) 3. SCHWEIZ *Steuern* to collect 4. (*in Beziehung setzen*) **etw auf etw** *akk* ~ to apply sth to sth II. *vr* **sich auf jdn/etw** ~ to refer to sb/sth

Beziehung <-, -en> [bə'tsiːʊŋ] *f* 1. (*Verhältnis*) relationship (**zu** with); **diplomatische ~en** diplomatic relations 2. *meist pl* (*Verbindungen*) connections *pl*; **seine ~en spielen lassen** to pull [some] strings; **in keiner ~ zueinander stehen** to have no connection with one another 3. (*Hinsicht*) **in jeder/mancher ~** in every/many respect

beziehungsweise *konj* or rather

Bezirk <-[e]s, -e> [bə'tsɪrk] *m* district

Bezug <-[e]s, Bezüge> [bə'tsuːk] *m* 1. (*Überzug*) cover 2. (*Kauf*) purchasing 3. SCHWEIZ (*von Steuern*) collection 4. (*Verbindung*) relation 5. (*geh: Bezugnahme*) reference; **~ auf etw** *akk* **nehmen** to refer to sth 6. (*Hinsicht*) **in ~ auf jdn/etw** with regard to sb/sth

bezwecken [bə'tsvɛkŋ] *vt* to aim to achieve (**mit** with); **was willst du damit ~?** what do you hope to achieve by doing that?

bezweifeln *vt* to question; **~, dass ...** to doubt that ...

BH <-[s], -[s]> [beː'haː] *m Abk von* **Büstenhalter** bra

Bibel <-, -n> ['biːbl̩] *f* Bible

Biber <-s, -> ['biːbɐ] *m* beaver

Bibliothek <-, -en> [biblio'teːk] *f* library

Bibliothekar(in) <-s, -e> [bibliote-'kaːɐ̯] *m(f)* librarian

bieder ['biːdɐ] *adj* (*pej*) conventional

biegen <bog, gebogen> ['biːgŋ] I. *vt haben* 1. to bend 2. ÖSTERR (*flektieren*) to inflect ▶ **auf B~ oder Brechen** (*fam*) by hook or by crook II. *vi sein: Fahrer* to turn; *Straße* to curve III. *vr haben* **sich ~** 1. (*sich krümmen*) to bend 2. (*sich verziehen*) to go out of shape

biegsam ['biːkzaːm] *adj* flexible

Biegung <-, -en> *f* 1. bend; **eine ~ machen** to turn 2. ÖSTERR (*Flexion*) inflection

Biene <-, -n> ['biːnə] *f* bee

Bienenkönigin *f* queen bee **Bienenstock** *m* beehive **Bienenwachs** *nt* beeswax

Bier <-[e]s, -e> [biːɐ̯] *nt* beer; **~ vom Fass** draught beer

Bierdose *f* beer can **Bierkasten** *m* crate of beer

bieten <bot, geboten> ['biːtn̩] I. *vt* to offer; *Gelegenheit, Möglichkeit* to give; *Schutz, Sicherheit* to provide; **sich** *dat* **etw nicht ~ lassen** to not stand for sth II. *vi* to [make a] bid III. *vr* **sich [jdm] ~** to present itself [to sb]

Bikini <-s, -s> [biˈkiːni] *m* bikini

Bilanz <-, -en> [biˈlants] *f* 1. ÖKON balance sheet 2. (*Ergebnis*) end result; [**die**] ~ [**aus etw** *dat*] **ziehen** (*fig*) to take stock [of sth]

Bild <-[e]s, -er> [bɪlt] *nt* 1. picture 2. (*Anblick*) scene ▶ **sich** *dat* **von jdm/etw ein ~ machen** to form an opinion about sb/sth

bilden ['bɪldn̩] I. *vt* 1. (*hervorbringen*) to form; **sich** *dat* **eine Meinung ~** to form an opinion 2. (*ausbilden*) to educate 3. KUNST to make (**aus** from) II. *vr* 1. (*entstehen*) **sich ~** to [be] form[ed] 2. (*lernen*) **sich ~** to educate oneself

Bilderbuch *nt* picture book **Bilderrahmen** *m* picture frame

Bildhauer(in) <-s, -> ['bɪlthauɐ] *m(f)* sculptor

Bildhauerei <-> *f kein pl* sculpture *no art*

Bildschirm *m* screen

Bildung <-, -en> *f* 1. *kein pl* (*geistige*) education; [**keine**] ~ **haben** to be [un]educated 2. *kein pl* (*Entwicklung*) development 3. *kein pl* (*Zusammenstellung*) formation **Bildungsurlaub** *m* educational holiday

Billard <-s, -e> ['bɪljart] *nt* billiards + *sing vb*

Billardkugel *f* billiard ball **Billardstock** *m* billiard cue

Billeteur, Billeteuse <-, -e> *m, f*

1. SCHWEIZ conductor *masc,* conductress *fem* 2. ÖSTERR usher *masc,* usherette *fem*

Billett <-[e]s, -s/-e> [bɪlˈjɛ(t)] *nt* 1. SCHWEIZ ticket 2. ÖSTERR greetings [*or* AM greeting] card

Billiarde <-, -n> [bɪˈli̯ardə] *f* thousand trillion

billig ['bɪlɪç] I. *adj* cheap II. *adv* cheaply

billigen ['bɪlɪgn̩] *vt* to approve of

Billiglinie *f* low-cost [*or* budget] airline **Billigjob** *m* (*pej fam*) low-pay job

Billion <-, -en> [bɪˈli̯oːn] *f* trillion

Bimsstein ['bɪmsʃtain] *m* pumice stone

Binde <-, -n> ['bɪndə] *f* 1. MED bandage; (*Schlinge*) sling 2. (*Monats~*) sanitary towel [*or* AM napkin]

Bindegewebe *nt* connective tissue **Bindehaut** *f* conjunctiva **Bindehautentzündung** *f* conjunctivitis *no pl, no indef art*

binden <band, gebunden> ['bɪndn̩] I. *vt* 1. (*mit Faden etc.*) to bind 2. (*fesseln, befestigen*) to tie [up *sep*] (**an** to) ▶ **jdm sind die Hände gebunden** sb's hands are tied II. *vr* **sich an jdn/etw ~** to commit oneself to sb/sth

Bindestrich *m* hyphen

Bindfaden *m* string

Bindung <-, -en> *f* 1. (*Verbundenheit*) bond (**an** to) 2. (*Verpflichtung*) commitment

binnen ['bɪnən] *präp* +*dat o gen* (*geh*) within; ~ **kurzem** soon

Binnengewässer *nt* inland water *no indef art* **Binnenhafen** *m* inland port **Binnenmeer** *nt* inland sea

Biobauer, -bäuerin *m, f* organic farmer

Biochemie [bioçeˈmiː] *f* biochemistry

biodynamisch [biodyˈnaːmɪʃ] *adj* organic

Biografie^{RR}, **Biographie** <-, -n> [biograˈfiː] *f* **1.** (*Buch*) biography **2.** (*Lebenslauf*) life [history]

Bioladen *m* health-food shop [*or* AM *usu* store]

Biologe, Biologin <-n, -n> [bioˈloːɡə, -ˈloːɡɪn] *m, f* biologist

Biologie <-> [bioloˈɡiː] *f kein pl* biology

biologisch I. *adj* biological II. *adv* biologically; ~ **abbaubar** biodegradable

Biomüll *m* organic waste **Biowaffe** *f* bioweapon

Birke <-, -n> [ˈbɪrkə] *f* birch [tree]

Birnbaum *m* pear tree; (*Holz*) pearwood

Birne <-, -n> [ˈbɪrnə] *f* **1.** pear **2.** ELEK [light] bulb

bis [bɪs] I. *präp* +*akk* **1.** *zeitlich* till, until; (*nicht später als*) by; **von ... ~ ...** from ... until...; ~ **morgen!** see you tomorrow!; ~ **dahin/dann** by then; ~ **einschließlich** up to and including; ~ **jetzt** up to now; ~ **wann?** until when?; ~ **wann bleibst du?** how long are you staying [for]? **2.** *räumlich* to; (*bis zu*) as far as; ~ **hierher** up to this point; ~ **wo** [**hin**] **...?** where ... to? **3.** (*erreichend*) up to; **ich zähle ~ drei** I'll count [up] to three; **Kinder ~ sechs Jahre** children up to the age of six II. *adv* **1.** *zeitlich* till, until; ~ **gegen 8 Uhr** until about 8 o' clock **2.** *räumlich* into, to; **die Äste reichen ~ ans Haus** the branches reach right up to the house **3.** (*mit Ausnahme von*) ~ **auf** ~ **an** SCHWEIZ except [for] III. *konj* **1.** (*beiordnend*) to;

400 ~ 500 Gramm Schinken 400 to 500 grams of ham **2.** (*bevor*) by the time, till, until; ~ **es dunkel wird, möchte ich zu Hause sein** I want to be home by the time it gets dark; **ich warte noch, ~ es dunkel wird** I'll wait until it gets dark

Bisam <-s, -e> [ˈbiːzam] *m* **1.** MODE musquash **2.** *no pl* (*Moschus*) musk

Bisamratte *f* muskrat

Bischof, Bischöfin <-s, Bischöfe> [ˈbɪʃɔf] *m, f* bishop

bisexuell [bizɛˈksu̯ɛl, ˈbiː-] *adj* bisexual

bisher [bɪsˈheːɐ̯] *adv* until now

bisherig [bɪsˈheːrɪç] *adj attr* (*vorherig*) previous *attr;* (*momentan*) present, to date, up to now

Biskuit <-[e]s, -s> [bɪsˈkviːt] *nt o m* sponge

bislang [bɪsˈlaŋ] *adv s.* **bisher**

Bison <-s, -e> [ˈbiːzɔn] *m* bison

Biss^{RR} <-es, -e>, **Biß**^{ALT} <-sses, -sse> [bɪs] *m* bite; ~ **haben** (*fig*) to have drive

bisschen^{RR}, **bißchen**^{ALT} [ˈbɪsçən] *pron indef* **1.** *in der Funktion eines Adjektivs* **ein ~ ...** a bit of ...; **kein ~ ...** not one [little] bit of ...; **das ~ ...** the little bit of ... **2.** *in der Funktion eines Adverbs* **ein ~ ...** a bit ...; **kein ~ ...** not the slightest bit ...

Bissen <-s, -> [ˈbɪsn̩] *m* morsel; **er brachte keinen ~ herunter** he couldn't eat a thing

bissig [ˈbɪsɪç] *adj* **1.** vicious; „[Vorsicht,] ~er Hund!" "beware of [the] dog!" **2.** (*sarkastisch*) caustic

Bistum <-s, -tümer> [ˈbɪstuːm, *pl:* -tyːmɐ] *nt* bishopric

bisweilen [bɪsˈvai̯lən] *adv* (*geh*) at times

bitte [ˈbɪtə] *interj* **1.** (*auffordernd*) please; ~ **nicht!** no, please!; **ja, ~?**

B

(*am Telefon*) hello? **2.** (*Dank erwidernd*) **danke für die Auskunft! — ~[, gern geschehen]** thanks for the information — you're [very] welcome!; **danke, dass du mir geholfen hast! — ~[, gern geschehen]!** thanks for helping me — not at all!; **danke schön! — ~ schön, war mir ein Vergnügen!** thank you! — don't mention it, my pleasure!; **Entschuldigung! — ~!** I'm sorry! — that's all right! **3.** (*anbietend*) **~ schön!** here you are! **4.** (*um Wiederholung bittend*) **wie ~?** sorry? **5.** (*Gefühl der Bestätigung*) **na ~!** what did I tell you!

Bitte <-, -n> ['bɪtə] *f* request (**um** for); **auf jds ~** at sb's request

bitten <bat, gebeten> ['bɪtn̩] **I.** *vt* jdn [**um etw** *akk*] ~ to ask sb [for sth]; **könnte ich dich um einen Gefallen ~?** could I ask you a favour?; **darf ich [euch] zu Tisch ~?** may I ask you to come and sit down at the table? **II.** *vi* **um etw** *akk* ~ to ask for sth; (*dringend*) to beg for sth; **um Hilfe ~** to ask for help; **um Verzeihung ~** to beg for forgiveness

bitter ['bɪtɐ] **I.** *adj* bitter **II.** *adv* bitterly

Blähung <-, -en> *f meist pl* flatulence *no pl, no indef art;* **~en haben** to have flatulence

Blamage <-, -n> [bla'ma:ʒə] *f* disgrace *no pl*

blamieren [bla'mi:rən] **I.** *vt* to disgrace **II.** *vr* **sich ~** to make a fool of oneself

blank [blaŋk] *adj* **1.** *Metall, Oberfläche* shiny **2.** **~er Unsinn** sheer nonsense **3.** *pred* (*fam*) **~ sein** to be broke

Blase <-, -n> ['bla:zə] *f* **1.** ANAT bladder; **sich** *dat* **die ~ erkälten** to get a

chill on the bladder **2.** MED blister; **sich** *dat* **~n laufen** to get blisters on one's feet **3.** (*luftgefüllt*) bubble

blasen <bläst, blies, geblasen> ['bla:zn̩] *vi, vt* to blow

Blasenentzündung *f* inflammation of the bladder

blassRR, **blaß**ALT [blas] *adj* pale

Blatt <-[e]s, Blätter> [blat] *nt* **1.** BOT leaf **2.** (*Papier*) sheet **3.** (*Zeitung*) paper **4.** (*von Werkzeugen*) blade

blättern ['blɛtɐn] *vi* **in einem Buch ~** to flick through a book

Blätterteig *m* flaky pastry

Blattlaus *f* aphid

blau [blau] *adj* **1.** blue **2.** (*blutunterlaufen*) bruised; **ein ~es Auge** a black eye; **ein ~er Fleck** a bruise **3.** (*fam: betrunken*) plastered

Blaubeere *f s.* **Heidelbeere**

Blaulicht *nt* flashing blue light

Blazer <-s, -> ['ble:zɐ] *m* blazer

Blech <-[e]s, -e> [blɛç] *nt* **1.** *kein pl* (*Material*) sheet metal *no pl, no indef art* **2.** (*Blechstück*) metal plate

Blechbüchse *f* tin [box] **Blechdose** *f* tin **Blechschaden** *m* damage to the bodywork

Blei <-[e]s, -e> [blai] *nt kein pl* lead

bleiben <blieb, geblieben> ['blaibn̩] *vi sein* **1.** (*weiterhin sein*) [**bei jdm/an einem Ort**] ~ to stay [with sb/in a place]; **~ Sie bitte am Apparat!** hold the line, please!; **die Lage blieb weiterhin angespannt** the situation remained tense; **wach ~** to stay awake **2.** (*übrig sein*) to be left; **eine Möglichkeit bleibt uns noch** we still have one possibility left; **es blieb mir keine andere Wahl** I was left with no other choice

bleich [blaiç] *adj* pale

Bleistift *m* pencil

Bleistiftspitzer *m* pencil sharpener

Blende <-, -n> ['blɛndə] *f* **1.** FOTO aperture **2.** (*Sonnenschutz*) blind

blenden ['blɛndn̩] **I.** *vt* **1.** *Licht* to dazzle **2.** (*täuschen*) to deceive **II.** *vi* to be dazzling; **~d weiß** dazzling white

Blick <-[e]s, -e> [blɪk] *m* **1.** look; **er warf einen ~ aus dem Fenster** he glanced out of the window; **auf einen ~** at a glance; **auf den ersten ~** at first sight; **auf den zweiten ~** on closer inspection; **einen ~ auf jdn/etw werfen** to glance at sb/sth **2.** (*Augen*) eyes *pl;* **er musterte sie mit finsterem ~** he looked at her darkly; **den ~ heben/senken** to raise/lower one's eyes **3.** (*Aussicht*) view; **ein Zimmer mit ~ auf den Strand** a room overlooking the beach ▶ **einen ~ für etw** *akk* <u>haben</u> to have an eye for sth; **mit ~ auf** with regard to

blicken ['blɪkn̩] *vi* to look (**auf** at); **er blickte kurz aus dem Fenster** he glanced [briefly] out of the window

Blickkontakt *m* **~ haben** to have eye contact

blind [blɪnt] **I.** *adj* blind; **~ werden** to go blind; **sie ist auf einem Auge ~** she's blind in one eye; **vor etw** *dat* **~ sein** to be blinded by sth; **~er Passagier** stowaway **II.** *adv* blindly

Blinddarm *m* appendix

Blinddarmentzündung *f* appendicitis

Blinde(r) *f(m) dekl wie adj* blind woman *fem,* blind man *masc,* blind person

Blindenschrift *f* Braille *no art*

Blindheit <-> *f kein pl* blindness

Blindschleiche <-, -n> ['blɪntʃlaiçə] *f* slowworm

blinken ['blɪŋkn̩] *vi* **1.** (*glänzen*) to gleam **2.** AUTO to indicate; **mit der Lichthupe ~** to flash one's [head]lights

Blinker <-s, -> ['blɪŋkɐ] *m* AUTO indicator

Blinklicht *nt* TRANSP (*an Ampel etc.*) flashing light; (*fam*) indicator

blinzeln ['blɪntsl̩n] *vi* **1.** (*unfreiwillig*) to blink **2.** (*zwinkern*) to wink

Blitz <-es, -e> [blɪts] *m* **1.** METEO lightning *no pl, no indef art;* **vom ~ getroffen werden** to be struck by lightning **2.** FOTO flash

Blitzableiter <-, -> *m* lightning conductor

blitzen ['blɪtsn̩] **I.** *vi impers* **es blitzt/ hat geblitzt** there is/was [a flash of] lightning **II.** *vi* FOTO (*fam*) to use [a] flash

Blitzgerät *nt* flash unit **Blitzlicht** *nt* flash[light] **Blitzschlag** *m* lightning strike

Block¹ <-[e]s, Blöcke> [blɔk] *m* (*Form*) block

Block² <-[e]s, Blöcke *o* -s> [blɔk] *m* **1.** (*Häuserreihe*) block; (*Mietshaus*) block [of flats] BRIT, apartment building AM **2.** (*Papier*) book

Blockade <-, -n> [blɔ'ka:də] *f* **1.** (*Embargo*) blockade; **über etw** *akk* **eine ~ verhängen** to impose a blockade on sth **2.** MED block

Blockhaus *nt* log cabin

blockieren [blɔ'ki:rən] *vt* to block; *Verkehr* to stop

blöd [blø:t], **blöde** ['blø:də] **I.** *adj* (*fam*) **1.** silly, stupid **2.** (*unangenehm*) disagreeable; **eine ~e Situation** an awkward situation **II.** *adv* (*fam*) idiotically, stupidly

blödeln ['blø:dl̩n] *vi* (*fam*) to tell silly jokes

Blödmann *m* (*fam*) idiot **Blödsinn** *m* kein pl (*pej fam*) nonsense *no indef art;* **machen Sie keinen ~!** don't mess about! **blödsinnig** ['bløːtzɪnɪç] *adj* (*pej fam*) idiotic

blöken ['bløːkn̩] *vi* to bleat

blond [blɔnt] *adj* blond[e]

bloß [bloːs] **I.** *adj* **1.** (*unbedeckt*) bare; **mit ~em Oberkörper** stripped to the waist **2.** *attr* (*alleinig*) mere; (*allein schon*) very; **schon der ~e Gedanke ...** the very thought ... **II.** *adv* only; **~ nicht!** God forbid! **bloß|stellen** *vt* to show up *sep*

bluffen ['blœfn̩] *vi* to bluff

blühen ['blyːən] **I.** *vi* **1.** to bloom **2.** (*florieren*) to flourish **3.** (*fam*) **etw blüht jdm** sth is in store for sb **II.** *vi impers* **im Süden blüht es jetzt schon überall** everything is in blossom in the south

Blume <-, -n> ['bluːmə] *f* flower

Blumenbeet *nt* flowerbed **Blumenkohl** *m kein pl* cauliflower **Blumenstrauß** *m* bouquet of flowers **Blumentopf** *m* flowerpot

Bluse <-, -n> ['bluːzə] *f* blouse

Blut <-[e]s> [bluːt] *nt kein pl* blood; **jdm ~ abnehmen** to take a blood sample from sb; **~ stillend** styptic

blutarm ['bluːt'ʔarm] *adj* anaemic **Blutarmut** *f* anaemia **Blutbild** *nt* blood count **Blutdruck** *m kein pl* blood pressure

Blüte <-, -n> ['blyːtə] *f* **1.** flower; *Baum* blossom; **in [voller] ~ stehen** to be in [full] bloom **2.** (*fam: falsche Banknote*) dud

Blutegel *m* leech

bluten ['bluːtn̩] *vi* to bleed (**an/aus** from)

Blütenblatt *nt* petal **Blütenstaub** *m* pollen

Bluter <-s, -> ['bluːtɐ] *m* MED haemophiliac

Bluterguss^{RR} <-es, -ergüsse>, **Bluterguß**^{ALT} <-sses, -ergüsse> *m* bruise **Blutgruppe** *f* blood group **Blutorange** *f* blood orange **Blutsauger** *m* bloodsucker **Blutspender(in)** *m(f)* blood donor **blutstillend** *adj s.* **Blut**

Blutung <-, -en> *f* bleeding *no pl, no indef art;* [**monatliche**] ~ menstruation **Blutvergießen** <-s> *nt kein pl* bloodshed *no indef art* **Blutvergiftung** *f* blood poisoning *no indef art* **Blutwäsche** *f* haemodialysis **Blutwurst** *f* black pudding BRIT, blood sausage AM **Blutzucker** *m* MED blood sugar

Bö <-, -en> [bøː] *f* gust

Bock¹ <-[e]s, Böcke> [bɔk] *m* (*Schaf*) ram; (*Ziege*) billy goat ▶ **alter ~** (*fam*) old goat; **sturer ~** (*fam*) stubborn sod

Bock² <-s, -> [bɔk] *nt*, **Bockbier** *nt* bock beer (*type of strong beer*)

Bockspringen *nt kein pl* SPORT vaulting *no art*

Bockwurst *f* bockwurst (*type of boiled sausage*)

Boden <-s, Böden> ['boːdn̩] *m* **1.** (*Erde*) soil; **fetter/magerer ~** fertile/barren soil **2.** (*Erdoberfläche*) ground **3.** *kein pl* (*Territorium*) land; **auf britischem ~** on British soil **4.** (*Fußboden*) floor **5.** (*Dachspeicher*) loft; **auf dem ~** in the loft **6.** (*Grund*) bottom

Bodenbelag *m* floor covering **Bodenfrost** *m* ground frost *no pl* **Bodenhaftung** *f* AUTO wheel grip **Bodennebel** *m* ground fog **Bodenschätze** *pl* mineral resources *pl* **Bo-**

B

densee ['bɔdn̩zeː] *m* **der ~** Lake Constance

Body <-s, -s> ['bɔdi] *m* body BRIT, bodysuit AM

Bogen <-s, -> ['boːgn̩] *m* 1. (*gekrümmte Linie*) curve 2. (*Blatt Papier*) sheet [of paper] 3. (*Waffe*) bow; **Pfeil und ~** bow and arrow[s *pl*] 4. ARCHIT arch ▶ **in hohem ~ hinausfliegen** (*fam*) to be turned out

Bogenschütze, -schützin *m, f* archer

Bohle <-, -n> ['boːlə] *f* plank

Bohne <-, -n> ['boːnə] *f* bean; **dicke/grüne/rote/weiße ~n** broad/French/kidney/haricot beans

Bohnenkaffee *m* real coffee **Bohnenkraut** *nt kein pl* savory *no pl*

bohren ['boːrən] I. *vt* 1. to bore; (*mit Bohrer*) to drill 2. (*hineinstoßen*) **er bohrte ihm das Messer in den Bauch** he plunged the knife into his stomach II. *vi* 1. to drill 2. (*stochern*) **in der Nase ~** to pick one's nose

Bohrer <-s, -> *m* drill

Bohrturm *m* derrick

böig ['bøːɪç] *adj* gusty

Boiler <-s, -> ['bɔylɐ] *m* hot-water tank; **den ~ anstellen** to turn on the water heater

Boje <-, -n> ['boːjə] *f* buoy

Bolivianer(in) <-s, -> [boli'vjaːnɐ] *m(f)* Bolivian

Bolivien <-s> [bo'liːvjən] *nt* Bolivia

Bolzen <-s, -> ['bɔltsn̩] *m* pin; (*mit Gewinde*) bolt

bombardieren [bɔmbar'diːrən] *vt* 1. to bomb 2. (*fam: überschütten*) to bombard

Bombe <-, -n> ['bɔmbə] *f* bomb; **eine ~ legen** to plant a bomb ▶ **die ~**

platzen lassen to drop the bombshell

Bon <-s, -s> [bɔŋ, bõː] *m* 1. (*Kassenzettel*) receipt 2. (*Gutschein*) voucher

Bonbon <-s, -s> [bɔŋ'bɔŋ] *m o* ÖSTERR *nt* sweet BRIT, candy AM

boomen ['buːmən] *vi* to [be on the] boom

Boot <-[e]s, -e> [boːt] *nt* boat; **~ fahren** to go boating

Bootsfahrt *f* boat trip **Bootshaus** *nt* boathouse **Bootsmann** <-leute> *m* boatswain **Bootsverleih** *m* boat hire

Bord¹ <-[e]s> [bɔrt] *m* **an ~** aboard; **an ~ gehen** to board; *über ~ gehen* to go overboard; **von ~ gehen** to leave the plane/ship

Bord² <-[e]s, -e> [bɔrt] *nt* (*Wandbrett*) shelf

Bord³ <-[e]s, -e> [bɔrt] *nt* SCHWEIZ (*Rand*) ledge; (*Böschung*) embankment

Bordell <-s, -e> [bɔr'dɛl] *nt* brothel

Bordkarte *f* boarding card **Bordpersonal** *nt kein pl* crew

Bordstein *m* kerb

Borke <-, -n> ['bɔrkə] *f* BOT bark

Borkenkäfer *m* bark beetle

borniert [bɔr'niːɐ̯t] *adj* (*pej*) bigoted

Börse <-, -n> ['bœrzə] *f* 1. (*Wertpapierhandel*) stock market; (*Gebäude*) stock exchange; **an die ~ gehen** to go public; **an der ~ [gehandelt]** [traded] on the exchange; **an der ~ notiert werden** to be quoted on the stock exchange 2. (*Brieftasche*) wallet

Börsenkurs *m* market price **Börsenmakler(in)** *m(f)* stockbroker

Borste <-, -n> ['bɔrstə] *f* bristle

bösartig *adj* 1. malicious; *Tier* vicious 2. MED malignant

Böschung <-, -en> ['bœʃʊŋ] f embankment

böse ['bø:zə] I. adj 1. bad; (stärker) evil; **ein ~s Ende nehmen** to end in disaster; **jdm einen ~n Streich spielen** to play a nasty trick on sb; **eine ~ Überraschung erleben** to have an unpleasant surprise; **nichts B~s ahnen** to not suspect anything is wrong; **jdm B~s tun** to cause sb harm 2. (verärgert) angry; **ein ~s Gesicht machen** to scowl 3. (fam: unartig) naughty II. adv 1. (übelwollend) evilly; **das habe ich nicht ~ gemeint** I meant no harm 2. (fam: sehr, schlimm) badly; **~ ausgehen** to end in disaster; **~ [für jdn] aussehen** to look bad [for sb]

boshaft ['bo:shaft] adj malicious

Bosheit <-, -en> f malice no pl; **aus [lauter] ~** out of [pure] malice

Bossᴿᴿ <-es, -e>, **Boß**ᴬᴸᵀ <-sses, -sse> [bɔs] m boss

böswillig I. adj malevolent II. adv malevolently

Botaniker(in) <-s, -> [bo'ta:nɪkɐ] m(f) botanist

botanisch [bo'ta:nɪʃ] adj botanical; **~er Garten** Botanical Gardens pl

Bote, Botin <-n, -n> ['bo:tə, 'bo:tɪn] m, f (Kurier) courier; (mit Nachricht) messenger

Botschaft <-, -en> ['bo:tʃaft] f 1. (Nachricht) news no pl, no indef art 2. POL embassy

Botschafter(in) <-s, -> m(f) POL ambassador

Bottich <-[e]s, -e> ['bɔtɪç] m tub

Bouillon <-, -s> [bʊl'jɔn] f consommé

Boulevardpresse [bulə'va:ɐ̯-] f yellow press

Boutique <-, -n> [bu'ti:k] f boutique

Bowle <-, -n> ['bo:lə] f 1. (Getränk) punch no pl 2. (Schüssel) punchbowl

Bowling <-s, -s> ['bo:lɪŋ] nt bowling

Box <-, -en> [bɔks] f 1. box 2. (Lautsprecher) loudspeaker

boxen ['bɔksn̩] I. vi to box; **gegen jdn ~** to fight sb II. vt to punch

Boxer(in) <-s, -> ['bɔksɐ] m(f) boxer

Boxhandschuh m boxing glove **Boxkampf** m bout

boykottieren [bɔɪkɔ'ti:rən] vt to boycott

Branche <-, -n> ['brã:ʃə] f line of business

Brand <-[e]s, Brände> [brant] m fire; **in ~ geraten** to catch fire; **etw in ~ stecken** to set sth alight Haus to set on fire

Brandblase f burn blister

branden ['brandn̩] vi to break (an/gegen against)

brandmarken vt to brand (als as) **Brandstifter(in)** m(f) arsonist **Brandstiftung** f arson no pl

Brandung <-, -en> f surf

Branntwein ['brantvain] m (geh) spirits pl

Brasilianer(in) <-s, -> [brazi'lia:nɐ] m(f) Brazilian

brasilianisch [brazi'lia:nɪʃ] adj Brazilian

Brasilien <-s> [bra'zi:liən] nt Brazil

braten <brät, briet, gebraten> ['bra:tn̩] vt, vi (in der Pfanne) to fry; (am Spieß) to roast

Braten <-s, -> ['bra:tn̩] m roast [meat no pl, no art]; **kalter ~** cold meat

Brathähnchen nt, ÖSTERR, SÜDD **Brathendl** <-s, -[n]> nt grilled chicken

Brathering m fried herring **Bratkartoffeln** pl fried potatoes **Bratpfanne** f frying pan **Bratwurst** f [fried] sausage

Brauch <-[e]s, Bräuche> [braux] *m* custom; **nach altem ~** according to custom; [**bei jdm so**] **~ sein** to be customary [with sb]

brauchbar *adj* **1.** (*geeignet*) suitable; **nicht ~ sein** to be of no use **2.** (*nützlich*) useful

brauchen ['brauxn̩] **I.** *vt* **1.** to need; **wozu brauchst du das?** what do you need that for? **2.** (*fam: ge-, verbrauchen*) **etw ~** to use sth; **kannst du die Dinge ~?** can you find a use for these? **II.** *vb aux modal* (*müssen*) **etw nicht** [**zu**] **tun ~** to not need to do sth; **du hättest doch nur etwas** [**zu**] **sagen ~** you need only have said something **III.** *vt impers* SCHWEIZ, SÜDD **es braucht etw** sth is needed

brauen ['brauən] *vt* to brew

Brauerei <-, -en> [brauə'rai] *f* brewery

braun [braun] *adj* brown; (*sonnengebräunt*) [sun-]tanned

Bräune <-> ['brɔynə] *f kein pl* [sun]tan

bräunen ['brɔynən] **I.** *vi*, *vt* to tan **II.** *vr* **sich ~** to get a tan

Braunkohle *f* brown coal

brausen ['brauzn̩] *vi* **1.** *haben* (*tosen*) to roar; *Wind* to howl **2.** *sein* (*fam: rasen*) to storm; *Wagen* to race

Brausetablette *f* effervescent tablet

Braut <-, Bräute> [braut] *f* bride

Bräutigam <-s, -e> ['brɔytɪgam] *m* [bride]groom

Brautpaar *nt* bride and groom

brav [braːf] *adj* good; **sei schön ~!** be a good boy/girl

Brecheisen *nt* crowbar

brechen <bricht, brach, gebrochen> ['brɛçn̩] **I.** *vt haben* to break; *Eid* to violate; **sein Schweigen ~** to break one's silence **II.** *vi* **1.** *sein* (*auseinander*) to break [apart] **2.** *haben* (*Verbin-*

dung beenden) to break (**mit** with) **3.** (*sich erbrechen*) to be sick

Brechmittel *nt* emetic [agent] **Brechreiz** *m kein pl* nausea *no art*

Brei <-[e]s, -e> [brai] *m* **1.** (*Speise*) mash *no pl* **2.** (*zähe Masse*) paste ▶ **um den** [**heißen**] **~** herumreden to beat about the bush

breit [brait] *adj* wide; *Schultern* broad; **etw ~[er] machen** to widen sth; **x cm ~ sein** to be x cm wide

Breitbildfernseher *m* widescreen television

Breite <-, -n> ['braitə] *f* **1.** width; **von x cm ~** x cm in width **2.** (*Gedehntheit*) breadth

Breitengrad *m* [degree of] latitude

Breitseite *f* broadside

Bremsbacke *f* brake shoe **Bremsbelag** *m* brake lining; AUTO brake pad

Bremse <-, -n> ['brɛmzə] *f* **1.** brake; **auf die ~ treten** to put on the brakes **2.** (*Stechfliege*) horsefly

bremsen ['brɛmzn̩] **I.** *vi* to brake **II.** *vt* **1.** to brake **2.** (*verzögern*) to slow down *sep* **3.** (*fam: zurückhalten*) to check; **sie ist nicht zu ~** there's no holding her

Bremslicht *nt* stop light **Bremspedal** *nt* brake pedal

brennbar *adj* combustible

brennen <brannte, gebrannt> ['brɛnən] **I.** *vi* **1.** burn; (*in Flammen stehen*) to be on fire; **wo brennt's denn?** (*fig*) where's the fire? **2.** (*fam*) *Lampe* to be on; **etw ~ lassen** to leave sth on **3.** (*fam: ungeduldig erwarten*) **darauf ~, etw zu tun** to be dying to do sth **II.** *vt* **1.** *CD* to burn **2.** *Schnaps* to distil

brennend *adj* **1.** *Hitze* scorching **2.** *Frage* urgent; *Wunsch* fervent

Brenner <-s, -> ['brɛnɐ] *m* TECH burner; INFORM CD-burner

Brennholz *nt* firewood **Brennnessel**^{RR} ['brɛnnɛsl] *f* stinging nettle **Brennpunkt** *m* **1.** PHYS focal point **2.** (*Zentrum*) focus; **im ~** [des Interesses] **stehen** to be the focus [of interest] **Brennspiritus** *m* methylated spirit **Brennstoff** *m* fuel

Bretagne <-> [bre'tanjə] *f* **die ~** Brittany

Bretone, Bretonin <-n, -n> [bre'to:nə, bre'to:nɪn] *m, f* Breton

Brett <-[e]s, -er> [brɛt] *nt* board; (*Planke*) plank; (*Regalboden*) shelf; **schwarzes ~** noticeboard ▶ **ein ~ vorm** <u>Kopf</u> **haben** to be slow on the uptake

Brettspiel *nt* board game

Brezel <-, -n> ['bre:tsl] *f* pretzel

Brief <-[e]s, -e> [bri:f] *m* letter **Brieffreund(in)** *m(f)* pen pal **Briefkasten** *m* (*an Haus*) letter box BRIT, mailbox AM; (*Postkasten*) postbox BRIT, mailbox AM; **elektronischer ~** electronic mailbox **Briefmarke** *f* stamp **Briefmarkensammler(in)** *m(f)* stamp collector **Briefpapier** *nt* letter paper **Brieftasche** *f* wallet **Briefträger(in)** *m(f)* postman *masc*, postwoman *fem* **Briefumschlag** *m* envelope

Brikett <-s, -s> [bri'kɛt] *nt* briquette

Brillant <-en, -en> [brɪl'jant] *m* brilliant

Brille <-, -n> ['brɪlə] *f* glasses *pl*; **eine ~** a pair of glasses; [eine] **~ tragen** to wear glasses

Brillenetui *nt* glasses case **Brillengestell** *nt* spectacles frame **Brillenglas** *nt* lens **Brillenschlange** *f* cobra

bringen <brachte, gebracht> ['brɪŋən] *vt* **1.** (*zu sich hin*) to bring; (*von sich weg*) to take; [jdm] **etw ~** to bring [sb] sth; **jdn nach Hause ~** to take sb

home; **die Kinder ins Bett ~** to put the children to bed; **den Müll nach draußen ~** to take out the rubbish [*or* AM garbage] **2.** (*versetzen*) **jdn in Bedrängnis ~** to get sb into trouble; **jdn in Schwierigkeiten ~** to put sb into a difficult position **3.** (*veranlassen*) **jdn dazu ~, etw zu tun** to get sb to do sth; **etw zum Brennen/Laufen ~** to get sth to burn/work **4.** (*fam: gut sein*) **sie/es bringt's** she's/it's got what it takes; **das bringt nichts** it's pointless; **das bringt's nicht** that's useless ▶ **etw** <u>hinter</u> **sich** *akk* **~** to get sth over and done with; **etw** <u>mit</u> **sich** *akk* **~** to involve sth; **es nicht** <u>über</u> **sich** *akk* **~, etw zu tun** not to be able to bring oneself to do sth; **jdn um den** <u>Verstand</u> **~** to drive sb mad

brisant [bri'zant] *adj* explosive

Brise <-, -n> ['bri:zə] *f* breeze

Brite, Britin <-n, -n> ['brɪtə, 'brɪtɪn] *m, f* Briton; **wir sind ~n** we're British

britisch ['brɪtɪʃ] *adj* British

bröckeln ['brœkln] *vi* to crumble

Brocken <-s, -> ['brɔkn̩] *m* chunk; **ein harter ~ sein** (*fam*) to be a tough nut; **ein paar ~ Russisch** a smattering of Russian

brodeln ['bro:dln̩] *vi* to seethe

Brokkoli ['brɔkoli] *pl* broccoli *no pl, no indef art*

Brombeere ['brɔmbe:rə] *f* **1.** blackberry **2.** (*Strauch*) blackberry bush

Brombeerstrauch *m s.* **Brombeere 2**

Bronchie <-, -n> ['brɔnçiə] *f meist pl* bronchial tube

Bronchitis <-, Bronchitiden> [brɔn'çi:tɪs] *f* bronchitis *no art*

Bronze <-, -n> ['brõ:sə] *f* bronze

Brosche <-, -n> ['brɔʃə] *f* brooch

Broschüre <-, -n> [brɔˈʃyːrə] f brochure

Brösel <-s, -> [ˈbrøːzl̩] m DIAL crumb

Brot <-[e]s, -e> [broːt] nt bread no pl; (*Laib*) loaf [of bread]; **ein ~ mit Honig/Käse** a slice of bread and honey/cheese; **belegtes ~** open sandwich

Brötchen <-s, -> [ˈbrøːtçən] nt [bread] roll

Broteinheit f carbohydrate unit

Bruch <-[e]s, Brüche> [brʊx] m **1.** *eines Vertrags* infringement; *des Vertrauens* breach **2.** (*Beziehung*) **in die Brüche gehen** to break up **3.** MED *eines Knochens* fracture; *der Eingeweide* hernia; **sich** *dat* **einen ~ heben** to give oneself a hernia **4.** MATH fraction

brüchig [ˈbrʏçɪç] adj brittle; *Stimme* cracked

Bruchrechnung f MATH sum with fractions **Bruchstück** nt fragment **Bruchteil** m fraction; **im ~ einer Sekunde** in a split second **Bruchzahl** f fraction

Brücke <-, -n> [ˈbrʏkə] f bridge

Bruder <-s, Brüder> [ˈbruːdɐ] m brother; **die Brüder Grimm/Schmitz** the Brothers Grimm/the Schmitz brothers

brüderlich **I.** adj fraternal **II.** adv like brothers; **~ teilen** to share and share alike

Bruderschaft <-, -en> f REL fraternity

Brühe <-, -n> [ˈbryːə] f **1.** (*Suppe*) [clear] soup **2.** (*fam: Flüssigkeit*) **schmutzige ~** sludge **3.** (*pej fam: Getränk*) slop

Brühwürfel m stock cube

brüllen [ˈbrʏlən] vi to roar (**vor** with); (*weinen*) to bawl; **brüll doch nicht so!** don't shout like that!

brummen [ˈbrʊmən] **I.** vi *Insekt, Klingel* to buzz; *Bär* to growl; *Bass* to rumble **II.** vt **etw ~** to mumble sth

brünett [bryˈnɛt] adj brunet[te]

Brunnen <-s, -> [ˈbrʊnən] m well; (*mit Fontäne*) fountain

Brüssel <-s> [ˈbrʏsl̩] nt Brussels

Brust <-, Brüste> [brʊst] f **1.** (*Brustkasten*) chest **2.** (*weibliche ~*) breast; **einem Kind die ~ geben** to breastfeed a baby

Brustbein nt breastbone **Brustkorb** m chest **Brustkrebs** m breast cancer **Brustschwimmen** nt breast-stroke

Brüstung <-, -en> [ˈbrʏstʊŋ] f parapet

Brustwarze f nipple

brutal [bruˈtaːl] **I.** adj brutal; **ein ~er Kerl** a brute **II.** adv brutally

Brutalität <-, -en> [brutaliˈtɛːt] f brutality

brüten [ˈbryːtn̩] vi **1.** to brood **2.** (*grübeln*) to brood (**über** over)

brutto [ˈbrʊto] adv [in the] gross; **3800 Euro ~ verdienen** to have a gross income of 3800 euros

Bruttoeinkommen nt gross income **Bruttogewicht** nt gross weight **Bruttoinlandsprodukt** nt gross domestic product, GDP **Bruttosozialprodukt** nt gross national product, GNP

Bub <-en, -en> [buːp] m SÜDD, ÖSTERR, SCHWEIZ boy, lad

Buch <-[e]s, Bücher> [buːx] nt book; **über etw** akk **~ führen** to keep a record of sth

Buche <-, -n> [ˈbuːxə] f beech [tree]

Bücherei <-, -en> [byːçəˈrai] f library

Bücherregal nt bookshelf

Buchfink m chaffinch

Buchführung f bookkeeping no pl; **einfache/doppelte ~** single-/double-entry bookkeeping **Buchhalter(in)** *m/f* bookkeeper **Buchhaltung** *f* 1. (*Abteilung*) accounts department 2. *s.* **Buchführung**

Buchhändler(in) *m/f* bookseller **Buchhandlung** *f* bookshop

Buchs <-es, -e> [buks] *m* BOT box [tree]

Buchse <-, -n> ['buksə] *f* 1. ELEK jack 2. TECH bushing

Büchse <-, -n> ['bʏksə] *f* tin BRIT, can AM

Büchsenöffner *m* can-opener, BRIT *a.* tin-opener

Buchstabe <-n[s], -n> ['bu:xʃta:bə] *m* letter; **fetter ~** bold character; **in großen ~n** in capitals; **in kleinen ~n** in small letters

buchstabieren [bu:xʃta'bi:rən] *vt* to spell

Bucht <-, -en> [buxt] *f* bay

Buchung <-, -en> *f* 1. (*Reservierung*) booking 2. FIN posting

Buchweizen *m* buckwheat

Buckel <-s, -> ['bukl̩] *m* 1. (*verkrümmter Rücken*) hunchback 2. (*fam: Rücken*) back ▶ **rutsch mir [doch] den ~ runter!** (*fam*) get off my back!

bücken ['bʏkn̩] *vr* **sich ~** to bend down

bucklig ['buklɪç] *adj* (*fam*) 1. (*mit einem Buckel*) hunchbacked 2. (*fam: uneben*) bumpy

Buddhismus <-> [bu'dɪsmus] *m kein pl* Buddhism

Buddhist(in) <-en, -en> [bu'dɪst] *m/f* Buddhist

Budget <-s, -s> [by'dʒe:] *nt* budget

Büfett <-[e]s, -e> [by'fe:] *nt* 1. (*Anrichte*) sideboard 2. (*Essen*) buffet; **kaltes ~** cold buffet

Büffel <-s, -> ['bʏfl̩] *m* buffalo

Bug <-[e]s, Büge> [bu:k] *m* NAUT bow; LUFT nose

Bügel <-s, -> ['by:gl̩] *m* (*für Kleider*) coat hanger

Bügelbrett *nt* ironing board **Bügeleisen** <-s, -> *nt* iron

bügeln ['by:gl̩n] *vt, vi* to iron

Bühne <-, -n> ['by:nə] *f* 1. (*Spielfläche*) stage; **hinter der ~** behind the scenes 2. (*Theater*) theatre ▶ **etw über die ~ bringen** (*fam*) to get sth over with

Buhruf *m* [cry of] boo

Bukett <-s, -s> [bu'kɛt] *nt* bouquet

Bulgare, Bulgarin <-n, -n> [bul'ga:rə, bul'ga:rɪn] *m, f* Bulgarian

Bulgarien <-s> [bul'ga:rjən] *nt* Bulgaria

bulgarisch [bul'ga:rɪʃ] *adj* Bulgarian

Bulimie <-> [buli'mi:] *f kein pl* bulimia [nervosa] *no pl*

Bullauge ['bul-] *nt* porthole

Bulldogge *f* bulldog

Bulldozer <-s, -> ['buldo:zɐ] *m* bulldozer

Bulle <-n, -n> ['bulə] *m* 1. (*Tier*) bull 2. (*sl: Polizist*) cop *fam*

Bumerang <-s, -s> ['bu:məraŋ] *m* boomerang

Bund¹ <-[e]s, Bünde> [bunt] *m* 1. (*Vereinigung*) association 2. (*von Ländern*) confederation; **der ~** (*BRD*) the Federal Republic of Germany; SCHWEIZ (*Eidgenossenschaft*) the confederation 3. (*fam: Bundeswehr*) **der ~** the [German] army; **beim ~ sein** to be doing one's military service

Bund² <-[e]s, -e> [bunt] *nt* bundle; KOCHK bunch

Bündel <-s, -> ['bʏndl̩] *nt* bundle

bündeln *vt* to tie in[to] bundles

Bundeskanzler(in) *m/f* BRD German

Chancellor; ÖSTERR Austrian Chancellor; SCHWEIZ Head of the Federal Chancellery **Bundesland** *nt* federal state; (*nur BRD*) Land **Bundesliga** *f kein pl* German football [*or* AM soccer] league **Bundespräsident(in)** *m(f)* BRD, ÖSTERR President of the Federal Republic of Germany/Austria; SCHWEIZ President of the Confederation **Bundesrepublik** *f* federal republic; **die ~ Deutschland** the Federal Republic of Germany **Bundesstaat** *m* 1. (*Staatenbund*) confederation 2. (*Gliedstaat*) federal state; **im ~ Kalifornien** in the state of California **Bundestag** *m kein pl* BRD Bundestag (*Lower House of Parliament*) **Bundeswehr** *f* Federal Armed Forces

Bündnis <-ses, -se> ['bʏntnɪs] *nt* alliance

Bunker <-s, -> ['bʊŋkɐ] *m* bunker; (*gegen Luftangriffe*) air-raid shelter

bunt [bʊnt] I. *adj* 1. colourful 2. (*vielfältig*) varied II. *adv* colourfully; **~ gestreift** with colourful stripes ▶ **jdm** <u>wird</u> es zu **~** (*fam*) sb has had enough

Buntspecht *m* great spotted woodpecker **Buntstift** *m* coloured pencil

Bürde <-, -n> ['bʏrdə] *f* (*geh*) 1. (*Last*) load 2. (*Beschwernis*) burden

Burg <-, -en> [bʊrk] *f* castle

Bürger(in) <-s, -> ['bʏrgɐ] *m(f)* citizen

Bürgerinitiative *f* citizens' group **Bürgerkrieg** *m* civil war

bürgerlich ['bʏrgɐlɪç] *adj* 1. *attr* (*staatsbürgerlich*) civil; **~e Pflicht** civic duty 2. (*dem Bürgerstand angehörend*) bourgeois *pej*

Bürgermeister(in) ['bʏrgɐmaistɐ] *m(f)* mayor; **der regierende ~ von Hamburg** the governing Mayor of Hamburg

Bürgerrechtsbewegung *f* civil rights movement **Bürgersteig** <-[e]s, -e> *m* pavement BRIT, sidewalk AM

Bürgschaft <-, -en> *f* JUR 1. (*gegenüber Gläubigern*) guaranty; **die ~ für jdn übernehmen** to act as sb's guarantor 2. (*Haftungssumme*) security

Burgund <-[s]> [bʊr'gʊnt] *nt* Burgundy

Burgunder <-s, -> [bʊr'gʊndɐ] *m* (*Wein aus Burgund*) burgundy

Büro <-s, -s> [by'ro:] *nt* office

Büroangestellte(r) *f(m) dekl wie adj* office worker **Büroarbeit** *f* office work **Büroklammer** *f* paper clip

Bürokratie <-, -n> [byrokra'ti:] *f* bureaucracy

bürokratisch I. *adj attr* bureaucratic II. *adv* bureaucratically

Bürste <-, -n> ['bʏrstə] *f* brush

bürsten ['bʏrstn] *vt* to brush

Bus <-ses, -se> [bʊs] *m* bus

Busbahnhof *m* bus station

Busch <-[e]s, Büsche> [bʊʃ] *m* 1. (*Strauch*) shrub 2. (*Wald*) bush

Busen <-s, -> ['bu:zn] *m* breast

Busfahrer(in) *m(f)* bus driver **Bushaltestelle** *f* bus stop **Buslinie** *f* bus route

Bussard <-s, -e> ['bʊsart] *m* buzzard

Buße <-, -n> ['bu:sə] *f* 1. *kein pl* penance; **~ tun** to do penance 2. (*Geldbuße*) fine

Bußgeld *nt* fine (*imposed for traffic and tax offences*)

Büste <-, -n> ['bʏstə] *f* bust

Büstenhalter *m* bra

Butter <-> ['bʊtɐ] *f kein pl* butter

Butterblume *f* buttercup **Butterbrot** *nt* slice of buttered bread **Butterbrotpapier** *nt* greaseproof paper **Buttermilch** *f* buttermilk

C

Café <-s, -s> [ka'fe:] *nt* café

Cafeteria <-, -s> [kafetə'ri:a] *f* cafeteria

Camcorder <-s, -> ['kamkɔrdɐ] *m* camcorder

Camping <-s> ['kɛmpɪŋ] *nt kein pl* camping

Campingausrüstung *f* camping equipment **Campingbus** *m* camper **Campingplatz** *m* campsite

Cappuccino <-[s], -[s]> [kapʊ'tʃi:no] *m* cappuccino

CD <-, -s> [tse:'de:] *f Abk von* **Compactdisc** CD **CD-Spieler** *m* CD player

Cello <-s, -s> ['tʃɛlo] *nt* cello

Celsius ['tsɛlzi̯ʊs] *no art* Celsius

Cent <-[s], -[s]> ['sɛnt] *m* cent

Ceylon ['tsailɔn] *nt früher für s.* **Sri Lanka** Ceylon

Chamäleon <-s, -s> [ka'mɛ:leɔn] *nt* chameleon

Champagner <-s, -> [ʃam'panjɐ] *m* champagne

Champignon <-s, -s> ['ʃampɪnjɔn] *m* mushroom

Chance <-, -n> ['ʃã:sə] *f* chance; **die ~n stehen gut/schlecht** there's a good/there's little chance

Chancengleichheit *f kein pl* equal opportunities *pl*

Chaos <-> ['ka:ɔs] *nt kein pl* chaos

Chaot(in) <-en, -en> [ka'o:t] *m(f)* chaotic person

chaotisch [ka'o:tɪʃ] **I.** *adj* chaotic **II.** *adv* chaotically

Charakter <-s, -tere> [ka'raktɐ] *m* character; **~ haben** to have strength of character

charakteristisch [karakte'rɪstɪʃ] *adj* characteristic (**für** of)

charakterlos *adj* despicable

Charakterzug *m* characteristic

charmant [ʃar'mant] **I.** *adj* charming **II.** *adv* charmingly

Charme <-s> [ʃarm] *m kein pl* charm

Charterflug ['tʃartɐ-] *m* charter flight

Chartermaschine *f* charter

Chassis <-, -> [ʃa'si:] *nt* chassis

Chauffeur(in) <-s, -e> [ʃɔ'fø:ɐ̯] *m(f)* chauffeur

Chauvi <-s, -s> ['ʃo:vi] *m (sl)* chauvinist

Chef(in) <-s, -s> [ʃɛf] *m(f)* head; (*einer Firma*) boss

Chefarzt, -ärztin *m, f* head doctor **Chefetage** *f* management floor **Chefkoch, -köchin** *m, f* chief cook

Chemie <-> [çe'mi:] *f kein pl* chemistry

Chemiefaser *f* man-made fibre

Chemiker(in) <-s, -> ['çe:mikɐ] *m(f)* chemist

chemisch ['çe:mɪʃ] *adj* chemical

Chemotherapie *f* chemotherapy

Chiffre <-, -n> ['ʃɪfrə] *f* box number

Chile <-s> ['tʃi:le] *nt* Chile

Chilene, Chilenin <-n, -n> [tʃi'le:nə, tʃi'le:nɪn] *m, f* Chilean

chillen ['tʃɪlən] *vi (sl)* to chill [out] *sl*

China <-s> ['çi:na] *nt* China

Chinese, Chinesin <-n, -n> [çi'ne:zə, çi'ne:zɪn] *m, f* Chinese

chinesisch [çi'ne:zɪʃ] *adj* Chinese

Chinin <-s> [çi'ni:n] *nt kein pl* quinine *no pl*

Chip <-s, -s> [tʃip] *m* **1.** chip **2.** *pl* KOCHK crisps *pl* BRIT, chips *pl* AM

Chipkarte *f* smart card

Chirurg(in) <-en, -en> [çi'rʊrk] *m(f)* surgeon

Chirurgie <-, -n> [çirʊr'gi:] *f kein pl* surgery

chirurgisch [çi'rʊrgɪʃ] I. *adj* surgical
II. *adv* surgically

Chlor <-s> [kloːɐ̯] *nt kein pl* chlorine

Cholera <-> ['koːlera] *f kein pl* cholera

cholerisch [ko'leːrɪʃ] *adj* choleric

Cholesterin <-s> [çɔlɛste'riːn] *nt kein pl* cholesterol

Cholesterinspiegel *m* cholesterol level

Chor <-[e]s, Chöre> [koːɐ̯] *m* chorus; **im ~** in chorus

Choral <-s, Choräle> [ko'raːl] *m* chorale

ChoreografRR(**in**) <-en, -en> [koreo'graːf] *m(f)* choreographer

ChoreografieRR <-, -n> [koreogra'fiː] *f* choreography

Christ(**in**) <-en, -en> [krɪst] *m(f)* Christian

Christbaum *m* Christmas tree

Christentum <-s> *nt kein pl* Christianity

Christkind *nt* 1. (*Jesus*) Christ child 2. (*weihnachtliche Gestalt*) *Christ child, who brings Christmas presents for Children on 24th December;* **ans ~ glauben** to believe in Father Christmas

christlich *adj* Christian

Christmesse *f*, **Christmette** *f* Christmas mass

Christus ['krɪstʊs] *m* Christ; **nach ~** AD; **vor ~** BC; **Christi Himmelfahrt** Ascension

Chrom <-s> [kroːm] *nt kein pl* chrome

Chronik <-, -en> ['kroːnɪk] *f* chronicle

chronisch ['kroːnɪʃ] *adj* chronic; **~ krank** chronically ill

chronologisch [krono'loːgɪʃ] I. *adj* chronological II. *adv* in chronological order

Chrysantheme <-, -n> [kryzan'teːmə] *f* chrysanthemum

circa ['tsɪrka] *adv* about

Clique <-, -n> ['klɪkə] *f* circle of friends

Clown(**in**) <-s, -s> [klaʊn] *m(f)* clown

Code <-s, -s> [koːt] *m* code

codieren [ko'diːrən] *vt* to code

Computer <-s, -> [kɔm'pjuːtɐ] *m* computer; [**etw**] **auf ~ umstellen** to computerize [sth]

computergesteuert *adj* computer-controlled **Computergrafik**RR *f* computer graphics *npl* **Computernetz** (**werk**) *nt* computer network **Computerspiel** *nt* computer game

Container <-s, -> [kɔn'teːnɐ] *m* container

Cord <-s> [kɔrt] *m kein pl* cord[uroy]

Cornflakes®RR ['koːnfleɪks] *pl* cornflakes

Couch <-, -es> [kaʊtʃ] *f o* SÜDD *m* couch

Couchtisch *m* coffee table

Coupon <-s, -s> [ku'põː] *m* coupon

Cousin <-s, -s> [ku'zɛ̃ː] *m*, **Cousine** <-, -n> [ku'ziːnə] *f* cousin

Creme <-, -s> [kreːm] *f* cream

cremig *adj* creamy

Curry <-s, -s> ['kœri] *m o nt* curry

Currywurst *f a sausage served with ketchup and curry powder*

D

D, d <-, -s> *nt* D, d

da [daː] I. *adv* 1. (*dort*) there; **~ sein** to be there; **~ bist du ja!** there you are!; **~ drüben/hinten/vorne** over

C
D

there; **~ draußen/drinnen** out/in there **2.** (*hier*) here; **der/die/das ... ~** this/that ... [over here/there] **3.** (*dann*) then **II.** *konj* (*weil*) as, since

dabei [da'bai] *adv* **1.** (*örtlich*) with [it/them]; **direkt/nahe ~** right next/near to it **2.** (*zeitlich*) at the same time **3.** (*damit verbunden*) **ich habe mir nichts ~ gedacht** I didn't mean anything by it; **was ist schon ~?** what does it matter?

da|bleiben *vi irreg sein* to stay [on]

Dach <-[e]s, Dächer> ['dax] *nt* roof

Dachboden *m* attic **Dachfenster** *nt* skylight **Dachgepäckträger** *m* roof rack

Dachs <-es, -e> ['daks] *m* badger

Dackel <-s, -> ['dakl] *m* dachshund

dadurch [da'dʊrç] *adv* **1.** örtlich through [it/them] **2.** (*auf diese Weise*) in that way **3. ~, dass ...** because ...

dafür [da'fy:ɐ̯] **I.** *adv* **1.** (*für das*) for it/this/that; **es ist ein Beweis ~, dass ...** it's proof that ...; **ich kann doch nichts ~!** I can't help it!; **ich werde ~ sorgen, dass ...** I'll make sure that ... **2.** (*andererseits*) **er ist zwar nicht kräftig, ~ aber intelligent** he may not be strong, but he is intelligent **3.** (*im Hinblick darauf*) **~, dass ...** seeing [that] ... **II.** *adj pred* **~ sein** to be for it/that

dagegen [da'ge:gn̩] *adv* **1.** against it/that; **~ müsst ihr was tun** you must do something about it; **~ lässt sich nichts machen** nothing can be done about it; **etwas/nichts ~ haben** to object/to not object; **haben Sie was ~, wenn ich rauche?** do you mind if I smoke?; **ich habe nichts ~ [einzuwenden]** that's fine by me

2. (*verglichen damit*) compared with it/that/them

daheim [da'haim] *adv* at home

daher ['da:he:ɐ̯] *adv* **1.** (*örtlich*) from there **2.** (*deshalb*) [**von**] **~ ...** that's why ...; [**von**] **~ weißt du es also!** so that's how you know that; **das kommt ~, dass ...** that is because ...

dahin [da'hɪn] *adv* **1.** (*an diesen Ort*) there; **ist es noch weit bis ~?** is there still far to go? **2.** (*zeitlich*) **bis ~** until then

dahinten [da'hɪntn̩] *adv* over there

dahinter [da'hɪntɐ] *adv* behind it/that/them etc.

Dahlie <-, -n> ['da:li̯ə] *f* dahlia

damalig ['da:ma:lɪç] *adj attr* at that time

Damast <-[e]s, -e> [da'mast] *m* damask

Dame <-, -n> ['da:mə] *f* **1.** lady; **meine ~n und Herren!** ladies and gentlemen! **2.** (*Brettspiel*) draughts + *sing vb* BRIT, checkers + *sing vb* AM **3.** (*Schach, Karten*) queen

Damenbinde *f* sanitary towel [*or* AM napkin] **Damenfahrrad** *nt* lady's bicycle

Damespiel *nt* draughts + *sing vb* BRIT

Damhirsch ['damhɪrʃ] *m* fallow deer

damit [da'mɪt] **I.** *adv* with it; **was soll ich ~?** what am I supposed to do with that?; **ich habe nichts ~ zu tun** I have nothing to do with it; **weißt du, was sie ~ meint?** do you know what she means by that?; **sind Sie ~ einverstanden?** do you agree to that? **II.** *konj* so that

Damm <-[e]s, Dämme> ['dam] *m* (*zur Wasserstauung*) dam; (*Deich*) dyke

dämm(e)rig ['dɛm(ə)rɪç] *adj* **1.** dim **2.** (*dämmernd*) **~ sein/werden** to be/get dark

dämmern ['dɛmən] I. *vi* 1. *Morgen* to dawn; *Abend* to approach 2. **jdm ~** to [gradually] dawn on sb II. *vi impers* **es dämmert** (*morgens*) dawn is breaking; (*abends*) dusk is falling

Dämmerung <-, -en> *f* (*abends*) dusk; (*morgens*) dawn

Dampf <-[e]s, Dämpfe> ['dampf] *m* steam *no pl;* **~ ablassen** (*a. fig*) to let off steam

dampfen ['dampfn] *vi* to steam

dämpfen ['dɛmpfn] *vt* 1. KOCHK to steam 2. (*mäßigen*) to dampen

Dampfer <-s, -> ['dampfe] *m* steamship

Dampfmaschine *f* steam engine

danach [da'naːx] *adv* 1. *zeitlich* afterwards; **ein paar Minuten ~** a few minutes later 2. *örtlich* behind [her/him/it etc.] 3. (*dementsprechend*) accordingly 4. **jdm ist ~/nicht ~** sb feels/doesn't feel like it

Däne, Dänin <-n, -n> ['dɛːnə, 'dɛːnɪn] *m, f* Dane

daneben [da'neːbn] *adv* 1. next to her/him/it/that etc.; **~!** missed!; **links/rechts ~** (*neben Gegenstand*) to the left/right of it/them; (*neben Mensch*) to her/his left/right 2. (*verglichen damit*) compared with her/him/it/that etc.

Dänemark <-s> ['dɛːnəmark] *nt* Denmark

dänisch ['dɛːnɪʃ] *adj* Danish

dank ['dank] *präp* thanks to

Dank <-[e]s> ['dank] *m kein pl* gratitude; **herzlichen [***o* **vielen] ~** thank you very much

dankbar ['dankbaːɐ] *adj* grateful; **jdm ~ [für etw** *akk*] **sein** to be grateful to sb [for sth]

Dankbarkeit <-> *f kein pl* gratitude

danke *interj* thank you

danken ['dankn] I. *vi* [**jdm**] [**für etw** *akk*] **~** to express one's thanks [to sb] [for sth]; **nichts zu ~** you're welcome II. *vt* **wie kann ich Ihnen das jemals ~?** how can I ever thank you?

dann ['dan] *adv* then; **~ und wann** now and then; **immer ~, wenn ...** always when ...; **wenn ..., ~ ...** if ..., [then] ...; **etw nur ~ tun, wenn ...** to do sth only when ...

daran [da'ran] *adv* 1. (*räumlich*) on it/that, to it/that; **etw ~ kleben** to stick sth to it 2. (*zeitlich*) **nahe ~ sein, etw zu tun** to be close to doing sth 3. (*fig*) **denk ~!** bear it/that in mind; **kein Wort ist wahr ~!** not a word of it is true; **das Dumme/Gute ~ ist, dass ...** the stupid/good thing about it is that ...

darauf [da'rauf] *adv* 1. (*räumlich*) on it/that/them etc.; **~ folgend** following 2. (*zeitlich*) after that; **am Abend ~** the next evening; **bald ~** shortly afterwards 3. (*fig*) **ein Recht ~** a right to it; **sich ~ freuen** to look forward to it

daraufhin [darauf'hɪn] *adv* 1. (*infolgedessen*) as a result [of this/that] 2. (*nachher*) after that

daraus [da'raus] *adv* 1. out of it/that/them; **etw ~ entfernen** to remove sth from it 2. (*als Ergebnis*) **~ ergibt sich [***o* **folgt] , dass ...** the result of which is that ...

Darbietung <-, -en> ['daːɐbiːtʊn] *f* performance

darin [da'rɪn] *adv* 1. (*räumlich*) in there 2. (*in vorher Erwähntem*) in it/them 3. (*in dem Punkt*) in that respect

Darleh(e)n <-s, -> ['daːɐleːən] *nt* loan

Darm <-[e]s, Därme> ['darm] *m* intestine

Darmgrippe *f* gastric flu

Darstellung <-, -en> *f* 1. *kein pl* KUNST portrayal 2. (*das Schildern*) representation

darüber [da'ry:bɐ] *adv* 1. (*räumlich*) over/above it/that/them; (*direkt auf etw*) on top [of it/that] 2. (*hinsichtlich einer Sache*) about it/that/them; **sich ~ wundern, was ...** to be surprised at what ...

darum [da'rʊm] *adv* 1. (*deshalb*) that's why; **~?** because of that?; **~!** (*fam*) [just] because! 2. (*räumlich*) **~ |herum|** around it 3. (*um diese Sache*) **es geht nicht ~, wer zuerst kommt** it's not a question of who comes first; **~ bitten** to ask for it/that

darunter [da'rʊntɐ] *adv* 1. (*räumlich*) under it/that; (*unterhalb von etw*) below [it/that]; **~ hervorgucken/-springen** to look/jump out [from underneath] 2. (*dazwischen*) among[st] them 3. (*unter dieser Angelegenheit*) **was verstehst du ~?** what do you understand by it/that?; **~ kann ich mir nichts vorstellen** it doesn't mean anything to me

das ['das] *art pron* the; *s.a.* **der**

da|seinᴬᴸᵀ ['da:zain] *vi irreg sein s.* **da I 1**

Dasein <-s> ['da:zain] *nt kein pl* existence

dassᴿᴿ, **daß**ᴬᴸᵀ ['das] *konj* that; **die Tatsache, ~ ...** the fact that ...; **dadurch, ~ ...** because ...; **vorausgesetzt, ~ ...** providing [that] ...

dasselbe [das'zɛlbə], **dasselbige** [das'zɛlbɪgə] *pron dem s.* **derselbe**

Datei <-, -n> [da'tai] *f* file

Daten[1] ['da:tn̩] *pl von* **Datum**

Daten[2] ['da:tn̩] *pl* data

Datenautobahn *f* information highway **Datenbank** <-banken> *f* database **Datenschutz** *m* data protection **Datenverarbeitung** *f* data processing

datieren [da'ti:rən] *vt* to date

Dativ <-s, -e> ['da:ti:f] *m* dative

Dattel <-, -n> ['datl̩] *f* date

Datum <-s, Daten> ['da:tʊm] *nt* date

Dauer <-> ['dauɐ] *f kein pl* duration; *von Aufenthalt* length; **auf die ~** in the long run

dauerhaft *adj* lasting

Dauerlauf *m* jog

dauern ['dauɐn] *vi* to last; (*eine bestimmte Zeit*) to take; **der Film dauert 3 Stunden** the film is 3 hours long; **das dauert mir zu lange** that's too long for me

dauernd ['dauɐnt] **I.** *adj* constant; (*lang anhaltend*) lasting **II.** *adv* constantly; **etw ~ tun** to keep [on] doing sth

Dauerwelle *f* perm

Daumen <-s, -> ['daumən] *m* thumb; **am ~ lutschen** to suck one's thumb ▶ **jdm die ~ drücken** to keep one's fingers crossed [for sb]

Daune <-, -n> ['daunə] *f* down *no pl*

Daunendecke *f* duvet **Daunenjacke** *f* quilted jacket

davon [da'fɔn] *adv* 1. (*räumlich*) **~ loskommen** to come off it/that; **links/rechts ~** to the left/right of it/that/them 2. (*Ausgangspunkt*) **das kommt ~!** you've/he's etc. only got yourself/himself etc. to blame!; **etwas/nichts ~ haben** to have something/nothing of it; **~ ausgehen, dass ...** to presume that ... 3. (*Teil einer Menge*) **die Hälfte/ein**

Pfund ~ half/a pound of it/that/them **4.** (*über diese Sache*) **was hältst du ~?** what do you think of it/that/them?; **~ weiß ich nichts** I don't know anything about that

davon|kommen *vi irreg sein* **mit dem Leben ~** to escape with one's life

davor [da'foːɐ̯] *adv* **1.** (*örtlich*) in front [of it/that/them] **2.** (*zeitlich*) before [it/that/them/etc.] **3.** (*vor/bezüglich dieser Sache*) **er hat Angst ~** he's afraid of that

dazu [da'tsuː] *adv* **1.** (*zu dem gehörend*) with it **2.** (*zu dieser Situation*) **im Gegensatz ~** contrary to this; **im Vergleich ~** in comparison to that **3.** (*zur Beschäftigung mit*) **ich bin noch nicht ~ gekommen** I haven't got round to it yet **4.** (*Zweck, Ziel*) **~ ist es da** that's what it's there for; **~ habe ich keine Lust** I don't feel like it

dazu|gehören *vi* to belong [to it/them etc.]

dazu|tun *vt irreg* (*fam*) to add

dazwischen [da'tsvɪʃn̩] *adv* [in] between

dazwischen|kommen *vi irreg sein* to come up

dealen ['diːlən] *vi* (*sl*) [mit etw *dat*] ~ to deal sth

Dealer(in) <-s, -> ['diːlɐ] *m(f)* dealer

Deck <-[e]s, -s> ['dɛk] *nt* deck

Decke <-, -n> ['dɛkə] *f* **1.** *eines Zimmers* ceiling **2.** (*aus Wolle*) blanket; (*für Bett*) cover

Deckel <-s, -> ['dɛkl̩] *m* lid

decken ['dɛkn̩] **I.** *vt* **1.** (*bedecken*) to cover; *Dach* to tile; *Tisch* to set **2.** (*verheimlichen*) **jdn ~** to cover up for sb; **etw ~** to cover up sth *sep* **II.** *vr* **sich ~** *Aussagen* to correspond

Deckung <-, -en> *f* cover; **jdm ~ geben** to give sb cover

defekt [de'fɛkt] *adj* faulty

Defekt <-[e]s, -e> [de'fɛkt] *m* defect

Defensive <-, -n> [defɛn'ziːvə] *f kein pl* **in die ~ gehen** to go on the defensive

definieren [defi'niːrən] *vt* to define

Definition <-, -en> [defini'tsi̯oːn] *f* definition

Defizit <-s, -e> ['deːfitsɪt] *nt* deficit

Degen <-s, -> ['deːgn̩] *m* SPORT epée; HIST rapier

dehnbar *adj* elastic

dehnen ['deːnən] *vt, vr* [sich] ~ to stretch

Deich <-[e]s, -e> ['daiç] *m* dyke

dein ['dain] *pron poss adjektivisch* your; **herzliche Grüße, ~e Anita** with best wishes, yours [*or* love] Anita

deine(r, s) ['dainə] *pron poss, substantivisch* yours

deinetwegen ['dainətveːgn̩] *adv*, **deinethalben** ['dainəthalbn̩] *adv* (*veraltend*) because of you; (*dir zuliebe*) for your sake

Dekagramm ['dɛkagram] *nt* ÖSTERR ten gram[me]s *pl*

Dekan(in) <-s, -e> [de'kaːn] *m(f)* dean

deklinieren [dekli'niːrən] *vt* to decline

Deko <-> ['deko] *f* (*fam*) decoration; (*Einrichtung*) decor

Dekor <-s, -s> [de'koːɐ̯] *m o nt* pattern

Dekoration <-, -en> [dekora'tsi̯oːn] *f* decoration

dekorativ [dekora'tiːf] *adj* decorative

Delegierte(r) *f(m) dekl wie adj* delegate

Delfinᴿᴿ <-s, -e> [dɛl'fiːn] *m s.* **Delphin**

Delikatesse <-, -n> [delika'tɛsə] *f* delicacy

Delle <-, -n> ['dɛlə] *f* dent

Delphin <-s, -e> [dɛl'fi:n] *m* dolphin

Delta <-s, -s> ['dɛlta] *nt* delta

dem ['de:m] *art pron dat von s.* **der, das** the

Demokrat(in) <-en, -en> [demo'kra:t] *m(f)* democrat

Demokratie <-, -n> [demokra'ti:] *f* democracy

demokratisch [demo'kra:tɪʃ] I. *adj* democratic II. *adv* democratically

demolieren [demo'li:rən] *vt* to wreck

Demonstrant(in) <-en, -en> [demɔn'strant] *m(f)* demonstrator

Demonstration <-, -en> [demɔnstra'tsio̯:n] *f* demonstration

demonstrativ [demɔnstra'ti:f] I. *adj* demonstrative II. *adv* demonstratively

demonstrieren [demɔn'stri:rən] *vi, vt* to demonstrate (**für** in support of/**gegen** against)

demontieren [demɔn'ti:rən] *vt* to dismantle

Demut <-> ['de:mu:t] *f kein pl* humility (**gegenüber** before)

demütig ['de:my:tɪç] I. *adj* humble II. *adv* humbly

demütigen ['de:my:tɪgn̩] *vt* to humiliate

Demütigung <-, -en> *f* humiliation

Denglisch ['dɛŋlɪʃ] *nt* Denglish (*German larded with English loan words*)

denkbar I. *adj* conceivable II. *adv* **das ~ beste Wetter** the best possible weather

denken <dachte, gedacht> ['dɛŋkn̩] I. *vi* to think (**an** of/**über** about); **wie ~ Sie darüber?** what's your view [of it]?; **ich denke nicht** I don't think so; **ich denke schon** I think so II. *vt* **1. was denkst du jetzt?** what are you thinking [of]?; **wer hätte das [von ihr] gedacht!** who'd have thought it [of her]? **2.** (*bestimmen*) **für jdn/etw gedacht sein** to be meant for sb/sth **3.** (*beabsichtigen*) **ich habe mir nichts Böses dabei gedacht** I meant no harm

Denkmal <-s, Denkmäler> ['dɛŋkma:l] *nt* monument (**für** to)

Denkmal(s)schutz *m* **unter ~ stehen** to be listed

denn ['dɛn] *konj* **1.** (*weil*) because; **~ sonst** otherwise **2.** (*einschränkend*) **es sei ~, [dass]** ... unless ... **3.** (*als*) **kräftiger/schöner ~ je** stronger/more beautiful than ever

dennoch ['dɛnɔx] *adv* still

denunzieren [denʊn'tsi:rən] *vt* to denounce

Deo <-s, -s> ['de:o] *nt* (*fam*) deodorant

Deodorant <-s, -s> [de?odo'rant] *nt* deodorant

Deoroller *m* roll-on **Deostift** *m* deodorant stick

Departement <-s, -s> [departə'mã:] *nt* SCHWEIZ department

Deponie <-, -n> [depo'ni:] *f* disposal site

deponieren [depo'ni:rən] *vt* to deposit

deportieren [depɔr'ti:rən] *vt* to deport

Depot <-s, -s> [de'po:] *nt* **1.** depot **2.** SCHWEIZ (*Flaschenpfand*) deposit

Depp <-en *o* -s, -e[n]> ['dɛp] *m* (*fam*) twit

Depression <-, -en> [deprɛ'sio̯:n] *f* depression

depressiv [deprɛ'si:f] I. *adj* depressive II. *adv* **~ gestimmt/veranlagt sein** to be depressed/prone to depression

deprimieren [depri'miːrən] *vt* to depress

der [deːɐ̯], **die** [diː], **das** [das] I. *art def* 1. the 2. *gen o dat von s.* **die** the II. *pron dem* (*diese*(*r, s*)) that; **der/die/das hier/da** this/that one; **die Frau** [**da**] that woman [there]; **die mit den roten Haaren** the one with the red hair; **der, den ich meine, ...** the one I mean ... III. *pron rel* who, that; (*Dinge*) which; [**der Mann,**] **der dafür verantwortlich ist ...** the man who is responsible for that ...; **die Freundin, mit der ich mich gut verstehe, ...** the friend with whom I get on so well ...

derb [dɛrp] *adj* (*grob*) coarse; *Ausdrucksweise* crude

derjenige ['deːɐ̯jeːnɪɡə], **diejenige** ['diːjeːnɪɡə], **dasjenige** ['dasjeːnɪɡə] *pron dem* 1. *substantivisch* ~, **der/den ...** (*Person*) the one who ...; (*Sache*) the one that ...; **diejenigen/denjenigen, die ...** (*Personen*) the ones who ...; (*Sachen*) the ones which ... 2. *adjektivisch* ~ **Mann, der ...** that man who ...

dermaßen ['deːɐ̯maːsn̩] *adv* **eine ~ lächerliche Frage** a ridiculous question; **jdn ~ unter Druck setzen, dass ...** to put sb under so much pressure that ...

derselbe [deːɐ̯'zɛlbə], **dieselbe** [diː'zɛlbə], **dasselbe** [das'zɛlbə] *pron dem* 1. (*ebender, ebendie, ebendas*) ~ the same 2. *substantivisch* the same; **ein und** ~ one and the same

desertieren [dezɛr'tiːrən] *vi* [**von etw** *dat*] ~ to desert [sth]

deshalb ['dɛs'halp] *adv* therefore; ~ **frage ich ja** that's why I'm asking; ~ **also!** so that's why!

Design <-s, -s> [di'zain] *nt* design
Desinfektion <-, -en> [dɛsʔɪnfɛk'tsi̯oːn] *f* disinfection
Desinfektionsmittel *nt* disinfectant
desinfizieren [dɛsʔɪnfi'tsiːrən] *vt* to disinfect
despotisch [dɛs'poːtɪʃ] *adj* despotic
dessen ['dɛsn̩] I. *pron dem gen von s.* **der, das** his/its; ~ **ungeachtet** (*geh*) notwithstanding this II. *pron rel gen von s.* **der, das** whose; (*von Sachen a.*) of which
Dessert <-s, -s> [dɛ'seːɐ̯] *nt* dessert
destillieren [dɛstɪ'liːrən] *vt* to distil
desto ['dɛsto] *konj* ~ **besser** all the better; ~ **eher** the earlier; ~ **schlimmer!** so much the worse!
destruktiv [dɛstrʊk'tiːf] *adj* destructive
Detail <-s, -s> [de'tai] *nt* detail; **im** ~ in detail; **ins** ~ **gehen** to go into detail[s]
detailliert [deta'jiːɐ̯t] I. *adj* detailed II. *adv* in detail
Detektiv(in) <-s, -e> [detɛk'tiːf] *m(f)* private investigator; (*Polizist*) plainclothes policeman
deuten ['dɔytn̩] I. *vt* [**jdm**] **etw** ~ to interpret sth [for sb]; **etw falsch** ~ to misinterpret sth II. *vi* (*zeigen*) [**mit etw** *dat*] **auf jdn/etw** ~ to point [sth] at sb/sth
deutlich ['dɔytlɪç] I. *adj* clear II. *adv* clearly; **sich** ~ **ausdrücken** to make oneself clear
Deutlichkeit <-, -en> *f kein pl* clarity; [**jdm**] **etw in aller** ~ **sagen** to make sth perfectly clear [to sb]
deutsch ['dɔytʃ] *adj* German; ~**er Abstammung sein** to be of German origin; **auf D**~ in German; **die** ~**e Sprache** [the] German [language]; ~ **sprechen** to speak German; **typisch** ~

sein to be typically German

Deutsche(r) *f(m) dekl wie adj* German; **die ~n** the Germans

Deutschland <-s> ['dɔytʃlant] *nt* Germany; **aus ~ kommen** to come from Germany; **in ~ leben** to live in Germany

Devise <-, -n> [de'viːzə] *f* motto

Dezember <-s, -> [de'tsɛmbɐ] *m* December; *s.a.* **Februar**

dezent [de'tsɛnt] I. *adj* discreet II. *adv* discreetly

dezentralisieren [detsɛntrali'ziːrən] *vt* to decentralize

dezimieren [detsi'miːrən] *vt* to decimate

Dia <-s, -s> ['diːa] *nt* slide

Diabetes <-> [dia'beːtɛs] *m kein pl* diabetes

Diabetiker(in) <-s, -> [dia'beːtikɐ] *m(f)* diabetic

Diagnose <-, -n> [dia'gnoːzə] *f* diagnosis

diagnostizieren [diagnɔsti'tsiːrən] *vt* **etw ~** to diagnose sth

diagonal [diago'naːl] *adj* diagonal

Diagonale <-, -n> [diago'naːlə] *f* diagonal [line]

Diagramm <-s, -e> [dia'gram] *nt* diagram

Diakon(in) <-s *o* -en, -e[n]> [dia'koːn] *m(f)* deacon

Dialekt <-[e]s, -e> [dia'lɛkt] *m* dialect

Dialog <-[e]s, -e> [dia'loːk] *m* dialogue

Dialyse <-, -n> [dia'lyːzə] *f* dialysis

Diamant <-en, -en> [dia'mant] *f* diamond

Diät <-, -en> [di'ɛːt] *f* diet; **~ halten** to keep to a diet; **auf ~ sein** to be on a diet; **jdn auf ~ setzen** to put sb on a diet

dich [dɪç] I. *pron pers akk von s.* **du**

you II. *pron refl* yourself

dicht [dɪçt] I. *adj* **1.** dense; *Haar* thick; *Verkehr* heavy **2.** (*wasserundurchlässig*) watertight; **nicht ~ sein** to leak II. *adv* **1.** densely **2.** (*nahe*) closely; **~ auffahren** to tailgate; **~ gedrängt** squeezed together; **~ vor jdm** just in front of sb; **~ beieinander** close together

Dichter(in) <-s, -> ['dɪçtɐ] *m(f)* poet

Dichtung <-, -en> ['dɪçtʊn] *f* **1.** *kein pl* poetry **2.** TECH seal[ing]

dick [dɪk] *adj* **1.** *Mensch* fat **2.** *Sache* thick; **5 Meter ~** 5 metres thick **3.** (*geschwollen*) swollen

Dickdarm *m* colon

Dickicht <-[e]s, -e> ['dɪkɪçt] *nt* thicket

Dickmilch *f* curds *pl*

die [diː] *art pron* the; *s.a.* **der**

Dieb(in) <-[e]s, -e> ['diːp] *m(f)* thief

Diebstahl <-[e]s, -stähle> ['diːpʃtaːl] *m* theft

diejenige ['diːjeːnɪgə] *pron dem s.* **derjenige**

Diele <-, -n> ['diːlə] *f* **1.** hall **2.** (*Brett*) floorboard

dienen ['diːnən] *vi* to serve; **womit kann ich Ihnen ~?** how can I help you?; **jds Interessen ~** to serve sb's interests; **einem guten Zweck ~** to be for a good cause

Diener(in) <-s, -> ['diːnɐ] *m(f)* servant

Dienst <-[e]s, -e> [diːnst] *m* **1.** *kein pl* (*berufliche Tätigkeit*) work; **~ haben** to be at work; **im ~** at work; **während/nach dem ~** during/outside working hours **2.** (*Leistung*) service; **öffentlicher ~** civil service **3.** *kein pl* (*Bereitschaft*) **~ haben** to be on call; **der ~ habende Arzt** the doctor on duty

Dienstag ['diːnstaːk] *m* Tuesday; **am ~**

on Tuesday; [am] **~ früh** early Tuesday [morning]; **an ~en** on Tuesdays; **am ~, den 4. März** (*geschrieben*) on Tuesday 4th March [*or* AM March 4] (*gesprochen*) on Tuesday the 4th of March [*or* AM March 4th]; **diesen ~** this Tuesday; **den ganzen ~ über** all day Tuesday; **~ in/vor acht Tagen** a week on/last Tuesday; [am] **nächsten ~** next Tuesday; **ab nächsten ~** from next Tuesday [on]

Dienstleister *m* service provider

Dienstleistung *f meist pl* services *pl*

dienstlich I. *adj* official **II.** *adv* **~ unterwegs sein** to be away on business

Dienstreise *f* business trip

diese(r, s) ['diːzə, -ɐ, əs] *pron dem* **1.** *substantivisch* (*der/die/das hier/dort*) this/that one **2.** *pl substantivisch* (*die hier/dort*) these/those [ones] **3.** *attr, sing* (*der/die/das hier/dort*) this/that **4.** *attr, pl* (*die hier/dort*) these/those

Diesel¹ <-s> ['diːzl̩] *nt kein pl* (*Sprit*) diesel

Diesel² <-s, -> ['diːzl̩] *m* (*Wagen*) diesel

dieselbe *pron dem s.* **derselbe**

Dieselkraftstoff *m kein pl* diesel fuel

diesig ['diːzɪç] *adj* misty

diesmal ['diːsmaːl] *adv* this time

diesseits ['diːszaits] *präp* **~ einer S.** *gen* this side of sth

diffus [dɪˈfuːs] *adj* diffuse

digital [digiˈtaːl] *adj* digital

Digitaluhr *f* digital clock; (*Armbanduhr*) digital watch

Diktat <-[e]s, -e> [dɪkˈtaːt] *nt* **1.** dictation; **ein ~ schreiben** to do a dictation **2.** (*Gebot*) dictate[s]

Diktator(in) <-s, -en> [dɪkˈtaːtoːɐ, dɪktaˈtoːrɪn] *m(f)* despot

Diktatur <-, -en> [dɪktaˈtuːɐ] *f* dictatorship

Dill <-s, -e> [dɪl] *m* dill

Dimension <-, -en> [dimɛnˈzi̯oːn] *f* dimension

Ding <-[e]s, -e> [dɪŋ] *nt* **1.** (*Gegenstand*) thing **2.** (*Angelegenheit*) matters *pl;* **es geht nicht mit rechten ~en zu** there's sth fishy about sth; **unverrichteter ~e** without carrying out one's intention; **über den ~en stehen** to be above it all

Dinosaurier [dinoˈzauri̯ɐ] *m* dinosaur

Diphtherie <-, -n> [dɪfteˈriː] *f* diphtheria

Diplom <-s, -e> [diˈploːm] *nt* diploma; **ein ~ [in etw** *dat*] **machen** to get a diploma [in sth]

Diplomarbeit *f* thesis

Diplomat(in) <-en, -en> [diploˈmaːt] *m(f)* diplomat

diplomatisch [diploˈmaːtɪʃ] **I.** *adj* diplomatic **II.** *adv* diplomatically

dir [diːɐ] *pron pers dat von s.* **du** [to] you

direkt [diˈrɛkt] **I.** *adj* direct; *Übertragung* live **II.** *adv* **1.** (*ohne Umweg*) directly; **diese Straße geht ~ zum Bahnhof** this road goes straight to the station **2.** (*ausgesprochen*) exactly; **etw nicht ~ verneinen** to not really deny sth **3.** (*gleichzeitig*) **~ übertragen** to broadcast live

Direktor(in) <-s, -en> [diˈrɛktoːɐ, dɪrɛkˈtoːrɪn] *m(f)* **1.** director **2.** SCH head

Dirigent(in) <-en, -en> [diriˈgɛnt] *m(f)* conductor

dirigieren [diriˈgiːrən] *vt, vi* to conduct

Diskette <-, -n> [dɪsˈkɛtə] *f* disk

Diskothek <-, -en> [dɪskoˈteːk] *f* discotheque

diskret [dɪsˈkreːt] **I.** *adj* discreet

II. *adv* ~ **behandeln** to treat confidentially; **sich ~ verhalten** to behave discreetly

diskriminieren [dɪskrimi'niːrən] *vt* **jdn ~** to discriminate against sb

Diskriminierung <-, -en> *f* discrimination

Diskus <-, -se> ['dɪskʊs] *m* discus

Diskussion <-, -en> [dɪskʊ'sɪ̯oːn] *f* discussion

diskutieren [dɪsku'tiːrən] *vt, vi* to discuss

disqualifizieren [dɪskvalifi'tsiːrən] *vt* to disqualify (**wegen** for/**für** for)

Dissident(in) <-en, -en> [dɪsi'dɛnt] *m(f)* dissident

Distanz <-, -en> [dɪs'tants] *f* distance; **~ wahren** (*geh*) to keep one's distance

distanzieren [dɪstan'tsiːrən] *vr* **sich von jdm/etw ~** to distance oneself from sb/sth

Distel <-, -n> ['dɪstl] *f* thistle

Disziplin <-, -en> [dɪstsi'pliːn] *f* discipline

diszipliniert [dɪstsipli'niːɐt] **I.** *adj* (*geh*) disciplined **II.** *adv* (*geh*) in a disciplined way

Dividende <-, -n> [divi'dɛndə] *f* dividend

dividieren [divi'diːrən] *vt, vi* [etw] [**durch etw** *akk*] ~ to divide [sth] [by [*or* AM in] sth]

doch [dɔx] **I.** *konj* (*jedoch*) but **II.** *adv* (*emph*) **1.** (*dennoch*) even so **2.** (*einräumend*) **du hattest ~ Recht** you were right after all **3.** (*Widerspruch ausdrückend*) yes

Docht <-[e]s, -e> [dɔxt] *m* wick

Dock <-s, -s> [dɔk] *nt* dock

Dogge <-, -n> ['dɔgə] *f* mastiff

Dohle <-, -n> ['doːlə] *f* jackdaw

Doktor(in) <-s, -en> ['dɔktoːɐ̯, dɔk'toːrɪn] *m(f)* doctor; **er ist ~ der Physik** he's got a PhD in physics; **den ~ machen** to do one's doctorate

Doktorand(in) <-en, -en> [dɔkto'rant] *m(f)* doctoral candidate

Doktorarbeit *f* doctoral dissertation

Dokument <-[e]s, -e> [doku'mɛnt] *nt* document

dokumentarisch [dokumɛn'taːrɪʃ] *adj* documentary

dokumentieren [dokumɛn'tiːrən] *vt* to document

Dolch <-[e]s, -e> ['dɔlç] *m* dagger

Dollar <-[s], -s> ['dɔlar] *m* dollar

Dollarkurs *m* dollar rate

dolmetschen ['dɔlmɛtʃn̩] *vi, vt* to interpret

Dolmetscher(in) <-s, -> ['dɔlmɛtʃɐ] *m(f)* interpreter

Dom <-[e]s, -e> ['doːm] *m* cathedral

Domäne <-, -n> [do'mɛːnə] *f* domain

dominieren [domi'niːrən] *vi, vt* to dominate

Dominikanische Republik *f* Dominican Republic

Domino <-s, -s> ['doːmino] *nt* dominoes + *sing vb*

Dompfaff <-en *o* -s, -en> ['doːmpfaf] *m* bullfinch

Donau <-> ['doːnau] *f* **die ~** the Danube

Döner <-[s], -> ['døːnɐ] *m*, **Dönerkebab** <-[s], -s> [døːneke'bap] *m* [doner] kebab

Donner <-s, *pl selten* -> ['dɔnɐ] *m* thunder

donnern ['dɔnɐn] *vi impers* to thunder; **hörst du, wie es donnert?** can you hear the thunder?

Donnerstag ['dɔnɐstaːk] *m* Thursday; *s.a.* **Dienstag**

doof [doːf] adj (fam) stupid

Doping <-s, -s> ['doːpɪŋ] nt doping

Dopingkontrolle f drugs test **Dopingsperre** f doping ban

Doppel <-s, -> ['dɔpl] nt SPORT doubles; **gemischtes ~** mixed doubles

Doppelbett nt double bed **Doppeldecker** <-s, -> m 1. LUFT biplane 2. (Bus) double-decker [bus] **doppeldeutig** ['dɔpldɔytɪç] adj ambiguous **Doppelpunkt** m colon **Doppelstecker** m twin socket

doppelt ['dɔplt] I. adj double; **~ so viel** twice as much/many II. adv doubly; **~ so groß wie ...** twice as big as ...; **~ und dreifach** doubly [and more]

Doppelzimmer nt double [room]

Dorf <-[e]s, Dörfer> [dɔrf] nt village; **auf dem ~** in the country; **vom ~** from the country

Dorn <-[e]s, -en> [dɔrn] m thorn

Dörrobst nt dried fruit

Dorsch <-[e]s, -e> [dɔrʃ] m cod

dort ['dɔrt] adv there; **schau mal ~!** look at that!; **~ drüben** over there; **von ~** from there; **von ~ [aus]** from there

dorther ['dɔrt'heːɐ̯] adv from there

dorthin ['dɔrt'hɪn] adv there; **bis ~** up to there; **wie weit ist es bis ~?** how far is it to there?

Dose <-, -n> ['doːzə] f box; (aus Blech) tin BRIT, can AM

dösen ['døːzn̩] vi (fam) to doze

Dosenbier nt kein pl canned beer **Dosenpfand** nt deposit on cans **Dosenmilch** f condensed milk **Dosenöffner** m tin opener

Dosis <-, Dosen> ['doːzɪs] f dose

Dotter <-s, -> ['dɔtɐ] m o nt yolk

Drache <-n, -n> ['draxə] m dragon

Drachen <-s, -> ['draxn̩] m 1. kite; **einen ~ steigen lassen** to fly a kite 2. SPORT hang-glider

Drachenfliegen nt hang-gliding

Draht <-[e]s, Drähte> [draːt] m wire

Drahtbürste f wire brush

Drahtseil nt wire cable

Drama <-s, -men> ['draːma] nt drama

dramatisch [dra'maːtɪʃ] I. adj dramatic II. adv dramatically

dran [dran] adv (fam) 1. (daran) **sie ist besser ~ als er** she's better off than he is; **schlecht ~ sein** to have a hard time [of it] 2. (an der Reihe) **jetzt bist du ~!** now it's your turn!; **wer ist als Nächster ~?** who's next? 3. (stimmen) **an etw** dat **ist etwas/nichts dran** there is something/nothing in sth

Drang <-[e]s, Dränge> ['draŋ] m longing; **ein starker ~** a strong desire; **einen ~ haben[, etw zu tun]** to feel an urge [to do sth]

drängeln ['drɛŋl̩n] I. vi (fam) to push II. vt, vi (fam) to pester

drängen ['drɛŋən] I. vi **auf etw** akk **~** to insist on sth; **warum drängst du so zur Eile?** why are you in such a hurry?; **die Zeit drängt** time is running out II. vt **jdn ~, etw zu tun** to pressurize sb into doing sth; **jdn [zu etw** dat] **~** to force sb [to sth] III. vr **sich ~** to crowd; **sich nach vorne ~** to press forwards

drastisch ['drastɪʃ] I. adj drastic II. adv drastically

draußen ['drausn̩] adv outside; **nach ~** outside; **von ~** from outside

Dreck <-[e]s> [drɛk] m kein pl 1. dirt 2. (Schund) rubbish BRIT, trash AM

dreckig I. adj dirty II. adv ▶ **jdm geht es ~** sb feels terrible

D

drehen ['dre:ən] I. *vt* **1.** to turn **2.** *Zigarette* to roll **3.** FILM to shoot **4.** (*regulieren*) **das Radio lauter/leiser ~** to turn the radio up/down II. *vr* **1.** (*rotieren*) **sich [um etw** *akk***] ~** to turn [about sth] **2. sich zur Seite/nach rechts ~** to turn to the side/to the right **3.** (*betreffen*) **sich um jdn/etw ~** to be about sb/sth; **es dreht sich darum, dass …** the point is that …

Drehzahl *f* [number of] revolutions *pl*

drei [drai] *adj* three; **~ viertel** three quarters; *s.a.* **acht**[1]

Dreieck ['drai?ɛk] *nt* triangle

dreieckig, 3-eckig[RR] ['drai?ɛkɪç] *adj* triangular

dreierlei ['draiɐlai] *adj attr* three [different]

dreifach, 3fach ['draifax] *adj, adv* threefold

Dreifachstecker *m* three-way adapter

dreihundert ['drai'hʊndɐt] *adj* three hundred **dreijährig, 3-jährig**[RR] ['draijɛ:rɪç] *adj* **1.** (*Alter*) three-year-old *attr,* three years old *pred* **2.** (*Zeitspanne*) three-year *attr* **Dreirad** *nt* tricycle

dreißig ['draisɪç] *adj* thirty; *s.a.* **achtzig**

dreißigjährig, 30-jährig[RR] ['draisɪçjɛ:rɪç] *adj* **1.** (*Alter*) thirty-year-old *attr,* thirty years old *pred* **2.** (*Zeitspanne*) thirty-year *attr*

dreist [draist] *adj* (*pej*) brazen

dreistellig, 3-stellig[RR] *adj* three-figure *attr* **dreiteilig, 3-teilig**[RR] *adj* three-part; *Besteck* three-piece

dreizehn ['draitse:n] *adj* thirteen; **~ Uhr** 1pm; *s.a.* **acht**[1]

Dress[RR] <-es, -e>, **Dreß**[ALT] <-sses, -sse> [drɛs] *m o* ÖSTERR *f* SPORT [sports] kit; (*Fußball*) kit

dressieren [drɛ'si:rən] *vt* **ein Tier ~** to train an animal

Dressur <-, -en> [drɛ'su:ɐ̯] *f* training

drillen ['drɪlən] *vt* to drill

drin [drɪn] *adv* (*fam*) **1.** (*darin*) in it **2.** (*drinnen*) inside; **ich bin hier ~** I'm in here

dringend ['drɪŋənt] I. *adj* urgent II. *adv* urgently; **ich muss dich ~ sehen** I really need to see you

dringlich ['drɪŋlɪç] I. *adj* urgent II. *adv* urgently

drinnen ['drɪnən] *adv* **1.** (*in einem Raum*) inside; **dort/hier ~** in there/here **2.** (*im Haus*) indoors

dritt [drɪt] *adv* **wir waren zu ~** there were three of us

drittens ['drɪtn̩s] *adv* thirdly

droben ['dro:bn̩] *adv* up there

Droge <-, -n> ['dro:gə] *f* drug; **~n nehmen** to take drugs

drogenabhängig *adj* addicted to drugs *pred*

Drogerie <-, -n> [drogə'ri:] *f* chemist's BRIT, drug store AM

drohen ['dro:ən] I. *vi* to threaten; **es droht ein Gewitter** a storm is threatening; **ein neuer Krieg droht** there is the threat of renewed war II. *vb aux* **~, etw zu tun** to be in danger of doing sth

drohend I. *adj* **1.** threatening **2.** (*bevorstehend*) impending II. *adv* threateningly

dröhnen ['drø:nən] *vi* **1.** to roar **2. jdm dröhnt der Kopf** sb's head is ringing

Drohung <-, -en> ['dro:ʊŋ] *f* threat

Dromedar <-s, -e> [drome'da:ɐ̯] *nt* dromedary

Drossel <-, -n> ['drɔsl̩] *f* thrush

drosseln ['drɔsl̩n] *vt* *Einfuhr, Produkti-*

on, Tempo to reduce

drüben ['dry:bn̩] *adv* over there

Druck¹ <-[e]s, Drücke> [drʊk] *m* pressure; **unter ~ stehen** to be under pressure; **jdn unter ~ setzen** to put pressure on sb

Druck² <-[e]s, -e> [drʊk] *m* **1.** TYPO printing **2.** (*bedruckter Stoff*) print

Druckbuchstabe *m* **in ~n** in block capitals

drucken ['drʊkn̩] *vt, vi* to print

drücken ['drʏkn̩] **I.** *vt* **1.** to press; *Knopf* to push **2.** *Schuh* to pinch **II.** *vi* to press; „**bitte ~**" "push" **III.** *vr* (*fam*) **sich vor der Arbeit ~** to dodge work

drückend *adj Last* heavy; *Stimmung, Hitze* oppressive

Drucker¹ <-s, -> *m* INFORM printer

Drucker(in)² <-s, -> *m(f)* printer

Druckerei <-, -en> [drʊkə'rai] *f* printer's

Druckfehler *m* typographical error

Druckknopf *m* press-stud BRIT, stud fastener AM **Druckluft** *f kein pl* compressed air **Druckschrift** *f* **in ~ schreiben** to print

drunten ['drʊntn̩] *adv* (*fam*) down there

drunter ['drʊntɐ] *adv* (*fam*) underneath ▶ **alles geht ~ und** <u>drüber</u> everything is at sixes and sevens

Drüse <-, -n> ['dry:zə] *f* gland

Dschungel <-s, -> ['dʒʊŋl̩] *m* jungle

du <*gen* deiner, *dat* dir, *akk* dich> [du:] *pron pers* 2. *pers sing* you; **bist ~ das, Peter?** is it you Peter?; **und ~?** what about you?

Dübel <-s, -> ['dy:bl̩] *m* plug

ducken ['dʊkn̩] **I.** *vr* **sich** [**vor etw** *dat*] ~ to duck [sth] **II.** *vt* **den Kopf ~** to duck one's head

Duckmäuser(in) <-s, -> ['dʊkmɔyzɐ] *m(f)* (*pej*) yes-man

Dudelsack ['du:dl̩zak] *m* bagpipes *pl*

Duett <-[e]s, -e> [du'ɛt] *nt* duet

Duft <-[e]s, Düfte> [dʊft] *m* scent

duften ['dʊftn̩] *vi* [**nach etw** *dat*] **duften** to smell [of sth]

duftend *adj attr* fragrant

dulden ['dʊldn̩] **I.** *vi* (*geh*) to suffer **II.** *vt* to tolerate

dumm <dümmer, dümmste> [dʊm] **I.** *adj* **1.** stupid **2.** (*unklug*) foolish **3.** (*sinnlos*) **jdm zu ~ sein/werden** to be/become too much for sb **II.** *adv* stupidly; **frag nicht so ~** don't ask such stupid questions

Dummheit <-, -en> *f* **1.** *kein pl* (*geringe Intelligenz*) stupidity **2.** *kein pl* (*unkluges Verhalten*) foolishness *no pl*

Dummkopf *m* (*pej fam*) idiot

dumpf [dʊmpf] **I.** *adj* **1.** (*hohl klingend*) dull **2.** (*unbestimmt*) vague **II.** *adv* **die Lautsprecher klingen ~** the loudspeakers sound muffled

Düne <-, -n> ['dy:nə] *f* dune

düngen ['dʏŋən] *vt, vi* to fertilize

Dünger <-s, -> *m* fertilizer

dunkel ['dʊŋkl̩] *adj* **1.** dark **2.** (*tief*) deep **3.** (*unklar*) vague ▶ **im D~n** <u>tappen</u> to be groping around in the dark

dunkelhäutig *adj* dark-skinned

Dunkelheit <-> *f kein pl* darkness; **bei einbrechender ~** at nightfall

dünn [dʏn] **I.** *adj* **1.** thin; **~es Buch** slim volume **2.** (*nicht konzentriert*) weak **II.** *adv* sparsely

Dünndarm *m* small intestine

Dunst <-[e]s, Dünste> [dʊnst] *m* **1.** (*Nebel*) haze **2.** (*Dampf*) steam **3.** (*Geruch*) smell

dünsten ['dʏnstn̩] *vt* to steam

D

dunstig ['dʊnstɪç] *adj* hazy

Dur <-, -> [duːɐ] *nt* major; **in ~** in a major key

durch [dʊrç] *präp* **1.** (*räumlich*) through; **~ den Fluss waten** to wade across the river; **mitten ~ etw** *akk* through the middle of sth **2.** (*mittels*) **~ jdn/etw** through sb/by sth **3.** (*zeitlich*) throughout **4.** MATH **27 ~ 3 macht 9** 27 divided by 3 is 9

durch|atmen ['dʊrçʔaːtmən] *vi* to breathe deeply

durchaus [dʊrçʔaus] *adv* definitely; **~ gelungen** highly successful; **~ kein schlechtes Angebot** not a bad offer [at all]; **~ nicht** by no means

durch|brechen ['dʊrçbrɛçn̩] *irreg* I. *vt haben* **etw ~** to break sth in two II. *vi sein* **1.** (*entzweibrechen*) to break in two **2.** (*einbrechen*) to fall through

Durchbruch ['dʊrçbrʊx] *m* breakthrough

durch|dringen ['dʊrçdrɪŋən] *vi irreg sein* to come through

Durcheinander <-s> [dʊrçʔaiˈnandɐ] *nt kein pl* **1.** mess **2.** (*Wirrwarr*) confusion

Durchfahrt ['dʊrçfaːɐt] *f* entrance; „**~ bitte freihalten**" "please do not obstruct"; „**~ verboten**" "no thoroughfare"; **auf der ~ sein** to be passing through

Durchfall ['dʊrçfal] *m* diarrhoea

durch|fallen ['dʊrçfalən] *vi irreg* (*fam*) **bei einer Prüfung ~** to fail an exam

durch|gehen ['dʊrçgeːən] *irreg vi sein* **1.** [**durch etw** *akk*] **~** to go through [sth] **2.** (*durchdringen*) **durch jdn/etw ~** to penetrate sth **3.** (*fam: weglaufen*) [**mit jdm/etw**] **~** to bolt [with sb/sth] ▶ [**jdm**] **etw ~ lassen** to let sb get away with sth

durchgehend ['dʊrçgeːənt] *adj* continuous

durch|greifen ['dʊrçgraifn̩] *vi irreg* (*fig*) to take drastic action

durch|halten ['dʊrçhaltn̩] *irreg* I. *vt* to [with]stand II. *vi* to hold out

durch|kreuzen ['dʊrçkrɔytsn̩] *vt* to cross out *sep;* **jdn auf der Liste ~** to cross sb['s name] off the list

Durchlauferhitzer <-s, -> *m* continuous-flow water heater

durch|machen ['dʊrçmaxn̩] I. *vt* to go through II. *vi* (*fam*) **1.** [**die ganze Nacht**] **~** to make a night of it **2.** (*durcharbeiten*) to work right through

Durchmesser <-s, -> ['dʊrçmesɐ] *m* diameter

durchqueren [dʊrçˈkveːrən] *vt* to cross

Durchreisevisum *nt* transit visa

Durchsage ['dʊrçzaːgə] *f* announcement

durch|sagen ['dʊrçzaːgn̩] *vt* to announce

durchschauen [dʊrçˈʃauən] *vt* **jdn ~** to see through sb

durch|schlagen ['dʊrçʃlaːgn̩] *irreg* I. *vt haben* **1. etw ~** to split sth [in two] **2.** (*einschlagen*) **einen Nagel durch etw** *akk* **~** to knock a nail through sth II. *vr haben* **sich ~** to struggle along

durch|schneiden ['dʊrçʃnaidn̩] *vt irreg* **etw** [**in der Mitte**] **~** to cut sth through

Durchschnitt ['dʊrçʃnɪt] *m* average; **im ~** on average; **über/unter dem ~ liegen** to be above/below average

durchschnittlich ['dʊrçʃnɪtlɪç] I. *adj* average II. *adv* **1.** on average **2.** (*mäßig*) moderately; **~ intelligent** of average intelligence

durch|sehen ['dʊrçzeːən] *irreg* I. *vt* to go over II. *vi* to look through

durch|setzen ['dʊrçzɛtsn̩] I. *vt* *Ziel* to achieve; *Reformen* to carry out II. *vr* 1. sich [bei jdm/gegen jdn] ~ to assert oneself [with/against sb]; sich mit etw *dat* ~ to be successful with sth 2. (*akzeptiert werden*) sich ~ to gain acceptance

durchsichtig ['dʊrçzɪçtɪç] *adj* transparent

durch|stehen ['dʊrçʃteːən] *vt irreg* to get through; *Qualen* to endure

durch|streichen ['dʊrçʃtraiçn̩] *vt irreg* to cross out

durchsuchen [dʊrçzuːxn̩] *vt* jdn [nach etw *dat*] ~ to search sb [for sth]

durchtrieben [dʊrçˈtriːbn̩] *adj* crafty

durchweg ['dʊrçvɛk], ÖSTERR **durch-wegs** ['dʊrçveːks] *adv* without exception

durchwühlen [dʊrçˈvyːlən] *vt* to comb

dürfen ['dʏrfn̩] I. *modal vb* <darf, durfte, dürfen> 1. (*Erlaubnis haben*) etw [nicht] tun ~ to [not] be allowed to do sth; darfst du das? are you allowed to? 2. *verneint* wir ~ den Zug nicht verpassen we mustn't miss the train; du darfst ihm das nicht übel nehmen you mustn't hold that against him 3. *im Konjunktiv* das/es dürfte ... that/it should ...; es dürfte wohl das Beste sein, wenn ... it would probably be best when ... II. *vi* <darf, durfte, gedurft> darf ich nach draußen? may I go outside?; sie hat nicht gedurft she wasn't allowed to

dürftig ['dʏrftɪç] *adj* poor

dürr [dʏr] *adj* 1. (*trocken*) dry; ~es Laub withered leaves 2. (*mager*) [painfully] thin

Dürre <-, -n> ['dʏrə] *f* drought *no pl*

Durst <-[e]s> [dʊrst] *m* kein pl thirst; ~ haben to be thirsty; seinen ~ [mit etw *dat*] löschen to quench one's thirst [with sth]

durstig ['dʊrstɪç] *adj* thirsty

durstlöschend, **durststillend** *adj* thirst-quenching

Dusche <-, -n> ['duːʃə] *f* shower

duschen ['duːʃn̩] I. *vi* to shower II. *vr* sich ~ to have a shower III. *vt* jdn ~ to give sb a shower

Duschgel *nt* shower gel **Duschkabine** *f* shower cubicle

Düse <-, -n> ['dyːzə] *f* nozzle

Düsenantrieb *m* jet propulsion **Düsenflugzeug** *nt* jet

dusselig ['dʊsəlɪç], **dusslig**ᴿᴿ ['dʊslɪç], **dußlig**ᴬᴸᵀ ['dʊslɪç] (*fam*) I. *adj* daft II. *adv* sich ~ anstellen to act stupidly

düster ['dyːstɐ] *adj* 1. gloomy 2. (*fig*) melancholy

Dutzend <-s, -e> ['dʊtsn̩t] *nt* dozen

DVD <-, -s> [deːfauˈdeː] *f Abk von* **digital versatile disk** DVD

dynamisch [dyˈnaːmɪʃ] *adj* dynamic

Dynamit <-s> [dynaˈmiːt] *nt kein pl* dynamite

Dynastie <-, -n> [dynasˈtiː] *f* dynasty

E

Ebbe <-, -n> ['ɛbə] *f* ebb tide; ~ und Flut the tides *pl*; bei ~ at low tide

eben¹ ['eːbn̩] I. *adj* 1. (*flach*) flat 2. (*glatt*) level II. *adv* evenly

eben² ['eːbn̩] I. *adv* just II. *part* (*genau das*) precisely

ebenbürtig [ˈeːbn̩byrtɪç] *adj* equal

Ebene <-, -n> [ˈeːbənə] *f* 1. (*Tiefebene*) plain; (*Hochebene*) plateau 2. (*fig*) **auf wissenschaftlicher** ~ at the scientific level

ebenfalls [ˈeːbn̩fals] *adv* as well; **danke, ~!** thanks, [and] the same to you

Ebenholz [ˈeːbn̩hɔlts] *nt* ebony

ebenso [ˈeːbn̩zoː] *adv* 1. (*genauso*) just as; ~ **gern** [**wie**] just as well/ much [as]; ~ **gut/lange/oft** just as well/long/often [as] 2. (*auch*) as well

Eber <-s, -> [ˈeːbɐ] *m* boar

Eberesche [ˈeːbɐʔɛʃə] *f* BOT mountain ash, rowan

ebnen [ˈeːbnən] *vt* (*eben machen*) to level ▶ **jdm/etw den Weg ~** to smooth [*or* pave] the way for sb/sth

EC *Abk von* **Electronic Cash** electronic cash

Echo <-s, -s> [ˈɛço] *nt* 1. echo 2. (*Reaktion*) response (**auf** to); **ein** [**großes**] ~ **finden** to meet with a [big] response

Echse <-, -n> [ˈɛksə] *f* saurian *spec*

echt [ˈɛçt] I. *adj* 1. real; (*nicht gefälscht*) genuine; *Gold* pure 2. *Freundschaft, Schmerz* sincere II. *adv* (*typisch*) typical

EC-Karte *f Abk von* **Electronic Cashkarte** ≈ Switch card

Eckball *m* corner

Ecke <-, -n> [ˈɛkə] *f* corner; **gleich um die ~** just round [*or* AM around] the corner

eckig [ˈɛkɪç] *adj* square

Eckzahn *m* canine

Ecuador <-s> [ekṷaˈdoːɐ̯] *nt* Ecuador

Ecuadorianer(in) <-s, -> [ekṷadoˈrịaːnɐ] *m(f)* Ecuadorean

edel [ˈeːdl̩] *adj* 1. (*großherzig*) generous 2. (*hochwertig*) fine

Edelholz *nt* high-grade wood *no pl*

Edelstahl *m* stainless steel **Edelstein** *m* precious stone

Edelweiß <-[es], -e> [ˈeːdl̩vais] *nt* edelweiss

EDV <-> [eːdeːˈfau] *f Abk von* **elektronische Datenverarbeitung** EDP

Efeu <-s> [ˈeːfɔy] *m kein pl* ivy

Effekt <-[e]s, -e> [ɛˈfɛkt] *m* effect; FILM ~**e** special effects

effektiv [ɛfɛkˈtiːf] I. *adj* effective II. *adv* effectively

egal [eˈgaːl] *adj* (*fam*) **jdm ~ sein** to be all the same to sb; **das ist mir ~** I don't mind; ~, **was/wie** no matter what/how ...

Egoist(in) <-en, -en> [egoˈɪst] *m(f)* ego[t]ist

egoistisch [egoˈɪstɪʃ] I. *adj* ego[t]istical II. *adv* ego[t]istically

ehe [ˈeːə] *konj* before; ~ **das Wetter nicht besser wird** ... until the weather doesn't change for the better ...

Ehe <-, -n> [ˈeːə] *f* marriage

Ehebruch *m* adultery; ~ **begehen** to commit adultery **Ehefrau** *f* wife **Ehegatte** *m* (*geh*) husband

ehelich [ˈeːəlɪç] *adj* marital; *Kind* legitimate

ehemalig [ˈeːəmaːlɪç] *adj attr* former

Ehemann *m* husband **Ehepaar** *nt* [married] couple + *sing/pl vb* **Ehepartner(in)** *m(f)* husband *masc,* wife *fem,* spouse *form*

eher [ˈeːɐ] *adv* 1. (*früher*) sooner 2. (*wahrscheinlicher*) more likely

Ehering *m* wedding ring

Ehre <-, -n> [ˈeːrə] *f* honour; **zu ~n von jdm** in honour of sb; **jdm eine ~ sein** to be an honour for sb

ehren [ˈeːrən] *vt* to honour

ehrenamtlich I. *adj* **~e Tätigkeiten** voluntary work **II.** *adv* on a voluntary basis

Ehrenbürger(in) *m(f)* honorary citizen **Ehrengast** *m* guest of honour **Ehrenmord** *m* honour [*or* AM honor] killing **Ehrenwort** <-worte> *nt* word of honour

Ehrfurcht *f kein pl* reverence; **vor jdm/etw ~ haben** to have [great] respect for sb/sth

ehrfürchtig ['eːɐfʏrçtɪç], **ehrfurchtsvoll I.** *adj* reverent **II.** *adv* reverentially

Ehrgefühl *nt kein pl* sense of honour **Ehrgeiz** ['eːɐgaits] *m kein pl* ambition **ehrgeizig** ['eːɐgaitsɪç] *adj* ambitious **ehrlich** ['eːɐlɪç] **I.** *adj* honest; (*echt*) genuine; **es ~ mit jdm meinen** to have good intentions towards sb **II.** *adv* honestly ▶ **~ gesagt ...** to be [quite] honest ...

Ehrlichkeit *f kein pl* honesty **ehrwürdig** ['eːɐvʏrdɪç] *adj* venerable **Ei** <-[e]s, -er> ['ai] *nt* **1.** egg; **ein hart/ weich gekochtes ~** a hard-boiled/ soft-boiled egg **2.** (*Eizelle*) ovum **3.** *pl* (*sl: Hoden*) balls *pl*

Eibe <-, -n> ['aibə] *f* yew [tree] **Eiche** <-, -n> ['aiçə] *f* oak **Eichel** <-, -n> ['aiçl̩] *f* **1.** BOT acorn **2.** ANAT glans

Eichelhäher ['aiçl̩hɛːɐ] *m* ORN jay **Eichhörnchen** ['aiçhœrnçən] *nt*, **Eichkätzchen** *nt* DIAL squirrel **Eid** <-[e]s, -e> ['ait] *m* oath; **einen ~ ablegen** to swear an oath; **an ~es statt erklären** to declare solemnly; **unter ~ [stehen]** [to be] under oath **Eidechse** ['aidɛksə] *f* lizard **Eidgenossenschaft** *f* **Schweizerische ~** the Swiss Confederation

Eierbecher *m* egg cup **Eierkuchen** *m* pancake **Eierstock** *m* ovary **Eifer** <-s> ['aifɐ] *m kein pl* enthusiasm ▶ **im ~ des Gefechts** (*fam*) in the heat of the moment

Eifersucht ['aifɐzʊxt] *f kein pl* jealousy; **aus ~** out of jealousy **eifersüchtig** ['aifɐzʏçtɪç] *adj* jealous **eifrig** ['aifrɪç] **I.** *adj* keen **II.** *adv* eagerly; **~ lernen/üben** to learn/practise assiduously

Eigelb <-s, -e> *nt* egg yolk **eigen** ['aign̩] *adj* **1.** own **2.** (*typisch*) characteristic **3.** (*eigenartig*) peculiar **Eigenanteil** *m* (*bei Versicherungen*) excess BRIT, deductible AM **Eigenart** ['aign̩ʔaːɐt] *f* characteristic **eigenartig** ['aign̩ʔaːɐtɪç] **I.** *adj* strange **II.** *adv* strangely; **~ aussehen** to look strange **eigenmächtig** ['aign̩mɛçtɪç] **I.** *adj* high-handed **II.** *adv* high-handedly

Eigennutz *m kein pl* self-interest **eigennützig** ['aign̩nʏtsɪç] **I.** *adj* selfish **II.** *adv* selfishly

Eigenschaft <-, -en> ['aign̩ʃaft] *f* quality; **in jds ~ als ...** in sb's capacity as ...

Eigenschaftswort <-wörter> *nt* adjective

eigensinnig ['aign̩zɪnɪç] **I.** *adj* stubborn **II.** *adv* stubbornly

eigentlich ['aign̩tlɪç] **I.** *adj* (*wirklich*) real; *Wesen* true **II.** *adv* **1.** (*normalerweise*) really; **da hast du ~ recht** you may be right there **2.** (*wirklich*) **ich bin ~ nicht müde** I'm not actually tired **III.** *part* **was fällt dir ~ ein!** what [on earth] do you think you're doing!; **was ist ~ mit dir los?** what [on earth] is wrong with you?

Eigentor *nt* own goal

Eigentum <-s> [ˈaignˌtuːm] *nt kein pl* property; **jds geistiges ~** sb's intellectual property

Eigentümer(in) <-s, -> [ˈaignˌtyːmɐ] *m(f)* owner

Eigentumswohnung *f* owner-occupied flat, condominium AM

eigenwillig [ˈaignˌvɪlɪç] *adj* 1. stubborn 2. (*unkonventionell*) unconventional

eignen [ˈaignən] *vr* to be suitable; **dieses Buch eignet sich zum Verschenken** this book would make a good present

Eilbrief *m* express letter

Eile <-> [ˈailə] *f kein pl* haste; **in ~ sein** to be in a hurry; **in der ~** in the hurry; **nur keine ~!** there's no rush!

Eileiter <-s, -> *m* Fallopian tube

eilen [ˈailən] I. *vi* 1. *sein* **irgendwohin ~** to hurry somewhere 2. *haben* **etw eilt** sth is urgent II. *vi impers haben* **es eilt** it's urgent; **eilt es?** is it urgent?

eilig [ˈailɪç] I. *adj* 1. (*schnell*) hurried 2. (*dringend*) urgent; **es [mit etw *dat*] ~ haben** to be in a hurry [with sth] II. *adv* quickly

Eilzug *m* ≈ fast stopping train

Eilzustellung *f* express delivery

Eimer <-s, -> [ˈaimɐ] *m* bucket; **Müll~** [rubbish] bin BRIT, garbage can AM

ein¹ [ˈain] *adv* (*eingeschaltet*) on

ein² [ˈain], **eine** [ˈainə], **ein** [ˈain] I. *adj* one; **mir fehlt noch ~ Cent** I need another cent ▶ **~ für alle Mal** once and for all; **~ und der- /die- /dasselbe** one and the same II. *art indef* a/an; **was für ~ Lärm!** what a noise!

einander [aiˈnandɐ] *pron* each other

ein|atmen *vt, vi* to breathe in *sep*

Einbahnstraße *f* one-way street

Einband <-bände> [ˈainbant] *m* [book] cover

Einbau *m kein pl* installation

ein|bauen *vt* to install; **eingebaut** built-in

Einbauküche *f* fitted kitchen

ein|berufen *vt irreg* 1. *Versammlung* to convene 2. MIL to conscript

Einberufung *f* MIL call-up papers *pl* BRIT, draft card AM

ein|beziehen *vt irreg* to include

ein|biegen *vi irreg sein* to turn [off] (**in** in)

ein|bilden *vr* **sich** *dat* **etw ~** to imagine sth; **sich** *dat* **~, dass ...** to think that ... ▶ **was bildest du dir eigentlich ein?** (*fam*) what's got into your head?

Einbildung *f* 1. *kein pl* imagination 2. *kein pl* (*Arroganz*) conceitedness

Einbildungskraft *f kein pl* [powers of] imagination

ein|bläuenᴿᴿ *vt* (*fam*) **jdm etw ~** to drum sth into sb['s head]

ein|brechen *irreg vi* 1. *sein o haben: Dieb* to break in 2. *sein: Nacht* to fall 3. *sein* **auf dem Eis ~** to fall through the ice

Einbrecher(in) <-s, -> *m(f)* burglar

Einbruch [ˈainbrʊx] *m* 1. JUR break-in 2. (*Beginn*) onset; **bei ~ der Dunkelheit** [at] nightfall

ein|bürgern [ˈainbʏrgɐn] I. *vt* **jdn ~** to naturalize sb II. *vr* **sich ~** *Brauch* to become established

Einbürgerung *f* naturalization

Einbürgerungsantrag *m* application for naturalization

ein|checken [-tʃɛkn̩] *vi, vt* to check in

ein|cremen [ˈainkreːmən] *vt* **sich ~** to apply cream

eindeutig [ˈaindɔytɪç] I. *adj* unambiguous II. *adv* unambiguously

ein|dringen *vi irreg sein* **1.** (*einbrechen*) **in etw** *akk* **~** to force one's way into sth **2.** *Wasser* to penetrate (**in** into)

Eindringling <-s, -e> ['aindrɪŋlɪŋ] *m* intruder

Eindruck ['aindrʊk] *m* impression; **den ~ erwecken/haben, dass ...** to give/have the impression that ...; **einen großen ~ auf jdn machen** to make a big impression on sb

eindrucksvoll I. *adj* impressive II. *adv* impressively

ein|ebnen *vt* to level

eineiig ['ain?aiiç] *adj* identical

eineinhalb ['ain?ain'halp] *adj* one and a half

ein|engen ['ainɛŋən] *vt* **jdn ~** to restrict sb['s freedom]; (*körperlich*) to restrict sb's movement[s]

einerlei ['ainɐ'lai] *adj pred* **das ist mir ganz ~** it's all the same to me

einerseits ['ainɐzaits] *adv* **~ ... andererseits ...** on the one hand ..., on the other hand ...

einfach ['ainfax] I. *adj* **1.** (*leicht*) easy; **es ist nicht ~ zu verstehen** it's not easy to understand; **es sich** *dat* [**mit etw** *dat*] **zu ~ machen** to make it too easy for oneself [with sth] **2.** (*gewöhnlich*) simple **3.** (*nicht doppelt*) single; **eine ~e Fahrkarte** a one-way [*or* BRIT single] ticket II. *adv* (*leicht*) easily III. *part* (*ohne weiteres*) simply, just

ein|fahren *irreg vi sein* to come in[to]; **auf einem Gleis ~** to arrive at a platform; **in einen Hafen ~** to sail into a harbour

Einfahrt *f kein pl* **1.** (*das Einfahren*) entry; **die ~ eines Zuges** the arrival of a train **2.** (*Zufahrt*) entrance;

~ freihalten! [please] keep [entrance] clear!

Einfall ['ainfal] *m* idea

ein|fallen *vi irreg sein* **1.** (*in den Sinn kommen*) **etw fällt jdm ein** sb thinks of sth; **was fällt Ihnen ein!** what do you think you're doing! **2.** (*sich erinnern*) **etw fällt jdm ein** to remember sth **3.** (*einstürzen*) to collapse **4.** (*eindringen*) **in ein Land ~** to invade a country

Einfamilienhaus *nt* single family house

ein|fangen *irreg vt* **jdn/ein Tier ~** to capture sb/an animal

einfarbig *adj* in one colour

Einfluss^RR, **Einfluß**^ALT *m* influence; **unter dem ~ von jdm/etw stehen** to be under the influence of sb/sth

einflussreich^RR *adj* influential

einförmig ['ainfœrmɪç] I. *adj* monotonous II. *adv* monotonously

ein|frieren *irreg* I. *vi sein* to freeze up II. *vt haben* to [deep-]freeze

ein|fügen I. *vt* **etw** [**in etw** *akk*] **~ 1.** (*einpassen*) to fit sth in[to sth] **2.** (*einfließen lassen*) to add sth [to sth] II. *vr* **sich** [**in etw** *akk*] **~** to adapt [oneself] [to sth]

Einfühlungsvermögen *nt* empathy

Einfuhr <-, -en> ['ainfuːɐ̯] *f* importation

Einfuhrbestimmungen *pl* import regulations *pl*

ein|führen *vt* **1.** (*importieren*) to import **2.** (*bekannt machen*) **etw ~** to introduce sth **3.** (*vertraut machen*) **jdn ~** to introduce sb (**in** to)

Einführung *f* introduction

Einfuhrzoll *m* import duty

Eingabe *f Daten* entry

Eingang <-gänge> ['aingaŋ] *m* entrance; **„kein ~!"** "no entry!"

ein|geben *irreg vt* 1. INFORM to input (**in** into) 2. (*geh: inspirieren*) **jdm etw ~** to put sth into sb's head

eingebildet *adj* 1. (*hochmütig*) conceited (**auf** about) 2. (*imaginär*) imaginary

Eingeborene(r) *f(m) dekl wie adj* native

Eingebung <-, -en> *f* inspiration; **einer plötzlichen ~ folgend** acting on a sudden impulse

eingefallen *adj* hollow

ein|gehen *irreg* I. *vi sein* 1. **in die Geschichte ~** to go down in history 2. (*[ab]sterben*) to die [off] 3. (*einlaufen*) to shrink 4. (*sich beschäftigen mit*) **auf etw/jdn ~** to deal with sth/to pay some attention to sb 5. (*sich einlassen*) **auf etw** *akk* **~** to accept sth II. *vt sein* **etw ~** to enter into sth; **ein Risiko ~** to take a risk

Eingemachte(s) *nt dekl wie adj* KOCHK preserved fruit

eingeschränkt *adj* limited

Eingeständnis ['aingəʃtɛntnɪs] *nt* admission

eingetragen *adj* registered

Eingeweide <-s, -> ['aingəvaidə] *nt meist pl* entrails

ein|gewöhnen *vr* **sich ~** to settle in

ein|gießen *vt irreg* to pour; **darf ich Ihnen noch Kaffee ~** can I pour you some more coffee?

ein|gliedern I. *vt* **jdn ~** to integrate sb (**in** into) II. *vr* **sich ~** to integrate oneself (**in** into)

ein|greifen *vi irreg* to intervene (**in** in)

Eingriff *m* 1. intervention (**in** in) 2. MED operation

Einhalt ['ainhalt] *m kein pl* **jdm/etw ~ gebieten** (*geh*) to put a stop to sb/sth

ein|halten *irreg vt* to keep; **eine Diät/ einen Vertrag ~** to keep to a diet/ treaty; **die Spielregeln/Vorschriften ~** to obey the rules; **Verpflichtungen ~** to meet commitments

einheimisch ['ainhaimɪʃ] *adj* 1. (*ortsansässig*) local 2. BOT, ZOOL indigenous

Einheit <-, -en> ['ainhait] *f* unity

einheitlich ['ainhaitlɪç] *adj* (*gleich*) uniform

Einheitspreis *m* standard price

einhellig ['ainhɛlɪç] I. *adj* unanimous II. *adv* unanimously

ein|holen *vt* 1. *Fahne, Segel* to lower 2. (*erreichen*) **jdn/etw ~** to catch up with sb/sth

einig ['ainɪç] *adj* 1. (*geeint*) united 2. *pred* **sich** *dat* **~ sein** to be in agreement (**über** on)

einige(r, s) ['ainɪgə] *pron indef* some; **vor ~n Tagen** a few days ago; **~s** quite a lot; **das wird aber ~s kosten!** that will cost a pretty penny!

einigen ['ainɪgn̩] *vr* **sich ~** to agree

einigermaßen ['ainɪgɐ'ma:sn̩] *adv* fairly

Einigkeit <-> ['ainɪçkait] *f kein pl* 1. (*Eintracht*) unity 2. (*Übereinstimmung*) agreement; **es herrscht ~ darüber, dass ...** there is agreement that ...

Einigung <-, -en> *f* 1. POL unification 2. (*Übereinstimmung*) agreement (**über** on)

einjährig, 1-jährig[RR] ['ainjɛ:rɪç] *adj* 1. (*Alter*) one year old *pred* 2. (*Zeitspanne*) one-year *attr*

ein|kalkulieren *vt* **etw [mit] ~** to take sth into account

Einkauf *m* 1. shopping; **Einkäufe machen** to do one's shopping 2. (*das*

Eingekaufte) purchase

ein|kaufen I. *vt* to buy **II.** *vi* to shop; **~ gehen** to go shopping

Einkaufsbummel *m* shopping trip **Einkaufspassage** [-pasa:ʒə] *f* shopping arcade **Einkaufswagen** *m* [shopping] trolley [*or* AM cart] **Einkaufszentrum** *nt* shopping centre

ein|kehren *vi sein* to stop off

ein|klammern *vt* **etw ~** to put sth in brackets

Einklang *m* (*geh*) harmony; **in ~ mit etw** *dat* **stehen** to be in accord with sth

ein|klemmen *vt* **etw ~** to catch sth

ein|kochen I. *vt haben* to preserve **II.** *vi sein* to thicken

Einkommen <-s, -> *nt* income *no pl*

Einkünfte ['ainkʏnftə] *pl* income *no pl*

ein|laden ['ainla:dn̩] *vt irreg* **1.** *Menschen* to invite; **jdn zum Essen ~** to take sb out to dinner **2.** *Gegenstände* to load (**in** in[to])

Einladung *f* invitation

ein|langen *vi sein* ÖSTERR (*eintreffen*) to arrive

Einlass^{RR} <-es>, **Einlaß**^{ALT} <-sses> ['ainlas] *m* admission

ein|lassen *irreg* **I.** *vt* **jdn ~** to let sb in **II.** *vr* **1.** (*auf etw eingehen*) **sich auf etw** *akk* **~** to get involved in sth; *Abenteuer* to embark on sth **2.** (*pej: Kontakt aufnehmen*) **sich mit jdm ~** to get involved with sb

ein|laufen *irreg* **I.** *vi sein* **1.** (*schrumpfen*) to shrink **2.** (*einfahren*) **das Schiff läuft in den Hafen ein** the ship is sailing into harbour **II.** *vt haben* **Schuhe ~** to wear shoes in

ein|leben *vr* **sich ~** to settle in

ein|legen *vt* **1.** (*hineintun*) to insert; **eine CD ~** to put on a CD **2.** KOCHK

etw ~ to pickle sth; **eingelegte Gurken** pickled gherkins

Einlegesohle *f* insole

ein|leiten *vt* **Schritte [gegen jdn] ~** to take steps [against sb]; **einen Prozess [gegen jdn] ~** to start proceedings [against sb]

Einleitung *f* introduction

ein|lenken *vi* to give way

ein|loggen ['ainlɔgn̩] *vi* to log in

ein|lösen *vt* **1.** *Scheck* to honour [*or* AM cash] **2.** *Versprechen* to honour

ein|machen *vt* to preserve; (*in Essig*) to pickle

einmal¹, **1-mal**^{RR} ['ainma:l] *adv* **1.** (*ein Mal*) once; **~ am Tag/in der Woche** once a day/week; **auf ~** all of a sudden; (*gleichzeitig*) all at once **2.** (*früher*) once [upon a time] **3.** (*später*) sometime; **ich will ~ Pilot werden** I want to be a pilot [some day]

einmal² ['ainma:l] *part* **nicht ~** not even; **er hat sich nicht ~ bedankt** he didn't even say thank you

einmalig ['ainma:lɪç] *adj* **1.** unique **2.** (*fam: ausgezeichnet*) outstanding

Einmischung *f* interference

einmotorig *adj* single-engined

Einmündung *f* confluence

einmütig ['ainmy:tɪç] **I.** *adj* unanimous **II.** *adv* unanimously

Einnahme <-, -n> ['ainma:mə] *f* **1.** FIN earnings; (*Geschäfts~*) takings *pl* **2.** *kein pl Arzneimittel, Mahlzeiten* taking

ein|nehmen *vt irreg* **1.** *Geld* to take; *Steuern* to collect **2.** (*zu sich nehmen*) to take; *Mahlzeit* to have **3.** (*geh*) *Platz* to take **4.** (*erobern*) to take **5.** (*beeinflussen*) **jdn für sich ~** to win favour with sb; **jdn gegen sich/jdn/etw ~** to turn sb against

E

oneself/sb/sth

Einöde ['ainʔøːdə] *f* wasteland

ein|ordnen I. *vt* **1.** (*einsortieren*) to organize (**in** in) **2.** (*klassifizieren*) to classify (**unter** under) **II.** *vr* **sich ~** *mit Auto* to get in lane

ein|packen *vt* (*verpacken*) **etw ~** to wrap sth; (*um zu verschicken*) to pack sth

ein|planen *vt* to plan; **etw** [**mit**] **~** to take sth into consideration

ein|prägen *vr* **sich** *dat* **etw ~** to fix sth in one's memory

ein|räumen *vt* **1.** (*in etw räumen*) to put away (**in** in) **2.** *Zimmer* to arrange **3.** (*zugestehen*) **etw ~** to concede sth

ein|rechnen *vt* to include

ein|reden I. *vt* **jdm etw ~** to talk sb into thinking sth **II.** *vi* **auf jdn ~** to keep on at sb *fam* **III.** *vr* **sich** *dat* **etw ~** to talk oneself into thinking sth

ein|reihen *vr* **sich in etw** *akk* **~** to join sth

Einreise *f* entry

Einreisebestimmungen *pl* entry requirements **Einreisegenehmigung** *f* entry permit

ein|reisen *vi sein* **in ein Land ~** to enter a country

ein|renken ['ainrɛŋkn̩] **I.** *vt* **1.** MED [**jdm**] **etw ~** to set sth [for sb] **2.** (*fam*) **etw ~** to straighten sth out **II.** *vr* (*fam*) **sich wieder ~** to sort itself out

ein|richten I. *vt* **1.** (*möblieren*) to furnish; *Praxis* to fit out *sep* **2.** (*möglich machen*) **es ~, dass ...** arrange it so that ...; **es lässt sich ~** that can be arranged **3.** (*vorbereitet sein*) **auf etw** *akk* **eingerichtet sein** to be prepared for sth **II.** *vr* **1.** (*möblieren*) **ich richte mich weiß ein** I'm furnishing

my flat in white **2.** (*vorbereitet sein*) **sich auf etw** *akk* **~** to be prepared for sth

Einrichtung *f* **1.** (*Wohnungseinrichtung*) [fittings and] furnishings *pl;* (*Ausstattung*) fittings *pl* **2.** (*das Möblieren*) furnishing; (*das Ausstatten*) fitting-out **3.** (*das Installieren*) installation **4.** (*Institution*) organization

eins ['ains] **I.** *adj* one; *s.a.* **acht**[1] **II.** *adj pred* **1.** (*eine Ganzheit*) [all] one **2.** (*einig*) **~ mit jdm/sich/etw sein** to be [at] one with sb/oneself/sth

einsam ['ainzaːm] **I.** *adj* **1.** lonely **2.** (*abgelegen*) isolated; **eine ~e Insel** a desert island **II.** *adv* (*abgelegen*) **~ leben** to live a solitary life

ein|sammeln *vt* to collect [in *sep*] sth

Einsatz *m* **1.** (*eingesetzte Leistung*) effort; **unter ~ aller seiner Kräfte** with a superhuman effort; **unter ~ ihres Lebens** by putting her own life at risk **2.** *beim Glücksspiel* bet **3.** (*Verwendung*) use; *von Arbeitern, Soldaten* deployment; **zum ~ kommen** to be deployed

ein|schalten I. *vt* to switch on *sep* **II.** *vr* (*sich einmischen*) **sich ~** to intervene

ein|schärfen *vt* **jdm etw ~** to impress on sb the importance of sth; **jdm ~, etw zu tun** to tell sb to do sth

ein|schätzen *vt* to assess; **falsch ~** to misjudge; **zu hoch ~** to overrate; **zu niedrig ~** to underrate

ein|schenken *vt* **jdm etw ~** to pour sb sth

ein|schiffen I. *vt* to take on board **II.** *vr* **sich ~** to embark

ein|schlafen *vi irreg sein* **1.** [**bei etw** *dat*] **~** to fall asleep [during sth] **2.** *Glieder* to go to sleep **3.** (*nachlas-*

sen) to peter out

ein|schläfern [ˈainʃlɛːfɐn] *vt* **1.** (*schläfrig machen*) to send to sleep **2.** *Tier* to put to sleep

einschläfernd [ˈainʃlɛːfɐnt] *adj* **1.** MED **ein ~es Mittel** a sleep-inducing drug **2.** (*langweilig*) **~ sein** to have a soporific effect

ein|schlagen *irreg* I. *vt haben* **1.** to hammer in *sep;* **eine Tür ~** to break down *sep* a door; **eingeschlagen** smashed-in; **jdm die Nase ~** to smash sb's nose; **jdm die Zähne ~** to knock sb's teeth out **2.** *Weg* to choose II. *vi* **1.** *haben o sein* [in etw *akk*] **~** *Blitz* to strike [sth] **2.** *sein: Granate* to fall **3.** *haben* (*prügeln*) **auf jdn ~** to hit sb; **auf etw** *akk* **~** to pound [on] sth [with one's fists]

ein|schleusen *vt* to smuggle in

ein|schließen *vt irreg* **1.** **jdn ~** to lock sb up; **sich ~** to lock oneself in **2.** (*wegschließen*) **etw ~** to lock sth away **3.** (*einbegreifen*) to include (in in)

einschließlich [ˈainʃliːslɪç] I. *präp* **~ einer S.** *gen* including sth II. *adv* inclusive

ein|schmeicheln *vr* **sich ~** to ingratiate oneself

einschneidend [ˈainʃnaidn̩t] *adj* **eine ~e Veränderung** a drastic change; **eine ~e Wirkung** a far-reaching effect

Einschnitt *m* **1.** (*Schnitt*) cut **2.** (*Wendepunkt*) turning-point

ein|schränken [ˈainʃrɛŋkn̩] I. *vt* to cut [back on] II. *vr* **sich ~** to cut back (in on)

Einschränkung <-, -en> *f* reduction; **ohne ~** without reservations

Einschreib(e)brief *m* registered letter

ein|schreiben *irreg* I. *vt* to register II. *vr* **sich ~** *Kurs* to enrol; **sich in eine Liste ~** to put one's name on a list; **sich bei einer Universität ~** to register at a university

Einschreiben *nt* registered post [*or* AM letter] **etw per ~ schicken** to send sth by registered post

ein|schreiten *vi irreg sein* [gegen **jdn/etw**] **~** to do sth [about sb/sth]

ein|schüchtern [ˈainʃʏçtɐn] *vt* **jdn ~** to intimidate sb

ein|schweißen *vt* (*versiegeln*) to seal

ein|sehen *vt irreg* (*begreifen*) to see

einseitig [ˈainzaitɪç] I. *adj* **1.** onesided; JUR, POL unilateral; **eine ~e Ernährung** an unbalanced diet; **eine ~e Lähmung** paralysis of one side of the body **2.** (*voreingenommen*) bias[s]ed II. *adv* **1.** (*auf einer Seite*) on one side **2.** (*beschränkt*) in a onesided way **3.** (*parteiisch*) from a onesided point of view

ein|setzen I. *vt* **1.** (*einfügen*) to insert **2.** *Kommission* to set up **3.** (*ernennen*) **jdn** [als etw] **~** to appoint [*or* AM instal] sb [as sth] **4.** (*zum Einsatz bringen*) **jdn/etw ~** to use sb/sth; *Ersatzspieler* to bring on sb *sep* II. *vr* **sich ~** to make an effort; **sich für jdn/etw ~** to support sb/sth; **sich dafür ~, dass ...** to speak out for sth [so that ...]

Einsicht *f* insight; **jdn zur ~ bringen** to make sb see sense

einsichtig [ˈainzɪçtɪç] *adj* (*vernünftig*) reasonable

Einsiedler(in) [ˈainziːdlɐ] *m(f)* hermit

ein|spannen *vt* **1.** **jdn ~** to rope sb in **2.** **etw ~** to clamp sth **3.** *Pferde* to harness

ein|sparen *vt* to save

ein|sperren *vt* to lock up *sep*

Einsprache *f* JUR SCHWEIZ (*Einspruch*) objection

ein|springen *vi irreg sein* (*fam*) to stand in (**für** for)

Einspruch *m* objection; **~ abgelehnt!** objection overruled!; **dem ~ wird stattgegeben!** objection sustained!; **~ erheben** to lodge an objection; **~ einlegen** to appeal

einspurig ['ainʃpuːrɪç] *adj Straße* one-lane

ein|stecken *vt* **etw ~ 1.** to put sth in one's pocket **2.** (*fam: hinnehmen*) to put up with sth **3.** ELEK to plug in sth *sep*

ein|stehen *vi irreg sein* **1.** (*sich verbürgen*) **für jdn/etw ~** to vouch for sb/sth **2.** (*aufkommen*) **für etw** *akk* **~** to take responsibility for sth

ein|steigen *vi irreg sein* [**in etw** *akk*] **~ 1.** *Zug* to get on [sth]; *Auto* to get in[to sth] **2.** (*sich engagieren*) to go into sth

ein|stellen I. *vt* **1.** (*anstellen*) to employ **2.** (*beenden*) to stop **3.** JUR to abandon **4.** TV, RADIO to tune **5.** TECH to adjust II. *vr* **1.** (*auftreten*) **sich ~** *Bedenken* to begin; *Symptome* to develop **2.** (*sich anpassen*) **sich auf jdn/etw ~** to adapt to sb/sth **3.** (*sich vorbereiten*) **sich auf etw** *akk* **~** to prepare oneself for sth

Einstellung *f* **1.** (*Anstellung*) taking on **2.** (*Beendigung*) stopping **3.** TV tuning **4.** TECH setting **5.** (*Gesinnung*) attitude; **eine ganz andere ~ haben** to think differently

einstmals ['ainstmaːls] *adv* (*geh*) *s.* **einst**

ein|stufen ['ainʃtuːfn̩] *vt* **1.** (*eingruppieren*) to group; **jdn in eine Ge-** **haltsgruppe ~** to give sb a [salary] grade **2.** (*zuordnen*) to categorize

Einstufung <-, -en> *f* categorization, classification

Einsturz *m* collapse; **etw zum ~ bringen** to cause sth to collapse

ein|stürzen *vi sein* **1.** to collapse **2.** (*überfallen*) **auf jdn ~** to overwhelm sb

eintägig, 1-tägig^RR *adj* one-day *attr*

Eintagsfliege *f* mayfly

ein|tauchen I. *vt haben* **jdn ~** to immerse sb; **etw ~** to dip sth II. *vi sein* to plunge in

ein|tauschen *vt* **etw ~** to exchange sth (**gegen** for)

ein|teilen *vt* **1.** **etw in etw** *akk* **~** to divide sth up into sth **2.** *Geld, Vorräte, Zeit* [**sich** *dat*] **etw ~** to be careful with sth **3.** (*verpflichten*) **jdn zu etw** *dat* **~** to assign sb to sth

Einteilung *f* management

eintönig ['aintøːnɪç] I. *adj* monotonous II. *adv* monotonously

Eintopf *m*, **Eintopfgericht** *nt* stew

einträchtig ['aintrɛçtɪç] I. *adj* harmonious II. *adv* harmoniously

Eintrag <-[e]s, Einträge> ['aintraːk] *m* **1.** *kein pl* (*Vermerk*) note **2.** (*im Lexikon*) entry

ein|tragen *vt irreg* to enter; (*amtlich*) to register; **jdn/sich in eine Liste ~** to enter sb's/one's name in a list

ein|treffen *vi irreg sein* **1.** [**irgend-wo/bei jdm**] **~** to arrive [somewhere/at sb's] **2.** (*in Erfüllung gehen*) to come true

ein|treiben *vt irreg* **etw ~** to collect sth

ein|treten *irreg* I. *vi* **1.** *sein* (*betreten*) to enter **2.** *sein* (*beitreten*) to join **3.** *sein* (*sich ereignen*) to occur

4. *sein* (*sich einsetzen*) **für jdn/etw ~** to stand up for sb/sth **II.** *vt haben* **etw ~** to kick sth in

Eintritt *m* **1.** (*geh: das Betreten*) **~ verboten** no admission **2.** (*Beitritt*) accession **3.** (*Eintrittsgeld*) admission; **~ frei** admission free **4.** (*Beginn*) onset; **bei/vor ~ der Dunkelheit** when/before darkness falls

Eintrittskarte *f* ticket

ein|üben *vt* to practise; THEAT to rehearse

einverstanden ['ainfɛɐʃtandn̩] *adj pred* [**mit jdm/etw**] **~ sein** to agree [with sb/sth]; **~!** OK!

Einverständnis ['ainfɛɐʃtɛntnɪs] *nt* **1.** (*Zustimmung*) consent **2.** (*Übereinstimmung*) agreement; **in gegenseitigem ~** by mutual agreement

Einwand ['ainvant] *m* objection (**gegen** to)

Einwanderer, -wand[r]erin *m, f* immigrant

ein|wandern *vi sein* to immigrate

einwandfrei ['ainvantfrai] *adj* flawless; *Qualität* excellent

Einwegrasierer *m* disposable razor

ein|weichen *vt* **etw ~** to soak sth

ein|weihen *vt* **1.** (*eröffnen*) to open **2.** (*vertraut machen*) **jdn ~** to initiate sb (**in** into); **jdn in ein Geheimnis ~** to let sb in on a secret

ein|weisen *vt irreg* **1.** (*unterweisen*) **jdn ~** to brief sb (**in** about) **2.** MED **jdn ins Krankenhaus ~** to send sb to hospital

ein|wenden *vt irreg* **etw ~** to object (**gegen** to); **etwas einzuwenden haben** to have an objection; **dagegen lässt sich nichts ~** there can be no objection to it/that

ein|werfen *irreg vt* **1.** *Brief* to post [*or* AM *mail*] **2.** *Fensterscheibe* to smash **3.** (*bemerken*) **~, dass ...** to interject that ...

ein|wickeln *vt* to wrap [up]

ein|willigen ['ainvɪlɪgn̩] *vi* to consent (**in** to)

ein|wirken *vi* **auf jdn/etw ~** to have an effect on sb/sth; **etw ~ lassen** to let sth work in; **etw auf sich ~ lassen** to absorb sth

Einwohner(in) <-s, -> ['ainvoːnɐ] *m(f)* inhabitant

Einwurf *m* **1.** SPORT throw-in **2.** (*Bemerkung*) interjection

Einzahl ['aintsaːl] *f* singular

ein|zahlen *vt* to pay [in]; **etw auf ein Konto ~** to pay sth into an account

Einzahlung *f* FIN deposit

Einzelbett *nt* single bed **Einzelfahrschein** *m* single ticket BRIT, one-way ticket AM **Einzelgänger(in)** *m(f)* loner

Einzelheit <-, -en> *f* detail

einzeln ['aintsl̩n] **I.** *adj* **1.** individual; **im E~en** in detail; **als E~er** as an individual; **jeder E~e** each and every one **2.** *pl* (*einige wenige*) a few **II.** *adv* separately

Einzelteil *nt* separate part; **etw in seine ~e zerlegen** to take sth to pieces

Einzelzimmer *nt* single room

ein|ziehen *irreg* **I.** *vt haben* **1.** *Gelder* to collect **2.** (*beschlagnahmen*) **einen Führerschein ~** to confiscate a driving licence **3.** MIL **jdn ~** to conscript [*or* AM *draft*] sb **4.** (*nach innen ziehen*) to take in; **der Kopierer zieht die Blätter einzeln ein** the photocopier takes in the sheets one by one **5.** (*entgegengesetzt bewegen*) to draw in; **der Hund zog den Schwanz ein** the dog put its tail between its legs; **die Schulter ~** to hunch one's shoulder **II.** *vi sein* **1.** [**bei jdm**] ~ to move in [with sb] **2.** (*einmarschieren*) to march (**in** into)

einzig ['aintsıç] **I.** *adj attr* only; **der/ die E~e** the only one; **das E~e** the only thing; **kein ~er Gast** not one solitary guest **II.** *adv* only; **es liegt ~ und allein an Ihnen** it is entirely up to you

einzigartig ['aintsıç?a:ɐ̯tıç] *adj* unique

Einzugsbereich *m* catchment area

Eis <-es> ['ais] *nt kein pl* ice; **Whisky mit ~** whisky on the rocks; **~ am Stiel** ice[d] lolly BRIT, Popsicle® AM

Eisbahn *f* ice rink **Eisbär** *m* polar bear **Eisbecher** *m* **1.** (*Pappbecher*) tub **2.** (*Eis im Metallbecher*) sundae

Eisberg *m* iceberg **Eisbeutel** *m* ice pack **Eisbrecher** *m* icebreaker **Eiscreme** [-kre:m] *f* ice cream **Eisdiele** *f* ice cream parlour

Eisen <-s> ['aizn̩] *nt kein pl* iron

Eisenbahn ['aizn̩ba:n] *f* train **Eisenbahner(in)** <-s, -> *m(f)* (*fam*) railway employee, railroader AM **Eisenerz** ['aizn̩?ɛts] *nt* CHEM, BERGB iron ore

eisern ['aizɐn] *adj attr* iron; **jds ~e Reserve** sb's nest egg

eisgekühlt *adj* ice-cold **Eisglätte** *f* black ice **Eishockey** *nt* ice hockey **Eiskaffee** *m chilled coffee with vanilla ice cream and whipped cream* **eiskalt** ['aiskalt] **I.** *adj* **1.** ice-cold **2.** (*berechnend*) cold-blooded **II.** *adv* (*berechnend*) coolly **Eiskunstlauf** *m* figure-skating **eis|laufen**RR *vi* to ice-skate **Eisläufer(in)** *m(f)* ice-skater

Eisprung *m* ovulation

Eiswürfel *m* ice cube **Eiszapfen** *m*

icicle **Eiszeit** *f* Ice Age

eitel ['aitl̩] *adj* vain

Eitelkeit <-, -en> ['aitl̩kait] *f* vanity

Eiter <-s> ['aitɐ] *m kein pl* pus

eitern ['aitɐn] *vi* to fester

Eiweiß ['aivais] *nt* **1.** protein **2.** KOCHK [egg] white

Ekel[1] <-s> ['e:kl̩] *m kein pl* disgust; **~ erregend** revolting; **vor ~** in disgust

Ekel[2] <-s, -> ['e:kl̩] *nt* (*fam*) revolting person

ekelhaft, ek(e)lig ['e:k(ə)lıç] *adj, adv* disgusting

ekeln ['e:kl̩n] **I.** *vt impers* **jdn ~** to disgust sb **II.** *vr* **sich** [**vor jdm/etw**] ~ to find sth/sb disgusting

eklig ['e:klıç] *adj, adv s.* **ekelhaft**

Ekstase <-, -n> [ɛk'sta:zə] *f* ecstasy

Ekzem <-s, -e> [ɛk'tse:m] *nt* eczema

elastisch [e'lastıʃ] *adj* elastic; (*federnd*) springy; *Stoff* stretchy

Elch <-[e]s, -e> ['ɛlç] *m* elk

Elefant <-en, -en> [ele'fant] *m* elephant

elegant [ele'gant] **I.** *adj* elegant **II.** *adv* elegantly

Elektriker(in) <-s, -> [e'lɛktrikɐ] *m(f)* electrician

elektrisch [e'lɛktrıʃ] *adj* electric; **~e Geräte** electrical appliances

elektrisieren [elɛktri'zi:rən] *vt* to electrify; **wie elektrisiert** [as if he had been] electrified

Elektrizität <-> [elɛktritsi'tɛ:t] *f kein pl* electricity

Elektrizitätswerk *nt* [electric] power station

Elektromotor [e'lɛktro-] *m* electric motor

Elektronik <-> [elɛk'tro:nık] *f kein pl* electronics + *sing vb*

elektronisch [elɛk'troːnɪʃ] *adj* electronic
Elektrorasierer [e'lɛktro-] *m* electric razor **Elektroschrott** *m* electronic waste, e-waste **Elektrotechnik** [elɛktro'tɛçnɪk] *f* electrical engineering
Element <-[e]s, -e> [ele'mɛnt] *nt* element
elementar [elemɛn'taːɐ̯] *adj* **1.** (*wesentlich*) elementary **2.** (*urwüchsig*) elemental
elend ['eːlɛnt] *adj* **1.** (*beklagenswert, gemein*) miserable **2.** (*krank*) wretched; ~ **aussehen** to look awful **3.** (*erbärmlich*) dreadful
Elend <-[e]s> ['eːlɛnt] *nt kein pl* misery
Elendsviertel *nt* slums *pl*
elf ['ɛlf] *adj* eleven; *s.a.* **acht**¹
Elfenbein ['ɛlfn̩bain] *nt* ivory
Elfmeter [ɛlf'meːtɐ] *m* penalty; **einen** ~ **schießen** to take a penalty
elfte(r, s) ['ɛlftə] *adj* **1.** (*Zahl*) eleventh; *s.a.* **achte(r, s)** 1 **2.** (*bei Datumsangabe*) eleventh, 11th; *s.a.* **achte(r, s)** 2
elitär [eli'tɛːɐ̯] *adj* elitist
Elite <-, -n> [e'liːtə] *f* elite
Ellbogen <-s, -> ['ɛlboːgn̩] *m* elbow
Ellipse <-, -n> [ɛ'lɪpsə] *f* ellipse
Elsass^RR <->, **Elsaß**^ALT <-> ['ɛlzas] *nt* **das** ~ Alsace
Elsässer(in) <-s, -> ['ɛlzɛsɐ] *m(f)* inhabitant of Alsace
elsässisch ['ɛlzɛsɪʃ] *adj* Alsatian
Elster <-, -n> ['ɛlstɐ] *f* ORN magpie
Eltern ['ɛltɐn] *pl* parents *pl*
Elternzeit *f* maternity [*or* paternity] leave
Emanzipation <-, -en> [emantsipa'tsi̯oːn] *f* emancipation
emanzipieren [emantsi'piːrən] *vr* **sich** ~ to emancipate oneself

Embargo <-s, -s> [ɛm'bargo] *nt* embargo
Embryo <-s, -s> ['ɛmbryo] *m* embryo
Emigrant(in) <-en, -en> [emi'grant] *m(f)* emigrant
emigrieren [emi'griːrən] *vi sein* to emigrate
Emission <-, -en> [emɪ'si̯oːn] *f* emission
Emotion <-, -en> [emo'tsi̯oːn] *f* emotion
emotional **I.** *adj* emotional **II.** *adv* emotionally
Empfang <-[e]s, Empfänge> [ɛm'pfaŋ] *m* **1.** reception **2.** *von Ware* receipt; **etw in** ~ **nehmen** to take receipt of sth
empfangen <empfing, empfangen> [ɛm'pfaŋən] *vt* to receive
Empfänger(in) <-s, -> [ɛm'pfɛŋɐ] *m(f)* **1.** (*Adressat*) addressee; ~ **unbekannt** not known at this address **2.** FIN payee
Empfänger <-s, -> [ɛm'pfɛŋɐ] *m* RADIO, TV (*geh*) receiver
empfänglich [ɛm'pfɛŋlɪç] *adj* **für etw** *akk* ~ **sein** **1.** (*zugänglich*) to be receptive to sth **2.** (*anfällig*) to be susceptible to sth
Empfängnis <-> [ɛm'pfɛŋnɪs] *f pl selten* conception
Empfängnisverhütung *f* contraception
Empfangsdame *f* receptionist
empfehlen <empfahl, empfohlen> [ɛm'pfeːlən] *vt* [**jdm**] **etw** ~ to recommend sth to sb; **dieses Hotel ist zu** ~ this hotel is [to be] recommended
empfehlenswert *adj* recommendable
Empfehlung <-, -en> *f* recommendation; **auf** ~ **von jdm** on the recommendation of sb

E

empfinden <empfand, empfunden> [ɛm'pfɪndn̩] *vt* to feel; **ich empfinde das als Beleidigung** I find that insulting

empfindlich [ɛm'pfɪntlɪç] *adj* **1.** (*a. fig*) sensitive; ~ **auf etw** *akk* **reagieren** to be sensitive to sth **2.** (*leicht verletzbar*) touchy; *Gesundheit* delicate

empor [ɛm'poːɐ̯] *adv* (*geh*) upwards

empor|arbeiten *vr* (*geh*) **sich** ~ to work one's way up

Empore <-, -n> [ɛm'poːrə] *f* gallery

empören [ɛm'pøːrən] **I.** *vt* **jdn** ~ to fill sb with indignation **II.** *vr* **sich** ~ to be outraged; **sie empörte sich über sein Benehmen** his behaviour outraged her

empörend *adj* outrageous

Emporkömmling <-s, -e> [-kœmlɪŋ] *m* (*pej*) upstart

empört I. *adj* scandalized (**über** by) **II.** *adv* indignantly

emsig ['ɛmzɪç] **I.** *adj* busy **II.** *adv* industriously

Ende <-s, -n> ['ɛndə] *nt* **1.** end; **sie ist ~ 1948 geboren** she was born at the end of 1948; ~ **August/des Monats/2001** the end of August/the month/2001; ~ **20 sein** to be in one's late 20s; **am ~ sein** to be at the end of one's tether; **etw zu ~ lesen** to finish reading sth; **zu ~ sein** to be finished **2.** FILM, LIT ending ▶ **am ~ der Welt** (*fam*) at the back of beyond; **letzten ~es** when all is said and done

enden ['ɛndn̩] *vi* **1.** to end; **das wird böse ~!** that will end in tears!; **jd wird schlimm ~** sb will come to a bad end **2.** (*auslaufen*) to expire

Endergebnis *nt* final result

endgültig I. *adj* final **II.** *adv* finally;

~ **entscheiden** to decide once and for all

Endivie <-, -n> [ɛn'diːvi̯ə] *f* endive

endlich ['ɛntlɪç] **I.** *adv* at last, finally; **na ~!** at [long] last! **II.** *adj* finite

endlos I. *adj* endless **II.** *adv* interminably

Endspurt *m* final spurt **Endstation** *f* terminus

Endung <-, -en> *f* ending

Energie <-, -n> [enɛr'giː] *f* energy; ~ **sparend** energy-saving; **viel ~ haben** to be full of energy; **wenig ~ haben** to lack energy

Energiebedarf *m* energy requirement[s] **Energiegewinnung** *f* kein *pl* generation of energy **energiesparend** *adj* ÖKOL *s.* **Energie Energieversorgung** *f* energy supply

energisch [e'nɛrgɪʃ] **I.** *adj* energetic **II.** *adv* vigorously

eng ['ɛŋ] **I.** *adj* **1.** *Straße* narrow **2.** *Kleidung* tight **3. bei jdm ist es sehr ~** sb's home is too cramped **4.** *Beziehung, Freundschaft* close **II.** *adv* **1. ein ~ anliegendes Kleid** a close-fitting dress; **eine ~ anliegende Hose** very tight trousers **2.** (*dicht*) densely; ~ **nebeneinanderstehen** to stand close to each other **3.** (*intim*) closely; ~ **befreundet sein** to be close friends

Engagement <-s, -s> [ãgaʒə'mãː] *nt* **1.** commitment (**für** to) **2.** THEAT engagement

engagieren [ãga'ʒiːrən] **I.** *vt* **jdn** ~ to engage sb *esp* BRIT; **wir engagierten ihn als Leibwächter** we took him on as a bodyguard **II.** *vr* **sich** ~ to be committed; **sich dafür ~, dass ...** to support an idea that ...

engagiert [ãga'ʒiːɐt] *adj* (*geh*) poli-

tisch/sozial ~ politically/socially committed

Engel <-s, -> ['ɛŋl̩] *m* angel

England <-s> ['ɛŋlant] *nt* **1.** (*Teil Großbritanniens*) England **2.** (*Großbritannien*) Great Britain

Engländer(in) <-s, -> ['ɛŋlɛndɐ] *m(f)* Englishman *masc,* Englishwoman *fem;* **die ~** the English

englisch ['ɛŋlɪʃ] *adj* English

Engpass[RR] <-es, Engpässe> *m* bottleneck

engstirnig ['ɛŋʃtɪrnɪç] **I.** *adj* narrow-minded **II.** *adv* **~ denken/handeln** to think/act in a narrow-minded way

Enkel(in) <-s, -> ['ɛŋkl̩] *m(f)* grandchild, grandson *masc,* granddaughter *fem*

enorm [e'nɔrm] *adj* enormous

Ensemble <-s, -s> [ãˈsãbl] *nt* ensemble

entbehren [ɛntˈbeːrən] *vt* **jdn/etw ~ können** to be able to do without sb/sth

entbehrlich *adj* dispensable

Entbindung *f* delivery

entdecken *vt* to discover

Entdecker(in) <-s, -> [ɛntˈdɛkɐ] *m(f)* discoverer

Entdeckung *f* discovery

Entdeckungsreise *f* voyage of discovery

Ente <-, -n> ['ɛntə] *f* duck

enteignen *vt* JUR **jdn ~** to dispossess sb

enterben *vt* **jdn ~** to disinherit sb

entfachen [ɛntˈfaxn̩] *vt* **1.** to kindle **2.** (*entfesseln*) to provoke

entfalten I. *vt* **1.** to unfold **2.** (*entwickeln*) **etw ~** to develop sth **II.** *vr* (*sich voll entwickeln*) **sich ~** to develop to the full

Entfaltung <-, -en> *f* development;

zur ~ kommen to develop

entfernen [ɛntˈfɛrnən] **I.** *vt* **1.** to remove **2.** MED **jdm den Blinddarm ~** to take out sb's appendix **II.** *vr* **sich ~** to go away (**von** from); **sich vom Weg ~** to go off the path

entfernt *adj* **1.** (*räumlich, zeitlich*) distant; **7 Kilometer von hier ~** 7 kilometres [away] from here; **~er Verwandter** distant relative; **zu weit ~** too far [away] **2.** (*schwach*) **~e Ähnlichkeit** slight similarity; **~er Verdacht** remote suspicion

Entfernung <-, -en> *f* distance

Entfernungsmesser <-s, -> *m* rangefinder

entflammbar *adj* **1.** inflammable **2.** (*fig*) easily roused

entfremden [ɛntˈfrɛmdn̩] **I.** *vt* to estrange; **etw seinem Zweck ~** to use sth for the wrong purpose **II.** *vr* **sich jdm ~** to become estranged from sb

Entfroster <-s, -> *m* defroster

entführen *vt* **jdn ~** to abduct sb; *Fahrzeug, Flugzeug* to hijack

Entführer(in) *m(f)* kidnapper; *eines Fahrzeugs/Flugzeugs* hijacker

Entführung *f* kidnapping; *eines Fahrzeugs/Flugzeugs* hijacking

entgegen [ɛntˈgeːgn̩] **I.** *adv* (*in Richtung auf*) towards **II.** *präp* against; **~ meiner Bitte** contrary to my request

entgegen|gehen *vi irreg sein* **jdm ~** to go to meet sb; **dem Ende/seiner Vollendung ~** to near an end/completion **entgegengesetzt** [ɛntˈgeːgŋ̩gəzɛtst] **I.** *adj* **1.** (*räumlich*) opposite **2.** (*gegensätzlich*) opposing **II.** *adv* **~ denken/handeln** to think/do the exact opposite **ent-**

E

gegen|kommen [ɛntˈgeːgŋ̍kɔmən] *vi irreg sein* **1. jdm ~** to come to meet sb **2.** (*Zugeständnisse machen*) **jdm/etw ~** to accommodate sb/sth

entgegenkommend *adj* obliging

entgehen *vi irreg sein* (*nicht bemerkt werden*) **etw entgeht jdm** sth escapes sb['s notice]

Entgelt <-[e]s, -e> [ɛntˈgɛlt] *nt* payment

entgiften [ɛntˈgɪftn̩] *vt* **1.** ÖKOL to decontaminate **2.** MED to detoxify sth

entgleisen [ɛntˈglaizn̩] *vi sein* **1.** *Zug* to be derailed **2.** (*ausfallend werden*) to make a gaffe

Enthaarungsmittel *nt* depilatory

enthalten *irreg* **I.** *vt* to contain **II.** *vr* to refrain; **sich des Alkohols/Rauchens ~** to abstain from alcohol/smoking

enthaltsam [ɛntˈhaltzaːm] *adj* abstinent; (*keusch*) chaste

Enthüllung <-, -en> *f* (*Aufdeckung*) disclosure; *von Skandal* exposure

enthusiastisch **I.** *adj* enthusiastic **II.** *adv* enthusiastically

entkoffeiniert [ɛntkɔfeiˈniːɐ̯t] *adj* decaffeinated

entkommen *vi irreg sein* to escape

entkräften [ɛntˈkrɛftn̩] *vt* **1.** to weaken **2.** (*widerlegen*) **etw ~** to refute sth

entlang [ɛntˈlaŋ] **I.** *präp* along; **den Fluss ~** along the river **II.** *adv* **hier ~** this/that way

entlarven [ɛntˈlarfn̩] *vt* **jdn [als etw] ~** to expose sb [as sth]

entlassen *vt irreg* **1.** (*kündigen*) to dismiss **2.** (*aus Krankenhaus, Militär, Gefängnis*) to discharge

entlasten *vt* **jdn ~ 1.** JUR to clear sb **2.** (*Arbeit abnehmen*) to relieve sb

Entlastung <-, -en> *f* **1.** JUR exonera-

tion; **zu jds ~** in sb's defence **2.** (*Erleichterung*) relief

entlaufen¹ *vi irreg sein* **jdm ~** to run away from sb

entlaufen² *adj* escaped

entmachten [ɛntˈmaxtn̩] *vt* to disempower

entmutigen [ɛntˈmuːtɪgn̩] *vt* to discourage

entrahmt *adj* (*Milch*) skimmed

entrümpeln [ɛntˈrʏmpl̩n] *vt* to clear out *sep*

entrüsten *vr* **sich über jdn/etw ~** to be indignant about sb/sth

entrüstet **I.** *adj* indignant (**über** about/at) **II.** *adv* indignantly

Entsafter <-s, -> *m* juicer, BRIT *a.* juice extractor

Entschädigung *f* compensation

entschärfen *vt* (*a. fig*) to defuse

entscheiden *irreg* **I.** *vt, vi* **1.** to decide (**über** on); (*gerichtlich*) to rule; **für/gegen jdn/etw ~** to decide in favour/against sb/sth **2.** (*endgültig klären*) to settle **II.** *vr* **sich ~** to decide

entscheidend [ɛntˈʃaidn̩t] **I.** *adj* decisive **II.** *adv* decisively

Entscheidung *f* decision; **die ~ liegt bei jdm** it is for sb to decide; **jdn vor eine ~ stellen** to leave a decision to sb; **eine ~ treffen** to make a decision

entschlacken [ɛntˈʃlakn̩] MED **I.** *vt* to purify **II.** *vi* to have a purifying effect

entschließen *vr irreg* (*sich entscheiden*) **sich [für etw akk] ~** to decide [on sth]

Entschluss[RR], **Entschluß**[ALT] [ɛntˈʃlʊs] *m* decision; **einen ~ fassen** to make a decision

entschlüsseln [ɛntˈʃlʏsl̩n] *vt* to decode

entschuldigen [ɛntˈʃʊldɪgn̩] **I.** *vi*

~ **Sie** excuse me **II.** *vr* **sich** ~ to apologize **III.** *vt* **etw** ~ to excuse sth

Entschuldigung <-, -en> *f* **1.** apology; **[jdn] um** ~ **bitten** to apologize [to sb] **2.** (*Rechtfertigung*) **als** ~ **für etw** as an excuse for sth **3.** (*Höflichkeitsformel*) ~**!** sorry!

entsetzen I. *vt* to horrify **II.** *vr* **sich** ~ to be horrified (**über** at)

Entsetzen <-s> *nt kein pl* horror; **voller** ~ filled with horror; **mit** ~ horrified

entsetzlich [ɛnt'zɛtslɪç] **I.** *adj* dreadful **II.** *adv* terribly

entsetzt *adj* horrified (**über** by)

Entsorgung <-, -en> *f* waste disposal

entspannen I. *vr* **sich** ~ **1.** to relax **2.** (*sich beruhigen*) to ease **II.** *vt* **1.** to relax **2.** POL to ease

entsprechen *vi irreg* **etw** *dat* ~ to correspond to sth

entsprechend [ɛnt'ʃprɛçn̩t] **I.** *adj* appropriate **II.** *präp* in accordance with

entstehen *vi irreg sein* **1.** to come into being **2.** (*verursacht werden*) to arise

Entstehung <-, -en> *f* creation; *des Lebens* origin

entstellen *vt* **1.** (*verunstalten*) to disfigure **2.** (*verzerren*) to distort

enttäuschen *vt* **jdn** ~ to disappoint sb; **jds Hoffnungen** ~ to dash sb's hopes; **jds Vertrauen** ~ to betray sb's trust

enttäuscht I. *adj* disappointed (**von** in/with) **II.** *adv* disappointedly

Enttäuschung *f* disappointment; **jdm eine** ~ **bereiten** to disappoint sb

Entwarnung *f* all-clear

entwässern *vt* **1.** to drain **2.** MED to dehydrate

entweder [ɛnt've:dɐ] *konj* ~ ... **oder** ... either...or; ~ **oder!** yes or no!

entwickeln I. *vt* *a.* FOTO to develop **II.** *vr* **sich** ~ to develop

Entwicklung <-, -en> *f* **1.** *a.* FOTO development; **[noch] in der** ~ **sein** to be [still] in the development stage **2.** (*Trend*) trend

Entwicklungshelfer(in) *m(f)* development aid worker **Entwicklungshilfe** *f* development aid **Entwicklungsland** *nt* developing country

entwischen *vi sein* to escape

entwöhnen [ɛnt'vøːnən] *vt Säugling* to wean

Entwurf *m* **1.** (*Skizze*) sketch **2.** (*Design*) design **3.** *eines Textes* draft

Entziehungskur *f* rehabilitation programme (*for alcohol or drug addiction*)

entziffern [ɛnt'tsɪfɐn] *vt* to decipher

entzücken *vt* to delight

entzückend [ɛnt'tsʏkn̩t] *adj* delightful

Entzug *m kein pl* MED withdrawal

Entzugserscheinung *f* withdrawal symptom *usu pl*

entzündbar *adj* inflammable; **leicht** ~ highly inflammable

entzünden I. *vt* (*geh*) to light **II.** *vr* **sich** ~ **1.** MED to become inflamed **2.** (*in Brand geraten*) to catch fire

entzündet *adj* MED inflamed; (*Augen a.*) sore

Entzündung *f* MED inflammation

entzwei [ɛnt'tsvai] *adj pred* broken

entzweien [ɛnt'tsvaiən] **I.** *vt* **jdn** ~ to cause sb to fall out **II.** *vr* **sich mit jdm** ~ to fall out with sb

Enzian <-s, -e> ['ɛntsi̯aːn] *m* gentian

Enzyklopädie <-, -n> [ɛntsyklopɛ'diː] *f* encyclopaedia

Enzym <-s, -e> [ɛn'tsyːm] *nt* enzyme

Epidemie <-, -n> [epide'miː] *f* epidemic

E

Epilepsie <-, -n> [epilɛ'psiː] *f* epilepsy

Epileptiker(in) <-s, -> [epi'lɛptikɐ] *m(f)* epileptic

Epoche <-, -n> [e'pɔxə] *f* epoch

er ['eːɐ̯] *pron pers* he; **sie ist ein Jahr jünger als ~** she is a year younger than him; **nicht möglich, ~ ist es wirklich!** unbelievable, it really is him!; **wenn ich ~ wäre, ...** if I were him ...

Erbanlage *f* hereditary factor

Erbarmen <-s> [ɛɐ̯'barmən] *nt kein pl* pity; **~ mit jdm/etw [haben]** to [have] pity for sb; **ohne ~** merciless

erbärmlich [ɛɐ̯'bɛrmlɪç] **I.** *adj* **1.** (*jämmerlich*) wretched **2.** (*fam: gemein*) miserable **II.** *adv* (*fam: furchtbar*) terribly

erbarmungslos [ɛɐ̯'barmʊŋsloːs] **I.** *adj* merciless **II.** *adv* mercilessly

Erbe <-s> ['ɛrbə] *nt kein pl* **1.** inheritance *no pl* **2.** (*fig: Hinterlassenschaft*) legacy **3.** (*Person*) heir

Erbe, Erbin <-n, -n> ['ɛrbə, 'ɛrbɪn] *m, f* JUR heir *masc*, heiress *fem*

erben ['ɛrbn̩] *vt* **etw ~** to inherit sth

erbeuten [ɛɐ̯'bɔytn̩] *vt* **etw ~ 1.** *Kriegsbeute* to capture sth **2.** *Diebesgut* to carry off sth *sep*

Erbgut *nt kein pl* genetic make-up

Erbin <-, -nen> ['ɛrbɪn] *f fem form von* **Erbe** heiress

erbittert I. *adj* bitter **II.** *adv* bitterly

Erbkrankheit *f* hereditary disease

erblich ['ɛrplɪç] *adj* hereditary

erblinden [ɛɐ̯'blɪndn̩] *vi sein* to go blind

Erbmasse *f* genetic make-up

erbrechen *irreg* **I.** *vt* **etw ~** to bring up sth *sep* **II.** *vi* to throw up *sl* **III.** *vr* **sich ~** to be sick

Erbschaft <-, -en> ['ɛrpʃaft] *f* inheri-

tance; **eine ~ machen** to come into an inheritance

Erbse <-, -n> ['ɛrpsə] *f* pea

Erdachse ['eːɐ̯ɡdaksə] *f* earth's axis

Erdanziehung *f kein pl* gravitational pull of the earth **Erdapfel** *m* ÖSTERR potato **Erdbeben** *nt* earthquake **Erdbeere** ['eːɐ̯ɡtbeːrə] *f* strawberry **Erdboden** *m* ground; **etw dem ~ gleichmachen** to raze sth to the ground

Erde <-> ['eːɐ̯ɡdə] *f kein pl* **1.** earth; **fruchtbare ~** fertile soil **2.** (*Boden*) ground; **auf der ~** on the ground

Erdgas *nt* natural gas **Erdgeschoss**^RR *nt* ground [*or* AM first] floor; **im ~** on the ground floor **Erdkruste** *f* earth's crust **Erdkugel** *f* globe **Erdkunde** *f* geography **Erdnuss**^RR *f* peanut **Erdöl** *nt* oil

erdreisten [ɛɐ̯'draistn̩] *vr* **sich ~, etw zu tun** to have the audacity to do sth

erdrosseln *vt* **jdn ~** to strangle sb

erdrücken *vt* **1.** (*zu Tode drücken*) to crush **2.** (*belasten*) **jdn ~** to overwhelm sb

Erdrutsch *m* landslide **Erdstoß** *m* seismic shock **Erdteil** *m* continent

erdulden *vt* to endure

Erdumdrehung *f* rotation of the earth **Erdumlaufbahn** *f* [earth] orbit

Erdung <-, -en> *f* ELEK **1.** (*das Erden*) earthing **2.** (*Erde*) earth

ereifern *vr* **sich ~** to get worked up (**über** about)

ereignen [ɛɐ̯'ʔaignən] *vr* **sich ~** to occur

Ereignis <-ses, -se> [ɛɐ̯'ʔaignɪs] *nt* event; **bedeutendes/historisches ~** important/historical incident

erfahren^1 [ɛɐ̯'faːrən] *irreg vt* **1.** *Nachricht, Neuigkeit* to hear (**über/von**

about) **2.** (*erleben*) to experience

erfahren² [ɛɐ̯ˈfaːrən] *adj* experienced

Erfahrung <-, -en> *f* experience (**mit** of); **die ~ machen, dass ...** to find that ...; **etw in ~ bringen** to find out sth *sep;* **nach meiner ~** in my experience; **jahrelange ~** years of experience

erfassen *vt* **1.** (*mitreißen*) to catch **2.** (*begreifen*) to understand; **genau, du hast's erfasst!** exactly, you've got it! **3.** (*registrieren*) to record **4.** *Daten* to enter

erfinden *vt irreg* to invent

Erfinder(in) [ɛɐ̯ˈfɪndɐ] *m(f)* inventor

Erfindung <-, -en> *f* invention; **eine ~ machen** to invent sth

Erfolg <-[e]s, -e> [ɛɐ̯ˈfɔlk] *m* success; **~ versprechend** promising; **wenig ~ versprechend sein** to promise little; **~ haben** to be successful; **viel ~!** good luck!

erfolglos [ɛɐ̯ˈfɔlkloːs] *adj* **1.** unsuccessful **2.** (*vergeblich*) futile

erfolgreich *adj* successful

erforderlich [ɛɐ̯ˈfɔrdɐlɪç] *adj* necessary

erfordern *vt* to require

erforschen *vt* **1.** (*erkunden*) to explore **2.** (*genau untersuchen*) **etw ~** to research into sth

erfreuen I. *vt* to please II. *vr* **sich an etw** *dat* **~** to take pleasure in sth

erfreulich [ɛɐ̯ˈfrɔylɪç] *adj* pleasant; *Nachricht* welcome

erfrieren *vi irreg sein* **1.** *Person, Tier* to freeze to death; *Pflanze* to be killed by frost **2.** *Gliedmassen* to get frostbitten; **erfroren** frozen

erfrischen [ɛɐ̯ˈfrɪʃən] I. *vt* to refresh II. *vi* to be refreshing III. *vr* **sich ~** to refresh oneself

erfrischend *adj* refreshing

Erfrischung <-, -en> *f* refreshment *no pl*

Erfrischungsgetränk *nt* refreshment

erfüllen I. *vt Pflicht, Traum, Versprechen* to fulfil; **von Ekel erfüllt** filled with disgust; **seinen Zweck ~** to serve its purpose II. *vr* **sich ~** to come true

ergänzen [ɛɐ̯ˈgɛntsn̩] *vt* (*vervollständigen*) **etw ~** to complete sth (**durch** with); **sie ~ sich** they complement each other

Ergänzung <-, -en> *f* **1.** (*einer Sammlung*) completion **2.** (*Zusatz*) addition

ergeben¹ *irreg* I. *vt* **1.** MATH to amount to **2.** (*als Resultat haben*) to produce II. *vr* **1.** (*kapitulieren*) to surrender **2.** (*sich fügen*) to submit; **sich in sein Schicksal ~** to resign oneself to one's fate **3.** (*daraus folgen*) **sich aus etw** *dat* **~** to result from sth

ergeben² *adj* **1.** (*demütig*) humble **2.** (*treu*) devoted

Ergebnis <-ses, -se> [ɛɐ̯ˈgeːpnɪs] *nt* result; **zu dem ~ führen, dass ...** to result in ...; **zu einem/keinem ~ kommen** to reach/fail to reach a conclusion

ergiebig [ɛɐ̯ˈgiːbɪç] *adj* (*ertragreich*) productive

ergonomisch I. *adj* ergonomic II. *adv* ergonomically

ergreifen *vt irreg* to seize; *Maßnahmen* to take

ergreifend *adj* moving

ergriffen [ɛɐ̯ˈgrɪfn̩] *adj* moved

Erhalt <-[e]s> *m kein pl* (*geh*) maintenance

erhalten *irreg vt* **1.** (*bekommen*) to receive; **den Auftrag ~, etw zu tun** to be given the task of doing sth

2. (*bewahren*) to maintain **3.** BAU to preserve

erhältlich [ɛɐ̯ˈhɛltlɪç] *adj* obtainable

erheblich [ɛɐ̯ˈheːplɪç] **I.** *adj* considerable **II.** *adv* considerably

erheitern [ɛɐ̯ˈhaitɐn] *vt* to amuse

erhitzen [ɛɐ̯ˈhɪtsn̩] **I.** *vt* etw ~ to heat sth **II.** *vr* (*sich erregen*) sich ~ to get excited (**an** about)

erhöhen [ɛɐ̯ˈhøːən] **I.** *vt* etw ~ to raise sth; *Preise, Produktion* to increase sth **II.** *vr* sich ~ to increase

erholen *vr* sich ~ **1.** (*wieder zu Kräften kommen*) to recover (**von** from) **2.** (*ausspannen*) to relax

erholsam [ɛɐ̯ˈhoːlzaːm] *adj* relaxing

Erholung <-> *f kein pl* relaxation

Erholungsgebiet *nt* recreation area

erinnern [ɛɐ̯ˈʔɪnɐn] **I.** *vt* jdn an jdn/etw ~ to remind sb of sb/sth **II.** *vr* sich an jdn/etw ~ to remember sb/sth; **wenn ich mich recht erinnere, ...** if I remember correctly ...; **soweit ich mich ~ kann** as far as I can remember **III.** *vi* **1.** an jdn/etw ~ to be reminiscent of sb/sth *form* **2.** (*ins Gedächtnis rufen*) daran ~, dass ... to point out that ...

Erinnerung <-, -en> *f* memory; **zur ~ an etw** *akk* in memory of sth; **~en austauschen** to talk about old times

erkälten [ɛɐ̯ˈkɛltn̩] *vr* sich ~ to catch a cold

Erkältung <-, -en> *f* cold; **eine ~ bekommen** to catch a cold

erkennbar *adj* **1.** (*sichtbar*) discernible **2.** (*wahrnehmbar*) perceptible

erkennen *irreg* **I.** *vt* **1.** (*wahrnehmen*) to discern **2.** (*identifizieren*) jdn/etw ~ to recognize sb/sth **3.** (*einsehen*) to recognize; **einen Irrtum ~** to realize one's mistake

II. *vi* **1.** (*wahrnehmen*) ~ **ob/um was/wen ...** to see whether/what/who ... **2.** (*einsehen*) ~, **dass/wie ...** to realize that/how ...

Erkenntnis [ɛɐ̯ˈkɛntnɪs] *f* insight; **zu der ~ kommen, dass ...** to realize that ...

Erker <-s, -> [ˈɛrkɐ] *m* bay window

erklären I. *vt* **1.** etw ~ to explain sth **2.** (*bekannt geben*) to announce **3.** (*offiziell bezeichnen*) to pronounce; **jdn für vermisst ~** to declare sb missing **II.** *vr* sich *dat* ~ to understand sth; **wie ~ Sie sich, dass ...** how do you explain that ...

Erklärung *f* **1.** explanation **2.** (*Mitteilung*) statement; **eine ~ abgeben** to make a statement

erkranken *vi* [an etw *dat*] ~ to be taken ill [with sth]

erkunden [ɛɐ̯ˈkʊndn̩] *vt Gebiet* to discover **2.** MIL to scout out *sep*

erkundigen [ɛɐ̯ˈkʊndɪgn̩] *vr* sich [nach jdm/etw] ~ to ask [about sb/sth]

erlangen [ɛɐ̯ˈlaŋən] *vt* (*geh*) to obtain

Erlass^RR <-es, -e>, **Erlaß**^ALT <-sses, -sse> [ɛɐ̯ˈlas] *m* decree

erlassen *vt irreg* etw ~ **1.** einen Haftbefehl ~ to issue a warrant **2.** eine Strafe ~ to remit a sentence

erlauben [ɛɐ̯ˈlaubn̩] **I.** *vt* to permit; **jdm etw ~** to allow sb to do sth **II.** *vr* (*sich herausnehmen*) sich *dat* ~, etw zu tun to take the liberty of doing sth

Erlaubnis <-, *pl selten* -se> *f* permission; **[jdn] um ~ bitten** to ask [sb's] permission; **jdm die ~ geben** to give sb permission

erläutern *vt* [jdm] etw ~ to explain sth [to sb]

Erläuterung <-, -en> *f* explanation

Erle <-, -n> ['ɛrlə] f alder

erleben vt etw ~ **1.** (zu Lebzeiten) to live to see sth; **es ~, dass/wie ...** to see that/how ... **2.** (erfahren) to experience sth; **eine [große] Enttäuschung ~** to be [bitterly] disappointed; **harte Zeiten ~** to go through hard times

Erlebnis <-ses, -se> [ɛg'leːpnɪs] nt experience

erledigen [ɛg'leːdɪgn̩] I. vt etw ~ to carry out sth; **zu ~** to be done II. vr **etw erledigt sich [von selbst]** sth sorts itself out [on its own]

erleichtern [ɛg'laiçtɐn] vt **1.** [jdm] etw ~ to make sth easier [for sb] **2.** (beruhigen) **jdn ~** to be of relief to sb

erleiden vt irreg etw ~ to suffer sth

erleuchten vt etw ~ to light [up] sth

Erlös <-es, -e> [ɛg'løːs] m proceeds pl

ermächtigen [ɛg'mɛçtɪgn̩] vt jdn [zu etw dat] ~ to authorize sb [to do sth]

ermahnen vt jdn ~ to warn sb; **jdn ~, etw zu tun** to tell sb to do sth

ermäßigen vt to reduce

Ermäßigung <-, -en> f reduction

ermitteln I. vt etw ~ **1.** (herausfinden) to find out sth sep; **jdn ~** to establish sb's identity **2.** (errechnen) to determine sth; **jdn ~ Gewinner** to decide [on] II. vi to investigate

Ermittlung <-, -en> f **1.** kein pl (das Ausfindigmachen) determining **2.** (Untersuchung) investigation

ermöglichen [ɛg'møːklɪçn̩] vt **jdm etw ~** to enable sb to do sth

ermüden [ɛg'myːdn̩] I. vt haben jdn ~ to tire sb [out] II. vi sein to become tired

ermüdend adj tiring

Ermüdung <-, pl selten -en> f tiredness

ermutigen [ɛg'muːtɪgn̩] vt jdn [zu etw dat] ~ to encourage sb [to do sth]

ernähren I. vt **1.** to feed **2.** (unterhalten) **jdn ~** to support sb II. vr **sich von etw** dat ~ (essen) to live on sth

Ernährung <-> f kein pl **1.** (das Ernähren) feeding **2.** (Nahrung) diet

ernennen vt irreg jdn [zu etw dat] ~ to appoint sb [as sth]

Ernennung f appointment (**zu** as); **~ eines Stellvertreters** nomination of a deputy

erneuerbar adj renewable

erneuern [ɛg'nɔyɐn] vt (auswechseln) to replace

erniedrigen [ɛg'niːdrɪgn̩] vt jdn/sich ~ to demean sb/oneself

ernst ['ɛrnst] adj serious; **es ~ meinen [mit jdm/etw]** to be serious [about sb/sth]; **jdn/etw ~ nehmen** to take sb/sth seriously

Ernstfall m emergency; **im ~** in an emergency

ernsthaft I. adj **1.** (gravierend) serious **2.** (aufrichtig) sincere II. adv seriously

ernten ['ɛrntn̩] vt to harvest

ernüchtern [ɛg'nʏçtɐn] vt jdn ~ to bring sb back to reality

Ernüchterung <-, -en> f disillusionment

erobern [ɛg'ʔoːbɐn] vt to conquer

Eroberung <-, -en> f **1.** (das Erobern) conquest **2.** (erobertes Gebiet) conquered territory

Eröffnung f opening

erörtern [ɛg'œrtɐn] vt etw ~ to discuss sth [in detail]

Erörterung <-, -en> f discussion

Erosion <-, -en> [ero'zjoːn] f erosion

Erotik <-> [e'roːtɪk] f kein pl eroticism

erotisch [e'roːtɪʃ] adj erotic

E

Erpel <-s, -> |'ɛrpl̩| *m* drake

erpressen *vt* **1. jdn ~** to blackmail sb **2. etw ~** to extort sth

Erpresser(in) <-s, -> *m(f)* blackmailer

Erpressung <-, -en> *f* blackmail

erraten *vt irreg* to guess

errechnen *vt* to calculate

erregen I. *vt* **1.** (*aufregen*) **jdn ~** to irritate sb **2.** (*sexuell*) **jdn ~** to arouse sb **3.** (*hervorrufen*) **etw ~** to engender sth **II.** *vr* **sich über jdn/etw ~** to get annoyed about sb/sth

Erreger <-s, -> *m* pathogen

erreichbar *adj* (*telefonisch*) [**für jdn**] **~ sein** to be able to be reached [by sb]

erreichen *vt* to reach; *Zug* to catch

erringen *vt irreg* **etw ~** to win sth [with a struggle]

erröten *vi sein* to blush

Errungenschaft <-, -en> |ɛg'rʊŋən-ʃaft| *f* achievement

Ersatz <-es> |ɛg'zats| *m kein pl* substitute

Ersatzbefriedigung *f* vicarious satisfaction **Ersatzdienst** *m* non-military service for conscientious objectors **Ersatzmann** *m* substitute **Ersatzreifen** *m* spare wheel **Ersatzteil** *nt* spare part

erschaffen *vt irreg* (*geh*) to create

erscheinen *vi irreg sein* **1.** (*auftreten*) to appear **2.** *Buch* to come out **3.** (*scheinen*) to seem

Erscheinung <-, -en> *f* **1.** phenomenon **2.** (*Vision*) vision ▶ **in ~ treten** to appear

erschießen *irreg vt* **jdn ~** to shoot sb dead

erschlagen¹ *vt irreg* **jdn ~ 1.** (*totschlagen*) to beat sb to death **2.** (*überwältigen*) to overwhelm sb

erschlagen² *adj* (*fam*) **~ sein** to be knackered

erschließen *irreg vt Land* to develop

erschöpfen *vt* to exhaust

erschöpfend I. *adj* (*ausführlich*) exhaustive **II.** *adv* exhaustively

Erschöpfung <-, *pl selten* -en> *f* exhaustion

erschrecken I. *vt haben* <erschreckte, erschreckt> **jdn ~** to give sb a fright; (*bestürzen*) to shock sb **II.** *vi sein* <erschrickt, erschreckte *o* erschrak, erschreckt *o* erschrocken> [**vor jdm/etw**] **~** to get a fright [from sb/sth]

erschrocken I. *pp von* **erschrecken II II.** *adj* alarmed **III.** *adv* with a start

erschüttern [ɛg'ʃʏtɐn] *vt* to shake

erschwinglich [ɛg'ʃvɪŋlɪç] *adj* affordable

ersetzen *vt* **1.** to replace (**durch** with) **2.** (*erstatten*) **jdm etw ~** to reimburse sb for sth

Ersparnis <-, -se> [ɛg'ʃpaːɐ̯nɪs] *f o* ÖSTERR *nt* **1.** *kein pl* (*Einsparung*) saving **2.** *meist pl* (*erspartes Geld*) savings *pl*

erst ['eːɐ̯st] *adv* **1.** (*zuerst*) [at] first **2.** (*nicht früher als*) only; **wecken Sie mich bitte ~ um 8 Uhr!** please don't wake me until 8 o'clock!; **~ wenn** only if **3.** (*bloß*) only ▶ **~ recht** all the more

erstatten [ɛg'ʃtatn̩] *vt* **1.** [**jdm**] **etw ~** to reimburse [sb] for sth **2.** (*mitteilen*) **Anzeige ~** to report a crime; **Anzeige gegen jdn ~** to report sb

Erstattung <-, -en> *f von Kosten* reimbursement

erstaunen *vt haben* **jdn ~** to amaze sb

Erstaunen *nt* amazement

erstaunlich [ɛg'ʃtaʊnlɪç] **I.** *adj* amazing *pl* II. *adv* amazingly

erste(r, s) ['eːɐ̯stə] *adj* **1.** first; **die ~ Klasse** primary one BRIT, first grade AM *s.a.* **achte(r, s)** 1 **2.** (*Datum*) first, 1st; *s.a.* **achte(r, s)** 2

Erste-Hilfe-Kasten [eːɐ̯stə'hɪlfəkastn̩] *m* first-aid box

ersteigen *vt irreg* to climb

ersticken I. *vt haben* **1. jdn ~** to suffocate sb **2.** *Feuer* to extinguish **II.** *vi sein* **1. an etw** *dat* **~** to choke to death on sth **2.** (*übermäßig viel haben*) **in etw** *dat* **~** to drown in sth

erstklassig ['eːɐ̯stklasɪç] *adj, adv* firstclass

erstmals ['eːɐ̯stmaːls] *adv* for the first time

erstrecken *vr* **sich ~** to extend (**über** over)

ertappen *vt* **jdn** [**bei etw** *dat*] **~** to catch sb [doing sth]

Ertrag <-[e]s, Erträge> [ɛɐ̯'traːk] *m* **1.** AGR yield **2.** *meist pl* ÖKON revenue; **~ bringen** to bring in revenue

ertragen *vt irreg* to bear; **nicht zu ~ sein** to be unbearable

erträglich [ɛɐ̯'trɛːklɪç] *adj* bearable; **schwer ~ sein** to be difficult to cope with

ertrinken *vi irreg sein* to drown

erwachen *vi sein* to wake up

erwachsen [ɛɐ̯'vaksn̩] *adj* adult, grown-up *fam*

Erwachsene(r) *f(m) dekl wie adj* adult

erwägen *vt irreg* to consider

erwähnen *vt* to mention; [**jdm gegenüber**] **~, dass ...** to mention [to sb] that ...

erwärmen I. *vt* to warm [up] **II.** *vr* **1. sich ~** to warm up **2.** (*sich begeistern*) **sich für jdn/etw ~** to work up enthusiasm for sb/sth

erwarten *vt* to expect; **von jdm ~, dass ...** to expect sb to do sth; **etw war zu ~** sth was to be expected; **wider E~** contrary to [all] expectation[s]

Erwartung <-, -en> *f* **1.** *kein pl* (*Ungeduld*) anticipation **2.** *pl* (*Hoffnung*) expectations; **jds ~en gerecht werden** to live up to sb's expectations; **voller ~** full of expectation; **den ~en entsprechen** to fulfil the expectations

erweitern [ɛɐ̯'vaitn̩] **I.** *vt* **etw ~ 1.** *Straße, Kleidung* to widen sth (**um** by) **2.** (*vergrößern*) to expand sth (**um** by) **3.** (*umfangreicher machen*) to increase sth (**um** by) **II.** *vr* (*sich verbreitern*) **sich ~** to widen (**um** by)

Erwerb <-[e]s> [ɛɐ̯'vɛrp] *m kein pl* (*geh*) purchase

erwerben *vt irreg* **1.** to acquire **2.** (*gewinnen*) [**sich** *dat*] **etw ~** to earn sth; **jds Vertrauen ~** to win sb's trust

erwerbslos *adj* unemployed

Erwerbstätige(r) *f(m) dekl wie adj* gainfully employed [person]; **selbständig ~** self-employed [person] **erwerbsunfähig** *adj* unfit for gainful employment

erwischen [ɛɐ̯'vɪʃn̩] *vt* (*fam*) **1.** (*ertappen*) **jdn** [**bei etw** *dat*] **~** to catch sb [doing sth] **2.** (*ergreifen, erreichen*) **jdn/etw ~** to catch sb/sth

Erz <-es, -e> ['eːɐ̯ts] *nt* ore

erzählen *vt* to tell

Erzähler(in) [ɛɐ̯'tsɛːlɐ] *m(f)* storyteller

Erzählung *f* story

Erzbischof, -bischöfin ['ɛrtsbɪʃɔf, 'ɛrtsbɪʃœfɪn] *m, f* archbishop **Erzengel** ['ɛrts?eŋl̩] *m* archangel

erzeugen *vt* **1.** to produce **2.** ELEK, SCI to generate **3.** (*hervorrufen*) to create

erziehen vt irreg **1.** Kind to bring up sep **2.** (anleiten) **jdn zu etw** dat ~ to teach sb to be sth

Erziehung f kein pl **1.** education no pl **2.** (das Großziehen) upbringing

Erziehungsurlaub m (veraltet) maternity [or paternity] leave

erzwingen vt irreg **etw** ~ to force sth; **eine Entscheidung** ~ to force an issue; **ein Geständnis [von jdm]** ~ to make sb confess

es <gen seiner, dat ihm, akk es> ['ɛs] pron pers, unbestimmt **1.** it; ~ **gefällt mir** I like it; **wer ist da? — ich bin** ~ who's there? — it's me **2.** auf vorangehenden Satzinhalt bezogen **kommt er auch? — ich hoffe** ~ is he coming too? — I'hope so **3.** Subjekt bei unpersönlichen Ausdrücken ~ **klopft** there's a knock at the door; **hat** ~ **geklingelt?** did somebody ring?; ~ **regnet** it's raining; ~ **waren Tausende** there were thousands

Esche <-, -n> ['ɛʃə] f ash

Esel(in) <-s, -> ['e:zl̩] m(f) donkey

eskalieren [ɛska'li:rən] vi, vt to escalate (**zu** into)

Eskimo, Eskimofrau <-s, -s> ['ɛskimo] m, f Eskimo

Espe <-, -n> ['ɛspə] f aspen

essbarRR, **eßbar**ALT adj edible; **nicht** ~ inedible

essen <isst, aß, gegessen> ['ɛsn̩] vt, vi to eat; **etw zum Nachtisch** ~ to have sth for dessert; **griechisch** ~ to have a Greek meal; **kalt/warm** ~ to have a cold/hot meal; ~ **gehen** to eat out; **in diesem Restaurant kann man gut** ~ this restaurant does good food

Essen <-s, -> ['ɛsn̩] nt **1.** (Mahlzeit) meal; **zum** ~ **bleiben** to stay for lunch/dinner **2.** (Nahrung) food

Essig <-s, -e> ['ɛsɪç] m vinegar

Essiggurke f gherkin **Essigsäure** f acetic acid

EsskastanieRR [-kasta:niə] f sweet chestnut **Esslöffel**RR m soup spoon **Essstäbchen**RR nt meist pl chopstick **Esstisch**RR m dining table **Esszimmer**RR nt dining room

Este, Estin <-n, -n> ['e:stə, 'e:stɪn] m, f Estonian

Estland <-s> ['e:stlant] nt Estonia

estnisch ['e:stnɪʃ] adj Estonian

Estragon <-s> ['ɛstragɔn] m kein pl tarragon

etabliert adj established

Etage <-, -n> [e'ta:ʒə] f floor; **auf der 5.** ~ on the 5th floor BRIT, on the 6th floor AM

Etagenwohnung [e'ta:ʒən-] f flat BRIT, apartment AM

Etappe <-, -n> [e'tapə] f **1.** (Abschnitt) **in** ~**n arbeiten** to work in stages **2.** (Teilstrecke) leg

Etat <-s, -s> [e'ta:] m budget

Ethik <-> ['e:tɪk] f kein pl **1.** (Wissenschaft) ethics + sing vb **2.** (moralische Haltung) ethics pl **3.** (bestimmte Werte) ethic; **christliche** ~ Christian ethic

ethisch ['e:tɪʃ] adj ethical

Etikett <-[e]s, -e> [eti'kɛt] nt price tag

Etui <-s, -s> [ɛt'vi:] nt case

etwa ['ɛtva] adv **1.** (ungefähr) about; **in** ~ more or less; **so** ~ roughly like this **2.** (zum Beispiel) **wie** ~ **mein Bruder** like my brother for instance

etwas ['ɛtvas] pron indef **1.** something; ~ **anderes** something else; ~ **Dummes/Neues** something stupid/new; **merken Sie** ~? do you notice anything? **2.** (ein wenig) a little; **[noch]** ~ **Geld/Kaffee** some [more]

money/coffee; **du könntest dich ruhig ~ anstrengen** you might make a
bit of an effort

euch ['ɔyç] **I.** *pron pers akk o dat von
s.* **ihr** you; **ein Freund/eine Freundin von ~** a friend of yours **II.** *pron
refl* **beeilt ~!** hurry [up]!; **macht ~
fertig!** get [*fam* yourselves] ready!;
putzt ~ die Zähne! brush your teeth!

Eukalyptus <-, -lypten> [ɔyka'lyptʊs]
m eucalyptus

EU-Land *nt* EU country

Eule <-, -n> ['ɔylə] *f* owl

Euphorie <-, -n> [ɔyfo'ri:] *f* euphoria

euphorisch [ɔy'fo:rɪʃ] *adj* euphoric

eure(r, s) ['ɔyrə] *pron poss* your;
[**der/die/das**] **E~** yours; **Grüße
von ~r Kathrin** Best regards, Yours,
Kathrin

euretwegen ['ɔyrət've:gn̩] *adv* (*wegen
euch*) because of you; (*euch zuliebe*)
for your sake[s]

euretwillen ['ɔyrətvɪlən] *adv* for your
sake

eurige(r, s) ['ɔyrɪgə, -gɐ, -gəs] *pron*
1. (*geh*) yours **2.** *geh für s.* **eu(e)re(r,
s):** **der/die/das ~** yours

Eurocity® ['ɔyrosɪti] *m* Eurocity train

Europa <-s> [ɔy'ro:pa] *nt* Europe

Europäer(in) <-s, -> [ɔyro'pɛ:ɐ] *m(f)*
European

europäisch [ɔyro'pɛ:ɪʃ] *adj* European

Europameister(in) *m(f)* European
champion; (*Team, Land*) European
champions *pl* **Europaparlament** *nt*
das ~ the European Parliament **Eu-
ropapokal** *m* European cup **Europarat** *m* Council of Europe

Euroscheck *m* (*hist*) Eurocheque **Eurozone** <-> *f kein pl* Euro-zone

EU-Staat *m* EU country

Euter <-s, -> ['ɔytɐ] *nt o m* udder

evakuieren [evaku'i:rən] *vt* to evacuate

evangelisch [evaŋ'ge:lɪʃ] *adj* Protestant; **~ sein** to be a Protestant

Evangelium <-s, -lien> [evaŋ'ge:liʊm]
nt Gospel

eventuell [evɛn'tu̯ɛl] **I.** *adj attr* possible **II.** *adv* possibly

Evolution <-, -en> [evolu'tsi̯o:n] *f* evolution

ewig ['e:vɪç] **I.** *adj* **1.** eternal **2.** (*fam:
ständig*) never-ending **II.** *adv* **1.** (*für
ewig*) eternally; (*für immer*) forever
2. (*fam: ständig*) always **3.** (*lange
Zeitspanne*) for ages; **das dauert** [**ja**]
~! it's taking ages [and ages]!

Ewigkeit <-, -en> ['e:vɪçkait] *f* eternity; **eine** [**halbe**] **~ dauern** (*hum
fam*) to last an age

exakt [ɛ'ksakt] **I.** *adj* exact **II.** *adv* exactly; **~ arbeiten** to be accurate in
one's work

Examen <-s, -> [ɛ'ksa:mən] *nt* finals
pl; **mündliches ~** oral exam[ination];
schriftliches ~ [written] exam[ina-
tion]; **das ~ bestehen** to pass one's
finals; **durch das ~ fallen** to fail [in]
one's finals; **~ machen** to do one's
finals

Exemplar <-s, -e> [ɛksɛm'pla:ɐ̯] *nt*
specimen; *Buch* copy; *Zeitung* issue

Exil <-s, -e> [ɛ'ksi:l] *nt* exile

Existenz <-, -en> [ɛksɪs'tɛnts] *f*
1. *kein pl* existence **2.** (*Lebensgrund-
lage*) livelihood **3.** (*Leben*) life; **eine
gescheiterte ~** a failure [in life]; **sich
eine neue ~ aufbauen** to create a
new life for oneself

Existenzangst *f* fear for one's existence **Existenzgründer(in)** *m(f)*
ÖKON founder of a new business **Exis-
tenzminimum** *nt* subsistence level

existieren [ɛksɪs'ti:rən] *vi* **1.** to exist

E

2. (*sein Auskommen haben*) [*von etw dat*] ~ to live [on sth]

exklusiv [ɛksklu'ziːf] *adj* exclusive

Exkrement <-[e]s, -e> [ɛkskre'mɛnt] *nt meist pl* (*geh*) excrement *no pl*

Exkursion <-, -en> [ɛkskʊr'zjoːn] *f* (*geh*) study trip

exotisch [ɛ'ksoːtɪʃ] *adj* exotic

Expedition <-, -en> [ɛkspedi'tsjoːn] *f* expedition

Experiment <-[e]s, -e> [ɛksperi'mɛnt] *nt* experiment; **ein ~ machen** to carry out an experiment

experimentieren [ɛksperimɛn'tiːrən] *vi* to experiment

Experte, Expertin <-n, -n> [ɛks'pɛrtə] *m, f* expert

explodieren [ɛksplo'diːrən] *vi sein* to explode; **die Kosten/Preise ~** costs/prices are rocketing

Explosion <-, -en> [ɛksplo'zjoːn] *f* explosion *a. fig;* **etw zur ~ bringen** to detonate sth

Explosionsgefahr *f* danger of explosion

explosiv [ɛksplo'ziːf] *adj* explosive

Export <-[e]s, -e> [ɛks'pɔrt] *m kein pl* export

exportieren [ɛkspɔr'tiːrən] *vt* to export

Express^{RR} <-es>, **Expreß**^{ALT} [ɛks'prɛs] *m kein pl* **etw per ~ senden** to send sth [by] express [delivery]

extern [ɛks'tɛrn] *adj* external

extra ['ɛkstra] *adv* **1.** extra **2.** (*fam: absichtlich*) **etw ~ machen** to do sth on purpose **3.** (*gesondert*) separately; **etw ~ berechnen** to charge sth separately

Extrakt <-[e]s, -e> [ɛks'trakt] *m o nt* extract

extravagant [ɛkstrava'gant, 'ɛkstravagant] **I.** *adj* extravagant **II.** *adv* extravagantly; ~ **angezogen** flamboyantly dressed

extrem [ɛks'treːm] **I.** *adj* extreme **II.** *adv* extremely; ~ **links/rechts** POL ultra-left/right

Extremist(in) <-en, -en> [ɛkstre'mɪst] *m(f)* extremist

exzentrisch [ɛks'tsɛntrɪʃ] *adj* eccentric

Exzess^{RR} <-es, -e>, **Exzeß**^{ALT} <-sses, -sse> [ɛks'tsɛs] *m meist pl* excess; **etw bis zum ~ treiben** to take sth to extremes

exzessiv [ɛkstsɛ'siːf] *adj* excessive

F

F, f <-, -> *nt* F, f

Fabel <-, -n> ['faːbl̩] *f* fable

fabelhaft ['faːbl̩haft] **I.** *adj* marvellous **II.** *adv* marvellously

Fabrik <-, -en> [fa'briːk] *f* factory

Fabrikant(in) <-en, -en> [fabri'kant] *m(f)* industrialist

Fabrikarbeiter(in) *m(f)* industrial worker

Fabrikat <-[e]s, -e> [fabri'kaːt] *nt* product

fabrikneu *adj* brand-new

fabrizieren [fabri'tsiːrən] *vt* to manufacture

Fach <-[e]s, Fächer> [fax] *nt* **1.** *Schrank* shelf **2.** (*Sachgebiet*) subject; **vom ~ sein** to be a specialist

Facharbeiter(in) *m(f)* skilled worker

Facharzt, -ärztin *m, f* specialist (**für** in) **Fachausdruck** *m* technical term

Fächer <-s, -> ['fɛçɐ] *m* fan

Fachfrau *f fem form von* **Fachmann**
Fachgebiet *nt* [specialist] field **Fachgeschäft** *nt* specialist shop **Fachhochschule** *f* ≈ technical college of higher education **Fachkenntnisse** *pl* specialized knowledge
fachlich I. *adj* specialist II. *adv* professionally
Fachliteratur *f* specialist literature **Fachmann, -frau** <-leute *o selten* -männer> *m, f* expert
Fachwerkhaus *nt* half-timbered house
Fachwissen *nt* specialized knowledge **Fachwort** *nt* technical word
Fackel <-, -n> ['fakl] *f* torch
fade ['fa:də] *adj* bland
Faden <-s, Fäden> ['fa:dn] *m* 1. thread 2. MED stitch; **die Fäden ziehen** to remove the stitches ▶ **der** rote ~ the central theme
Fagott <-[e]s, -e> [fa'ɡɔt] *nt* bassoon
fähig ['fɛɪç] *adj* competent; **zu etw** *dat* [**nicht**] ~ **sein** to be [in]capable of sth; **zu allem** ~ **sein** to be capable of anything
Fähigkeit <-, -en> *f* ability
fahl [fa:l] *adj* (*geh*) pale
fahnden ['fa:ndn] *vi* to search (**nach** for)
Fahndung <-, -en> *f* search (**nach** for)
Fahne <-, -n> ['fa:nə] *f* 1. flag 2. (*fam: Alkoholfahne*) **eine** ~ **haben** to smell of alcohol
Fahnenstange *f* [flag]staff
Fahrausweis *m* 1. ticket 2. SCHWEIZ (*Führerschein*) driving licence **Fahrbahn** *f* road
Fähre <-, -n> ['fɛ:rə] *f* ferry
fahren <fährt, fuhr, gefahren> ['fa:rən] I. *vi* 1. *sein* (*sich fortbewegen: als Fahrgast*) to go; **mit dem Bus/Zug**

~ to go by bus/train; (*als Fahrer*) to drive; **mit dem Auto** ~ to go by car 2. *sein* (*losfahren*) to go; **in Urlaub** ~ to go on holiday 3. *sein* (*verkehren*) to run; **die Bahn fährt alle 20 Minuten** the train runs every 20 minutes 4. (*überkommen*) **was ist denn in dich gefahren?** what's got into you? II. *vt* 1. *haben* (*lenken*) to drive; *Rad* to ride 2. *haben* (*befördern*) to take; **ich fahr' dich nach Hause** I'll take you home 3. *sein* (*eine bestimmte Geschwindigkeit haben*) **90 km/h** ~ to be doing 55 m.p.h. III. *vr haben* **der Wagen fährt sich gut** it's nice to drive this car
Fahrer(in) <-s, -> ['fa:rɐ] *m(f)* driver
Fahrerflucht *f* hit-and-run offence
Fahrerlaubnis *f* (*geh*) driving licence BRIT, driver's license AM
Fahrgast *m* passenger
Fahrgeld *nt* fare **Fahrgelegenheit** *f* lift **Fahrgestell** *nt s.* **Fahrwerk**
Fahrkarte *f* ticket
Fahrkartenautomat *m* ticket machine **Fahrkartenschalter** *m* ticket office
fahrlässig ['fa:ɐlɛsɪç] I. *adj* negligent II. *adv* ~ **handeln** to act with negligence
Fahrlässigkeit <-, -en> *f* negligence *no pl;* **grobe** ~ recklessness
Fahrlehrer(in) *m(f)* driving instructor **Fahrplan** *m* schedule
fahrplanmäßig I. *adj* scheduled II. *adv* as scheduled
Fahrpreis *m* fare **Fahrprüfung** *f* driving test
Fahrrad ['fa:ɐra:t] *nt* bicycle, bike *fam;* ~ **fahren** to ride a bicycle
Fahrradständer *m* [bi]cycle stand
Fahrradweg *m* cycleway

F

Fahrschein *m* ticket **Fahrschule** *f* **1.** (*Firma*) driving school **2.** (*Unterricht*) **in die ~ gehen** to take driving lessons **Fahrschüler(in)** *m(f)* learner [*or* AM student] driver **Fahrspur** *f* lane **Fahrstuhl** *m* lift BRIT, elevator AM **Fahrt** <-, -en> [faːɐ̯t] *f* **1.** journey; **gute ~!** [have a] safe journey!; **eine einfache ~** a single [*or* AM one-way] [ticket] **2.** (*Geschwindigkeit*) **mit voller ~** at full speed

Fährte <-, -n> [ˈfɛɐ̯tə] *f* tracks *npl*

Fahrtkosten *pl* travelling expenses **Fahrtrichtung** *f* direction of travel; **entgegen der/in ~ sitzen** to sit facing backwards/the front

fahrtüchtig *adj Fahrzeug* roadworthy; *Mensch* fit to drive

Fahrtwind *m* headwind

Fahrwerk *nt* AUTO chassis **Fahrzeug** <-s, -e> *nt* vehicle

faktisch [ˈfaktɪʃ] **I.** *adj attr* real **II.** *adv* basically

Fakultät <-, -en> [fakʊlˈtɛt] *f* faculty

Falke <-n, -n> [ˈfalkə] *m* falcon

Fall <-[e]s, Fälle> [fal] *m* **1.** *kein pl* fall; **jdn zu ~ bringen** (*geh*) to make sb fall **2.** (*Untergang*) downfall; **eine Regierung zu ~ bringen** to bring down a government **3.** (*Angelegenheit*) case; [**nicht**] **der ~ sein** [not] to be the case; **auf alle Fälle** in any case; (*unbedingt*) at all events; **auf keinen ~** never; **für alle Fälle** just in case; **gesetzt den ~, dass ...** assuming [that] ...; **im günstigsten/schlimmsten ~[e]** at best/worst; **von ~ zu ~** from case to case **4.** JUR, MED case ▶ [**nicht**] **jds ~ sein** (*fam*) [not] to be sb's cup of tea

Falle <-, -n> [ˈfalə] *f* trap; **~n stellen** to set traps; **jdn in eine ~ locken** to

lure sb into a trap; **in der ~ sitzen** to be trapped

fallen <fällt, fiel, gefallen> [ˈfalən] *vi sein* **1.** *Person* to fall; *Gegenstand* to drop; **etw ~ lassen** *Bemerkung, Gegenstand* to drop sth **2.** (*nicht bestehen*) [**jdn**] **durch eine Prüfung ~** [**lassen**] to fail [sb in] an exam **3.** *Preise* to fall; *Temperatur* to drop **4.** (*im Krieg*) to be killed **5.** (*aufgeben*) **jdn/etw ~ lassen** to abandon sb/sth

fällen [ˈfɛlən] *vt* to fell

fällig [ˈfɛlɪç] *adj* due *usu pred*

Fallobst *nt kein pl* windfall

falls [fals] *konj* if

Fallschirm *m* parachute; **mit dem ~ abspringen** to parachute

Fallschirmspringer(in) *m(f)* parachutist

falsch [falʃ] **I.** *adj* **1.** (*verkehrt*) wrong **2.** (*unzutreffend*) false **3.** (*unecht*) fake **4.** (*hinterhältig*) two-faced **II.** *adv* wrongly; **etw ~ aussprechen** to mispronounce sth; **jdn ~ informieren** to misinform sb; **alles ~ machen** to do everything wrong

fälschen [ˈfɛlʃn] *vt* to forge; ÖKON to falsify

Falschgeld *nt kein pl* counterfeit money

fälschlich I. *adj* false **II.** *adv* mistakenly

falsch|liegen^RR *vi* to be wrong (**mit** in)

falschspielen^RR *vi* to cheat

Falschspieler(in) *m(f)* cheat

Fälschung <-, -en> *f* forgery

Faltboot *nt* collapsible boat **Faltdach** *nt* AUTO soft top

Falte <-, -n> [ˈfaltə] *f* **1.** fold **2.** (*in Kleidung*) crease **3.** (*Hautfalte*) wrinkle; **die Stirn in ~n legen** to furrow one's brows

falten ['faltn̩] *vt* to fold; **die Hände ~** to fold one's hands

Faltenrock *m* pleated skirt

Falter <-s, -> ['faltɐ] *m* (*Tagfalter*) butterfly; (*Nachtfalter*) moth

faltig ['faltɪç] *adj Haut* wrinkled

Falz <-es, -e> [falts] *m* TYPO (*Buchdeckel*) joint; (*Papier*) fold

falzen ['faltsn̩] *vt* to fold

familiär [fami'ljɛːɐ] *adj* **1.** (*die Familie betreffend*) **aus ~en Gründen** for family reasons **2.** (*zwanglos*) **in ~er Atmosphäre** in an informal atmosphere

Familie <-, -n> [fa'miːljə] *f* family; **eine vierköpfige ~** a family of four; **zur ~ gehören** to be one of the family; **eine ~ gründen** to start a family; **das liegt in der ~** it runs in the family; **„ ~ Lang"** "The Lang Family"

Familienname *m* surname **Familienstand** *m* marital status **Familienvater** *m* father

Fan <-s, -s> [fɛn] *m* fan

Fanatiker(in) <-s, -> [fa'naːtikɐ] *m(f)* fanatic

fanatisch [fa'naːtɪʃ] I. *adj* fanatical II. *adv* fanatically

Fanfare <-, -n> [fan'faːrə] *f* fanfare

Fang <-[e]s> [faŋ] *m kein pl* catch
▸ **einen guten ~ machen** to make a good catch

Fangarm *m* tentacle

fangen <fängt, fing, gefangen> ['faŋən] *vt* to catch; **F~ spielen** to play catch

Fangleine *f* NAUT hawser

Fantasie^RR <-, -n> [fanta'ziː] *f* **1.** *kein pl* (*Vorstellungskraft*) imagination **2.** (*Vorstellung*) fantasy

fantasielos^RR *adj* unimaginative

fantasieren^RR [fanta'ziːrən] *vi* to fantasize

fantasievoll^RR *adj* [highly] imaginative

fantastisch^RR [fan'tastɪʃ] I. *adj* fantastic II. *adv* fantastically

Farbe <-, -n> ['farbə] *f* **1.** colour **2.** (*Anstreichmittel*) paint; (*Färbemittel*) dye

farbecht *adj* colourfast

färben ['fɛrbn̩] I. *vt* to dye II. *vr* **sich ~** to change colour; **die Blätter ~ sich gelb** the leaves are turning yellow

farbenblind *adj* colour blind

Farbfernseher *m* (*fam*) colour television [set] [*or fam* TV] **Farbfotografie** *f* colour photography

farbig ['farbɪç] *adj* coloured

Farbige(r) *f(m) dekl wie adj* coloured person

Farbkopierer *m* colour copier

farblos ['farploːs] *adj* colourless **Farbstift** *m* coloured pen **Farbstoff** *m* dye; (*Lebensmittelfarbstoff*) artificial colouring **Farbton** *m* shade

Färbung <-, -en> *f* (*Tönung*) shade

Farce <-, -n> ['farsə] *f* farce

Farn <-[e]s, -e> [farn] *m*, **Farnkraut** *nt* fern

Fasan <-s, -e[n]> [fa'zaːn] *m* pheasant

Faschierte(s) *nt dekl wie adj* ÖSTERR (*Hackfleisch*) mince

Fasching <-s, -e> ['faʃɪŋ] *m* carnival

Faschismus <-> [fa'ʃɪsmʊs] *m kein pl* fascism

Faschist(in) <-en, -en> [fa'ʃɪst] *m(f)* fascist

Faser <-, -n> ['faːzɐ] *f* fibre

fas(e)rig ['faːz(ə)rɪç] *adj* fibrous

Fass^RR <-es, Fässer>, **Faß**^ALT <-sses, Fässer> [fas] *nt* barrel; **Bier vom ~** draught beer; **Wein vom ~** wine from the wood

fassen ['fasn̩] I. *vt* **1.** to grasp; **jdn am Arm ~** to seize sb's arm **2.** *Täter* to

F

apprehend **3.** (*begreifen*) to comprehend; [das ist] **nicht zu ~!** it's incredible **4.** (*enthalten*) to contain **II.** *vr* **sich ~** to compose oneself

Fassung <-, -en> *f* **1.** (*Rahmen*) mounting **2.** (*Brillenfassung*) frame **3.** (*Version*) version **4.** *kein pl* (*Selbstbeherrschung*) composure; **die ~ bewahren** to maintain one's composure; **jdn aus der ~ bringen** to unsettle sb; **die ~ verlieren** to lose one's self-control

fassungslos I. *adj* staggered **II.** *adv* in bewilderment

Fassungsvermögen *nt* capacity

fast [fast] *adv* almost; **~ nie** hardly ever

fasten ['fastn̩] *vi* to fast

Fastenkur *f* diet **Fastenzeit** *f* REL Lent

Fastnacht ['fastnaxt] *f kein pl* carnival

faszinieren [fastsi'niːrən] *vt, vi* to fascinate

faszinierend *adj* fascinating

fatal [fa'taːl] *adj* (*geh*) fatal; **~e Folgen haben** to have fatal repercussions

fauchen ['fauxn̩] *vi* to hiss

faul [faul] *adj* **1.** (*nicht fleißig*) lazy **2.** (*verfault*) rotten **3.** (*pej fam*) **an etw** *dat* **ist etw ~** something is fishy about sth

faulen ['faulən] *vi sein o haben* to rot

faulenzen ['faulɛntsn̩] *vi* to laze about

Faulenzer(in) <-s, -> ['faulɛntsɐ] *m(f)* (*pej*) layabout

Faulheit <-> *f kein pl* laziness

faulig ['faulɪç] *adj* rotten; *Geruch, Geschmack* foul; *Wasser* stagnant

Fäulnis <-> ['fɔylnɪs] *f kein pl* rot

Faultier *nt* sloth

Fauna <-, Faunen> ['fauna] *f* fauna

Faust <-, Fäuste> [faust] *f* fist; **die ~ ballen** to clench one's fist

Fausthandschuh *m* mitten **Faust-**

regel *f* rule of thumb

Fax <-, -e> [faks] *nt* fax

faxen ['faksn̩] *vi, vt* to fax

Fazit <-s, -s> ['faːtsɪt] *nt* result

FCKW <-s, -s> *m Abk von* **Fluorchlorkohlenwasserstoff** CFC

Feber <-s, -> ['feːbɐ] *m* ÖSTERR (*Februar*) February

Februar <-[s], *selten* -e> ['feːbruaːɐ] *m* February; **Anfang/Ende ~** at the beginning/end of February; **Mitte ~** in the middle of February; **im ~** in February; **im Laufe des ~s** during the course of February; **diesen/jeden ~** this/every February; **bis in den ~** [hinein] until [well] into February; **den ganzen ~ über** for the whole of February; **am 14. ~** (*geschrieben*) on [the] 14th February BRIT, on February 14 AM; (*gesprochen*) on the 14th of February [*or* AM February the 14th] **am Freitag, dem 14. Februar** on Friday, February [the] 14th; **Dorothee hat am 12. ~ Geburtstag** Dorothee's birthday is on February 12th; **auf den 14. ~ fallen/legen** to fall on/to schedule for February 14th; **Hamburg, den 14. ~ 2000** Hamburg, 14th February 2000 BRIT, Hamburg, February 14, 2000 *esp* AM

fechten <fechtet *o* ficht, focht, gefochten> ['fɛçtn̩] *vi* to fence

Feder <-, -n> ['feːdɐ] *f* **1.** feather **2.** (*Schreibfeder*) nib **3.** (*Sprungfeder*) spring **4.** *pl* (*Bett*) **noch in den ~n liegen** (*fam*) to still be in bed

Federball *m* **1.** *kein pl* (*Spiel*) badminton **2.** (*Ball*) shuttlecock **Federbett** *nt* duvet **Federgewicht** *nt kein pl* featherweight **Federhalter** *m* fountain pen

federn [ˈfeːdɐn] *vi* to be springy

Federung <-, -en> *f* springing; (*für Auto a.*) suspension

Fee <-, -n> [feː] *f* fairy

Fegefeuer [ˈfeːgə-] *nt* purgatory

fegen [ˈfeːgn̩] *vt haben* **1.** to sweep **2.** SCHWEIZ (*feucht wischen*) to wipe

Fehlbetrag *m* deficit

fehlen [ˈfeːlən] **I.** *vi* **1.** to be missing; **jdm fehlt etw** sb is missing sth **2.** (*vermissen*) **jd fehlt jdm** sb misses sb **3.** (*an etw leiden*) **fehlt Ihnen etwas?** is there anything wrong with you?; **nein, mir fehlt wirklich nichts** no, there is nothing the matter with me **II.** *vi impers* **jdm fehlt es an etw** *dat* sb is lacking sth

Fehler <-s, -> [ˈfeːlɐ] *m* **1.** mistake; (*Irrtum*) error; **einen ~ machen** to make a mistake; **jds ~ sein** to be sb's fault **2.** (*Defekt*) defect **3.** (*schlechte Eigenschaft*) fault

fehlerfrei *adj* faultless

fehlerhaft *adj* defective

Fehlgeburt *f* miscarriage **Fehlschlag** *m* failure **fehl|schlagen** *vi irreg sein* to fail **Fehlstart** *m* SPORT false start **Fehlzündung** *f* misfiring; **eine ~ haben** to misfire

Feier <-, -n> [ˈfaiɐ] *f* celebration; **zur ~ des Tages** in honour of the occasion

Feierabend [ˈfaiɐʔaːbn̩t] *m* **1.** (*Arbeitsschluss*) end of work; **~!** that's it for today!; **~ machen** to finish work for the day; **nach ~** after work **2.** (*Zeit nach Arbeitsschluss*) evening

feierlich [ˈfaiɐlɪç] *adj* ceremonial

feiern [ˈfaiɐn] *vt, vi* to celebrate; **eine Party ~** to have a party

Feiertag [ˈfaiɐtaːk] *m* holiday

feig [faik], **feige** [ˈfaigə] *adj, adv* cowardly

Feige <-, -n> [ˈfaigə] *f* fig; (*Baum*) fig tree

Feigheit <-, -en> *f kein pl* cowardice

Feigling <-s, -e> [ˈfaiklɪŋ] *m* coward

Feile <-, -n> [ˈfailə] *f* file

feilen [ˈfailən] **I.** *vt* to file **II.** *vi* **an etw** *dat* **~** to polish sth

feilschen [ˈfailʃn̩] *vi* to haggle (**um** over)

fein [ˈfain] **I.** *adj* **1.** fine; (*zart*) delicate **2.** (*vornehm*) distinguished; **~e Dame/~er Herr** a distinguished lady/gentleman; **sich ~ machen** to get dressed up **3.** (*qualitätsvoll*) exquisite; **vom F~sten** of the highest quality **4.** (*fam: erfreulich*) fine **II.** *adv* finely; **~ gemahlen** fine-ground

Feind(in) <-[e]s, -e> [ˈfaint] *m(f)* enemy

feindlich *adj* **1.** MIL enemy *attr* **2.** (*feindselig*) hostile; **jdm ~ gegenüberstehen** to be hostile to sb

Feindschaft <-> *f kein pl* hostility

Feindseligkeit <-, -en> *f* hostility

feinfühlend *adj* sensitive **Feingefühl** *nt kein pl* sensitivity; **etw verlangt viel ~** sth requires a great deal of tact

Feinheit <-, -en> *f* **1.** (*Feinkörnigkeit*) fineness; (*Zartheit*) delicacy **2.** *pl* (*Nuancen*) subtleties *npl*

Feinkostgeschäft *nt* delicatessen **Feinmechanik** *f* precision engineering **Feinschmecker(in)** <-s, -> *m(f)* gourmet **Feinwäsche** *f* delicates *npl* **Feinwaschmittel** *nt* mild detergent

feist [faist] *adj* fat

Feld <-[e]s, -er> [fɛlt] *nt* **1.** field **2.** (*auf Spielbrett*) square

Feldsalat *m* lamb's lettuce **Feldweg** *m* field path **Feldzug** *m* campaign

Felge <-, -n> [ˈfɛlgə] *f* rim

Felgenbremse *f* rim brake

F

Fell <-[e]s, -e> [fɛl] *nt* fur; **einem Tier das ~ abziehen** to skin an animal ▶ **ein** <u>dickes</u> **~ haben** (*fam*) to be thick-skinned

Felsblock <-blöcke> *m* boulder

Felsen <-s, -> ['fɛlzn̩] *m* cliff

felsig ['fɛlzɪç] *adj* rocky

Felswand *f* rock face

feminin [femi'niːn] *adj* feminine

Feminismus <-> [femi'nɪsmʊs] *m kein pl* feminism

Feminist(in) <-en, -en> [femi'nɪst] *m(f)* feminist

feministisch *adj* feminist

Fenchel <-s-> ['fɛnçl̩] *m kein pl* fennel

Fenster <-s, -> ['fɛnstɐ] *nt* window

Fensterbank <-bänke> *f* window-sill **Fensterbrett** *nt* window-sill **Fensterladen** *m* shutter **Fensterplatz** *m* window seat **Fensterscheibe** *f* window pane

Ferien ['feːrɪən] *pl* holidays *npl,* vacation AM; **die großen ~** the summer holidays BRIT; **~ haben** to be on holiday [*or* AM vacation]

Ferienhaus *nt* holiday home **Ferienkurs** *m* summer school **Ferienlager** *nt* holiday camp **Ferienwohnung** *f* holiday flat BRIT, vacation apartment AM

Ferkel <-s, -> ['fɛrkl̩] *nt* 1. piglet 2. (*pej fam: Mensch*) pig

fern [fɛrn] I. *adj* 1. *räumlich* faraway 2. *zeitlich* distant; **in nicht allzu ~er Zeit** in the not too distant future II. *präp +dat* far [away] from

Fernbedienung *f* remote control

ferner ['fɛrnɐ] *konj* furthermore

Fernfahrer(in) *m(f)* long-distance lorry [*or* AM truck] driver **Ferngespräch** *nt* long-distance call **Fernglas** *nt* [pair of] binoculars **fern|halten** *vt, vr* to keep away **Fernkurs** *m* correspondence course **Fernlicht** *nt* full beam BRIT, high beams AM **fern|liegen** *vi* **etw liegt jdm fern** sth is far from sb's mind

Fernost ['fɛrn'ʔɔst] *kein art* **aus/in/nach ~** from/in/to the Far East **Fernrohr** *nt* telescope

Fernsehantenne *f* television aerial **Fernsehapparat** *m* television set

Fernsehen <-s> ['fɛrnzeːən] *nt kein pl* television; **im ~ kommen** to be on television

fern|sehen ['fɛrnzeːən] *vi irreg* to watch television

Fernseher <-s, -> *m* television [set]

Fernsehgerät *nt* (*geh*) television set **Fernsehprogramm** *nt* television programme **Fernsehsender** *m* television station **Fernsehsendung** *f* television programme **Fernsehübertragung** *f* television broadcast **Fernsehzeitschrift** *f* television guide

Fernsicht *f* view **Fernsteuerung** *f* remote control **Fernstudium** *nt* correspondence course **Fernverkehr** *m* long-distance traffic **Fernweh** <-[e]s> *nt kein pl* wanderlust

Ferse <-, -n> ['fɛrzə] *f* heel

fertig ['fɛrtɪç] *adj* 1. finished; **mit etw** *dat* **~ sein** to be finished with sth; **etw ~ haben** to have finished sth; **etw ~ stellen** to finish sth 2. (*bereit*) ready; **sich ~ machen** to get ready (**für** for) 3. (*fam: erschöpft*) exhausted ▶ **auf die** <u>Plätze</u>, **~, los!** ready, steady, go!

fertigen ['fɛrtɪgn̩] *vt* (*geh*) to manufacture

Fertiggericht *nt* instant meal **Fertighaus** *nt* prefabricated house

Fertigkeit <-, -en> *f pl* (*Fähigkeiten*) competence

fertig|bekommen^RR *vt* **es ~, etw zu tun** to manage to do sth

fertig|machen^RR *vt* **jdn ~** to exhaust sb; (*deprimieren*) to get sb down

Fertigteil *nt* prefabricated component

Fertigung <-, -en> *f* manufacture

fertig|werden^RR *vi* **mit jdm/etw ~** to cope with sb/sth

fesch [fɛʃ] *adj* SÜDD, ÖSTERR (*fam*) smart

Fessel <-, -n> [ˈfɛsl] *f* shackles *npl*; **jdm ~n anlegen** to tie sb up

Fesselballon [-balɔŋ] *m* captive balloon

fesseln [ˈfɛsln] *vt* 1. to bind (**an** to) 2. (*faszinieren*) to captivate

fesselnd *adj* captivating

fest [fɛst] I. *adj* 1. (*nicht flüssig*) solid 2. (*nicht locker*) *Händedruck* sturdy; *Knoten, Verband* tight 3. (*entschlossen*) *Absicht, Entschluss, Stimme* firm 4. *Abmachung, Angebot* binding; *Einkommen, Termin* fixed 5. *Freund, Freundin* steady II. *adv* 1. (*kräftig*) firmly; **jdn ~ an sich drücken** to give someone a big hug 2. (*mit Nachdruck*) definitely; **jdm etw ~ versprechen** to make sb a firm promise 3. (*dauernd*) permanently; **~ angestellt sein** to have a permanent job

Fest <-[e]s, -e> [fɛst] *nt* 1. celebration; **ein ~ geben** to have a party 2. (*Feiertag*) feast; **frohes ~!** Happy Christmas/Happy Easter, etc.

festangestellt *adj s.* **fest** II 3

Festessen *nt* banquet

fest|fahren *vr irreg* **sich ~** to get stuck

fest|halten *irreg* I. *vt* 1. to grab (**an** by) 2. (*gefangen halten*) to detain II. *vi* **an etw** *dat* **~** to adhere to sth III. *vr* **sich ~** to hold on (**an** to)

festigen [ˈfɛstɪɡn] *vr* **sich ~** to become more firmly established

Festiger <-s, -> *m* setting lotion

fest|klammern *vt, vr* [**sich**] **~** to clip (**an** to)

Festland [ˈfɛstlant] *nt kein pl* (*Kontinent*) continent

fest|legen I. *vt* to determine II. *vr* **sich ~** to commit oneself (**auf** to)

festlich I. *adj* festive II. *adv* festively; **~ gekleidet sein** to be dressed up

fest|machen *vt* to fasten (**an** to)

fest|nageln *vt* 1. to nail (**an** to) 2. (*fam*) **jdn ~** to nail sb down (**auf** to)

Festnahme <-, -n> [ˈfɛstnaːmə] *f* arrest

fest|nehmen *vt irreg* to take into custody

Festplatte *f* hard disk

Festpreis *m* HANDEL fixed price

fest|schnallen I. *vt* to strap [*or* buckle] in *sep* II. *vr* **sich ~** to fasten one's seat belt **fest|schrauben** *vt* to screw on *sep* **fest|setzen** I. *vt* to determine II. *vr* **sich ~** to collect **fest|sitzen** *vi irreg* to be stuck

Festspiele *pl* festival

fest|stehen *vi irreg* to be certain; **steht das Datum schon fest?** has the date been fixed already? **fest|stellen** *vt* to detect; **bei jdm etw ~** to diagnose sb with sth

Feststellung *f* 1. (*Bemerkung*) remark 2. (*Beobachtung*) observation; **die ~ machen, dass ...** to see that ...

Festung <-, -en> [ˈfɛstʊŋ] *f* fortress

fett [fɛt] *adj* 1. *Essen* fatty 2. (*pej: dick*) fat 3. TYPO bold; **~ gedruckt** in bold [type] *pred*

Fett <-[e]s, -e> [fɛt] *nt* fat

fettarm *adj* low-fat **fettgedruckt**^ALT *adj attr s.* **fett** 3

fettig [ˈfɛtɪç] *adj* greasy

Fettnäpfchen *nt* ▶ **ins ~** <u>treten</u> to

put one's foot in it

Fetzen <-s, -> ['fɛtsn̩] *m* etw in ~ **reißen** to tear sth to pieces

feucht [fɔyçt] *adj* damp; *Hände, Stirn* clammy; *Klima* humid

Feuchtigkeit <-> ['fɔyçtɪçkait] *f kein pl* **1.** dampness **2.** (*Wassergehalt*) moisture

Feuchtigkeitscreme [-kre:m] *f* moisturizing cream

feuchtwarm *adj* warm and humid

feudal [fɔy'da:l] *adj* feudal

Feuer <-s, -> ['fɔyɐ] *nt* **1.** fire; ~ **fangen** to catch [on] fire; **am** ~ by the fire **2.** (*für Zigarette*) **jdm** ~ **geben** to give sb a light **3.** MIL fire; **das** ~ **einstellen/eröffnen** to cease/open fire

feuerfest *adj* fireproof **Feuerleiter** *f* fire escape **Feuerlöscher** *m* fire extinguisher **Feuermelder** <-s, -> *m* fire alarm

feuern I. *vi* to fire (**auf** at) II. *vt* (*fam*) **1.** (*werfen*) to fling **2.** (*entlassen*) to sack; **gefeuert werden** to get the sack **Feuerschlucker(in)** <-s, -> *m(f)* fire-eater **Feuerstein** *m* flint **Feuerstelle** *f* campfire site

Feuerwehr <-, -en> *f* fire brigade + *sing/pl vb*

Feuerwehrauto *nt* fire engine **Feuerwehrmann, -frau** <-leute *o* -männer> *m, f* firefighter

Feuerwerk *nt* fireworks *npl*

Feuerwerkskörper *m* firework

Feuerzeug *nt* lighter

Feuilleton <-s, -s> [fœjə'tõ:] *nt* culture section

feurig ['fɔyrɪç] *adj* fiery

Fiaker <-s, -> ['fiakɐ] *m* ÖSTERR **1.** (*Kutsche*) [BRIT hackney] cab **2.** (*Kutscher*) cab driver

Fibel <-, -n> ['fi:bl̩] *f* primer

Fichte <-, -n> [fɪçtə] *f* spruce

ficken ['fɪkn̩] *vi, vt* (*vulg*) to fuck; **gefickt werden** to get fucked

Fieber <-s, -> ['fi:bɐ] *nt* fever; ~ **haben** to have a temperature; **[jdm] das** ~ **messen** to measure sb's temperature

fieberhaft I. *adj* feverish II. *adv* feverishly

Fieberthermometer *nt* thermometer

fies [fi:s] *adj* (*pej fam*) mean

Figur <-, -en> [fi'gu:ɐ] *f* figure; **auf seine** ~ **achten** to watch one's figure

Filet <-s, -s> [fi'le:] *nt* fillet

Filetsteak [-ste:k] *nt* fillet steak

Filiale <-, -n> [fi'lia:lə] *f* branch

Filialleiter(in) *m(f)* branch manager

Film <-[e]s, -e> [fɪlm] *m* **1.** film **2.** (*Spielfilm*) film, movie AM

Filmemacher(in) *m(f)* film-maker

filmen ['fɪlmən] *vt, vi* to film

Filmkamera *f* film [*or* AM movie] camera **Filmprojektor** *m* film projector **Filmvorführgerät** *nt* (*geh*) projector **Filmvorführung** *f* film showing

Filter <-s, -> ['fɪltɐ] *nt o m* filter

Filterkaffee *m* filter [*or* AM drip] coffee

filtern ['fɪltɐn] *vt* to filter

Filterpapier *nt* filter paper **Filterzigarette** *f* filter cigarette

Filz <-es, -e> [fɪlts] *m* felt

Filzstift *m*, **Filzschreiber** *m* felt-tip [pen]

Finale <-s, -s> [fi'na:lə] *nt* final

Finanzamt *nt* tax office

Finanzen [fi'nantsn̩] *pl* finances *npl*; **jds** ~ **übersteigen** to be beyond sb's means

Finanzhilfe *f* financial support

finanziell [finan'tsi̯ɛl] I. *adj* financial II. *adv* financially

finanzieren [finan'tsi:rən] *vt* to finance

Finanzierung <-, -en> *f* financing
Finanzminister(in) *m(f)* finance minister **Finanzministerium** *nt* tax and finance ministry
finden <fand, gefunden> ['fɪndn̩] I. *vt* 1. to find 2. (*erhalten*) **Unterstützung ~** to receive support; **Zustimmung ~** to meet with approval (**bei** from) 3. (*empfinden*) **jdn blöd/nett ~** to think [that] sb is stupid/nice; **wie findest du das?** what do you think [of that]?; **es kalt/warm ~** to find it cold/warm; **etw an jdm ~** to see sth in sb ▶ **nichts an etw** *dat* **~** to not think much of sth; **nichts dabei ~, etw zu tun** to think nothing of doing sth II. *vi* 1. **zu jdm/etw ~** to find one's way to sb/sth; **zu sich selbst ~** to find oneself 2. (*meinen*) to think; **~ Sie?** [do] you think so? III. *vr* **sich ~** 1. (*wieder auftauchen*) to turn up 2. (*vorhanden sein*) **es fand sich niemand, der ...** there was nobody to be found who ...
Finderlohn *m* reward for the finder
Finesse <-, -n> [fi'nɛsə] *f* (*geh*) finesse; **mit allen ~n** with every refinement
Finger <-s, -> ['fɪŋɐ] *m* finger; **~ weg!** hands off!
Fingerabdruck *m* fingerprint **Fingerhut** *m* 1. thimble 2. BOT foxglove **Fingernagel** *m* fingernail; **an den Fingernägeln kauen** to bite one's nails **Fingerspitzengefühl** *nt kein pl* fine feeling; **~ haben** to be tactful
Fink <-en, -en> [fɪŋk] *m* finch
Finne, Finnin <-n, -n> ['fɪnə, 'fɪnɪn] *m, f* Finn, Finnish man/woman; **~ sein** to be Finnish
finnisch ['fɪnɪʃ] *adj* Finnish
Finnland <-s> ['fɪnlant] *nt* Finland

finster ['fɪnstɐ] *adj* 1. dark 2. (*mürrisch*) grim
Firma <-, Firmen> ['fɪrma] *f* company
Firmenzeichen *nt* company logo
Firmling <-s, -e> ['fɪrmlɪŋ] *m* candidate for confirmation
Firmung <-, -en> *f* confirmation
First <-[e]s, -e> [fɪrst] *m* roof ridge
Fisch <-[e]s, -e> [fɪʃ] *m* 1. fish 2. ASTROL Pisces *no pl*
fischen ['fɪʃn̩] *vi* to fish; **das F~** fishing
Fischer(in) <-s, -> ['fɪʃɐ] *m(f)* fisher
Fischfang *m kein pl* fishing **Fischhändler(in)** *m(f)* fishmonger BRIT, fish dealer AM **Fischotter** *m* otter **Fischstäbchen** *nt* fish-finger BRIT, fish stick AM **Fischzucht** *f* fish-farming
fit [fɪt] *adj pred* fit; **sich ~ halten** to keep fit
Fitness[RR], **Fitneß**[ALT] <-> ['fɪtnɛs] *f kein pl* fitness
Fitnesscenter[RR] [-sɛntɐ] *nt* gym
fix [fɪks] I. *adj* 1. (*feststehend*) fixed 2. (*fam: flink*) quick II. *adv* quickly
fixieren [fɪ'ksiːrən] *vt* 1. (*anstarren*) **jdn/etw ~** to fix one's gaze on sb/sth 2. PSYCH to be fixated on 3. (*geh: festlegen*) to fix
FKK-Strand *m* nudist beach
flach [flax] *adj* 1. (*eben*) flat; **sich ~ hinlegen** to lie [down] flat 2. (*nicht hoch*) low 3. (*nicht tief*) shallow
Flachbildschirm *m* INFORM, TV flat screen
Fläche <-, -n> ['flɛçə] *f* 1. (*Außenseite*) surface 2. (*Gebiet*) area
Flächeninhalt *m* [surface] area
Flachland *nt* lowland
Flachs <-es> [flaks] *m kein pl* BOT flax
flackern ['flakɐn] *vi* to flicker
Fladenbrot *nt* round flat loaf [of bread]
Flagge <-, -n> ['flagə] *f* flag

F

Flaggschiff *nt* flagship

Flame, Flamin *o* <-n, -n> ['flamə, fla:mɪn, flɛ:mɪn] *m, f* Fleming, Flemish man/woman

Flamingo <-s, -s> [fla'mɪŋgo] *m* flamingo

flämisch ['flɛmɪʃ] *adj* Flemish

Flamme <-, -n> ['flamə] *f* flame; **in ~n aufgehen** to go up in flames; **etw auf großer/kleiner ~ kochen** to cook sth on a high/low heat

Flandern <-s> ['flandɐn] *nt* Flanders + *sing vb*

Flanell <-s, -e> [fla'nɛl] *m* flannel

Flanke <-, -n> ['flaŋkə] *f* 1. ANAT flank 2. FBALL cross

flanken ['flaŋkn̩] *vi* FBALL to centre

Flasche <-, -n> ['flaʃə] *f* bottle; **etw in ~n füllen** to bottle sth; **einem Kind die ~ geben** to bottle-feed a child

Flaschenbier *nt* bottled beer **Flaschenöffner** *m* bottle-opener

flattern ['flatɐn] *vi* 1. *Vogel* to flap 2. (*im Wind*) to flutter

flau [flau] *adj* 1. (*unwohl*) queasy 2. (*träge*) slack

Flaum <-[e]s> [flaum] *m kein pl* down

Flaute <-, -n> ['flautə] *f* 1. calm *no pl* 2. ÖKON lull

Flechte <-, -n> ['flɛçtə] *f* lichen

flechten <flocht, geflochten> ['flɛçtn̩] *vt* to plait; *Korb, Kranz* to weave

Fleck <-[e]s, -e> [flɛk] *m* 1. (*Schmutzfleck*) stain 2. (*dunkle Stelle*) mark; **ein blauer ~** a bruise 3. (*Stelle*) spot; **sich nicht vom ~ rühren** to not move an inch

Fleckentferner <-s, -> *m* stain remover

fleckig ['flɛkɪç] *adj* 1. (*befleckt*) stained 2. (*mit dunklen Stellen*) blemished

Fledermaus ['fle:dɐmaus] *f* bat

Flegel <-s, -> ['fle:gl̩] *m* (*pej*) lout

flegelhaft *adj* (*pej*) uncouth

flehen ['fle:ən] *vi* (*geh*) to beg (**um** for)

Fleisch <-[e]s> ['flaiʃ] *nt kein pl* 1. (*Essen*) meat; **~ fressend** carnivorous 2. (*Gewebe*) flesh

Fleischbrühwürfel *m* stock [*or* AM bouillon] cube

Fleischer(in) <-s, -> ['flaiʃɐ] *m(f)* butcher

fleischfressend *adj s.* **Fleisch** 1 **Fleischklößchen** *nt* meatball

fleischlos *adj* vegetarian; **~ kochen** to cook without meat

Fleischtomate *f* beef tomato **Fleischvergiftung** *f* food poisoning (*from meat*) **Fleischwurst** *f* ≈ pork sausage

fleißig ['flaisɪç] I. *adj* industrious II. *adv* industriously

flexibel [flɛ'ksi:bl̩] *adj* flexible

Flexibilität <-> [flɛksibili'tɛ:t] *f kein pl* flexibility

flicken ['flɪkn̩] *vt* to mend; *Fahrradschlauch* to patch [up *sep*]

Flicken <-s, -> ['flɪkn̩] *m* patch

Flickenteppich *m* rag rug

Flickzeug *nt kein pl* [puncture] repair kit

Flieder <-s, -> ['fli:dɐ] *m* lilac

Fliege <-, -n> ['fli:gə] *f* 1. fly 2. MODE bow tie

fliegen <flog, geflogen> ['fli:gn̩] *vi sein* to fly

Fliegengewicht *nt kein pl* flyweight **Fliegenklatsche** *f* fly swatter **Fliegenpilz** *m* fly agaric *no pl*

Flieger <-s, -> *m* (*fam*) plane

Flieger(in) <-s, -> *m(f)* pilot

fliehen <floh, geflohen> ['fli:ən] *vi sein* to flee; **aus dem Gefängis ~** to escape from prison

Fliese <-, -n> [ˈfliːzə] *f* tile

Fließband <-bänder> *nt* production line; **am ~ arbeiten** to work on the production line

fließen <floss, geflossen> [ˈfliːsn̩] *vi sein* to flow

fließend I. *adj* 1. fluent 2. (*übergangslos*) fluid II. *adv* 1. ~ **warmes und kaltes Wasser** running hot and cold water 2. fluently; ~ **Französisch sprechen** to speak fluent French

flimmern [ˈflɪmɐn] *vi* to flicker

flink [flɪŋk] *adj* quick

Flinte <-, -n> [ˈflɪntə] *f* shotgun

Flipflops [ˈflɪpflɔps] *m pl* flipflops *pl*

Flipperautomat *m* pinball machine

flippern [ˈflɪpɐn] *vi* to play pinball

flippig *adj* (*fam*) hip

flirten [ˈflœɐ̯tn̩] *vi* to flirt

Flitterwochen *pl* honeymoon *nsing*

Flocke <-, -n> [ˈflɔkə] *f* flake; (*Schneeflocke*) snowflake

flockig [ˈflɔkɪç] *adj* fluffy

Floh <-[e]s, Flöhe> [floː] *m* flea

Flohmarkt *m* flea market

Flop <-s, -s> [flɔp] *m* (*fam*) flop

florieren [floˈriːrən] *vi* to flourish; ~d flourishing

Floskel <-, -n> [ˈflɔskl̩] *f* set phrase

Floß <-es, Flöße> [floːs] *nt* raft

Flosse <-, -n> [ˈflɔsə] *f* 1. (*Fischflosse*) fin 2. (*Schwimmflosse*) flipper

Flöte <-, -n> [ˈfløːtə] *f* pipe; (*Querflöte*) flute

flöten [ˈfløːtn̩] *vi, vt* to play the flute

flott [flɔt] I. *adj* 1. (*zügig*) quick; **ein ~es Tempo** [a] high speed 2. (*schick*) smart II. *adv* 1. (*zügig*) fast 2. (*schick*) smartly

flott|bekommen *vt irreg* to get working; *Schiff* to float off *sep*

Flotte <-, -n> [ˈflɔtə] *f* fleet

flott|machen *vt* to get back in working order

Fluch <-[e]s, Flüche> [fluːx] *m* curse

fluchen [ˈfluːxn̩] *vi* to curse (**auf/über** at)

Flucht <-, -en> [flʊxt] *f* escape; **die ~ in etw** *akk* refuge in sth; **auf der ~ sein** to be on the run; **die ~ ergreifen** to take flight; **jdn in die ~ schlagen** to put sb to flight

flüchten [ˈflʏçtn̩] I. *vi sein* to flee; **aus dem Gefängnis ~** to escape from prison II. *vr haben* **sich in etw** *akk* ~ to take refuge in sth

flüchtig [ˈflʏçtɪç] *adj* 1. (*fliehen*) ~ **sein** to be a fugitive 2. (*oberflächlich*) *Blick* cursory; **eine ~e Bekanntschaft** a passing acquaintance; **jdn ~ kennen** to have met sb briefly

Flüchtling <-s, -> [ˈflʏçtlɪŋ] *m* refugee

Flüchtlingslager *nt* refugee camp

Flug <-[e]s, Flüge> [fluːk] *m* flight; **der ~ zum Mond** the journey to the moon

Flugbegleiter(in) *m(f)* steward *masc*, stewardess *fem* **Flugblatt** *nt* flyer **Flugboot** *nt* flying boat **Flugdauer** *f* flying time **Flugdrachen** *m* hangglider

Flügel <-s, -> [ˈflyːgl̩] *m* 1. wing 2. (*Konzertflügel*) grand piano

Flügelschraube *f* wing bolt; (*Mutter*) wing nut

Fluggast *m* passenger **Fluggesellschaft** *f* airline **Flughafen** *m* airport **Flughöhe** *f* altitude **Fluglehrer(in)** *m(f)* flying instructor **Fluglotse, -lotsin** *m, f* flight controller **Flugplatz** *m* airfield **Flugschein** *m* pilot's licence **Flugschneise** *f* air corridor **Flugsicherung** *f* flight control **Flug-**

F

verbotszone *f* area with a flying ban **Flugverkehr** *m* air traffic **Flugzeit** *f* flight time **Flugzettel** *m* ÖSTERR leaflet

Flugzeug <-[e]s, -e> *nt* plane; **mit dem ~** by plane

Flugzeugbesatzung *f* flight crew **Flugzeughalle** *f* hangar **Flugzeugträger** *m* aircraft carrier

Fluor <-s> ['fluːoːɐ̯] *nt kein pl* fluorine

Flur¹ <-[e]s, -e> [fluːɐ̯] *m* corridor

Flur² <-, -en> [fluːɐ̯] *f* (*geh: freies Land*) open fields *npl*

Flussᴿᴿ <-es, Flüsse>, **Fluß**ᴬᴸᵀ <-sses, Flüsse> [flʊs] *m* river; **am ~** next to the river

flussabᴿᴿ [flʊs'ʔap], **flussabwärts**ᴿᴿ [flʊs'ʔapvɛrts] *adv* downstream **flussaufwärts**ᴿᴿ [flʊs'ʔaufvɛrts] *adv* upstream **Flussbett**ᴿᴿ *nt* riverbed

flüssig ['flʏsɪç] I. *adj* 1. liquid; *Glas, Stahl* molten; **etw ~ machen** to melt sth; **~ werden** to melt 2. (*fließend*) flowing 3. FIN (*fam*) **[nicht] ~ sein** [not] to have a lot of money II. *adv* **~ sprechen** to speak fluently

Flüssigkeit <-, -en> *f* liquid

Flusskrebsᴿᴿ *m* crayfish **Flusspferd**ᴿᴿ *nt* hippopotamus

flüstern ['flʏstɐn] *vi, vt* to whisper

Flut <-, -en> [fluːt] *f* 1. (*Gegensatz zu Ebbe*) high tide; **bei ~** at high tide 2. *meist pl* (*Wassermassen*) torrent 3. (*große Menge*) flood

fluten ['fluːtn̩] *vi, vt* to flood

Flutlicht *nt kein pl* floodlight **Flutopfer** *nt* flood victim **Flutwelle** *f* tidal wave

fohlen ['foːlən] *vi* to foal

Fohlen <-s, -> ['foːlən] *nt* foal

Föhnᴿᴿ <-[e]s, -s> [føːn] *m* hair-dryer

föhnenᴿᴿ *vt* to blow-dry

Föhre <-, -n> ['føːrə] *f* DIAL pine tree

Folge <-, -n> ['fɔlgə] *f* 1. (*Auswirkung*) consequence; **etw zur ~ haben** to result in sth 2. (*Abfolge*) series 3. TV episode

folgen ['fɔlgn̩] *vi* 1. to follow; **auf etw** *akk* **~** to come after sth; **wie folgt** as follows 2. (*hervorgehen*) **aus etw** *dat* **folgt, dass ...** the consequences of sth are that...

folgendermaßen ['fɔlgn̩dɐ'maːsn̩] *adv* as follows

folgerichtig *adj* logical

folgern ['fɔlgɐn] *vt* to conclude (**aus** from)

folglich ['fɔlklɪç] *adv* therefore

Folie <-, -n> ['foːljə] *f* film; (*Metallfolie*) foil

Folklore <-> [fɔlk'loːrə] *f kein pl* folklore

folkloristisch *adj* folkloristic

Folter <-, -n> ['fɔltɐ] *f* torture

foltern ['fɔltɐn] *vt* to torture

Fön® <-s, -s> [føːn] *m* hair-dryer

Fond <-s, -s> [fõː] *m* 1. KOCHK stock 2. AUTO (*geh*) rear compartment

Fonds <-, -> [fõː] *m* (*Geldreserve*) fund; (*Kapital*) funds *npl*

fönenᴬᴸᵀ ['føːnən] *vt s.* **föhnen**

foppen ['fɔpn̩] *vt* (*fam*) **jdn ~** to pull sb's leg

förderlich *adj* useful

fordern ['fɔrdɐn] I. *vt* 1. (*verlangen*) to demand 2. (*erfordern*) to require 3. (*herausfordern*) to challenge (**zu** to) II. *vi* **[von jdm] ~, dass ...** to demand [of sb] that ...

fördern ['fœrdɐn] *vt* 1. (*unterstützen*) to support; (*finanziell*) to sponsor 2. (*vorantreiben*) to promote 3. (*abbauen*) to mine for; *Erdöl* to drill for

Forderung <-, -en> *f* demand; **jds**

~**en erfüllen** to meet sb's demands; ~**en [an jdn] stellen** to make demands [on sb]

Förderung <-, -en> *f* 1. (*Unterstützung*) support 2. (*das Fördern*) promotion

Forelle <-, -n> [foˈrɛlə] *f* trout

Form <-, -en> [fɔrm] *f* 1. form; (*äußere Gestalt*) shape; **in ~ von etw** *dat* in the form of sth; ~ **annehmen** to take shape 2. (*Kondition*) shape *fam;* **nicht in ~ sein** to be out of shape 3. (*Gussform*) mould 4. (*Verhalten*) **die ~ wahren** (*geh*) to remain polite

formal [fɔrˈmaːl] I. *adj* formal II. *adv* formally

Formalität <-, -en> [fɔrmaliˈtɛt] *f* formality

Format <-[e]s, -e> [fɔrˈmaːt] *nt* 1. format; **im ~ DIN A 4** in A 4 format 2. (*Niveau*) **[kein] ~ haben** to have [no] class

Formel <-, -n> [ˈfɔrml] *f* 1. (*Kürzel*) formula 2. (*Ausdruck*) set phrase

formell [fɔrˈmɛl] *adj* 1. (*offiziell*) official 2. (*förmlich*) formal

formen [ˈfɔrmən] *vt* 1. to form 2. (*modellieren*) to mould

förmlich [ˈfœrmlɪç] I. *adj* formal II. *adv* 1. formally 2. (*geradezu*) really

Förmlichkeit <-, -en> *f kein pl* formality

formlos *adj* (*zwanglos*) informal

Formular <-s, -e> [fɔrmuˈlaːɐ] *nt* form

formulieren [fɔrmuˈliːrən] *vt* to formulate

forschen [ˈfɔrʃn] *vi* to research; **nach jdm/etw ~** to search for sb/sth

Forscher(in) <-s, -> *m(f)* researcher

Forschung <-, -en> *f* research

Forst <-[e]s, -e[n]> [fɔrst] *m* forest

Forstarbeiter(in) *m(f)* forest labourer

Förster(in) <-s, -> [ˈfœrstɐ] *m(f)* forester

Forsthaus *nt* forester's house

fort [fɔrt] *adv* 1. away 2. (*weiter*) **und so ~** and so on; **in einem ~** constantly

fort|bewegen *vt, vr* [**sich**] ~ to move

Fortbewegung *f kein pl* movement

fort|bilden *vr* **sich ~** to take [further] education courses

Fortbildung *f kein pl* [further] training

fort|bringen [ˈfɔrtbrɪŋən] *vt irreg* (*wegbringen*) to take away *sep;* (*zur Reparatur*) to take in *sep*

fort|dauern *vi* to continue

fort|fahren *vi* 1. *sein* to go [away/off] 2. *sein o haben* (*weitermachen*) to continue

fort|führen *vt* (*fortsetzen*) to continue

Fortführung *f* continuation

fort|gehen *vi sein* to go away

fortgeschritten *adj* advanced; **im ~en Alter** at an advanced age

fortgesetzt *adj* constant

fort|jagen *vt haben* to chase away

fort|laufen *vi irreg sein* to run away

fort|leben *vi* to live on

fort|pflanzen *vr* **sich ~** to reproduce

Fortpflanzung *f kein pl* reproduction

fort|schaffen *vt* to get rid of

fort|schicken *vt* to send away

Fortschritt [ˈfɔrtʃrɪt] *m* progress

fortschrittlich *adj* progressive

fort|setzen *vt, vi* to continue

Fortsetzung <-, -en> [ˈfɔrtzɛtsʊŋ] *f* 1. *kein pl* continuation 2. *eines Buches, Films* sequel; TV episode; „**~ folgt**" "to be continued"

fortwährend [ˈfɔrtvɛːrənt] *adj attr* constant

fossil [fɔˈsiːl] *adj attr* fossil

F

Foto <-s, -s> ['fo:to] *nt* photo[graph]; **ein ~ machen** to take a photo (**von** of)

Fotoapparat *m* camera

fotogen [foto'ge:n] *adj* photogenic

Fotograf(in) <-en, -en> [foto'gra:f] *m(f)* photographer

Fotografie <-, -n> [fotogra'fi:] *f* 1. *kein pl* (*Verfahren*) photography 2. (*Bild*) photograph

fotografieren [fotogra'fi:rən] *vt* **jdn/ etw ~** to take a photograph of sb/ sth; **sich ~ lassen** to have one's photograph taken

Fotokopie [fotoko'pi:] *f* photocopy **fotokopieren** [fotoko'pi:rən] *vt* to photocopy **Fotokopiergerät** *nt* photocopier

Fötus <-[ses], Föten> ['fø:tʊs] *m* foetus

foulen ['faulən] *vt, vi* to foul

Fracht <-, -en> ['fraxt] *f* cargo

Frachter <-s, -> ['fraxte] *m* cargo boat

Frachtflugzeug *nt* cargo plane **frachtfrei** *adj* HANDEL carriage [pre] paid

Frack <-[e]s, Fräcke> [frak] *m* tails *npl*

Frage <-, -n> ['fra:gə] *f* question; **keine ~** no problem; **ohne ~** without doubt; **in ~ kommen** to be worthy of consideration; **nicht in ~ kommen** to be out of the question; **jdm eine ~ stellen** to ask sb a question

Fragebogen *m* questionnaire

fragen ['fra:gn̩] I. *vi* to ask (**nach** for); **ohne zu ~** without asking questions; **nach der Uhrzeit ~** to ask the time II. *vr* **sich ~, ob/wann/wie ...** to wonder whether/when/how ...; **es fragt sich, ob ...** it is doubtful whether ... III. *vt* [**jdn**] **etwas ~** to ask [sb] sth

Fragewort *nt* interrogative particle **Fragezeichen** *nt* question mark

fraglich ['fra:klɪç] *adj* 1. (*unsicher*) doubtful 2. *attr* **zur ~en Zeit** at the time in question

fragwürdig ['fra:kvʏrdɪç] *adj* (*pej*) dubious

Fraktion <-, -en> [frak'tsjo:n] *f* POL parliamentary party , congressional faction AM

frankieren [fraŋ'ki:rən] *vt* to stamp

franko ['fraŋko] *adv* prepaid

Frankreich <-s> ['fraŋkraiç] *nt* France

Franse <-, -n> ['franzə] *f* fringe

Franzose, Französin <-n, -n> [fran'tso:zə, fran'tsœ:zɪn] *m, f* Frenchman *masc*, Frenchwoman *fem*; **~ sein** to be French; **die ~n** the French

französisch [fran'tsœ:zɪʃ] *adj* French

Fratze <-, -n> ['fratsə] *f* grimace; [**jdm**] **eine ~ schneiden** to pull a face [at sb]

Frau <-, -en> [frau] *f* 1. woman 2. (*Ehefrau*) wife 3. (*Anrede*) Mrs, Ms (*feminist version of Mrs*); **~ Doktor** Doctor

Frauenarzt, -ärztin *m, f* gynaecologist **Frauenbewegung** *f kein pl* women's movement **Frauenhaus** *nt* women's refuge **Frauenklinik** *f* gynaecological clinic **Frauenzeitschrift** *f* women's magazine

Fräulein <-s, -[s]> ['frɔylain] *nt* (*veraltend*) Miss

frech [frɛç] I. *adj* cheeky BRIT, fresh AM II. *adv* cheekily BRIT, freshly AM

Frechheit <-, -en> *f* 1. *kein pl* impudence; **die ~ haben, etw zu tun** to have the nerve to do sth 2. (*Äußerung*) cheeky remark; (*Handlung*) insolent behaviour

Fregatte <-, -n> [fre'gatə] *f* frigate

frei [frai] I. *adj* 1. free; ~e Meinungs-äußerung freedom of speech; ~e(r) Mitarbeiter(in) freelance[r]; aus ~en Stücken of one's own free will; sich von etw *dat* ~ machen to free oneself from sth 2. (*freie Zeit*) ~ haben/nehmen to have/take time off; er hat heute ~ he's off today; eine Woche ~ haben to have a week off 3. *Stelle, Zimmer* vacant; ist dieser Platz ~? is this seat taken? 4. (*ohne etw*) ~ von etw *dat* sein to be free of sth II. *adv* 1. freely; er läuft immer noch ~ herum! he is still on the loose!; ~ atmen to breathe easy 2. (*ohne Hilfsmittel*) ~ sprechen to speak off-the-cuff 3. *Tiere* ~ laufend free-range; ~ lebend living in the wild

Freibad *nt* outdoor swimming pool **freiberuflich** *adj, adv* freelance **Freie(r)** *f(m) dekl wie adj* freeman **frei|geben** *irreg vt* 1. ÖKON eine Währung ~ to float a currency 3. *Straße* to open up 2. (*Urlaub geben*) to give time off

freigebig ['fraige:bɪç] *adj* generous **Freigepäck** *nt* luggage allowance **Freihafen** *m* free port **frei|halten** *vt irreg* (*reservieren*) to save

Freihandel *m* free trade **Freihandels-zone** *f* free trade area

freihändig ['fraihɛndɪç] *adj, adv* ~ Rad fahren to cycle with no hands; ~ zeichnen to draw freehand

Freiheit <-, -en> ['fraihait] *f* 1. *kein pl* freedom 2. (*als ein Recht*) liberty; sich *dat* die ~ nehmen, etw zu tun to take the liberty of doing sth; dichterische ~ poetic licence

freiheitlich *adj* liberal

Freiheitsstrafe *f* prison sentence **Freikarte** *f* free ticket **Freikörperkul-tur** *f kein pl* nudism

frei|lassen *vt irreg* to free

freilich ['frailɪç] *adv* 1. (*allerdings*) though 2. (*natürlich*) of course

Freilichtbühne *f* open-air theatre **freimütig** ['fraimy:tɪç] *adj* frank **freischaffend** *adj attr* freelance **frei|sprechen** *vt irreg* to acquit **Freispruch** *m* acquittal; auf ~ plädie-ren to plead for an acquittal

Freistoß *m* free kick

Freitag <- [e]s, -e> ['fraita:k] *m* Friday; *s.a.* **Dienstag**

freiwillig ['fraivɪlɪç] I. *adj* voluntary II. *adv* voluntarily

Freiwillige(r) ['fraivɪlɪgə, 'fraivɪlɪgɐ] *f(m) dekl wie adj* volunteer

Freizeichen *nt* ringing tone

Freizeit *f* leisure [time] **Freizeithemd** *nt* casual shirt **Freizeitkleidung** *f* lei-sure wear **Freizeitpark** *m* amuse-ment park

freizügig *adj* 1. (*großzügig*) generous 2. (*liberal*) liberal

fremd [frɛmt] *adj* 1. (*fremdländisch*) foreign 2. (*unvertraut*) strange; ich bin hier ~ I'm not from round here 3. (*anderen gehörig*) somebody else's

fremdartig ['frɛmtʔa:ɐ̯tɪç] *adj* strange **Fremde(r)** ['frɛmdə, -ɐ] *f(m) dekl wie adj* stranger; (*Ausländer*) foreigner

Fremdenführer(in) *m(f)* guide **Frem-denverkehr** *m* tourism **Fremden-verkehrszentrum** *nt* tourist centre **Fremdenzimmer** *nt* spare room

Fremdkörper *m* MED foreign body **Fremdsprache** *f* foreign language **fremdsprachlich** *adj attr* foreign-language **Fremdwort** *nt* borrowed word

F

Frequenz [freˈkvɛnts] *f* frequency

Fresko <-s, Fresken> [ˈfrɛsko] *nt* fresco

Fressattacke *f* (*fam*) attack of the munchies

fressen <fraß, gefressen> [ˈfrɛsn̩] I. *vi* 1. *Tier* to eat 2. (*derb*) *Mensch* to guzzle II. *vt Tiere* to eat; (*sich ernähren von*) to feed on

Fresssucht[RR] *f* gluttony

Frettchen <-s, -> [ˈfrɛtçən] *nt* ferret

Freude <-, -n> [ˈfrɔydə] *f* joy (**über** at); **~ an etw** *dat* **haben** to derive pleasure from sth; **jdm eine ~ machen** to make sb happy; **etw macht jdm ~** sb enjoys sth; **zu unserer großen ~** to our great delight

freudig [ˈfrɔydɪç] I. *adj* joyful; **in ~er Erwartung** in joyful expectation; **~ überrascht** pleasantly surprised

freudlos [ˈfrɔytloːs] *adj* cheerless

freuen [ˈfrɔyən] I. *vr* **sich ~** to be pleased (**über** about); **sich auf etw** *akk* **~** to look forward to sth; **sich mit jdm ~** to share sb's happiness II. *vt impers* **es freut mich, dass** ... I'm pleased that ...

Freund(in) <-[e]s, -e> [ˈfrɔynt, ˈfrɔyndɪn] *m(f)* 1. friend 2. (*intim*) boyfriend *masc*, girlfriend *fem* 3. (*Anhänger*) lover; **ein ~ der Natur** a lover of nature

freundlich [ˈfrɔyntlɪç] I. *adj* 1. friendly 2. (*liebenswürdig*) kind; **das ist sehr ~ von Ihnen** that's very kind of you II. *adv* in a friendly way, kindly

Freundlichkeit <-, -en> *f* 1. *kein pl* (*Art*) friendliness 2. (*Handlung*) kindness

Freundschaft <-, -en> *f kein pl* friendship; **~ schließen** to make friends

freundschaftlich *adj* friendly

Freundschaftsspiel *nt* friendly match

Frevel <-s, -> [ˈfreːfl̩] *m* (*geh*) sacrilege

frevelhaft *adj* outrageous

Frieden <-s, -> [ˈfriːdn̩] *m* peace; (*Ruhe*) peace [and quiet]; **lass mich in ~!** leave me alone!; **~ schließen** to make peace

Friedensbewegung *f* peace movement

Friedensstifter(in) *m(f)* peacemaker

Friedensvertrag *m* peace treaty

friedfertig *adj* peaceable

Friedhof *m* cemetery

friedlich [ˈfriːtlɪç] I. *adj* peaceful II. *adv* peacefully; **einen Konflikt ~ lösen** to settle a conflict amicably

frieren <fror, gefroren> [ˈfriːrən] *vi* 1. *haben* **jd friert** sb is cold 2. *sein* (*gefrieren*) to freeze; **es friert** it's freezing

Frikadelle <-, -n> [frikaˈdɛlə] *f* rissole BRIT, meatball AM

frisch [frɪʃ] I. *adj* fresh; **sich ~ machen** to freshen up II. *adv* freshly; **~ gebacken** freshly-baked; **~ gestrichen** newly painted

Frischhaltefolie *f* cling film **Frischhaltepackung** *f* airtight pack; **in einer ~** vacuum-packed **Frischkäse** *m* cream cheese

Friseur(in) <-s, -e> [friˈzøːɐ̯] *m(f)*, **Friseuse** <-, -n> [friˈzøːzə] *m(f)* hairdresser; **zum ~ gehen** to go to the hairdresser's

frisieren [friˈziːrən] *vt* **jdn ~** to do sb's hair

Frisör <-s, -e> [friˈzøːɐ̯] *m s.* **Friseur**

Frist <-, -en> [frɪst] *f* period; **innerhalb einer ~ von zwei Wochen** within [a period of] two weeks

fristgemäß, fristgerecht I. *adj* punctual; **nicht ~e Lieferung** late delivery

II. *adv* on time

fristlos *adv* **jdn ~ entlassen** to fire sb on the spot

Frisur <-, -en> [fri'zuːɐ̯] *f* hairstyle

frittieren^RR [frɪ'tiːrən] *vt* to [deep-]fry

frivol [fri'voːl] *adj* (*anzüglich*) suggestive

froh [froː] *adj* **1.** happy, glad; **~ sein** to be pleased (**über** with/about); **~ gelaunt** cheerful **2. eine ~e Nachricht** good news **3.** (*glücklich*) **~e Feiertage!** have a pleasant holiday!; **~e Ostern!** Happy Easter!; **~e Weihnachten!** Merry Christmas!

fröhlich ['frøːlɪç] **I.** *adj* **1.** (*heiter*) cheerful **2.** (*glücklich*) *s.* **froh 3** **II.** *adv* cheerfully

Fröhlichkeit <-> *f kein pl* cheerfulness

fromm <frömmer *o* -er, frömmste> [frɔm] *adj* religious

Fronleichnamsfest *nt* Feast of Corpus Christi

Front <-, -en> [frɔnt] *f* front

frontal [frɔn'taːl] **I.** *adj attr* frontal **II.** *adv* **~ zusammenstoßen** to collide head-on

Frontscheibe *f* AUTO windscreen BRIT, windshield AM

Frosch <-[e]s, Frösche> [frɔʃ] *m* frog

Frost <-[e]s, Fröste> [frɔst] *m* frost

frostig ['frɔstɪç] *adj* frosty

Frostschutzmittel *nt* antifreeze

Frottee <-s, -s> [frɔ'teː] *nt o m* terry cloth

Frotteehandtuch *m* terry [*or* AM terry-cloth] towel

Frucht <-, Früchte> [frʊxt] *f* fruit; **Früchte tragen** to bear fruit *no pl*

fruchtbar ['frʊxtbaːɐ̯] *adj* fertile

Fruchtbarkeit <-> *f kein pl* fertility

Fruchtfleisch *nt* [fruit] pulp

fruchtlos *adj* fruitless

Fruchtsaft *m* fruit juice **Fruchtzucker** *m* fructose

früh [fryː] **I.** *adj* early; **~ am Morgen** early in the morning; **der ~e Goethe** the young Goethe **II.** *adv* early; **Montag ~** Monday morning; **~ genug** in good time; **von ~ bis spät** from morning till night

Frühaufsteher(in) <-s, -> *m(f)* early riser

früher ['fryːɐ̯] **I.** *adj* **1.** (*vergangen*) earlier **2.** (*ehemalig*) former; **~e Freundin** ex[-girlfriend] **II.** *adv* **1.** (*eher*) earlier; **~ oder später** sooner or later **2.** (*ehemals*) formerly; **~ war das alles anders** things were different in the old days

frühestens *adv* at the earliest

Frühgeburt *f* premature birth **Frühjahr** ['fryːjaːɐ̯] *nt* spring

Frühling <-s, -e> ['fryːlɪŋ] *m* spring; **es wird ~** spring is coming

frühmorgens [fryː'mɔrgn̩s] *adv* early in the morning **frühreif** *adj* precocious **Frühschicht** *f* morning shift; **~ haben** to be on the morning shift

Frühstück <-s, -e> ['fryːʃtʏk] *nt* breakfast; **zum ~** for breakfast; **zweites ~** midmorning snack

frühstücken ['fryːʃtʏkn̩] **I.** *vi* to have [one's] breakfast **II.** *vt* **etw ~** to have sth for breakfast

frühzeitig ['fryːtsaitɪç] **I.** *adj* early **II.** *adv* in good time

Frust <-[e]s> [frʊst] *m kein pl* (*fam*) frustration *no indef art*

Frustration <-, -en> [frʊstra'tsi̯oːn] *f* frustration

frustrieren [frʊs'triːrən] *vt* to frustrate

Fuchs, Füchsin <-es, Füchse> [fʊks, 'fʏksɪn] *m, f* fox *masc*, vixen *fem*

F

Fuchsbau *m* [fox's] earth

Füchsin <-, -nen> ['fʏksɪn] *f fem form von* **Fuchs** vixen

Fuchsjagd *f* fox-hunt[ing] **Fuchsschwanz** *m* (*Säge*) [straight back] handsaw

Fuge <-, -n> ['fuːgə] *f* join; **aus den ~n geraten** (*fig*) to be out of joint

fühlen ['fyːlən] **I.** *vt* to feel **II.** *vr* **wie ~ Sie sich?** how are you feeling?; **sich besser ~** to feel better

Fühler <-s, -> *m* **1.** antenna **2.** TECH sensor

Fuhre <-, -n> ['fuːrə] *f* [cart]load

führen ['fyːrən] **I.** *vt* **1.** (*geleiten*) to take (**zu** to); (*vorangehen*) to lead; **jdn durch ein Museum ~** to show sb round a museum **2.** (*leiten*) *Geschäft* to run; *Gruppe* to lead **3.** (*geh: haben*) **etw mit sich** *dat* **~** to carry sth **4.** *Ware* to stock **II.** *vi* **1.** *Weg* to lead **2.** SPORT **mit drei Punkten ~** to have a lead of three points **3.** (*als Ergebnis haben*) **zu etw** *dat* **~** to lead to sth; **das führt zu nichts** that will come to nothing

führend *adj* leading *attr*

Führer <-s, -> ['fyːrɐ] *m* (*Buch*) guide[-book]

Führer(in) <-s, -> ['fyːrɐ] *m(f)* **1.** leader **2.** (*Fremdenführer*) guide

Führerschein *m* driving licence BRIT, driver's license AM; **den ~ machen** to learn to drive

Führung <-, -en> *f* **1.** *kein pl* POL leadership **2.** *kein pl* HANDEL management **3.** (*Besichtigung*) guided tour (**durch** of) **4.** SPORT **in ~ gehen/liegen** to go into/be in the lead

Fuhrunternehmen [fuːɐ̯-] *nt* haulage business BRIT, trucking company AM

Fuhrunternehmer(in) [fuːɐ̯-] *m(f)*

haulage contractor BRIT, trucking company AM

Fülle <-> ['fʏlə] *f kein pl* (*Menge*) wealth; **eine ~ von etw** *dat* a whole host of sth; **in [Hülle und] ~** in abundance

füllen ['fʏlən] **I.** *vt* to fill **II.** *vr* **sich ~** to fill [up]

Füller <-s, -> ['fʏlɐ] *m*, **Füllfederhalter** *m* fountain pen; (*mit Patrone*) cartridge pen

Füllung <-, -en> *f* stuffing

fummeln ['fʊmln] *vi* (*fam: hantieren*) to fumble around (**an/mit** with)

Fundament <-[e]s, -e> [fʊndaˈmɛnt] *nt* foundation[s *npl*]

fundamental [fʊndamɛnˈtaːl] **I.** *adj* fundamental **II.** *adv* fundamentally

Fundamentalist(in) <-en, -en> [fʊndamɛntaˈlɪst] *m(f)* fundamentalist

Fundbüro *nt* lost property office BRIT, lost-and-found office AM **Fundsache** *f* recovered item; **~n** lost property *no pl, no indef art*

fünf [fʏnf] *adj* five; *s.a.* **acht**[1]

Fünfeck *nt* pentagon **fünffach, 5fach** ['fʏnffax] *adj* fivefold; **die ~e Menge** five times the amount **fünfhundert** ['fʏnfˈhʊndɐt] *adj* five hundred **fünfmal, 5-mal**[RR] *adv* five times **fünftausend** ['fʏnfˈtauznt] *adj* five thousand

fünftens ['fʏnftns] *adv* fifth, in [the] fifth place

fünfzehn ['fʏnftseːn] *adj* fifteen; **~ Uhr** 3 pm; *s.a.* **acht**[1]

fünfzig ['fʏnftsɪç] *adj* fifty; *s.a.* **achtzig**

fungieren [fʊŋˈgiːrən] *vi* function (**als** as)

Funk <-s> [fʊŋk] *m kein pl* radio

funkeln ['fʊŋkln] *vi* to sparkle

funken ['fʊŋkn̩] **I.** *vi, vt* TELEK to radio;

um Hilfe ~ to radio for help; **SOS ~** to radio an SOS **II.** *vi impers* (*fam*) **zwischen den beiden hat's gefunkt** those two have really clicked

Funken <-s, -> ['fʊŋkn̩] *m* (*a. fig*) spark

Funkgerät *nt* **1.** RT unit **2.** (*Sprechfunkgerät*) walkie-talkie **funkgesteuert** *adj* ELEK, TECH radio-controlled

Funkhaus *nt* studios *npl* **Funkloch** *nt* [signal] shadow **Funkstation** *f* radio station

Funktion <-, -en> [fʊŋk'tsi̯oːn] *f* **1.** *kein pl* function; **außer/in ~ sein** [not] to be working **2.** (*Stellung*) position; **in jds ~ als etw** in sb's capacity as sth

Funktionär(in) <-s, -e> [fʊŋktsi̯o'nɛɐ̯] *m(f)* official; **ein hoher ~** a high-ranking official

funktionieren [fʊŋktsi̯o'niːrən] *vi* to work

Funkturm *m* radio tower **Funkverbindung** *f* radio contact **Funkverkehr** *m* radio communication *no art*

für [fyːɐ̯] *präp* +*akk* for; **sind Sie ~ den Gemeinsamen Markt?** do you support the Common Market?; **er hat es ~ 45 Euro bekommen** he got it for 45 euros; **~ sich bleiben** to remain by oneself; **gut ~ Migräne** good for migraines

Furche <-, -n> ['fʊrçə] *f* furrow

Furcht <-> ['fʊrçt] *f kein pl* fear (**vor** of); **~ [vor jdm/etw] haben** to fear sb/sth; **~ erregend** terrifying

furchtbar I. *adj* terrible **II.** *adv* terribly

fürchten ['fʏrçtn̩] **I.** *vt* to fear; **zum F~** frightful **II.** *vr* **sich ~** to be afraid (**vor** of)

fürchterlich *adj s.* **furchtbar**

furcherregend *adj s.* **Furcht**

furchtlos I. *adj* fearless **II.** *adv* without fear

füreinander [fyːɐ̯ʔai̯'nandɐ] *adv* for each other

Furnier <-s, -e> [fʊr'niːɐ̯] *nt* veneer

Fürsorge ['fyːɐ̯zɔrgə] *f kein pl* **1.** care **2.** (*fam: Sozialamt*) welfare services *npl* **3.** (*fam: Sozialhilfe*) social security *no art*, welfare AM

Fürsprecher(in) ['fyːɐ̯ʃprɛçɐ] *m(f)* **1.** advocate **2.** JUR SCHWEIZ barrister BRIT, attorney AM

Fürst(in) <-en, -en> [fʏrst] *m(f)* prince *masc*, princess *fem*

Fürstentum *nt* principality; **das ~ Monaco** the principality of Monaco

Fürstin <-, -nen> *f fem form von* **Fürst** princess

fürstlich ['fʏrstlɪç] **I.** *adj* **1.** princely **2.** (*fig: üppig*) lavish **II.** *adv* lavishly; **~ speisen** to eat like a lord

Furunkel <-, -> [fu'rʊŋkl̩] *nt o m* boil

Furz <-[e]s, Fürze> [fʊrts] *m* (*derb*) fart

furzen ['fʊrtsn̩] *vi* (*derb*) to fart

Fusion <-, -en> [fu'zi̯oːn] *f* **1.** ÖKON merger **2.** PHYS fusion

fusionieren [fuzi̯o'niːrən] *vi* ÖKON to merge

Fuß <-es, Füße> [fuːs] *m* **1.** foot; **gut/schlecht zu ~ sein** to be steady/not so steady on one's feet; **etw ist zu ~ zu erreichen** sth is within walking distance; **zu ~ gehen** to walk **2.** SÜDD, ÖSTERR (*Bein*) leg ▶ **auf eigenen Füßen stehen** to stand on one's own two feet

Fußabdruck <-abdrücke> *m* footprint **Fußabstreifer** <-s, -> *m*, **Fußabtreter** <-s, -> *m* foot grating; (*Matte*) doormat

Fußball ['fuːsbal] *m* **1.** *kein pl* (*Spiel*)

football BRIT, soccer AM **2.** (*Ball*) football BRIT, soccer ball AM

Fußballmannschaft *f* football team **Fußballplatz** *m* football pitch BRIT, soccer field AM **Fußballspiel** *nt* football match **Fußballspieler(in)** *m(f)* football player **Fußballstadion** *nt* football stadium **Fußballtoto** *m o nt* the [football] pools *npl*

Fußboden *m* floor

Fußbodenheizung *f* [under]floor heating

fusselig ['fʊsəlɪç] *adj* fluffy *attr*

fußen ['fuːsn̩] *vi* to rest (**auf** on)

Fußende *nt* foot

Fußgänger(in) <-s, -> *m(f)* pedestrian **Fußgängerübergang** *m*, SCHWEIZ **Fußgängerstreifen** *m* pedestrian crossing **Fußgängerzone** *f* pedestrian precinct

Fußgelenk *nt* ankle **Fußkettchen** <-s, -> *nt* anklet **Fußnagel** *m* toenail **Fußpilz** *m kein pl* athlete's foot **Fußtritt** *m* kick **Fußweg** *m* footpath

Futter¹ <-s, -> ['fʊtɐ] *nt* [animal] feed

Futter² <-s> ['fʊtɐ] *nt kein pl* (*Innenstoff*) lining

Futteral <-s, -e> [fʊtəˈraːl] *nt* case

füttern¹ ['fʏtɐn] *vt* to feed

füttern² ['fʏtɐn] *vt* (*mit Stofffutter*) to line

Fütterung <-, -en> *f* feeding

Futur <-s, -e> [fuˈtuːɐ̯] *nt* future [tense]

G

G, g *nt* G, g

Gabe <-, -n> ['gaːbə] *f* **1.** gift **2.** SCHWEIZ (*Preis*) prize

Gabel <-, -n> ['gaːbl̩] *f* fork

gabeln ['gaːbl̩n] *vr* **sich** ~ to fork

Gabelung <-, -en> ['gaːbəlʊŋ] *f* fork

Gage <-, -n> ['gaːʒə] *f* fee

gähnen ['gɛːnən] *vi* to yawn; **ein ~des Loch** a gaping hole

galant [gaˈlant] *adj* chivalrous

Galaxis <-s, Galaxien> [gaˈlaksɪs, *pl:* galaˈksiːən] *f* galaxy

Galerie <-, -n> [galəˈriː, *pl:* -ˈriːən] *f* gallery

Galgen <-s, -> ['galgn̩] *m* gallows + *sing vb*

Galle <-, -n> ['galə] *f* **1.** (*Gallenblase*) gall bladder **2.** (*Gallenflüssigkeit*) bile

Galopp <-s, -s> [gaˈlɔp] *m* gallop

galoppieren [galɔˈpiːrən] *vi haben o sein* to gallop

Gämseᴿᴿ <-, -n> ['gɛmzə] *f* chamois

Gang¹ <-[e]s, Gänge> ['gaŋ, *pl:* 'gɛŋə] *m* **1.** *kein pl* walk; **aufrechter** ~ upright carriage; **einen unsicheren** ~ **haben** to be unsteady on one's feet **2.** (*Besorgung*) errand **3.** (*Bewegung*) **den Motor in** ~ **halten** to keep the engine running; **etw in** ~ **bringen** to get sth going; **in** ~ **kommen** to get off the ground **4.** (*Ablauf*) course; **alles geht wieder seinen gewohnten** ~ everything is proceeding as normal again; **im** ~[e] **sein** to be underway **5.** KOCHK course **6.** AUTO gear; **einen** ~ **einlegen** to engage a gear; **hast du den zweiten** ~ **drin?** (*fam*) are you in second gear?; **in den 2.** ~ **schalten** to change into second gear **7.** (*Korridor*) corridor; *Theater, Flugzeug, Laden* aisle

Gang² <-, -s> [gɛŋ] *f* (*Bande*) gang

Gangart *f* walk

Gangschaltung *f* gears *pl*

Gangster <-s, -> ['gɛŋstɐ] *m* (*pej*) gangster

Ganove <-n, -n> [ga'noːvə] *m* (*pej fam*) crook

Gans <-, Gänse> ['gans, *pl*: 'gɛnzə] *f* goose; **blöde ~** (*pej fam*) silly goose

Gänseblümchen *nt* daisy **Gänsefüßchen** *pl* (*fam*) inverted commas *pl* **Gänsehaut** *f kein pl* goose bumps *pl;* **eine ~ kriegen** to get goose bumps

ganz ['gants] **I.** *adj* **1.** all, whole; **eine ~e Menge** quite a lot; **die ~e Wahrheit** the whole truth; **~e Zahl** whole number; **die ~e Zeit** the whole time **2.** (*fam: unbeschädigt*) intact; **etw wieder ~ machen** to mend sth; **wieder ~ sein** to be mended **II.** *adv* **1.** (*sehr, wirklich*) really; **etwas ~ Dummes** something really stupid; **~ besonders** particularly **2.** (*ziemlich*) quite **3.** (*vollkommen*) completely; **du bist ~ nass** you're all wet; **~ und gar** completely; **~ und gar nicht** not at all; **~ allein sein** to be all alone; **~ wie Sie wünschen/meinen** just as you wish/think best; **~ hinten/vorne** right at the back/front

Ganze(s) *nt* **1.** (*alles zusammen*) whole; **im ~n** on the whole **2.** (*die ganze Angelegenheit*) the whole business; **das ~ hängt mir zum Halse heraus** I've had it up to here with everything!

ganzheitlich *adv* **etw ~ betrachten** to look at sth in its entirety

gänzlich ['gɛntslɪç] *adv* completely

gar¹ ['gaːɐ̯] *adj* **Essen** done

gar² ['gaːɐ̯] *adv* **1.** (*überhaupt*) at all, whatsoever; **~ keine[r]** no one whatsoever; **~ keinen/keine/keines** none whatsoever; **hattest du denn ~ keine Angst?** weren't you frightened at all?; **~ nicht** not at all; **er hat sich ~ nicht gefreut** he wasn't at all pleased; **~ nichts** nothing at all **2.** (*sehr*) really

Garage <-, -n> [ga'raːʒə] *f* garage

Garantie <-, -n> [garan'tiː, *pl*: -'tiːən] *f* guarantee

garantieren [garan'tiːrən] *vt, vi* to guarantee

Garde <-, -n> ['gardə] *f* guard

Garderobe <-, -n> [gardə'roːbə] *f* **1.** hall-stand; (*Raum*) cloakroom **2.** *kein pl* (*geh: Kleidung*) wardrobe

Garderobenständer *m* hat-stand

Gardine <-, -n> [gar'diːnə] *f* net curtain

Gardinenstange *f* curtain rod

gären ['gɛːrən] *vi haben o sein* to ferment

Garn <-[e]s, -e> ['garn] *nt* thread

Garnele <-, -n> [gar'neːlə] *f* prawn

garnieren [gar'niːrən] *vt* to garnish

Garnitur <-, -en> [garni'tuːɐ̯] *f* set

garstig ['garstɪç] *adj* (*abscheulich*) horrible

Garten <-s, Gärten> ['gartn̩, *pl*: 'gɛrtn̩] *m* garden

Gartenarbeit *f* gardening *no pl* **Gartenbau** *m kein pl* horticulture **Gartenlokal** *nt* open-air restaurant **Gartensitzplatz** *m* SCHWEIZ (*Terrasse*) patio **Gartenzaun** *m* garden fence

Gärtner(in) <-s, -> ['gɛrtnɐ] *m(f)* gardener

Gärtnerei <-, -en> [gɛrtnə'rai] *f* market garden; (*für Setzlinge*) nursery

Gas <-es, -e> ['gaːs, *pl*: 'gaːzə] *nt* **1.** gas **2.** (*fam*) **~ geben** to accelerate; **gib' ~!** put your foot down!

Gasflasche *f* gas canister **Gashahn** *m* gas tap **Gasheizung** *f* gas heating

Gasherd *m* gas cooker **Gaskocher** *m* camping stove **Gasleitung** *f* gas main **Gaspedal** *nt* accelerator

Gasse <-, -n> ['gasə] *f* 1. alley 2. ÖSTERR street; **über die ~** to take away

Gast <-es, Gäste> ['gast, *pl:* 'gɛstə] *m* guest; **bei jdm zu ~ sein** to be sb's guest[s]; **~ in einer Stadt/einem Land sein** to be a visitor to a city/country

Gastarbeiter(in) *m(f)* guest worker

Gästebuch *nt* visitors' book

Gästezimmer *nt* spare room

gastfreundlich *adj* hospitable **Gastfreundschaft** *f* hospitality **Gastgeber(in)** <-s, -> *m(f)* host *masc,* hostess *fem* **Gasthaus** *nt,* **Gasthof** *m* inn

Gastritis <-, Gastritiden> [gas'tri:tɪs, *pl:* gastri'ti:dn̩] *f* gastritis

Gastronomie <-, -n> [gastrono'mi:, *pl:* -'mi:ən] *f* catering trade

gastronomisch *adj* gastronomic

Gaststätte *f* restaurant **Gaststube** *f* *Bar* lounge; *Restaurant* restaurant **Gastwirt(in)** *m(f)* restaurant manager; *einer Kneipe* landlord *masc,* landlady *fem* **Gastwirtschaft** *f s.* Gaststätte

Gatte, Gattin <-n, -n> ['gatə, 'gatɪn] *m, f* (*geh*) spouse, husband *masc,* wife *fem*

Gattung <-, -en> ['gatʊŋ] *f* 1. BIOL genus 2. KUNST genre

Gaumen <-s, -> ['gaumən] *m* palate

Gauner(in) <-s, -> ['gaunɐ] *m(f)* (*pej*) crook

Gaunerei <-, -en> [gaunə'rai] *f* cheating *no pl*

Gazelle <-, -n> [ga'tsɛlə] *f* gazelle

Gebäck <-[e]s, -e> [gə'bɛk] *nt pl selten* pastries *pl*

gebären <gebiert, gebar, geboren> [gə'bɛːrən] *vt* 1. to give birth to; **geboren werden** to be born 2. (*eine Begabung haben*) **zu etw** *dat* **geboren sein** to be born to sth

Gebärmutter <-mütter> *f* womb

Gebäude <-s, -> [gə'bɔydə] *nt* building

geben <gibt, gab, gegeben> ['ge:bn̩] **I.** *vt* 1. (*reichen*) **jdm etw ~** to give sb sth, to give sth to sb; *Karten* to deal 2. (*verkaufen*) **jdm etw ~** to get sb sth; **~ Sie mir bitte fünf Brötchen** I'd like five bread rolls please 3. (*spenden*) *Schutz, Schatten* to provide 4. (*abhalten*) *Konferenz* to hold 5. (*bieten, gewähren*) to give; **jdm ein Interview ~** to grant sb an interview 6. DIAL (*abgeben*) to send; **sein Auto in [die] Reparatur ~** to have one's car repaired 7. KOCHK to add; **Wein in die Soße ~** to add wine to the sauce 8. (*ergeben*) to produce; **Rotwein gibt Flecken** red wine leaves stains 9. (*äußern*) **etw von sich** *dat* **~** to utter sth ▸ **jdm etw zu tun ~** to give sb sth to do; **nichts auf etw** *akk* **~** to think nothing of sth; **es jdm ~** (*fam*) to let sb have it **II.** *vt impers* 1. (*gereicht werden*) **was gibt es zum Frühstück?** what's for breakfast? 2. (*eintreten*) **heute gibt es noch Regen** it'll rain today; **hat es sonst noch etwas gegeben?** has anything else happened? 3. (*existieren, passieren*) **das gibt es nicht!** (*fam*) no way!; **was gibt's?** (*fam*) what's up? **III.** *vr* 1. (*nachlassen*) **etw gibt sich** sth eases [off]; (*sich erledigen*) sth sorts itself out 2. (*sich benehmen*) **nach außen gab er sich heiter** outwardly he behaved cheerfully

Gebet <-[e]s, -e> [gə'be:t] *nt* prayer

Gebiet <-[e]s, -e> [gə'bi:t] *nt* **1.** (*Fläche*) area **2.** (*Fach*) field

Gebilde <-s, -> [gə'bɪldə] *nt* thing

gebildet *adj* educated; **ein ~er Mensch** a cultured person

Gebirge <-s, -> [gə'bɪrgə] *nt* mountains

gebirgig [gə'bɪrgɪç] *adj* mountainous

Gebirgszug *m* mountain range

Gebissᴿᴿ <-es, -e> *nt*, **Gebiß**ᴬᴸᵀ <-sses, -sse> [gə'bɪs] *nt* **1.** (*Zähne*) teeth *pl* **2.** (*Prothese*) dentures *npl*

geblümt [gə'bly:mt] *adj*, **geblumt** [gə'blu:mt] *adj* ÖSTERR **1.** (*mit Blumenmuster*) flowered, floral **2.** (*fig: kunstvoll, blumenreich*) flowery

geboren [gə'bo:rən] *pp von* **gebären**

Gebot <-[e]s, -e> [gə'bo:t] *nt* **1.** (*Verordnung*) decree **2.** REL **die zehn ~e** the ten commandments **3.** (*Erfordernis*) **das ~ der Stunde** the dictates of the moment

Gebrauch <-[e]s, Gebräuche> [gə-'braux, *pl:* gə'brɔyçə] *m* **1.** *kein pl* use; (*Anwendung*) application; **zum äußerlichen/innerlichen ~ o** to be applied externally/to be taken internally; **von etw** *dat* **~ machen** to make use of sth; **vor ~ schütteln** shake well before use **2.** *pl* **Sitten und Gebräuche** manners and customs

gebrauchen [gə'brauxn̩] *vt* **1.** to use; **nicht mehr zu ~ sein** to be no longer [of] any use; **zu nichts zu ~ sein** to be no use at all **2.** (*fam*) **dein Wagen könnte eine Wäsche ~** your car could do with a wash again

gebräuchlich [gə'brɔyçlɪç] *adj* customary

Gebrauchsanweisung *f* operating instructions

gebraucht *adj* second-hand

Gebrauchtwagen *m* second-hand car

Gebühr <-, -en> [gə'by:ɐ̯] *f* charge; (*Beitrag*) fee; **~ [be]zahlt Empfänger** postage to be paid by addressee; **eine ~ erheben** to levy a charge

gebührenfrei *adj*, *adv* free of charge **gebührenpflichtig** *adj* subject to a charge; **~e Straße** toll road

gebunden [gə'bʊndn̩] **I.** *pp von* **binden** **II.** *adj* **~es Buch** hardcover; **~e Preise** controlled prices; **durch Verpflichtungen ~ sein** to be tied down by duties; **vertraglich ~ sein** to be bound by contract

Geburt <-, -en> [gə'bu:ɐ̯t] *f* birth; **bei der ~** at the birth; **von ~ an** from birth; **von ~ Deutscher sein** to be German by birth

Geburtsdatum *nt* date of birth **Geburtsjahr** *nt* year of birth **Geburtsort** *m* place of birth **Geburtstag** *m* birthday; **herzlichen Glückwunsch zum ~** happy birthday to you; **[seinen/jds] ~ feiern** to celebrate one's/sb's birthday; **jdm zum ~ gratulieren** to wish sb a happy birthday; **wann hast du ~?** when is your birthday?

Gebüsch <-[e]s, -e> [gə'bʏʃ] *nt* bushes *pl*

Gedächtnis <-ses, -se> [gə'dɛçtnɪs, *pl:* gə'dɛçtnɪsə] *nt* memory; **ein gutes/schlechtes ~ haben** to have a good/poor memory; **etw im ~ behalten** to remember sth; **sein ~ verlieren** to lose one's memory

gedämpft *adj Schall, Stimme* muffled; *Licht, Farbe* muted

Gedanke <-ns, -n> [gə'daŋkə] *m* **1.** (*Überlegung*) thought (**an** of); **in ~n vertieft** deep in thought; **jdn auf**

G

andere ~n bringen to take sb's mind off sth; **jdn auf einen ~n bringen** to put an idea into sb's head; **jds ~n lesen** to read sb's thoughts; **sich** *dat* **über etw** *akk* **~n machen** to be worried about sth; **mit seinen ~en woanders sein** to have one's mind on sth else **2.** (*Einfall*) idea; **einen ~n in die Tat umsetzen** to put a plan into action; **jdm kommt ein ~** sb hits upon an idea; **mit dem Gedanken spielen, etw zu tun** to toy with the idea of doing sth

gedankenlos I. *adj* thoughtless **II.** *adv* thoughtlessly

Gedankenstrich *m* dash

Gedeck <-[e]s, -e> [gə'dɛk] *nt* cover

gedeihen <gedieh, gediehen> [gə'daiən] *vi sein* **1.** (*sich gut entwickeln*) to flourish **2.** (*vorankommen*) to make headway

Gedenkfeier *f* commemorative ceremony **Gedenktafel** *f* commemorative plaque

Gedicht <-[e]s, -e> [gə'dɪçt] *nt* poem

Gedränge <-s> [gə'drɛŋə] *nt kein pl* **1.** crowd **2.** (*das Drängen*) jostling

gedrückt *adj* weak, dejected, depressed

Geduld <-> [gə'dʊlt] *f kein pl* patience; **~ haben** to be patient (**mit** with); **keine ~ haben** to have no patience (**zu** with); **die ~ verlieren** to lose one's patience

gedulden [gə'dʊldn̩] *vr* **sich ~** to be patient

geduldig [gə'dʊldɪç] *adj* patient

geehrt *adj* honoured; **sehr ~e Damen und Herren!** ladies and gentlemen!; (*in Briefen*) Dear Sir or Madam

geeignet [gə'ʔaignət] *adj* suitable; **für/zu etw** *dat* **~ sein** to be suited to sth

Gefahr <-, -en> [gə'faːɐ̯] *f* danger; **jdn in ~ bringen** to endanger sb; **in/außer ~ sein** to be in/out of danger; **auf eigene ~** at one's own risk; **sich in ~ begeben** to put oneself at risk; **~ laufen, etw zu tun** to run the risk of doing sth

gefährden [gə'fɛːɐ̯dn̩] *vt* to endanger

gefährlich [gə'fɛːɐ̯lɪç] *adj* dangerous; (*risikoreich*) risky

Gefährte, Gefährtin <-n, -n> [gə'fɛːɐ̯tə, gə'fɛːɐ̯rtɪn] *m, f* (*geh*) companion

Gefälle <-s, -> [gə'fɛlə] *nt* **1.** gradient **2.** (*Unterschied*) difference

gefallen¹ <gefiel, gefallen> [gə'falən] **I.** *vi* **jdm ~** to please sb; **gefällt dir mein Kleid?** do you like my dress? **II.** *vr* **sich** *dat* **etw ~ lassen** to put up with sth

gefallen² *pp von* **fallen, gefallen¹**

Gefallen¹ <-s, -> [gə'falən] *m* favour; **jdn um einen ~ bitten** to ask sb for a favour; **jdm einen ~ tun** to do sb a favour

Gefallen² <-s> [gə'falən] *nt* **an etw** *dat* **~ finden** to enjoy sth

Gefälligkeit <-, -en> [gə'fɛlɪç] *f* **1.** favour **2.** (*Hilfsbereitschaft*) **aus ~** out of the kindness of one's heart

gefangen [gə'faŋən] **I.** *pp von* **fangen II.** *adj* **1. jdn ~ halten** to hold sb captive; **ein Tier ~ halten** to keep an animal in captivity; **jdn ~ nehmen** to arrest sb; MIL to take sb prisoner **2.** (*beeindruckt*) **jdn ~ halten** to captivate sb

Gefangene(r) *f(m) dekl wie adj* captive; (*im Gefängnis*) prisoner

gefangen|halten[ALT] *vt irreg s.* **gefangen II 1, 2**

Gefangenschaft <-, *pl selten* -en> *f*

captivity; **in ~ geraten** to be taken prisoner

Gefängnis <-ses, -se> [gəˈfɛŋnɪs, *pl:* gəˈfɛŋnɪsə] *nt* **1.** prison; **im ~ sein** to be in prison; **ins ~ kommen** to be sent to prison **2.** *kein pl* (*Haftstrafe*) imprisonment; **zwei Jahre ~ bekommen** to get two years imprisonment

Gefängnisstrafe *f* prison sentence

Gefäß <-es, -e> [gəˈfɛːs] *nt* container

gefasst^RR, **gefaßt**^ALT **I.** *adj* **1.** (*beherrscht*) composed **2.** (*vorbereitet*) **auf etw** *akk* **~ sein** to be prepared for sth; **sich auf etw** *akk* **~ machen** to prepare oneself for sth **II.** *adv* calmly

Gefecht <-[e]s, -e> [gəˈfɛçt] *nt* battle

Gefieder <-s, -> [gəˈfiːdɐ] *nt* plumage

gefleckt *adj* spotted

Geflügel <-s> [gəˈflyːɡl̩] *nt kein pl* poultry

Gefolge <-s, -> [gəˈfɔlɡə] *nt* retinue

gefräßig [gəˈfrɛːsɪç] *adj* voracious

Gefreite(r) [gəˈfraɪtə] *f(m) dekl wie adj* MIL *sb holding the second lowest rank in the armed forces* ≈ lance corporal BRIT, private AM

gefrieren [gəˈfriːrən] *vi irreg sein* to freeze

Gefrierfach *nt* freezer compartment

gefriergetrocknet *adj* freeze-dried

Gefrierpunkt *m* **über/unter dem ~** above/below freezing **Gefriertruhe** *f* chest freezer

gefroren [gəˈfroːrən] *pp von* **frieren**, **gefrieren**

gefügig [gəˈfyːɡɪç] *adj* compliant; [**sich** *dat*] **jdn ~ machen** to make sb submit to one's will

Gefühl <-[e]s, -e> [gəˈfyːl] *nt* feeling; **etw im ~ haben** to feel sth instinctively; **jds ~e erwidern** to return sb's affections; **ein ~ für etw** *akk* [**haben**] [to have] a feeling for sth; **ein ~ für Gerechtigkeit** a sense of justice

gefühllos *adj* **1.** (*taub*) numb **2.** (*herzlos*) insensitive

Gefühlsausbruch *m* emotional outburst **gefühlsbetont** *adj* emotional **Gefühlsduselei** <-, -en> [-duːzəˈlaɪ] *f* (*pej*) mawkishness

gefühlvoll I. *adj* sensitive **II.** *adv* with feeling

gefüllt *adj* **1.** KOCHK *Paprikaschoten, Tomaten* stuffed; **~e Kekse** biscuits with a filling **2.** (*voll*) full

gegen [ˈɡeːɡn̩] *präp* +*akk* **1.** against; **ich brauche etwas ~ meine Erkältung** I need sth for my cold **2.** (*entgegen*) contrary to; **~ alle Vernunft** against all reason **3.** (*an*) against; **~ die Wand stoßen** to run into the wall; **~ die Tür schlagen** to hammer on the door **4.** (*etwa*) **~ Morgen/Mittag** towards morning/afternoon; **~ drei Uhr** around three o'clock

Gegend <-, -en> [ˈɡeːɡnt, *pl:* ˈɡeːɡndən] *f* **1.** area; **in der Münchner ~** in the Munich area **2.** (*Umgegend*) **durch die ~ laufen/fahren** (*fam*) to stroll about/drive around

gegeneinander [ɡeːɡnʔaɪˈnandɐ] *adv* against each other

gegeneinander|prallen^RR *vi* to collide **Gegenfahrbahn** *f* oncoming lane **Gegengift** *nt* antidote **Gegenleistung** *f* **eine/keine ~ erwarten** to expect something/nothing in return

Gegensatz *m* **1.** opposite (**zu** to); **im ~ zu jdm/etw** unlike sb/sth **2.** *pl* differences; **unüberbrückbare Gegensätze** irreconcilable differences ▶ **Gegensätze** <u>ziehen</u> **sich an** (*prov*) opposites attract

G

gegensätzlich ['geːgn̩zɛtslɪç] *adj* conflicting; *Menschen* different

Gegenseite *f* other side

gegenseitig ['geːgn̩zaitɪç] **I.** *adj* mutual **II.** *adv* mutually; **sich ~ beschuldigen/helfen** to accuse/help each other

Gegenstand <-[e]s, -stände> *m* **1.** object **2.** (*Thema*) subject **Gegenstück** *nt* companion piece; **jds ~ sein** to be sb's opposite **Gegenteil** ['geːgn̩tail] *nt* opposite; **im ~!** on the contrary!

gegenteilig ['geːgn̩tailɪç] *adj* opposite

gegenüber [geːgn̩'ʔyːbɐ] **I.** *präp* +*dat* **1.** (*örtlich*) opposite **2.** (*in Bezug auf*) towards **3.** (*vor*) in front of **II.** *adv* opposite; **die Leute von ~** the people [from] opposite

gegenüberliegend *adj attr* opposite **gegenüber|stehen** *irreg* **I.** *vi* **1.** *räumlich* **jdm ~** to stand opposite sb **2.** (*eingestellt sein*) **jdm/einer S.** [...] **~** to have a [...] attitude towards sth **II.** *vr* **sich** *dat* **~** to confront each other **gegenüber|stellen** *vt* to compare

Gegenverkehr *m* oncoming traffic

Gegenwart <-> ['geːgn̩vart] *f kein pl* **1.** present; **die Kunst/Musik der ~** contemporary art/music **2.** LING present [tense] **3.** (*Anwesenheit*) presence

gegenwärtig ['geːgn̩vɛrtɪç] **I.** *adj attr* present; **zur ~en Stunde** at the present time **II.** *adv* currently

Gegenwert *m* equivalent; **~ eines Schecks/Wechsels** countervalue of a cheque/bill **Gegenwind** *m* headwind

Gegner(in) <-s, -> ['geːgnɐ] *m(f)* opponent

gegnerisch *adj attr* opposing

Gehabe <-s> [gə'haːbə] *nt kein pl* (*pej fam*) affectation

Gehalt¹ <-[e]s, Gehälter> [gə'halt, *pl:* gə'hɛltɐ] *nt* salary

Gehalt² <-[e]s, -e> [gə'halt] *m* (*Anteil*) content; **der ~ an Kohlendioxid** the carbon dioxide content

Gehaltserhöhung *f* pay rise

gehandikapt [gə'hɛndikɛpt] *adj* handicapped (**durch** by)

gehässig [gə'hɛsɪç] **I.** *adj* spiteful **II.** *adv* spitefully

Gehäuse <-s, -> [gə'hɔyzə] *nt* casing

gehbehindert *adj* **leicht/stark ~ sein** to have a slight/severe mobility handicap

Gehege <-s, -> [gə'heːgə] *nt* enclosure

geheim [gə'haim] **I.** *adj* secret **II.** *adv* secretly; **~ abstimmen** to vote by secret ballot; **etw ~ halten** to keep sth secret

Geheimdienst *m* secret service BRIT, intelligence service AM **geheim|halten**ᴬᴸᵀ *vt irreg s.* **geheim II**

Geheimnis <-ses, -se> [gə'haimnɪs, *pl:* gə'haimnɪsə] *nt* secret; **vor jdm keine ~se haben** to have no secrets from sb; **das ~ des Lebens** the mystery of life

geheimnisvoll I. *adj* mysterious **II.** *adv* mysteriously

Geheimschrift *f* code **Geheimzahl** *f* FIN PIN number

gehen <ging, gegangen> ['geːən] **I.** *vi sein* **1.** to go (**zu/nach** to); (*zu Fuß*) to walk; **geh schon!** go on!; **~ wir!** let's go!; **in Urlaub ~** to go on holiday [*or* AM vacation]; **gehst du heute in die Stadt/auf die Post?** are you going to town/to the post office today?; **~ wir oder fahren wir mit dem Auto?** shall we walk or drive?; **auf die andere Straßenseite ~** to cross over to the other side of the street; **auf und ab ~** to pace up and down; **schwimmen/tanzen/einkaufen/schlafen ~** to go swimming/dancing/shopping/to bed; **aufs Gymnasium/auf einen Lehrgang ~** to go to [a] grammar school/on a course; **an die Uni ~** to go to university; **ins Theater/in die Kirche ~** to go to the theatre/to church/mass/school **2.** (*tätig werden*) **in die Industrie ~** to go into industry; **zum Film ~** to go into films; **in die Gewerkschaft ~** to join the union **3.** (*weggehen*) to go; (*abfahren a.*) to leave; **ich muss jetzt ~** I have to be off; **wann geht der Zug nach Hamburg?** when does the train to Hamburg leave? **4.** (*führen*) **irgendwohin ~** to go somewhere; **wohin geht dieser Weg?** where does this path lead to? **5.** (*funktionieren*) to work **6.** (*gelingen*) **es geht ganz leicht** it's really easy **7.** ÖKON (*laufen*) to go; **wie ~ die Geschäfte?** how's business? **8.** ÖKON (*sich verkaufen*) to sell **9.** (*hineinpassen*) **wie viele Leute ~ in deinen Wagen?** how many people [can] fit in[to] your car? **10.** (*reichen*) **das Wasser geht einem bis zur Hüfte** the water comes up to one's hips; **der Rock geht ihr bis zum Knie** the skirt goes down to her knee **11.** *Teig* to rise **12.** (*Klingel*) to ring **13.** (*möglich sein*) **das geht** that's possible; **das wird kaum ~** that won't be possible; **solange es geht** as long as possible; **da geht nichts mehr** there's nothing more to be done; **ich muss mal telefonieren - geht das?** I have to make a phonecall - would that be alright? **14.** (*lauten*) **wie geht nochmal der Spruch?** how does the saying go? **15.** (*beeinträchtigen*) **das geht [mir] ganz schön an die Nerven** that really gets on my nerves; **das geht an die Kraft** that takes it out of you **16.** (*gerichtet sein*) **an jdn ~** to be addressed to sb; **gegen jdn/etw ~** to be directed against sb/sth; **das geht nicht gegen Sie** this isn't aimed at you **17.** (*fam: liiert sein*) **mit jdm ~** to go out with sb **18.** (*überschreiten*) **zu weit ~** to go too far; **das geht zu weit!** that's just too much! **19.** (*übersteigen*) **über jds Geduld ~** to exhaust sb's patience; **über jds Kräfte/Möglichkeiten ~** to be too much for sb **20.** (*fam: akzeptabel sein*) to be OK; **es geht [so]** it's OK ▶ **jdm über alles ~** to mean more to sb than anything else; **es geht nichts über jdn/etw** there's nothing like sb/sth; **[ach] geh, ...!** (*fam*) [oh] come on, ...!; **geh, was du nicht sagst!** ÖSTERR go on, you're kidding! **II.** *vi impers sein* **1.** + *adv* (*sich fühlen*) **wie geht es Ihnen? — danke, mir geht es gut!** how are you? — thank you, I am well!; **nach der Spritze ging es ihr gleich wieder besser** she soon felt better again after the injection; **wie geht's denn [so]?** (*fam*) how's it going? **2.** + *adv* (*verlaufen*) **wie war denn die Prüfung? — ach, es ging ganz gut** how was the exam? — oh, it went quite well **3.** (*sich handeln um*) **um was geht's denn?** what's it about then?; **worum geht es in diesem Film?** what is this film about?

G

4. (*wichtig sein*) **worum geht es dir eigentlich?** what are you trying to say?; **es geht mir nur um die Wahrheit** I'm only interested in the truth **5.** (*ergehen*) **mir ist es ähnlich/genauso gegangen** it was the same/just the same with me; **lass es dir gut ~!** look after yourself! **6.** (*nach jds Kopf gehen*) **wenn es nach mir ginge** if it were up to me ▸ **geht's noch!?** SCHWEIZ (*iron*) are you crazy?! **III.** *vt sein* **ich gehe immer diesen Weg/diese Straße** I always walk this way/take this road **IV.** *vr haben* **sich ~ lassen** (*sich nicht beherrschen*) to lose one's self-control; (*nachlässig sein*) to let oneself go

gehen|lassen *vr, vt irreg s.* **gehen IV**

Gehilfe, Gehilfin <-n, -n> [gə'hɪlfə, gə'hɪlfɪn] *m, f* assistant

Gehirn <-[e]s, -e> [gə'hɪrn] *nt* brain

Gehirnerschütterung *f* concussion **Gehirnschlag** *m* stroke **Gehirnwäsche** *f* brainwashing *no indef art, no pl*

Gehör <-[e]s, -e> [gə'hø:ɐ̯] *nt* hearing; **das ~ verlieren** to go deaf; **jdm/einer S. [kein] ~ schenken** to [not] listen to sb/sth; **sich** *dat* **[bei jdm] ~ verschaffen** to make oneself heard [to sb]

gehorchen [gə'hɔrçn̩] *vi* to obey

gehören [gə'hø:rən] **I.** *vi* **1. jdm ~** to belong to sb; **zur Familie ~** to be one of the family; **ihm ~ mehrere Häuser** he owns several houses **2.** (*den richtigen Platz haben*) **die Kinder ~ ins Bett** the children should be in bed; **wohin ~ die Hemden?** where do the shirts go? **3.** (*angebracht sein*) **dieser Vorschlag gehört nicht hierher** this suggestion is not relevant

here **4.** (*Teil sein von*) **zu etw** *dat* **~** to be part of sth **5.** (*nötig sein*) **zu dieser Arbeit gehört viel Konzentration** this work requires a lot of concentration; **dazu gehört nicht viel** that doesn't take much; **dazu gehört [schon] etwas** that takes some doing **II.** *vr* **sich ~** to be fitting; **wie es sich gehört** as is right and proper; **sich nicht ~** to be not good manners

gehörig [gə'hø:rɪç] **I.** *adj* **1.** *attr* (*fam: beträchtlich*) good **2.** *attr* (*entsprechend*) proper **II.** *adv* (*fam*) **du hast dich ~ getäuscht** you are very much mistaken

Gehörlose(r) *f(m) dekl wie adj* (*geh*) deaf person

gehorsam [gə'ho:ɐ̯za:m] **I.** *adj* obedient **II.** *adv* obediently

Gehweg *m* **1.** *s.* **Bürgersteig 2.** (*Fußweg*) walk

Geier <-s, -> ['gaiɐ] *m* vulture

Geige <-, -n> ['gaigə] *f* violin ▸ **die erste ~ spielen** to call the tune; **die zweite ~ spielen** to play second fiddle

geil ['gail] *adj* **1.** horny; **~ auf jdn sein** to have the hots for sb **2.** (*sl: toll*) wicked

Geisel <-, -n> ['gaizl̩] *f* hostage; **jdn als ~ nehmen** to take sb hostage

Geiselnehmer(in) <-s, -> *m(f)* hostage-taker

Geißblatt *nt* honeysuckle, woodbine

Geist <-[e]s, -er> ['gaist] *m* **1.** *kein pl* mind **2.** *kein pl* (*Wesen, Gesinnung*) spirit **3.** (*Gespenst*) ghost; **gute/böse ~er** good/evil spirits; **der Heilige ~** the Holy Ghost ▸ **von allen guten ~ern verlassen sein** (*fam*) to have taken leave of one's senses; **jdm auf den ~ gehen** (*fam*) to get on sb's nerves

Geisterbahn *f* ghost train

geistesabwesend I. *adj* absent-minded II. *adv* absent-mindedly **geistesgestört** *adj* mentally disturbed **geisteskrank** *adj* mentally ill **Geisteskrankheit** *f* mental illness **Geisteswissenschaften** *pl* humanities

geistig ['gaɪstɪç] I. *adj* 1. mental 2. (*spirituell*) spiritual II. *adv* mentally; ~ **behindert** mentally handicapped

geistlich ['gaɪstlɪç] *adj* religious; ~**er Beistand** spiritual support

Geistliche(r) *f(m) dekl wie adj* clergyman *masc*, woman priest *fem*

geistlos *adj* inane

geistreich *adj* witty

geizen ['gaɪtsn̩] *vi* **mit etw** *dat* ~ 1. to be mean with sth 2. (*zurückhaltend sein*) to be sparing with sth

Geizhals *m* miser

geizig ['gaɪtsɪç] *adj* stingy, miserly

Gejammer <-s> [gə'jamɐ] *nt kein pl* (*pej fam*) yammering

gekünstelt *adj* (*pej*) artificial; *Benehmen* affected

Gel <-s, -e> ['geːl] *nt* gel

Gelächter <-s, -> [gə'lɛçtɐ] *nt* laughter

gelähmt I. *pp von* **lähmen** II. *adj* paralyzed

Gelände <-s, -> [gə'lɛndə] *nt* terrain

Geländer <-s, -> [gə'lɛndɐ] *nt* railing[s]; (*Treppengeländer*) banister[s]

Geländewagen *m* off-road vehicle

gelangen [gə'laŋən] *vi sein* 1. to reach; **ans Ziel** ~ to reach one's destination; **in die falschen Hände** ~ to fall into the wrong hands 2. (*erwerben*) **zu etw** *dat* ~ to achieve sth 3. SCHWEIZ **an jdn** ~ *dat* to turn to sb (**mit** about)

gelassen [gə'lasn̩] I. *pp von* **lassen** II. *adj* calm III. *adv* calmly

Gelassenheit <-> *f kein pl* calmness

gelaunt [gə'laʊnt] *adj pred* ... ~ **sein** to be in a ... mood

gelb ['gɛlp] *adj* yellow

Gelbfieber *nt* yellow fever **Gelbsucht** *f kein pl* jaundice

Geld <-[e]s, -er> ['gɛlt, *pl:* 'gɛldɐ] *nt kein pl* money; **bares** ~ cash; ~ **wie Heu haben** (*fam*) to have money to burn; **ins** ~ **gehen** (*fam*) to cost a pretty penny; **etw zu** ~ **machen** (*fam*) to turn sth into money ▶ **das** ~ **zum** <u>Fenster</u> **hinauswerfen** to throw money down the drain; **jdm das** ~ **aus der** <u>Tasche</u> **ziehen** to squeeze money out of sb

Geldanlage *f* investment **Geldautomat** *m* cashpoint, ATM **Geldbeutel** *m* purse **geldgierig** *adj* avaricious **Geldkarte** *f* FIN cash card **Geldschein** *m* banknote, bill AM **Geldstrafe** *f* fine

Gelee <-s, -s> [ʒe'leː, ʒə'leː] *m o nt* jelly

gelegen [gə'leːgn̩] I. *pp von* **liegen** II. *adj* **jdm** ~ **kommen** to come at the right time for sb

Gelegenheit <-, -en> [gə'leːgn̩haɪt] *f* 1. opportunity; **bei passender** ~ when the opportunity arises; **die** ~ **haben, etw zu tun** to have the opportunity of doing sth 2. (*Anlass*) occasion; **bei dieser** ~ on this occasion

Gelegenheitsarbeiter(in) *m(f)* casual labourer **Gelegenheitskauf** *m* bargain

gelegentlich [gə'leːgn̩tlɪç] I. *adj attr* occasional II. *adv* occasionally

gelehrt *adj* scholarly

Gelehrte(r) *f(m) dekl wie adj* scholar

G

Gelenk <-[e]s, -e> [gə'lɛŋk] *nt* joint

gelenkig [gə'lɛŋkɪç] *adj* supple

geliebt *adj* dear; **ihr ~er Mann** her beloved husband

Geliebte(r) *f(m) dekl wie adj* lover

gelingen <gelang, gelungen> [gə'lɪŋən] *vi sein* **jdm gelingt es, etw zu tun** sb manages to do sth; **jdm gelingt es nicht, etw zu tun** sb fails to do sth

Gelingen <-s> [gə'lɪŋən] *nt kein pl* (*geh*) success

geloben [gə'lo:bn̩] *vt* (*geh*) **etw ~** to pledge sth; **jdm Gefolgschaft ~** to swear allegiance to sb

Gelöbnis <-ses, -se> [gə'lø:pnɪs, *pl:* gə'lø:pnɪsə] *nt* (*geh*) vow; **ein ~ ablegen** to take a vow

gelten <gilt, galt, gegolten> ['gɛltn̩] **I.** *vi* **1.** (*gültig sein*) [**für jdn**] **~** *Regelung* to be valid [for sb]; *Bestimmungen* to apply [to sb]; *Gesetz* to be in force **2.** (*zutreffen*) **für jdn ~** to go for sb **3.** (*gehalten werden*) **als etw ~** to be regarded as sth ▶ **etw ~ lassen** to accept sth **II.** *vi impers* **es gilt, etw zu tun** it is necessary to do sth; **das gilt nicht!** that's not allowed!

Geltung <-> *kein pl f* **1.** (*Gültigkeit*) validity; **~ erlangen/haben** to become/be valid **2.** (*Ansehen*) prestige; **sich/einer S.** *dat* **~ verschaffen** to establish one's position/to enforce sth

Geltungsdauer *f* [period of] validity

Gelübde <-s, -> [gə'lʏpdə] *nt* vow

gemächlich [gə'mɛːçlɪç] **I.** *adj* leisurely; *Leben* quiet **II.** *adv* leisurely

Gemälde <-s, -> [gə'mɛːldə] *nt* painting

gemäß [gə'mɛːs] **I.** *präp* +*dat* in accordance with; **~ § 198** according to § 198 **II.** *adj* **jdm/einer S. ~** appro-

priate to sb/sth

gemäßigt *adj* **1.** *Klima* temperate **2.** (*moderat*) moderate

gemein [gə'main] *adj* **1.** (*niederträchtig*) mean **2.** *pred* (*geh*) common; **jdm/einer S. ~ sein** to be common to sb/sth; **etw mit jdm ~ haben** to have sth in common with sb

Gemeinde <-, -n> [gə'maində] *f* **1.** (*Kommune*) municipality **2.** (*Pfarrgemeinde*) parish; (*Gläubige*) parishioners *pl*

Gemeindehaus *nt* REL parish rooms *pl*

Gemeinderat *m* district council **Gemeinderat, -rätin** *m, f* district councillor BRIT, councilman AM **Gemeindezentrum** *nt* REL parish rooms *pl*

Gemeingut *nt kein pl* common property

Gemeinheit <-, -en> *f* meanness; **so eine ~!** that was a mean thing to do/say!

gemeinnützig [gə'mainnʏtsɪç] *adj* charitable

gemeinsam [gə'mainzaːm] **I.** *adj* **1.** (*mehreren gehörend*) common; **etw ~ haben** to have sth in common **2.** (*von mehreren unternommen*) joint *attr* **II.** *adv* jointly

Gemeinschaft <-, -en> *f* community; **in ~ mit jdm/etw** together with sb/sth

gemeinschaftlich *adj s.* **gemeinsam**

Gemeinschaftskunde *f kein pl* social studies + *sing vb*

Gemeinwohl *nt* **das ~** the public welfare; **dem ~ dienen** to be in the public interest

Gemisch <-[e]s, -e> [gə'mɪʃ] *nt* mixture

Gemse[ALT] <-, -n> ['gɛmzə] *f s.* **Gämse**

Gemüse <-s, *pl selten* -> [gə'my:zə]

nt vegetables *pl*

Gemüsegarten *m* kitchen garden

Gemüsehändler(in) *m(f)* greengrocer BRIT

gemustert *adj* patterned

gemütlich I. *adj* 1. (*bequem*) comfortable; **es sich/jdm ~ machen** to make oneself/sb comfortable 2. (*ungezwungen*) informal II. *adv* (*behaglich*) comfortably

Gemütlichkeit <-> *f kein pl* 1. cosiness 2. (*Ungezwungenheit*) informality

Gen <-s, -e> ['geːn] *nt* gene

genau [gəˈnau] I. *adj* exact II. *adv* 1. exactly; **~ in der Mitte** right in the middle; **~ genommen** strictly speaking; **etw ~er betrachten** to take a closer look at sth; **etw [nicht] ~ wissen** to [not] know sth for certain 2. (*gerade*) **sie ist ~ die richtige Frau für diesen Job** she's just the right woman for the job ► **es [nicht] ~ nehmen** to [not] be very particular (**mit** about); **wenn man es ~ nimmt** strictly speaking

Genauigkeit <-> [gəˈnauɪçkait] *f kein pl* exactness

genauso [gəˈnauzoː] *adv* just the same; **~ kalt/klein wie ...** just as cold/small as ...

genehmigen [gəˈneːmɪgn̩] I. *vt* [**jdm**] **etw ~** to grant [sb] permission for sth II. *vr* **sich** *dat* **etw ~** to indulge in sth

Genehmigung <-, -en> *f* 1. approval 2. (*Dokument*) permit

General(in) <-[e]s, -e *o* Generäle> [genəˈraːl, *pl:* genəˈrɛːlə] *m(f)* general

Generalkonsul(in) *m(f)* consul general **Generalkonsulat** *nt* consulate general **Generalversammlung** *f* general meeting

Generation <-, -en> [genəraˈtsi̯oːn] *f* generation

Generator <-s, -toren> [genəˈraːtoːɐ̯, *pl:* genəraˈtoːrən] *m* generator

generell [genəˈrɛl] I. *adj* general II. *adv* generally

genesen <genas, genesen> [gəˈneːzn̩] *vi sein* (*geh*) to recover

Genesung <-, *pl selten* -en> [gəˈneːzʊŋ] *f* (*geh*) convalescence *no pl*

Genetik <-> [geˈneːtɪk] *f kein pl* genetics + *sing vb*

genetisch [geˈneːtɪʃ] *adj* genetic

Genf <-s> ['gɛnf] *nt* Geneva

genial [geˈni̯aːl] *adj* brilliant

Genick <-[e]s, -e> [gəˈnɪk] *nt* neck

Genie <-s, -s> [ʒeˈniː] *nt* genius

genieren [ʒeˈniːrən] *vr* **sich ~** to be embarrassed; **sich ~, etw zu tun** to not like doing sth

genießen <genoss, genossen> [gəˈniːsn̩] *vt* to enjoy

Genießer(in) <-s, -> *m(f)* gourmet

Genitiv <-s, -e> ['geːnitiːf, *pl:* 'geːnitiːvə] *m* genitive

genormt *adj* standardized

Genosse, Genossin <-n, -n> [gəˈnɔsə, gəˈnɔsɪn] *m, f* comrade

Genossenschaft <-, -en> [gəˈnɔsn̩ʃaft] *f* cooperative

Gentechnik *f* genetic engineering **Gentherapie** *f* MED gene [*or* genetic] therapy

genug [gəˈnuːk] *adv* enough; **~ haben** to have had enough (**von** of); **jetzt ist['s] aber ~!** that's enough!

genügen [gəˈnyːgn̩] *vi* [**jdm**] **~** to be enough [for sb]

genügend [gəˈnyːgnt] *adv* enough

genügsam [gəˈnyːkzaːm] I. *adj* modest II. *adv* modestly

G

Genugtuung <-, *pl selten* -en> [gə'nu:ktu:ʊŋ] *f* satisfaction

Genuss[RR] <-es, Genüsse> *m*, **Genuß**[ALT] <-sses, Genüsse> [gə'nʊs, *pl:* gə'nʏsə] *m* **1.** (*Freude*) delight **2.** *kein pl* (*geh: das Zusichnehmen*) consumption **3.** (*das Genießen*) enjoyment; **etw mit ~ tun** to do sth with relish

genverändert *adj* genetically manipulated

Geografie[RR] <-> [geogra'fi:] *f kein pl* s. **Geographie**

geografisch[RR] *adj* geographic[al]

Geographie <-> [geogra'fi:] *f kein pl* geography

geographisch [geo'gra:fɪʃ] *adj* geographic[al]

geologisch [geo'lo:gɪʃ] *adj* geological

Geometrie <-> [geome'tri:] *f kein pl* geometry

geometrisch [geo'me:trɪʃ] *adj* geometric

Gepäck <-[e]s> [gə'pɛk] *nt kein pl* luggage BRIT, baggage AM

Gepäckabfertigung *f* luggage check-in **Gepäckausgabe** *f* luggage reclaim BRIT, baggage pickup AM **Gepäckschließfach** *nt* baggage [*or* BRIT a. luggage] locker **Gepäckstück** *nt* piece of luggage **Gepäckträger** *m* (*am Rad*) carrier **Gepäckträger(in)** *m(f)* porter **Gepäckwagen** *m* luggage van BRIT, baggage car AM

gepflegt *adj* **1.** *Aussehen* well-groomed; *Garten* well-tended **2.** *Ausdrucksweise* cultured

gerade [gə'ra:də] **I.** *adj* **1.** (*nicht krumm*) straight; (*aufrecht*) upright; **~ sitzen/stehen** to sit/stand up straight **2.** *Zahl* even **II.** *adv* (*fam*) just; **haben Sie ~ einen Moment**

Zeit? do you have time just now?; **sie hat die Prüfung ~ so bestanden** she only just passed the exam **III.** *part* (*ausgerechnet*) **~ heute/ morgen** today/tomorrow of all days; **warum ~ jetzt?** why now of all times?; **~ du** you of all people ▶ **das hat ~ noch gefehlt!** (*iron*) that's all I need!; **nicht ~ billig etc.** not exactly cheap etc.

Gerade <-n, -n> [gə'ra:də] *f* MATH straight line

geradeaus [gəra:də'ʔaus] *adv* straight ahead; **~ fahren** to drive straight on

gerade|biegen *vt irreg* to straighten out *sep* **geradeheraus** [gəra:də-hɛ'raus] *adv* frankly **gerade|-stehen** *vi irreg* **für jdn/etw ~** to answer for sb/sth

geradewegs [gə'ra:dəve:ks] *adv* straight; **~ nach Hause** straight home

geradezu [gə'ra:dətsu:] *adv* really

geradlinig *adj, adv* straight

Geranie <-, -n> [ge'ra:njə] *f* geranium

Gerät <-[e]s, -e> [gə'rɛ:t] *nt* **1.** device **2.** ELEK appliance **3.** *kein pl* (*Ausrüstung*) equipment

Geräteturnen *nt* gymnastics + *sing vb* (*on apparatus*)

Geratewohl [gəra:tə'vo:l, gə'ra:tətvo:l] *nt* ▶ **aufs ~** on the off-chance

geräumig [gə'rɔymɪç] *adj* spacious

Geräusch <-[e]s, -e> [gə'rɔyʃ] *nt* noise

gerben ['gɛrbn̩] *vt* to tan

gerecht [gə'rɛçt] **I.** *adj* **1.** just; **~ [gegen jdn] sein** to be fair [to sb] **2.** (*erfüllen*) **einer S.** *dat* **~ werden** to fulfil sth; **Erwartungen ~ werden** to meet expectations **II.** *adv* justly

Gerechtigkeit <-> [gə'rɛçtɪçkait] *f kein pl* **1.** justice **2.** (*Unparteilichkeit*) fairness ▶ **ausgleichende ~**

poetic justice

Gerede <-s> [gəˈreːdə] *nt kein pl* gossip

gereizt *adj* (*verärgert*) irritated

Gericht¹ <-[e]s, -e> [gəˈrɪçt] *nt* (*Speise*) dish

Gericht² <-[e]s, -e> [gəˈrɪçt] *nt* JUR court; **jdn/einen Fall vor ~ bringen** to take sb/a case to court ▶ **das Jüngste ~** Judg[e]ment Day

gerichtlich I. *adj attr* judicial II. *adv* legally; **~ gegen jdn vorgehen** to take sb to court

Gerichtsbarkeit <-, -en> *f* jurisdiction **Gerichtsverfahren** *nt* legal proceedings *pl;* **ein ~ gegen jdn einleiten** to take legal proceedings against sb **Gerichtsverhandlung** *f* trial; (*zivil*) hearing **Gerichtsvollzieher(in)** <-s, -> *m(f)* bailiff BRIT, U.S. Marshal AM

gering [gəˈrɪŋ] I. *adj* 1. (*niedrig*) low; *Menge* small; **von ~em Wert** of little value; **nicht das G~ste** nothing at all 2. (*unerheblich*) slight II. *adv* **jdn/etw ~ schätzen** to have a low opinion of sb

gering|schätzen *vt s.* **gering** II

geringschätzig [gəˈrɪŋʃɛtsɪç] I. *adj* contemptuous II. *adv* disparagingly

gerinnen <gerann, geronnen> [gəˈrɪnən] *vi sein* to coagulate

Gerinnsel <-s, -> [gəˈrɪnzl̩] *nt* clot

Gerippe <-s, -> [gəˈrɪpə] *nt* skeleton

gerissen [gəˈrɪsn̩] I. *pp von* **reißen** II. *adj* (*fam*) crafty

Germane, Germanin <-n, -n> [gɛrˈmaːnə, gɛrˈmaːnɪn] *m, f* Teuton

germanisch [gɛrˈmaːnɪʃ] *adj* 1. HIST Teutonic 2. LING Germanic

gern(e) <lieber, am liebsten> [ˈgɛrn(ə)] *adv* (*freudig*) with pleasure; **etw ~ tun** to like doing/to do sth ▶ **~ ge-**

schehen! don't mention it!

Geröll <-[e]s> [gəˈrœl] *kein pl nt* scree; (*größer*) boulders *pl*

Gerste <-> [ˈgɛrstə] *f kein pl* barley

Geruch <-[e]s, Gerüche> [gəˈrʊx, *pl:* gəˈryçə] *m* smell

geruchlos *adj* odourless

Geruch(s)sinn *m kein pl* sense of smell

Gerücht <-[e]s, -e> [gəˈrʏçt] *nt* rumour; **ein ~ in die Welt setzen** to start a rumour

Gerümpel <-s> [gəˈrʏmpl̩] *nt kein pl* junk

Gerüst <-[e]s, -e> [gəˈrʏst] *nt* BAU scaffold

gesalzen [gəˈzaltsn̩] I. *pp von* **salzen** II. *adj* (*fam*) *Preis* steep

gesamt [gəˈzamt] *adj attr* whole

Gesamtbetrag *m* total **Gesamtschule** *f* ≈ comprehensive school

Gesandte(r) [gəˈzantə] *f(m) dekl wie adj*, **Gesandtin** [gəˈzantɪn] *f* envoy

Gesandtschaft <-, -en> [gəˈzantʃaft] *f* embassy

Gesang <-[e]s, Gesänge> [gəˈzaŋ, *pl:* gəˈzɛŋə] *m* song

Gesangbuch *nt* hymn book **Gesangverein** *m* choral society

Gesäß <-es, -e> [gəˈzɛːs] *nt* bottom

Geschäft <-[e]s, -e> [gəˈʃɛft] *nt* 1. (*Laden*) shop, AM *usu* store 2. (*Gewerbe*) business; **[mit jdm] ~e machen** to do business [with sb] 3. (*Geschäftsabschluss*) deal; **ein ~ machen** to make a deal; **ein gutes ~ machen** to get a good bargain 4. (*Angelegenheit*) business

geschäftig [gəˈʃɛftɪç] *adj* busy

geschäftlich [gəˈʃɛftlɪç] I. *adj* business *attr* II. *adv* on business; **~ verreist** away on business

G

Geschäftsfrau *f* businesswoman **Geschäftsführer(in)** *m(f)* **1.** manager **2.** (*eines Vereins*) secretary **Geschäftsleute** *pl von s.* **Geschäftsmann, -frau** businessmen, -women **Geschäftsmann** *m* businessman **Geschäftsreise** *f* business trip **Geschäftsschluss**^RR *m* closing time **Geschäftsstelle** *f* office **Geschäftszeit** *f* opening hours

geschehen <geschah, geschehen> [gə'ʃeːən] *vi sein* to happen; **jdm geschieht etw** sth happens to sb; **es muss etwas ~** something's got to be done; **das geschieht dir recht!** it serves you right!

Geschehen <-s, -> [gə'ʃeːən] *nt* events *pl;* **der Ort des ~s** the scene [of the event]

gescheit [gə'ʃait] *adj* clever

Geschenk <-[e]s, -e> [gə'ʃɛŋk] *nt* present; **jdm ein ~ machen** to give sb a present ▶ **ein ~ des** Himmels **sein** to be heaven sent

Geschenkpapier *nt* gift wrap

Geschichte <-, -n> [gə'ʃɪçtə] *f* **1.** *kein pl* history; **Alte/Mittlere/Neue ~** ancient/medieval/modern history **2.** (*Erzählung*) story **3.** (*fam: Angelegenheit*) business; **die ganze ~** the whole lot

geschichtlich [gə'ʃɪçtlɪç] **I.** *adj* **1.** historical **2.** (*bedeutend*) historic **II.** *adv* historically; **~ bedeutsam** of historic importance

Geschick^1 <-[e]s> [gə'ʃɪk] *nt kein pl* skill

Geschick^2 <-[e]s, -e> [gə'ʃɪk] *nt* (*Schicksal*) fate

Geschicklichkeit <-> *f kein pl* skill

geschickt **I.** *adj* skilful **II.** *adv* skilfully

geschieden [gə'ʃiːdn̩] **I.** *pp von* **scheiden** **II.** *adj* divorced

Geschirr <-[e]s, -e> [gə'ʃɪr] *nt* **1.** *kein pl* dishes *pl* **2.** (*Pferdegeschirr*) harness

Geschirrtuch *nt* dish cloth

Geschlecht <-[e]s, -er> [gə'ʃlɛçt] *nt* **1.** *kein pl* gender; **das andere ~** the opposite sex; **beiderlei ~s** of both sexes; **männlichen/weiblichen ~s** (*geh*) male/female **2.** (*Sippe*) family

Geschlechtskrankheit *f* sexually transmitted disease **Geschlechtsteil** *nt* genitals *npl* **Geschlechtsverkehr** *m* sexual intercourse

geschlossen [gə'ʃlɔsn̩] *pp von* **schließen**

Geschmack <-[e]s> [gə'ʃmak, *pl:* gə'ʃmɛkə] *m kein pl* taste; **etw ist nicht mein ~** sth is not to my taste; **auf den ~ kommen** to acquire a taste for sth; **für meinen ~** for my taste ▶ **über ~ lässt sich** [nicht] streiten (*prov*) there's no accounting for taste

geschmacklos *adj* tasteless

Geschmacklosigkeit <-, -en> *f* tastelessness

geschmeidig [gə'ʃmaidɪç] *adj* supple

Geschöpf <-[e]s, -e> [gə'ʃœpf] *nt* creature

Geschoss^RR <-es, -e> *nt*, **Geschoß**^ALT <-sses, -sse> [gə'ʃɔs] *nt* **1.** (*Etage*) floor [*or* AM story] **2.** MIL projectile

Geschrei <-s> [gə'ʃrai] *nt kein pl* **1.** shouting **2.** (*fam: Lamentieren*) fuss

Geschwätz <-es> [gə'ʃvɛts] *nt kein pl* (*pej fam*) **1.** waffle **2.** (*Klatsch*) gossip

geschwätzig [gə'ʃvɛtsɪç] *adj* (*pej*) talkative

Geschwindigkeit <-, -en> [gə'ʃvɪndɪçkait] *f* speed

Geschwindigkeitskontrolle f speed [or radar] trap

Geschwister [gəˈʃvɪstɐ] pl brothers and sisters pl

geschwollen [gəˈʃvɔlən] I. pp von **schwellen** II. adj (pej) pompous III. adv in a pompous way

Geschworene(r) f(m) dekl wie adj juror; **die ~n** the jury

Geschwulst <-, Geschwülste> [gəˈʃvʊlst, pl: gəˈʃvʏlstə] f tumour

Geschwür <-s, -e> [gəˈʃvyːɐ̯] nt ulcer

gesellen [gəˈzɛlən] vr (geh) **sich zu jdm ~** to join sb

gesellig [gəˈzɛlɪç] adj sociable; Abend convivial; **ein ~es Beisammensein** a friendly get-together

Gesellschaft <-, -en> [gəˈzɛlʃaft] f 1. society 2. ÖKON company BRIT, corporation AM 3. (Gruppe) group of people; **sich in guter ~ befinden** to be in good company; **in schlechte ~ geraten** to get in with the wrong crowd; **jdm ~ leisten** to join sb

gesellschaftlich adj social

Gesellschaftsspiel nt party game

Gesetz <-es, -e> [gəˈzɛts] nt law

Gesetzbuch nt statute book; **Bürgerliches ~** Civil Code **Gesetzentwurf** m draft legislation **Gesetzgeber** <-s, -> m legislature **Gesetzgebung** <-, -en> f legislation

gesetzlich [gəˈzɛtslɪç] I. adj legal II. adv legally

gesetzlos adj lawless

Gesetzmäßigkeit <-, -en> f regularity

Gesicht <-[e]s, -er> [gəˈzɪçt] nt face; **ein böses/trauriges ~ machen** to look angry/sad; **jdm etw ins ~ sagen** to say sth to sb's face ▶ **sein wahres ~ zeigen** to show one's true colours;

das ~ verlieren to lose face; **das ~ wahren** to save face

Gesichtsausdruck <-ausdrücke> m expression **Gesichtscreme** [-kreːm] f face cream **Gesichtspunkt** m point of view **Gesichtszüge** pl features

Gesindel <-s> [gəˈzɪndl̩] nt kein pl (pej) riff-raff

Gesinnung <-, -en> f conviction

gesittet [gəˈzɪtət] adj well-brought up

gespannt adj 1. **~ sein, ob/was ...** to be anxious to see whether/what ...; **ich bin auf seine Reaktion ~** I wonder what his reaction will be 2. (konfliktträchtig) tense

Gespenst <-[e]s, -er> [gəˈʃpɛnst] nt ghost

gespenstisch [gəˈʃpɛnstɪʃ] adj eerie

Gespräch <-[e]s, -e> [gəˈʃprɛːç] nt conversation; **ein ~ mit jdm führen** to have a conversation with sb; **im ~ sein** to be under consideration

gesprächig [gəˈʃprɛːçɪç] adj talkative

Gesprächseinheit f TELEK unit

gesprenkelt adj mottled

Gespür <-s> [gəˈʃpyːɐ̯] nt kein pl instinct

Gestalt <-, -en> [gəˈʃtalt] f 1. (Mensch) figure 2. (Person) character; **in ~ von jdm** in the form of sb ▶ **[feste] ~ annehmen** to take [definite] shape

gestalten [gəˈʃtaltn̩] vt to design; **etw neu/anders ~** to redesign sth

Gestaltung <-, -en> f design

Geständnis <-ses, -se> [gəˈʃtɛntnɪs, pl: gəˈʃtɛntnɪsə] nt confession

Gestank <-[e]s> [gəˈʃtaŋk] m kein pl stench

gestatten [gəˈʃtatn̩] vt to permit; **jdm ~, etw zu tun** to allow sb to do sth

Geste <-, -n> [ˈɡeːstə, ˈɡɛstə] f gesture

G

gestehen <gestand, gestanden> [gəˈʃteːən] *vi, vt* to confess

Gestein <-[e]s, -e> [gəˈʃtain] *nt* rock

gestern [ˈɡɛstɐn] *adv* yesterday; ~ **vor einer Woche** a week ago yesterday; ~ **Morgen/Mittag** yesterday morning/lunchtime

gestreift I. *pp von* **streifen** II. *adj* striped

Gestrüpp <-[e]s, -e> [gəˈʃtrʏp] *nt* undergrowth

Gestüt <-[e]s, -e> [gəˈʃtyːt] *nt* stud farm

Gesuch <-[e]s, -e> [gəˈzuːx] *nt* request

gesucht *adj* much sought-after

gesund <gesünder, gesündeste> [gəˈzʊnt] *adj* healthy; **geistig und körperlich** ~ sound in mind and body; ~ **und munter** in good shape; **wieder** ~ **werden** to get well again

Gesundheit <-> *f kein pl* health; **auf Ihre** ~! your health!; ~! bless you!

gesundheitlich *adj* **ein** ~**es Problem** a health problem; **aus** ~**en Gründen** for health reasons

Gesundheitswesen *nt* health system [*or* service]

Getränk <-[e]s, -e> [gəˈtrɛŋk] *nt* drink

Getränkemarkt *m* ≈ off-licence

getrauen [gəˈtrauən] *vr* (*wagen*) **sich** ~, **etw zu tun** to dare to do sth

Getreide <-s, -> [gəˈtraidə] *nt* cereal; (*geerntet*) grain

getrennt I. *adj* separate II. *adv* separately

Getriebe <-s, -> [gəˈtriːbə] *nt* gear[s] *pl*

getrübt *adj* (*schlecht*) troubled

Getto <-s, -s> [ˈɡɛto] *nt* ghetto

Getue <-s> [gəˈtuːə] *nt kein pl* (*pej*) fuss; **ein** ~ **machen** to make a fuss

geübt *adj* experienced

Gewächs <-es, -e> [gəˈvɛks] *nt* plant

gewachsen [gəˈvaksn̩] I. *pp von* **wachsen**[1] II. *adj* **jdm** ~ **sein** to be sb's equal; **einer S.** *dat* ~ **sein** to be up to sth

Gewächshaus *nt* greenhouse

gewählt I. *adj* refined II. *adv* in an elegant way

Gewähr <-> [gəˈvɛːɐ̯] *f kein pl* guarantee; **ohne** ~ subject to change

gewähren [gəˈvɛːrən] *vt* [**jdm**] **etw** ~ to grant [sb] sth; **jdn** ~ **lassen** to give sb free rein

gewährleisten [gəˈvɛːɐ̯laistn̩] *vt* to guarantee

Gewalt <-, -en> [gəˈvalt] *f* 1. (*Macht*) power; **höhere** ~ force majeure; **ein Land in seine** ~ **bringen** to bring a country under one's control; **jdn in seiner** ~ **haben** to have sb in one's power; ~ **über jdn haben** to exercise [complete] power over sb; **in jds** ~ **sein** to be in sb's hands 2. *kein pl* (*Zwang*) force; (*Gewalttätigkeit*) violence; **nackte** ~ brute force; **sich** *dat* ~ **antun** to force oneself; ~ **anwenden** to use force

Gewaltherrschaft *f kein pl* tyranny

gewaltig [gəˈvaltɪç] I. *adj* 1. powerful 2. (*sehr groß*) enormous II. *adv* (*fam: sehr*) considerably

gewaltlos I. *adj* non-violent II. *adv* without violence

Gewaltlosigkeit <-> *f kein pl* non-violence

gewaltsam [gəˈvaltzaːm] I. *adj* violent II. *adv* by force

gewalttätig *adj* violent

Gewalttätigkeit *f* violence

gewandt [gəˈvant] I. *pp von* **wenden** II. *adj* skilful; *Auftreten* confident

III. *adv* skilfully

Gewässer <-s, -> [gəˈvɛsɐ] *nt* stretch of water

Gewebe <-s, -> [gəˈveːbə] *nt* **1.** fabric **2.** BIOL tissue

Gewehr <-[e]s, -e> [gəˈveːɐ̯] *nt* rifle

Geweih <-[e]s, -e> [gəˈvai] *nt* antlers *pl*

Gewerbe <-s, -> [gəˈvɛrbə] *nt* trade

gewerblich *adj* (*vom Handwerk*) trade; (*kaufmännisch*) commercial; (*von der Industrie*) industrial

Gewerkschaft <-, -en> [gəˈvɛrkʃaft] *f* [trade] union

Gewerkschaft(l)er(in) <-s, -> [gəˈvɛrkʃaft(l)ɐ] *m(f)* trade unionist

Gewicht <-[e]s, -e> [gəˈvɪçt] *nt kein pl* **1.** weight; **ein großes ~ haben** to be very heavy; **ein geringes ~ haben** to weigh little; **sein ~ halten** to stay the same weight **2.** (*Wichtigkeit*) weight; **ins ~ fallen** to count; **auf etw** *akk* **~ legen** to attach significance to sth

Gewinde <-s, -> [gəˈvɪndə] *nt* thread

Gewinn <-[e]s, -e> [gəˈvɪn] *m* **1.** ÖKON profit; **~ bringen** to make a profit **2.** (*Preis*) prize; (*Spielgewinn*) winnings *npl* **3.** *kein pl* (*Bereicherung*) gain

gewinnen <gewann, gewonnen> [gəˈvɪnən] **I.** *vt* **1.** to win **2.** (*überzeugen*) **jdn ~** to win sb over (**für** to) **3.** (*erlangen*) to gain **4.** *Kohle* to extract **II.** *vi* **1.** to win **2.** (*profitieren*) to profit (**bei** from)

Gewinner(in) <-s, -> *m(f)* winner

Gewinnung <-> *f kein pl* GEOL extraction

gewiss^RR, **gewiß**^ALT [gəˈvɪs] **I.** *adj* certain; **sich** *dat* **einer S.** *gen* **~ sein** to be certain of sth **II.** *adv* certainly;

aber ~! but of course!

Gewissen <-s> [gəˈvɪsn̩] *nt kein pl* conscience; **ein schlechtes ~ haben** to have a bad conscience; **jdm/etw auf dem ~ haben** to have sb/sth on one's conscience; **jdm ins ~ reden** to appeal to sb's conscience

gewissenhaft *adj* conscientious

gewissenlos **I.** *adj* unscrupulous *pl* **II.** *adv* without scruple[s *pl*]

Gewissensbisse *pl* pangs of conscience

gewissermaßen *adv* so to speak

Gewissheit^RR, **Gewißheit**^ALT <-, -en> *f* certainty; **sich** *dat* **~ verschaffen** to find out for certain (**über** about)

Gewitter <-s, -> [gəˈvɪtɐ] *nt* thunderstorm

gewitt(e)rig [gəˈvɪtərɪç] *adj* thundery

gewittern [gəˈvɪtɐn] *vi impers* **es gewittert** it's thundering

gewöhnen [gəˈvøːnən] **I.** *vt* **jdn an etw** *akk* **~** to accustom sb to sth **II.** *vr* **sich an jdn/etw ~** to get used to sb/sth; **sich daran ~, etw zu tun** to get used to doing sth

Gewohnheit <-, -en> *f* habit; **aus ~** from force of habit

gewöhnlich [gəˈvøːnlɪç] **I.** *adj* **1.** (*üblich*) usual **2.** (*normal*) normal **II.** *adv* usually; **wie ~** as usual

gewohnt [gəˈvoːnt] *adj* usual; *Umgebung* familiar; **etw ~ sein** to be used to sth; **es ~ sein, etw zu tun** to be used to doing sth; **es ~ sein, dass jd etw tut** to be used to sb['s] doing sth

Gewöhnung <-> *f kein pl* habituation

Gewölbe <-s, -> [gəˈvœlbə] *nt* vault

gewölbt *adj* *Brust* bulging; *Dach, Decke* vaulted; *Stirn* domed

Gewühl <-[e]s> [gəˈvyːl] *nt kein pl* throng

G

Gewürz <-es, -e> [gə'vʏrts] *nt* spice

Gewürzgurke *f* pickled gherkin

gezackt *adj* jagged

Gezeiten [gə'tsaitn̩] *pl* tides

gezielt *adj* well-directed; *Fragen* specific

geziert (*pej*) I. *adj* affected II. *adv* affectedly

Gezwitscher <-s> [gə'tsvɪtʃɐ] *nt kein pl* twittering

Ghetto <-s, -s> ['gɛto] *nt s.* Getto

Gicht <-> ['gɪçt] *f kein pl* gout

Giebel <-s, -> ['gi:bl̩] *m* gable

Gier <-> ['gi:ɐ̯] *f kein pl* greed (**nach** for)

gierig ['gi:rɪç] I. *adj* greedy; ~ **nach etw sein** to crave [for] sth II. *adv* greedily

gießen <goss, gegossen> ['gi:sn̩] I. *vt* 1. (*bewässern*) to water 2. (*schütten*) to pour 3. *Metall* to cast II. *vi impers* **es gießt in Strömen** it's pouring [down]

Gießkanne *f* watering can

Gift <-[e]s, -e> ['gɪft] *nt* 1. poison 2. (*Bosheit*) venom; ~ **und Galle spucken** (*fam*) to vent one's spleen

giftig ['gɪftɪç] *adj* 1. poisonous 2. (*boshaft*) venomous

Giftmüll *m* toxic waste **Giftpilz** *m* poisonous fungus **Giftschlange** *f* poisonous snake

gigantisch [gi'gantɪʃ] *adj* gigantic

Gimpel <-s, -> ['gɪmpl̩] *m* 1. ORN bullfinch 2. (*einfältiger Mensch*) dimwit *fam*

Ginster <-s, -> ['gɪnstɐ] *m* broom

Gipfel <-s, -> ['gɪpfl̩] *m* 1. peak 2. POL summit

gipfeln ['gɪpfl̩n] *vi* **in etw** *dat* ~ to culminate in sth

Gips <-es, -e> ['gɪps] *m* 1. plaster; (*in Mineralform*) gypsum 2. (*Gipsverband*) [plaster] cast; **den Arm in** ~ **haben** to have one's arm in a [plaster] cast

Gipsabdruck *m*, **Gipsabguss**ᴿᴿ *m* plaster cast **Gipsbein** *nt* (*fam*) leg in plaster

gipsen ['gɪpsn̩] *vt* 1. to plaster 2. MED to put in plaster

Gipsverband *m* plaster cast

Giraffe <-, -n> [gi'rafə] *f* giraffe

Girlande <-, -n> [gɪr'landə] *f* garland

Girokonto ['ʒi:ro-] *nt* current [*or* AM checking] account

Gischt <-[e]s> ['gɪʃt] *m kein pl* [sea] spray

Gitarre <-, -n> [gi'tarə] *f* guitar

Gitter <-s, -> ['gɪtɐ] *nt* 1. (*Absperrung*) fencing *no pl* 2. (*parallel laufende Stäbe*) bars *pl;* **jdn hinter** ~ **bringen** to put sb behind bars; **hinter** ~ **kommen** to be put behind bars

Gitterrost *m* grating

Gladiole <-, -n> [gla'djo:lə] *f* BOT gladiolus

Glanz <-es> ['glants] *m kein pl* 1. shine; *Augen* sparkle 2. (*Pracht*) splendour

glänzen ['glɛntsn̩] *vi* to shine; (*von polierter Oberfläche*) to gleam; *Augen* to sparkle

glänzend ['glɛntsn̩t] I. *adj* 1. shining; *Oberfläche* gleaming; *Augen* sparkling; *Haar* shiny 2. (*hervorragend*) brilliant II. *adv* (*prima*) splendidly

glanzlos *adj* dull, lacklustre

Glas <-es, Gläser> ['gla:s, *pl:* 'glɛ:zɐ] *nt* 1. glass; **zwei** ~ **Wein** two glasses of wine 2. (*Brillenglas*) lens

Glascontainer [-kɔnte:nɐ] *m* bottle bank

Glasfaserkabel *nt* fibre optic cable

Glasmalerei *f* glass painting **Glasscheibe** *f* 1. sheet of glass 2. (*Fensterscheibe*) pane of glass **Glasscherbe** *f* shard of glass

Glasur [glaˈzuːɐ̯] *f* 1. (*Keramikglasur*) glaze 2. KOCHK icing

glatt <-er *o* (*fam*) glätter, -este> [ˈglat] I. *adj* 1. (*eben*) smooth 2. (*rutschig*) slippery 3. *Lüge* downright II. *adv* (*fam: rundweg*) plainly; **etw ~ ablehnen** to turn sth down flat

Glatteis *nt* black ice ▶ **jdn aufs ~ führen** to trip up sb *sep*

glätten [ˈglɛtn̩] I. *vt* to smooth out *sep* II. *vr* **sich ~** 1. *Wellen* to subside 2. *Erregung* to die down

Glatze <-, -n> [ˈglatsə] *f* bald head; **eine ~ bekommen/haben** to go/be bald

glatzköpfig [ˈglatskœpfɪç] *adj* bald

Glaube <-ns> [ˈglaʊbə] *m kein pl* 1. (*Überzeugung*) belief (**an** in); **den festen ~n haben, dass ...** to be of the firm belief that ...; **in gutem ~n** in good faith; **jdn von seinem ~n abbringen** to dissuade sb; **jdm/einer S. [keinen] ~n schenken** to [not] believe sb/sth; **den ~n an jdn/etw verlieren** to lose faith in sb/sth 2. REL faith

glauben [ˈglaʊbn̩] I. *vt* 1. (*für wahr halten*) to believe; **kaum zu ~** incredible 2. (*wähnen*) **sich allein/unbeobachtet ~** to think [that] one is alone/nobody is watching one II. *vi* **jdm ~** to believe sb; **jdm aufs Wort ~** to believe every word sb says; **an jdn/etw ~** to believe in sb/sth

Glaubensbekenntnis *nt* profession **gläubig** [ˈglɔybɪç] *adj* 1. REL religious 2. (*vertrauensvoll*) trusting

Gläubige(r) *f(m) dekl wie adj* believer

Gläubiger(in) <-s, -> [ˈglɔybɪgɐ] *m(f)* ÖKON creditor

glaubwürdig *adj* credible

Glaubwürdigkeit *f kein pl* credibility

gleich [ˈglaɪç] I. *adj* 1. same; **~e Rechte/Pflichten** equal rights/responsibilities; **~ alt** the same age; **~ bleibend gut** consistently good; **~ groß/lang** equal in size/length; **~ schwer** equally heavy; **~ gesinnt** likeminded; **aufs G~e hinauslaufen** it comes down to the same thing 2. (*gleichgültig*) **jdm ~ sein** to be all the same to sb; **ganz ~ wer/was [...]** no matter who/what [...] ▶ **G~ und G~ gesellt sich gern** (*prov*) birds of a feather flock together II. *adv* 1. (*sofort, bald*) straightaway; **~ darauf** soon afterward[s]; **~ heute/morgen** [first thing] today/tomorrow; **~ nach dem Frühstück** right after breakfast 2. (*unmittelbar*) immediately; **~ als ...** as soon as ...; **~ daneben** right beside it III. *präp +dat* (*wie*) like

gleichalt(e)rig [ˈglaɪçʔalt(ə)rɪç] *adj* [of] the same age *pred*

gleichartig *adj* similar

gleichberechtigt *adj* **~ sein** to have equal rights

Gleichberechtigung *f kein pl* equal rights + *sing/pl vb*

gleichbleibend *adj, adv s.* gleich I 1

gleichen <glich, geglichen> [ˈglaɪçn̩] *vt* **jdm/einer S. ~** to be [just] like sb/sth; **sich** *dat* **~** to be alike **gleichgesinnt** *adj s.* gleich I 1

Gleichgewicht *nt kein pl* balance; **im ~ sein** to be balanced; **aus dem ~ kommen** to lose one's balance

gleichgültig I. *adj* 1. (*uninteressiert*) indifferent (**gegenüber** to[wards])

2. (*unwichtig*) immaterial; **etw ist jdm ~** sb couldn't care [less] about sth **II.** *adv* with indifference

Gleichgültigkeit ['glaiçɡʏltɪçkait] *f kein pl* indifference

Gleichheitszeichen *nt* equals sign

gleichmäßig I. *adj* even; (*regelmäßig*) regular **II.** *adv* (*in gleicher Stärke/ Menge*) equally; **~ schlagen** *Herz* to beat steadily

Gleichstand *m kein pl* tie **Gleichstellung** *f kein pl* equality **Gleichstrom** *m* direct current

Gleichung <-, -en> ['glaiçʊŋ] *f* equation

gleichwertig *adj* equal; **~ sein** to be equally matched **gleichzeitig I.** *adj* simultaneous **II.** *adv* **1.** simultaneously **2.** (*zugleich*) at the same time

Gleis <-es, -e> ['glais, *pl*: 'glaizə] *nt* (*Schiene*) rail; (*Bahnsteig*) platform ▶ [**völlig**] **aus dem ~ geraten** to go off the rails

gleiten <glitt, geglitten> ['glaitn̩] *vi sein* **1.** to glide **2.** (*streichen, huschen*) **über etw** *akk* **~** *Augen* to wander over sth; *Hand* to slide over sth **3.** (*rutschen*) to slide; **ins Wasser ~** to slip into the water

Gleitmittel *nt* lubricant **Gleitzeit** *f* flexitime

Gletscher <-s, -> ['glɛtʃɐ] *m* glacier **Gletscherspalte** *f* crevasse

Glied <-[e]s, -er> ['gliːt, *pl*: 'gliːdɐ] *nt* **1.** (*Körperteil*) limb; (*Fingerglied*) joint; **an allen ~ern zittern** to be shivering all over **2.** (*Penis*) member **3.** (*Teil*) part

gliedern ['gliːdɐn] **I.** *vt* to [sub]divide (**in** into) **II.** *vr* **sich in etw** *akk* **~** to be [sub]divided into sth

Gliederschmerz *m meist pl* rheu-matic pains *pl*

Gliederung <-, -en> *f* structure

Gliedmaßen *pl* limbs

glitschig ['glɪtʃɪç] *adj* slippery

glitzern ['glɪtsɐn] *vi* to glitter

global [glo'baːl] *adj* global

globalisiert [globali'ziːrt] *adj* globa-lized

Globalisierung <-> *f* globalization

Globus <- o -ses, Globen> ['gloːbʊs, *pl*: 'gloːbn̩] *m* globe

Glocke <-, -n> ['glɔkə] *f* bell ▶ **etw an die große ~ hängen** to shout sth from the rooftops

Glockenblume *f* bellflower

glotzen ['glɔtsn̩] *vi* (*pej*) to gape (**auf** at)

Glück <-[e]s> ['glʏk] *nt kein pl* **1.** luck; **ein ~, dass ...** it is/was lucky that ...; **jdm zum Geburtstag ~ wünschen** to wish sb [a] happy birth-day; **mehr ~ als Verstand haben** (*fam*) to have more luck than brains; **großes/seltenes ~** a great/rare stroke of luck; **viel ~!** good luck!; [**kein**] **~ haben** to be [un]lucky; **sein ~ versuchen** to try one's luck; **zum ~** luckily **2.** (*Freude*) happiness ▶ **~ im Unglück haben** it could have been much worse [for sb]; **auf gut ~** on the off-chance

glücken ['glʏkn̩] *vi sein* to be success-ful; **jdm glückt etw** sb succeeds in sth

glücklich ['glʏklɪç] **I.** *adj* **1.** (*Glück ha-bend*) lucky **2.** (*erfreulich*) happy; **ein ~er Zufall** a stroke of luck **3.** (*froh*) happy (**über** about) **II.** *adv* happily

glücklicherweise *adv* luckily

Glücksfall *m* stroke of luck **Glücksspiel** *nt* game of chance **Glücksspieler(in)** *m(f)* gambler

Glückwunsch *m* congratulations *npl* (**zu** on) **Glückwunschkarte** *f* greetings [*or* AM greeting] card

Glühbirne *f* light bulb

glühen ['glyːən] *vi* **1.** to glow **2.** (*geh*) **vor etw** *dat* ~ to burn with sth

glühend I. *adj* **1.** (*rotglühend*) glowing; *Metall* [red-]hot **2.** (*sehr heiß*) burning **II.** *adv* ~ **heiß** scorching

Glühwein *m* ≈ mulled wine **Glühwürmchen** <-s, -> *nt* firefly

Glut <-, -en> ['gluːt] *f* embers *npl*

GmbH <-, -s> [geːʔɛmbeːhaː] *f Abk von* **Gesellschaft mit beschränkter Haftung** ≈ Ltd

Gnade <-, -n> ['gnaːdə] *f* mercy; **um** ~ **bitten** to ask for mercy

gnadenlos I. *adj* merciless **II.** *adv* mercilessly

gnädig ['gnɛːdɪç] *adj* **1.** merciful **2.** (*verehrt*) ~**e Frau** madam

Gockel <-s, -> ['gɔkl̩] *m* cock

Gold <-[e]s> ['gɔlt] *nt kein pl* gold; **aus** ~ gold ▶ **es ist nicht alles** ~, **was glänzt** (*prov*) all that glitters is not gold

Goldbarsch *m* redfish

golden ['gɔldn̩] *adj* gold[en]

Goldfisch *m* gold fish **Goldhamster** *m* [golden] hamster **Goldschmied(in)** *m(f)* goldsmith

Golf[1] <-[e]s, -e> ['gɔlf] *m* GEOL gulf

Golf[2] <-s> ['gɔlf] *nt kein pl* SPORT golf

Golfplatz *m* golf course **Golfschläger** *m* golf club **Golfspieler(in)** *m(f)* golfer

Golfstrom *m* **der** ~ the Gulf Stream

Gondel <-, -n> ['gɔndl̩] *f* **1.** (*Boot*) gondola **2.** (*Seilbahngondel*) cable car

gönnen ['gœnən] **I.** *vt* **jdm etw** ~ not to begrudge sb sth **II.** *vr* **sich** *dat* **etw** ~ to allow oneself sth; **sich ein Glas Wein** ~ to treat oneself to a glass of wine

googeln ['guːgl̩n] *vt* INET (*fam*) to google

Gorilla <-s, -s> [goˈrɪla] *m* gorilla

Gosse <-, -n> ['gɔsə] *f* gutter ▶ **in der** ~ **enden** to end up in the gutter

Gotik <-> ['goːtɪk] *f kein pl* Gothic period

gotisch ['goːtɪʃ] *adj* Gothic

Gott, Göttin <-es, Götter> ['gɔt, 'gœtɪn , *pl:* 'gœtɐ] *m, f* **1.** (*ein Gott*) god *masc*, goddess *fem* **2.** (*das höchste Wesen*) God; ~ **sei Dank!** thank God!; **bei** ~ **schwören** to swear by Almighty God ▶ **in** ~**es Namen!** (*fam*) in the name of God; **über** ~ **und die Welt reden** to talk about everything under the sun; **ach du lieber** ~! oh heavens!; ~ **bewahre!** God forbid!; **grüß** ~! hallo!; ~ **weiß was/ wann ...** (*fam*) God knows what/ when ...; **das ist weiß** ~ **nicht zu teuer** that is certainly not too expensive; **um** ~**es willen!** [oh] my God!

Götterspeise *f* jelly

Gottesdienst *m* [church] service

Göttin <-, -nen> ['gœtɪn] *f fem form von* **Gott** goddess

göttlich ['gœtlɪç] *adj* divine

Grab <-[e]s, Gräber> ['graːp, *pl:* 'grɛːbɐ] *nt* grave ▶ **sich** *dat* **sein eigenes** ~ **schaufeln** to dig one's own grave; **etw mit ins** ~ **nehmen** to take sth [with one] to the grave; **schweigen können wie ein** ~ to be [as] silent as the grave; **jdn zu** ~**e tragen** (*geh*) to carry sb to the grave

graben <grub, gegraben> ['graːbn̩] *vi, vt* to dig

Graben <-s, Gräben> ['graːbn̩, *pl:* 'grɛːbn̩] *m* ditch

G

Grabmal <-mäler *o geh* -e> *nt* memorial **Grabstein** *m* gravestone

Grad <-[e]s, -e> ['graːt, *pl:* 'graːdə] *m* 1. degree; 2 ~ **unter/über Null** 2 degrees below/above zero 2. (*Stufe*) level; **im höchsten/in hohem ~[e]** extremely/to a great extent

Graf, Gräfin[1] <-en, -en> ['graːf, 'grɛːfɪn] *m, f* count *masc,* countess *fem,* earl BRIT

Grafik ['graːfɪk] *f s.* **Graphik**

Grafiker(in) <-s, -> ['graːfikɐ] *m(f)* graphic artist

Gräfin <-, -nen> ['grɛːfɪn] *f fem form von* **Graf** countess

grafisch ['graːfɪʃ] *adj* graphic[al]

Grafschaft <-, -en> *f* 1. HIST count's land, earldom BRIT 2. (*Verwaltungsbezirk in GB*) county

Gramm <-s, -> ['gram] *nt* gram

Grammatik <-, -en> [gra'matɪk] *f* grammar

grammatisch [gra'matɪʃ] *adj* grammatical

Granat <-[e]s, -e> [gra'naːt] *m* garnet

Granatapfel *m* pomegranate

Granate <-, -n> [gra'naːtə] *f* shell

Granit <-s, -e> [gra'niːt] *m* granite

Graphik <-, -en> ['graːfɪk] *f* 1. graphic 2. (*Technik*) graphic arts *pl*

Gras <-es, Gräser> ['graːs, *pl:* 'grɛːzɐ] *nt* grass ▶ **ins ~ beißen** (*sl*) to bite the dust; **über etw** *akk* **wächst ~** [the] dust settles on sth

grasen ['graːzn̩] *vi* to graze

Grashalm *m* blade of grass **Grashüpfer** <-s, -> *m* grasshopper

grässlich[RR], **gräßlich**[ALT] ['grɛslɪç] I. *adj* horrible II. *adv* (*fam*) terribly

Grat <-[e]s, -e> ['graːt] *m* (*Berggrat*) ridge

Gräte <-, -n> ['grɛːtə] *f* [fish]bone

gratis ['graːtɪs] *adv* free [of charge]

gratulieren [gratu'liːrən] *vi* **jdm** ~ to congratulate (**zu** on); **jdm zum Geburtstag** ~ to wish sb many happy returns; [**ich**] **gratuliere** [my] congratulations!

grau ['grau] *adj* grey; ~ **meliert** greying; **der ~e Alltag** the dullness of everyday life

Graubrot *nt* bread made from rye and wheat flour

Gräuel[RR] <-s, -> *m* atrocity ▶ **jdm ist es ein ~, etw zu tun** sb detests doing sth

Gräueltat[RR] *f* atrocity

Grauen <-s> ['grauən] *nt kein pl* horror; ~ **erregend** terrible

grauenhaft, grauenvoll *adj* terrible

grauer Star <-[e]s> *m kein pl* cataract

grauhaarig *adj* grey-haired

graumeliert *adj attr s.* **grau**

Graupe <-, -n> ['graupə] *f meist pl* KOCHK grain of pearl barley

grausam ['grauzaːm] I. *adj* 1. (*brutal*) cruel 2. (*furchtbar*) terrible II. *adv* cruelly

Grausamkeit <-, -en> *f* cruelty

grausig ['grauzɪç] *adj s.* **grauenhaft**

Gravierung <-, -en> *f* engraving

Gravitation <-> [gravita'tsi̯oːn] *f* gravitation

graziös [gra'tsi̯øːs] *adj* (*geh*) graceful

greifen <griff, gegriffen> ['graifn̩] I. *vt* [**sich** *dat*] **etw** ~ to take hold of sth II. *vi* **vor/hinter etw** *akk* ~ to reach in front of/behind sth; **in etw** *akk* ~ to reach into sth; **nach etw** *dat* ~ to reach for sth ▶ **um sich** ~ to spread

grell ['grɛl] I. *adj* 1. *Licht* glaring 2. *Ton* piercing II. *adv* 1. (*hell*) dazzlingly 2. (*schrill*) ~ **klingen** to sound shrill

Gremium <-s, -ien> ['greːmi̯ʊm, *pl:* 'greːmi̯ən] *nt* committee

Grenze <-, -n> ['grɛntsə] *f* **1.** border; **an der ~** on the border; **über die ~ gehen/fahren** to cross the border **2.** (*äußerstes Maß*) limit; **alles hat seine ~n** there is a limit to everything; **seine ~n kennen** to know one's limitations ▶ **grüne ~** unguarded border area

grenzen ['grɛntsn̩] *vi* **an etw** *akk* **~** to border on sth

grenzenlos **I.** *adj* **1.** (*unbegrenzt*) endless **2.** (*maßlos*) extreme **II.** *adv* extremely

Grenzgebiet *nt* border area **Grenzschutz** *m* border protection **Grenzübergang** *m* border crossing-point **Grenzverkehr** *m* [cross-]border traffic

Greuel[ALT] <-s, -> ['grɔyəl] *m s.* **Gräuel**

Grieche, Griechin <-n, -n> ['griːçə, 'griːçɪn] *m, f* Greek

Griechenland <-s> ['griːçn̩lant] *nt* Greece

griechisch ['griːçɪʃ] *adj* Greek

Grieß <-es> ['griːs] *m kein pl* semolina

Grießbrei *m* semolina

Griff <-[e]s, -e> ['grɪf] *m* **1.** (*Zugriff*) grip **2.** (*Öffnungsmechanismus*) *Tür, Fenster* handle; (*vom Messer*) hilt ▶ **etw in den ~ bekommen** (*fam*) to get the hang of sth; **jdn/etw im ~ haben** to have sb/sth under control

Grill <-s, -s> ['grɪl] *m* grill; **vom ~** grilled

Grille <-, -n> ['grɪlə] *f* cricket

grillen ['grɪlən] **I.** *vi* to have a barbecue **II.** *vt* to grill

Grimasse <-, -n> [gri'masə] *f* grimace; **~n schneiden** to make faces

grimmig ['grɪmɪç] **I.** *adj Gesicht* angry; *Lachen* grim **II.** *adv* angrily; *lachen* grimly

grinsen ['grɪnzn̩] *vi* to grin; **frech ~** to smirk; **höhnisch ~** to sneer; **schadenfroh ~** to gloat

Grinsen <-s> ['grɪnzn̩] *nt kein pl* grin; **freches ~** smirk; **höhnisches ~** sneer

Grippe <-, -n> ['grɪpə] *f* influenza, flu *fam;* **~ haben** to have flu

Grips <-es, -e> ['grɪps] *m* (*fam*) brains *pl;* **~ haben** to have plenty up top; **seinen ~ anstrengen** to use one's grey matter

grob <gröber, gröbste> ['groːp] **I.** *adj* **1.** (*nicht fein*) coarse **2.** (*ungefähr*) rough **3.** (*unhöflich*) rude **4.** (*unsanft*) rough **II.** *adv* **1.** coarsely; **~ gemahlen** coarse-ground *attr* **2.** (*ungefähr*) roughly; **~ geschätzt** at a rough estimate; **etw ~ skizzieren** to make a rough outline of sth **3.** (*unhöflich*) rudely **4.** (*unsanft*) roughly

Groll <-[e]s> ['grɔl] *m kein pl* (*geh*) resentment; **~ gegen jdn hegen** to harbour a grudge against sb

grollen ['grɔlən] *vi* (*geh*) [jdm] **~** to be resentful [of sb]

Grönland <-s> ['grøːnlant] *nt* Greenland

groß <größer, größte> ['groːs] **I.** *adj* **1.** large, big **2.** (*hoch gewachsen*) tall; **du bist ~ geworden** you've grown; **er ist 1,78 m** ~ he is 5 foot 10 [tall] **3.** (*hoch*) large **4.** (*erheblich*) great **5.** (*beträchtlich; bedeutend*) great ▶ **im G~en und Ganzen** [gesehen] on the whole **II.** *adv* **~ angelegt** large-scale; **~ kariert** large-checked; **[ganz] ~ rauskommen** to have a real success *attr*

großartig ['groːsʔaːɐ̯tɪç] **I.** *adj* magnificent **II.** *adv* magnificently

G

Großaufnahme *f* close-up

Großbritannien <-s> [groːsbriˈtanjən] *nt* Great Britain

Großbuchstabe *m* capital

Größe <-, -n> [ˈgrøːsə] *f* 1. size; (*Höhe, Länge*) height 2. MATH, PHYS quantity 3. *kein pl* (*Erheblichkeit*) magnitude 4. *kein pl* (*Bedeutsamkeit*) significance

Großeltern *pl* grandparents

Größenwahn(sinn) *m* (*pej*) megalomania

Großfamilie *f* extended family **Großformat** *nt* TYPO large [*or* broadsheet] format **Großgrundbesitzer(in)** *m(f)* big landowner **Großhandel** *m* wholesale trade; **etw im ~ kaufen** to buy sth wholesale **Großhändler(in)** *m(f)* wholesaler

Großkind *nt* SCHWEIZ grandchild

Großmaul *nt* (*pej*) bigmouth **großmütig** [ˈgroːsmyːtɪç] *adj* generous

Großmutter *f* grandmother

groß|schreibenᴿᴿ *vt, vi* to write/start with a capital letter ▶ **etw wird großgeschrieben** (*fam*) to be high on the list of priorities

großspurig *adj* (*pej*) boastful

Großstadt [ˈgroːsʃtat] *f* city **Großstädter(in)** [ˈgroːsʃtɛːtɐ] *m(f)* city-dweller

großstädtisch [ˈgroːsʃtɛːtɪʃ] *adj* big-city *attr*

Großteil *m* **ein ~** a large part; **zum ~** for the most part

größtenteils *adv* for the most part

Großvater *m* grandfather

groß|ziehen [ˈgroːstsiːən] *vt irreg* to raise

großzügig I. *adj* generous II. *adv* generously

Großzügigkeit <-> *f kein pl* generosity

Grotte <-, -n> [ˈgrɔtə] *f* grotto

grottenschlecht *adj* (*fam*) the pits *sl*

Grube <-, -n> [ˈgruːbə] *f* 1. hole 2. (*Bergwerk*) pit ▶ **wer andern eine ~ gräbt, fällt selbst hinein** (*prov*) you can easily fall into your own trap

grübeln [ˈgryːbl̩n] *vi* to brood (**über** over)

Gruft <-, Grüfte> [ˈgrʊft, *pl:* ˈgrʏftə] *f* vault

grün [ˈgryːn] *adj* green ▶ **jdn ~ und blau schlagen** (*fam*) to beat sb black and blue; **sich ~ und blau ärgern** to be furious

Grünanlage *f* green space

Grund <-[e]s, Gründe> [ˈgrʊnt, *pl:* ˈgrʏndə] *m* 1. (*Ursache*) reason; **keinen/nicht den geringsten ~** no/not the slightest reason; **eigentlich besteht kein ~ zur Klage** there is no cause for complaint; **jdm ~ [zu etw *dat*] geben** to give sb reason [to do sth]; **ein/kein ~ zu etw *dat*** [no] reason for sth 2. (*Motiv*) reason, grounds *pl;* **aus finanziellen Gründen** for financial reasons; **aus gesundheitlichen Gründen** for reasons of health; **aus gutem ~** with good reason; **aus diesem ~[e]** for this reason; **aus welchem ~[e]** for what reason 3. *kein pl* (*Erdboden*) ground; **~ und Boden** land 4. *eines Gewässers* bed; *eines Meeres* bottom ▶ **im ~e jds Herzens** in one's heart of hearts; **einer S.** *dat* **auf den ~ gehen** to get to the bottom of sth; **den ~ zu etw *dat* legen** to lay the foundations *pl* for sth; **auf ~ von etw *dat*** on the basis of sth; **im ~e [genommen]** basically; **von ~ auf** completely

Grundbesitz *m* landed property **Grundbesitzer(in)** *m(f)* landowner

gründen [ˈgrʏndn̩] I. *vt* to found II. *vr*

sich auf etw *akk* **~** to be based on sth
Gründer(in) <-s, -> *m(f)* founder
Grundfläche *f* area **Grundgebühr** *f* basic charge **Grundgesetz** *nt* Basic Law
grundieren ['grʊn'diːrən] *vt* to prime
Grundkapital *nt* share capital BRIT, stock capital AM **Grundlage** *f* basis
grundlegend I. *adj* fundamental II. *adv* fundamentally
gründlich ['grʏntlɪç] I. *adj* thorough II. *adv* 1. (*gewissenhaft*) thoroughly 2. (*fam: total*) completely
Gründlichkeit <-> *f kein pl* thoroughness
grundlos *adj* unfounded
Grundnahrungsmittel *nt* basic food[stuff]
Gründonnerstag [gryːn'dɔnɐstaːk] *m* Maundy Thursday
Grundrecht *nt* basic right
Grundriss^RR *m* 1. BAU ground-plan 2. (*Darstellung*) outline
Grundsatz ['grʊntzats] *m* principle
grundsätzlich ['grʊntzɛtslɪç] I. *adj* fundamental II. *adv* 1. (*prinzipiell*) in principle 2. (*kategorisch*) absolutely
Grundschule *f* primary [*or* AM elementary] school
Grundstück *nt* plot
Grundstücksmakler(in) *m(f)* estate agent
Gründung <-, -en> *f* foundation
Grundwasser *nt* ground water
Grüne(r) ['gryːnə] *f(m) dekl wie adj* POL [member of the] Green [Party]; **die ~n** the Green Party
grünen ['gryːnən] *vi* to become green
Grünfink *m* greenfinch **Grünfläche** *f* green space **Grünfutter** *nt* green fodder **Grünkohl** *m* [curly] kale

Gruppe <-, -n> ['grʊpə] *f* group
gruppieren [grʊ'piːrən] I. *vt* to group II. *vr* **sich ~** to be grouped (**zu** into)
Gruselgeschichte *f* horror story
grus(e)lig ['gruːz(ə)lɪç] *adj* gruesome; **~ zumute werden** to have a creepy feeling
Gruß <-es, Grüße> ['gruːs, *pl:* 'gryːsə] *m* 1. (*Begrüßung*) greeting; **einen [schönen] ~ an Ihre Gattin** [please] give my [best] regards to your wife 2. (*am Briefschluss*) regards; **mit freundlichen Grüßen** Yours sincerely; **herzliche Grüße** best wishes
grüßen ['gryːsn̩] I. *vt* 1. **jdn ~** to greet sb; **grüß dich!** (*fam*) hello there! 2. **jdn von jdm ~** to send sb sb's regards II. *vi* to say hello III. *vr* **sich ~** to say hello to one another
gucken ['gʊkn̩] *vi* 1. to look 2. (*herausragen*) **aus etw** *dat* **~** to stick out of sth
Guerillakrieg [ge'rɪlja-] *m* guerilla war
Gulasch <-[e]s, -e> ['gʊlaʃ] *nt o m* goulash
Gulden <-s, -> ['gʊldn̩] *m* guilder
gültig ['gʏltɪç] *adj* valid; **der Fahrplan ist ab dem 1.4. ~** the timetable comes into effect from 1.4.
Gültigkeitsdauer *f* validity [period], period of validity
Gummi <-s, -s> ['gʊmi] *nt o m* rubber
Gummiband <-bänder> *nt* rubber band **Gummibärchen** <-s, -> [-bɛːɐçən] *nt* jelly bear ≈ jelly baby **Gummibaum** *m* rubber plant **Gummiknüppel** *m* rubber truncheon
Gunst <-> ['gʊnst] *f kein pl* 1. (*Wohlwollen*) goodwill; **in jds ~ stehen** to be in sb's favour 2. (*Vergünstigung*) **zu jds ~en** in sb's favour
günstig ['gʏnstɪç] I. *adj* 1. (*vorteil-*

G

haft) favourable **2.** (*preisgünstig*) reasonable **II.** *adv* (*preisgünstig*) reasonably

Gurgel <-, -n> ['gʊrgl̩] *f* throat

Gurgelmittel *nt* gargle

gurgeln ['gʊrgl̩n] *vi* (*mit Mundwasser*) to gargle

Gurke <-, -n> ['gʊrkə] *f* cucumber; (*Essig~*) gherkin; **saure ~n** pickled gherkins

Gurt <-[e]s, -e> ['gʊrt] *m* **1.** (*Riemen*) strap **2.** (*Sicherheitsgurt*) seat belt

Gürtel <-s, -> ['gʏrtl̩] *m* belt ▸ **den ~ enger schnallen** (*fam*) to tighten one's belt

Gusseisenᴿᴿ *nt* cast iron

gusseisernᴿᴿ *adj* cast-iron

gut <besser, beste> ['guːt] **I.** *adj* **1.** good; **jdn/etw ~ finden** to think sb/sth is good; **jdm geht es ~/nicht ~** sb is well/not well **2.** (*in Wünschen*) **~e Fahrt/Reise** have a good trip; **~e Erholung/Besserung** get well soon; **~en Appetit** enjoy your meal; **ein ~es neues Jahr** happy New Year!; **~e Unterhaltung** enjoy the programme ▸ **du bist ~!** (*iron fam*) you're a fine one!; **~ draufsein** (*fam*) to be in good spirits; **~ in etw** *dat* **sein** to be good at sth; **noch/nicht mehr ~ sein** to still/no longer be any good; **wieder ~ werden** to be all right; **also ~!** well, all right then!; **schon ~!** (*fam*) all right!; **~ so!** that's it!; **sei so ~ und ...** would you be kind enough to ...; **wozu ist das ~?** (*fam*) what's the use of that?; [**wie**] **~, dass ...** it's a good job that ...; **~!** (*in Ordnung!*) OK!; **~, ~!** yes, all right! **II.** *adv* well; **~ aussehend** good-looking; **~ bezahlt** well-paid; **~ gehend** flourishing; **~ gelaunt** in a good

mood; **~ gemeint** well-meant; **~ situiert** well-to-do; **~ unterrichtet** well-informed; **du sprichst aber ~ Englisch!** you really can speak good English; **~ verdienend** *attr* high-income *attr;* **es tut jdm ~, etw zu tun** it does sb good to do sth; **schmeckt es dir auch ~?** do you like it too? ▸ **so ~ es geht** as best one can; **~ gemacht!** well done!; **es ~ haben** to be lucky; **das kann ~ sein** that's quite possible; **du kannst ~ reden!** it's easy for you to talk!; **mach's ~!** bye!; **sich ~ mit jdm stellen** to get into sb's good books

Gut <-[e]s, Güter> ['guːt, *pl:* 'gyːtɐ] *nt* **1.** (*Landgut*) estate **2.** (*Waren*) **Güter** goods *pl* **3.** *kein pl* (*das Gute*) good; **~ und Böse** good and evil

Gutachten <-s, -> ['guːtʔaxtn̩] *nt* report

Gutachter(in) <-s, -> *m(f)* expert

gutartig *adj* **1.** good-natured **2.** MED benign

gutbürgerlich ['guːt'bʏrgɐlɪç] *adj* middle-class; **~e Küche** home-style cooking

Güte <-> ['gyːtə] *f kein pl* **1.** (*Gütigsein*) kindness **2.** (*Qualität*) [good] quality ▸ **erster ~** (*fam*) of the first order; **ach du liebe ~!** (*fam*) oh my goodness!; **in ~** amicably

Güterbahnhof *m* goods depot **Güterzug** *m* goods [*or esp* AM freight] train

Gütezeichen *nt* mark of quality

gutgläubig *adj* trusting

Guthaben <-s, -> *nt* credit balance

gut|heißen *vt irreg* **etw ~** to approve of sth

gütig ['gyːtɪç] *adj* kind

gutmütig ['guːtmyːtɪç] *adj* good-natured

Gutsbesitzer(in) *m(f)* landowner

Gutschein *m* coupon

gut|schreiben *vt irreg* **jdm etw ~** to credit sb with sth

Gutschrift *f* 1. (*Bescheinigung*) credit note 2. (*gebuchter Betrag*) credit entry

Gutshof *m* estate, manor

gutwillig *adj* obliging

Gymnasiast(in) <-en, -en> [gʏmna-'ziast] *m(f)* ≈ grammar-school pupil BRIT, ≈ high-school student AM

Gymnasium <-s, -ien> [gʏm'na:ziʊm, *pl:* gʏm'na:ziən] *nt* ≈ grammar school BRIT, ≈ high school AM

Gymnastik <-> [gʏm'nastɪk] *f* gymnastics + *sing vb*

H

H, h *nt* H, h

Haar <-[e]s, -e> [ha:ɐ] *nt sing o pl* hair *no pl;* **graue ~e bekommen** to go grey; **sich** *dat* **die ~e schneiden lassen** to get one's hair cut ▶ **jdm stehen die ~e zu Berge** sb's hair stands on end; **um kein ~ besser** not a bit better; **sich** *dat* **in die ~e geraten** to quarrel; **jdm kein ~ krümmen** not to touch a hair on sb's head; **sich** *dat* **die ~e raufen** to tear one's hair; **um ein ~** within a hair's breadth

Haarausfall *m* hair loss **Haarbürste** *f* hairbrush **Haarfarbe** *f* colour of one's hair **Haarfestiger** <-s, -> *m* setting lotion **Haarklammer** *f* hair clip **Haarnadel** *f* hairpin **Haarschneider** *m* clippers *npl* **Haarschnitt** *m* hair-cut **Haarspange** *f* hair slide **Haarspray** *nt* hairspray **Haartrockner** *m* hair dryer **Haarwasser** *nt* hair lotion

Habe <-> ['ha:bə] *f kein pl* (*geh*) possessions *pl*

haben <hatte, gehabt> ['ha:bn̩] **I.** *vt* 1. (*besitzen*) to have; **wir ~ zwei Autos** we've got two cars; **sie hatte gestern Geburtstag** it was her birthday yesterday 2. (*erhalten*) **könnte ich mal das Salz ~?** could I have the salt please?; **ich hätte gern ein Bier** I'd like a beer, please; **woher hast du das?** where did you get that? 3. (*ein Gefühl haben*) **Durst/Hunger ~** to be thirsty/hungry; **gute/schlechte Laune ~** to be in a good/bad mood; **hast du was?** is something the matter?; **ich hab nichts!** nothing's the matter!; **was hat er denn?** what's up with him? 4. *mit adj* **es bei jdm gut ~** to be well off with sb 5. (*tun müssen*) **etw zu tun ~** to have to do sth; **ich habe noch zu arbeiten** I've still got work to do 6. *mit Präposition* **etw an sich** *dat* **~** to have sth about one; **es an etw** *dat* **~** (*fam: Körperteil*) to have trouble with sth; **was hat es damit auf sich?** what's all this about?; **für etw zu ~ sein** to be keen on sth; **etwas/nichts gegen jdn/etw ~** to have something/nothing against sb/sth; **es in sich ~** (*fam*) to be tough; **etwas mit jdm ~** (*euph*) to have something going with sb; **nichts davon ~** not to gain anything from it; **das hast du jetzt davon!** now see where it's got you! ▶ **noch/nicht mehr zu ~ sein** to be still/no longer available; **da hast du's/~ wir's!**

H

there you are!; **ich hab's!** I've got it!; **wie gehabt** as usual II. *vt impers* ÖSTERR, SÜDD (*existieren*) **es hat ...** there is/are ... III. *vr* (*fam*) **sich ~** to make a fuss

Haben <-s> ['ha:bn̩] *nt kein pl* credit; **im ~ sein** to be in credit

habgierig ['ha:pgi:rɪç] *adj* (*pej*) greedy

Habicht <-s, -e> ['ha:bɪçt] *m* hawk

Habsucht *f* greed

habsüchtig ['ha:pzʏçtɪç] *adj* avaricious

Hackbraten *m* meat loaf

Hacke <-, -n> ['hakə] *f* 1. (*Gartengerät*) hoe 2. ÖSTERR (*Axt*) axe 3. DIAL (*Ferse*) heel

hacken ['hakn̩] I. *vt* 1. *Gemüse* to chop [up *sep*] 2. *Boden* to hoe 3. (*in Stücke*) to hack II. *vi* 1. *Vogel* to peck 2. INFORM (*sl*) **das H~** hacking

Hackfleisch *nt* mince BRIT, ground meat AM ▶ **~ aus jdm machen** (*sl*) to make mincemeat of sb

hadern ['ha:dɐn] *vi* (*geh*) to quarrel (**mit** with); **mit seinem Schicksal ~** to rail against one's fate

Hafen¹ <-s, Häfen> ['ha:fn̩] *m* harbour

Hafen² <-s, Häfen> ['ha:fn̩] *m* ÖSTERR, SÜDD (*Tontopf*) pot

Hafenanlagen *pl* docks *pl* **Hafenarbeiter(in)** *m(f)* docker **Hafenstadt** *f* port

Hafer <-s, -> ['ha:fɐ] *m* oats *pl*

Haferflocken *pl* oat flakes

Haft <-> [haft] *f kein pl* imprisonment; **in ~ sein** to be in custody; **aus der ~ entlassen werden** to be released from custody

Haftbefehl *m* [arrest] warrant

haften ['haftn̩] *vi* 1. (*festkleben*) to adhere (**auf** to) 2. (*sich festsetzen*) to cling (**an** to) 3. (*hängen bleiben*) to

stick (**auf** to) 4. JUR to be responsible (**für** for)

Häftling <-s, -e> ['hɛftlɪŋ] *m* prisoner

Haftpflicht *f* 1. (*Schadenersatzpflicht*) liability 2. (*fam*) *s.* **Haftpflichtversicherung**

Haftpflichtversicherung *f* liability insurance; AUTO third-party insurance

Haftung <-, -en> ['haftʊŋ] *f* JUR liability

Hagebutte <-, -n> ['ha:gəbutə] *f* rose hip

Hagebuttentee *m* rose-hip tea

Hagel <-s> ['ha:gl̩] *m kein pl* hail

Hagelkorn <-körner> *nt* hailstone

hageln ['ha:gl̩n] *vi impers* to hail

Hagelschauer *m* hail shower

hager ['ha:gɐ] *adj* gaunt

Hahn¹ <-[e]s, Hähne> [ha:n] *m* cock, rooster AM ▶ **nach etw** *dat* **kräht kein ~ mehr** (*fam*) no one cares two hoots about sth anymore

Hahn² <-[e]s, Hähne *o* -en> [ha:n] *m* (*Wasserhahn*) tap, faucet AM ▶ **[jdm] den ~ zudrehen** to stop sb's money supply

Hai <-[e]s, -e> ['hai] *m*, **Haifisch** ['haifɪʃ] *m* shark

Hain <-[e]s, -e> [hain] *m* (*geh liter*) grove

häkeln ['hɛkl̩n] *vi, vt* to crochet

Haken <-s, -> ['ha:kn̩] *m* 1. (*Halterung, a. Boxhieb*) hook 2. (*Zeichen*) tick 3. (*fam: Schwierigkeit*) catch ▶ **~ schlagen** to change tactics

Hakennase *f* hooknose

halb [halp] I. *adj* 1. half 2. (*Uhrzeit*) **es ist ~ sieben** it is half past six ▶ **nichts H~es und nichts Ganzes** (*fam*) neither one thing nor the other II. *adv* half; **~ so ... sein** to be half as ...; **~ nackt** half-naked; **~ voll** half-filled; ~ ..., ~ ... half ..., half ... ▶ [mit jdm] ~e-~e <u>machen</u> to go halves with sb; **das ist ~ so** <u>schlimm</u> it's not as bad as all that; **~ und ~** (*fam*) sort of

Halbbruder *m* half-brother **halbfertig** *adj attr* half-finished

halbieren [hal'biːrən] *vt* to halve

Halbinsel ['halpʔɪnzl̩] *f* peninsula **Halbjahr** *nt* half-year **Halbkreis** *m* semicircle; **im ~** in a semicircle **Halbkugel** *f* hemisphere **Halbmond** *m* 1. half-moon 2. (*Figur*) crescent **Halbpension** *f* half-board *no art* **Halbschwester** *f* half-sister

halbtags *adv* on a part-time basis; **sie arbeitet wieder ~ im Büro** she's working half-day at the office again **halbwegs** ['halpˈveːks] *adv* 1. (*einigermaßen*) partly 2. (*nahezu*) almost **Halbwert(s)zeit** *f* half-life **Halbzeit** *f* half-time

Halde <-, -n> ['haldə] *f* (*Müllhalde*) rubbish tip; (*Kohlehalde*) coal tip; (*Abraumhalde*) slagheap

Hälfte <-, -n> ['hɛlftə] *f* half; **um die ~** by half

Halle <-, -n> ['halə] *f* hall

hallen ['halən] *vi* to echo

Hallenbad *nt* indoor swimming pool

hallo [ha'loː] *interj* hello

Halm <-[e]s, -e> [halm] *m* 1. stalk 2. (*Trinkhalm*) straw

Hals <-es, Hälse> [hals] *m* 1. neck; **jdm um den ~ fallen** to fling one's arms around sb's neck 2. (*Kehle*) throat; **jdm im ~ stecken bleiben** to become stuck in sb's throat; **es im ~ haben** (*fam*) to have a sore throat ▶ **~ über** <u>Kopf</u> in a hurry; **etw in den** <u>falschen</u> **~ bekommen** (*fam*) to take sth the wrong way; **aus**

vollem ~[e] at the top of one's voice; **jdm mit etw** *dat* **vom ~[e]** <u>bleiben</u> (*fam*) not to bother sb with sth; **etw zum ~e** <u>heraushängen</u> (*fam*) to be sick to death of sth; **jdn den ~** <u>kosten</u> to finish sb; **sich jdn vom ~** <u>schaffen</u> (*fam*) to get sb off one's back; **sich jdm an den ~** <u>werfen</u> (*pej fam*) to throw oneself at sb

Halsband *nt* 1. (*für Haustiere*) collar 2. (*für Frauen*) choker **Halsentzündung** *f* sore throat **Halskette** *f* necklace **Halsschlagader** *f* carotid [artery] **Halsschmerzen** *pl* sore throat **Halstuch** *nt* scarf

halt [halt] I. *interj* MIL halt! II. *adv* (*fam: eben*) just

Halt <-[e]s, -e> [halt] *m* 1. (*Stütze*) hold; **~ geben** to support 2. (*innerer Halt*) stability 3. (*Stopp*) stop; **~ machen** to stop

haltbar ['haltbaːɐ̯] *adj* 1. *Essen* nonperishable; **~ sein** to keep; **~ machen** to preserve 2. (*widerstandsfähig*) durable

Haltbarkeit <-> *f kein pl* 1. *Essen* shelf life 2. (*Widerstandsfähigkeit*) durability

Haltbarkeitsdatum *nt* sell-by date

halten <hielt, gehalten> ['haltn̩] I. *vt* 1. (*festhalten, stützen*) to hold; (*Macht*) to hold on to 2. (*zum Bleiben veranlassen*) to stop, to keep 3. (*in Position bringen*) to put; **er hielt den Arm in die Höhe** he put his hand up 4. (*besitzen*) to keep 5. (*in einem Zustand erhalten*) to keep; **die Fußböden hält sie immer sauber** she always keeps the floors clean ▶ **nichts/viel** <u>davon</u> **~, etw zu tun** to think nothing/a lot of doing sth; **jdn/etw** <u>für</u> **jdn/etw ~** to take

H

sb/sth for sb/sth; **etw** <u>von</u> **jdm/etw ~** to think sth of sb/sth; <u>wofür</u> **~ Sie mich?** who do you take me for! **II.** *vi* **1.** (*haltbar sein*) to keep **2.** (*anhalten*) to stop; **etw zum H~ bringen** to bring sth to a stop ▶ **an sich ~** to control oneself; **zu jdm ~** to stand by sb **III.** *vr* **1.** (*sich festhalten*) **sich an etw** *dat* **~** to hold on to sth **2.** (*Wetter*) **sich ~** to last **3.** (*sich richten nach*) **sich an etw** *akk* **~** to stick to sth ▶ **sich** <u>gut</u> **gehalten haben** to have worn well; **sich** <u>für</u> **jdn/etw ~** to think one is sb/sth

Haltestelle *f* stop **Halteverbot** *nt* no stopping; **hier ist ~** this is a no stopping area; **eingeschränktes ~** limited waiting

Haltung¹ <-, -en> ['haltʊŋ] *f* **1.** (*Körperhaltung*) posture **2.** (*Einstellung*) attitude ▶ **~** <u>bewahren</u> to keep one's composure

Haltung² <-> ['haltʊŋ] *f kein pl von Tieren* keeping

hämisch ['hɛːmɪʃ] *adj* malicious

Hammel <-s, -> ['haml] *m* **1.** (*Tier*) wether **2.** (*Hammelfleisch*) mutton

Hammelfleisch *nt* mutton

Hammer <-s, Hämmer> ['hamɐ] *m* **1.** SPORT, TECH hammer **2.** (*sl: schwerer Fehler*) howler **3.** (*sl: Ungeheuerlichkeit*) outrageous thing

hämmern ['hɛmɐn] *vi, vt* **1.** (*mit Hammer*) to hammer **2.** (*pulsieren*) to pound

Hämorrhoide <-, -n> [hɛmɔroˈiːdə] *f*, **Hämorride** <-, -n> [hɛmɔˈriːdə] *f meist pl* haemorrhoids *pl*

Hampelmann <-männer> ['hampl-man] *m* **1.** jumping jack **2.** (*pej fam: Mensch*) puppet

Hamster <-s, -> ['hamstɐ] *m* hamster

hamstern ['hamstɐn] *vt, vi* to hoard

Hand <-, Hände> [hant] *f* hand; **mit der flachen ~** with the flat of one's hand; **Hände hoch!** hands up!; **linker/rechter ~** on the left/right; **jdm die ~ geben** to shake sb's hand; **jdn an der ~ nehmen** to take hold of sb's hand; **etw in die ~ nehmen** to pick up sth *sep;* **lass mich die Sache mal in die ~ nehmen** let me take care of the matter; **in fremde Hände gelangen** to pass into foreign hands; **Hände weg!** hands off! ▶ **für jdn seine ~ ins** <u>Feuer</u> **legen** to vouch for sb; **~ und** <u>Fuß</u> **haben** to be purposeful; **weder ~ noch** <u>Fuß</u> **haben** to have no rhyme or reason; **mit Händen und** <u>Füßen</u> tooth and nail; **~ aufs** <u>Herz!</u> cross your heart; **die Hände in den** <u>Schoß</u> **legen** to sit back and do nothing; [**bei etw** *dat*] **die Hände im** <u>Spiel</u> **haben** to have a hand in sth; **bei jdm in** <u>besten</u> **Händen sein** to be in safe hands with sb; **aus** <u>erster</u> **/zweiter ~** first-hand/second-hand; **in** <u>festen</u> **Händen sein** to be spoken for; <u>freie</u> **~ haben** to have a free hand; **bei etw** *dat* **eine** <u>glückliche</u> **~ haben** to have the Midas touch with sth; **mit** <u>leeren</u> **Händen** empty-handed; **jds** <u>rechte</u> **~ sein** to be sb's right-hand man; **hinter** <u>vorgehaltener</u> **~** in confidence; **jdm zur ~** <u>gehen</u> to lend sb a [helping] hand; **um jds ~** <u>anhalten</u> (*geh*) to ask for sb's hand in marriage; **jdn** [**für etw** *akk*] **an der ~** <u>haben</u> to have sb on hand [for sth]; **etw gegen jdn in der ~** <u>haben</u> to have sth on sb; **zur ~** <u>sein</u> to be at hand; **jdn/etw in die ~** <u>bekommen</u> to get one's hands on sb/sth; [**bei etw** *dat*] **mit ~ anle-**

gen to lend a hand [with sth]; [klar] **auf der ~ liegen** to be [perfectly] obvious; **jdm etw in die Hände spielen** to pass sth on to sb; **in die Hände spucken** to roll up one's sleeves *sep;* **eine ~ wäscht die andere** you scratch my back I'll scratch yours; **an ~ einer S.** *gen* with the aid of sth; [bar] **auf die ~** cash in hand; **~ in ~** hand in hand; **unter der ~** secretly; **von ~** by hand; **zu Händen von jdm** for the attention of sb [*or* attn: sb]

Handarbeit *f* **1.** (*Gegenstand*) handicraft; **~ sein** to be handmade **2.** *kein pl* (*körperliche Arbeit*) manual labour **3.** (*Nähen, Stricken*) needlework **Handball** *m* handball **Handbewegung** *f* movement of the hand; (*Geste*) gesture **Handbremse** *f* handbrake **Handbuch** *nt* manual

Händedruck <-s> *m kein pl* handshake **Handel** <-s> ['hand|] *m kein pl* **1.** (*Wirtschaftszweig*) commerce **2.** (*Warenverkehr*) trade; **im ~ sein** to be on the market; **etw aus dem ~ ziehen** to take sth off the market **3.** (*fam: Abmachung*) deal **4.** (*das Handeln*) dealing (**mit** in); [mit etw] **~ treiben** to trade [in sth] **5.** (*Laden*) business

handeln ['hand|n] **I.** *vi* **1.** (*mit Waren*) to trade (**mit** with/in); **mit Drogen handeln** to traffic drugs **2.** (*feilschen*) to haggle (**um** over) **3.** (*agieren*) to act **4.** (*sich befassen*) to deal (**von** with) **II.** *vr impers* **sich um jdn/etw ~** to be a matter of sth; **worum handelt es sich, bitte?** what's it about, please? **III.** *vt* **Ware** [**für etw**] **gehandelt werden** to be traded [at sth]

Handelsbank *f* merchant bank **Handelsbeziehungen** *pl* trade relations **Handelsgesellschaft** *f* commercial company **Handelspartner(in)** *m(f)* (*Land*) trading partner

Handfeger <-s, -> *m* hand brush **Handfläche** *f* palm

handgearbeitet *adj* handmade

Handgelenk *nt* wrist ▶ **etw aus dem ~ schütteln** (*fam*) to do sth straight off; **aus dem ~** (*fam*) off the cuff **Handgepäck** *nt* hand luggage

handgeschrieben *adj* handwritten **handgestrickt** *adj* **1.** (*von Hand gestrickt*) hand-knitted **2.** (*amateurhaft gemacht*) homespun

Handgriff *m* **1.** (*Aktion*) movement **2.** (*Griff*) handle ▶ **mit einem ~** with a flick of the wrist; **mit ein paar ~en** in no time

handhaben ['hantha:bn] *vt* **1.** (*bedienen*) to handle; *Maschine a.* to operate **2.** (*anwenden*) to apply **3.** (*verfahren*) to manage

Handkarren *m* handcart **Handkoffer** *m* small suitcase **Handkuss**^RR *m* kiss on the hand **Handlanger(in)** <-s, -> ['hantlaŋe] *m(f)* **1.** (*Arbeiter*) labourer **2.** (*pej: Erfüllungsgehilfe*) stooge

Händler(in) <-s, -> ['hɛndle] *m(f)* dealer ▶ **fliegender ~** street trader **handlich** ['hantlɪç] *adj* **1.** manageable **2.** *Auto* manoeuvrable

Handlung <-, -en> ['handlʊŋ] *f* **1.** (*Tat*) act; **kriegerische ~** act of war; **strafbare ~** criminal offence **2.** (*Geschehen*) action; (*in Roman etc.*) plot

Handlungsweise *f* conduct **Handorgel** *f* SCHWEIZ (*Handharmonika*) accordion **Handrücken** *m* back of the hand **Handschelle** *f meist pl* handcuffs *pl;* **jdm ~n anlegen** to handcuff sb **Handschrift** ['hantʃrɪft] *f* **1.** (*Schrift*) handwriting **2.** (*Text*) manuscript

handschriftlich *adj* handwritten

Handschuh *m* glove **Handschuhfach** *nt,* **Handschuhkasten** *m* glove compartment **Handstand** *m* handstand; **einen ~ machen** to do a handstand **Handtasche** *f* handbag **Handtuch** *nt* towel ▶ **das ~ <u>werfen</u>** to throw in the towel

Handvoll <-, -> *f* handful

Handwerk *nt* trade ▶ **jdm das ~ <u>legen</u>** to put an end to sb's game; **jdm ins ~ <u>pfuschen</u>** to encroach on sb's activities; **sein ~ <u>verstehen</u>** to know one's job

Handwerker(in) <-s, -> *m(f)* tradesman **Handwerkszeug** *nt kein pl* tools *pl*

Handwurzel *f* carpus

Handy <-s, -s> ['hɛndi] *nt* mobile [phone]

Handzettel *m* leaflet

Hanf <-[e]s> [hanf] *m kein pl* (*Pflanze*) hemp; (*Samen*) hempseed

Hang <-[e]s, Hänge> [haŋ] *m* **1.** (*Abhang*) slope **2.** *kein pl* (*Neigung*) tendency (**zu** to); **den ~ haben, etw zu tun** to be inclined to do sth

Hängebrücke *f* suspension bridge **Hängematte** *f* hammock

hängen ['hɛŋən] **I.** *vi* <hing, gehangen> **1.** (*herunterhängen*) to hang (**an** on/**über** over/**von** from); **der Baum hängt voller Früchte** the tree is laden with fruit; [**an etw** *dat*] **~ bleiben** (*befestigt bleiben*) to stay on [sth]; (*kleben bleiben*) to stick to sth **2.** (*befestigt sein*) to be attached

(**an** to) **3.** (*fam: angeschlossen sein*) to be connected (**an** to) **4.** (*fam: emotional verbunden sein*) to be attached (**an** to) **5.** (*festhängen*) **an etw** *dat* **~ bleiben** to get caught on sth **6.** (*fam: sich aufhalten*) **~ bleiben** to be kept down; **er hängt den ganzen Tag vorm Fernseher** he spends all day in front of the television **7.** (*fam: in Erinnerung bleiben*) [**bei jdm**] **~ bleiben** to stick [in sb's mind] ▶ **mit H~ und <u>Würgen</u>** (*fam*) by the skin of one's teeth; **den <u>Kopf</u> ~ lassen** to let one's head droop **II.** *vt* <hängte *o* DIAL hing, gehängt *o* DIAL gehangen> **1.** (*anbringen*) hang (**an/auf** on) **2.** (*henken*) to hang **3.** (*anschließen*) to attach (**an** on) **4.** (*fam*) **jdn ~ lassen** to let sb down **III.** *vr* <hängte *o* DIAL hing, gehängt *o* DIAL gehangen> **1.** (*verfolgen*) **sich an jdn/etw ~** to follow sb/sth **2.** (*sich gehen lassen*) **sich ~ lassen** to let oneself go

hänseln ['hɛnzln] *vt* to tease (**wegen** about)

Hantel <-, -n> ['hantl] *f* dumb-bell

hantieren [han'tiːrən] *vi* **1.** to be busy (**mit** with) **2.** (*herumhantieren*) to work (**an** on)

hapern ['haːpɐn] *vi impers* **1.** (*fam: fehlen*) to be lacking; **es hapert bei uns etwas an Geld** we're somewhat short of money **2.** (*fam: schlecht bestellt sein*) **in Mathe hapert es bei ihr noch etwas** she's still a bit weak in maths

Happen <-s, -> ['hapn] *m* (*fam*) snack

Harfe <-, -n> ['harfə] *f* harp

Harke <-, -n> ['harkə] *f bes* NORDD (*Rechen*) rake

harken ['harkn] *vt bes* NORDD *Beet* to rake; *Laub* to rake; **geharkt** raked

harmlos *adj* **1.** (*ungefährlich*) harmless **2.** (*arglos*) innocent

Harmonie <-, -n> [harmo'ni:] *f* harmony

harmonieren [harmo'ni:rən] *vi* **1.** (*zusammenklingen*) to harmonize **2.** (*gut zusammenpassen*) to get on well [with each other]

Harmonika <-, -s> [har'mo:nika] *f* accordion

harmonisch [har'mo:nɪʃ] **I.** *adj* harmonious **II.** *adv* harmoniously

Harn <-[e]s, -e> [harn] *m* urine

Harnblase *f* bladder **Harnröhre** *f* urethra

Harpune <-, -n> [har'pu:nə] *f* harpoon

harsch [harʃ] *adj* **1.** (*verharscht*) hard-frozen **2.** (*selten: rau, eisig*) cutting; *Wind* harsh

hart <härter, härteste> [hart] **I.** *adj* **1.** (*nicht weich*) hard **2.** *Aufprall, Ruck, Winter* severe **3.** (*brutal*) violent **4.** (*abgehärtet*) *Kerl* tough **5.** (*streng*) *Mensch* hard; *Worte, Regime* harsh; *Strafe* severe; **~ mit jdm sein** to be hard on sb **6.** (*schwer zu ertragen*) *Schicksalsschlag* cruel; *Realität* harsh; **~ für jdn sein, dass ...** to be hard on sb that ... ► **~ bleiben** to remain firm; **~ auf ~ kommen** to come to the crunch; **~ im Nehmen sein** to be resilient **II.** *adv* **1.** hard; **~ gekocht** *attr* hard-boiled **2.** (*streng*) severely; **~ durchgreifen** to take tough action ► **jdn ~ treffen** to hit sb hard; **~ gesotten** hardened

Härte <-, -n> ['hɛrtə] *f* **1.** (*Hartsein o Härtegrad*) hardness **2.** *kein pl* (*Strenge*) severity **3.** *kein pl* (*Unerträglichkeit*) cruelty

Härtefall *m* case of hardship

härten ['hɛrtn̩] *vi* to harden

Hartfaserplatte *f* hardboard BRIT, fiberboard AM

Hartgeld *nt* (*geh*) coins *pl*

hartherzig *adj* hard-hearted

hartnäckig **I.** *adj* persistent **II.** *adv* persistently

Hartz IV [hartz] *German labour market reform of 2005 that regulates and brings together unemployment and social security benefits*

Harz <-es, -e> [ha:ɐ̯ts] *nt* resin

harzig ['ha:ɐ̯tsɪç] *adj* resinous

Haschisch <-[s]> ['haʃɪʃ] *nt kein pl* hashish

Hase <-n, -n> ['ha:zə] *m* hare ► **ein alter ~ sein** (*fam*) to be an old hand; **wissen, wie der ~ läuft** (*fam*) to know which way the wind blows

Haselnuss^{RR} ['ha:zl̩nʊs] *f* hazelnut

Hasenscharte *f* MED harelip

Hass^{RR} <-es> *m*, **Haß**^{ALT} <-sses> [has] *m kein pl* hate, hatred; **einen ~ auf jdn haben** (*fam*) to be angry with sb

hassen ['hasn̩] *vt* to hate; **es ~, etw zu tun** to hate doing sth

hässlich^{RR}, **häßlich**^{ALT} ['hɛslɪç] *adj* **1.** (*unschön*) ugly **2.** (*gemein*) nasty

Hässlichkeit^{RR}, **Häßlichkeit**^{ALT} <-, -en> *f* **1.** (*Unschönheit*) ugliness **2.** (*Gemeinheit*) nastiness

Hast <-> [hast] *f kein pl* haste

hasten ['hastn̩] *vi sein* (*geh*) to hurry

hastig ['hastɪç] **I.** *adj* hurried; **nicht so ~!** not so fast! **II.** *adv* hurriedly

Haube <-, -n> ['haubə] *f* **1.** (*weibliche Kopfbedeckung*) bonnet **2.** ÖSTERR, SÜDD (*Mütze*) cap **3.** ÖSTERR (*Auszeichnung von Restaurants*) star **4.** (*Aufsatz*) covering ► **jdn unter die ~ bringen** (*hum fam*) to marry sb off

Hauch <-[e]s, -e> [haux] *m* (*geh liter*) **1.** (*Atemhauch*) breath **2.** (*Luftzug*) breath of air **3.** (*Duft*) whiff **4.** (*Andeutung*) hint

Haue <-, -n> ['hauə] *f* **1.** ÖSTERR, SCHWEIZ (*Hacke*) hoe **2.** *kein pl* (*fam: Prügel*) thrashing; ~ **kriegen** (*fam*) to get a thrashing

hauen <haute, gehauen> ['hauən,] **I.** *vt* **1.** (*fam: schlagen*) to hit **2.** (*fam: verprügeln*) to hit; **sie ~ sich** they are fighting each other **3.** (*meißeln*) **etw in etw** *akk* ~ to carve sth in sth **II.** *vr* (*fam: sich setzen, legen*) **sich auf/in etw** *akk* ~ to throw oneself onto/into sth

Haufen <-s, -> ['haufn̩] *m* **1.** heap **2.** (*fam: große Menge*) load; **du erzählst da einen ~ Quatsch!** what a load of rubbish! **3.** (*Schar*) crowd ▶ **jdn über den ~ rennen /fahren** (*fam*) to run over sb *sep;* **etw über den ~ werfen** (*fam*) to mess up sth *sep*

haufenweise *adv* (*fam*) in great quantities; **sie besitzt ~ Antiquitäten** she owns loads of antiques

häufig ['hɔyfɪç] **I.** *adj* frequent **II.** *adv* often

Häufigkeit <-, -en> *f* frequency

Haupt <-[e]s, Häupter> [haupt] *nt* (*geh*) head ▶ **gesenkten /erhobenen ~es** with one's head bowed/raised

Hauptbahnhof *m* central station **Haupteingang** *m* main entrance **Hauptfach** *nt* **1.** (*Studium*) main subject, major AM **2.** (*Schule*) major subject **Hauptgebäude** *nt* main building **Hauptgericht** *nt* main course **Hauptgewinn** *m* first prize

Häuptling <-s, -e> ['hɔyptlɪŋ] *m* chief **Hauptmahlzeit** *f* main meal **Haupt-**

person *f* central figure **Hauptpost** *f*, **Hauptpostamt** *nt* (*fam*) main post office **Hauptquartier** *nt* headquarters **Hauptrolle** *f* leading role ▶ [**bei etw** *dat*] **die ~ spielen** to play a leading part [in sth] **Hauptsache** ['hauptzaxə] *f* main thing; **in der ~** in the main; **~, du bist glücklich!** the main thing is that you're happy!

hauptsächlich ['hauptzɛçlɪç] **I.** *adv* mainly **II.** *adj* main

Hauptsaison *f* peak season **Hauptsatz** *m* main clause **Hauptschlagader** *f* aorta **Hauptstadt** *f* capital [city] **Hauptstraße** *f* main street **Hauptverkehrsstraße** *f* main road **Hauptverkehrszeit** *f* rush hour **Hauptwäsche** *f* main wash **Hauptwaschgang** *m* main wash **Hauptwort** *nt* noun

Haus <-es, Häuser> [haus] *nt* **1.** house; **~ und Hof** (*geh*) house and home; **für jdn ein offenes ~ haben** to keep open house for sb; **jdn nach ~e bringen** to take sb home; **sich wie zu ~e fühlen** to feel at home; **fühlen Sie sich wie zu ~e!** make yourself at home; **frei ~ liefern** to deliver free of charge; **jdm das ~ verbieten** to not allow sb in the house; **nach ~e** home; **zu ~e** at home; **bei jdm zu ~e** in sb's home **2.** (*Familie*) family; **die Dame/der Herr des ~es** the lady/master of the house; **aus gutem ~e** from a good family; **von ~e aus** by birth **3.** (*geh: Unternehmen*) company; **im ~e sein** to be in ▶ [**du**] **altes ~!** (*fam*) old chap *dated;* **das europäische ~** the family of Europe; **~ halten** to be economical; [**jdm**] **ins ~ stehen** to be in store [for sb]; **von ~e aus** originally

Hausangestellte(r) *f(m) dekl wie adj* domestic servant **Hausapotheke** *f* medicine cabinet **Hausarbeit** *f* 1. (*im Haushalt*) housework 2. (*fürs Studium*) [academic] assignment **Hausarrest** *m* 1. (*Strafe für Kinder*) ~ **haben** to be grounded 2. JUR house arrest **Hausarzt, -ärztin** *m, f* family doctor, GP **Hausaufgabe** *f* piece of homework; ~n homework *no pl;* **seine ~n machen** (*a. fig*) to do one's homework **Hausbar** *f* 1. (*eine Bar zu Hause*) home bar 2. (*Inhalt*) range of drinks at home **Hausbesetzer(in)** <-s, -> *m(f)* squatter **Hausbesitzer(in)** *m(f)* homeowner **Hausbewohner(in)** *m(f)* tenant **Hauseingang** *m* entrance

Häuserblock *m* block [of houses]

Hausflur *m* entrance hall **Hausfrau** *f* 1. housewife 2. ÖSTERR, SÜDD (*Zimmerwirtin*) landlady **Hausfriedensbruch** *m* trespassing **Hausgebrauch** *m* **für den ~** for domestic use; (*für durchschnittliche Ansprüche*) for average requirements **hausgemacht** *adj* home-made

Haushalt <-[e]s, -e> *m* 1. (*Hausgemeinschaft*) household 2. (*Haushaltsführung*) housekeeping; [jdm] **den ~ führen** to keep house [for sb] 3. (*Etat*) budget

haus|halten *vi irreg* to be economical (**mit** with)

Haushälter(in) <-s, -> *m(f)* housekeeper

Haushaltsgeld *nt* housekeeping money

Hausherr(in) <-en, -en> *m(f)* head of the household; (*Gastgeber*) host

hausieren [hau'ziːrən] *vi* to hawk; **H~ verboten!** no hawkers!; **mit etw** *dat*

~ **gehen** to peddle sth around

Hausierer(in) <-s, -> *m(f)* hawker

häuslich ['hɔylɪç] **I.** *adj* 1. (*das Zuhause betreffend*) domestic 2. (*das Zuhause liebend*) homely **II.** *adv* **sich** ~ **niederlassen** to settle down

Hausmädchen *nt* maid, BRIT *a.* home help **Hausmann** ['hausman] *m* house husband **Hausmannskost** *f kein pl* home cooking **Hausmeister(in)** *m(f)* janitor **Hausnummer** *f* house number **Hausschlüssel** *m* front-door key **Hausschuh** *m* slipper **Haustier** *nt* pet **Haustür** *f* front door **Hauswart(in)** <-s, -e> *m(f)* s. **Hausmeister Hauszelt** *nt* frame tent

Haut <-, Häute> [haut] *f* skin ▶ **mit ~ und** Haar[en] completely; **nur ~ und** Knochen **sein** to be nothing but skin and bone; **eine** ehrliche ~ **sein** to be an honest sort; **auf der** faulen ~ **liegen** to laze around; **mit** heiler ~ **davonkommen** to escape unscathed; **sich nicht** wohl **in seiner** ~ **fühlen** not to feel too good; **aus der** ~ **fahren** to hit the roof; **etw geht** [jdm] **unter die** ~ sth gets under one's skin; **jd möchte nicht in jds** ~ **stecken** sb would not like to be in sb's shoes

Hautabschürfung *f* graze **Hautcreme** *f* skin cream

häuten ['hɔytn̩] **I.** *vt* to skin **II.** *vr* **sich** ~ to shed one's skin

Hautkrankheit *f* skin disease **Hautkrebs** *m* MED skin cancer *no pl*

Haxe <-, -n> ['haksə] *f* KOCHK SÜDD knuckle

Hebamme <-, -n> ['heːpʔamə] *f* midwife

Hebel <-, -> ['heːbl̩] *m* lever ▶ **am** längeren ~ **sitzen** to hold the whip hand

H

heben <hob, gehoben> ['he:bn̩] I. vt 1. (*hochheben*) to lift; *Kopf* to raise 2. (*verbessern*) to improve 3. (*Alkohol trinken*) **gern einen ~** (*fam*) to like to have a drink II. vr (*sich nach oben bewegen*) **sich ~** to rise

hebräisch [he'brɛ:ɪʃ] adj Hebrew

Hecht <-[e]s, -e> [hɛçt] m pike

Heck <-[e]s, -e> [hɛk] nt AUTO rear; NAUT stern; LUFT tail

Hecke <-, -n> ['hɛkə] f hedge

Heckenrose f dog rose

Heckklappe f tailgate **Heckscheibe** f rear window

Heer <-[e]s, -e> [he:ɐ̯] nt army

Hefe <-, -n> ['he:fə] f yeast

Hefeteig m yeast dough

Heft <-[e]s, -e> [hɛft] nt 1. (*Schreibheft*) exercise book 2. (*Zeitschrift*) magazine; (*Ausgabe*) issue 3. (*geheftetes Büchlein*) booklet

heften ['hɛftn̩] I. vt 1. (*befestigen*) to pin (**an** to) 2. (*nähen*) to tack [up *sep*] 3. (*klammern*) to staple II. vr **sich an jdn ~** to stay on sb's tail

Hefter <-s, -> m 1. (*Mappe*) file 2. (*Heftmaschine*) stapler

heftig ['hɛftɪç] I. adj 1. (*gewaltig*) violent 2. (*intensiv*) intense II. adv violently; **es schneite ~** it snowed heavily

Heftpflaster nt [sticking] plaster

hegen ['he:gn̩] vt 1. **Wild ~** to preserve wildlife 2. *Pflanzen* to tend 3. (*bewahren*) to look after; **jdn ~ und pflegen** to lavish care and attention on sb 4. (*geh*) *Zweifel* to have

Heide <-, -n> ['haidə] f 1. (*Heideland*) heath 2. (*Heidekraut*) heather

Heide, Heidin <-n, -n> ['haidə, 'haidɪn] m, f pagan

Heidekraut nt heather

Heidelbeere ['haid|be:rə] f bilberry

heidnisch ['haidnɪʃ] adj pagan

heikel ['haikl̩] adj delicate

heil [hail] adj 1. (*unverletzt*) uninjured 2. (*unbeschädigt*) intact

heilbar adj curable

Heilbutt <-s, -e> ['hailbʊt] m halibut

heilen ['hailən] I. vi sein (*gesunden*) to heal [up] II. vt (*gesund machen*) to cure (**von** of); **von jdm/etw geheilt sein** to have got over sb/sth

Heilgymnastik f s. **Krankengymnastik**

heilig ['hailɪç] adj 1. holy; **jdm ist etw ~** sth is sacred to sb 2. (*bei Heiligen*) Saint; **der ~e Matthäus** Saint Matthew

Heiligabend [hailɪç'ʔa:bn̩t] m Christmas Eve

Heilige(r) ['hailɪgɐ, -gə] f(m) *dekl wie adj* saint

Heiligkeit <-> f *kein pl* holiness *no pl*; **Eure/Seine ~** Your/His Holiness

heilig|sprechen^{RR} vt to canonize

Heiligtum <-[e]s, -tümer> ['hailɪçtu:m] nt shrine

Heilkraft f healing power **Heilkraut** nt medicinal herb **Heilkunde** f medicine **Heilpflanze** f medicinal plant **Heilpraktiker(in)** m(f) non-medical practitioner **Heilquelle** f medicinal spring

heilsam ['hailza:m] adj salutary

Heilung <-, -en> ['hailʊŋ] f 1. (*das Kurieren*) curing 2. (*Genesung*) recovery 3. (*Abheilung*) healing

Heilwasser nt mineral [spring] water

heim [haim] adv home

Heim <-[e]s, -e> [haim] nt home

Heimarbeit f *kein indef art* work at home

Heimat <-, -en> ['haima:t] f home

heimatlich adj native; *Brauchtum* local

heimatlos adj homeless

Heimatstadt f home town

heim|fahren *irreg* **I.** *vi sein* to drive home **II.** *vt haben* **jdn ~** to drive sb home **Heimfahrt** *f* journey home

heimisch ['haimɪʃ] *adj* (*einheimisch*) native; **sich ~ fühlen** to feel at home

Heimkehr <-> *f* return home

heim|kehren ['haimkeːrən] *vi sein* (*geh*) to return home

heimlich ['haimlɪç] **I.** *adj* **1.** (*geheim*) secret **2.** (*verstohlen*) furtive **II.** *adv* **1.** (*unbemerkt*) secretly **2.** (*verstohlen*) furtively; **~, still und leise** (*fam*) on the quiet

Heimlichtuerei <-, -en> [haimlɪçtuːəˈrai] *f* (*pej*) secretiveness *no pl*

heimlich|tunᴿᴿ *vi* [**mit etw** *dat*] **~** to be secretive [about sth]

Heimreise *f* journey home

heimtückisch ['haimtʏkɪʃ] **I.** *adj Aktion* malicious; *Person* insidious **II.** *adv* maliciously

Heimweg *m* way home; **sich auf den ~ machen** to set out for home **Heimweh** <-[e]s> *nt kein pl* homesickness; **~** [**nach jdm/etw**] **haben** to be homesick [for sb/sth]

Heirat <-, -en> ['hairaːt] *f* marriage

heiraten ['hairaːtn̩] **I.** *vt* to marry **II.** *vi* to get married

Heiratsantrag *m* proposal; **jdm einen ~ machen** to propose to sb

heiser ['haizɐ] **I.** *adj* hoarse **II.** *adv* hoarsely

Heiserkeit <-> *f kein pl* hoarseness

heiß [hais] **I.** *adj* **1.** (*sehr warm*) hot; **etw ~ machen** to heat up sth *sep* **2.** *Debatte* heated; *Kampf* fierce **3.** *Liebe* burning; *Wunsch* fervent **4.** (*fam: brünstig*) on [*or* AM in] heat **5.** (*neugierig*) **auf etw** *akk* **~ sein** to be dying to know about sth **II.** *adv* **1.** (*sehr warm*) hot; **~ laufen** to over-

heat **2.** (*innig*) ardently; **~ geliebt** dearly beloved

heißen <hieß, geheißen> ['haisn̩] **I.** *vi* **1.** to be called; **wie ~ Sie?** what's your name?; **ich heiße Schmitz** my name is Schmitz; **nach jdm ~** to be named after sb **2.** (*bedeuten*) to mean; **„ja" heißt auf Japanisch „hai"** "hai" is Japanese for "yes"; **was heißt eigentlich „Liebe" auf Russisch?** tell me, what's the Russian for "love"?; **heißt das, Sie wollen mehr Geld?** does that mean you want more money?; **was soll das** [**denn**] **~?** what's that supposed to mean? **II.** *vi impers* **1.** (*zu lesen sein*) **irgendwo heißt es ...** it says somewhere ... **2.** (*Gerücht*) **es heißt, dass ...** there is a rumour that ... **3.** (*geh: nötig sein*) **nun heißt es handeln** now is the time for action **III.** *vt* **1.** (*geh: nennen*) **jdn irgendwie ~** to call sb sth **2.** (*geh: auffordern*) **jdn etw tun ~** to tell sb to do sth

heiß|machenᴿᴿ *vt* **jdn ~** to get sb really interested

heiter ['haitɐ] *adj* **1.** (*fröhlich*) cheerful **2.** (*fröhlich stimmend*) amusing **3.** *Wetter* bright ▶ **das** **kann** **ja ~ werden!** (*iron*) that'll be a hoot!

Heizbettdecke, **Heizdecke** *f* electric blanket

heizen ['haitsn̩] **I.** *vi* **1.** (*die Heizung betreiben*) **„womit heizt ihr zu Hause?"** — **„wir ~ mit Gas"** "how is your house heated?" — "it's gas-heated" **2.** (*Wärme abgeben*) to give off heat **II.** *vt* **1.** (*beheizen*) to heat **2.** (*anheizen*) to stoke

Heizkessel *m* boiler **Heizkissen** *nt* heating pad **Heizkörper** *m* radiator **Heizlüfter** *m* fan heater **Heizöl** *nt*

H

fuel oil

Heizung <-, -en> f **1.** (Zentralheizung) heating no pl **2.** (Heizkörper) radiator

Heizungskeller m boiler room

Hektar <-s, -> [hɛkt'aːɐ̯] nt o SCHWEIZ m hectare

Hektik <-> ['hɛktɪk] f kein pl hectic pace; **nur keine ~!** take it easy!

hektisch ['hɛktɪʃ] I. adj hectic II. adv frantically

Held(in) <-en, -en> [hɛlt] m(f) hero masc, heroine fem

heldenhaft adj heroic

Heldentat f heroic deed

helfen <half, geholfen> ['hɛlfn̩] vi **1.** (unterstützen) to help (**bei** with); **jdm ist nicht [mehr] zu ~** sb is beyond help **2.** (nützen) **jdm ~** to be of use to sb; **da hilft alles nichts, ...** there's nothing for it, ...; [**gegen/bei** etw dat] **~** to help [relieve sth] ▶ **ich kann mir nicht ~, [aber] ...** I'm sorry, but ...; **man muss sich** dat **nur zu ~ wissen** you just have to be resourceful

Helfer(in) <-s, -> ['hɛlfɐ] m(f) helper

hell [hɛl] I. adj **1.** light; **~ bleiben** to stay light; **es wird ~** it's getting light **2.** (hell leuchtend) bright **3.** (mit heller Farbe) light-coloured; Haar, Haut fair **4.** Stimme clear **5.** (fam: klug) bright; **du bist ein ~es Köpfchen** you've got brains II. adv (licht) brightly

hellblau adj light-blue

Helligkeit <-> f kein pl lightness; (helles Licht) [bright] light

Hellseher(in) ['hɛlzeːɐ] m(f) clairvoyant **hellwach** ['hɛl'vax] adj wide-awake

Helm <-[e]s, -e> ['hɛlm] m helmet

Hemd <-[e]s, -en> [hɛmt] nt shirt; (Unterhemd) vest ▶ **mach dir nicht [gleich] ins ~!** don't make such a fuss!

hemmen [hɛmən] vt **1.** (hindern) to hinder **2.** (bremsen) to stop **3.** PSYCH to inhibit

Hemmung <-, -en> f **1.** kein pl (das Hemmen) obstruction **2.** pl PSYCH inhibitions pl **3.** (Bedenken, Skrupel) inhibition, scruple

hemmungslos I. adj **1.** (zügellos) unrestrained **2.** (skrupellos) unscrupulous II. adv **1.** unrestrainedly **2.** unscrupulously

Hendl <-s, -[n]> ['hɛndl̩] nt ÖSTERR (Brathähnchen) roast chicken

Hengst <-[e]s, -e> [hɛŋst] m (Pferd) stallion

Henkel <-s, -> ['hɛŋkl̩] m handle

Henna <-> ['hɛna] f o nt kein pl henna no pl

Henne <-, -n> ['hɛnə] f hen

her [heːɐ̯] adv **1.** (hierher) here, to me; **~ damit!** (fam) give it here!; **immer ~ damit!** (fam) keep it/them coming! **2.** (herum) **um jdn ~** all around sb **3.** (von einem Punkt aus) **von weit ~** from a long way away; **lang ~ sein, dass ...** to be long ago since ...; **nicht [so] lange ~ sein, dass ...** to be not such a long time [ago] since ...; **von etw** dat **~ kausal** as far as sth is concerned **4.** (verfolgen) **hinter etw** dat **~ sein** to be after sth

herab [hɛ'rap] adv (geh) down

herab|lassen irreg I. vt (geh: herunterlassen) to let down II. vr **sich [zu etw** dat] **~** to lower oneself [to sth]; **sich [dazu] ~, etw zu tun** to condescend to do sth

herablassend adj condescending

herab|sehen vi irreg to look down (**auf** on)

heran [hɛˈran] adv close up, near

heran|kommen vi irreg sein **1.** (herbeikommen) to approach; (bis an etw kommen) to get to **2.** (erreichen) to reach **3.** (in Kontakt kommen) **an jdn ~** to get hold of sb ▶ **nichts an sich ~ lassen** not to let anything get to one

heran|wachsen vi irreg sein to grow up (**zu** into)

herauf [hɛˈrauf] **I.** adv up **II.** präp +akk up; **sie ging die Treppe ~** she went up the stairs

herauf|kommen vi irreg sein **1.** to come up (**zu** to) **2.** (geh: aufziehen) to approach; Nebel to form **herauf|ziehen** irreg **I.** vt haben to pull up sep **II.** vi sein (aufziehen) to approach

heraus [hɛˈraus] adv **1.** (nach draußen) out; **aus etw** dat **~** out of sth; **~ damit!** (fam: mit einer Antwort) out with it! **2.** (hinter sich haben) **aus etw** dat **~ sein** to leave behind sth sep; **aus dem Alter bin ich schon ~** that's all behind me **3.** (gesagt worden sein) **~ sein** to have been said; **die Wahrheit ist ~** the truth has come out

heraus|bekommen vt irreg **1.** (entfernen) to get out (**aus** of) **2.** (herausfinden) to find out sep **3.** Wechselgeld to get back **heraus|finden** irreg **I.** vt **1.** (dahinter kommen) to find out **2.** (herauslesen) to find (**aus** from amongst) **II.** vi (den Weg finden) to find one's way out (**aus** of) **heraus|fordern** vt **1.** (auffordern) to challenge (**zu** to) **2.** (provozieren) to provoke **3.** (heraufbeschwören) to invite; **das Schicksal ~** to tempt fate

herausfordernd adj provocative

Herausforderung f **1.** (Aufforderung) challenge; **sich** dat **einer ~ stellen** to take up a challenge **2.** (Provokation) provocation

heraus|geben irreg **I.** vt **1.** Buch to publish **2.** (zurückgeben) to return; (Wechselgeld) to give [back] **3.** (herausreichen) to pass **II.** vi to give change; **können Sie mir auf 100 Euro ~?** can you give me change out of 100 euros?; **falsch ~** to give the wrong change [back]

Herausgeber(in) <-s, -> m(f) editor

heraus|gehen vi irreg sein **1.** to go out (**aus/von** of) **2.** (entfernt werden können) to come out (**aus** of) ▶ **aus sich ~** to come out of one's shell **heraus|greifen** vt irreg to pick out sep (**aus** from) **heraus|halten** irreg **I.** vt (nicht verwickeln) to keep out (**aus** of) **II.** vr **sich** [**aus etw** dat] **~** to keep out of sth **heraus|kommen** [hɛˈrauskɔmən] vi irreg sein **1.** to come out (**aus** of) **2.** (etw verlassen/überwinden können) **aus etw** dat **~** to get out of sth **3.** (aufhören können) **aus etw** dat **kaum/nicht ~** to hardly/not be able to stop doing sth **4.** (auf den Markt kommen) to be launched; (erscheinen) to come out **5.** (bekannt gegeben werden) to be published **6.** (bekannt werden) **es kam heraus, dass ...** it came out that ... **7.** (Resultat haben) **bei etw** dat **~** to come of sth; **auf dasselbe ~** to amount to the same thing ▶ **groß ~** to be a great success **heraus|nehmen** irreg **I.** vt **1.** (entnehmen) to take out (**aus** of) **2.** (entfernen) to take away (**aus** from) **II.** vr (pej) **sich zuviel ~** to go too far; **sich** dat **~, etw zu tun** to have the nerve to do sth **heraus|ragen** *vi s.* **hervor-ragen heraus|reißen** *vt irreg* **1.** to tear out (**aus** of); *Wurzel* to pull out **2.** (*ablenken*) **jdn aus etw** *dat* ~ to tear sb away from sth; **jdn aus seiner Arbeit** ~ to interrupt sb in their work **heraus|stellen I.** *vt* to put outside **II.** *vr* **sich** ~ to come to light; **sich als etw** *akk* ~ to be shown to be sth; **es stellte sich heraus, dass ...** it turned out that ...

herb [hɛrp] *adj* **1.** (*bitter-würzig*) sharp; *Wein* dry **2.** (*schmerzlich*) bitter **3.** (*etwas streng*) severe **4.** (*scharf*) harsh

herbei [hɛɡˈbai] *adv* (*geh*) over here **herbei|eilen** *vi sein* to rush over

Herberge <-, -n> [ˈhɛrbɛrɡə] *f* **1.** (*Jugendherberge*) hostel **2.** HIST (*Gasthaus*) inn

Herbergsmutter *f* [female] [youth] hostel warden **Herbergsvater** *m* [male] [youth] hostel warden

Herbizid <-[e]s, -e> [hɛrbiˈtsiːt] *nt* herbicide

Herbst <-[e]s, -e> [hɛrpst] *m* autumn, fall AM

herbstlich [ˈhɛrpstlɪç] *adj* autumn *attr*, autumnal

Herd <-[e]s, -e> [heːɐ̯t] *m* **1.** stove **2.** (*Krankheitsherd*) focus ▶ **eigener** ~ **ist Goldes wert** (*prov*) there's no place like home

Herde <-, -n> [ˈheːɐ̯də] *f* herd; (*Schafe*) flock

herein [hɛˈrain] *adv* in [here]; ~! come in! ▶ **nur** ~! come on in!

herein|brechen [hɛˈrainbrɛçn̩] *vi irreg sein* **1.** (*zusammenstürzen*) to collapse (**über** over) **2.** *Katastrophe* to befall **3.** (*geh*) *Nacht* to fall; *Winter* to set in **herein|kommen** *vi irreg*

sein to come in **herein|lassen** *vt irreg* to let in

Herfahrt *f* journey here; **auf der** ~ on the way here

Hergang <-[e]s> *m kein pl* course of events

her|geben *irreg vt* (*weggeben*) to give away *sep*

Hering <-s, -e> [ˈheːrɪŋ] *m* **1.** (*Fisch*) herring **2.** (*Zeltpflock*) [tent] peg

Herkunft <-, *selten* -künfte> [ˈheːɐ̯kʊnft] *f* (*Mensch*) origin[s]; (*Sache*) origin

Heroin <-s> [heroˈiːn] *nt kein pl* heroin

Herpes <-> [ˈhɛrpɛs] *m kein pl* herpes

Herr(in) <-n, -en> [hɛr] *m(f)* **1.** *nur m* (*männliche Anrede*) Mr; **sehr geehrter** ~ ... Dear Mr ...; **sehr geehrte ~en!** Dear Sirs **2.** *nur m* (*geh: Mann*) gentleman **3.** (*Herrscher*) ruler; ~ **über jdn/etw sein** to be ruler of sb/sth; (*Gebieter*) master *masc*, mistress *fem*; ~ **der Lage sein** to be master of the situation; **sein eigener** ~ **sein** to be one's own boss **4.** REL (*Gott*) Lord ▶ **aus aller ~en Länder[n]** from all over the world; **die ~en der Schöpfung** (*hum*) their lordships; **jds alter** ~ (*hum fam*) sb's old man

Herrenbekleidung *f* menswear **Herren(fahr)rad** *nt* men's bicycle **Herrentoilette** *f* men's toilet[s] [*or* AM restroom]

Herrin <-, -nen> *f fem form von* **Herr** mistress, lady

herrisch [ˈhɛrɪʃ] **I.** *adj* domineering; *Ton* commanding **II.** *adv* imperiously

herrlich *adj* **1.** (*prächtig*) marvellous; *Aussicht* magnificent; *Wetter* glorious; *Urlaub* delightful **2.** (*köstlich*) delicious **3.** (*iron*) wonderful

Herrschaft <-, -en> [ˈhɛrʃaft] *f* **1.** kein

pl (*Macht*) rule **2.** *pl* (*Damen und Herren*) **die ~en** ladies and gentlemen

herrschen ['hɛrʃn̩] *vi* **1.** (*regieren*) to rule (**über** over) **2.** (*walten*) to hold sway **3.** (*vorhanden sein*) to prevail; *Ruhe* to reign

herrschend *adj* **1.** (*regierend*) ruling; **die H~en** the rulers **2.** (*in Kraft befindlich*) prevailing

Herrscher(in) <-s, -> *m(f)* ruler

Herrschergeschlecht *nt*, **Herrscherhaus** *nt* [ruling] dynasty

her|rühren *vi* (*geh*) **von etw** *dat* ~ to stem from sth

her|stellen *vt* **1.** (*erzeugen*) to produce **2.** (*zustande bringen*) to establish **3.** (*gesundheitlich*) **jdn wieder ~** to restore sb back to health **4.** (*hierher stellen*) to put here

Hersteller(in) <-s, -> *m(f)* producer

Herstellung *f kein pl* production

herüber [hɛ'ryːbɐ] *adv* over here

herum [hɛ'rʊm] *adv* **1.** (*im Kreis*) **um etw** *akk* ~ [a]round sth **2.** (*überall in jds Nähe*) **um jdn ~** [all] around sb **3.** (*etwa*) **um ... ~** around ... **4.** (*vorüber sein*) **~ sein** to be over

herum|drehen **I.** *vt* **1.** (*um die Achse drehen*) to turn **2.** (*wenden*) to turn over **II.** *vr* **sich** [**zu jdm**] **~** to turn [a]round [to sb] **herum|führen** **I.** *vt* to show [a]round **II.** *vi* **um etw** *akk* ~ to go [a]round sth **herum|gehen** *vi irreg sein* (*fam*) **1.** (*einen Kreis gehen*) to go [a]round **2.** (*umhergehen*) to wander around **3.** (*herumgereicht werden*) to be passed [a]round; **etw ~ lassen** to circulate sth **4.** (*vorübergehen*) to pass **herum|lungern** *vi* (*fam*) to loaf about **herum|treiben** *vr irreg* **sich ~** to hang

[a]round **herum|ziehen** *irreg vi sein* (*von Ort zu Ort ziehen*) to move about

herunten [hɛ'rʊntn̩] *adv* ÖSTERR, SÜDD down here

herunter [hɛ'rʊntɐ] **I.** *adv* down **II.** *präp nachgestellt* **etw ~** down sth; **sie liefen den Berg ~** they ran down the hill

herunter|fallen *vi irreg sein* to fall off; **mir ist der Hammer heruntergefallen** I've dropped the hammer **herunter|gehen** *vi irreg sein* **1.** (*nach unten gehen*) to go down **2.** (*aufstehen und weggehen*) **von etw** *dat* ~ to get off sth **3.** (*sinken*) to fall **4.** (*reduzieren*) **mit dem Tempo** [**auf etw** *akk*] **~** to reduce [one's] speed [to sth] **heruntergekommen** *adj* (*pej*) **1.** *Haus* run-down **2.** (*verwahrlost*) down-at-heel **herunter|handeln** *vt* (*fam*) to knock down *sep* **herunter|laden** *vt* INFORM to download

hervor [hɛɐ̯'foːɐ̯] *interj* **~ mit dir!** (*geh*) out you come!

hervor|heben *vt irreg* **1.** (*betonen*) to stress **2.** (*kennzeichnen*) to make stand out **hervor|ragen** [hɛɐ̯'foːɐ̯raːgn̩] *vi* **1.** (*sich auszeichnen*) to stand out **2.** (*weit vorragen*) to jut out (**aus** from)

hervorragend **I.** *adj* excellent **II.** *adv* excellently

hervor|rufen *vt irreg* to evoke **hervor|treten** *vi irreg sein* **1.** (*heraustreten*) to step out (**hinter** from behind) **2.** (*aus einer Fläche*) to stand out; *Kinn* to protrude **3.** (*erkennbar werden*) to become evident

Herz <-ens, -en> [hɛrts] *nt* **1.** ANAT heart **2.** (*Gemüt*) heart; **mit ganzem ~en** wholeheartedly; **von ganzem**

~en sincerely; **von ~en gern!** with pleasure!; **jdn von ~en gernhaben** to love sb dearly; **im Grunde seines ~ens** in his heart of hearts; **leichten ~ens** light-heartedly; **jdm wird leicht ums ~** sb has a load lifted from one's mind; **schweren ~ens** with a heavy heart; **jdm das ~ schwer machen** to sadden sb's heart; **jds ~ erweichen** to soften up sb *sep;* **ohne ~** without feeling **3.** KARTEN hearts *pl* ▶ **das ~ auf dem rechten Fleck haben** to have one's heart in the right place; **jdm schlägt das ~ bis zum Hals** sb's heart is in one's mouth; **seinem ~en Luft machen** to give vent to one's feelings; **jdn/etw auf ~ und Nieren prüfen** to examine sb/sth thoroughly; **ein ~ und eine Seele sein** to be the best of friends; **seinem ~en einen Stoß geben** to [suddenly] pluck up courage; **etw nicht übers ~ bringen** to not have the heart to do sth; **etw auf dem ~en haben** to have sth on one's mind; **jds ~ hängt an etw** *dat* sb is attached to sth; **jdm etw ans ~ legen** to entrust sb with sth; **jdm liegt etw am ~en** sth concerns sb; **sich** *dat* **etw zu ~en nehmen** to take sth to heart; **jdn in sein ~ schließen** to take sb to one's heart; **jdm sein ~ ausschütten** (*geh*) to pour out one's heart to sb *sep;* **jd wächst jdm ans ~** sb grows fond of sb

Herzanfall *m* heart attack **Herzfehler** *m* heart defect

herzhaft I. *adj* **1.** (*würzig-kräftig*) tasty **2.** (*kräftig*) hearty II. *adv* **1.** (*würzig-kräftig*) ~ **schmecken** to be tasty **2.** (*kräftig*) heartily

her|ziehen *irreg* I. *vt haben* **1.** (*herbeiziehen*) to pull closer **2.** (*mit-*

schleppen) **etw hinter sich** *dat* ~ to pull sth [along] behind **II.** *vi* **1.** *sein* (*hierher ziehen*) to move here **2.** *haben* **über jdn/etw ~** to pull sb/sth to pieces

Herzinfarkt *m* heart attack **Herzklopfen** *nt kein pl* palpitations *pl* **herzkrank** *adj* ~ **sein** to have a heart condition

herzlich I. *adj* (*warmherzig*) warm; *Lachen* hearty II. *adv* **1.** (*aufrichtig*) warmly; **sich bei jdm ~ bedanken** to thank sb sincerely; **jdm ~ gratulieren** to congratulate sb heartily **2.** (*recht*) really; ~ **wenig** precious little

Herzlichkeit <-> *f kein pl* warmth **herzlos** *adj* heartless

Herzog(in) <-s, Herzöge> ['hɛrtsoːk] *m(f)* duke *masc,* duchess *fem*

Herzogtum <-s, -tümer> *nt* duchy

Herzrhythmusstörung *f* MED deviation of the heart [*or* cardiac] rhythm, ar[r]hythmia *spec* **Herzschlag** *m* **1.** heartbeat **2.** (*Herzstillstand*) heart failure **Herzschrittmacher** *m* pacemaker

Hesse, Hessin <-n, -n> ['hɛsə] *m, f* Hessian

hessisch ['hɛsɪʃ] *adj* Hessian

hetzen ['hɛtsn̩] I. *vi* **1.** *haben* (*sich abhetzen*) to rush about **2.** *sein* (*eilen*) to rush **3.** *haben* (*pej: Hass schüren*) to stir up hatred (**gegen** against) II. *vt haben* **1.** (*jagen*) to hunt **2.** (*losgehen lassen*) **jdn/einen Hund auf jdn ~** to set sb/a dog [up]on sb **3.** (*fam: antreiben*) to rush

Heu <-[e]s> [hɔy] *nt kein pl* hay; ~ **machen** to hay ▶ **Geld wie ~ haben** to have heaps of money

Heuchelei <-, -en> [hɔyçə'lai] *f* (*pej*)

hypocrisy

heucheln ['hɔyçln̩] **I.** *vi* to be hypocritical **II.** *vt* etw ~ to feign sth

Heuchler(in) <-s, -> ['hɔyçlɐ] *m(f)* (*pej*) hypocrite

heuchlerisch I. *adj* (*pej*) hypocritical **II.** *adv* (*pej*) hypocritically

heuer ['hɔyɐ] *adv* ÖSTERR, SÜDD this year

heulen ['hɔylən] *vi* **1.** (*fam: weinen*) to cry; **es ist zum H~** (*fam*) it's enough to make you cry **2.** *Wolf* to howl; *Motor* to wail; *Motorrad, Flugzeug* to roar; *Sturm* to rage

heurig ['hɔyrɪç] *adj* ÖSTERR, SCHWEIZ, SÜDD (*diesjährig*) this year's; *Wein, Kartoffeln* new

Heuschnupfen *m* hay fever

Heuschrecke <-, -n> *f* grasshopper

heute ['hɔytə] *adv* today; (*heutzutage a.*) nowadays; ~ **Morgen/Abend** this morning/evening; ~ **Mittag** [at] midday today; ~ **Nacht** tonight; ~ **früh** [early] this morning; **ab** ~ from today; ~ **in/vor acht Tagen** a week [from] today/ago today; **von** ~ **an** from today; **die Zeitung von** ~ today's newspaper; **lieber** ~ **als morgen** sooner today than tomorrow; **von** ~ **auf morgen** all of a sudden

heutig ['hɔytɪç] *adj attr* **1.** (*von heute*) *Zeitung, Veranstaltung* today's; **der ~e Anlass** this occasion **2.** (*gegenwärtig*) **die ~e Zeit** nowadays; **bis zum ~en Tag** to this very day

heutzutage ['hɔyttsutaːgə] *adv* nowadays

Hexe <-, -n> ['hɛksə] *f* **1.** witch **2.** (*pej fam: zeternde Frau*) shrew; **eine alte** ~ an old crone

hexen ['hɛksn̩] *vi* to perform magic; **ich kann doch nicht** ~ (*fam*) I can't work miracles

Hexenschuss^RR *m kein pl* (*fam*) lumbago

Hexerei <-, -en> [hɛksəˈrai] *f* witchcraft

Hieb <-[e]s, -e> [hiːp] *m* **1.** blow **2.** *pl* (*Prügel*) beating *sing* ▶ **auf einen** ~ (*fam*) at [*or* in] one go

hier [hiːɐ] *adv* **1.** here; ~ **draußen/drinnen** out/in here; ~ **entlang** this way; ~ **oben/unten** up/down here; ~ **vorn/hinten** here at the front/at the back; ~ **ist/spricht Dr. Müller** Dr Müller speaking; **von** ~ **ab** from here on; **von** ~ **aus** from here **2.** (*in diesem Moment*) at this point ▶ ~ **und da** (*stellenweise*) here and there; (*gelegentlich*) now and then

Hierarchie <-, -n> [hiˌɛrarˈçiː] *f* hierarchy

hierauf ['hiːˈrauf] *adv* **1.** (*obendrauf*) [on] here **2.** (*daraufhin*) thereupon

hieraus ['hiːˈraus] *adv* **1.** (*aus diesem Gegenstand*) from [*or* out of] here **2.** (*aus diesem Material*) out of this **3.** (*aus dem Genannten*) from this; ~ **folgt ...** it follows from this ... **hierbei** ['hiːɐˈbai] *adv* **1.** (*währenddessen*) while doing this **2.** (*dabei*) here **hierdurch** ['hiːɐˈdʊrç] *adv* **1.** (*hier hindurch*) through here **2.** (*dadurch*) in this way **hierfür** ['hiːɐˈfyːɐ] *adv* for this **hierher** ['hiːɐˈheːɐ] *adv* here; ~ **kommen** to come [over] here; **bis** ~ up to here; **bis** ~ **und nicht weiter** this far and no further **hierin** ['hiːˈrɪn] *adv* **1.** (*Gefäß, Raum*) in here **2.** (*Thema*) in this **hiermit** ['hiːɐˈmɪt] *adv* (*geh*) with this; ~ **erkläre ich, dass ...** I hereby declare that ...; ~ **wird bescheinigt, dass ...** this is to certify that ...

hierzulande, hier zu Lande

['hiːɐ̯tsu'landə] *adv* [here] in this country

hiesig ['hiːzɪç] *adj attr* local

Hi-Fi-Anlage ['haifi-] *f* stereo system, hi-fi

Hilfe <-, -n> ['hɪlfə] *f* **1.** *kein pl* help; **auf jds ~ angewiesen sein** to be dependent on sb's help; **jdn um ~ bitten** to ask sb for help; **jdm eine ~ sein** to be a help to sb; **jdm zu ~ kommen** to come to sb's assistance; **etw zu ~ nehmen** to use sth; **um ~ rufen** to call for help; **jdn zu ~ rufen** to call sb [to help]; **jdm seine ~ verweigern** to refuse to help sb; **[zu] ~!** help!; **ohne fremde ~** without outside help; **erste ~** first aid; **jdm erste ~ leisten** to give sb first aid **2.** (*Zuschuss*) **finanzielle ~** financial assistance; **wirtschaftliche ~** economic aid **3.** (*Hilfsmittel*) aid

Hilferuf *m* cry for help

hilflos ['hɪlfloːs] *adj* **1.** (*auf Hilfe angewiesen*) helpless; **jdm/etw ~ ausgeliefert sein** to be at the mercy of sb/sth **2.** (*ratlos*) at a loss *pred*

hilfreich *adj* helpful

Hilfsarbeiter(in) *m(f)* unskilled worker

hilfsbedürftig *adj* **1.** (*auf Hilfe angewiesen*) in need of help *pred* **2.** (*Not leidend*) needy **hilfsbereit** *adj* helpful

Hilfskraft *f* help *no pl;* **wissenschaftliche ~** assistant [lecturer]

Himbeere ['hɪmbeːrə] *f* raspberry

Himmel <-s, -> ['hɪml] *m* **1.** sky; **unter freiem ~** under the open sky; **am ~ stehen** to be [up] in the sky **2.** (*Himmelreich*) heaven; **in den ~ kommen** to go to heaven ▶ **~ und Hölle in Bewegung setzen** to move heaven and earth; **aus heiterem ~** out of the blue; **jdn/etw in den ~**

heben to praise sb/sth [up] to the skies; **zum ~ schreien** to be scandalous; **um ~s willen** (*fam*) for heaven's sake

Himmelfahrt *f* ascension into heaven; **Christi ~stag** Ascension Day

Himmelskörper *m* heavenly body

Himmelsrichtung *f* direction; **die vier ~en** the four points of the compass

himmlisch ['hɪmlɪʃ] **I.** *adj attr* heavenly **II.** *adv* wonderfully

hin [hɪn] *adv* **1.** *räumlich* (*dahin*) there; **wo der so plötzlich ~ ist?** where's he gone all of a sudden?; **bis/nach ... ~** to ...; **~ und her laufen** to run to and fro; **~ und zurück** there and back **2.** *zeitlich* (*sich hinziehend*) **das ist lange ~** that's a long time; **über die Jahre ~** over the years **3.** (*fig*) **auf jds Bitte ~** at sb's request; **auf jds Rat ~** on sb's advice; **jdn auf etw ~ prüfen** to test sb for sth **4.** (*fam: kaputt*) **~ sein** to have had it **5.** (*verloren sein*) **~ sein** to be gone ▶ **das H~ und Her** to-ing and fro-ing; **nach langem H~ und Her** after a lot of discussion; **still vor sich ~** quietly to oneself; **nach außen ~** outwardly; **~ oder her** more or less; **nichts wie ~** let's go!; **~ und wieder** from time to time

hinab [hɪ'nap] *adv* (*geh*) down[wards]

hinauf [hɪ'nauf] *adv* up; **die Treppe ~** upstairs; **den Fluss ~** up the river; **bis ~ zu etw** *dat* up to sth

hinauf|fahren *irreg vi sein* to go up

hinauf|gehen *vi irreg sein* **1.** to go up (**auf** to); **die Treppe ~** to go up the stairs **2.** (*erhöhen*) **mit dem Preis ~** to put the price up **hinauf|steigen** *vi irreg sein* to climb up (**auf** onto)

hinaus [hɪˈnaus] **I.** *interj* get out!
II. *adv* **1.** out; **hier/dort ~ bitte!**
this/that way out, please!; **aus etw**
dat **~** out of sth; **nach hinten/vorne**
~ liegen to be [situated] at the back/
front [of a house] **2.** (*zeitlich*) **über**
etw *akk* **~ sein** to be past sth; **auf**
Jahre ~ for years to come
hinaus|begleiten *vt* **jdn ~** to see sb
out **hinaus|gehen** [hɪˈnausgeːən] *ir-*
reg **I.** *vi sein* **1.** (*nach draußen ge-*
hen) to go out (**aus** of); **auf die Stra-**
ße ~ to go out to the road **2.** (*führen*)
zu etw *dat* **~** to lead [out] (**zu** to)
3. *Fenster* **auf etw** *akk* **~** to look
out on; **nach Osten ~** to face east
4. (*überschreiten*) [**weit**] **über etw**
akk **~** to go [far] beyond sth **II.** *vi im-*
pers sein **es geht dort hinaus!** that's
the way out! **hinaus|laufen** *vi irreg*
sein **1.** to run out **2.** (*enden in*) **auf**
etw *akk* **~** to end in sth; **auf dasselbe**
~ to come to the same thing; **auf was**
soll das ~? what's that supposed to
mean? **hinaus|schieben** *vt irreg*
1. to push out **2.** (*auf später verschie-*
ben) to postpone (**bis** until) **hinaus|-**
werfen *vt irreg* **1.** to throw out (**aus**
of) **2.** (*fam: entlassen*) to sack **hi-**
naus|zögern I. *vt* to put off *sep*
II. *vr* **sich ~** to be delayed
Hinblick *m* **im ~ auf etw** *akk* (*ange-*
sichts) in view of sth; (*in Bezug auf*)
with regard to
hinderlich [ˈhɪndəlɪç] *adj* [**bei etw**
dat] **~ sein** to be a hindrance [with
sth/in doing sth]
hindern [ˈhɪndɐn] *vt* **1.** (*von etw abhal-*
ten) to stop (**an** from) **2.** (*stören*) to
hamper
Hindernis <-ses, -se> [ˈhɪndɐnɪs] *nt*
obstacle; **jdm ~se in den Weg legen**
to put obstacles in sb's way
Hindernisrennen *nt* (*Jagdrennen*)
steeplechase; (*Hürdenrennen*) hurdles
hin|deuten *vi* **auf etw** *akk* **~** to suggest
sth
hindurch [hɪnˈdurç] *adv* through; (*zeit-*
lich a.) throughout; **das ganze Jahr ~**
throughout the year; **die ganze**
Nacht ~ the whole night
hinein [hɪˈnain] *adv* in[to]; **~ mit dir!**
(*fam*) in with you!
hinein|gehen *vi irreg sein* **1.** (*betre-*
ten) to enter **2.** (*fam*) *s.* **hineinpas-**
sen hinein|passen *vi* **in etw** *akk* **~**
to fit in[to] sth **hinein|reden** *vi* **jdm ~**
to tell sb what to do **hinein|stecken**
vt to put in[to] **hinein|versetzen** *vr*
sich in jdn ~ to put oneself in sb's
place; **sich in etw** *akk* **~** to acquaint
oneself with sth
hin|fahren *irreg* **I.** *vi sein* to go [*or*
drive] [to] **II.** *vt haben* **jdn**
[**irgendwo**] **~** to drive sb
[somewhere]
Hinfahrt *f* trip; (*länger*) journey; **auf**
der ~ on the way there
hin|fallen *vi irreg sein* to fall [over]
Hinflug *m* flight; **guten ~!** have a good
flight!
Hingabe *f kein pl* (*an eine Sache*) dedication; (*an einen Menschen*) devotion
hin|geben *irreg vr* **sich einer S.** *dat* **~**
to abandon oneself to sth
hin|gehen *vi irreg sein* **1.** to go there
2. (*geh: vergehen*) to pass
hinken [ˈhɪŋkn̩] *vi* **1.** *haben o sein* to
limp **2.** *haben* (*fig*) **der Vergleich**
hinkt the comparison doesn't work
hin|knien *vi, vr vi: sein* to kneel down
hin|legen I. *vt* to put down; (*flach la-*

gern) to lay down **II.** *vr* **sich ~** to lie down

hin|nehmen *vt irreg* (*ertragen*) to put up with; *Niederlage* to suffer; **etw ~ müssen** to have to accept sth

Hinreise *f* trip [somewhere]; (*mit Auto*) drive; (*mit Schiff*) voyage; **auf der ~** on the way [there]

hin|reißen *vt irreg* to enchant; **sich zu etw** *dat* **~ lassen** to allow oneself to be driven to sth; **sich ~ lassen** to allow oneself to be carried away

hin|richten *vt* to execute

Hinrichtung *f* execution

hin|setzen I. *vr* **sich ~** to sit down **II.** *vt* to put down

Hinsicht *f kein pl* **in beruflicher ~** with regard to a career; **in gewisser ~** in certain respects; **in jeder ~** in every respect

hinsichtlich *präp +gen* (*geh*) with regard to

hin|stellen I. *vt* **1.** to put [down] **2.** (*abstellen*) to park **3.** (*charakterisieren*) **jdn als etw** *akk* **~** to make sb out to be sth **II.** *vr* **sich ~** to stand up straight; **sich vor jdn ~** to plant oneself in front of sb

hinten ['hɪntn̩] *adv* **1.** (*entfernt*) at the end; **~ im Garten** at the bottom of the garden; **sich ~ anstellen** to join the back [of a queue] **2.** (*abgewandte Seite*) at the back; **ein Zimmer nach ~** a room at the back; **nach ~ durchgehen** to go to the back; **von ~ kommen** to come from behind ▶ **~ und vorne nicht** (*fam*) no way; **jdn ~ und vorn[e] bedienen** to wait on sb hand and foot; **nicht mehr wissen, wo ~ und vorn ist** to not know if one's on one's head or one's heels

hinter ['hɪntɐ] **I.** *präp +dat* **1.** (*dahin-*

ter) at the back of, behind **2.** (*jenseits von etw*) behind; **~ diesem Hügel** on the other side of this hill **3.** (*nach*) after; **etw ~ sich bringen** to get sth over with **4.** (*fig*) **~ etw kommen** to find out about sth; **sich ~ jdn stellen** to back sb up; **~ jdm/etw her sein** to be after sb/sth **II.** *präp +akk räumlich* behind

Hinterachse *f* rear axle **Hinterbein** *nt* hind leg

hintere(r, s) ['hɪntərə -rə -rəs] *adj* **der/ die/das ~ ...** the rear ...

hintereinander [hɪntɐʔain'andɐ] *adv* **1.** *räumlich* one behind the other **2.** *zeitlich* one after the other; **drei Tage/Monate ~** three days/months running

Hintergrund *m* **1.** (*des Blickfeldes*) background; **der ~ eines Raums** the back of a room **2.** (*Umstände*) **der ~ einer S.** *gen* the background to sth; **der ~ einer Geschichte** the setting to a story *liter* **3.** *pl* (*Zusammenhänge*) **die Hintergründe einer S.** *gen* the [true] facts about sth; **vor dem ~ einer S.** *gen* in/against the setting of sth

Hinterhalt *m* (*pej*) ambush; **in einen ~ geraten** to be ambushed; **aus dem ~ angreifen** to attack without warning

hinterhältig ['hɪntɐhɛltɪç] **I.** *adj* (*pej*) underhand **II.** *adv* (*pej*) in an underhand manner

hinterher [hɪntɐ'he:ɐ̯] *adv* **1.** *räumlich* after; **jdm ~ sein** to be after sb **2.** *zeitlich* afterwards

Hinterhof *m* back yard **Hinterland** *nt kein pl* hinterland

hinterlegen [hɪntɐ'le:gn̩] *vt* **etw ~** to supply sth

hinterlistig I. *adj* crafty II. *adv* craftily
Hintern <-s, -> ['hɪntɐn] *m* (*fam*) bottom; **sich auf den ~ setzen** to fall on one's bottom ▸ **jd kann sich in den ~ beißen** (*sl*) sb can kick themselves; **sich auf den ~ setzen** (*fam*) to knuckle down to sth
Hinterrad *nt* rear wheel
hinterrücks ['hɪntɐrʏks] *adv* from behind
hinterste(r, s) ['hɪntɛstə, -stɐ, -stəs] *adj superl von s.* **hintere(r, s)** (*entlegenste*) farthest
Hintertreppe *f* back stairs **Hintertür** *f*, ÖSTERR **Hintertürl** <-s, -[n]> *nt* back door ▸ **sich** *dat* **eine Hintertür offen halten** to leave a back door open
hinterziehen [hɪntɐ'tsiːən] *vt irreg* to evade
hinüber [hɪ'nyːbɐ] *adv* 1. (*nach drüben*) across, over 2. (*fam: verdorben*) off, bad 3. (*fam: defekt*) ~ **sein** to have had it
hinunter [hɪ'nʊntɐ] *adv* down
hinunter|gehen [hɪ'nʊntɐge:ən] *vi, vt irreg sein* to go down **hinunter|werfen** *vt irreg* to throw down
hinweg [hɪn'vɛk] *adv* 1. (*veraltend geh*) ~! begone! 2. (*überstanden*) **über jdn/etw ~ sein** to have got over sb/sth 3. *zeitlich* **über lange Jahre ~** for [many [long]] years
hinweg|gehen [hɪn'vɛkge:ən] *vi irreg sein* **über etw** *akk* **~** to disregard sth **hinweg|kommen** *vi irreg sein* **über etw** *akk* **~** to get over sth **hinweg|sehen** *vi irreg* **über jdn/etw ~** 1. (*nicht beachten*) to overlook sb/sth 2. (*ignorieren*) to ignore sb/sth 3. (*darüber sehen*) to see over sb['s head]/sth **hinweg|setzen** *vr* **sich über etw** *akk* **~** to disregard sth

Hinweis <-es, -e> ['hɪnvais] *m* 1. (*Rat*) tip 2. (*Anhaltspunkt*) clue
hin|weisen *irreg* I. *vt* [jdn] **darauf ~, dass ...** to point out [to sb] that ... II. *vi* **auf jdn/etw ~** to point to sb/sth **hin|werfen** *irreg vt* 1. (*zuwerfen*) to throw to 2. (*irgendwohin werfen*) to throw down *sep;* (*fallen lassen*) to drop 3. (*fam: aufgeben*) to give up *sep* **hin|ziehen** *irreg* I. *vt haben* 1. (*zu jdm/etw ziehen*) to pull (**zu** towards) 2. (*anziehen*) **es hatte sie immer nach Köln hingezogen** she had always been attracted to Cologne 3. (*hinauszögern*) to delay II. *vi sein* (*sich hinbewegen*) to move [to] III. *vr* **sich ~** 1. (*sich verzögern*) to drag on 2. (*sich erstrecken*) to extend along
hinzu [hɪn'tsuː] *adv* in addition, besides
hinzu|zählen *vt* to include
Hirn <-[e]s, -e> [hɪrn] *nt* brain
Hirngespinst *nt* figment of the imagination **Hirnhautentzündung** *f* meningitis
Hirsch <-es, -e> [hɪrʃ] *m* 1. deer 2. (*Fleisch*) venison
Hirschkalb *nt* [male] fawn **Hirschkuh** *f* hind
Hirse <-, -n> ['hɪrzə] *f* millet
Hirte <-n, -n> ['hɪrtə] *m* 1. (*geh*) *s.* **Hirt** 2. REL pastor ▸ **der Gute ~** the Good Shepherd
historisch [hɪs'toːrɪʃ] I. *adj* 1. (*die Geschichte betreffend*) historical 2. (*geschichtlich bedeutsam*) historic II. *adv* historically
Hitze <-> ['hɪtsə] *kein pl f* heat *no indef art*
hitzebeständig *adj* heat-resistant
hitzeempfindlich *adj* heat-sensitive
hitzig ['hɪtsɪç] *adj* 1. (*leicht aufbrausend*) quick-tempered 2. (*leiden-*

schaftlich) passionate; *Debatte* heated

Hitzschlag *m* heatstroke

H-Milch ['haː-] *f* long-life milk

Hobby <-s, -s> ['hɔbi] *nt* hobby

Hobel <-s, -> ['hoːb‖] *m* **1.** plane **2.** (*Küchenhobel*) slicer

hobeln ['hoːb‖n] *vt, vi* **1.** *Holz* to plane **2.** *Gemüse* to slice

hoch <*attr* hohe(r, s), *comp* höher, *superl* höchste(r, s)> [hoːx, høːɐ, høːxst] **I.** *adj* **1.** *räumlich* high; *Baum* tall; **eine hohe Decke** a high ceiling; **eine hohe Schneedecke** deep snow **2.** (*beträchtlich*) high, large; *Verlust* severe; *Sachschaden* extensive **3.** (*bedeutend*) great, high; **hohes Ansehen** great respect; **hohe Offiziere** high-ranking officers **4.** *pred* **jdm zu ~ sein** (*fam*) to be above sb's head **II.** *adv* <höher, am höchsten> **1.** (*nach oben*) **etw ~ halten** to hold up sth *sep;* **einen Gang ~ schalten** AUTO to shift [up] gears **2.** (*in einiger Höhe*) **~ gelegen** high-lying *attr;* **~ oben** high up; **im Keller steht das Wasser 3 cm ~** the water's 3 cm deep in the cellar **3.** (*sehr*) highly; **~ begabt** highly gifted; **~ konzentriert arbeiten** to be completely focused on one's work; **~ qualifiziert** highly qualified; **~ verschuldet** deep in debt *pred* **4.** (*eine hohe Summe umfassend*) highly; **~ gewinnen** to win a large amount; **~ wetten** to bet heavily **5.** MATH **2 ~ 4** 2 to the power of 4 ▸ **etw ~ und heilig ver-sprechen** to promise sth faithfully; **~ hergehen** (*fam*) to be lively; **~ hinauswollen** (*fam*) to aim high; **wenn es ~ kommt** (*fam*) at the most; [**bei etw** *dat*] **~ pokern** (*fam*) to take a big chance [with sth]

Hoch <-s, -s> [hoːx] *nt* **1.** (*Wetter*) high **2.** (*Hochruf*) cheer; **ein dreifaches ~ dem glücklichen Brautpaar** three cheers for the happy couple

Hochachtung *f* deep respect; **meine ~!** my compliments!

hochachtungsvoll *adv* (*veraltend form*) your obedient servant

Hochamt *nt* **das ~** High Mass

hoch|arbeiten *vr* **sich ~** to work one's way up

Hochbetrieb *m* intense activity; **~ haben** to be very busy

hochdeutsch ['hoːxdɔytʃ] *adj* standard German

Hochdruck *m kein pl* high pressure

Hochebene *f* plateau **Hochgebirge** *nt* high mountains *pl* **Hochgefühl** *nt* elation **Hochgeschwindigkeitszug** *m* high-speed train **Hochhaus** *nt* high-rise [*or* AM multi-story] building

hoch|heben *vt irreg* to lift up *sep* **hoch|kommen** *vi irreg sein* to come up

Hochkonjunktur *f* [economic] boom **Hochland** ['hoːxlant] *nt* highland *usu pl* **Hochleistung** *f* top-class performance

hochmütig ['hoːxmyːtɪç] *adj* (*pej*) arrogant

hochnäsig ['hoːxnɛːzɪç] **I.** *adj* (*pej fam*) snooty **II.** *adv* snootily

Hochofen *m* blast furnace

Hochsaison *f* **1.** (*Zeit stärksten Betriebes*) the busiest time **2.** (*Hauptsaison*) high season **Hochschule** ['hoːxʃuːlə] *f* **1.** (*Universität*) university **2.** (*Fachhochschule*) college **Hochsommer** *m* midsummer **Hochspannung** *f* **1.** ELEK high voltage **2.** *kein pl* (*Belastung*) enormous tension **Hochspannungsmast** *m* pylon **Hochsprung** *m* high jump

höchst [høːçst] *adv* most, extremely; ~ **erfreut** extremely delighted

Hochstapler(in) <-s, -> ['hoːxʃtaːplɐ] *m(f)* (*pej*) con man

Höchstbetrag *m* maximum amount

höchste(r, s) *attr* I. *adj superl von s.* **hoch** 1. (*räumlich*) highest; (*Baum, Mensch*) tallest 2. (*bedeutendste*) highest, most; *Ansprüche* most stringent; *Bedeutung* utmost II. *adv* 1. (*räumlich*) the highest 2. (*in größtem Ausmaß*) the most, most of all

höchstens ['høːçstns] *adv* 1. (*bestenfalls*) at best 2. (*außer*) except

Höchstform *f* top form **Höchstgeschwindigkeit** *f* 1. (*mögliche Geschwindigkeit*) maximum speed 2. (*zulässige Geschwindigkeit*) speed limit **Höchstgrenze** *f* upper limit **höchstwahrscheinlich** ['høːçstvaːɐ̯'ʃainlɪç] *adv* most likely

hochtrabend (*pej*) I. *adj* pompous II. *adv* pompously

Hochverrat *m* high treason *no pl, no art* **Hochwasser** *nt* 1. (*Flut*) high tide 2. (*überhoher Wasserstand*) high [level of] water; ~ **führen** to be in flood

hochwertig ['hoːxveːɐ̯tɪç] *adj* [of *pred*] high quality; *Lebensmittel* highly nutritious

Hochzeit <-, -en> ['hoːxtsait] *f* wedding

Hochzeitsfeier *f* wedding reception **Hochzeitsreise** *f* honeymoon *no pl* **Hochzeitstag** *m* 1. wedding day 2. (*Jahrestag*) wedding anniversary

hoch|ziehen *irreg vt* to pull up *sep*

Hocke <-, -n> ['hɔkə] *f* **in die ~ gehen** to crouch down

hocken ['hɔkn̩] I. *vi* 1. *haben* (*in der Hocke sitzen*) to crouch, to squat

2. *haben* (*fam: sitzen*) to sit II. *vr* (*fam*) **sich ~** to sit down; **hock dich hin, hier ist noch Platz!** plonk *fam* yourself down, there's room for you here

Hocker <-s, -> *m* stool

Höcker <-s, -> ['hœkɐ] *m* hump

Hoden <-s, -> ['hoːdn̩] *m* testicle

Hodensack *m* scrotum

Hof <-[e]s, Höfe> [hoːf] *m* 1. (*Innenhof*) courtyard; (*Schulhof*) schoolyard 2. (*Bauernhof*) farm 3. (*Fürstensitz*) court; **am ~** at court ▶ **jdm den ~ machen** (*veraltend*) to woo sb

hoffen ['hɔfn̩] I. *vi* to hope (**auf** for); **auf jdn ~** to put one's trust in sb II. *vt* **etw ~** to hope for sth; **das will ich ~** I hope so

hoffentlich ['hɔfn̩tlɪç] *adv* hopefully; ~ **nicht** I/we hope not

Hoffnung <-, -en> ['hɔfnʊŋ] *f* hope (**auf** for/of); **es besteht noch ~** there is still hope; **sich** *dat* **~en machen** to have hopes; **sich** *dat* **keine ~en machen** to not hold out any hopes; **jdm ~ machen** to hold out hope to sb; **neue ~ schöpfen** to find fresh hope; **die ~ aufgeben** to give up hope; **guter ~ sein** (*euph*) to be expecting

hoffnungslos I. *adj* hopeless II. *adv* 1. (*ohne Hoffnung*) without hope 2. (*völlig*) hopelessly

höflich ['høːflɪç] I. *adj* polite II. *adv* politely

Hoftor *nt* courtyard gate

hohe(r, s) ['hoːə, 'hoːɐ, 'hoːəs] *adj s.* **hoch**

Höhe <-, -n> ['høːhə] *f* 1. height; **aus der ~** from above; **auf halber ~** halfway up; **in einer ~ von** at a height of; **in die ~** into the air; **in die ~ wachsen** to grow tall 2. (*Gipfel*) summit

3. (*Ausmaß*) amount; **die ~ des Schadens** the extent of the damage; **in die ~ gehen** *Preise* to rise ▶ **nicht ganz auf der ~ sein** to be a bit under the weather; **das** ist **doch die ~!** that's the limit!; **auf der ~** sein to be in fine form; **~n und** Tiefen ups and downs

Hoheit <-, -en> ['hoːhait] *f* **1.** (*Person*) Highness; **Ihre Königliche ~** Your Royal Highness **2.** *kein pl* (*Staatsgewalt*) sovereignty

Hoheitsgebiet *nt* sovereign territory

Hoheitsgewässer *pl* territorial waters

Höhenmesser *m* altimeter **Höhensonne** *f* **1.** (*im Gebirge*) mountain sun **2.** (*UV-Strahler*) sun lamp **Höhenunterschied** *m* difference in altitude

Höhepunkt *m* **1.** (*bedeutendster Teil*) highlight **2.** (*Gipfel*) height; **die Krise hatte ihren ~ erreicht** the crisis had reached its climax

höher ['høːɐ] **I.** *adj comp von s.* **hoch** **1.** higher **2.** (*größer*) greater; *Strafe* severer **II.** *adv comp von s.* **hoch** higher

hohl [hoːl] *adj* **1.** hollow; **~e Wangen** sunken cheeks **2.** (*pej: nichts sagend*) empty

Höhle <-, -n> ['høːlə] *f* **1.** (*Felshöhle*) cave **2.** (*Tierhöhle*) lair **3.** (*Augenhöhle*) socket

Hohlraum *m* cavity

Hohn <-[e]s> [hoːn] *m kein pl* scorn *no art;* **das ist blanker ~!** this is utterly absurd

höhnisch ['høːnɪʃ] **I.** *adj* sneering **II.** *adv* sneeringly

holen ['hoːlən] *vt* **1.** (*hervorholen*) to get (**aus** out of/**von** from) **2.** (*herho-*

len) to fetch; **jdn ~ lassen** to send for sb; **Hilfe ~** to get help **3.** (*krank werden*) **sich** *dat* **etw ~** to catch sth; **bei dem kalten Wetter holst du dir eine Erkältung** you'll catch a cold in this chilly weather

Holland <-s> ['hɔlant] *nt* (*Niederlande*) the Netherlands *npl*

Holländer(in) <-s, -> ['hɔlɛndɐ] *m(f)* Dutchman *masc,* Dutchwoman *fem;* **die ~** the Dutch + *pl vb*

holländisch ['hɔlɛndɪʃ] *adj* Dutch

Hölle <-, -n> ['hœlə] *f pl selten* hell *no pl, no art;* **in die ~ kommen** to go to hell; **in der ~** in hell; **jdn zur ~ jagen** (*pej*) to tell sb to go to hell ▶ **die ~ auf** Erden hell on earth; **jdm die ~** heiß **machen** (*fam*) to give sb hell; **die ~** ist **los** (*fam*) all hell has broken loose

holp(e)rig ['hɔlprɪç] *adj* bumpy

Holunder <-s, -> [hoˈlʊndɐ] *m* elder

Holunderbeere *f* elderberry

Holz <-es, Hölzer> [hɔlts] *nt* **1.** *kein pl* wood *no art;* **~ verarbeitend** wood-processing *attr;* **aus ~** wooden; **massives ~** solid wood **2.** (*Bauholz*) timber ▶ **aus dem** gleichen **~ geschnitzt sein** to be cast in the same mould

hölzern ['hœltsɐn] *adj* wooden

Holzfäller(in) <-s, -> *m(f)* woodcutter, lumberjack AM **Holzhammer** *m* mallet **Holzklotz** *m* wooden block **Holzkohle** *f* charcoal *no art* **Holzschuh** *m* clog **Holzwolle** *f* wood wool, excelsior *no pl, no art* AM **Holzwurm** *m* woodworm

Homo-Ehe *f* (*fam*) same-sex marriage, civil union

homogen [homoˈgeːn] *adj* homogen[e]ous

Homöopathie *f* homeopathy

homöopathisch [homøo'pa:tɪʃ] *adj* homeopathic

homosexuell [homozɛ'ksu̯ɛl] *adj* homosexual

Homosexuelle(r) *f(m) dekl wie adj* homosexual

Honig <-s, -e> ['ho:nɪç] *m* honey *no art* ▶ jdm ~ ums <u>Maul</u> schmieren to butter up sb *sep*

Honigmelone *f* honeydew melon

Honorar <-s, -e> [hono'ra:ɐ̯] *nt* fee; *eines Autors* royalties *npl;* **gegen ~** on payment of a fee

honorieren [hono'ri:rən] *vt* **1.** *(würdigen)* to appreciate **2.** *(bezahlen)* to pay

Hopfen <-s, -> ['hɔpfn̩] *m* hop ▶ **bei jdm ist ~ und <u>Malz</u> verloren** *(fam)* sb is a hopeless case

hoppla ['hɔpla] *interj* [wh]oops!

hopsen ['hɔpsn̩] *vi sein (fam)* to skip; *(auf einem Bein)* to hop

hörbar *adj* audible

Hörbrille *f* hearing-aid glasses *npl*

horchen ['hɔrçn̩] *vi* to listen; *(heimlich a.)* to eavesdrop (**an** at)

Horde <-, -n> ['hɔrdə] *f* horde

hören ['hø:rən] **I.** *vt* **1.** *(vernehmen)* to hear; **sich gern reden ~** to like the sound of one's own voice; **etw zu ~ bekommen** to [get to] hear about sth; **von jdm/etw ~** to hear of [*or* about] sb/sth **2.** *(anhören)* to listen to ▶ **ich <u>kann</u> das nicht mehr ~!** I'm fed up with it!; **etwas/nichts von sich ~ <u>lassen</u>** to get/to not get in touch **II.** *vi* **1.** *(zuhören)* to listen; **hör mal!** listen!; **gut/schlecht ~** to have good/poor hearing **2.** *(gehorchen)* to listen (**auf** to) ▶ **na hör/~ Sie <u>mal</u>!** now look here!; <u>lass</u> **von dir**

~! keep in touch!; **man höre und <u>staune</u>!** would you believe it!

Hörer <-s, -> *m (Telefonhörer)* receiver; **den ~ auflegen** to replace the receiver

Hörer(in) <-s, -> *m(f)* listener

Hörgerät *nt* hearing aid

hörig ['hø:rɪç] *adj* sexually dependent

Horizont <-[e]s, -e> [hori'tsɔnt] *m* horizon; **am ~** on the horizon; **über jds ~ gehen** to be beyond sb

horizontal [horitsɔn'ta:l] *adj* horizontal

Horizontale [horitsɔn'ta:lə] *f dekl wie adj* horizontal [line]

Hormon <-s, -e> [hɔr'mo:n] *nt* hormone

Horn <-[e]s, Hörner> [hɔrn] *nt* horn ▶ **sich** *dat* **die Hörner <u>abstoßen</u>** *(fam)* to sow one's wild oats; **jdm Hörner <u>aufsetzen</u>** *(fam)* to cuckold sb

Hörnchen <-s, -> ['hœrnçən] *nt (Gebäck)* horn-shaped bread roll of yeast pastry *(aus Blätterteig)* croissant

Hornhaut *f* **1.** *(des Auges)* cornea **2.** *(der Haut)* callus

Hornisse <-, -n> [hɔr'nɪsə] *f* hornet

Horoskop <-s, -e> [horo'sko:p] *nt* horoscope

Hörsaal *m* lecture hall [*or* BRIT theatre]

Hörspiel *nt* radio play

Horst <-[e]s, -e> [hɔrst] *m (Nest)* eyrie

Hörsturz *m* sudden deafness

horten ['hɔrtn̩] *vt* to hoard

Höschenwindel *f* disposable nappy BRIT [*or* AM diaper]

Hose <-, -n> ['ho:zə] *f* trousers *npl,* pants *npl* AM; **kurze ~[n]** shorts *npl;* **die ~n voll haben** *(fam)* to have pooed one's pants ▶ **jdm rutscht das <u>Herz</u> in die ~** *(fam)* sb's heart was in their mouth; **die ~n** [gestrichen] **voll haben** (*sl*) to be scared shitless; **tote ~** (*sl*) dead boring; **in die ~ gehen** to be a failure; [**sich** *dat*] **in die ~[n] machen** to wet oneself

Hosenanzug *m* trouser suit **Hosenschlitz** *m* flies *npl* **Hosentasche** *f* trouser [*or* AM pants] pocket **Hosenträger** *pl* [a pair of] braces *npl* BRIT, suspenders *npl* AM

Hospital <-s, -e> [hɔspiˈtaːl] *nt* DIAL hospital

Hostie <-, -n> [ˈhɔstjə] *f* REL host

Hotel <-s, -s> [hoˈtɛl] *nt* hotel

Hotelier <-s, -s> [hotɛˈlieː] *m* hotelier

Hubraum *m* cubic capacity

hübsch [hʏpʃ] *adj Aussehen* pretty; *Gegend* lovely; **sich ~ machen** to get all dressed up

Hubschrauber <-s, -> *m* helicopter

huckepack [ˈhʊkəpak] *adv* piggy-back; **jdn ~ nehmen** to give sb a piggy-back [ride]

Huf <-[e]s, -e> [huːf] *m* hoof

Hufeisen *nt* horseshoe

Hüfte <-, -n> [ˈhʏftə] *f* hip

Hüftgelenk *nt* hip joint

Hügel <-s, -> [ˈhyːgl] *m* hill; (*Erdhaufen*) mound

hüg(e)lig [ˈhyːg(ə)lɪç] *adj* hilly

Huhn <-[e]s, Hühner> [huːn] *nt* 1. chicken; (*Henne*) hen 2. (*Frau*) **dummes ~!** (*pej fam*) silly idiot!; **ein verrücktes ~** a nutcase ▶ **ein blindes ~ findet auch einmal ein Korn** (*prov*) every dog has its day; **da lachen ja die Hühner!** (*fam*) you must be joking!

Hühnchen <-s, -> [ˈhyːçən] *nt dim von s.* **Huhn** spring chicken ▶ **mit jdm ein ~ zu rupfen haben** (*fam*)

to have a bone to pick with sb

Hühnerauge *nt* corn **Hühnerstall** *m* hen coop **Hühnersuppe** *f* chicken soup

huldigen [ˈhʊldɪgn̩] *vi* (*geh*) 1. (*anhängen*) **einer S.** *dat* **~** to subscribe to sth 2. (*veraltend: ehren*) **jdm ~** to pay homage to sb

Hülle <-, -n> [ˈhʏlə] *f* cover ▶ **die ~n fallen lassen** to strip off one's clothes; **in ~ und Fülle** in abundance

Hülse <-, -n> [ˈhʏlzə] *f* 1. BOT pod 2. (*röhrenförmige Hülle*) capsule; (*Patronenhülse*) case

Hülsenfrucht [ˈhʏlzn̩-] *f meist pl* pulse

human [huˈmaːn] *adj* 1. (*menschenwürdig*) humane; *Strafe* lenient 2. (*Menschen betreffend*) human

humanitär [humaniˈtɛːɐ] *adj* humanitarian

Hummel <-, -n> [ˈhʊml] *f* bumblebee

Hummer <-s, -> [ˈhʊmɐ] *m* lobster

Humor <-s, *selten* -e> [huˈmoːɐ] *m* [sense of] humour; **etw mit ~ nehmen** to take sth good-humouredly; [**einen Sinn für**] **~ haben** to have a sense of humour

humorlos *adj* humourless

humorvoll *adj* humorous

humpeln [ˈhʊmpln̩] *vi haben o sein* to hobble

Humus [ˈhuːmʊs] *m kein pl* humus

Hund <-[e]s, -e> [hʊnt] *m* 1. dog; „[**Vorsicht,**] **bissiger ~!**" "beware of the dog!" 2. (*Mensch*) swine; **ein armer ~ sein** (*fam*) to be a poor soul ▶ **den Letzten beißen die ~e** the last one [out] has to carry the can BRIT; **bekannt sein wie ein bunter ~** (*fam*) to be known far and wide; **das ist ja ein dicker ~** (*sl*) that is absolutely outrageous; **vor die ~e ge-**

<u>hen</u> (*sl*) to go to the dogs
Hundehütte *f* kennel **Hundeleine** *f* dog lead

hundert [ˈhʊndɐt] *adj* [a [*or* one]] hundred

Hundert[1] <-s, -e> [ˈhʊndɐt] *nt* (*Einheit von 100*) hundred; **mehrere ~** several hundred; **einige/viele ~e ...** a few/ several hundred ...; **~e von ...** hundreds of ...; **zu ~en** in [their] hundreds

Hundert[2] <-, -en> [ˈhʊndɐt] *f* (*die Zahl 100*) [one [*or* a]] hundred

hundertprozentig [ˈhʊndɐtprotsɛntɪç] **I.** *adj* **1.** one hundred percent; (*Alkohol*) pure **2.** (*fam: typisch*) **er ist ein ~er Bayer** he's a Bavarian through and through **3.** (*fam: völlig*) absolute **II.** *adv* (*fam: völlig*) absolutely; **du hast ~ Recht** you're absolutely right

hundertste(r, s) [ˈhʊndɐtstə, -tə, -təs] *adj* [one] hundredth; *s.a.* **achte(r, s)**

Hundertstel <-s, -> [ˈhʊndɐtstl̩] *nt* hundredth

Hündin [ˈhʏndɪn] *f* bitch

Hunger <-s> [ˈhʊŋɐ] *m kein pl* **1.** hunger; **~ bekommen/haben** to get/be hungry; **~ auf etw** *akk* **haben** to feel like [eating] sth; **~ leiden** (*geh*) to starve; **seinen ~ stillen** to satisfy one's hunger; **vor ~ sterben** to die of hunger **2.** (*Hungersnot*) famine **3.** (*starkes Verlangen*) thirst (**nach** for)

Hungerlohn *m* (*pej*) starvation wage; **für einen ~ arbeiten** to work for a pittance

hungern *vi* **1.** to go hungry **2.** (*fam: fasten*) to fast **3.** (*verlangen*) to thirst (**nach** after/for)

Hungersnot *f* famine

Hungerstreik *m* hunger strike; **in den ~ treten** to go on hunger strike

hungrig [ˈhʊŋrɪç] *adj* hungry; **~ machen** to work up an appetite

Hupe <-, -n> [ˈhuːpə] *f* horn

hupen [ˈhuːpn̩] *vi* to beep the horn

hüpfen [ˈhʏpfn̩] *vi sein* to hop; *Ball* to bounce; **vor Freude ~** to jump for joy

Hürde <-, -n> [ˈhʏrdə] *f* **1.** SPORT hurdle; **110 Meter ~n laufen** to run the 110 metres hurdles **2.** (*Einzäunung*) fold, pen ▶ **eine ~ nehmen** to overcome an obstacle

Hürdenlauf *m* hurdles *npl*

Hure <-, -n> [ˈhuːrə] *f* whore

huschen [ˈhʊʃn̩] *vi sein* to scurry; *Licht* to flash

husten [ˈhuːstn̩] *vi* to cough; **Schleim/ Blut ~** to cough up mucus/blood

Husten <-s> [ˈhuːstn̩] *m kein pl* cough; **~ stillend** cough-relieving

Hustenbonbon *m o nt* cough drop

Hustenmittel *nt* cough medicine **Hustenreiz** *m* tickly throat **Hustensaft** *m* cough syrup

Hut[1] <-[e]s, Hüte> [huːt] *m* hat; **den ~ aufsetzen/abnehmen** to put on/ take off one's hat ▶ **ein alter ~ sein** (*fam*) to be old hat; **vor jdm/etw den ~ ziehen** to take one's hat off to sb/sth; **etw unter einen ~ bringen** (*fam*) to reconcile sth; **mit etw** *dat* **nichts am ~ haben** (*fam*) to not go in for sth

Hut[2] <-> [huːt] *f* **auf der ~ [vor etw** *dat*] **sein** to be on one's guard [against sth]

hüten [ˈhyːtn̩] **I.** *vt* **1.** (*beaufsichtigen*) to look after **2.** (*geh: bewahren*) to keep **II.** *vr* **sich vor etw** *dat* **~** to be on one's guard against sth; **hüte dich vor unüberlegten Entscheidungen** beware of making rash decisions

Hutsche <-, -n> [ˈhʊtʃə] *f* ÖSTERR, SÜDD (*fam: Schaukel*) swing

Hütte <-, -n> ['hʏtə] *f* hut; (*ärmlich*) shack; (*Holzhütte*) cabin

Hüttenkäse *m* cottage cheese

Hyäne <-, -n> [hyˈɛ̈ːnə] *f* hy[a]ena

Hyazinthe <-, -n> [hyˈa'tsɪntə] *f* hyacinth

Hydrant <-en, -en> [hy'drant] *m* hydrant

hydraulisch [hy'draulɪʃ] *adj* hydraulic

Hydrokultur *f* hydroponics + *sing vb*

Hygiene <-> [hy'gie:nə] *f kein pl* hygiene

hygienisch [hy'gie:nɪʃ] *adj* hygienic

Hymne <-, -n> ['hʏmnə] *f* 1. (*Loblied*) hymn 2. (*Nationalhymne*) national anthem

Hypnose <-, -n> [hʏp'no:zə] *f* hypnosis; **jdn in ~ versetzen** to put sb under hypnosis

hypnotisieren [hʏpnoti'zi:rən] *vt* to hypnotize

Hypothek <-, -en> [hypo'te:k] *f* mortgage; **eine ~ aufnehmen** to take out a mortgage

Hypothese <-, -n> [hypo'te:zə] *f* hypothesis; **eine ~ aufstellen/widerlegen** to advance/refute a hypothesis

hypothetisch [hypo'te:tɪʃ] *adj* hypothetical

Hysterie <-, -n> [hʏste'ri:] *f* hysteria

hysterisch [hʏs'te:rɪʃ] *adj* hysterical

I

I, i <-, -> *nt* I, i

IC® <-s, -s> [i:'tse:] *m* intercity [train]

ICE® <-s, -s> [i:tse:'ʔe:] *m* a high speed train

ich [ɪç] *pron 1. pers* I, me; **~ bin es** it's me; **~ nicht!** not me!; **~ selbst** I myself

Ich <-[s], -s> [ɪç] *nt* self

ideal [ide'a:l] *adj* ideal

idealistisch *adj* idealistic

Idee <-, -n> [i'de:] *f* idea; **jdn auf eine ~ bringen** to give sb an idea

identifizieren [idɛntifi'tsi:rən] I. *vt* to identify (**als** as/**mit** with) II. *vr* **sich mit jdm/etw ~** to identify oneself with sb/sth

identisch [i'dɛntɪʃ] *adj* identical (**mit** to)

Ideologie <-, -n> [ideolo'gi:] *f* ideology

Idiot(in) <-en, -en> [i'dio:t] *m(f)* (*pej fam*) idiot

idiotisch [i'dio:tɪʃ] *adj* (*fam*) idiotic

Idol <-s, -e> [i'do:l] *nt* idol

idyllisch [i'dʏlɪʃ] I. *adj* idyllic II. *adv* idyllically

Igel <-s, -> ['i:gl] *m* hedgehog

Ignoranz <-> [ɪgno'rants] *f kein pl* ignorance

ignorieren [ɪgno'ri:rən] *vt* to ignore

ihm [i:m] *pron pers dat von s.* **er, es**[1] 1. [to] him; **das ist ein Freund von ~** he's a friend of his 2. (*Sache o Tier*) [to] it

ihn [i:n] *pron pers akk von s.* **er** 1. him 2. (*Sache o Tier*) it

ihnen ['i:nən] *pron pers dat pl von s.* **sie** [to] them

Ihnen ['i:nən] *pron pers dat von s.* **Sie** [to] you

ihr[1] <*gen* euer, *dat* euch, *akk* euch> [i:ɐ̯] *pron 2. pers pl* you

ihr[2] [i:ɐ̯] *pron pers dat sing von s.* **sie** 1. (*weibl. Person*) [to] her 2. (*Tier o Sache*) [to] it

ihr[3] [i:ɐ̯] *pron poss, adjektivisch* 1. (*sing, weibl. Person*) her; (*Tier o*

Sache) its **2.** *pl* their

Ihr [iːɐ̯] *pron poss, adjektivisch* your

ihrer *pron pers gen von s.* **sie 1.** *3. pers sing fem* (*geh*) **wir werden ~ gedenken** we will remember her **2.** *3. pers pl* (*geh*) **wir werden ~ gedenken** we will remember them

Ihrer *pron pers gen von s.* **Sie: wir werden ~ gedenken** we will remember you

ihrerseits ['iːɐ̯ˈzaits] *adv* **1.** *sing* for her part **2.** *pl* for their part

ihretwillen ['iːrətˈvɪlən] *adv* (*ihr zuliebe*) for her [sake]; (*ihnen zuliebe*) for their sake

illegal ['ɪlegaːl] *adj* illegal

illegitim ['ɪlegitiːm] *adj* illegitimate

Illusion <-, -en> [ɪluˈzi̯oːn] *f* illusion; **sich** *dat* **~en machen** to harbour illusions (**über** about); **sich** *dat* **keine ~en machen** to not have any illusions

Illustration <-, -en> [ɪlʊstraˈtsi̯oːn] *f* illustration

illustrieren [ɪlʊsˈtriːrən] *vt* to illustrate

Illustrierte <-n, -n> *f* magazine

Iltis <-ses, -se> ['ɪltɪs] *m* polecat

im [ɪm] = *s.* **in dem** in

Image <-[s], -s> ['ɪmɪtʃ] *nt* image

Imbiss^RR <-es, -e> ['ɪmbɪs], **Imbiß**^ALT <-sses, -sse> *m* **1.** snack **2.** (*fam*) *s.* **Imbissstube**^RR

Imbissstube^RR *f*, **Imbissbude**^RR *f* snack bar

imitieren [imiˈtiːrən] *vt* to imitate

Imker(in) <-s, -> ['ɪmkɐ] *m(f)* bee-keeper

immatrikulieren [ɪmatrikuˈliːrən] *vt, vr* to register

immer ['ɪmɐ] **I.** *adv* always; **für ~** forever; **~ mehr** more and more; **~, wenn** every time; **wie ~** as usual;

~ wieder again and again **II.** *part* **~ [noch] nicht** still [not]; **wann/ was/wer/wie/wo [auch] ~** whenever/whatever/whoever/however/wherever

Immergrün ['ɪmɐgryːn] *nt* evergreen

immerhin ['ɪmɐˈhɪn] *adv* **1.** (*wenigstens*) at least **2.** (*schließlich*) after all

immerzu ['ɪmɐˈtsuː] *adv* all the time

Immigrant(in) <-en, -en> [ɪmiˈgrant] *m(f)* immigrant

Immobilie <-, -n> [ɪmoˈbiːli̯ə] *f meist pl* real estate *no pl;* **~n** property *no pl*

immun [ɪˈmuːn] *adj* immune (**gegen** to)

Immunität <-, *selten* -en> [ɪmuniˈtɛːt] *f* immunity (**gegen** to)

Immunkrankheit *f* immune deficiency syndrome **Immunschwäche** *f* immunodeficiency

Imperfekt <-s, -e> ['ɪmpɛrfɛkt] *nt* imperfect [tense]

Imperialismus <-, *selten* -lismen> [ɪmperi̯aˈlɪsmʊs] *m* imperialism

impfen ['ɪmpfn̩] *vt* to inoculate (**gegen** against)

Impfpass^RR *m* vaccination card **Impfstoff** *m* vaccine

Impfung <-, -en> *f* vaccination

imponieren [ɪmpoˈniːrən] *vi* to impress

imponierend *adj* impressive

Import <-[e]s, -e> [ɪmˈpɔrt] *m* import

importieren [ɪmpɔrˈtiːrən] *vt* to import

imposant [ɪmpoˈzant] *adj* impressive

impotent ['ɪmpotɛnt] *adj* impotent

Impotenz <-> ['ɪmpotɛnts] *f kein pl* impotence

imprägnieren [ɪmprɛgniːrən] *vt* (*wasserdicht machen*) to waterproof

improvisieren [ɪmproviˈziːrən] *vi, vt* to improvise

Impuls <-es, -e> [ɪmˈpʊls] *m* impulse; **aus einem ~ heraus** on impulse

impulsiv [ɪmpʊlˈziːf] *adj* impulsive

Impulskauf *m* impulse purchase **Impulskäufer(in)** *m(f)* impulse buyer

imstande, im Stande [ɪmˈʃtandə] *adj pred* **zu etw** *dat* **~ sein** to be capable of doing sth; **~ sein, etw zu tun** to be able to do sth

in[1] [ɪn] *präp* **1.** +*dat* (*wo?*) in; (*kleinere Ortschaft*) at; **~ Wirklichkeit** in reality **2.** +*akk* (*wohin?*) into; **~ die Kirche/Schule gehen** to go to church/school **3.** +*dat* (*wann?*) in; **~ diesem Jahr/Monat** this year/month; **~ diesem Augenblick** at the moment

in[2] [ɪn] *adj* (*fam*) in; **~ sein** to be in

inbrünstig [ˈɪnbrʏnstɪç] *adj* (*geh*) ardent

Inbusschraube *f* Allen screw®

indem [ɪnˈdeːm] *konj* by; **ich halte mich gesund, ~ ich viel Sport treibe** I stay healthy by doing lots of sport

Inder(in) <-s, -> [ˈɪndɐ] *m(f)* Indian

indes [ɪnˈdɛs], **indessen** [ɪnˈdɛsn̩] **I.** *adv* **1.** (*inzwischen*) meanwhile **2.** (*jedoch*) however **II.** *konj* (*geh*) **1.** (*zeitlich*) while **2.** (*wohingegen*) while

Indianer(in) <-s, -> [ɪnˈdjaːnɐ] *m(f)* Indian *esp pej* Native American

Indien <-s> [ˈɪndjən] *nt* India

indirekt [ˈɪndɪrɛkt] *adj* indirect

indisch [ˈɪndɪʃ] *adj* Indian

Individualist(in) <-en, -en> [ɪndivi-dŭaˈlɪst] *m(f)* individualist

individualistisch *adj* individualistic

individuell [ɪndiviˈdŭɛl] *adj* individual

Individuum <-s, Individuen> [ɪndiˈviːduʊm] *nt* individual

Industrialisierung <-, -en> *f* industrialization

Industrie <-, -n> [ɪndʊsˈtriː] *f* industry

Industriegebiet *nt* industrial area

industriell [ɪndʊstriˈɛl] *adj* industrial

ineinander [ɪnʔaiˈnandɐ] *adv* in each other; **~ übergehen** to merge; **~ verliebt sein** to be in love with one another

ineinander|greifen[RR] *vi* to mesh

Infektion <-, -en> [ɪnfɛkˈtsjoːn] *f* infection

Infektionskrankheit *f* infectious disease

infizieren [ɪnfiˈtsiːrən] **I.** *vt* to infect **II.** *vr* **sich ~** to catch an infection

Inflation <-, -en> [ɪnflaˈtsjoːn] *f* **1.** ÖKON inflation **2.** (*starke Zunahme*) proliferation

infolge [ɪnˈfɔlgə] **I.** *präp* +*gen* owing to **II.** *adv* **~ von etw** *dat* as a result of sth

infolgedessen [ɪnfɔlgəˈdɛsn̩] *adv* consequently

Informatik <-> [ɪnfɔrˈmaːtɪk] *f kein pl* computing science

Informatiker(in) <-s, -> [ɪnfɔrˈmaːtikɐ] *m(f)* computer specialist

Information <-, -en> [ɪnfɔrmaˈtsjoːn] *f* **1.** [a piece of] information *no pl*; **~en liefern/sammeln** to give/collect information **2.** (*das Informieren*) informing **3.** (*Informationsstand*) information desk

Informationstafel *f* information board

informativ [ɪnfɔrmaˈtiːf] *adj* informative

informieren [ɪnfɔrˈmiːrən] **I.** *vt* to inform (**über** about); **gut informiert** well-informed **II.** *vr* **sich ~** to inform oneself (**über** about)

Infrastruktur [ˈɪnfraʃtrʊktuːɐ] *f* infrastructure

Ingenieur(in) <-s, -e> [ɪnʒeˈnjøːɐ] *m(f)* engineer

Ingwer <-s> ['ɪŋvɐ] *m kein pl* ginger

Inhaber(in) <-s, -> ['ɪnhaːbɐ] *m(f)* **1.** *von Firma, Geschäft* owner **2.** *von Konto* holder; *von Aktie* bearer

inhaftieren [ɪnhafˈtiːrən] *vt* to take into custody

inhalieren [ɪnhaˈliːrən] *vt, vi* to inhale

Inhalt <-[e]s, -e> ['ɪnhalt] *m* **1.** (*enthaltene Gegenstände*) contents *npl* **2.** (*Sinngehalt*) content **3.** MATH (*Flächeninhalt*) area; (*Rauminhalt*) volume

Inhaltsangabe *f* summary **Inhaltsverzeichnis** *nt* list of contents

Initiative <-, -n> [initsjaˈtiːvə] *f* **1.** initiative; **aus eigener ~** on one's own initiative; **die ~ ergreifen** to take the initiative **2.** SCHWEIZ (*Volksbegehren*) demand for a referendum

Injektion <-, -en> [ɪnjɛkˈtsjoːn] *f* injection

inklusive [ɪnkluˈziːvə] I. *präp* +*gen* inclusive [of] II. *adv* including; **vom 25. bis zum 28. ~** from 25th to 28th inclusive

inkompetent ['ɪmkɔmpetɛnt] *adj* incompetent (**in** in/at)

inkonsequent ['ɪnkɔnzekvɛnt] *adj* inconsistent

Inkubationszeit *f* incubation period

Inland ['ɪnlant] *nt kein pl* **1.** (*das eigene Land*) home **2.** (*Binnenland*) inland

inländisch ['ɪnlɛndɪʃ] *adj* domestic; *Industrie* home

inmitten [ɪnˈmɪtn̩] *präp* +*gen* (*geh*) in the midst of

inne|haben ['ɪnə-] *vt irreg* to hold

innen ['ɪnən] *adv* **1.** on the inside; **nach ~** inside; **die Tür geht nach ~ auf** the door opens inwards **2.** *bes* ÖSTERR (*drinnen*) inside

Innenleben *nt kein pl* **1.** (*Seelenleben*) inner feelings *npl* **2.** (*innere Struktur*) inner workings *npl* **Innenminister(in)** *m(f)* Minister [*or* AM Secretary] of the Interior, Home Secretary BRIT **Innenpolitik** *f* home affairs *npl* BRIT, domestic policy AM **innenpolitisch** ['ɪnənpolitɪʃ] I. *adj* concerning home affairs [*or* AM domestic policy] II. *adv* with regard to home affairs [*or* AM domestic policy] **Innenraum** *m* interior **Innenseite** *f* inside **Innenspiegel** *m* AUTO rear-view mirror **Innenstadt** *f* city/town centre

innere(r, s) ['ɪnərə, 'ɪnəʁe, 'ɪnərəs] *adj* **1.** *räumlich* inner **2.** (*innewohnend*) *a.* MED, ANAT internal

Innere(s) ['ɪnərə, 'ɪnərəs] *nt* **1.** (*innerer Teil*) inside **2.** GEOL centre

Innereien [ɪnərˈaiən] *pl* innards *npl*

innerhalb ['ɪnɐhalp] I. *präp* +*gen* **1.** *räumlich* inside **2.** *zeitlich* within II. *adv* **~ von etw** *dat* within sth

innerlich ['ɪnɐlɪç] I. *adj* **1.** MED internal **2.** PSYCH inner II. *adv* **1.** MED internally **2.** PSYCH inwardly; **~ war er sehr aufgewühlt** he was in inner turmoil

Innerste(s) ['ɪnɐstə, 'ɪnɐstəs] *nt dekl wie adj* core being; **tief in ihrem ~n wusste sie, ...** deep down inside she knew ...

innert ['ɪnɐt] *präp* +*dat o gen* ÖSTERR, SCHWEIZ within

inne|wohnen *vi* **jdm/etw ~** to be inherent in sb/a thing

innig ['ɪnɪç] I. *adj* **1.** (*tief empfunden*) deep; *Dank* heartfelt **2.** *Beziehung* intimate II. *adv* deeply

Innung <-, -en> ['ɪnʊŋ] *f* guild

inoffiziell *adj* unofficial

ins [ɪns] = *s.* **in das** *s.* **in**

Insasse, Insassin <-n, -n> ['ɪnzasə] *m, f* **1.** (*Fahrgast*) passenger **2.** (*Heimbewohner*) resident **3.** (*Gefängnisinsasse*) inmate

Inschrift ['ɪnʃrɪft] *f* inscription

Insekt <-[e]s, -en> [ɪn'zɛkt] *nt* insect

Insektenstich *m* insect sting

Insel <-, -n> ['ɪnzl̩] *f* island

Inserat <-[e]s, -e> [ɪnze'raːt] *nt* advertisement

inserieren [ɪnze'riːrən] *vi, vt* to advertise

insgesamt [ɪnsgə'zamt] *adv* **1.** (*alles zusammen*) altogether **2.** (*im Großen und Ganzen*) on the whole

insofern [ɪnzo'fɛrn] **I.** *adv* in this respect; ~ ... **als** in that **II.** *konj bes* ÖSTERR (*falls*) if; ~ **als** in so far as

insoweit [ɪnzo'vait] **I.** *adv* in this respect **II.** *konj bes* ÖSTERR ~ **als** if

Inspektion <-, -en> [ɪnspɛk'tsjoːn] *f* inspection; AUTO service

Inspektor(in) <-s, -en> [ɪn'spɛktoːɐ̯] *m(f)* ADMIN executive officer; (*Kripo*) inspector

Installateur(in) <-s, -e> [ɪnstala'tøːɐ̯] *m(f)* (*Elektroinstallateur*) electrician; (*Klempner*) plumber

installieren [ɪnsta'liːrən] *vt* **1.** to install **2.** *Programm* to load (**auf** onto)

instand, in Stand [ɪn'ʃtant] *adv* **etw** ~ **halten** to keep sth in good condition; **etw** ~ **setzen** to repair sth

Instanz <-, -en> [ɪn'stants] *f* **1.** (*Behörde*) authority **2.** JUR instance; **erste/zweite/oberste/letzte** ~ trial court/appellate court/supreme court of appeal/court of last instance

Instinkt <-[e]s, -e> [ɪn'stiŋkt] *m* instinct

instinktiv [ɪnstɪŋk'tiːf] *adj* instinctive

Institut <-[e]s, -e> [ɪnsti'tuːt] *nt* institute

Institution <-, -en> [ɪnstitu'tsjoːn] *f* institution

Instrument <-[e]s, -e> [ɪnstru'mɛnt] *nt* **1.** instrument **2.** (*Werkzeug*) tool

Insulin <-s> [ɪnzu'liːn] *nt kein pl* insulin

inszenieren [ɪnstse'niːrən] *vt* THEAT (*a. fig*) to stage

Inszenierung <-, -en> *f* MUS, THEAT production

intakt [ɪn'takt] *adj* intact

Integration <-, -en> [ɪntegra'tsjoːn] *f* integration

integrieren [ɪnte'griːrən] **I.** *vt* to integrate (**in** into) **II.** *vr* **sich** ~ to become integrated (**in** into)

Intellekt <-[e]s> [ɪntɛ'lɛkt] *m kein pl* intellect

intellektuell [ɪntɛlɛk'tɥɛl] *adj* intellectual

Intellektuelle(r) *f(m) dekl wie adj* intellectual

intelligent [ɪntɛli'gɛnt] *adj* intelligent

Intelligenz <-, -en> [ɪntɛli'gɛnts] *f* **1.** *kein pl* intelligence **2.** *kein pl* (*Schicht der Intellektuellen*) intelligentsia

Intensität <-, *selten* -en> [ɪntɛnzi'tɛːt] *f* intensity

intensiv [ɪntɛn'ziːf] **I.** *adj* **1.** (*gründlich*) intensive **2.** (*eindringlich*) intense; *Duft, Schmerz* strong **II.** *adv* **1.** (*gründlich*) intensively **2.** (*eindringlich*) strongly

Intensivstation *f* intensive care unit

interessant [ɪntərɛ'sant] *adj* interesting; *Angebot* attractive

Interesse <-s, -n> [ɪntə'rɛsə] *nt* interest; **aus** ~ out of interest; ~ [**an jdm/etw**] **haben** to be interested [in sb/sth]

Interessent(in) <-en, -en> [ɪntərɛ-

'sɛnt] *m(f)* interested party; (*für Kauf*) potential buyer

interessieren [ɪntərɛ'siːrən] **I.** *vt* **jdn für etw ~** to interest sb in sth **II.** *vr* **sich für jdn/etw ~** to be interested in sb/sth

intern [ɪn'tɛrn] **I.** *adj* internal **II.** *adv* internally

Internat <-[e]s, -e> [ɪntɛ'naːt] *nt* boarding-school

international [ɪntɛnatsi̯o'naːl] **I.** *adj* international **II.** *adv* internationally

Internet <-> ['ɪntɛnɛt] *nt* internet, Internet

Internetanbieter *m* internet provider **internetbasiert** *adj* web-based, net-based **Internetcafé** *nt* cybercafé **Internettelefonie** *f* internet [*or* IP] telephony

interpretieren [ɪntɛpre'tiːrən] *vt* to interpret

Intervall <-s, -e> [ɪntɛ'val] *nt* interval

interviewen [ɪntɛ'vjuːən] *vt* to interview (**zu/über** about); **sich** [**von jdm**] **~ lassen** to give [sb] an interview

intim [ɪn'tiːm] *adj* intimate (**mit** with)

Intimbereich *m* **1.** (*Geschlechtsorgane*) private parts *npl* **2.** (*Intimsphäre*) private life

Intimität <-, -en> [ɪntimi'tɛːt] *f* intimacy

intolerant ['ɪntolerant] **I.** *adj* intolerant **II.** *adv* intolerantly

Intrige <-, -n> [ɪn'triːgə] *f* conspiracy

introvertiert [ɪntrovɛr'tiːɐ̯t] *adj* introverted

Invalide, Invalidin <-n, -n> [ɪnva'liːdə] *m, f* invalid

Invasion <-, -en> [ɪnva'zi̯oːn] *f* invasion

investieren [ɪnvɛs'tiːrən] *vt* to invest

Investition <-, -en> [ɪnvɛsti'tsi̯oːn] *f* investment

inwiefern [ɪnvi'fɛrn] *adv* in what way

inwieweit [ɪnvi'vait] *adv* how far

inzwischen [ɪn'tsvɪʃn̩] *adv* in the meantime

irdisch ['ɪrdɪʃ] *adj* earthly

Ire, Irin <-n, -n> ['iːrə, 'iːrɪn] *m, f* Irishman *masc*, Irishwoman *fem;* **die ~n** the Irish

irgend ['ɪrgn̩t] *adv* at all; **~ so ein Spinner ...** some lunatic or other ...; **wenn ~ möglich** if at all possible

irgendein ['ɪrgn̩t?ain], **irgendeine(r, s)** ['ɪrgn̩t?ainə, -ainə, -ainəs], **irgendeins** ['ɪrgn̩t?ains] *pron indef* **1.** *adjektivisch* some; **haben Sie noch irgendeinen Wunsch?** would you like anything else?; **nicht irgendein Buch, sondern ...** not any [old] book, but ... **2.** *substantivisch* any [old] one; **ich werde doch nicht irgendeinen einstellen** I'm not going to appoint just anybody **irgendetwas**^{RR}, **irgend etwas**^{ALT} *pron indef* something; (*bei Fragen, Bedingungssätzen, Verneinungen*) anything; **~ anderes** something else **irgendjemand**^{RR} *pron*, **irgend jemand**^{ALT} *pron indef* somebody; (*bei Fragen, Bedingungssätzen, Verneinungen*) anyone; **~ anderer** somebody else **irgendwann** ['ɪrgn̩t'van] *adv* some time or other **irgendwas** ['ɪrgn̩t'vas] *pron indef* (*fam*) *s.* **irgendetwas irgendwie** ['ɪrgn̩t'viː] *adv* somehow [or other]; **Sie kommen mir ~ bekannt vor** I seem to know you somehow **irgendwo** ['ɪrgn̩t'voː] *adv* somewhere [or other]; (*bei Fragen, Bedingungssätzen, Verneinungen*) anywhere **irgendwoher** ['ɪrgn̩tvo'heːɐ̯] *adv* [**von**] **~** from somewhere [or other] **irgendwohin** [ˈɪrgn̩tvoˈhɪn] *adv* somewhere [or other]

Irin <-, -nen> [ˈiːrɪn] *f fem form von* **Ire** Irishwoman

Iris [ˈiːrɪs] *f* 1. (*im Auge*) iris 2. (*Blume*) iris

Irisdiagnose *f* iris diagnosis

irisch [ˈiːrɪʃ] *adj* Irish

Irland [ˈɪrlant] *nt* Ireland

Ironie <-, *selten* -n> [iroˈniː] *f* irony

ironisch [iˈroːnɪʃ] **I.** *adj* ironic[al] **II.** *adv* ironically; ~ **lächeln** to give an ironic smile

irr(e) [ɪrə] **I.** *adj* 1. (*verrückt*) crazy; **jdn ganz ~ machen** (*fam*) to drive sb crazy 2. (*sl: toll*) fantastic **II.** *adv* 1. (*verrückt*) insanely; **wie ~** (*fam*) like mad 2. (*sl*) ~ **komisch** incredibly funny

irrational [ˈɪratsi̯onaːl] *adj* irrational

Irre <-> [ˈɪrə] *f* **in die ~ führen** to mislead

irreal [ˈɪreaːl] *adj* unreal

irre|führen *vt* to mislead; **sich von jdm/etw ~ lassen** to be misled by sb/sth

irrelevant [ˈɪrelevant] *adj* irrelevant

irren¹ [ˈɪrən] *vi sein* (*herumirren*) to wander (**durch** through/**über** across)

irren² [ˈɪrən] *vr* **sich** ~ to be wrong (**in** about); **wenn ich mich nicht irre, ...** if I am not mistaken ...

Irrfahrt *f* odyssey **Irrgarten** *m* maze

irritieren [ɪriˈtiːrən] *vt* (*verwirren*) to confuse

Irrtum <-[e]s, -tümer> [ˈɪrtuːm] *m* 1. (*Gedanke*) error; [**schwer**] **im ~ sein** to be [badly] mistaken 2. (*Handlung*) mistake; **einen ~ begehen** to make a mistake

irrtümlich [ˈɪrtyːmlɪç] **I.** *adj attr* mistaken **II.** *adv* mistakenly

Ischias <-> [ˈɪʃi̯as] *m o nt kein pl* sciatica

Islam <-s> [ɪsˈlaːm] *m kein pl* **der ~** Islam

islamisch [ɪsˈlaːmɪʃ] *adj* Islamic

Island [ˈiːslant] *nt* Iceland

Isländer(in) <-s, -> [ˈiːslɛndɐ] *m(f)* Icelander

isländisch [ˈiːslɛndɪʃ] *adj* Icelandic

Isolation <-, -en> [izolaˈtsi̯oːn] *f* 1. TECH insulation 2. (*das Isolieren/Isoliertsein*) isolation (**von** from)

Isolierband <-bänder> [izoˈliːg-] *nt* insulating tape

isolieren [izoˈliːrən] **I.** *vt* 1. TECH to insulate (**gegen** against) 2. (*absondern*) to isolate (**von** from) **II.** *vr* **sich** ~ to isolate oneself (**von** from)

Isomatte *f* insulating underlay

Italien <-s> [iˈtaːli̯ən] *nt* Italy

Italiener(in) <-s, -> [itaˈli̯eːnɐ] *m(f)* Italian

italienisch [itaˈli̯eːnɪʃ] *adj* Italian

J

J, j *nt* J, j

ja [jaː] *part* 1. yes; **aber ~!** yes, of course!; **wenn ja, ...** if so ... 2. (*fragend: tatsächlich?*) really? 3. (*warnend: bloß*) make sure; **geh ~ nicht dahin!** don't go there whatever you do! 4. (*abschwächend*) after all; **ich kann es ~ mal versuchen** I can try it of course 5. (*bekräftigend*) **das ist ~ kaum zu glauben!** that's scarcely believable!; **das ist ~ entsetzlich!** that's just terrible!; **das ist ~ die Höhe!**

that's the absolute limit! **6.** (*na ja, nun*) well **7.** (*nicht wahr?*) isn't it?; **es bleibt doch bei unserer Abmachung, ~?** our agreement does stand though, doesn't it?

Jacht <-, -en> [jaxt] *f* yacht

Jacke <-, -n> ['jakə] *f* (*Stoffjacke*) jacket; (*Strickjacke*) cardigan

Jackett <-s, -s> [ʒa'kɛt] *nt* jacket

Jagd <-, -en> ['jaːkt] *f* **1.** hunting; **~ auf jdn/etw machen** to hunt for sb/ sth; **auf der ~ sein** to be [out] hunting **2.** (*Verfolgung*) hunt (**auf** for) **3.** (*wildes Streben*) pursuit (**nach** of)

Jagdhund *m* hound

jagen ['jaːgn̩] **I.** *vt haben* **1.** to hunt **2.** (*hetzen*) to pursue **3.** (*ver-, antreiben*) to drive (**aus** out of/**in** into) **II.** *vi* **1.** *haben* to hunt **2.** *sein* (*rasen*) to race (**durch** through)

Jäger(in) <-s, -> ['jɛːgɐ] *m(f)* hunter

Jaguar <-s, -e> ['jaːgu̯aːɐ̯] *m* jaguar

jäh ['jɛː] *adj* (*geh*) **1.** (*abrupt*) abrupt; *Bewegung* sudden **2.** (*steil*) steep

Jahr <-[e]s, -e> ['jaːɐ̯] *nt* **1.** year; **die 20er-/30er-~e etc.** the twenties/ thirties etc. + *sing/pl vb;* **anderthalb ~e** a year and a half; **ein dreiviertel ~** nine months; **ein halbes/viertel ~** six/three months; **~ für ~** year after year; **das ganze ~ über** throughout the whole year; **im ~e ...** in [the year] ...; **in diesem/im nächsten ~** this/ next year; **vor einem ~** a year ago; **zweimal im ~** twice a year **2.** (*Lebensjahre*) **er ist 10 ~e alt** he's 10 years old

jahrelang ['jaːrəlaŋ] **I.** *adj attr* lasting for years; **das Ergebnis ~er Forschungen** the result of years of research **II.** *adv* for years; **es dauert ~ (, bis ...)** it will take years (before ...)

Jahrestag *m* anniversary **Jahreszeit** *f* season

Jahrgang <-gänge> *m* **1.** (*Altersgruppe*) age-group; (*von Schülern*) [school] year **2.** *von Wein* vintage

Jahrhundert <-s, -e> [jaːɐ̯'hʊndɐt] *nt* century **Jahrhundertwende** *f* turn of the century

jährlich ['jɛːɐ̯lɪç] *adj* annual

Jahrmarkt *m* [fun]fair **Jahrtausend** <-s, -e> [jaːɐ̯'tauzn̩t] *nt* millennium

Jahrzehnt <-[e]s, -e> [jaːɐ̯'tseːnt] *nt* decade

jähzornig *adj* violent-tempered

Jalousie <-, -n> [ʒalu'ziː] *f* venetian blind

jämmerlich ['jɛmɐlɪç] **I.** *adj attr* **1.** (*beklagenswert*) wretched **2.** (*pej: mies*) miserable; **eine ~e Ausrede** a pathetic excuse **II.** *adv* **1.** (*elend*) miserably **2.** (*fam: sehr*) awfully

jammern ['jamɐn] *vi* to whine (**über/ wegen** about)

Januar <-[s], -e> ['janu̯aːɐ̯] *m* January; *s.a.* **Februar**

Japan <-s> ['jaːpan] *nt* Japan

Japaner(in) <-s, -> [ja'paːnɐ] *m(f)* Japanese; **die ~** the Japanese

japanisch [ja'paːnɪʃ] *adj* Japanese

Jasmin <-s, -e> [jas'miːn] *m* jasmine

jäten ['jɛːtn̩] *vi, vt Garten* to weed

Jauche <-, -n> ['jauxə] *f* liquid manure **Jauchegrube** *f* liquid manure pit

jaulen ['jaulən] *vi* to howl

je ['jeː] **I.** *adv* **1.** (*jemals*) ever **2.** (*jeweils*) each **II.** *präp* +*akk* (*pro*) per **III.** *konj* **~ ..., desto ...** the ... the ...; **~ nachdem!** it [all] depends!; **~ nachdem, wann/wie/ob ...** depending on when/how/whether ...

jede(r, s) ['jeːdə, 'jeːdɐ, 'jeːdəs] *pron indef* **1.** *attr* (*alle einzelnen*) each;

J

~**s Mal** every time **2.** *attr* (*jegliche*) any **3.** *substantivisch* everyone; **das weiß doch ein ~r!** everybody knows that!; DIAL (*jeweils der/die einzelne*) each [one]; ~**e[r, s]** zweite/dritte/... one in two/three ...

jedenfalls ['jeːdn̩'fals] *adv* anyhow, in any case

jedermann ['jeːdəman] *pron indef, substantivisch* everyone; (*jeder* [*beliebige*]) anyone

jederzeit ['jeːdɐ'tsait] *adv* **1.** (*zu jeder beliebigen Zeit*) at any time **2.** (*jeden Augenblick*) at any moment

jedesmal^ALT *adv s.* **jede(r, s) 1**

jedoch [je'dɔx] *konj adv* however

jemals ['jeːmaːls] *adv* ever

jemand ['jeːmant] *pron indef* somebody, someone; (*bei Fragen, Negation, etc.*) anybody, anyone

jene(r, s) ['jeːnə, 'jeːnɐ, 'jeːnəs] *pron dem* (*geh*) that *sing,* those *pl*

jenseits ['jeːnzaits] **I.** *präp* +*gen* (*auf der anderen Seite*) on the other side of **II.** *adv* (*über... hinaus*) ~ **von etw** *dat* beyond sth

Jenseits <-> ['jeːnzaits] *nt kein pl* hereafter

jetzig ['jɛtsɪç] *adj attr* current

jetzt ['jɛtst] *adv* **1.** (*nun*) now; **bis** ~ so far; ~ **gleich** right now; ~ **noch?** now?; ~ **oder nie!** [it's] now or never!; ~ **schon?** already?; **wer ist das** ~ **schon wieder?** who on earth is that now? **2.** (*heute*) now[adays]

jeweilig ['jeː'vailɪç] *adj attr* prevailing

jeweils ['jeː'vails] *adv* **1.** (*jedes Mal*) each time; **die Miete ist** ~ **monatlich im Voraus fällig** the rent is due each month in advance **2.** (*jeder einzelne*) each

Joch <-[e]s, -e> ['jɔx] *nt* yoke

Jod <-s> ['joːt] *nt kein pl* iodine

jodeln ['joːdl̩n] *vi* to yodel

joggen ['dʒɔgn̩] *vi sein* to jog

Jogger(in) <-s, -> ['dʒɔgɐ] *m(f)* jogger

Joghurt, Jogurt^RR <-[s], -[s]> ['joːgʊrt] *m o nt* yog[h]urt

Johannisbeere [jo'hanɪs-] *f* currant; **rote/schwarze** ~ redcurrant/blackcurrant

johlen ['joːlən] *vi* to yell

jonglieren [ʒɔŋ'liːrən] *vi* to juggle

Journalist(in) <-en, -en> [ʒʊrna'lɪst] *m(f)* journalist

jubeln ['juːbl̩n] *vi* to shout with joy; **eine ~de Menge** a cheering crowd

Jubiläum <-s, Jubiläen> [jubi'lɛːʊm] *nt* anniversary

jucken ['jʊkn̩] **I.** *vi* (*Juckreiz erzeugen*) to itch **II.** *vt impers* **es juckt jdn** [**irgendwo**] sb has an itch [somewhere]; **mich juckt's am Rücken** my back's itching **III.** *vt* **1.** (*kratzen*) **das Unterhemd juckt mich** the vest makes me itch **2.** *meist verneint* (*fam: kümmern*) **jdn juckt etw** [**nicht**] sth is of [no] concern to sb **V.** *vr* (*fam: sich kratzen*) **sich** ~ to scratch

Juckreiz *m* itch[ing *no pl*]

Jude, Jüdin <-n, -n> ['juːdə, 'jyːdɪn] *m, f* Jew *masc,* Jewess *fem*

Judentum <-s> *nt* Jewry

Jüdin <-, -nen> *f fem form von* **Jude**

jüdisch ['jyːdɪʃ] *adj* Jewish

Jugend <-> ['juːgn̩t] *f kein pl* **1.** youth; **in jds** ~ in sb's youth; **von** ~ **an** from one's youth **2.** (*junge Leute*) **die** ~ young people *npl;* **die europäische** ~ the youth of Europe; **die heutige** ~ young people today

Jugendherberge *f* youth hostel **Jugendlager** *nt* youth camp

jugendlich ['ju:gn̩tlɪç] *adj* youthful; (*jung*) young

Jugendliche(r) *f(m) dekl wie adj* young person

Juli <-[s], -s> ['ju:li] *m* July; *s.a.* **Februar**

jung <jünger, jüngste> ['jʊŋ] I. *adj* young; **das hält ~!** it keeps you young!; **~ und alt** young and old alike II. *adv* young; **von ~ auf** from an early age; **~ heiraten** to marry young

Junge <-n, -n> ['jʊŋə] *m* boy

Junge(s) ['jʊŋə, 'jʊŋəs] *nt dekl wie adj* (*Jungtier*) young; *von Hund* puppy; *von Katze* kitten

jünger ['jʏŋɐ] *adj* 1. *comp von s.* **jung** younger 2. (*noch nicht allzu alt*) youngish 3. *Zeit* recent

Jünger(in) <-s, -> ['jʏŋɐ] *m(f)* (*Anhänger, a. von Jesus*) disciple

Jungfrau ['jʊŋfrau] *f* 1. (*Frau*) virgin 2. ASTROL Virgo; **~ sein** to be a Virgo

Junggeselle, -gesellin ['jʊŋɡəzɛlə, -ɡəzɛlɪn] *m, f* bachelor

Junggesellin <-, -nen> ['jʊŋɡəzɛlɪn] *f fem form von* **Junggeselle** a single woman

Jüngling <-s, -e> ['jʏŋlɪŋ] *m* (*geh*) youth

jüngst ['jʏŋst] *adv* (*geh*) recently

jüngste(r, s) *adj* 1. *superl von s.* **jung** youngest 2. (*neueste*) latest

Juni <-[s], -s> ['ju:ni] *m* June; *s.a.* **Februar**

Jura¹ ['ju:ra] *kein art* (*Rechtswissenschaft*) law

Jura² <-s> ['ju:ra] *nt kein pl* 1. (*Schweizer Gebirge*) Jura Mountains *npl* 2. (*Schweizer Kanton*) Jura

Jurist(in) <-en, -en> [juˈrɪst] *m(f)* 1. (*Akademiker*) jurist 2. (*fam: Jurastudent*) law student

juristisch [juˈrɪstɪʃ] I. *adj* legal; **die ~e Fakultät** Faculty of Law; **ein ~es Problem** a juridical problem; **~es Studium** law studies II. *adv* **~ betrachtet** seen from a legal point of view

Jury <-, -s> ['ʒy:ri] *f* jury

Jus <-> ['ju:s] *nt kein art* ÖSTERR (*Jura*) law

Justiz <-> [jʊsˈtiːts] *f kein pl* 1. (*Gerichtsbarkeit*) justice *no pl* 2. (*Justizbehörden*) legal authorities *npl*

Justizminister(in) *m(f)* Minister of Justice BRIT, Attorney General AM

Juwel¹ <-s, -en> [juˈveːl] *m o nt* 1. (*Schmuckstein*) gem[stone], jewel 2. *pl* (*Schmuck*) jewellery *no pl*

Juwel² <-s, -e> [juˈveːl] *nt* (*geschätzte Person/Sache*) gem; **ein ~ von einer Köchin sein** to be a gem of a cook

Jux <-es, -e> ['jʊks] *m* (*fam*) joke

K

K, k *nt* K, k

Kabarett <-s, -e> [kabaˈrɛt] *nt* cabaret

Kabel <-s, -> ['kaːbl̩] *nt* 1. ELEK wire 2. TELEK, TV cable

Kabelfernsehen *nt* cable TV

Kabeljau <-s, -e> ['kaːbl̩jau] *m* cod

Kabine <-, -n> [kaˈbiːnə] *f* 1. (*zum Umkleiden*) changing room 2. NAUT cabin

Kabinett <-s, -e> [kabiˈnɛt] *nt* cabinet

Kabriolett <-s, -s> [kabrioˈlɛt] *nt* ÖSTERR convertible

Kachel <-, -n> ['kaxl̩] *f* tile

Kachelofen ['kaxl̩ʔoːfn̩] *m* tiled stove

Kadaver <-s, -> [ka'da:vɐ] *m* carcass

Kader <-s, -> ['ka:dɐ] *m* cadre

Käfer <-s, -> ['kɛfɐ] *m* beetle

Kaffee <-s, -s> ['kafe] *m* coffee; ~ **mit Milch** white coffee; **schwarzer** ~ black coffee; ~ **trinken** to have [a] coffee

Kaffeehaus *nt* coffee-house **Kaffeekanne** *f* coffeepot **Kaffeelöffel** *m* coffee spoon **Kaffeetasse** *f* coffee cup

Käfig <-s, -e> ['kɛ:fɪç] *m* cage

kahl [ka:l] I. *adj* 1. (*haarlos*) bald; ~ **geschoren** shaven 2. *Wand, Baum* bare II. *adv* etw ~ **fressen** to strip sth bare; **jdn** ~ **scheren** to shave sb's head

Kahlkopf *m* bald head

kahlköpfig *adj* bald-headed

Kahn <-[e]s, Kähne> [ka:n] *m* (*Boot*) small boat; (*für Lasten*) barge

Kai <-s, -e> [kai] *m* quay

Kaiser(in) <-s, -> ['kaizɐ] *m(f)* emperor *masc*, empress *fem*

Kaiserreich *nt* empire **Kaiserschnitt** *m* Caesarean

Kajüte <-, -n> [ka'jy:tə] *f* cabin

Kakadu <-s, -s> *m* cockatoo

Kakao <-s, -s> [ka'kau] *m* cocoa

Kakerlake <-, -n> ['ka:kɐla:kə] *f* cockroach

Kaktee <-, -n> [kak'te:ə] *f*, **Kaktus** <-, Kakteen *o* (*fam*) -se> ['kaktʊs] *m* cactus

Kalb <-[e]s, Kälber> [kalp] *nt* calf

Kalbfleisch *nt* veal

Kalender <-s, -> [ka'lɛndɐ] *m* calendar

Kaliber <-s, -> [ka'li:bɐ] *nt* calibre

Kalifornien <-s> [kali'fɔrnjən] *nt* California

Kalk <-[e]s, -e> [kalk] *m kein pl* 1. lime 2. (*Kalzium*) calcium

kalkhaltig *adj* chalky; (*Wasser*) hard

Kalkstein *m* limestone

Kalkulation <-, -en> [kalkula'tsi̯o:n] *f* calculation

kalkulierbar *adj* calculable

kalkulieren [kalku'li:rən] *vi, vt* to calculate

Kalorie <-, -n> [kalo'ri:] *f* calorie

kalorienarm *adj, adv* low-calorie

kalt <kälter, kälteste> [kalt] I. *adj* cold; **mir ist** ~ I'm cold II. *adv* ~ **duschen** to have a cold shower; **sich** ~ **waschen** to wash in cold water

kaltblütig [kaltbly:tɪç] I. *adj* cold-blooded II. *adv* unscrupulously

Kälte <-> ['kɛltə] *f kein pl* cold; **vor** ~ with cold

Kälteschutzmittel *nt* antifreeze

kalt|lassen[RR] *vt* jdn ~ to leave sb cold

Kamel <-[e]s, -e> [ka'me:l] *nt* camel

Kamera <-, -s> ['kaməra] *f* camera

Kamerad(in) <-en, -en> [kamə'ra:t] *m(f)* comrade

kameradschaftlich I. *adj* friendly II. *adv* on a friendly basis

Kameramann, -frau *m, f* cameraman *masc*, camerawoman *fem*

Kamille <-, -n> [ka'mɪlə] *f* camomile

Kamillentee *m* camomile tea

Kamin <-s, -e> [ka'mi:n] *m* 1. fireplace 2. (*Schornstein*) chimney

Kamm <-[e]s, Kämme> [kam] *m* comb

kämmen [kɛmən] *vt* to comb

Kammer <-, -n> ['kamɐ] *f* [small] room

Kampagne <-, -n> [kam'panjə] *f* campaign

Kampf <-[e]s, Kämpfe> [kampf] *m* 1. fight 2. MIL battle 3. (*das Ringen*) **der** ~ **ums Dasein** the struggle for existence ▸ **jdm/einer S. den** ~ **ansagen** to declare war on sb/sth

kämpfen ['kɛmpfn̩] *vi* **1.** to fight **2.** (*ringen*) **mit sich/etw** *dat* ~ to struggle with oneself/sth

kämpferisch *adj* aggressive

Kampfhund *m* fighting dog **Kampfrichter(in)** *m(f)* referee **Kampfsport** *m kein pl* martial arts *pl*

kampieren [kam'piːrən] *vi* to camp [out]

Kanada <-s> ['kanada] *nt* Canada

Kanadier(in) <-s, -> [ka'naːdiɐ] *m(f)* Canadian

kanadisch [ka'naːdɪʃ] *adj* Canadian

Kanal <-s, Kanäle> [ka'naːl] *m* **1.** canal **2.** (*Abwasser*) sewer **3.** GEOG **der** ~ the Channel **4.** TV channel **Kanalinseln** *pl* **die** ~ the Channel Islands

Kanalisation <-, -en> [kanaliza'tsi̯oːn] *f* sewerage system

Kanaltunnel *m* **der** ~ the Channel Tunnel

Kanarienvogel [ka'naːri̯ənfoːgl̩] *m* canary

Kanarische Inseln *pl* Canary Islands

Kandidat(in) <-en, -en> [kandi'daːt] *m(f)* candidate; **jdn als ~en aufstellen** to nominate sb

kandidieren [kandi'diːrən] *vi* to stand (**für** for)

kandiert *adj* candied

Kandis <-> ['kandɪs] *m*, **Kandiszucker** *m kein pl* rock candy *no pl*

Känguruᴿᴿ <-s, -s> *nt*, **Känguruh**ᴬᴸᵀ <-s, -s> ['kɛŋguru] *nt* kangaroo

Kaninchen <-s, -> [ka'niːnçən] *nt* rabbit

Kanister <-s, -> [ka'nɪstɐ] *m* canister

Kännchen <-s, -> ['kɛnçən] *nt* **1.** jug **2.** (*im Café*) pot

Kanne <-, -n> ['kanə] *f* pot

Kannibale <-n, -n> [kani'baːlə] *m* cannibal

Kanone <-, -n> [ka'noːnə] *f* cannon

Kante <-, -n> ['kantə] *f* edge

Kantine <-, -n> [kan'tiːnə] *f* canteen

Kanton <-s, -e> [kan'tɔːn] *m* canton

Kanu <-s, -s> ['kaːnu] *nt* canoe

Kanüle <-, -n> [ka'nyːlə] *f* cannula

Kanzel <-, -n> ['kantsl̩] *f* **1.** REL pulpit **2.** LUFT cockpit

Kanzlei <-, -en> [kants'lai̯] *f* office

Kanzler(in) <-s, -> ['kantslɐ] *m(f)* chancellor

Kap <-s, -s> [kap] *nt* cape

Kapazität <-, -en> [kapatsi'tɛt] *f* **1.** *kein pl* capacity **2.** (*Experte*) expert

Kapelle <-, -n> [ka'pɛlə] *f* **1.** REL chapel **2.** MUS orchestra

Kaper <-, -n> ['kaːpɐ] *f* caper

kapieren [ka'piːrən] (*fam*) **I.** *vi* to get; ~, **dass/was ...** to understand that/ what ... **II.** *vt* **etw** ~ to get sth

Kapital <-s, -ien> [kapi'taːl] *nt* capital; ~ **aufnehmen** to take up credit; ~ **aus etw** *dat* **schlagen** (*pej*) to cash in on sth

Kapitalismus <-> [kapita'lɪsmʊs] *m kein pl* capitalism

Kapitalist(in) <-en, -en> [kapita'lɪst] *m(f)* capitalist

kapitalistisch *adj* capitalist

Kapitän(in) <-s, -e> [kapi'tɛːn] *m(f)* captain

Kapitel <-s, -> [ka'pɪtl̩] *nt* chapter

Kapitulation <-, -en> [kapitula'tsi̯oːn] *f* capitulation

kapitulieren [kapitu'liːrən] *vi* to capitulate (**vor** to)

Kaplan <-s, Kapläne> [ka'plaːn] *m* chaplain

Kappe <-, -n> ['kapə] *f* **1.** (*Mütze*) cap **2.** (*Deckel*) top

Kapsel <-, -n> ['kapsl̩] *f* **1.** PHARM, RAUM capsule **2.** (*kleiner Behälter*) small container

K

kaputt [ka'pʊt] *adj* (*fam*) **1.** (*defekt*) broken **2.** (*beschädigt*) damaged **3.** (*erschöpft*) shattered **4.** (*ruiniert*) ruined

kaputt|gehen *vi irreg sein* (*fam*) **1.** to break down **2.** (*beschädigt werden*) to become damaged **3.** (*ruiniert werden*) to be ruined **kaputt|machen** I. *vt* (*fam*) **1.** (*zerstören*) to break **2.** (*ruinieren*) to ruin **3.** (*erschöpfen*) **jdn** ~ to wear sb out II. *vr* (*fam*) **sich** ~ to wear oneself out

Kapuze <-, -n> [ka'puːtsə] *f* hood

Kapuzenshirt [-ʃøːɐ̯t] *nt* hoody

Karabiner <-s, -> [kara'biːnɐ] *m* **1.** carbine **2.** (*Haken*) karabiner

Karaffe <-, -n> [ka'rafə] *f* decanter

Karambolage <-, -n> [karambo'laːʒə] *f* pile-up

Karamellᴿᴿ <-s> [kara'mɛl] *m kein pl* caramel

Karat <-[e]s, -e> [ka'raːt] *nt* carat

Karate <-[s]> [ka'raːtə] *nt kein pl* karate

Kardamom <-s> [karda'moːm] *m o nt kein pl* cardamom

Kardinal <-s, Kardinäle> [kardi'naːl] *m* cardinal

Karfiol <-s> [kar'fi̯oːl] *m kein pl* ÖSTERR cauliflower

Karfreitag [kaːɐ̯'fraitaːk] *m* Good Friday

karg [kark] *adj* meagre

Karibik <-> [ka'riːbɪk] *f* **die** ~ the Caribbean

kariert [ka'riːrt] *adj* **1.** *Stoff* checked **2.** *Papier* squared

Karies <-> [kaːri̯ɛs] *f kein pl* tooth decay

Karikatur <-, -en> [karika'tuːɐ̯] *f* caricature

karikieren [kari'kiːrən] *vt* to caricature

Karneval <-s, -e> ['karnəval] *m* carnival

Kärnten <-s> ['kɛrntn̩] *nt* Carinthia

Karo <-s, -s> ['kaːro] *nt* **1.** check **2.** KARTEN diamonds *pl*

Karosserie <-, -n> [karɔsə'riː] *f* bodywork

Karotte <-, -n> [ka'rɔtə] *f* carrot

Karpfen <-s, -> ['karpfn̩] *m* carp

Karren <-s, -> ['karən] *m* **1.** (*Schubkarre*) wheelbarrow **2.** (*offener Pferdewagen*) cart

Karriere <-, -n> [ka'ri̯eːrə] *f* career

Karte <-, -n> ['kartə] *f* **1.** card; (*Ansichtskarte*) [post]card; (*Eintritts-/ Fahrkarte*) ticket **2.** (*Auto-/Landkarte*) map; **nach der** ~ according to the map **3.** (*Speisekarte*) menu **4.** KARTEN card; **die ~n mischen** to shuffle the cards

Kartei <-, -en> [kar'tai] *f* card index

Karteikarte *f* index card

Kartenspiel *nt* game of cards **Kartenspieler(in)** <-s, -> *m(f)* card player **Kartentelefon** *nt* cardphone

Kartoffel <-, -n> [kar'tɔfl̩] *f* potato

Kartoffelbrei *m kein pl* mashed potatoes **Kartoffelchips** *pl* crisps BRIT, chips AM **Kartoffelpuffer** <-s, -> *m* potato fritter **Kartoffelsalat** *m* potato salad

Karton <-s, -s> [kar'tɔŋ] *m* **1.** cardboard box **2.** (*Pappe*) cardboard

Karussell <-s, -s> [karʊ'sɛl] *nt* merry-go-round

Käse <-s, -> ['kɛːzə] *m* **1.** cheese **2.** (*pej*) nonsense

Käsekuchen *m* cheesecake

Kasino <-s, -s> [ka'ziːno] *nt* casino

Kaskoversicherung *f* fully comprehensive insurance

Kasper <-s, -> ['kaspɐ] *m*, **Kasperl** <-s, -[n]> ['kaspɐl] *m o nt* ÖSTERR Punch

Kasperletheater *nt* Punch and Judy show

Kasse <-, -n> ['kasə] *f* 1. (*Zahlstelle*) cash desk; (*in Supermarkt*) check-out 2. (*Registrierkasse*) cash register, till; **jdn zur ~ bitten** to ask sb to pay 3. (*fam*) **gut/schlecht bei ~ sein** to be well/badly off

Kassenbon *m* receipt

Kassette <-, -n> [ka'sɛtə] *f* (*Video*) video tape; (*Musik*) tape

Kassettenrekorder *m* cassette recorder

kassieren [ka'siːrən] I. *vt* 1. to collect (**von** from) 2. (*fam: einstreichen*) to pick up II. *vi* **bei jdm ~** to hand sb the bill

Kassierer(in) <-s, -> [ka'siːrɐ] *m(f)* cashier

Kastanie <-, -n> [kas'taːniə] *f* chestnut

kastanienbraun *adj* maroon

Kasten <-s, Kästen> ['kastn̩] *m* 1. box 2. ÖSTERR (*Schrank*) cupboard ▶ **etwas/nichts auf dem ~ haben** (*fam*) to be/not to be on the ball

kastrieren [kas'triːrən] *vt* to castrate

Katalog <-[e]s, -e> [kata'loːk] *m* catalogue

Katalysator <-s, -toren> [kataly'zaːtoːɐ̯] *m* 1. catalyst 2. AUTO catalytic converter

katastrophal [katastro'faːl] *adj* catastrophic

Katastrophe <-, -n> [kata'stroːfə] *f* catastrophe

Katastrophenhilfe *f* aid for disaster victims

Kategorie <-, -n> [katego'riː] *f* category

Kater <-s, -> ['kaːtɐ] *m* 1. tomcat; **der Gestiefelte ~** Puss-in-Boots 2. hangover; **einen ~ haben** to have a hangover

Kathedrale <-, -n> [kate'draːlə] *f* cathedral

Katheter <-s, -> [ka'teːtɐ] *m* catheter

Katholik(in) <-en, -en> [kato'liːk] *m(f)* Catholic

katholisch [ka'toːlɪʃ] *adj* Roman Catholic

Kätzchen[1] <-s, -> ['kɛtsçən] *nt dim von s.* **Katze** kitten

Kätzchen[2] <-s, -> ['kɛtsçən] *nt* BOT catkin

Katze <-, -n> ['katsə] *f* cat ▶ **die ~ aus dem** <u>Sack</u> **lassen** (*fam*) to let the cat out of the bag; **die ~ im** <u>Sack</u> **kaufen** to buy a pig in a poke

kauen ['kauən] *vt, vi* to chew

Kauf <-[e]s, Käufe> [kauf] *m* 1. (*das Kaufen*) buying; **etw zum ~ anbieten** to offer sth for sale 2. (*Ware*) buy ▶ **etw in ~** <u>nehmen</u> to put up with sth; **ein Risiko in ~ nehmen** to accept a risk

kaufen ['kaufn̩] I. *vt* to buy II. *vi* to shop

Käufer(in) <-s, -> ['kɔyfɐ] *m(f)* buyer

Kauffrau *f* businesswoman **Kaufhaus** *nt* department store

Kaufmann, -frau <-leute> ['kaufman] *m, f* businessman *masc,* businesswoman *fem*

kaufmännisch *adj* commercial

Kaufvertrag *m* contract of sale

Kaugummi *m* chewing gum

Kaulquappe <-, -n> ['kaulkvapə] *f* tadpole

kaum [kaum] I. *adv* hardly; [**wohl**] ~! I don't think so!; ~ **eine[r]** hardly anyone; ~ **jemals** hardly ever II. *konj* ~ **dass ...** no sooner ... than

Kaution <-, -en> [kau'tsi̯oːn] *f* 1. JUR bail 2. (*für Mietwohnung*) deposit

Kautschuk <-s, -e> ['kautʃʊk] *m* caoutchouc

K

Kauz <-es, Käuze> [kauts] *m* **1.** [tawny] owl **2.** (*Sonderling*) [odd] character

Kavalier <-s, -e> [kava'li:ɐ̯] *m* gentleman

Kaviar <-s, -e> ['ka:vi̯ar] *m* caviar[e]

keck [kɛk] *adj* cheeky

Kegel <-s, -> ['ke:gl̩] *m* **1.** SPORT skittle **2.** MATH cone

Kegelbahn *f* bowling alley

kegeln ['ke:gl̩n] *vi* to go bowling

Kehle <-, -n> ['ke:lə] *f* throat ▶ **sich** *dat* **die ~ aus dem Hals schreien** (*fam*) to scream one's head off

Kehlkopf *m* larynx

kehren¹ ['ke:rən] **I.** *vt* to turn; **kehre die Innenseite nach außen** turn it inside out; **in sich** *akk* **gekehrt** introverted **II.** *vr* **1.** (*geh*) **sich gegen jdn ~** to turn against sb **2.** (*kümmern*) **sich an etw** *dat* **~** to care about sth

kehren² ['ke:rən] *vt, vi* to sweep

Kehricht <-s> ['ke:rɪçt] *m o nt kein pl* **1.** sweepings *npl* **2.** SCHWEIZ (*Müll*) refuse, AM *usu* garbage ▶ **jdn einen feuchten ~ angehen** (*sl*) not to be any of sb's [damned] business

Kehrschaufel *f* dustpan

Kehrseite *f* **1.** back **2.** (*Schattenseite*) downside ▶ **die ~ der Medaille** the other side of the coin

keifen ['kaifn̩] *vi* (*pej*) to nag

Keil <-[e]s, -e> [kail] *m* wedge

Keiler <-s, -> ['kailɐ] *m* wild boar

Keilriemen *m* V-belt

Keim <-[e]s, -e> [kaim] *m* **1.** BOT shoot **2.** (*Erreger*) germ ▶ **etw im ~[e] ersticken** to nip sth in the bud

keimen ['kaimən] *vi* BOT to germinate

keimfrei *adj* sterile; **etw ~ machen** to sterilize sth

keinerlei ['kainɐ'lai] *adj attr* no ... at all

keinesfalls ['kainəs'fals] *adv* under no circumstances

keineswegs ['kainəs've:ks] *adv* not at all

Keks <-es, -e> [ke:ks] *m* biscuit BRIT, cookie AM ▶ **jdm auf den ~ gehen** (*sl*) to get on someone's wick

Kelch <-[e]s, -e> [kɛlç] *m* chalice

Kelle <-, -n> ['kɛlə] *f* **1.** (*Schöpflöffel*) ladle **2.** (*Maurerwerkzeug*) trowel

Keller <-s, -> ['kɛlɐ] *m* cellar

Kellergeschossᴿᴿ *nt* basement

Kellner(in) <-s, -> ['kɛlnɐ] *m(f)* waiter

Kelte, Keltin <-n, -n> ['kɛltə, 'kɛltɪn] *m, f* Celt

keltern ['kɛltɐn] *vt* to press

kennen <kannte, gekannt> ['kɛnən] *vt* **1.** (*jdm bekannt sein*) to know; **kennst du das Buch/diesen Film?** have you read this book/seen this film?; **kennst du mich noch?** do you remember me?; **wie ich ihn kenne ...** if I know him ...; **so kenne ich dich gar nicht** I've never seen you like this; **jdn ~ lernen** to meet sb; **sich ~ lernen** to meet **2.** (*vertraut sein*) **etw ~** to be familiar with sth; **jdn/etw ~ lernen** to get to know sb/sth; **sich ~ lernen** to get to know one another

Kenner(in) <-s, -> ['kɛnɐ] *m(f)* expert

Kenntnis <-ses, -se> ['kɛntnɪs] *f* knowledge *no pl*; **etw zur ~ nehmen** to take note of sth; **zur ~ nehmen, dass ...** to note that ...

Kennwort <-wörter> *nt* code name

Kennzeichen *nt* **1.** mark **2.** (*Nummernschild*) number plate BRIT, license plate AM

kennzeichnen ['kɛntsaiçnən] **I.** *vt* **1.** to mark **2.** (*charakterisieren*) to characterize **II.** *vr* **sich durch etw** *akk* **~** to be characterized by sth

kentern ['kɛntɐn] *vi sein* to capsize

Keramik <-> [ke'ra:mɪk] *f kein pl*
1. (*Waren*) pottery 2. (*Material*) fired clay

Kerbe <-, -n> ['kɛrbə] *f* notch

Kerbel <-s> ['kɛrbl] *m kein pl* chervil

Kerl <-s, -e> [kɛrl] *m* (*fam*) bloke

Kern <-[e]s, -e> [kɛrn] *m* 1. *Apfel* pip; *Kirsche* stone; **einen wahren ~ haben** to contain a core of truth 2. *Atom, Zelle* nucleus 3. (*wichtigster Teil*) core

Kernfusion *f* nuclear fusion **Kernkraft** *f* nuclear power **Kernkraftwerk** *nt* nuclear power plant **Kernreaktor** *m* nuclear reactor

Kernseife *f* washing soap

Kernspaltung *f* nuclear fission

Kerosin <-s, -e> [kero'zi:n] *nt* kerosene

Kerze <-, -n> ['kɛrtsə] *f* candle

Kerzenständer *m* candlestick

Kessel <-s, -> ['kɛsəl] *m* kettle

Ketchup <-[s], -s> ['kɛtʃap], **Ketschup**^RR <-[s], -s> ['kɛtʃap] *m o nt* ketchup

Kette <-, -n> ['kɛtə] *f* 1. chain; (*Schmuck*) necklace; **einen Hund an die ~ legen** to put a dog on a chain; **jdn in ~n legen** to put sb in chains 2. (*Reihe*) **eine ~ von Unglücksfällen** a series of accidents

Kettenreaktion *f* chain reaction

Ketzer(in) <-s, -> ['kɛtsɐ] *m(f)* heretic

ketzerisch *adj* heretical

keuchen ['kɔyçn̩] *vi* to pant

Keuchhusten *m* whooping cough

Keule <-, -n> ['kɔylə] *f* club

keusch [kɔyʃ] *adj* chaste

Kichererbse ['kɪçɐʔɛrpsə] *f* chick-pea

kichern ['kɪçɐn] *vi* to giggle

kidnappen ['kɪtnɛpn̩] *vt* to kidnap

Kiebitz <-es, -e> ['ki:bɪts] *m* lapwing

Kiefer¹ <-, -n> ['ki:fɐ] *f* pine [tree]

Kiefer² <-s, -> ['ki:fɐ] *m* ANAT jaw[-bone]

Kiel <-[e]s, -e> [ki:l] *m* keel

Kieme <-, -n> ['ki:mə] *f* gill

Kies <-es> [ki:s] *m kein pl* gravel

Kiesel <-s, -> ['ki:zl] *m s.* **Kieselstein**

Kilogramm *nt* kilogramme **Kilohertz** *nt* kilohertz **Kilometer** [kilo'me:tɐ] *m* kilometre **Kilometerzähler** *m* mil[e]age counter

Kind <-[e]s, -er> [kɪnt] *nt* child; **ein ~ bekommen** to be expecting a baby; **von ~ auf** from an early age ▶ **das ~ mit dem** <u>Bade</u> **ausschütten** to throw out the baby with the bathwater; **mit ~ und** <u>Kegel</u> (*hum*) with the whole family; **kein ~ von** <u>Traurigkeit</u> **sein** (*hum*) to be sb who enjoys life

Kinderarzt, -ärztin *m, f* paediatrician BRIT, pediatrician AM **Kinderfahrkarte** *f* child's ticket **Kindergarten** *m* nursery school, kindergarten AM **Kindergärtner(in)** *m(f)* nursery-school [*or* AM kindergarten] teacher **Kindergeld** *nt* child benefit **Kinderkrankheit** *f* childhood disease **Kinderlähmung** *f* polio **Kindermädchen** *nt* nanny **Kindersitz** *m* 1. AUTO child safety seat 2. (*fürs Rad*) child-carrier seat **Kinderspielplatz** *m* playground **Kinderspielzeug** *nt* [children's [*or* child's]] toy **Kindertagesstätte** *f* nursery **Kinderteller** *m* child portion **Kinderwagen** *m* pram BRIT, baby carriage AM **Kinderzimmer** *nt* children's room

Kindheit <-> *f kein pl* childhood; **von ~ an** from childhood

kindisch ['kɪndɪʃ] *adj* childish

kindlich ['kɪntlɪç] I. *adj* childlike II. *adv* **sich ~ verhalten** to behave in a childlike way

K

Kinn <-[e]s, -e> [kɪn] *nt* chin
Kinnhaken *m* hook to the chin
Kino <-s, -s> ['ki:no] *nt* cinema, AM [movie] theater
Kiosk <-[e]s, -e> ['ki:ɔsk] *m* kiosk
Kipfe(r)l <-s, -[n]> ['kɪpfl̩, -fɐl] *nt* ÖS-TERR croissant
kippen ['kɪpn̩] I. *vt haben* 1. (*schütten*) to tip 2. (*schräg stellen*) to tilt II. *vi sein* 1. (*umfallen*) to topple over; [**von etw** *dat*] ~ to fall [off sth] 2. *Ökosystem* to collapse
Kirche <-, -n> ['kɪrçə] *f* 1. church 2. (*Institution*) Church
Kirchhof *m* (*veraltend*) church grave-yard
kirchlich ['kɪrçlɪç] I. *adj* church *attr;* **ein ~er Feiertag** a religious holiday II. *adv* ~ **bestattet werden** to have a church funeral; **sich ~ trauen lassen** to get married in church
Kirchturm *m* steeple **Kirchweih** <-, -en> *f*, **Kirchweihe** *f* (*ländlicher Jahrmarkt*) [country] fair
Kirschbaum ['kɪrʃbaum] *m* cherry tree
Kirsche <-, -n> ['kɪrʃə] *f* cherry
Kissen <-s, -> ['kɪsn̩] *nt* (*Kopfpolster*) pillow; (*Zierde*) cushion
Kiste <-, -n> ['kɪstə] *f* box
Kitsch <-es> [kɪtʃ] *m kein pl* kitsch
kitschig ['kɪtʃɪç] *adj* kitschy
Kitt <-[e]s, -e> [kɪt] *m* putty
Kittel <-s, -> ['kɪtl̩] *m* overall; **weißer ~** white coat
kitten ['kɪtn̩] *vt* (*in Ordnung bringen*) **etw [wieder] ~** to patch up sth [again]
Kitz <-es, -e> [kɪts] *nt* kid
kitzelig ['kɪtsəlɪç] *adj* ticklish
kitzeln ['kɪtsl̩n] *vi, vt* 1. to tickle 2. (*reizen*) **es kitzelt mich sehr, da mitzumachen** I'm really itching to join in
Kiwi <-, -s> ['ki:vi] *f* kiwi [fruit]

klaffen ['klafn̩] *vi* to yawn; *Wunde* to gape
kläffen ['klɛfn̩] *vi* to yap
Klage <-, -n> ['kla:gə] *f* 1. (*geh: Jammern*) lament 2. (*Beschwerde*) complaint 3. JUR [legal] action; **eine ~ abweisen** to dismiss a suit; **eine ~ einreichen** to take legal action
klagen ['kla:gn̩] I. *vi* 1. (*jammern*) to moan 2. (*sich beschweren*) to complain (**bei** to); **ich kann nicht ~** I can't complain; **ohne zu ~** without complaining 3. JUR (*prozessieren*) to take legal action (**gegen** against) II. *vt* ÖSTERR (*verklagen*) **jdn ~** to take legal action against sb
Kläger(in) <-s, -> *m(f)* plaintiff
Klammer <-, -n> ['klamɐ] *f* 1. (*Wäscheklammer*) peg; (*Heftklammer*) staple 2. (*Satzzeichen*) bracket; **eckige/runde/spitze ~n** square/round/pointed brackets; **geschweifte ~n** braces; **in ~n** in brackets
Klang <-[e]s, Klänge> [klaŋ] *m* sound
Klappe <-, -n> ['klapə] *f* 1. flap 2. (*sl: Mund*) trap; **halt die ~!** shut your trap!; **eine große ~ haben** to have a big mouth
klappen ['klapn̩] I. *vt* to fold; **einen Deckel nach oben/unten ~** to lift up/lower a lid II. *vi* (*fam: funktionieren*) to work out; **alles hat geklappt** everything went as planned
Klapper <-, -n> ['klapɐ] *f* rattle
klapperig ['klapərɪç] *adj* (*fam*) rickety
klappern ['klapɐn] *vi* to rattle
Klapperschlange *f* rattlesnake
Klappmesser *nt* flick-knife **Klappstuhl** *m* folding chair
Klaps <-es, -e> [klaps] *m* smack ► **einen ~ haben** (*fam*) to have a screw loose

klar [klaːɐ̯] I. *adj* 1. (*eindeutig*) clear; **eine ~e Antwort** a straight answer; **jdm ~ sein** to be clear to sb 2. (*ungetrübt*) clear; **eine ~e Nacht** a clear night II. *adv* clearly; **~ und deutlich** clearly and unambiguously; **~ denkend** clear-thinking; **~ sehen** to see clearly III. *interj* [na] **~!** of course!

Kläranlage *f* sewage-works

klären ['klɛːrən] I. *vt* (*aufklären*) to clear up *sep* II. *vr* (*sich aufklären*) **sich ~** to be cleared up

Klarinette <-, -n> [klari'nɛtə] *f* clarinet

klar|machen *vt* **jdm etw ~** to make sth clear to sb; **sich** *dat* **~, dass ...** to realize that ...

Klasse <-, -n> ['klasə] *f* 1. SCH class; **eine ~ überspringen/wiederholen** to skip/repeat a year 2. BAHN **erster ~ fahren** to travel first-class ▶ **große ~!** (*fam*) great!

Klassenarbeit *f* class test **Klassenzimmer** *nt* classroom

klassifizieren [klasifi'tsiːrən] *vt* to classify

Klassik <-> ['klasɪk] *f kein pl* 1. (*Epoche*) classical age 2. (*Musik*) classical music

klassisch ['klasɪʃ] *adj* 1. classical 2. (*ideal*) classic

Klatsch <-[e]s, -e> [klatʃ] *m kein pl* (*pej*) tittle-tattle; **~ und Tratsch** gossip

klatschen ['klatʃn̩] *vi* 1. *haben* (*applaudieren*) to clap 2. *sein* (*aufschlagen*) to splat; **die Regentropfen klatschten ihr ins Gesicht** the raindrops beat against her face 3. *haben* (*tratschen*) to gossip

Klatschmohn *m* [corn] poppy

Klatschpresse *f kein pl* (*fam*) MEDIA gossip press

Klaue <-, -n> ['klauə] *f* 1. (*Krallen*) claw 2. (*pej fam: Handschrift*) scrawl

Klausel <-, -n> ['klauzl̩] *f* clause

Klausur <-, -en> [klau'zuːɐ̯] *f* SCH exam

Klavier <-s, -e> [kla'viːɐ̯] *nt* piano

Klavierspieler(in) *m(f)* pianist

kleben ['kleːbn̩] I. *vi* to be sticky; **an jdm/etw ~** [bleiben] to stick to sb/ sth II. *vt* to glue ▶ **jdm eine ~** (*fam*) to clock sb one

klebrig ['kleːbrɪç] *adj* sticky

Klebstoff *m* adhesive

Klebstreifen *m* adhesive tape

kleckern ['klɛkən] *vi* to make a mess

Klecks <-es, -e> ['klɛks] *m* blob

klecksen ['klɛksn̩] *vi* 1. (*kleckern*) to make a mess 2. (*tropfen*) to blot; *Farbe* to drip

Klee <-s> [kleː] *m kein pl* clover

Kleeblatt *nt* cloverleaf; **vierblättriges ~** four-leaf clover

Kleid <-[e]s, -er> [klait] *nt* 1. dress 2. **Kleider** clothes *npl* ▶ **~er machen Leute** (*prov*) fine feathers make fine birds

kleiden ['klaidn̩] *vt* 1. (*anziehen*) to dress; **sich gut/schlecht ~** to dress well/badly; [**in etw** *akk*] **gekleidet sein** to be dressed [in sth] 2. (*jdm stehen*) **jdn ~** to suit sb

Kleiderbügel *m* coat-hanger **Kleiderbürste** *f* clothes brush **Kleiderhaken** *m* coat-hook **Kleiderordnung** *f* dress code **Kleiderschrank** *m* wardrobe

Kleidung <-> *f kein pl* clothing

Kleidungsstück *nt* garment

Kleie <-, -n> ['klaiə] *f* bran

klein [klain] I. *adj* 1. (*nicht groß*) little; (*Körpergröße*) small; (*kleinwüchsig a.*) short; **etw ~ hacken** to chop up sth *sep;* **~ gehackte Zwiebeln** finely chopped onions 2. (*Kleidergröße*) small 3. (*jung*) small; **von ~ auf** from

K

childhood **4.** (*gering*) small; **die ~ste Bewegung** the slightest movement; **ein ~[es] bisschen** a little bit **5.** (*unbedeutend*) minor; **die ~en Leute** ordinary people **6.** (*Detail*) **bis ins K~ste** in minute detail **II.** *adv* (*in kleiner Schrift*) **~ gedruckt** *attr* in small print *pred* ▶ **~ anfangen** (*fam*) to start at the bottom; **~ beigeben** to give in [quietly]

Kleinanzeige *f* small ad **Kleinasien** <-s> [klain'ʔaːzjən] *nt* Asia Minor

Kleinformat *nt* small format; **im ~** small-format **Kleingeld** *nt* change

Kleinigkeit <-, -en> ['klainɪçkait] *f* **1.** (*Bagatelle*) small matter; **eine/ keine ~ sein** to be a/no simple matter; **wegen jeder ~** at every opportunity **2.** (*Einzelheit*) minor detail **3.** (*ein wenig*) **eine ~ zu hoch/tief** a little too high/low; **eine ~ essen** to have a bite to eat

kleinkariert *adj* **1.** finely checked **2.** (*engstirnig*) narrow-minded **Kleinkind** *nt* toddler

klein|kriegen *vt* (*fam*) **jdn ~** to bring sb into line

kleinlaut I. *adj* sheepish **II.** *adv* sheepishly; **~ fragen** to ask meekly; **etw ~ gestehen** to admit sth shamefacedly

kleinlich ['klainlɪç] *adj* petty **klein|schreiben**^RR *vt* to write with a small initial letter

Kleinstadt *f* small town **kleinstädtisch** *adj* **1.** small-town *attr* **2.** (*provinziell*) provincial

Kleister <-s, -> ['klaistɐ] *m* paste **Klemme** <-, -n> ['klɛmə] *f* **1.** (*Klammer*) clip **2.** (*schwierige Lage*) fix; **in der ~ sitzen** to be in a fix

klemmen ['klɛmən] **I.** *vt* (*feststecken*) to stick **II.** *vr* **sich** *dat* **den Finger in der Tür ~** to get one's finger caught

in the door **III.** *vi* (*blockieren*) to jam **Klempner(in)** <-s, -> ['klɛmpnɐ] *m(f)* plumber

Klette <-, -n> ['klɛtə] *f* BOT burdock; **an jdm wie eine ~ hängen** (*fam*) to cling to sb like a limpet

klettern ['klɛtɐn] *vi* to climb; **auf einen Baum ~** to climb a tree; **aufs Dach ~** to climb onto the roof

Kletterpflanze *f* climbing plant **Klettverschluss®**^RR *m* Velcro® fastener

Klima <-s, -s> ['kliːma] *nt* climate **Klimaanlage** *f* air-conditioning *no pl* **klimatisiert** *adj* air-conditioned **Klimaveränderung** *f* climate change **Klimmzug** *m* pull-up; **Klimmzüge machen** to do pull-ups

Klinge <-, -n> ['klɪŋə] *f* blade **Klingel** <-, -n> ['klɪŋl̩] *f* bell **klingeln** ['klɪŋl̩n] *vi* to ring; **an der Tür ~** to ring the doorbell; **es hat geklingelt** somebody rang the bell; (*Telefon*) the phone rang

klingen <klang, geklungen> ['klɪŋən] *vi* **1.** (*ertönen*) *Glas* to clink; *Glocke* to ring; **dumpf/hell ~** to have a dull/ clear ring **2.** (*widerhallen*) to sound; **die Wand klang hohl** the wall sounded hollow **3.** (*sich anhören*) **das klingt gut/interessant/vielversprechend** that sounds good/interesting/promising

Klinik <-, -en> ['kliːnɪk] *f* clinic **klinisch** ['kliːnɪʃ] **I.** *adj* clinical **II.** *adv* clinically

Klinke <-, -n> ['klɪŋkə] *f* handle **Klippe** <-, -n> ['klɪpə] *f* cliff **klirren** ['klɪrən] *vi* **1.** *Gläser* to tinkle **2.** (*metallisch*) to jangle

Klo <-s, -s> [kloː] *nt* (*fam*) loo BRIT, john AM

Kloake <-, -n> [klo'a:kə] f cesspool

klobig ['klo:bɪç] adj bulky

klonen ['klo:nən] vt to clone

klönen ['klø:nən] vi (fam) to chat

klopfen ['klɔpfn̩] I. vi 1. (pochen) to knock (an at/on/auf on) 2. (mit der Hand) to pat; (mit dem Finger) to tap II. vi impers es klopft! there's somebody knocking at the door! III. vt Teppich, Fleisch to beat

Klops <-es, -e> [klɔps] m meatball

Klosett <-s, -s> [klo'zɛt] nt toilet

Kloß <-es, Klöße> [klo:s] m dumpling

Kloster <-s, Klöster> ['klo:stɐ] nt (für Mönche) monastery; (für Nonnen) convent

Klotz <-es, Klötze> [klɔts] m block ▶ [jdm] ein ~ am <u>Bein</u> sein (fam) to be a millstone round sb's neck

Klub <-s, -s> [klʊp] m club

Kluft¹ <-, Klüfte> [klʊft] f 1. cleft 2. (Gegensatz) gulf; **tiefe ~** deep rift

Kluft² <-, -en> [klʊft] f (hum) uniform

klug <klüger, klügste> [klu:k] I. adj intelligent; (schlau) clever; **es wäre klüger, ...** it would be more sensible ...; **da soll einer draus ~ werden** I can't make head [n]or tail of it II. adv cleverly

Klumpen <-s, -> ['klʊmpn̩] m lump; **~ bilden** to go lumpy

knabbern ['knabɐn] vi, vt to nibble (an at)

Knabe <-n, -n> ['kna:bə] m (geh) boy; **na, alter ~!** (fam) well, old boy!

Knäckebrot nt crispbread

knacken [knakn̩] I. vt 1. (aufbrechen) to crack 2. (fam) Kode, Safe to crack II. vi to crack; Diele to creak; **es knackt** there's a crackling noise

Knackpunkt m (fam) crucial point

knallen ['knalən] I. vi 1. haben to bang; **es knallt** there's a bang 2. haben mit der Tür ~ to slam the door [shut]; **etw ~ lassen** to bang sth 3. sein (fam) auf/gegen etw akk ~ to bang on/against sth II. vt 1. Tür to bang 2. etw irgendwohin ~ to slam sth somewhere 3. (fam) jdm eine ~ to give sb a clout

knapp [knap] I. adj 1. (gering) meagre; Geld tight; [mit etw dat] ~ sein to be short [of sth] 2. (eng anliegend) tight 3. (gerade ausreichend) just enough; Sieg narrow 4. (nicht ganz) in einer ~en Stunde in just under an hour 5. (kurz gefasst) in wenigen ~en Worten in a few brief words II. adv 1. (mäßig) sparingly; ~ bemessen sein to be not very generous 2. (nicht ganz) almost 3. (haarscharf) narrowly

knarren ['knarən] vi to creak

knattern ['knatɐn] vi Motorrad to roar

Knäuel <-s, -> ['knɔyəl] m o nt ball

knauserig ['knauzərɪç] adj (pej) stingy

knausern ['knauzɐn] vi (pej) to be stingy (mit with)

Knautschzone f crumple zone

Knebel <-s, -> ['kne:bl̩] m gag

knebeln ['kne:bl̩n] vt to gag

Knechtschaft <-, selten -en> f slavery

kneifen <kniff, gekniffen> ['knaifn̩] I. vt to pinch II. vi 1. (zwicken) to pinch 2. (fam: zurückscheuen) [vor etw dat] ~ to chicken [out of] sth

Kneipe <-, -n> ['knaipə] f (fam) pub BRIT, bar AM

Knete <-> ['kne:tə] f kein pl 1. (sl: Geld) dosh BRIT 2. s. **Knetgummi**

kneten ['kne:tn̩] I. vt 1. Teig to knead 2. (formen) to model II. vi to play with Plasticine® [or AM Play-Doh®]

K

knicken ['knɪkn̩] **I.** *vt haben* **1.** (*falten*) to fold **2.** (*brechen*) to snap **II.** *vi sein* to snap

Knicks <-es, -e> [knɪks] *m* curts[e]y

Knie <-s, -> [kniː] *nt* knee; **in die ~ gehen** to sink to one's knees; **jdm zittern die ~** sb's knees are shaking [*or* knocking]; **jdn in die ~ zwingen** (*geh*) to force sb to his/her knees ▶ **weiche ~ bekommen** to go weak at the knees; **etw übers ~ brechen** to rush into sth; **in die ~ gehen** to give in

Kniebeuge *f* knee-bend **Kniegelenk** *nt* knee joint **Kniekehle** *f* back of the knee

knien [kniːn] **I.** *vi* to kneel **II.** *vr* **1. sich auf etw** *akk* **~** to kneel [down] on sth **2.** (*fig: sich anstrengen*) **sich in etw** *akk* **~** to get down to sth

Kniescheibe *f* kneecap **Kniestrumpf** *m* knee-length sock

kniffelig ['knɪfəlɪç] *adj*, **knifflig** ['knɪflɪç] *adj* (*fam*) fiddly

knistern ['knɪstɐn] *vi* **1.** (*Geräusch*) to crackle; **es knistert** there is a crackling noise **2.** (*Spannung*) **es knistert** [**zwischen jdm und jdm**] there is a feeling of tension [between sb and sb]

knitterfrei *adj* non-crease

Knoblauch <-[e]s> *m kein pl* garlic **Knoblauchzehe** *f* clove of garlic

Knöchel <-s, -> ['knœçl̩] *m* **1.** (*Fußknöchel*) ankle **2.** (*Fingerknöchel*) knuckle

Knochen <-s, -> ['knɔxn̩] *m* bone ▶ **bis auf die ~ abgemagert sein** to be all skin and bone[s]

Knochenbruch *m* fracture **Knochenmark** *nt* bone marrow

Knödel <-s, -> ['knøːdl̩] *m* dumpling

Knolle <-, -n> ['knɔlə] *f* BOT tuber

Knopf <-[e]s, Knöpfe> [knɔpf] *m* button

Knopfloch *nt* buttonhole **Knopfzelle** *f* round cell battery

Knorpel <-s, -> ['knɔrpl̩] *m* cartilage *no pl*

Knospe <-, -n> ['knɔspə] *f* bud; **~n treiben** to bud

Knoten <-s, -> ['knoːtn̩] *m* knot; **einen ~ machen** to tie a knot

Knotenpunkt *m* junction

knüpfen ['knʏpfn̩] *vt* to tie; *Netz* to mesh; *Teppich* to knot

Knüppel <-s, -> ['knʏpl̩] *m* cudgel, club; (*Polizeiwaffe*) truncheon BRIT, nightstick AM

knurren ['knʊrən] *vi* to growl

knusp(e)rig ['knʊsp(ə)rɪç] *adj* **1.** (*mit einer Kruste*) crisp[y] **2.** (*kross*) crusty

knutschen ['knuːtʃn̩] (*fam*) **I.** *vt* to kiss **II.** *vi* [**mit jdm**] **~** to smooch [with sb]

Knutschfleck *m* love bite

Koalition <-, -en> [koʔaliˈtsi̯oːn] *f* coalition

Kobra <-, -s> ['koːbra] *f* cobra

Koch, Köchin <-s, Köche> [kɔx, 'kœçɪn] *m, f* cook

Kochbuch *nt* cook[ery]book

kochen ['kɔxn̩] **I.** *vi* **1.** to cook **2.** (*brodeln*) to boil; **etw zum K~ bringen** to bring sth to the boil; **~d heiß** boiling hot **3.** (*fig*) **vor Wut ~** to seethe with rage **II.** *vt* **1.** to cook; **Kaffee/Suppe ~** to make [some] coffee/soup **2.** *Wäsche* to boil

Kochgelegenheit *f* cooking facilities *pl*

Köchin <-, -nen> *f fem form von* **Koch**

Kochlöffel *m* wooden spoon **Kochrezept** *nt* recipe **Kochsalz** *nt kein pl* common salt **Kochtopf** *m* [cooking] pot; (*mit Stiel*) saucepan **Kochwäsche**

f washing that can be boiled

Köder <-s, -> ['køːdɐ] *m* bait

ködern ['køːdɐn] *vt* to lure; **jdn zu ~ versuchen** to woo sb

Koffein <-s> [kɔfe'iːn] *nt kein pl* caffeine

koffeinfrei *adj* decaffeinated

Koffer <-s, -> ['kɔfɐ] *m* [suit]case; **die ~** *pl* the luggage [*or esp* AM baggage]; **den/die ~ packen** to pack [one's bags]

Kofferraum *m* boot BRIT, trunk AM

Kognak <-s, -s> ['kɔnjak] *m* brandy

Kohl <-[e]s, -e-> [koːl] *m* cabbage

Kohle <-, -n> ['koːlə] *f* 1. coal *no pl* 2. (*sl: Geld*) dosh BRIT ▶ **wie auf [glühenden] ~n** <u>sitzen</u> to be on tenterhooks

Kohlendioxid *nt kein pl* carbon dioxide **Kohlenhydrat** <-[e]s, -e> *nt* carbohydrate **Kohlensäure** *f* carbonic acid; **mit ~** fizzy; **ohne ~** still *attr*

Kohlmeise *f* great titmouse

Kohlrabi <-[s], -[s]> [koːl'raːbi] *m* kohlrabi *no pl*

Kohlsprosse *f* ÖSTERR (*Rosenkohl*) Brussels sprout

Koje <-, -n> ['koːjə] *f* NAUT bunk

Kojote <-n, -n> [ko'joːtə] *m* coyote

Kokain <-s> [koka'iːn] *nt kein pl* cocaine

kokett [ko'kɛt] *adj* flirtatious

kokettieren [kokɛ'tiːrən] *vi* 1. to flirt 2. (*spielen*) **mit dem Gedanken ~** to toy with the idea

Kokosflocken *pl* desiccated coconut **Kokosnuss**^{RR} *f* coconut **Kokospalme** *f* coconut palm

Koks <-es> [koːks] *m kein pl* coke

Kolben <-s, -> ['kɔlbn̩] *m* AUTO piston

Kolibri <-s, -s> ['koːlibri] *m* hummingbird

Kolik <-, -en> ['koːlɪk] *f* colic *no pl;* **eine ~ haben** to have colic

Kollaps <-es, -e> ['kɔlaps] *m* collapse

Kollege, Kollegin <-n, -n> [kɔ'leːgə] *m, f* colleague

Köln [kœln] *nt* Cologne

Kölnischwasser *nt*, **Kölnisch Wasser** ['kœlnɪʃvasɐ] *nt* cologne

Kolonie <-, -n> [kolo'niː] *f* colony

kolonisieren [koloni'ziːrən] *vt* to colonize

Kolonne <-, -n> [ko'lɔnə] *f* 1. (*Fahrzeuge*) convoy 2. (*Arbeiter*) gang 3. (*Zahlenreihe*) column

Koma <-s, -s> [koːma] *nt* coma; **im ~ liegen** to lie in a coma

Kombi <-s, -s> ['kɔmbi] *m* (*fam*) estate BRIT, station wagon AM

Kombination <-, -en> [kɔmbina'tsi̯oːn] *f* combination

kombinieren [kɔmbi'niːrən] *vt* to combine

Kombüse <-, -n> [kɔm'byːzə] *f* galley

Komet <-en, -en> [ko'meːt] *m* comet

Komfort <-s> [kɔm'foːɐ̯] *m kein pl* comfort

komfortabel [kɔmfɔr'taːbl̩] *adj* 1. luxurious 2. (*bequem*) comfortable

Komiker(in) <-s, -> ['koːmikɐ] *m(f)* comic

komisch ['koːmɪʃ] I. *adj* 1. funny 2. (*sonderbar*) strange II. *adv* strangely; **sich ~ fühlen** to feel funny; **jdm ~ vorkommen** to seem funny to sb

Komitee <-s, -s> [komi'teː] *nt* committee

Komma <-s, -s> ['kɔma] *nt* comma

Kommandant(in) <-en, -en> [kɔman'dant] *m(f)* commanding officer

Kommando <-s, -s> [kɔ'mando] *nt* command; **auf ~** on command; **das ~ haben** to be in command (**über** of)

K

Kommandobrücke *f* bridge

kommen <kam, gekommen> ['kɔmən] *vi sein* **1.** to come; **als Erster/Letzter ~** to be the first/last to arrive; **den Arzt/ein Taxi ~ lassen** to send for the doctor/a taxi **2.** (*gelangen*) **irgendwohin ~** to get somewhere; **wie komme ich von hier zum Bahnhof?** how do I get to the station from here?; **ins Gefängnis/ Krankenhaus ~** to go to prison/into hospital; **in die Schule ~** to start school; **ans Ziel ~** to reach the finishing [*or* AM finish] line **3.** (*passieren*) **durch etw/einen Ort ~** to pass through sth/a place **4.** (*an der Reihe sein*) to come; **wer kommt [jetzt]?** whose turn is it? **5.** (*erlangen*) **zu Geld ~** to come into money; **zu Kräften ~** to gain strength; **zu sich** *dat* **~** to regain consciousness **6.** (*verlieren*) **um etw** *akk* **~** to lose sth **7.** (*hingehören*) **irgendwohin ~** to belong somewhere; **die Schuhe ~ unter das Bett** the shoes belong under the bed **8.** (*herannahen*) to approach; (*geschehen*) to come about; **das kam doch anders als erwartet** it [*or* that] turned out differently than expected; **und so kam es, dass ...** and that's how it came about that ...; **wie kommt es, dass ...?** how come...?; **es musste ja so ~** that was bound to happen; **es hätte viel schlimmer ~ können** it could have been much worse; **was auch immer ~ mag** whatever happens; **so weit ~, dass ...** to get to the stage where ...; **das kommt davon, dass [*o* weil] ...** that's because ...; **das kommt davon, wenn ...** that's what happens when ... **9.** (*überkommen*) **über jdn ~** *Gefühl*

to come over sb; **jdm ~ die Tränen** sb starts to cry **10.** (*in Situation geraten*) **in Gefahr/Not ~** to get into danger/difficulty; **in Verlegenheit ~** to get embarrassed **11.** (*sich an etw erinnern*) **auf etw** *akk* **~** to remember sth **12.** (*etw herausfinden*) **hinter etw** *akk* **~** to find out sth; **hinter ein Geheimnis ~** to uncover a secret; **wie kommst du darauf?** what makes you think that? **13.** (*Zeit finden*) **zu etw** *dat* **~** to get around to doing sth **14.** (*ansprechen*) **auf etw** *akk* [**zu sprechen**] **~** to get [a]round to [talking about] sth; **ich werde gleich darauf ~** I'll come to that in a moment

Kommentar <-s, -e> [kɔmɛn'taːɐ̯] *m* statement; **kein ~!** no comment!; **einen ~ zu etw** *dat* **abgeben** to comment [on] sth

kommentieren [kɔmɛn'tiːrən] *vt* **etw ~** to comment on sth

Kommissar(in) <-s, -e> [kɔmɪ'saːɐ̯] *m(f)* **1.** (*Polizei*) inspector **2.** ADMIN commissioner

Kommission <-, -en> [kɔmɪ'sjoːn] *f* **1.** committee **2. etw in ~ geben** to commission someone to sell sth

Kommode <-, -n> [kɔ'moːdə] *f* chest of drawers

kommunal [kɔmu'naːl] *adj* municipal

Kommunalpolitik *f* local politics *pl*

Kommune <-, -n> [kɔ'muːnə] *f* **1.** local authority **2.** (*WG*) commune

Kommunikation <-, -en> [kɔmunika'tsjoːn] *f* communication

Kommunion <-, -en> [kɔmu'njoːn] *f* Communion

Kommunismus <-> [kɔmu'nɪsmʊs] *m kein pl* communism

Kommunist(in) <-en, -en> [kɔmu'nɪst] *m(f)* communist

kommunistisch [kɔmuˈnɪstɪʃ] *adj* communist

Komödie <-, -n> [koˈmøːdi̯ə] *f* comedy

kompakt [kɔmˈpakt] *adj* compact

Kompanie <-, -n> [kɔmpaˈniː] *f* company

Komparativ <-s, -e> [ˈkɔmparatiːf] *m* comparative

Kompass^RR <-es, -e> *m*, **Kompaß**^ALT <-sses, -sse> [ˈkɔmpas] *m* compass

kompatibel [kɔmpaˈtiːbl̩] *adj* compatible

kompensieren [kɔmpɛnˈziːrən] *vt* to compensate

kompetent [kɔmpeˈtɛnt] *adj* competent

komplett [kɔmˈplɛt] **I.** *adj* complete **II.** *adv* completely

komplex [kɔmˈplɛks] *adj* complex

Komplex <-es, -e> [kɔmˈplɛks] *m* complex

Komplikation <-, -en> [kɔmplikaˈtsi̯oːn] *f* complication

Kompliment <-[e]s, -e> [kɔmpliˈmɛnt] *nt* compliment; **jdm ein ~ machen** to pay sb a compliment

Komplize, Komplizin <-n, -n> [kɔmˈpliːtsə, kɔmˈpliːtsɪn] *m, f* accomplice

kompliziert I. *adj* complicated **II.** *adv* in a complicated manner

komponieren [kɔmpoˈniːrən] *vt, vi* to compose

Komponist(in) <-en, -en> [kɔmpoˈnɪst] *m(f)* composer

Kompost <-[e]s, -e> [kɔmˈpɔst] *m* compost *no pl*

kompostieren [kɔmpɔsˈtiːrən] *vt* to compost

Kompott <-[e]s, -e> [kɔmˈpɔt] *nt* compote

Kompresse <-, -n> [kɔmˈprɛsə] *f* compress

komprimieren [kɔmpriˈmiːrən] *vt* to compress

Kompromiss^RR <-es, -e> *m*, **Kompromiß**^ALT <-sses, -sse> [kɔmproˈmɪs] *m* compromise; **fauler ~** false compromise; **[mit jdm] einen ~ schließen** to come to a compromise [with sb]

kompromisslos^RR *adj* uncompromising

Kondensator <-s, -toren> [kɔndɛnˈzaːtoːɐ̯] *m* condenser

kondensieren [kɔndɛnˈziːrən] *vi, vt* to condense

Kondensmilch *f* condensed milk

Konditor(in) <-s, -toren> [kɔnˈdiːtoːɐ̯, -ˈtoːrɪn] *m(f)* confectioner

Konditorei <-, -en> [kɔnditoˈrai̯] *f* confectioner's

Kondom <-s, -e> [kɔnˈdoːm] *m o nt* condom

Kondukteur(in) <-s, -e> [kɔndʊkˈtøːɐ̯] *m(f)* SCHWEIZ (*Schaffner*) conductor

Konfekt <-[e]s, -e> [kɔnˈfɛkt] *nt* confectionery

Konferenz <-, -en> [kɔnfeˈrɛnts] *f* conference; **eine ~ anberaumen** to arrange a meeting

Konfession <-, -en> [kɔnfɛˈsi̯oːn] *f* denomination

Konfetti <-s> [kɔnˈfɛti] *nt kein pl* confetti

Konfirmation <-, -en> [kɔnfɪrmaˈtsi̯oːn] *f* confirmation

Konfitüre <-, -n> [kɔnfiˈtyːrə] *f* preserve

Konflikt <-s, -e> [kɔnˈflɪkt] *m* conflict; **mit dem Gesetz in ~ geraten** to clash with the law

konform [kɔnˈfɔrm] *adj* **mit jdm ~ gehen** to agree with sb

K

Konfrontation <-, -en> [kɔnfrɔnta-'tsi̯oːn] *f* confrontation

konfrontieren [kɔnfrɔn'tiːrən] *vt* to confront

konfus [kɔn'fuːs] *adj* confused

Kongress^RR <-es, -e> *m*, **Kongreß**^ALT <-sses, -sse> [kɔn'grɛs] *m* **1.** congress **2.** (*in USA*) **der ~** Congress *no art*

König <-s, -e> ['køːnɪç] *m* king

Königin <-, -nen> ['køːnɪgɪn] *f fem form von* **König** queen

königlich ['køːnɪklɪç] *adj* royal

Königreich ['køːnɪkrai̯ç] *nt* kingdom; **das Vereinigte ~** the United Kingdom

Konjugation <-, -en> [kɔnjuga'tsi̯oːn] *f* conjugation

konjugieren [kɔnju'giːrən] *vt* to conjugate

Konjunktion <-, -en> [kɔnjʊnk'tsi̯oːn] *f* conjunction

Konjunktiv <-s, -e> ['kɔnjʊŋktiːf] *m* subjunctive

Konjunktur <-, -en> [kɔnjʊnk'tuːɐ̯] *f* state of the economy; **steigende/ rückläufige ~** boom/slump

konkav [kɔn'kaːf] *adj* concave

konkret [kɔn'kreːt] *adj* concrete

Konkurrent(in) <-en, -en> [kɔnkʊ-'rɛnt] *m(f)* competitor

Konkurrenz <-, -en> [kɔnkʊ'rɛnts] *f* competition; **mit jdm in ~ stehen** to be in competition with sb; **außer ~** unofficially

konkurrieren [kɔnkʊ'riːrən] *vi* to compete

Konkurs <-es, -e> [kɔn'kʊrs] *m* bankruptcy; **~ anmelden** to declare oneself bankrupt; **~ machen** to go bankrupt

können ['kœnən] **I.** *vt* <konnte, gekonnt> (*beherrschen*) to know; **eine**

Sprache ~ to speak a language; **nichts für etw** *akk***/dafür ~** to not be able to do anything about sth/it ▶ **du kannst mich [mal]** (*sl*) kiss my ass! **II.** *vi* <konnte, gekonnt> to be able; **nicht mehr ~** (*erschöpft sein*) to not be able to go on; **noch ~** to be able to carry on; **wie konntest du nur!** how could you?! **III.** *vb aux* <konnte, können> **1.** (*vermögen*) **etw tun ~** to be able to do sth **2.** (*dürfen*) **kann ich das Foto sehen?** can [*or* may] I see the photo? **3.** (*möglicherweise sein*) **[ja,] kann sein** [yes,] that's possible; **könnte es nicht sein, dass ...?** could it not be that ...?

Können <-s> ['kœnən] *nt kein pl* ability

konsequent [kɔnze'kvɛnt] **I.** *adj* **1.** consistent **2.** (*unbeirrbar*) resolute **II.** *adv* **1.** consistently **2.** resolutely

Konsequenz <-, -en> [kɔnze'kvɛnts] *f* **1.** (*Folge*) consequence; **die ~en tragen** to take the consequences; **die ~en ziehen** to take the necessary action **2.** *kein pl* (*Unbeirrbarkeit*) resoluteness

konservativ ['kɔnzɛrvatiːf] *adj* conservative

Konserve <-, -n> [kɔn'zɛrvə] *f* preserved food *no pl*

Konservenbüchse *f*, **Konservendose** *f* tin BRIT, can AM

konservieren [kɔnzɛr'viːrən] *vt* to preserve

Konservierungsmittel *nt* preservative

Konsonant <-en, -en> [kɔnzo'nant] *m* consonant

konstant [kɔn'stant] *adj* constant

Konstitution <-, -en> [kɔnstitu'tsi̯oːn] *f* constitution

konstruieren [kɔnstru'iːrən] *vt* **1.** construct **2.** (*entwerfen*) to design

Konstruktion <-, -en> [kɔnstrʊk'tsi̯oːn] *f* **1.** construction **2.** (*Entwurf*) design

konstruktiv [kɔnstrʊk'tiːf] **I.** *adj* constructive **II.** *adv* constructively

Konsul(in) <-s, -n> ['kɔnzʊl] *m(f)* consul

Konsulat <-[e]s, -e> [kɔnzʊ'laːt] *nt* consulate

Konsum <-s> [kɔn'zuːm] *m kein pl* consumption

Konsument(in) <-en, -en> [kɔnzu'mɛnt] *m(f)* consumer

Konsumgesellschaft *f* consumer society

konsumieren [kɔnzu'miːrən] *vt* to consume

Kontakt <-[e]s, -e> [kɔn'takt] *m* contact; **sexuelle ~e** sexual contact; **mit jdm ~ aufnehmen** to get in contact with sb; **mit jdm in ~ bleiben/stehen** to stay/be in contact with sb; **keinen ~ mehr zu jdm haben** to have lost contact with sb; **mit jdm in ~ kommen** to come into contact with sb

kontaktfreudig *adj* sociable

kontaktieren *vt* to contact

Kontaktlinse *f* contact lens **Kontaktlinsenpflegemittel** *nt* contact lens solution

kontern ['kɔntɐn] *vt, vi* to counter

Kontext <-[e]s, -e> ['kɔntɛkst] *m* context

Kontinent <-[e]s, -e> ['kɔntinɛnt] *m* continent

Kontinuität <-> [kɔntinui'tɛt] *f kein pl* (*geh*) continuity *no pl*

Konto <-s, Konten> ['kɔnto] *nt* account; **auf jds ~ gehen** (*für etw aufkommen*) to be on sb

Kontoauszug *m* bank statement **Kontoinhaber(in)** *m(f)* account holder **Kontonummer** *f* account number **Kontostand** *m* account balance

konträr [kɔn'trɛːɐ̯] *adj* contrary

Kontrast <-[e]s, -e> [kɔn'trast] *m* contrast; **im ~ zu etw** *dat* **stehen** to contrast with sth

Kontrolle <-, -n> [kɔn'trɔlə] *f* **1.** (*Überprüfung*) check; **eine ~ durchführen** to conduct an inspection **2.** (*Überwachung*) monitoring; **etw unter ~ bringen** to bring sth under control; **jdn/etw unter ~ haben** to have sb/sth under control; **die ~ über etw/sich** *akk* **verlieren** to lose control of sth/oneself

kontrollieren [kɔntrɔ'liːrən] *vt* **1.** (*überprüfen*) to check **2.** (*überwachen*) to monitor

Kontroverse <-, -n> [kɔntro'vɛrzə] *f* conflict

Kontur <-, -en> [kɔn'tuːɐ̯] *f* contour

Konvention <-, -en> [kɔnvɛn'tsi̯oːn] *f* convention

konventionell [kɔnvɛntsi̯o'nɛl] *adj* conventional

Konversation <-, -en> [kɔnvɛrza'tsi̯oːn] *f* (*geh*) conversation; **~ machen** to make conversation

konvex [kɔn'vɛks] *adj* convex

Konvoi <-s, -s> ['kɔnvɔy] *m* convoy; **im ~ fahren** to travel in convoy

Konzentrat <-[e]s, -e> [kɔntsɛn'traːt] *nt* concentrate

Konzentration <-, -en> [kɔntsɛntra'tsi̯oːn] *f* concentration (**auf** on)

konzentrieren [kɔntsɛn'triːrən] **I.** *vr* **sich ~** to concentrate (**auf** on) **II.** *vt* to concentrate (**auf** on)

Konzept <-[e]s, -e> [kɔn'tsɛpt] *nt* **1.** (*Entwurf*) draft; **als ~** in draft

K

[form] **2.** (*Plan*) plan; **jdn aus dem ~ bringen** to put sb off; **aus dem ~ geraten** to lose one's train of thought
Konzern <-s, -e> [kɔn'tsɛrn] *m* group
Konzert <-[e]s, -e> [kɔn'tsɛrt] *nt* concert
Kooperation <-, -en> [koʔopera-'tsi̯oːn] *f* cooperation *no pl*
Koordination <-, -en> [koʔɔrdina-'tsi̯oːn] *f* coordination
koordinieren [koʔɔrdi'niːrən] *vt* to coordinate
Kopf <-[e]s, Köpfe> [kɔpf] *m* **1.** head; **von ~ bis Fuß** from head to toe; **einen roten ~ bekommen** to go red in the face; **jdm brummt der ~** (*fam*) sb's head is thumping; **den ~ einziehen** to lower one's head **2.** (*Gedanken*) **sich** *dat* **etw durch den ~ gehen lassen** to mull sth over; **sich** *dat* **den ~ zerbrechen** to rack one's brains **3.** (*Verstand, Wille*) mind; **seinen eigenen ~ haben** (*fam*) to have a mind of one's own; **seinen ~ durchsetzen** to get one's way; **sich** *dat* **etw aus dem ~ schlagen** to get sth out of one's head **4.** (*Person*) head; **der ~ einer S.** *gen* the person behind sth; **pro ~** per head ▶ **[bei etw** *dat*] **und Kragen riskieren** to risk life and limb [doing sth]; **den ~ in den Sand stecken** to bury one's head in the sand; **~ hoch!** chin up!; **jdn einen ~ kürzer machen** (*sl*) to chop sb's head off; **nicht auf den ~ gefallen sein** to not have been born yesterday; **jdn vor den ~ stoßen** to offend sb
Kopfball *m* header
köpfen ['kœpfn̩] *vt* to behead
Kopfhaut *f* scalp **Kopfhörer** *m* headphones *pl* **Kopfkissen** *nt* pillow
Kopfrechnen *nt* mental arithmetic

Kopfsalat *m* lettuce
Kopfschmerz *m meist pl* headache; **jdm ~en machen** to give sb a headache; **~en haben** to have a headache
Kopfsprung *m* header; **einen ~ machen** to take a header **Kopfstand** *m* headstand; **einen ~ machen** to do a headstand
Kopfsteinpflaster *nt* cobblestones *pl*
Kopftuch *nt* headscarf **Kopfweh** *nt s.* **Kopfschmerz**
Kopie <-, -n> [ko'piː] *f* copy
kopieren [ko'piːrən] *vt* **1.** (*fotokopieren*) to photocopy; (*pausen*) to trace **2.** FILM, FOTO (*Abzüge machen*) to print **3.** (*Doppel herstellen*) to copy **4.** (*nachahmen*) to imitate, to copy
Kopiergerät *nt* [photo]copier
Koppel <-, -n> ['kɔpl̩] *f* pasture
Koralle <-, -n> [ko'ralə] *f* coral
Korb <-[e]s, Körbe> [kɔrp] *m* basket; **einen ~ erzielen** to score a goal ▶ [**von jdm**] **einen ~ bekommen** to be rejected [by sb]; **jdm einen ~ geben** to turn sb down
Korbball *m kein pl* korfball
Kord <-[e]s, -e> [kɔrt] *m* corduroy
Kordhose *f* cord trousers *pl* BRIT, corduroy pants *pl* AM
Koriander <-s, -> [ko'ri̯andə] *m* coriander *no pl*
Korinthe <-, -n> [ko'rɪntə] *f* current
Kork <-[e]s, -e> [kɔrk] *m* cork
Korken <-s, -> ['kɔrkn̩] *m* cork
Korkenzieher <-s, -> *m* corkscrew
Korn[1] <-[e]s, Körner> [kɔrn] *nt* **1.** (*Samen*) grain **2.** (*hartes Teilchen*) grain **3.** (*Getreide*) corn *no pl*
Korn[2] <-[e]s, - *o* -s> [kɔrn] *m* (*Schnaps*) schnapps
Korn[3] <-[e]s, -e> [kɔrn] *nt* **etw aufs ~ nehmen** to hit out at sth; **jdn aufs ~**

nehmen to have it in for sb

Kornblume *f* cornflower

Körper <-s, -> [ˈkœrpɐ] *m* body; **am ganzen ~** all over

Körperbau *m kein pl* physique **Körpergewicht** *nt* weight **Körpergröße** *f* size

körperlich I. *adj* 1. ANAT physical 2. (*stofflich*) material II. *adv* physically; **~ arbeiten** to do physical work

Körperpflege *f* personal hygiene **Körpersprache** *f* body language **Körperteil** *m* part of the body **Körperverletzung** *f* bodily harm *no pl;* **schwere ~** grievous bodily harm

korpulent [kɔrpuˈlɛnt] *adj* (*geh*) corpulent

korrekt [kɔˈrɛkt] I. *adj* correct II. *adv* correctly

Korrektur <-, -en> [kɔrɛkˈtuːɐ̯] *f* correction; [**etw**] **~ lesen** to proof-read [sth]

Korrespondent(in) <-en, -en> [kɔrɛspɔnˈdɛnt] *m(f)* correspondent

Korrespondenz <-, -en> [kɔrɛspɔnˈdɛnts] *f* correspondence *no pl*

korrespondieren *vi* to correspond

Korridor <-s, -e> [ˈkɔridoːɐ̯] *m* corridor

korrigieren [kɔriˈgiːrən] *vt* to correct; *Klassenarbeit* to mark

korrupt [kɔˈrʊpt] *adj* corrupt

Korruption <-, -en> [kɔrʊpˈtsi̯oːn] *f* corruption

Korsett <-s, -s> [kɔrˈzɛt] *nt* corset

Kosename *m* pet name

Kosmetik <-> [kɔsˈmeːtɪk] *f kein pl* cosmetics *pl*

Kosmetiker(in) <-s, -> [kɔsˈmeːtikɐ] *m(f)* beautician

Kosmetikkoffer *m* vanity case

kosmetisch [kɔsˈmeːtɪʃ] I. *adj* cosmetic II. *adv* cosmetically

kosmisch [ˈkɔsmɪʃ] *adj* cosmic

Kosmopolit(in) <-en, -en> [kɔsmopoˈliːt] *m(f)* cosmopolitan

Kosmos <-> [ˈkɔsmɔs] *m kein pl* **der ~** the cosmos

Kost <-> [kɔst] *f kein pl* food; [**freie**] **~ und Logis** [free] board and lodging; **geistige ~** intellectual fare

kostbar [ˈkɔstbaːɐ̯] *adj* 1. (*wertvoll*) valuable 2. (*unentbehrlich*) precious

kosten¹ [ˈkɔstn̩] I. *vt* 1. *Ware* to cost 2. (*erfordern*) **jdn etw ~** to take [up] sb's sth; **das kann uns viel Zeit ~** it could take us a [good] while 3. (*Verlust bedeuten*) **jdn etw ~** to cost sb sth ▶ **koste es, was es wolle** whatever the cost II. *vi* to cost

kosten² [ˈkɔstn̩] *vt* (*probieren*) to taste

Kosten [ˈkɔstn̩] *pl* costs; **~ sparend** economically; *Maßnahme* economical; **auf seine ~ kommen** to get one's money's worth; **die ~ tragen** to bear the costs; **auf ~ einer Person/einer S.** *gen* at the expense of sb/sth

kostenlos *adj* free [of charge]

Kostenvoranschlag *m* quotation

köstlich [ˈkœstlɪç] I. *adj* delicious II. *adv* **sich ~ amüsieren** to have a wonderful time

Kostüm <-s, -e> [kɔsˈtyːm] *nt* 1. suit 2. THEAT costume

Kot <-[e]s> [koːt] *m kein pl* excrement

Kotelett <-s, -s> [kɔtˈlɛt] *nt* chop

Koteletten [kɔtəˈlɛtn̩] *pl* sideburns *npl*

Kotflügel *m* wing

Kotze <-> [ˈkɔtsə] *f kein pl* (*vulg*) puke

kotzen [ˈkɔtsn̩] *vi* (*vulg*) to puke; **das ist zum K~** (*sl*) it makes you sick

Krabbe <-, -n> [ˈkrabə] *f* crab

krabbeln [ˈkrabl̩n] *vi sein* to crawl

Krach <-[e]s, Kräche> [krax] *m* 1. *kein pl* noise 2. (*Streit*) quarrel; **~ haben** (*fam*) to have a row

K

krachen ['kraxn̩] I. vi 1. haben to crash; Schuss to ring out 2. sein (prallen) to crash II. vi impers haben 1. **es kracht** there is a crashing noise 2. (Unfall) **auf der Kreuzung hat es gekracht** there's been a crash on the intersection

krächzen ['krɛçtsn̩] vi Vogel to caw; Mensch to croak

Kraft <-, Kräfte> [kraft] f 1. strength; **wieder zu Kräften kommen** to regain one's strength; **über jds Kräfte gehen** to be more than sb can cope with; **seine Kräfte sammeln** to gather one's strength; **mit aller ~** with all one's strength; **mit letzter ~** with one's last ounce of strength; **mit vereinten Kräften** with combined efforts 2. (Geltung) force; **außer ~ sein** to be no longer in force; **in ~ sein** to be in force; **etw außer ~ setzen** to cancel sth; **in ~ treten** to come into force 3. PHYS (Energie) power; **aus eigener ~** by oneself; **mit frischer ~** with renewed energy 4. meist pl (Machgruppe) force

Kraftfahrzeug nt motor vehicle **Kraftfahrzeugbrief** m registration document **Kraftfahrzeugkennzeichen** nt vehicle registration

kräftig ['krɛftɪç] I. adj 1. (stark) strong 2. (wuchtig) powerful II. adv regnen heavily

kraftlos I. adj weak II. adv feebly **Kraftstoff** m fuel

kraftvoll I. adj powerful II. adv forcefully; **~ zubeißen** to take a hearty bite

Kraftwerk nt power station

Kragen <-s, -> ['kraːgən] m collar ▶ **jdm geht es an den ~** sb is in for it; **etw kostet jdn den ~** sth is sb's downfall; **jdm platzt der ~** sb blows their top

Krähe <-, -n> ['krɛːə] f crow

Krake <-n, -n> ['kraːkə] m octopus

Kralle <-, -n> ['kralə] f claw

Kram <-[e]s> [kraːm] m kein pl (fam) 1. junk 2. (Angelegenheit) affairs pl; **den ganzen ~ hinschmeißen** to pack the whole thing in; **jdm in den ~ passen** to suit sb fine; **jdm nicht in den ~ passen** to be a real nuisance to sb

Krämer(in) <-s, -> ['krɛmɐ] m(f) DIAL (veraltet) grocer's, general store

Krampf <-[e]s, Krämpfe> [krampf] m cramp

Krampfader f varicose vein

krampfhaft I. adj desperate II. adv desperately

Kran <-[e]s, Kräne> [kraːn] m crane

Kranich <-s, -e> ['kraːnɪç] m crane

krank <kränker, kränkste> [kraŋk] adj 1. ill, sick 2. **~ vor etw** dat **sein** to be sick with sth ▶ **jdn [mit etw** dat**] ~ machen** to get on sb's nerves [with sth]

Kranke(r) f(m) dekl wie adj sick person

kränkeln ['krɛŋkl̩n] vi to be unwell

kränken ['krɛŋkn̩] vt **jdn ~** to hurt sb's feelings; **gekränkt sein** to feel hurt; **es kränkt jdn, dass ...** it hurts sb['s feelings], that ...; **~d** hurtful

Krankengeld nt sick pay **Krankenhaus** nt hospital **Krankenkasse** f health insurance company **Krankenpflege** f nursing **Krankenpfleger(in)** m(f) [male] nurse **Krankenschwester** f nurse **Krankenwagen** m ambulance

krankhaft adj morbid

Krankheit <-, -en> f illness; **wegen ~** due to illness

Krankheitserreger m pathogen

Krankmeldung f notification of sickness

Kränkung <-, -en> *f* insult

Kranz <-es, Kränze> [krants] *m* wreath

krass^{RR}, **kraß**^{ALT} [kras] *adj* **1.** (*auffallend*) glaring **2.** (*unerhört*) blatant

Krater <-s, -> ['kra:tɐ] *m* crater

Krätze <-> ['krɛtsə] *f kein pl* scabies

kratzen ['kratsn̩] I. *vt* **1.** to scratch **2.** (*jucken*) **sich ~** to scratch oneself **3.** (*fam: kümmern*) **das kratzt mich nicht** I couldn't care less about that II. *vi* **1.** (*jucken*) to scratch; **das Unterhemd kratzt** the vest is scratchy **2.** (*beeinträchtigen*) **an etw** *dat* **~** to scratch away at sth

Kratzer <-s, -> ['kratsɐ] *m* scratch

kraulen ['kraulən] *vi* (*schwimmen*) to do the crawl

kraus [kraus] *adj Haar* frizzy

Kraut <-[e]s, Kräuter> [kraut] *nt* **1.** BOT herb **2.** *kein pl* (*Kohl*) cabbage ▶ **wie ~ und Rüben durcheinander liegen** (*fam*) to lie about all over the place

Kräutertee *m* herbal tea

Krautkopf *m* head of cabbage

Krawatte <-, -n> [kra'vatə] *f* tie

Krawattennadel *f* tiepin

kreativ [krea'ti:f] *adj* creative

Kreativität <-> [kreativi'tɛt] *f kein pl* creativity

Krebs¹ <-es, -e> [kre:ps] *m* **1.** crayfish **2.** *kein pl* KOCHK crab **3.** *kein pl* ASTROL Cancer

Krebs² <-es, -e> [kre:ps] *m* MED cancer; **~ erregend** carcinogenic

Kredit <-[e]s, -e> [kre'di:t] *m* credit; **einen ~ [bei jdm] aufnehmen** to take out a loan [with sb]; **auf ~** on credit

Kreditkarte *f* credit card; **mit ~ bezahlen** to pay by credit card

Kreide <-, -n> ['kraidə] *f* chalk ▶ **bei jdm [tief] in der ~ stehen** (*fam*) to owe sb [a lot of] money

Kreis¹ <-es, -e> [krais] *m* circle; **einen ~ um jdn bilden** to form a circle around sb; **sich im ~[e] drehen** to turn round in a circle; **im ~ gehen** to go round in circles; **im ~** in a circle ▶ **weite ~e** wide sections; **jdm dreht sich alles im ~e** sb's head is spinning

Kreis² <-es, -e> [krais] *m* ADMIN district

kreischen ['kraiʃn̩] *vi* to shriek

Kreisel <-s, -> ['kraizl̩] *m* **1.** spinning top **2.** TRANSP roundabout

kreisen ['kraizn̩] *vi* **1.** to revolve (**um** around) **2.** *Vogel, Flieger* to circle **3.** (*zirkulieren*) to circulate (**in** through)

kreisförmig I. *adj* circular II. *adv* in a circle

Kreislauf *m* circulation

Kreislaufstörungen *pl* circulatory disorder

Kreissäge *f* circular saw

Kreisstadt *f* district principal town

Kreisverkehr *m* roundabout

Krempe <-, -n> ['krɛmpə] *f* brim

Kren <-s> [kre:n] *m kein pl* BOT, KOCHK ÖSTERR, SÜDD horseradish

Kresse <-, -n> ['krɛsə] *f* cress

Kreuz <-es, -e> [krɔyts] *nt* **1.** cross; **jdn ans ~ schlagen** to crucify sb; **über[s] ~** crosswise **2.** (*Symbol*) crucifix; **das Rote ~** the Red Cross **3.** ANAT lower back; **es im ~ haben** to have back trouble **4.** *kein pl* KARTEN clubs *pl* ▶ **jdn aufs ~ legen** (*fam*) to fool sb; **drei ~e machen** (*fam*) to be so relieved; **ein ~ mit jdm/etw sein** (*fam*) to be a constant bother with sb/sth

K

Kreuzer <-s, -> [ˈkrɔytsɐ] *m* NAUT cruiser

Kreuzfahrt *f* cruise; **eine ~ machen** to go on a cruise

kreuzigen [ˈkrɔytsɪgn̩] *vt* to crucify

Kreuzigung <-, -en> *f* crucifixion

Kreuzotter *f* adder **Kreuzschlitzschraube** *f* Phillips screw

Kreuzschmerzen *pl* backache, lower back pain

Kreuzspinne *f* cross spider

Kreuzung <-, -en> *f* **1.** (*Straßenkreuzung*) crossroads *pl* **2.** *kein pl* BIOL (*das Kreuzen*) cross-breeding **3.** (*Bastard*) mongrel

Kreuzworträtsel *nt* crossword

Kreuzzug *m* crusade

kribbeln [ˈkrɪbl̩n] *vi* (*jucken*) **mir kribbelt es am Rücken** my back is itching

kriechen <kroch, gekrochen> [ˈkriːçn̩] *vi* **1.** *sein* to crawl **2.** *sein o haben* (*pej: unterwürfig sein*) [**vor jdm**] **~** to grovel [before sb]

Krieg <-[e]s, -e> [kriːk] *m* war; **jdm/einem Land den ~ erklären** to declare war on sb/a country; **~ führen** to wage war (**gegen** on); **in den ~ ziehen** to go to war

kriegen¹ [ˈkriːgn̩] *vt* (*fam*) **1.** to get; **ich kriege noch 20 Euro von dir** you still owe me 20 euros; **eine Krankheit ~** to get an illness; **etw zu sehen ~** to get to see sth **2.** (*noch erreichen*) **den Zug ~** to catch the train **3.** (*erwischen*) **jdn ~** to catch sb **4.** (*gebären*) **ein Kind ~** to have a baby **5.** (*überreden*) **jdn dazu ~, etw zu tun** to get sb to do sth **6.** (*schaffen*) **ich kriege das schon geregelt** I'll get it sorted ▶ **es mit jdm zu tun ~** to be in trouble with sb

kriegen² [ˈkriːgn̩] *vi* (*Krieg führen*) to make war

Krieger(in) <-s, -> [ˈkriːgɐ] *m(f)* warrior

kriegerisch *adj* **1.** (*kämpferisch*) warlike **2.** (*militärisch*) military

Kriegsdienstverweigerer <-s, -> *m* conscientious objector **Kriegsgefangene(r)** *f(m) dekl wie adj* prisoner of war **Kriegsgefangenschaft** *f* captivity; **in ~ geraten** to become a prisoner of war **Kriegsgericht** *nt* court martial **Kriegsschiff** *nt* war ship **Kriegsverbrecher(in)** *m(f)* war criminal

Krimi <-s, -s> [ˈkrɪmi] *m* (*fam*) thriller

Kriminalbeamte(r), **-beamtin** [krimiˈnaːl-] *m, f* (*geh*) detective

Kriminalität <-> [kriminaliˈtɛt] *f kein pl* criminality

Kriminalpolizei *f* **1.** (*Institution*) Criminal Investigation Department BRIT, plainclothes police AM **2.** (*Beamte*) CID officers *pl* BRIT, plainclothes police officers *pl* AM **Kriminalroman** *m* detective novel

kriminell [krimiˈnɛl] *adj* criminal

Kriminelle(r) [krimiˈnɛlə, -lɐ] *f(m) dekl wie adj* criminal

Krippe <-, -n> [ˈkrɪpə] *f* **1.** *a.* REL manger **2.** (*Kinderkrippe*) day nursery

Krise <-, -n> [ˈkriːzə] *f* crisis

Kristall <-s, -e> [krɪsˈtal] *m* crystal

Kritik <-, -en> [kriˈtiːk] *f* **1.** *kein pl* criticism (**an** of); **an jdm/etw ~ üben** to criticize sb/sth **2.** (*Rezension*) review ▶ **unter aller ~ sein** (*pej*) to be beneath contempt

Kritiker(in) <-s, -> [ˈkriːtikɐ] *m(f)* critic

kritisch [ˈkriːtɪʃ] **I.** *adj* critical **II.** *adv* critically

kritisieren [kritiˈziːrən] *vt, vi* to criticize

kritzeln [ˈkrɪtsl̩n] *vi, vt* to scribble

Krokette <-, -n> [kro'kɛtə] f croquette

Krokodil <-s, -e> [kroko'diːl] nt crocodile

Krokus <-, -> ['kroːkʊs] m crocus

Krone <-, -n> ['kroːnə] f crown

Kronleuchter m chandelier **Kronprinz, -prinzessin** m, f crown prince masc, crown princess fem **Kronprinzessin** <-, -nen> f fem form von **Kronprinz** crown princess

Krönung <-, -en> f 1. coronation 2. (Höhepunkt) high point ▶ **die ~ sein** (fam) to beat everything

Kropf <-[e]s, Kröpfe> [krɔpf] m MED goitre

Kröte <-, -n> ['krøːtə] f toad

Krötentunnel m toad tunnel (tunnel providing a safe passage for toads and other migrating amphibians near busy roads)

Krücke <-, -n> ['krʏkə] f crutch; **an ~n gehen** to walk on crutches

Krug <-[e]s, Krüge> [kruːk] m jug; (Trinkgefäß) tankard

Krümel <-s, -> ['kryːml̩] m crumb

krumm [krʊm] adj 1. (nicht gerade) Straße crooked; Nase hooked; Rücken hunched; **~ und schief** askew 2. (pej fam: unehrlich) crooked ▶ **ein ~es Ding drehen** to pull off sth crooked; **sich ~ und schief lachen** (fam) to split one's sides laughing

krümmen ['krʏmən] I. vt 1. to bend; **den Rücken ~** to arch one's back; **die Schultern ~** to slouch one's shoulders 2. MATH **gekrümmt** curved II. vr 1. **sich ~** Fluss to wind; Straße to bend 2. (sich beugen) **sich ~** to bend 3. (sich winden) **sich vor Schmerzen ~** to writhe in pain

krumm|nehmen[RR] vt [jdm] etw ~ to take offence at sth [sb said/did]

Kruste <-, -n> ['krʊstə] f crust

Kruzifix <-es, -e> ['kruːtsifɪks] nt crucifix

Krypta <-, Krypten> ['krʏpta] f crypt

Kübel <-s, -> ['kyːbl̩] m bucket

Kubikmeter [ku'biːk-] m o nt cubic metre **Kubikzahl** f cube number

Küche <-, -n> ['kʏçə] f kitchen

Kuchen <-s, -> ['kuːxn̩] m cake

Küchenabfall m kitchen waste no pl **Küchenchef(in)** m(f) chef **Kuchenform** f baking tin **Küchenschabe** f cockroach **Küchentuch** nt kitchen cloth

Kuckuck <-s, -e> ['kʊkʊk] m cuckoo ▶ **[das] weiß der ~!** (fam) God only knows!; **zum ~ [noch mal]!** (euph fam) damn it!

Kuckucksuhr f cuckoo clock

Kugel <-, -n> ['kuːgl̩] f 1. ball 2. (Geschoss) bullet 3. MATH sphere ▶ **eine ruhige ~ schieben** (fam) to have a cushy time

kugelförmig adj spherical

Kugellager nt ball bearing **Kugelschreiber** m ballpoint

kugelsicher adj bullet-proof

Kugelstoßen <-s> nt kein pl shot put

Kuh <-, Kühe> [kuː] f cow

kühl [kyːl] I. adj cool; **draußen wird es ~** it's getting chilly outside II. adv 1. (recht kalt) **etw ~ lagern** to store sth in a cool place 2. (reserviert) coolly

Kühlbox f cooler

kühlen ['kyːlən] vi, vt to cool

Kühler <-s, -> ['kyːlɐ] m bonnet

Kühlerhaube f bonnet BRIT, hood AM

Kühlschrank m refrigerator **Kühltruhe** f freezer chest

kühn [kyːn] adj 1. brave 2. (gewagt) bold

K

Kuhstall *m* cowshed

Küken <-s, -> [ˈkyːkn̩] *nt* chick

kulant [kuˈlant] *adj* obliging

Kuli <-s, -s> [ˈkuːli] *m* (*fam*) Biro® BRIT, Bic® AM

kulinarisch [kuliˈnaːrɪʃ] *adj* culinary

Kulisse <-, -n> [kuˈlɪsə] *f* THEAT scenery ► **hinter** den ~**n** behind the scenes; **nur** ~ **sein** (*pej*) to be merely a facade

kullern [ˈkʊlɐn] *vi sein* to roll

Kult <-[e]s, -e> [kʊlt] *m* cult

Kultfigur *f* cult figure

kultig [ˈkʊltɪç] *adj* (*sl*) cult

kultivieren [kʊltiˈviːrən] *vt* to cultivate

kultiviert [kʊltiˈviːɐt] *adj* **1.** (*gepflegt*) refined **2.** (*von feiner Bildung*) ~ **sein** to be cultured

Kultstätte *f* place of ritual worship

Kultur <-, -en> [kʊlˈtuːɐ] *f* culture

Kulturbeutel *m* toilet [*or* AM toiletries] bag

kulturell [kʊltuˈrɛl] **I.** *adj* cultural **II.** *adv* culturally

Kümmel <-s, -> [ˈkʏml̩] *m* caraway

Kummer <-s-> [ˈkʊmɐ] *m kein pl* grief; ~ **haben** to have worries; **jdm** ~ **machen** to cause sb trouble

kümmern [ˈkʏmɐn] **I.** *vt* jd/etw **kümmert jdn** sb/sth concerns sb; **was kümmert mich das?** what concern is that of mine? **II.** *vr* **sich um jdn/ etw** ~ to take care of sb/sth; **kümmere dich um deine eigenen Angelegenheiten** mind your own business; **sich darum** ~, **dass ...** to see to it that ...

Kumpel <-s, -> *m* **1.** (*fam*) mate BRIT, buddy AM **2.** (*Bergmann*) miner

Kunde <-> [ˈkʊndə] *f kein pl* (*geh*) tidings *npl*

Kunde, Kundin <-n, -n> [ˈkʊndə, ˈkʊndɪn] *m, f* customer

Kundendienst *m kein pl* after-sales service

kund|geben *vt irreg* to make known

Kundgebung <-, -en> *f* rally

kundig [ˈkʊndɪç] *adj* knowledgeable

kündigen [ˈkʏndɪgn̩] **I.** *vt Vertrag* to terminate **II.** *vi* **1.** *Arbeitnehmer* |**jdm**| ~ to hand in one's notice [to sb] **2.** *Arbeitgeber* **jdm** ~ to give sb his/her notice

Kündigung <-, -en> *f* **1.** JUR cancellation **2.** (*durch den Arbeitnehmer*) handing in one's notice; (*durch den Arbeitgeber*) dismissal

Kundschaft <-, -en> [ˈkʊntʃaft] *f* customers *pl*

künftig [ˈkʏnftɪç] **I.** *adj* future **II.** *adv* in future

Kunst <-, Künste> [kʊnst] *f* art ► **keine** ~ **sein** (*fam*) to be easy

Kunstakademie *f* art college **Kunstausstellung** *f* art exhibit[ion] **Kunstdünger** *m* artificial fertilizer **Kunstfaser** *f* synthetic fibre **Kunsthandwerk** *nt kein pl* craft[work]

Künstler(in) <-s, -> [ˈkʏnstlɐ] *m(f)* artist

künstlerisch [ˈkʏnstlərɪʃ] *adj* artistic

künstlich [ˈkʏnstlɪç] **I.** *adj* artificial **II.** *adv* (*gekünstelt*) affectedly

Kunststoff *m* synthetic material **Kunststück** *nt* trick; **das ist doch kein ~!** there's nothing to it! **Kunstwerk** *nt* work of art

kunterbunt [ˈkʊntɐbʊnt] *adj* **1.** (*vielfältig*) varied **2.** (*bunt*) multi-coloured **3.** (*wahllos*) motley

Kupfer <-s-> [ˈkʊpfɐ] *nt kein pl* copper

Kuppe <-, -n> [ˈkʊpə] *f* **1.** (*Bergkuppe*) [rounded] hilltop **2.** (*Fingerkuppe*) tip

Kuppel <-, -n> [ˈkʊpl̩] *f* dome

kuppeln¹ ['kʊpl̩n] *vi* to operate the clutch

kuppeln² ['kʊpl̩n] *vt* **etw an etw** *akk* ~ to couple sth to sth

Kupplung <-, -en> ['kʊplʊŋ] *f* **1.** clutch **2.** (*für Anhänger*) coupling

Kur <-, -en> [kuːɐ̯] *f* course of treatment; **in ~ fahren** to go to a health resort

Kurbel <-, -n> ['kʊrbl̩] *f* crank

Kurbelwelle *f* crankshaft

Kürbis <-ses, -se> ['kʏrbɪs] *m* pumpkin

Kurhaus *nt* assembly rooms [at a health resort]

Kurier <-s, -e> [ku'riːɐ̯] *m* courier

Kurierdienst *m* courier service

kurieren [ku'riːrən] *vt* to cure (**von** of)

Kuriosität <-, -en> [kurjozi'tɛt] *f* curiosity

Kurort *m* health resort

Kurs¹ <-es, -e> [kʊrs] *m* **1.** (*Richtung*) course; **vom ~ abkommen** to deviate from one's course; **den ~ beibehalten** to maintain [one's] course; **jdn auf ~ bringen** to bring sb into line; **den ~ wechseln** to change course **2.** (*Wechselkurs*) exchange rate **3.** BÖRSE price; **im ~ fallen** to fall in price; **hoch im ~ [bei jdm] stehen** (*a. fig*) to be very popular [with sb]

Kurs² <-es, -e> [kʊrs] *m* (*Lehrgang*) course

Kursbuch *nt* timetable

kursieren [kʊr'ziːrən] *vi* to circulate

kursiv [kʊr'ziːf] I. *adj* italic II. *adv* in italics

Kursivschrift [kʊr'ziːf-] *f* italics

Kurve <-, -n> ['kʊrvə] *f* **1.** (*Straßenkurve*) bend; **aus der ~ fliegen** (*fam*) to leave the road on the bend; **eine ~ machen** to bend **2.** (*gekrümmte Linie*) curve ▸ **die ~ kratzen** (*fam*) to clear off

kurz <kürzer, kürzeste> [kʊrts] I. *adj* **1.** (*räumlich; zeitlich*) short **2.** (*knapp*) brief ▸ **den Kürzeren ziehen** (*fam*) to come off worst II. *adv* **1.** (*räumlich*) short; **etw kürzer machen** to shorten sth **2.** (*zeitlich*) for a short time; **sich ~ fassen** to be brief; **~ gesagt** in a word; **jdn ~ sprechen** to have a quick word with sb; **bis vor ~em** up until a short while ago; **vor ~em** a short while ago; **~ bevor** just before; **~ nachdem** shortly after; **über ~ oder lang** sooner or later ▸ **angebunden sein** (*fam*) to be abrupt; **~ entschlossen** without a moment's hesitation; **~ und gut** in a word; **zu ~ kommen** to lose out

Kurzarbeit *f kein pl* short-time work

kurz|arbeiten *vi* to work short-time

kurzärm(e)lig *adj* short-sleeved

kürzen ['kʏrtsn̩] *vt* **1.** to shorten (**um** by) **2.** (*verringern*) to cut (**um** by/**auf** to)

Kurzfassung *f* abridged version **Kurzfilm** *m* short film

kurzfristig ['kʊrtsfrɪstɪç] I. *adj* **1.** (*innerhalb kurzer Zeit erfolgend*) at short notice **2.** (*für kurze Zeit geltend*) short-term II. *adv* **1.** (*innerhalb kurzer Zeit*) within a short time **2.** (*für kurze Zeit*) briefly

Kurzgeschichte *f* short story

kürzlich ['kʏrtslɪç] *adv* not long ago

KurzschlussRR <-es, Kurzschlüsse> *m*, **Kurzschluß**ALT <-sses, Kurzschlüsse> *m* ELEK short-circuit

kurzsichtig *adj* short-sighted

Kürzung <-, -en> *f* **1.** abridgement **2.** FIN cut

Kurzwaren *pl* haberdashery BRIT, dry goods AM **Kurzwelle** *f* short wave **Kurzzeitgedächtnis** *m* short-term memory

K

kuschen ['kʊʃn̩] *vi* [**vor jdm**] ~ to obey [sb]

Kusine <-, -n> [ku'ziːnə] *f fem form von* **Cousin** cousin

Kuss^{RR} <-es, Küsse> *m,* **Kuß**^{ALT} <-sses, Küsse> [kʊs] *m* kiss

küssen ['kʏsn̩] *vt, vi* to kiss

Küste <-, -n> ['kʏstə] *f* coast

Küstengewässer *pl* coastal waters

Küster(in) <-s, -> ['kʏstɐ] *m(f)* sexton

Kutsche <-, -n> ['kʊtʃə] *f* carriage

Kutte <-, -n> ['kʊtə] *f* habit

Kutter <-s, -> ['kʊtɐ] *m* cutter

Kuvert <-s, -s> [ku'veːɐ̯] *nt* envelope

KZ <-s, -s> [kaː'tsɛt] *nt Abk von* **Konzentrationslager** concentration camp

L

L, l *nt* L, l

labil [la'biːl] *adj* unstable

Labor <-s, -s> [la'boːɐ̯] *nt* laboratory

Laborant(in) <-en, -en> [labo'rant] *m(f)* laboratory technician

Labyrinth <-[e]s, -e> [laby'rɪnt] *nt* maze

lächeln ['lɛçl̩n] *vi* to smile

lachen ['laxn̩] *vi* to laugh (**über** at)

Lachen <-s> ['laxn̩] *nt kein pl* laughter

lächerlich ['lɛçɐlɪç] *adj* ridiculous; **jdn/sich ~ machen** to make a fool of sb/oneself

Lachs <-es, -e> [laks] *m* salmon

Lack <-[e]s, -e> [lak] *m* gloss paint; (*transparent*) varnish

lackieren [la'kiːrən] *vt a. Fingernägel* to paint; *Holz* to varnish

Ladegerät *nt* battery charger

laden¹ <lädt, lud, geladen> ['laːdn̩] *vt, vi* 1. to load (**auf** on[to]/**in** in[to]); **etw aus etw** *dat* ~ to unload sth from sth 2. (*sich aufbürden*) **etw auf sich** *akk* ~ to saddle oneself with sth 3. ELEK to charge (**mit** with)

laden² <lädt, lud, geladen> ['laːdn̩] *vt* JUR to summon

Laden¹ <-s, Läden> ['laːdn̩] *m* (*Geschäft*) shop, AM *usu* store

Laden² <-s, Läden *o* -> ['laːdn̩] *m* shutter

Ladenbesitzer(in) *m(f)* shopkeeper **Ladendieb(in)** *m(f)* shoplifter **Ladenkette** *f* chain of shops **Ladenschluss**^{RR} *m kein pl* closing time

Ladung¹ <-, -en> *f* 1. load 2. ELEK charge

Ladung² <-, -en> *f* JUR summons + *sing vb*

Lage <-, -n> ['laːgə] *f* 1. (*örtlich*) position 2. (*Situation*) situation; **zu etw** *dat* **in der ~ sein** to be in a position to do sth; **sich in jds ~ versetzen** to put oneself in sb's position 3. (*Schicht*) layer

Lager <-s, -> ['laːgɐ] *nt* 1. HANDEL warehouse; **etw auf ~ haben** to have sth in stock; (*fig*) to have sth at the ready 2. (*Unterkunft*) camp

Lagerfeuer *nt* campfire **Lagerhaus** *nt* warehouse

Lagerung <-, -en> *f* warehousing

Lagune <-, -n> [la'guːnə] *f* lagoon

lahm [laːm] *adj* 1. (*gelähmt*) lame 2. (*fam: langsam*) sluggish

lähmen ['lɛːmən] *vt* to paralyse

lahm|legen^{RR} *vt* to bring to a stand-still

Lähmung <-, -en> *f* paralysis

Laib <-[e]s, -e> [laip] *m* loaf

Laich <-[e]s, -e> [laiç] *m* spawn

laichen ['laiçn̩] *vi* to spawn

Laie, Laiin <-n, -n> ['laiə, 'laiɪn] *m, f* layman *masc*, laywoman *fem*

Laken <-s, -> ['la:kn̩] *nt* sheet

Lakritz <-es, -e> [la'krɪts] *m*, **Lakritze** <-, -n> [la'krɪtsə] *f* DIAL liquorice

lallen ['lalən] *vi, vt* to slur

Lama <-s, -s> ['la:ma] *nt* ZOOL llama

Lamm <-[e]s, Lämmer> [lam] *nt* lamb

Lammfell *nt* lambskin

Lampe <-, -n> ['lampə] *f* lamp

Lampion <-s, -s> [lam'pjɔŋ] *m* Chinese lantern

Land <-[e]s, Länder> [lant] *nt* 1. *kein pl* (*Festland*) land; **an ~ gehen** to go ashore 2. *kein pl* (*ländliche Gegend*) country; **auf dem ~[e]** in the country 3. (*Staat*) country 4. (*Bundesland*) federal state ▶ **andere Länder, andere** <u>Sitten</u> every country has its own customs

Landarbeiter(in) *m(f)* farm hand

Landebahn *f* runway

landen ['landn̩] I. *vi sein* 1. to land (**auf** on/**in** in) 2. (*fam: hingelangen o enden*) to end up II. *vt haben* to land

Landenge *f* isthmus

Länderspiel *nt* international [match]

länderübergreifend *adj* international; (*in der BRD*) involving several or all Länder

Landesgrenze *f* 1. frontier 2. (*eines Bundeslandes*) federal state boundary

Landesinnere(s) *nt* interior **landestypisch** *adj* typical of a/the country; **~e Küche** local [*or* traditional] fare [*or* delicacies] **Landesverrat** *m* treason

Landflucht *f* rural exodus **Landfriedensbruch** *m* breach of the public peace **Landkarte** *f* map **Landkreis** *m* administrative district **Landleben** *nt* country life

ländlich ['lɛntlɪç] *adj* rural

Landplage *f* plague

Landschaft <-, -en> ['lantʃaft] *f* landscape

landschaftlich I. *adj* scenic II. *adv* scenically

Landsmann, -männin <-leute> *m, f* compatriot

Landstraße ['lantʃtra:sə] *f* secondary road **Landstreicher(in)** <-s, -> *m(f)* tramp

Landung <-, -en> *f* landing

Landungsbrücke *f* pier

Landwirt(in) *m(f)* farmer

Landwirtschaft *f kein pl* agriculture

landwirtschaftlich *adj* agricultural; **~er Betrieb** farm

Landzunge *f* headland

lang <länger, längste> [laŋ] I. *adj* 1. long 2. *Mensch* tall II. *adv* <länger, am längsten> 1. (*für die Dauer von etw*) **zwei Tage/eine Stunde ~** for two days/an hour 2. *s.* **lange**

langatmig *adj* long-winded

lange ['laŋə] *adv* long; **ich weiß das schon ~** I've known that for a long time; **bleibst du noch ~ in Stuttgart?** are you staying in Stuttgart for long?; **wir können hier nicht länger bleiben** we can't stay here any longer; **wo bist du denn so ~ geblieben?** where have you been all this time?

Länge <-, -n> ['lɛŋə] *f* 1. (*räumlich*) length; **Pfähle von drei Metern ~** posts three metres in length 2. (*zeitlich*) length; **in voller ~** in its entirety; **sich in die ~ ziehen** to drag on

L

langen ['laŋən] **I.** *vi* (*fam*) **1.** (*ausreichen*) |**jdm**| ~ to be enough |for sb| **2.** (*fassen*) **lange bloß nicht mit der Hand an die Herdplatte** make sure you don't touch the hotplate with your hand **3.** (*genug sein*) **jetzt langt's aber!** I've just about had enough! **II.** *vt* (*fam*) (*geben*) **jdm etw ~** to hand sb sth

Längengrad *m* degree of longitude

Langeweile <-> ['laŋəvailə] *f kein pl* boredom; ~ **haben** to be bored

langfädig *adj* SCHWEIZ (*langatmig*) long-winded *pej* **langfristig I.** *adj* long-term **II.** *adv* on a long-term basis **Langlauf** *m kein pl* cross-country skiing

länglich ['lɛŋlɪç] *adj* longish

längs [lɛŋs] **I.** *präp* ~ **einer S.** *gen* along sth **II.** *adv* lengthways; ~ **gestreift** with vertical stripes

langsam ['laŋzaːm] **I.** *adj* **1.** slow **2.** (*allmählich*) gradual **II.** *adv* **1.** slowly **2.** gradually ▸ ~**, aber sicher** slowly but surely

Langsamkeit <-> *f kein pl* slowness

Langschläfer(in) *m(f)* late riser

längst [lɛŋst] *adv* **1.** (*lange*) long since **2.** (*bei weitem*) **das ist ~ nicht alles** that's not everything by a long shot

längstens ['lɛŋstns] *adv* (*höchstens*) at the most

Languste <-, -n> [laŋ'gʊstə] *f* crayfish

langweilen ['laŋvailən] **I.** *vt* to bore **II.** *vi* to be boring **III.** *vr* **sich ~** to be bored

langweilig ['laŋvailɪç] *adj* boring

Langwelle *f* long wave

langwierig ['laŋviːrɪç] *adj* long-drawn-out

Langzeitarbeitslose(r) *f(m)* **die ~n** the long-term unemployed **Langzeitarbeitslosigkeit** *f* long-term unem-

ployment **Langzeitstudent(in)** *m(f)* long-term student

Lanze <-, -n> ['lantsə] *f* lance

Lappalie <-, -n> [la'paːliə] *f* trifle

Lappen <-s, -> ['lapn̩] *m* rag ▸ **jdm durch die ~ gehen** (*fam*) to slip through sb's fingers

läppisch ['lɛpɪʃ] *adj* (*lächerlich*) ridiculous

Lärche <-, -n> ['lɛrçə] *f* larch

Lärm <-[e]s> [lɛrm] *m kein pl* noise; ~ **machen** to make a noise

Lärmbelästigung *f* noise pollution

lärmen ['lɛrmən] *vi* to make noise

Larve <-, -n> ['larfə] *f* ZOOL larva

lasch [laʃ] *adj* **1.** (*schlaff*) feeble **2.** (*nachsichtig*) lax

Lasche <-, -n> ['laʃə] *f* flap; (*Kleidung*) loop

Laser <-s, -> ['leːzɐ] *m* laser

lassen <lässt, ließ, gelassen> ['lasn̩] **I.** *vt* **1.** (*unterlassen*) to stop; **lass das!** stop it!; **wenn du keine Lust dazu hast, dann lass es doch** if you don't feel like it, then don't do it; **etw nicht ~ können** not to be able to stop sth **2.** (*zurücklassen*) **jdn/ etw irgendwo ~** to leave sb/sth somewhere; **etw hinter sich** *dat* ~ to leave sth behind one **3.** (*überlassen*) **jdm etw ~** to let sb have sth **4.** (*belassen*) **jdn ohne Aufsicht ~** to leave sb unsupervised; **etw ~, wie es ist** to leave sth as it is **5.** (*hinaus-/hineinlassen*) **lass den Hund nicht nach draußen** don't let the dog go outside; **frische Luft ins Zimmer ~** to let a bit of fresh air into the room **6.** (*zugestehen*) **eines muss man ihm ~, er versteht sein Handwerk** you've got to give him one thing, he knows his job **II.** *vb aux* <lässt, ließ,

lassen> *modal* **1.** (*veranlassen*) **ich lasse mir die Haare schneiden** I'm having my hair cut; **sie wollen ihre Kinder studieren** ~ they want their children to study; **jdn kommen** ~ to send for sb; ~ **Sie Herrn Braun hereinkommen** send Mr Braun in; **etw machen/reparieren** ~ to have sth done/repaired **2.** (*zulassen*) **jdn etw tun** ~ to let sb do sth; **lass sie gehen!** let her go!; **das lasse ich nicht mit mir machen** I won't stand for it! **3.** (*Möglichkeit ausdrückend*) **das lässt sich [nicht] machen!** that can[not] be done! **4.** *als Imperativ* **lass uns gehen** let's go **III.** *vi* <lässt, ließ, gelassen> (*ablassen*) **sie ist so verliebt, sie kann einfach nicht von ihm** ~ she is so in love, she simply can't part from him; **vom Alkohol** ~ to give up alcohol

lässig ['lɛsɪç] **I.** *adj* casual **II.** *adv* casually

Last <-, -en> [last] *f* **1.** (*was getragen wird*) load **2.** (*Gewicht*) weight **3.** (*Bürde*) burden **4.** *pl* FIN burden; **zu jds ~en gehen** to be charged to sb ▶ **jdm zur** ~ **fallen** to become a burden on sb; **jdm etw zur** ~ **legen** to accuse sb of sth

lasten ['lastn̩] *vi* **auf jdm** ~ to rest with sb

Laster¹ <-s, -> ['lastɐ] *m* (*LKW*) lorry BRIT, truck AM

Laster² <-s, -> ['lastɐ] *nt* vice

lasterhaft *adj* depraved

lästern ['lɛstɐn] *vi* to make disparaging remarks (**über** about)

lästig ['lɛstɪç] *adj* annoying; **jdm** ~ **sein** to annoy sb

Lastkahn *m* barge **Lastwagen** *m* lorry BRIT, truck AM **Lastzug** *m* lorry with trailer

Lasur <-, -en> [la'zuːɐ̯] *f* varnish

Latein <-s> [la'tain] *nt* Latin

Lateinamerika *nt* Latin America

Lateinamerikaner(in) <-s, -> *m(f)* Latin American

lateinamerikanisch *adj* Latin American

lateinisch *adj* Latin; **auf L~** in Latin

Laterne <-, -n> [la'tɛrnə] *f* **1.** lantern **2.** (*Straßenlaterne*) streetlamp

Latex <-, Latizes> ['laːtɛks] *m* latex

Latschenkiefer *f* mountain pine

Latte <-, -n> ['latə] *f* slat

Lattenzaun *m* picket fence

Latz <-es, Lätze> [lats] *m* **1.** (*Hosenlatz*) flap **2.** (*Lätzchen*) bib

Latzhose *f* dungarees *npl*

lau [lau] *adj* **1.** (*mild*) mild **2.** (*lauwarm*) lukewarm

Laub <-[e]s> [laup] *nt kein pl* foliage

Laubbaum *m* deciduous tree

Laube <-, -n> ['laubə] *f* arbour

Laubfrosch *m* tree frog **Laubwald** *m* deciduous forest

Lauch <-[e]s, -e> [laux] *m* leek

lauern ['lauɐn] *vi* to lie in wait (**auf** for)

Lauf <-[e]s, Läufe> [lauf] *m* **1.** *kein pl* run **2.** *kein pl eines Flusses* course **3.** (*Verlauf*) course; **das ist der** ~ **der Dinge** that's the way things go; **im ~e einer S.** *gen* in the course of sth; **im ~e der Jahrhunderte** over the centuries; **seinen** ~ **nehmen** to take its course **4.** (*Gewehrlauf*) barrel

Laufbahn *f* career

laufen <läuft, lief, gelaufen> ['laufn̩] **I.** *vi sein* **1.** (*rennen*) to run **2.** (*fam: gehen*) to go, to walk **3.** (*fließen*) to run; **Tränen liefen ihm übers Gesicht** tears ran down his face **4.** (*funktionieren*) to work; *Maschine* to run; (*eingeschaltet sein*)

L

to be on **5.** *Film* to be on **6.** (*seinen Gang gehen*) to go; **wie läuft es?** how's it going? **7.** (*gut verkäuflich sein*) [**nicht**] **gut ~** to [not] sell well **II.** *vt haben o sein* **Rollschuh/ Schlittschuh/Ski ~** to rollerskate/ ice-skate/ski

laufend I. *adj attr* **1.** (*derzeitig*) current **2.** (*ständig*) constant ▶ **jdn auf dem L~en** <u>halten</u> to keep sb up-to-date; **auf dem L~en** <u>sein</u> to be up-to-date **II.** *adv* constantly

Läufer <-s, -> ['lɔyfɐ] *m* SCHACH bishop

Läufer(in) <-s, -> ['lɔyfɐ] *m(f)* runner

läufig ['lɔyfɪç] *adj* on heat

Laufstall *m* playpen **Laufwerk** *nt eines Computers* disc drive

Lauge <-, -n> ['laugə] *f* **1.** (*Seifenlauge*) soapy water **2.** CHEM lye

Laune <-, -n> ['launə] *f* mood; **gute/ schlechte ~ haben** to be in a good/ bad mood

launisch ['launɪʃ] *adj* moody

Laus <-, Läuse> [laus] *f* louse

lauschen ['lauʃn̩] *vi* **1.** to listen **2.** (*heimlich*) to eavesdrop

laut[1] [laut] **I.** *adj* **1.** loud **2.** (*voller Lärm*) noisy **II.** *adv* loudly; **kannst du das ~er sagen?** can you speak up?; **~ denken** to think out loud; **etw ~er stellen** to turn up sth *sep*

laut[2] [laut] *präp +gen o dat;* **~ Zeitungsberichten ...** according to newspaper reports ...

Laut <-[e]s, -e> [laut] *m* **keinen ~ von sich** *dat* **geben** to not make a sound

lauten ['lautn̩] *vi* **1.** to read; **wie lautet der letzte Absatz?** how does the final paragraph go? **2.** (*ausgestellt sein*) **auf jdn** [*o* jds Namen] **~** to be in sb's name

läuten ['lɔytn̩] **I.** *vi* to ring **II.** *vi impers* **es läutet** the bell is ringing; **es hat geläutet** there was a ring at the door; **es läutet sechs Uhr** the clock's striking six

lautlos ['lautloːs] **I.** *adj* noiseless **II.** *adv* noiselessly

Lautschrift *f* phonetic alphabet

Lautsprecherbox *f* speaker

Lautstärke *f* volume; **bei voller ~** at full volume; **etw auf volle ~ stellen** to turn sth up to full volume

lauwarm ['lauvarm] *adj* lukewarm

Lava <-, Laven> ['laːva] *f* lava

Lavabo <-[s], -s> [la'vaːbo] *nt* SCHWEIZ (*Waschbecken*) washbasin

Lavendel <-s, -> [la'vɛndl̩] *m* lavender

Lawine <-, -n> [la'viːnə] *f* avalanche

Lawinengefahr *f kein pl* risk of avalanches

lax [laks] *adj* lax

Lebemann *m* (*pej*) playboy

leben ['leːbn̩] **I.** *vi* **1.** to live; **er lebt** [**noch**] he's [still] alive; **lang lebe der/die/das ...!** long live the ...!; **getrennt ~** to live apart; **vegetarisch ~** to be vegetarian **2.** (*Lebensunterhalt bestreiten*) **wovon lebt der überhaupt?** whatever does he do for a living?; **vom Schreiben ~** to make a living as a writer **II.** *vt* **seinen Glauben/seine Ideale ~** to live according to one's beliefs/ideals **III.** *vr impers* **lebt es sich hier besser als dort?** is life better here than there?

Leben <-s, -> ['leːbn̩] *nt* **1.** (*Lebendigsein*) life; **am ~ sein** to be alive; **am ~ hängen** to love life; **sich** *dat* **das ~ nehmen** to take one's life; **jdm das ~ retten** to save sb's life; **jdm/sich das ~ schwer machen** to make life difficult for sb/oneself **2.** (*Existieren*) life;

nie im ~ never; **etw ins ~ rufen** to establish sth; **das tägliche ~** everyday life

lebend I. *adj* living **II.** *adv* alive

lebendig [le'bɛndɪç] **I.** *adj* **1.** living; **~ sein** to be alive **2.** (*lebhaft*) lively **II.** *adv* **etw ~ schildern** to give a lively description of sth

Lebendigkeit <-> *f kein pl* vividness

Lebensabend *m* twilight years *npl*

Lebensabschnitt *m* chapter in one's life **Lebensart** *f kein pl* manners *npl* **Lebensbedingungen** *pl* living conditions **Lebensdauer** *f* life **Lebenserfahrung** *f* experience of life **Lebenserwartung** *f* life expectancy **Lebensfreude** *f kein pl* love of life **Lebensgefahr** *f* **jd ist außer ~** sb's life is no longer in danger; **es besteht ~** there is a risk of death; **jd ist in ~** sb's life is in danger **lebensgefährlich I.** *adj* life-threatening **II.** *adv* critically **Lebensgefährte, -gefährtin** *m, f* partner **Lebensgemeinschaft** *f* **eheähnliche ~** cohabiting partners *pl* **Lebenshaltungskosten** *pl* cost of living **lebenslänglich** ['le:bns-lɛŋlɪç] **I.** *adj* JUR life *attr*, for life *pred*; **„~" bekommen** (*fam*) to get "life" **II.** *adv* all one's life **Lebenslauf** *m* curriculum vitae **lebenslustig** *adj* **~ sein** to enjoy life **Lebensmittel** *nt meist pl* food **Lebensmittelgeschäft** *nt* grocer's **Lebensmittelvergiftung** *f* food poisoning **Lebensqualität** *f kein pl* quality of life **Lebensraum** *m* habitat **Lebensretter(in)** *m(f)* life-saver **Lebensunterhalt** *m kein pl* subsistence; **mit etw** *dat* **/als etw seinen ~ verdienen** to earn one's keep by/as sth **Lebensversicherung** *f* life insurance **Le-**

bensweise *f* lifestyle **Lebensweisheit** *f* worldly wisdom

lebenswert *adj* worth living *pred* **lebenswichtig** *adj* vital **Lebenszeit** *f* lifetime; **auf ~** for life

Leber <-, -n> ['le:bɐ] *f* liver

Leberfleck *m* liver spot **Leberpastete** *f* liver pâté **Lebertran** *m* cod-liver oil **Leberwurst** *f* liver sausage

Lebewesen *nt* living thing

Lebewohl <-[e]s, -s> [le:bə'vo:l] *nt* (*geh*) farewell

lebhaft ['le:phaft] **I.** *adj* **1.** lively **2.** (*anschaulich*) vivid **II.** *adv* **1.** (*anschaulich*) vividly **2.** (*sehr stark*) intensely

Lebkuchen ['le:pku:xn̩] *m* gingerbread

leblos ['le:plo:s] *adj* lifeless

lechzen ['lɛçtsn̩] *vi* **nach etw** *dat* **~** to long for sth

leck [lɛk] *adj* leaky

Leck <-[e]s, -s> [lɛk] *nt* leak

lecken¹ ['lɛkn̩] *vi* Tank to leak

lecken² ['lɛkn̩] *vi, vt* to lick; **an etw** *dat* **~** to lick sth

lecker ['lɛkɐ] **I.** *adj* delicious, yummy *fam* **II.** *adv* deliciously

leck|schlagen *vi irreg sein* to be holed; **leckgeschlagen** holed

Leder <-s, -> ['le:dɐ] *nt* leather; **zäh wie ~** tough as old boots

Lederjacke *f* leather jacket

ledig ['le:dɪç] *adj* single

Ledige(r) ['le:dɪgə, -gɐ] *f(m) dekl wie adj* single person

leer [le:ɐ] **I.** *adj* empty; Seite blank; **seine Augen waren ~** he had a vacant look in his eyes; **etw ~ machen** to empty sth **II.** *adv* **wie ~ gefegt sein** to be deserted; **das Glas ~ trinken** to finish one's drink

Leere <-> ['le:rə] *f kein pl* emptiness; **eine gähnende ~** a gaping void

L

leeren ['le:rən] I. *vt* to empty II. *vr* **sich ~** to empty

Leergut *nt kein pl* empties **Leerlauf** *m* AUTO neutral gear; **im ~** in neutral

legal [le'ga:l] I. *adj* legal II. *adv* legally

legalisieren [legali'zi:rən] *vt* to legalize

Legalität <-> [legali'tɛ:t] *f kein pl* legality

legen ['le:gn̩] I. *vt* 1. **jdn/etw irgendwohin ~** to put sb/sth somewhere; **seinen Arm um jdn ~** to put one's arm around sb; **etw beiseite ~** to put sth aside 2. *Eier* to lay 3. (*verlegen, installieren*) **Kabel/Rohre/einen Teppich ~** to lay cables/pipes/a carpet II. *vr* 1. (*sich hinlegen*) **sich ~** to lie down; **sich ins Bett/in die Sonne/auf den Rücken ~** to go to bed/lay down in the sun/lie on one's back 2. (*sich niederlassen*) **sich auf etw** *akk* **~** to settle on sth 3. (*nachlassen*) **sich ~** to subside

legendär [legɛn'dɛ:ɐ̯] *adj* legendary

Legende <-, -n> [le'gɛndə] *f* legend

leger [le'ʒe:ɐ̯] I. *adj* casual II. *adv* casually

Legierung <-, -en> *f* alloy

Legion <-, -en> [le'gi̯o:n] *f* legion

Legionär <-s, -e> [legi̯o'nɛ:ɐ̯] *m* legionary

Legislative <-n, -n> [legɪsla'ti:və] *f* legislative power

Legislaturperiode [legɪsla'tu:ɐ̯-] *f* legislative period

legitim [legi'ti:m] *adj* legitimate

Lehm <-[e]s, -e> [le:m] *m* clay

lehmig ['le:mɪç] *adj* clayey

Lehne <-, -n> ['le:nə] *f* 1. (*Armlehne*) armrest 2. (*Rückenlehne*) back

lehnen ['le:nən] I. *vt, vi* to lean (**an/gegen** against) II. *vr* **sich an jdn/**

etw ~ to lean on sb/sth; **sich aus dem Fenster ~** to lean out of the window

Lehre <-, -n> ['le:rə] *f* 1. (*Ausbildung*) apprenticeship; **eine ~ [als etw] machen** to serve an apprenticeship [as a/an sth] 2. (*Erfahrung*) lesson; **jdm eine ~ erteilen** to teach sb a lesson 3. (*Theorie*) theory

lehren ['le:rən] *vt* **etw ~** to teach sth; (*an der Uni*) to lecture in sth; **jdn [etw] ~** to teach sb [sth]

Lehrer(in) <-s, -> ['le:rɐ] *m(f)* teacher

Lehrgang <-gänge> *m* course; **auf einem ~ sein** to be on a course

Lehrling <-s, -e> ['le:ɐ̯lɪŋ] *m* apprentice

Lehrplan *m* syllabus **Lehrstelle** *f* apprenticeship **Lehrveranstaltung** *f* lecture; (*Seminar*) seminar **Lehrzeit** *f* apprenticeship

Leib <-[e]s, -er> [laip] *m* body; **sich** *dat* **jdn vom ~e halten** to keep sb at arm's length; **mit ~ und Seele** whole-heartedly

Leibgericht *nt* favourite meal

leiblich ['laiplɪç] *adj Mutter, Vater* natural; **jds ~e Verwandten** sb's blood relations

Leibwächter(in) *m(f)* bodyguard

Leiche <-, -n> ['laiçə] *f* corpse ▶ **über ~n gehen** (*pej*) to stop at nothing

leicht [laiçt] I. *adj* 1. light 2. (*einfach*) easy; **nichts ~er als das!** no problem 3. (*geringfügig*) minor II. *adv* 1. **~ bekleidet** dressed in light clothing 2. (*einfach*) easily; **das ist ~er gesagt als getan** that's easier said than done; **etw geht [ganz] ~** sth is [quite] easy; **es jdm/sich ~ machen** to make it easy for sb/oneself 3. (*nur wenig*) lightly; **~ verärgert sein** to be slightly annoyed **4.** (*schnell*) easily; **~ zerbrechlich** easy to break

Leichtathlet(in) *m(f)* athlete BRIT, track and field athlete AM **Leichtathletik** *f* athletics + *sing vb, no art* BRIT, track and field + *sing vb, no art* AM

leicht|fallen^RR *vt, vi* **es fällt jdm leicht[, etw zu tun]** it's easy for sb [to do sth]

leichtfertig I. *adj* thoughtless II. *adv* thoughtlessly **Leichtgewicht** *nt kein pl* lightweight category **leichtgläubig** *adj* gullible

Leichtigkeit <-> *f* simplicity; **mit ~** effortlessly

leicht|nehmen^RR *vt* to take lightly

Leichtsinn ['laiçtzɪn] *m kein pl* carelessness

leichtsinnig ['laiçtzɪnɪç] *adj* careless

leid [lait] *adj pred* **ich bin es ~** I'm tired of it

Leid <-[e]s> [lait] *nt kein pl* sorrow; **jdm sein ~ klagen** to tell sb one's troubles

leiden <litt, gelitten> ['laidn̩] I. *vi* to suffer (**an** from); **unter etw** *dat* **~** to suffer from sth; **darunter ~, dass ....** to suffer as a result of ... II. *vt* **jdn gut ~ können** to like sb

Leiden <-s, -> ['laidn̩] *nt* **1.** suffering *no pl* **2.** MED ailment

Leidenschaft <-, -en> ['laidn̩ʃaft] *f* passion; **ich bin Briefmarkensammler aus ~** I'm a passionate stamp collector; **mit ~** passionately

leidenschaftlich I. *adj* passionate II. *adv* passionately; **etw ~ gern tun** to be passionate about sth

leider ['laidɐ] *adv* unfortunately; **ich habe das ~ vergessen** I'm sorry, I forgot about it

leid|tun^RR *vi* **jdm tut etw leid** sb is sorry about sth; **es tut jdm leid, dass ...** sb is sorry that ...; **tut mir leid!**

[I'm] sorry!

Leier <-, -n> ['laiɐ] *f* lyre ▶ **es ist immer die alte ~** (*fam*) it's always the same old story

Leierkasten *m* (*fam*) barrel organ

Leihbibliothek *f* lending library

leihen <lieh, geliehen> ['laiən] *vt* **1.** (*verleihen*) to lend **2.** (*sich ausleihen*) **sich** *dat* **etw ~** to borrow sth (**von** from); **geliehen** borrowed

Leihhaus *nt* pawn shop **Leihmutter** *f* surrogate mother

Leim <-[e]s, -e> [laim] *m* glue

leimen ['laimən] *vt* to glue together

Leine <-, -n> ['lainə] *f* **1.** (*Seil*) rope **2.** (*Wäscheleine*) line **3.** (*Hundeleine*) leash

Leinen <-s, -> ['lainən] *nt* linen; **aus ~** made of linen

Leinsamen *m* linseed **Leinwand** *f* **1.** FILM screen **2.** KUNST canvas

leise ['laizə] I. *adj* quiet; **etw ~ stellen** to turn down sth *sep* II. *adv* quietly

Leiste <-, -n> ['laistə] *f* **1.** (*schmale Latte*) strip **2.** ANAT groin

leisten ['laistn̩] I. *vt* **1.** (*vollbringen*) **ganze Arbeit ~** to do a good job; **etw Bewundernswertes ~** to accomplish sth admirable; **[nicht] viel ~** to [not] get a lot done **2.** *Funktionsverb* **einen Eid ~** to swear an oath; **Hilfe ~** to render assistance; **Wehrdienst ~** to do one's military service; **Widerstand ~** to offer resistance II. *vr* **1.** (*sich gönnen*) **sich** *dat* **etw ~** to treat oneself to sth **2.** (*sich herausnehmen*) to permit oneself sth **3.** (*bezahlen können*) **sich** *dat* **etw ~ können** to be able to afford sth

Leistenbruch *m* hernia

Leistung <-, -en> *f* **1.** *kein pl* performance **2.** (*geleistetes Ergebnis*) ac-

L

complishment; **eine hervorragende ~** an outstanding piece of work; **schulische ~en** results at school **3.** TECH power **4.** FIN payment

Leistungsberechtigte(r) *f(m) person who is entitled to receive a [social security] benefit* **Leistungsdruck** *m kein pl* pressure to perform **Leistungsfach** *nt* SCH special subject

Leitbild *nt* [role] model

leiten ['laitn̩] *vt* **1.** *(Geschäft)* to run; **eine Abteilung/Schule ~** to be head of a department/school **2.** *(den Vorsitz führen)* to lead; *Sitzung* to chair **3.** TECH to conduct; **gut/schlecht ~** to be a good/bad conductor **4.** *(führen)* **jdn [irgendwohin] ~** to lead sb [somewhere]

leitend *adj* **1.** leading **2.** ÖKON managerial; **~er Angestellter** executive **3.** PHYS conductive

Leiter[1] <-, -n> ['laitɐ] *f* ladder

Leiter[2] <-s, -> ['laitɐ] *m* PHYS conductor

Leiter(in) <-s, -> ['laitɐ] *m(f)* head; ÖKON manager; **~ einer Diskussion** person chairing a discussion

Leithammel *m (fam)* bellwether **Leitmotiv** *nt* leitmotiv **Leitplanke** *f* crash barrier

Leitung <-, -en> *f* **1.** *kein pl (Führung)* leadership; ÖKON management **2.** *(Rohr)* pipe **3.** *(Kabel)* cable **4.** TELEK line; **die ~ ist gestört** it's a bad line

Leitungsrohr *nt* pipe **Leitungswasser** *nt* tap water

Lektion <-, -en> [lɛk'tsi̯oːn] *f* lesson

Lektüre <-, -n> [lɛk'tyːrə] *f (Lesestoff)* reading matter

Lende <-, -n> ['lɛndə] *f* loin

Lendenbraten *m* KOCHK roast loin

Lendengegend *f* lumbar region **Lendenschurz** *m* loincloth

lenken ['lɛŋkn̩] *vt* to direct; *Fahrzeug* to steer; **jds Aufmerksamkeit auf etw** *akk* **~** to draw sb's attention to sth; **staatlich gelenkt** state-controlled

Lenker <-s, -> *m* handlebars *npl*

Lenkrad *nt* steering-wheel

Leopard <-en, -en> [leo'part] *m* leopard

Lepra <-> ['leːpra] *f kein pl* leprosy *no art*

Leprakranke(r) *f(m) dekl wie adj* leper

Lerche <-, -n> ['lɛrçə] *f* lark

lernbehindert *adj* **~ sein** to have learning difficulties

lernen ['lɛrnən] **I.** *vt* **1.** to learn **2.** *(als Lehrling)* **er hat Bäcker gelernt** he trained as a baker **II.** *vi* **1.** to study **2.** *(als Lehrling)* **[bei jdm] ~** to be apprenticed to sb

lesbar ['leːsbaːɐ̯] *adj* legible

Lesbe <-, -n> ['lɛsbə] *f (fam)*, **Lesbierin** <-, -nen> ['lɛsbi̯ərɪn] *f* lesbian

lesbisch ['lɛsbɪʃ] *adj* lesbian; **~ sein** to be a lesbian

Lesebuch *nt* reader

lesen[1] <liest, las, gelesen> ['leːzn̩] **I.** *vi, vt* to read **II.** *vr* **etw liest sich leicht** sth is easy to read

lesen[2] <liest, las, gelesen> ['leːzn̩] *vt (sammeln)* to pick

lesenswert *adj* worth reading *pred*

Leser(in) <-s, -> ['leːzɐ] *m(f)* reader

Leseratte *f (fam)* bookworm

Leserbrief *m* reader's letter

leserlich *adj* legible

Lesung <-, -en> *f* **1.** reading **2.** REL lesson

Lette, Lettin <-n, -n> ['lɛtə, 'lɛtɪn] *m, f* Latvian

lettisch ['lɛtɪʃ] *adj* Latvian

Lettland ['lɛtlant] *nt* Latvia

letzte(r, s) *adj* **1.** last; *Versuch* final; **als L~[r] fertig sein/gehen/kommen** to finish/leave/arrive last; **im ~n Jahr** last year; **L~ werden** SPORT to finish [in] last [place] **2.** (*neueste*) latest

letztendlich ['lɛtst?ɛntlɪç] *adv* at the end of the day

letztens ['lɛtstn̩s] *adv* recently

letztlich ['lɛtstlɪç] *adv* in the end

Leuchtboje *f* light-buoy

Leuchte <-, -n> ['lɔyçtə] *f* standard lamp

leuchten ['lɔyçtn̩] *vi* to shine; **vor Freude ~de Augen** eyes sparkling with joy

Leuchter <-s, -> *m* candlestick; (*mehrarmig*) candelabra

Leuchtfeuer *nt* beacon **Leuchtpistole** *f* flare pistol **Leuchtrakete** *f* [rocket] flare **Leuchtreklame** *f* neon sign **Leuchtschrift** *f* neon letters *npl* **Leuchtstift** *m* highlighter **Leuchtturm** *m* lighthouse

leugnen ['lɔygnən] *vt* to deny; **es ist nicht zu ~, dass ...** there is no denying the fact that ...

Leukämie <-, -n> [lɔykɛ'miː] *f* leukaemia

Leumund ['lɔymʊnt] *m kein pl* reputation

Leute ['lɔytə] *pl* **1.** people *npl;* **alle/keine ~** everybody/nobody; **unter ~ gehen** to get out and about [a bit] **2.** (*fam: Familie*) **jds ~** sb's folks *npl* ▶ **die kleinen ~** [the] ordinary people

leutselig *adj* affable

Leviten [le'viːtən] *pl* ▶ **jdm die ~ lesen** (*fam*) to read sb the Riot Act

Lexikon <-s, Lexika> ['lɛksikɔn] *nt* encyclopaedia

Libelle <-, -n> [li'bɛlə] *f* dragonfly

liberal [libe'raːl] *adj* liberal

liberalisieren [liberali'ziːrən] *vt* to liberalize

Libero <-s, -s> ['liːbero] *m* sweeper

licht [lɪçt] *adj Haar* thin

Licht <-[e]s, -er> [lɪçt] *nt* light; **das ~ brennt** the light is on; **das ~ ausschalten** to turn out the light; **das ~ brennen lassen** to leave the light[s] on ▶ **etw erscheint in einem anderen ~** sth appears in a different light; **grünes ~ geben** to give the go-ahead

Lichtblick *m* ray of hope **lichtdurchlässig** *adj* translucent **lichtempfindlich** *adj* FOTO photosensitive

lichten ['lɪçtn̩] *vr* **sich ~** *Haupthaar* to [grow] thin

Lichtgeschwindigkeit *f* **mit ~** at the speed of light **Lichthupe** *f* flash of the headlights **Lichtjahr** *nt* light year **Lichtmaschine** *f* generator **Lichtmesser** *m* PHYS photometer **Lichtschalter** *m* light switch **Lichtschutzfaktor** *m* [sun] protection factor **Lichtstrahl** *m* beam of light **lichtundurchlässig** *adj* opaque

Lichtung <-, -en> *f* clearing

Lid <-[e]s, -er> [liːt] *nt* [eye]lid

Lidschatten *m* eye shadow

lieb [liːp] *adj* **1.** (*liebenswürdig*) kind; **seien Sie so ~ und ...** would you be so good as to ... **2.** (*artig*) good; **sei ein ~es Kind!** be a good boy/girl! **3.** (*geschätzt*) dear; **L~er Karl, L~e Amelie!** (*in Briefen*) Dear Karl and Amelie,; [**mein**] **L~es** [my] love; [**ach**] **du ~er Gott** (*fam*) good heavens!; **jdn ~ haben** to love sb **4.** (*angenehm*) welcome; **jd/etw ist jdm ~** sb welcomes sb/sth

Liebe <-, -n> ['liːbə] *f* love; **aus ~ zu**

L

jdm out of love for sb; **aus ~ zu etw** *dat* for the love of sth

lieben ['li:bn̩] *vt* to love; **sich ~** to love each other

liebenswert *adj* lovable

liebenswürdig *adj* kind

Liebenswürdigkeit <-, -en> *f* kindness

lieber ['li:bɐ] **I.** *adj comp von s.* **lieb: mir wäre es ~, wenn ...** I would prefer it if ... **II.** *adv* **1.** *comp von s.* **gern** rather; **ich würde ~ in der Karibik als an der Ostsee Urlaub machen** I would rather take a holiday in the Caribbean than on the Baltic; **etw ~ mögen** to prefer sth **2.** (*besser*) better; **darüber schweige ich ~** I think it best to remain silent; **wir sollten ~ gehen** we'd better be going; **nichts ~ als das** I'd love to

Liebesbrief *m* love letter **Liebeserklärung** *f* declaration of love; **jdm eine ~ machen** to declare one's love to sb **Liebeskummer** *m* lovesickness; **~ haben** to be lovesick **Liebespaar** *nt* lovers *npl*

liebevoll I. *adj* loving **II.** *adv* **1.** (*zärtlich*) affectionately **2.** (*sorgfältig*) lovingly

Liebhaber(in) <-s, -> ['li:pha:bɐ] *m(f)* lover

Liebhaberei <-, -en> [li:pha:bəˈrai] *f* hobby

liebkosen [li:pˈko:zn̩] *vt* to caress

lieblich ['li:plɪç] **I.** *adj* **1.** lovely **2.** *Wein* medium sweet **II.** *adv* **~ duften/schmecken** to smell/taste sweet

Liebling <-s, -e> ['li:plɪŋ] *m* **1.** (*Geliebte(r)*) darling **2.** (*Favorit*) favourite

lieblos ['li:plo:s] *adj* **1.** unloving **2.** (*achtlos*) unfeeling

Lieblosigkeit <-> *f kein pl* lack of feeling

Liebschaft <-, -en> *f* love affair

Liebste(r) ['li:psta, 'li:pstɐ] *f(m) dekl wie adj* sweetheart

Lied <-[e]s, -er> [li:t] *nt* song

Liederbuch *nt* songbook

liederlich ['li:dɐlɪç] *adj* slovenly

Liedermacher(in) *m(f)* singer-songwriter (*about topical subjects*)

Lieferant(in) <-en, -en> [lifəˈrant] *m(f)* **1.** (*Firma*) supplier **2.** (*Auslieferer*) deliveryman *masc*, deliverywoman *fem*

lieferbar *adj* available; **Ihre Bestellung ist leider erst später ~** we won't be able to meet your order until a later date

liefern ['li:fɐn] **I.** *vt* **1.** (*ausliefern*) [**jdm**] **etw ~** to deliver sth [to sb] **2.** *Beweis* to provide **3.** *Ernte, Ertrag* to yield **4.** (*zeigen*) **die Boxer lieferten dem Publikum einen spannenden Kampf** the boxers put on an exciting bout for the crowd **II.** *vi* to deliver

Lieferschein *m* delivery note BRIT, packing slip AM

Lieferung <-, -en> *f* delivery

Lieferwagen *m* delivery van

Liege <-, -n> ['li:gə] *f* **1.** daybed **2.** (*Liegestuhl*) [sun-]lounger

liegen <lag, gelegen> ['li:gn̩] *vi haben o* SÜDD *sein* **1.** to lie; **~ bleiben** (*nicht aufstehen*) to stay in bed; (*nicht aufstehen*) to remain lying [down]; (*nicht verkauft werden*) to remain unsold; **etw ~ lassen** to leave sth [there] **2.** (*gelegen sein*) **irgendwo ~** to be somewhere; **ihr Haus liegt an einem See** their house is situated by a lake; **diese Wohnung**

~ **nach vorn zur Straße** this flat faces the street **3.** AUTO ~ **bleiben** to break down **4.** (*verursacht sein*) **an jdm/ etw** ~ to be caused by sb/sth **5.** (*wichtig sein*) **du weißt doch, wie sehr mir daran liegt** you know how important it is to me **6.** (*zusagen*) **körperliche Arbeit liegt ihr nicht** she's not really cut out for physical work **7.** (*nicht erledigt werden*) ~ **bleiben** to be left undone ▶ **an mir** <u>soll</u> **es nicht ~!** don't let me stop you!

Liegeplatz *m* NAUT berth *npl;* (*für Hochseeschiffe*) deep-water berth **Liegestuhl** *m* [sun-]lounger **Liege-wagen** *m* couchette car

Lift <-[e]s, -e> [lɪft] *m* lift BRIT, elevator AM

Liga <-, Ligen> ['liːga] *f* league

Likör <-s, -e> [li'køːɐ̯] *m* liqueur

lila ['liːla] *adj* purple

Lilie <-, -n> ['liːli̯ə] *f* lily

Liliputaner(in) <-s, -> [lilipu'taːnɐ] *m(f)* dwarf

Limonade <-, -n> [limo'naːdə] *f* lemonade

Limousine <-, -n> [limu'ziːnə] *f* saloon BRIT, sedan AM

Linde <-, -n> ['lɪndə] *f* lime [tree]

lindern ['lɪndɐn] *vt* to alleviate

Linderung <-> *f kein pl* relief

Lineal <-s, -e> [line'aːl] *nt* ruler

Linie <-, -n> ['liːni̯ə] *f* **1.** line; **eine geschlängelte/gestrichelte** ~ a wavy/broken line **2.** (*Bus~*) **die** ~ **19** the number 19 **3.** POL line; **auf der gleichen** ~ **liegen** to follow the same line **Linienbus** *m* regular [service] bus **Linienflug** *m* scheduled flight **Linienrichter** *m* FBALL referee's assistant **Linienschiff** *nt* liner

liniert *adj* lined

Linke <-n, -n> ['lɪŋkə] *f* **1.** (*Hand*) left hand **2.** POL **die** ~ the left

linke(r, s) *adj attr* **1.** left; *Fahrbahn, Spur* left-hand **2.** POL left-wing

linkisch ['lɪŋkɪʃ] *adj* clumsy

links [lɪŋks] **I.** *adv* **1.** on the left; **nach** ~ **abbiegen/gehen** to turn left; **sich** ~ **einordnen** to move into the left-hand lane; **sich** ~ **halten** to keep to the left; ~ **oben/unten** in the top/bottom left-hand corner; **von** ~ from the left **2.** POL ~ **eingestellt sein** to have left-wing tendencies; ~ **stehen** to be left-wing ▶ **jdn** ~ <u>liegen</u> **lassen** to ignore sb; <u>mit</u> ~ easily **II.** *präp* +*gen;* ~ **einer** S. to the left of sth

Linksaußen <-, -> [lɪŋks'ʔausn̩] *m* FBALL left wing **Linkshänder(in)** <-s, -> ['lɪŋkshɛndɐ] *m(f)* left-hander **linkshändig** ['lɪŋkshɛndɪç] *adv* with one's left hand **Linkskurve** *f* left-hand bend **linksradikal** *adj* radical left-wing *attr* **Linksverkehr** *m* driving on the left

Linse <-, -n> ['lɪnzə] *f* **1.** *meist pl* BOT lentil **2.** ANAT, PHYS lens

Linsensuppe *f* lentil soup

Lippe <-, -n> ['lɪpə] *f* lip; **jdm etw von den ~n ablesen** to read sth from sb's lips

Lippenpomade *f* PHARM lip balm **Lippenstift** *m* lipstick

Liquidität <-> [likvidi'tɛːt] *f kein pl* solvency

lispeln ['lɪspl̩n] *vi, vt* to lisp

List <-, -en> [lɪst] *f* trick

Liste <-, -n> ['lɪstə] *f* list ▶ **auf der** <u>schwarzen</u> ~ **stehen** to be on the blacklist

listig ['lɪstɪç] *adj* cunning

Litanei <-, -en> [lita'nai] *f* litany

Litauen <-s> ['liːtauən] *nt* Lithuania

L

Litauer(in) <-s, -> ['liːtauɐ] *m(f)* Lithuanian

litauisch ['liːtauɪʃ] *adj* Lithuanian

Liter <-s, -> ['liːtɐ] *m o nt* litre

literarisch [lɪtə'raːrɪʃ] *adj* literary

Literatur <-, -en> [lɪtəra'tuːɐ] *f* literature

Litfaßsäule ['lɪtfaszɔylə] *f* advertising pillar

Lizenz <-, -en> [li'tsɛnts] *f* licence

Lob <-[e]s> [loːp] *kein pl nt* praise *no indef art*; ~ **für etw** *akk* **bekommen** to be praised for sth

Lobby <-, -s> ['lɔbi] *f* lobby

loben ['loːbn̩] *vt, vi* to praise

lobenswert *adj* commendable

Loch <-[e]s, Löcher> [lɔx] *nt* hole; **ein ~ im Reifen** a puncture; **schwarzes ~** ASTRON black hole

Locher <-s, -> ['lɔxɐ] *m* [hole] punch

Locke <-, -n> ['lɔkə] *f* curl; **~n haben** to have curly hair

locken¹ ['lɔkn̩] *vt, vr* [sich] ~ to curl

locken² ['lɔkn̩] *vt* to lure; **Ihr Vorschlag könnte mich schon ~** I'm [very] tempted by your offer

Lockenwickler <-s, -> *m* roller

locker ['lɔkɐ] **I.** *adj* **1.** (*nicht fest*) loose **2.** (*nicht gespannt*) slack; *Muskeln* relaxed **II.** *adv* **1.** (*nicht stramm*) loosely; ~ **sitzen** to be loose **2.** (*fam: problemlos*) just like that

lockern ['lɔkɐn] **I.** *vt* **1.** (*lösen*) to loosen **2.** *Muskeln* to loosen up *sep* **II.** *vr* **sich ~** (*locker werden*) to work loose; (*beim Sport*) to loosen up

lockig ['lɔkɪç] *adj Haar* curly; **mit ~em Haar** curly-headed

lodern ['loːdɐn] *vi* to blaze

Löffel <-s, -> ['lœfl̩] *m* **1.** spoon **2.** (*Maßeinheit*) **ein ~ Mehl/Zucker** a spoonful [of] flour/sugar

Loge <-, -n> ['loːʒə] *f* **1.** lodge **2.** THEAT box

Logik <-> ['loːgɪk] *f kein pl* logic

Logis <-> [lo'ʒiː] *nt kein pl* **Kost und ~** board and lodging

logisch ['loːgɪʃ] *adj* **1.** logical **2.** (*fam*) [ist doch] ~! of course!

Lohn <-[e]s, Löhne> [loːn] *m* **1.** wage[s *npl*] **2.** *kein pl* (*Belohnung*) reward; **jds gerechter ~** sb's just deserts

lohnen ['loːnən] **I.** *vr* **sich** [für jdn] ~ to be worthwhile [for sb]; **unsere Mühe hat sich gelohnt** our efforts were worth it; **es lohnt sich, etw zu tun** it's worth doing sth **II.** *vt* (*rechtfertigen*) **etw ~** to be worth sth **III.** *vi* to be worth it

lohnend *adj* worthwhile

Lohnerhöhung *f* pay rise **Lohnsteuer** *f* income tax **Lohnsteuerjahresausgleich** *m* annual adjustment of income tax **Lohnsteuerkarte** *f card showing income tax and social security contributions paid by an employee in any one year*

Loipe <-, -n> ['lɔypə] *f* SKI cross-country course

Lokal <-s, -e> [lo'kaːl] *nt* (*Kneipe*) pub BRIT, bar AM; (*Restaurant*) restaurant

lokalisieren [lokali'ziːrən] *vt* to locate

Lokalpatriotismus *m* local patriotism

Lokomotive <-, -n> [lokomo'tiːvə, -fə] *f* locomotive

Lokomotivführer(in) *m(f)* train driver BRIT, engineer AM

Lorbeer <-s, -en> ['lɔrbeːɐ] *m* **1.** (*Baum*) laurel **2.** (*Gewürz*) bay leaf

los [loːs] **I.** *adj pred* **1.** (*abgetrennt*) ~ **sein** to have come off **2.** (*gelockert*) **etw ist ~** sth is loose **3.** (*losgeworden*) **jdn/etw ~ sein** to be shot of sb/sth; **er ist sein ganzes Geld ~** he's lost all his money ▶ **irgendwo ist** etwas /viel /nichts **~** something/a lot/nothing is going on somewhere; **da ist immer viel ~** that's where the action always is; was ist **~?** what's up?; was ist denn hier **~?** what's going on here? II. *adv* ▶ **~!** (*mach!*) come on!; (*voran!*) get moving!

Los <-es, -e> [loːs] *nt* lot; (*Lotterielos*) [lottery] ticket; (*Kirmeslos*) [tombola [*or* AM raffle]] ticket ▶ **das** große **~ ziehen** to hit the jackpot

los|binden *vt irreg* to untie

Löschblatt *nt* sheet of blotting-paper

löschen ['lœʃn̩] *vt* 1. *Feuer, Flammen* to extinguish; *Licht* to switch off 2. (*tilgen*) a. INFORM to delete 3. *Musik-/Videokassette* to erase

lose ['loːzə] *adj* loose

Lösegeld ['løːzə-] *nt* ransom

losen ['loːzn̩] *vi* to draw lots

lösen ['løːzn̩] I. *vt* 1. (*ablösen*) to remove (**von** from) 2. (*aufbinden*) to untie; *Knoten* to undo 3. *Schraube* to loosen 4. (*klären*) to solve; *Konflikt* to resolve 5. (*zergehen lassen*) to dissolve 6. *Fahrkarte* to buy II. *vr* sich **~** 1. (*sich ab~*) to come off (**von** of) 2. (*sich lockern*) to loosen; **langsam löste sich die Spannung** (*fig*) the tension faded away 3. (*sich trennen*) **sich von jdm ~** to free oneself of sb

los|fahren *vi irreg sein* 1. (*abfahren*) to leave 2. (*in Richtung*) **auf jdn/ etw ~** to drive towards sb/sth

los|gehen *irreg vi sein* 1. (*weggehen*) to leave 2. (*beginnen*) to start; **jetzt geht's los** here we go 3. (*angreifen*) **auf jdn ~** to lay into sb 4. *Bombe* to go off

los|kommen *vi irreg sein* 1. (*wegkommen*) to get away (**aus/von** from) 2. (*sich befreien*) **von jdm ~** to free oneself of sb; **von einer Sucht ~** to overcome an addiction

los|lassen *vt irreg* 1. (*gehen lassen*) **jdn/etw ~** to let sb/sth go; **der Gedanke lässt mich nicht mehr los** I can't get the thought out of my mind 2. (*auf den Hals hetzen*) **jdn/etw auf jdn ~** to let sb/sth loose on sb

löslich ['løːslɪç] *adj* soluble

los|machen *vt* to untie (**von** from)

los|reißen *irreg* I. *vt* to tear off II. *vr* **sich ~** to tear oneself away (**von** from)

Losung <-, -en> ['loːzʊŋ] *f* 1. (*Wahlspruch*) slogan 2. MIL password

Lösung <-, -en> ['løːzʊŋ] *f* solution

Lösungsmittel *nt* solvent

los|werden *vt irreg sein* to get rid of

Lot <-[e]s, -e> [loːt] *nt* plumb line; **aus dem ~ sein** (*fig*) to be out of sorts

löten ['løːtn̩] *vt* to solder (**an** to)

Lotion <-, -en> [loˈtsi̯oːn] *f* lotion

Lotos <-, -> ['loːtɔs] *m* lotus

Lotse, Lotsin <-n, -n> ['loːtsə, 'loːtsɪn] *m, f* pilot

lotsen ['loːtsn̩] *vt* to pilot

Lotterie <-, -n> [lɔtəˈriː] *f* lottery

Lotto <-s, -s> ['lɔto] *nt* lotto

Löwe ['løːvə] *m* 1. lion 2. ASTROL Leo

Löwenmäulchen <-s, -> *nt* snapdragon **Löwenzahn** *m kein pl* dandelion

Löwin *f* lioness

loyal [lo̯aˈi̯aːl] *adj* loyal

Loyalität <-, *selten* -en> [lo̯ajaliˈtɛːt] *f* loyalty (**gegenüber** to)

Luchs <-es, -e> [lʊks] *m* lynx

Lücke <-, -n> ['lʏkə] *f* gap

lückenlos *adj* complete; *Kenntnisse* thorough; **etw ~ beweisen** to prove

L

sth conclusively

Luft <-, *liter* Lüfte> [lʊft] *f* air; **die ~ anhalten** to hold one's breath; **sich in ~ auflösen** to vanish into thin air; **keine ~ mehr bekommen** to not be able to breathe; **an die frische ~ gehen** to get some fresh air; **[tief] ~ holen** to take a deep breath

Luftballon *m* balloon **Luftblase** *f* bubble **luftdicht** *adj* airtight **Luftdruck** *m kein pl* air pressure

lüften [ˈlʏftn̩] **I.** *vt* **1.** to air **2.** *Geheimnis* to disclose **II.** *vi* to let some air in

Luftfahrt *f kein pl* aviation **Luftfeuchtigkeit** *f* humidity **Luftgewehr** *nt* airgun

luftig [ˈlʊftɪç] *adj* **1.** *Kleid* light **2.** *Höhe* dizzy

Luftkissenboot *nt*, **Luftkissenfahrzeug** *nt* hovercraft **luftleer** *adj* vacuous **Luftlinie** *f* as the crow flies **Luftloch** *nt* (*in der Luftströmung*) air pocket **Luftmatratze** *f* inflatable mattress **Luftpost** *f* airmail **Luftpumpe** *f* pump **Luftraum** *m* airspace **Luftröhre** *f* windpipe **Luftschiff** *nt* airship

Lüftung <-, -en> *f* ventilation

Luftverkehr *m* air traffic **Luftverschmutzung** *f* air pollution **Luftwaffe** *f* air force **Luftzug** *m* draught

Lüge <-, -n> [ˈlyːɡə] *f* lie

lügen <log, gelogen> [ˈlyːɡn̩] *vi* to lie; **das ist [alles] gelogen** that's a [total] lie

Lügner(in) <-s, -> [ˈlyːɡnɐ] *m(f)* liar

Luke <-, -n> [ˈluːkə] *f* **1.** NAUT hatch **2.** (*Dachluke*) skylight; (*Kellerluke*) trapdoor

lukrativ [lukraˈtiːf] *adj* lucrative

Lümmel <-s, -> [ˈlʏml̩] *m* lout

Lumpen [ˈlʊmpn̩] *pl* rags

Lunge <-, -n> [ˈlʊŋə] *f* lungs *npl*

Lungenbraten *m* ÖSTERR (*Lendenbraten*) loin roast **Lungenentzündung** *f* pneumonia *no art* **Lungenflügel** *m* lung **lungenkrank** *adj* suffering from a lung complaint *pred* **Lungenkrebs** *m kein pl* lung cancer

Lupe <-, -n> [ˈluːpə] *f* magnifying glass ► **jdn/etw unter die ~ nehmen** to examine sb/sth with a fine-tooth comb

Lurch <-[e]s, -e> [lʊrç] *m* amphibian

Lust <-, Lüste> [lʊst] *f* (*a. sexuell*) desire; **~ zu etw** *dat* **haben** to feel like doing sth; **die ~ an etw** *dat* **verlieren** to lose interest in sth

Lüsterklemme *f* ELEK luster terminal

lüstern [ˈlʏstɐn] *adj* lustful

lustig [ˈlʊstɪç] *adj* cheerful; *Abend* fun; **sich über jdn/etw ~ machen** to make fun of sb/sth

Lüstling <-, -e> [ˈlʏstlɪŋ] *m* (*pej*) debauchee

lustlos *adj* listless

lutherisch [ˈlʊtərɪʃ] *adj* Lutheran

lutschen [ˈlʊtʃn̩] *vt, vi* to suck

Lutscher <-s, -> *m* lollipop

Luxemburg <-s> [ˈlʊksmbʊrk] *nt* Luxembourg

Luxemburger(in) <-s, -> [ˈlʊksmbʊrɡɐ] *m(f)* Luxembourger

luxemburgisch [ˈlʊksmbʊrɡɪʃ] *adj* Luxembourgian

luxuriös [lʊksuˈri̯øːs] *adj* luxurious

Luxus <-> [ˈlʊksʊs] *m kein pl* luxury

Luxusartikel *m* luxury item **Luxusausführung** *f* de luxe model **Luxushotel** *nt* luxury hotel

Lymphe <-, -n> [ˈlʏmfə] *f* lymph

Lymphknoten *m* lymph node

lynchen [ˈlʏnçn̩] *vt* to lynch

Lyrik <-> [ˈlyːrɪk] *f kein pl* lyric [poetry]

M

M, m *nt* M, m

Machart *f* style

machen ['maxn̩] **I.** *vt* **1.** (*tun*) to do; **mach's gut!** take care!; **was macht denn deine Frau?** how's your wife?; **nichts zu ~!** nothing doing!; **wird gemacht!** no problem!; **einen Besuch ~** to [pay sb a] visit; **eine Reise ~** to go on a journey **2.** (*erzeugen*) to make; **jdm Angst ~** to frighten sb; **jdm Hoffnung/Kopfschmerzen/Mut ~** to give sb hope/a headache/courage; **sich** *dat* **Sorgen ~** to worry **3.** (*herstellen*) to make; *Fotos* to take **4.** (*kosten*) **das macht zehn Euro** that's ten euros [please]; **was macht das zusammen?** what does that come to? **5.** (*ausmachen*) **macht das was?** does it matter?; **das macht [doch] nichts!** never mind! **II.** *vi* **1.** (*werden lassen*) **Liebe macht blind** love makes you blind **2.** (*fam*) **mach [schon]!** get a move on! **III.** *vr* **1.** (*beginnen*) **sich an die Arbeit ~** to get down to work **2.** (*sich interessieren*) **sich** *dat* **etwas/viel/wenig aus jdm/etw ~** to care/care a lot/not care much for sb/sth **3.** (*sich ärgern*) **mach dir nichts d[a]raus!** don't worry about it! **4.** (*sich entwickeln*) **die neue Sekretärin macht sich gut** the new secretary is doing well **5.** (*passen*) **das Bild macht sich gut an der Wand** the picture looks good on the wall

Macho <-s, -s> ['matʃo] *m* (*fam*) macho

Macht <-, Mächte> ['maxt] *f* power; **an die ~ kommen** to gain power

mächtig *adj* powerful

machtlos *adj* powerless

Mädchen <-s, -> ['mɛːtçən] *nt* girl

Mädchenname *m* **1.** girl's name **2.** (*einer Ehefrau*) maiden name

Made <-, -n> ['maːdə] *f* maggot ▶ **wie die ~[n] im Speck** leben to live the life of Riley

madig ['maːdɪç] *adj* worm-eaten **madig|machen**[RR] *vt* to spoil

Magazin <-s, -e> [maga'tsiːn] *nt* **1.** (*Patronenbehälter*) magazine; (*für Dias*) feeder **2.** (*Zeitschrift*) magazine

Magen <-s, Mägen> ['maːgn̩] *m* stomach; **auf nüchternen ~** on an empty stomach; **etw schlägt jdm auf den ~** sth gets to sb; **sich** *dat* **den ~ verderben** to give oneself an upset stomach

Magenbeschwerden *pl* stomach trouble **Magenbitter** <-s, -> *m* bitters *npl* **Magengeschwür** *nt* stomach ulcer **Magensäure** *f* hydrochloric acid **Magenschmerzen** *pl* stomach ache

mager ['maːgɐ] *adj* **1.** thin **2.** (*fettarm*) low-fat; **~es Fleisch** lean meat

Magermilch *f kein pl* skimmed milk **Magerquark** *m kein pl* low-fat curd cheese **Magersucht** *f kein pl* anorexia

Magie <-> [ma'giː] *f* magic

Magier(in) <-s, -> ['maːgiɐ] *m(f)* magician

magisch ['maːgɪʃ] *adj* magic; **eine ~e Anziehungskraft haben** to have magical powers of attraction

Magistrat[1] <-[e]s, -e> [magɪs'traːt] *m* municipal council

Magistrat[2] <-en, -en> [magɪs'traːt] *m*

SCHWEIZ federal councillor

Magnet <-[e]s, -e[n]> [ma'gne:t] *m* magnet

magnetisch [ma'gne:tɪʃ] *adj* magnetic

Mahagoni <-s> [maha'go:ni] *nt kein pl* mahogany

Mähdrescher <-s, -> *m* combine harvester

mähen ['mɛːən] *vt* to mow

Mahl <-[e]s, -e> ['maːl] *nt* meal

mahlen <mahlte, gemahlen> ['maː-lən] *vt* to grind; **gemahlener Kaffee** ground coffee

Mahlzeit ['maːltsait] *f* meal

Mähne <-, -n> ['mɛːnə] *f* mane

mahnen ['maːnən] *vt* 1. to warn 2. FIN to remind

Mahnung <-, -en> *f* 1. warning 2. FIN reminder

Mai <-[es], -e> ['mai] *m* May; *s.a.* **Februar**

Maiglöckchen *nt* lily of the valley

Maikäfer *m* cockchafer

Mais <-es, -e> ['mais] *m* maize *no pl* BRIT, corn *no pl* AM

Maiskolben *m* corncob

Majestät <-, -en> [majɛs'tɛːt] *f* **Seine/Ihre/Eure ~** His/Her/Your Majesty

majestätisch [majɛs'tɛːtɪʃ] *adj* majestic

Majonäse <-, -n> [majo'nɛːzə] *f* mayonnaise

Major(in) <-s, -e> [ma'joːɐ̯] *m(f)* major

Majoran <-s, -e> ['maːjoran] *m* marjoram

makaber [ma'kaːbɐ] *adj* macabre

Makel <-s, -> ['maːkl̩] *m* flaw

makellos *adj* perfect

Make-up <-s, -s> [meːk'ʔap] *nt* make-up *no pl*

Makler(in) <-s, -> ['maːklɐ] *m(f)* broker

Makrele <-, -n> [ma'kreːlə] *f* mackerel

mal[1] ['maːl] *adv* **drei ~ drei ist neun** three times three is nine

mal[2] [maːl] *adv* (*fam*) *kurz für* **einmal**

Mal <-[e]s, -e> ['maːl] *nt* time; **einige/viele ~e** sometimes/very often; **[k]ein einziges ~** [not] once; **zum ersten/letzten ~** for the first/last time; **ein für alle ~** once and for all

Malaria <-> [ma'laːria̯] *f kein pl* malaria

malen ['maːlən] *vt, vi* to paint

Maler(in) <-s, -> ['maːlɐ] *m(f)* painter

Malerei <-, -en> [malə'rai] *f* painting

malerisch *adj* picturesque

Malta ['malta] *nt* Malta

Malteser(in) <-s, -> [mal'teːzɐ] *m(f)* Maltese + *sing/pl vb*

maltesisch [mal'teːzɪʃ] *adj* Maltese

Malve <-, -n> ['malvə] *f* BOT mallow

Malz <-es> ['malts] *nt kein pl* malt

Mama <-, -s> ['mama] *f* mummy

man <*dat* einem, *akk* einen> ['man] *pron indef* one *form,* you; **das hat ~ mir gesagt** that's what I was told; **so etwas tut ~ nicht** that just isn't done

manche(r, s) ['mançə] *pron indef* 1. *adjektivisch, mit pl* (*einige*) some; **~ Menschen** some people 2. *adjektivisch, mit sing* a lot of; **so ~r gute Mann ...** many a good man ...

mancherlei ['mançɐ'lai] *adj* various

manchmal ['mançmaːl] *adv* sometimes

Mandant(in) <-en, -en> [man'dant] *m(f)* client

Mandarine <-, -n> [manda'riːnə] *f* mandarin

Mandat <-[e]s, -e> [man'daːt] *nt*

1. POL seat 2. JUR mandate
Mandel <-, -n> ['mandl] *f* 1. almond; **gebrannte ~n** sugared almonds 2. *meist pl* ANAT tonsils *npl*
Mandelentzündung *f* tonsillitis
Manege <-, -n> [ma'ne:ʒə] *f* ring
Manga <-s, -[s]> ['maŋga] *nt* manga [comic]
Mangel¹ <-s, Mängel> ['maŋl] *m* 1. (*Fehler*) flaw 2. *kein pl* (*Knappheit*) lack (**an** of); **ein ~ an Vitamin C** vitamin C deficiency
Mangel² <-, -n> ['maŋl] *f* mangle
mangelhaft *adj* (*fehlerhaft*) faulty
mangeln¹ ['maŋln] *vi* **es mangelt an etw** *dat* there is a shortage of sth
mangeln² ['maŋln] *vt* to press
mangels ['maŋls] *präp +gen* due to the lack of sth
Mango <-, -s> ['maŋgo] *f* mango
Manie <-, -n> [ma'ni:] *f* obsession
Maniküre <-> [mani'ky:rə] *f kein pl* manicure
Manipulation <-, -en> [manipula'tsi̯o:n] *f* manipulation
manipulieren [manipu'li:rən] *vt* to manipulate
Mann <-[e]s, Männer> ['man] *m* 1. man; **Männer** men 2. (*Ehemann*) husband 3. (*Person*) **pro ~** per head 4. (*Ausruf*) [**mein**] **lieber ~!** my God!; **~, o ~!** oh boy!; **~!** (*bewundernd*) wow!
Mannequin <-s, -s> ['manəkɛ̃] *nt* model
männlich ['mɛnlɪç] *adj* male
Mannschaft <-, -en> *f* team
Mannschaftsführer(in) *m(f)* SPORT team captain
Manöver <-s, -> [ma'nø:vɐ] *nt* manoeuvre
Manschettenknopf *m* cuff link

Mantel <-s, Mäntel> ['mantl] *m* coat
manuell [ma'nu̯ɛl] I. *adj* manual II. *adv* manually
Manuskript <-[e]s, -e> [manu'skrɪpt] *nt* manuscript
Mappe <-, -n> ['mapə] *f* 1. folder 2. (*Aktentasche*) briefcase
Maracuja <-, -s> [mara'ku:ja] *f* passion fruit
Marathon <-s, -s> ['ma:ratɔn] *m* marathon
Märchen <-s, -> ['mɛːɐ̯çən] *nt* fairytale
Marder <-s, -> ['mardɐ] *m* marten
Margarine <-, -> [marga'ri:nə] *f* margarine
Margerite <-, -n> [margə'ri:tə] *f* marguerite
Marienkäfer *m* ladybird BRIT, ladybug AM
Marille <-, -n> [ma'rɪlə] *f* ÖSTERR apricot
Marine <-, -n> [ma'ri:nə] *f* navy; **bei der ~** in the navy
Marionette <-, -n> [mari̯o'nɛtə] *f* puppet
Mark¹ <-, -> ['mark] *pl f* (*hist: Währung*) mark
Mark² <-[e]s> ['mark] *nt kein pl* (*Inneres*) marrow
markant [mar'kant] *adj* striking
Marke <-, -n> ['markə] *f* 1. (*Briefmarke*) stamp 2. ÖKON brand
Markenartikel *m* branded article
Markenzeichen *nt* trademark
markieren [mar'ki:rən] *vt* to mark
Markierung <-, -en> *f* marking
Markise <-, -n> [mar'ki:zə] *f* awning
Markt <-[e]s, Märkte> ['markt] *m* market; **etw auf den ~ bringen** to put sth on the market; **der schwarze ~** the black market

M

Marktplatz *m* marketplace; **auf dem ~** in the marketplace **Marktwirtschaft** *f kein pl* **die soziale ~** social market economy

Marmelade <-, -n> [marmə'la:də] *f* jam

Marmor <-s, -e> ['marmoːɐ̯] *m* marble

Marone <-, -n> [ma'roːnə] *f*, ÖSTERR, SCHWEIZ **Maroni** <-, -> [ma'roːni] *f* [edible] chestnut

Mars <-> ['mars] *m kein pl* **der ~** Mars

Marsch <-[e]s, Märsche> ['marʃ] *pl m* march; **sich in ~ setzen** to move off

marschieren [mar'ʃiːrən] *vi sein* to march

Marter <-, -n> ['martɐ] *f* torture

martern ['martɐn] *vt* to torture

Märtyrer(in) <-s, -> ['mɛrtyrɐ, 'mɛrtyrərɪn] *m(f)* martyr

März <-[es], -e> ['mɛrts] *m* March; *s.a.* **Februar**

Marzipan <-s, -e> [martsi'paːn] *nt o* ÖSTERR *m* marzipan

Masche <-, -n> ['maʃə] *f* **1.** stitch **2.** (*Trick*) trick

Maschendraht *m* wire netting

Maschine <-, -n> [ma'ʃiːnə] *f* machine; **~ schreiben** to type

maschinell [maʃi'nɛl] **I.** *adj* machine *attr* **II.** *adv* by machine

Maschinengewehr *nt* machine gun

maschinenlesbar *adj* machine-readable

Masern ['maːzɐn] *pl* **die ~** the measles

Maserung <-, -en> *f* grain

Maske <-, -n> ['maskə] *f* mask

maskieren [mas'kiːrən] **I.** *vt* to disguise **II.** *vr* **sich ~** to dress up (**als** as)

Maß¹ <-es, -e> ['maːs] *nt* **1.** (*Maßeinheit*) measure; **mit zweierlei ~ messen** to operate a double standard

2. (*Abmessungen*) **~e** measurements **3.** (*Ausmaß*) **in ~en** in moderation; **in besonderem ~[e]** especially; **in großem ~[e]** to a great extent

Maß² <-, -> ['maːs] *f* SÜDD **eine ~ Bier** a litre of beer

Massage <-, -n> [ma'saːʒə] *f* massage

Massaker <-s, -> [ma'saːkɐ] *nt* massacre

Masse <-, -n> ['masə] *f* mass

Massenmord *m* mass murder **Massenvernichtungswaffen** *pl* weapons of mass destruction

Masseur(in) <-s, -e> [ma'søːɐ̯] *m(f)* masseur *masc*, masseuse *fem*

maßgebend, maßgeblich ['maːsgeːplɪç] *adj* significant

massieren [ma'siːrən] *vt* to massage

mäßig ['mɛːsɪç] *adj* moderate

mäßigen ['mɛːsɪgn̩] **I.** *vt* to curb **II.** *vr* **sich ~** to restrain oneself

massiv [ma'siːf] *adj* **1.** (*fest*) solid **2.** (*drastisch*) serious; **~e Kritik** heavy criticism

maßlos I. *adj* extreme; **~ [in etw** *dat*] **sein** to be immoderate [in sth] **II.** *adv* extremely

Maßlosigkeit <-> *f kein pl* lack of moderation

Maßnahme <-, -n> ['maːsnaːmə] *f* measure

Maßstab ['maːsʃtaːp] *m* **1.** scale; **im ~ 1:250000** on a scale of 1:250000 **2.** (*Kriterium*) criterion

maßvoll I. *adj* moderate; **~es Verhalten** moderation **II.** *adv* moderately

Mast <-[e]s, -e[n]> ['mast] *m* **1.** NAUT mast **2.** (*Strommast*) pylon

Mastdarm *m* rectum

mästen ['mɛstn̩] *vt* to fatten

masturbieren [mastʊr'biːrən] *vi* to masturbate

Matchball ['mɛtʃ-] *m* TENNIS match point

Material <-s, -ien> [mate'rɪaːl] *nt* material

Materialismus <-> [materɪa'lɪsmʊs] *m kein pl* [**der**] ~ materialism

Materialist(in) <-en, -en> [materɪa-'lɪst] *m(f)* materialist

materialistisch [materɪa'lɪstɪʃ] *adj* materialistic

Materie <-> [ma'teːrɪə] *f kein pl* matter

materiell [mate'rɪɛl] I. *adj* material II. *adv* 1. ~ **eingestellt sein** to be materialistic 2. FIN ~ **abgesichert** financially secure

Mathematik <-> [matema'tiːk] *f kein pl* [**die**] ~ mathematics + *sing vb*

Mathematiker(in) <-s, -> [mate-'maːtike] *m(f)* mathematician

mathematisch [mate'maːtɪʃ] *adj* mathematical

Matratze <-, -n> [ma'tratsə] *f* mattress

Matrose <-n, -n> [ma'troːzə] *m* sailor

Matsch <-[e]s> ['matʃ] *m kein pl* 1. (*schlammige Erde*) mud; (*Schneematsch*) slush 2. (*breiige Masse*) mush

matschig ['matʃɪç] *adj* muddy

matt ['mat] *adj* 1. (*schwach*) weak 2. (*glanzlos*) matt 3. *Licht* dim 4. (*schachmatt*) [check]mate

Matte¹ <-, -n> ['matə] *f* mat

Matte² <-, -n> ['matə] *f* SCHWEIZ, ÖSTERR alpine meadow

Mauer <-, -n> ['maue] *f* wall

mauern ['mauen] *vt, vi* to build

Mauersegler *m* swift

Maul <-[e]s, Mäuler> ['maul] *nt* 1. (*bei Tieren*) mouth 2. (*derb: Mund*) trap; **halt's ~!** shut your face!

Maulbeerbaum *m* mulberry [tree]

Maulesel ['maulʔeːzl] *m* mule

Maultaschen *pl* SÜDD *large pasta squares filled with meat or cheese*

Maultier ['maultiːɐ] *nt* mule

Maulwurf <-[e]s, -würfe> ['maulvʊrf] *m* mole

Maurer(in) <-s, -> ['maure] *m(f)* bricklayer

Maus <-, Mäuse> ['maus] *f* mouse

Maut <-, -en> ['maut] *f* toll

maximal [maksi'maːl] I. *adj* maximum II. *adv* at maximum; ~ **25.000 Euro** 25,000 euros at most

Maximum <-s, Maxima> ['maksimʊm] *nt* maximum

Mayonnaise <-, -n> [majɔ'nɛːzə] *f s.* **Majonäse**

Mechaniker(in) <-s, -> [me'çaːnɪke] *m(f)* mechanic

mechanisch [me'çaːnɪʃ] I. *adj* mechanical II. *adv* mechanically

Mechanismus <-, -nismen> [meça-'nɪsmʊs] *m* mechanism

meckern ['mɛken] *vi* to bellyache (**über** about)

Medaille <-, -n> [me'daljə] *f* medal

Medien ['meːdɪən] *pl* die ~ the media + *sing/pl vb*

medienwirksam *adj* **er weiß, wie er sich am besten ~ inszeniert** he knows how to achieve maximum publicity; (*vorteilhaft dabei wegkommen*) he knows how to act in order to come across well in the media

Medienwirksamkeit *f* media effectiveness

Medikament <-[e]s, -e> [medika-'mɛnt] *nt* medicine

Meditation <-, -en> [medita'tsɪoːn] *f* meditation

mediterran [mediteˈraːn] *adj* Mediterranean

M

meditieren [medi'ti:rən] *vi* to meditate

Medizin <-, -en> [medi'tsi:n] *f kein pl* medicine

Medizinmann <-männer> [-man] *m* medicine man

Meer <-[e]s, -e> ['me:ɐ̯] *nt* sea; **am ~** by the sea; **ans ~ fahren** to go to the seaside

Meerenge *f* strait[s *npl*]

Meeresfrüchte *pl* seafood *no pl*

Meeresspiegel *m* **über/unter dem ~** above/below sea level

Meerkatze *f* meerkat

Meerrettich *m* horseradish

Meerschweinchen *nt* guinea pig

Meerwasser *nt* sea water

Megapixel *m* megapixel

Mehl <-[e]s, -e> ['me:l] *nt* flour

mehlig ['me:lɪç] *adj Kartoffeln* floury

mehr ['me:ɐ̯] I. *pron indef comp von* s. **viel** more; **immer ~** more and more II. *adv* **~ oder weniger** more or less; **nicht ~** not any longer; **nie ~** never again

mehrdeutig *adj* ambiguous

mehrere ['me:rərə] *pron indef* several

mehrfach ['me:ɐ̯fax] I. *adj* multiple; **~er Meister im ...** several-times champion in ... II. *adv* several times

Mehrheit <-, -en> *f* majority

mehrmals ['me:ɐ̯ma:ls] *adv* repeatedly

Mehrwertsteuer *f* value-added tax, VAT

Mehrzahl *f kein pl* **1.** majority **2.** LING plural [form]

meiden <mied, gemieden> ['maidn̩] *vt* to avoid

Meile <-, -n> ['mailə] *f* mile

mein ['main] *pron poss* my

meine(r, s) ['mainə] *pron poss, substantivisch* mine

Meineid ['main?ait] *m* perjury *no art*

meinen ['mainən] I. *vi* to think; **ich würde ~, ...** I would think ...; **~ Sie?** [do] you think so?; **wenn Sie ~!** if you wish; **wie ~ Sie?** [I] beg your pardon?; **[ganz] wie Sie ~!** [just] as you wish II. *vt* **1.** (*denken*) **~, [dass] ...** to think [that] ...; **und was ~ Sie dazu?** and what do you say? **3.** (*im Sinn haben*) **was ~ Sie [damit]?** what do you mean [by that]?; **damit bist du gemeint** that means you **4.** (*eine bestimmte Absicht haben*) to mean; **ich meine es ernst** I'm serious [about it]; **so war das nicht gemeint** I didn't mean it like that; **es nicht böse ~** to mean no harm; **es gut ~** to mean well; **es gut mit jdm ~** to do one's best for sb; **es ~, wie man es sagt** to mean what one says

meinetwegen ['mainət've:gn̩] *adv* **1.** (*mir zuliebe*) for my sake **2.** (*von mir aus*) as far as I'm concerned

Meinung <-, -en> ['mainʊŋ] *f* opinion; **seine ~ ändern** to change one's mind; **anderer ~ sein** to be of a different opinion; **eine eigene ~ haben** to have an opinion of one's own; **meiner ~ nach** in my opinion; **die öffentliche ~** public opinion; **jdm die ~ sagen** to give sb a piece of one's mind

Meinungsverschiedenheit *f* difference of opinion

Meise <-, -n> ['maizə] *f* tit ▶ **eine ~ haben** (*sl*) to have a screw loose

Meißel <-s, -> ['maisl̩] *m* chisel

meißeln ['maisl̩n] *vi, vt* to chisel

meist ['maist] *adv* **1.** s. **meistens 2.** (*am häufigsten*) most; **~ inszeniert** most staged

meiste(r, s) *pron indef superl von* s. **viel 1.** (*adjektivisch*) most; **das ~**

Geld most of the money; **die ~ Leute** most people **2.** (*substantivisch*) **die ~n** *Menschen* most people; **die ~n von uns** most of us; **das ~** most of it; **das ~ von dem, was ...** most of what ...

meisten *adv superl von s.* **sehr: am ~** most of all

meistens ['maistn̩s] *adv* mostly

Meister(in) <-s, -> ['maistɐ] *m(f)* **1.** master **2.** SPORT champion

meistern ['maistɐn] *vt* to master

Meisterschaft <-, -en> *f* SPORT championship

Melancholie <-, -n> [melaŋko'liː] *f* melancholy

melancholisch [melaŋ'koːlɪʃ] *adj* melancholy

melden ['mɛldn̩] **I.** *vt* **1.** (*anzeigen*) [jdm] **etw ~** to report sth [to sb] **2.** TV to report **II.** *vr* **1.** SCH **sich ~** to put one's hand up **2.** (*sich bereit erklären*) **sich zu etw** *dat* **freiwillig ~** to volunteer for sth **3.** (*antworten*) **sich am Telefon ~** to answer the telephone

Meldung <-, -en> *f* **1.** (*Nachricht*) piece of news **2.** (*offizielle Mitteilung*) report

Melisse <-, -n> [me'lɪsə] *f* [lemon] balm

melken <melkte, gemolken> ['mɛlkn̩] *vt, vi* to milk

Melodie <-, -n> [melo'diː] *f* tune

melodisch [me'loːdɪʃ] **I.** *adj* melodic **II.** *adv* melodically

Melone <-, -n> [me'loːnə] *f* **1.** melon **2.** (*Hut*) bowler [hat]

Memoiren [me'mɔaːrən] *pl* memoirs

Menge <-, -n> ['mɛŋə] *f* **1.** (*bestimmtes Maß*) quantity; **in ausreichender ~** in sufficient quantities **2.** (*viel*) **eine ~ Geld** a lot of money **3.** (*Menschenmenge*) crowd

Meniskus <-, Menisken> [me'nɪskʊs] *m* meniscus

Mensa <-, Mensen> ['mɛnza] *f* canteen

Mensch <-en, -en> ['mɛnʃ] *m* man; **~en** human beings *npl* (*Leute*) people; **die ~en** mankind *sing, no art* ; **ein anderer ~ werden** to become a different person; **kein ~** no one

Menschenaffe *m* ape **menschenleer** *adj* deserted **Menschenrecht** *nt meist pl* JUR human right *usu pl* **Menschenrechtsverletzung** *f* violation of human rights **menschenunwürdig I.** *adj* inhumane **II.** *adv* in an inhumane way **Menschenverstand** *m* **gesunder ~** common sense **Menschenwürde** *f kein pl* human dignity *no art*

Menschheit <-> *f kein pl* **die ~** mankind

menschlich ['mɛnʃlɪç] **I.** *adj* **1.** human **2.** (*human*) humane **II.** *adv* humanely

Menschlichkeit <-> *f kein pl* humanity *no art*

Menstruation <-, -en> [mɛnstrua-'tsjoːn] *f* menstruation *no art*

Mentalität <-, -en> [mɛntali'tɛːt] *f* mentality

Menu *nt*, **Menü** <-s, -s> [me'nyː] *nt* menu

merken ['mɛrkn̩] **I.** *vt, vi* to notice; (*spüren*) to feel; **es war kaum zu ~** it was scarcely noticeable; **jdn etw ~ lassen** to let sb feel sth **II.** *vr* **sich** *dat* **etw ~** to remember sth; **leicht zu ~** easy to remember

Merkmal <-s, -e> ['mɛrkmaːl] *nt* feature

M

Merkur <-s> [mɛrˈkuːɐ̯] *m* **der** ~ Mercury

merkwürdig *adj* strange

messbar[RR], **meßbar**[ALT] *adj* measurable

Messe[1] <-, -n> [ˈmɛsə] *f* REL mass *no pl*

Messe[2] <-, -n> [ˈmɛsə] *f* ÖKON [trade] fair

messen <misst, maß, gemessen> [ˈ,ɛsn̩] **I.** *vt* to measure; **ge~ an etw** *dat* judging by sth **II.** *vr* **sich mit jdm** ~ to compete with sb

Messer <-s, -> [ˈmɛsɐ] *nt* knife

Messerspitze *f* knife point; **eine ~ Muskat** a pinch of nutmeg

Messias <-> [mɛˈsiːas] *m* **der** ~ the Messiah

Messing <-s> [ˈmɛsɪŋ] *nt kein pl* brass

Metall <-s, -e> [meˈtal] *nt* metal

metallisch [meˈtalɪʃ] **I.** *adj* metallic **II.** *adv* like metal

Meter <-s, -> [ˈmeːtɐ] *m o nt* metre

Methode <-, -n> [meˈtoːdə] *f* method

Metropole <-, -n> [metroˈpoːlə] *f* metropolis

metrosexuell *adj Mann* metrosexual

Metzger(in) <-s, -> [ˈmɛtsgɐ] *m(f)* butcher; **beim** ~ at the butcher's

Metzgerei <-, -en> [mɛtsgəˈrai] *f* butcher's BRIT, butcher shop AM; **aus der** ~ from the butcher's

Meute <-, -n> [ˈmɔytə] *f* mob

Meuterei <-, -en> [mɔytəˈrai] *f* mutiny

Meuterer <-s, -> *m* mutineer

meutern [ˈmɔytɐn] *vi* to mutiny

miauen [miˈauən] *vi* to miaou

mich [mɪç] **I.** *pron pers akk von s.* **ich** me **II.** *pron reflexiv* myself

Miene <-, -n> [ˈmiːnə] *f* expression; **ohne eine ~ zu verziehen** without turning a hair

mies [miːs] *adj (fam)* lousy; ~**e Laune haben** to be in a foul mood

Miesmuschel [ˈmiːsmʊʃl̩] *f* mussel

Miete <-, -n> [ˈmiːtə] *f* rent

mieten [ˈmiːtn̩] *vt* to rent

Mieter(in) <-s, -> *m(f)* tenant

Mietwagen *m* rental car

Migräne <-, -n> [miˈɡrɛːnə] *f* migraine; **ich habe** ~ I've got a migraine

Mikrofon <-s, -e> [mikroˈfoːn] *nt* microphone

Mikroskop <-s, -e> [mikroˈskoːp] *nt* microscope

mikroskopisch *adj* microscopic

Mikrowelle [ˈmiːkrovɛlə] *f* microwave

Milbe <-, -n> [ˈmɪlbə] *f* mite

Milch <-> [ˈmɪlç] *f kein pl* milk

Milchkaffee *m* milky coffee **Milchpulver** *nt* powdered milk **Milchreis** *m* rice pudding **Milchstraße** *f* **die** ~ the Milky Way **Milchzahn** *m* milk tooth

mild [ˈmɪlt] *adj* mild; *Strafe, Urteil* lenient

mildern [ˈmɪldɐn] *vt* **1.** *(abschwächen)* to moderate; ~**de Umstände** mitigating circumstances **2.** *(lindern)* to alleviate

Milieu <-s, -s> [miˈljøː] *nt* environment

militant [miliˈtant] *adj* militant

Militär <-s> [miliˈtɛːɐ̯] *nt kein pl* military; **beim** ~ **sein** to be in the forces

Militärdiktatur *f* military dictatorship

militärisch [miliˈtɛːrɪʃ] *adj* military

Miliz <-, -en> [miˈliːts] *f* **1.** *(Bürgerwehr)* militia **2.** *(in sozialistischen Staaten: Polizei)* police

Milliardär(in) <-s, -e> [mɪli̯arˈdɛːɐ̯] *m(f)* billionaire

Milliarde <-, -n> [mɪˈli̯ardə] *f* billion

Millimeter <-s, -> [ˈmɪlimeːtɐ] *m o nt*

millimetre

Million <-, -en> [mɪˈljoːn] *f* million

Millionär(in) <-s, -e> [mɪljoˈnɛːɐ̯] *m(f)* millionaire *masc,* millionairess *fem*

Milz <-, -en> [mɪlts] *f* spleen

Mimik <-> [ˈmiːmɪk] *f kein pl* facial expression

minder [ˈmɪndɐ] *adv* **nicht** ~ no less

Minderheit <-, -en> *f* minority

Minderjährige(r) *f(m) dekl wie adj* minor

mindern [ˈmɪndɐn] *vt* to reduce (**um** by)

minderwertig *adj* inferior

Minderwertigkeit <-> *f kein pl* inferiority

Minderwertigkeitsgefühl *nt* feeling of inferiority

mindeste(r, s) *adj attr* **der/die/das** ~ the slightest; **das wäre das M~ gewesen** that's the least he could have done; **nicht im M~n** not in the least

mindestens [ˈmɪndəstn̩s] *adv* at least

Mine <-, -n> [ˈmiːnə] *f* BERGB, MIL mine

Mineral <-s, -e> [mineˈraːl] *nt* mineral

Mineralwasser *nt* mineral water

Minigolf *nt kein pl* minigolf **Minijob** *m* minijob (*employment that is deduction-free for employees who earn up to 400 euros a month*)

minimal [miniˈmaːl] I. *adj* minimal II. *adv* minimally

Minimum <-s, Minima> [ˈmiːnimʊm] *nt* minimum (**an** of)

Minirock *m* miniskirt

Minister(in) <-s, -> [miˈnɪstɐ] *m(f)* minister

Ministerium <-s, -rien> [minɪsˈteːriʊm] *nt* ministry

Ministerpräsident(in) *m(f)* minister-president

Minorität <-, -en> [minoriˈtɛːt] *f* minority

minus [ˈmiːnʊs] I. *präp* **2.000 € - 5 % Rabatt** € 2,000 less 5% discount II. *konj* MATH minus; **15° C** ~ 15° C below zero

Minus <-, -> [ˈmiːnʊs] *nt* FIN deficit; ~ **machen** to make a loss

Minute <-, -n> [miˈnuːtə] *f* minute; **auf die** ~ on the dot

Minutenzeiger *m* minute hand

Minze <-, -n> [ˈmɪntsə] *f* mint

mir [ˈmiːɐ̯] *pron pers dat von s.* **ich** [to] me; **sie ist eine alte Bekannte von** ~ she's an old acquaintance of mine; **von** ~ **aus!** I don't mind!

Mirabelle <-, -n> [miraˈbɛlə] *f* mirabelle

mischen [ˈmɪʃn̩] I. *vt* to mix; *Karten* to shuffle II. *vr* **1.** (*nicht abseitsstehen*) **sich unter Leute** ~ to mingle **2.** (*sich einmischen*) **sich in etw** *akk* ~ to interfere in sth

Mischling <-s, -e> [ˈmɪʃlɪŋ] *m* half-caste; (*Tier*) half-breed

Mischung <-, -en> *f* mixture

miserabel [mizəˈraːbl̩] I. *adj* dreadful II. *adv* dreadfully; **das Bier schmeckt** ~ the beer tastes awful

Misere <-, -n> [miˈzeːrə] *f* dreadful state

Mispel <-, -n> [ˈmɪspl̩] *f* BOT medlar

missachten[RR], **mißachten**[ALT] [mɪsˈʔaxtn̩] *vt* **1.** *Regeln, Vorschriften* to disregard **2.** (*gering schätzen*) to disdain

Missachtung[RR], **Mißachtung**[ALT] [ˈmɪsʔaxtʊŋ] *f* **1.** *von Regeln, Vorschriften* disregard **2.** (*Geringschätzung*) disdain

Missbehagen[RR] <-s>, **Mißbehagen**[ALT] [ˈmɪsbəhaːgn̩] *nt kein pl* uneasiness

M

missbilligen^{RR}, **mißbilligen**^{ALT} ['mɪs-bɪlɪgn̩] *vt* etw ~ to disapprove of sth
Missbilligung^{RR}, **Mißbilligung**^{ALT} <-, *selten* -en> [mɪs'bɪlɪgʊŋ] *f* disapproval
Missbrauch^{RR}, **Mißbrauch**^{ALT} ['mɪs-braux] *m* abuse
missbrauchen^{RR}, **mißbrauchen**^{ALT} [mɪs'brau:xn̩] *vt* to abuse; **jdn sexuell ~** to sexually abuse sb
missen ['mɪsn̩] *vt* **mein Telefon möchte ich nicht ~** I wouldn't want to have to do without my phone
Misserfolg^{RR}, **Mißerfolg**^{ALT} *m* failure
missfallen^{RR}, **mißfallen**^{ALT} [mɪs'falən] *vi irreg* **jdm missfällt etw** sb dislikes sth
Missgeburt^{RR}, **Mißgeburt**^{ALT} ['mɪs-gəbu:ɐ̯t] *f* monster
Missgeschick^{RR}, **Mißgeschick**^{ALT} ['mɪsgəʃɪk] *nt* mishap
missglücken^{RR}, **mißglücken**^{ALT} [mɪs'glʏkn̩] *vi sein* to fail
missgönnen^{RR}, **mißgönnen**^{ALT} [mɪs'gœnən] *vt* **jdm seinen Erfolg ~** to resent sb's success
Missgunst^{RR}, **Mißgunst**^{ALT} ['mɪsgʊnst] *f kein pl* envy
misshandeln^{RR}, **mißhandeln**^{ALT} [mɪs'handl̩n] *vt* to mistreat
Misshandlung^{RR}, **Mißhandlung**^{ALT} [mɪs'handlʊŋ] *f* mistreatment
Mission <-, -en> [mɪ'sio̯:n] *f* mission; **in geheimer ~** on a secret mission
Missionar(in) <-s, -e> [mɪsi̯o'na:ɐ̯] *m(f)* missionary
missionarisch [mɪsi̯o'na:rɪʃ] *adj* missionary
misslingen^{RR} <misslang, misslungen>, **mißlingen**^{ALT} [mɪs'lɪŋən] *vi sein* to fail
Misslingen^{RR}, **Mißlingen**^{ALT} <-s>

[mɪslɪŋən] *nt kein pl* failure
Missmut^{RR}, **Mißmut**^{ALT} ['mɪsmu:t] *m kein pl* moroseness
missmutig^{RR}, **mißmutig**^{ALT} *adj* sullen
missraten^{RR}, **mißraten**^{ALT} [mɪs'ra:tn̩] *adj Kind* ill-bred; **ein ~er Kuchen** a cake which went wrong
misstrauen^{RR}, **mißtrauen**^{ALT} [mɪs'trauən] *vi* to mistrust
misstrauisch^{RR}, **mißtrauisch**^{ALT} ['mɪs-trauɪʃ] I. *adj* mistrustful II. *adv* mistrustfully
missverständlich^{RR}, **mißverständlich**^{ALT} *adj* unclear
Missverständnis^{RR} <-ses, -se>, **Mißverständnis**^{ALT} <-ses, -se> ['mɪsfɛɐ̯-ʃtɛntnɪs] *nt* misunderstanding *no pl*
missverstehen^{RR}, **mißverstehen**^{ALT} ['mɪsfɛɐ̯ʃte:ən] *vt irreg* to misunderstand
Mist <-es> ['mɪst] *m kein pl* 1. dung 2. (*Quatsch*) nonsense 3. (*Schund*) junk
Mistel <-, -n> ['mɪstl̩] *f* mistletoe *no pl*
Misthaufen *m* dung heap **Mistkäfer** *m* dung beetle
mit ['mɪt] I. *präp* 1. (*und*) with; **du ~ deiner ewigen Prahlerei** you and your constant boasting; **Kaffee ~ Milch** coffee with milk; **~ jdm [zusammen]** [together] with sb 2. (*per*) by; **mit der Bahn/dem Fahrrad/der Post** by train/bicycle/post 3. *zeitlich* at; **~ 18 [Jahren]** at [the age of] 18 II. *adv* too, as well; **~ dabei sein** to be there too; **sie gehört ~ zu den Besten** she is one of the best
Mitarbeit *f* collaboration
mit|arbeiten ['mɪtʔarbaitn̩] *vi* to collaborate (**an** on)
Mitarbeiter(in) *m(f)* employee; **neue**

~ **einstellen** to take on new staff; **freier** ~ freelance

mit|bestimmen *vi* to have a say (**bei** in)

Mitbestimmung *f* participation

mit|bringen ['mɪt?brɪŋən] *vt irreg* to bring along

Mitbürger(in) *m(f)* fellow citizen

miteinander [mɪt?ai'nandɐ] *adv* **1.** (*einer mit dem anderen*) with each other; ~ **reden** to talk to each other **2.** (*zusammen*) together; **alle** ~ all together

Mitesser <-s, -> *m* blackhead

Mitfahrer(in) *m(f)* fellow passenger

mitfühlend *adj* sympathetic

Mitgefühl *nt kein pl* sympathy (**mit** for)

Mitgift <-, -en> *f* dowry

Mitglied ['mɪtgli:t] *nt* member

mit|halten *vi irreg* (*fam*) to keep up (**bei** with)

mit|hören *vt, vi* to listen in

mit|kommen *vi irreg sein* **in der Schule gut** ~ to get on well at school; **da komme ich nicht mit** it's beyond me

Mitläufer(in) *m(f)* fellow traveller

Mitleid ['mɪtlait] *nt kein pl* sympathy (**mit** for); **aus** ~ out of pity; ~ **erregend** pitiful

mitleidig ['mɪtlaidɪç] *adj* sympathetic

mit|machen I. *vi* to take part (**bei** in) **II.** *vt* to join in; **viel** ~ to go through a lot

Mitmensch *m* fellow man

mitmenschlich *adj attr Beziehungen, Kontakte* interpersonal

Mitnahme *f* taking [away] with one

Mitnahmementalität *f mentality that leads people to claim any and every kind of benefit they are legally entitled to, regardless of whether or*

not they actually need it

mit|nehmen *vt irreg* **1.** to take with one; (*im Auto*) **könnten Sie mich** ~**?** could you give me a lift? **2.** (*erschöpfen*) **jdn** ~ to take it out of sb; **mitgenommen** worn out

mit|reißen *vt irreg* to get going

mitschuldig *adj* **an etw** *dat* ~ **sein** to be partly to blame for sth

Mitschuldige(r) *f(m) dekl wie adj* JUR accomplice

Mitschüler(in) *m(f)* classmate

Mittag <-[e]s, -e> ['mɪta:k] *m* midday; **gegen** ~ around midday; **zu** ~ **essen** to have lunch

Mittagessen *nt* lunch

mittags ['mɪta:ks] *adv* at midday

Mittagspause *f* lunch break **Mittagsschlaf** *m* **einen** ~ **machen** to take an after-lunch nap **Mittagszeit** *f kein pl* lunchtime

Mittäter(in) *m(f)* accomplice

Mittäterschaft <-> *f kein pl* complicity (**an** in)

Mitte <-, -n> ['mɪtə] *f* **1.** middle; **in der** ~ **zwischen ...** halfway between ... **2.** POL **die linke/rechte** ~ the centre-left/centre-right **3.** (*zeitlich*) **sie ist** ~ **dreißig** she's in her mid-thirties; ~ **Januar** mid-January; ~ **des Jahres** in the middle of the year

mit|teilen ['mɪttailən] *vt* to tell; **jdm** ~, **dass ...** to tell sb that ...

Mitteilung *f* notification

Mittel <-s, -> ['mɪtl̩] *nt* **1.** means *sing* **2.** PHARM drug; **ein** ~ **gegen etw** *akk* a remedy for sth **3.** *pl* FIN funds **4.** MATH average; **im** ~ on average

Mittelalter ['mɪtl̩?altɐ] *nt kein pl* **das** ~ the Middle Ages *npl*

mittelalterlich ['mɪtl̩?altɐlɪç] *adj* medieval

M

Mittelamerika ['mɪt|ʔa'me:rika] *nt* Central America **Mitteleuropa** ['mɪt|ʔɔy'ro:pa] *nt* Central Europe **Mittelfeld** *nt kein pl* midfield **Mittelfinger** *m* middle finger

mittelmäßig *adj* mediocre

Mittelmäßigkeit <-> *f kein pl* mediocrity

Mittelmeer ['mɪt|me:ɐ̯] *nt* **das ~** the Mediterranean [Sea] **Mittelpunkt** *m* centre; **im ~ stehen** to be the centre of attention

mittels ['mɪtl̩s] *präp +gen* by means of

Mittelstand *m* ÖKON small and medium-sized businesses *npl*

mittelständisch *adj* medium-sized

Mittelwelle *f* medium wave

mitten ['mɪtn̩] *adv* **~ aus etw** *dat* from the midst of sth; **~ durch etw** *akk* right through [the middle of] sth; **~ auf der Straße** in the middle of the street

Mitternacht ['mɪtɐnaxt] *f kein pl* midnight *no art*

mittlere(r, s) ['mɪtlərə] *adj attr* **1.** (*in der Mitte von zweien*) **der/die/das ~** the middle one **2.** *Größe* medium-sized **3.** (*in einer Hierarchie*) middle

mittlerweile ['mɪtlɐ'vailə] *adv* in the mean time

Mittwoch <-s, -e> ['mɪtvɔx] *m* Wednesday; *s.a.* **Dienstag**

mittwochs ['mɪtvɔxs] *adv* [on] Wednesdays

mitverantwortlich *adj* jointly responsible *pred*

mit|wirken *vi* to collaborate (**bei/an** on)

mixen ['mɪksn̩] *vt* to mix

Mixer <-s, -> ['mɪksɐ] *m* ELEK blender

Möbel ['mø:bl̩] *pl* furniture

mobil [mo'bi:l] *adj* mobile

Mobilfunk *m* mobile communications *npl*

Mobilität <-> [mobili'tɛ:t] *f kein pl* mobility

möblieren [mø'bli:rən] *vt* to furnish

Mode <-, -n> ['mo:də] *f* fashion; **große ~ sein** to be very fashionable; **aus der/in ~ kommen** to go out of/come into fashion

Modell <-s, -e> [mo'dɛl] *nt* model

Modenschau *f* fashion show

Moderator(in) <-s, -en> [mode'ra:toɐ̯, modera'to:rɪn] *m(f)* presenter

moderieren [mode'ri:rən] *vt* RADIO, TV to present

mod(e)rig ['mo:d(ə)rɪç] *adj* musty

modern¹ ['mo:dɐn] *vi sein o haben* to go mouldy

modern² [mo'dɛrn] *adj* modern

modernisieren [modɛrni'zi:rən] *vt* to modernize

modisch ['mo:dɪʃ] **I.** *adj* fashionable **II.** *adv* fashionably

Mofa <-s, -s> ['mo:fa] *nt* moped

mogeln ['mo:gl̩n] *vi* to cheat (**bei** at)

mögen ['mø:gn̩] **I.** *modal vb* <mochte, hat ... mögen> + *infin* **1.** (*wollen*) **etw tun ~** to want to do sth; **ich möchte gerne kommen** I'd like to come **2.** (*Vermutung*) **sie mag Recht haben** she may be right **II.** *vt* <mochte, gemocht> **1.** (*gernhaben*) to like; (*lieben*) to love; **am liebsten mag ich Eintopf** stew is my favourite [meal] **2.** (*haben wollen*) to want; **ich möchte ein Stück Kuchen** I'd like a slice of cake; **was möchten Sie bitte?** what can I get for you?

möglich ['mø:klɪç] *adj* possible; [**das ist**] **nicht ~!** [that's] impossible!; **es**

für ~ halten, dass ... to think it possible that ...

möglicherweise *adv* possibly

Möglichkeit <-, -en> *f* possibility; **nach ~** if possible

möglichst *adv* **~ bald** as soon as possible

Mohn <-[e]s, -e> ['moːn] *m* poppy; (*Mohnsamen*) poppy seed

Möhre <-, -n> ['møːrə] *f* carrot

Mokka <-s, -s> ['mɔka] *m* mocha

Molch <-[e]s, -e> ['mɔlç] *m* newt

Molekül <-s, -e> [molə'kyːl] *nt* molecule

Molkerei <-, -en> [mɔlkə'rai] *f* dairy

Moll <-, -> ['mɔl] *nt* minor [key]; **f-~** F minor

mollig ['mɔlɪç] *adj* (*rundlich*) plump

Moment <-[e]s, -e> [mo'mɛnt] *m* moment; **~ mal!** hang on minute!; **im ersten ~** at first; **einen ~!** just a minute!; **jeden ~** [at] any moment

momentan [momɛn'taːn] I. *adj* 1. (*jetzig*) present 2. (*vorübergehend*) momentary II. *adv* 1. at present 2. momentarily

Monarch(in) <-en, -en> [mo'narç] *m(f)* monarch

Monarchie <-, -n> [monar'çiː] *f* monarchy

Monarchist(in) <-en, -en> [monar-'çɪst] *m(f)* monarchist

Monat <-[e]s, -e> ['moːnat] *m* month

monatlich ['moːnatlɪç] *adj*, *adv* monthly

Monatsbinde *f* sanitary towel [*or* AM napkin] **Monatsblutung** *f* menstruation

Mönch <-[e]s, -e> ['mœnç] *m* monk

Mond <-[e]s, -e> ['moːnt] *m* moon

mondän [mɔn'dɛːn] *adj* chic

Mondfinsternis *f* eclipse of the moon

Mondkalender *m* lunar calendar

Mondschein *m* moonlight **Mondsichel** *f* crescent moon **mondsüchtig** *adj* **~ sein** to be a sleepwalker

Monitor <-s, -e> ['moːnitoːɐ̯] *m* monitor

Monolog <-[e]s, -e> [mono'loːk] *m* monologue

Monopol <-s, -e> [mono'poːl] *nt* monopoly

monoton [mono'toːn] I. *adj* monotonous II. *adv* monotonously

Monotonie <-, -n> [monoto'niː] *f* monotony

Monster <-s, -> ['mɔnstɐ] *nt* monster

Monsun <-s, -e> [mɔn'zuːn] *m* monsoon

Montag <-s, -e> ['moːntaːk] *m* Monday; *s.a.* **Dienstag**

Montage <-, -n> [mɔn'taːʒə] *f* 1. assembly 2. KUNST montage

montieren [mɔn'tiːrən] *vt* 1. (*zusammenbauen*) to assemble 2. (*aufbauen*) to fit (**an/auf** to)

Monument <-[e]s, -e> [monu'mɛnt] *nt* monument

monumental [monumɛn'taːl] *adj* monumental

Moor <-[e]s, -e> ['moːɐ̯] *nt* swamp

Moos <-es, -e> ['moːs] *nt* moss

Moped <-s, -s> ['moːpɛt] *nt* moped

Moral <-> [mo'raːl] *f kein pl* morals *npl*

moralisch [mo'raːlɪʃ] I. *adj* moral II. *adv* morally; **~ verpflichtet sein** to be duty-bound

Morchel <-, -n> ['mɔrçəl] *f* morel

Mord <-[e]s, -e> ['mɔrt] *m* murder

Morddrohung *f* death threat

morden ['mɔrdn̩] *vi* to murder

Mörder(in) <-s, -> ['mœrdɐ] *m(f)* murderer

M

morgen ['mɔrgn̩] *adv* tomorrow; **bis ~!** see you tomorrow!; **~ Früh/Mittag** tomorrow morning/lunchtime

Morgen <-s, -> ['mɔrgn̩] *m* morning; **guten ~!** good morning!; **am ~** in the morning; **den ganzen ~** [**über**] all morning

morgendlich ['mɔrgn̩tlɪç] *adj* morning

Morgenessen *nt* SCHWEIZ breakfast

Morgengrauen <-s, -> *nt* daybreak

morgens ['mɔrgn̩s] *adv* in the morning; **von ~ bis abends** from morning till night

morgig ['mɔrgɪç] *adj attr* tomorrow's

Morphium <-s> ['mɔrfi̯ʊm] *nt kein pl* morphine

morsch ['mɔrʃ] *adj* rotten

Mörtel <-s, -> ['mœrtl̩] *m* mortar

Mosaik <-s, -e[n]> [moza'i:k] *nt* mosaic

Moschee <-, -n> [mo'ʃe:] *f* mosque

Moskito <-s, -s> [mos'ki:to] *m* mosquito

Moskitonetz *nt* mosquito net

Moslem, Moslemin <-s, -s> ['mɔs-lɛm, mɔs'lɛmɪn] *m, f* Muslim

moslemisch [mɔs'le:mɪʃ] *adj attr* Muslim

Most <-[e]s> ['mɔst] *m kein pl* **1.** fruit juice **2.** SÜDD (*Obstwein*) cider

Motiv <-s, -e> [mo'ti:f] *nt* motive

Motivation <-, -en> [motiva'tsi̯o:n] *f* motivation

motivieren [moti'vi:rən] *vt* **jdn** [**zu etw** *dat*] **~** to motivate sb [to do sth]

Motivierung <-, -en> [-'vi:-] *f* motivation

Motor <-s, -toren> ['mo:to:ɐ̯] *m* motor; AUTO engine

Motorboot *nt* motor boat **Motorhaube** *f* bonnet BRIT, hood AM **Motorrad** ['motorat] *nt* motorbike **Motorrad-**

fahrer(in) *m(f)* motorcyclist **Motorroller** *m* [motor] scooter

Motte <-, -n> ['mɔtə] *f* moth

Motto <-s, -s> ['mɔto] *nt* motto

Möwe <-, -n> ['møːvə] *f* [sea]gull

Mücke <-, -n> [mʏkə] *f* mosquito

Mückenstich *m* mosquito bite

müde ['my:də] *adj* tired; **einer S.** *gen* **~ sein/werden** to be/grow tired of sth

Müdigkeit <-> ['my:dɪçkait] *f kein pl* tiredness

Muffel <-s, -> ['mʊfl̩] *m* grouch

muffig ['mʊfɪç] *adj* musty; **~ riechen** to smell musty

Mühe <-, -n> ['my:ə] *f* trouble; **machen Sie sich keine ~!** [please] don't go to any trouble!; **sich** *dat* **~ geben** [, **etw zu tun**] to take pains [to do sth]; **sich** *dat* **keine ~ geben** to make no effort; **mit ~ und Not** only just; **der ~ wert sein** to be worth the trouble

mühelos I. *adj* easy **II.** *adv* effortlessly

mühevoll *adj s.* **mühsam**

Mühle <-, -n> ['my:lə] *f* mill

mühsam ['my:za:m] **I.** *adj* arduous **II.** *adv* laboriously

mühselig ['my:ze:lɪç] *adj* (*geh*) *s.* **mühsam**

Mulde <-, -n> ['mʊldə] *f* hollow

Müll <-[e]s> ['mʏl] *m kein pl* rubbish, garbage *esp* AM; **etw in den ~ werfen** to throw sth in the [dust]bin [*or* AM garbage [can]]

Müllabfuhr <-, -en> *f* **die ~** the dustcart BRIT, the garbage truck AM **Müllbeseitigung** *f kein pl* waste [*or* AM garbage] collection

Mullbinde *f* gauze bandage

Müllcontainer [-kɔnteːnɐ] *m* rubbish [*or* AM garbage] container **Mülldeponie** *f* waste disposal site, garbage dump AM **Mülleimer** m dustbin BRIT, garbage can AM **Mülltonne** f dustbin BRIT, garbage can AM

Multiple Sklerose <-n -> [mʊl'tiːplə skle'roːzə] f kein pl MED multiple sclerosis

multiplizieren [mʊltipli'tsiːrən] vt to multiply (**mit** by)

Mumie <-, -n> ['muːmiə] f mummy

Mumps <-> ['mʊmps] m kein pl MED [the] mumps + sing/pl vb

Mund <-[e]s, Münder> ['mʊnt] m mouth

Mundart ['mʊntʔaːɐ̯t] f dialect

münden ['mʏndn̩] vi sein o haben **in etw** akk ~ to flow into sth

Mundgeruch m bad breath **Mundharmonika** f mouth organ

mündlich ['mʏntlɪç] I. adj oral II. adv orally

Mündung <-, -en> ['mʏndʊŋ] f GEOG mouth

Munition <-> [muni'tsi̯oːn] f kein pl ammunition

Münster <-s, -> ['mʏnstɐ] nt cathedral

munter ['mʊntɐ] adj lively; ~ **sein/ werden** to be awake/wake up

Münze <-, -n> ['mʏntsə] f coin

mürb(e) ['mʏrp, 'mʏrbə] adj worn-out ► **jdn** ~ **machen** to wear sb down

Mürbeteig m short[-crust] pastry

murmeln ['mʊrml̩n] vi, vt to murmur

Murmeltier ['mʊrml̩tiːɐ̯] nt marmot

mürrisch ['mʏrɪʃ] I. adj grumpy II. adv grumpily

Muschel <-, -n> ['mʊʃl̩] f 1. (Tier) mussel 2. (Schale) shell

Museum <-s, Museen> [mu'zeːʊm] nt museum

Musik <-, -en> [mu'ziːk] f music no art, no pl; ~ **hören** to listen to music

musikalisch [muzi'kaːlɪʃ] I. adj musi-

cal II. adv ~ **begabt sein** to be musically gifted

Musiker(in) <-s, -> ['muːzikɐ] m(f) musician

Musikinstrument nt instrument

musizieren [muzi'tsiːrən] vi to play a musical instrument

Muskatnuss^RR f nutmeg no art, no pl

Muskel <-s, -n> ['mʊskl̩] m muscle

Muskelkater m kein pl muscle ache **Muskelzerrung** f pulled muscle

Muskulatur <-, -en> [mʊskula'tuːɐ̯] f musculature

muskulös [mʊsku'løːs] adj muscular

Müsli <-[s], -s> ['myːsli] nt muesli

Muße <-> ['muːsə] f kein pl leisure

müssen ['mʏsn̩] vb aux <musste, müssen> modal 1. (gezwungen sein) **muss das sein?** is that really necessary?; **etw tun** ~ to have to [or must] do sth; **etw nicht tun** ~ to not need to do sth 2. verneinend (brauchen) **du musst das nicht tun** you don't have to do that 3. (eigentlich sollen) ought to; **jd/etw müsste etw tun** sb/sth should do sth 4. (Wahrscheinlichkeit) **es müsste jetzt acht Uhr sein** it must be eight o'clock now

müßig ['myːsɪç] I. adj futile II. adv (untätig) idly

Muster <-s, -> ['mʊstɐ] nt 1. pattern 2. (Warenmuster) sample

mustern ['mʊstɐn] vt to scrutinize

Musterung <-, -en> f MIL medical examination for military service

Mut <-[e]s> ['muːt] m kein pl courage; **nur** ~! take heart!; ~ **fassen** to take heart; **jdm** [**wieder**] ~ **machen** to encourage sb

mutig ['muːtɪç] I. adj brave II. adv bravely

M

mutlos *adj* discouraged

Mutlosigkeit <-> *f kein pl* discouragement

Mutter¹ <-, Mütter> ['mʊtɐ] *f* mother; ~ **werden** to be having a baby

Mutter² <-, -n> ['mʊtɐ] *f* TECH nut

Muttergottes <-> [mʊtɐ'gɔtəs] *f kein pl* Mother of God **Mutterleib** *m* womb

mütterlich ['mʏtɐlɪç] *adj* motherly

Mutterliebe *f* motherly love

Muttermal *nt* birthmark

Muttermilch *f* mother's milk **Muttersprache** *f* mother tongue **Muttersprachler(in)** <-s, -> [-'ʃpraːxlɐ] *m(f)* native speaker **Muttertag** *m* Mother's Day

Mütze <-, -n> ['mʏtsə] *f* cap

mysteriös [mʏstə'rjøːs] *adj* mysterious

Mystik <-> ['mʏstɪk] *f kein pl* mysticism

mystisch ['mʏstɪʃ] *adj* mystic[al]

Mythos <-, Mythen> ['myːtɔs] *m* myth

N

N, n *nt* N, n

na [na] *interj* (*fam*) well; ~ **gut** all right; ~ **ja** well; ~ **und?** so what?; ~ **so was!** well I never!

Nabel <-s, -> ['naːbl̩] *m* navel

Nabelschnur *f* umbilical cord

nach [naːx] **I.** *präp +dat* **1.** (*bis zu*) to; **der Weg führt direkt** ~ ... this is the way to ... **2.** (*hinter*) behind **3.** (*zeitlich*) after; ~ **wie vor** still **4.** (*gemäß*) according to; ~ **Artikel 23** under article 23; ~ **allem, was ich gehört**

habe from what I've heard **5.** (*in Anlehnung an*) after **II.** *adv* ▶ ~ **und** ~ little by little

nach|ahmen *vt* to imitate

Nachahmung <-, -en> *f* imitation

Nachbar(in) <-n *o* -s, -n> ['naxbaːɐ̯] *m(f)* neighbour

Nachbarhaus *nt* house next door

Nachbarschaft <-, -en> *f* neighbourhood

Nachbarstaat *m* neighbouring state

nachdem [naːx'deːm] *konj* after

nach|denken *vi irreg* to think (**über** about)

nachdenklich ['naːxdɛŋklɪç] *adj* pensive

Nachdruck¹ *m kein pl* emphasis; **mit** ~ with vigour

Nachdruck² <-[e]s, -e> *m* (*Buch*) reprint

nachdrücklich ['naːxdrʏklɪç] *adv* firmly

nach|eifern *vi* **jdm** ~ to emulate sb

nacheinander [naːx'ʔai'nandɐ] *adv* one after another; **kurz** ~ in quick succession

nach|empfinden *vt irreg* **etw** ~ **können** to be able to sympathize with sth

Nachfolge *f kein pl* succession; **jds** ~ **antreten** to succeed sb

Nachfolger(in) <-s, -> *m(f)* successor

Nachforschung *f* inquiry; ~**en anstellen** to make inquiries (**über** into)

Nachfrage *f* **1.** ÖKON demand (**nach** for) **2.** (*Erkundigung*) **danke der** ~! nice of you to ask!

nach|fragen *vi* to inquire

nach|geben *irreg vi* [**jdm/etw**] ~ to give way [to sb/sth]

nach|gehen *vi irreg sein* **1.** (*folgen*) **jdm** ~ to follow sb **2.** *Uhr* to be slow

nachgiebig ['naːxgiːbɪç] *adj* [**jdm**

gegenüber| ~ **sein** to be soft [on sb]

nachher [naːxˈheːɐ, ˈnaːxheːɐ] *adv* **1.** (*danach*) afterwards **2.** (*später*) later; **bis ~!** see you later!

Nachhilfe *f* private tuition [*or* AM tutoring]

nach|holen *vt* to make up for

nach|jagen *vi sein* to chase after; *Geld, Erfolg* to pursue

Nachkomme <-n, -n> [ˈnaːxkɔmə] *m* descendant

Nachlassᴿᴿ <-es, -e>, **Nachlaß**ᴬᴸᵀ <-lasses, -lasse *o* -lässe> [ˈnaːxlas] *m* **1.** *eines Verstorbenen* estate; *eines Autors* unpublished works *npl* **2.** (*Rabatt*) discount (**auf** on)

nach|lassen *irreg vi* to diminish; *Druck, Schmerz* to ease off; *Gehör* to deteriorate; *Interesse* to wane; *Nachfrage* to drop [off]; *Sturm* to die down

nachlässig [ˈnaːxlɛsɪç] I. *adj* careless II. *adv* carelessly

Nachlässigkeit <-> *f kein pl* carelessness

nach|laufen *vi irreg sein* **jdm** ~ to run after sb

nach|machen *vt* **1.** to imitate **2.** (*fälschen*) to forge

Nachmittag [ˈnaːxmɪtaːk] *m* afternoon; **am/bis zum** ~ in the/until the afternoon

nachmittags *adv* in the afternoon; (*jeden Nachmittag*) in the afternoons

Nachnahme <-, -n> [ˈnaːxnaːmə] *f* cash on delivery *no art, no pl;* **etw per** ~ **schicken** to send sth COD

Nachname *m* surname; **wie heißen Sie mit ~n?** what's your surname?

Nachricht <-, -en> [ˈnaːxrɪçt] *f* news + *sing vb, no indef art;* **die ~en** the news + *sing vb;* **eine** ~ a piece of news; **jdm** ~ **geben** to let sb know

Nachrichtendienst *m* intelligence service **Nachrichtenmagazin** *nt* **1.** (*Zeitschrift*) news magazine **2.** TV news programme **Nachrichtensprecher(in)** *m(f)* news reader

Nachsaison [-zɛˌzõː, -zɛˌzɔn] *f* off-season

nach|schauen I. *vt* to look up *sep* II. *vi* to have a look

nach|schlagen *irreg* I. *vt* to look up *sep* II. *vi* (*nachlesen*) [**in etw** *dat*] ~ to consult sth

Nachschub <-[e]s, Nachschübe> [ˈnaːxʃuːp] *m pl selten* [new] supplies *npl*

nach|sehen *irreg* I. *vi* **1.** **jdm/etw** ~ to follow sb/sth with one's eyes **2.** (*nachschlagen*) to look it up II. *vt* **1.** (*kontrollieren*) to check **2.** (*verzeihen*) **jdm etw** ~ to forgive sb for sth

nach|senden *vt irreg* **jdm etw** ~ to forward sth to sb

Nachsicht <-> *f kein pl* leniency *no art;* [**mehr**] ~ **üben** to be [more] lenient

nachsichtig I. *adj* lenient II. *adv* leniently

Nachspeise *f* dessert; **als** ~ for dessert **nach|sprechen** *irreg vt* [**jdm**] **etw** ~ to repeat sth [after sb]

nächste(r, s) [ˈnɛːçstə] *adj superl von* s. **nah(e) 1.** *räumlich* next **2.** (*eng verwandt*) *Angehörige* close **3.** *temporal* (*darauf folgend*) next; **der N~, bitte!** next please!; **als N~s** next; **am ~n Tag** the next day

Nächstenliebe *f* compassion *no art*

Nacht <-, Nächte> [naxt] *f* night; **bei** ~ at night; **bis weit in die** ~ far into the night; **diese/letzte** ~ tonight/last night; **über** ~ overnight; **über** ~ **bleiben** to stay the night

N

Nachtarbeit *m* nightwork *no art, no pl;* (*Nachtschicht a.*) night shift **Nachtclub** *m* night club

Nachteil <-[e]s, -e> ['naːxtail] *m* disadvantage; [jdm gegenüber] im ~ sein to be at a disadvantage [with sb]

nachteilig ['naːxtailɪç] I. *adj* disadvantageous II. *adv* unfavourably

Nachtessen *nt* SÜDD supper **Nachtfrost** *m* night frost **Nachthemd** *nt* nightgown

Nachtigall <-, -en> ['naxtɪɡal] *f* nightingale

Nachtisch *m* dessert; **als** [*o* **zum**] ~ for dessert

Nachtklub *m s.* **Nachtlokal Nachtleben** *nt* nightlife *no indef art, no pl* **Nachtlokal** *nt* nightclub

nach|tragen *vt irreg* **jdm etw** [**nicht**] ~ to [not] hold sth against sb; **jdm ~, dass ...** to hold it against sb that ...

nachtragend ['naːxtraːɡn̩t] *adj* unforgiving

nachträglich ['naːxtrɛːklɪç] I. *adj* belated II. *adv* belatedly

nach|trauern *vi* **jdm/etw** ~ to mourn after sb/sth

nachts ['naxts] *adv* at night

Nachtschicht *f* ~ **haben** to be on night shift **Nachttisch** *m* bedside table **Nachtwache** *f* night duty *no art* **Nachtwächter(in)** *m(f)* night guard

nachvollziehbar *adj* comprehensible

nach|vollziehen *vt irreg* to understand

Nachweis <-es, -e> ['naːxvais] *m* proof *no art, no pl*

nachweisbar *adj* provable

nach|weisen *vt irreg* to establish proof of sth; **jdm etw ~** to prove that sb has done sth

Nachwelt *f kein pl* **die ~** posterity

Nachwirkung *f* consequence

Nachwuchs *m kein pl* **1.** (*fam*) offspring **2.** ÖKON young professionals *npl*

nach|zahlen *vt* to pay sth at a later date

Nachzahlung *f* back payment

Nacken <-s, -> ['nakn̩] *m* neck

nackt ['nakt] *adj* naked

Nacktfoto *nt* nude photo

Nacktheit <-> *f kein pl* nudity *no art*

Nadel <-, -n> ['naːdl̩] *f* needle

Nadelbaum *m* conifer

Nagel <-s, Nägel> ['naːɡl̩] *m* nail

Nagelfeile *f* nail file **Nagellack** *m* nail polish **Nagellackentferner** *m* nail polish remover

nageln ['naːɡl̩n] *vt* to nail (**an/auf** [on]to)

nagen ['naːɡn̩] *vi* to gnaw (**an** at)

Nager <-s, -> *m*, **Nagetier** *nt* rodent

nah ['naː] *adj* **von ~ und fern** from near and far

nahe I. *adj* **1.** (*räumlich*) close, nearby **2.** (*zeitlich*) near **3.** (*eng*) close; **jdm ~ sein** to be close to sb II. *adv* close[ly] III. *präp* +*dat* near to

Nähe <-> ['nɛːə] *f kein pl* **1.** proximity *no pl form;* **aus der ~** from close up; **in der ~** near **2.** (*einer Person*) **jds ~** sb's closeness; **in jds ~** close to sb

nahe|kommenRR *vr* **sich ~** to become close **nahe|legen**RR *vt* **jdm etw ~** to suggest sth to sb

nahen ['naːən] *vi sein* (*geh*) to approach

nähen ['nɛːən] *vt* **1.** to sew (**auf** onto) **2.** MED to stitch

näher ['nɛːɐ] I. *adj comp von s.* **nahe** **1.** *räumlich, zeitlich* closer; *Zukunft* near **2.** (*detaillierter*) further *attr;* **die ~en Umstände** the precise circumstances **3.** (*enger*) closer; *Verwandte* immediate II. *adv comp von s.* **nahe** **1.** closer; **kommen Sie ~!** come closer! **2.** (*eingehender*) in more detail; **sich ~ mit etw** *dat* **be-**

fassen to go into sth in greater detail; **etw ~ untersuchen** to examine sth more closely **3.** (*enger*) closer; **jdn/ eine Sache ~ kennen** to know sb/ sth well; **jdn/eine Sache ~ kennen lernen** to get to know sb/sth better

nähern ['nɛːɐn] *vr* **1.** (*räumlich*) **sich** [jdm/etw] ~ to get closer [to sb/sth] **2.** **sich etw** *dat* ~ to get close to sth

nahe|treten^{RR} *vt* **jdm zu ~** to offend sb

Nähmaschine *f* sewing machine

nähren ['nɛːrən] *vt* to nourish

nahrhaft *adj* nutritious

Nährstoff *m* nutrient

Nährstoffmangel *m* nutrient deficiency

Nahrung <-> ['naːrʊŋ] *f kein pl* food

Nahrungsmittel *nt* food

Naht <-, Nähte> ['naːt] *f* **1.** seam **2.** MED suture

Nahverkehr *m* local traffic; **der öffentliche ~** local public transport

naiv [na'iːf] *adj* naive

Naivität <-> [naivi'tɛːt] *f kein pl* naivety

Name <-ns, -n> ['naːmə] *m* name; **in jds ~n** on behalf of sb; **im ~n des Gesetzes** in the name of the law

namens ['naːməns] *adv* by the name of

Namenstag *m* Saint's day

nämlich ['nɛːmlɪç] *adv* **1.** (*und zwar*) namely **2.** (*denn*) because

Nanotechnik [nano'tɛçnɪk] *f* nanotechnology

Napf <-[e]s, Näpfe> ['napf] *m* bowl

Narbe <-, -n> ['narbə] *f* scar

Narkose <-, -n> [nar'koːzə] *f* anaesthesia BRIT

Narr, Närrin <-en, -en> ['nar, 'nɛrɪn] *m, f* fool ▶ **jdn zum ~en halten** to make a fool of sb; **sich zum ~en machen** to make a fool of oneself

Narzisse <-, -n> [nar'tsɪsə] *f* narcissus

naschen ['naʃn] **I.** *vi* to eat sweet

things; **etwas zum N~** something sweet **II.** *vt* to nibble

Nase <-, -n> ['naːzə] *f* nose; **jds ~ läuft** sb has a runny nose; **sich** *dat* **die ~ putzen** to blow one's nose ▶ **die ~ von jdm/etw** <u>voll</u> **haben** (*fam*) to be fed up with sb/sth

Nasenbluten <-s> *nt* **~ haben** to have a nosebleed

Nashorn *nt* rhino[ceros]

nass^{RR} <-er, -este>, **naß**^{ALT} <nasser, nasseste> [nas] *adj* wet; **~ geschwitzt** soaked with sweat *pred*

Nässe <-> ['nɛsə] *f kein pl* wetness

nasskalt^{RR} *adj* cold and damp

Nastuch *nt* SÜDD, SCHWEIZ (*Taschentuch*) handkerchief

Nation <-, -en> [na'tsi̯oːn] *f* nation; **die Vereinten ~en** the United Nations

national [natsi̯o'naːl] *adj* national

Nationalhymne *f* national anthem

Nationalist(in) <-en, -en> [natsi̯ona'lɪst] *m(f)* nationalist

nationalistisch *adj* nationalistic

Nationalität <-, -en> [natsi̯onali'tɛːt] *f* nationality

Natrium <-s> ['naːtri̯ʊm] *nt kein pl* sodium

Natron <-s> ['naːtrɔn] *nt kein pl* sodium bicarbonate

Natter <-, -n> ['natɐ] *f* adder

Natur <-, -en> [na'tuːɐ] *f* **1.** nature; **von ~ aus** by nature **2.** *kein pl* (*Landschaft*) countryside; **die freie ~** the open countryside

Naturdenkmal *nt* natural monument

Naturereignis *nt* natural phenomenon **Naturfreund(in)** *m(f)* nature lover **naturgetreu** *adj, adv* true to life **Naturheilkunde** *f* natural healing **Naturkatastrophe** *f* natural disaster

N

Naturkostladen *m* natural food shop
Naturkunde *f* natural history
natürlich [na'ty:ɐ̯lıç] **I.** *adj* natural **II.** *adv* naturally; ~! of course!
Natürlichkeit <-> *f kein pl* naturalness
Naturprodukt *nt* natural product **Naturschutz** *m* conservation; **unter ~ stehen** to be under conservation **Naturschutzgebiet** *nt* nature reserve **Naturvolk** *nt* primitive people **Naturwissenschaft** *f* natural sciences *npl* **Naturwissenschaftler(in)** *m(f)* natural scientist
Navigation <-> [naviga'tsi̯o:n] *f kein pl* navigation
Nebel <-s, -> ['ne:bl̩] *m* fog; **bei ~ in** foggy conditions
nebelig ['ne:bəlıç] *adj* foggy
neben ['ne:bn̩] *präp* **1.** +*akk o dat* beside **2.** +*dat* (*außer*) apart from **3.** +*dat* (*verglichen mit*) compared to
nebenan [ne:bn̩'ʔan] *adv* next-door
nebenbei [ne:bn̩'bai] *adv* **1.** (*nebenher*) on the side **2.** (*beiläufig*) incidentally; ~ [**bemerkt**] by the way
Nebenberuf *m* second job **Nebenbeschäftigung** *f* sideline **Nebenbuhler(in)** <-s, -> *m(f)* rival
nebeneinander [ne:bn̩ʔai'nandɐ] *adv* side by side; **sich ~ setzen** to sit [down] next to each other
Nebeneingang *m* side entrance **Nebenfach** *nt* subsidiary [subject] **Nebenfluss**ᴿᴿ *m* tributary
nebenher [ne:bn̩'he:ɐ̯] *adv* in addition
Nebenrolle *f* supporting role **Nebensache** *f* trivial matter; ~ **sein** to be irrelevant
nebensächlich *adj* irrelevant
Nebensaison *f* off-season **Nebenstraße** *f* side street **Nebenverdienst**

m additional income **Nebenwirkung** *f* side effect **Nebenzimmer** *nt* next room
necken ['nɛkn̩] *vt* to tease
Neffe <-n, -n> ['nɛfə] *m* nephew
negativ ['ne:gati:f] **I.** *adj* negative **II.** *adv* negatively
Negativ <-s, -e> ['ne:gati:f] *nt* negative
nehmen <nahm, genommen> ['ne:-mən] *vt* **1.** to take; **etw auf sich** *akk* ~ to take sth upon oneself; **jdn ~, wie er ist** to take sb as he is **2.** (*wegnehmen*) [**jdm**] **etw** ~ to take sth [away] [from sb]; **jdm die Furcht/die Hoffnung** ~ to take away sb's fear/hope; **es sich** *dat* **nicht ~ lassen, etw zu tun** to insist on doing sth **3.** (*verwenden*) to use **4.** (*verlangen*) **was nimmst du dafür?** what do you want for it? ▶ **jdn zu ~ wissen** to know how to take sb
Neid <-[e]s> ['nait] *m kein pl* envy (**auf** of)
neiden ['naidn̩] *vt* **jdm etw** ~ to envy sb [for] sth
neidisch ['naidıʃ] **I.** *adj* envious **II.** *adv* enviously
neigen ['naign̩] **I.** *vr* **1.** **sich zu jdm** ~ to lean over to sb; **sich nach hinten/rechts/zur Seite** ~ to lean backwards/to the right/to the side **2.** (*schräg abfallen*) **etw neigt sich** sth slopes **II.** *vt* (*beugen*) to bend **III.** *vi* **zu etw** *dat* ~ (*tendieren*) to tend to sth
Neigung <-, -en> *f* **1.** (*Vorliebe*) inclination **2.** (*Tendenz*) tendency **3.** (*Gefälle*) slope
nein ['nain] *adv* no
Neinstimme *f* no[-vote]
Nektar <-s, -e> ['nɛktar] *m* nectar

Nektarine <-, -n> [nɛktaˈriːnə] f nectarine

Nelke <-, -n> [ˈnɛlkə] f 1. BOT carnation 2. KOCHK clove

nennen <nannte, genannt> [ˈnɛnən] I. vt 1. to call; **wie nennt man das?** what do you call that? 2. (*mitteilen*) [jdm] **jdn/etw ~** to name sb/sth [to sb]; **können Sie mir einen guten Anwalt ~?** can you give me the name of a good lawyer? II. vr (*heißen*) **sich ~** to call oneself

Neonlicht nt neon light

Nerv <-s, -en> [nɛrf] m nerve ▶ **die ~en behalten** to keep calm; **jdm auf die ~en gehen** to get on sb's nerves

nerven [ˈnɛrfn̩] vt (*fam*) to bug

nervenaufreibend adj nerve-racking

Nervenbündel nt bundle of nerves **Nervensäge** f pain in the neck **Nervensystem** nt nervous system **Nervenzusammenbruch** m nervous breakdown

nervös [nɛrˈvøːs] adj nervous

Nervosität <-> [nɛrvoziˈtɛːt] f kein pl nervousness

Nerz <-es, -e> [ˈnɛrts] m mink

Nest <-[e]s, -er> [ˈnɛst] nt 1. nest 2. (*fam: Kaff*) hole

nett [ˈnɛt] adj nice; **sei so ~ und ...** would you mind ...; **er war so ~ und ...** he was so kind as to ...

netto [ˈnɛto] adv net

Nettoeinkommen nt net income

Netz <-es, -e> [ˈnɛts] nt 1. net 2. (*Spinnennetz*) web 3. TELEK network; ELEK grid 4. INFORM network; **das ~** the Net 5. TRANSP system

Netzanschlussᴿᴿ m 1. ELEK mains npl [or AM power] supply 2. TELEK telephone line connection **Netzhaut** f retina **Netzwerk** nt network

neu [ˈnɔy] I. adj 1. new; **was gibt's N~es?** what's new?; **der/die N~e** the newcomer; **das Neueste** the latest [thing]; **jdm ~ sein** to be news to sb; **die ~este Mode** the latest fashion; **seit ~[e]stem** [since] recently 2. (*abermalig*) new; **einen ~en Anfang machen** to make a fresh start; **einen ~en Versuch machen** to have another try; **von ~em** all over again II. adv 1. (*von vorn*) ~ **anfangen** to start all over again; ~ **bearbeitet** revised; **etw ~ gestalten** to redesign sth 2. (*erneut*) again 3. (*seit kurzem da*) ~ **eröffnet** newly opened ▶ **wie ~ geboren** like a new man/woman

Neubau <-bauten> [ˈnɔybau] m new building **Neubaugebiet** nt development area; (*schon bebaut*) area of new housing **Neueinsteiger** m (*Neuling*) newcomer

neuerdings [ˈnɔyɐˈdɪŋs] adv recently

Neuerung <-, -en> [ˈnɔyərʊŋ] f reform

Neufundland [nɔyˈfʊntlant] nt Newfoundland

Neugier(de) <-> [ˈnɔygiːɐ̯(də)] f kein pl curiosity

neugierig I. adj curious; ~ **sein, ob/ wie ...** to be curious to know whether/how ... II. adv curiously

Neuheit <-, -en> [ˈnɔyhait] f novelty

Neuigkeit <-, -en> [ˈnɔyɪçkait] f news

Neujahr nt kein pl New Year; **prost ~!** here's to the New Year!

neulich [ˈnɔylɪç] adv the other day

Neuling <-s, -e> [ˈnɔylɪŋ] m beginner

neumodisch adj (*pej*) new-fangled

Neumond m kein pl new moon; **bei ~** at new moon

neun [ˈnɔyn] adj nine; s.a. **acht**[1]

neunzehn [ˈnɔyntseːn] adj nineteen; s.a. **acht**[1]

N

neunzig ['nɔyntsɪç] *adj* ninety; *s.a.* achtzig

Neurose <-, -n> [nɔy'ro:zə] *f* neurosis

neurotisch [nɔy'ro:tɪʃ] *adj* neurotic

Neuschnee *m* fresh snow

Neuseeland [nɔy'ze:lant] *nt* New Zealand

Neuseeländer(in) <-s, -> [nɔy'ze:lɛndə] *m(f)* New Zealander

neuseeländisch [nɔy'ze:lɛndɪʃ] *adj* New Zealand *attr*

neutral [nɔy'tra:l] *adj* neutral

Neutralität <-> [nɔytrali'tɛ:t] *f kein pl* neutrality

Neutrum <-s, Neutra> ['nɔytrʊm] *nt* neuter

Neuverfilmung *f* remake

nicht [nɪçt] **I.** *adv* not; **ich weiß ~** I don't know; [**bitte**] **~!** [please] don't!; **~** [**ein**]**mal** not even; **~ mehr** not any longer; **~ mehr als** no more than; **~ öffentlich** not open to the public *pred;* **~ rostend** non-rusting **II.** *part* in Fragen (*stimmt's?*) isn't that right; **sie schuldet dir doch noch Geld, ~?** she still owes you money, doesn't she?

Nichte <-, -n> ['nɪçtə] *f* niece

nichtig ['nɪçtɪç] *adj* **1.** JUR invalid **2.** (*belanglos*) trivial

Nichtraucher(in) *m(f)* non-smoker

nichts ['nɪçts] *pron indef* not ... anything, nothing; **damit will ich ~ zu tun haben** I don't want anything to do with it; **hoffentlich ist es ~ Ernstes** I hope it's nothing serious; **~ ahnend** unsuspecting, unsuspectingly *adverbial;* **~ als ...** nothing but ...; **~ anderes als ...** nothing other than ...; **~ sagend** meaningless

Nichts <-, -e> ['nɪçts] *nt* **1.** nothing; **aus dem ~ auftauchen** to show up from out of nowhere **2.** (*leerer Raum*) void ▶ **vor dem ~ stehen** to be left with nothing

Nichtschwimmer(in) *m(f)* non-swimmer

Nickel <-s> ['nɪkl̩] *nt kein pl* nickel

nicken ['nɪkn̩] *vi* to nod

Nickerchen <-s> ['nɪkəçən] *nt kein pl* (*fam*) nap; **ein ~ machen** to take a nap

nie ['ni:] *adv* never; **~ mehr** never again; **~ und nimmer** never ever

nieder ['ni:də] *adv* down

Niedergang <-[e]s> *m kein pl* decline

niedergeschlagen [-gəʃla:gn̩] *adj* downcast

Niederlage *f* defeat

Niederlande ['ni:dəlandə] *pl* **die ~** the Netherlands

Niederländer(in) <-s, -> ['ni:dəlɛndə] *m(f)* Dutchman *masc,* Dutchwoman *fem*

niederländisch ['ni:dəlɛndɪʃ] *adj* Dutch

nieder|lassen *vr irreg* **sich ~ 1.** (*sich ansiedeln*) to settle down **2.** (*beruflich*) to establish oneself (**als** as)

nieder|legen *vt* **1.** (*hinlegen*) to put down *sep* **2.** Amt to resign; Arbeit to stop

Niederschlag *m* **1.** (*Regen*) rainfall *no pl;* (*Schnee*) snowfall *no pl* **2.** CHEM sediment

nieder|schlagen *irreg* **I.** *vt* **1.** (*zu Boden schlagen*) to floor **2.** (*unterdrücken*) to crush **3.** Augen to lower **II.** *vr* **sich ~ 1.** (*kondensieren*) to condense (**an** on) **2.** CHEM to sediment **3.** (*zum Ausdruck kommen*) **sich in etw** *dat* **~** to find expression in sth

Niedertracht <-> *f kein pl* malice

niederträchtig *adj* contemptible

niedlich ['ni:tlɪç] I. *adj* sweet II. *adv* sweetly

niedrig ['ni:drɪç] *adj* 1. low 2. *Betrag* small 3. *Herkunft* humble

niemals ['ni:ma:ls] *adv* never

niemand ['ni:mant] *pron indef* nobody, no one; **ich will ~en sehen** I don't want to see anybody

Niemandsland ['ni:mantslant] *nt kein pl* no man's land

Niere <-, -n> ['ni:rə] *f* kidney

Nierenschützer *m* kidney belt

nieseln ['ni:z‌l̩n] *vi impers* **es nieselt** it's drizzling

Nieselregen ['ni:z‌l-] *m* drizzle

niesen ['ni:z‌n̩] *vi* to sneeze

Niete¹ <-, -n> ['ni:tə] *f* 1. (*Los*) blank 2. (*Versager*) loser

Niete² <-, -n> ['ni:tə] *f* TECH rivet

nieten ['ni:t‌n̩] *vt* to rivet

Nikolaus <-, -e> ['nɪkolaus] *m* St. Nicholas (*figure who brings children presents on 6th December*)

Nikotin <-s> [niko'ti:n] *nt kein pl* nicotine

Nilpferd *nt* hippopotamus

nippen ['nɪp‌n̩] *vi* to sip (**an** at/**von** from)

Nippes ['nɪpəs] *pl* knick-knacks *npl*

nirgends ['nɪrg‌nts] *adv* nowhere; **ich konnte ihn ~ finden** I couldn't find him anywhere

nirgendwo ['nɪrg‌nt'vo:] *adv s.* **nirgends**

Nische <-, -n> ['ni:ʃə] *f* niche

nisten ['nɪst‌n̩] *vi* to nest

Niveau <-s, -s> [ni'vo:] *nt* 1. (*Anspruch*) calibre; **~ haben** to have class; **kein ~ haben** to be lowbrow; **etw ist unter jds ~** sth is beneath sb 2. (*Höhe*) level

niveaulos [ni'vo:-] *adj* primitive

niveauvoll *adj* intellectually stimulating

nobel ['no:b‌l] I. *adj* 1. (*edel*) noble 2. (*luxuriös*) luxurious II. *adv* (*edel*) honourably

noch ['nɔx] I. *adv* 1. (*bis jetzt*) still; **~ nicht** not yet; **~ immer** [**nicht**] still [not]; **~ nie** never 2. (*irgendwann*) some time 3. (*nicht später als*) by the end of; **~ heute** today 4. (*zusätzlich*) **möchtest du ~ etwas essen?** would you like something more to eat?; **~ ein(e)** another; **möchten Sie ~ eine Tasse Kaffee?** would you like another cup of coffee? 5. *vor Komparativ* (*mehr als*) even [more] II. *konj* **weder ... ~** neither ... nor

nochmals ['nɔxma:ls] *adv* again

Nomade, Nomadin <-n, -n> [no-'ma:də, no'ma:dɪn] *m, f* nomad

Nominativ <-[e]s, -e> ['no:minati:f] *m* nominative

nominieren [nomi'ni:rən] *vt* to nominate

Nonne <-, -n> ['nɔnə] *f* nun

Nonnenkloster *nt* convent [of nuns]

Nordamerika ['nɔrt‌ʔa'me:rika] *nt* North America

Norden <-s> ['nɔrd‌n̩] *m kein pl* north; **im/nach ~** in/to the north

Nordeuropa <-s> ['nɔrt‌ʔɔy'ro:pa] *nt kein pl* northern Europe **Nordhalbkugel** *f* northern hemisphere **Nordirland** ['nɔrt‌ʔɪrlant] *nt* Northern Ireland

nordisch ['nɔrdɪʃ] *adj* Nordic

nördlich ['nœrtlɪç] I. *adj* northern; **in ~e Richtung** northwards; **weiter ~ liegen** to lie further [to the] north II. *adv* **~ von ...** north of ... III. *präp +gen*; **~ der Alpen** [to the] north of the Alps

N

Nordosten [nɔrt'ʔɔstn̩] *m kein pl* northeast **nordöstlich** [nɔrt'ʔœstlɪç] **I.** *adj* northeastern **II.** *adv* ~ **von ...** northeast of ... **Nordpol** ['nɔrtpoːl] *m kein pl* **der ~** the North Pole **Nordsee** ['nɔrtzeː] *f* **die ~** the North Sea; **an der ~** on the North Sea coast **Nordwesten** [nɔrt'vɛstn̩] *m kein pl* northwest **nordwestlich** [nɔrt'vɛstlɪç] **I.** *adj* northwestern **II.** *adv* ~ **von ...** northwest of ... **Nordwind** *m* north wind

nörgeln ['nœrgl̩n] *vi* to moan (**über** about)

Norm <-, -en> ['nɔrm] *f* **1.** norm **2.** (*festgelegte Größe*) standard

normal [nɔr'maːl] **I.** *adj* normal **II.** *adv* normally

Normalbenzin *nt* low-octane petrol [*or* AM gas]

normen ['nɔrmən] *vt* to standardize

normieren [nɔr'miːrən] *vt* to standardize

Normierung <-, -en> *f* standardization *no pl*

Norwegen <-s> ['nɔrveːgn̩] *nt* Norway

Norweger(in) <-s, -> ['nɔrveːgɐ] *m(f)* Norwegian

norwegisch ['nɔrveːgɪʃ] *adj* Norwegian

Nostalgie <-> [nɔstal'giː] *f kein pl* nostalgia

nostalgisch [nɔs'talgɪʃ] *adj* nostalgic

Not <-, Nöte> ['noːt] *f* **1.** *kein pl* (*Armut*) poverty **2.** (*Bedrängnis*) distress; **in ~ geraten** to get into difficulties **3.** (*Mühe*) **mit knapper ~** just ▶ **zur ~** if need[s] be

Notar(in) <-s, -e> [no'taːɐ̯] *m(f)* notary

Notarzt, -ärztin *m, f* casualty [*or* AM emergency] doctor **Notaufnahme** *f*

accident and emergency department, emergency room AM **Notausgang** *m* emergency exit **Notbremse** *f* emergency brake **Notdienst** *m* duty

Note <-, -n> ['noːtə] *f* **1.** MUS note **2.** (*Zensur*) grade

Notfall *m* emergency

notfalls ['noːtfals] *adv* if need[s] be

Notfallübung *f* emergency drill

notgedrungen *adv* willy-nilly

notieren [no'tiːrən] *vt* **1.** to write down **2.** BÖRSE **notiert werden** to be quoted (**mit** at)

nötig ['nøːtɪç] *adj* necessary

nötigen ['nøːtɪgn̩] *vt* to force

Nötigung <-, -en> *f* coercion

Notiz <-, -en> [no'tiːts] *f* note ▶ [**keine**] ~ **nehmen** to take [no] notice (**von** of)

Notizblock <-blöcke> *m* notepad

Notlage *f* desperate situation **Notlandung** *f* emergency landing **Notlösung** *f* stopgap [solution]

notorisch [no'toːrɪʃ] *adj* notorious

Notruf *m* emergency call; (*Notrufnummer*) emergency number **Notstand** *m* JUR [state of] emergency **Notstromaggregat** *nt* emergency generator **Notwehr** <-> *f kein pl* self-defence; **aus/in ~** in self-defence

notwendig ['noːtvɛndɪç] *adj* necessary

Notwendigkeit <-, -en> ['noːtvɛndɪçkait] *f* necessity

Nougat <-s, -s> ['nuːgat] *m o nt s.* **Nugat**

November <-s, -> [no'vɛmbɐ] *m* November; *s.a.* **Februar**

Nu ['nuː] *m* **im ~** in a flash

nüchtern ['nʏçtɐn] *adj* **1.** (*nicht betrunken*) sober **2.** (*ohne gegessen zu haben*) **auf ~en Magen** on an empty stomach **3.** (*realistisch*) down-to-earth

Nudel <-, -n> ['nuːdl̩] *f meist pl* pasta + *sing vb, no indef art;* (*in Suppe*) noodle *usu pl*

Nugat <-s, -s> *m o nt* nougat

nuklear [nukle'aːɐ̯] *adj* nuclear

null ['nʊl] *adj* zero

Null <-, -en> ['nʊl] *f* **1.** zero **2.** (*Versager*) nothing

Nulldiät *f* starvation diet

Nummer <-, -n> ['nʊmɐ] *f* **1.** number **2.** MEDIA issue **3.** (*Größe*) size

nummerieren^{RR}, **numerieren**^{ALT} *vt* to number

Nummernschild *nt* number [*or* AM license] plate

nun ['nuːn] *adv* **1.** now **2.** (*na ja*) well ▶ ~ **gut** alright; **es ist** ~ [**ein**]**mal so** that's the way it is

nur ['nuːɐ̯] *adv* **1.** (*lediglich*) only **2.** (*bloß*) just; **wie konnte ich das** ~ **vergessen!** how on earth could I forget that! **3.** (*warnend*) **lass das** ~ **niemanden wissen!** don't you [dare] tell anyone! **4.** (*ruhig*) just ▶ **warum** /**was** /**wie** ... ~? just why/what/ how ...?; ~ **zu!** come on then

nuscheln ['nʊʃl̩n] *vi, vt* to mumble

Nuss^{RR}, **Nuß**^{ALT} <-, Nüsse> ['nʊs] *f* nut

Nüster <-, -n> ['nyːstɐ] *f* nostril

nutz ['nʊts] *adj pred* SÜDD, **nütze** ['nʏtsə] *adj pred* **zu etwas** ~ **sein** to be useful; **zu nichts** ~ **sein** to be good for nothing

nutzen ['nʊtsn̩], **nützen** ['nʏtsn̩] **I.** *vi* [jdm] [etwas] **nutzen** to be of use [to sb]; [jdm] **nichts nutzen** to be of no use [to sb] **II.** *vt* **1.** to use **2.** (*ausnützen*) to exploit

Nutzen <-s> ['nʊtsn̩] *m kein pl* benefit; [jdm] **von** ~ **sein** to be of use [to sb]

nützlich ['nʏtslɪç] *adj* **1.** (*nutzbringend*) useful **2.** (*hilfreich*) helpful

Nützlichkeit <-> *f kein pl* advantage

nutzlos *adj* useless

Nutzlosigkeit <-> *f kein pl* uselessness

Nutzpflanze *f* useful plant

Nylon® <-[s]> ['naɪlɔn] *nt kein pl* nylon

O

O, o <-, -> *nt* O, o

Oase <-, -n> [o'aːzə] *f* oasis

ob ['ɔp] *konj* **1.** whether; ~ **er morgen kommt?** I wonder whether he'll come tomorrow? **2.** (*sei es dass*) ~ **es ihr passt oder nicht, ...** whether she likes it or not, ...

obdachlos *adj* homeless

Obdachlose(r) *f(m)* homeless person

Obdachlosenasyl *nt*, **Obdachlosenheim** *nt* refuge for homeless persons

oben ['oːbn̩] *adv* **1.** at the top; ~ **auf etw** *dat o akk* on top of sth; **nach** ~ up; **von** ~ from above; **bis** ~ [**hin**] up to the top; **da/hier** ~ up there/here; **ganz** ~ right at the top; **hoch** ~ high **2.** (*im oberen Stockwerk*) upstairs **3.** (*in einem Text*) above; ~ **erwähnt** above-mentioned

obendrein ['oːbn̩'draɪn] *adv* on top

Ober <-s, -> ['oːbɐ] *m* waiter

Oberarm *m* upper arm **Oberarzt, -ärztin** *m, f* senior consultant **Oberbürgermeister(in)** *m(f)* mayor, BRIT *a.* ≈ Lord Mayor

O

obere(r, s) ['o:bərə, -re, -rəs] *adj attr*
1. (*oben befindlich*) top **2.** (*rangmäßig*) higher **3.** (*höher gelegen*)
upper
Oberfläche ['o:bɐflɛçə] *f* surface; **an
die ~ kommen** to surface
oberflächlich ['o:bɐflɛçlɪç] **I.** *adj*
superficial **II.** *adv* superficially
Oberflächlichkeit <-> *f kein pl* super-
ficiality
Obergeschossᴿᴿ *nt* top floor
oberhalb ['o:bɐhalp] **I.** *präp* +*gen*
above **II.** *adv* above
Oberhaupt *nt* head **Oberhaus** *nt* POL
House of Lords
oberirdisch *adj, adv* overground
Oberkörper *m* torso; **mit bloßem ~**
topless **Oberleutnant** ['o:bɐlɔytnant]
m lieutenant BRIT, first lieutenant AM
Oberlippe *f* upper lip **Oberschenkel** *m* thigh **Oberschicht** *f* upper
class **Oberseite** *f* top
Oberst <-en *o* -s, -e[n]> ['o:bɛst] *m*
colonel
oberste(r, s) ['o:bɛstə, -te, -təs] *adj*
1. (*räumlich*) top **2.** (*rangmäßig*)
highest
Objekt <-[e]s, -e> [ɔp'jɛkt] *nt* object
objektiv [ɔpjɛk'ti:f] **I.** *adj* objective
II. *adv* objectively
Objektiv <-s, -e> [ɔpjɛk'ti:f] *nt* lens
Objektivität <-> [ɔpjɛktivi'tɛ:t] *f kein
pl* objectivity
Oblate <-, -n> [o'bla:tə] *f* wafer
obligatorisch [obliga'to:rɪʃ] *adj* compulsory
Obst <-[e]s> ['o:pst] *nt kein pl* fruit
Obstbaum *m* fruit tree **Obstkuchen**
m fruit flan **Obsttorte** *f* fruit flan
obszön [ɔps'tsø:n] *adj* obscene
Obszönität <-, -en> [ɔpstsøni'tɛ:t] *f*
obscenity

obwohl [ɔp'vo:l] *konj* although
Ochse <-n, -n> ['ɔksə] *m* ox
öde ['ø:də] *adj* **1.** (*verlassen*) desolate
2. (*fade*) dull
oder ['o:de] *konj* **1.** or; **~ aber** or else
2. (*sich vergewissernd*) **der Film hat
dir auch gut gefallen, ~?** you liked
the film too, didn't you?; **du traust
mir doch, ~ [etwa] nicht?** you do
trust me, don't you?
Ofen <-s, Öfen> ['o:fn̩] *m* **1.** stove;
(*Backofen*) oven **2.** TECH furnace;
(*Brennofen*) kiln
offen ['ɔfn̩] **I.** *adj* **1.** open; **mit ~em
Fenster** with the window open;
etw ~ lassen to leave sth open
2. (*freimütig*) open (**zu** with) **II.** *adv*
openly; **~ gestanden** to be honest
offenbar [ɔfn̩'ba:ɐ̯] **I.** *adj* obvious
II. *adv* obviously
Offenheit <-> *f kein pl* openness; **in
aller ~** quite frankly
offenkundig ['ɔfn̩kʊndɪç] *adj* obvious
offensichtlich ['ɔfn̩zɪçtlɪç] **I.** *adj* obvious **II.** *adv* obviously
öffentlich ['œfn̩tlɪç] **I.** *adj* public
II. *adv* publicly
Öffentlichkeit <-> *f kein pl* **die ~** the
public; **in aller ~** in public; **etw an
die ~ bringen** to make sth public
offiziell [ɔfi'tsi̯ɛl] **I.** *adj* **1.** official
2. *Feier* formal **II.** *adv* officially; **jdn
~ einladen** to give sb an official invitation
Offizier(in) <-s, -e> [ɔfi'tsi:ɐ̯] *m(f)* officer
öffnen ['œfnən] **I.** *vt* to open **II.** *vi*
[jdm] ~ to open the door [for sb]
III. *vr* **1.** **sich ~** to open **2.** (*sich zuwenden*) **sich [jdm/etw] ~** to open
up [to sb/sth]
Öffnung <-, -en> *f* opening

Öffnungszeiten *pl* opening times; (*eines Geschäfts*) hours of business

oft <öfter, am öftesten> [ɔft] *adv* often

öfter [ˈœftɐ] *adv comp von s.* **oft** more often

ohne [ˈoːnə] I. *präp* +*akk* without; ~ **Schutz** unprotected II. *konj* ~ **etw zu tun** without doing sth; ~ **dass etw geschieht/jd etw tut** without sth happening/sb doing sth

Ohnmacht <-, -en> [ˈoːnmaxt] *f* 1. MED faint *no pl*; **in ~ fallen** to faint 2. (*Machtlosigkeit*) powerlessness

ohnmächtig [ˈoːnmɛçtɪç] *adj* 1. MED unconscious; ~ **werden** to faint 2. (*machtlos*) powerless

Ohr <-[e]s, -en> [ˈoːɐ] *nt* ear

Öhr <-[e]s, -e> [ˈøːɐ] *nt* eye

Ohrenschmerzen *pl* earache

Ohrfeige <-, -n> *f* box on the ears **Ohrläppchen** <-s, -> *nt* earlobe **Ohrring** *m* earring **Ohrstecker** *m* earstud

Ökologie <-> [økoloˈgiː] *f kein pl* ecology

ökologisch [økoˈloːgɪʃ] I. *adj* ecological II. *adv* ecologically

Ökonomie <-, -n> [økonoˈmiː] *f* 1. economy 2. (*als Wissenschaft*) economics + *sing vb*

ökonomisch [økoˈnoːmɪʃ] I. *adj* 1. economic 2. (*sparsam*) economical II. *adv* economically

Ökosteuer *f* eco-tax **Ökostrom** *m* green electricity **Ökosystem** *nt* ecosystem

Oktave <-, -n> [ɔkˈtaːvə] *f* octave

Oktober <-s, -> [ɔkˈtoːbɐ] *m* October; *s.a.* **Februar**

Öl <-[e]s, -e> [ˈøːl] *nt* oil; **in ~ malen** to paint in oils

Oldtimer <-s, -> [ˈoːlttaimɐ] *m* vintage car

ölen [ˈøːlən] *vt* to oil

Ölfarbe *f* KUNST oil paint; **mit ~n malen** to paint in oils **Ölgemälde** *nt* oil painting **Ölheizung** *f* oil-fired heating

ölig [ˈøːlɪç] *adj* oily

Olive <-, -n> [oˈliːvə] *f* olive

Olivenöl *nt* olive oil

Ölpest *f* oil pollution **Ölsardine** *f* sardine [in oil] **Ölstand** *m kein pl* oil level **Ölwechsel** *m* oil change

Olympiade <-, -n> [olʏmˈpi̯aːdə] *f* Olympic Games *npl*

Oma <-, -s> [ˈoːma] *f* gran[ny]

Omelett <-[e]s, -e> *nt*, ÖSTERR, SCHWEIZ **Omelette** <-, -n> [ɔm(ə)ˈlɛt] *f* omelette

Onkel <-s, -> [ˈɔŋkl̩] *m* uncle

online[RR] [ˈɔnlain] *adj* online; ~ **gehen** to go online

Onlinebanking [ˈɔnlainbɛŋkɪŋ] *nt* online banking

Opa <-s, -s> [ˈoːpa] *m* grandad

Oper <-, -n> [ˈoːpɐ] *f* opera

Operation <-, -en> [opəraˈtsi̯oːn] *f* operation

Operette <-, -n> [opəˈrɛtə] *f* operetta

operieren [opəˈriːrən] *vt* **jdn/etw** ~ to operate on sb/sth; **sich** *dat* **etw** ~ **lassen** to have sth operated on

Opernsänger(in) *m(f)* opera singer

Opfer <-s, -> [ˈɔpfɐ] *nt* 1. sacrifice; ~ **bringen** to make sacrifices 2. (*geschädigte Person*) victim

opfern [ˈɔpfɐn] I. *vt* to sacrifice II. *vr* **sich** ~ to sacrifice oneself

Opium <-s> [ˈoːpi̯ʊm] *nt kein pl* opium

Opportunismus <-> [ɔpɔrtuˈnɪsmʊs] *m kein pl* opportunism

Opportunist(in) <-en, -en> [ɔpɔrtu-

'nɪst] *m(f)* opportunist

opportunistisch I. *adj* opportunist[ic] **II.** *adv* opportunistically

Opposition <-, -en> [ɔpozi'tsi̯oːn] *f* **die ~** the Opposition

Optik <-, -en> ['ɔptɪk] *f* **1.** PHYS **die ~** optics + *sing vb* **2.** FOTO lens system

Optiker(in) <-s, -> ['ɔptikɐ] *m(f)* optician

optimal [ɔpti'maːl] **I.** *adj* optimal **II.** *adv* in the best possible way

optimieren [ɔpti'miːrən] *vt* to optimize

Optimismus <-> [ɔpti'mɪsmʊs] *m kein pl* optimism

Optimist(in) <-en, -en> [ɔpti'mɪst] *m(f)* optimist

optimistisch I. *adj* optimistic **II.** *adv* optimistically

optisch ['ɔptɪʃ] *adj* optical

Orakel <-s, -> [o'raːkl̩] *nt* oracle

Orange <-, -n> [o'rãːʒə] *f* orange

orangefarben, orangefarbig [o'raŋʒ-] *adj* orange[-coloured]

Orangenmarmelade [o'rãːʒn̩-] *f* orange marmalade **Orangensaft** [o'rãːʒn̩-] *m* orange juice

Orchester <-s, -> [ɔr'kɛstɐ] *nt* orchestra

Orchidee <-, -n> [ɔrçi'deːə] *f* orchid

Orden <-s, -> ['ɔrdn̩] *m* **1.** decoration; **jdm einen ~ verleihen** to decorate sb **2.** REL [holy] order

ordentlich ['ɔrdn̩tlɪç] **I.** *adj* **1.** tidy **2.** (*fam: gehörig*) proper **II.** *adv* **1.** (*säuberlich*) neatly **2.** (*fam: gehörig*) properly; **~ essen** to eat well

ordinär [ɔrdi'nɛːɐ̯] *adj* vulgar

ordnen ['ɔrdnən] *vt* (*sortieren*) to arrange; **etw neu ~** to rearrange sth

Ordner <-s, -> *m* file

Ordnung <-, -en> ['ɔrdnʊŋ] *f kein pl* order; **die öffentliche ~** public order;

~ halten to keep things tidy; **~ schaffen** to tidy things up ▶ **es in ~ finden, dass ...** to find it right that ...; **es nicht in ~ finden, dass ...** to not think it's right that ...; **geht in ~!** that's OK

Ordnungsstrafe *f* fine

ordnungswidrig I. *adj* illegal **II.** *adv* illegally

Ordnungswidrigkeit *f* infringement

Organ <-s, -e> [ɔr'gaːn] *nt* organ

Organisation <-, -en> [ɔrganiza-'tsi̯oːn] *f* organization

organisch [ɔr'gaːnɪʃ] *adj* organic

organisieren [ɔrgani'ziːrən] **I.** *vt, vi* to organize **II.** *vr* **sich ~** to organize

Organismus <-, -nismen> [ɔrga'nɪsmʊs] *m* organism

Organspende *f* organ donation **Organspender(in)** *m(f)* organ donor

Orgasmus <-, Orgasmen> [ɔr'gasmʊs] *m* orgasm

Orgel <-, -n> ['ɔrgl̩] *f* organ

Orgie <-, -n> ['ɔrgi̯ə] *f* orgy

Orient <-s> ['oːri̯ɛnt] *m kein pl* **der ~** the Middle East

orientalisch [ori̯ɛn'taːlɪʃ] *adj* Middle Eastern

orientieren [ori̯ɛn'tiːrən] *vr* (*sich zurechtfinden*) **sich ~** to orient oneself

Orientierung <-, -en> [ori̯ɛn'tiːrʊŋ] *f* orientation; **die ~ verlieren** to lose one's bearings

Orientierungssinn *m kein pl* sense of direction

original [origi'naːl] *adj* **1.** (*echt*) genuine **2.** (*ursprünglich*) original

Original <-s, -e> [origi'naːl] *nt* original; **im ~** in the original

originell [origi'nɛl] *adj* original

Orkan <-[e]s, -e> [ɔr'kaːn] *m* hurricane

Ornament <-[e]s, -e> [ɔrna'mɛnt] *nt* ornament

Ort <-[e]s, -e> ['ɔrt] *m* **1.** place; **der ~ der Handlung** the scene of the action **2.** (*Ortschaft*) village ▶ **an ~ und** Stelle there and then

Orthopäde, Orthopädin <-n, -n> [ɔrto'pɛːdə, -'pɛːdɪn] *m, f* orthopaedist

orthopädisch [ɔrto'pɛːdɪʃ] *adj* orthopaedic

örtlich ['œrtlɪç] **I.** *adj* local **II.** *adv* locally; **jdn ~ betäuben** to give sb a local anaesthetic

Ortsausgang *m* end of a village [*or* town]

Ortschaft <-, -en> *f* village; **geschlossene ~** built-up area

Ortseingang *m* start of a village [*or* town] **Ortsgespräch** *nt* local call **Ortsnetzkennzahl** *f* dialling [*or* AM area] code **Ortsschild** *nt* place name sign **Ortsteil** *m* part of a village [*or* town]

Öse <-, -n> ['øːzə] *f* eye[let]

Ostasien *nt* East[ern] Asia **ostdeutsch** ['ɔstdɔytʃ] *adj* East German **Ostdeutschland** ['ɔstdɔytʃlant] *nt* East[ern] Germany

Osten <-s> ['ɔstn̩] *m kein pl, kein indef art* east; **im/nach ~** in/to the east; **der Ferne/Nahe ~** the Far/Middle East

Osterei *nt* Easter egg **Osterglocke** *f* daffodil **Osterhase** *m* Easter bunny

Ostern <-, -> ['oːstən] *nt* Easter; **frohe ~!** Happy Easter!

Österreich <-s> ['øːstəraiç] *nt* Austria **Österreicher(in)** <-s, -> ['øːstəraiçɐ] *m(f)* Austrian

österreichisch ['øːstəraiçɪʃ] *adj* Austrian **Osteuropa** ['ɔstʔɔy'roːpa] *nt* East[ern] Europe **Ostfriese, -friesin** <-n, -n>

m, f East Frisian **ostfriesisch** ['ɔst'friːzɪʃ] *adj* East Frisian **Ostfriesland** ['ɔst'friːslant] *nt* East Friesland

östlich ['œstlɪç] **I.** *adj* eastern **II.** *adv* **~ von ...** east of ... **III.** *präp +gen;* **~ einer S.** [to the] east of sth

Ostsee ['ɔstzeː] *f* **die ~** the Baltic [Sea] **Oststaaten** *pl* (*in USA*) Eastern states *npl*

Otter¹ <-, -n> ['ɔtɐ] *f* (*Schlange*) adder **Otter²** <-s, -> ['ɔtɐ] *m* (*Fischotter*) otter

outen ['autən] *vt* to come out

Outing <-s, -s> ['autɪŋ] *nt* coming out

oval [o'vaːl] *adj* oval

Oxid <-[e]s, -e> [ɔ'ksiːt] *nt* oxide

Oxidation <-, -en> [ɔksida'tsjoːn] *f* oxidation *no art, no pl*

oxidieren [ɔksi'diːrən] *vi, vt sein o haben* to oxidize

Ozean <-s, -e> ['oːtseaːn] *m* ocean; **der Atlantische/Pazifische ~** the Atlantic/Pacific Ocean

Ozon <-s> [o'tsoːn] *nt o m kein pl* ozone

Ozonloch *nt* ÖKOL **das ~** the hole in the ozone layer **Ozonschicht** *f kein pl* **die ~** the ozone layer

P

P, p *nt* P, p

paar [paːɐ̯] *adj* **ein ~ ...** a few ...; **ein ~ Mal** a couple of times; **alle ~ Tage** every few days

Paar <-s, -e> [paːɐ̯] *nt* pair; (*Mann und Frau*) couple; **ein ~ neue Socken** a pair of new socks

paaren [paːrən] *vr* **sich ~** to mate
Pacht <-, -en> [paxt] *f* **1.** (*Entgelt*) rent **2.** (*Pachtvertrag*) lease
pachten [ˈpaxtn̩] *vt* to lease
Pächter(in) <-s, -> [ˈpɛçtɐ] *m(f)* tenant
Pack¹ <-[e]s, -e *o* Päcke> [pak] *m* pack
Pack² <-s> [pak] *nt kein pl* (*pej*) riffraff + *pl vb*
Päckchen <-s, -> [ˈpɛkçən] *nt* **1.** (*Postversand*) small parcel **2.** (*Packung*) packet
packen [ˈpakn̩] *vt* **1.** (*ergreifen*) to grab (**an** by) **2.** (*einpacken*) to pack; **Gepäck in den Kofferraum ~** to put luggage in the boot; **ein Paket ~** to make up a parcel *sep* **3.** (*überkommen*) to seize; **von Ekel gepackt** seized by revulsion **4.** (*fam: bewältigen*) to manage
Packpapier *nt* wrapping paper
Packung <-, -en> *f* pack[et]; **eine ~ Pralinen** a box of chocolates
Packungsbeilage *f* PHARM *information leaflet included in medicine packets*
Pädagoge, Pädagogin <-n, -n> [pɛdaˈgoːgə, pɛdaˈgoːgɪn] *m, f* teacher; (*Erziehungswissenschaftler*) education[al]ist
Pädagogik <-> [pɛdaˈgoːgɪk] *f kein pl* educational theory *no art, no pl*
pädagogisch [pɛdaˈgoːgɪʃ] *adj* educational
Paddel <-s, -> [ˈpadl̩] *nt* paddle
Paddelboot *nt* canoe
paddeln [ˈpadl̩n] *vi sein o haben* to paddle
Page <-n, -n> [ˈpaːʒə] *m* page [boy]
Paket <-[e]s, -e> [paˈkeːt] *nt* **1.** package **2.** (*Postsendung*) parcel

Pakt <-[e]s, -e> [pakt] *m* pact
Palast <-[e]s, Paläste> [paˈlast] *m* palace
Palliativmedizin [paljaˈtiːf-] *f* palliative medicine
Palme <-, -n> [ˈpalmə] *f* palm [tree]
Pampelmuse <-, -n> [ˈpampl̩muːzə] *f* grapefruit
panieren [paˈniːrən] *vt* to bread
Paniermehl *nt* breadcrumbs *npl*
Panik <-, -en> [ˈpaːnɪk] *f* panic *no pl;* **in ~ geraten** to panic
Panne <-, -n> [ˈpanə] *f* TECH breakdown
Pannendienst <-es, -e> *m* breakdown service
Panorama <-s, Panoramen> [panoˈraːma] *nt* panorama
Panther, Panter ᴿᴿ <-s, -> [ˈpantɐ] *m* panther
Pantoffel <-s, -n> [panˈtɔfl̩] *m* slipper
pan(t)schen [ˈpantʃn̩] *vt, vi* to adulterate
Panzer <-s, -> [ˈpantsɐ] *m* **1.** MIL tank **2.** ZOOL shell
Papa <-s, -s> [ˈpapa] *m* dad
Papagei <-s, -en> [papaˈgai] *m* parrot
Papier <-s, -e> [paˈpiːɐ̯] *nt* **1.** paper **2.** (*Ausweise*) ~e papers *npl*
Papiergeld *nt* paper money **Papierkorb** *m* wastepaper basket **Papiertaschentuch** *nt* paper handkerchief
Pappbecher *m* paper cup
Pappe <-> [ˈpapə] *f kein pl* cardboard
Pappel <-, -n> [ˈpapl̩] *f* poplar
Pappteller *m* paper plate
Paprika <-s, -[s]> [ˈpaprika] *m* **1.** (*Gemüse*) pepper **2.** *kein pl* (*Gewürz*) paprika
Papst <-[e]s, Päpste> [paːpst] *m* pope
Paradeiser <-s, -> [paraˈdaizɐ] *m* ÖSTERR tomato

Paradies <-es, -e> [para'di:s] *nt* paradise

paradox [para'dɔks] *adj* paradoxical

Paragraph, Paragraf ^{RR} <-en, -en> *m* paragraph

parallel [para'le:l] *adj, adv* parallel

Parallele <-, -n> [para'le:lə] *f* parallel

Parasit <-en, -en> [para'zi:t] *m* parasite

Parfüm <-s, -e> [par'fy:m] *nt* perfume

parfümieren [parfy'mi:rən] *vt* to perfume; **sich ~** to put on perfume *sep*

Pariser <-s, -> [pa'ri:zɐ] *m* (*sl: Kondom*) French letter *dated fam*

Pariser(in) <-s, -> [pa'ri:zɐ] *m(f)* Parisian

Park <-s, -s> [park] *m* park

parken ['parkn̩] *vi, vt* to park

Parkett <-s, -e> [par'kɛt] *nt* parquet [flooring]

Parkgebühr *f* parking fee **Parkhaus** *nt* multi-storey car park [*or* AM parking lot]

Parkour <-[s]> [par'ku:ɐ] *m kein pl, meist ohne art* parkour, free running

Parkplatz *m* 1. car park BRIT, parking lot AM 2. *s.* **Parklücke Parkscheibe** *f* parking disc (*a plastic dial with a clockface that drivers place in the windscreen to show the time from when the car has been parked*) **Parkuhr** *f* parking meter **Parkverbot** *nt* parking ban

Parlament <-[e]s, -e> [parla'mɛnt] *nt* parliament

Parlamentarier(in) <-s, -> [parlamɛn'ta:rjɐ] *m(f)* parliamentarian

parlamentarisch [parlamɛn'ta:rɪʃ] *adj* parliamentary

Parmesan(käse) <-s> [parme'za:n-] *m kein pl* Parmesan [cheese]

Parodontose <-, -n> [parodɔn'to:zə] *f* periodontosis

Partei <-, -en> [par'tai] *f* party; **für/ gegen jdn ~ ergreifen** to side with/ against sb

Parteigelder *pl* party funds

parteiisch [par'taiɪʃ] *adj* biased

parterre [par'tɛr] *adv* on the ground floor

Partie <-, -n> [par'ti:] *f* SPORT game; **eine ~ Schach** a game of chess

Partizip <-s, -ien> [parti'tsi:p] *nt* participle

Partner(in) <-s, -> ['partnɐ] *m(f)* partner

Partnerschaft <-, -en> *f* partnership; **in einer ~ leben** to live with somebody

Partnerstadt *f* twin town

Party <-, -s> ['pa:ti] *f* party

Partyservice ['pa:tizø:ɐvɪs] *m* party catering service

Pass ^{RR}, **Paß** ^{ALT} <Passes, Pässe> [pas] *m* 1. passport 2. GEOG pass

Passage <-, -n> [pa'sa:ʒə] *f* passage

Passagier <-s, -e> [pasa'ʒi:ɐ] *m* passenger; **ein blinder ~** a stowaway

Passant(in) <-en, -en> [pa'sant] *m(f)* passer-by

Passat(wind) <-s, -e> [pa'sa:t-] *m* trade wind

Passbild ^{RR} *nt* passport photo[graph]

passen¹ ['pasn̩] *vi* 1. *Kleider* [jdm] ~ to fit [sb] 2. (*harmonieren*) **zu etw** *dat* ~ to go well with sth; **gut zueinander ~** to be suited to each other 3. (*gelegen sein*) **jdm ~** to suit sb; **passt es Ihnen, wenn ...?** would it be ok to ...?

passen² ['pasn̩] *vi* (*überfragt sein*) ~ **müssen** to have to pass

passend *adj* fitting; **ein ~er Anzug/ Schlüssel** a suit/key that fits; **die ~en Worte finden** to know the right thing to say

P

passieren [pa'siːrən] *vi sein* **1.** to happen; **ist was passiert?** has something happened?; **... sonst passiert was!** ... or there'll be trouble!; **jdm ist etwas/nichts passiert** something/nothing has happened to sb **2.** (*durchgehen*) to pass; **jdn ~ lassen** to let sb pass

passiv ['pasiːf] **I.** *adj* passive **II.** *adv* passively

Passiv <-s, -e> ['pasiːf] *nt* passive

Passivität <-> [pasiviˈtɛːt] *f kein pl* passivity

Passkontrolle^RR *f* passport control

Passstraße^RR *f* pass

Passwort^RR <-es, -wörter> *nt* password

Paste <-, -n> ['pastə] *f* paste

Pastellfarbe *f* pastel colour

Pastete <-, -n> [pasˈteːtə] *f* pâté; (*in einer Hülle*) pie

Pastor(in) <-s, -en> ['pastoːɐ̯, -ˈtoːrɪn] *m(f) s.* **Pfarrer**

Pate, Patin <-n, -n> ['paːtə, 'paːtɪn] *m, f* REL godparent, godfather *masc*, godmother *fem*

Patenkind *nt* godchild **Patenschaft** <-, -en> *f* **1.** REL godparenthood **2.** (*fig: finanzielle Unterstützung*) sponsorship

Patent <-[e]s, -e> [pa'tɛnt] *nt* patent

Patentante *f* godmother

patentieren [patɛnˈtiːrən] *vt* to patent; **sich** *dat* **etw ~ lassen** to have sth patented

Pater <-s, -> ['paːtɐ] *m* Father

pathologisch [patoˈloːgɪʃ] *adj* pathological

Patient(in) <-en, -en> [pa'tsi̯ɛnt] *m(f)* patient; **stationärer ~** in-patient

Patientenverfügung *f* JUR, MED living will

Patin <-, -nen> ['paːtɪn] *f* godmother

Patriarch <-en, -en> [patriˈarç] *m* patriarch

patriarchalisch [patriarˈçaːlɪʃ] *adj* patriarchal

Patriarchat <-[e]s, -e> [patriarˈçaːt] *nt* patriarchy

Patriot(in) <-en, -en> [patriˈoːt] *m(f)* patriot

patriotisch [patriˈoːtɪʃ] *adj* patriotic

Patriotismus <-> [patrioˈtɪsmʊs] *m kein pl* patriotism

Patrone <-, -n> [pa'troːnə] *f* cartridge

patrouillieren [patrʊˈliːrən] *vi* to patrol

Pauke <-, -n> ['paukə] *f* kettledrum

pausbäckig ['pausbɛkɪç] *adj* chubby-cheeked

Pauschalbetrag *m* lump sum

Pauschale <-, -n> [pau'ʃaːlə] *f* flat rate

Pauschaltourist(in) *m(f)* TOURIST package holiday tourist **Pauschalurlaub** *m* package holiday

Pause <-, -n> ['pauzə] *f* break; [**eine**] **~ machen** to have a break

pausenlos **I.** *adj* continuous **II.** *adv* continuously

Pavian <-s, -e> ['paːvi̯aːn] *m* baboon

Pazifik <-s> [pa'tsiːfɪk] *m* **der ~** the Pacific

Pazifismus <-> [patsiˈfɪsmʊs] *m kein pl* pacifism

Pazifist(in) <-en, -en> [patsiˈfɪst] *m(f)* pacifist

pazifistisch *adj* pacifist

Pech <-[e]s, -e> [pɛç] *nt* (*fam*) bad luck; **~ haben** to be unlucky; **~ gehabt!** tough!; **so ein ~!** just my/our etc luck

Pechvogel *m* (*fam*) walking disaster

Pedal <-s, -e> [pe'daːl] *nt* pedal

Pedant(in) <-en, -en> [pe'dant] *m(f)* pedant

pedantisch [pe'dantɪʃ] **I.** *adj* pedantic **II.** *adv* pedantically

Pegel <-s, -> ['pe:gl] *m* water level

Pein <-> [pain] *f kein pl* (*geh*) agony

peinigen ['painɪgn] *vt* to torment

peinlich ['painlɪç] **I.** *adj* embarrassing; **es war ihr sehr ~** she was very embarrassed about it **II.** *adv* **1.** (*unangenehm*) **jdn ~ berühren** to be awkward for sb **2.** (*gewissenhaft*) **~ befolgen** to follow diligently

Peitsche <-, -n> ['paitʃə] *f* whip

peitschen ['paitʃn] *vt* to whip **II.** *vi* **gegen etw ~** to lash against sth

Pelikan <-s, -e> ['pe:lika:n] *m* pelican

pellen ['pɛlən] (*fam*) **I.** *vt* to peel **II.** *vr* **sich ~** to peel

Pellkartoffeln *pl* potatoes boiled in their jackets

Pelz <-es, -e> [pɛlts] *m* fur

Pelzmantel *m* fur coat

Pendel <-s, -> ['pɛndl] *nt* pendulum

pendeln ['pɛndln] *vi* **1.** *haben* to swing **2.** *sein* TRANSP to commute

Pendler(in) <-s, -> ['pɛndlɐ] *m(f)* commuter

penetrant [pene'trant] **I.** *adj* **1.** (*durchdringend*) penetrating **2.** (*aufdringlich*) overbearing **II.** *adv* penetratingly

penibel [pe'ni:bl] *adj* meticulous

Penis <-, -se> ['pe:nɪs] *m* penis

Penizillin <-s, -e> [penitsɪ'li:n] *nt* penicillin

pennen ['pɛnən] *vi* (*fam*) to sleep

Penner(in) <-s, -> *m(f)* (*pej fam*) bum

Pension <-, -en> [pã'zjo:n] *f* **1.** TOURIST guest house **2.** (*Ruhegehalt*) pension; **in ~ sein** to be retired; **in ~ gehen** to go into retirement

pensionieren [pãzjo'ni:rən] *vt* **pensioniert werden** to be pensioned off; **sich ~ lassen** to retire

pensioniert *adj* retired

Pensum <-s, Pensa> ['pɛnzʊm] *nt* work quota

Peperoni [pepe'ro:ni] *pl* **1.** chillies *npl* **2.** SCHWEIZ (*Gemüsepaprika*) peppers *npl*

perfekt [pɛr'fɛkt] **I.** *adj* perfect **II.** *adv* perfectly

Perfekt <-s, -e> ['pɛrfɛkt] *nt* perfect

Perfektion <-> [pɛrfɛk'tsjo:n] *f kein pl* perfection

Periode <-, -n> [pe'rjo:də] *f* period

periodisch [pe'rjo:dɪʃ] **I.** *adj* periodic[al] **II.** *adv* periodically

Peripherie <-, -n> [perife'ri:] *f* periphery

Perle <-, -n> ['pɛrlə] *f* **1.** (*Schmuckperle*) pearl **2.** (*Kügelchen, Tropfen*) bead

perlen ['pɛrlən] *vi* **auf etw** *dat* **~** to form beads on sth; **von etw ~** *dat* to trickle from sth

Perlenkette *f* pearl necklace

Perlmutt <-s> ['pɛrlmʊt] *nt kein pl* mother-of-pearl

permanent [pɛrma'nɛnt] *adj* permanent

perplex [pɛr'plɛks] *adj* dumbfounded

Perser(in) <-s, -> ['pɛrzɐ] *m(f)* Persian

Persien <-s> ['pɛrzjən] *nt* Persia

persisch ['pɛrzɪʃ] *adj* Persian

Person <-, -en> [pɛr'zo:n] *f* person; **juristische ~** JUR legal entity

Personal <-s> [pɛrzo'na:l] *nt kein pl* staff

Personalausweis *m* identity card

Personalien [pɛrzo'na:ljən] *pl* particulars

Personenkontrolle *f* identity check

persönlich [pɛr'zø:nlɪç] **I.** *adj* personal **II.** *adv* personally; **~ erscheinen** to

P

appear in person

Persönlichkeit <-, -en> *f* personality

Perspektive <-, -n> [pɛrspɛk'tiːvə] *f*
1. perspective 2. (*Aussichten*) prospect *usu pl*

Perücke <-, -n> [pe'rʏkə] *f* wig

pervers [pɛr'vɛrs] *adj* perverted

Perversion <-, -en> [pɛrvɛr'zi̯oːn] *f*
perversion

Pessimismus <-> [pɛsi'mɪsmʊs] *m
kein pl* pessimism

Pessimist(in) <-en, -en> [pɛsi'mɪst]
m(f) pessimist

pessimistisch [pɛsi'mɪstɪʃ] I. *adj* pessimistic II. *adv* pessimistically

Pest <-> [pɛst] *f kein pl* **die ~** the
plague

Petersilie <-, -n> [petɐ'ziːli̯ə] *f* parsley

Petroleum <-s> [pe'troːleʊm] *nt kein
pl* paraffin

Pfad <-[e]s, -e> [pfaːt] *m* path

Pfadfinder(in) <-s, -> *m(f)* [boy] scout
masc, [girl] guide *fem*

Pfahl <-[e]s, Pfähle> [pfaːl] *m* stake

Pfand <-[e]s, Pfänder> [pfant] *nt* deposit

Pfandbrief *m* mortgage bond

pfänden ['pfɛndn̩] *vt* [jdm] **etw ~** to
impound [sb's] sth

Pfandflasche *f* returnable bottle

Pfanne <-, -n> ['pfanə] *f* pan

Pfannkuchen *m* pancake

Pfarrei <-, -en> ['pfa'rai] *f* (*Gemeinde*)
parish

Pfarrer(in) <-s, -> ['pfarɐ] *m(f)* (*katholisch*) priest; (*evangelisch*) pastor; (*anglikanisch*) vicar

Pfau <-s, -en> [pfau] *m* peacock

Pfeffer <-s, -> ['pfɛfɐ] *m* pepper

Pfefferkuchen *m* gingerbread

Pfefferminze *f kein pl* peppermint

Pfefferminztee *m* peppermint tea

pfeffern ['pfɛfɐn] *vt* KOCHK **etw ~** to
season sth with pepper

Pfeife <-, -n> ['pfaifə] *f* pipe; **~ rauchen** to smoke a pipe

pfeifen <pfiff, gepfiffen> ['pfaifn̩] *vi*
1. to whistle 2. (*fam: verzichten
können*) **auf etw** *akk* **~** not to give
a damn about sth

Pfeil <-s, -e> [pfail] *m* arrow; **~ und
Bogen** bow and arrow

Pfeiler <-s, -> ['pfailɐ] *m* pillar

Pfennig <-s, -e> ['pfɛnɪç] *m* (*hist*)
pfennig; **keinen ~ wert sein** to be
worth nothing

Pferd <-[e]s, -e> [pfeːɐt] *nt* 1. horse;
zu ~e on horseback 2. SCHACH knight

Pferderennen *nt* horse-racing

Pferdeschwanz *m* (*Frisur*) ponytail

Pferdestall *m* stable **Pferdestärke**
f horsepower

Pfiff <-s, -e> [pfɪf] *m* whistle

Pfifferling <-[e]s, -e> ['pfɪfɐlɪŋ] *m*
chanterelle

pfiffig ['pfɪfɪç] *adj* smart

Pfingsten <-, -> ['pfɪŋstn̩] *nt* Whitsun

Pfingstmontag *m* Whit Monday

Pfingstsonntag *m* Whit Sunday

Pfirsich <-s, -e> ['pfɪrzɪç] *m* peach

Pflanze <-, -n> ['pflantsə] *f* plant

pflanzen ['pflantsn̩] *vt* to plant

Pflanzenschutzmittel *nt* pesticide

pflanzlich *adj* vegetable

Pflaster <-s, -> ['pflastɐ] *nt* 1. MED
plaster 2. BAU road surface

Pflastermaler(in) *m(f)* pavement artist

Pflasterstein ['pflastɐ-] *m* paving stone

Pflaume <-, -n> ['pflaumə] *f* plum

Pflege <-> ['pfleːgə] *f kein pl* 1. care;
(*Fellreinigung*) grooming 2. MED nursing; **jdn/ein Tier** [bei jdm] **in ~
geben** to have sb/an animal looked

after [by sb]; **jdn/ein Tier in ~ neh-**
men to look after sb/an animal
pflegebedürftig *adj* in need of care
pred **Pflegeeltern** *pl* foster parents
Pflegeheim *nt* nursing home **Pfle-**
gekind *nt* foster child **pflegeleicht**
adj easy-care *attr*
pflegen ['pfleːgn̩] **I.** *vt* **1.** *Kranken* to
nurse **2.** (*Beziehungen*) to cultivate
3. (*kosmetisch*) to treat (**mit** with)
II. *vr* **sich ~** (*Körperpflege*) to take
care of one's appearance
Pfleger(in) <-s, -> *m(f)* [male] nurse
masc, nurse *fem*
Pflicht <-, -en> [pflɪçt] *f* duty; **nur**
seine ~ tun to only do one's duty
Pflichtgefühl *nt kein pl* sense of duty
pflücken ['pflʏkn̩] *vt* to pick
Pflug <-es, Pflüge> [pfluːk] *m* plough,
esp AM plow
pflügen *vi, vt* to plough, *esp* AM to
plow
Pforte <-, -n> ['pfɔrtə] *f* gate
Pförtner(in) <-s, -nen> ['pfœrtnɐ]
m(f) porter
Pfosten <-s, -> ['pfɔstn̩] *m* post
Pfote <-, -n> ['pfoːtə] *f* paw
pfui [pfui] *interj* yuck
Pfund <-[e]s, -e> [pfʊnt] *nt* pound
pfuschen ['pfʊʃn̩] *vi* to be sloppy
Pfuscherei <-, -en> [pfʊʃɛ'rai] *f* botch-
ing
Pfütze <-, -n> ['pfʏtsə] *f* puddle
Phänomen <-s, -e> [fɛno'meːn] *nt*
phenomenon
phänomenal [fɛnome'naːl] *adj* phe-
nomenal
Phantasie <-, -n> [fanta'ziː] *f s.* **Fan-**
tasie
phantasielos *adj s.* **fantasielos**
phantasieren [fanta'ziːrən] *vt, vi s.*
fantasieren

phantasievoll *adj s.* **fantasievoll**
phantastisch [fan'tastɪʃ] *adj s.* **fantas-**
tisch
Phantom <-s, -e> [fan'toːm] *nt* phantom
pharmazeutisch [farma'tsɔytɪʃ] *adj*
pharmaceutical
Philosoph(in) <-en, -en> [filo'zoːf]
m(f) philosopher
Philosophie <-, -n> [filozo'fiː] *f* philosophy
philosophieren [filozo'fiːrən] *vi* to phi-
losophize
philosophisch [filo'zoːfɪʃ] *adj* philoso-
phical
Phishing ['fɪʃɪŋ] *nt* phishing
Phobie <-, -n> [fo'biː] *f* phobia
Phosphor <-s> ['fɔsfoːɐ̯] *m kein pl*
phosphorus
Phrase <-, -n> ['fraːzə] *f* (*pej*) empty
phrase
Physik <-> [fy'ziːk] *f kein pl* physics +
sing vb, no art
physikalisch [fyzi'kaːlɪʃ] *adj* physical
Physiker(in) <-s, -> ['fyzikɐ] *m(f)* physicist
physisch ['fyːzɪʃ] *adj* physical
Pianist(in) <-en, -en> [pia'nɪst] *m(f)*
pianist
Piano <-s, -s> ['piano] *nt* piano
Pickel <-s, -> ['pɪkl̩] *m* pimple
picken ['pɪkn̩] **I.** *vi Vogel* to peck (**nach**
at) **II.** *vt* **etw aus etw** *dat* **~** to pick
sth out of sth
Picknick <-s, -s> ['pɪknɪk] *nt* picnic
piepen ['piːpn̩] *vi* to peep
Pier <-s, -s> [piːɐ̯] *m* pier
piercen ['piːɐ̯sən] *vt* to pierce
Piercing ['piːɐ̯sɪŋ] *nt* piercing
Pigment <-s, -e> [pɪg'mɛnt] *nt* pig-
ment
Pik <-s, -> [piːk] *nt* spade; **~ Ass** ace of

P

spades

pikant [pi'kant] *adj* spicy

piksen ['pi:ksn̩] *vt, vi* (*fam*) to prick

Pilger(in) <-s, -> ['pɪlgɐ] *m(f)* pilgrim

pilgern ['pɪlgɐn] *vi sein* to make a pilgrimage (**nach** to)

Pille <-, -n> ['pɪlə] *f* pill; **die ~** (*Antibabypille*) the pill; **die ~ nehmen** to be on the pill; **die ~ danach** the morning-after pill

Pilot(in) <-en, -en> [pi'lo:t] *m(f)* pilot

Pils <-, -> [pɪls] *nt* pilsner

Pilz <-es, -e> [pɪlts] *m* **1.** fungus; (*Speisepilz*) mushroom **2.** MED fungal infection

Pinguin <-s, -e> ['pɪŋguiːn] *m* penguin

Pinie <-, -n> ['piːni̯ə] *f* stone pine

Pinienkern *m meist pl* pine kernel

pinkeln ['pɪŋkl̩n] *vi* (*fam*) to pee

Pinnwand *f* pinboard

Pinsel <-s, -> ['pɪnzl̩] *m* brush

Pinzette <-, -n> [pɪn'tsɛtə] *f* tweezers *npl*

Pionier(in) <-s, -e> [pi̯o'niːɐ̯] *m(f)* pioneer

Pirat(in) <-en, -en> [pi'raːt] *m(f)* pirate

Pisse <-> ['pɪsə] *f kein pl* (*derb*) piss

pissen ['pɪsn̩] *vi* (*derb*) to piss

Pistazie <-, -n> [pɪs'taːtsi̯ə] *f* pistachio

Piste <-, -n> ['pɪstə] *f* (*Skipiste*) piste

Pistole <-, -n> [pɪs'toːlə] *f* pistol

Plackerei <-, -en> [plakə'rai] *f* (*fam*) grind *no pl*

plädieren [plɛ'diːrən] *vi* **1.** JUR **auf** [un] **schuldig ~** to plead [not] guilty **2.** (*dafür sein*) **für etw** *akk* **~** to plead for sth; **dafür ~, dass ...** to plead, that ...

Plädoyer <-s, -s> [plɛdo̯a'jeː] *nt* plea; JUR closing arguments, summation

Plage <-, -n> ['plaːgə] *f* nuisance

plagen ['plaːgn̩] **I.** *vt* to bother **II.** *vr* (*sich abrackern*) **sich** [**mit etw** *dat*] **~** to slave away [over sth]

Plakat <-[e]s, -e> [pla'kaːt] *nt* poster

Plakette <-, -n> [pla'kɛtə] *f* badge

Plan <-[e]s, Pläne> [plaːn] *m* **1.** plan; **jds Pläne durchkreuzen** to thwart sb's plans **2.** (*Karte*) map

Plane <-, -n> ['plaːnə] *f* tarpaulin

planen ['plaːnən] *vt* to plan

Planet <-en, -en> [pla'neːt] *m* planet

Planetarium <-s, -tarien> [plane'taːri̯ʊm] *nt* planetarium

Planke <-, -n> ['plaŋkə] *f* plank

Plankton <-s> ['plaŋktɔn] *nt kein pl* plankton

planlos *adj* aimless

planmäßig *adv* TRANSP as scheduled

Planschbecken *nt* paddling [*or* AM kiddie] pool

Plantage <-, -n> [plan'taːʒə] *f* plantation

Planung <-, -en> *f* planning; **in der ~ befindlich** in [*or* at] the planning stage

Plasma <-s, Plasmen> ['plasma] *nt* plasma

Plastik¹ <-s> ['plastɪk] *nt kein pl* plastic; **aus ~** plastic

Plastik² <-, -en> ['plastɪk] *f* KUNST sculpture

Plastikgeld *nt* (*fam*) plastic money

Plastiktüte *f* plastic bag

plastisch ['plastɪʃ] **I.** *adj* **1.** (*räumlich*) three-dimensional **2.** (*anschaulich*) vivid **3.** MED plastic **II.** *adv* vividly

Platin <-s> ['plaːtiːn] *nt kein pl* platinum

plätschern ['plɛtʃɐn] *vi Brunnen* to splash; *Bach* to burble; *Regen* to patter

platt [plat] **I.** *adj* **1.** (*flach*) flat

2. (*geistlos*) dull **3.** (*fam: verblüfft*) ~ **sein** to be flabbergasted **II.** *adv* flat; ~ **drücken/fahren/walzen** to flatten

Platte <-, -n> ['platə] *f* **1.** (*Steinplatte*) slab **2.** (*Metallplatte*) sheet **3.** (*Schallplatte*) record

Plattenspieler *m* record player

Plattform *f* (*Fläche*) platform

Platz <-es, Plätze> [plats] *m* **1.** place **2.** (*in Stadt*) square **3.** (*Sitzplatz*) seat; ~ **nehmen** to take a seat **4.** (*freier Raum*) room

Plätzchen <-s, -> ['plɛtsçən] *nt* **1.** *dim von s.* **Platz** spot **2.** KOCHK biscuit BRIT, cookie AM

platzen ['platsn̩] *vi sein* **1.** (*zerplatzen*) to burst **2.** (*aufplatzen*) to split **3.** (*nicht stattfinden*) **das Fest ist geplatzt** the party is off; **etw ~ lassen** to call sth off **4.** (*fig*) **vor Neid/Neugier/Wut ~** to be bursting with envy/curiosity/rage

platzieren^RR **I.** *vt a.* MEDIA to place **II.** *vr* SPORT **sich ~** to be placed; (*im Tennis*) to be seeded

Platzkarte *f* seat reservation **Platzregen** *m* cloudburst **Platzreservierung** *f* reservation [of a seat] **Platzwunde** *f* laceration

Plauderei <-, -en> [plaudə'rai] *f* chat

plaudern ['plaudən] *vi* to [have a] chat

plausibel [plau'zi:bl̩] *adj* plausible; **jdm etw ~ machen** to explain sth to sb

plazieren^ALT [pla'tsi:rən] *vt, vr s.* **platzieren**

pleite ['plaitə] *adj* (*fam*) ~ **sein** to be broke

Pleite <-, -n> ['plaitə] *f* (*fam*) **1.** bankruptcy **2.** (*Reinfall*) flop

pleite|gehen^RR *vi* (*fam*) to go bust

Plenum <-s, Plena> ['ple:nʊm] *nt* plenum

Plombe <-, -n> ['plɔmbə] *f* **1.** MED filling **2.** (*Bleisiegel*) lead seal

plombieren [plɔm'bi:rən] *vt* **1.** MED to fill **2.** (*versiegeln*) to seal

plötzlich ['plœtslɪç] **I.** *adj* sudden **II.** *adv* suddenly

plump [plʊmp] **I.** *adj* **1.** (*schwerfällig*) ungainly **2.** (*dummdreist*) obvious **II.** *adv* **1.** (*schwerfällig*) clumsily **2.** (*dummdreist*) crassly

Plunder <-s> ['plʊndɐ] *m kein pl* junk

plündern ['plʏndɐn] *vt* to plunder

Plural <-s, -e> [plu'ra:l] *m* plural

plus [plʊs] *präp adv* plus

Plus <-, -> [plʊs] *nt* **im ~ sein** to be in the black

Plüschtier *nt* soft-toy

Plusquamperfekt <-s, -e> ['plʊskvampɛrfɛkt] *nt* past perfect

Pneu <-s, -s> [pnɔy] *m bes* SCHWEIZ (*Reifen*) tyre

Po <-s, -s> [po:] *m* (*fam*) bottom

pochen ['pɔxn̩] *vi* **1.** to knock (**auf** on) **2.** *Herz* to pound **3.** (*bestehen*) to insist (**auf** on)

Pocke <-, -n> ['pɔkə] *f* pock

Podest <-[e]s, -e> [po'dɛst] *nt* rostrum

Poesie <-> [poe'zi:] *f kein pl* poetry

poetisch [po'e:tɪʃ] *adj* poetic[al]

Pointe <-, -n> ['po̯ɛ̃tə] *f* point; *eines Witzes* punch line

Pokal <-s, -e> [po'ka:l] *m* cup

pokern ['po:kɐn] *vi* to play poker

Pol <-s, -e> [po:l] *m* pole

polar [po'la:ɐ̯] *adj* polar

Polarkreis *m* polar circle; **nördlicher/südlicher ~** Arctic/Antarctic circle **Polarstern** *m* Pole Star

Pole, Polin <-n, -n> ['po:lə, 'po:lɪn] *m, f* Pole

polemisch [po'le:mɪʃ] *adj* polemical

P

Polen <-s> ['po:lən] *nt* Poland
polieren [po'li:rən] *vt* to polish
Politik <-, -en> [poli'ti:k] *f* **1.** *kein pl* politics + *sing vb, no art;* **in die ~ gehen** to go into politics **2.** (*Strategie*) policy; **eine bestimmte ~ verfolgen** to pursue a certain policy
Politiker(in) <-s, -> [po'li:tikɐ] *m(f)* politician
politisch [po'li:tɪʃ] **I.** *adj* political **II.** *adv* politically
Polizei <-, -en> [poli'tsai] *f* **die ~** the police + *sing/pl vb*
Polizeidienststelle *f* police station
Polizeistunde *f* closing time
Polizist(in) <-en, -en> [poli'tsɪst] *m(f)* police officer
Pollen <-s, -> ['pɔlən] *m* pollen
Pollenallergie *f* pollen allergy
polnisch ['pɔlnɪʃ] *adj* Polish
Polster <-s, -> ['pɔlstɐ] *nt o* ÖSTERR *m* upholstery *no pl, no indef art*
Polstermöbel *nt meist pl* upholstered furniture *no pl*
Polterabend ['pɔltɐ-] *m party on the eve of a wedding*
Pomade <-, -n> [po'ma:də] *f* pomade
Pommes frites [pɔm'frɪt] *pl, fam*
Pommes ['pɔməs] *pl* French fries
Pomp <-[e]s> [pɔmp] *m kein pl* pomp
pompös [pɔm'pø:s] *adj* grandiose
Pony¹ <-s, -s> ['pɔni] *nt* (*Pferd*) pony
Pony² <-s, -s> ['pɔni] *m* fringe BRIT, bangs *npl* AM
populär [popu'lɛ:ɐ̯] *adj* popular
Popularität <-> [populari'tɛ:t] *f kein pl* popularity
Pore <-, -n> ['po:rə] *f* pore
Porno <-s, -s> ['pɔrno] *m* porn
Pornofilm *m* porno film
Pornographie, Pornografie^RR <-> [pɔrnogra'fi:] *f kein pl* pornography

porös [po'rø:s] *adj* porous
Portal <-s, -e> [pɔr'ta:l] *nt* portal
Portemonnaie <-s, -s> [pɔrtmɔ'ne:] *nt* purse
Portier <-s, -s> [pɔr'tje:] *m* porter BRIT, doorman AM
Portion <-, -en> [pɔr'tsi̯o:n] *f* KOCHK portion
Porto <-s, -s> ['pɔrto] *nt* postage *no pl*
portofrei *adj* postage-prepaid
Porträt <-s, -s> [pɔr'trɛ:] *nt* portrait
Portugal <-s> ['pɔrtugal] *nt* Portugal
Portugiese, Portugiesin <-n, -n> [portu'gi:zə] *m, f* Portuguese
portugiesisch [pɔrtu'gi:zɪʃ] *adj* Portuguese
Portwein ['pɔrtvain] *m* port
Porzellan <-s, -e> [pɔrtsɛ'la:n] *nt* china *no pl*
Posaune <-, -n> [po'zaunə] *f* trombone
Pose <-, -n> ['po:zə] *f* pose
Position <-, -en> [pozi'tsi̯o:n] *f* position
positiv ['po:ziti:f] **I.** *adj* positive **II.** *adv* positively; **etw ~ beeinflussen** to have a positive influence on sth; **sich ~ verändern** to change for the better
Positiv <-s, -e> ['po:ziti:f] *nt* positive
Post <-> [pɔst] *f kein pl* **1.** (*Institution*) Post Office; **etw mit der ~ schicken** to send sth by post [*or* AM mail] **2.** (*Dienststelle*) post office **3.** (*Briefe*) mail
Postamt *nt* post office **Postbeamte(r), -beamtin** *m, f* post office official
Postbote, -botin *m, f* postman *masc*, postwoman *fem* BRIT, mail carrier AM
Posten <-s, -> ['pɔstn̩] *m* post
Postfach *nt* post office [*or* PO] box

Postgiroamt [-ʒiːro-] *nt* Girobank
Postgirokonto *nt* giro [*or* AM postal checking] account **Postkarte** *f* postcard **postlagernd** *adj* poste restante BRIT, general delivery AM **Postleitzahl** *f* postcode BRIT, zip code AM **Postscheck** *m* giro cheque **Postüberweisung** *f* Girobank transfer

Potenz <-, -en> [po'tɛnts] *f* potency
potenziellᴿᴿ, **potentiell**ᴬᴸᵀ I. *adj* potential II. *adv* potentially

Pracht <-> [praxt] *f kein pl* splendour; **eine wahre ~ sein** to be [really] great
prächtig ['prɛçtɪç] *adj* magnificent
Prädikat <-[e]s, -e> [prɛdi'kaːt] *nt* predicate

Prag <-s> [praːk] *nt* Prague
prägen ['prɛːgn̩] *vt* 1. *Münzen* to mint; *Wort* to coin 2. (*erinnern*) **sich** *dat* **etw ins Gedächtnis ~** to engrave sth on one's mind 3. (*formen*) [**jdn**] **~** to leave one's mark [on sb]

pragmatisch [prag'maːtɪʃ] I. *adj* pragmatic II. *adv* pragmatically

prägnant [prɛ'gnant] I. *adj* (*geh*) succinct II. *adv* **sich ~ ausdrücken** to be succinct

prähistorisch [prɛhɪs'toːrɪʃ] *adj* prehistoric

prahlen ['praːlən] *vi* to boast (**mit** about); **damit ~, dass ...** to boast that ...

Prahler(in) <-s, -> *m(f)* boaster
prahlerisch *adj* boastful

Praktikant(in) <-en, -en> [prakti'kant] *m(f)* student or trainee working at a trade or occupation to gain work experience

praktisch ['praktɪʃ] I. *adj* practical; **~er Arzt** GP; **~ veranlagt sein** to be practical II. *adv* practically; **etw ~ umsetzen** to put sth into practice

praktizieren [prakti'tsiːrən] I. *vt* **etw ~** to put sth into practice; **seinen Glauben ~** to practise one's religion II. *vi* to practise; **~der Arzt** practising doctor

Praline <-, -n> [pra'liːnə] *f*, **Praliné** <-s, -s> [prali'neː] *nt* chocolate [cream]

prall [pral] *adj* 1. (*straff, fest*) firm; *Schenkel, Waden* sturdy; *Brüste* well-rounded 2. **in der ~en Sonne** in the blazing sun

prallen ['pralən] *vi sein* 1. to crash; *Ball* to bounce; [**mit dem Wagen**] **gegen etw ~** to crash [one's car] into sth; **mit dem Kopf gegen etw ~** to bang one's head on sth 2. *Sonne* to blaze

prallvoll ['pral'fɔl] *adj* bulging
Prämie <-, -n> ['prɛːmjə] *f* 1. (*zusätzliche Vergütung*) bonus 2. FIN premium

Präparat <-[e]s, -e> [prɛpa'raːt] *nt* MED medicament

Präposition <-, -en> [prɛpozi'tsi̯oːn] *f* preposition

Prärie <-, -n> [prɛ'riː] *f* prairie
Präsens <-> ['prɛːzɛns] *nt kein pl* present tense

Präsentation <-, -en> [prɛzɛnta'tsi̯oːn] *f* presentation

präsentieren [prɛzɛn'tiːrən] *vt* [**jdm**] **etw ~** to present [sb with] sth; **jdn/ sich** [**jdm**] **~** to present sb/oneself [to sb]

Präservativ <-s, -e> [prɛzɛrva'tiːf] *nt* condom

Präsident(in) <-en, -en> [prɛzi'dɛnt] *m(f)* president

Präsidium <-s, -Präsidien> [prɛ'ziːdi̯ʊm] *nt* 1. (*Vorstand, Vorsitz*) chairmanship; (*Führungsgruppe*)

P

committee **2.** (*Polizeihauptstelle*) [police] headquarters + *sing/pl vb*

Praxis <-, Praxen> ['praksɪs] *f* **1.** (*Arztpraxis*) surgery BRIT, doctor's office AM **2.** *kein pl* (*Erfahrung*) [practical] experience; **langjährige ~** many years of experience **3.** *kein pl* (*Tat*) practice *no art;* **etw in die ~ umsetzen** to put sth into practice

Praxisgebühr *f* a quarterly payment that a patient with medical insurance must make for visits to the doctor

präzis [prɛ'tsiːs], **präzise** [prɛ'tsiːzə] *adj* (*geh*) precise

Präzision <-> [prɛtsi'zi̯oːn] *f kein pl* precision

predigen ['preːdɪgn̩] *vt, vi* to preach

Prediger(in) <-s, -> *m(f)* preacher

Predigt <-, -en> ['preːdɪçt] *f* sermon; **eine ~ halten** to deliver a sermon

Preis <-es, -e> [prais] *m* **1.** price (**für** of); **zum halben ~** at half-price; **einen hohen ~ für etw** *akk* **zahlen** (*fig*) to pay a high price for sth **2.** (*Gewinnprämie*) prize

Preisausschreiben *nt* competition

Preiselbeere ['praizl̩beːrə] *f* cranberry

Preiserhöhung *f* price increase [*or* rise] mark-up **Preisermäßigung** *f* price reduction

preis|geben ['praisgeːbn̩] *vt irreg* (*geh*) **1.** (*verraten*) [jdm] **etw ~** to betray sth [to sb]; *Geheimnis* to divulge sth [to sb] **2.** (*ausliefern*) expose; **jdn der Lächerlichkeit ~** to expose sb to ridicule

Preisnachlass^{RR} *m* discount **Preisschild** *nt* price tag

preiswert *adj* inexpensive

Prellung <-, -en> *f* contusion

Premiere <-, -n> [prə'mi̯eːrə] *f* première

Premierminister(in) [prə'mi̯eː-, pre-'mi̯eː-] *m(f)* prime minister

Presse <-, -n> ['prɛsə] *f* press; **die ~ Medien** the press

Presseagentur *f* press agency **Pressefreiheit** *f kein pl* freedom of the press

pressen ['prɛsn̩] *vt* to press; *Saft* to squeeze

Pressluft^{RR}, **Preßluft**^{ALT} *f kein pl* compressed air

Presslufthammer^{RR} *m* pneumatic hammer

Prestige <-s> [prɛs'tiːʒə] *nt kein pl* prestige

Preuße, Preußin <-n, -n> ['prɔysə, 'prɔysɪn] *m, f* Prussian

Preußen <-s> ['prɔysn̩] *nt kein pl* Prussia

preußisch ['prɔysɪʃ] *adj* Prussian

prickeln ['prɪkl̩n] *vi* **1.** to tingle; **ein P~ in den Beinen** pins and needles in one's legs **2.** (*erregen*) to thrill

Priester(in) <-s, -> ['priːstɐ] *m(f)* priest

prima ['priːma] *adj* (*fam*) great; **es läuft alles ~** everything is going really well

primär [pri'mɛːɐ̯] **I.** *adj* primary **II.** *adv* primarily

Primel <-, -n> ['priːml̩] *f* primrose

primitiv [primi'tiːf] *adj* primitive; **ein ~er Kerl** a lout

Prinz <-en, -en> [prɪnts] *m* prince

Prinzessin <-, -nen> ['prɪn'tsɛsɪn] *f* princess

Prinzip <-s, -ien> [prɪn'tsiːp] *nt* principle; **aus/im ~** on/in principle

prinzipiell [prɪntsi'pi̯ɛl] **I.** *adj* fundamental **II.** *adv* (*grundsätzlich*) on principle; (*im Prinzip*) in principle

Priorität <-, -en> [priori'tɛːt] *f* priority; **~en setzen** to set [one's] priorities

Prise <-, -n> ['pri:zə] f pinch; **eine ~ Salz** a pinch of salt

privat [pri'va:t] I. adj private II. adv privately; **jdn ~ sprechen** to speak to sb in private; **sich ~ versichern** to take out a private insurance

Privatadresse f home address **Privatangelegenheit** f private matter **Privatdetektiv(in)** m(f) private investigator **Privatschule** f private school **Privatsphäre** f kein pl **die ~ verletzen** to invade sb's privacy

Privileg <-[e]s, -ien> [privi'le:k] nt privilege

privilegieren [privile'gi:rən] vt **jdn ~** to grant privileges to sb

pro [pro:] I. präp per; **~ Kopf** a head; **~ Person** per person; **~ Stück** each II. adv **sind Sie ~ oder kontra?** are you for or against it?

Probe <-, -n> ['pro:bə] f 1. (Auswahl) sample 2. MUS, THEAT rehearsal 3. (Prüfung) test; **auf ~** on probation; **zur ~** for a trial; **jdn auf die ~ stellen** to put sb to the test

Probealarm m practice alarm

proben ['pro:bn̩] vt, vi to rehearse

probieren [pro'bi:rən] I. vt to try; **etw ~** to try sth out II. vi 1. (kosten) [von etw dat] **~** to try some [of sth] 2. (versuchen) **~, ob/was/wie ...** to try and see whether/what/how ...

Problem <-s, -e> [pro'ble:m] nt problem; **kein ~!** no problem!; [nicht] **jds ~ sein** to [not] be sb's business

problematisch [proble'ma:tɪʃ] adj problematic[al]

problemlos adj problem-free

Produkt <-[e]s, -e> [pro'dʊkt] nt product

Produktion <-, -en> [prodʊk'tsi̯o:n] f production

produktiv [prodʊk'ti:f] adj productive

Produktivität <-> [prodʊktivi'tɛ:t] f kein pl productivity

Produzent(in) <-en, -en> [produ'tsɛnt] m(f) producer

produzieren [produ'tsi:rən] vt, vi to produce

professionell [profɛsi̯o'nɛl] adj professional

Professor(in) <-s, -en> [pro'fɛso:ɐ̯, -'so:rɪn] m(f) professor; **Herr ~/Frau ~in** Professor

Profi <-s, -s> ['pro:fi] m (fam) pro

Profil <-s, -e> [pro'fi:l] nt 1. von Reifen, Schuh tread 2. (seitliche Ansicht) profile; **jdn im ~ fotografieren** to photograph sb in profile

Profit <-[e]s, -e> [pro'fi:t] m profit; **~ bringend** profitable; **etw mit ~ verkaufen** to sell sth at a profit

profitabel [profi'ta:bl̩] adj profitable

profitieren [profi'ti:rən] vi (geh) to make a profit (**bei/von** from)

Prognose <-, -n> [pro'gno:zə] f prognosis

Programm <-s, -e> [pro'gram] nt 1. (Ablauf) programme; **ein volles ~ haben** to have a full day/week etc. ahead of one 2. TV (Sender) channel 3. INFORM program

programmieren [progra'mi:rən] vt to program

Programmierer(in) <-s, -> m(f) programmer

progressiv [progrɛ'si:f] adj progressive

Projekt <-[e]s, -e> [pro'jɛkt] nt project

Projektion <-, -en> [projɛk'tsi̯o:n] f projection

Projektor <-s, -toren> [pro'jɛkto:ɐ̯] m projector

projizieren [proji'tsi:rən] vt to project (**auf** onto)

P

Prolet <-en, -en> [pro'le:t] *m* (*pej*) prole

Prolog <-[e]s, -e> [pro'lo:k] *m* prologue

Promenade <-, -n> [promə'na:də] *f* promenade

Promille <-[s], -> [pro'mɪlə] *nt* **1.** per mill[e] **2.** (*Alkoholpegel*) **0,5** ~ 50 millilitres alcohol level

prominent *adj* prominent

Prominente(r) *f(m) dekl wie adj* celebrity

Prominenz <-> [promi'nɛnts] *f kein pl* prominent figures *npl*

promovieren [promo'vi:rən] *vi* (*eine Dissertation schreiben*) to do a doctorate (**über** in)

prompt [prɔmpt] **I.** *adj* prompt **II.** *adv* promptly

Pronomen <-s, -> [pro'no:mən] *nt* pronoun

Propaganda <-> [propa'ganda] *f kein pl* propaganda

Propangas *nt kein pl* propane [gas]

Propeller <-s, -> [pro'pɛlɐ] *m* propeller

Prophet(in) <-en, -en> [pro'fe:t] *m(f)* prophet

prophezeien [profe'tsaiən] *vt* to prophesy

Prophezeiung <-, -en> *f* prophecy

Proportion <-, -en> [propɔr'tsjo:n] *f* proportion

proportional [propɔrtsjo'na:l] *adj* proportional (**zu** to)

Prosa <-> ['pro:za] *f kein pl* prose

Prospekt <-[e]s, -e> [pro'spɛkt] *m* (*Broschüre*) brochure; (*Zettel*) leaflet

prost [pro:st] *interj* cheers

Prostata <-, Prostatae> ['prɔstata] *f* prostate gland

Prostituierte(r) [prostitu'i:ɐ̯tə, -tɐ] *f(m) dekl wie adj* prostitute

Prostitution <-> [prostitu'tsjo:n] *f kein pl* prostitution

Protest <-[e]s, -e> [pro'tɛst] *m* protest

Protestant(in) <-en, -en> [protɛs-'tant] *m(f)* Protestant

protestieren [protɛs'ti:rən] *vi* to protest

Prothese <-, -n> [pro'te:zə] *f* prosthesis

Protokoll <-s, -e> [proto'kɔl] *nt* **1.** record[s *npl*]; (*von Sitzung*) minutes *npl;* [das] ~ **führen** to take the minutes **2.** *kein pl* (*diplomatisches Zeremoniell*) protocol

protokollieren [protokɔ'li:rən] *vt* to record; (*bei einer Sitzung*) to enter sth in the minutes

protzen ['prɔtsn̩] *vi* (*fam*) [**mit etw** *dat*] ~ to flaunt sth

Proviant <-s, *selten* -e > [pro'vjant] *m* supplies *npl*

Provinz <-, -en> [pro'vɪnts] *f* **1.** province **2.** *kein pl* (*kulturell rückständige Gegend*) provinces *npl;* **in der** ~ **leben** to live [out] in the sticks

provinziell [provɪn'tsjɛl] *adj* provincial

Provision <-, -en> [provi'zjo:n] *f* commission; **auf** ~ **arbeiten** to work on a commission basis

Provokation <-, -en> [provoka'tsjo:n] *f* provocation

provozieren [provo'tsi:rən] *vt, vi* to provoke

Prozent <-[e]s> [pro'tsɛnt] *nt kein pl* per cent

Prozess[RR], **Prozeß**[ALT] <-sses, -sse> [pro'tsɛs] *m* **1.** JUR [court] case; **einen** ~ [**gegen jdn**] **führen** to take sb to court **2.** (*Vorgang*) process

Prozession <-, -en> [protsɛ'sjo:n] *f* procession

prüde ['pry:də] *adj* prudish

prüfen ['pryːfn̩] *vt* to examine; (*nachprüfen*) to check (**auf** for)

Prüfer(in) <-s, -> ['pryːfɐ] *m(f)* **1.** (*Examensprüfer*) examiner **2.** TECH inspector

Prüfung <-, -en> *f* **1.** test; (*Examen*) exam[ination]; **mündliche/schriftliche ~** oral/written exam **2.** (*Überprüfung*) checking

Prügel ['pryːgl̩] *pl* thrashing; **jdm eine Tracht ~ verabreichen** to give sb a [good] hiding

Prügelei <-, -en> ['pryːgə'lai] *f* punch-up

prügeln ['pryːgl̩n] **I.** *vt, vi* to beat **II.** *vr* **sich ~** to fight

Prunk <-s> [prʊnk] *m kein pl* magnificence

Psyche <-, -n> ['psyːçə] *f* psyche

Psychiater(in) <-s, -> [psy'çiaːtɐ] *m(f)* psychiatrist

Psychiatrie <-, -n> [psyçia'triː] *f kein pl* psychiatry *no art;* (*psychiatrische Abteilung*) psychiatric ward

psychiatrisch [psy'çiaːtrɪʃ] *adj* psychiatric

psychisch ['psy:çɪʃ] *adj* psychological

Psychologe, Psychologin <-n, -n> [psyço'loːgə, -'loːgɪn] *m, f* psychologist

psychologisch [psyço'loːgɪʃ] *adj* psychological

Psychose <-, -n> [psy'çoːzə] *f* psychosis

Pubertät <-> [pubɛr'tɛːt] *f kein pl* puberty *no art*

Publikation <-, -en> [publika'tsjoːn] *f* publication

Publikum <-s> ['puːblikʊm] *nt kein pl* audience

publizieren [publi'tsiːrən] *vt* to publish

Pudding <-s, -s> ['pʊdɪŋ] *m* (*aus Milch und Zucker*) ≈ custard

Pudel <-s, -> ['puːdl̩] *m* poodle

Puder <-s, -> ['puːdɐ] *m o fam nt* powder

pudern ['puːdɐn] *vt* to powder

Puderzucker *m* icing sugar

Pullover <-s, -s> [pʊ'loːvɐ] *m* pullover

Puls <-es, -e> [pʊls] *m* pulse

Pulsader *f* artery

pulsieren [pʊl'ziːrən] *vi* to pulsate

Pult <-[e]s, -e> [pʊlt] *nt* lectern

Pulver <-s, -> ['pʊlvɐ] *nt* powder

Pulverkaffee *m* instant coffee **Pulverschnee** *m* powder[y] snow

Puma <-s, -s> ['puːma] *m* puma BRIT, cougar AM

Pumpe <-, -n> ['pʊmpə] *f* pump

pumpen ['pʊmpn̩] *vt* **1.** to pump **2.** (*fam*) **jdm etw ~** to lend sb sth; [**sich** *dat*] **etw ~** to borrow sth (**bei** off)

Punkt <-[e]s, -e> [pʊnkt] *m* **1.** (*Stelle*) point; **bis zu einem gewissen ~** up to a [certain] point **2.** SPORT **einen ~ bekommen/verlieren** to score/lose a point **3.** (*Satzzeichen*) full stop BRIT, period AM; (*sonst*) dot **4.** (*genau*) **~ acht [Uhr]** on the stroke of eight

punkten ['pʊnktn̩] *vi* (*fam*) to pick up [*or* win] points

pünktlich ['pʏnktlɪç] **I.** *adj* punctual **II.** *adv* punctually

Pünktlichkeit <-> *f kein pl* punctuality

Punktrichter(in) *m(f)* judge

Punsch <-es, -e> [pʊnʃ] *m* [hot] punch

Pupille <-, -n> [pu'pɪlə] *f* pupil

Puppe <-, -n> ['pʊpə] *f* **1.** doll **2.** ZOOL pupa

pur [puːɐ̯] *adj* pure; *Wahrheit* naked; *Wahnsinn* absolute; **etw ~ anwenden** to apply sth in its pure form; **etw ~ trinken** to drink sth neat

P

Püree <-s, -s> [pyˈreː] *nt* purée
purpurrot *adj* purple
Purzelbaum [ˈpʊrtsl̩-] *m* (*fam*) somersault
purzeln [ˈpʊrtsln̩] *vi sein* to tumble (**von** off/**in** into)
pusten [ˈpuːstn̩] *vt* to blow
Putsch <-[e]s, -e> [pʊtʃ] *m* coup [d'état]
putschen [ˈpʊtʃn̩] *vi* to revolt (**gegen** against)
Putschist(in) <-en, -en> [pʊˈtʃɪst] *m(f)* rebel
putzen [ˈpʊtsn̩] I. *vt* to clean; *Gemüse* to prepare; **sich** *dat* **die Nase** ~ to blow one's nose; **sich** *dat* **die Zähne** ~ to clean one's teeth II. *vi* ~ **gehen** to work as a cleaner
Putzfrau *f*, **Putzhilfe** *f* cleaner **Putzlappen** *m* [cleaning] cloth **Putzmittel** *nt* cleaning things *npl*
Puzzle <-s, -s> [ˈpʊzl̩, ˈpazl̩] *nt* jigsaw [puzzle]
Pyjama <-s, -s> [pyˈdʒaːma] *m* pyjamas *npl;* **im** ~ in his/her pyjamas
Pyramide <-, -n> [pyraˈmiːdə] *f* pyramid
Pyrenäen [pyreˈnɛːən] *pl* **die** ~ the Pyrenees
Python <-, -s> [ˈpyːtɔn] *m*, **Pythonschlange** *f* python

Q

Q, q <-, -> *nt* Q, q
Quad <-s, -s> [kvat] *nt* quadbike
Quadrat <-[e]s, -e> [kvaˈdraːt] *nt* square

quadratisch *adj* square
Quadratmeter *m* square metre
quaken [ˈkvaːkn̩] *vi Frosch* to croak; *Ente* to quack
Qual <-, -en> [ˈkvaːl] *f* 1. (*Quälerei*) struggle 2. *meist pl* (*Pein*) agony *no pl*
quälen [ˈkvɛːlən] I. *vt* 1. (*piesacken*) to pester 2. (*misshandeln*) **jdn** ~ to be cruel to sb 3. (*peinigen*) to torment II. *vr* **sich mit etw** *dat* ~ *Gedanken* to torment oneself with sth; *Arbeit* to struggle [hard] with sth
Quälerei <-, -en> [kvɛːləˈrai] *f* (*physisch*) torture; (*psychisch*) torment
Qualifikation <-, -en> [kvalifikaˈtsi̯oːn] *f* qualifications *npl*
qualifizieren [kvalifiˈtsiːrən] I. *vr* **sich** ~ to qualify (**für/zu** for) II. *vt* **jdn** ~ to qualify sb (**für/zu** for)
Qualität <-, -en> [kvaliˈtɛːt] *f* quality
qualitativ [kvalitaˈtiːf] *adj* qualitative
Qualle <-, -n> [ˈkvalə] *f* jellyfish
Qualm <-[e]s> [ˈkvalm] *m kein pl* [thick] smoke
qualmen [ˈkvalmən] *vi* to smoke
qualvoll *adj* agonizing
Quantität <-, -en> [kvantiˈtɛːt] *f* quantity
quantitativ [ˈkvantitatiːf] *adj* quantitative
Quarantäne <-, -n> [karanˈtɛːnə] *f* quarantine *no pl;* **unter** ~ **stehen** to be in quarantine; **jdn/etw unter** ~ **stellen** to place sb/sth under quarantine
Quark <-s> [ˈkvark] *m kein pl* fromage frais
Quarte <-, -n> [ˈkvartə] *f* MUS fourth
Quartett <-[e]s, -e> [kvarˈtɛt] *nt a.* MUS quartet
Quartier <-s, -e> [kvarˈtiːɐ̯] *nt* 1. (*Un-*

terkunft) accommodation *no indef art, no pl* **2.** SCHWEIZ (*Viertel*) district

Quarz <-es, -e> ['kva:ɐ̯ts] *m* quartz

quasseln ['kvasln̩] *vi* (*fam*) to babble

Quatsch <-es> ['kvatʃ] *m kein pl* (*fam*) nonsense; ~ **machen** to mess around

quatschen ['kvatʃn̩] *vt* (*fam*) **dummes Zeug** ~ to talk nonsense

Quecksilber ['kvɛkzɪlbɐ] *nt* mercury

Quelle <-, -n> ['kvɛlə] *f* source

queng(e)lig ['kvɛŋ(ə)lɪç] *adj* whining; **sei nicht so** ~ stop whining

quengeln ['kvɛŋln̩] *vi* **1.** (*weinerlich sein*) to whine **2.** (*nörgeln*) to moan

quer ['kve:ɐ̯] *adv* (*horizontal*) diagonally; ~ **durch/über etw** *akk* straight through/across sth; ~ **gestreift** horizontally striped

querfeldein [kve:ɐ̯fɛlt'ʔain] *adv* across country

Querflöte *f* transverse flute **Querkopf** *m* (*fam*) awkward customer **Querschnitt** *m* cross-section **Querstraße** *f* side-street

Querulant(in) <-en, -en> [kveru'lant] *m(f)* querulous person

Querverbindung *f* direct connection

quetschen ['kvɛtʃn̩] **I.** *vt* to squeeze (**aus** out of), to crush (**an/gegen** against) **II.** *vr* **1.** MED **ich habe mir den Fuß gequetscht** I've crushed my foot **2.** (*zwängen*) **sich in etw** *akk* ~ to squeeze [oneself] into sth

Quetschung <-, -en> *f* MED bruise

quietschen ['kvi:tʃn̩] *vi* (*kurz*) to squeak; (*lang*) to squeal

Quinte <-, -n> ['kvɪntə] *f* MUS fifth

Quintett <-[e]s, -e> [kvɪn'tɛt] *nt a.* MUS quintet

Quirl <-s, -e> ['kvɪrl] *m* whisk

quitt ['kvɪt] *adj* [mit jdm] ~ sein (*finanziell*) to be quits [with sb]

Quitte <-, -n> ['kvɪtə] *f* quince

quittieren [kvɪ'ti:rən] *vt* HANDEL [jdm] **etw** ~ to give [sb] a receipt for sth; **sich** *dat* **etw** ~ **lassen** to obtain a receipt for sth

Quittung <-, -en> ['kvɪtʊŋ] *f* **1.** receipt; **jdm eine** ~ **ausstellen** to issue sb with a receipt; **gegen** ~ on production of a receipt **2.** (*Folge*) **die** ~ **für etw** *akk* [the] just deserts for sth

Quiz <-, -> [kvɪs] *nt* quiz

Quote <-, -n> ['kvo:tə] *f* proportion; POL quota system

Quotient <-en, -en> [kvo'tsi̯ɛnt] *m* quotient

R

R, r *nt* R, r

Rabatt <-[e]s, -e> [ra'bat] *m* discount

Rabe <-n, -n> ['ra:bə] *m* raven

Rache <-> ['raxə] *f kein pl* revenge; **aus** ~ in revenge; ~ **nehmen** to take revenge (**an** on/**für** for)

Rachefeldzug *m* campaign of revenge

Rachen <-s, -> ['raxn̩] *m* throat

rächen ['rɛçn̩] **I.** *vt* **etw** ~ to take revenge for sth; **jdn** ~ to avenge sb **II.** *vr* **sich** ~ to take one's revenge

Rachsucht *f* vindictiveness

rachsüchtig *adj* vindictive

Rad <-[e]s, Räder> [ra:t] *nt* **1.** AUTO wheel **2.** (*Fahrrad*) bike; ~ **fahren** to cycle **3.** SPORT **ein** ~ **schlagen** to do a cartwheel

Radar <-s> [ra'da:ɐ̯] *m o nt kein pl* radar

Radarkontrolle *f* [radar] speed check

Radfahrer(in) *m(f)* cyclist **Radfahrweg** *m* cycle path

Radi <-s, -> ['raːdi] *m* KOCHK ÖSTERR, SÜDD (*Rettich*) radish

radieren [ra'diːrən] *vt* to erase

Radiergummi <-s, -s> *m* rubber BRIT, eraser AM

Radieschen <-s, -> [ra'diːsçən] *nt* radish

radikal [radi'kaːl] *adj* radical

Radio <-s, -s> ['raːdi̯o] *nt o* SCHWEIZ *m* radio; **im** ~ on the radio; ~ **hören** to listen to the radio

radioaktiv [radi̯oʔak'tiːf] I. *adj* radioactive II. *adv* ~ **verseucht** contaminated by radioactivity

Radioaktivität <-> [radi̯oʔaktivi'tɛːt] *f kein pl* radioactivity

Radius <-, Radien> ['raːdi̯ʊs] *m* radius

Radrennen *nt* cycle race **Radrennfahrer(in)** *m(f)* racing cyclist **Radtour** [-tuːɐ] *f* bicycle ride **Radwechsel** *m* wheel change

raffen ['rafn̩] *vt* (*eilig greifen*) to grab

Raffinerie <-, -n> [rafinə'riː] *f* refinery

Raffinesse <-, -n> [rafi'nɛsə] *f kein pl* cunning

raffiniert I. *adj* 1. (*durchtrieben*) cunning 2. (*ausgeklügelt*) clever II. *adv* cunningly

ragen ['raːgn̩] *vi* **aus etw** *dat* ~ to rise up out of sth

Ragout <-s, -s> [ra'guː] *nt* ragout

Rahm <-[e]s> [raːm] *m kein pl* cream

rahmen ['raːmən] *vt* to frame

Rahmen <-s, -> ['raːmən] *m* 1. frame 2. (*Bereich*) framework; **im** ~ **des Möglichen** within the bounds of possibility; **aus dem** ~ **fallen** to stand out; **sich im** ~ **halten** to keep within reasonable bounds; **den** ~ [**von etw** *dat*] **sprengen** to go beyond the scope of sth

Rakete <-, -n> [ra'keːtə] *f* rocket; MIL missile

Rallye <-, -s> ['rali, 'rɛli] *f* rally

rammen ['ramən] *vt* to ram (**in** into)

Rampe <-, -n> ['rampə] *f* ramp

Rand <-es, Ränder> [rant] *m* 1. edge; *eines Glases, einer Wanne* rim; *eines Hutes* brim 2. (*Grenze*) verge 3. (*auf Papier*) margin 4. (*Schatten, Spur*) mark; [**dunkle/rote**] **Ränder um die Augen** [dark/red] rings [a]round one's eyes

randalieren [randa'liːrən] *vi* to riot; ~**d** rampaging

Randalierer(in) *m(f)* rioter, hooligan

Rang <-[e]s, Ränge> [raŋ] *m* 1. *kein pl* status 2. MIL rank 3. SPORT place

rangieren [rãˈʒiːrən] *vi* (*Stellenwert haben*) to rank

Rangliste *f* ranking[s] list **Rangordnung** *f* hierarchy

Ranzen <-s, -> ['rantsn̩] *m* satchel

ranzig ['rantsɪç] *adj* rancid

Raps <-es, -e> [raps] *m* rape[seed]

rar [raːɐ] *adj* rare

rar|machen *vr* **sich** ~ to make oneself scarce

rasch [raʃ] I. *adj* quick II. *adv* quickly

rascheln ['raʃl̩n] *vi* [**mit etw** *dat*] ~ to rustle [sth]

rasen ['raːzn̩] *vi* 1. *sein* to speed; **gegen** [*o* **in**] **etw** *akk* ~ to crash into sth 2. *sein: Zeit* to fly [by] 3. *haben* (*wütend sein*) **sie raste** [**vor Wut**] she was beside herself [with rage]

Rasen <-s, -> ['raːzn̩] *m* lawn

Rasenmäher <-s, -> *m* lawnmower

Rasierapparat *m* shaver **Rasiercreme** *f* shaving cream

rasieren [ra'ziːrən] *vr* **sich** ~ to [have a] shave

Rasierklinge f razor blade **Rasierpinsel** m shaving brush **Rasierseife** f shaving soap **Rasierwasser** nt aftershave

raspeln ['raspl̩n] vt to grate

Rasse <-, -n> ['rasə] f race

rasseln ['rasl̩n] vi [**mit etw** dat] ~ to rattle [sth]

Rassentrennung f kein pl racial segregation

Rassismus <-> [ra'sɪsmʊs] m kein pl racism

Rassist(in) <-en, -en> [ra'sɪst] m(f) racist

rassistisch adj racist

Rast <-, -en> [rast] f break; ~ **machen** to stop for a break

rasten ['rastn̩] vi to have a break

Rasthof m service area

rastlos adj 1. (unermüdlich) tireless 2. (unruhig) restless

Rastplatz m picnic area

Rasur <-, -en> [ra'zuːɐ̯] f shave

Rat <-[e]s, Räte> [raːt] m 1. kein pl advice; **jdn um ~ fragen** to ask sb for advice; **jdm den ~ geben, etw zu tun** to advise sb to do sth; **jdn/etw zu ~e ziehen** to consult sb/sth 2. POL council

Rat, Rätin <-[e]s, Räte> [raːt, 'rɛːtɪn] m, f (Stadtrat) councillor

Rate <-, -n> ['raːtə] f instalment; **etw in ~n bezahlen** to pay for sth in instalments

raten <rät, riet, geraten> ['raːtn̩] I. vi (Ratschläge geben) to advise II. vt 1. **jdm etw raten** to advise sb to do sth 2. (erraten) to guess

Rathaus nt town hall

Ration <-, -en> [ra'tsi̯oːn] f ration

rational [ratsi̯o'naːl] adj rational

rationalisieren [ratsi̯onali'ziːrən] vt, vi to rationalize

Rationalisierung <-, -en> f rationalization no pl

ratlos adj helpless; **ich bin völlig ~** I'm completely at a loss

Ratlosigkeit <-> f kein pl helplessness

Ratschlag <-s, Ratschläge> ['raːtʃlaːk] m advice; **jdm einen ~ geben** to give sb a piece of advice

Rätsel <-s, -> ['rɛːtsl̩] nt 1. (Geheimnis) mystery; **es ist [jdm] ein, ~ warum ...** it is a mystery [to sb] why ... 2. (Denkaufgabe) riddle 3. (Kreuzworträtsel) crossword [puzzle]

rätselhaft adj mysterious; **es ist jdm ~, warum ...** it's a mystery to sb why ...

Ratsherr m councillor

Ratte <-, -n> ['ratə] f rat

rattern ['ratɐn] vi to rattle

rau^RR, **rauh**^ALT adj 1. (spröde) rough 2. Hals sore; Stimme husky 3. (barsch, unwirtlich) harsh

Raub <-[e]s, selten -e> [raup] m kein pl robbery; (das Geraubte) booty

Raubbau m kein pl over-exploitation

rauben ['raubn̩] vt 1. to rob 2. (entführen) to abduct 3. (beanspruchen) **das hat mir viel Zeit geraubt** this has cost me a lot of time

Räuber(in) <-s, -> ['rɔybɐ] m(f) robber

Raubkatze f big cat **Raubtier** nt predator **Raubüberfall** m robbery **Raubvogel** m bird of prey

Rauch <-[e]s> [raux] m kein pl smoke; **sich in ~ auflösen** to go up in smoke

rauchen ['rauxn̩] vi, vt to smoke; **darf man hier/bei Ihnen ~?** may I smoke [in] here/do you mind if I smoke?; **stark ~** to be a heavy smoker

R

Raucher(in) <-s, -> *m(f)* smoker

Raucherabteil *nt* BAHN smoking compartment [*or* AM car] **Raucherecke** *f* smokers' corner

räuchern [ˈrɔyçɐn] *vt* to smoke

rauchig [ˈrauxɪç] *adj* smoky

Rauchverbot *nt* ban on smoking

räudig [ˈrɔydɪç] *adj* mangy

raufen [ˈraufn̩] *vi, vr* [sich] ~ to fight

rauh^{ALT} [rau] *adj s.* **rau**

Raum <-[e]s, Räume> [raum] *m* **1.** (*Zimmer, Platz*) room; **auf engstem** ~ in a very confined space; ~ [**für etw** *akk*] **schaffen** to make room [for sth] **2.** *kein pl* ASTRON, PHYS space *no art* **3.** (*Gebiet*) region; **im** ~ **Hamburg** in the Hamburg area

Raumfähre *f* space shuttle **Raumfahrt** *f kein pl* space travel *no art* **Raumkapsel** *f* **1.** (*einer Raumfähre*) space capsule **2.** (*Sonde*) space probe **Raumschiff** *nt* spaceship

Räumung <-, -en> *f* **1.** *Straße* clearing; *Wohnung* vacation; (*zwangsweise*) eviction **2.** (*Evakuierung*) evacuation

Raupe <-, -n> [ˈraupə] *f* **1.** ZOOL caterpillar **2.** (*Planierraupe*) bulldozer

Rausch <-[e]s, Räusche> [rauʃ] *m* **1.** intoxication; **einen** ~ **haben** to be drunk; **seinen** ~ **ausschlafen** to sleep it off **2.** (*Ekstase*) ecstasy

rauschen [ˈrauʃn̩] *vi Meer* to roar; (*sanft*) to murmur; *Blätter* to rustle; *Lautsprecher* to hiss

Rauschgift *nt* drug **Rauschgifthändler(in)** <-s, -> *m(f)* drug dealer; (*international*) drug trafficker **rauschgiftsüchtig** *adj* addicted to drugs *pred* **Rauschgiftsüchtige(r)** <-n, -n> *f(m) dekl wie adj* drug addict

räuspern [ˈrɔyspɐn] *vr* **sich** ~ to clear one's throat

raus|schmeißen *vt irreg* (*fam*) to chuck out

Rausschmeißer <-s, -> *m* bouncer

Razzia <-, Razzien> [ˈratsi̯a] *f* raid

reagieren [rea'giːrən] *vi* to react (**auf** to)

Reaktion <-, -en> [reak'tsi̯oːn] *f* reaction (**auf** to)

Reaktor <-s, -toren> [re'aktoːɐ̯] *m* reactor

real [re'aːl] *adj* real

realisieren [reali'ziːrən] *vt* to realize

realistisch [rea'lɪstɪʃ] *adj* realistic

Realität <-, -en> [reali'tɛːt] *f* reality

Reality-Fernsehen [ri'ɛliti-] *nt* reality TV **Reality-Show** [ri'ɛliti-] *f* reality show

Realschule *f type of secondary/ junior high school for ages 10 to 16 where pupils can work towards the 'mittlere Reife'*

Rebe <-, -n> [ˈreːbə] *f* [grape]vine

Rebell(in) <-en, -en> [re'bɛl] *m(f)* rebel

rebellieren [rebɛ'liːrən] *vi* to rebel

Rebellion <-, -en> [rebɛ'li̯oːn] *f* rebellion; (*Revolte*) revolt

rebellisch [re'bɛlɪʃ] *adj* rebellious

Rebhuhn [ˈreːphuːn] *nt* partridge

rechen [ˈrɛçn̩] *vt* to rake

Rechen <-s, -> [ˈrɛçn̩] *m* rake

Rechenaufgabe *f* arithmetic[al] problem **Rechenfehler** *m* arithmetic[al] error **Rechenmaschine** *f* calculator

Rechenschaft <-> *f kein pl* account; **jdm** ~ **schulden** to be accountable to sb (**über** for); **jdn zur** ~ **ziehen** to call sb to account

Recherche <-, -n> [re'ʃɛrʃə] *meist pl f* investigation; ~**n** [**über jdn/etw**] **anstellen** to investigate [sb/sth]

recherchieren [reʃɛr'ʃiːrən] *vi, vt* to investigate

rechnen [ˈrɛçnən] I. *vt* 1. MATH to calculate 2. (*betrachten als*) **ich rechne ihn zu meinen besten Freunden** I count him amongst my best friends II. *vi* 1. MATH to do arithmetic; **er kann [nicht] gut ~** he is [not] good at arithmetic; **falsch ~** to make a mistake [in one's calculations]; **richtig ~** to calculate correctly 2. (*vertrauen*) **auf jdn/etw ~** to count on sb/sth 3. (*erwarten*) **mit etw** *dat* **~** to reckon on sth; **mit allem ~** to be prepared for anything III. *vr* **sich ~** to be profitable

Rechnung <-, -en> *f* 1. ÖKON bill; **das geht auf meine ~** I'm paying for this; **etw auf die ~ setzen** to put sth on the bill 2. MATH calculation

recht [rɛçt] I. *adj* 1. right; **ganz ~!** quite right! 2. (*passend*) **jdm ist etw ~** sth is all right with sb; **das soll mir ~ sein** that's fine by me; **ist Ihnen der Kaffee so ~?** is your coffee all right? II. *adv* 1. (*richtig*) correctly; **höre ich ~?** am I hearing things?; **versteh mich bitte ~** please don't misunderstand me 2. (*genau*) really; **nicht ~ wissen** to not really know 3. (*ziemlich*) rather 4. (*gelegen*) **man kann es nicht allen ~ machen** you cannot please everyone; **jdm ~ geschehen** to serve sb right; **jdm gerade ~ kommen** to come just in time [for sb] ▶ **jetzt erst ~** now more than ever

Recht <-[e]s, -e> [rɛçt] *nt* 1. *kein pl* (*Rechtsordnung*) law; **alle ~e vorbehalten** all rights reserved 2. (*Anspruch, Befugnis*) right (**auf** to); **mit ~** rightly; **jdm ~ geben** to agree with sb; **~ haben** to be [in the] right; **kein ~ haben, etw zu tun** to have no right to do sth

Rechte <-n, -n> [ˈrɛçtə] *f* 1. right [hand]; **zu jds ~n** to sb's right 2. POL right

Rechteck <-[e]s, -e> *nt* rectangle

rechteckig *adj* rectangular

rechtfertigen I. *vt* to justify (**gegenüber** to) II. *vr* **sich ~** to justify oneself

Rechtfertigung *f* justification

rechthaberisch *adj* dogmatic

rechtlich I. *adj* legal II. *adv* legally

rechtlos *adj* without rights *pred*

rechtmäßig *adj* legal; **nicht ~** illegal

rechts [rɛçts] I. *adv* 1. (*auf der rechten Seite*) on the right; **~ oben/unten** at the top/bottom on the right; **nach/von ~** to/from the right 2. POL right; **~ eingestellt sein** to lean to the right II. *präp* **~ einer S.** + *gen* to [*or* on] the right of sth

Rechtsanwalt, -anwältin *m, f* lawyer

Rechtsbruch *m* breach of the law

rechtschaffen [ˈrɛçtʃafn̩] *adj* upright

Rechtschreibfehler *m* spelling mistake **Rechtschreibung** *f* spelling

Rechtsextremismus <-> *m kein pl* right-wing extremism **Rechtsextremist(in)** *m(f)* right-wing extremist

rechtskräftig *adj Urteil* final

Rechtskurve *f* **eine ~ machen** to [make a] bend to the right

Rechtsprechung <-, *selten* -en> *f kein pl* dispensation of justice

rechtsradikal I. *adj* extreme right-wing II. *adv* **~ eingestellt sein** to have a tendency to the far-right

Rechtsstaat *m* state under the rule of law

Rechtsverkehr *m* driving on the right

rechtswidrig *adj* unlawful

rechtwink(e)lig *adj* right-angled

rechtzeitig I. *adj* punctual II. *adv* on time; **~ ankommen** to arrive just in time

R

Recycling <-s> [ri'saiklɪŋ] *nt kein pl* recycling

Redakteur(in) <-s, -e> [redak'tø:ɐ] *m(f)* editor

Redaktion <-, -en> [redak'tsi̯o:n] *f* (*Abteilung*) editorial department

Rede <-, -n> ['re:də] *f* **1.** (*Ansprache*) speech; **eine ~ halten** to make a speech **2.** (*das Sprechen*) talk; **von jdm/etw ist die ~** there is talk of sb/sth; **wovon ist die ~?** what's it [all] about? ▶ **jdn zur ~ stellen** to take sb to task; **nicht der ~ wert sein** to be not worth mentioning; **davon kann keine ~ sein** that's out of the question

redegewandt *adj* eloquent

reden ['re:dn̩] **I.** *vi* **1.** (*sprechen*) to talk (**mit** to/**über** about); **schlecht von jdm ~** to speak ill of sb **2.** (*eine Rede halten*) to speak (**über** about/on) **II.** *vt* to talk

Redewendung *f* idiom

Redner(in) <-s, -> ['re:dnɐ] *m(f)* speaker

reduzieren [redu'tsi:rən] *vt* to reduce

Reeder(in) <-s, -> ['re:dɐ] *m(f)* shipowner

Reederei <-, -en> [re:də'rai̯] *f* shipping company

Referat <-[e]s, -e> [refe'ra:t] *nt* [seminar] paper; (*in der Schule*) project; **ein ~ halten** to present a paper/project

reflektieren [reflɛk'ti:rən] *vt, vi* to reflect

Reflex <-es, -e> [re'flɛks] *m* **1.** MED reflex **2.** (*Lichtreflex*) reflection

Reflexivpronomen *nt* reflexive pronoun

Reform <-, -en> [re'fɔrm] *f* reform

Reformation <-> [refɔrma'tsi̯o:n] *f kein pl* **die ~** the Reformation

Reformhaus *nt* health food shop [*or* AM store]

reformieren [refɔr'mi:rən] *vt* to reform

Reformkost *f* health food **Reformplan** *m* plan of reform

Refrain <-s, -s> [re'frɛ̃:, rə-] *m* refrain

Regal <-s, -e> [re'ga:l] *nt* shelves *npl*; **etw aus dem ~ nehmen** to take sth off the shelf; **etw ins ~ zurückstellen** to put sth back on the shelf

Regatta <-, Regatten> [re'gata] *f* regatta

rege ['re:gə] *adj* lively; *Beteiligung* active

Regel <-, -n> ['re:gl̩] *f* **1.** rule; **in der ~** as a rule **2.** *kein pl* (*Menstruation*) period

regelmäßig I. *adj* regular **II.** *adv* regularly

Regelmäßigkeit <-> *f kein pl* regularity

regeln ['re:gl̩n] **I.** *vt* **1.** (*in Ordnung bringen*) to settle **2.** (*regulieren*) to regulate **II.** *vr* **sich** [*von selbst*] **~** to sort itself out

regelrecht ['re:glrɛçt] **I.** *adj* real **II.** *adv* really

Regelung <-, -en> ['re:gəlʊŋ] *f* **1.** (*Bestimmung*) ruling **2.** *kein pl* (*das Regulieren*) regulation

regelwidrig I. *adj* against the rules *pred* **II.** *adv* against the rules

regen ['re:gn̩] *vr* **sich ~** to stir

Regen <-s, -> ['re:gn̩] *m* rain; **bei/in strömendem ~** in [the] pouring rain

Regenbogen *m* rainbow **Regenbogenhaut** *f* ANAT iris **Regenmantel** *m* raincoat **Regenschirm** *m* umbrella **Regentropfen** *m* raindrop **Regenwald** *m* rainforest **Regenwurm** *m* earthworm **Regenzeit** *f* rainy season

Regie <-, -n> [re'ʒiː] *f* direction; [**bei etw** *dat*] **die ~ haben** to direct [sth]

regieren [re'giːrən] *vi, vt* to rule (**über** over)

Regierung <-, -en> [re'giːrʊŋ] *f* government; **an der ~ sein** to be in power

Regierungsbündnis *nt* coalition government **Regierungschef(in)** *m(f)* head of [a/the] government

Regime <-s, -s> [re'ʒiːm] *nt* regime

Regiment <-[e]s, -er> [regi'mɛnt] *nt* MIL regiment

Region <-, -en> [re'gi̯oːn] *f* region

regional [regi̯o'naːl] *adj* regional

Regisseur(in) <-s, -e> [reʒɪ'søːɐ̯] *m(f)* director

registrieren [regɪs'triːrən] *vt* to register

Regler <-s, -> ['reːglɐ] *m* TECH control

regnen ['reːgnən] *vi* **es regnet** it's raining

regnerisch *adj* rainy

regulär [regu'lɛːɐ̯] *adj* regular

regungslos *adj* motionless

Reh <-[e]s, -e> [reː] *nt* roe deer

rehabilitieren [rehabili'tiːrən] *vt* to rehabilitate

Rehbock *m* [roe]buck **Rehbraten** *m* (*Fleisch*) joint of venison; (*gebraten*) roast venison

Reibe <-, -n> ['raɪbə] *f* grater

reiben <rieb, gerieben> ['raɪbn̩] I. *vt* 1. to rub 2. KOCHK to grate II. *vr* **sich** *dat* **die Augen/Hände ~** to rub one's eyes/hands

Reibung <-, -en> *f* friction

reibungslos I. *adj* smooth II. *adv* smoothly

reich [raɪç] *adj* 1. rich (**an** in); **~ an Erfahrung sein** to have a wealth of experience 2. *Ernte* abundant; *Mahlzeit* lavish 3. *Auswahl* large; *Leben* varied

Reich <-[e]s, -e> [raɪç] *nt* 1. POL empire; **das ~ Gottes** the Kingdom of God; **das Dritte ~** the Third Reich; **das Römische ~** the Roman Empire 2. (*Bereich*) realm

reichen ['raɪçn̩] I. *vi* 1. (*ausreichen*) to last 2. (*überdrüssig sein*) **etw reicht jdm** sth is enough for sb; **mir reicht's!** I've had enough! 3. (*sich erstrecken*) **bis zu etw** *dat* **~** to reach to sth II. *vt* (*geben*) **jdm etw ~** to pass sb sth

reichlich ['raɪçlɪç] I. *adj* ample; **~ Geld/Zeit haben** to have plenty of money/time II. *adv* amply

Reichtum <-[e]s, Reichtümer> ['raɪçtuːm] *m kein pl* wealth; **Reichtümer** *pl* riches *npl*

reif [raɪf] *adj* 1. *Frucht, Zeit* ripe 2. *Mensch* mature

Reif¹ <-[e]s> [raɪf] *m kein pl* METEO hoar frost

Reif² <-[e]s, -e> [raɪf] *m* (*Armreif*) bracelet

Reife <-> ['raɪfə] *f kein pl* 1. *Frucht* ripeness 2. *Mensch* maturity

reifen ['raɪfn̩] *vi sein* 1. *Frucht* to ripen 2. *Mensch* to mature (**zu** into)

Reifen <-s, -> ['raɪfn̩] *m* tyre

Reihe <-, -n> ['raɪə] *f* 1. row; MIL file; **du bist an der ~** it's your turn; **der ~ nach** in order 2. (*Menge*) **eine ~ von ...** a lot of ...

Reihenfolge *f* order

Reihenhaus *nt* terraced [*or* AM row] house

Reiher <-s, -> ['raɪɐ] *m* heron

Reim <-[e]s, -e> [raɪm] *m* rhyme

reimen ['raɪmən] *vr, vt* [**sich**] **~** to rhyme (**auf/mit** with)

rein¹ [raɪn] *adv* (*fam*) into; „**~ mit dir!**" "come on, get in!"

R

rein² [rain] **I.** *adj* **1.** (*pur*) pure; *Wahrheit* plain; **das Kinderzimmer ist der ~ste Schweinestall!** the children's room is an absolute pigsty! **2.** (*völlig sauber*) clean **3.** (*makellos*) clear ▶ **etw ins R~e <u>bringen</u>** to clear up sth; **mit jdm/sich selbst im R~en <u>sein</u>** to have got things straightened out with sb/oneself **II.** *adv* **1.** (*ausschließlich*) purely **2.** (*absolut*) absolutely

rein|fallen *vi irreg sein* (*fam*) **1.** (*hineinfallen*) **[irgendwo]** ~ to fall in [somewhere] **2.** (*hereingelegt werden*) to be taken in (**auf** by)

reinigen ['rainɪgn̩] *vt* to clean

Reinigung <-, -en> *f* **1.** *kein pl* cleaning **2.** (*Geschäft*) cleaner's; **die chemische ~** the dry cleaner's

reinrassig *adj* thoroughbred

Reis <-es> [rais] *m kein pl* rice

Reise <-, -n> ['raizə] *f* journey; **gute ~!** have a good trip!; **eine ~ machen** to go on a journey

Reiseapotheke *f* first aid kit **Reisebüro** *nt* travel agency **Reiseführer** *m* travel guide[book], guidebook **Reisegefährte, -gefährtin** *m, f* travel[-ling] companion; (*Mitreisender*) fellow passenger **Reisegesellschaft** *f* party of tourists **Reiseleiter(in)** *m(f)* guide **reiselustig** *adj* fond of travelling

reisen ['raizn̩] *vi sein* to travel

Reisende(r) *f(m) dekl wie adj* passenger **Reisepass**ᴿᴿ *m* passport **Reiseroute** *f* itinerary **Reisescheck** *m* traveller's cheque **Reisetasche** *f* holdall **Reiseveranstalter(in)** *m(f)* tour operator **Reiseverkehr** *m kein pl* holiday traffic **Reiseversicherung** *f* travel insurance **Reiseziel** *nt* destination

reißen <riss, gerissen> ['raisn̩] **I.** *vi* **1.** *sein: Stoff* to tear; *Seil* to break **2.** *haben* (*zerren*) **an etw** *dat* ~ to pull [on] sth **II.** *vt haben* **1.** to tear (**von** from) **2.** (*Risse erzeugen*) to crack **3.** (*unterbrechen*) **das Klingeln des Telefons riss sie aus ihren Gedanken** the ringing of the telephone roused her from her thoughts **4.** (*gewaltsam übernehmen*) **etw an sich** *akk* ~ to seize sth ▶ **<u>hin</u> und <u>her</u> gerissen sein/werden** to be torn **III.** *vr haben* **1.** (*sich losreißen*) **sich aus etw** *dat* ~ to tear oneself out of sth **2. sich um jdn/etw** ~ to scramble to get sb/sth

Reißverschlussᴿᴿ *m* zip BRIT, zipper AM **Reißzwecke** <-, -n> *f* drawing pin

reiten <ritt, geritten> ['raitn̩] **I.** *vi sein* to ride; **im Galopp/Trab ~** to gallop/trot **II.** *vt haben* to ride

Reiter(in) <-s, -> ['raitɐ] *m(f)* rider

Reitstiefel *m* riding-boot **Reitweg** *m* bridle-path

Reiz <-es, -e> [raits] *m* **1.** (*Verlockung*) appeal; **den ~ verlieren** to lose its appeal **2.** (*Stimulus*) stimulus

reizbar *adj* irritable

reizen ['raitsn̩] *vt* **1.** (*verlocken*) to tempt **2.** MED to irritate **3.** (*provozieren*) to provoke (**zu** into)

reizend *adj* attractive

reizlos *adj* dull

reizvoll *adj* attractive

Reklamation <-, -en> [reklama'tsi̯oːn] *f* complaint

Reklame <-, -n> [re'klaːmə] *f* **1.** *kein pl* advertising **2.** (*Prospekt*) advertising brochure

reklamieren [rekla'miːrən] *vt* **etw ~** to complain about sth

rekonstruieren [rekɔnstruˈiːrən] *vt* to reconstruct (**aus** from)

Rekord <-s, -e> [reˈkɔrt] *m* record

Rekrut(in) <-en, -en> [reˈkruːt] *m(f)* recruit

rekrutieren [rekruˈtiːrən] **I.** *vt* to recruit **II.** *vr* **sich aus etw** *dat* ~ to consist of sth

Rektor(in) <-s, -en> [ˈrɛktoːɐ̯, rɛkˈtoːrɪn] *m(f)* (*Schulleiter*) head teacher BRIT, principle AM

relativ [relaˈtiːf] *adj* relative

relevant [releˈvant] *adj* relevant

Religion <-, -en> [reliˈgi̯oːn] *f* religion

Religionsfreiheit *f* freedom of worship

religiös [reliˈgi̯øːs] *adj* religious

Relikt <-[e]s, -e> [reˈlɪkt] *nt* relic

Renaissance <-> [rənɛˈsãːs] *f kein pl* Renaissance

Rendezvous <-, -> [rãdeˈvuː] *nt* rendezvous

rennen <rannte, gerannt> [ˈrɛnən] *vi* sein **1.** to run **2.** (*stoßen*) **gegen etw** *akk* ~ to bump into sth

Rennfahrer(in) *m(f)* **1.** AUTO racing [*or* AM racecar] driver **2.** (*beim Radrennen*) racing cyclist

Rennpferd *nt* racehorse **Rennrad** *nt* racing bike **Rennwagen** *m* racing [*or* AM *a.* race] car

renovieren [renoˈviːrən] *vt* to renovate

Renovierung <-, -en> *f* renovation

rentabel [rɛnˈtaːbl̩] *adj* profitable

Rente <-, -n> [ˈrɛntə] *f* pension; **in** ~ **gehen** to retire

Rentenreform *f* pension reform **Rentenversicherung** *f* pension scheme BRIT, retirement insurance AM

Rentier [ˈrɛntiːɐ̯] *nt* reindeer

rentieren [rɛnˈtiːrən] *vr* **sich** ~ to be worthwhile

Rentner(in) <-s, -> *m(f)* pensioner

Reparatur <-, -en> [reparaˈtuːɐ̯] *f* repair; **etw in** ~ **geben** to have sth repaired

reparieren [repaˈriːrən] *vt* to repair

Reportage <-, -n> [repɔrˈtaːʒə] *f* report

Reporter(in) <-s, -> [reˈpɔrtɐ] *m(f)* reporter

Repressalie <-, -n> [reprɛˈsaːli̯ə] *f* reprisal *usu pl*

Reproduktion <-, -en> [reprodʊkˈtsi̯oːn] *f* reproduction

reproduzieren [reproduˈtsiːrən] *vt* to reproduce

Reptil <-s, -ien> [rɛpˈtiːl] *nt* reptile

Republik <-, -en> [repuˈbliːk] *f* republic

Republikaner(in) <-s, -> [republiˈkaːnɐ] *m(f)* Republican

Reservat <-[e]s, -e> [rezɛrˈvaːt] *nt* reservation

Reserve <-, -n> [reˈzɛrvə] *f* reserve; **jdn aus der** ~ **locken** to bring sb out of his/her shell

Reservekanister *m* spare can

reservieren [rezɛrˈviːrən] *vt* to reserve

resignieren [rezɪˈɡniːrən] *vi* to give up

resolut [rezoˈluːt] *adj* resolute

Respekt <-s> [reˈspɛkt, rɛ-] *m kein pl* respect; **vor jdm/etw** ~ **haben** to have respect for sb/sth

respektieren [respɛkˈtiːrən, rɛ-] *vt* to respect

respektlos *adj* disrespectful

respektvoll *adj* respectful

Ressource <-, -n> [rɛˈsʊrsə] *f* resource

Rest <-[e]s, -e> [rɛst] *m* rest; *Essen* leftovers *npl;* **der letzte** ~ the last bit ▶ **jdm den** ~ **geben** to finish sb [off]

R

Restaurant <-s, -s> [rɛsto'rãː] *nt* restaurant

restaurieren [rɛstau'riːrən, rɛ-] *vt* to restore

Retourbillett ['rətuːɐ̯bɪljɛt] *nt* SCHWEIZ (*Rückfahrkarte*) return ticket **Retourgeld** ['rətuːɐ̯g-] *nt* SCHWEIZ change

retten ['rɛtn̩] I. *vt* to save (**vor** from) II. *vr* **sich ~** to save oneself; **rette sich, wer kann!** run for your lives!; **sich vor jdm/etw nicht mehr ~ können** to be swamped by sb/sth

Retter(in) <-s, -> *m(f)* rescuer

Rettich <-s, -e> ['rɛtɪç] *m* radish

Rettung <-, -en> *f* rescue; **du bist meine letzte ~** you're my last hope

Rettungsboot *nt* lifeboat **Rettungsring** *m* lifebelt **Rettungswagen** *m* ambulance

Reue <-> ['rɔyə] *f kein pl* remorse

reuen ['rɔyən] *vt* **etw reut jdn** sb regrets sth

Revanche <-, -n> [re'vãːʃə] *f* SPORT return match BRIT, rematch AM

revanchieren [revã'ʃiːrən] *vr* **sich [bei jdm]** ~ to return [sb] a favour

Revier <-s, -e> [re'viːɐ̯] *nt* 1. (*Polizeirevier*) beat BRIT, precinct AM; (*Polizeidienststelle*) police station 2. (*Jagdrevier*) shoot

Revision <-, -en> [revi'zi̯oːn] *f* 1. JUR appeal 2. (*Abänderung*) revision

Revolte <-, -n> [re'vɔltə] *f* revolt

Revolution <-, -en> [revolu'tsi̯oːn] *f* revolution

revolutionär [revolutsi̯o'nɛːɐ̯] *adj* revolutionary

Revolver <-s, -> [re'vɔlvɐ] *m* revolver

Rezept <-[e]s, -e> [re'tsɛpt] *nt* 1. KOCHK recipe 2. MED prescription; **auf ~** on prescription

Rezeption <-, -en> [retsɛp'tsi̯oːn] *f* reception

Rhabarber <-s, -> [ra'barbɐ] *m* rhubarb

Rhein <-s> [rain] *m* **der ~** the Rhine; **am ~** on the Rhine

rhetorisch [re'toːrɪʃ] *adj* rhetorical

Rheuma <-s> ['rɔyma] *nt kein pl* rheumatism

rheumatisch [rɔy'maːtɪʃ] *adj* rheumatic

rhythmisch ['rʏtmɪʃ] *adj* rhythmic[al]

Rhythmus <-, -Rhythmen> ['rʏtmʊs] *m* rhythm

Ribisel <-, -n> ['riːbiːzl̩] *f* DIAL, ÖSTERR (*rot*) redcurrant; (*schwarz*) blackcurrant

richten ['rɪçtn̩] I. *vr* 1. (*bestimmt sein*) **sich an jdn ~** to be directed at sb 2. (*um Rat wenden*) **sich an jdn/ etw ~** to consult sb/sth 3. (*sich orientieren*) **sich nach etw** *dat* ~ to comply with sth; **wir richten uns ganz nach Ihnen** we'll fit in with you II. *vt* 1. (*lenken*) to direct (**auf** towards/at); **seinen Blick auf etw** *akk* ~ to [have a] look at sth 2. (*adressieren*) to address (**an** to) 3. (*reparieren*) to fix

Richter(in) <-s, -> ['rɪçtɐ] *m(f)* judge

richtig ['rɪçtɪç] I. *adj* 1. right; **es war ~, dass du gegangen bist** you were right to leave; **irgendwo/bei jdm ~ sein** to be at the right place/address 2. *Lösung* correct 3. (*wirklich, echt*) real 4. (*fam: in Ordnung*) all right II. *adv* 1. (*korrekt*) correctly; **sehr ~!** quite right! 2. (*fam: regelrecht*) really

richtig|stellen[RR] *vt* to correct

Richtlinie *f meist pl* guideline *usu pl*

Richtung <-, -en> ['rɪçtʊŋ] *f* 1. direction 2. (*Tendenz*) trend; **irgendwas in der ~** something along those lines

riechen <roch, gerochen> ['riːçn̩] I. *vi* to smell (**nach** of); **an jdm/etw ~** to smell sb/sth II. *vt* to smell; **riechst du nichts?** can't you smell anything? III. *vi impers* **es riecht ekelhaft** there's a disgusting smell; **es riecht nach etw** *dat* there's a smell of sth

Riegel <-s, -> ['riːgl̩] *m* **1.** (*Verschluss*) bolt **2.** (*Schokoriegel*) bar

Riemen <-s, -> ['riːmən] *m* strap ▶ **sich am ~** **reißen** to get a grip on oneself

Riese, Riesin <-n, -n> ['riːzə, 'riːzɪn] *m, f* giant

rieseln ['riːzl̩n] *vi sein* **1.** (*rinnen*) to trickle (**auf** onto) **2.** (*bröckeln*) **von etw** *dat* **~** to flake off sth

riesengroß ['riːzn̩'groːs] *adj* (*fam*) enormous **Riesenrad** *nt* Ferris wheel **Riesenschlange** *f* (*fam*) boa

Riff <-[e]s, -e> [rɪf] *nt* reef

rigoros [rigo'roːs] *adj* rigorous

Rille <-, -n> ['rɪlə] *f* groove

Rind <-[e]s, -er> [rɪnt] *nt* **1.** cow **2.** KOCHK beef *no pl*

Rinde <-, -n> ['rɪndə] *f* (*Borke*) bark *no pl*

Rinderbraten *m* roast beef **Rinderwahnsinn** *m kein pl* mad cow disease *no art*

Rindfleisch *nt* beef *no art*

Ring <-[e]s, -e> [rɪŋ] *m* ring

Ringelnatter *f* grass snake

Ringelspiel *nt* ÖSTERR (*Karussell*) merry-go-round

ringen <rang, gerungen> ['rɪŋən] *vi* **1.** (*im Ringkampf*) to wrestle **2.** (*im Zwiespalt sein*) **mit sich** *dat* **~** to wrestle with oneself **3. nach Atem ~** to struggle for breath

Ringer(in) <-s, -> *m(f)* wrestler

Ringfinger *m* ring finger

Ringkampf *m* wrestling match

ringsum ['rɪŋs'ʔʊm] *adv* [all] around

Rinne <-, -n> ['rɪnə] *f* channel; (*Furche*) furrow

rinnen <rann, geronnen> ['rɪnən] *vi sein* to run

Rinnstein *m* gutter

Rippchen <-s, -> ['rɪpçən] *nt* smoked rib [of pork]

Rippe <-, -n> ['rɪpə] *f* rib

rippen ['rɪpən] *vt CD* to rip

Risiko <-s, Risiken> ['riːziko] *nt* risk; **auf jds ~** at sb's own risk

riskant [rɪs'kant] *adj* risky

riskieren [rɪs'kiːrən] *vt* to risk sth

Rissᴿᴿ, **Riß**ᴬᴸᵀ <Risses, Risse> [rɪs] *m* crack; (*in Papier*) tear

rissig ['rɪsɪç] *adj* cracked

Ritt <-[e]s, -e> [rɪt] *m* ride

Ritter <-s, -> ['rɪtɐ] *m* knight

Ritual <-s, -e> [ri'tu̯aːl] *nt* ritual

Ritze <-, -n> ['rɪtsə] *f* crack

ritzen ['rɪtsn̩] I. *vt* to carve (**auf** on/**in** in) II. *vr* **sich ~** to scratch oneself

Rivale, Rivalin <-n, -n> [ri'vaːlə, ri'vaːlɪn] *m, f* rival

rivalisieren [rivali'ziːrən] *vi* (*geh*) **mit jdm ~** to compete with sb (**um** for); **~d** rival

Rivalität <-, -en> [rivali'tɛːt] *f* rivalry

Rizinus <-, -> ['riːtsinʊs] *m* castor-oil [plant]

Roadster <-s, -> ['roʊdstɐ] *m* roadster

Robbe <-, -n> ['rɔbə] *f* seal

Roboter <-s, -> ['rɔbɔtɐ] *m* robot

robust [ro'bʊst] *adj* robust

röcheln ['rœçl̩n] *vi* to breathe stertorously *form*

Rochen <-s, -> ['rɔxn̩] *m* ray

Rock¹ <-[e]s, Röcke> [rɔk] *m* **1.** skirt **2.** DIAL (*Jacke*) jacket

Rock² <-[s], -[s]> [rɔk] *m kein pl* MUS

R

rock *no art*

Rodel <-s *o* SÜDD, ÖSTERR -, -> ['ro:dl]
m o SÜDD, ÖSTERR *f* toboggan

Rodelbahn *f* toboggan run

rodeln ['ro:dln] *vi sein o haben* to toboggan

Rogen <-s, -> ['ro:gn] *m* roe *no art,
no pl*

Roggen <-s> ['rɔgn] *m kein pl* rye *no
art*

Roggenbrot *nt* rye bread *no pl*

roh [ro:] *adj* 1. (*nicht zubereitet*) raw
2. (*brutal*) rough 3. (*rüde*) coarse

Rohbau <-bauten> *m* shell

RohheitRR, **Roheit**ALT <-, -en> ['ro:-
hait] *f* coarseness *no art*

Rohkost *f* uncooked vegetarian food
no art

Rohr <-[e]s, -e> [ro:ɐ̯] *nt* pipe; (*dünn,
flexibel*) tube

Röhre <-, -n> ['rø:rə] *f* tube

Rohrstuhl *m* cane chair **Rohrzucker**
m cane sugar *no art*

Rohstoff *m* raw material

Rokoko <-[s]> ['rɔkoko] *nt kein pl*
(*Stil*) rococo

RolladenALT <-s, Rolläden> *m s.*
Rollladen

Rollbahn *f* runway

Rolle <-, -n> ['rɔlə] *f* 1. *Draht etc.* roll
2. (*Spule*) reel 3. SPORT roll; **eine ~
machen** to do a roll 4. FILM role; **eine
~ spielen** to play a part ▶ **es spielt
keine ~, ob/wie** it doesn't matter
whether/how ...

rollen ['rɔlən] I. *vi, vt sein* to roll
▶ **etw ins R~ bringen** to set sth in
motion II. *vr* **sich ~** to curl up

Roller <-s, -> ['rɔlɐ] *m* 1. scooter
2. ÖSTERR (*Rollo*) [roller] blind

RollladenRR <-s, Rollläden> *m* shutter *usu pl* **Rollschuh** *m* roller skate;

~ laufen to roller-skate **Rollstuhl** *m*
wheelchair **Rollstuhlfahrer(in)** *m(f)*
wheelchair user **Rolltreppe** *f* escalator

Roma [ro:ma] *pl* Roma *npl*

Roman <-s, -e> [ro'ma:n] *m* novel

romanisch [ro'ma:nɪʃ] *adj* 1. LING, GE-
OG Romance 2. SCHWEIZ (*rätoroma-
nisch*) Rhaeto-Romanic *spec*

Römer(in) <-s, -> ['rø:mɐ] *m(f)* Roman

römisch ['rø:mɪʃ] *adj* Roman

röntgen ['rœntgn] *vt* to x-ray; **sich ~
lassen** to be x-rayed

Röntgenaufnahme *f* X-ray [photo-
graph] **Röntgenstrahlen** *pl* X-rays

rosa ['ro:za] *adj* pink

Rose <-, -n> ['ro:zə] *f* rose

Rosenkohl *m* [Brussels] sprouts *usu pl*
Rosenkranz *m* rosary

Rosine <-, -n> [ro'zi:nə] *f* raisin

Rosmarin <-s> ['ro:smari:n] *m kein pl*
rosemary *no art*

Rost[1] <-[e]s> [rɔst] *m kein pl* rust *no
art*

Rost[2] <-[e]s, -e> [rɔst] *m* 1. (*Gitter*)
grating 2. (*Grillrost*) grill

rosten ['rɔstn] *vi sein o haben* to rust

rösten ['rœstn] *vt* to roast

rostfrei *adj* stainless

rostig ['rɔstɪç] *adj* rusty

rot <-er *o* röter, -este> [ro:t] I. *adj*
red; **~ werden** to blush II. *adv* **~ glühend** red-hot; **~ sehen** to see red

Röteln ['rø:tln] *pl* rubella *no art, no pl*

rothaarig *adj* red-haired; **~ sein** to
have red hair

rotieren [ro'ti:rən] *vi haben o sein* to
rotate

Rotkehlchen <-s, -> *nt* robin **Rot-
kohl** *m*, **Rotkraut** *nt* red cabbage
no art

rötlich ['røːtlıç] *adj* reddish
Rotlichtviertel *nt* red-light district
Rotwein *m* red wine **Rotwild** *nt* red deer
Roulade <-, -n> [ruˈlaːdə] *f* roulade
Roulette <-s, -> [ruˈlɛt] *nt* roulette *no art, no pl*
Route <-, -n> ['ruːtə] *f* route
Routine <-> [ruˈtiːnə] *f kein pl* routine
Rowdy <-s, -s> ['raudi] *m* hooligan
Rübe <-, -n> ['ryːbə] *f* turnip; **Gelbe ~** carrot; **Rote ~** beetroot
Rubin <-s, -e> [ruˈbiːn] *m* ruby
Rubrik <-, -en> [ruˈbriːk] *f* category
Ruck <-[e]s, -e> [rʊk] *m* jolt ▶ **sich** *dat* **einen ~** <u>geben</u> to pull oneself together
ruckartig I. *adj* jerky II. *adv* with a jerk
rücken ['rʏkn̩] I. *vi sein* [irgendwo-hin] ~ to move [somewhere]; **zur Sei-te ~** to move aside II. *vt* **etw irgend-wohin ~** to move sth somewhere
Rücken <-s, -> ['rʏkn̩] *m* back; **auf dem ~** on one's back; **hinter jds ~** behind sb's back; **jdm den ~ zudre-hen** to turn one's back on sb
Rückenschmerzen *pl* back pain *n sing* **Rückenschwimmen** *nt* back-stroke *no pl* **Rückenwind** *m* tail wind
Rückerstattung *f* refund **Rückfahr-karte** *f* return ticket **Rückfahrt** *f* re-turn journey **Rückfall** *m* **1.** MED re-lapse **2.** JUR subsequent offence
rückfällig *adj* JUR recidivist *attr*
Rückflug *m* return flight **Rückflugti-cket** *nt* return air [*or* AM roundtrip plane] ticket **Rückgabe** *f* return
rückgängig *adj* **etw ~ machen** to cancel sth
Rückgrat <-[e]s, -e> *nt* **1.** ANAT spine

2. *kein pl* (*fig: Charakterstärke*) backbone; **ohne ~** spineless
Rückkehr <-> *f kein pl* return
Rücklicht *nt* tail light
Rückreise *f* return journey
Rucksack ['rʊkzak] *m* rucksack, back-pack AM *usu*
Rückschritt *m* step backwards
Rückseite *f* **1.** *Seite, Stoff* reverse [side] **2.** (*hintere Seite*) rear
Rücksicht <-, -en> ['rʏkzɪçt] *f* consid-eration *no art, no pl;* ~ [**auf jdn**] **neh-men** to show consideration [for sb]; ~ **auf etw** *akk* **nehmen** to take sth into consideration
rücksichtslos I. *adj* ruthless; *Autofah-rer* reckless II. *adv* ruthlessly; *Auto fahren* recklessly
Rücksichtslosigkeit <-, -en> *f* reck-lessness
rücksichtsvoll *adj* considerate (**zu** to-wards)
Rücksitz *m* rear seat **Rückspiegel** *m* rear mirror
Rücktritt *m* **1.** (*vom Amt*) resignation **2.** (*vom Vertrag*) withdrawal
rückwärts ['rʏkvɛrts] *adv* backwards; ~ **einparken** to reverse into a park-ing space
Rückwärtsgang *m* reverse [gear]; **den ~ einlegen** to engage reverse
Rückweg *m* way back; **sich auf den ~ machen** to head back
Rüde <-n, -n> ['ryːdə] *m* [male] dog
Rudel <-s, -> ['ruːdl̩] *nt* herd; *von Wöl-fen* pack
Ruder <-s, -> ['ruːdɐ] *nt* **1.** (*Paddel*) oar **2.** (*Steuerruder*) helm
Ruderboot *nt* rowing boat, rowboat AM
rudern ['ruːdɐn] *vi, vt* to row
Rüebli <-s, -> ['rʏəblɪ] *nt* SCHWEIZ car-rot

R

Ruf <-[e]s, -e> [ruːf] m **1.** (*Ausruf*) shout; (*an jdn gerichtet*) call **2.** *kein pl* (*Ansehen*) reputation

rufen <rief, gerufen> ['ruːfn̩] I. *vi* **1.** (*ausrufen*) to cry out **2.** (*fordern*) to call (**nach** for/**zu** to) II. *vt* to call; **jdn zu sich** *dat* ~ to summon sb [to one]; **jdn** ~ **lassen** to send for sb; [jdm] **wie ge~ kommen** to come just at the right moment

Rufname m [fore]name

rügen ['ryːgn̩] *vt* **etw** ~ to censure sth; **jdn** ~ to reprimand sb

Ruhe <-> ['ruːə] f *kein pl* **1.** (*Stille*) silence *no art;* ~**!** quiet!; ~ **geben** to be quiet **2.** (*Frieden*) peace *no art;* (*Erholung*) rest; **keine** ~ **geben, bis** ... to not rest until ...; **sich** *dat* **keine** ~ **gönnen** to not allow oneself any rest; **jdn in** ~ **lassen** to leave sb in peace; **jdm keine** ~ **lassen** to not give sb a moment's rest; **sich zur** ~ **setzen** to retire **3.** (*Gelassenheit*) calm[ness]; **immer mit der** ~**!** take things easy!; [**die**] ~ **bewahren** to keep calm

Ruhelosigkeit <-> f *kein pl* restlessness *no art*

ruhen ['ruːən] *vi* to rest; **etw** ~ **lassen** to let sth rest; **die Vergangenheit** ~ **lassen** to forget the past

Ruhestand m *kein pl* retirement *no art;* **im** ~ retired; **in den** ~ **gehen** to retire **Ruhestörung** f breach of the peace **Ruhetag** m day off; (*Feiertag*) day of rest

ruhig ['ruːɪç] I. *adj* **1.** (*still, geruhsam*) quiet **2.** (*bewegungslos*) calm **3.** (*gelassen*) calm II. *adv* (*gelassen*) calmly

Ruhm <-es> [ruːm] m *kein pl* fame *no art*

rühmen ['ryːmən] I. *vt* to praise II. *vr* **sich einer** S. *gen* ~ to boast about sth

Ruhr <-> [ruːɐ̯] f *kein pl* MED **die** ~ dysentery

Rührei ['ryːɐ̯ʔai] *nt* scrambled eggs *npl*

rühren ['ryːrən] I. *vt* **1.** to stir **2.** (*innerlich bewegen*) **jdn** ~ to move sb II. *vr* **sich** ~ (*sich bewegen*) to move

rührend I. *adj* touching II. *adv* touchingly

rührselig *adj* tear-jerking; **ein** ~**es Buch/**~**er Film** a tear jerker

Rührung <-> f *kein pl* emotion *no art;* **vor** ~ with emotion

Ruin <-s> [ruˈiːn] m *kein pl* ruin

Ruine <-, -n> [ruˈiːnə] f ruin[s *npl*]

ruinieren [ruiˈniːrən] *vt* to ruin

rülpsen ['rʏlpsn̩] *vi* to belch

Rum <-s, -s> [rʊm] m rum *no art, no pl*

Rumäne, Rumänin <-n, -nn> [ruˈmɛːnə, ruˈmɛːnɪn] m, f Romanian

Rumänien <-s> [ruˈmɛːni̯ən] *nt* Romania

rumänisch [ruˈmɛːnɪʃ] *adj* Romanian

Rummel <-s> ['rʊml̩] m *kein pl* [hustle and] bustle *no art*

Rummelplatz m fairground

rumpeln ['rʊmpl̩n] *vi* to rumble

Rumpf <-[e]s, Rümpfe> [rʊmpf] m **1.** torso **2.** TECH *eines Flugzeugs* fuselage; *eines Schiffes* hull

Rumpsteak ['rʊmpsteːk, -ʃteːk] *nt* rump steak

rund [rʊnt] I. *adj* round; **eine** ~**e Summe** a round sum; ~**e fünf Jahre** a good five years + *sing vb* II. *adv* **1.** ~ **um** around **2.** (*etwa*) around

Runde <-, -n> ['rʊndə] f **1.** (*Gesellschaft*) company **2.** (*Rundgang*) round; **seine** ~ **machen** to do one's rounds; *Polizist* to be on one's beat

3. sport lap; (*Boxen*) round **4.** (*Bestellung*) round; **eine ~ spendieren** to get in a round ▶ **über die ~n kommen** to make ends meet

Rundfahrt *f* [sightseeing] tour **Rundflug** *m* [short] circular [sightseeing] flight

Rundfunk *m* radio **Rundfunksender** *m* radio station

Rundgang *m* walk; (*zur Besichtigung*) tour **Rundreise** *f* tour (**durch** of)

Rundung <-, -en> *f* curve

runzelig <-er, -ste> ['rʊntsəlɪç] *adj* wrinkled

runzeln ['rʊntsl̩n] **I.** *vt* to wrinkle **II.** *vr* **sich ~** to become wrinkled

Rüpel <-s, -> ['ry:pl̩] *m* lout

ruppig ['rʊpɪç] **I.** *adj* gruff **II.** *adv* gruffly

Ruß <-es> [ru:s] *m kein pl* soot

Russe, Russin <-n, -n> ['rʊsə, 'rʊsɪn] *m, f* Russian

Rüssel <-s, -> ['rʏsl̩] *m* trunk

rußig ['ru:sɪç] *adj* sooty

russisch ['rʊsɪʃ] *adj* Russian

Russland^RR, **Rußland**^ALT <-s> ['rʊslant] *nt* Russia

rüsten ['rʏstn̩] **I.** *vi* to arm **II.** *vr* **sich zu etw** *dat* ~ to prepare for sth

rüstig ['rʏstɪç] *adj* sprightly

rustikal [rʊsti'ka:l] *adj* rustic

Rüstung <-, -en> ['rʏstʊŋ] *f* **1.** *kein pl* [re]armament **2.** (*Ritterrüstung*) armour

Rutschbahn *f* slide; **auf der ~ rutschen** to play on the slide

rutschen ['rʊtʃn̩] *vi sein* **1.** (*ausrutschen*) to slip **2.** (*rücken*) to move; **rutsch mal!** move over **3.** (*gleiten*) to slide

rutschig ['rʊtʃɪç] *adj* slippery

rütteln ['rʏtl̩n] **I.** *vt* to shake (**an** by)

II. *vi* **an etw** *dat* ~ to shake sth; **daran ist nicht zu ~** there's no doubt about it

S

S, s <-, -> *nt* S, s

Saal <-[e]s, Säle> [za:l] *m* hall

Saat <-, -en> [za:t] *f* **1.** (*Saatgut*) seed[s *npl*] **2.** (*gesprießte Halme*) young crops *npl*

Sabbat <-s, -e> ['zabat] *m* **der ~** the Sabbath

Säbel <-s, -> ['zɛ:bl̩] *m* sabre

Sabotage <-, -n> [zabo'ta:ʒə] *f* sabotage

Sachbuch *nt* nonfiction book

Sache <-, -n> ['zaxə] *f* **1.** thing **2.** (*Angelegenheit*) matter; **er macht seine ~ gut** he's doing well; **bei der ~ sein** to give one's full attention; **eine ~ für sich sein** to be a matter apart; **eine gute ~** a good cause; **keine halben ~n machen** to not do things by halves; **nicht jedermanns ~ sein** to be not everyone's cup of tea; **zur ~ kommen** to come to the point

Sachgebiet *nt* [specialized] field

sachlich ['zaxlɪç] *adj* (*objektiv*) objective

Sachschaden *m* damage to property

Sachse, Sächsin <-n, -n> ['zaksə, 'zɛksɪn] *m, f* Saxon

Sachsen <-n, -n> ['zaksn̩] *nt* Saxony

sächsisch ['zɛksɪʃ] *adj* Saxon

Sack <-[e]s, Säcke> [zak] *m* sack

Sackgasse *f* dead end; **in einer ~ stecken** to have come to a dead end

S

Sacktuch *nt* SÜDD, ÖSTERR handkerchief

Sadismus <-> [zaˈdɪsmʊs] *m kein pl* sadism

Sadist(in) <-en, -en> [zaˈdɪst] *m(f)* sadist

sadistisch I. *adj* sadistic II. *adv* sadistically

säen [ˈzɛːən] *vt, vi* to sow

Safari <-, -s> [zaˈfaːri] *f* safari

Safran <-s, -e> [ˈzafraːn] *m* saffron

Saft <-[e]s, Säfte> [zaft] *m* 1. juice *no pl* 2. (*Pflanzensaft*) sap *no pl*

saftig [ˈzaftɪç] *adj* juicy

Sage <-, -n> [ˈzaːɡə] *f* legend

Säge <-, -n> [ˈzɛːɡə] *f* saw

sagen [ˈzaːɡn̩] I. *vt* 1. (*äußern*) etw [zu jdm] ~ to say sth [to sb]; jdm etw ~ to tell sb sth; was ich noch ~ wollte, ... just one more thing, ...; das kann man wohl ~ you can say that again; leichter gesagt als getan easier said than done 2. (*bedeuten*) jdm etwas/nichts/wenig ~ to mean something/to not mean anything/to mean little to sb 3. (*wichtig sein*) jd hat etwas/nichts zu ~ sb has the say/has nothing to say; etw hat nichts zu ~ sth does not mean anything II. *vi imperativisch* sag/~ Sie, ... tell me, ...; ich muss schon ~! I must say!; unter uns gesagt ... between you and me ...; genauer gesagt or more precisely

sägen [ˈzɛːɡn̩] *vt, vi* to saw

Sahne <-> [ˈzaːnə] *f kein pl* cream; saure/süße ~ sour/[fresh] cream

Sahnetorte *f* cream gateau

Saison <-, -s> [zɛˈzõː] *f* season; außerhalb der ~ in the off-season

Saisonarbeiter(in) *m(f)* seasonal worker

Saite <-, -n> [ˈzaitə] *f* string

Saiteninstrument *nt* string[ed] instrument

Sakko <-s, -s> [ˈzako] *m o nt* sports jacket

Sakrament <-[e]s, -e> [zakraˈmɛnt] *nt* sacrament

Salamander <-s, -> [zalaˈmandɐ] *m* salamander

Salami <-, -s> [zaˈlaːmi] *f* salami

Salat <-[e]s, -e> [zaˈlaːt] *m* 1. salad 2. (*Pflanze*) lettuce

Salatsoße *f* salad dressing

Salbe <-, -n> [ˈzalbə] *f* ointment

Salbei <-s> [ˈzalbai] *m kein pl* sage

Saldo <-s, Salden> [ˈzaldo] *m* balance

Salon <-s, -s> [zaˈlõː] *m* salon

salopp [zaˈlɔp] I. *adj* 1. *Kleidung* casual 2. *Sprache* slangy II. *adv* sich ~ ausdrücken to use slang[y] expressions

Salto <-s, -s> [ˈzalto] *m* somersault; einen ~ machen to somersault

Salz <-es, -e> [zalts] *nt* salt

salzarm I. *adj* low-salt *attr* II. *adv* ~ essen/kochen/leben to eat low-salt food/to cook low-salt fare/to live on a low-salt diet

salzen <salzte, gesalzen> [ˈzaltsn̩] *vt* to salt

salzig [ˈzaltsɪç] *adj* salty

Salzkartoffeln *pl* boiled potatoes

Salzsäure *f kein pl* hydrochloric acid

Salzstange *f* salt[ed] stick **Salzstreuer** <-s, -> *m* salt cellar BRIT, [salt] shaker AM **Salzwasser** *nt kein pl* salt water

Samen <-s, -> [ˈzaːmən] *m* seed

sammeln [ˈzamln̩] I. *vt* to gather; *Briefmarken etc.* to collect II. *vr* sich ~ 1. (*zusammenkommen*) to assemble 2. (*sich anhäufen*) to collect 3. (*sich* _konzentrieren_) to collect one's thoughts

Sammler(in) <-s, -> _m(f)_ collector

Sammlung <-, -en> _f_ collection

Samstag <-[e]s, -e> ['zamsta:k] _m_ Saturday; _s.a._ **Dienstag**

samstags _adv_ [on] Saturdays

Samt <-[e]s, -e> [zamt] _m_ velvet

sämtlich ['zɛmtlɪç] _adj_ all

Sanatorium <-, -rien> [zana'to:ri̯ʊm] _nt_ sanatorium

Sand <-[e]s, -e> [zant] _m_ sand _no pl_
▶ **im ~e** <u>verlaufen</u> to peter out

Sandale <-, -n> [zan'da:lə] _f_ sandal

Sandbank <-bänke> _f_ sandbank
Sanddorn _m_ sea buckthorn

sandig ['zandɪç] _adj_ sandy

Sandkasten _m_ sandpit BRIT, sandbox AM **Sandkorn** _nt_ grain of sand **Sandkuchen** _m_ KOCHK Madeira cake **Sandstein** _m_ sandstone **Sandstrand** _m_ sandy beach

sanft [zanft] **I.** _adj_ gentle **II.** _adv_ gently

Sänger(in) <-s, -> ['zɛŋɐ] _m(f)_ singer

sanieren [za'ni:rən] _vt_ **1.** to redevelop **2.** _Firma_ to rehabilitate

Sanierung <-, -en> _f_ **1.** redevelopment **2.** (_von Firma_) rehabilitation

Sanitäter(in) <-s, -> [zani'tɛ:tɐ] _m(f)_ first-aid attendant

Sanktion <-, -en> [zaŋk'tsi̯o:n] _f_ sanction; **~en verhängen** to impose sanctions

Saphir <-s, -e> [za'fi:ɐ] _m_ sapphire

Sardelle <-, -n> [zar'dɛlə] _f_ anchovy

Sardine <-, -n> [zar'di:nə] _f_ sardine

Sardinien <-s> [zar'di:ni̯ən] _nt_ Sardinia

Sarg <-[e]s, Särge> [zark] _m_ coffin

Sarkasmus <-, -men> [zar'kasmʊs] _m_ _kein pl_ sarcasm

sarkastisch [zar'kastɪʃ] **I.** _adj_ sarcastic **II.** _adv_ sarcastically

Satan <-s, -e> ['za:tan] _m kein pl_ Satan

satanisch [za'ta:nɪʃ] _adj_ satanic

Satellit <-en, -en> [zatɛ'li:t] _m_ satellite

Satellitenantenne _f_ satellite dish

Satire <-, -n> [za'ti:rə] _f kein pl_ satire (**auf** on)

satt [zat] _adj_ **1.** (_voller Magen_) full; **sich ~ essen** to eat one's fill; **~ machen** to be filling **2.** (_überdrüssig sein_) **etw ~ sein** to be fed up with sth

Sattel <-s, Sättel> ['zatl̩] _m_ saddle

satt|haben[RR] _vt_ **etw ~** to be fed up with sth

sättigen ['zɛtɪgn̩] **I.** _vt_ to satiate; **gesättigt sein** to be saturated **II.** _vi_ to be filling

sättigend _adj_ filling

Saturn <-s> [za'tʊrn] _m kein pl_ Saturn

Satz <-es, Sätze> [zats] _m_ **1.** sentence; **mitten im ~** in mid-sentence **2.** (_Set_) set; **ein ~ Schraubenschlüssel** a set of spanners **3.** (_Sprung_) leap; **einen ~ machen** to leap **4.** TENNIS set **5.** TYPO type

Satzung <-, -en> ['zatsʊŋ] _f_ constitution

Satzzeichen _nt_ punctuation mark

Sau <-, Säue> [zau] _f_ **1.** (_weibliches Schwein_) sow **2.** (_derb: Mensch_) filthy pig

sauber ['zaubɐ] **I.** _adj_ **1.** clean; **etw ~ halten** to keep sth clean **2.** (_sorgfältig_) neat **II.** _adv_ neatly

Sauberkeit <-> _f kein pl_ cleanliness

säubern ['zɔybɐn] _vt_ to clean

Sauce <-, -n> ['zo:sə] _f_ sauce

sauer ['zauɐ] _adj_ **1.** sour; **~ eingelegt** pickled **2.** CHEM acid[ic] **3.** (_übel gelaunt_) mad (**auf** at); **~ werden** to get mad

S

Sauerampfer <-, -n> *m* sorrel **Sauerbraten** *m* beef roast marinated in vinegar and herbs sauerbraten AM **Sauerkirsche** *f* sour cherry **Sauerkraut** *nt* sauerkraut **Sauermilch** *f* sour milk **Sauerstoff** ['zauɐʃtɔf] *m kein pl* oxygen **Sauerteig** *m* sourdough

saufen <säuft, soff, gesoffen> ['zaufn̩] *vt, vi (fam)* to drink

Säufer(in) <-s, -> ['zɔyfɐ] *m(f) (sl)* drunk[ard]

saugen <sog *o* saugte, gesogen> ['zaugn̩] *vi, vt* to suck (**an** on)

säugen ['zɔygn̩] *vt* **sein Junges ~** to suckle its young

Sauger <-s, -> *m (auf Flasche)* teat

Säugling <-s, -e> ['zɔyklɪŋ] *m* baby

Säule <-, -n> ['zɔylə] *f* column

Saum <-[e]s, Säume> [zaum] *m* hem

Sauna <-, -s> ['zauna] *f* sauna; **in die ~ gehen** to go for a sauna

Säure <-, -n> ['zɔyrə] *f* acid

säurehaltig *adj* acid[ic]

Saurier <-s, -> ['zauriɐ] *m* dinosaur

sausen ['zauzn̩] *vi sein (sich schnell bewegen)* to dash; *Fahrzeug* to roar; *Kugel* to whistle

Saustall *m* pigsty

Savanne <-, -n> [za'vanə] *f* savanna[h]

Saxofon[RR] *nt*, **Saxophon** <-[e]s, -e> [zakso'foːn] *nt* saxophone

S-Bahn ['ɛs-] *f* suburban train

Schabe <-, -n> ['ʃaːbə] *f* cockroach

schaben ['ʃaːbn̩] *vt* to scrape

schäbig ['ʃɛːbɪç] *adj* 1. shabby 2. *(gemein)* mean

Schablone <-, -n> [ʃa'bloːnə] *f* stencil

Schach <-s> [ʃax] *nt kein pl* chess; **~!** check!; **eine Partie ~** a game of chess ▶ **jdn in ~ halten** to keep sb in check

Schachbrett *nt* chessboard **schachmatt** [ʃax'mat] *adj* checkmate

Schachpartie *f* game of chess

Schacht <-[e]s, Schächte> [ʃaxt] *m* shaft

Schachtel <-, -n> ['ʃaxtl̩] *f* box; **eine ~ Zigaretten** a packet [*or* AM pack] of cigarettes

schade ['ʃaːdə] *adj pred* 1. **wie ~!** what a pity!; **ich finde es ~, dass ...** it's a shame that; **es ist ~ um jdn/ etw** it's a shame about sb/sth 2. *(zu gut)* **für etw** *akk* **zu ~ sein** to be too good for sth

Schädel <-s, -> ['ʃɛːdl̩] *m* skull; **jdm brummt der ~** sb's head is throbbing; **jdm den ~ einschlagen** to smash sb's skull in

schaden ['ʃaːdn̩] *vi* **jdm ~** to do harm to sb; **etw** *dat* **~** to damage sth

Schaden <-s, Schäden> ['ʃaːdn̩] *m* damage *no indef art, no pl;* **einen ~ verursachen** to cause damage; **jdm ~ zufügen** to harm sb

Schadenfreude *f* malicious joy **schadenfroh** I. *adj* **~ sein** to delight in others' misfortunes II. *adv* **~ grinsen** to grin with gloating

Schaden(s)ersatz *m* compensation

schädigen ['ʃɛːdɪgn̩] *vt* to harm (**durch** with)

schädlich ['ʃɛːtlɪç] *adj* harmful (**für** to)

Schädling <-s, -e> ['ʃɛːtlɪŋ] *m* pest

Schädlingsbekämpfungsmittel *nt* pesticide

Schadstoff *m* pollutant

Schaf <-[e]s, -e> [ʃaːf] *nt* sheep

Schafbock *m* ram

Schäfer(in) <-s, -> ['ʃɛːfɐ] *m(f)* shepherd *masc,* shepherdess *fem*

Schäferhund *m* Alsatian, German shepherd AM

Schaffell *nt* sheepskin

schaffen[1] <schaffte, geschafft>

['ʃafn̩] II. *vi* **jdm zu ~ machen** to cause sb trouble I. *vt* 1. (*bewältigen*) to manage; **das wäre geschafft!** that's done!; **es ~, etw zu tun** to manage to do sth 2. (*fam: erschöpfen*) **jdn ~** to take it out of sb; **geschafft sein** to be exhausted

schaffen² <schuf, geschaffen> ['ʃafn̩] *vt* (*herstellen*) to create; **dafür bist du wie ge~** you're just made for it

Schaffner(in) <-s, -> ['ʃafnɐ] *m(f)* guard BRIT, conductor AM

Schafgarbe <-, -n> *f* BOT [common] yarrow **Schafherde** *f* flock of sheep

Schafskäse *m* sheep's milk cheese

Schakal <-s, -e> [ʃaˈkaːl] *m* jackal

Schal <-s, -s> [ʃaːl] *m* scarf

Schale¹ <-, -n> ['ʃaːlə] *f* 1. shell 2. (*Fruchtschale*) skin; (*abgeschält*) peel ▶ **sich in ~ werfen** to get dressed up

Schale² <-, -n> ['ʃaːlə] *f* bowl

schälen ['ʃɛːlən] I. *vt* to peel II. *vr* **sich ~** to peel

Schall <-s, -e> [ʃal] *m* sound

schallen ['ʃalən] *vi* to resound

Schallgeschwindigkeit *f kein pl* speed of sound **Schallplatte** *f* record **Schaltbrett** *nt* switchboard

schalten ['ʃaltn̩] I. *vi* AUTO to change gear II. *vt* to switch (**auf** to)

Schalter <-s, -> ['ʃaltɐ] *m* 1. ELEK switch 2. ADMIN counter

Schaltjahr *nt* leap year

Schaltung <-, -en> *f* 1. AUTO gears *pl* 2. ELEK circuit

Scham <-> [ʃaːm] *f kein pl* shame

schämen ['ʃɛːmən] *vr* 1. **sich** [**vor jdm**] **~** to be ashamed [in front of sb] ; **schäm dich!** shame on you! 2. **sich ~, etw zu tun** to be embarrassed to do sth

Schamgefühl *nt kein pl* sense of shame

schamhaft *adj* shy

schamlos *adj* shameless

Schande <-> ['ʃandə] *f kein pl* disgrace; **mach mir [nur] keine ~!** (*hum*) don't let me down!

scharf <schärfer, schärfste> [ʃarf] I. *adj* 1. sharp; **eine ~e Kurve** a hairpin bend 2. KOCHK hot; **etw ~ würzen** to highly season sth 3. *Augen, Verstand* keen; *Beobachtung* astute 4. (*sl: aufreizend*) spicy; **auf jdn ~ sein** to fancy sb; **auf etw** *akk* **~ sein** to be keen on sth II. *adv* 1. sharply 2. (*präzise*) **~ beobachten** to observe carefully

Schärfe <-, -n> ['ʃɛrfə] *f* 1. sharpness 2. *von Worten* harshness 3. *der Augen, des Verstands* keenness

schärfen ['ʃɛrfn̩] *vt* to sharpen

scharf|machen^RR *vt* **jdn ~** to turn sb on

Scharfrichter *m* executioner **Scharfschütze, -schützin** *m, f* marksman *masc*, markswoman *fem*

scharfsinnig I. *adj* astute II. *adv* astutely

Scharlach¹ <-s> ['ʃarlax] *m kein pl* MED scarlet fever

Scharlach² <-> ['ʃarlax] *nt kein pl* scarlet

Scharlatan <-s, -e> ['ʃarlatan] *m* charlatan

Scharnier <-s, -e> [ʃarˈniːɐ̯] *nt* hinge

Schaschlik <-s, -s> ['ʃaʃlɪk] *nt* [shish] kebab

Schatten <-s, -> ['ʃatn̩] *m* shade; (*a. fig*) shadow; **30° im ~** 30 degrees in the shade; **lange ~ werfen** to cast long shadows ▶ **jdn/etw in den ~ stellen** to put sb/sth in the shade

Schattenmorelle *f* morello cherry

S

schattig [ˈʃatɪç] *adj* shady

Schatz <-es, Schätze> [ʃats] *m* 1. treasure 2. (*fam: Liebling*) sweetheart; **ein ~ sein** to be a dear

schätzen [ˈʃɛtsn̩] I. *vt* 1. (*einschätzen*) to guess; **ich schätze sein Gewicht auf ca. 100 kg** I reckon he weighs about 100 kilos; **grob geschätzt** at a rough guess 2. (*Wert angeben*) to assess (**auf** at) 3. (*würdigen*) **jdn ~** to hold sb in high esteem; **etw ~** to appreciate sth II. *vi* to guess

Schau <-, -en> [ʃau] *f* **etw zur ~ stellen** to display sth ▶ **jdm die ~ stehlen** to steal the show from sb

schaudern [ˈʃaudɐn] I. *vi* to shudder II. *vt impers* **es schaudert jdn bei etw** *dat* sth makes sb shudder

schauen [ˈʃauən] *vi* 1. (*blicken*) to look; **auf die Uhr ~** to look at the clock 2. (*sich kümmern*) **nach jdm/ etw ~** to have a look at sb/sth

Schauer <-s, -> [ˈʃauɐ] *m* 1. (*Regenschauer*) shower 2. (*Schauder*) shiver

schauerlich *adj* ghastly

Schaufel <-, -n> [ˈʃaufl̩] *f* shovel; (*Kehrrichtschale*) dustpan

schaufeln [ˈʃaufl̩n] *vi, vt* to shovel

Schaufenster *nt* shop window **Schaufensterpuppe** *f* mannequin

Schaukel <-, -n> [ˈʃaukl̩] *f* swing

schaukeln [ˈʃaukl̩n] *vi, vt* to swing

Schaukelstuhl *m* rocking chair

Schaum <-s, Schäume> [ʃaum] *m* foam; (*auf Bier*) froth; (*Seifen~*) lather

schäumen [ˈʃɔymən] *vi* to froth; *Seife* to lather

Schaumgummi *m* foam rubber

schaumig [ˈʃaumɪç] *adj* frothy

Schaumstoff *m* foam

Schauplatz *m* scene **Schauspiel**

[ˈʃauʃpiːl] *nt* 1. THEAT play 2. (*Ereignis*) spectacle **Schauspieler(in)** [ˈʃauʃpiːlɐ] *m(f)* actor *masc,* actress *fem* **Schauspielerin** <-, -nen> *f fem form von* **Schauspieler** actress

Scheck <-s, -s> [ʃɛk] *m* cheque (**über** for); **einen ~ einlösen** to cash a cheque

Scheckheft *nt* chequebook **Scheckkarte** *f* cheque card

Scheibe <-, -n> [ˈʃaibə] *f* 1. KOCHK slice 2. (*dünnes Glasstück*) [piece of] glass; (*Fensterscheibe*) window[pane] 3. (*Scheibenförmiges*) disc

Scheibenwischer <-s, -> *m* windscreen wiper

Scheide <-, -n> [ˈʃaidə] *f* 1. (*Hülle für Waffe*) scabbard 2. ANAT vagina

scheiden <schied, geschieden> [ˈʃaidn̩] I. *vt haben* 1. **sich** [**von jdm**] **~ lassen** to get divorced [from sb]; **geschieden** divorced 2. (*trennen*) to separate (**von** from) II. *vi sein* **aus einem Amt ~** to retire from a position

Scheidung <-, -en> *f* divorce; **die ~ einreichen** to start divorce proceedings; **in ~ leben** to be separated

Schein <-[e]s, -e> [ʃain] *m* 1. *kein pl* (*Lichtschein*) light 2. *kein pl* (*Anschein*) appearance; **der ~ trügt** appearances are deceptive; **etw zum ~ tun** to pretend to do sth; **den ~ wahren** to keep up appearances 3. (*Geldschein*) [bank]note 4. (*Bescheinigung*) certificate

scheinbar *adj* apparent

scheinen <schien, geschienen> [ˈʃainən] *vi* 1. to shine 2. (*den Anschein haben*) to seem

scheinheilig [ˈʃainhailɪç] I. *adj* hypocritical II. *adv* hypocritically

Scheinwerfer *m* **1.** spotlight **2.** AUTO headlight

Scheiße <-> ['ʃaisə] *f kein pl* (*derb*) shit

scheißen <schiss, geschissen> ['ʃaisn̩] *vi* (*vulg*) to shit

Scheitel <-s, -> ['ʃaitl̩] *m* parting ▶ **vom ~ bis zur** Sohle from head to foot

scheitern ['ʃaitɐn] *vi sein* to fail (**an** because of)

schellen ['ʃɛlən] *vi* to ring

Schellfisch *m* haddock

schelten <schilt, schalt, gescholten> ['ʃɛltn̩] *vt* to scold (**wegen** for)

Schema <-s, -ta> ['ʃeːma] *nt* (*Konzept*) scheme

schematisch [ʃe'maːtɪʃ] **I.** *adj* schematic **II.** *adv* schematically

Schemel <-s, -> ['ʃeːml̩] *m* stool

Schenkel <-s, -> ['ʃɛŋkl̩] *m* thigh

schenken ['ʃɛŋkn̩] **I.** *vt* **jdm etw ~** to give sb sth; **etw geschenkt bekommen** to get sth; **jdm Aufmerksamkeit ~** to pay attention to sb; **jdm Vertrauen ~** to trust sb **II.** *vr* (*sich sparen*) **sich** *dat* **etw ~** to spare oneself sth

Scherbe <-, -n> ['ʃɛrbə] *f* [sharp] piece

Schere <-, -n> ['ʃeːrə] *f* scissors *npl*

scheren¹ <schor, geschoren> ['ʃeːrən] *vt Schaf* to shear; *Hecke* to prune

scheren² ['ʃeːrən] *vr* **sich nicht um etw** *akk* **~** to not bother about sth

Scherz <-es, -e> [ʃɛrts] *m* joke; **einen ~ machen** to joke

scherzen ['ʃɛrtsn̩] *vi* to crack a joke; **mit jdm ist nicht zu ~** sb is not to be trifled with

scheu [ʃɔy] *adj* shy

Scheu <-> [ʃɔy] *f kein pl* shyness; **ohne jede ~** without holding back

scheuen ['ʃɔyən] **I.** *vt* [etw] **~** to fight shy [of sth] **II.** *vi* [**vor etw** *dat*] **~** to shy [at sth]

scheuern ['ʃɔyɐn] **I.** *vt* **etw** [**blank**] **~** to scour sth [clean] ▶ **jdm eine ~** (*fam*) to hit sb **II.** *vi* to rub

Scheune <-, -n> ['ʃɔynə] *f* barn

scheußlich ['ʃɔyslɪç] *adj* disgusting

Schicht <-, -en> [ʃɪçt] *f* **1.** layer **2.** (*Klasse*) class **3.** (*Arbeitsschicht*) shift; **~ arbeiten** to do shift work

schick [ʃɪk] **I.** *adj* chic **II.** *adv* fashionably

schicken ['ʃɪkn̩] **I.** *vt* to send **II.** *vi* **nach jdm ~** to send for sb **III.** *vr* **es schickt sich nicht, etw zu tun** it is not proper to do sth

Schicksal <-s, -e> ['ʃɪkzaːl] *nt* fate; **sich in sein ~ ergeben** to be reconciled to one's fate; **etw dem ~ überlassen** to leave sth to fate

Schiebedach *nt* sun-roof

schieben <schob, geschoben> ['ʃiːbn̩] *vt* **1.** to push **2.** (*stecken*) to put **3.** (*abwälzen*) **die Schuld auf jdn ~** to lay the blame on sb

Schiedsrichter(in) *m/f* SPORT referee

schief [ʃiːf] **I.** *adj* crooked *pred* **II.** *adv* **jdn ~ ansehen** to look askance at sb

Schiefer <-s, -> ['ʃiːfɐ] *m* slate

schief|gehenᴿᴿ *vi* to go wrong **schief|liegen**ᴿᴿ *vi* to be on the wrong track

schielen ['ʃiːlən] *vi* **1.** to squint **2.** (*heimlich schauen*) **nach etw** *dat* **~** to steal a glance at sth

Schienbein ['ʃiːnbain] *nt* shinbone; **jdm gegen das ~ treten** to kick sb in the shin

Schiene <-, -n> ['ʃiːnə] *f* **1.** rail *usu pl* **2.** MED splint

schier¹ [ʃiːɐ] *adj attr* sheer

schier² [ʃiːɐ] *adv* (*beinahe*) almost

S

Schießbude *f* shooting gallery

schießen <schoss, geschossen> [ˈʃiːsn̩] *vi, vt* to shoot (**auf** at)

Schießerei <-, -en> [ʃiːsəˈrai] *f* shooting

Schießpulver *nt* gunpowder

Schiff <-[e]s, -e> [ʃɪf] *nt* ship

Schiffahrt^ALT *f s.* **Schifffahrt Schiffbruch** *m* shipwreck; ~ **erleiden** to be shipwrecked **Schifffahrt**^RR [ˈʃɪffaːɐ̯t] *f* shipping

Schikane <-, -n> [ʃiˈkaːnə] *f* harassment *no indef art* ▶ **mit allen ~n** with all the modern conveniences

schikanieren [ʃikaˈniːrən] *vt* to harass

Schild[1] <-[e]s, -er> [ʃɪlt] *nt* (*Hinweisschild*) sign

Schild[2] <-[e]s, -e> [ʃɪlt] *m* shield ▶ **etw im ~e führen** to be up to sth

Schilddrüse *f* thyroid

schildern [ˈʃɪldɐn] *vt* to describe

Schilderung <-, -en> *f* account

Schildkröte [ˈʃɪltkrøːtə] *f* tortoise

Schilf <-[e]s, -e> [ʃɪlf] *nt* 1. reed 2. (*Röhricht*) reeds *npl*

Schimmel[1] <-s> [ˈʃɪml̩] *m kein pl* mould

Schimmel[2] <-s, -> [ˈʃɪml̩] *m* ZOOL white horse

schimmelig [ˈʃɪməlɪç] *adj* mouldy

schimmeln [ˈʃɪml̩n] *vi sein o haben* to go mouldy

Schimmer <-s> [ˈʃɪmɐ] *m kein pl* shimmer ▶ **keinen blassen ~ haben** to not have the faintest idea (**von** about)

schimmern [ˈʃɪmɐn] *vi* to shimmer

Schimpanse <-n, -n> [ʃɪmˈpanzə] *m* chimpanzee

schimpfen [ˈʃɪmpfn̩] *vi* 1. (*fluchen*) to swear 2. (*zurechtweisen*) **mit jdm ~** to scold sb

Schimpfwort *nt* swear word

Schinken <-s, -> [ˈʃɪŋkn̩] *m* ham

Schirm <-[e]s, -e> [ʃɪrm] *m* umbrella

schizophren [ʃitsoˈfreːn] *adj* schizophrenic

Schizophrenie <-, -n> [ʃitsofreˈniː] *f* schizophrenia

Schlacht <-, -en> [ʃlaxt] *f* battle

schlachten [ˈʃlaxtn̩] *vt, vi* to slaughter

Schlachter(in) <-s, -> *m(f)* butcher; (*im Schlachthof*) slaughterman

Schlaf <-[e]s> [ʃlaːf] *m kein pl* sleep; **einen festen/leichten ~ haben** to be a deep/light sleeper; **jdm den ~ rauben** to keep sb awake

Schlafanzug *m* pyjamas *npl*

Schläfe <-, -n> [ˈʃlɛːfə] *f* temple

schlafen <schlief, geschlafen> [ˈʃlaːfn̩] *vi* to sleep; **tief ~** to sleep deeply; **~ gehen** to go to bed

schlaff [ʃlaf] I. *adj* slack II. *adv* slackly

Schlafgelegenheit *f* place to sleep **Schlaflosigkeit** <-> *f kein pl* sleeplessness

schläfrig [ˈʃlɛːfrɪç] *adj* sleepy

Schlafsack *m* sleeping bag **Schlaftablette** *f* sleeping pill **Schlafwagen** *m* sleeper **Schlafzimmer** *nt* bedroom

Schlag <-[e]s, Schläge> [ʃlaːk] *m* 1. (*Hieb*) blow; **Schläge bekommen** to get a beating; **jdm einen ~ versetzen** to deal sb a blow 2. (*Schicksalsschlag*) blow 3. ÖSTERR (*Sahne*) [whipped] cream 4. (*Stromschlag*) **einen ~ kriegen** to get an electric shock 5. (*Schlaganfall*) stroke; **einen ~ bekommen** to suffer a stroke

Schlagader *f* artery **Schlaganfall** *m* stroke

schlagen <schlug, geschlagen> [ˈʃlaːgn̩] I. *vt haben* 1. to hit; (*mit* *der Faust*) to punch; (*mit der Hand*) to slap; **jdm auf die Schulter ~** to give sb a slap on the back; **etw in Stücke ~** to smash sth to pieces **2.** (*prügeln*) to beat; **jdn bewusstlos ~** to beat sb senseless **3.** (*besiegen*) to defeat; SPORT to beat (**in** at); **jd ist nicht zu ~** sb is unbeatable; **sich ge~ geben** to admit defeat **4.** (*einschlagen*) **einen Nagel in die Wand ~** to knock a nail into the wall **5.** (*legen*) **ein Bein über das andere ~** to cross one's legs **II.** *vi* **1.** **haben** (*hauen*) to hit; [**mit etw** *dat*] **um sich** *akk* **~** to lash about [with sth] **2.** **sein** (*auftreffen*) **gegen etw** *akk* **~** to strike against sth **3.** **haben**: *Herz* to beat; *Uhr* to strike **III.** *vr* **haben** **sich** [**mit jdm**] **~** to fight [sb]

Schlager <-s, -> ['ʃlaːgɐ] *m* MUS [pop] song

Schläger <-s, -> ['ʃlɛːgɐ] *m* (*Tennis*) racket; (*Golf*) golf club

Schlägerei <-, -en> [ʃlɛːgə'rai] *f* brawl

Schlagrahm *m*, **Schlagsahne** *f* whipping cream; (*geschlagen*) whipped cream **Schlagwort** <-worte> *nt* slogan **Schlagzeile** *f* headline; **~n machen** to make headlines

Schlagzeug <-[e]s, -e> *nt* drums *pl;* (*im Orchester*) percussion *no pl*

Schlagzeugspieler(in) <-s, ->, *fam* **Schlagzeuger(in)** *m(f)* drummer; (*im Orchester*) percussionist

Schlamm <-[e]s, -e> [ʃlam] *m* mud

schlammig ['ʃlamɪç] *adj* muddy

schlampig ['ʃlampɪç] **I.** *adj* **1.** (*nachlässig*) sloppy **2.** (*ungepflegt*) unkempt **II.** *adv* **1.** sloppily **2.** (*ungepflegt*) in an unkempt way

Schlange <-, -n> ['ʃlaŋə] *f* **1.** snake

2. (*Reihe*) **~ stehen** to queue up [*or* to stand in line] AM

schlank ['ʃlaŋk] *adj* slim

schlapp [ʃlap] *adj pred* worn out

schlau [ʃlau] **I.** *adj* **1.** clever **2.** (*gerissen*) crafty **II.** *adv* **1.** cleverly **2.** (*gerissen*) craftily

Schlauch <-[e]s, Schläuche> [ʃlaux] *m* **1.** hose **2.** (*Reifenschlauch*) [inner] tube ▶ **auf dem ~ stehen** to be at a loss

Schlauchboot *nt* rubber dinghy

schlecht [ʃlɛçt] **I.** *adj* **1.** bad; **es sieht ~ aus** things don't look good; **~e Augen** weak eyes; **ein ~es Gewissen haben** to have a bad conscience; **von ~er Qualität** of poor quality; **~e Zeiten** hard times **2.** MED **jdm ist ~** sb feels sick **II.** *adv* **1.** (*nicht gut*) badly; **~ beraten** ill-advised; **~ gelaunt** bad-tempered **2.** MED **jdm geht es ~** sb feels unwell; **~ hören** to be hard of hearing; **~ sehen** to have poor eyesight **3.** (*herabwerten*) **~ reden über jdn** to say bad things about sb

schlechtgelaunt *adj, adv s.* **schlecht** **II 1**

schlecht|machenᴿᴿ *vt* to run down

schleichen <schlich, geschlichen> ['ʃlaiçn̩] *vi sein* to creep

Schleier <-s, -> ['ʃlaiɐ] *m* veil

Schleiereule *f* barn owl

Schleife <-, -n> ['ʃlaifə] *f* bow

schleifen¹ ['ʃlaifn̩] **I.** *vt haben* (*ziehen*) to drag **II.** *vi haben* (*reiben*) to rub (**an** against)

schleifen² <schliff, geschliffen> ['ʃlaifn̩] *vt* **1.** (*schärfen*) to sharpen **2.** (*schmirgeln*) to sand

Schleifmaschine *f* sander

Schleim <-[e]s, -e> [ʃlaim] *m* **1.** slime **2.** MED mucus

schleimig ['ʃlaimɪç] *adj* slimy

schlendern ['ʃlɛndɐn] *vi sein* to stroll along

schleppen ['ʃlɛpn̩] I. *vt* (*tragen*) to carry II. *vr* **sich ~ 1.** (*sich fortbewegen*) to drag oneself **2.** (*sich hinziehen*) to drag on

Schleuder <-, -n> ['ʃlɔydɐ] *f* **1.** (*Waffe*) catapult **2.** (*Wäscheschleuder*) spin drier

schleudern ['ʃlɔydɐn] I. *vt haben* **1.** to hurl **2.** *Wäsche* to spin II. *vi sein* **ins S~ geraten** to go into a skid

Schleuse <-, -n> ['ʃlɔyzə] *f* lock

schlicht [ʃlɪçt] I. *adj* simple II. *adv* simply; **~ und einfach** [just] plain

schlichten ['ʃlɪçtn̩] I. *vt* to settle II. *vi* to mediate (**in** in)

Schlichtung <-, -en> *f* mediation

schließen <schloss, geschlossen> ['ʃliːsn̩] I. *vi* to close II. *vt* **1.** (*zumachen, beenden*) to close **2.** (*eingehen*) **Freundschaft ~** to become friends; **Frieden/einen Pakt ~** to make peace/a pact; **einen Kompromiss ~** to reach a compromise **3.** (*schlussfolgern*) to conclude (**aus** from) **4.** (*umarmen*) **jdn in die Arme ~** to take sb in one's arms

Schließfach *nt* **1.** (*Gepäckschließfach*) locker **2.** (*Bankschließfach*) safe-deposit box **3.** (*Postfach*) post-office box

schließlich ['ʃliːslɪç] *adv* **1.** (*endlich*) at last **2.** (*immerhin*) after all

schlimm [ʃlɪm] I. *adj* **1.** bad; **etwas S~es/S~eres** sth dreadful/worse; **das S~ste** the worst; **es gibt nichts S~eres als ...** there's nothing worse than ...; **nicht [so] ~ sein** to be not [so] bad **2.** (*ernst*) serious ▶ **etw ist halb so ~** sth is not as bad as all that;

ist nicht ~! no problem! II. *adv* dreadfully; **es hätte ~er kommen können** it could have been worse; **~ genug, dass ...** it's bad enough that ...; **um so ~er** so much the worse

Schlinge <-, -n> ['ʃlɪŋə] *f* loop

schlingen <schlang, geschlungen> ['ʃlɪŋən] I. *vt* to wind (**um** about); **die Arme um jdn ~** to wrap one's arms around sb II. *vr* **sich um etw** *akk* **~** to wind itself around sth

Schlingpflanze *f* creeper

Schlips <-es, -e> [ʃlɪps] *m* tie

Schlitten <-s, -> ['ʃlɪtn̩] *m* sledge

Schlittschuh ['ʃlɪtʃuː] *m* skate; **~ laufen** to skate **Schlittschuhläufer(in)** *m(f)* skater

Schlitz <-es, -e> [ʃlɪts] *m* **1.** slit **2.** (*Einsteckschlitz*) slot

Schloss[RR] <-es, Schlösser>, **Schloß**[ALT] <-sses, Schlösser> [ʃlɔs] *nt* **1.** (*Palast*) palace **2.** (*Türschloss*) lock **3.** (*Vorhängeschloss*) padlock

Schlosser(in) <-s, -> ['ʃlɔsɐ] *m(f)* (*Metallschlosser*) metalworker; (*Maschinenschlosser*) fitter

Schlot <-[e]s, -e> [ʃloːt] *m* chimney ▶ **rauchen wie ein ~** (*fam*) to smoke like a chimney

Schlucht <-, -en> [ʃlʊxt] *f* gorge

schluchzen ['ʃlʊxtsn̩] *vi* to sob

Schluck <-[e]s, -e> [ʃlʊk] *m* gulp; (*kleiner*) sip

Schluckauf <-s> ['ʃlʊkʔauf] *m kein pl* hiccup; **den ~ haben** to have hiccups

schlucken ['ʃlʊkn̩] *vt, vi* to swallow

Schlund <-[e]s, Schlünde> [ʃlʊnt] *m* throat

schlüpfen ['ʃlʏpfn̩] *vi sein* **1.** to slip **2.** (*aus dem Ei*) to hatch out

Schlüpfer <-s, -> ['ʃlʏpfɐ] *m* panties *npl*

SchlussRR, **Schluß**ALT <Schlusses, Schlüsse> [ʃlʊs] *m* **1.** *kein pl* end; ~ [jetzt]! that's enough!; **mit etw** *dat* **ist ~** sth is over with; **zum ~ kommen** to finish; [mit etw *dat*] ~ **machen** to stop [sth]; **kurz vor ~** just before closing time; **zum ~** at the end **2.** (*Folgerung*) conclusion; **zu dem ~ kommen, dass ...** to come to the conclusion that ... ▶ [mit jdm] ~ <u>ma-chen</u> to break it off [with sb]

Schlüssel <-s, -> [ˈʃlʏsl] *m* key

Schlüsselbein *nt* collar bone **Schlüsselloch** *nt* keyhole

SchlussfolgerungRR <-, -en> *f* deduction; **eine ~ ziehen** to draw a conclusion (**aus** from)

schmal <-er *o* schmäler, -ste> [ʃmaːl] *adj* narrow; (*schlank*) slim

Schmalz¹ <-es, -e> [ʃmalts] *nt* dripping; (*Schweinefett*) lard

Schmalz² <-es> [ʃmalts] *m kein pl* (*pej: Sentimentalität*) schmaltz

schmalzig [ˈʃmaltsɪç] *adj* (*pej: sentimental*) schmaltzy

Schmarotzer <-s, -> *m* parasite

schmecken [ˈʃmɛkn̩] **I.** *vi* to taste (**nach** of); **hat es geschmeckt?** did you enjoy it?; **das schmeckt aber gut** that tastes wonderful; **lasst es euch ~!** tuck in! **II.** *vt* to taste

Schmeichelei <-, -en> [ʃmaɪçəˈlaɪ] *f* flattery *no pl, no indef art*

schmeicheln [ˈʃmaɪçl̩n] *vi* **jdm ~** to flatter sb; **es schmeichelt jdm, dass ...** sb is flattered that ...

schmeißen <schmiss, geschmissen> [ˈʃmaɪsn̩] *vt, vi* (*werfen*) to throw

Schmeißfliege *f* blowfly

schmelzen <schmolz, geschmolzen> [ˈʃmɛltsn̩] **I.** *vi sein* to melt **II.** *vt haben* to melt

Schmerz <-es, -en> [ʃmɛrts] *m* **1.** pain; **~en haben** to be in pain **2.** (*Kummer*) anguish *no indef art*

schmerzen [ˈʃmɛrtsn̩] *vi* to hurt; (*anhaltend*) to ache; **~d** painful

Schmerzensgeld *nt* compensation

schmerzhaft *adj* painful

schmerzlos *adj* painless ▶ <u>kurz</u> und ~ short and sweet

Schmerztablette *f* painkiller

Schmetterling <-s, -e> [ˈʃmɛtɐlɪŋ] *m* butterfly

Schmied(in) <-[e]s, -e> [ʃmiːt] *m(f)* smith

schmieden [ˈʃmiːdn̩] *vt* to forge; **einen Plan ~** to hammer out a plan

schmiegen [ˈʃmiːgn̩] *vr* **1.** **sich an jdn ~** to cuddle up to sb **2.** (*eng anliegen*) **sich an etw** *akk* ~ to hug sth

schmieren [ˈʃmiːrən] *vt* **1.** (*streichen*) to spread; **Salbe auf eine Wunde ~** to apply cream to a wound **2.** (*fetten*) to lubricate **3.** (*malen*) to scrawl; **Parolen an die Häuser ~** to daub slogans on the walls of houses **4.** (*fam: bestechen*) **jdn ~** to grease sb's palm

Schmiergeld *nt* (*fam*) bribe **Schmierseife** *f* soft soap

Schminke <-, -n> [ˈʃmɪŋkə] *f* make-up

schminken [ˈʃmɪŋkn̩] *vt* to put make-up on; **sich ~** to put on make-up

Schmirgelpapier [ˈʃmɪrgl̩-] *nt* sandpaper

schmollen [ˈʃmɔlən] *vi* to sulk

Schmorbraten [ˈʃmoːɐ̯-] *m* pot roast

schmoren [ˈʃmoːrən] *vt, vi* **1.** KOCHK to braise **2.** (*schwitzen*) **in der Sonne ~** to roast in the sun

Schmuck <-[e]s> [ʃmʊk] *m kein pl* **1.** jewellery **2.** (*Verzierung*) decoration

schmücken [ˈʃmʏkn̩] *vt* **1.** to decorate

S

2. sich mit etw *dat* ~ to put on sth

Schmuggel <-s> [ˈʃmʊgl̩] *m kein pl* smuggling *no art*

schmuggeln [ˈʃmʊgl̩n] *vt* to smuggle

Schmuggler(in) <-s, -> [ˈʃmʊglɐ] *m(f)* smuggler

schmusen [ˈʃmuːzn̩] *vi* to cuddle

Schmutz <-es> [ʃmʊts] *m kein pl* dirt ▶ **jdn/etw in den** ~ **ziehen** to blacken sb's name/sth's reputation

schmutzig [ˈʃmʊtsɪç] *adj* dirty; **sich** ~ **machen** to get dirty

Schnabel <-s, Schnäbel> [ˈʃnaːbl̩] *m* beak

Schnake <-, -n> [ˈʃnaːkə] *f* 1. ZOOL crane fly 2. DIAL (*Stechmücke*) gnat

Schnalle <-, -n> [ˈʃnalə] *f* buckle

schnallen [ˈʃnalən] *vt* to buckle up; **etw enger/weiter** ~ to tighten/loosen sth

schnappen [ˈʃnapn̩] I. *vi* (*greifen*) to grab (**nach** for) II. *vt* 1. (*ergreifen*) to grab; **etwas frische Luft** ~ to get a gulp of fresh air 2. (*festnehmen*) to catch

Schnappschuss[RR] *m* snapshot

Schnaps <-es, Schnäpse> [ʃnaps] *m* schnapps

schnarchen [ˈʃnarçn̩] *vi* to snore

schnaufen [ˈʃnaufn̩] *vi* to puff

Schnauze <-, -n> [ˈʃnautsə] *f* 1. snout 2. (*sl: Mund*) trap; **die** ~ **halten** to keep one's trap shut

schnäuzen[RR] [ˈʃnɔytsn̩] *vr* **sich** ~ to blow one's nose

Schnecke <-, -n> [ˈʃnɛkə] *f* snail; (*Nacktschnecke*) slug

Schneckenhaus *nt* snail shell

Schnee <-s> [ʃneː] *m kein pl* snow

Schneeball *m* snowball **Schneebrille** *f* snow goggles **Schneefall** *m* snowfall **Schneeflocke** *f* snowflake **Schneekette** *f meist pl* snow chain[s

pl] **Schneemann** *m* snowman **Schneematsch** *m* slush **Schneeregen** *m* sleet **Schneeschmelze** *f* thaw **Schneesturm** *m* snowstorm

Schneid <-[e]s> [ʃnait] *m kein pl* ~ **haben** to have guts

schneiden <schnitt, geschnitten> [ˈʃnaidn̩] I. *vt* 1. to cut 2. FILM to edit 3. (*meiden*) **jdn** ~ to snub sb II. *vr* **sich** ~ to cut oneself; **sich in den Finger** ~ to cut one's finger

Schneider(in) <-s, -> [ˈʃnaidɐ] *m(f)* tailor

Schneidezahn *m* incisor

schneien [ˈʃnaiən] *vi impers* **es schneit** it is snowing

Schneise <-, -n> [ˈʃnaizə] *f* aisle

schnell [ʃnɛl] I. *adj* 1. (*mit hohem Tempo*) fast 2. (*zügig*) prompt 3. *attr* **eine** ~**e Genesung** a speedy recovery II. *adv* 1. (*mit hohem Tempo*) fast 2. (*zügig*) quickly; **etw geht** ~ sth is done quickly; ~ **machen** to hurry up

schnellen [ˈʃnɛlən] *vi sein* **in die Höhe** ~ to shoot up

Schnelligkeit <-, *selten* -en> *f* speed

Schnellimbiss[RR] *m* takeaway **Schnellkurs** *m* crash course **Schnellstraße** *f* expressway **Schnellzug** *m* fast train

schneuzen[ALT] [ˈʃnɔytsn̩] *vr s.* **schnäuzen**

Schnitt <-[e]s, -e> [ʃnɪt] *m* 1. cut 2. (*Durchschnitt*) **im** ~ on average

Schnitte <-, -n> [ˈʃnɪtə] *f* 1. (*Wurstschnitte*) slice 2. (*Brotschnitte*) open sandwich

Schnittlauch [ˈʃnɪtlaux] *m kein pl* chives *npl* **Schnittmuster** *nt* [paper] pattern **Schnittwunde** *f* cut

Schnitzel <-s, -> [ˈʃnɪtsl̩] *nt* KOCHK pork escalope

schnitzen [ˈʃnɪtsn̩] *vt, vi* to carve
Schnorchel <-s, -> [ˈʃnɔrçl̩] *m* snorkel
schnorren [ˈʃnɔrən] *vi, vt* to scrounge
Schnorrer(in) <-s, -> *m(f)* scrounger
schnüffeln [ˈʃnʏfl̩n] *vi* 1. to sniff
2. (*fam: spionieren*) to nose around
Schnuller <-s, -> [ˈʃnʊlɐ] *m* dummy
schnupfen [ˈʃnʊpfn̩] I. *vi* to sniff II. *vt*
Kokain ~ to snort cocaine
Schnupfen <-s, -> [ˈʃnʊpfn̩] *m* cold;
[einen] **~ haben** to have a cold
schnuppern [ˈʃnʊpɐn] *vi, vt* to sniff (**an**
at)
Schnur <-, Schnüre> [ʃnuːɐ̯] *f* cord
schnüren [ˈʃnyːrən] *vt* to tie together
(**zu** in); *Schuhe* to lace up
schnurlos *adj* cordless
Schnurrbart [ˈʃnʊrbaːɐ̯t] *m* moustache
Schnürsenkel *m* shoelace
Schock <-[e]s, -s> [ʃɔk] *m* shock; **un-**
ter ~ stehen to be in shock
schockieren [ʃɔˈkiːrən] *vt* to shock;
schockiert sein to be shocked
(**über** about)
Schöffe, Schöffin <-n, -n> [ˈʃœfə,
ˈʃœfɪn] *m, f* juror
Schokolade <-, -n> [ʃokoˈlaːdə] *f* chocolate
Scholle <-, -n> [ˈʃɔlə] *f* 1. ZOOL plaice
2. (*Eisbrocken*) [ice] floe
schon [ʃoːn] I. *adv* 1. (*bereits*) already; **~ damals** even at that time;
~ lange for a long time; **~ mal** ever;
~ oft several times already; **~ wieder**
[once] again 2. (*allein*) **~ aus dem**
Grunde for that reason alone; **und**
wenn ~! so what? 3. (*irgendwann*)
in the end; **es wird ~ noch klappen**
it will work out in the end 4. (*durch-*
aus) well II. *part* 1. (*auffordernd*)
gib ~ her! come on, give it here!;
mach ~! hurry up!; [nun] **sag ~!** go

on, tell me! 2. (*nur*) **wenn ich das ~**
höre! just hearing about it!
schön [ʃøːn] I. *adj* 1. beautiful 2. (*an-*
genehm) fine; **ich wünsche euch ~e**
Ferien have a good holiday; **zu ~,**
um wahr zu sein too good to be true
3. (*ziemlich*) **ein ~es Stück Arbeit**
quite a bit of work ▸ [das ist ja alles]
~ und gut, aber ... that's all very
well, but ...; **na ~** all right then
II. *adv* 1. well; **~ singen** to sing well
2. (*ziemlich*) really; **das hat ganz ~**
wehgetan! that really hurt!
schonen [ˈʃoːnən] I. *vt* (*nicht über-*
beanspruchen) **etw ~** to go easy on
sth; **jdn ~** to spare sb II. *vr* **sich ~** to
take things easy
Schönheit <-, -en> *f* beauty
schonungslos I. *adj* merciless II. *adv*
mercilessly
schöpfen [ˈʃœpfn̩] *vt* 1. to scoop (**aus**
from) 2. (*kreieren*) to create
Schöpfer(in) <-s, -> *m(f)* creator
schöpferisch [ˈʃœpfərɪʃ] I. *adj* creative II. *adv* creatively
Schöpfung <-, -en> *f* creation
Schorf <-[e]s, -e> [ʃɔrf] *m* scab
Schornstein [ˈʃɔrnʃtain] *m* chimney
Schornsteinfeger(in) <-s, -> *m(f)*
chimney sweep
Schoß <-es, Schöße> [ʃoːs] *m* lap
▸ **etw fällt jdm in den ~** sth falls
into sb's lap
Schote <-, -n> [ˈʃoːtə] *f* pod
Schotte, Schottin <-n, -n> [ˈʃɔtə,
ˈʃɔtɪn] *m, f* Scotsman *masc*, Scotswoman *fem*
schottisch [ˈʃɔtɪʃ] *adj* Scottish
Schottland [ˈʃɔtlant] *nt* Scotland
schräg [ʃrɛːk] *adj* sloping; (*Linien*) diagonal
Schrägstrich *m* oblique

S

Schrank <-[e]s, Schränke> [ʃraŋk] *m* cupboard

Schranke <-, -n> [ˈʃraŋkə] *f* barrier

Schraube <-, -n> [ˈʃraubə] *f* 1. screw 2. NAUT propeller ▶ **bei jdm ist eine ~ <u>locker</u>** sb has a screw loose

schrauben [ˈʃraubn̩] *vt* to screw (**auf** onto); **etw fester ~** to tighten sth

Schraubenschlüssel *m* spanner BRIT, wrench AM **Schraubenzieher** <-s, -> *m* screwdriver

Schreck <-s> [ʃrɛk] *m kein pl* fright; **vor ~** with fright; **einen ~ bekommen** to get a fright; **jdm einen ~ einjagen** to give sb a fright

schrecken <schreckte, geschreckt> [ˈʃrɛkn̩] *vt* to frighten

Schreckensmeldung *f* horror story

schrecklich [ˈʃrɛklɪç] I. *adj* terrible II. *adv* terribly

Schrei <-[e]s, -e> [ʃrai] *m* scream

schreiben <schrieb, geschrieben> [ˈʃraibn̩] I. *vt* 1. to write; **etwas zum S~** something to write with 2. (*buchstabieren*) to spell; **etw falsch/richtig/groß/klein ~** to spell sth wrongly/right/with capital/small letters II. *vr* (*geschrieben werden*) **sich ~** to be spelt; **wie schreibt sich das Wort?** how do you spell that word?

Schreibmaschine *f* typewriter; **etw auf der ~ schreiben** to type sth [up] **Schreibtisch** *m* desk **Schreibwarenhandlung** *f* stationer's

schreien <schrie, geschrie[e]n> [ˈʃraiən] *vi* 1. to shout (**nach** for) 2. *Tier* to cry 3. (*heftig verlangen*) **nach jdm/etw ~** to cry out for sb/sth

Schreiner(in) <-s, -> [ˈʃrainɐ] *m(f)* carpenter

Schreinerei <-, -en> [ʃrainəˈrai] *f* carpenter's workshop

Schrift <-, -en> [ʃrɪft] *f* 1. (*Handschrift*) writing 2. TYPO type; (*Computer*) font 3. (*Abhandlung*) paper; **die Heilige ~** the [Holy] Scriptures *npl*

schriftlich [ˈʃrɪftlɪç] I. *adj* written; **etwas S~es** something in writing II. *adv* in writing

Schriftsteller(in) <-s, -> [ˈʃrɪftʃtɛlɐ] *m(f)* author **Schriftverkehr** *m* (*geh*) correspondence

schrill [ʃrɪl] I. *adj* shrill II. *adv* shrilly

Schritt <-[e]s, -e> [ʃrɪt] *m* step; **~ für ~** step by step; **mit großen/kleinen ~en** in big strides/small steps; **[mit jdm/etw] ~ halten** to keep up [with sb/sth]; **auf ~ und Tritt** every move one makes

schroff [ʃrɔf] I. *adj* curt II. *adv* curtly

Schrot <-[e]s, -e> [ʃroːt] *m o nt* 1. *kein pl* AGR coarsely ground wholemeal 2. JAGD shot

Schrotflinte *f* shotgun

Schrott <-[e]s> [ʃrɔt] *m kein pl* scrap metal

Schrottplatz *m* scrapyard

schrubben [ˈʃrʊbn̩] *vt, vi* to scrub

Schrubber <-s, -> [ˈʃrʊbɐ] *m* scrubbing brush

schrumpfen [ˈʃrʊmpfn̩] *vi sein* to shrink

Schubkarre *f*, **Schubkarren** *m* wheelbarrow

Schublade <-, -n> [ˈʃuːplaːdə] *f* drawer

schüchtern [ˈʃʏçtɐn] *adj* shy

Schüchternheit <-> *f kein pl* shyness

Schuft <-[e]s, -e> [ʃʊft] *m* villain

Schufterei <-, -en> [ʃʊftəˈrai] *f* (*fam*) drudgery

Schuh <-[e]s, -e> [ʃuː] *m* shoe ▶ **jdm etw in die ~e <u>schieben</u>** to put the blame for sth on sb

Schuhcreme *f* shoe polish **Schuhsohle** *f* sole

Schulbildung *f kein pl* school education

Schuld <-> [ʃʊlt] *f kein pl* **1.** (*Verschulden*) blame (**an** for); (*moralisch*) guilt; **es ist jds ~, dass/wenn** ... it is sb's fault that/when ...; **durch jds ~** due to sb's fault; **jdm die ~** [**an** etw *dat*] **geben** to blame sb [for sth]; **die ~ auf sich** *akk* **nehmen** to take the blame; **jdn trifft keine ~** sb is not to blame **2.** *meist pl* FIN debt; **~en machen** to go into debt

schulden [ˈʃʊldn̩] *vt* **jdm etw ~** to owe sb sth

Schuldenerlass^{RR} *m* debt relief

schuldig [ˈʃʊldɪç] *adj* **1.** JUR guilty; **einer S.** *gen* **~ sein** to be guilty of sth; **sich ~ bekennen** to plead guilty **2.** (*Schulden haben*) **jdm etw ~ sein** to owe sb sth

Schuldige(r) *f(m) dekl wie adj* guilty person

schuldig|sprechen^{RR} *vt* **jdn ~** to find sb guilty

Schuldner(in) <-s, -> [ˈʃʊldnɐ] *m(f)* debtor

Schule <-, -n> [ˈʃuːlə] *f* school; **in der ~** at school; **in die ~ gehen** to go to school; **in die ~ kommen** to start school

schulen [ˈʃuːlən] *vt* to train

Schüler(in) <-s, -> [ˈʃyːlɐ] *m(f)* pupil

Schüleraustausch *m* school exchange **Schülerausweis** *m* school identity card **Schulferien** *pl* school holidays BRIT, summer vacation AM

schulfrei *adj* **~ haben** not to have school **Schulhof** *m* school playground **Schuljahr** *nt* school year

Schulleiter(in) *m(f)* headmaster *masc,* headmistress *fem* BRIT, principal AM

Schulter <-, -n> [ˈʃʊltɐ] *f* shoulder; **mit den ~n zucken** to shrug one's shoulders

Schulung <-, -en> *f* training

Schulzeit *f kein pl* schooldays *npl*

schummeln [ˈʃʊml̩n] *vi* (*fam*) to cheat

Schund <-[e]s> [ʃʊnt] *m kein pl* trash

Schuppe <-, -n> [ˈʃʊpə] *f* **1.** ZOOL scale **2.** *pl* MED dandruff *no pl*

Schuppen <-s, -> [ˈʃʊpn̩] *m* shed

schüren [ˈʃyːrən] *vt* **1.** to poke **2.** (*fig: erregen*) to stir up

Schurke <-n, -n> [ˈʃʊrkə] *m* scoundrel

Schurkenstaat *m* POL (*pej*) rogue state

Schurwolle *f* virgin wool

Schürze <-, -n> [ˈʃʏrtsə] *f* apron

Schürzenjäger *m* philanderer

Schuss^{RR}, **Schuß**^{ALT} <-sses, Schüsse> [ʃʊs] *m* shot

Schüssel <-, -n> [ˈʃʏsl̩] *f* bowl

Schusswaffe^{RR} *f* firearm[s *npl*] **Schusswunde**^{RR} *f* gunshot wound

Schuster(in) <-s, -> [ˈʃuːstɐ] *m(f)* shoemaker

Schutt <-[e]s> [ʃʊt] *m kein pl* rubble

Schuttabladeplatz *m* [rubbish [*or* AM garbage]] dump [*or* BRIT tip]

Schüttelfrost *m* shivering fit

schütteln [ˈʃʏtl̩n] **I.** *vt* to shake **II.** *vr* **sich vor Lachen ~** to shake with laughter **III.** *vi impers* **es schüttelt jdn** sb shudders

schütten [ˈʃʏtn̩] **I.** *vt* **1.** (*kippen*) to tip **2.** (*gießen*) to pour **II.** *vi* **es schüttet** *impers* (*fam*) it's pouring [down]

Schutz <-es, -e> [ʃʊts] *m kein pl* protection (**vor** from/**gegen** against); **~ bieten** to offer protection; **jdn in ~ nehmen** to protect sb; **~ suchen**

S

to seek refuge

Schutzblech *nt* mudguard **Schutzbrille** *f* protective goggles *npl*

Schütze, Schützin <-n, -n> ['ʃʏtsə, 'ʃʏtsɪn] *m, f* **1.** marksman *masc*, markswoman *fem* **2.** *kein pl* ASTROL Sagittarius

schützen ['ʃʏtsn̩] **I.** *vt* to protect (**vor** against/from) **II.** *vi* [**vor etw** *dat*] ~ to give protection [from sth]

Schutzhelm *m* hard hat

Schützling <-s, -e> ['ʃʏtslɪŋ] *m* charge

schutzlos I. *adj* defenceless **II.** *adv* **jdm ~ ausgeliefert sein** to be at the mercy of sb

Schutzweg *m* TRANSP ÖSTERR pedestrian crossing

Schwabe, Schwäbin <-n, -n> ['ʃvaːbə, 'ʃvɛːbɪn] *m, f* Swabian

schwäbisch ['ʃvɛːbɪʃ] *adj* Swabian

schwach <schwächer, schwächste> [ʃvax] **I.** *adj* **1.** weak **2.** *Sportler, Schüler* poor **3.** (*leicht*) faint **II.** *adv* **1.** (*leicht*) faintly **2.** (*dürftig*) feebly; **die Mannschaft spielte ~** the team put up a feeble performance

Schwäche <-> ['ʃvɛçə] *f kein pl* weakness; **jds ~ ausnutzen** to exploit sb's vulnerability

schwächen ['ʃvɛçn̩] **I.** *vt* to weaken; **geschwächt** weakened **II.** *vi* to have a weakening effect

Schwachkopf *m* (*fam*) idiot

Schwächling <-s, -e> ['ʃvɛçlɪŋ] *m* weakling

Schwachsinn *m kein pl* (*fam*) rubbish *no art* BRIT, garbage AM; **so ein ~!** what a load of rubbish!

schwachsinnig *adj* (*fam*) idiotic

Schwachstrom *m* weak current

schwach|werden^RR *vi* [**bei jdm/etw**] ~ to be unable to refuse [sb/sth]

Schwager, Schwägerin <-s, Schwäger> ['ʃvaːgɐ, 'ʃvɛːgərɪn] *m, f* brother-in-law *masc*, sister-in-law *fem*

Schwalbe <-, -n> ['ʃvalbə] *f* swallow

Schwall <-[e]s, -e> [ʃval] *m* flood

Schwamm <-[e]s, Schwämme> [ʃvam] *m* **1.** sponge **2.** SÜDD (*Pilz*) mushroom

Schwan <-[e]s, Schwäne> [ʃvaːn] *m* swan

schwanger ['ʃvaŋɐ] *adj* pregnant; **sie ist im sechsten Monat ~** she's six months pregnant

Schwangerschaft <-, -en> *f* pregnancy

Schwank <-[e]s, Schwänke> [ʃvaŋk] *m* THEAT farce

schwanken ['ʃvaŋkn̩] *vi* **1.** *sein* (*wanken*) to stagger **2.** *haben: Kurs, Preis* to fluctuate **3.** *haben* **zwischen zwei Dingen ~** to be torn between two things

schwankend *adj Kurs, Preis* fluctuating

Schwankung <-, -en> *f* fluctuation

Schwanz <-es, Schwänze> [ʃvants] *m* tail

Schwarm[1] <-[e]s, Schwärme> [ʃvarm] *m* swarm; *Fische* shoal

Schwarm[2] <-[e]s> [ʃvarm] *m* (*verehrter Mensch*) heart-throb

schwärmen[1] ['ʃvɛrmən] *vi sein* to swarm

schwärmen[2] ['ʃvɛrmən] *vi haben* **für jdn ~** to be mad about sb; **für etw** *akk* ~ to have a passion for sth

Schwärmerei <-, -en> [ʃvɛrməˈraɪ] *f* passion

schwarz <schwärzer, schwärzeste> [ʃvarts] **I.** *adj* **1.** black **2.** *attr* (*fam: illegal*) illicit **II.** *adv* **1.** black **2.** (*fam: illegal*) illicitly

Schwarzarbeit *f kein pl* illicit work

schwarz|arbeiten *vi* to do illicit work **Schwarzarbeiter(in)** *m(f)* person doing illicit work **Schwarzbrot** *nt* brown bread

Schwarze(r) *f(m) dekl wie adj* (*Mensch*) black [person]

schwärzen ['ʃvɛrtsn̩] *vt* to blacken

schwarz|fahren *vi irreg sein* to dodge paying one's fare **Schwarzgeld** <-[e]s, -er> *nt* (*fam*) illegal earnings *npl* **schwarzhaarig** *adj* black-haired **Schwarzmarkt** *m* black market **schwarz|sehen**^{RR} *vi* to be pessimistic (**für** about) **Schwarzweißfernseher** *m* black-and-white television **Schwarzweißfilm** *m* FILM, FOTO black-and-white film **Schwarzwurzel** *f* KOCHK black salsify

schwatzen ['ʃvatsn̩], **schwätzen** ['ʃvɛtsn̩] *vi* SÜDD to chat

schwatzhaft *adj* (*pej*) talkative

Schwebebahn *f* 1. (*an Schienen*) overhead railway 2. (*Seilbahn*) cable car **Schwebebalken** *m* [balance] beam

schweben ['ʃve:bn̩] *vi haben* to float; *Vogel* to hover

Schwede, Schwedin <-n, -n> ['ʃve:də, 'ʃve:dɪn] *m, f* Swede

Schweden <-s> ['ʃve:dn̩] *nt* Sweden

Schwedin <-, -nen> *f fem form von* **Schwede**

schwedisch ['ʃve:dɪʃ] *adj* Swedish

Schwefel <-s> ['ʃve:fl̩] *m kein pl* sulphur

Schwefeldioxid *nt* sulphur dioxide

schwefelhaltig *adj* sulphur[e]ous

schweigen <schwieg, geschwiegen> ['ʃvaign̩] *vi* to keep quiet ▶ **ganz** zu ~ **von etw** *dat* quite apart from sth

Schweigen <-s> ['ʃvaign̩] *nt kein pl* silence; **jdn zum ~ bringen** to silence sb

schweigsam ['ʃvaikza:m] *adj* taciturn

Schweigsamkeit <-> *f kein pl* quietness

Schwein <-s, -e> [ʃvain] *nt* 1. pig 2. *kein pl* KOCHK pork 3. (*pej fam: gemeiner Kerl*) bastard 4. (*fam: bedauernswerter Mensch*) [**ein**] **armes** ~ [a] poor devil

Schweinebraten *m* joint of pork **Schweinefleisch** *nt* pork

Schweinerei <-, -en> [ʃvainə'rai] *f* (*fam*) 1. (*Verschmutzung*) mess 2. (*Gemeinheit*) mean trick 3. (*Skandal*) scandal

Schweinestall *m* [pig]sty **schweineteuer** *adj* (*fam*) extortionate; ~ **sein** to cost an arm and a leg

Schweiß <-es> [ʃvais] *m kein pl* sweat

schweißen ['ʃvaisn̩] *vt, vi* to weld

schweißtreibend *adj* MED sudorific; *Arbeit* arduous **Schweißtropfen** *m* bead of sweat

Schweiz <-> [ʃvaits] *f* Switzerland; **die französische/italienische ~** French-speaking/Italian-speaking Switzerland

Schweizer ['ʃvaitsɐ] *adj attr* Swiss

Schweizer(in) <-s, -> ['ʃvaitsɐ] *m(f)* Swiss

Schweizerdeutsch <-[s]> ['ʃvaitsɐdɔytʃ] *nt dekl wie adj* LING Swiss German

schweizerisch ['ʃvaitsərɪʃ] *adj* Swiss

Schwelle <-, -n> ['ʃvɛlə] *f* threshold ▶ **auf der ~ zu etw** *dat* **stehen** to be on the verge of sth

Schwellung <-, -en> *f* swelling

schwemmen ['ʃvɛmən] *vt* **an Land ~** to wash ashore

schwenken ['ʃvɛŋkn̩] *vt haben* 1. (*wedeln*) to wave 2. KOCHK **das Gemüse**

S

in Butter ~ to toss the vegetables in butter

schwer <schwerer, schwerste> [ʃveːɐ̯]
I. adj **1.** heavy; **20 kg ~ sein** to weigh 20 kg **2.** (beträchtlich) serious **3.** (hart, schwierig) hard **II.** adv **1.** heavily; **~ bepackt sein** to be heavily laden **2.** (hart) hard; **es ~ haben** to have it hard; **jdm das Leben ~ machen** to make life difficult for sb; **jdm ~ zu schaffen machen** to give sb a hard time **3.** (schwierig) difficult; **ein ~ erziehbares Kind** a problem child; **~ verdaulich** indigestible; **~ verständlich** hard to understand pred **4.** (ernstlich) seriously; **~ behindert** severely handicapped; **~ wiegend** serious

Schwerarbeit f kein pl heavy work **Schwerbehinderte(r)** f(m) dekl wie adj severely disabled person

schwerelos adj weightless

schwer|fallen^{RR} vi **etw fällt jdm schwer** sth is difficult for sb [to do]

schwerfällig <-er, -ste> **I.** adj awkward **II.** adv awkwardly

Schwergewicht nt SPORT heavyweight

schwerhörig adj hard of hearing pred

Schwerkraft f kein pl gravity **Schwermut** <-> f kein pl melancholy

schwermütig <-er, -ste> [ʃveːɐ̯myːtɪç] adj melancholy

schwer|nehmen^{RR} vt **etw ~** to take sth hard

Schwerpunkt m main emphasis; **auf etw** akk **den ~ legen** to put the main emphasis on sth

Schwert <-[e]s, -er> [ʃveːɐ̯t] nt sword

schwer|tun^{RR} vi **sich mit etw** dat **~** to have trouble with sth, to find sth difficult

Schwerverbrecher(in) m(f) serious offender **Schwerverletzte(r)** f(m) dekl

wie adj MED seriously injured person

Schwester <-, -n> [ʃvɛstɐ] f **1.** sister **2.** (Krankenschwester) nurse **3.** (Nonne) nun

Schwesterfirma f associate company

Schwiegereltern [ʃviːgɐ-] pl parents-in-law **Schwiegermutter** f mother-in-law **Schwiegersohn** m son-in-law **Schwiegertochter** f daughter-in-law **Schwiegervater** m father-in-law

Schwiele <-, -n> [ʃviːlə] f callus

schwierig [ʃviːrɪç] adj difficult

Schwierigkeit <-, -en> f **1.** kein pl difficulty **2.** pl (Probleme) problems; **jdn in ~en bringen** to get sb into trouble; **in ~en geraten** to get into trouble; [jdm] **~en machen** to give sb trouble; **ohne ~en** without any difficulty

Schwimmbad nt swimming-pool **Schwimmbecken** nt [swimming] pool

schwimmen <schwamm, geschwommen> [ʃvɪmən] vi **1.** sein to swim; **~ gehen** to go swimming **2.** haben: Gegenstand to float

Schwimmer(in) <-s, -> [ʃvɪmɐ] m(f) swimmer **Schwimmweste** f life jacket

Schwindel <-s> [ʃvɪndl̩] m kein pl **1.** swindle **2.** MED dizziness

schwindeln¹ [ʃvɪndl̩n] vi (lügen) to lie

schwindeln² [ʃvɪndl̩n] vi **jdm schwindelt** [es] sb feels dizzy

schwinden <schwand, geschwunden> [ʃvɪndn̩] vi sein: Hoffnung, Kräfte to fade away

schwindlig [ʃvɪndlɪç] adj pred s. **schwindelig**

schwingen <schwang, geschwungen> [ʃvɪŋən] **I.** vt haben to swing; Fahne to wave **II.** vi haben o sein **1.** (vibrieren) **etw zum S~ bringen**

to make sth vibrate **2.** (*pendeln*) to swing **III.** *vr* **haben sich aufs Fahrrad ~** to hop on one's bike

Schwingung <-, -en> *f* oscillation; [etw] **in ~ versetzen** to set [sth] swinging

schwirren ['ʃvɪrən] *vi sein* to buzz

schwitzen ['ʃvɪtsn̩] *vi* to sweat

schwören <schwor, geschworen> ['ʃvøːrən] **I.** *vi* to swear **II.** *vt* **jdm etw ~** to swear sth to sb

schwul [ʃvuːl] *adj* (*fam*) gay

schwül [ʃvyːl] *adj* sultry

Schwule(r) *m dekl wie adj* (*fam*) gay [person]

schwülstig ['ʃvʏlstɪç] *adj* bombastic

Schwung <-[e]s, Schwünge> [ʃvʊŋ] *m* **1.** swing; **~ holen** to build up momentum **2.** *kein pl* (*Antriebskraft*) drive; **in ~ kommen** to get going; [**richtig**] **in ~ sein** to be in full swing

Schwur <-[e]s, Schwüre> [ʃvuːɐ̯] *m* vow; **einen ~ leisten** to take a vow

Scratching ['skrɛtʃɪŋ] *nt graffiti caused by scratching windows on public transport with sharp implements*

sechs [zɛks] *adj* six; *s.a.* **acht**[1]

Sechseck *nt* hexagon **sechshundert** ['zɛks'hʊndɐt] *adj* six hundred **sechsjährig, 6-jährig**^{RR} ['zɛksjɛːrɪç] *adj* **1.** (*Alter*) six-year-old *attr*, six years old *pred* **2.** (*Zeitspanne*) six-year *attr* **sechstausend** ['zɛks'tauzn̩t] *adj* six thousand

sechste(r, s) ['zɛkstə, 'zɛkstɐ, 'zɛkstəs] *adj* sixth; *s.a.* **achte(r, s)**

Sechstel <-s, -> ['zɛkstl̩] *nt* sixth

sechzehn ['zɛçtseːn] *adj* sixteen; *s.a.* **acht**[1]

sechzig ['zɛçtsɪç] *adj* sixty; *s.a.* **achtzig**

Sechziger *pl* **die ~** the sixties [*or* 60s]

sechzigste(r, s) *adj* sixtieth; *s.a.* **achte(r, s)**

Secondhandladen [zɛknt'hɛnt-] *m* second-hand shop

See[1] <-s, -n> [zeː] *m* lake

See[2] <-, -n> [zeː] *f* sea; **an der ~** by the sea; **auf hoher ~** on the high seas; **in ~ stechen** to put to sea

Seeadler *m* sea eagle **Seefahrt** *f kein pl* seafaring *no art* **Seefisch** *m* saltwater fish **Seehund** *m* common seal **Seeigel** *m* sea urchin **Seekarte** *f* sea chart **seekrank** *adj* seasick

Seele <-, -n> ['zeːlə] *f* soul; **mit Leib und ~** wholeheartedly; **aus tiefster ~** from the bottom of one's heart ▶ **ein Herz und eine ~ sein** to be inseparable; **sich** *dat* **etw von der ~ reden** to get sth off one's chest

Seeleute *pl von* **Seemann**

seelisch ['zeːlɪʃ] **I.** *adj* psychological; **~es Gleichgewicht** mental balance **II.** *adv* **~ bedingt sein** to have psychological causes

Seelöwe, -löwin <-n, -n> *m, f* sea lion

Seelsorge *f kein pl* spiritual welfare

Seeluft *f kein pl* sea air **Seemann** <-leute> ['zeːman] *m* sailor **Seemeile** *f* nautical mile **Seenot** *f kein pl* distress [at sea] **Seepferd(chen)** *nt* sea horse **Seeräuber(in)** *m(f)* pirate **Seereise** *f* voyage; (*Kreuzfahrt*) cruise **Seerose** *f* BOT water lily **Seestern** *m* starfish **Seevogel** *m* seabird **Seezunge** *f* sole

Segel <-s, -> ['zeːgl̩] *nt* sail

Segelboot *nt* sailing boat **Segelflieger(in)** *m(f)* glider pilot **Segelflugzeug** *nt* glider

segeln ['zeːgl̩n] *vi sein* to sail; **durch die Luft ~** to sail through the air

S

Segelschiff *nt* sailing ship

Segen <-s, -> ['ze:gn̩] *m no pl* blessing; **ein ~ für die Menschheit** a benefit for mankind

Segler(in) <-s, -> ['ze:glɐ] *m(f)* yachtsman *masc,* yachtswoman *fem*

Segment <-[e]s, -e> [zɛ'ɡmɛnt] *nt* segment

segnen ['ze:gnən] *vt* to bless

sehen <sah, gesehen> ['ze:ən] I. *vt* 1. to see; **das muss man ge~ haben** one has to see it to believe it; **etw nicht gerne ~** to not like sth; **gut/ schlecht zu ~ sein** to be well/badly visible; **sich ~ lassen können** to be something to be proud of; **so ge~** from that point of view 2. *(ansehen, zusehen)* to watch II. *vi* 1. **gut/ schlecht ~** to have good/bad eyesight 2. *(blicken)* to look; **aus dem Fenster ~** to look out of the window; **auf das Meer ~** to look at the sea; **sich ~ lassen** to show up 3. *(sich kümmern)* **nach jdm ~** to go and see sb; **nach etw** *dat* **~** to check on sth

sehenswert *adj* worth seeing

Sehenswürdigkeit <-, -en> *f* sight; **~en besichtigen** to do the sights

Sehfehler *m* visual defect

Sehne <-, -n> ['ze:nə] *f* sinew

sehnen ['ze:nən] *vr* **sich nach jdm/ etw ~** to long for sb/sth

Sehnenriss[RR] *m* torn tendon **Sehnenzerrung** *f* pulled tendon

sehnig ['ze:nɪç] *adj* sinewy

Sehnsucht <-, -süchte> ['ze:nzʊxt] *f* longing (**nach** for)

sehnsüchtig ['ze:nzʏçtɪç] *adj attr* longing

sehr <[noch] mehr, am meisten> ['ze:ɐ] *adv* 1. *vor Adjektiv, Adverb* very

2. *vor vb* very much; **das will ich doch ~ hoffen** I very much hope so

Sehtest *m* eye test

seicht [zaiçt] *adj* shallow

Seide <-, -n> ['zaidə] *f* silk

seiden ['zaidn̩] *adj attr* silk

Seife <-, -n> ['zaifə] *f* soap

Seil <-[e]s, -e> [zail] *nt* 1. rope 2. *(Drahtseil)* cable

Seilbahn *f* *(Gondel)* cable car **seilspringen** *vi irreg, nur infin und pp sein* to skip [rope] **Seiltänzer(in)** *m(f)* tightrope acrobat

sein[1] <bin, bist, ist, sind, seid, war, gewesen> [zain] I. *vi sein* 1. to be; **ich bin wieder da** I'm back again; **ist da jemand?** is somebody there? 2. *(zutreffen)* **dem ist so/nicht so** that's right/not the case; **was ist mit ihr?** what's the matter with her? 3. *(gehören)* **das Buch ist meins** the book is mine 4. *(bestehen)* **aus etw** *dat* **~** to be [made of] sth 5. *(sich fühlen)* **jdm ist heiß/kalt** sb is hot/ cold; **jdm ist übel** sb feels sick 6. *(vorkommen)* **mir ist, als habe ich Stimmen gehört** I thought I heard voices 7. *meist mit modalem Hilfsverb (passieren)* **das darf doch nicht wahr ~!** that can't be true!; **muss das ~?** do you have to?; **etw ~ lassen** *(fam)* to stop [doing] sth 8. *mit infin + zu (Möglichkeit ausdrückend)* to be; **sie ist nicht zu sehen** she cannot be seen; **etw ist zu schaffen** sth can be done II. *vi impers* **es sei denn, dass ...** unless ...; **wie wäre es mit jdm/etw?** how about sb/ sth?; **es war einmal ...** once upon a time ...; **wie dem auch sei** in any case; **es ist so, [dass] ...** it's just that ...

sein² [zain] *pron poss adjektivisch* **1.** (*Mann*) his; (*Mädchen*) her; (*bei Dingen*) its **2.** *auf man bezüglich* one's; *auf jeder bezüglich* his; **jeder bekam ~ eigenes Zimmer** everyone got his own room

seinerseits ['zainɐ'zaits] *adv* on his part

seinetwegen ['zainət've:gn̩], *geh* **seinethalben** ['zainət'halbn̩] *adv* because of him

seit [zait] **I.** *präp* +*dat* **1.** (*Anfangspunkt*) since; **~ damals** since then; **~ neuestem** recently; **~ wann?** since when? **2.** (*Zeitspanne*) for; **~ einiger Zeit** for a while **II.** *konj* (*seitdem*) since

seitdem [zait'de:m] **I.** *adv* since then **II.** *konj* since

Seite <-, -n> ['zaitə] *f* **1.** side; **von allen ~n** from all sides; **die hintere/vordere/obere/untere ~** the back/front/top/bottom; **zur ~ gehen** to step aside; **jdn zur ~ nehmen** to take sb aside **2.** (*Buchseite*) page; **gelbe ~n** Yellow Pages; **eine ~ aufschlagen** to open at a page **3.** (*Beistand*) **~ an ~** side by side; **jdm zur ~ stehen** to stand by sb **4.** (*Aspekt*) **von jds ~ aus** as far as sb is concerned; **sich von seiner besten ~ zeigen** to show oneself at one's best; **auf der einen ~..., auf der anderen [~]** ... on the one hand, ..., on the other [hand], ...; **jds starke ~ sein** to be sb's forte **5.** (*Gruppe*) side; **auf jds ~ stehen** to be on sb's side; **die ~n wechseln** to change sides

Seitenairbag [-ærbɛg] *m* AUTO side airbag **Seitensprung** *m* (*fam*) bit on the side **Seitenstechen** *nt kein pl* stitch; **~ haben** to have a stitch **Sei-**

tenstraße *f* side street **Seitenwind** *m* crosswind

seither [zait'he:ɐ] *adv* since then

seitlich ['zaitlɪç] **I.** *adj* side *attr* **II.** *adv* at the side; **~ gegen etw** *akk* **prallen** to crash sideways into sth

seitwärts ['zaitvɛrts] *adv* sideways

Sekret <-[e]s, -e> [ze'kre:t] *nt* secretion

Sekretär(in) <-s, -e> [zekre'tɛ:ɐ] *m(f)* secretary

Sekt <-[e]s, -e> [zɛkt] *m* sparkling wine

Sekte <-, -n> ['zɛktə] *f* sect

sekundär [zekʊn'dɛ:ɐ] *adj* secondary

Sekunde <-, -n> [ze'kʊndə] *f* second; **auf die ~ genau** to the second

Sekundenzeiger *m* second hand

selbst [zɛlpst] **I.** *pron dem* **1.** (*persönlich*) myself/yourself/himself etc. **2.** (*alleine*) by oneself; **von ~** automatically; **etw versteht sich von ~** sth goes without saying **II.** *adv* **1.** (*eigen*) self; **~ ernannt** self-appointed; **~ gemacht** home-made **2.** (*sogar*) even; **~ wenn** even if

Selbstachtung *f* self-respect

selbständig ['zɛlpʃtɛndɪç] *adj* **1.** independent **2.** (*beruflich*) self-employed; **sich ~ machen** to start up one's own business

Selbständigkeit <-> *f kein pl* **1.** independence **2.** (*beruflich*) self-employment **Selbstbedienungsladen** *m* self-service shop **Selbstbefriedigung** *f* masturbation **Selbstbeherrschung** *f* self-control **Selbstbestimmungsrecht** *nt kein pl* right to self-determination **selbstbewusst**ᴿᴿ *adj* self-confident **Selbstbewusstsein**ᴿᴿ *nt* self-confidence **Selbsterhaltungstrieb** *m* survival instinct **Selbsthilfegruppe** *f* self-help group

S

selbstlos *adj* selfless

Selbstmedikation *f* MED self-medication **Selbstmitleid** *nt* self-pity **Selbstmord** *m* suicide; ~ **begehen** to commit suicide

Selbstmordattentat *nt*, **Selbstmordanschlag** *m* suicide bombing **Selbstmordattentäter(in)** *m(f)* suicide bomber **Selbstmörder(in)** *m(f)* suicidal person **selbstsicher** *adj* self-confident

selbstständig^{RR} *adj s.* selbständig **Selbstständigkeit**^{RR} <-> *f s.* Selbständigkeit **Selbsttäuschung** *f* self-deception **Selbstüberwindung** *f* self-discipline

selbstverständlich I. *adj* natural; **das ist doch** ~ don't mention it; **etw für** ~ **halten** to take sth for granted **II.** *adv* of course

Selbstverständlichkeit <-, -en> *f* naturalness; **etw als** ~ **ansehen** to regard sth as a matter of course BRIT

Selbstverteidigung *f* self-defence **Selbstvertrauen** *nt* self-confidence **Selbstverwaltung** *f* self-government **Selbstverwirklichung** *f* self-realization **Selbstwertgefühl** *nt* self-esteem **Selbstzweck** *m kein pl* end in itself

selig ['ze:lɪç] *adj* (*überglücklich*) overjoyed ► **wer's glaubt, wird** ~ (*iron fam*) that's a likely story

Sellerie <-s, -[s]> ['zɛləri] *m* (*Knolle*) celeriac; (*Stange*) celery

selten ['zɛltn̩] *adj* rare

Seltenheit <-, -en> *f* rarity

seltsam ['zɛltza:m] *adj* strange; **ein ~es Gefühl haben** to have an odd feeling

Semester <-s, -> [ze'mɛstɐ] *nt* semester

Semikolon <-s, -s> [zemi'ko:lɔn] *nt* semicolon

Seminar <-s, -e> [zemi'na:ɐ̯] *nt* **1.** seminar **2.** (*Institut*) department

Semmel <-, -n> [zɛml̩] *f* [bread] roll

Senat <-[e]s, -e> [ze'na:t] *m* senate

Senator(in) <-s, -toren> [ze'na:to:ɐ̯] *m(f)* senator

senden¹ ['zɛndn̩] *vt* RADIO, TV to broadcast

senden² <sandte *o* sendete, gesandt *o* gesendet> ['zɛndn̩] *vt* to send; **jdm etw** ~ to send sth to sb

Sender <-s, -> ['zɛndɐ] *m* **1.** TV channel; RADIO station **2.** (*Gerät*) transmitter

Sendung¹ <-, -en> *f* (*tv, radio*) programme

Sendung² <-, -en> *f* (*Paketsendung*) parcel; (*Warensendung*) consignment

Senf <-[e]s, -e> [zɛnf] *m* mustard

senil [ze'ni:l] *adj* senile

Senior <-s, Senioren> ['ze:nio:ɐ̯] *m meist pl* senior citizen, OAP BRIT

senken ['zɛŋkn̩] **I.** *vt* **1.** *Preis* to reduce **2.** (*neigen*) **den Kopf** ~ to bow one's head **II.** *vr* **sich** [**auf etw** *akk*] ~ to lower itself [onto sth]

senkrecht ['zɛŋkrɛçt] *adj* vertical

Senkung <-, -en> *f* reduction

Sensation <-, -en> [zɛnza'tsi̯o:n] *f* sensation

sensationell [zɛnzatsi̯o'nɛl] *adj* sensational

sensibel [zɛn'zi:bl̩] *adj* sensitive

Sensibilität <-, -en> [zɛnzibili'tɛ:t] *f* sensitivity

sentimental [zɛntimɛn'ta:l] *adj* sentimental

Sentimentalität <-, -en> [zɛntimɛntali'tɛ:t] *f* sentimentality

separat [zepa'ra:t] *adj* separate

Separatismus <-> [zepara'tɪsmʊs] *m kein pl* separatism

Separatist(in) <-en, -en> [zepara'tɪst] *m(f)* separatist

September <-[s], -> [zɛp'tɛmbɐ] *m* September; *s.a.* **Februar**

Serbe, Serbin <-n, -n> ['zɛrbə, 'zɛrbɪn] *m, f* Serb

Serbien <-s> ['zɛrbi̯ən] *nt* Serbia

serbisch ['zɛrbɪʃ] *adj* Serbian

Serie ['ze:ri̯ə] *f* series

seriös [ze'ri̯øːs] I. *adj Angebot* serious; *Firma* reputable; *Mensch* respectable II. *adv* respectably

Serpentine <-, -n> [zɛrpɛn'tiːnə] *f* winding road

Service¹ <-> ['zøɐ̯vɪs] *m kein pl* service

Service² <-[s], -> [zɛr'viːs] *nt* (*Essgeschirr*) dinner service; (*Kaffeegeschirr*) coffee service

servieren [zɛr'viːrən] *vt* [jdm] etw ~ to serve sth [to sb]

Serviette <-, -n> [zɛr'vi̯ɛtə] *f* napkin

Sessel <-s, -> ['zɛsl̩] *m* armchair

Sessellift *m* chairlift

sesshaftᴿᴿ, **seßhaft**ᴬᴸᵀ ['zɛshaft] *adj* settled

setzen ['zɛtsn̩] I. *vt* 1. (*platzieren*) to put, to place 2. (*festlegen*) to set; **eine Frist ~** to set a deadline 3. (*bringen*) **etw in Betrieb ~** to set sth in motion; **jdn auf Diät ~** to put sb on a diet; **seine Hoffnung in jdn ~** to put one's hopes on sb 4. (*wetten*) **etw [auf jdn/etw] ~** to put sth [on sb/sth] 5. ᴛʏᴘᴏ to set II. *vr* **sich ~** 1. to sit [down]; **sich zu jdm ~** to sit next to sb; **sich ins Auto ~** to get into the car 2. (*sich senken*) to settle

Seuche <-, -n> ['zɔy̯çə] *f* epidemic

seufzen ['zɔy̯ftsn̩] *vi* to sigh

Seufzer <-s, -> *m* sigh; **einen ~ ausstoßen** to heave a sigh

Sex <-[es]> [zɛks] *m kein pl* sex

Sexismus [zɛ'ksɪsmʊs] *m* <-> *kein pl* sexism

sexistisch *adj* sexist

Sexualität <-> [zɛksu̯ali'tɛːt] *f kein pl* sexuality

sexuell [zɛ'ksu̯ɛl] *adj* sexual; **~e Belästigung** sexual harassment

Shampoo <-s, -s> ['ʃampu] *nt* shampoo

Show <-, -s> [ʃoː] *f* show; **eine ~ abziehen** (*fam*) to put on a show *fam*

Sibirien <-s> [zi'biːri̯ən] *nt* Siberia

sibirisch [zi'biːrɪʃ] *adj* Siberian

sich [zɪç] *pron refl* 1. oneself; **er/sie/es ... ~** he/she/it ... himself/herself/itself; **Sie ... ~** you ... yourself/yourselves; **sie ... ~** they ... themselves; **~ freuen** to be pleased; **~ gedulden** to be patient 2. *dat* one's; **die Katze leckte ~ die Pfote** the cat licked its paw 3. *pl* (*einander*) each other, one another; **~ lieben** to love each other 4. *unpersönlich* **hier arbeitet es ~ gut** it's good to work here; **das Auto fährt ~ prima** the car drives well 5. *mit Präposition* **er denkt immer nur an ~** he only ever thinks of himself; **die Schuld bei ~** *dat* **suchen** to blame oneself; **wieder zu ~** *dat* **kommen** (*fam*) to come round; **etw von ~** *dat* **aus tun** to do sth of one's own accord

Sichel <-, -n> ['zɪçl̩] *f* sickle

sicher ['zɪçɐ] I. *adj* 1. (*gewiss*) certain; **~ sein** to be certain; **sich** *dat* **~ sein, dass ...** to be sure that ...; **sich** *dat* **einer S.** *gen* **~ sein** to be sure of sth; **so viel ist ~** that much is certain 2. (*ungefährdet*) safe (**vor** from); *An-*

S

lage secure; ~ **ist** ~ you can't be too careful **II.** *adv* surely; |**aber**| ~! sure!; **du hast** ~ **Recht** you are certainly right

Sicherheit <-, -en> *f* **1.** *kein pl* safety; **in** ~ **sein** to be safe; **etw in** ~ **bringen** to get sth to safety; **die öffentliche** ~ public safety; **soziale** ~ social security **2.** *kein pl* (*Gewissheit*) certainty; **mit** ~ for certain

Sicherheitsgurt *m* seat belt **Sicherheitsnadel** *f* safety pin **Sicherheitsschloss**^{RR} *nt* safety lock

sicherlich *adv* surely

sichern ['zɪçɐn] **I.** *vt* **1.** **sich/jdm etw** ~ to secure sth for oneself/sb **2.** (*schützen*) to protect **3.** INFORM to save **II.** *vr* **sich gegen etw** *akk* ~ to protect oneself against sth

Sicherung <-, -en> *f* **1.** ELEK fuse; **die** ~ **ist durchgebrannt** the fuse has blown **2.** (*Schutzvorrichtung*) safety catch **3.** INFORM back-up ▶ **jdm brennt die** ~ **durch** (*fam*) sb blows a fuse

Sicht <-, *selten* -en> [zɪçt] *f* **1.** view; **in** ~ **sein** to be in sight; **etw ist in** ~ (*fig*) sth is on the horizon; **eine gute/schlechte** ~ a good/poor view; **auf kurze/mittlere/lange** ~ in the short term/midterm/long term **2.** (*Meinung*) |point of| view; **aus jds** ~ from sb's point of view

sichtbar *adj* visible

sichten ['zɪçtn] *vt* **etw** ~ to sight sth; **jdn** ~ to spot sb; **die Akten** ~ to look through the files

sickern ['zɪkɐn] *vi sein* to seep

sie [ziː] *pron pers*, *3. pers* **1.** <*gen* ihrer, *dat* ihr, *akk* sie> *sing* she; ~ **ist es!** it's her!; (*Sache od. weibl. Tier*) it **2.** <*gen* ihrer, *dat* ihnen, *akk* sie> *pl* they

Sie¹ <*gen* Ihrer, *dat* Ihnen, *akk* Sie> [ziː] *pron pers*, *2. pers sing o pl* (*förmliche Anrede*) you

Sie² [ziː] *f kein pl* **eine** ~ a female

Sieb <-[e]s, -e> [ziːp] *nt* sieve

sieben¹ ['ziːbn] *adj* seven; *s.a.* **acht**¹

sieben² ['ziːbn] *vt* to sieve

siebenhundert ['ziːbn'hʊndɐt] *adj* seven hundred

siebenjährig, 7-jährig^{RR} ['ziːbnjɛːrɪç] *adj* **1.** (*Alter*) seven-year-old *attr*, seven years old *pred* **2.** (*Zeitspanne*) seven-year *attr*

siebte(r, s) ['ziːptɐ, 'ziːptɐ, 'ziːptəs] *adj* seventh; *s.a.* **achte(r, s)**

Siebtel <-s, -> ['ziːptl̩] *nt* seventh

siebzehn ['ziːptseːn] *adj* seventeen; *s.a.* **acht**¹

siebzig ['ziːptsɪç] *adj* seventy; *s.a.* **achtzig**

siedeln ['ziːdl̩n] *vi* to settle

sieden <siedete *o* sott, gesiedet> ['ziːdn̩] *vi* to boil; ~**d heiß** boiling hot

Siedler(in) <-s, -> ['ziːdlɐ] *m(f)* settler

Siedlung <-, -en> ['ziːdlʊŋ] *f* settlement

Sieg <-[e]s, -e> [ziːk] *m* victory

Siegel <-s, -> ['ziːɡl̩] *nt* seal

siegen ['ziːɡn̩] *vi* to win

Sieger(in) <-s, -> *m(f)* **1.** victor **2.** SPORT winner

Siegerehrung *f* presentation ceremony

Signal <-s, -e> [zɪ'ɡnaːl] *nt* signal; ~**e aussenden** to transmit signals

signalisieren [zɪɡnali'ziːrən] *vt* to signal

signieren [zɪ'ɡniːrən] *vt* to sign

Silbe <-, -n> ['zɪlbə] *f* syllable

Silber <-s> ['zɪlbɐ] *nt kein pl* silver

Silberhochzeit *f* silver wedding **Silbermedaille** *f* silver medal

silbern ['zɪlbɐn] *adj* silver

Silhouette <-, -n> [zi'lu̯ɛtə] *f* silhouette; *Stadt* skyline

Silizium <-s> [zi'li:tsi̯ʊm] *nt kein pl* silicon

Silo <-s, -s> ['zi:lo] *m* silo

Silvester <-s, -> [zɪl'vɛstɐ] *m o nt* New Year's Eve

simpel ['zɪmpl̩] I. *adj* simple II. *adv* simply

Sims <-es, -e> [zɪms] *m o nt (Fenstersims: innen)* [window]sill; *(Fenstersims: außen)* [window] ledge; *(Kaminsims)* mantelpiece

Simulant(in) <-en, -en> [zimu'lant] *m(f)* malingerer

simulieren [zimu'li:rən] I. *vi* to malinger II. *vt* INFORM to [computer-]simulate

simultan [zimʊl'ta:n] I. *adj* simultaneous II. *adv* ~ **dolmetschen** to interpret simultaneously

Sinfonie <-, -n> [zɪnfo'ni:] *f* symphony

singen <sang, gesungen> ['zɪŋən] *vi, vt* to sing

Singular <-s, -e> ['zɪŋgula:ɐ̯] *m* singular

Singvogel *m* songbird

sinken <sank, gesunken> ['zɪŋkn̩] *vi sein* to sink; **die Hände ~ lassen** to let one's hands fall; **den Mut ~ lassen** to lose courage

Sinn <-[e]s, -e> [zɪn] *m* 1. *meist pl (Wahrnehmungssinn)* sense; **der sechste ~** the sixth sense; **von ~en sein** to be out of one's mind 2. *kein pl (Bedeutung)* meaning; **in diesem ~e** in that respect; **im eigentlichen ~e** literally; **im übertragenen ~e** in the figurative sense 3. *(Zweck)* point; **es hat keinen ~[, etw zu tun]** there's no point [in doing sth]; **der ~ des** **Lebens** the meaning of life 4. *kein pl (Verständnis)* ~ **für etw** *akk* **haben** to appreciate sth 5. *(Gedanke)* **etw [mit jdm/etw] im ~ haben** to have sth in mind [with sb/sth]; **in jds ~ handeln** to act according to sb's wishes; **jdm in den ~ kommen** to come to sb

sinnen <sann, gesonnen> ['zɪnən] *vi* **auf etw** *akk* ~ to think of sth; **auf Rache ~** to plot revenge

Sinnesorgan *nt* sense organ **Sinnestäuschung** *f* illusion **Sinneswahrnehmung** *f* sensory perception *no pl* **Sinneswandel** *m* change of heart

sinnlich *adj* sensual

Sinnlichkeit <-> *f kein pl* sensuality *no art*

sinnlos *adj* senseless; *Geschwätz* meaningless; **das ist doch ~!** that's futile!

Sinnlosigkeit <-, -en> *f* senselessness *no pl*

sinnvoll I. *adj* 1. meaningful 2. *(zweckmäßig)* practical II. *adv* sensibly

Sintflut ['zɪntflu:t] *f* **die ~** the Flood

Sippe <-, -n> ['zɪpə] *f* [extended] family

Sirene <-, -n> [zi're:nə] *f* siren

Sirup <-s, -e> ['zi:rʊp] *m* syrup

Sitte <-, -n> ['zɪtə] *f* 1. custom; **es ist bei uns ~, ...** it is our custom ... 2. *meist pl (Moral)* moral standards *npl* ▶ **andere** Länder, **andere ~n** other countries, other customs

Sittich <-s, -e> ['zɪtɪç] *m* parakeet

Sittlichkeitsverbrechen *nt* sex crime

Situation <-, -en> [zitu̯a'tsi̯o:n] *f* situation

Sitz <-es, -e> [zɪts] *m* seat

sitzen <saß, gesessen> ['zɪtsn̩] *vi haben o bes* SÜDD, ÖSTERR, SCHWEIZ *sein*

S

1. to sit; [**bitte**] bleib/bleiben Sie ~! [please] don't get up! **2.** (*arbeiten*) **an etw** *dat* ~ to sit over sth **3.** (*fam: im Gefängnis*) to do time **4.** SCH ~ **bleiben** to repeat a year **5.** *Ware* **auf etw** *dat* ~ **bleiben** to be left with sth ▶ **jdn** ~ <u>lassen</u> (*fam: im Stich lassen*) to leave sb in the lurch

Sitzplatz *m* seat

Sitzung <-, -en> *f* meeting

Sizilien <-s> [zi'tsiːli̯ən] *nt* Sicily

Skala <-, Skalen> ['skaːla] *f* scale

Skandal <-s, -e> [skan'daːl] *m* scandal

skandalös [skanda'løːs] *adj* scandalous

Skandinavien <-s> [skandi'naːvi̯ən] *nt* Scandinavia

skandinavisch [skandi'naːvɪʃ] *adj* Scandinavian

Skat <-[e]s, -e> [skaːt] *m* KARTEN skat

Skateboard <-s, -s> ['skeːtboːɐ̯t] *nt* skateboard; ~ **fahren** to skateboard

Skelett <-[e]s, -e> [ske'lɛt] *nt* skeleton

Skepsis <-> ['skɛpsɪs] *f kein pl* scepticism

Skeptiker(in) <-s, -> ['skɛptikɐ] *m(f)* sceptic

skeptisch ['skɛptɪʃ] **I.** *adj* sceptical **II.** *adv* sceptically

Ski <-s, -> [ʃiː] *m* ski; ~ **laufen** to ski

Skianzug *m* ski suit **Skihose** *f* ski pants *npl* **Skiläufer(in)** *m(f)* skier **Skilift** *m* ski lift **Skipiste** *f* ski run **Skispringen** *nt kein pl* ski jumping *no art* **Skistock** *m* ski stick

Skizze <-, -n> ['skɪtsə] *f* sketch

skizzieren [skɪ'tsiːrən] *vt* to sketch

Sklave, Sklavin <-n, -n> ['sklaːvə, -vɪn] *m, f* slave

Sklaventreiber(in) *m(f)* slave-driver

Sklaverei <-, -en> [sklaːvə'rai] *f* slavery *no art*

Skonto <-s, -s> ['skɔnto] *nt o m* [cash] discount

Skorbut <-[e]s> [skɔr'buːt] *m kein pl* scurvy *no pl*

Skorpion <-s, -e> [skɔr'pi̯oːn] *m* **1.** scorpion **2.** ASTROL Scorpio

Skrupel <-s, -> ['skruːpl̩] *m meist pl* scruple; [**keine**] ~ **haben, etw zu tun** to have [no] qualms about doing sth

skrupellos **I.** *adj* unscrupulous **II.** *adv* without scruple

Skulptur <-, -en> [skʊlp'tuːɐ̯] *f* sculpture

Slalom <-s, -s> ['slaːlɔm] *m* slalom

Slawe, Slawin <-n, -n> ['slaːvə, 'slaːvɪn] *m, f* Slav

slawisch ['slaːvɪʃ] *adj* Slav[on]ic

Slip <-s, -s> [slɪp] *m* panties *npl*

Slipeinlage *f* panty liner

Slowake, Slowakin <-n, -n> [slo'vaːkə, slo'va:kɪn] *m, f* Slovak

Slowakei <-> [slova'kai] *f* **die** ~ Slovakia

slowakisch [slo'vaːkɪʃ] *adj* Slovak[ian]

Slowenien <-s> [slo'veːni̯ən] *nt* Slovenia

Slum <-s, -s> [slam] *m* slum

Smaragd <-[e]s, -e> [sma'rakt] *m* emerald

Smog <-[s], -s> [smɔk] *m* smog

Smogalarm *m* smog alert

Smoking <-s, -s> ['smoːkɪŋ] *m* dinner jacket

SMS <-, -> [ɛsʔɛm'ɛs] *f* MEDIA, TELEK *Abk von* **Short Message Service** text [message]

so [zoː] **I.** *adv* **1.** *mit adj und adv* (*derart*) so; **es ist ~, wie du sagst** it is [just] as you say; ~ **viel wie** as much as; ~ **wenig wie möglich** as little as possible **2.** *mit vb* (*derart*) **ich habe**

mich ~ über ihn geärgert! I was so angry with him; ~ **sehr, dass ...** to such a degree that ... **3.** (*auf diese Weise*) this/that way; ~ **ist es** that's right; ~ **ist das nun mal** that's the way things are; **es ist besser** ~ it's better that way; ~ **musst du es machen** this is how you must do it; ~ **genannt** so-called; ~ **oder** ~ either way; **und** ~ **weiter** et cetera **4.** (*solch*) ~ **ein(e) ...** such a/an ...; ~ **etwas** such a thing **II.** *konj* **1.** (*konsekutiv*) ~ **dass** so that **2.** (*obwohl*) ~ **leid es mir auch tut** as sorry as I am **III.** *interj* (*also*) right; ~, **jetzt gehen wir ...** right, let's go and ...

sobald [zo'balt] *konj* as soon as
Socke <-, -n> ['zɔkə] *f* sock
Sockel <-s, -> ['zɔkl̩] *m* plinth
sodassᴿᴿ [zo'das] *konj* so that
Sodawasser *nt* soda [water]
Sodbrennen [zo:t-] *nt* heartburn
soeben [zo'ʔe:bn̩] *adv* just
Sofa <-s, -s> ['zo:fa] *nt* sofa
sofern [zo'fɛrn] *konj* provided that
sofort [zo'fɔrt] *adv* at once
Soforthilfe *f* emergency relief *no art*
Softie <-s, -s> ['zɔfti] *m* (*fam*) softie
sogar [zo'ga:ɐ̯] *adv* even
sogleich [zo'glaiç] *adv* (*geh*) immediately
Sohle <-, -n> ['zo:lə] *f* sole ▶ **auf leisen** ~n noiselessly
Sohn <-[e]s, Söhne> [zo:n] *m* son
Sojabohne *f* soybean
solang [zo'laŋ], **solange** [zo'laŋə] *konj* as long as
Solarenergie *f* solar energy
Solarium <-s, -ien> [zo'la:rĭʊm] *nt* solarium
solch [zɔlç] *adj* such; ~ **ein Mann** such a man

Sold <-[e]s> [zɔlt] *m kein pl* pay
Soldat(in) <-en, -en> [zɔl'da:t] *m(f)* soldier
Söldner(in) <-s, -> ['zœldnɐ] *m(f)* mercenary
solid [zo'li:t], **solide** [zo'li:də] *adj* solid
solidarisch [zoli'da:rɪʃ] *adj* **sich ~ erklären** to declare one's solidarity
solidarisieren [zolidari'zi:rən] *vr* **sich ~** to show [one's] solidarity
Solidarität <-> [zolidari'tɛ:t] *f kein pl* solidarity; **aus** ~ out of solidarity
Solist(in) <-en, -en> [zo'lɪst] *m(f)* soloist
Soll <-[s], -[s]> [zɔl] *nt* **1.** FIN debit side; ~ **und Haben** debit and credit **2.** (*Ziel*) target; **sein** ~ **erfüllen** to reach one's target
sollen ['zɔlən] **I.** *vb aux* <sollte, sollen> *modal* **1.** (*etw zu tun haben*) **du sollst herkommen, habe ich gesagt!** I said [you should] come here!; **was** ~ **wir machen?** what shall we do? **2.** *konditional* (*falls*) **sollte das passieren, ...** should that happen ... **3.** *konjunktivisch* (*eigentlich müssen*) **du sollst dich schämen!** you should be ashamed [of yourself]; **was hätte ich tun ~?** what should I have done? **4.** (*angeblich sein*) **etw sein/tun** ~ to be supposed to be/do sth; **was soll das heißen?** what's that supposed to mean? **5.** (*dürfen*) **du hättest das nicht tun** ~ you should not have done that **II.** *vi* <sollte, gesollt> **1.** (*müssen*) **du sollst sofort nach Hause** you should go home at once **2.** (*bedeuten*) **was soll das?** what's that supposed to mean?; **was soll der Blödsinn?** what's all this nonsense about?; **was soll's?** who cares?

S

Solo <-s, Soli> ['zo:lo] *nt* solo

somit [zo'mɪt] *adv* therefore

Sommer <-s, -> ['zɔmɐ] *m* summer; **im nächsten ~** next summer

sommerlich *adj* summer; **~es Wetter** summer weather

Sommersprosse *f meist pl* freckle *usu pl*

Sonate <-, -n> [zo'na:tə] *f* sonata

Sonde <-, -n> ['zɔndə] *f* probe

Sonderangebot *nt* special offer; **etw im ~ haben** to have sth on special offer

sonderbar ['zɔndɐbaːɐ̯] I. *adj* strange II. *adv* strangely

Sonderling <-s, -e> ['zɔndɐlɪŋ] *m* oddball

Sondermüll *m* hazardous waste

sondern ['zɔndɐn] *konj* but

Sonderschule *f* special school **Sonderzug** *m* special train

Sonnabend ['zɔnʔaːbn̩t] *m* Saturday

sonnabends *adv* on Saturday[s]

Sonne <-, -n> ['zɔnə] *f* sun; **die ~ geht auf/unter** the sun rises/sets

sonnen ['zɔnən] *vr* 1. **sich ~** to sun oneself 2. (*genießen*) **sich in etw** *dat* **~** to bask in sth

Sonnenaufgang *m* sunrise **Sonnenbad** *nt* sunbathing *no art, no pl;* **ein ~ nehmen** to sunbathe **Sonnenblume** *f* sunflower **Sonnenbrand** *m* sunburn *no art;* **einen ~ bekommen** to get sunburnt **Sonnenbrille** *f* sunglasses *npl* **Sonnenenergie** *f* solar energy **Sonnenfinsternis** *f* solar eclipse **Sonnenlicht** *nt kein pl* sunlight **Sonnenmilch** *f* suntan lotion **Sonnenöl** *nt* suntan oil **Sonnenschein** *m* sunshine; **bei strahlendem ~** in brilliant sunshine **Sonnenschirm** *m* sunshade **Sonnenstich** *m*

sunstroke *no art;* **einen ~ haben** to have sunstroke **Sonnenstrahl** *m* sunbeam **Sonnensystem** *nt* solar system **Sonnenuntergang** *m* sunset

sonnig ['zɔnɪç] *adj* sunny

Sonntag ['zɔnta:k] *m* Sunday; *s.a.* **Dienstag**

sonntags *adv* on Sundays

sonst [zɔnst] *adv* 1. (*andernfalls*) or [else] 2. (*gewöhnlich*) usually; **kälter als ~** colder than usual 3. (*außerdem*) **wer war ~ anwesend?** who else was present?; **~ noch etwas** something else; **~ keine(r/s)** nothing/nobody else

sonstig ['zɔnstɪç] *adj attr* [all/any] other

Sopran <-s, -e> [zo'pra:n] *m kein pl* soprano

Sorge <-, -n> ['zɔrgə] *f* worry (**um** for); **keine ~!** don't [you] worry!; **machen Sie sich deswegen keine ~!** don't worry about that!; **wir haben uns solche ~n gemacht!** we were so worried!; **eine große ~** a serious worry; **~n haben** to have problems; **etw macht jdm ~n** sth causes sb a lot of worry; **es macht jdm ~n, dass ...** it worries sb that ...; **mit ~** with concern

sorgen ['zɔrgn̩] I. *vi* 1. (*sich kümmern*) **für jdn ~** to provide for sb 2. (*bewirken*) **dafür ~, dass ...** to see to it that; **für Aufsehen ~** to cause a sensation II. *vr* **sich um jdn/etw ~** to be worried about sb/sth

Sorgerecht *nt kein pl* custody

Sorgfalt <-> ['zɔrkfalt] *f kein pl* care

sorgfältig I. *adj* careful II. *adv* carefully

sorglos ['zɔrklo:s] I. *adj* 1. (*achtlos*) careless 2. (*sorgenfrei*) carefree II. *adv* 1. (*achtlos*) carelessly 2. (*sorgenfrei*) free of care

sorgsam ['zɔrkzaːm] *adj s.* **sorgfältig**

Sorte <-, -n> ['zɔrtə] *f* **1.** (*Art*) kind **2.** (*Marke*) brand

sortieren [zɔr'tiːrən] *vt* **etw** [**nach Farbe**] ~ to sort sth [according to colour]; **etw** [**alphabetisch**] ~ to arrange sth in alphabetical order

Sortiment <-[e]s, -e> [zɔrti'mɛnt] *nt* range [of goods]

Soße <-, -n> ['zoːsə] *f* sauce

Souterrain <-s, -s> ['zuːtɛrɛ̃] *nt* basement

Souvenir <-s, -s> [zuvə'niːɐ̯] *nt* souvenir

Souvenirladen *m* souvenir shop

souverän [zuvə'rɛːn] I. *adj* **1.** POL sovereign *attr* **2.** (*überlegen*) superior II. *adv* with superior ease

Souveränität <-> [zuvərɛni'tɛːt] *f kein pl* **1.** POL sovereignty **2.** (*Überlegenheit*) superior ease

soviel [zo'fiːl] *konj* as far as; ~ **ich weiß** as far as I know; ~ **ich auch trinke, ...** no matter how much I drink ...

soweit [zo'vait] *konj* as far as

sowie [zo'viː] *konj* **1.** (*sobald*) as soon as **2.** (*und auch*) as well as

sowieso [zovi'zoː] *adv* anyway

sowohl [zo'voːl] *konj* ~ **... als auch ...** both ... and ...

sozial [zo'tsi̯aːl] I. *adj* social II. *adv* ~ **schwach** socially deprived

Sozialamt *nt* social security office BRIT, welfare department AM **Sozialarbeiter(in)** *m(f)* social worker **Sozialbeitrag** *m meist pl* social contribution **Sozialhilfe** *f kein pl* income support, [social] welfare AM

Sozialismus <-> [zotsi̯a'lɪsmʊs] *m kein pl* socialism

Sozialist(in) <-en, -en> [zotsi̯a'lɪst] *m(f)* socialist

sozialistisch [zotsi̯a'lɪstɪʃ] *adj* socialist

Sozialstaat *m* welfare state

Soziologie <-> [zotsi̯olo'giː] *f kein pl* sociology

sozusagen [zo:tsu'za:gn̩] *adv* so to speak

Spachtel <-s, -> ['ʃpaxtl̩] *m* spatula

spachteln ['ʃpaxtl̩n] *vi* (*fam: viel essen*) to tuck in

Spaghetti [ʃpa'gɛti], **Spagetti**RR *pl* spaghetti + *sing vb*

Spalte <-, -n> ['ʃpaltə] *f* **1.** (*Öffnung*) fissure; (*in Fels a.*) crevice **2.** MEDIA, TYPO column

spalten ['ʃpaltn̩] I. *vt* <*pp* gespalten *o* gespaltet> **1.** (*zerteilen*) to split; *Holz* to chop **2.** (*trennen*) to divide II. *vr* **sich** ~ **1.** (*reißen*) to split **2.** (*sich teilen*) to divide

Spaltung <-, -en> *f* **1.** NUKL fission **2.** (*Aufspaltung*) division

Spammail ['spæmmeːl] *f* spam [*or* junk] mail

Span <-[e]s, Späne> [ʃpaːn] *m* shaving

Spange <-, -n> ['ʃpaŋə] *f* **1.** (*Haarspange*) hairslide BRIT, barrette AM **2.** (*Zahnspange*) [dental] brace

Spanien <-s> ['ʃpaːni̯ən] *nt* Spain

Spanier(in) <-s, -> ['ʃpaːni̯ɐ] *m(f)* Spaniard; **die** ~ the Spanish

spanisch ['ʃpaːnɪʃ] *adj* Spanish

spannen ['ʃpanən] I. *vt* **1.** (*aufspannen*) to put up; **ein Seil zwischen etw** *akk* ~ to stretch a rope between sth **2.** (*anspannen*) **ein Tier vor etw** *akk* ~ to harness an animal to sth II. *vi* (*zu eng sein*) **etw spannt** sth is too tight III. *vr* (*sich straffen*) **sich** ~ to become taut

spannend *adj* exciting; **mach's nicht so ~!** don't keep me in suspense!

S

Spannung <-, -en> *f* **1.** *kein pl* suspense; **etw mit ~ erwarten** to await sth full of suspense **2.** *meist pl a.* PHYS (*Anspannung*) tension **3.** ELEK voltage; **unter ~ stehen** to be live

Sparbuch *nt* savings book

sparen ['ʃpaːrən] I. *vt* **1.** to save **2.** (*ersparen*) **jdm/sich etw ~** to spare sb/oneself sth II. *vi* **an etw** *dat* **~** to be sparing with sth; **auf etw** *akk* **~** to save up for sth

Spargel <-s, -> ['ʃpargl̩] *m* asparagus *no pl*

Sparkasse *f* bank

sparsam ['ʃpaːɐ̯zaːm] I. *adj* economical II. *adv* sparingly

Sparsamkeit <-> *f kein pl* thriftiness

Sparte <-, -n> ['ʃpartə] *f* ÖKON line of business

Spaß <-es, Späße> [ʃpaːs] *m* **1.** *kein pl* (*Vergnügen*) fun; **viel ~!** have fun!; **~ haben** to have fun; [**nur**] **~ machen** to be [just] kidding; **es macht jdm ~, etw zu tun** sb enjoys doing sth; **jdm den ~ verderben** to spoil sb's fun **2.** (*Scherz*) joke; **~ muss sein** there's no harm in a joke; **keinen ~ verstehen** to not stand for any nonsense; **~ beiseite** joking apart

spaßen ['ʃpaːsn̩] *vi* to joke; **mit etw** *dat* **ist nicht zu ~** sth is no joking matter

Spaßgesellschaft *f* hedonistic society

Spaßvogel *m* joker

spät [ʃpɛːt] I. *adj* late; **~ sein/werden** to be/be getting late; **wie ~ ist es?** what time is it? ; **am ~en Abend** in the late evening II. *adv* late; **~ dran sein** to be late

Spaten <-s, -> ['ʃpaːtn̩] *m* spade

später ['ʃpɛːtɐ] I. *adj* later II. *adv* later [on]; **bis ~!** see you later!; **nicht ~ als** not later than

spätestens ['ʃpɛːtəstn̩s] *adv* at the latest

Spätlese *f* late vintage **Spätschicht** *f* late shift

Spatz <-en, -en> [ʃpats] *m* sparrow

spazieren [ʃpaˈtsiːrən] *vi sein* to stroll; **~ fahren/gehen** to go for a drive/walk

Spaziergang <-gänge> *m* walk; **einen ~ machen** to go for a walk **Spaziergänger(in)** <-s, -> *m(f)* stroller **Spazierstock** *m* walking stick

Specht <-[e]s, -e> [ʃpɛçt] *m* woodpecker

Speck <-[e]s, -e> [ʃpɛk] *m* bacon *no pl*

Spedition <-, -en> [ʃpediˈtsi̯oːn] *f* ÖKON, TRANSP haulage company

Speerwerfen *nt kein pl* the javelin

Speiche <-, -n> ['ʃpaɪçə] *f* spoke

Speichel <-s> ['ʃpaɪçl̩] *m kein pl* saliva

Speicher <-s, -> ['ʃpaɪçɐ] *m* **1.** (*Dachboden*) attic; **auf dem ~** in the attic **2.** (*Lagerhaus*) storehouse **3.** INFORM memory

speichern ['ʃpaɪçɐn] *vt, vi* **1.** to store **2.** INFORM to save (**auf** on[to]/**unter** as)

Speicherung <-, -en> *f* INFORM storage *no pl*

Speise <-, -n> ['ʃpaɪzə] *f meist pl* meal

Speisekarte *f* menu **Speiseöl** *nt* culinary oil **Speiseröhre** *f* gullet **Speisewagen** *m* restaurant car

spektakulär [ʃpɛktakuˈlɛːɐ̯] *adj* spectacular

Spekulant(in) <-en, -en> [ʃpekuˈlant] *m(f)* speculator

spekulieren [ʃpekuˈliːrən] *vi* to speculate (**mit** in/**auf** on)

Spende <-, -n> ['ʃpɛndə] *f* donation

spenden ['ʃpɛndn̩] *vt, vi* to donate (**für** to); *Blut* to give

Spender <-s, -> ['ʃpɛndɐ] m dispenser

Spender(in) <-s, -> ['ʃpɛndɐ] m(f) 1. (jd, der spendet) donator 2. MED donor

spendieren [ʃpɛn'diːrən] vt (fam) [jdm] etw ~ to get [sb] sth; **das Essen spendiere ich** the dinner's on me

Sperber <-s, -> ['ʃpɛrbɐ] m sparrowhawk

Sperma <-s, Spermen> ['ʃpɛrma] nt sperm

Sperre <-, -n> ['ʃpɛrə] f barrier

sperren ['ʃpɛrən] I. vt 1. (schließen) to close off (**für** to) 2. (blockieren) to block; Konto to freeze 3. (inhaftieren) jdn in etw akk ~ to lock sb up in sth 4. SPORT to ban II. vr sich ~ to back away (**gegen** from)

Spesen ['ʃpeːzn̩] pl expenses npl; **auf ~** on expenses

spezialisieren [ʃpetsi̯ali'ziːrən] vr sich ~ to specialize (**auf** in)

Spezialisierung <-, -en> f specialization

Spezialist(in) <-en, -en> [ʃpetsi̯a'lɪst] m(f) specialist

Spezialität <-, -en> [ʃpetsi̯ali'tɛːt] f speciality

spezifisch [ʃpe'tsiːfɪʃ] adj specific

Sphäre <-, -n> ['sfɛːrə] f sphere

Spiegel <-s, -> ['ʃpiːɡl̩] m mirror

Spiegelbild nt mirror image **Spiegelei** nt fried egg

spiegeln ['ʃpiːɡl̩n] I. vi (spiegelblank sein) to gleam II. vr sich in etw dat ~ to be reflected in sth

Spiegelreflexkamera f [single lens] reflex camera

Spiel <-[e]s, -e> [ʃpiːl] nt 1. game 2. SPORT match; **die Olympischen ~e** the Olympic Games ▶ etw aufs ~ <u>setzen</u> to put sth on the line; **auf**

dem ~ <u>stehen</u> to be at stake

Spielautomat m gambling machine **Spielbank** f casino

spielen ['ʃpiːlən] I. vt to play II. vi to play; (Glücksspiel) to gamble; **gut/schlecht ~** to play well/badly; **etw spielt irgendwann/irgendwo** sth is set in some time/place

Spieler(in) <-s, -> ['ʃpiːlɐ] m(f) 1. player 2. (Glücksspieler) gambler

Spielfeld ['ʃpiːlfɛlt] nt playing field **Spielfilm** m film **Spielkamerad(in)** m(f) playmate **Spielkarte** f playing card **Spielkasino** nt casino **Spielplatz** m playground **Spielraum** m scope no pl **Spielregel** f meist pl rules npl **Spielsachen** pl toys **Spielverderber(in)** <-s, -> m(f) spoilsport **Spielzeug** nt toy

Spieß <-es, -e> [ʃpiːs] m KOCHK spit; (kleiner) skewer

Spießer(in) <-s, -> ['ʃpiːsɐ] m(f) (pej) pedant

spießig ['ʃpiːsɪç] adj (pej) pedantic

Spinat <-[e]s> [ʃpi'naːt] m kein pl spinach

Spinne <-, -n> ['ʃpɪnə] f spider

spinnen <spann, gesponnen> ['ʃpɪnən] I. vt Wolle to spin II. vi (fam: verrückt sein) to be mad; **du spinnst wohl!** you must be mad!

Spinner(in) <-s, -> ['ʃpɪnɐ] m(f) (fam) nutcase

Spion(in) <-s, -e> [ʃpi̯oːn] m(f) spy

Spionage <-> [ʃpi̯o'naːʒə] f kein pl espionage

spionieren [ʃpi̯o'niːrən] vi to spy

Spirale <-, -n> [ʃpi'raːlə] f spiral

spiritistisch adj spiritualistic

Spirituosen [ʃpiri'tu̯oːzn̩] pl spirits

Spiritus <-> [ʃpiːrɪtʊs] m kein pl spirit

Spirituskocher m spirit stove

S

Spital <-s, Spitäler> [ʃpiˈtaːl] *nt* hospital

spitz [ʃpɪts] *adj* pointed

Spitze <-, -n> [ˈʃpɪtsə] *f* **1.** point **2.** (*erster Platz*) top **3.** *pl* (*führende Leute*) the top

spitzen [ˈʃpɪtsn̩] *vt* to sharpen

Spitzname *m* nickname

Splitter <-s, -> [ˈʃplɪtɐ] *m* splinter

spontan [ʃpɔnˈtaːn] *adj* spontaneous

Sport <-[e]s, *selten* -e> [ʃpɔrt] *m* sport *no pl;* ~ **treiben** to do sport

Sportart *f* discipline **Sportgeschäft** *nt* sports shop **Sporthalle** *f* sports hall **Sportlehrer(in)** *m(f)* PE teacher

Sportler(in) <-s, -> [ˈʃpɔrtlɐ] *m(f)* sportsman *masc,* sportswoman *fem*

sportlich [ˈʃpɔrtlɪç] **I.** *adj* **1.** (*trainiert*) athletic **2.** (*fair*) sportsmanlike **3.** MODE casual **II.** *adv* (*flott*) casually

Sportplatz *m* sports field **Sportveranstaltung** *f* sports event **Sportverein** *m* sports club **Sportwagen** *m* sports car

Spott <-[e]s> [ʃpɔt] *m kein pl* mockery

spotten [ˈʃpɔtn̩] *vi* to mock; **[über jdn/etw]** ~ to make fun [of sb/sth]

spöttisch [ˈʃpœtɪʃ] *adj* mocking

Sprache <-, -n> [ˈʃpraːxə] *f* **1.** language **2.** *kein pl* **etw zur ~ bringen** to bring sth up; **zur ~ kommen** to come up

Sprachkurs *m* language course

sprachlos *adj* speechless

Sprachwissenschaft *f* linguistics + *sing vb*

Spray <-s, -s> [spreː] *m o nt* spray

sprechen <spricht, sprach, gesprochen> [ˈʃprɛçn̩] **I.** *vi* **1.** (*reden*) to speak (**mit** with), to talk (**mit** to); **sprich nicht so laut** don't talk so loud; **für jdn/niemanden zu ~** to

be available for sb/not be available for anyone; **auf etw zu ~ kommen** to come to talk about sth **2.** (*empfehlen*) **für etw** *akk* ~ to be in favour of sth; **für sich** *akk* [**selbst**] ~ to speak for itself; **gegen etw** *akk* ~ to speak against sth ▶ **nicht gut auf jdn zu ~ sein** to be on bad terms with sb **II.** *vt* **1.** (*können*) ~ **Sie Chinesisch?** can you speak Chinese? **2.** (*aussprechen*) **etw** ~ to say sth; **sie konnte keinen vernünftigen Satz** ~ she couldn't say a single coherent sentence **3.** (*sich unterreden*) **jdn** ~ to speak to sb; **wir** ~ **uns noch!** you haven't heard the last of this!

Sprecher(in) <-s, -> *m(f)* **1.** (*Wortführer*) spokesperson **2.** RADIO, TV announcer

Sprechfunkgerät *nt* walkie-talkie

Sprechstunde *f* surgery; ~ **halten** to hold surgery

spreizen [ˈʃpraitsn̩] *vt* to spread

sprengen[1] [ˈʃprɛŋən] *vt* (*mit Sprengstoff*) to blow up

sprengen[2] [ˈʃprɛŋən] *vt Rasen* to water

Sprengkörper *m* explosive device **Sprengstoff** *m* explosive **Sprengstoffgürtel** *m* explosive belt

Sprichwort <-wörter> [ˈʃprɪçvɔrt] *nt* proverb

sprießen <spross *o* sprießte, gesprossen> [ˈʃpriːsn̩] *vi sein* BOT to sprout; *Haare* to grow

Springbrunnen *m* fountain

springen[1] <sprang, gesprungen> [ˈʃprɪŋən] *vi sein: Vase* to crack

springen[2] <sprang, gesprungen> [ˈʃprɪŋən] *vi sein* to jump; **er sprang hin und her** he leapt about

Springer <-s, -> [ˈʃprɪŋɐ] *m* SCHACH knight

Springflut *f* spring tide

Spritze <-, -n> [ˈʃprɪtsə] *f* 1. (*Nadel*) syringe 2. (*Injektion*) injection; **eine ~ bekommen** to have an injection

spritzen [ˈʃprɪtsn̩] I. *vi* 1. *haben: Fett* to spit 2. *sein: Wasser* to spurt II. *vt haben* 1. to squirt (**auf** onto) 2. MED to inject 3. AGR to spray (**gegen** against)

spröde [ˈʃprøːdə] *adj* 1. brittle; (*Haut*) rough 2. (*abweisend*) aloof

Spross^{RR}, **Sproß**^{ALT} <-sses, -sse> [ʃprɔs] *m* 1. BOT shoot 2. (*Nachkomme*) scion

Sprosse <-, -n> [ˈʃprɔsə] *f* step

Sprotte <-, -n> [ˈʃprɔtə] *f* sprat

Spruch <-[e]s, Sprüche> [ʃprʊx] *m* saying

Sprudel <-s, -> [ˈʃpruːdl̩] *m* 1. sparkling mineral water 2. DIAL (*Limonade*) fizzy drink

sprudeln [ˈʃpruːdl̩n] *vi* 1. *haben: Sekt* to fizz 2. *sein* (*heraussprudeln*) to bubble

Sprühdose *f* aerosol

sprühen [ˈʃpryːən] *vt, vi* to spray; **vor Begeisterung ~** to bubble with excitement

Sprung <-[e]s, Sprünge> [ʃprʊŋ] *m* 1. leap; **einen ~ machen** to leap 2. (*Riss*) crack

Sprungbrett *nt* 1. (*ins Wasser*) diving board 2. (*Turngerät*) springboard

Spucke <-> [ˈʃpʊkə] *f kein pl* spit

spucken [ˈʃpʊkn̩] *vi, vt* to spit

spuken [ˈʃpuːkn̩] *vi impers* to haunt; **irgendwo spukt es** somewhere is haunted

Spüle <-, -n> [ˈʃpyːlə] *f* [kitchen] sink

spülen [ˈʃpyːlən] *vi, vt* to wash up

Spüllappen *m* dishcloth **Spülmaschine** *f* dishwasher **Spülmittel**

nt washing-up liquid, dish soap AM

Spur <-, -en> [ʃpuːɐ̯] *f* 1. track[s *npl*]; **jdm auf der ~ sein** to be on sb's trail; **auf der falschen/richtigen ~ sein** to be on the wrong/right track; **eine heiße ~** a firm lead; **~en hinterlassen** to leave traces 2. (*Anzeichen*) trace; **~en der Verwüstung** signs of devastation 3. (*kleine Menge*) trace 4. (*Fahrspur*) lane; **aus der ~ geraten** to move out of lane

spüren [ˈʃpyːrən] I. *vt* 1. (*körperlich*) to feel 2. (*merken*) to sense; **etw zu ~ bekommen** to feel the force of sth II. *vi* **~, dass ...** to sense that ...

Spurensicherer, -sicherin *m, f* crime scene technician

Spurensicherung *f* evidence collection

Spurt <-s, -s> [ʃpʊrt] *m* spurt

spurten [ˈʃpʊrtn̩] *vi sein* to spurt

Squash <-> [skvɔʃ] *nt* squash

Squashhalle *f* squash courts *npl*

Staat <-[e]s, -en> [ʃtaːt] *m* 1. (*staatliche Institutionen*) state 2. (*Land*) country 3. (*Bundesstaat*) **die Vereinigten ~en** [**von Amerika**] the United States [of America]

Staatenbund <-bünde> *m* confederation [of states]

staatlich I. *adj* state *attr;* **~e Einrichtungen** state facilities II. *adv* **~ anerkannt** state-approved; **~ gefördert** government-sponsored; **~ subventioniert** state-subsidized

Staatsangehörigkeit *f* nationality **Staatsanwalt, -anwältin** *m, f* public prosecutor BRIT, District Attorney AM **Staatsexamen** *nt* state exam[ination] **Staatsform** *f* form of government **Staatsgebiet** *nt* national territory **Staatskosten** *pl* public ex-

S

penses **Staatsoberhaupt** *nt* head of state **Staatssekretär(in)** *m(f)* state secretary BRIT, undersecretary AM **Staatsstreich** *m* coup

Stab <-[e]s, Stäbe> [ʃtaːp] *m* rod

Stabhochsprung *m* pole vault

stabil [ʃtaˈbiːl, st-] *adj* **1.** (*strapazierfähig*) sturdy **2.** *Gesundheit* sound; (*Kondition, Währung*) stable

stabilisieren [ʃtabiliˈziːrən] *vt* to stabilize

Stabilität <-> [ʃtabiliˈtɛːt] *f kein pl* stability

Stachel <-s, -n> [ˈʃtaxl̩] *m* **1.** *Rose* thorn **2.** *Igel, Kaktus* spine **3.** (*Giftstachel*) sting

Stachelbeere *f* gooseberry **Stacheldraht** *m* barbed wire

stach(e)lig [ˈʃtax(ə)lɪç] *adj Rosen* thorny; *Kaktus, Tier* spiny

Stachelschwein *nt* porcupine

Stadion <-s, Stadien> [ˈʃtaːdiɔn] *nt* stadium

Stadium <-s, Stadien> [ˈʃtaːdiʊm] *nt* stage

Stadt <-, Städte> [ʃtat] *f* **1.** town; (*Großstadt*) city **2.** (*Stadtverwaltung*) council

Städtepartnerschaft *f* town twinning **Städter(in)** <-s, -> [ˈʃtɛːtɐ] *m(f)* city/ town dweller

städtisch [ˈʃtɛːtɪʃ] *adj* **1.** (*kommunal*) municipal **2.** (*urban*) urban

Stadtmauer *f* city/town wall **Stadtmitte** *f* city/town centre **Stadtplan** *m* [street] map **Stadtrand** *m* outskirts *npl* of the city/town **Stadtrat** *m* [city/town] council **Stadtrundfahrt** *f* sightseeing tour **Stadtteil** *m* district **Stadtverwaltung** *f* [city/town] council **Stadtwerke** *pl* municipal services **Stadtzentrum** *nt* city/town centre

Staffel <-, -n> [ˈʃtafl̩] *f* SPORT [relay] team

Staffellauf *m* relay [race]

Stagnation <-, -en> [ʃtagnaˈtsi̯oːn] *f* stagnation

stagnieren [ʃtaˈgniːrən] *vi* to stagnate

Stahl <-[e]s, -e> [ʃtaːl] *m* steel; **rostfreier ~** stainless steel

Stahlbeton *m* reinforced concrete

Stall <-[e]s, Ställe> [ʃtal] *m* (*Hühnerstall*) coop; (*Kuhstall*) cowshed; (*Pferdestall*) stable; (*Schweinestall*) [pig] sty

Stamm <-[e]s, Stämme> [ʃtam] *m* **1.** (*Baumstamm*) [tree] trunk **2.** (*Volksstamm*) tribe

Stammbaum *m* family tree

stammeln [ˈʃtaml̩n] *vi, vt* to stammer

stammen [ˈʃtamən] *vi* **aus Berlin ~** to come from Berlin; **aus dem 16. Jahrhundert ~** to date from the 16th century

Stammgast *m* regular [guest] **Stammkunde, -kundin** *m, f* regular [customer] **Stammlokal** *nt* local restaurant/bar **Stammplatz** *m* regular seat

stampfen [ˈʃtampfn̩] *vi* to stamp [one's foot]

Stand <-[e]s, Stände> [ʃtant] *m* **1.** standing [position]; **einen sicheren ~ haben** to have a safe foothold **2.** (*Verkaufsstand*) stand **3.** *kein pl* (*Zustand*) state; **der ~ der Dinge** the [present] state of affairs; **auf dem neuesten ~ sein** to be up-to-date

Standard <-s, -s> [ˈʃtandart] *m* standard

standardisieren [ʃtandardiˈziːrən] *vt* to standardize

Ständer <-s, -> [ˈʃtɛndɐ] *m* stand

Standesamt *nt* registry office *esp* BRIT

standesamtlich *adv* **sich ~ trauen lassen** to get married in a registry office, to be married by the Justice of the Peace AM

standhaft I. *adj* steadfast II. *adv* steadfastly

Standhaftigkeit <-> *f kein pl* steadfastness

stand|halten [ˈʃtanthaltn̩] *vi irreg* [etw *dat*] ~ 1. (*widerstehen*) to hold out [against sth] 2. *Bauwerk* to hold sth

ständig [ˈʃtɛndɪç] I. *adj* constant II. *adv* constantly

Standlicht *nt kein pl* sidelights *npl* BRIT, parking lights *npl* AM **Standort** <-[e]s, -e> *m* location **Standpunkt** *m* [point of] view; **den ~ vertreten, dass ...** to take the view that ...

Stange <-, -n> [ˈʃtaŋə] *f* pole; (*kürzer*) rod; (*Metallstange*) bar

StängelRR <-s, -> [ˈʃtɛŋl̩] *m* stalk

Stanniolpapier *nt* silver paper

stanzen [ˈʃtantsn̩] *vt* (*einstanzen*) **Löcher in etw** *akk* ~ to punch holes in sth

Stapel <-s, -> [ˈʃtaːpl̩] *m* stack

Stapellauf *m* launch[ing]

stapeln [ˈʃtaːpl̩n] I. *vt* to stack II. *vr* **sich ~** to pile up

stapfen [ˈʃtapfn̩] *vi sein* **durch etw** *akk* ~ to tramp through sth

Star[1] <-[e]s, -e> [ʃtaːɐ̯] *m* 1. (*Vogel*) starling 2. MED cataract; **grauer ~** grey cataract; **grüner ~** glaucoma

Star[2] <-s, -s> [ʃtaːɐ̯] *m* star

stark <stärker, stärkste> [ʃtark] I. *adj* 1. (*kräftig, mächtig*) strong 2. (*dick*) thick 3. *Hitze, Kälte* severe; *Regen* heavy 4. *Erkältung* bad 5. *Gefühle* intense 6. (*leistungsfähig*) powerful II. *adv* 1. (*heftig*) ~ **bluten** to bleed profusely; ~ **regnen** to rain heavily

2. (*erheblich*) ~ **erkältet sein** to have a bad cold; ~ **gewürzt** highly spiced; ~ **übertreiben** to greatly exaggerate

Stärke <-, -n> [ˈʃtɛrkə] *f* 1. (*Kraft*) strength 2. (*Macht*) power 3. (*Ausmaß*) size 4. (*Fähigkeit*) **jds ~ sein** to be sb's strong point 5. CHEM starch

stärken [ˈʃtɛrkn̩] I. *vt* to strengthen II. *vr* **sich ~** to take some refreshment

Starkstrom *m* heavy current

starr [ʃtar] *adj* 1. (*unbeweglich*) rigid 2. (*erstarrt*) stiff; **~er Blick** [fixed] stare; ~ **vor Kälte** numb with cold

starren [ˈʃtarən] *vi* (*gucken*) to stare

starrsinnig *adj* stubborn

Start <-s, -s> [ʃtart] *m* 1. start 2. LUFT take-off; RAUM lift-off

Startbahn *f* [take-off] runway

starten [ˈʃtartn̩] I. *vi sein* 1. to start 2. LUFT to take off; RAUM to lift off II. *vt haben* 1. *Auto* to start; *Computer* to boot [up *sep*] 2. *Projekt, Rakete* to launch

Station <-, -en> [ʃtaˈtsi̯oːn] *f* 1. station 2. (*Haltestelle*) stop 3. MED ward

Stationsschwester *f* ward sister BRIT, senior nurse AM

Statistik <-, -en> [ʃtaˈtɪstɪk] *f* statistics + *sing vb*

statistisch [ʃtaˈtɪstɪʃ] I. *adj* statistical; **~e Zahlen** statistics II. *adv* statistically; **etw ~ erfassen** to make a statistical survey of sth

Stativ <-s, -e> [ʃtaˈtiːf] *nt* tripod

statt [ʃtat] I. *präp* +*gen* instead of II. *konj* ~ **etw zu tun** instead of doing sth

statt|finden [ˈʃtatfɪndn̩] *vi irreg* to take place

Statue <-, -n> [ˈʃtaːtu̯ə] *f* statue

S

Statur <-, -en> [ʃtaˈtuːɐ̯] *f* build; **von kräftiger ~ sein** to be of powerful stature

Status <-, -> [ˈʃtaːtʊs] *m* status

Stau <-[e]s, -e> [ʃtau] *m* TRANSP traffic jam

Staub <-[e]s, -e> [ʃtaup] *m kein pl* dust; **~ saugen** to vacuum; **~ wischen** to dust

staubig [ˈʃtaubɪç] *adj* dusty

staubsaugen <*pp* staubgesaugt>, **Staub saugen** <*pp* Staub gesaugt> *vi, vt* to vacuum **Staubsauger** *m* vacuum [cleaner] **Staubtuch** *nt* duster **Staubwolke** *f* cloud of dust

Staudamm *m* dam

Staude <-, -n> [ˈʃtaudə] *f* perennial [plant]

stauen [ˈʃtauən] I. *vt* to dam [up *sep*] II. *vr* **sich ~** to collect

staunen [ˈʃtaunən] *vi* to be astonished (**über** at)

Stausee *m* reservoir

stechen <sticht, stach, gestochen> [ˈʃtɛçn̩] I. *vi* 1. (*pieksen*) to prick; *Insekt* to sting; *Mücke* to bite 2. [**mit etw** *dat*] **durch/in etw** *akk* **~** to stick sth through/into sth II. *vt* **jdn** [**mit etw** *dat*] **~** to stab sb [with sth] III. *vr* **sich ~** *dat* to prick oneself (**an** on)

stechend *adj Geruch* sharp; *Blick* piercing

Stechkarte *f* time [*or* BRIT clocking] card **Stechmücke** *f* gnat; ([*sub*]*tropisch*) mosquito **Stechuhr** *f* time clock **Steckdose** *f* socket, outlet AM

stecken [ˈʃtɛkn̩] I. *vi* <steckte *o* (*geh*) stak, gesteckt> 1. (*festsitzen*) to be [sticking] in sth; **zwischen/in etw** *dat* **~** to be [stuck] between/in sth; **~ bleiben** to get stuck; (*bei einer Re-*

de) to falter; **in einer Krise ~** to be in the throes of a crisis; **in Schwierigkeiten ~** to be in difficulties 2. (*eingesteckt sein*) **den Schlüssel ~ lassen** to leave the key in the lock; **hinter/in/zwischen etw** *dat* **~** to be behind/in/among sth 3. (*verantwortlich sein*) **hinter etw** *dat* **~** to be behind sth II. *vt* <steckte, gesteckt> **etw irgendwohin ~** to put somewhere; **viel Zeit in etw** *akk* **~** to devote a lot of time to sth

Stecker <-s, -> *m* plug

Stecknadel *f* pin

Steg <-[e]s, -e> [ʃteːk] *m* footbridge; (*Bootssteg*) jetty

stehen <stand, gestanden> [ˈʃteːən] I. *vi* 1. to stand 2. (*hingestellt sein*) to be; **~ lassen** to leave; **alles ~ und liegen lassen** to drop everything 3. (*geschrieben sein*) to be; **was steht in seinem Brief?** what does his letter say? 4. (*halten*) **zum S~ kommen** to come to a stop 5. AUTO **auf/in etw** *dat* **~** to be parked on/in sth; **~ bleiben** to stop 6. (*beeinflusst sein*) **unter Drogen ~** to be under the influence of drugs; **unter Schock ~** to be in a state of shock 7. (*passen*) **jdm** [**gut**] **~** to suit sb [well]; **jdm nicht ~** to not suit sb 8. (*allein lassen*) **jdn ~ lassen** to walk out on sb 9. (*nicht im Stich lassen*) **zu jdm/ etw ~** to stand by sb/sth 10. (*Meinung*) **wie ~ Sie dazu?** what are your views on it? 11. (*unterstützen*) **hinter jdm/etw ~** to be behind sb/sth 12. (*sl: gut finden*) **auf jdn ~** to be mad about sb; **stehst du auf Techno?** are you into techno? II. *vi impers* **es steht gut/schlecht um jdn/etw** things look good/bad for sb/sth

stehlen <stahl, gestohlen> [ˈʃteːlən] *vt, vi* to steal

Stehplatz *m* standing room

steif [ʃtaif] *adj* stiff

Steigbügel [ˈʃtaik-] *m* stirrup **Steigeisen** *nt* (*beim Bergsteigen*) crampon

steigen <stieg, gestiegen> [ˈʃtaign̩] **I.** *vi sein* **1.** (*klettern*) **auf etw** *akk* ~ *Berg* to climb [up] sth; *Leiter* to get on[to] sth **2.** (*einsteigen*) **in etw** *akk* ~ to get into sth; **in einen Zug** ~ to get on a train **3.** (*ab-/aussteigen*) **von/aus etw** *dat* ~ to get off/out of sth; **aus einem Bus** ~ to get off a bus **4.** (*sich aufwärts bewegen*) to rise [up]; **etw** ~ **lassen** to fly sth **5.** *Preis, Wert* to increase; *Temperatur* to climb **II.** *vt sein* **Treppen** ~ to climb [up] stairs

steigern [ˈʃtaign̩] **I.** *vt* **1.** (*quantitativ*) to increase (**auf** to/**um** by) **2.** (*qualitativ*) to improve **II.** *vr* **sich** ~ **1.** (*quantitativ*) to increase **2.** (*qualitativ*) to improve

Steigerung <-, -en> *f* **1.** (*quantitativ*) increase (+*gen* in) **2.** (*qualitativ*) improvement (+*gen* to)

Steigung <-, -en> *f* ascent

steil [ʃtail] *adj* steep

Steilhang *m* steep slope **Steilküste** *f* steep coast **Steilufer** *nt* steep bank

Stein <-[e]s, -e> [ʃtain] *m* stone

Steinadler *m* golden eagle **Steinbock** *m* **1.** ibex **2.** ASTROL Capricorn **Steinbruch** *m* quarry **Steinbutt** *m* turbot

steinig [ˈʃtainɪç] *adj* stony

Steinkohle *f kein pl* hard coal **Steinpilz** *m* KOCHK porcino **Steinschlag** *m* rockfall **Steinzeit** *f kein pl* **die** ~ the Stone Age

Steißbein *nt* coccyx

Stelle <-, -n> [ˈʃtɛlə] *f* **1.** (*Platz*) place; (*genauer*) spot; **an** ~ **von etw** *dat* instead of sth; **an erster/zweiter** ~ in the first/second place; **an dieser** ~ in this place; (*genauer*) on this spot **2.** MATH digit; **eine Zahl mit sieben** ~**n** a seven-digit number **3.** (*Posten*) place; (*Lage*) position; **ich gehe an Ihrer** ~ I'll go in your place; **an deiner** ~ **würde ich ...** in your position I would ...; **an jds** ~ **treten** to take sb's place **4.** (*Arbeitsstelle*) job; **eine freie** ~ a vacancy

stellen [ˈʃtɛlən] **I.** *vt* **1.** (*hinstellen, abstellen*) to put; **den Wein kalt** ~ to chill the wine **2.** (*aufrecht hinstellen*) to stand [up] **3.** (*einstellen*) **den Fernseher lauter/leiser** ~ to turn up/down the television; **die Heizung höher/kleiner** ~ to turn up/down the heating [*or* AM heater] *sep;* **den Wecker auf 7 Uhr** ~ to set the alarm for 7 o'clock **4.** (*konfrontieren*) **jdn vor etw** *akk* ~ to confront sb with sth **5.** (*einreichen*) **einen Antrag** ~ to put forward a motion; **Forderungen** ~ to make demands **II.** *vr* **1. sich** ~ to take up position **2.** (*Position beziehen*) **sich jdm/etw** ~ to face sb/sth; **sich gegen etw** *akk* ~ to oppose sth; **sich hinter jdn** ~ to support sb **3.** (*der Polizei*) **sich** ~ to turn oneself in

Stellenangebot *nt* job offer; **jdm ein** ~ **machen** to offer sb a job **Stellenvermittlung** *f* employment agency

Stellung <-, -en> *f* position; ~ **zu etw** *dat* **nehmen** to express an opinion on sth

Stellungnahme <-, -n> *f* statement (**zu** about)

stellvertretend *adj attr* (*vorübergehend*) acting; (*als Vize*) deputy;

S

~ **für jdn** on sb's behalf
Stellvertreter(in) *m(f)* deputy
Stemmeisen *nt* chisel
stemmen [ˈʃtɛmən] **I.** *vt* **1.** (*nach oben*) to lift **2.** (*stützen*) **die Arme in die Seiten** ~ to put one's hands on one's hips **II.** *vr* **sich gegen etw** *akk* ~ to brace oneself against sth
Stempel <-s, -> [ˈʃtɛmpl̩] *m* (*Gummi~*) stamp
stempeln [ˈʃtɛmpl̩n] *vt, vi* to stamp
Stengel^{ALT} <-s, -> [ˈʃtɛŋl̩] *m s.* **Stängel**
Stenografie <-, -n> [ʃtenograˈfiː] *f* shorthand *no art, no pl*
Steppdecke *f esp* BRIT duvet, comforter AM
Steppe <-, -n> [ˈʃtɛpə] *f* steppe
sterben <starb, gestorben> [ˈʃtɛrbn̩] *vi sein* to die (**an** of)
sterblich [ˈʃtɛrplɪç] *adj* mortal
Stereo <-> [ˈʃteːreo] *nt kein pl* stereo *no art*
Stereoanlage *f* stereo [system]
steril [ʃteˈriːl] *adj* sterile
Sterilisation <-, -en> [ʃterilizaˈtsi̯oːn] *f* sterilization
sterilisieren [ʃteriliˈziːrən] *vt* to sterilize; **sich** ~ **lassen** to get sterilized
Stern <-[e]s, -e> [ʃtɛrn] *m* star
Sternbild *nt* constellation
Sternenbanner *nt* **das** ~ the Star-spangled Banner the Stars and Stripes + *sing vb*
sternenklar *adj* starry *attr*
Sternschnuppe <-, -n> *f* shooting star **Sternwarte** *f* observatory
stetig [ˈʃteːtɪç] *adj* steady
stets [ʃteːts] *adv* at all times
Steuer¹ <-s, -> [ˈʃtɔy̯ɐ] *nt* **1.** AUTO wheel **2.** NAUT helm
Steuer² <-, -n> [ˈʃtɔy̯ɐ] *f* FIN tax
Steuerberater(in) *m(f)* tax consultant

steuerbord [ˈʃtɔy̯ɐbɔrt] *adv* starboard
Steuererklärung *f* tax return **steuerfrei** *adj* exempt from tax *pred* **Steuergelder** *pl* taxes **Steuerhinterziehung** *f* tax evasion *no art, no pl* **Steuerkarte** *f* tax card
Steuerknüppel *m* joystick **Steuermann** <-männer> [ˈʃtɔy̯ɐman] *m* helmsman
steuern [ˈʃtɔy̯ɐn] *vt* **1.** (*Auto*) to steer **2.** (*regulieren*) to control
Steuerpult *nt* control desk
Steuersatz *m* tax rate **Steuerzahler(in)** *m(f)* taxpayer
Steward <-s, -s> [ˈstjuːɐt] *m* steward
Stewardess^{RR} <-, -en>, **Stewardeß**^{ALT} <-, -ssen> [ˈstjuːɐdɛs] *f fem form von* **Steward** stewardess *dated*
Stich <-[e]s, -e> [ʃtɪç] *m* **1.** (*Messerstich*) stab; (*Wunde*) stab wound **2.** (*Insektenstich*) sting; (*Mückenstich*) bite **3.** (*Schmerz*) stabbing pain **4.** KUNST engraving ▶ **jdn im** ~ **lassen** to let down sb
sticheln [ˈʃtɪçl̩n] *vi* to make nasty remarks
stichhaltig, ÖSTERR **stichhältig** *adj* Argument sound; *Beweis* conclusive
sticken [ˈʃtɪkn̩] *vt, vi* to embroider
stickig [ˈʃtɪkɪç] *adj* stuffy; *Luft* stale
Stickstoff [ˈʃtɪkʃtɔf] *m kein pl* nitrogen
Stiefel <-s, -> [ˈʃtiːfl̩] *m* boot; **ein Paar** ~ a pair of boots
Stiefmutter *f* stepmother **Stiefmütterchen** *nt* pansy **Stiefsohn** *m* stepson **Stieftochter** *f* stepdaughter **Stiefvater** *m* stepfather
Stiel <-[e]s, -e> [ʃtiːl] *m* **1.** handle; *eines Besens* broomstick **2.** BOT stem
Stier <-[e]s, -e> [ʃtiːɐ] *m* **1.** bull **2.** ASTROL Taurus
Stierkampf *m* bullfight

Stift <-[e]s, -e> [ʃtɪft] *m* **1.** (*Stahlstift*) tack **2.** (*zum Schreiben*) pen; (*Bleistift*) pencil

stiften [ʃtɪftn̩] *vt* **1.** [jdm] etw ~ to donate sth [to sb] **2.** (*verursachen*) to cause; **Unruhe** ~ to create unrest

Stiftung <-, -en> *f* **1.** (*Organisation*) foundation **2.** (*Schenkung*) donation

Stiftzahn *m* post crown

Stil <-[e]s, -e> [ʃtiːl] *m* style

stilisieren [ʃtili'ziːrən] *vt* to stylize

still [ʃtɪl] *adj* **1.** quiet; **eine ~e Stunde** a quiet time **2.** (*heimlich*) **im S~en hoffen, dass ...** to secretly hope that

Stille <-> [ʃtɪlə] *f kein pl* silence *no art*

stilllegen *vt* to close

stillen [ʃtɪlən] *vt* **1.** (*säugen*) to breastfeed **2.** (*befriedigen*) to satisfy; **jds Durst** ~ to quench sb's thirst

still|halten *vi irreg* to keep still

still|legen^RR <stillgelegt> *vt* to close [down *sep*]

Stillstand *m kein pl* standstill

Stimmband *nt meist pl* ANAT vocal c[h]ord **Stimmbruch** *m* **er ist im ~** his voice is breaking

Stimme <-, -n> [ʃtɪmə] *f* **1.** voice **2.** POL vote; **sich der ~ enthalten** to abstain [from voting]

stimmen^1 [ʃtɪmən] *vi* to be right; **es stimmt, dass ...** it is true that ...; **da stimmt was nicht!** there's something wrong here!; **stimmt so!** *beim Bezahlen* keep the change!

stimmen^2 [ʃtɪmən] *vt* MUS to tune

Stimmenthaltung *f* abstention

Stimmgabel *f* tuning fork

stimmig [ʃtɪmɪç] *adj* **etw ist [in sich] ~** sth is consistent

Stimmrecht *nt* right to vote

Stimmung <-, -en> *f* **1.** mood; **in der ~ [zu etw** *dat*] **sein** to be in the mood

[for sth]; **in ~ kommen** to get in the [right] mood **2.** (*öffentliche Meinung*) public opinion; **~ für/gegen etw** *akk* **machen** to stir up [public] opinion for/against sth

Stimmzettel *m* voting slip

stimulieren [ʃtimu'liːrən] *vt* to stimulate

stinken <stank, gestunken> [ʃtɪŋkn̩] *vi* to stink (**nach** of)

Stinktier *nt* skunk

Stipendium <-s, -dien> [ʃti'pɛndiʊm] *nt* scholarship

Stirn <-, -en> [ʃtɪrn] *f* forehead; **die ~ runzeln** to frown

Stirnband <-bänder> *nt* headband

Stirnhöhle *f* sinus

stöbern [ʃtøːbɐn] *vi* **in etw** *dat* ~ to rummage in sth (**nach** for)

stochern [ʃtɔxɐn] *vi* **in etw** *dat* ~ to poke [around] in sth

Stock^1 <-[e]s, Stöcke> [ʃtɔk] *m* stick

Stock^2 <-[e]s, -> [ʃtɔk] *m* floor BRIT, story AM; **der 1. ~** the ground [*or* AM first] floor; **im 2. ~** on the first [*or* AM second] floor

Stöckelschuh *m* high heel

stocken [ʃtɔkn̩] *vi* to falter

Stockwerk *nt s.* Stock^2

Stoff <-[e]s, -e> [ʃtɔf] *m* **1.** (*Textil*) cloth **2.** (*Material*) material **3.** CHEM substance

Stofftier *nt* soft toy

Stoffwechsel *m* metabolism *no art*

stöhnen [ʃtøːnən] *vi* to moan

Stollen <-s, -> [ʃtɔlən] *m* **1.** BERGB **senkrechter/waagrechter ~** shaft/gallery **2.** KOCHK stollen AM (*sweet bread made with dried fruit, eaten at Christmas*)

stolpern [ʃtɔlpɐn] *vi sein* to trip (**über** over)

S

stolz [ʃtɔlts] *adj* proud (**auf** of)

Stolz <-es> [ʃtɔlts] *m kein pl* pride *no art*

stolzieren [ʃtɔlˈtsiːrən] *vi sein* to strut

stopfen [ˈʃtɔpfn̩] *vt* **1.** (*hineinzwängen*) to stuff **2.** *Strumpf* to darn

Stopp <-s, -s> [ʃtɔp] *m* stop

Stoppelbart *m* stubbly beard **Stoppelfeld** *nt* stubble field

stoppen [ˈʃtɔpn̩] *vt, vi* **1.** (*anhalten*) to stop **2.** (*Zeit nehmen*) to time

Stoppschild <-schilder> *nt* stop sign **Stoppuhr** *f* stopwatch

Stöpsel <-s, -> [ˈʃtœpsl̩] *m* stopper; (*für Badewanne*) plug

Stör <-[e]s, -e> [ʃtøːɐ̯] *m* sturgeon

Storch <-[e]s, Störche> [ʃtɔrç] *m* stork

stören [ˈʃtøːrən] **I.** *vt* **1.** (*unterbrechen*) to disturb; **ich will nicht ~, aber ...** I hate to disturb you, but ...; **jdn bei der Arbeit ~** to disturb sb at his/her work **2.** (*unangenehm berühren*) **etw stört jdn** sth upsets sb; **stört es Sie, wenn ich ...?** do you mind if I ...?; **das stört mich nicht** that doesn't bother me **II.** *vi* (*lästig sein*) to be irritating; **etw als ~d empfinden** to find sth irritating **III.** *vr* **sich an etw** *dat* **~** to let sth bother one

stornieren [ʃtɔrˈniːrən] *vt* to cancel

Stornierung <-, -en> *f* cancellation

störrisch [ˈʃtœrɪʃ] *adj* stubborn

Störung <-, -en> *f* disturbance; (*Defekt*) fault

Stoß <-es, Stöße> [ʃtoːs] *m* **1.** push; (*mit Ellbogen*) dig; (*mit Faust*) punch; **jdm einen ~ versetzen** to give sb a push etc. **2.** (*Erschütterung*) bump **3.** (*Stapel*) pile

Stoßdämpfer *m* shock absorber

stoßen <stößt, stieß, gestoßen> [ˈʃtoːsn̩] **I.** *vt* **1.** to push (**aus** out of/

von off) **2.** (*aufmerksam machen*) **jdn auf etw** *akk* **~** to point out sth *sep* to sb **II.** *vr* **sich ~** to hurt oneself (**an** on) **III.** *vi* **1.** *sein* (*aufschlagen*) **mit dem Kopf an etw** *akk* **~** to bang one's head on sth **2.** *sein* (*finden*) **auf etw** *akk* **~** to find sth

Stoßstange *f* bumper

stottern [ˈʃtɔtɐn] *vi* to stutter

Strafanzeige *f* [criminal] charge **Strafarbeit** *f* SCH lines *npl* BRIT, extra work AM **Strafbank** *f* SPORT penalty bench

strafbar *adj* punishable

Strafe <-, -n> [ˈʃtraːfə] *f* **1.** punishment *no pl;* **zur ~** as a punishment **2.** (*Geldstrafe*) fine; **~ zahlen** to pay a fine **3.** (*Haftstrafe*) sentence

strafen [ˈʃtraːfn̩] *vt* to punish; **mit etw** *dat* **gestraft sein** to suffer under sth; **jdn mit Verachtung ~** to treat sb with contempt

straff [ʃtraf] **I.** *adj* **1.** *Seil* taut **2.** *Haut* firm **II.** *adv* tightly

straffen [ˈʃtrafn̩] *vt* to tighten

Sträfling <-s, -e> [ˈʃtrɛːflɪŋ] *m* prisoner

Strafraum *m* penalty area **Strafrecht** *nt* criminal law *no art* **strafrechtlich** *adj* criminal **Strafstoß** *m* penalty [kick] **Straftat** *f* offence **Strafvollzug** *m* penal system **Strafzettel** *m* ticket

Strahl <-[e]s, -en> [ʃtraːl] *m* **1.** (*Lichtstrahl*) ray [of light] **2.** (*Wasser*) jet

strahlen [ˈʃtraːlən] *vi* **1.** (*leuchten*) to shine (**auf** on); **über das ganze Gesicht ~** to beam all over one's face **2.** (*radioaktiv*) to be radioactive

Strahlendosis *f* radiation exposure

Strahlung <-, -en> *f* radiation *no art, no pl;* **radioaktive ~** radioactivity

Strähne <-, -n> [ˈʃtrɛːnə] *f* strand

stramm [ʃtram] *adj* tight; **etw ~ ziehen** to tighten sth

strampeln [ˈʃtrampl̩n] *vi* to kick about

Strand <-[e]s, Strände> [ʃtrant] *m* beach; *eines Sees* shore; **am ~** on the beach

stranden [ˈʃtrandn̩] *vi sein* to run aground

Strandkorb *m* beach chair

Strapaze <-, -n> [ʃtraˈpaːtsə] *f* stress *no art, no pl*

strapazieren [ʃtrapaˈtsiːrən] *vt* to wear; **jds Geduld ~** to tax sb's patience; **jds Nerven ~** to get on sb's nerves

Straps <-es, -e> [ʃtraps] *m meist pl* suspender[s *npl*] BRIT, garter AM

Straße <-, -n> [ˈʃtraːsə] *f* road; (*in Wohngebiet*) street

Straßenbahn *f* tram BRIT, streetcar AM; **mit der ~ fahren** to go by tram

Straßenbahnhaltestelle *f* tram stop

Straßenbahnlinie *f* tram route BRIT, streetcar line AM

Straßenbau *m kein pl* road construction *no art* **Straßenbenutzungsgebühr** *f* FIN road toll **Straßengraben** *m* ditch **Straßenmusikant(in)** *m(f)* street musician **Straßenschild** *nt* street sign **Straßenüberführung** *f für Fußgänger* footbridge; *für Fahrzeuge* flyover BRIT, overpass AM **Straßenverkehr** *m* [road] traffic **Straßenverkehrsordnung** *f* road traffic act **Straßenzeitung** *f* street [*or* homeless] [news]paper

Strategie <-, -n> [ʃtrateˈgiː] *f* strategy

strategisch [ʃtraˈteːgɪʃ] *adj* strategic

sträuben [ˈʃtrɔybn̩] *vr* **1.** sich [gegen etw *akk*] ~ to resist [sth] **2.** (*hochstehen*) **sich ~** *Haar* to stand on end

Strauch <-[e]s, Sträucher> [ʃtraux] *m* shrub

Strauß¹ <-es, Sträuße> [ʃtraus] *m* bunch [of flowers]

Strauß² <-es, -e> [ʃtraus] *m* ostrich

Strebe <-, -n> [ˈʃtreːbə] *f* strut

streben [ˈʃtreːbn̩] *vi* **1.** *haben* to strive (**nach** for) **2.** *sein* (*geh: eilen*) **zum Ausgang ~** to make for the exit

Streber(in) <-s, -> [ˈʃtreːbɐ] *m(f)* (*pej fam*) swot BRIT, grind AM

strebsam [ˈʃtreːpzaːm] *adj* assiduous

Strecke <-, -n> [ˈʃtrɛkə] *f* distance; **auf halber ~** halfway

strecken [ˈʃtrɛkn̩] **I.** *vt* to stretch **II.** *vr* **sich ~** to [have a] stretch

Streich <-[e]s, -e> [ʃtraiç] *m* **ein böser ~** a nasty trick; **jdm einen ~ spielen** to play a trick on sb

streicheln [ˈʃtraiçl̩n] *vt* to caress

streichen <strich, gestrichen> [ˈʃtraiçn̩] **I.** *vt haben* **1.** (*anmalen*) to paint **2.** (*schmieren*) to spread (**auf** on) **3.** (*ausstreichen*) to delete **II.** *vi* **1.** *haben* (*darüberfahren*) **über etw** *akk* **~** to stroke sth **2.** *sein* (*streifen*) to prowl

Streichholz *nt* match **Streichholzschachtel** *f* matchbox **Streichkäse** *m* cheese spread

streifen [ˈʃtraifn̩] *vt haben* **1.** (*berühren*) to touch **2.** (*erwähnen*) to touch on **3.** (*überziehen*) **etw auf/über etw** *akk* **~** to slip sth on/over sth

Streifen <-s, -> [ˈʃtraifn̩] *m* **1.** (*Strich*) stripe **2.** (*schmales Stück*) strip

Streifenwagen *m* patrol car

Streifschussᴿᴿ *m* graze

Streik <-[e]s, -s> [ʃtraik] *m* strike; **in den ~ treten** to come out on strike

Streikbrecher(in) *m(f)* strike-breaker

streiken [ˈʃtraikn̩] *vi* **1.** to strike (**für** for) **2.** (*fam*) *Maschine* to pack up

Streikende(r) *f(m) dekl wie adj* striker

Streit <-[e]s, -e> [ʃtrait] *m* argument; **im ~** during an argument

streiten <stritt, gestritten> [ˈʃtraitn̩] *vi,*

S

vr to argue (**über** about); **sich um etw** *akk* ~ to argue over sth

Streiterei <-, -en> [ʃtraitəˈrai] *f* (*fam*) arguing *no indef art, no pl*

Streitfall *m* dispute; **im** ~ in case of dispute **Streitfrage** *f* [disputed] issue

Streitkräfte *pl* forces

streitsüchtig *adj* quarrelsome

streng [ʃtrɛŋ] **I.** *adj* **1.** (*auf Disziplin achtend*) strict **2.** (*unnachsichtig*) severe **3.** *Geruch* pungent **4.** *Winter* severe **II.** *adv* **1.** (*unnachsichtig*) strictly; ~ **durchgreifen** to take rigorous action **2.** (*durchdringend*) pungently

Stress^{RR} [ʃtrɛs, st-], **Streß**^{ALT} <-sses, -sse> *m* stress; **ich bin voll im** ~ I am completely stressed out

stressen [ˈʃtrɛsn̩] *vt* to put under stress

stressig [ˈʃtrɛsɪç] *adj* stressful

streuen [ˈʃtrɔyən] *vt* to spread

streunen *vi sein* to roam about; **~de Hunde/Katzen** stray dogs/cats

Streusalz *nt* road salt

Streuselkuchen *m* streusel [cake] *esp* AM, crumble

Strich <-[e]s, -e> [ʃtrɪç] *m* (*Linie*) line

Stricher <-s, -> *m* (*fam*) rent boy

Strichmädchen *nt* (*fam*) streetwalker **Strichpunkt** *m* semicolon

Strick <-[e]s, -e> [ʃtrɪk] *m* rope

stricken [ˈʃtrɪkn̩] *vi, vt* to knit

Strickjacke *f* cardigan **Strickleiter** *f* rope ladder **Stricknadel** *f* knitting needle

striegeln [ˈʃtriːgln̩] *vt* to groom

strikt [ʃtrɪkt] **I.** *adj* strict **II.** *adv* strictly; ~ **gegen etw** *akk* **sein** to be totally against sth

strittig [ˈʃtrɪtɪç] *adj* contentious; ~ **sein** to be in dispute

Stroh <-[e]s> [ʃtroː] *nt kein pl* straw

Strohblume *f* strawflower **Strohdach** *nt* thatched roof **Strohhalm** *m* straw **Strohhut** *m* straw hat **Strohmann, -frau** *m, f* front man *masc*, front woman *fem*

Strolch <-[e]s, -e> [ʃtrɔlç] *m* rascal

Strom <-[e]s, Ströme> [ʃtroːm] *m* **1.** ELEK electricity *no pl;* **elektrischer** ~ electric current; **unter** ~ **stehen** to be live **2.** (*Fluss*) [large] river ► **in Strömen gießen** to pour [down] [with rain]

stromabwärts [ʃtroːmˈʔapvɛrts] *adv* downstream **stromaufwärts** [ʃtroːmˈʔaufvɛrts] *adv* upstream

Stromausfall *m* power cut, power outage AM

strömen [ˈʃtrøːmən] *vi sein* to stream (**aus** out of)

Stromkabel *nt* power cable **Stromkreis** *m* [electric] circuit **Stromnetz** *nt* electricity supply system **Stromquelle** *f* power source **Stromstärke** *f* current [strength] **Stromstoß** *m* electric shock

Strömung <-, -en> *f* **1.** (*Wasser*) current **2.** (*Tendenz*) trend

Stromversorgung *f* electricity supply **Stromzähler** *m* electricity meter

Strophe <-, -n> [ˈʃtroːfə] *f* verse

Strudel¹ <-s, -> [ˈʃtruːdl̩] *m* whirlpool; (*kleiner*) eddy

Strudel² <-s, -> [ˈʃtruːdl̩] *m* (*Gebäck*) strudel

Struktur [ʃtrʊkˈtuːɐ̯] *f* structure

strukturell [ʃtrʊktuˈrɛl] *adj* structural

strukturschwach *adj* economically underdeveloped

Strumpf <-[e]s, Strümpfe> [ʃtrʊmpf] *m* sock; (*Damenstrumpf*) stocking

Strumpfband <-bänder> *nt,* **Strumpfhalter** <-s, -> *m* suspender, garter AM

Strumpfhose *f* tights *npl,* pantyhose AM; **eine ~** a pair of tights

struppig [ˈʃtrʊpɪç] *adj* shaggy

Stube <-, -n> [ˈʃtuːbə] *f* living room

Stubenhocker(in) <-s, -> *m(f)* *(pej)* house mouse **stubenrein** *adj* house-trained

Stuck <-[e]s> [ʃtʊk] *m kein pl* stucco

Stück <-[e]s, -e> [ʃtʏk] *nt* **1.** piece; **ein ~ Kuchen** a piece of cake; **am ~** in one piece; **aus einem ~** from one piece; **~ für ~** bit by bit; **etw in ~e reißen** to tear sth to pieces; **das** [*o* **pro**] **~** each **2.** (*Abschnitt*) part **3.** THEAT play

Student(in) <-en, -en> [ʃtuˈdɛnt] *m(f)* student

Studentenausweis *m* student card **Studentenheim** *nt* student hostel

Studie <-, -n> [ˈʃtuːdjə] *f* study

Studienfahrt *f* study trip **Studiengebühren** *pl* tuition fees *npl* **Studienrat, -rätin** *m, f* secondary-school teacher **Studienreise** *f* educational trip

studieren [ʃtuˈdiːrən] *vi, vt* to study; **sie studiert noch** she is still a student

Studio <-s, -s> [ˈʃtuːdjo] *nt* studio

Studium <-, Studien> [ˈʃtuːdjʊm] *nt* **1.** studies *npl;* **ein ~ aufnehmen** to begin one's studies **2.** (*eingehende Beschäftigung*) study

Stufe <-, -n> [ˈʃtuːfə] *f* **1.** (*Treppenstufe*) step; **~ um ~** step by step **2.** (*Niveau*) level; **auf der gleichen ~ stehen** to be on the same level **3.** (*Abschnitt*) stage

Stuhl <-[e]s, Stühle> [ʃtuːl] *m* **1.** chair **2.** MED stool

stülpen [ˈʃtʏlpn̩] *vt* to put (**auf** on/**über** over)

stumm [ʃtʊm] *adj* **1.** MED dumb **2.** (*schweigend*) silent; **~ werden** to go silent

Stummel <-s, -> [ˈʃtʊml̩] *m* stump

Stummfilm *m* silent movie

Stümper(in) <-s, -> [ˈʃtʏmpɐ] *m(f)* bungler

stümperhaft I. *adj* amateurish **II.** *adv* incompetently

stumpf [ʃtʊmpf] *adj* **1.** blunt; **~ werden** to go blunt **2.** MATH **ein ~er Winkel** an obtuse angle

Stumpf <-[e]s, Stümpfe> [ʃtʊmpf] *m* stump

stumpfsinnig *adj* mindless

Stunde <-, -n> [ˈʃtʊndə] *f* **1.** hour; **eine viertel ~** a quarter of an hour; **eine halbe ~** half an hour; **drei viertel ~n** three-quarters of an hour; **anderthalb ~n** an hour and a half; **zu später ~** at a late hour **2.** (*Unterrichtsstunde*) lesson

Stundenkilometer *pl* kilometres per hour **stundenlang** *adv* for hours **Stundenlohn** *m* hourly wage **Stundenplan** *m* timetable, schedule AM

stupid(e) [ʃtuˈpiːd(ə)] *adj* mindless

stupsen [ˈʃtʊpsn̩] *vt* to nudge

Stupsnase *f* snub nose

stur [ʃtuːɐ̯] *adj* stubborn; **sich ~ stellen** to dig one's heels in

Sturheit <-> *f kein pl* stubbornness

Sturm <-[e]s, Stürme> [ʃtʊrm] *m* **1.** storm **2.** (*Andrang*) **ein ~ auf etw** *akk* a rush for sth

stürmen [ˈʃtʏrmən] **I.** *vi impers haben* **es stürmt** a gale is blowing **II.** *vi* **1.** *haben* SPORT to attack **2.** *sein* (*rennen*) to storm **III.** *vt haben* **etw ~** to storm sth

Stürmer(in) <-s, -> [ˈʃtʏrmɐ] *m(f)* forward

Sturmflut *f* storm tide

S

stürmisch [ˈʃtʏrmɪʃ] *adj Wetter* stormy; *See* rough; **nicht so ~!** take it easy!

Sturmwarnung *f* gale warning

Sturz <-es, Stürze> [ʃtʊrts] *m* fall

stürzen [ˈʃtʏrtsn̩] I. *vi sein* 1. (*fallen*) to fall; **vom Dach ~** to fall off the roof; **schwer ~** to fall heavily 2. (*rennen*) to rush II. *vt haben* 1. (*werfen*) **jdn/ sich aus etw** *dat* **~** to throw sb/oneself out of 2. POL (*absetzen*) to bring down III. *vr* 1. **sich auf jdn ~** to pounce on sb; **die Gäste stürzten sich aufs kalte Büfett** the guests fell on the cold buffet 2. (*fallen lassen*) **sich in etw** *akk* **~** to plunge into sth

Sturzflug *m* ORN steep dive **Sturzhelm** *m* crash helmet

Stute <-, -n> [ˈʃtuːtə] *f* mare

Stütze <-, -n> [ˈʃtʏtsə] *f* support

stutzen¹ [ˈʃtʊtsn̩] *vi* to hesitate

stutzen² [ˈʃtʊtsn̩] *vt* 1. HORT to prune 2. ZOOL to clip 3. (*kürzen*) to trim

stützen [ˈʃtʏtsn̩] I. *vt* 1. to support 2. **etw auf etw** *akk* **~** to rest sth on sth II. *vr* 1. **sich auf jdn/etw ~** to lean on sb/sth 2. (*basieren*) **sich auf etw** *akk* **~** to be based on sth

stutzig [ˈʃtʊtsɪç] *adj* **jdn ~ machen** to make sb suspicious; **~ werden** to get suspicious

Stützpunkt *m* MIL base

Styropor® <-s> [ʃtyroˈpoːɐ̯] *nt kein pl* polystyrene

Subjekt <-[e]s, -e> [zʊpˈjɛkt] *nt* LING subject

subjektiv [zʊpjɛkˈtiːf] *adj* subjective

Subkultur [ˈzʊpkʊltuːɐ̯] *f* subculture

Substantiv <-s, -e> [ˈzʊpstantiːf] *nt* noun

Substanz <-, -en> [zʊpˈstants] *f* substance; **[jdm] an die ~ gehen** to take it out of sb

subtrahieren [zʊptraˈhiːrən] *vt, vi* to subtract (**von** from)

Subtraktion <-, -en> [zʊptrakˈtsi̯oːn] *f* subtraction

subtropisch [ˈzʊptroːpɪʃ] *adj* subtropical

Subvention <-, -en> [zʊpvɛnˈtsi̯oːn] *f* subsidy

subventionieren [zʊpvɛntsi̯oˈniːrən] *vt* to subsidize

Suche <-, -n> [ˈzuːxə] *f* search (**nach** for)

suchen [ˈzuːxn̩] I. *vt* to look for; (*intensiver*) to search for II. *vi* to search (**nach** for); **such!** seek!

Suchmaschine *f* INET search engine

Sucht <-, Süchte> [zʊxt] *f* addiction (**nach** to); **~ erzeugend** addictive

süchtig [ˈzʏçtɪç] *adj* addicted *pred;* **~ machen** to be addictive; **nach etw** *dat* **~ sein** to be hooked on sth

Süchtige(r) *f(m)*, **Suchtkranke(r)** <-n, -n> *f(m) dekl wie adj* addict

Südamerika [ˈzyːtʔaˈmeːrika] *nt* South America **südamerikanisch** *adj* South American **Süddeutsche(r)** *f(m) dekl wie adj* South German **Süddeutschland** [ˈzyːtdɔytʃlant] *nt* South[ern] Germany

Süden <-s> [ˈzyːdn̩] *m kein pl* south; **im ~** in the south; **nach ~** to the south

Südengland *nt* the south of England **Südfrucht** *f* [sub]tropical fruit **Südhalbkugel** *f* southern hemisphere

südlich [ˈzyːtlɪç] I. *adj* southern II. *adv* **~ von etw** *dat* [to the] south of sth III. *präp +gen;* **~ einer S.** [to the] south of sth

Südosten [zyːtˈʔɔstn̩] *m kein pl, kein indef art* south-east **südöstlich** [zyːtˈʔœstlɪç] I. *adj* south-eastern

II. *adv* ~ [**von etw**] [to the] southeast [of sth] **Südpol** ['zy:tpo:l] *m* **der** ~ the South Pole **Südsee** ['zy:tze:] *f kein pl* **die** ~ the South Pacific **Südstaaten** ['zy:tʃta:tn̩] *pl* (*in den USA*) Southern States

südwärts ['zy:tvɛrts] *adv* southwards

Südwesten [zy:t'vɛstn̩] *m kein pl* south-west **südwestlich** [zy:t'vɛstlɪç] **I.** *adj* south-western **II.** *adv* ~ [**von etw**] [to the] south-west [of sth] **Südwind** *m* south wind

suggerieren [zʊge'ri:rən] *vt* to suggest

suhlen ['zu:lən] *vr* **sich in etw** *dat* ~ to wallow in sth

sühnen ['zy:nən] *vt* **etw** ~ to atone for sth (**durch** with)

Sulfat <-[e]s, -e> [zʊl'fa:t] *nt* sulphate

Sultan, Sultanin <-s, -e> ['zʊlta:n, 'zʊltanɪn] *m, f* sultan *masc,* sultana *fem*

Sultanine <-, -n> [zʊlta'ni:nə] *f* sultana

Sülze <-, -n> ['zʏltsə] *f* brawn

Summe <-, -n> ['zʊmə] *f* sum

summen ['zʊmən] *vi, vt* to hum

summieren [zʊ'mi:rən] *vr* **sich** [**auf etw** *akk*] ~ to mount up [to sth]

Sumpf <-[e]s, Sümpfe> [zʊmpf] *m* marsh; (*in den Tropen*) swamp

Sumpfgebiet *nt* marsh[land]; *in den Tropen* swamp[land]

sumpfig ['zʊmpfɪç] *adj* marshy; (*in den Tropen*) swampy

Sünde <-, -n> ['zʏndə] *f* sin; **eine** ~ **begehen** to commit a sin

Sündenbock *m* scapegoat

Sünder(in) <-s, -> *m(f)* sinner

sündig ['zʏndɪç] *adj* sinful

super ['zu:pɐ] *adj* super

Super <-s> ['zu:pɐ] *nt kein pl* AUTO four-star BRIT, premium AM

Superlativ <-[e]s, -e> ['zu:pɐlati:f] *m* superlative

Supermacht *f* superpower **Supermarkt** ['zu:pɐmarkt] *m* supermarket

Suppe <-, -n> ['zʊpə] *f* soup; **klare** ~ consommé

Suppenschüssel *f* soup tureen

Surfbrett ['zø:ɐf-] *nt* surfboard

surfen ['zø:ɐfn̩] *vi* to surf; **im Internet** ~ to surf the Internet

Surfer(in) <-s, -> *m(f)* surfer

surren ['zʊrən] *vi* to buzz

suspekt [zʊs'pɛkt] *adj* (*geh*) suspicious; **jdm** ~ **sein** to look suspicious to sb

süß [zy:s] **I.** *adj* sweet **II.** *adv* sweetly

süßen ['zy:sn̩] *vt* to sweeten

Süßigkeit <-, -en> ['zy:sɪçkait] *f meist pl* sweet, candy AM

Süßkirsche *f* sweet cherry

süßlich *adj* sickly sweet

süßsauer ['zy:s'zauɐ] *adj* sweet-and-sour **Süßspeise** *f* dessert **Süßstoff** *m* sweetener **Süßwasser** *nt* fresh water

Symbol <-s, -e> [zʏmbo:l] *nt* symbol

symbolisch [zʏm'bo:lɪʃ] *adj* symbolic

symbolisieren [zʏmboli'zi:rən] *vt* to symbolize

symmetrisch [zʏ'me:trɪʃ] *adj* symmetrical

Sympathie <-, -n> [zʏmpa'ti:] *f* sympathy

sympathisch [zʏm'pa:tɪʃ] *adj* nice; **jdm** ~ **sein** to appeal to sb; **sie war mir gleich** ~ I liked her at once; [**jdm**] **nicht** ~ **sein** to be not very appealing [to sb]

Symphonie <-, -n> [zʏmfo'ni:] *f* symphony

Symptom <-s, -e> [zʏmp'to:m] *nt* symptom (**für** of)

S

Synagoge <-, -n> [zyna'go:gə] f synagogue

synchronisieren [zʏnkroni'zi:rən] vt
FILM to dub

Synergieeffekt m synergetic effect

Synonym <-s, -e> [zyno'ny:m] nt
synonym

Synthese <-, -n> [zʏn'te:zə] f synthesis

synthetisch [zʏn'te:tɪʃ] adj synthetic

Syphilis <-> ['zy:filɪs] f kein pl syphilis

System <-s, -e> [zʏs'te:m] nt system;
mit ~ systematically; **~ in etw** akk
bringen to bring some order into sth

systematisch [zʏste'ma:tɪʃ] adj systematic

Szene <-, -n> ['stse:nə] f scene; [jdm]
eine ~ machen to make a scene [in
front of sb]

Szenekneipe f trendy bar

T

T, t nt T, t

Tabak <-s, -e> ['ta:bak, 'tabak] m tobacco

Tabelle <-, -n> [ta'bɛlə] f table

Tablett <-[e]s, -s> [ta'blɛt] nt tray

Tablette <-, -n> [ta'blɛtə] f pill

tabu [ta'bu:] adj taboo

Tachometer m o nt speedometer

Tadel <-s, -> ['ta:dl] m reprimand

tadellos I. adj perfect II. adv perfectly

tadeln vt to reprimand

Tafel <-, -n> ['ta:fl] f 1. board 2. (Packung) **eine ~ Schokolade** a bar of
chocolate 3. (geh: Esstisch) table

Tag <-[e]s, -e> [ta:k] m day; **guten ~!**

hello!; **eines ~es** one day; **ein freier
~** a day off; **~ für ~** every day; **den
ganzen ~** [lang] the whole day; **von
einem ~ auf den anderen** overnight; **von ~ zu ~** from day to day;
der ~ X D-day

Tagebuch nt diary **tagelang** adv for
days **Tagelöhner(in)** <-s, ->
['ta:gəløːnɐ] m(f) day labourer **Ta-
gescreme** f day cream **Tageskarte**
f day ticket **Tagesordnung** f agenda;
auf der ~ stehen to be on the agenda
Tageszeitung f daily [newspaper]

täglich ['tɛ:klɪç] adj, adv daily

tagsüber ['ta:ksʔy:bɐ] adv during the
day

Taifun <-s, -e> [tai'fu:n] m typhoon

Taille <-, -n> ['taljə] f waist

Takt <-[e]s, -e> [takt] m 1. MUS bar
2. kein pl (Rhythmus) rhythm; **im ~**
in time; **jdn aus dem ~ bringen** to
make sb lose their rhythm 3. kein pl
(Taktgefühl) tact

Taktgefühl nt tact

Taktik <-, -en> ['taktɪk] f tactics npl

taktisch ['taktɪʃ] adj tactical

taktlos adj tactless

Taktlosigkeit <-, -en> f kein pl tactlessness

taktvoll adj tactful

Tal <-[e]s, Täler> [ta:l] nt valley

Talent <-[e]s, -e> [ta'lɛnt] nt talent

talentiert [talɛn'ti:ɐt] adj talented

Talg <-[e]s, -e> ['talk] m 1. suet
2. ANAT sebum

Talgdrüse f sebaceous gland

Talisman <-s, -e> ['ta:lɪsman] m
lucky charm

Talkmaster^RR(in) ['tɔ:kma:stɐ] m(f)
talkshow host

Talkshow^RR, Talk-Show <-, -s>
['tɔ:kʃo:] f talk show, chat show BRIT

Tampon <-s, -s> ['tampɔn] *m* tampon

Tang <-[e]s, -e> ['taŋ] *m* seaweed

Tango <-s, -s> ['taŋgo] *m* tango

Tank <-s, -s> [taŋk] *m* tank

tanken ['taŋkn̩] **I.** *vi* (*Auto*) to fill up; (*Flugzeug*) to refuel **II.** *vt* Benzin ~ to fill up with petrol [*or* AM gas]; **etwas Sonne ~** to get some sun

Tanker <-s, -> ['taŋkɐ] *m* tanker

Tankstelle *f* filling [*or* AM gas] station

Tanne <-, -n> ['tanə] *f* fir

Tannenzapfen *m* fir cone

Tante <-, -n> ['tantə] *f* aunt

Tanz <-es, Tänze> ['tants] *m* dance; **jdn zum ~ auffordern** to ask sb to dance

tanzen ['tantsn̩] *vi, vt* to dance

Tänzer(in) <-s, -> ['tɛntsɐ] *m(f)* dancer

Tanzfläche *f* dance floor **Tanzkurs, Tanzkursus** *m* dance class **Tanzlokal** *nt* café with a dance floor **Tanzmusik** *f* dance music **Tanzschule** *f* dancing school

Tapete <-, -n> [ta'pe:tə] *f* wallpaper *no pl*

tapezieren [tape'tsi:rən] *vt* to wallpaper

tapfer ['tapfɐ] *adj* brave

Tapferkeit <-> *f kein pl* courage

tappen ['tapn̩] *vi sein* to walk hesitantly

Tarif <-[e]s, -e> [ta'ri:f] *m* **1.** (*Gehaltsvereinbarung*) pay scale **2.** (*Preis*) charge

Tarifverhandlung *f meist pl* collective wage negotiations *npl* **Tarifvertrag** *m* collective wage agreement

tarnen ['tarnən] *vt* to camouflage

Tarnung <-, -en> *f* camouflage

Tasche <-, -n> ['taʃə] *f* **1.** bag; (*Einkaufstasche*) [shopping] bag; (*Aktenta-*

sche) briefcase **2.** (*in Kleidern*) pocket

Taschenbuch *nt* paperback **Taschendieb(in)** *m(f)* pickpocket **Taschengeld** *nt* pocket money **Taschenlampe** *f* torch **Taschenmesser** *nt* penknife **Taschenrechner** *m* pocket calculator **Taschentuch** *nt* handkerchief **Taschenuhr** *f* pocket watch

Tasse <-, -n> ['tasə] *f* cup; **eine ~ Tee** a cup of tea ► **nicht alle ~n im** <u>Schrank</u> **haben** not to be right in the head

Tastatur <-, -en> [tasta'tu:ɐ] *f* keyboard

Taste <-, -n> ['tastə] *f* key; (*am Telefon*) button

tasten ['tastn̩] **I.** *vi, vt* to feel (**nach** for) **II.** *vr* **sich irgendwohin ~** to grope one's way to somewhere

Tastsinn *m kein pl* sense of touch

Tat <-, -en> [ta:t] *f* **1.** act; **eine gute ~** a good deed; **etw in die ~ umsetzen** to put sth into effect **2.** (*Straftat*) crime; **jdn auf frischer ~ ertappen** to catch sb red-handed ► **in der ~** indeed

Täter(in) <-s, -> ['tɛ:tɐ] *m(f)* perpetrator

tätig ['tɛ:tiç] *adj* **1.** active **2.** (*beschäftigt*) [irgendwo] **~ sein** to work [somewhere]

Tätigkeit <-, -en> *f* **1.** *kein pl* activity **2.** (*Beschäftigung*) occupation

tatkräftig *adj* active

Tatort *m* scene of the crime

tätowieren [tɛto'vi:rən] *vt* to tattoo

Tätowierung <-, -en> *f* tattoo

Tatsache ['ta:tzaxə] *f* fact; **~ ist, dass ...** the fact of the matter is that ...

tatsächlich ['ta:tzɛçlɪç] **I.** *adj attr* actual *attr* **II.** *adv* really

T

tätscheln [ˈtɛːtʃln] *vt* to pat

Tatze <-, -n> [ˈtatsə] *f* paw

Tau¹ <-[e]s> [tau] *m kein pl* dew

Tau² <-[e]s, -e> [tau] *nt* (*Seil*) rope

taub [taup] *adj* **1.** deaf; **sich ~ stellen** to turn a deaf ear **2.** (*gefühllos*) numb

Taube <-, -n> [ˈtaubə] *f* pigeon

Taubheit <-> *f kein pl* **1.** deafness **2.** (*Gefühllosigkeit*) numbness

taubstumm *adj* deaf and dumb

Taubstumme(r) *f(m) dekl wie adj* deaf mute

tauchen [tauxn̩] I. *vi* **1.** *haben o sein* to dive **2.** *sein* (*hochkommen*) **aus dem Wasser ~** to surface II. *vt haben* (*tunken*) to dip

Taucher(in) <-s, -> [tauxɐ] *m(f)* diver

Taucheranzug *m* diving suit **Tauchermaske** *f* diving mask

Tauchgang *m* dive **Tauchsieder** <-s, -> *m* immersion heater

tauen [ˈtauən] I. *vi impers haben* **es taut** it is thawing II. *vi sein* to melt

Taufe <-, -n> [ˈtaufə] *f* baptism

taufen [ˈtaufn̩] *vt* to baptize; (*benennen*) to christen

Taufpate, -patin *m, f* godfather *masc*, godmother *fem*

taugen [ˈtaugn̩] *vi* to be suitable (**für/zu** for); **etwas/nichts ~** to be useful/useless

tauglich [ˈtauklɪç] *adj* **1.** suitable **2.** MIL fit

Taumel <-s> [ˈtauml̩] *m kein pl* **wie im ~** in a daze

taumeln [ˈtaumln̩] *vi sein* to stagger

Tausch <-[e]s, -e> [tauʃ] *m* swap; **im ~** in exchange (**gegen** for)

tauschen [ˈtauʃn̩] *vt, vi* to swap (**gegen** for)

täuschen [ˈtɔyʃn̩] I. *vt* to deceive II. *vr* **sich ~** to be mistaken (**in** about); **sich**

nicht ~ lassen not to be fooled (**von** by) III. *vi* to be deceptive

tausend [ˈtauznt] *adj* a [*or* one] thousand; **einige ~ Euro** several thousand euros

Tausendstel [ˈtauznt̩stl̩] *nt o* SCHWEIZ *m* thousandth

Tauwetter *nt* thaw

Taxi <-s, -s> [ˈtaksi] *nt* cab

Taxifahrer(in) *m(f)* taxi driver **Taxistand** *m* taxi rank

Team <-s, -s> [tiːm] *nt* team

Teamarbeit [ˈtiːm-] *f* teamwork

Technik <-, -en> [ˈtɛçnɪk] *f* **1.** technology **2.** (*Methode*) technique

Techniker(in) <-s, -> [ˈtɛçnɪkɐ] *m(f)* **1.** engineer **2.** SPORT technician

Technikfeind(in) *m(f)* technophobe

technisch [ˈtɛçnɪʃ] *adj attr* technical; **~e Hochschule** college of technology

Technologie <-, -n> [tɛçnolo'giː] *f* technology

technologisch [tɛçno'loːgɪʃ] *adj* technological

Tee <-s, -s> [teː] *m* tea; **~ kochen** to make some tea; **eine Tasse ~** a cup of tea

Teebeutel *m* tea bag **Teekanne** *f* teapot **Teelöffel** *m* teaspoon

Teer <-[e]s, -e> [teːɐ̯] *m* tar

Teich <-[e]s, -e> [taiç] *m* pond

Teig <-[e]s, -e> [taik] *m* dough

Teigwaren *pl* pasta + *sing vb*

Teil <-[e]s, -e> [tail] *m* **1.** part; **zum ~** partly; **zum größten ~** for the most part **2.** (*Anteil*) share; **zu gleichen ~en** equally ▶ **ich für meinen ~** I, for my part

Teilchen <-s, -> *nt dim von s.* **Teil** 1 particle

teilen [ˈtailən] I. *vt* **1.** (*aufteilen*) to

share **2.** *a.* MATH to divide (**durch** by) **3.** (*trennen*) to separate **II.** *vr* **1.** sich ~ to split up (**in** into) **2.** sich *dat* etw ~ to share sth (**mit** with)

Teilnahme <-, -n> ['tailnaːmə] *f* **1.** participation (**an** in) **2.** (*Mitgefühl*) sympathy

teil|nehmen *vi irreg* **1.** (*anwesend sein*) [**an** etw *dat*] ~ to attend [sth] **2.** (*sich beteiligen*) to participate (**an** in)

Teilnehmer(in) <-s, -> *m(f)* **1.** (*Anwesender*) person present **2.** (*Beteiligter*) participant (**an** in)

teils [tails] *adv* partly; ~, ~ yes and no

Teilung <-, -en> *f* division

teilweise ['tailvaizə] **I.** *adv* partly **II.** *adj attr* partial

Teilzeitarbeit *f* part-time work **Teilzeitkraft** *f* ÖKON part-timer

Teint <-s, -s> [tɛ̃ː] *m* complexion

Telco <-, -s> ['tɛlko] *f* telephone company

Telefon <-s, -e> ['teːlefoːn] *nt* [tele]phone

Telefonauskunft *f* directory enquiries *npl* **Telefonbuch** *nt* telephone book **Telefongespräch** *nt* telephone call; **ein** ~ **führen** to make a telephone call

telefonieren [telefo'niːrən] *vi* [**mit** jdm] ~ to phone [sb]

Telefonkarte *f* phonecard **Telefonnummer** *f* telephone number **Telefonzelle** *f* pay phone

Telegramm <-gramme> [tele'gram] *nt* telegram

Telekommunikation *f* telecommunication

Teleobjektiv *nt* telephoto lens

Telepathie <-> [telepaˈtiː] *f kein pl* telepathy

Teleskop <-s, -e> [teleˈskoːp] *nt* telescope

Teller <-s, -> ['tɛlɐ] *m* **1.** plate; **flacher/tiefer** ~ dinner/soup plate **2.** (*Portion*) **ein** ~ **Spaghetti** a plateful of spaghetti

Tempel <-s, -> ['tɛmpl̩] *m* temple

Temperament <-[e]s, -e> [tɛmpəraˈmɛnt] *nt* **1.** temperament **2.** *kein pl* (*Lebhaftigkeit*) vivacity; ~ **haben** to be very lively

temperamentvoll *adj* lively

Temperatur <-, -en> [tɛmpəraˈtuːɐ̯] *f* temperature; **gefühlte** ~ apparent temperature; ~ **haben** to have a temperature; [**die/jds**] ~ **messen** to take sbs temperature

Tempo¹ <-s, -s> ['tɛmpo] *nt* speed; **mit hohem** ~ at high speed

Tempo®² <-s, -s> *nt* (*fam: Papiertaschentuch*) [paper] tissue, kleenex® AM

Tempolimit *nt* speed limit

temporär [tɛmpoˈrɛɐ̯] *adj* temporarily

Tendenz <-, -en> [tɛnˈdɛnts] *f* **1.** trend **2.** (*Neigung*) tendency (**zu** to)

tendieren [tɛnˈdiːrən] *vi* to tend (**zu** towards); **dazu** ~, **etw zu tun** to tend to do sth

Tennis <-> ['tɛnɪs] *nt kein pl* tennis

Tennishalle *f* indoor tennis court **Tennisplatz** *m* tennis court **Tennisschläger** *m* tennis racket

Tenor <-s, Tenöre> [teˈnoːɐ̯] *m* tenor

Teppich <-s, -e> ['tɛpɪç] *m* carpet

Teppichboden *m* fitted carpet

Termin <-s, -e> [tɛrˈmiːn] *m* **1.** (*Verabredung*) appointment; **einen** ~ **vereinbaren** to arrange an appointment **2.** (*Auftragstermin*) deadline

Terminal <-s, -s> ['tøɐ̯mɪnl̩] *nt* terminal

T

Terminkalender *m* diary

Termite <-, -n> [tɛr'miːtə] *f* termite

Terpentin <-s, -e> [tɛrpɛn'tiːn] *nt o* ÖSTERR *m* turpentine

Terrain <-s, -s> [tɛ'rɛ̃ː] *nt* terrain

Terrasse <-, -n> [tɛ'rasə] *f* terrace

Territorium <-s, -rien> [tɛri'toːri̯ʊm] *nt* territory

Terror <-s> ['tɛroːɐ̯] *m kein pl* terror

Terroranschlag *m* terror[ist] attack

terrorisieren [tɛrori'ziːrən] *vt* to terrorize

Terrorismus <-> [tɛro'rɪsmʊs] *m kein pl* terrorism

Terrorist(in) <-en, -en> [tɛro'rɪst] *m(f)* terrorist

terroristisch *adj* terrorist

Terrororganisation *f* terror organization

Terrorzelle *f* terror[ist] cell

Tesafilm® ['teːzafɪlm] *m* Sellotape® BRIT, Scotch tape® AM

Test <-[e]s, -s> [tɛst] *m* test

Testament <-[e]s, -e> [tɛsta'mɛnt] *nt* 1. will 2. REL **Altes/Neues ~** Old/New Testament

testen ['tɛstn̩] *vt* to test (**auf** for)

Tetanus <-> ['teːtanʊs] *m kein pl* tetanus *no pl*

teuer ['tɔyɐ] I. *adj* expensive; (*geschätzt*) dear II. *adv* expensively

Teufel <-s, -> [tɔyfl̩] *m* devil; **der ~** the Devil ▶ **den ~ an die Wand malen** to imagine the worst

Teufelskreis *m* vicious circle

teuflisch ['tɔyflɪʃ] I. *adj* diabolical II. *adv* diabolically

Teuro <-s, [-]> ['tɔyro] *m a punning term for the Euro, whose introduction made everything dearer*

Text <-[e]s, -e> [tɛkst] *m* text; (*Liedtext*) lyrics

Textilien [tɛks'tiːli̯ən] *pl* fabrics *npl*

Textverarbeitung *f* word processing

Theater <-s, -> [te'aːtɐ] *nt* 1. theatre; **~ spielen** to act 2. (*fam: Umstände*) fuss; [**ein**] **~ machen** to make a fuss

Theateraufführung *f* theatre performance **Theaterstück** *nt* play

theatralisch [tea'traːlɪʃ] *adj* theatrical

Theke <-, -n> ['teːkə] *f* counter; (*im Lokal*) bar

Thema <-s, Themen> ['teːma] *nt* topic; (*eines Textes a.*) subject; **jdn vom ~ abbringen** to get sb off the subject; **beim ~ bleiben** to stick to the subject ▶ [**k**]**ein ~ sein** to [not] be an issue

Thematik <-> [te'maːtɪk] *f kein pl* topic

Theologe, Theologin <-n, -n> [teo-'loːgə, -'loːgɪn] *m, f* theologian

Theologie <-, -n> [teolo'giː] *f* theology

theologisch [teo'loːgɪʃ] *adj* theological

theoretisch [teo're:tɪʃ] I. *adj* theoretical II. *adv* theoretically

Theorie <-, -n> [teo'riː] *f* theory

Therapeut(in) <-en, -en> [tera'pɔyt] *m(f)* therapist

Therapie <-, -n> [tera'piː] *f* therapy

therapieren [tera'piːrən] *vt* to treat

Thermalbad [tɛr'maːl-] *nt* thermal baths *npl* **Thermalquelle** *f* thermal spring

Thermometer <-s, -> [tɛrmo'meːtɐ] *nt* thermometer

Thermosflasche® ['tɛrmosflaʃə] *f* Thermos® [flask]

Thermostat <-en, -e> [tɛrmo'staːt] *m* thermostat

These <-, -n> ['teːzə] *f* thesis

Thrombose <-, -n> [trɔm'boːzə] *f* thrombosis

Thron <-[e]s, -e> [troːn] *m* throne

Thronfolger(in) <-s, -> *m(f)* heir to the throne

Thunfisch ['tuːnfɪʃ] *m* tuna [fish]

Thüringen <-s> ['tyːrɪŋən] *nt* Thuringia

Thüringer(in) <-s, -> ['tyːrɪŋɐ] *m(f)* Thuringian

Thymian <-s, -e> ['tyːmi̯aːn] *m* thyme

Tick <-[e]s, -s> [tɪk] *m* (*Schrulle*) quirk

ticken ['tɪkn̩] *vi* to tick ► **nicht** <u>richtig</u> ~ to be funny in the head

tief [tiːf] **I.** *adj* **1.** deep; **zwei Meter** ~ two metres deep **2.** *Lage, Temperatur* low **3.** *Ton* low; *Stimme* deep **4.** *Gefühl* intense **5.** (*inmitten*) **im ~sten Winter** in the depths of winter **II.** *adv* **1.** deep; **er stürzte 350 Meter** ~ he fell 350 metres [deep]; ~ **greifend** far-reaching **2.** (*niedrig*) low; ~ **liegend** low-lying; ~ **stehend** low-level **3.** (*tönen*) low; **zu** ~ **singen** to sing flat; ~ **sprechen** to talk in a deep voice **4.** (*intensiv*) deeply; **etw** ~ **bedauern** to regret sth profoundly; ~ **schlafen** to sleep soundly

Tief <-[e]s, -e> [tiːf] *nt* low

Tiefe <-, -n> ['tiːfə] *f* depth

Tiefebene *f* lowland plain

Tiefkühlkost *f* frozen foods *npl* **Tiefkühltruhe** *f* freezer chest **Tiefpunkt** *m* low point **Tiefsee** *f* deep sea

tiefsinnig *adj* profound

Tiefstand *m* low

Tier <-[e]s, -e> [tiːɐ̯] *nt* animal

Tierart *f* animal species + *sing vb* **Tierarzt, -ärztin** *m, f* vet

tierisch ['tiːrɪʃ] **I.** *adj* **1.** ZOOL animal **2.** (*bestialisch*) bestial **3.** (*sl: heftig*) **einen ~en Hunger haben** to be hungry as hell **II.** *adv* (*sl: heftig*) like hell

tierlieb *adj* animal-loving *attr* **Tiermehl** *nt* AGR meat and bone meal *no pl* **Tierpark** *m* ZOO **Tierquälerei** ['tiːɐ̯kvɛlərai̯] *f* cruelty to animals **Tierschutz** *m* protection of animals **Tierschützer(in)** *m(f)* animal conservationist **Tierversuch** *m* animal experiment

Tiger <-s, -> [tiːgɐ] *m* tiger

tilgen ['tɪlgn̩] *vt Schulden* to pay off

Tinktur <-, -en> [tɪŋkˈtuːɐ̯] *f* tincture

Tinte <-, -n> ['tɪntə] *f* ink

Tintenfisch *m* squid **Tintenstrahldrucker** *m* ink-jet printer

Tipp^RR, Tip^ALT <-s, -s> [tɪp] *m* tip

tippen ['tɪpn̩] *vi* **1.** (*Maschine schreiben*) to type **2.** (*anstoßen*) to tap (**an/auf** on) **3.** (*fam: raten*) to guess **4.** (*fam: Lotto spielen*) to do the lottery

Tippfehler *m* typing mistake

Tirol <-s> [tiˈroːl] *nt* Tyrol

Tiroler(in) <-s, -> [tiˈroːlɐ] *m(f)* Tyrolean

Tisch <-[e]s, -e> [tɪʃ] *m* table

Tischdecke *f* tablecloth

Tischler(in) <-s -> ['tɪʃlɐ] *m(f)* carpenter

Tischlerei <-, -en> [tɪʃləˈrai̯] *f* carpenter's workshop

Tischtennis *nt* table tennis **Tischtennisschläger** *m* table-tennis bat

Titel <-s, -> ['tiːtl̩] *m* title

Titelbild *nt* cover [picture] **Titelseite** *f* front page; (*einer Zeitschrift*) cover **Titelgeschichte** *f* lead [*or* cover] story **Titelverteidiger(in)** *m(f)* title holder

Toast^1 <-[e]s, -e> [toːst] *m kein pl* (*Toastbrot*) toast; **ein** ~ a slice of toast

Toast^2 <-[e]s, -e> [toːst] *m* toast; **einen** ~ **ausbringen** to propose a toast

T

(**auf** to)

Toaster <-s, -> *m* toaster

toben ['to:bn̩] *vi* **1.** (*wüten*) to be raging (**vor** with) **2.** (*spielen*) to romp [around]

Tochter <-, Töchter> ['tɔxtɐ] *f* daughter

Tochtergesellschaft *f* subsidiary

Tod <-[e]s, -e> [to:t] *m* death ▶ **zu ~e betrübt sein** to be deeply despaired

Todesangst *f* (*fam*) mortal fear; **Todesängste ausstehen** to be scared to death **Todesfall** *m* death **Todesopfer** *nt* casualty **Todesstrafe** *f* death penalty; **auf etw** *akk* **steht die ~** sth is punishable by death **Todesurteil** *nt* death sentence

todkrank ['to:t'kraŋk] *adj* terminally ill

tödlich ['tø:tlɪç] I. *adj* deadly; **das ist mein ~er Ernst** I'm deadly serious II. *adv* **1.** **~ verunglücken** to be killed in an accident **2.** (*fam: extrem*) **sich ~ langweilen** to be bored to death

Todsünde *f* deadly sin

Toilette <-, -n> [twa'lɛtə] *f* toilet; **ich muss mal auf die ~** I need to go to the toilet; **öffentliche ~** public toilet

Toilettenpapier *nt* toilet paper

tolerant [tole'rant] *adj* tolerant (**gegenüber** towards)

Toleranz <-, en> [tole'rants] *f kein pl* tolerance (**gegenüber** towards)

tolerieren [tole'ri:rən] *vt* to tolerate

toll [tɔl] I. *adj* (*fam*) great II. *adv* (*fam*) very well

Tolle <-, -n> ['tɔlə] *f* quiff

Tollpatsch^{RR}, **Tolpatsch**^{ALT} <-es, -e> ['tɔlpatʃ] *m* (*fam*) clumsy fool

Tollwut *f* rabies

Tolpatsch^{ALT} <-es, -e> *m s.* **Tollpatsch**

Tölpel <-s, -> ['tœlpl̩] *m* fool

Tomate <-, -n> [to'ma:tə] *f* tomato

Tomatenmark *nt* tomato puree

Tombola <-, -s> ['tɔmbola] *f* raffle

Ton¹ <-[e]s, -e> [to:n] *m* clay

Ton² <-[e]s, Töne> [to:n] *m* **1.** (*Klang*) sound **2.** (*Tonfall*) tone; **ich verbitte mir diesen ~!** I will not be spoken to like that! **3.** (*Farbton*) tone ▶ **den ~ angeben** to set the tone

Tonart *f* MUS key **Tonband** <-bänder> *nt* tape; **etw auf ~ aufnehmen** to tape sth

tönen ['tø:nən] I. *vi* (*klingen*) to sound II. *vt* (*färben*) to tint

Tonfall *m* tone of voice **Tonlage** *f* pitch **Tonleiter** *f* scale

Tonne <-, -n> ['tɔnə] *f* **1.** (*Behälter*) barrel; (*Mülltonne*) bin BRIT, can AM **2.** (*1000 kg*) ton

Topf <-[e]s, Töpfe> [tɔpf] *m* pot

Topfen <-s, -> ['tɔpfn̩] *m* SÜDD, ÖSTERR quark (*soft cheese made from skimmed milk*)

Töpferei <-, -en> [tœpfə'rai] *f* pottery **Töpferwaren** *pl* pottery

Tor <-[e]s, -e> [to:ɐ̯] *nt* **1.** (*breite Tür*) gate; *einer Garage* door **2.** (*Toröffnung*) (*a. fig*) gateway **3.** SPORT goal

Torbogen *m* archway

Torf <-[e]s, -e> [tɔrf] *m* peat

töricht ['tœrɪçt] *adj* foolish

torkeln ['tɔrkl̩n] *vi sein* to stagger

Törn <-s, -s> [tœrn] *m* NAUT cruise

Tornado <-s, -s> [tɔr'na:do] *m* tornado

torpedieren [tɔrpe'di:rən] *vt* to torpedo

Torpedo <-s, -s> [tɔr'pe:do] *m* torpedo

Torpfosten *m* goalpost

Torso <-s, -s> ['tɔrzo] *m* torso

Torte <-, -n> ['tɔrtə] f gateau; (Obsttorte) flan

Torwart(in) m(f) goalkeeper

tosen ['to:zn̩] vi to roar

tot [to:t] adj dead

total [to'ta:l] adj total

totalitär [totali'tɛ:ɐ̯] adj totalitarian

Totalschaden m write-off

Tote(r) ['to:tə] f(m) dekl wie adj dead
person; (Todesopfer) fatality

töten ['tø:tn̩] vt to kill

Toto <-s, -s> ['to:to] nt o m pools npl
BRIT, pool AM

Totschlag m kein pl manslaughter

tot|schweigen vt irreg to hush up

Toupet <-s, -s> [tu'pe:] nt toupee

Tour <-, -en> [tu:ɐ̯] f tour; **eine ~
machen** to go on a tour

Tourismus <-> [tu'rɪsmʊs] m kein pl
tourism

Tourist(in) <-en, -en> [tu'rɪst] m(f)
tourist

Touristenvisum nt tourist visa

Tournee <-, -n> [tʊr'ne:] f tour; **auf ~
gehen/sein** to go/be on tour

Trab <-[e]s> [tra:p] m kein pl trot
▶ **jdn auf ~ bringen** to make sb get
a move on; **jdn in ~ halten** to keep sb
on the go

traben ['tra:bn̩] vi haben o sein to trot

trachten ['traxtn̩] vi to strive (**nach** for)

trächtig ['trɛçtɪç] adj pregnant

Tradition <-, -en> [tradi'tsjo:n] f tradition; **aus ~** traditionally

traditionell [traditsjo'nɛl] adj traditional

Tragbahre f stretcher

tragbar adj portable

träge ['trɛ:gə] I. adj lethargic II. adv
lethargically

tragen <trägt, trug, getragen>
['tra:gn̩] vt 1. to carry; **etw bei sich**
dat ~ to have sth on one 2. Kleider to
wear 3. (stützen) to support 4. Kosten, Schicksal to bear

Träger <-s, -> m 1. meist pl MODE
strap 2. BAU girder

Träger(in) <-s, -> m(f) 1. (Lastenträ-
ger) porter 2. (Inhaber) bearer

Tragfläche f wing

Trägheit <-, selten -en> f sluggish-
ness; (Faulheit) laziness

Tragik <-> ['tra:gɪk] f kein pl tragedy

tragisch ['tra:gɪʃ] I. adj tragic; **nicht
[so] ~!** it's not the end of the world!
II. adv tragically

Tragödie <-, -n> [tra'gø:djə] f tragedy

Tragweite f (fig) consequence

Trainer(in) <-s, -> ['trɛ:nɐ] m(f) trainer

trainieren [trɛ'ni:rən] I. vt 1. to practice 2. **jdn ~** to coach sb II. vi (sich
vorbereiten) to train

Training <-s, -s> ['trɛ:nɪŋ] nt training

Trainingsanzug m tracksuit

Traktor <-s, -toren> ['trakto:ɐ̯] m tractor

trampeln ['trampl̩n] vi 1. haben [mit
den Füßen] ~ to stamp one's feet
2. sein (sich schwerfällig bewegen)
irgendwohin ~ to stomp somewhere

trampen [trɛmpn̩] vi sein to hitch-hike

Trampolin <-s, -e> ['trampoli:n] nt
trampoline

Träne <-, -n> ['trɛ:nə] f tear; **in ~n
aufgelöst** in tears; **jdm kommen
die ~n** sb is starting to cry; **den ~n
nahe sein** to be close to tears

Tränke <-, -n> ['trɛŋkə] f watering
place

Transfusion <-, -en> [transfu'zjo:n] f
transfusion

Transistor <-s, -toren> [tran'zɪsto:ɐ̯]

T

m transistor

transitiv ['tranziti:f] *adj* transitive

Transitverkehr *m* transit traffic **Transitvisum** *nt* transit visa

Transport <-[e]s, -e> [trans'pɔrt] *m* transport

transportieren [transpɔr'ti:rən] *vt* to transport

Transportkosten *pl* transport[ation] costs *npl*

Transvestit <-en, -en> [transvɛs'ti:t] *m* transvestite

Trapez <-es, -e> [tra'pe:ts] *nt* trapeze

Traube <-, -n> ['traubə] *f meist pl* grape *usu pl*

Traubensaft *m* grape juice **Traubenzucker** *m* glucose

trauen[1] ['trauən] *vt* **jdn** ~ to join sb in marriage; **sich** ~ **lassen** to marry

trauen[2] ['trauən] **I.** *vi* **jdm** ~ to trust sb **II.** *vr* **sich** ~**, etw zu tun** to dare to do sth

Trauer <-> ['traue] *f kein pl* grief

Trauerkleidung *f* mourning

trauern ['trauen] *vi* to mourn (**um** for)

Trauerweide *f* weeping willow

Traum <-[e]s, Träume> [traum] *m* dream

Trauma <-s, Traumen> ['trauma] *nt* trauma

traumatisch [trau'ma:tɪʃ] *adj* traumatic

träumen ['trɔymən] *vi* to dream (**von** about); **schlecht** ~ to have bad dreams

Träumer(in) <-s, -> ['trɔyme] *m(f)* [day]dreamer

traurig ['trauɐɪç] **I.** *adj* **1.** (*betrübt*) sad **2.** (*betrüblich*) sorry **3.** (*bedauerlich*) [**es ist**] ~**, dass ...** it's unfortunate that ... **II.** *adv* sadly

Traurigkeit <-> *f kein pl* sadness

treffen <trifft, traf, getroffen> ['trɛfn̩] **I.** *vt haben* **1.** to meet **2.** *Ziel* to hit **3.** (*innerlich berühren*) to affect **4.** *Entscheidung* to make; *Maßnahmen* to take **II.** *vi* **1.** *sein* **auf jdn** ~ to meet sb **2.** *haben:* *Schlag, Schuss* to hit **III.** *vr haben* **sich** [**mit jdm**] ~ to meet [sb]; **das trifft sich** [**gut**] that's [very] convenient

Treffen <-s, -> ['trɛfn̩] *nt* meeting

treffend *adj* appropriate

Treffer <-s, -> *m* (*Schuss*) hit

Treffpunkt *m* meeting point

Treibeis *nt* drift ice

treiben <trieb, getrieben> ['traibn̩] **I.** *vt haben* **1.** *Tiere* to drive **2.** (*drängen*) to drive (**zu** to); **jdn in den Wahnsinn** ~ to drive sb mad **3.** (*fortbewegen*) **jdn/etw irgendwohin** ~ (*durch Wasser*) to wash sb/sth somewhere; (*durch Wind*) to blow sb/sth somewhere **4.** **Handel** ~ to trade **II.** *vi sein* (*sich fortbewegen*) to drift; **sich** ~ **lassen** to drift (**von** with)

Treibgut *nt kein pl* flotsam and jetsam

Treibhaus *nt* greenhouse **Treibhauseffekt** *m kein pl* **der** ~ the greenhouse effect

Treibjagd *f* battue **Treibstoff** *m* fuel

Trend <-s, -s> [trɛnt] *m* trend

Trendsportart *f* trend sport

trennen ['trɛnən] **I.** *vt* **1.** (*abtrennen*) **etw von etw** *dat* ~ to cut sth off sth **2.** (*teilen, auseinanderbringen*) to separate (**von** from) **II.** *vr* **1.** (*getrennt weitergehen*) **sich** ~ to part company **2.** (*Beziehung beenden*) **sich von jdm** ~ to split up with sb **3.** (*wegwerfen, weggeben*) **sich von etw** *dat* ~ to part with sth

Trennung <-, -en> *f* separation; **in** ~ **leben** to be separated

Treppe <-, -n> ['trɛpə] f stairs npl

Treppenhaus nt stairwell

Tresen <-s, -> ['treːzn̩] m bar; (*Ladentisch*) counter

Tresor <-s, -e> [treˈzoːɐ̯] m safe

treten <tritt, trat, getreten> ['treːtn̩] I. vt haben to kick II. vi 1. haben to kick; **nach jdm ~** to kick out at sb 2. sein (*einen Schritt machen*) to step; **~ Sie bitte zur Seite** please step aside 3. sein o haben (*den Fuß auf etw setzen*) to tread (**auf** on); **auf die Bremse ~** to brake

treu [trɔy] adj faithful; **sich** dat **selbst ~ bleiben** to remain true to oneself

Treue <-> ['trɔyə] f kein pl loyalty; (*in Beziehung*) fidelity

treulos adj disloyal; *Ehepartner* unfaithful

Tribüne <-, -n> [triˈbyːnə] f stand

Trichter <-s, -> ['trɪçtɐ] m funnel

Trick <-s, -s> [trɪk] m trick

Trickfilm m cartoon [film]

Trieb <-[e]s, -e> [triːp] m 1. BOT shoot 2. PSYCH drive

Triebwerk nt engine

Trikot <-s, -s> [triˈkoː, ˈtrɪko] nt jersey

trillern ['trɪlɐn] vi to trill

Trillerpfeife f whistle

trinken <trank, getrunken> ['trɪŋkn̩] vt, vi to drink; **auf jdn/etw ~** to drink to sb/sth; **etw zu ~** sth to drink; **einen ~ gehen** to go for a drink

Trinker(in) <-s, -> m(f) drunkard

Trinkgeld nt tip; **ein ~ geben** to give a tip **Trinkspruch** m toast; **einen ~ ausbringen** to propose a toast (**auf** to) **Trinkwasser** nt drinking water

Tripper <-s, -> ['trɪpɐ] m gonorrhoea no art

Tritt <-[e]s, -e> [trɪt] m kick; **jdm/etw einen ~ geben** to kick sb/sth

Triumph <-[e]s, -e> [triˈʊmf] m triumph

Triumphbogen m triumphal arch

triumphieren [triʊmˈfiːrən] vi 1. (*frohlocken*) to rejoice 2. (*siegen*) to triumph (**über** over)

trivial [triˈvi̯aːl] adj banal

Trivialliteratur f kein pl light fiction

trocken ['trɔkn̩] I. adj dry; **im T~en** in the dry II. adv **~ aufbewahren** to keep in a dry place; **sich ~ rasieren** to use an electric razor

Trockenheit <-, selten -en> f 1. kein pl dryness 2. (*Dürre*) drought

trocken|legen vt 1. **ein Baby ~** to change a baby's nappy [or AM diaper] 2. *Sumpf, Teich* to drain **Trockenmilch** f dried milk **Trockenspiritus** m fire lighter **Trockenzeit** f dry season

trocknen ['trɔknən] I. vi sein to dry II. vt haben to dry

Trödel <-s> ['trøːdl̩] m kein pl junk

trödeln ['trøːdl̩n] vi (*langsam sein*) to dawdle

Trödler(in) <-s, -> ['trøːdlɐ] m(f) second-hand dealer

Trommel <-, -n> ['trɔml̩] f drum

Trommelfell nt ear-drum

trommeln ['trɔml̩n] vi to drum

Trompete <-, -n> [trɔmˈpeːtə] f trumpet

Trompeter(in) <-s, -> m(f) trumpeter

Tropen ['troːpn̩] pl **die ~** the tropics

Tropenkrankheit f tropical disease

Tropf <-[e]s, Tröpfe> [trɔpf] m ▶ **armer ~** (*fam*) poor devil

tropfen ['trɔpfn̩] vi to drip

Tropfen <-s, -> ['trɔpfn̩] m drop; **bis auf den letzten ~** [down] to the last drop ▶ **ein ~ auf den heißen Stein** a [mere] drop in the ocean; **ein guter ~**

T

a good drop [of wine]

Tropfsteinhöhle *f* stalactite cave

Trophäe <-, -n> [troˈfɛːə] *f* trophy

tropisch [ˈtroːpɪʃ] *adj* tropical

Trost <-[e]s> [troːst] *m kein pl* consolation; **ein schwacher ~ sein** to be of little consolation ▶ **nicht [ganz] bei ~ sein** to have taken leave of one's senses

trösten [ˈtrøːstn̩] *vt* to comfort; **etw tröstet jdn** sth is of consolation to sb

trostlos *adj* **1.** (*deprimierend*) miserable **2.** (*öde*) desolate

Trostlosigkeit <-> *f kein pl* **1.** (*deprimierende Art*) miserableness *no pl* **2.** (*triste Beschaffenheit*) desolateness *no pl*

Trott <-s> [trɔt] *m kein pl* routine

Trottel <-s, -> [ˈtrɔtl̩] *m* (*fam*) bonehead

Trottoir <-s, -s> [trɔˈtŏaːɐ̯] *nt* DIAL (*Bürgersteig*) pavement

trotz [trɔts] *präp +gen* despite

Trotz <-es> [trɔts] *m kein pl* defiance; **aus ~** out of spite; **jdm/etw zum ~** in defiance of sb/sth

trotzdem [ˈtrɔtsdeːm] *adv* nevertheless

trotzen [ˈtrɔtsn̩] *vi* **jdm/etw ~** to defy sb/sth

trotzig [ˈtrɔtsɪç] *adj* awkward

Trotzreaktion *f* act of defiance

trübe [ˈtryːbə] *adj* **1.** (*Tag, Wasser*) murky **2.** (*Licht, Augen, Erinnerung*) dim **3.** *Himmel* dull **4.** *Stimmung* gloomy

Trubel <-s> [ˈtruːbl̩] *m kein pl* hustle and bustle

trüben [ˈtryːbn̩] I. *vt* **etw ~ 1.** to make sth murky **2.** *Stimmung* to cast a cloud over sth II. *vr* **sich ~** to go murky

trübsinnig *adj* gloomy

Trüffel <-, -n> [ˈtrʏfl̩] *f* truffle

Trugbild *nt* (*geh*) illusion

trügen <trog, getrogen> [ˈtryːgn̩] I. *vt* **wenn mich nicht alles trügt** unless I'm very much mistaken II. *vi* to be deceptive

Truhe <-, -n> [ˈtruːə] *f* chest

Trümmer [ˈtrʏmɐ] *pl* rubble; **in ~n liegen** to lie in ruins

Trumpf <-[e]s, Trümpfe> [trʊmpf] *m* (*a. fig*) trump card; **seinen letzten ~ ausspielen** to play one's last trump card

Truppe <-, -n> [ˈtrʊpə] *f* **1.** (*Gruppe*) company **2.** *kein pl* MIL (*Fronteinheit*) combat unit

Truppenübungsplatz *m* military training area

Trust <-[e]s, -s> [trast] *m* trust

Truthahn [ˈtruːthaːn] *m* turkey

Truthenne *f* turkey[hen]

Tscheche, Tschechin <-n, -n> [ˈtʃɛ-çə, ˈtʃɛçɪn] *m, f* Czech

tschechisch [ˈtʃɛçɪʃ] *adj* Czech

Tschechische Republik *f* Czech Republic

T-Shirt <-s, -s> [ˈtiːʃøːɐ̯t] *nt* T-shirt

Tsunami <-, -s> [tsuˈnaːmi] *m* tsunami

Tube <-, -n> [ˈtuːbə] *f* tube

Tuberkulose <-, -n> [tubɛrkuˈloːzə] *f* tuberculosis *no pl*

Tuch[1] <-[e]s, Tücher> [tuːx] *nt* (*Kopftuch*) [head]scarf; (*Halstuch*) scarf

Tuch[2] <-[e]s, -e> [tuːx,] *nt* (*Gewebe*) cloth

tüchtig [ˈtʏçtɪç] *adj* **1.** capable **2.** (*fam: groß*) big; **eine ~e Tracht Prügel** a good hiding

Tücke <-, -n> [ˈtʏkə] *f* **1.** *kein pl* (*Heimtücke*) malice **2.** (*Unwägbarkeiten*) ~n *pl* vagaries

tückisch ['tʏkɪʃ] *adj* **1.** (*hinterhältig*) malicious **2.** (*unberechenbar*) pernicious

Tugend <-, -en> ['tu:gn̩t] *f* virtue

Tulpe <-, -n> ['tʊlpə] *f* tulip

tummeln ['tʊml̩n] *vr* **sich ~** to romp [about]

Tumor <-s, Tumoren> ['tu:mo:ɐ̯, tu-'mo:ɐ̯] *m* tumour

Tümpel <-s, -> ['tʏmpl̩] *m* [small] pond

Tumult <-[e]s, -e> [tu'mʊlt] *m kein pl* commotion

tun <tat, getan> [tu:n] **I.** *vt* **1.** (*machen*) to do; **was sollen wir bloß ~?** whatever shall we do?; **was tust du da?** what are you doing [there]?; **so etwas tut man nicht!** you just don't do things like that!; **~ und lassen können, was man will** to do as one pleases **2.** (*unternehmen*) to do; **etw gegen etw** *akk* **~** to do sth about sth; **etwas für jdn ~ können** to be able to do something for sb **3.** (*legen o stecken*) **etw irgendwohin ~** to put sth somewhere ▶ **was** <u>kann</u> **ich für Sie ~?** can I help you? **II.** *vr impers* **es tut sich etwas/nichts/einiges** something/nothing/quite a lot is happening **III.** *vi* **1. so ~, als ob ...** to pretend that ...; **er tut nur so** he's just pretending **2. zu ~ haben** to be busy

tünchen ['tʏnçn̩] *vt* to whitewash

Tuner <-s, -> ['tju:nɐ] *m* tuner

Tunfisch^RR ['tu:nfɪʃ] *m* tuna [fish]

tunken ['tʊŋkən] *vt* to dip (**in** into)

Tunnel <-s, -> ['tʊnl̩] *m* tunnel

tüpfeln ['tʏpfl̩n] *vt* **etw ~** to spot sth

tupfen ['tʊpfn̩] *vt* to dab

Tupfen <-s, -> ['tʊpfn̩] *m* dot

Tür <-, -en> [ty:ɐ̯] *f* door

Türangel *f* [door-]hinge

turbulent [tʊrbu'lɛnt] *adj* turbulent

Türke, Türkin <-n, -n> ['tʏrkə, 'tʏrkɪn] *m, f* Turk

Türkei <-> [tʏr'kai] *f* **die ~** Turkey

Türkis <-es, -e> [tʏr'ki:s] *m* turquoise

türkisch ['tʏrkɪʃ] *adj* Turkish

Türklinke *f* door-handle

Turm <-[e]s, Türme> [tʊrm] *m* **1.** tower **2.** SCHACH castle

Turmspringen *nt kein pl* high diving

turnen ['tʊrnən] *vi* to do gymnastics

Turnen <-s> ['tʊrnən] *nt kein pl* gymnastics + *sing vb*

Turner(in) <-s, -> ['tʊrnɐ] *m(f)* gymnast

Turnhalle *f* gymnasium **Turnhose** *f* gym shorts

Turnier <-s, -e> [tʊr'ni:ɐ̯] *nt* tournament

Turnlehrer(in) *m(f)* SCH PE teacher **Turnschuh** *m* trainer BRIT, sneaker AM **Turnstunde** *f* PE [*or* Physical Education] lesson **Turnverein** *m* gymnastics club

Türöffner *m* automatic door-opener **Türrahmen** *m* door-frame **Türschild** *nt* name-plate

Tusche <-, -n> ['tʊʃə] *f* Indian ink

Tüte <-, -n> ['ty:tə] *f* bag; **eine ~ Popcorn** a bag of popcorn

Typ <-s, -en> [ty:p] *m* **1.** model; **dieser ~ Computer** this model of computer **2.** (*Art Mensch*) type [of person]; **jds ~ sein** to be sb's type **3.** (*sl: Kerl*) guy

Typhus <-> ['ty:fʊs] *m kein pl* typhoid

typisch ['ty:pɪʃ] **I.** *adj* typical; **~ für jdn sein** to be typical of sb **II.** *adv* **~ Frau/Mann!** typical woman/man!; **~ britisch/deutsch** typically British/German

Tyrann(in) <-en, -en> [ty'ran] *m(f)* tyrant

T

tyrannisch [tyˈranɪʃ] **I.** *adj* tyrannical **II.** *adv* tyrannically

tyrannisieren *vt* **jdn** ~ to tyrannize sb; **sich** ~ **lassen** to [allow oneself to] be tyrannized (**von** by)

U

U, u *nt* U, u

U-Bahn *f* **1.** underground BRIT, subway AM; **mit der** ~ **fahren** to go by underground **2.** (*Zug*) [underground] train **U-Bahnhof** *m* underground [*or* AM subway] station

übel [ˈyːbl̩] **I.** *adj* **1.** (*schlimm*) bad **2.** (*unangenehm*) nasty **3.** MED **mir ist** ~ I feel sick **II.** *adv* **1.** (*unangenehm*) **was riecht hier so** ~? what's that nasty smell [in] here?; **das Zeug schmeckt aber** ~! that stuff tastes awful! **2.** (*schlecht*) ~ **dran sein** to be in a bad way; **nicht** ~ not so bad [at all] **3.** (*gemein*) badly; **jdn** ~ **behandeln** to treat sb badly

Übel <-s, -> [ˈyːbl̩] *nt* evil ▶ **zu** <u>allem</u> ~ to cap it all

Übelkeit <-, -en> *f* nausea

Übeltäter(in) *m(f)* wrongdoer

üben [ˈyːbn̩] **I.** *vt, vi* to practise **II.** *vr* **sich in etw** *dat* ~ to practise sth

über [ˈyːbɐ] **I.** *präp* +*dat* (*oberhalb von*) above **II.** *präp* +*akk* **1.** (*quer hinüber, darüber*) over **2.** (*höher als*) above **3.** (*etw erfassend*) over; **ein Überblick** ~ **etw** *akk* an overview of sth **4.** (*betreffend*) about **5.** (*durch jdn/etw*) through **6.** TRANSP via **7.** (*während*) over **8.** RADIO, TV on; ~ **Satellit emp-**

fange ich 63 Programme I can receive 63 channels via satellite ▶ ~ <u>alles</u> more than anything **III.** *adv* **1.** (*älter als*) over **2.** (*mehr als*) more than **IV.** *adj* (*fam: übrig*) ~ **sein** to be left

überall [yːbɐˈʔal] *adv* everywhere; (*an jeder Stelle*) all over [the place]; ~ **wo** wherever

überarbeiten [yːbɐˈʔarbaitn̩] **I.** *vt* to revise **II.** *vr* **sich** ~ to overwork oneself

Überarbeitung <-, -en> [yːbɐˈʔarbaitʊŋ] *f* MEDIA **1.** *kein pl* revision **2.** (*bearbeitete Fassung*) revised version

überbevölkert *adj* overpopulated

überbewerten *vt* to overestimate

Überblick [ˈyːbɐblɪk] *m* **1.** (*Sicht*) view (**über** of) **2.** (*Übersicht*) overview (**über** of); **den** ~ [**über etw** *akk*] **verlieren** to lose track [of sth]

überbrücken [yːbɐˈbrʏkn̩] *vt* to get through

Überdosis *f* overdose (**an** of)

Überdruck *m* excess pressure

Überdrussᴿᴿ <-es>, **Überdruß**ᴬᴸᵀ <-sses> [ˈyːbɐdrʊs] *m kein pl* aversion; **bis zum** ~ ad nauseam

überdrüssig [ˈyːbɐdrʏsɪç] *adj* **jds/einer S.** ~ **sein/werden** to be/grow tired of sb/a thing

überdurchschnittlich **I.** *adj* above-average *attr* **II.** *adv* above average

übereinander [yːbɐʔaiˈnandɐ] *adv* **1.** on top of each other **2.** (*fig*) about each other

übereinander|schlagenᴿᴿ *vt* **die Beine** ~ to cross one's legs

überein|stimmen [yːbɐˈʔainʃtɪmən] *vi* **1.** to agree (**in** on); **mit jdm darin** ~, **dass ...** to agree with sb that ... **2.** (*sich gleichen*) [**mit etw** *dat*] ~ to match [sth]

Übereinstimmung *f* agreement (**in** on)

überempfindlich I. *adj* hypersensitive (**gegen** to) II. *adv* hypersensitively

überfahren [yːbɐˈfaːrən] *vt irreg* to run over *sep*

Überfahrt *f* NAUT crossing

Überfall <-s, Überfälle> *m* attack; (*Raubüberfall*) robbery

überfallen [yːbɐˈfalən] *vt irreg* 1. to attack 2. (*mit Raub*) to mug; *Bank* to rob

über|fließen [ˈyːbɐfliːsn̩] *vi irreg sein* to overflow

Überfluss^RR, **Überfluß**^ALT *m kein pl* abundance; **etw im ~ haben** to have plenty of sth ▶ **zu allem ~** to cap it all

überflüssig *adj* superfluous

überfluten [yːbɐˈfluːtn̩] *vt* to flood

überfordern [yːbɐˈfɔrdɐn] *vt* to overtax; [**mit etw** *dat*] **überfordert sein** to be out of one's depth [with sth]

überführen [yːbɐˈfyːrən] *vt* 1. to transfer 2. JUR **jdn** [**einer S.** *gen*] **~** to convict sb of sth

Überführung^1 [yːbɐˈfyːrʊŋ] *f* TRANSP bridge; (*über eine Straße*) overpass; (*für Fußgänger*) [foot-]bridge

Überführung^2 [yːbɐˈfyːrʊŋ] *f* (*das Überführen*) transferral

Überführung^3 [yːbɐˈfyːrʊŋ] *f* JUR conviction

überfüllt *adj* overcrowded

Übergabe *f* 1. handing over 2. MIL surrender

Übergang <-gänge> *m* 1. (*das Überqueren*) crossing 2. (*Wechsel*) transition 3. (*Zwischenlösung*) interim solution

Übergangszeit *f* 1. transition 2. (*Zeit zwischen Hauptjahreszeiten*) in-between [*or* AM off] season

übergeben [yːbɐˈgeːbn̩] I. *vt irreg* [**jdm**] **etw ~** to hand over *sep* sth [to sb] II. *vr* MED **sich ~** to vomit

über|gehen^1 [ˈyːbɐgeːən] *vi irreg sein* **dazu ~, etw zu tun** to go over to doing sth; **ineinander ~** to merge into one another

übergehen^2 [yːbɐˈgeːən] *vt irreg* (*ignorieren*) to ignore

übergeordnet *adj* higher

Übergepäck *nt* excess luggage **Übergewicht** *nt kein pl* overweight; **~ haben** to be overweight

übergewichtig *adj* overweight

über|greifen *vi irreg* [**auf etw** *akk*] **~** to spread [to sth]

Übergriff *m* infringement of [one's/sb's] rights

überhaupt [yːbɐˈhaupt] *adv* **~ keiner** nobody at all; **~ kein Geld haben** to have no money at all; **~ nicht** not at all; **~ nichts** nothing at all; **wenn ~** if at all

überheblich [yːbɐˈheːplɪç] *adj* arrogant

Überheblichkeit <-, *selten* -en> *f* arrogance *no pl*

überhitzen [yːbɐˈhɪtsn̩] *vt* to overheat

überholen^1 [yːbɐˈhoːln̩] I. *vt* 1. (*schneller vorbeifahren*) to overtake 2. (*übertreffen*) to surpass II. *vi* to pass

überholen^2 [yːbɐˈhoːln̩] *vt* to overhaul

über|kochen [ˈyːbɐkɔxn̩] *vi sein* to boil over

überladen^1 [yːbɐˈlaːdn̩] *vt irreg* to overload

überladen^2 [yːbɐˈlaːdn̩] *adj* 1. overloaded 2. *Stil* florid

überlassen [yːbɐˈlasn̩] *vt irreg* 1. (*zur Verfügung stellen*) **jdm etw ~** to let sb have sth 2. (*lassen*) **jdm etw ~** to leave sth to sb; **das müssen Sie**

U

schon mir ~ you must leave that to me **3.** (*verantworten*) **jdn sich** *dat* **selbst** ~ to leave sb to his/her own devices

Überlastung <-, -en> *f* **1.** overstrain *no pl* **2.** ELEK overloading *no pl*

über|laufen ['y:bəlaufn̩] *vi irreg sein* **1.** to overflow **2.** MIL to desert

überleben [y:bɐ'le:bn̩] *vt* to survive; **jdn** ~ to outlive sb

Überlebende(r) *f(m) dekl wie adj* survivor

überlegen¹ [y:bɐ'le:gn̩] **I.** *vi* to think [about it]; **ohne zu** ~ without thinking **II.** *vt* **sich** *dat* **etw** ~ to consider sth; **ich will es mir noch einmal** ~ I'll think it over again; **es sich** *dat* [**anders**] ~ to change one's mind

überlegen² [y:bɐ'le:gn̩] *adj* superior; **jdm** ~ **sein** to be superior to sb

überlegt [y:bɐ'le:kt] **I.** *adj* [well-]considered **II.** *adv* with consideration

Überlegung <-, -en> *f* consideration *no indef art*

überliefern [y:bɐ'li:fɐn] *vt* to hand down *sep;* **überliefert sein** to have come down

Überlieferung *f* tradition; **mündliche** ~ oral tradition

überlisten [y:bɐ'lɪstn̩] *vt* to outwit

Übermaß *nt kein pl* excess[ive amount] (**an/von** of); **im** ~ in excess

übermäßig **I.** *adj* excessive **II.** *adv* excessively; **sich** ~ **anstrengen** to try too hard

übermorgen ['y:bɐmɔrgn̩] *adv* the day after tomorrow; ~ **Abend** the day after tomorrow in the evening

übermüdet [y:bɐ'my:dət] *adj* overtired

Übermut *m* high spirits *npl;* **aus** ~ just for the hell of it *fam*

übermütig ['y:bɐmy:tɪç] **I.** *adj* high-spirited **II.** *adv* boisterously

übernächste(r, s) ['y:bɛnɛːçstə, -tɐ, -təs] *adj attr* **der/die/das** ~ the next but one; ~**s Jahr/**~ **Woche** the year/week after next

übernachten [y:bɐ'naxtn̩] *vi* **irgendwo/bei jdm** ~ to stay the night somewhere/at sb's place

Übernachtung <-, -en> *f* overnight stay; **mit zwei** ~**en in Bangkok** with two nights in Bangkok; ~ **mit Frühstück** bed and breakfast

Übernachtungsmöglichkeit *f* overnight accommodation *no pl*

Übernahme <-, -n> ['y:bɛnaːmə] *f eines Amts* assumption; *einer Firma* takeover

übernatürlich *adj* supernatural

übernehmen [y:bɐ'ne:mən] *irreg* **I.** *vt* **1.** (*in Besitz nehmen*) to take; *Geschäft* to take over *sep* **2.** (*auf sich nehmen*) to accept; *Auftrag, Verantwortung* to take on *sep; Kosten* to pay; *Verpflichtungen* to assume **II.** *vr* **sich** [**mit etw** *dat*] ~ to take on too much [of sth]

überprüfen [y:bɐ'pry:fn̩] *vt* to check (**auf** for)

überqueren [y:bɐ'kve:rən] *vt* to cross [over]

überragen [y:bɐ'ra:gn̩] *vt* **1.** to tower above (**um** by) **2.** (*übertreffen*) to outclass

überraschen [y:bɐ'raʃn̩] *vt* to surprise; **jdn bei etw** *dat* ~ to surprise sb doing sth; **vom Regen überrascht werden** to get caught in the rain

überraschend **I.** *adj* unexpected **II.** *adv* unexpectedly

Überraschung <-, -en> *f kein pl* surprise; [**für jdn**] **eine** ~ **sein** to come as a surprise [to sb]; **eine ~ für jdn kaufen** to buy something as a surprise for sb

überreden [yːbɐˈreːdn̩] *vt* to persuade; **jdn zu etw** *dat* **~** to talk sb into sth

überrumpeln [yːbɐˈrʊmpl̩n] *vt* **jdn ~** to take sb by surprise

überschätzen [yːbɐˈʃɛtsn̩] **I.** *vt* to overestimate **II.** *vr* **sich ~** to think too highly of oneself

überschlagen [yːbɐˈʃlaːgn̩] *irreg vr* **sich ~ 1.** *Mensch* to fall head over heels; *Fahrzeug* to overturn **2.** *Ereignisse* to come thick and fast **3.** *Stimme* to crack **4.** (*fig*) **sich vor Freundlichkeit/Hilfsbereitschaft ~** to fall over oneself to be friendly/ helpful

überschneiden [yːbɐˈʃnaidn̩] *vr irreg* **sich ~** to overlap

überschreiten [yːbɐˈʃraitn̩] *vt irreg* **1.** (*geh: überqueren*) to cross [over] **2.** (*über etw hinausgehen*) to exceed (**um** by)

Überschrift *f* title; *einer Zeitung* headline

Überschussᴿᴿ, **Überschuß**ᴬᴸᵀ *m* surplus *no pl* (**an** of)

überschüssig [ˈyːbɐʃʏsɪç] *adj* surplus

überschwänglichᴿᴿ [yːbɐʃvɛŋlɪç] **I.** *adj* effusive **II.** *adv* effusively

überschwemmen [yːbɐˈʃvɛmən] *vt* to flood

Überschwemmung <-, -en> *f* flood[ing *no pl*]

überschwenglichᴬᴸᵀ *adj, adv s.* **überschwänglich**

übersehen [yːbɐˈzeːən] *vt irreg* **1.** (*nicht erkennen*) to overlook **2.** (*abschätzen*) to assess

übersetzen [yːbɐˈzɛtsn̩] *vi, vt* to translate (**aus** from/**ins** into)

Übersetzer(in) *m(f)* translator

Übersetzung <-, -en> *f* **1.** (*in andere Sprache*) translation **2.** TECH transmission ratio

Übersicht <-, -en> *f* **1.** *kein pl* (*Überblick*) overall view; **die ~ verlieren** to lose track of things **2.** (*knappe Darstellung*) outline

übersichtlich I. *adj* **1.** (*rasch erfassbar*) clear **2.** *Gegend* open *attr* **II.** *adv* clearly

übersinnlich *adj* paranormal

überstehen [yːbɐˈʃteːən] *vt* to come through

übersteigen [yːbɐˈʃtaign̩] *vt irreg* to exceed

Überstunde *f* ÖKON **~n** overtime *no pl*

Überstundenzuschlag *m* overtime pay

überstürzt I. *adj* overhasty **II.** *adv* overhastily

übertragen [yːbɐˈtraːgn̩] *irreg* **I.** *vt* **1.** (*senden*) to broadcast **2.** (*übersetzen*) to translate **3.** MED to communicate (**auf** to) **4.** (*übergeben*) **jdm die Verantwortung ~** to entrust sb with the responsibility **5.** *Besitz* to transfer (**auf** to) **II.** *vr* MED **sich [auf jdn] ~** to be communicated [to sb]

übertreffen [yːbɐˈtrɛfn̩] *vt irreg* to surpass (**an/in** in)

übertreiben [yːbɐˈtraibn̩] *irreg* **I.** *vi* to exaggerate **II.** *vt* to overdo

Übertreibung <-, -en> *f* exaggeration

über|treten[1] [ˈyːbɐtreːtn̩] *vi irreg sein* (*konvertieren*) to convert (**zu** to)

übertreten[2] [yːbɐˈtreːtn̩] *vt irreg Gesetz* to break

Übertretung <-, -en> [yːbɐˈtreːtʊŋ] *f* violation *no pl*

übertrieben I. *adj* exaggerated **II.** *adv* excessively

U

übertrumpfen [yːbɐˈtrʊmpfn̩] *vt* **jdn/ etw** ~ to outdo sb/surpass sth

übervölkert [yːbɐˈfœlkɐt] *adj* overpopulated

Übervölkerung <-> [yːbɐˈfœlkərʊŋ] *f kein pl* overpopulation

überwachen [yːbɐˈvaːxn̩] *vt* **1.** to supervise; *mit Kamera* to monitor **2.** (*beschatten*) **jdn/etw** ~ to keep sb/sth under surveillance

Überwachung <-> *f kein pl* **1.** supervision; (*Kameraüberwachung*) monitoring **2.** (*Beschattung*) surveillance; *eines Telefons* bugging

überwältigen [yːbɐˈvɛltɪɡn̩] *vt* to overwhelm

überweisen [yːbɐˈvaisn̩] *vt irreg* **1.** FIN to transfer **2.** MED to refer (**an** to)

Überweisung <-, -en> *f* **1.** FIN transfer **2.** MED referral (**an** to)

überwiegend [yːbɐˈviːɡn̩t] **I.** *adj* predominant **II.** *adv* mainly

überwinden [yːbɐˈvɪndn̩] *irreg* **I.** *vt* **1.** to overcome **2.** *Gegner* to defeat **II.** *vr* **sich zu etw** *dat* ~ to force oneself to do sth

Überwindung <-> *f kein pl* **1.** overcoming **2.** (*Selbstüberwindung*) conscious effort; **jdn** ~ **kosten[, etw zu tun]** to take sb a lot of will power [to do sth]

überzeugen [yːbɐˈtsɔyɡn̩] **I.** *vt* to convince (**von** of) **II.** *vi* to be convincing **III.** *vr* **sich [selbst]** ~ to convince oneself; ~ **Sie sich selbst!** [go and] see for yourself

überzeugend **I.** *adj* convincing **II.** *adv* convincingly

Überzeugung <-, -en> [yːbɐˈtsɔyɡʊŋ] *f* conviction; **der [festen]** ~ **sein, dass ...** to be [firmly] convinced that ...; **zu der** ~ **gelangen, dass ...** to become convinced that ...

überziehen [yːbɐˈtsiːən] *irreg vt* **1.** (*bedecken*) to cover **2.** FIN to overdraw (**um** by) **3.** (*übertreiben*) **überzogen** exaggerated **II.** *vi* (*Zeitlimit*) to overrun [one's allotted time] (**um** by)

Überzug <-s, Überzüge> *m* **1.** (*Schicht*) coat[ing] **2.** (*Hülle*) cover

üblich [ˈyːplɪç] *adj* usual; **es ist bei uns hier [so]** ~ that's the custom with us here; **wie** ~ as usual

U-Boot [ˈuːboːt] *nt* submarine

übrig [ˈyːbrɪç] *adj* **1.** (*andere*) other **2.** (*restliche*) remaining; ~ **sein** to be left [over]; **die Ü~en** the remaining ones; **alles Ü~e** all the rest; **es wird ihm gar nichts anderes** ~ **bleiben** he won't have any choice; [**jdm**] **etw** ~ **lassen** to leave sth [for sb]

übrigens [ˈyːbrɪɡn̩s] *adv* by the way

übrig|haben^RR *vt* **für jdn etwas/ nichts/viel** ~ to have a soft spot for sb/to not care much about sb/ to be very fond of sb; **für etw etwas/nichts/viel** ~ to be interested/ not at all interested/very interested in sth

Übung[1] <-> [ˈyːbʊŋ] *f kein pl* (*Praxis*) practice; **aus der** ~ **sein** to be out of practice; **zur** ~ for practice

Übung[2] <-, -en> [ˈyːbʊŋ] *f* exercise

UdSSR <-> [uːdeːˌʔɛsʔɛsˈʔɛr] *f Abk von* **Union der Sozialistischen Sowjetrepubliken** HIST **die** ~ the USSR

Ufer <-s, -> [ˈuːfɐ] *nt* (*Flussufer*) bank; (*Seeufer*) shore

Uhr <-, -en> [uːɐ] *f* **1.** clock; (*Armbanduhr*) watch; **diese** ~ **geht nach/vor** this watch is slow/fast; **nach jds** ~ by sb's watch; **rund um die** ~ round the clock; **die** ~ **stellen**

to set the clock/one's watch **2.** (*Zeitangabe*) o'clock; **15** ~ 3 o'clock [in the afternoon] 3 pm; **7** ~ **30** half past 7 [in the morning] 7.30 [am/pm]; **8** ~ **23** 23 minutes past 8 eight twenty-three; **wie viel** ~ **ist es?** what time is it?; **um wie viel** ~**?** [at] what time?; **um 10** ~ at ten [o'clock]

Uhrzeiger *m* hand **Uhrzeigersinn** *m* **im** ~ clockwise; **entgegen dem** ~ anticlockwise counterclockwise AM

Uhu <-s, -s> ['uːhu] *m* eagle owl

Ukraine <-> [ukra'iːnə] *f* **die** ~ [the] Ukraine

Ukrainer(in) <-s, -> [ukra'iːnɐ] *m(f)* Ukrainian

ukrainisch [ukra'iːnɪʃ] *adj* Ukrainian

ulkig ['ʊlkɪç] *adj* funny

Ulme <-, -n> ['ʊlmə] *f* elm

Ultimatum <-s, -s> [ʊlti'maːtʊm] *nt* ultimatum; **jdm ein** ~ **stellen** to give sb an ultimatum

Ultrakurzwelle [ʊltra'kʊrtsvɛlə] *f* **1.** (*Welle*) ultrashort wave **2.** (*Empfangsbereich*) ≈ very high frequency, VHF

Ultraschall ['ʊltraʃal] *m* ultrasound **Ultraschalluntersuchung** *f* ultrasound

ultraviolett [ʊltravi̯o'lɛt] *adj* ultraviolet

um [ʊm] **I.** *präp* +*akk* **1.** (*etw umgebend*) ~ **etw** [**herum**] around sth; (*nach allen Richtungen*) ~ **sich schlagen/treten** to hit/kick out in all directions **2.** (*zeitlich*) ~ **Ostern/den 15. des Monats** [**herum**] around Easter/the 15th of the month **3.** *in Vergleichen* ~ **einiges besser** quite a bit better; ~ **10 cm länger** 10 cm longer **4.** (*für*) ~ **jds/einer S. willen** for sb's sake/for the sake of sth **5.** (*nach*) **Minute** ~ **Minute**

minute by minute **6.** (*vorüber*) ~ **sein** to be over; *Zeit* to be up **II.** *konj* ~ **etw zu tun** [in order] to do sth **III.** *adv* ~ **die 80 Meter** about 80 metres

umarmen [ʊm'ʔarmən] *vt* to embrace; (*fester*) to hug

Umarmung <-, -en> *f* embrace; (*fester*) hug

um|biegen *irreg* **I.** *vt haben* to bend **II.** *vi sein* (*kehrtmachen*) to turn back

um|binden ['ʊmbɪndn̩] *vt irreg* **jdm etw** ~ to tie sth around sb's neck; **sich** *dat* **etw** ~ to tie on *sep* sth

um|blättern *vi* to turn over

um|buchen *vt* **1.** (*terminlich*) to alter one's booking/reservation (**auf** for); **den Flug auf einen anderen Tag** ~ to change one's flight reservation to another day **2.** *Geld* to transfer (**von** from/**auf** to)

um|denken *vi irreg* to change one's ideas/views

um|drehen **I.** *vt haben* to turn; (*auf die andere Seite*) to turn over *sep* **II.** *vr haben* **sich** [**nach jdm/etw**] ~ to turn round (to look at sb/sth) **III.** *vi haben o sein* to turn round

umeinander [ʊmʔai̯'nandɐ] *adv* about each other

um|fahren ['ʊmfaːrən] *irreg vt* (*fam*) (*überfahren*) to run over *sep*

um|fallen *vi irreg sein* to fall over

Umfang <-[e]s, Umfänge> *m* **1.** (*Bauch*~) girth **2.** (*Ausdehnung*) area **3.** (*Ausmaß*) **in großem** ~ on a large scale; **in vollem** ~ completely

Umfrage *f* poll; **eine** ~ **machen** to hold a survey (**zu/über** on)

Umgang <-gänge> *m* **jds** ~ **mit etw** *dat* sb's having to do with sth; **kein** ~

U

für jdn sein to be not fit company for sb

Umgangsformen *pl* manners *npl*

Umgangssprache *f* colloquial speech; **die griechische ~** colloquial Greek

umgeben [ʊmˈgeːbn̩] *vt irreg* to surround

Umgebung <-, -en> [ʊmˈgeːbʊŋ] *f* surroundings *npl; einer Stadt a.* environs *npl;* (*Nachbarschaft*) vicinity

um|gehen¹ [ˈʊmgeːən] *vi irreg sein* **1.** (*behandeln*) **mit jdm/etw irgendwie ~** to handle sb/sth somehow **2.** *Gerücht* to circulate

umgehen² [ʊmˈgeːən] *vt irreg* (*vermeiden*) to avoid

umgekehrt I. *adj* reverse *attr;* [**es ist**] **gerade ~!** just the opposite!; **in ~er Reihenfolge** in reverse order **II.** *adv* the other way round

Umhang <-[e]s, Umhänge> *m* cape

Umhängetasche *f* shoulder bag

umher [ʊmˈheːɐ̯] *adv* around; **rings ~** all around

um|kehren *vi sein* to turn back

um|kippen I. *vi sein* **1.** to tip over **2.** (*sich ändern*) **in etw** *akk* **~** to turn into sth **II.** *vt haben* to tip over *sep*

umklammern [ʊmˈklamɐn] *vt* **jdn ~** to cling [on] to sb; **etw ~** to hold sth tight

Umkleideraum *m* changing room

umkreisen [ʊmˈkraɪzn̩] *vt* ASTRON to orbit

um|krempeln *vt* **1.** *Ärmel* to roll up *sep* **2.** (*umgestalten*) **etw/jdn ~** to give sth/sb a good shake up

Umlauf [ˈʊmlaʊf] *m* **1.** ASTRON rotation **2. etw in ~ bringen** *Geld* to put into circulation; *Gerücht* to spread

Umlaufbahn *f* orbit

Umleitung <-, -en> *f* diversion

um|räumen *vi, vt* (*Möbel*) to rearrange

Umrechnungskurs *m* exchange rate

umringen [ʊmˈrɪŋən] *vt* to surround

Umrissᴿᴿ, **Umriß**ᴬᴸᵀ *m meist pl* outline; **in Umrissen** in outline

um|rühren *vi, vt* to stir

Umsatz *m* turnover

Umsatzbeteiligung *f* ÖKON commission **Umsatzsteuer** *f* sales tax

um|schauen *vr* (*geh*) *s.* umsehen

Umschlag <-[e]s, -schläge> *m* **1.** (*Kuvert*) envelope **2.** (*Buchumschlag*) jacket **3.** MED compress

umschreiben [ʊmˈʃraɪbn̩] *vt irreg* **1.** (*indirekt ausdrücken*) to talk around **2.** (*beschreiben*) to outline

um|schulen *vt* **1.** to retrain (**zu** as); **sich ~ lassen** to undergo retraining **2.** *Schüler* to transfer to another school

Umschulungskurs *m* SCH, ÖKON retraining course

um|sehen *vr irreg* **1. sich irgendwo ~** to have [*or esp* AM take] a look around somewhere **2.** (*nach hinten blicken*) **sich ~** to look back [*or* BRIT round] **3.** (*suchen*) **sich nach jdm/ etw ~** to look around for sb/sth

umsichtig I. *adj* prudent **II.** *adv* prudently

umsonst [ʊmˈzɔnst] *adv* **1.** (*gratis*) for free; **~ sein** to be free [of charge] **2.** (*vergebens*) in vain

Umstand <-[e]s, -stände> *m* **1.** (*Gegebenheit*) circumstance; **mildernde Umstände** JUR mitigating circumstances; **unter Umständen** possibly; **unter allen Umständen** at all costs **2.** *pl* (*Schwierigkeiten*) trouble; **bitte keine Umstände!** please don't put yourself out!

umständlich [ˈʊmʃtɛntlɪç] **I.** *adj* **1.** *Er-*

klärung long-winded **2.** (*aufwändig*) laborious; **etw ist jdm zu ~** sth's too much [of a] bother for sb **3.** (*unpraktisch veranlagt*) **~ sein** to be awkward **II.** *adv* **1.** (*weitschweifig*) long-windedly **2.** (*aufwändig*) laboriously

Umstandskleidung *f* maternity wear

um|steigen *vi irreg sein* TRANSP to change; **nach Frankfurt ~** to change for Frankfurt

um|stellen [ˈʊmʃtɛlən] **I.** *vt Möbel* to rearrange; **die Ernährung ~** to change one's diet; **die Uhr ~** to turn the clock back/forward **II.** *vr* **sich ~** to adapt (**auf** to)

Umstellung *f* (*Anpassung*) adjustment (**auf** to); **~ auf Computer** computerization

um|stimmen *vt* **jdn ~** to change sb's mind; **sich ~ lassen** to let oneself be persuaded (**von** by)

um|stoßen *vt irreg* to knock over *sep*

umstritten [ʊmˈʃtrɪtn̩] *adj* controversial

Umstrukturierung *f* restructuring

Umsturz *m* coup [dˈeta]

um|stürzen **I.** *vi sein* to fall **II.** *vt haben* to knock over; POL to overthrow

Umtausch *m a.* FIN exchange (**gegen** for)

um|tauschen *vt* **1.** to exchange (**in/gegen** for); **jdm etw ~** to exchange sth for sb **2.** *Währung* to change (**in** into)

um|wandeln [ˈʊmvandl̩n] *vt* to convert (**in** into); **wie umgewandelt sein** to be a changed person

Umweg *m* detour

Umwelt [ˈʊmvɛlt] *f kein pl* environment

Umweltaktivist(in) *m(f)* eco-warrior,

environmental activist **Umweltbelastung** *f* environmental damage **Umweltbewusstsein**[RR] *nt kein pl* environmental consciousness **umweltfreundlich** *adj* environmentally friendly **Umweltkatastrophe** *f* ecological [*or* environmental] disaster **Umweltpolitik** *f* environmental policy **Umweltschutz** *m* conservation **Umweltschützer(in)** *m(f)* environmentalist **Umweltsünde** *f* crime against the environment **Umweltsünder(in)** *m(f)* sb who commits a crime against the environment **Umweltverschmutzung** *f* pollution **umweltverträglich** *adj* environmentally friendly

um|werfen *vt irreg* to bowl over *sep; Plan* to upset

um|ziehen[1] [ˈʊmtsiːən] *vi irreg sein* to move [house]

um|ziehen[2] [ˈʊmtsiːən] *vr irreg* **sich ~** to get changed

umzingeln [ʊmˈtsɪŋl̩n] *vt* to surround

Umzug *m* **1.** move **2.** (*Marsch*) parade

unabhängig [ˈʊnʔaphɛŋɪç] *adj* **1.** independent (**von** of) **2.** (*ungeachtet*) **~ davon, ob/wann ...** regardless of whether/when ...

Unabhängigkeit *f kein pl* independence (**von** of)

unabsichtlich [ʊnʔapzɪçtlɪç] **I.** *adj* unintentional **II.** *adv* accidentally

unangebracht [ˈʊnʔangəbraxt] *adj* misplaced

unangemessen [ˈʊnʔangəmɛsn̩] **I.** *adj* inappropriate; *Preis* unreasonable **II.** *adv* inappropriately

unangenehm [ˈʊnʔangəneːm] **I.** *adj* unpleasant; **jdm ist etw ~** sb feels bad about sth **II.** *adv* unpleasantly

U

unangepasst^{RR} ['ʊnʔangəpast] *adj* non-conformist

unanständig ['ʊnʔanʃtɛndɪç] I. *adj* rude II. *adv* rudely

unappetitlich ['ʊnʔapeti:tlɪç] *adj* unappetizing

Unart ['ʊnʔa:ɐ̯t] *f* terrible habit

unartig ['ʊnʔa:ɐ̯tɪç] *adj* naughty

unauffällig ['ʊnʔauffɛlɪç] I. *adj* discrete II. *adv* discretely

unaufmerksam ['ʊnʔaufmɛrkza:m] *adj* inattentive

Unaufmerksamkeit *f kein pl* inattentiveness

unaufrichtig ['ʊnʔaufrɪçtɪç] *adj* insincere (**gegen**[**über**] towards)

unausgeglichen ['ʊnʔausgəglɪçn̩] *adj* (*Mensch*) moody

unausstehlich [ʊnʔaus'ʃte:lɪç] *adj Art, Mensch* insufferable; *Hitze* intolerable

unbändig ['ʊnbɛndɪç] I. *adj* 1. (*ungestüm*) boisterous 2. (*heftig*) enormous II. *adv* boisterously

unbarmherzig ['ʊnbarmhɛrtsɪç] I. *adj* merciless II. *adv* mercilessly

unbeabsichtigt ['ʊnbəʔapzɪçtɪçt] I. *adj* unintentional II. *adv* unintentionally

unbedeutend ['ʊnbədɔytn̩t] I. *adj* insignificant II. *adv* insignificantly

unbedingt ['ʊnbədɪŋt] I. *adj attr* absolute II. *adv* (*auf jeden Fall*) ~! absolutely!; **erinnere mich ~ daran, sie anzurufen** you mustn't forget to remind me to call her; **nicht ~** not necessarily

unbefangen ['ʊnbəfaŋən] *adj* (*natürlich*) natural

unbefriedigend ['ʊnbəfri:dɪgn̩t] I. *adj* unsatisfactory (**für** to) II. *adv* in an unsatisfactory way

unbegabt ['ʊnbəga:pt] *adj* untalented

unbegreiflich ['ʊnbəgraiflɪç] *adj* incomprehensible

unbegrenzt ['ʊnbəgrɛntst] I. *adj* unlimited II. *adv* indefinitely

unbegründet ['ʊnbəgrʏndət] *adj* unfounded

unbehaglich ['ʊnbəha:klɪç] I. *adj* uneasy II. *adv* uneasily

unbeholfen ['ʊnbəhɔlfn̩] I. *adj* clumsy II. *adv* clumsily

unbekannt ['ʊnbəkant] *adj* unknown; **jdm ~ sein** to be unknown to sb

unbekümmert ['ʊnbəkʏmɐt] I. *adj* carefree; **sei/seien Sie** [**ganz**] ~ don't upset yourself II. *adv* in a carefree manner

unbeliebt ['ʊnbəli:pt] *adj* unpopular

unbenutzt ['ʊnbənʊtst] *adj* unused; (*Kleidung*) unworn

unbequem ['ʊnbəkve:m] *adj* uncomfortable; (*lästig*) awkward

unberechenbar [ʊnbə'rɛçnba:ɐ̯] *adj* unpredictable

unberührt ['ʊnbə'ry:ɐ̯t] *adj* untouched; *Gegend* unspoiled

unbeschreiblich ['ʊnbɛʃraiplɪç] I. *adj* 1. indescribable 2. (*maßlos*) tremendous II. *adv* **sich ~ freuen** to be overjoyed

unbeschwert ['ʊnbəʃve:ɐ̯t] *adj* carefree

Unbesonnenheit <-, -en> *f* 1. *kein pl* (*Art*) impulsiveness 2. (*Äußerung*) hasty remark 3. (*Handlung*) rashness

unbesorgt ['ʊnbəzɔrkt] I. *adj* unconcerned II. *adv* without worrying

unbeständig ['ʊnbəʃtɛndɪç] *adj* 1. *Wetter* unsettled 2. (*wankelmütig*) fickle

unbestechlich ['ʊnbɛʃtɛçlɪç] *adj* incorruptible

unbestimmt ['ʊnbəʃtɪmt] *adj* 1. (*unklar*) vague 2. (*nicht festgelegt*) indefinite

unbewaffnet [ˈʊnbəvafnət] *adj* unarmed

unbeweglich [ˈʊnbɛveːklɪç] *adj* (*starr*) fixed; (*nicht bewegbar*) immovable

unbewohnt *adj* uninhabited

unbewusstᴿᴿ [ˈʊnbəvʊst] I. *adj* unconscious II. *adv* unconsciously

unbezahlt *adj Arbeit* unpaid; *Rechnung* unsettled

unbrauchbar [ˈʊnbrauxbaːɐ̯] *adj* useless

und [ʊnt] *konj* and; ~ **dann?** then what?; **na** ~**?** so what?; ~**,** ~**,** ~ etc.

undankbar [ˈʊndaŋkbaːɐ̯] *adj* ungrateful

Undankbarkeit *f* ungratefulness

undeutlich [ˈʊndɔytlɪç] I. *adj* indistinct; *Schrift* illegible II. *adv* indistinctly; ~ **sprechen** to mumble

undicht [ˈʊndɪçt] *adj* (*luftdurchlässig*) not airtight; (*wasserdurchlässig*) not watertight

Unding [ˈʊndɪŋ] *nt kein pl* **ein** ~ **sein** to be absurd

undiszipliniert [ˈʊndɪstsiplɪniːɐ̯t] I. *adj* undisciplined II. *adv* in an undisciplined manner

undurchlässig [ˈʊndʊrçlɛsɪç] *adj* impermeable

undurchsichtig [ˈʊndʊrçzɪçtɪç] *adj* opaque; (*zwielichtig*) shadowy

uneben [ˈʊnˀeːbn̩] *adj* uneven

unecht [ˈʊnˀɛçt] *adj* false; (*imitiert*) fake

unehelich [ˈʊnˀeːˀəlɪç] *adj* illegitimate

unehrlich [ˈʊnˀeːɐ̯lɪç] I. *adj* dishonest II. *adv* dishonestly

Unehrlichkeit *f* dishonesty

uneigennützig [ˈʊnˀaignʏtsɪç] *adj* selfless

uneingeschränkt [ˈʊnˀaingəʃrɛŋkt]

I. *adj* absolute II. *adv* absolutely

uneinig [ˈʊnˀainɪç] *adj* [**sich** *dat*] **mit jdm** ~ **sein** to disagree with sb (**über** about)

Uneinigkeit *f* disagreement

unempfindlich [ˈʊnˀɛmpfɪntlɪç] *adj* insensitive (**gegen** to)

unendlich [ʊnˀˈʔɛntlɪç] I. *adj* infinite; (*endlos*) endless II. *adv* (*fam*) endlessly; ~ **viele Leute** heaven knows how many people

Unendlichkeit *f kein pl* infinity

unentbehrlich [ˈʊnˀɛntbeːɐ̯lɪç] *adj* indispensable

unentschieden [ˈʊnˀɛntʃiːdn̩] I. *adj* undecided; SPORT drawn II. *adv* SPORT ~ **ausgehen** to end in a draw; ~ **spielen** to draw

Unentschlossenheit *f* indecision

unerbittlich [ʊnˀɛɐ̯ˈbɪtlɪç] *adj* pitiless

unerfahren [ˈʊnˀɛɐ̯faːrən] *adj* inexperienced

unerfreulich [ˈʊnˀɛɐ̯frɔylɪç] *adj* unpleasant

unergründbar [ʊnˀɛɐ̯ˈɡrʏntbaːɐ̯], **unergründlich** [ʊnˀɛɐ̯ˈɡrʏntlɪç] *adj* puzzling

unerhört [ˈʊnˀɛɐ̯høːɐ̯t] I. *adj attr* **1.** (*skandalös*) outrageous **2.** (*außerordentlich*) incredible II. *adv* **1.** (*skandalös*) outrageously **2.** (*außerordentlich*) incredibly

unerklärbar [ʊnˀɛɐ̯ˈklɛːɐ̯baːɐ̯], **unerklärlich** [ʊnˀɛɐ̯ˈklɛːɐ̯lɪç] *adj* inexplicable; **jdm ist** ~**, warum/was ...** sb cannot understand why/what ...

unermüdlich [ʊnˀɛɐ̯ˈmyːtlɪç] I. *adj* tireless II. *adv* tirelessly

unerreichbar [ʊnˀɛɐ̯ˈraiçbaːɐ̯] *adj* unattainable; (*telefonisch*) unavailable

unerträglich [ʊnˀɛɐ̯ˈtrɛːklɪç] I. *adj* unbearable; *Person* impossible II. *adv*

U

unbearably; *Person* impossibly

unerwartet ['ʊnʔɛɡvartət] I. *adj* unexpected II. *adv* unexpectedly

unerwünscht ['ʊnʔɛɡvʏnʃt] *adj* unwelcome

unfähig ['ʊnfɛːɪç] *adj* 1. incompetent 2. *(nicht imstande)* **zu etw** *dat* ~ [**sein**] [to be] incapable of sth; ~ **sein, etw zu tun** to be incapable of doing sth

unfair ['ʊnfɛːɐ̯] I. *adj* unfair (**gegen**[**über**] to[wards]) II. *adv* unfairly

Unfall ['ʊnfal] *m* accident

Unfallversicherung *f* accident insurance

unfassbar[RR], **unfaßbar**[ALT] [ʊnˈfasbaːɐ̯] *adj* incomprehensible

unförmig ['ʊnfœrmɪç] *adj* shapeless; *(Gesicht)* misshapen

unfreiwillig ['ʊnfraivɪlɪç] I. *adj* 1. *(gezwungen)* compulsory 2. *(unbeabsichtigt)* unintentional II. *adv* **etw** ~ **tun** to be forced to do sth

unfreundlich ['ʊnfrɔyntlɪç] I. *adj* 1. *Mensch* unfriendly 2. *(unangenehm)* unpleasant II. *adv* **jdn** ~ **behandeln** to be unfriendly to sb

unfruchtbar ['ʊnfrʊxtbaːɐ̯] *adj* infertile

Unfruchtbarkeit *f kein pl* 1. MED infertility 2. AGR barrenness

Unfug <-s> ['ʊnfuːk] *m kein pl* nonsense; **mach keinen** ~! stop that nonsense!

Ungar(in) <-n, -n> ['ʊŋɡar] *m(f)* Hungarian

ungarisch ['ʊŋɡarɪʃ] *adj* Hungarian

Ungarn <-s> ['ʊŋɡarn] *nt* Hungary

ungebeten ['ʊnɡəbeːtn̩] *adj* unwelcome

ungebildet ['ʊnɡəbɪldət] *adj* uneducated

ungebräuchlich ['ʊnɡəbrɔyçlɪç] *adj* uncommon

ungebunden ['ʊnɡəbʊndn̩] *adj* unattached

ungedeckt ['ʊnɡədɛkt] *adj* FIN uncovered

Ungeduld ['ʊnɡədʊlt] *f* impatience

ungeduldig ['ʊnɡədʊldɪç] I. *adj* impatient II. *adv* impatiently

ungeeignet ['ʊnɡəʔaignət] *adj* unsuitable; ~ **sein** to be unsuited (**für** for)

ungefähr ['ʊnɡəfɛːɐ̯] I. *adv* 1. *(zirka)* approximately; **um** ~ **9 Uhr** at about 9 o'clock 2. *(etwa)* ~ **da** around there; ~ **so** something like this/that II. *adj attr* approximate

ungefährlich ['ʊnɡəfɛːɐ̯lɪç] *adj* harmless

ungeheuer ['ʊnɡəhɔyɐ] I. *adj* tremendous II. *adv* tremendously

Ungeheuer <-s, -> ['ʊnɡəhɔyɐ] *nt* monster

ungeheuerlich [ʊnɡəˈhɔyɐlɪç] *adj* outrageous

ungehörig ['ʊnɡəhøːrɪç] I. *adj* impertinent II. *adv* impertinently

ungehorsam ['ʊnɡəhoːɐ̯za:m] *adj* disobedient (**gegenüber** towards)

Ungehorsam ['ʊnɡəhoːɐ̯za:m] *m* disobedience

ungeklärt ['ʊnɡəklɛːɐ̯t] *adj* unsolved

ungelegen ['ʊnɡəleːɡn̩] *adj* inconvenient

ungelernt ['ʊnɡəlɛrnt] *adj attr* unskilled

ungeliebt ['ʊnɡəliːpt] *adj* unloved

ungemütlich ['ʊnɡəmyːtlɪç] *adj* uncomfortable

ungenau ['ʊnɡənau] I. *adj* 1. *(vage)* vague 2. *(inkorrekt)* inaccurate II. *adv* 1. *(vage)* vaguely 2. *(inkorrekt)* incorrectly

Ungenauigkeit <-, -en> f 1. kein pl (Vagheit) vagueness 2. kein pl (Inkorrektheit) inaccuracy

ungenießbar ['ʊngəniːsbaːɐ̯] adj Speise inedible; Getränk undrinkable

ungenügend ['ʊngənyːgn̩t] I. adj 1. insufficient 2. (Note) unsatisfactory (the lowest mark) II. adv insufficiently

ungepflegt ['ʊngəpfleːkt] adj neglected; Mensch ungroomed

ungerade ['ʊngəraːdə] adj odd

ungerecht ['ʊngərɛçt] I. adj unjust; ~ [gegen jdn] sein to be unfair [to sb] II. adv unjustly

Ungerechtigkeit <-, -en> f injustice

ungern ['ʊngɛrn] adv reluctantly

ungeschickt ['ʊngəʃɪkt] adj (unbeholfen) clumsy

ungeschminkt ['ʊngəʃmɪŋkt] adj without make-up; (unbeschönigt) unvarnished

ungesellig ['ʊngəzɛlɪç] adj unsociable

ungestört ['ʊngəʃtøːɐ̯t] I. adj undisturbed; ~ sein wollen to want to be left alone II. adv without being disturbed

ungesund ['ʊngəzʊnt] I. adj unhealthy II. adv unhealthily; sich ~ ernähren to not have a healthy diet

ungewiss^RR ['ʊngəvɪs], **ungewiß**^ALT adj uncertain

Ungewissheit^RR <-, -en> f uncertainty

ungewöhnlich ['ʊngəvøːnlɪç] I. adj unusual II. adv unusually

ungewohnt ['ʊngəvoːnt] adj unusual; jdm ~ sein to be unfamiliar to sb

ungewollt ['ʊngəvɔlt] I. adj unintentional II. adv unintentionally

Ungeziefer <-s> ['ʊngətsiːfɐ] nt kein pl pests npl

ungezogen ['ʊngətsoːgn̩] I. adj naughty; Bemerkung impertinent; ~ [von jdm] sein to be ill-mannered [of sb] II. adv impertinently; sich ~ benehmen to behave badly

ungezwungen ['ʊngətsvʊŋən] adj informal

ungläubig ['ʊnglɔybɪç] adj 1. disbelieving; ein ~es Kopfschütteln an incredulous shake of the head 2. REL unbelieving

unglaublich ['ʊnglauplɪç] I. adj unbelievable II. adv incredibly

unglaubwürdig ['ʊnglaupvʏrdɪç] adj implausible

ungleich ['ʊnglaiç] I. adj unequal; Paar odd; Gegenstände dissimilar II. adv 1. unequally 2. vor Komparativ (weitaus) far

ungleichmäßig I. adj 1. (unregelmäßig) irregular 2. (nicht zu gleichen Teilen) uneven II. adv 1. (unregelmäßig) irregularly 2. (nicht zu gleichen Teilen) unevenly

Unglück <-glücke> ['ʊnglʏk] nt 1. kein pl (Pech) bad luck; zu allem ~ to make matters worse 2. (Katastrophe) disaster

unglücklich ['ʊnglʏklɪç] I. adj 1. (betrübt) unhappy 2. (ungünstig) unfortunate II. adv unfortunately; ~ verliebt sein to be crossed in love

unglücklicherweise adv unfortunately

Unglücksfall m 1. (Unfall) accident 2. (unglückliche Begebenheit) mishap

ungültig ['ʊngʏltɪç] adj invalid; (nichtig) void; etw für ~ erklären to declare sth null and void; eine Ehe für ~ erklären to annul a marriage

Ungültigkeit f invalidity

ungünstig ['ʊngʏnstɪç] adj inconvenient

U

ungut [ˈʊnguːt] *adj* bad ▶ **nichts für ~!** no offence!

unhandlich [ˈʊnhantlɪç] *adj* unwieldy

Unheil [ˈʊnhail] *nt* disaster

unheilbar [ˈʊnhailbaːɐ̯] I. *adj* incurable II. *adv* incurably; **~ krank sein** to be terminally ill

unheimlich [ˈʊnhaimlɪç] I. *adj* 1. eerie 2. (*fam: sehr groß/viel*) terrific; **~en Hunger haben** to die of hunger *fig* II. *adv* (*fam*) incredibly

unhöflich [ˈʊnhøːflɪç] *adj* impolite

Unhöflichkeit *f kein pl* impoliteness

unhygienisch [ˈʊnhygi̯eːnɪʃ] *adj* unhygienic

Uniform <-, -en> [ˈʊnifɔrm] *f* uniform

uninteressant [ˈʊnʔɪntərɛsant] *adj* uninteresting

Universität <-, -en> [univɛrziˈtɛːt] *f* university; **auf die ~ gehen** to go to university

Universum <-s, *selten* -sen> [uniˈvɛrzʊm] *nt* universe

Unkenntnis [ˈʊnkɛntnɪs] *f kein pl* ignorance; **aus ~** out of ignorance

unklar [ˈʊnklaːɐ̯] I. *adj* 1. (*ungeklärt, unverständlich*) unclear; [**sich** *dat*] **im U~en sein** to be uncertain (**über** about) 2. (*verschwommen*) indistinct; *Erinnerungen* vague II. *adv* unclearly

Unklarheit <-> *f kein pl* uncertainty

Unkosten [ˈʊnkɔstn̩] *pl* costs; **sich in ~ stürzen** to go to a lot of expense

Unkraut [ˈʊnkraut] *nt* weed

unleserlich [ˈʊnleːzɐlɪç] *adj* illegible

unlogisch *adj* illogical

unlösbar [ʊnˈløːsbaːɐ̯], **unlöslich** [ˈʊnˈløːslɪç] *adj a.* CHEM insoluble; *Problem* unsolvable

Unlust [ˈʊnlʊst] *f kein pl* reluctance

unmäßig [ˈʊnmɛːsɪç] I. *adj* excessive II. *adv* excessively

Unmensch [ˈʊnmɛnʃ] *m* monster

unmenschlich [ˈʊnmɛnʃlɪç] *adj* inhuman

unmerklich [ˈʊnmɛrklɪç] *adj* imperceptible

unmittelbar [ˈʊnmɪtlbaːɐ̯] I. *adj* direct; **ein ~er Nachbar** a next-door neighbour II. *adv* 1. (*sofort*) immediately 2. (*ohne Umweg*) directly

unmöglich [ˈʊnmøːklɪç] I. *adj* impossible II. *adv* (*fam*) not possibly; **das geht ~** that's out of the question

unmoralisch [ˈʊnmoraːlɪʃ] *adj* immoral

unmündig [ˈʊnmʏndɪç] *adj* underage; (*geistig unselbständig*) dependent

unmusikalisch [ˈʊnmuzikaːlɪʃ] *adj* unmusical

unnahbar [ʊnˈnaːbaːɐ̯] *adj* unapproachable

unnatürlich [ˈʊnnaːtyːɐ̯lɪç] *adj* unnatural; **ein ~es Lachen** a forced laugh

unnötig [ˈʊnnøːtɪç] *adj* unnecessary

unordentlich [ˈʊnʔɔrdn̩tlɪç] I. *adj* untidy II. *adv* untidily; **~ arbeiten** to work carelessly

Unordnung [ˈʊnʔɔrdnʊŋ] *f kein pl* mess

unparteiisch [ˈʊnpartaiʃ] *adj* impartial

unpassend [ˈʊnpasn̩t] *adj* 1. (*unangebracht*) inappropriate 2. (*ungelegen*) inconvenient

unpersönlich [ˈʊnpɛrzøːnlɪç] *adj Mensch* distant; *Art* impersonal

unpraktisch [ˈʊnpraktɪʃ] *adj* impractical

unpünktlich [ˈʊnpʏŋktlɪç] I. *adj* unpunctual II. *adv* late

unrasiert [ˈʊnraziːɐ̯t] *adj* unshaven

unrecht [ˈʊnrɛçt] *adj* 1. wrong 2. (*un-*

passend) **jdm ~ sein** to disturb sb

Unrecht ['ʊnrɛçt] *nt kein pl* wrong; **im ~ sein** to be [in the] wrong; **zu ~** wrongly; **nicht zu ~** not without good reason; **~ haben** to be wrong

unregelmäßig ['ʊnreːg‖mɛːsɪç] *adj* irregular

unreif ['ʊnraif] *adj* **1.** AGR, HORT unripe **2.** (*Person*) immature

unrentabel ['ʊnrɛnta:b‖] *adj* unprofitable

Unruhe ['ʊnruːə] *f* restlessness *no pl;* **politische ~n** political unrest; **~ stiften** to cause trouble

unruhig ['ʊnruːɪç] I. *adj* **1.** restless; *Nacht, Zeit* troubled; *Schlaf* fitful **2.** (*laut*) noisy II. *adv* restlessly; **~ schlafen** to sleep fitfully

uns [ʊns] I. *pron pers* **1.** *dat von s.* **wir** [to/for] us; **bei ~** at our house **2.** *akk von s.* **wir** us II. *pron reflexiv* **1.** *akk o dat von s.* **wir** ourselves **2.** (*einander*) each other

unsachlich ['ʊnzaxlɪç] *adj* unobjective

unschädlich ['ʊnʃɛːtlɪç] *adj* harmless

unscheinbar ['ʊnʃainba:ɐ̯] *adj* inconspicuous

Unschuld ['ʊnʃʊlt] *f* innocence

unschuldig ['ʊnʃʊldɪç] I. *adj* innocent II. *adv* innocently

unselbständig ['ʊnzɛlpʃtɛndɪç] *adj* (*von anderen abhängig*) dependent on others; (*angestellt*) employed

unser ['ʊnzɐ] I. *pron poss* our; **~er Meinung nach** in our opinion II. *pron pers gen von s.* **wir** (*geh*) of us; **in ~ aller Interesse** in all our interests

unsereiner ['ʊnzɐʔainɐ] *pron indef*, **unsereins** ['ʊnzɐʔains] *pron indef* (*fam*) the likes of us

unseresgleichen ['ʊnzərəsˈglaiçn̩] *pron*

indef people like us

unsertwegen ['ʊnzɐtˈveːgn̩] *adv* **1.** (*wegen uns*) because of us **2.** (*von uns aus*) as far as we are concerned

unsicher ['ʊnzɪçɐ] I. *adj* **1.** (*gefährlich*) unsafe **3.** (*nicht selbstsicher*) unsure; *Blick* uncertain; **sich ~ fühlen** to feel unsure of oneself **3.** *Arbeitsplatz* insecure; *Zukunft* uncertain II. *adv* **~ fahren** to drive with little confidence

Unsicherheit *f* **1.** (*Gefährlichkeit*) dangers *npl* **2.** *kein pl* (*keine Selbstsicherheit*) insecurity **3.** *kein pl* (*Ungewissheit*) uncertainty

Unsinn ['ʊnzɪn] *m kein pl* nonsense; **so ein ~!** what nonsense!; **lass den ~!** stop fooling around!; **mach keinen ~!** don't do anything stupid!; **~ reden** to talk nonsense

unsinnig ['ʊnzɪnɪç] *adj* absurd

unsittlich ['ʊnzɪtlɪç] *adj* indecent

unsozial ['ʊnzotsja:l] *adj* anti-social

unsportlich [ʊnˈʃpɔrtlɪç] *adj* unathletic

unsterblich ['ʊnʃtɛrplɪç] I. *adj* immortal II. *adv* (*fam*) **sich ~ verlieben** to fall madly in love

Unsterblichkeit *f* immortality

unsympathisch ['ʊnzʏmpaːtɪʃ] *adj* unpleasant

Untat ['ʊntaːt] *f* atrocity

untätig ['ʊntɛːtɪç] I. *adj* idle II. *adv* idly; **~ zusehen** to stand idly by

unten ['ʊntn̩] *adv* **1.** down, at the bottom; **~ an/in etw** *dat* at/in the bottom of sth; **dort/hier ~** down there/here; **~ links/rechts** [at the] bottom left/right; **weiter ~** further down **2.** (*Stockwerk*) downstairs; **nach ~** downstairs; **der Aufzug fährt nach ~** the lift is going down **3.** (*im Text*)

U

~ **erwähnt** mentioned below *pred;* **siehe** ~ see below

unter ['ʊntɐ] I. *präp* +*dat* 1. (*Ort, Position*) under[neath]; ~ **freiem Himmel** in the open air; **jdn** ~ **sich haben** to have sb under one 2. (*zahlenmäßig kleiner als*) below; (*weniger als*) less than; (*jünger als*) under 3. (*inmitten*) among[st]; ~ **anderem** amongst other things; ~ **uns gesagt** between you and me 4. (*in einem Zustand*) under; ~ **Druck stehen** to be under pressure; ~ **Zwang** under duress II. *präp* +*akk* (*Richtung*) under; **etw** ~ **ein Motto stellen** to put sth under a motto

Unterarm ['ʊntɐʔarm] *m* forearm

Unterbewusstsein^{RR} ['ʊntɐbəvʊstzain] *nt* **das/jds** ~ the/sb's subconscious; **im** ~ subconsciously

unterbrechen [ʊntɐ'brɛçn̩] *vt irreg* to interrupt

unter|bringen *vt irreg* **jdn** ~ (*Unterkunft*) to put sb up; (*Anstellung*) to get sb a job; **etw** ~ to put sth somewhere

unterdessen [ʊntɐ'dɛsn̩] *adv* meanwhile

unterdrücken [ʊntɐ'drʏkn̩] *vt* **jdn** ~ to oppress sb; **etw** ~ to suppress sth

Unterdrückung <-, -en> *f kein pl Menschen* oppression; *Aufstand* suppression

untereinander [ʊntɐʔai'nandɐ] *adv* 1. (*miteinander*) among yourselves/themselves etc; **sich** ~ **helfen** to help each other 2. (*räumlich*) one below the other

unterernährt *adj* undernourished

Unterführung [ʊntɐ'fy:rʊŋ] *f* underpass

Untergang <-gänge> *m* 1. *Schiff* sinking 2. *Sonne* setting 3. *Kultur* decline

Untergebene(r) *f(m) dekl wie adj* subordinate

unter|gehen *vi irreg sein* 1. (*versinken*) to sink 2. *Sonne* to set 3. (*zugrunde gehen*) to be destroyed

untergeordnet *adj* subordinate

untergraben [ʊntɐ'gra:bn̩] *vt irreg* to undermine

Untergrund ['ʊntɐgrʊnt] *m kein pl* underground; **in den** ~ **gehen** to go underground; **im** ~ underground

unterhalb ['ʊntɐhalp] I. *präp* +*gen* below II. *adv* ~ **von etw** *dat* below sth

Unterhalt <-[e]s> ['ʊntɐhalt] *m kein pl* 1. (*Lebensunterhalt*) keep 2. (*Instandhaltung*) upkeep

unterhalten¹ [ʊntɐ'haltn̩] *vt irreg* 1. *Familie* to support 2. TECH to maintain

unterhalten² [ʊntɐ'haltn̩] *irreg* I. *vt* (*die Zeit vertreiben*) to entertain II. *vr* **sich** ~ 1. (*sich vergnügen*) to keep oneself amused 2. (*sprechen*) to talk (**mit** to); **wir müssen uns mal** ~ we must have a talk

unterhaltend [ʊntɐ'haltənt], **unterhaltsam** [ʊntɐ'haltza:m] *adj* entertaining

Unterhaltung¹ <-> *f kein pl* 1. (*Instandhaltung*) maintenance 2. (*Betrieb*) running

Unterhaltung² <-, -en> *f* 1. (*Gespräch*) conversation 2. *kein pl* **gute** ~! enjoy yourselves!

Unterhaus ['ʊntɐhaus] *nt* POL lower house; **das britische** ~ the House of Commons

Unterhemd ['ʊntɐhɛmt] *nt* vest

Unterhose ['ʊntɐhoːzə] f [under]pants

unterirdisch ['ʊntɐʔɪrdɪʃ] adj, adv underground

Unterkiefer ['ʊntɐkiːfɐ] m lower jaw

Unterkunft <-, -künfte> ['ʊntɐkʊnft] f accommodation; **eine ~ suchen** to look for accommodation; **~ und Verpflegung** board and lodging

unterlassen [ʊntɐ'lasn̩] vt irreg **etw ~** to omit to do sth; **unterlassen Sie das!** stop that!

unterlegen [ʊntɐ'leːgn̩] adj inferior; **jdm ~ sein** to be inferior to sb; im Sport to be defeated by sb

Unterleib m abdomen

Unterlippe f bottom lip

Untermiete ['ʊntɐmiːtə] f subtenancy; **zur ~ wohnen** to rent a room from an existing tenant

Untermieter(in) m(f) subtenant

unternehmen [ʊntɐ'neːmən] vt irreg **1.** (in die Wege leiten) **etw/nichts ~** to take action/no action **2.** (tun) to do

Unternehmen <-s, -> [ʊntɐ'neːmən] nt **1.** ÖKON firm **2.** (Vorhaben) venture

Unternehmer(in) <-s, -> [ʊntɐ'neː-mɐ] m(f) entrepreneur

Unteroffizier ['ʊntɐʔɔfitsiːɐ̯] m noncommissioned officer

unter|ordnen I. vt **etw etw** dat **~** to subordinate sth to sth; **jdm/etw untergeordnet sein** to be [made] subordinate to sb/sth II. vr **sich** [jdm] **~** to take on a subordinate role [to sb]

unterprivilegiert ['ʊntɐprivilegiːɐ̯t] adj (geh) underprivileged

Unterricht <-[e]s, selten -e> ['ʊntɐrɪçt] m lesson; **theoretischer/ praktischer ~** theoretical/practical classes

unterrichten [ʊntɐ'rɪçtn̩] vt **1.** to teach; **jdn** [in etw dat] **~** to teach sb/sth [sth] **2.** (geh: informieren) to inform (**über** about)

unterschätzen [ʊntɐ'ʃɛtsn̩] vt to underestimate

unterscheiden [ʊntɐ'ʃaidn̩] irreg I. vt to distinguish (**zwischen** between); **etw** [von etw dat] **~** to tell sth from sth II. vr **sich voneinander/von jdm/etw ~** to differ from sb/sth

Unterschenkel m lower leg

unterschieben [ʊntɐ'ʃiːbn̩] vt irreg (fam: unterstellen) **jdm etw ~** to attribute sth falsely to sb

Unterschied <-[e]s, -e> ['ʊntɐʃiːt] m difference; **im ~ zu dir** unlike you; **einen/keinen ~ machen** to draw a/no distinction (**zwischen** between); **ohne ~** indiscriminately

unterschiedlich ['ʊntɐʃiːtlɪç] I. adj different; **~er Auffassung sein** to have different views II. adv differently

unterschlagen [ʊntɐ'ʃlaːgn̩] vt irreg **1.** Geld to embezzle **2.** (vorenthalten) to withhold sth

unterschreiben [ʊntɐ'ʃraibn̩] irreg vi, vt to sign

Unterschrift ['ʊntɐʃrɪft] f signature

unterschwellig ['ʊntɐʃvɛlɪç] adj subliminal

Unterseite f underside

unterste(r, s) ['ʊntɐstə, -tɛstə, tɛstəs] adj superl von s. untere(r, s): **das U~ zuoberst kehren** (fam) to turn everything upside down

unterstehen [ʊntɐ'ʃteːən] irreg I. vi **jdm/etw ~** to be subordinate to sb/sth; **jds Befehl ~** to be under sb's command II. vr **untersteh dich!** don't you dare!

U

unterstellen¹ [ʊntɐˈʃtɛlən] I. *vt* 1. (*unterordnen*) **jdm jdn/etw ~** to put sb in charge of sb/sth 2. (*unterschieben*) **jdm etw ~** to imply that sb has said/done sth II. *vi* **~, [dass] ...** to suppose [that] ...

unter|stellen² [ˈʊntɐʃtɛlən] I. *vt* 1. (*abstellen*) **etw irgendwo ~** to store sth somewhere 2. (*darunter stellen*) **einen Eimer ~** to put a bucket underneath II. *vr* **sich ~** to take shelter

Unterstellung *f* insinuation

unterstreichen [ʊntɐˈʃtraiçn̩] *vt irreg* 1. to underline 2. (*betonen*) to emphasize

Unterstufe *f* lower school

unterstützen [ʊntɐˈʃtʏtsn̩] *vt* to support

Unterstützung *f kein pl* support

untersuchen [ʊntɐˈzuːxn̩] *vt* 1. a. MED to examine (**auf** for) 2. *Maschine* to check 3. *Fall* to investigate

Untersuchung <-, -en> *f* 1. a. MED examination 2. *eines Falles* investigation

Untersuchungshaft *f* custody; **in ~ sein** to be on remand

Untertasse *f* saucer; **fliegende ~** flying saucer

unter|tauchen [ˈʊntɐtauxn̩] I. *vt haben* **jdn ~** to duck [*or* AM dunk] sb's head under water II. *vi sein* 1. to dive [under] 2. (*sich verstecken*) to go underground; **bei jdm ~** to hide out at sb's place

Unterteilung <-, -en> *f* subdivision

Untertreibung <-, -en> *f* understatement

untervermieten *vt, vi* to sublet

Unterwäsche <-, -n> [ˈʊntɐvɛʃə] *f kein pl* underwear

unterwegs [ʊntɐˈveːks] *adv* on the way; **für ~** for the journey

unterwerfen [ʊntɐˈvɛrfn̩] *irreg* I. *vt* to subjugate II. *vr* **sich jdm ~** to obey sb

unterwürfig [ʊntɐˈvʏrfɪç] *adj* servile

untragbar [ʊnˈtraːkbaːɐ̯] *adj* intolerable

untrennbar [ʊnˈtrɛnbaːɐ̯] *adj* inseparable

untreu [ˈʊntrɔy] *adj* unfaithful; **jdm ~ sein/werden** to be unfaithful to sb; **sich** *dat* **~ werden** to be untrue to oneself

Untreue *f* unfaithfulness

untypisch *adj* untypical

unübertroffen [ʊnʔyːbɐˈtrɔfn̩] *adj* unsurpassed

unumstritten [ʊnʔʊmˈʃtrɪtn̩] I. *adj* undisputed II. *adv* undisputedly

ununterbrochen [ˈʊnʔʊntɐbrɔxn̩] I. *adj* incessant II. *adv* incessantly

unveränderlich [ʊnfɛɐ̯ˈʔɛndɐlɪç] *adj* unchanging

unverantwortlich [ʊnfɛɐ̯ˈʔantvɔrtlɪç] I. *adj* irresponsible II. *adv* irresponsibly

unverbesserlich [ʊnfɛɐ̯ˈbɛsɐlɪç] *adj* incorrigible

unverbindlich [ˈʊnfɛɐ̯bɪntlɪç] I. *adj* 1. not binding *pred;* **ein ~es Angebot** a non-binding offer 2. (*distanziert*) detached II. *adv* without obligation

unverdaulich [ˈʊnfɛɐ̯daulɪç] *adj* indigestible

unvereinbar [ʊnfɛɐ̯ˈʔainbaːɐ̯] *adj* incompatible

unvergänglich [ˈʊnfɛɐ̯gɛŋlɪç] *adj* 1. *Erinnerung* abiding 2. (*ewig*) immortal

unvergesslichᴿᴿ, **unvergeßlich**ᴬᴸᵀ [ʊnfɛɐ̯ˈgɛslɪç] *adj* unforgettable

unvergleichlich [ʊnfɛɐ̯ˈglaiçlɪç] I. *adj*

incomparable II. *adv* incomparably

unverhältnismäßig ['ʊnfɛɡhɛltnɪsmɛ:sɪç] *adv* excessively

unverheiratet ['ʊnfɛɡhaira:tət] *adj* unmarried

unverhofft ['ʊnfɛɡhɔft] I. *adj* unexpected II. *adv* unexpectedly

unverletzt ['ʊnfɛɡlɛtst] *adj* unhurt

unvermeidlich [ʊnfɛɡ'maitlɪç] *adj* unavoidable

Unvermögen ['ʊnfɛɡmøːɡn̩] *nt kein pl* powerlessness; **jds ~, etw zu tun** sb's inability to do sth

unvernünftig ['ʊnfɛɡnʏnftɪç] *adj* stupid

unverschämt ['ʊnfɛɡʃɛːmt] I. *adj* impudent II. *adv* insolently

Unverschämtheit <-, -en> *f* impertinence; **[das ist eine] ~!** that's outrageous!

unversöhnlich ['ʊnfɛɡzøːnlɪç] *adj* irreconcilable

unverständlich ['ʊnfɛɡʃtɛntlɪç] *adj* 1. (*akustisch*) unintelligible 2. (*unbegreifbar*) incomprehensible; **jdm ~ sein** to be incomprehensible to sb

unvollkommen ['ʊnfɔlkɔmən] *adj* incomplete

unvollständig ['ʊnfɔlʃtɛndɪç] I. *adj* incomplete II. *adv* incompletely

unvorbereitet ['ʊnfoːɡbəraitət] I. *adj* unprepared II. *adv* without any preparation

unvoreingenommen ['ʊnfoːɡʔaingənɔmən] I. *adj* unbiased II. *adv* impartially

unvorsichtig ['ʊnfoːɡzɪçtɪç] I. *adj* 1. careless 2. (*unbedacht*) rash II. *adv* 1. carelessly 2. (*unbedacht*) rashly

unvorstellbar [ʊnfoːɡ'ʃtɛlbaːɡ] I. *adj* inconceivable II. *adv* inconceivably

unwahr ['ʊnvaːɡ] *adj* untrue

unwahrscheinlich ['ʊnvaːɡʃainlɪç] I. *adj* 1. unlikely 2. (*fam: sehr*) incredible II. *adv* (*fam*) incredibly

unwegsam ['ʊnveːkzaːm] *adj* [almost] impassable

Unwetter ['ʊnvɛtɐ] *nt* violent [thunder] storm

unwichtig ['ʊnvɪçtɪç] *adj* unimportant

unwiderstehlich [ʊnviːdɐ'ʃteːlɪç] *adj* irresistible

unwillig ['ʊnvɪlɪç] I. *adj* reluctant II. *adv* reluctantly

unwillkürlich ['ʊnvɪlkyːɡlɪç] I. *adj* involuntary II. *adv* involuntarily

unwirklich ['ʊnvɪrklɪç] *adj* unreal

unwirtschaftlich ['ʊnvɪrtʃaftlɪç] *adj* uneconomic[al]

Unwissenheit <-> ['ʊnvɪsn̩hait] *f kein pl* ignorance

unwohl ['ʊnvoːl] *adj* **jdm ist ~** 1. MED sb feels unwell [*or* AM *usu* sick] 2. (*unbehaglich*) sb feels uneasy

unwürdig ['ʊnvʏrdɪç] *adj* 1. unworthy (+*gen* of) 2. (*schändlich*) disgraceful

unzählig [ʊn'tsɛːlɪç] *adj* countless; **~e Fans** huge numbers of fans

Unze <-, -n> ['ʊntsə] *f* ounce

unzertrennlich [ʊntsɛɡ'trɛnlɪç] *adj* inseparable

unzufrieden ['ʊntsufriːdn̩] *adj* dissatisfied

Unzufriedenheit *f* dissatisfaction

unzugänglich ['ʊntsuɡɛŋlɪç] *adj* 1. *Gegend* inaccessible 2. *Mensch* unapproachable

unzumutbar ['ʊntsuːmuːtbaːɡ] *adj* unreasonable

unzurechnungsfähig ['ʊntsuːrɛçnʊŋsfɛːɪç] *adj* of unsound mind *pred*; **jdn für ~ erklären** to certify sb insane

U

unzuverlässig [ˈʊntsuːfɛɐ̯lɛsɪç] *adj* unreliable

üppig [ˈʏpɪç] *adj* sumptuous

Urabstimmung *f* ballot [vote]

uralt [ˈuːɐ̯ʔalt] *adj Mensch, Tier* very old; *Tradition* ancient

Uran <-s> [uˈaːn] *nt kein pl* uranium

Ureinwohner(in) *m(f)* native inhabitant **Urenkel(in)** [ˈuːɐ̯ʔɛŋkl̩] *m(f)* great-grandchild, great-grandson *masc*, great-granddaughter *fem* **Urgroßmutter** [ˈuːɐ̯groːsmʊtɐ] *f* great-grandmother **Urgroßvater** *m* great-grandfather

Urin <-s, -e> [uˈriːn] *m* urine

urinieren [uriˈniːrən] *vi* (*geh*) to urinate

Urinprobe *f* urine sample

Urkunde <-, -n> [ˈuːɐ̯kʊndə] *f* document

Urkundenfälschung *f* forgery of a document

Urlaub <-[e]s, -e> [ˈuːɐ̯laup] *m* holiday BRIT, vacation AM; **~ haben** to be on holiday [*or* AM vacation]; **~ machen** to go on holiday [*or* AM vacation]

Urlauber(in) <-s, -> *m(f)* holiday-maker BRIT, vacationer AM

Urlaubsgeld *nt* holiday pay

Urne <-, -n> [ˈʊrnə] *f* **1.** urn **2.** POL ballot-box

Ursache *f* (*Verursachung*) cause; (*Grund*) reason; **~ und Wirkung** cause and effect ▶ **keine ~!** you're welcome

Ursprung <-s, Ursprünge> [ˈuːɐ̯-ʃprʊŋ] *m* origin

ursprünglich [ˈuːɐ̯ʃprʏŋlɪç] **I.** *adj attr* original **II.** *adv* originally

Urteil <-s, -e> [ˈʊrtail] *nt* **1.** JUR judgement; **ein ~ fällen** to pass a judgement **2.** (*Meinung*) opinion; **sich** *dat* **ein ~ bilden** to form an opinion

(**über** about); **ein ~ fällen** to pass judgement (**über** on)

urteilen [ˈʊrtailən] *vi* [**über jdn/etw**] **~** to judge [sb/sth]

Urwald [ˈuːɐ̯valt] *m* primeval forest

Urzeit *f kein pl* **die ~** primeval times *npl;* **seit ~en** (*fam*) for donkey's years; **vor ~en** (*fam*) donkey's years ago

Utensil <-s, -ien> [utɛnˈziːl] *nt meist pl* utensil

Utopie <-, -n> [utoˈpiː] *f* Utopia

utopisch [uˈtoːpɪʃ] *adj* utopian

UV-Strahlen *pl* UV-rays

V

V, v *nt* V, v

Vagabund(in) <-en, -en> [vagaˈbʊnt] *m(f)* vagabond

vage [ˈvaːgə] **I.** *adj* vague **II.** *adv* vaguely

Vagina <-, Vaginen> [vaˈgiːna, vaˈgina] *f* vagina

vakuumverpackt *adj* vacuum-packed

Vampir <-s, -e> [vamˈpiːɐ̯] *m* vampire

Vanille <-, -> [vaˈnɪljə, vaˈnɪlə] *f* vanilla

Vanillesauce *f* vanilla sauce; (*mit Ei*) custard

variabel [vaˈrɪ̯aːbl̩] *adj* variable

Variante <-, -n> [vaˈrɪ̯antə] *f* variant

variieren [variˈiːrən] *vi* to vary

Vase <-, -n> [ˈvaːzə] *f* vase

Vater <-s, Väter> [ˈfaːtɐ] *m* father

väterlich [ˈfɛːtɐlɪç] *adj* paternal

väterlicherseits *adv* on sb's father's side

Vaterschaft *f* paternity

Vaterschaftstest *m* paternity test

Vaterunser <-s, -> [faːtɐˈʔʊnzɐ] *nt* **das ~** the Lord's Prayer

Vatikan <-s> [vatiˈkaːn] *m* Vatican

vegan [veˈgaːn] *adj, adv* vegan

Veganer(in) *m(f)* vegan

Vegetarier(in) <-s, -> [vegeˈtaːriɐ] *m(f)* vegetarian

vegetarisch [vegeˈtaːrɪʃ] I. *adj* vegetarian II. *adv* **sich ~ ernähren** to be a vegetarian

Vegetation <-, -en> [vegetaˈtsi̯oːn] *f* vegetation

vegetieren [vegeˈtiːrən] *vi* to vegetate

Veilchen <-s, -> [ˈfailçən] *nt* violet

Vene <-, -n> [ˈveːnə] *f* vein

Ventil <-s, -e> [vɛnˈtiːl] *nt* valve

Ventilator <-s, -toren> [vɛntiˈlaːtoːɐ̯] *m* ventilator

verabreden I. *vr* **sich [mit jdm] ~** to arrange to meet [sb]; **[mit jdm] verabredet sein** to have arranged to meet [sb] II. *vt* **etw [mit jdm] ~** to arrange sth [with sb]; **verabredet** agreed

Verabredung <-, -en> *f* **1.** (*Treffen*) date **2.** (*Vereinbarung*) arrangement; **eine ~ treffen** to come to an arrangement

verabscheuen *vt* to detest

verabschieden I. *vr* **sich [von jdm] ~** to say goodbye [to sb] II. *vt Gesetz* to pass

verachten *vt* to despise

verächtlich [fɛɐ̯ˈʔɛçtlɪç] I. *adj* **1.** (*verachtend*) contemptuous **2.** (*zu verachten*) despicable II. *adv* contemptuously

Verachtung *f* contempt; **jdn mit ~ strafen** to treat sb with contempt

verallgemeinern *vi, vt* **[etw] ~** to generalize [about sth]

veraltet I. *pp von* **veralten** II. *adj* old, obsolete

Veranda <-, Veranden> [veˈranda] *f* veranda

veränderlich *adj* changeable

verändern I. *vt* to change II. *vr* **sich ~** to change

Veränderung *f* change

Veranlagung <-, -en> *f* disposition; **eine bestimmte ~ haben** to have a certain bent

veranlassen I. *vt* **1.** to arrange **2.** (*dazu bringen*) **jdn zu etw ~** to induce sb to do sth II. *vi* **~, dass etw geschieht** to see to it that sth happens

veranstalten [fɛɐ̯ˈʔanʃtaltn̩] *vt* to organize

Veranstalter(in) <-s, -> *m(f)* organizer

Veranstaltung <-, -en> *f* event

Veranstaltungskalender *m* calendar of events **Veranstaltungsort** *m* venue

verantworten I. *vt* **etw ~** to take responsibility for sth II. *vr* **sich für etw** *akk* **~** to answer for sth

verantwortlich *adj* responsible

Verantwortung <-, -en> *f* responsibility; **jdn zur ~ ziehen** to call sb to account (**für** for); **die ~ tragen** to be responsible (**für** for); **die ~ übernehmen** to take responsibility (**für** for); **auf eigene ~** on one's own responsibility ▶ **sich aus der ~ <u>stehlen</u>** to dodge responsibility

verantwortungsbewusst^{RR} I. *adj* responsible II. *adv* **~ handeln** to act responsibly

Verantwortungsbewusstsein^{RR} *nt* sense of responsibility

verantwortungslos I. *adj* irresponsi-

V

ble II. *adv* ~ **handeln** to act irresponsibly

verarbeiten *vt* to use; *Rohstoff* to process; **etw zu etw** ~ to make sth into sth

verärgern *vt* to annoy

Verarmung <-> *f kein pl* impoverishment

verarschen [fɛɐ̯ˈʔarʃn̩] *vt* (*sl*) **jdn** ~ to take the piss out of sb BRIT

verausgaben [fɛɐ̯ˈʔausɡaːbn̩] *vr* **sich** ~ to overexert

Verb <-s, -en> [vɛrp] *nt* verb

Verband <-[e]s, Verbände> [fɛɐ̯ˈbant] *m* **1.** (*Bund*) association **2.** MED bandage

Verband(s)kasten *m* first-aid box

Verbannung <-, -en> *f* banishment

verbergen *vt irreg* to hide

verbessern I. *vt* **1.** to improve **2.** (*korrigieren*) to correct II. *vr* **sich** ~ to improve

Verbesserung <-, -en> *f* **1.** improvement **2.** (*Korrektur*) correction

verbeugen *vr* **sich** ~ to bow (**vor** to)

Verbeugung *f* bow; **eine** ~ **machen** to bow

verbiegen *irreg* I. *vt* to bend; **verbogen** bent II. *vr* **sich** ~ to bend

verbieten <verbot, verboten> *vt* to forbid; **jdn** ~, **etw zu tun** to forbid sb to do sth; **es ist verboten, etw zu tun** it is forbidden to do sth

verbinden[1] *vt irreg* MED **jdn** ~ to dress sb's wound[s]; **etw** ~ to dress sth

verbinden[2] *irreg* I. *vt* **1.** to join (**mit** to) **2.** TELEK **jdn** [**mit jdm**] ~ to put sb through [*or* AM *usu* connect sb] [to sb]; **falsch verbunden!** wrong number! **3.** (*kombinieren*) to combine (**mit** with) **4.** (*assoziieren*) **etw mit etw** ~ to associate sth with sth II. *vr* CHEM

sich ~ to combine (**mit** with)

verbindlich [fɛɐ̯ˈbɪntlɪç] *adj* **1.** *Zusage* binding **2.** (*freundlich*) friendly

Verbindung *f* **1.** CHEM compound **2.** (*Kontakt*) contact; **in** ~ **bleiben** to keep in touch; **sich mit jdm in** ~ **setzen** to contact sb; **~en haben** to have good connections (**zu** with) **3.** TELEK, TRANSP connection **4.** (*Verknüpfung*) combining; **in** ~ **mit etw** in conjunction with sth **5.** (*Zusammenhang*) **jdn mit etw in** ~ **bringen** to connect sb with sth; **in** ~ **mit** in connection with

verbittert I. *adj* embittered, bitter II. *adv* bitterly

Verbitterung <-, *selten* -en> *f* bitterness

verblassen *vi sein* to pale

verbleit *adj* leaded

verblichen [fɛɐ̯ˈblɪçn̩] I. *pp von* **verbleichen** II. *adj Farbe* faded

verblöden [fɛɐ̯ˈbløːdn̩] *vi sein* (*fam*) to turn into a zombie

verblüffen [fɛɐ̯ˈblʏfn̩] *vt* to astonish

verblühen *vi sein* to wilt

verborgen *adj* hidden; **jdm** ~ **bleiben** to remain a secret to sb

Verbot <-[e]s, -e> [fɛɐ̯ˈboːt] *nt* ban

verboten [fɛɐ̯ˈboːtn̩] *adj* prohibited; ~ **sein, etw zu tun** to be prohibited to do sth; **jdm ist es** ~ **etw zu tun** sb is prohibited from doing sth

Verbotsschild *nt* sign [prohibiting something]

Verbrauch *m kein pl* consumption; **sparsam im** ~ **sein** to be economical

verbrauchen *vt* to consume

Verbraucher(in) <-s, -> *m(f)* consumer

verbraucht *adj* exhausted

Verbrechen <-s, -> *nt* crime

Verbrecher(in) <-s, -> *m(f)* criminal
verbrecherisch *adj* criminal
verbreiten I. *vt* to spread; **eine gute Stimmung ~** to radiate a good atmosphere II. *vr* **sich ~** to spread (**in** through)
verbreitern [fɛɐ̯'braitɐn] *vt* to widen
Verbreitung <-, -en> *f* 1. *kein pl* (*das Verbreiten*) spreading 2. MED spread
verbrennen *irreg* I. *vt haben* to burn II. *vr haben* **sich** *dat* **etw ~** to burn one's sth; **sich die Zunge ~** to scald one's tongue III. *vi sein* to burn; **verbrannt** burnt
Verbrennung <-, -en> *f* 1. MED burn 2. TECH combustion
verbrühen *vt* to scald
verbuchen *vt* 1. FIN to credit (**auf** to) 2. (*verzeichnen*) to mark up *sep* (**als** as)
verbünden [fɛɐ̯'bʏndn̩] *vr* **sich ~** to form an alliance
Verbündete(r) *f(m) dekl wie adj* ally
verbürgen I. *vt* to guarantee II. *vr* **sich für jdn/etw ~** to vouch for sb/sth
verbüßen *vt* to serve
verchromt *adj* chrome-plated
Verdacht <-[e]s> [fɛɐ̯'daxt] *m kein pl* suspicion; **~ erregen** to arouse suspicion; **jdn im ~ haben** to suspect sb; **~ schöpfen** to become suspicious (**gegen** of)
verdächtig [fɛɐ̯'dɛçtɪç] *adj* suspicious; **jdm ~ vorkommen** to seem suspicious to sb; **sich ~ machen** to arouse suspicion
verdächtigen [fɛɐ̯'dɛçtɪgn̩] *vt* to suspect (+*gen* of)
Verdächtigung <-, -en> *f* suspicion
verdammen [fɛɐ̯'damən] *vt* to condemn; **zu etw verdammt sein** to be doomed to sth

verdammt *adj* (*sl*) damned; **~!** damn!; **du ~er Idiot!** you bloody idiot!
verdampfen *vi sein* to evaporate
verdanken *vt* **jdm etw ~** to have sb to thank for sth; **es ist jdm zu ~, dass/wenn ...** it is thanks to sb that/if ...
verdauen [fɛɐ̯'dauən] *vt* to digest
verdaulich *adj* digestible; **gut/schwer ~** easy/difficult to digest
Verdauung <-> *f kein pl* digestion
verdecken *vt* to cover [up *sep*]
verderben <verdarb, verdorben> [fɛɐ̯'dɛrbn̩] I. *vt haben* 1. (*moralisch*) to corrupt 2. (*zunichtemachen*) to spoil 3. (*verscherzen*) **es sich** *dat* **mit jdm ~** to fall out with sb II. *vi sein* to spoil
Verderben <-s> [fɛɐ̯'dɛrbn̩] *nt kein pl* doom; **jdn ins ~ stürzen** to bring ruin upon sb
verdienen *vt* 1. (*als Verdienst*) to earn; **seinen Lebensunterhalt ~** to earn one's living 2. (*Gewinn machen*) **etw [an etw** *dat*] **~** to make sth [on sth] 3. (*zustehen*) to deserve; **es nicht besser ~** to not deserve anything better
Verdienst[1] <-[e]s, -e> [fɛɐ̯'diːnst] *m* FIN income
Verdienst[2] <-[e]s, -e> [fɛɐ̯'diːnst] *nt* **jds ~e [um etw** *akk*] sb's credit [for sth]; **es ist sein ~, dass ...** it's thanks to him that ...
verdoppeln I. *vt* to double II. *vr* **sich ~** to double
verdorben [fɛɐ̯'dɔrbn̩] I. *pp von* **verderben** II. *adj* 1. *Essen* bad 2. (*moralisch*) corrupt
verdorren [fɛɐ̯'dɔrən] *vi sein* to wither
verdrängen *vt* 1. **jdn [aus etw** *dat*] **~** to drive sb out [of sth] 2. (*unterdrücken*) to suppress

V

verdrehen *vt* **1.** to twist; *Augen* to roll **2.** *Tatsachen* to distort ▶ **jdm den Kopf ~** to turn sb's head

verdrossen [fɛɐ̯'drɔsn̩] *adj* sullen

VerdrussRR <-es, -e> *m*, **Verdruß**ALT <-sses, -sse> [fɛɐ̯'drʊs] *m meist sing* annoyance; **jdm ~ bereiten** to annoy sb

verdunkeln I. *vt* to darken **II.** *vr* **sich ~** to darken; **der Himmel verdunkelt sich** the sky is growing darker

verdünnen [fɛɐ̯'dʏnən] *vt* to dilute; **verdünnt** diluted

verdunsten *vi sein* to evaporate

verdursten *vi sein* to die of thirst

verehren *vt* to admire

Verehrer(in) <-s, -> *m(f)* admirer

Verehrung *f kein pl* admiration

Verein <-[e]s, -e> [fɛɐ̯'?ain] *m* club; **aus einem ~ austreten** to resign from a club; **in einen ~ eintreten** to join a club; **gemeinnütziger ~** charitable organization

vereinbaren [fɛɐ̯'?ainbaːrən] **I.** *vt* to agree (**mit** with) **II.** *vr* **sich ~ lassen** to be compatible (**mit** with)

Vereinbarung <-, -en> *f* agreement; **laut ~** as agreed; **nach ~** by arrangement

vereinen *vt* to unite

vereinfachen [fɛɐ̯'?ainfaxn̩] *vt* to simplify

vereinheitlichen [fɛɐ̯'?ainhaitlɪçn̩] *vt* to standardize

vereinigen I. *vt* to unite **II.** *vr* **sich ~** to merge

vereinigt *adj* united

Vereinigung <-, -en> *f* **1.** (*Organisation*) organization **2.** *kein pl* (*Zusammenschluss*) amalgamation

vereinsamen [fɛɐ̯'?ainzaːmən] *vi sein* to become lonely

Vereinsamung <-> *f kein pl* loneliness

vereinzelt [fɛɐ̯'?aintsl̩t] *adj* occasional

vereisen *vi sein* to ice up; **die Straße ist vereist** there's ice on the road

vereiteln [fɛɐ̯'?aitl̩n] *vt* to thwart

vererben *vt* [jdm] etw ~ **1.** to leave [sb] sth **2.** BIOL to pass on sth *sep* [to sb]

verfahren[1] [fɛɐ̯'?faːrən] *vi irreg sein* (*vorgehen*) to proceed

verfahren[2] [fɛɐ̯'?faːrən] *irreg vr* **sich ~** to lose one's way

verfahren[3] [fɛɐ̯'?faːrən] *adj Situation* muddled

Verfahren <-s, -> [fɛɐ̯'?faːrən] *nt* **1.** process **2.** JUR proceedings *npl;* **gegen jdn läuft ein ~** proceedings are being brought against sb

Verfahrensweise *f* procedure

Verfall [fɛɐ̯'fal] *m kein pl* **1.** (*das Verfallen*) dilapidation **2.** (*geh*) decline; **der ~ der Moral** the decline in morals *npl*

verfallen[1] *vi irreg sein* **1.** (*zerfallen*) to decay **2.** *Ticket* to expire

verfallen[2] *adj* **1.** *Haus* dilapidated **2.** *Ticket* expired

Verfallsdatum *nt* use-by date

verfälschen *vt* to distort

Verfasser(in) <-s, -> [fɛɐ̯'fasɐ] *m(f)* author

Verfassung *f* **1.** *kein pl* condition; **in einer bestimmten ~ sein** to be in a certain state; **in guter ~** in good form **2.** POL constitution

verfassungswidrig *adj* unconstitutional

verfaulen *vi sein* to rot; **verfault** rotten

verfehlen *vt* to miss; **nicht zu ~ sein** to be impossible to miss; **das Thema**

~ to go completely off the subject

verfeinden [fɛɐ̯'faindn̩] *vr* **sich mit jdm ~** to fall out with sb; **verfeindet sein** to be enemies; **verfeindete Staaten** enemy states

verfeinern [fɛɐ̯'fainɐn] *vt* to improve

verfilzt *adj* (*fam*) interconnected; [**miteinander**] ~ **sein** to be inextricably linked

verfliegen *irreg vi sein: Gefühl* to pass; *Geruch* to evaporate

verfließen *vi irreg* 1. (*verschwimmen*) to merge 2. (*geh: vergehen*) to go by, to pass

verfluchen *vt* to curse

verflüssigen [fɛɐ̯'flʏsɪgn̩] I. *vt* to liquefy II. *vr* **sich ~** to liquefy

verfolgen *vt* 1. to follow; (*politisch*) to persecute 2. (*zu erreichen suchen*) to pursue; **eine Absicht ~** to have sth in mind

Verfolgte(r) [fɛɐ̯'fɔlktə, -tɐ] *f(m) dekl wie adj* victim of persecution

Verfolgung <-, -en> *f* pursuit; (*politisch*) persecution

Verfolgungsjagd *f* pursuit **Verfolgungswahn** *m* persecution mania

verformen I. *vt* to distort II. *vr* **sich ~** to become distorted

Verfremdung <-, -en> *f* alienation

verfrüht *adj* premature; **etw für ~ halten** to consider sth to be premature

verfügbar *adj* available

verfügen *vi* **über etw** *akk* ~ to have sth at one's disposal; ~ **Sie über mich!** I am at your disposal!

Verfügung <-, -en> *f* 1. (*Anordnung*) order; **einstweilige ~** temporary injunction 2. (*Disposition*) **etw zur ~ haben** to have sth at one's disposal; **jdm zur ~ stehen** to be available to sb; [**jdm**] **etw zur ~ stellen** to make sth available [to sb]

verführen *vt* **jdn** [**zu etw** *dat*] ~ to entice sb [into doing sth]; (*sexuell*) to seduce sb

verführerisch [fɛɐ̯'fyːrərɪʃ] *adj* seductive

Verführung *f* seduction

vergangen *adj* past

Vergangenheit <-> [fɛɐ̯'gaŋənhait] *f kein pl* past; **die jüngste ~** the recent past; **eine bewegte ~ haben** to have an eventful past

vergänglich [fɛɐ̯'gɛŋlɪç] *adj* transient

Vergaser <-s, -> *m* carburettor

vergeben *irreg vt* [**jdm**] **etw ~** to forgive [sb] sth

vergeblich [fɛɐ̯'geːplɪç] I. *adj* futile II. *adv* in vain

Vergeblichkeit <-> *f kein pl* futility *no pl, no indef art*

Vergebung <-, -en> *f* forgiveness; [**jdn**] **um ~ bitten** to ask for [sb's] forgiveness

vergehen [fɛɐ̯'geːən] *irreg vi sein* 1. *Zeit* to go by 2. (*schwinden*) to wear off 3. (*sich zermürben*) [**vor etw** *dat*] ~ to die [of sth]

Vergehen <-s, -> [fɛɐ̯'geːən] *nt* offence

vergelten *vt irreg* [**jdm**] **etw ~** to repay sb for sth

Vergeltung <-, -en> *f* revenge; ~ **üben** to take revenge

vergessen <vergisst, vergaß, vergessen> [fɛɐ̯'gɛsn̩] *vt* to forget

vergesslich^RR *adj*, **vergeßlich**^ALT [fɛɐ̯'gɛslɪç] *adj* forgetful

vergeuden [fɛɐ̯'gɔydn̩] *vt* to waste

Vergeudung <-, -en> *f* waste *no pl*, squandering *no pl*

vergewaltigen [fɛɐ̯gə'valtɪgn̩] *vt* to rape

Vergewaltigung <-, -en> *f* rape

vergewissern [fɛɐ̯gə'vɪsɐn] *vr* **sich ~, dass ...** to make sure that ...

vergießen *vt irreg* **1.** (*verschütten*) to spill **2.** *Tränen, Blut* to shed

vergiften **I.** *vt* to poison **II.** *vr* **sich ~** to be poisoned (**an** by)

Vergiftung <-, -en> *f* MED intoxication *no pl, no indef art*

Vergissmeinnicht^{RR} <-[e]s, -[e]> *nt*, **Vergißmeinnicht**^{ALT} <-[e]s, -[e]> [fɛɐ̯'gɪsmainnɪçt] *nt* BOT forget-me-not

Vergleich <-[e]s, -e> [fɛɐ̯'glaiç] *m* comparison; **im ~** in comparison (**zu** with) ▶ **der ~** <u>hinkt</u> that's a poor comparison

vergleichbar *adj* comparable (**mit** to); **etwas V~es** something comparable

vergleichen *irreg vt* to compare (**mit** with/to)

vergnügen [fɛɐ̯'gny:gn̩] *vr* **sich ~** to amuse oneself

Vergnügen <-s, -> [fɛɐ̯'gny:gn̩] *nt* (*Freude*) enjoyment *no pl;* (*Genuss*) pleasure *no pl; ~* [**an etw** *dat*] **finden** to find pleasure in sth; **es ist mir ein ~** it is a pleasure; **kein ~ sein, etw zu tun** to not be exactly a pleasure doing sth; [**jdm**] **~ bereiten** to give sb pleasure; **mit größtem ~** with the greatest of pleasure ▶ <u>viel</u> **~!** have a good time!

vergnügt [fɛɐ̯'gny:kt] **I.** *adj* happy **II.** *adv* happily

Vergnügungspark *m* amusement park

vergraben *irreg vt* to bury

vergriffen *adj Buch* out of print *pred*, OP *pred*

vergrößern [fɛɐ̯'grø:sɐn] **I.** *vt* **1.** *Fläche* to enlarge **2.** *Firma* to expand **3.** (*optisch*) to magnify **II.** *vr* **sich ~**

to become enlarged

Vergrößerung <-, -en> *f* enlargement, expansion, magnification

verhaften *vt* to arrest; **Sie sind verhaftet!** you are under arrest!

Verhaftung <-, -en> *f* arrest

verhalten[1] [fɛɐ̯'haltn̩] *vr irreg* **sich irgendwie ~ 1.** (*sich benehmen*) to behave [in a certain manner] **2.** (*beschaffen sein*) to be [a certain way]

verhalten[2] [fɛɐ̯'haltn̩] *adj* restrained

Verhalten <-s> [fɛɐ̯'haltn̩] *nt kein pl* behaviour

verhaltensgestört *adj* disturbed

Verhältnis <-ses, -se> [fɛɐ̯'hɛltnɪs] *nt* **1.** (*Relation*) ratio; **im ~** in a ratio (**von** of/**zu** to) **2.** (*Beziehung*) relationship (**zu** with); (*Liebesverhältnis*) affair **3.** *pl* (*Bedingungen*) conditions *pl* **4.** *pl* (*Lebensumstände*) circumstances *pl;* **über seine ~se leben** to live beyond one's means; **unter anderen ~sen** under different circumstances

verhältnismäßig *adv* relatively

verhandeln **I.** *vi* to negotiate (**über** about) **II.** *vt* **etw ~ 1.** to negotiate sth **2.** JUR to hear sth

Verhandlung *f* **1.** *meist pl* negotiation; **~en aufnehmen** to enter into negotiations **2.** JUR trial

Verhängnis <-, -se> [fɛɐ̯'hɛŋnɪs] *nt* disaster; [**jdm**] **zum ~ werden** to be sb's undoing

verhängnisvoll *adj* fatal

verharmlosen [fɛɐ̯'harmlo:zn̩] *vt* to play down *sep*

verhasst^{RR} *adj*, **verhaßt**^{ALT} [fɛɐ̯'hast] *adj* hated (**wegen** for); [**jdm**] **~ sein** to be hated [by sb]

verhätscheln *vt* to pamper

verhauen <verhaute, verhauen> **I.** *vt*

(*fam*) to beat up *sep;* **sich ~** to have a fight **II.** *vr* (*fam: Fehler machen*) **sich ~** to slip up

verheddern [fɛɐ̯'hɛdən] *vr* **sich ~** to get tangled up

verheerend *adj* devastating

verheilen *vi sein* to heal |up|

verheimlichen [fɛɐ̯'haimlɪçn̩] *vt* |jdm| **etw ~** to conceal sth [from sb]; **jdm ~, dass ...** to conceal the fact from sb that ...; **etwas/nichts zu ~ haben** to have something/nothing to hide

verheiraten *vr* **sich** |mit jdm| **~** to marry |sb|; **verheiratet** married

Verheißung <-, -en> *f* promise

verheißungsvoll *adj* promising

verherrlichen [fɛɐ̯'hɛrlɪçn̩] *vt* to glorify

verhexen *vt* to bewitch; **wie verhext sein** to be jinxed

verhindern *vt* to prevent; **~, dass jd etw tut** to prevent sb from doing sth

verhöhnen *vt* to mock

Verhör <-[e]s, -e> [fɛɐ̯'høːɐ̯] *nt* interrogation

verhüllen *vt* to cover

verhungern *vi sein* to starve [to death]; **am V~ sein** to be starving

verhüten *vt* to prevent

Verhütung <-, -en> *f* **1.** prevention *no pl* **2.** (*Empfängnisverhütung*) contraception *no pl*

Verhütungsmittel *nt* contraceptive

verinnerlichen [fɛɐ̯'ʔɪnɐlɪçn̩] *vt* to internalize

verirren *vr* **sich ~** to get lost

verjagen *vt* to chase away *sep*

verjährt *adj* **1.** (*veraltend: sehr alt*) *Person* past it *pred fam* **2.** JUR statute-barred; *Ansprüche* in lapse

verkabeln *vt* to connect to the cable network

verkalken *vi sein* **1.** to fur [*or* AM clog]

up; **verkalkt** furred up **2.** *Arterien* to become hardened **3.** (*senil*) **verkalkt** senile

Verkalkung <-, -en> *f* (*fam: Senilität*) senility *no pl*

Verkauf <-s, Verkäufe> [fɛɐ̯'kauf] *m* sale; **etw zum ~ anbieten** to offer sth for sale; **zum ~ stehen** to be up for sale

verkaufen *vt* to sell (**an** to); **zu ~ sein** to be for sale; **das Buch verkauft sich gut** the book is selling well

Verkäufer(in) [fɛɐ̯'kɔyfɐ] *m(f)* sales assistant

Verkehr <-[e]s> [fɛɐ̯'keːɐ̯] *m kein pl* **1.** traffic **2.** (*Umgang*) contact **3.** (*Umlauf*) **etw in den ~ bringen** to put sth into circulation; **etw aus dem ~ ziehen** to withdraw sth from circulation

verkehren *vi* **1.** *haben o sein* (*fahren*) to run **2.** *haben* **bei jdm ~** to visit sb regularly

Verkehrschaos *nt* road chaos **Verkehrsknotenpunkt** *m* traffic junction **Verkehrspolizist(in)** *m(f)* traffic policeman *masc,* policewoman *fem* **Verkehrsschild** *nt* road sign **Verkehrsunfall** *m* road accident

verkehrt I. *adj* wrong; **etwas V~es** the wrong thing **II.** *adv* wrongly; **~ herum** the wrong way round

verklagen *vt* **jdn** |wegen etw *dat*| **~** to take proceedings against sb [for sth]; **jdn** |auf etw *akk*| **~** to sue sb [for sth]

verkleiden I. *vt* **1.** to dress up *sep* (**als** as) **2.** BAU to cover **II.** *vr* **sich ~** to dress up

Verkleidung *f* **1.** disguise **2.** BAU lining

verkleinern [fɛɐ̯'klainɐn] **I.** *vt* to reduce **II.** *vr* **sich ~** to be reduced in size (**um** by)

V

Verkleinerungsform *f* diminutive

verklemmt *adj* uptight [about sex *pred*]

verklingen *vi irreg sein* to fade away

verkneifen *vt irreg* (*fam*) **sich** *dat* **etw** ~ to repress sth; **ich konnte mir ein Grinsen nicht** ~ I couldn't help grinning

verknüpfen *vt* **1.** (*verknoten*) to tie [together *sep*] **2.** (*verbinden*) to combine (**mit** with) **3.** (*in Zusammenhang bringen*) to link (**mit** to)

verkommen¹ *vi irreg sein* to decay; **zu etw** ~ to degenerate into sth

verkommen² *adj* **1.** (*verwahrlost*) degenerate **2.** (*verfallen*) decayed

verkörpern [fɛɐ̯ˈkœrpɐn] *vt* to personify

verkraften [fɛɐ̯ˈkraftn̩] *vt* **etw** ~ to cope with sth

verkrampft I. *adj* tense II. *adv* tensely; ~ **wirken** to seem unnatural

verkriechen *vr irreg* **sich** ~ to creep away

verkrüppelt <-er, -este> *adj* crippled

verkümmern *vi sein* MED to degenerate

verkürzen I. *vt* **1.** to shorten **2.** *zeitlich* to reduce II. *vr* **sich** ~ to become shorter

Verkürzung *f* **1.** shortening **2.** *zeitlich* reduction

Verlag <-[e]s, -e> [fɛɐ̯ˈlaːk] *m* publishing house

verlagern *vt* to move

verlangen I. *vt* **1.** (*fordern*) to demand; *Preis* to ask **2.** (*erfordern*) to require II. *vi* **nach jdm/etw** ~ to ask for sb/sth

Verlangen <-s, -> *nt* **1.** (*Wunsch*) desire (**nach** for) **2.** (*Forderung*) demand; **auf** ~ on demand; **auf jds** ~ [**hin**] at sb's request

verlängern [fɛɐ̯ˈlɛŋɐn] I. *vt* to extend II. *vr* **sich** ~ to be prolonged (**um** by)

Verlängerung <-, -en> *f* **1.** *kein pl* extension **2.** SPORT extra time *no art, no pl*

Verlängerungskabel *nt*, **Verlängerungsschnur** *f* extension [cable]

verlangsamen [fɛɐ̯ˈlaŋzaːmən] I. *vt* **1.** *Tempo* to reduce **2.** (*aufhalten*) to slow down *sep* II. *vr* **sich** ~ to slow [down]

verlassen¹ *irreg* I. *vt* **1.** (*im Stich lassen*) to abandon **2.** (*fortgehen*) to leave **3.** (*verschwinden*) **der Mut verließ ihn** he lost courage II. *vr* **sich auf jdn** ~ to rely [up]on sb

verlassen² *adj* deserted

verlässlichᴿᴿ *adj*, **verläßlich**ᴬᴸᵀ [fɛɐ̯ˈlɛslɪç] *adj* reliable

Verlauf [fɛɐ̯ˈlauf] *m* course; **im** ~ **einer S.** *gen* in the course of sth; **einen bestimmten** ~ **nehmen** to take a particular course

verlaufen *irreg* I. *vi sein* (*sich erstrecken*) to run II. *vr* (*sich verirren*) **sich** ~ to get lost

verlegen¹ [fɛɐ̯ˈleːgn̩] *vt* **1.** *Schlüssel, etc* to mislay **2.** *Termin* to postpone (**auf** until) **3.** TECH to lay **4.** *Buch* to publish

verlegen² I. *adj* embarrassed II. *adv* in embarrassment

Verlegenheit <-, -en> *f kein pl* embarrassment; **jdn in** ~ **bringen** to put sb in an embarrassing situation

Verleger(in) <-s, -> *m(f)* publisher

Verleih <-[e]s, -e> [fɛɐ̯ˈlai] *m* (*Firma*) rental company

verleihen *vt irreg* **1.** (*leihen*) **etw** [**an jdn**] ~ to lend sth [to sb]; (*gegen Geld*) to rent out sth *sep* **2.** *Auszeichnung* [**jdm**] **etw** ~ to award sth [to sb] **3.** (*geben*) to give

verleiten *vt* **jdn** [**zu etw**] ~ to persuade sb [to do sth]

verlernen *vt* to forget; **das Tanzen** ~ to forget how to dance

verletzen [fɛɐ̯'lɛtsn̩] *vt* **1.** to hurt; **sich** ~ to hurt oneself **2.** *Gesetz* to violate

verletzend *adj* hurtful

Verletzte(r) *f(m) dekl wie adj* injured person

Verletzung <-, -en> *f* MED injury

verleugnen *vt* to deny

verleumden [fɛɐ̯'lɔymdn̩] *vt* **jdn** ~ to slander sb

Verleumdung <-, -en> *f* slander

verlieben *vr* **sich** ~ to fall in love (**in** with)

verliebt *adj* loving; ~ **sein** to be in love (**in** with)

verlieren <verlor, verloren> [fɛɐ̯'liːrən] *vt* to lose; *Flüssigkeit, Gas* to leak

Verlierer(in) <-s, -> *m(f)* loser

verloben *vr* **sich** ~ to get engaged (**mit** to)

Verlobte(r) *f(m) dekl wie adj* fiancé *masc,* fiancée *fem*

Verlobung <-, -en> *f* engagement

verlockend *adj* tempting

verlogen [fɛɐ̯'loːgn̩] *adj* insincere

verloren [fɛɐ̯'loːrən] I. *pp von* **verlieren** II. *adj* ~ **sein** to be finished; **sich** ~ **fühlen** to feel lost; ~ **gehen** to get lost

verlosen *vt* to raffle

Verlosung *f* raffle

Verlust <-[e]s, -e> [fɛɐ̯'lʊst] *m* loss; ~ **bringend** loss-making; ~**e machen** to make losses

Vermächtnis <-ses, -se> [fɛɐ̯'mɛçtnɪs] *nt* legacy

vermarkten *vt* to market

vermasseln [fɛɐ̯'masln̩] *vt* [**jdm**] **etw** ~ to mess up sth *sep* [for sb]

vermehren *vr* **sich** ~ **1.** BIOL to reproduce **2.** (*zunehmen*) to increase

Vermehrung <-, -en> *f* **1.** BIOL reproduction **2.** (*Zunahme*) increase

vermeiden *vt irreg* to avoid; **sich nicht** ~ **lassen** to be inevitable

vermessen¹ [fɛɐ̯'mɛsn̩] *irreg vt* to measure; *Land* to survey

vermessen² [fɛɐ̯'mɛsn̩] *adj* presumptuous

vermieten *vt* to rent [out]

Vermieter(in) *m(f)* landlord *masc,* landlady *fem*

Vermietung <-, -en> *f* letting *no art, no pl,* renting out *no art, no pl; Auto, Boot* renting [*or* BRIT hiring] [out] *no art, no pl*

vermindern I. *vt* to reduce II. *vr* **sich** ~ to decrease

vermischen I. *vt* to mix II. *vr* **sich** ~ to mix

vermissen *vt* to miss; **etw** ~ **lassen** to lack sth

Vermisste(r)RR *f(m),* **Vermißte(r)**ALT *f(m) dekl wie adj* missing person

vermitteln I. *vt* **1. jdm eine Stellung** ~ to find sb a job **2.** (*weitergeben*) [**jdm**] **etw** ~ to pass on *sep* sth [to sb] II. *vi* [**in etw** *dat*] ~ to mediate [in sth]

Vermögen <-s, -> [fɛɐ̯'møːgn̩] *nt* FIN assets *pl*

vermuten *vt* to suspect

vermutlich I. *adj attr* probable II. *adv* probably

Vermutung <-, -en> *f* assumption

vernachlässigen [fɛɐ̯'naxlɛsɪgn̩] *vt* **1.** to neglect; **sich** ~ to be neglectful of oneself **2.** (*ignorieren*) to ignore

vernehmen *vt irreg* JUR to question

Vernehmung <-, -en> *f* questioning

verneigen *vr* **sich** ~ to bow (**vor** to)

verneinen [fɛɐ̯'naɪnən] *vt* to say no to; **eine Frage** ~ to answer a question in the negative

Verneinung <-, -en> *f* **1. die** ~ **einer Frage** a negative answer to a question **2.** LING negative

vernetzen *vt* to link up *sep;* **vernetzt sein** to be linked [up] (**mit** to)

Vernetzung <-, -en> *f* **1.** INFORM networking *no art, no pl* **2.** (*Verflechtung*) network

vernichten [fɛɐ̯'nɪçtn̩] *vt* **1.** to destroy **2.** (*ausrotten*) to exterminate

Vernichtung <-, -en> *f* **1.** destruction **2.** (*Ausrottung*) extermination

Vernunft <-> [fɛɐ̯'nʊnft] *f kein pl* **1.** reason *no art* **2.** (*gesunder Menschenverstand*) common sense *no art;* ~ **beweisen** to show sense; **jdn zur** ~ **bringen** to make sb see sense; **zur** ~ **kommen** to see sense

vernünftig [fɛɐ̯'nʏnftɪç] *adj* **1.** sensible **2.** (*fam: ordentlich*) proper

veröffentlichen [fɛɐ̯'ʔœfn̩tlɪçn̩] *vt* to publish

Veröffentlichung <-, -en> *f* publication

verordnen *vt* MED to prescribe

verpachten *vt* to lease (**an** to)

verpacken *vt* to pack [up *sep*]; (*als Geschenk*) to wrap [up *sep*]

Verpackung <-, -en> *f* packing *no art, no pl*

verpassen *vt* to miss

verpesten [fɛɐ̯'pɛstn̩] *vt* to pollute

verpfänden *vt* to pawn; *Haus* to mortgage

verpflanzen *vt* **jdm ein Organ** ~ to give sb an organ transplant

verpflegen *vt* **jdn** ~ to cater for sb

Verpflegung <-, *selten* -en> *f* **1.** *kein pl* catering; **mit voller** ~ with full board **2.** (*Nahrung*) food

verpflichten [fɛɐ̯'pflɪçtn̩] **I.** *vt* **jdn** [**zu etw** *dat*] ~ to oblige sb to do sth **II.** *vr* **sich zu etw** ~ to commit oneself to doing sth

Verpflichtung <-, -en> *f meist pl* duty *usu pl;* **seinen** ~**en nachkommen** to do one's duties; **finanzielle** ~**en** financial commitments

verpfuschen *vt* **etw** ~ to make a mess of sth

verprügeln *vt* **jdn** ~ to beat up sb *sep*

Verputz *m* plaster

verputzen *vt* **1.** to plaster **2.** (*fam: essen*) to polish off *sep*

verquollen *adj* swollen

Verrat <-[e]s> [fɛɐ̯'raːt] *m kein pl* betrayal *no art;* ~ **an jdm üben** to betray sb

verraten <verriet, verraten> **I.** *vt* **1.** (*ausplaudern*) to give away *sep* **2.** (*preisgeben*) to betray **3.** (*erkennen lassen*) to show **II.** *vr* **sich** ~ to give oneself away (**durch** with)

Verräter(in) <-s, -> [fɛɐ̯'rɛːtɐ] *m(f)* traitor

verrechnen *vr* **sich** ~ to miscalculate

Verrechnungsscheck *m* crossed cheque BRIT, voucher check AM

verreisen *vi sein* to go away

verrenken *vt* to twist; **sich** *dat* **den Fuß** ~ to dislocate one's foot

Verrenkung <-, -en> *f* distortion; *Gelenk* dislocation

verriegeln *vt* to bolt

verringern [fɛɐ̯'rɪŋɐn] **I.** *vt* to reduce (**um** by) **II.** *vr* **sich** ~ to decrease

Verringerung <-> *f kein pl* reduction

verrosten *vi sein* to rust; **verrostet** rusty

verrostet <-er, -este> *adj* rusty

verrotten [fɛɡˈrɔtn̩] *vi* sein to rot

verrottet <-er, -este> *adj* **1.** (*faul*) rotted **2.** (*verwahrlost*) decayed

verrücken *vt* to move

verrückt [fɛɡˈrʏkt] *adj* **1.** (*geisteskrank*) mad; ~ **sein/werden** to be/go nuts; **bist du ~?** are you out of your mind?; **jdn ~ machen** to drive sb crazy **2.** (*ausgefallen*) crazy **3.** (*versessen*) ~ **nach etw/jdm sein** to be crazy about sth/sb ▶ **ich werd' ~!** (*fam*) well, I'll be damned

Verrücktheit <-, -en> *f* madness *no art, no pl*

Verruf *m kein pl* **in ~ kommen** to fall into disrepute

verrühren *vt* to stir

verrutschen *vi* sein to slip

Vers <-es, -e> [fɛrs] *m* verse

versagen **I.** *vi* to fail **II.** *vt* **jdm etw ~** to refuse sb sth

Versagen <-s> *nt kein pl* failure *no art;* **menschliches ~** human error

Versager(in) <-s, -> *m(f)* failure

versammeln **I.** *vr* **sich ~** to gather **II.** *vt* to call together

Versammlung *f* meeting

Versand <-[e]s> [fɛɡˈzant] *m kein pl* despatch

Versandhaus *nt* mail-order company

versäumen *vt* to miss

verschämt [fɛɡˈʃɛːmt] *adj* shy

verschanzen *vr* **sich ~** to take refuge

verschärfen **I.** *vr* **sich ~** to get worse **II.** *vt* (*zuspitzen*) to aggravate

verschenken *vt* to give (**an** to)

verscheuchen *vt* to chase away *sep*

verschicken *vt* to send (**an** to)

verschieben *irreg vt* **1.** *Gegenstand* to move **2.** *Termin* to postpone (**auf** until)

verschieden [fɛɡˈʃiːdn̩] **I.** *adj* **1.** (*unterschiedlich*) different **2.** *attr* (*einige*) ~**e** several *attr;* **V~es** various things *pl* **II.** *adv* differently; ~ **lang** of different lengths

verschiedenartig *adj* diverse

Verschiedenheit <-, -en> *f* (*Unterschiedlichkeit*) difference; (*Unähnlichkeit*) dissimilarity

verschimmeln *vi* sein to go mouldy

verschlafen¹ *irreg* **I.** *vi* to oversleep **II.** *vt* **etw ~** to miss sth

verschlafen² *adj* sleepy

verschlechtern [fɛɡˈʃlɛçtɐn] **I.** *vt* to make worse **II.** *vr* **sich ~** to get worse

Verschlechterung <-, -en> *f* worsening

verschleiern [fɛɡˈʃlaiɐn] *vt* **1.** to cover with a veil **2.** (*verdecken*) to cover up *sep;* **die Tatsachen ~** to disguise the facts

Verschleiß <-es, -e> [fɛɡˈʃlais] *m* wear [and tear] *no art, no pl*

verschleißen <verschliss, verschlissen> *vi, vt* sein to wear out

verschließen *irreg* **I.** *vt* to lock [up *sep*] **II.** *vr* **sich einer S.** *dat* ~ to ignore sth

verschlimmern **I.** *vt* to make worse **II.** *vr* **sich ~** to get worse

Verschlimmerung <-, -en> *f* worsening

verschlingen **I.** *vt irreg* to devour **II.** *vr irreg* **sich** [**ineinander**] ~ to intertwine

verschlissen **I.** *pp von* **verschleißen** **II.** *adj* worn-out

verschlossen [fɛɡˈʃlɔsn̩] *adj* **1.** closed **2.** (*zurückhaltend*) reserved ▶ **jdm ~ bleiben** to be a mystery to sb

Verschlossenheit <-> *f kein pl* reservedness *no art, no pl*

V

verschlucken I. *vt* to swallow II. *vr* **sich** ~ to choke

Verschluss^{RR} *m*, **Verschluß**^{ALT} *m* **1.** (*Schließvorrichtung*) clasp; *Tür* catch; **etw unter** ~ **halten** to keep sth under lock and key **2.** (*Deckel*) lid; *Flasche* top

verschlüsseln [fɛɐ̯ˈʃlʏsl̩n] *vt* to [en]code

verschmähen *vt* to reject

verschmitzt [fɛɐ̯ˈʃmɪtst] I. *adj* mischievous, roguish II. *adv* mischievously, roguishly

verschmutzen *vt* **1.** to make dirty **2.** ÖKOL to pollute

verschneit *adj* snow-covered *attr;* ~ **sein** to be covered in snow

verschnörkelt *adj* adorned with flourishes; *Schrift* ornate

verschonen *vt* to spare; **von etw verschont bleiben** to escape sth

verschönern [fɛɐ̯ˈʃøːnɐn] *vt* to brighten up *sep*

verschränken *vt* **die Arme** ~ to fold one's arms

verschreiben *irreg* I. *vt* **jdm etw** ~ to prescribe sb sth (**gegen** for) II. *vr* **sich** ~ to make a mistake

verschrotten *vt* to scrap

verschüchtert *adj* intimidated

verschulden I. *vt* **etw** ~ to be to blame for sth II. *vi sein* **verschuldet sein** to be in debt III. *vr* **sich** ~ to get into debt (**bei** to)

verschuldet *adj* indebted

verschütten [fɛɐ̯ˈʃʏtən] *vt* **1.** *Milch* to spill **2.** (*unter etw begraben*) to bury

verschweigen *vt irreg* to hide (**vor** from); *Informationen* to withhold; **jdm** ~, **dass ...** to keep from sb the fact that ...

verschwenden *vt* to waste

verschwenderisch *adj* wasteful

Verschwendung <-, -en> *f* wasting *no art, no pl;* **so eine** ~! what a waste!

verschwiegen [fɛɐ̯ˈʃviːgn̩] *adj* discreet

Verschwiegenheit <-> *f kein pl* discretion *no art, no pl,* secrecy

verschwimmen *vi irreg sein* to become blurred

verschwinden *vi irreg sein* to disappear; **verschwunden** [**sein**] [to be] missing; **verschwinde!** clear off!

Verschwinden <-s> *nt kein pl* disappearance

verschwommen *adj* **1.** blurred **2.** (*unklar*) vague

verschwören *vr irreg* **sich gegen jdn** ~ to conspire against sb; **sich zu etw** ~ to conspire to do sth

Verschwörung <-, -en> *f* conspiracy

Verschwörungstheorie *f* conspiracy theory

Versehen <-s, -> [fɛɐ̯ˈzeːən] *nt* mistake; **aus** ~ by mistake

versenden *vt irreg o reg* to send (**an** to)

versenken *vt* to sink

versessen [fɛɐ̯ˈzɛsn̩] *adj* **auf etw** *akk* ~ **sein** to be crazy about sth; **auf**[**s**] **Geld** ~ **sein** to be obsessed with money; ~ **darauf sein, etw zu tun** to be dying to do sth

Versessenheit <-> *f kein pl* keenness *no art, no pl* (**auf** on)

versetzen I. *vt* **1.** *Beamten* to move **2.** *Schüler* to move up *sep* [to the next class] **3.** (*bringen*) **jdn in Begeisterung** ~ to fill sb with enthusiasm; **eine Maschine in Bewegung** ~ to set a machine in motion; **jdn in Panik** ~ to send sb into a panic **4.** (*warten lassen*) **jdn** ~ to stand up sb *sep* II. *vr* **sich in jdn** ~ to put oneself in sb's place

Versetzung <-, -en> *f* **1.** ADMIN transfer **2.** SCH moving up *no art, no pl*

verseuchen [fɛɐ̯'zɔyçn̩] *vt* to contaminate

Verseuchung <-, -en> *f* contamination

versichern[1] *vt* to insure (**gegen** against)

versichern[2] **I.** *vt* **jdm ~, [dass]** ... to assure sb [that] ... **II.** *vr* **sich einer S.** *gen* **~** to make sure of sth

Versicherung *f* **1.** FIN insurance *no pl;* (*Firma*) insurance company **2.** (*Beteuerung*) assurance

versickern *vi sein* to seep away

versiegeln *vt* to seal [up *sep*]

versilbern [fɛɐ̯'zɪlbɐn] *vt* to silver-plate

versinken *vi irreg sein* to sink; **versunken** sunken

versklaven [fɛɐ̯'sklaːvn̩] *vt* **jdn ~** to enslave sb

versöhnen [fɛɐ̯'zøːnən] **I.** *vr* **sich mit jdm ~** to make it up with sb **II.** *vt* to reconcile

Versöhnung <-, -en> *f* reconciliation *no art, no pl*

versorgen *vt* **1.** (*betreuen*) to take care of **2.** (*versehen*) to supply; **sich mit etw** *dat* **~** to provide oneself with sth; **sich selbst ~** to look after oneself **3.** MED to treat

Versorgung <-> *f kein pl* **1.** (*das Versorgen*) care *no art* **2.** (*das Ausstatten*) supply; **medizinische ~** provision of medical care

verspannen *vr* **sich ~** to tense up

verspäten [fɛɐ̯'ʃpɛːtn̩] *vr* **sich ~** to be late

verspätet *adj* **1.** (*zu spät eintreffend*) delayed **2.** (*zu spät erfolgend*) late

Verspätung <-, -en> *f* delay; **entschuldigen Sie bitte meine ~** I'm

sorry I'm late; **~ haben** to be late; **mit einer Stunde ~ ankommen** to arrive an hour late

versperren *vt* **jdm den Weg ~** to bar sb's way

verspotten *vt* to mock

versprechen *irreg* **I.** *vt* **[jdm] etw ~** to promise [sb] sth **II.** *vr* **1. sich** *dat* **etw von jdm/etw ~** to hope for sth from sb/sth **2.** (*falsch sprechen*) **sich ~** to make a slip of the tongue

Versprechen <-s, -> *nt* promise

verspritzen *vt* to spray

verstaatlichen [fɛɐ̯'ʃtaːtlɪçn̩] *vt* to nationalize

Verstaatlichung <-, -en> *f* nationalization *no art, no pl*

Verstand <-[e]s> [fɛɐ̯'ʃtant] *m kein pl* reason *no art;* **jdn um den ~ bringen** to drive sb out of his/her mind; **nicht bei ~ sein** to not be in one's right mind; **den ~ verlieren** to lose one's mind

verständigen [fɛɐ̯'ʃtɛndɪɡn̩] *vr* **sich ~ 1.** (*sich verständlich machen*) to communicate (**durch** by) **2.** (*sich einigen*) to reach an agreement (**über** about)

Verständigung <-> *f kein pl* **1.** (*Benachrichtigung*) notification *no art* **2.** (*Einigung*) agreement

verständlich [fɛɐ̯'ʃtɛntlɪç] *adj* understandable; **jdm etw ~ machen** to make sb understand sth

Verständnis <-ses> [fɛɐ̯'ʃtɛntnɪs] *kein pl nt* understanding *no art;* **für etw ~ haben** to have sympathy for sth

verständnislos I. *adj* uncomprehending; **ein ~er Blick** a blank look **II.** *adv* uncomprehendingly

verständnisvoll *adj* understanding

verstärken I. *vt* **1.** (*stärker machen*)

V

to strengthen **2.** (*intensivieren*) to intensify **3.** (*erhöhen*) to increase **II.** *vr* sich ~ to increase

Verstärker <-s, -> *m* amplifier

Verstärkung *f* **1.** (*das Verstärken*) strengthening *no art, no pl* **2.** (*Vergrößerung*) reinforcement *no art, no pl* **3.** (*Intensivierung*) intensification *no art, no pl*

verstaubt *adj* dusty; (*fig*) outmoded

verstauchen *vt* sich *dat* etw ~ to sprain one's sth

Versteck <-[e]s, -e> [fɛɐ̯ˈʃtɛk] *nt* hiding place

verstecken I. *vt* to hide **II.** *vr* sich ~ to hide (**vor** from)

verstehen <verstand verstanden> **I.** *vt* **1.** (*hören*) to hear **2.** (*begreifen*) to understand; **jdm etw zu ~ geben** to make sb understand sth **3.** (*können*) **ich verstehe kein Französisch** I don't know any French; **es ~, etw zu tun** to know how to do sth; **nichts von etw ~** to know nothing about sth **II.** *vr* **1.** (*auskommen*) **sich mit jdm ~** to get on [*or* AM along] with sb; **wir ~ uns** we understand one another **2.** (*zu verstehen sein*) **etw versteht sich von selbst** sth goes without saying **III.** *vi* **wenn ich recht verstehe** if I understand correctly; **verstehst du?** you know?

versteigern *vt* to auction [off]

Versteigerung *f* auction

Versteinerung <-, -en> *f* fossil

verstellen I. *vt* **1.** (*einstellen*) to adjust; **etw in der Höhe ~** to adjust sth for height **2.** (*woandershin stellen*) to move **3.** (*blockieren*) to block **4.** *Stimme* to disguise **II.** *vr* sich ~ to put on an act

verstimmt *adj* **1.** MUS out of tune **2.** (*verärgert*) ~ **sein** to be put out

verstohlen [fɛɐ̯ˈʃtoːlən] **I.** *adj* furtive **II.** *adv* furtively; **jdn ~ ansehen** to give sb a furtive look

verstopfen I. *vt* to block up *sep* **II.** *vi* sein to get blocked [up]

Verstopfung <-, -en> *f* MED constipation *no art, no pl;* ~ **haben** to be constipated

verstört [fɛɐ̯ˈʃtøːɐ̯t] **I.** *adj* distraught **II.** *adv* in distress

Verstoß [fɛɐ̯ˈʃtoːs] *m* violation (**gegen** of)

verstoßen *irreg* **I.** *vi* gegen etw ~ to violate sth **II.** *vt* jdn ~ to expel sb

verstrahlt <-er, -este> *adj* contaminated [by radiation]

verstreichen *irreg vi* sein: *Zeit* to pass [by]; **eine Frist ~ lassen** to let a deadline pass

verstreuen *vt* **1.** (*ausstreuen*) to scatter **2.** (*versehentlich verschütten*) to spill

Verstümmelung <-, -en> *f* mutilation

Versuch <-[e]s, -e> [fɛɐ̯ˈzuːx] *m* **1.** attempt **2.** (*Experiment*) experiment; **einen ~ machen** to carry out an experiment

versuchen I. *vi, vt* to try; **es mit jdm/ etw ~** to give sb/sth a try; **~, etw zu tun** to try to do sth **II.** *vr* sich in etw *dat* ~ to try one's hand at sth

Versuchskaninchen *nt* guinea pig **Versuchstier** *nt* laboratory animal

Versuchung <-, -en> *f* temptation *no art, no pl;* **jdn in ~ führen** to lead sb into temptation; **in ~ geraten** to be tempted

vertagen *vt* to adjourn (**auf** until)

vertauschen *vt* to switch; **etw mit etw** *dat* ~ to exchange sth for sth

verteidigen [fɛɐ̯'taidɪgn̩] *vt* to defend

Verteidiger(in) <-s, -> *m(f)* **1.** JUR defence counsel **2.** SPORT defender

Verteidigung <-, -en> *f* defence

Verteidigungsminister(in) *m(f)* defence minister BRIT, secretary of defense AM

verteilen *vt* to distribute (**an** to)

Verteilung *f* distribution *no pl*

vertiefen [fɛɐ̯'tiːfn̩] **I.** *vt* **1.** to deepen **2.** (*festigen*) to reinforce **II.** *vr* **sich in etw** *akk* ~ to become absorbed in sth; **in Gedanken vertieft sein** to be deep in thought

Vertiefung <-, -en> *f* **1.** depression **2.** (*Festigung*) consolidation *no art, no pl*

vertikal [vɛrti'kaːl] **I.** *adj* vertical **II.** *adv* vertically

vertippen *vr* (*fam*) **sich** ~ to make a typing error

Vertrag <-[e]s, Verträge> [fɛɐ̯'traːk] *m* contract; (*international*) treaty; **jdn unter** ~ **nehmen** to contract sb

vertragen *irreg* **I.** *vt* (*aushalten*) to stand **II.** *vr* **1.** (*verstehen*) **sich mit jdm** ~ to get on with sb **2.** (*zusammenpassen*) **sich mit etw** ~ to go with sth

vertraglich [fɛɐ̯'traːklɪç] **I.** *adj* contractual **II.** *adv* by contract; ~ **festgelegt werden** to be laid down in a contract

verträglich [fɛɐ̯'trɛːklɪç] *adj* **1.** *Mensch* good-natured **2.** *Essen* digestible; **gut/schwer** ~ easily digestible/indigestible

vertrauen *vi* **jdm** ~ to trust sb; **auf jdn** ~ to trust in sb; **auf sein Glück** ~ to trust to luck; **auf Gott** ~ to put one's trust in God; **darauf** ~, **dass ...** to be confident that ...

Vertrauen <-s> *nt kein pl* trust, confidence; ~ **erweckend** trustworthy; ~ [**zu jdm**] **haben** to have confidence [in sb]; **jdn ins** ~ **ziehen** to take sb into one's confidence; **im** ~ **auf etw** *akk* trusting to sth

vertrauenswürdig *adj* trustworthy

verträumt *adj* **1.** *Ort* sleepy **2.** *Mensch* dreamy

vertraut *adj* familiar (**mit** with); **sich mit etw** *dat* ~ **machen** to familiarize oneself with sth

Vertrautheit <-> *f kein pl* familiarity (**mit** with)

vertreiben *vt irreg* **1.** to drive away *sep* **2.** (*verkaufen*) to sell

Vertreibung <-, -en> *f* expulsion

vertreten¹ *vt irreg* **1.** (*ersetzen*) **jdn** ~ to stand in for sb; **durch jdn** ~ **werden** to be replaced by sb **2.** (*repräsentieren*) to represent **3.** *Meinung* to hold

vertreten² *vr irreg* ▸ **sich** *dat* **die Beine** ~ to stretch one's legs

Vertreter(in) <-s, -> *m(f)* representative

Vertretung <-, -en> *f* **1.** (*Stellvertreter*) deputy **2.** ÖKON agency

Vertrieb <-[e]s, -e> *m kein pl* sales *pl*

Vertriebene(r) *f(m) dekl wie adj* deportee

vertrocknen *vi sein: Vegetation* to dry out; *Lebensmittel* to dry up

vertuschen *vt* to hush up *sep*

verübeln [fɛɐ̯'ʔyːbl̩n] *vt* **jdm etw** ~ to hold sth against sb

verunglücken [fɛɐ̯'ʔʊŋlʏkn̩] *vi sein* to have an accident; **tödlich** ~ to be killed in an accident

verunsichern [fɛɐ̯'ʔʊnzɪçɐn] *vt* **jdn** ~ to make sb [feel] unsure

verunsichert <-er, -este> *adj* uncertain

V

verunstalten [fɛɐ̯'ʔʊnʃtaltn̩] *vt* to disfigure

veruntreuen [fɛɐ̯'ʔʊntrɔyən] *vt* to embezzle

verursachen [fɛɐ̯'ʔuːɐ̯zaxn̩] *vt* to cause

Verursacher(in) <-s, -> *m(f)* causal agent

verurteilen *vt* 1. to convict; **jdn zu etw** *dat* ~ to sentence sb to sth 2. (*bestimmt sein*) **zu etw** *dat* **verurteilt sein** to be condemned to sth

Verurteilung <-, -en> *f* conviction

vervielfältigen [fɛɐ̯'fiːlfɛltɪɡn̩] *vt* to duplicate

vervollständigen [fɛɐ̯'fɔlʃtɛndɪɡn̩] *vt* to complete

verwahrlost <-er, -este> *adj* neglected

verwaist *adj* orphaned; (*fig: verlassen*) deserted, abandoned

verwalten *vt* 1. ADMIN to administer 2. *Besitz, Daten* to manage

Verwaltung <-, -en> *f* 1. *kein pl* ADMIN administration *no art;* **städtische** ~ municipal authority 2. FIN, INFORM management *no art*

verwandeln I. *vt* to turn (**in** into); **jd ist wie verwandelt** sb is a changed person II. *vr* **sich in etw** *akk* ~ to turn into sth

Verwandlung *f* transformation

verwandt¹ [fɛɐ̯'vant] *adj* related (**mit** to)

verwandt² [fɛɐ̯'vant] *pp von* **verwenden**

Verwandte(r) *f(m) dekl wie adj* relative

Verwandtschaft <-, -en> *f* 1. (*die Verwandten*) relatives *pl;* **die nähere** ~ close relatives *pl* 2. (*Ähnlichkeit*) affinity (**mit** with)

Verwarnung *f* warning

verwechseln [fɛɐ̯'vɛksl̩n] *vt* to mix up *sep;* **jdn/etw mit jdm/etw** ~ to confuse sb/sth with sb/sth

Verwechslung <-, -en> [fɛɐ̯'vɛkslʊŋ] *f* confusion; **das muss eine** ~ **sein** there must be some mistake

verwegen [fɛɐ̯'veːɡn̩] *adj* daring

Verwehung <-, -en> *f* drift

verweigern *vt, vi* to refuse; **einen Befehl** ~ to refuse to obey an order; **den Kriegsdienst** ~ to refuse to do military service

Verweigerung *f* refusal

verweisen *irreg vt, vi* to refer (**an/auf** to)

verwelken *vi sein* to wilt

verwenden <verwendete *o* verwandte, verwendet> *vt* to use

Verwendung <-, -en> *f* use

verwerflich *adj* reprehensible

verwesen [fɛɐ̯'veːzn̩] *vi sein* to rot, to decompose; **verwest** decomposed

Verwestlichung *f* Westernization

Verwesung <-> *f kein pl* decomposition *no art*

verwickeln I. *vt* **jdn in etw** *akk* ~ to involve sb in sth; **jdn in ein Gespräch** ~ to engage sb in conversation II. *vr* **sich** ~ to get tangled up

verwickelt *adj* complicated

verwildert *adj* 1. (*überwachsen*) *Garten* overgrown 2. *Tier* feral; *Haustier* neglected 3. (*fig: ungepflegt*) *Aussehen* unkempt

verwirklichen [fɛɐ̯'vɪrklɪçn̩] I. *vt* to realize II. *vr* **sich** ~ to fulfil oneself; **sich in etw** *dat* ~ to find fulfilment in sth

verwirren *vt* to confuse

verwirrt <-er, -este> *adj* confused

Verwirrung <-> *f kein pl* confusion *no art*

verwitwet [fɛɐ̯'vɪtvət] *adj* widowed

verwöhnen [fɛɐ̯'vøːnən] *vt* to spoil

verwöhnt *adj* **1.** *Kind* spoilt **2.** (*anspruchsvoll*) discriminating

verworren [fɛɐ̯'vɔrən] *adj* confused

verwunden [fɛɐ̯'vʊndn̩] *vt* to wound; **schwer verwundet** seriously wounded

Verwunderung <-> *f kein pl* amazement *no art*

verwundet *adj* wounded

Verwundete(r) *f(m) dekl wie adj* wounded person

verwüsten *vt* to devastate

Verwüstung <-, -en> *f meist pl* devastation *no art, no pl*

verzagt I. *adj* despondent, disheartened **II.** *adv* despondently

verzählen *vr* **sich** ~ to miscount

verzaubern *vt* **jdn** ~ **1.** to put a spell on sb; **jdn in etw** ~ to turn sb into sth **2.** (*betören*) to enchant sb

Verzehr <-[e]s> [fɛɐ̯'tseːɐ̯] *m kein pl* consumption

verzehren *vt* to consume

Verzeichnis <-ses, -se> *nt* list

verzeihen <verzieh, verziehen> *vt* to excuse; **jdm etw** ~ to forgive sb sth; **~ Sie!** excuse me!; **~ Sie, dass ich störe** excuse me for interrupting

verzeihlich *adj* excusable

Verzeihung <-> *f kein pl* forgiveness; [**jdn**] **um** ~ **bitten** to apologize [to sb] ▶ **~!** sorry!; **~, darf ich mal hier vorbei?** excuse me, may I get past?

verzerren I. *vt* **1.** to distort **2.** MED to strain **II.** *vr* **sich** ~ to become contorted (**zu** in)

Verzerrung *f* distortion

Verzicht <-[e]s, -e> [fɛɐ̯'tsɪçt] *m* renunciation (**auf** of)

verzichten [fɛɐ̯'tsɪçtn̩] *vi* to go without; **zu jds Gunsten** ~ to do without in favour of sb; **auf etw** *akk* ~ to do without sth; **auf sein Recht** ~ to renounce one's right

verziehen¹ *irreg* **I.** *vi sein* (*umziehen*) to move **II.** *vr haben* (*verschwinden*) **sich** ~ to disappear

verziehen² *irreg vt* **1.** (*verzerren*) to twist; **das Gesicht** ~ to pull a face **2.** *Kind* to bring up badly

verziehen³ *pp von* **verzeihen¹**

verzieren *vt* to decorate

Verzierung <-, -en> *f* decoration

verzögern I. *vt* **1.** to delay **2.** (*verlangsamen*) to slow down **II.** *vr* **sich** ~ to be delayed (**um** by)

Verzögerung <-, -en> *f* delay; (*Verlangsamung*) slowing down

verzollen *vt* to pay duty on

Verzückung <-, -en> *f* (*geh*) ecstasy

Verzug <-[e]s> *m kein pl* delay; **in** ~ **geraten** to fall behind

verzweifeln *vi sein* to despair (**an** of)

verzweifelt I. *adj* **1.** (*verzagt*) despairing; **ein ~es Gesicht machen** to look despairingly; **ich bin völlig** ~ I'm at my wits' end **2.** (*hoffnungslos*) desperate **II.** *adv* despairingly

Verzweiflung <-> *f kein pl* despair; **jdn zur** ~ **bringen** to drive sb to despair; **aus** ~ out of desperation

verzweigen [fɛɐ̯'tsvaign̩] *vr* **sich** ~ to branch out

Veteran <-en, -en> [vete'raːn] *m* veteran

Veto <-s, -s> ['veːto] *nt* veto; **sein** ~ **einlegen** to exercise one's veto

Vetter <-s, -n> ['fɛtɐ] *m* cousin

Vetternwirtschaft *f kein pl* nepotism

via ['viːa] *präp +akk* **1.** (*über*) via **2.** (*durch*) by

Viadukt <-[e]s, -e> [via'dʊkt] *m o nt* viaduct

V

Vibration <-, -en> [vibra'tsi̯o:n] *f* vibration

vibrieren [vi'bri:rən] *vi* to vibrate

Videogerät *nt s.* **Videorecorder Videokamera** *f* video camera **Videorekorder** <-s, -> *f* video [recorder], AM *usu* VCR **Videothek** <-, -en> [video'te:k] *f* video shop

Vieh <-[e]s> [fi:] *nt kein pl* **1.** AGR livestock **2.** (*fam: Tier*) animal

Viehzucht *f* livestock breeding

viel [fi:l] I. *adj* <mehr, meiste> **1.** *sing, adjektivisch* a lot of; ~ **Geld** a lot of money; **der/die/das ~e ...** all this/ that ... **2.** *substantivisch* a lot, much; **ich habe zu ~ zu tun** I have too much to do; **er weiß ~** he knows a lot **3.** *pl, adjektivisch* ~**e** a lot of many; **und ~e andere** and many others **4.** *pl, substantivisch* (*Menschen*) ~**e** a lot, many; **diese Ansicht wird von ~en vertreten** this view is held by many people; (*Dinge*) a lot II. *adv* <mehr, am meisten> **1.** (*häufig*) a lot **2.** (*wesentlich*) **die Mütze ist ~ zu groß** the cap is far too big

vieldeutig *adj* ambiguous

vielerlei *adj* all kinds of

vielfach ['fi:lfax] I. *adj* multiple II. *adv* many times

Vielfalt <-> ['fi:lfalt] *f* diversity (**an** of)

vielfältig ['fi:lfɛltɪç] *adj* diverse

vielleicht [fi'lai̯çt] *adv* **1.** perhaps, maybe **2.** (*ungefähr*) **er ist ~ 30 Jahre alt** he is about 30 years old

vielmehr ['fi:lme:ɐ] *adv* rather

vielseitig ['fi:lzai̯tɪç] *adj* versatile

vier [fi:ɐ] *adj* four; *s.a.* **acht**[1] ▶ **ein Gespräch unter ~ Augen führen** to have a private conversation; **in den eigenen ~ Wänden wohnen** to live within one's own four walls

Viereck ['fi:ɐʔɛk] *nt* four-sided figure

viereckig ['fi:ɐʔɛkɪç] *adj* rectangular

vierfach, 4fach *adj* fourfold; **die ~e Menge** four times the amount

vierhundert ['fi:ɐ'hʊndɐt] *adj* four hundred

vierjährig, 4-jährig[RR] ['fi:ɐjɛ:rɪç] *adj* **1.** (*Alter*) four-year-old *attr,* four years old *pred* **2.** (*Zeitspanne*) four-year *attr*

viermal, 4-mal[RR] ['fi:ɐma:l] *adv* four times **vierstellig** *adj* four-figure *attr*

Viertaktmotor *m* four-stroke engine

vierte(r, s) ['fi:ɐtə, -tɐ, -təs] *adj* fourth, 4th; *s.a.* **achte(r, s)**

viertel ['fɪrtl] *adj* quarter; **drei ~** three-quarters

Viertel[1] <-s, -> ['fɪrtl] *nt* district

Viertel[2] <-s, -> ['fɪrtl] *nt o* SCHWEIZ *m* quarter; **~ vor/nach eins** [a] quarter to/past one

Viertelliter *m o nt* quarter of a litre

Viertelstunde [fɪrtl'ʃtʊndə] *f* quarter of an hour

vierzehn ['fɪrtse:n] *adj* fourteen; **~ Tage** a fortnight *esp* BRIT *s.a.* **acht**[1]

vierzig ['fɪrtsɪç] *adj* forty; *s.a.* **achtzig**

Vikar(in) <-s, -e> [vi'ka:ɐ] *m(f)* curate

Villa <-, Villen> ['vɪla] *f* villa

violett [vi̯o'lɛt] *adj* violet

Violine <-, -n> [vi̯o'li:nə] *f* violin

Viper <-, -n> ['vi:pɐ] *f* viper

virtuell [vɪr'tu̯ɛl] *adj* virtual

Virus <-, Viren> ['vi:rʊs] *nt o m* virus

Viruskrankheit *f* viral disease

Vision <-, -en> [vi'zi̯o:n] *f* vision

Visite <-, -n> [vi'zi:tə] *f* MED round; **~ machen** to do one's round

Visitenkarte *f* business card

visuell [vi'zu̯ɛl] *adj* visual

Visum <-s, Visa> ['vi:zʊm] *nt* visa

vital [vi'ta:l] *adj* vigorous

Vitalität <-> [vitali'tɛt] *f kein pl* vigour
Vitamin <-s, -e> [vita'miːn] *nt* vitamin
  ▶ ~ **B** (*hum fam*) good contacts *pl*
Vitaminmangel *m* vitamin deficiency
Vitrine <-, -n> [vi'triːnə] *f* display case
Vizepräsident(in) *m(f)* vice president
Vogel <-s, Vögel> ['foːgl̩] *m* bird
  ▶ einen ~ **haben** to have a screw
  loose
Vogelfutter *nt* bird food **Vogelgrippe**
  f bird [*or form* avian] flu **Vogel-
  scheuche** <-, -n> *f* scarecrow
Vokabel <-, -n> [vo'kaːbl̩] *f* word; ~n
  vocabulary *sing*
Vokal <-s, -e> [vo'kaːl] *m* vowel
Volk <-[e]s, Völker> [fɔlk] *nt* 1. people;
  ein Mann aus dem ~ a man of the
  people 2. *kein pl* (*Menschenmenge*)
  masses *pl;* das ~ aufwiegeln to incite
  the masses; sich *akk* unters ~ mischen to mingle with the people
Völkerkunde <-> *f kein pl* ethnology
Völkermord *m* genocide **Völker-
  recht** *nt kein pl* international law
Völkerverständigung *f kein pl* international understanding
Volksabstimmung *f* referendum
Volksentscheid *m* referendum
Volksfest *nt* fair **Volkshochschu-
  le** *f* adult education centre **Volkslied** *nt* folk song **Volkstanz** *m* folk
  dance
volkstümlich ['fɔlkstyːmlɪç] *adj* traditional
Volkswirt(in) *m(f)* economist **Volks-
  wirtschaft** *f* national economy
Volkszählung *f* census
voll [fɔl] I. *adj* 1. (*gefüllt*) full; das
  Glas ist ~ Wasser the glass is full of
  water; eine Hand ~ Reis a handful of
  rice; ~ gepfropft crammed full; ~ ge-
  stopft stuffed full 2. (*vollständig*) full,
  whole; den ~en Preis bezahlen to
  pay the full price; ein ~er Erfolg a
  total success; ein ~es Jahr a whole
  year; jede ~e Stunde every hour on
  the hour; in ~er Größe full-size
  3. (*fam: betrunken*) ~ sein to be
  plastered ▶ jdn nicht für ~ nehmen
  not to take sb seriously; aus dem
  V~en schöpfen to draw on plentiful
  resources II. *adv* 1. (*vollkommen*)
  completely 2. (*uneingeschränkt*)
  fully; ~ und ganz totally; nicht ~
  da sein to not be quite with it
  3. (*mit aller Wucht*) smack
vollautomatisch *adj* fully automatic
Vollbart *m* full beard
vollenden [fɔl'ʔɛndn̩] *vt* to complete
vollendet *adj* perfect
Vollendung <-, -en> [fɔl'ʔɛndʊŋ] *f*
  1. (*das Vollenden*) completion
  2. *kein pl* (*Perfektion*) perfection
Volleyball ['vɔli-] *m* volleyball
völlig ['fœlɪç] I. *adj* complete II. *adv*
  completely; Sie haben ~ recht
  you're absolutely right
volljährig ['fɔljɛːrɪç] *adj* of age; ~ werden to come of age
Volljährigkeit <-> *f kein pl* majority
Vollkaskoversicherung *f* fully comprehensive insurance
vollkommen [fɔl'kɔmən] I. *adj* 1. (*perfekt*) perfect 2. (*völlig*) complete
  II. *adv* completely
Vollkommenheit <-> *f kein pl* perfection
Vollkornbrot *nt* wholemeal [*or* AM
  whole-grain] bread
Vollmacht <-, -en> ['fɔlmaxt] *f* authorization; jdm [die] ~ geben etw zu tun
  to authorize sb to do sth
Vollmilch *f* full-cream milk BRIT, whole
  milk AM

V

Vollmond *m kein pl* full moon; **bei ~** when the moon is full

Vollpension *f kein pl* full board; **mit ~** for full board

vollständig ['fɔlʃtɛndɪç] **I.** *adj* complete **II.** *adv* completely

Vollständigkeit <-> *f kein pl* completeness

Vollstreckung <-, -en> *f* execution

Vollversammlung *f* general meeting

Vollwertkost *f kein pl* wholefoods *pl*

vollzählig ['fɔltsɛːlɪç] *adj* complete; **~ sein** to be all present

vollziehen [fɔl'tsiːən] *irreg vt* to carry out *sep; Urteil* to execute

Vollzugsanstalt *f* penal institution

Volontär(in) <-s, -e> [volɔn'tɛːɐ̯] *m(f)* trainee

Volt <-[e]s, -> [vɔlt] *nt* volt

Volumen <-s, -> [vo'luːmən] *nt* volume

von [fɔn] *präp +dat* **1.** *räumlich* (*ab, herkommend*) from; **~ woher ...?** where ... from? from where ...?; (*herab, heraus*) off; **er fiel ~ der Leiter** he fell off the ladder **2.** *räumlich* (*etw entfernend*) from, off; **die Wäsche ~ der Leine nehmen** to take the washing off the line; **Schweiß ~ der Stirn wischen** to wipe sweat from one's brow **3.** *zeitlich* from; **die Zeitung ~ gestern** yesterday's paper; **~ jetzt an** from now on; **~ wann ist der Brief?** when is the letter from? **4.** (*Ursache, Urheber*) **~ jdm gelobt werden** to be praised by sb; **müde ~ der Arbeit** tired of work; **~ wem ist dieser Roman?** who is this novel by?; **das war nicht nett ~ dir!** that was not nice of you! **5.** (*Zugehörigkeit*) of; **die Königin ~ England** the Queen of England; **keiner ~ uns** none of us

6. (*bei Maßangaben*) of; **einen Abstand ~ zwei Metern** a distance of two metres ▶ **~ wegen!** no way!

voneinander [fɔnʔai'nandɐ] *adv* from each other; **wir könnten viel ~ lernen** we could learn a lot from each other

vor [foːɐ̯] **I.** *präp* **1.** (*davor befindlich*) in front of; **sie ließ ihn ~ sich her gehen** she let him go in front of her; **~ sich hin summen** (*fam*) to hum to oneself **2.** (*eher*) before; **~ kurzem/hundert Jahren** a short time/hundred years ago; **es ist zehn ~ zwölf** it is ten to twelve; **~ jdm am Ziel sein** to get somewhere before sb else **3.** (*bedingt durch*) with; **starr ~ Schreck** rigid with horror **II.** *adv* forward; **~ und zurück** backwards and forwards

Vorahnung *f* premonition

voran [fo'ran] *adv* **1.** (*vorn befindlich*) first; **der Lehrer geht ~** the teacher goes first **2.** (*vorwärts*) forwards

voran|gehen *vi irreg sein* **1.** (*an der Spitze gehen*) to go ahead [of sb] **2.** (*Fortschritte machen*) to make progress **3.** (*einer Sache vorausgehen*) **dem Projekt gingen lange Planungsphasen voran** the project was preceded by long phases of planning **voran|kommen** *vi irreg sein* **1.** to make headway **2.** (*Fortschritte machen*) to make progress

Vorarbeiter(in) *m(f)* foreman *masc,* forewoman *fem*

voraus [fo'raus] *adv* ahead; **jdm ~ sein** to be ahead of sb; **im V~** in advance

Voraussage <-, -n> *f* prediction

voraus|sagen *vt* to predict **voraus|setzen** *vt* **1.** (*annehmen*) to assume **2.** (*erfordern*) to require

Voraussetzung <-, -en> *f* precondition; **unter der ~, dass ...** on condition that ...; **unter bestimmten ~en** under certain conditions

voraussichtlich [foˈrauszɪçtlɪç] I. *adj* expected II. *adv* probably

Vorauszahlung *f* advance payment

vorbei [foːɐ̯ˈbai] *adv* 1. *örtlich* **an etw** *dat* **~** past sth; **wir sind schon an München ~** we have already passed Munich 2. *zeitlich* **~ sein** to be over; **es ist drei Uhr ~** it's gone three o'clock

vorbei|fahren *irreg vi sein* to drive past **vorbei|gehen** [foːɐ̯ˈbaigəːən] *vi irreg sein* 1. (*vorübergehen*) [**an jdm/etw**] **~** to go past [sb/sth]; **im V~** in passing 2. (*danebengehen*) to miss 3. (*vergehen*) **etw geht vorbei** sth passes **vorbei|lassen** *vt irreg* **jdn/etw** [**an jdm**] **~** to let sb/sth past [sb]; **lassen Sie uns bitte vorbei!** let us through please! **vorbei|reden** *vi* **am Thema ~** to miss the point; **aneinander ~** to be talking at cross purposes

vor|bereiten I. *vt* to prepare II. *vr* **sich ~** to prepare oneself (**für/auf** for)

Vorbereitung <-, -en> *f* preparation; **~en treffen** to make preparations (**für** for)

vor|bestellen *vt* to order in advance; **ich möchte bitte zwei Karten ~** I'd like to book two tickets please

Vorbestellung *f* advance booking

vorbestraft *adj* previously convicted (**wegen** for); **nicht ~ sein** to not have a criminal record

vor|beugen I. *vi* **einer Krankheit/Gefahr ~** to prevent an illness/danger II. *vr* **sich ~** to lean forward

vorbeugend *adj* preventive

Vorbeugung <-, -en> *f* prevention; **zur ~** as a prevention

Vorbild <-[e]s, -er> [ˈfoːɐ̯bɪlt] *nt* example; **nach dem ~ von ...** following the example set by ...; [**jdm**] **als ~ dienen** to serve as an example [for sb]

vorbildlich I. *adj* exemplary II. *adv* in an exemplary manner

Vorderachse *f* front axle **Vorderasien** <-s> *nt* Near East

vordere(r, s) [ˈfɔrdərə, -rɐ, -rəs] *adj* front

Vorderfront *f* frontage **Vordergrund** *m* foreground; **im ~ stehen** to be the centre of attention; **in den ~ treten** to come to the fore **Vorderrad** *nt* front wheel **Vorderseite** *f* front [side]

vorderste(r, s) [ˈfɔrdəstə, -stɐ, -stəs] *adj superl von s.* **vordere(r, s)** foremost

Vordiplom *nt* intermediate diploma

vor|drängeln *vr*, **vor|drängen** *vr* **sich ~** to push to the front

vor|dringen *vi irreg sein* [**bis**] **irgendwohin ~** to reach somewhere

voreilig [ˈfoːɐ̯ʔailɪç] I. *adj* rash II. *adv* rashly

voreingenommen [ˈfoːɐ̯ʔaingənɔmən] *adj* prejudiced (**gegenüber** against)

vorerst [ˈfoːɐ̯ʔeːɐ̯st] *adv* for the time being

Vorfahr(in) <-en, -en> [ˈfoːɐ̯faːɐ̯] *m(f)* ancestor

Vorfahrt [ˈfoːɐ̯faːɐ̯t] *f kein pl* right of way; **jdm die ~ nehmen** to fail to give way to sb

Vorfall *m* incident

Vorfreude *f* anticipation (**auf** of)

vor|führen *vt* 1. (*darbieten*) to perform 2. (*bloßstellen*) **jdn ~** to show sb up

V

Vorführung f FILM showing
Vorgang <-gänge> m 1. (*Geschehnis*) event 2. (*Prozess*) process
Vorgänger(in) <-s, -> m(f) predecessor
Vorgarten m front garden
vor|geben irreg vi ~ [, dass ...] to pretend [that ...]
Vorgebirge nt foothills pl
vor|gehen vi irreg sein 1. (*vorausgehen*) to go on ahead 2. *Uhr* to be fast; **meine Uhr geht fünf Minuten vor** my watch is five minutes fast 3. (*Vorrang haben*) to have priority 4. (*agieren*) to take action (**gegen** against) 5. (*sich abspielen*) to go on; **in jdm** ~ to go on inside sb 6. (*verfahren*) to proceed (**bei** in)
Vorgesetzte(r) f(m) dekl wie adj superior
vorgestern ['foːɐ̯gɛstɐn] adv the day before yesterday
vor|greifen vi irreg to anticipate
vor|haben ['foːɐ̯haːbn̩] vt irreg etw ~ to plan sth; **etw [mit jdm]** ~ to have sth planned [for sb]
Vorhaben <-s, -> ['foːɐ̯haːbn̩] nt plan
Vorhand <-> ['foːɐ̯hant] f kein pl forehand
vorhanden ['foːɐ̯'handn̩] adj 1. (*verfügbar*) available 2. (*existierend*) existing
Vorhang <-s, Vorhänge> ['foːɐ̯haŋ] m curtain
Vorhängeschloss[RR] nt padlock
Vorhaut f foreskin
vorher [foːɐ̯'heːɐ̯] adv beforehand
vorherbestimmt adj ~ **sein** to be predestined
Vorherrschaft f [pre]dominance
vorherrschend adj predominant, prevailing; (*weitverbreitet*) prevalent

Vorhersage [foːɐ̯'heːɐ̯zaːgə] f 1. METEO forecast 2. (*Voraussage*) prediction
vorher|sagen vt to predict
vorhersehbar adj foreseeable
vorher|sehen vt irreg to foresee
vorhin [foːɐ̯'hɪn] adv just [now]
vorig ['foːrɪç] adj attr last
Vorkehrung <-, -en> f precaution; ~**en treffen** to take precautions
vor|kommen vi irreg sein 1. (*passieren*) to happen; **das kann [schon mal]** ~ these things [can] happen; **das soll nicht wieder** ~ it won't happen again 2. (*vorhanden sein*) to be found 3. (*erscheinen*) to seem; **sich** dat [**irgendwie**] ~ to feel [somehow]
Vorladung f JUR summons
Vorlage f (*Muster*) pattern
vor|lassen vt irreg to let past
Vorläufer(in) m(f) precursor
vorläufig ['foːɐ̯lɔyfɪç] I. adj temporary; (*Ergebnis*) provisional II. adv for the time being
vorlaut ['foːɐ̯laut] adj impertinent
vor|lesen irreg I. vt [**jdm**] **etw** ~ to read out sep sth [to sb] II. vi to read aloud (**aus** from)
Vorlesung f lecture; **eine** ~ **halten** to give a lecture (**über** on)
vorletzte(r, s) ['foːɐ̯lɛtstə, -stɐ, -stəs] adj last but one
Vorliebe [foːɐ̯'liːbə] f preference (**für** for); **eine** ~ **haben** to have a particular liking (**für** of)
vor|machen vt 1. (*täuschen*) **jdm etw** ~ to fool sb; **sich** dat **etw** ~ to fool oneself; **machen wir uns doch nichts vor** let's not kid ourselves 2. (*zeigen*) **jdm etw** ~ to show sb [how to do] sth
Vormittag ['foːɐ̯mɪtaːk] m morning; **am**

|frühen/späten| ~ |early/late| in the morning

vormittags ['foɐ̯mɪtaːks] *adv* in the morning

Vormund <-[e]s, -e> ['foɐ̯mʊnt] *m* guardian

Vormundschaft <-, -en> ['foɐ̯mʊnt-ʃaft] *f* guardianship

vorn |fɔrn| *adv* at the front (**in** of); **nach** ~ to the front; **nach** ~ **fallen** to fall forward; **von** ~ from the front; (*von Anfang an*) from the beginning; **von** ~ **bis hinten** from beginning to end

Vorname *m* first name

vornehm ['foːɐ̯neːm] *adj* 1. (*edel*) noble; ~ **tun** to put on airs 2. (*elegant*) distinguished

vor|nehmen *vt irreg* 1. (*einplanen*) **sich** *dat* **etw** ~ to plan sth 2. (*fam*) **sich** *dat* **jdn** ~ to give sb a good talking-to 3. (*ausführen*) to carry out *sep;* **eine Untersuchung** ~ to do an examination

vornherein ['fɔrnhɛrain] *adv* **von** ~ from the start

vornüber |fɔrn'ʔyːbɐ| *adv* forwards

Vorort ['foːɐ̯ʔɔrt] *m* suburb

Vorrang *m kein pl* priority (**vor** over); **mit** ~ as a matter of priority

vorrangig *adj* priority *attr;* ~ **sein** to have priority

Vorrat <-[e]s, Vorräte> ['foːɐ̯raːt] *m* stocks *pl;* **etw auf** ~ **haben** to have sth in stock; **etw auf** ~ **kaufen** to stock up on sth; **Vorräte anlegen** to lay in stock[s *pl*]; **so lange der** ~ **reicht** while stocks last

vorrätig ['foːɐ̯rɛtɪç] *adj* **etw** ~ **haben** to have sth in stock

Vorrecht *nt* privilege

Vorrichtung <-, -en> *f* device

Vorruhestand *m* early retirement

Vorrunde *f* preliminary round

vor|sagen *vt* |jdm| **etw** ~ to whisper sth [to sb]

Vorsaison *f* low season

Vorsatz <-[e]s, Vorsätze> ['foːɐ̯zats] *m* resolution; **den** ~ **fassen, etw zu tun** to resolve to do sth

vorsätzlich ['foːɐ̯zɛtslɪç] I. *adj* deliberate II. *adv* deliberately

vor|schicken *vt* **jdn** ~ to send sb [on] ahead

vor|schieben *vt irreg* 1. (*vorschützen*) to use as an excuse 2. (*nach vorn schieben*) to push forward

vor|schießen *vt irreg* |jdm| **etw** ~ to advance [sb] sth

Vorschlag *m* proposal; |jdm| **einen** ~ **machen** to make a suggestion [to sb]; **auf jds** ~ [**hin**] on sb's recommendation

vor|schlagen *vt irreg* |jdm| **etw** ~ to propose sth [to sb]; **jdm** ~**, etw zu tun** to suggest that sb do sth

vorschnell I. *adj* rash II. *adv* rashly

vor|schreiben *vt irreg* **jdm etw** ~ to stipulate sth to sb; **jdm** ~**, was/wie ...** to tell sb what/how ...

Vorschrift *f* regulation; ~ **sein** to be the regulation[s]; **jdm** ~**en machen** to tell sb what to do; **nach** ~ to rule

vorschriftsmäßig *adj, adv* according to the regulations

Vorschule *f* nursery school

Vorschuss^RR <-es, Vorschüsse> *m*, **Vorschuß**^ALT <-sses, Vorschüsse> ['foːɐ̯ʃʊs] *m* FIN advance

vor|sehen *irreg* I. *vr* **sich** [**vor jdm**] ~ to watch out [for sb]; **sieh dich vor!** watch it! II. *vt* **jdn** ~ to designate sb (**für** for) III. *vi* ~**, dass/wie ...** to provide for the fact that/for how ...; **es ist vorgesehen,** [**dass ...**] it is

V

planned [that ...]

Vorsehung <-> ['foːɐ̯zeːʊŋ] *f kein pl* providence

Vorsicht <-> ['foːɐ̯zɪçt] *f kein pl* care; **mit ~** carefully; **zur ~** as a precaution; **~!** watch out!

vorsichtig I. *adj* careful **II.** *adv* carefully

vorsichtshalber *adv* as a precaution

Vorsichtsmaßnahme *f* precaution; **~n treffen** to take precautions

Vorsilbe *f* prefix

vor|singen *irreg vt* [jdm] etw ~ to sing sth [to sb]

Vorsitz ['foːɐ̯zɪts] *m* chairmanship; **den ~ haben** to be chairman/-woman; **den ~ bei etw** *dat* **haben** to chair sth

Vorsitzende(r) *f(m) dekl wie adj* chairman/-woman/-person

Vorsorge *f* provisions *pl;* **~ für etw** *akk* **treffen** to make provisions for sth

vor|sorgen *vi* to provide (**für** for)

Vorspeise *f* starter

Vorspiel *nt* foreplay

vor|spielen *vt* [jdm] etw ~ **1.** MUS to play sth [for sb] **2.** (*heucheln*) to put on sth for sb

Vorsprung *m* lead

Vorstadt *f* suburb

Vorstand *m* (*einer Firma*) board; (*Parteivorstand*) executive; (*Vereinsvorstand*) committee

Vorstandssitzung *f* board meeting

Vorsteher(in) <-s, -> ['foːɐ̯ʃteːɐ̯] *m(f)* head

vor|stellen I. *vt* **1.** sich *dat* etw ~ to imagine sth **2.** (*mit etw verbinden*) **unter dem Namen Schlüter kann ich mir nichts ~** the name Schlüter doesn't mean anything to me **3.** (*bekannt machen*) **jdm jdn ~** to intro-

duce sb to sb **4.** (*präsentieren*) **jdm etw ~** to present sth to sb **II.** *vr* **1.** sich [jdm] ~ to introduce oneself [to sb] **2.** (*vorstellig werden*) **sich ~** to go for an interview

Vorstellung *f* **1.** idea; **in jds ~** in sb's mind; **jds ~ entsprechen** to meet sb's requirements; **falsche ~en haben** to have false hopes **2.** THEAT performance; FILM showing

Vorstellungsgespräch *nt* interview

Vorstellungskraft *f kein pl*, **Vorstellungsvermögen** *nt kein pl* imagination

Vorstrafe *f* previous conviction

vor|täuschen *vt Unfall* to fake; *Interesse* to feign

Vortäuschung *f* pretence; **unter ~ falscher Tatsachen** under false pretences

Vorteil <-s, -e> ['foːɐ̯taɪl] *m* advantage; **im ~ sein** to have an advantage (**gegenüber** over); **von ~ sein** to be advantageous (**für** to)

Vortrag <-[e]s, Vorträge> ['foːɐ̯traːk] *m* lecture; **einen ~ halten** to give a lecture (**über** on)

vor|tragen *vt irreg* **1.** (*darlegen*) [jdm] etw ~ to present sth [to sb] **2.** *Gedicht* to recite; *Lied* to sing; *Musikstück* to play

vortrefflich [foːɐ̯ˈtrɛflɪç] **I.** *adj* excellent **II.** *adv* excellently

Vortritt *m* precedence; **jdm den ~ lassen** to let sb go first

vorüber [foˈryːbɐ] *adv* ~ **sein 1.** *räumlich* to have gone past; **wir sind an dem Geschäft sicher schon ~** we must have already passed the shop **2.** *zeitlich* to be over

vorüber|gehen [foˈryːbɐɡeːən] *vi irreg sein* **1.** an jdm/etw ~ to go past sb/

sth; **im V~** in passing **2.** *zeitlich* to pass; *Schmerz* to go

vorübergehend I. *adj* temporary **II.** *adv* for a short time

Vorurteil ['foːɐ̯ʔʊrtail] *nt* prejudice; **~e haben** to be prejudiced (**gegen** against); **das ist ein ~** that's prejudiced

vorurteilsfrei *adj* unbiased; (*Gutachter*) unprejudiced

Vorverkaufsstelle *f* advance ticket office

vor|verlegen *vt* **etw [auf etw** *akk*] **~** to bring sth forward [to sth]

Vorwahl *f* TELEK area code

Vorwand <-[e]s, Vorwände> ['foːɐ̯vant] *m* pretext; **unter einem ~** on a pretext

vorwärts ['foːɐ̯vɛrts] *adv* forward; **~!** move!

vorwärts|bringen^{RR} *vt* **jdn ~** to help sb make progress

Vorwärtsgang <-gänge> *m* forward gear

vorwärts|kommen^{RR} *vi* to get on

vorweg|nehmen [foːɐ̯'vɛkneːmən] *vt irreg* to anticipate

vor|werfen *vt irreg* **jdm etw ~** to reproach sb for sth

vorwiegend *adv* predominantly

vorwitzig *adj* cheeky

Vorwort <-worte> *nt* foreword

Vorwurf <-[e]s, Vorwürfe> *m* reproach; **jdm Vorwürfe machen** to reproach sb (**wegen** for)

vorwurfsvoll I. *adj* reproachful **II.** *adv* reproachfully

Vorzeichen *nt* omen

vor|zeigen *vt* [**jdm**] **etw ~** to show [sb] sth

Vorzeit ['foːɐ̯tsait] *f* prehistoric times

vorzeitig ['foːɐ̯tsaitɪç] *adj* early; *Tod* untimely

vor|ziehen *vt irreg* (*bevorzugen*) to prefer; **etw [einer S.** *dat*] **~** to prefer sth [to sth]; **ich ziehe es vor spazieren zu gehen** I'd rather go for a walk

Vorzimmer *nt* secretariat

Vorzug <-[e]s, Vorzüge> ['foːɐ̯tsuːk] *m* **1.** (*gute Eigenschaft*) asset **2.** (*Vorteil*) advantage

vorzüglich [foːɐ̯'tsyːglɪç] **I.** *adj* excellent **II.** *adv* excellently

Votum <-s, Voten> ['voːtʊm] *nt* vote

vulgär [vʊl'gɛːɐ̯] **I.** *adj* vulgar **II.** *adv* **sich ~ ausdrücken** to use vulgar language

Vulkan <-[e]s, -e> [vʊl'kaːn] *m* volcano

Vulkanausbruch *m* volcanic eruption

vulkanisch [vʊl'kaːnɪʃ] *adj* volcanic

W

W, w *nt* W, w

Waage <-, -n> ['vaːgə] *f* **1.** scales *npl* **2.** *kein pl* ASTROL Libra

waagerecht ['vaːgərɛçt] **I.** *adj* horizontal **II.** *adv* horizontally

Wabe <-, -n> ['vaːbə] *f* honeycomb

wach [vax] *adj* awake; **~ werden** to wake up

Wache <-, -n> ['vaxə] *f* **1.** *kein pl* **~ stehen** to be on guard duty **2.** (*Wachposten*) guard

wachen ['vaxn̩] *vi* (*auf etw achten*) **über etw** *akk* **~** to ensure that sth is done

Wacholder <-s, -> [va'xɔldɐ] *m* juniper

Wachs <-es, -e> [vaks] *nt* wax

wachsam ['vaxzaːm] *adj* vigilant

wachsen¹ <wuchs, gewachsen> ['vaksn̩] *vi sein* to grow; **in die Breite/Höhe ~** to grow broader/taller; **sich** *dat* **einen Bart ~ lassen** to grow a beard

wachsen² ['vaksn̩] *vt (mit Wachs)* to wax

Wachsfigurenkabinett *nt* waxworks *npl* **Wachstuch** *nt* oilcloth

Wachstum <-[e]s> ['vakstu:m] *nt kein pl* growth

Wachstumsschwäche *f* slow growth

Wächter(in) <-s, -> ['vɛçtɐ] *m(f)* **1.** guard **2.** (*Hüter*) guardian

Wach(t)turm *m* watchtower

Wackelkontakt *m* loose connection

wackeln ['vakl̩n] *vi* to wobble

Wade <-, -n> ['va:də] *f* calf

Waffe <-, -n> ['vafə] *f* weapon; **zu den ~n greifen** to take up arms

Waffel <-, -n> ['vafl̩] *f* waffle

Waffengewalt *f kein pl* armed force; **mit ~** by force of arms **Waffenschein** *m* firearms licence **Waffenstillstand** *m* ceasefire

Wagemut *m* daring *no indef art*

wagemutig *adj* daring

wagen ['va:gn̩] I. *vt* to risk; **es ~, etw zu tun** to dare [to] do sth II. *vr* **sich an etw** *akk* **~** to venture to tackle sth

Wagen <-, Wagen> ['va:gn̩] *m* **1.** cart **2.** (*Pkw*) car **3.** (*Waggon*) carriage

Wagenheber <-s, -> *m* jack

Waggon <-s, -s> [va'gɔŋ] *m* wag[g]on

waghalsig ['va:khalzıç] *adj* daring

Wagnis <-ses, -se> ['va:knɪs] *nt* risk; (*Vorhaben*) risky venture

Wahl <-, -en> [va:l] *f* **1.** POL election; **zur ~ gehen** to vote **2.** *kein pl* (*Auswahl*) choice; **eine ~ treffen** to make a choice; **jdm keine ~ lassen** to leave sb [with] no alternative

3. (*Klasse*) **erste/zweite ~** top quality/second-class quality

wahlberechtigt *adj* entitled to vote *pred*

wählen ['vɛ:lən] *vt, vi* **1.** POL [jdn/etw] **~** to vote [for sb/sth]; **jdn zu etw** *dat* **~** to elect sb as sth **2.** (*auswählen*) to choose **3.** TELEK to dial

Wähler(in) <-s, -> *m(f)* voter

Wahlergebnis *nt* election result

wählerisch ['vɛ:lərıʃ] *adj* particular

Wahlfach *nt* option **Wahlkampf** *m* election campaign **Wahlkreis** *m* constituency **Wahllokal** *nt* polling station

wahllos ['va:llo:s] I. *adj* indiscriminate II. *adv* indiscriminately

Wahlniederlage *f* electoral defeat **Wahlrecht** *nt kein pl* [right to] vote **Wahlschein** *m* postal vote form BRIT, absentee ballot AM **Wahlsieg** *m* election victory **Wahlspruch** *m* motto

Wahn <-[e]s> [va:n] *m kein pl* delusion

Wahnsinn *m kein pl* madness; **~!** wild!; **heller ~ sein** to be sheer madness; **jdn zum ~ treiben** to drive sb mad

wahnsinnig I. *adj* **1.** mad; **jdn ~ machen** to drive sb mad **2.** *Plan, Unternehmen* crazy **3.** *attr* (*gewaltig*) terrible II. *adv* terribly; **~ viel** a heck of a lot

Wahnsinnige(r) *f(m) dekl wie adj* madman *masc*, madwoman *fem*

wahr [va:ɐ] *adj* **1.** (*zutreffend*) true **2.** (*wirklich*) real; **~ werden** to become a reality

während ['vɛ:rənt] I. *präp +gen* during II. *konj* **1.** *zeitlich* while **2.** (*wohingegen*) whereas

wahrhaft ['va:ɐhaft] *adj attr* real

Wahrheit <-, -en> ['vaːɐ̯haɪt] *f* truth *no pl;* **die ~ sagen** to tell the truth
wahrheitsgetreu *adj* accurate
wahrnehmbar *adj* perceptible
wahr|nehmen ['vaːɐ̯neːmən] *vt irreg* to perceive
Wahrnehmung <-, -en> *f* perception *no pl*
wahr|sagen ['vaːɐ̯zaːgn̩] *vi* to tell fortunes
Wahrsager(in) <-s, -> ['vaːɐ̯zaːgɐ] *m(f)* fortune teller
Wahrsagung <-, -en> *f* (*Prophezeiung*) prediction
wahrscheinlich [vaːɐ̯'ʃaɪnlɪç] **I.** *adj* probable **II.** *adv* probably
Wahrscheinlichkeit <-, -en> *f* probability; **aller ~ nach** in all probability
Wahrscheinlichkeitsrechnung *f kein pl* MATH probability calculus
Währung <-, -en> ['vɛːrʊŋ] *f* currency
Währungsfonds *f* monetary fund **Währungsreform** *f* currency reform
Wahrzeichen ['vaːɐ̯tsaɪçn̩] *nt* landmark
Waise <-, -n> ['vaɪzə] *f* orphan
Waisenhaus *nt* orphanage
Wal <-[e]s, -e> [vaːl] *m* whale
Wald <-[e]s, Wälder> [valt] *m* forest
Waldbrand *m* forest fire **Waldmeister** *m* woodruff **Waldsterben** *nt* death of the forest[s] as a result of pollution **Waldweg** *m* forest path **Waldwirtschaft** *f kein pl* forestry
Wales <-> [weɪlz] *nt* Wales
Waliser(in) <-s, -> [va'liːzɐ] *m(f)* Welshman *masc,* Welsh woman *fem*
walisisch [va'liːzɪʃ] *adj* Welsh
Wall <-[e]s, Wälle> [val] *m* embankment
Wallfahrer(in) *m(f)* pilgrim
Wallfahrt ['valfaːɐ̯t] *f* pilgrimage

Walnuss^RR ['valnʊs] *f* walnut
Walross^RR, **Walroß**^ALT ['valrɔs] *nt* walrus
Walze <-, -n> ['valtsə] *f* roller
walzen ['valtsn̩] *vt* to roll
wälzen ['vɛltsn̩] **I.** *vt* to roll **II.** *vr* **sich ~** to roll
Walzer <-s, -> ['valtsɐ] *m* waltz; **Wiener ~** Viennese waltz
Wand <-, Wände> [vant] *f* wall
Wandel <-s> ['vandl̩] *m kein pl* change
wandeln ['vandl̩n] **I.** *vt* to change **II.** *vr* **sich ~** to change
Wanderer(in) <-s, -> ['vandərɐ] *m(f)* hiker
Wanderkarte *f* map of walks
wandern ['vandɐn] *vi sein* to hike
Wanderschaft <-> *f kein pl* **auf ~ sein** to be on one's travels
Wanderung <-, -en> ['vandərʊŋ] *f* hike; **eine ~ machen** to go on a hike
Wandteppich *m* tapestry
Wange <-, -n> ['vaŋə] *f* cheek
Wankelmotor *m* rotary piston engine
wankelmütig ['vaŋkl̩myːtɪç] *adj* inconsistent
wanken ['vaŋkn̩] *vi sein* (*wankend gehen*) to stagger
wann [van] *adv* when; **bis ~** until when; **[auch] immer** whenever; **seit ~** since when
Wanne <-, -n> ['vanə] *f* tub
Wanze <-, -n> ['vantsə] *f* bug
Wappen <-s, -> ['vapn̩] *nt* coat of arms
wappnen ['vapnən] *vr* **sich ~** to prepare oneself (**gegen** for)
Ware <-, -n> ['vaːrə] *f* (*zum Verkauf*) merchandise
Warenhaus *nt* department store
warm <wärmer, wärmste> [varm] *adj*

W

warm; **mir ist zu ~** I'm too hot; **etw ~ halten** to keep sth warm; **etw ~ machen** to heat sth up

Wärme <-> ['vɛrmə] *f kein pl* warmth

wärmen ['vɛrmən] *vt* to warm up

Wärmflasche *f* hot-water bottle

warmherzig *adj* warm-hearted

Warnblinkanlage *f* hazard warning lights *npl* **Warndreieck** *nt* hazard warning triangle

warnen ['varnən] *vt* to warn (**vor** about)

Warnhinweis *m* warning label **Warnlicht** *nt* hazard warning light **Warnschild** *nt* warning sign **Warnschuss**^{RR} *m* warning shot **Warnstreik** *m* token strike

Warnung <-, -en> *f* warning (**vor** about)

Warschau <-s> ['varʃau] *nt* Warsaw

Wartehalle *f* waiting room **Warteliste** *f* waiting list

warten¹ ['vartn̩] *vi* to wait (**auf** for)

warten² ['vartn̩] *vt* to service

Wärter(in) <-s, -> ['vɛrtɐ] *m(f)* warder BRIT, guard AM

Wartezimmer *nt* waiting room

Wartung <-, -en> *f* service

warum [va'rʊm] *adv* why; **~ nicht?** why not?

Warze <-, -n> ['vartsə] *f* wart

was [vas] *pron* **1.** what; **~ ist?** what's the matter? **2.** *s.* etwas

Waschanlage *f* car wash

waschbar *adj* washable

Waschbär *m* racoon

Waschbecken *nt* washbasin

Wäsche <-, -n> *f kein pl* washing; **etw in die ~ tun** to put sth in the wash

Wäscheklammer *f* [clothes] peg **Wäscheleine** *f* [clothes]line

waschen <wusch, gewaschen> ['vaʃn̩] *vt* to wash

Wäscherei <-, -en> [vɛʃə'rai] *f* laundry

Wäschetrockner <-s, -> *m* drier

Waschlappen *m* flannel **Waschmaschine** *f* washing machine **Waschmittel** *nt* detergent **Waschpulver** *nt* washing powder **Waschraum** *m* washroom **Waschsalon** *m* launderette BRIT, laundromat AM

Wasser <-s, -> ['vasɐ] *nt* water *no pl*

Wasserball *m kein pl* (*Spiel*) water polo **Wasserdampf** *m* steam **wasserdicht** *adj* watertight **Wasserfall** *m* waterfall **Wasserfarbe** *f* watercolour **Wasserhahn** *m* [water] tap [*or* AM faucet] **Wasserkraft** *f kein pl* water power **Wasserkraftwerk** *nt* hydroelectric power station **Wasserleitung** *f* water pipe **Wassermann** ['vasɐman] *m* Aquarius *no def art* **Wassermelone** *f* watermelon **Wasserpflanze** *f* aquatic plant **Wasserpistole** *f* water pistol **Wasserratte** *f* **1.** water rat **2.** (*fam*) keen swimmer **Wasserrohr** *nt* water pipe

wasserscheu *adj* scared of water

Wasserski *m kein pl* waterskiing **Wassersport** *m* water sports *npl* **Wasserstand** *m* water level **Wasserstoff** *m* hydrogen **Wasserstoffblondine** *f* (*hum fam*) peroxide blonde **Wasserstrahl** *m* jet of water **Wasserwaage** *f* spirit level **Wasserwelle** *f* MODE shampoo and set **Wasserwerk** *nt* waterworks + *sing/pl vb* **Wasserzeichen** *nt* watermark

waten ['va:tn̩] *vi sein* to wade

watscheln ['va:tʃl̩n] *vi sein* to waddle

Watt¹ <-s, -> [vat] *nt* PHYS watt

Watt² <-[e]s, -en> [vat] *nt* mudflats *npl*

Watte <-, -n> ['vatə] *f* cotton wool *no pl*

Wattebausch *m* wad of cotton wool **Wattestäbchen** *nt* cotton bud

weben <webte *o* (*geh*) wob, gewebt> ['ve:bn̩] *vt, vi* to weave

Weblog ['wɛblɔg] *nt* blog **Webseite** *f* INFORM web page **Website** <-, -s> ['wɛb,saɪt] *f* web site

Webstuhl *m* loom

Wechsel <-s, -> ['vɛksl̩] *m* 1. *kein pl* (*das Wechseln*) change; **in stündlichem ~** in hourly rotation 2. SPORT (*Übergabe*) changeover

Wechselgeld *nt* change

wechselhaft *adj* changeable

Wechseljahre *pl* menopause *no pl;* **in die ~ kommen** to reach the menopause **Wechselkurs** *m* exchange rate

wechseln ['vɛksl̩n] *vt, vi* to change

wechselseitig *adj* mutual

Wechselstrom *m* alternating current

wecken ['vɛkn̩] *vt* **jdn ~** to wake sb [up]; **von Lärm geweckt werden** to be woken by noise

Wecken ['vɛkn̩] *m* ÖSTERR, SÜDD (*Brötchen*) roll

Wecker <-s, -> ['vɛkɐ] *m* alarm clock

wedeln ['ve:dl̩n] *vi* **mit etw** *dat* **~** to wave sth

weder ['ve:dɐ] *konj* **~ ... noch ...** neither ... nor ...; **~ du noch er** neither you nor him; **~ noch** neither

weg [vɛk] *adv* 1. **~ mit dir!** away with you!; **~ sein** to have gone 2. **über etw** *akk* **~ sein** to have got over sth

Weg <-[e]s, -e> [ve:k] *m* way; (*Pfad*) path

weg|bleiben *vi irreg sein* to stay away

weg|bringen *vt irreg* to take away

wegen ['ve:gn̩] *präp* +*gen* because of

weg|fahren *irreg* I. *vi sein* to leave II. *vt haben* (*wegbringen*) to take away

weg|fliegen *vi irreg sein* to fly away

weg|führen *vt, vi* to lead away

weg|gehen *vi irreg sein* to go away

weg|jagen *vt* to drive away

weg|lassen *vt irreg* (*auslassen*) to leave out *sep*

weg|laufen *vi irreg sein* to run away (**vor** from)

weg|legen *vt* to put down

weg|mobben [-mɔbn̩] *vt* (*fam*) **jdn ~** to hound sb out of his/her job

weg|müssen *vi irreg* to have to go

weg|nehmen *vt irreg* **etw** [**von etw** *dat*] **~** to take sth [off sth]; **jdm etw ~** to take away sth *sep* from sb

weg|räumen *vt* to clear away *sep*

weg|schicken *vt* 1. *Post* to send off *sep* 2. *Person* to send away

weg|schütten *vt* to pour away *sep*

weg|sehen *vi irreg* to look away

weg|stellen *vt* to move out of the way

weg|stoßen *vt irreg* to push away *sep*

weg|tragen *vt irreg* to carry away *sep*

Wegweiser <-s, -> *m* signpost

weg|werfen *vt irreg* to throw away *sep*

weg|wischen *vt* to wipe away *sep*

weg|ziehen *vi irreg sein* to move away

weh [ve:] *adj* sore

wehen ['ve:ən] *vi Wind* to blow; *Fahne* to flutter

wehleidig *adj* oversensitive

wehmütig ['ve:my:tɪç] *adj* melancholy

Wehrdienst *m kein pl* military service; **den ~ verweigern** to refuse to do military service

Wehrdienstverweigerer *m* conscientious objector

W

wehren ['ve:rən] *vr* **sich ~** to defend oneself (**gegen** against); **sich dagegen ~, etw zu tun** to resist doing sth

wehrlos *adj* defenceless

Wehrpflicht *f kein pl* compulsory military service

Weib <-[e]s, -er> [vaip] *nt* (*pej veraltet*) woman

Weibchen <-s, -> ['vaipçən] *nt* female

Weiberheld *m* (*pej*) ladykiller

weiblich ['vaiplıç] *adj* 1. female 2. (*feminin*) feminine

Weiblichkeit <-> *f kein pl* femininity

weich [vaiç] *adj* soft

Weiche <-, -n> ['vaiçə] *f* points *npl*

weichen <wich, gewichen> ['vaiçn] *vi sein* 1. (*nachgeben*) **etw ~** to give way to sth 2. (*verschwinden*) **er wich nicht von der Stelle** he didn't budge from the spot

Weichkäse *m* soft cheese

weichlich *adj* weak

Weichling <-s, -e> ['vaiçlıŋ] *m* (*pej*) weakling

Weichsel <-> ['vaiksl̩] *f* GEOG **die ~** the Vistula

Weichspüler <-s, -> *m* fabric softener

Weide <-, -n> ['vaidə] *f* 1. BOT willow 2. AGR meadow

weiden ['vaidn̩] I. *vi Kuh* to graze II. *vr* **sich an etw** *dat* **~** to revel in sth

weigern ['vaigɐn] *vr* **sich ~** to refuse

Weigerung <-, -en> *f* refusal

Weihe <-, -n> ['vaiə] *f* REL consecration *no pl;* **die ~n empfangen** to take orders

weihen ['vaiən] *vt* to consecrate; **jdm geweiht sein** to be dedicated to sb

Weiher <-s, -> ['vaiɐ] *m* pond

Weihnachten <-, -> ['vainaxtn̩] *nt* Christmas; **fröhliche ~!** merry Christmas!

weihnachtlich *adj* Christmassy

Weihnachtsbaum *m* Christmas tree **Weihnachtsfeiertag** *m* **der erste ~** Christmas Day; **der zweite ~** Boxing Day **Weihnachtsgeld** *nt* Christmas bonus **Weihnachtsgeschenk** *nt* Christmas present **Weihnachtslied** *nt* carol **Weihnachtsmann** *m* Santa Claus **Weihnachtsmarkt** *m* Christmas fair

Weihrauch ['vairaux] *m* incense **Weihwasser** *nt* holy water

weil [vail] *konj* because

Weile <-> ['vailə] *f kein pl* while; **eine ganze ~** quite a while

Wein <-[e]s, -e> [vain] *m* wine

Weinbeere *f* grape **Weinberg** *m* vineyard **Weinbergschnecke** *f* edible snail **Weinbrand** *m* brandy

weinen ['vainən] *vi* to cry; **vor Freude ~** to cry with joy

weinerlich *adj* tearful

Weingut *nt* wine-growing estate **Weinkeller** *m* wine cellar **Weinlese** *f* grape harvest **Weinprobe** *f* wine-tasting **Weinstock** *m* grapevine

weise ['vaizə] *adj* wise

Weise <-, -n> ['vaizə] *f* way; **auf diese ~** in this way; **in gewisser ~** in certain respects

Weisheit <-> ['vaishait] *f kein pl* wisdom

Weisheitszahn *m* wisdom tooth

weis|machen *vt* **jdm ~, dass ...** to lead sb to believe, that ...

weiß [vais] *adj* white

Weissagung <-, -en> *f* prophecy

Weißbrot *nt* white bread **Weißkohl** *m*, **Weißkraut** *nt* SÜDD, ÖSTERR white cabbage **Weißwein** *m* white wine

Weisung <-, -en> *f* instruction; **auf ~ [von jdm]** on [sb's] instructions

weit [vait] **I.** *adj* wide; *Kleidung* baggy **II.** *adv* **1.** (*entfernt*) far; **am ~esten** furthest; **es noch ~ haben** to have a long way to go; **von ~em** from afar; **von ~ her** from far away; **~ weg** far away **2.** (*ganz*) wide; **etw ~ öffnen** to open sth wide **3.** (*erheblich*) far; **bei ~em** by far; **~ besser** far better; **~ gehend** extensive[ly]; **~ hergeholt** far-fetched; **~ reichend** extensive; **~ verbreitet** widespread **4.** *zeitlich* **~ zurückliegen** to be a long time ago

weitab ['vait'?ap] *adv* far away; **~ von etw** *dat* far from sth

weitaus ['vait'?aus] *adv* far

Weitblick *m kein pl* vision

Weite <-, -n> ['vaitə] *f* **1.** (*weite Ausdehnung*) expanse **2.** (*Durchmesser, Breite*) width

weiten ['vaitn̩] **I.** *vt* to widen **II.** *vr* **sich ~** to widen

weiter ['vaitɐ] *adv* further; **~ bestehen** to continue to exist; **und so ~** and so on

weiter|bilden *vr* **sich in etw** *dat* **~** to develop one's knowledge of sth

Weiterbildung *f* further education

weiter|bringen *vt irreg* to help along **weiter|führen** *vt* to continue **weiter|-geben** *vt irreg* to pass on *sep* (**an** to) **weiter|gehen** *vi irreg sein* to walk on; *Entwicklung* to go on

weiterhin ['vaitɐ'hɪn] *adv* furthermore

weiter|kommen *vi irreg sein* to get further (**mit** with) **weiter|machen** *vi* to continue

weither ['vait'heːɐ] *adv* (*geh*) from afar *form*

weithin ['vait'hɪn] *adv* **~ bekannt/beliebt/unbekannt** widely known/popular/largely unknown

weitreichend^ALT *adj s.* **weit II 3 weit-**

sichtig ['vaitzɪçtɪç] *adj* **1.** MED long-sighted BRIT, farsighted AM **2.** (*fig*) visionary **Weitsprung** *m kein pl* long-jump **Weitwinkelobjektiv** *nt* wide-angle lens

Weizen <-s, -> ['vaitsn̩] *m* wheat

welch [vɛlç] *pron* **~ [ein] what** [a]

welche(r, s) I. *pron interrog* which **II.** *pron rel* (*Mensch*) who; (*Sache*) which

welk [vɛlk] *adj* wilted

welken ['vɛlkn̩] *vi sein* to wilt

Wellblech *nt* corrugated iron

Welle <-, -n> ['vɛlə] *f* wave

wellen ['vɛlən] *vr* **sich ~** to be/become wavy

Wellenbrecher <-s, -> *m* breakwater **Wellenlinie** *f* wavy line **Wellensittich** *m* budgerigar

Welpe <-n, -n> ['vɛlpə] *m* pup

Wels <-es, -e> [vɛls] *m* catfish

Welt <-, -en> [vɛlt] *f* world; **auf der ~** in the world; **in aller ~** all over the world

Weltall *nt kein pl* universe **Weltanschauung** *f* philosophy of life **weltberühmt** *adj* world-famous **Weltbevölkerung** *f kein pl* world population **Weltbild** *nt* world view **Weltenbummler(in)** *m(f)* globetrotter **weltfremd** *adj* unworldly

Weltgeschichte *f kein pl* world history **Weltkarte** *f* world map **Weltkrieg** *m* world war; **der Erste/Zweite ~** World War One/Two **weltlich** ['vɛltlɪç] *adj* worldly **Weltmacht** *f* world power **weltmännisch** *adj* sophisticated **Weltmeer** *nt* ocean **Weltmeister(in)** *m(f)* world champion (**in** at) **Weltmeisterschaft** *f* world championship **Weltraum** *m kein pl* space **Welt-**

W

raumfähre *f* space shuttle **Weltraumfahrt** *f kein pl* space journey **Weltreise** *f* world trip; **eine ~ machen** to go on a journey around the world **Weltrekord** *m* world record **Weltsicherheitsrat** *m* Security Council **Weltstadt** *f* metropolis, international city **Weltuntergang** *m* end of the world

weltweit I. *adj* global II. *adv* globally **Weltzeit** *f kein pl* universal time **wem** [veːm] I. *pron interrog dat von s.* **wer** who ... to, to whom; **~ gehört dieser Schlüssel?** who does this key belong to?; **mit/von ~** with/from whom II. *pron rel dat von s.* **wer**: **~ ..., [der]** the person who ... to **wen** [veːn] I. *pron interrog akk von s.* **wer** who, whom; **an ~** who ... to; **für ~** who ... for II. *pron rel akk von s.* **wer**: **~ ..., [der]** the person who **Wende** <-, -n> ['vɛndə] *f* change **Wendeltreppe** *f* spiral staircase **wenden** ['vɛndn̩] I. *vr* <wendete *o geh* wandte, gewendet *o geh* gewandt> **sich an jdn ~** to turn to sb; **sich gegen etw** *akk* **~** to oppose sth; **sich irgendwohin ~** to turn to somewhere II. *vt* <wendete, gewendet> (*umdrehen*) to turn over *sep* III. *vi* <wendete, gewendet> AUTO to turn **Wendepunkt** *m* turning point **wendig** ['vɛndɪç] *adj* manoeuvrable **Wendung** <-, -en> *f* 1. turn 2. (*Redewendung*) expression **wenig** ['veːnɪç] I. *pron indef* **~ sein** to be not [very] much; **~e** a few II. *adv* little; **ein ~** a little; **nicht ~** more than a little; **zu ~** too little **weniger** ['veːnɪgɐ] *pron indef comp von s.* **wenig** less **wenigste(r, s)** I. *pron* **die ~n** very

few; **das ~, was ...** the least that ... II. *adv* **am ~n** least of all **wenigstens** ['veːnɪçstn̩s] *adv* at least **wenn** [vɛn] *konj* 1. (*falls*) if; **~ das so ist** if that's the way it is 2. (*sobald*) as soon as

wenngleich [vɛn'glaɪç] *konj* although **wer** [veːɐ] I. *pron interrog* who; **~ von ...** which of ... II. *pron rel* **~ ..., [der] ...** the person who ... whoever ... III. *pron indef* (*fam*) somebody **Werbekampagne** *f* advertising campaign

werben <wirbt, warb, geworben> ['vɛrbn̩] *vi* **für etw** *akk* **~** to advertise sth; **um eine Frau ~** to woo a woman; **um neue Wähler ~** to try to attract new voters

Werbeprospekt *m* promotional brochure **Werbeslogan** *m* advertising slogan **Werbespot** *m* commercial **Werbetext** *m* advertising [*or* publicity] copy *no pl, no indef art* **Werbung** <-> *f kein pl* 1. (*Branche*) advertising 2. (*Reklame*) advertisement; **~ für etw** *akk* **machen** to advertise sth

Werdegang <*selten* -gänge> *m* career

werden ['veːɐdn̩] I. *vi* <wurde, geworden> 1. (*sich zu etw ändern*) to become; **es wird dunkel** it is getting dark; **sie ist gerade 98 geworden** she has just turned 98; **alt ~** to get old; **kalt ~** to go cold; **jdm wird heiß/übel** sb feels hot/sick 2. (*Entwicklung*) **aus jdm wird etw** sb will turn out to be sth; **aus etw** *dat* **wird etw** sth turns into sth; **zu etw** *dat* **~** to turn into sth II. *vb aux* <wurde, worden> 1. *Futur* **etw tun ~** to be going to do sth 2. *Konjunktiv* **jd wür-**

de etw tun sb would do sth **3.** *in Bitten* **würde Sie sich bitte setzen?** would you please sit down? **III.** *vb aux* <wurde, worden> *Passiv* **sie wurde entlassen** she was dismissed

werfen <wirft, warf, geworfen> ['vɛrfn̩] *vt* to throw

Werft <-, -en> [vɛrft] *f* shipyard

Werk <-[e]s, -e> [vɛrk] *nt* **1.** work; **ans ~ gehen** to go to work **2.** (*Tat*) **ein gutes ~ tun** to do a good deed **3.** (*Fabrik*) factory

Werkbank <-bänke> *f* workbench **Werkstatt** *f* workshop **Werktag** *m* workday

werktags *adv* on workdays

Werkzeug <-[e]s, -e> *nt* tool *usu pl* **Werkzeugkasten** *m* toolbox

Wermut <-[e]s> ['ve:ɐ̯mu:t] *m kein pl* vermouth

wert [ve:ɐ̯t] *adj* [jdm] **etw ~ sein** to be worth sth [to sb]

Wert <-[e]s, -e> [ve:ɐ̯t] *m* **1.** value; **im ~e von etw** *dat* worth sth; **im ~ steigen** to increase in value; **an ~ verlieren** to decrease in value **2.** (*Wichtigkeit*) **~ auf etw** *akk* **legen** to attach value to sth

werten *vt* to rate

Wertkartenhandy [-hɛndi] *nt* TELEK *mobile phone using a payment card*

wertlos *adj* worthless

Wertminderung *f* depreciation **Wertpapier** *nt* FIN bond **Wertschätzung** *f* esteem

Wertung <-, -en> *f* SPORT rating

wertvoll *adj* valuable

Wertvorstellung *f* moral concept

Wesen <-s, -> ['ve:zn̩] *nt* **1.** being **2.** *kein pl* (*Natur*) nature

Wesenszug *m* characteristic

wesentlich ['ve:zn̩tlɪç] **I.** *adj* essential;

das W~e the essential part; **im W~en** essentially **II.** *adv* considerably

weshalb [vɛs'halp] *adv* why

Wespe <-, -n> ['vɛspə] *f* wasp

wessen ['vɛsn̩] *pron gen von s.* **wer** whose

Weste <-, -n> ['vɛstə] *f* waistcoat

Westen <-s> ['vɛstn̩] *m kein pl* west; **im/nach ~** in/to the west

Western <-[s], -> ['vɛstɐn] *m* western

Westfalen <-s> [vɛst'fa:lən] *nt* Westphalia **Westküste** *f* west coast

westlich ['vɛstlɪç] **I.** *adj* western **II.** *adv* **~ von etw** *dat* to the west of sth **III.** *präp* +*gen*; **~ einer S.** *gen* [to the] west of sth

westwärts ['vɛstvɛrts] *adv* westwards

Wettannahme *f* betting office

Wettbewerb <-[e]s, -e> ['vɛtbəvɛrp] *m* competition

Wettbewerber(in) *m(f)* competitor

Wette <-, -n> ['vɛtə] *f* bet; **um die ~ laufen** to race each other

wetteifern *vi* **miteinander ~** to contend with each other

wetten ['vɛtn̩] *vi* to bet (**auf** on); **~?** want to bet?; **um was wollen wir ~?** what shall we bet?

Wetter <-s, -> ['vɛtə] *nt kein pl* weather; **bei jedem ~** in all kinds of weather

Wetterbericht *m* weather report **Wetterdienst** *m* weather service

wettern ['vɛtɐn] *vi* [**gegen jdn/etw**] **~** to curse [sb/sth]

Wetterumschwung *m* sudden change in the weather **Wettervoraussage** *f*, **Wettervorhersage** *f* weather forecast

Wettkampf *m* competition **Wettlauf** *m* race

wett|machen ['vɛtmaxn̩] *vt* **etw ~** to

W

make up for sth

Wettrennen *nt s.* **Wettlauf**

Wettrüsten <-s> *nt kein pl* arms race

Wettstreit ['vɛtʃtrait] *m* contest

wetzen ['vɛtsn̩] *vt (schleifen)* to whet

wichsen ['viksn̩] *vt Schuhe* to polish

Wicht <-[e]s, -e> [vɪçt] *m (fam)* wimp

wichtig ['vɪçtɪç] *adj* important; **das W~ste** the most important thing

Wichtigtuer(in) [-tuːɐ] *m(f)*, ÖSTERR **Wichtigmacher(in)** *m(f)* stuffed shirt

Wickelkommode *f* [baby] changing table

wickeln ['vɪkl̩n] *vt* **1.** to wrap (**um** round) **2.** *Baby* to change

Wickelraum *m* babies' changing room

Widder <-s, -> ['vɪdɐ] *m* **1.** ram **2.** *kein pl* ASTROL Aries

wider ['viːdɐ] *präp +akk (geh)* against

widerlegen [viːdɐ'leːgn̩] *vt* to refute

widerlich ['viːdɐlɪç] *adj* disgusting

widerrechtlich I. *adj* unlawful II. *adv* unlawfully

Widerrede ['viːdɐreːdə] *f* **keine ~!** don't argue!; **ohne ~** without protest

Widersacher(in) <-s, -> ['viːdɐzaxɐ] *m(f)* antagonist

widersetzen [viːdɐ'zɛtsn̩] *vr* **sich jdm/etw ~** to resist sb/sth

widersinnig *adj* absurd

widerspenstig ['viːdɐʃpɛnstɪç] *adj* stubborn

wider|spiegeln ['viːdɐʃpiːgl̩n] I. *vt* to mirror II. *vr* **sich ~** to be reflected

widersprechen [viːdɐ'ʃprɛçn̩] *irreg* I. *vi* **jdm ~** to contradict sb II. *vr* **sich** *dat* **~** to be contradictory

Widerspruch ['viːdɐʃprʊx] *m* **1.** contradiction; **in ~ zu etw** *dat* **stehen** to conflict with sth **2.** JUR **~ einlegen** to file an objection

widersprüchlich ['viːdɐʃprʏçlɪç] *adj* contradictory

Widerstand <-[e]s> ['viːdɐʃtant] *m kein pl* resistance; **~ leisten** to put up resistance

widerstandsfähig *adj* resistant (**gegen** to)

Widerstandskraft *f* robustness

widerstehen [viːdɐ'ʃteːən] *vi irreg* to resist

widerstreben [viːdɐ'ʃtreːbn̩] *vi* **jdm widerstrebt es, etw zu tun** sb is reluctant to do sth

widerwärtig ['viːdɐvɛrtɪç] *adj* disgusting

Widerwille ['viːdɐvɪlə] *m* distaste (**gegen** for)

widerwillig I. *adj* reluctant II. *adv* reluctantly

widmen ['vɪtmən] I. *vt* **jdm etw ~** to dedicate sth to sb II. *vr* **sich etw** *dat* **~** to devote oneself to sth

Widmung <-, -en> ['vɪtmʊŋ] *f* dedication

widrig ['viːdrɪç] *adj* adverse

wie [viː] I. *adv* how?; **wie heißt er?** what's his name?; **~ geht's?** how are you?; **~ geht es Ihnen?** how do you do?; **~ ... auch [immer]** however; **~ bitte?** pardon?; **~ sehr** how much; **~ viel/viele** how much/many; **~ wär's mit ...?** how about ...? II. *konj* **1.** *(vergleichend)* **so alt ~ sie** as old as her; **er ist genau ~ du** he's just like you **2.** *(z.B.)* like **3.** *(fam)* **~ wenn** as if

wieder ['viːdɐ] *adv* again; **etw ~ einführen** to reintroduce sth; **jdn ~ eingliedern** to reintegrate sb; **etw ~ gutmachen** to make good sth

Wiederaufbau <-bauten> [viːdɐ'ʔaufbau] *m* reconstruction

wieder|auf|bauen *vt* to reconstruct

wieder|bekommen *vt irreg* to get back

wieder|beleben *vt* to revive

wieder|bringen ['viːdɐbrɪŋən] *vt irreg* to bring back

wieder|erhalten ['viːdɐˈʔɛɐ̯haltṇ] *vt irreg* (*geh*) s. **wiederbekommen**

wieder|erkennen *vt irreg* to recognize; **nicht wiederzuerkennen sein** to be unrecognizable

wieder|erlangen ['viːdɐˈʔɛɐ̯glaŋən] *vt* (*geh*) to regain

wieder|finden *irreg vr* **sich ~** to turn up again

Wiedergabe ['viːdɐɡaːbə] *f* (*Schilderung*) account

wieder|geben ['viːdɐɡeːbṇ] *vt irreg* **jdm etw ~** to give sth back to sb

Wiedergutmachung <-, -en> *f* compensation

wiederher|stellen [viːdɐˈheːɐ̯ʃtɛlən] *vt* to restore

wiederholen [viːdɐˈhoːlən] I. *vt* to repeat II. *vr* **sich ~** to repeat oneself

wiederholt I. *adj* repeated II. *adv* repeatedly

Wiederholung <-, -en> [viːdɐˈhoːlʊŋ] *f* repetition

wieder|käuen ['viːdɐkɔyən] *vt, vi* ZOOL to ruminate

Wiederkehr <-> ['viːdɐkeːɐ̯] *f kein pl* (*geh*) return

wieder|kehren ['viːdɐkeːrən] *vi sein* to return

wieder|kommen ['viːdɐkɔmən] *vi irreg sein* to come back

wieder|sehen ['viːdɐzeːən] *vt irreg* **jdn ~** to see sb again; **sich ~** to meet again

Wiedersehen <-s, -> ['viːdɐzeːən] *nt* [auf] ~! goodbye!; [auf] ~ **sagen** to say goodbye

Wiedervereinigung ['viːdɐfɛɐ̯ˈʔaɪnɪgʊŋ] *f* reunification **Wiederverwertung** *f* recycling

Wiege <-, -n> ['viːgə] *f* cradle

wiegen[1] <wog, gewogen> ['viːgṇ] *vt, vi* to weigh

wiegen[2] *vt Hüften* to sway

Wiegenlied *nt* lullaby

wiehern ['viːɐn] *vi* to neigh

Wien <-s> [viːn] *nt* Vienna

Wiener ['viːnɐ] *adj attr* Viennese

Wiese <-, -n> ['viːzə] *f* meadow

Wiesel <-s, -> ['viːzḷ] *nt* weasel

wieso [viˈzoː] *adv* why

wild [vɪlt] I. *adj* wild; **~ auf jdn/etw sein** to be crazy about sb/sth II. *adv* 1. wildly 2. BIOL **~ wachsen** to grow wild

Wild <-[e]s> [vɪlt] *nt kein pl* 1. wild animals 2. KOCHK game

Wildbret <-s> ['vɪltbrɛt] *nt kein pl* venison

Wilderer(in) <-s, -> ['vɪldərɐ] *m(f)* poacher

wildern ['vɪldɐn] *vi* to poach

Wildleder *nt* suede

Wildnis <-, -se> ['vɪltnɪs] *f* wilderness

Wildschwein *nt* wild boar

Wille <-ns> ['vɪlə] *m kein pl* will; **seinen eigenen ~n haben** to have a mind of one's own; **der gute ~** good will

willenlos *adj* spineless

Willenskraft *f kein pl* willpower **willensschwach** *adj* weak-willed **willensstark** *adj* strong-willed

willentlich ['vɪləntlɪç] *adj* deliberate

willig ['vɪlɪç] *adj* willing

willkommen [vɪlˈkɔmən] *adj* welcome; **seid/seien Sie ~!** welcome!; **jdn ~ heißen** to welcome sb

Willkommen <-s, -> [vɪlˈkɔmən] *nt* welcome

W

Willkür <-> ['vɪlkyːɐ̯] f kein pl arbitrariness

willkürlich ['vɪlkyːɐ̯lɪç] I. adj arbitrary II. adv arbitrarily

wimmeln ['vɪml̩n] vi es wimmelt von etw dat it is teeming with sth

wimmern ['vɪmɐn] vi to whimper

Wimper <-, -n> ['vɪmpɐ] f [eye]lash

Wimperntusche f mascara

Wind <-[e]s, -e> [vɪnt] m wind

Winde <-, -n> ['vɪndə] f winch

Windel <-, -n> ['vɪndl̩] f napkin BRIT, diaper AM

Windelhöschen nt nappy [or AM diaper] pants

winden <wand, gewunden> ['vɪndn̩] vr **sich** ~ 1. to wind 2. (vor Schmerz) to writhe (**vor** in)

Windhose f vortex **Windhund** m greyhound

windig ['vɪndɪç] adj windy

Windjacke f windcheater **Windmühle** f windmill

Windpocken pl chickenpox

Windrad nt wind turbine **Windrichtung** f wind direction **Windschatten** m slipstream **Windschutzscheibe** f windscreen BRIT, windshield AM

Windstärke f wind force **Windstille** f calm **Windstoß** m gust of wind

Wink <-[e]s, -e> [vɪŋk] m hint; **einen** ~ **bekommen** to receive a tip-off

Winkel <-s, -> ['vɪŋkl̩] m 1. angle; **rechter/spitzer/stumpfer** ~ a right/an acute/obtuse angle 2. (Ecke) corner

wink(e)lig ['vɪŋk(ə)lɪç] adj Gasse twisty

winken <gewinkt> ['vɪŋkn̩] I. vi to wave; **mit etw** dat ~ to wave sth; **einem Taxi** ~ to hail a taxi II. vt **jdn zu sich** dat ~ to beckon sb over to one

winseln ['vɪnzl̩n] vi to whimper; **um etw** akk ~ to plead for sth

Winter <-s, -> ['vɪntɐ] m winter

Winterkleidung f winter clothing

winterlich ['vɪntɐlɪç] adj wintry; ~**e Temperaturen** winter temperatures

Wintermantel m winter coat **Winterreifen** m winter tyre **Winterschlaf** m hibernation; ~ **halten** to hibernate **Wintersport** m winter sport

Winzer(in) <-s, -> ['vɪntsɐ] m(f) winegrower

winzig ['vɪntsɪç] adj tiny; ~ **klein** minute

Wipfel <-s, -> ['vɪpfl̩] m treetop

Wippe <-, -n> ['vɪpə] f seesaw

wir <gen unser, dat uns, akk uns> [viːɐ̯] pron pers we; ~ **nicht** not us

Wirbel <-s, -> ['vɪrbl̩] m 1. ANAT vertebra 2. (Trubel) turmoil

wirbellos adj BIOL invertebrate

wirbeln ['vɪrbl̩n] vi, vt sein to whirl

Wirbelsäule f spinal column

Wirbelsturm m whirlwind

Wirbeltier nt vertebrate

wirken ['vɪrkn̩] vi 1. (Wirkung haben) to have an effect; **etw auf sich** ~ **lassen** to take sth in 2. (scheinen) to seem

wirklich ['vɪrklɪç] I. adj real II. adv really

Wirklichkeit <-, -en> f reality; ~ **werden** to come true

wirksam ['vɪrkzaːm] adj effective

Wirkstoff m active substance

Wirkung <-, -en> ['vɪrkʊŋ] f effect

wirkungslos adj ineffective

wirkungsvoll adj effective

Wirkungsweise f [mode of] action

wirr [vɪr] adj 1. confused 2. (unordentlich) tangled

Wirren ['vɪrən] pl confusion sing

Wirrkopf *m* scatterbrain **Wirrwarr** <-s> ['vɪrvar] *m kein pl* tangle

Wirt(in) <-[e]s, -e> [vɪrt] *m(f)* landlord *masc,* landlady *fem*

Wirtschaft <-, -en> ['vɪrtʃaft] *f* 1. ÖKON economy 2. (*Gastwirtschaft*) pub BRIT, bar AM

wirtschaften ['vɪrtʃaftn] *vi* to keep house; **sparsam ~** to economize

Wirtschafterin <-, -nen> *f* housekeeper

wirtschaftlich ['vɪrtʃaftlɪç] *adj* 1. economic 2. (*sparsam*) economical

Wirtschaftlichkeit <-> *f kein pl* economy

Wirtschaftskriminalität *f* white-collar crime **Wirtschaftsminister(in)** *m(f)* Minister for Economic Affairs BRIT, Secretary of Commerce AM **Wirtschaftsordnung** *f* economic system **Wirtschaftspolitik** *f* economic policy **Wirtschaftswachstum** *nt kein pl* economic growth **Wirtschaftswissenschaft** *f meist pl* economics *sing*

Wirtshaus *nt* pub BRIT, bar AM

wischen ['vɪʃn] *vt* to wipe

wissbegierig^RR, **wißbegierig**^ALT *adj* eager to learn

wissen <wusste, gewusst> ['vɪsn] *vt* 1. to know; **wenn ich nur wüsste, ...** if only I knew ...; **weißt du noch?** do you remember?; **von nichts ~** to have no idea 2. **sich zu helfen ~** to be resourceful; **etw zu schätzen ~** to appreciate sth ▶ **von jdm/etw nichts [mehr] ~ wollen** to not want to have anything more to do with sb/sth

Wissen <-s> ['vɪsn] *nt kein pl* knowledge

Wissenschaft <-, -en> ['vɪsnʃaft] *f* science

Wissenschaftler(in) <-s, -> *m(f)* scientist

wissenschaftlich ['vɪsnʃaftlɪç] I. *adj* scientific II. *adv* scientifically

Wissenschaftsminister(in) *m(f)* POL Minister [*or* AM Secretary] of Science

Wissensdrang *m,* **Wissensdurst** *m* thirst for knowledge

wissentlich ['vɪsntlɪç] I. *adj* deliberate II. *adv* deliberately

wittern ['vɪtɐn] *vt* to smell

Witwe <-, -n> ['vɪtvə] *f* widow

Witwenrente *f* widow's pension

Witwer <-s, -> ['vɪtvɐ] *m* widower

Witz <-es, -e> [vɪts] *m* joke

Witzbold <-[e]s, -e> *m* joker

witzig ['vɪtsɪç] *adj* funny

wo [voː] *adv* where

woanders [vo'ʔandɐs] *adv* somewhere else

wobei [vo'bai] *adv* how; **~ ist das passiert?** how did that happen?

Woche <-, -n> ['vɔxə] *f* week

Wochenende ['vɔxn̩ʔɛndə] *nt* weekend; **schönes ~!** have a nice weekend!; **am ~** at the weekend **Wochenkarte** *f* weekly season ticket

wöchentlich ['vϾn̩tlɪç] *adj, adv* weekly

Wöchnerin <-, -nen> ['vϾnərɪn] *f woman who has recently given birth*

wodurch [vo'dʊrç] *adv* 1. *interrog* how? 2. *rel* which

wofür [vo'fyːɐ] *adv* 1. *interrog* what ... for 2. *rel* for which

Woge <-, -n> ['voːgə] *f* wave

wogegen [vo'geːgn̩] *adv* against what; **~ hilft dieses Mittel?** what is this medicine for?

woher [vo'heːɐ] *adv* where ... from

wohin [vo'hɪn] *adv* 1. *interrog* where [to]? 2. *rel* where

W

wohl¹ [vo:l] *adv* **1.** (*wahrscheinlich*) probably; ~ **kaum** hardly **2.** (*durchaus*) well; **das ist ~ wahr** that is perfectly true

wohl² [vo:l] *adv* (*gut*) well; ~ **bekomm's!** your good health!; **sich ~ fühlen** to feel well; **sich irgendwo ~ fühlen** to feel at home somewhere; ~ **geformt/genährt** well-formed/-fed

Wohl <-[e]s> [vo:l] *nt kein pl* welfare; **zum ~!** cheers!; **auf jds ~ trinken** to drink to sb's health

Wohlbefinden <-s> *nt kein pl* well-being **Wohlbehagen** <-s> *nt kein pl* feeling of well-being

Wohlfahrtsstaat *m* welfare state

wohlgemerkt ['vo:lgəmɛrkt] *adv* mind you

wohlgesinnt *adj* **jdm ~ sein** to be well-disposed towards sb

wohlhabend *adj* well-to-do

wohlmeinend *adj* well-meaning

Wohlstand *m kein pl* affluence

Wohlstandsgesellschaft *f* affluent society

Wohltäter(in) *m(f)* benefactor

wohltätig *adj* charitable

Wohltätigkeitsveranstaltung *f* charity event

wohltuend *adj* agreeable

Wohlwollen <-s> ['vo:lvɔlən] *nt kein pl* goodwill

wohlwollend **I.** *adj* benevolent **II.** *adv* benevolently

Wohnblock *m* block of flats BRIT, apartment building AM **Wohncontainer** *m* Portakabin® BRIT

wohnen ['vo:nən] *vi* to live

Wohnfläche *f* living space **Wohngebiet** *nt* residential area **Wohnheim** *nt* (*Studentenwohnheim*) student hostel; (*Arbeiterwohnheim*) hostel **Wohnmobil** <-s, -e> *nt* camper, RV AM **Wohnort** *m* place of residence **Wohnsitz** *m* domicile; **erster ~** main place of residence

Wohnung <-, -en> *f* flat BRIT, apartment AM

Wohnungsbau *m kein pl* house building; **sozialer ~** council houses **Wohnungsnot** *f kein pl* serious housing shortage

Wohnviertel *nt* residential area **Wohnwagen** *m* caravan BRIT, trailer AM **Wohnzimmer** *nt* living room

wölben ['vœlbn̩] *vr* **sich ~** to bend; **sich über etw** *akk* ~ to arch over sth

Wolf <-[e]s, Wölfe> [vɔlf] *m* wolf

Wolke <-, -n> ['vɔlkə] *f* cloud

Wolkenbruch *m* cloudburst **Wolkenkratzer** *m* skyscraper

wolkenlos *adj* cloudless

wolkig ['vɔlkɪç] *adj* cloudy

Wolldecke *f* [woollen] blanket

Wolle <-, -n> ['vɔlə] *f* wool

wollen¹ ['vɔlən] *adj attr* woollen

wollen² ['vɔlən] **I.** *vb aux* <will, wollte, wollen> *modal* **etw haben** ~ to want [to have] sth; **etw tun** ~ to want to do sth; **etw gerade tun** ~ to be [just] about to do sth **II.** *vi* <will, wollte, gewollt> to want; **wenn du willst** if you like; **ob du willst oder nicht** whether you like it or not; [**ganz**] **wie du willst** just as you like; **ich wollte, es wäre schon Weihnachten** I wish it were Christmas already; **irgendwohin ~** to want to go somewhere ▶ **wenn man so will** as it were **III.** *vt* <will, wollte, gewollt> **etw** [**von jdm**] ~ to want sth [from sb]; **etw lieber ~** to prefer sth

Wolljacke *f* woollen cardigan

wollüstig ['vɔlʏstɪç] *adj* lascivious

womit [vo'mɪt] *adv* **1.** *interrog* what ... with **2.** *rel* with which

womöglich [vo'møːklɪç] *adv* possibly

wonach [vo'naːx] *adv* what ... for; ~ **suchst du?** what are you looking for?

Wonne <-, -n> ['vɔnə] *f* delight

woran [vo'ran] *adv* **1.** *interrog* (*Gegenstand*) what ... on; ~ **soll ich das befestigen?** what should I fasten this to?; (*Umstand*) what ... of; ~ **denkst du?** what are you thinking of? **2.** *rel* (*Gegenstand*) on which; (*Umstand*) by which

worauf [vo'rauf] *adv* **1.** *interrog* what ... on; ~ **wartest du noch?** what are you waiting for? **2.** *rel* on which; (*woraufhin*) whereupon

woraus [vo'raus] *adv* **1.** *interrog* what ... out of **2.** *rel* from which

worin [vo'rɪn] *adv* **1.** *interrog* what ... in **2.** *rel* in which

Wort¹ <-[e]s, Wörter> [vɔrt] *nt* LING word; **im wahrsten Sinne des ~es** in the true sense of the word

Wort² <-[e]s, -e> *nt* **1.** *meist pl* (*Äußerung*) word *usu pl;* **mit anderen ~en** in other words; **ein ernstes ~ mit jdm reden** to have a serious talk with sb; **etw mit keinem ~ erwähnen** to not say a [single] word about sth; **jdm fehlen die ~e** sb is speechless; **ein gutes ~ für jdn einlegen** to put in a good word for sb **2.** *kein pl* (*Ehrenwort*) **sein ~ brechen/halten** to break/keep one's word; **jdn beim ~ nehmen** to take sb's word for it **3.** *kein pl* (*Rede[erlaubnis]*) **das ~ ergreifen** to begin to speak; **jdm das ~ erteilen** to allow sb to speak; **jdm ins ~ fallen** to interrupt sb; **zu ~ kommen** to get a chance to speak; **sich zu**

~ **melden** to ask to speak

Wortart *f* part of speech

Wörterbuch *nt* dictionary

wortkarg *adj* taciturn

wörtlich ['vœrtlɪç] **I.** *adj* literal **II.** *adv* word for word; **etw ~ nehmen** to take sth literally

wortlos I. *adj* silent **II.** *adv* without saying a word

Wortschatz *m* vocabulary **Wortschwall** <-[e]s> *m kein pl* torrent of words **Wortspiel** *nt* pun **Wortwechsel** *m* verbal exchange

wortwörtlich ['vɔrt'vœrtlɪç] *adj, adv* word-for-word

worüber [vo'ryːbɐ] *adv* **1.** *interrog* (*Thema*) what ... about; *räumlich* above which **2.** *rel* (*Thema*) what ... about; *räumlich* over which

worum [vo'rʊm] *adv* **1.** *interrog* (*Thema*) what ... about; ~ **handelt es sich?** what is this about?; (*Gegenstand*) what ... around **2.** *rel* (*Thema*) what ... about; (*Gegenstand*) around; **das Bein, ~ der Verband gewickelt ist,** ~ the leg the bandage is around ...

worunter [vo'rʊntɐ] *adv* **1.** *interrog* (*fig*) ~ **leidet Ihre Frau?** what is your wife suffering from? *räumlich* ~ **hattest du dich versteckt?** what did you hide under? **2.** *rel* under which; (*inmitten deren*) amongst which

wovon [vo'fɔn] *adv* **1.** *interrog* (*Thema*) what ... about; (*Gegenstand*) what ... from **2.** *rel* (*Thema*) about which; (*Gegenstand*) from which

wovor [vo'foːɐ] *adv* **1.** *interrog* (*fig*) what ... of; ~ **fürchtest du dich denn?** what are you afraid of? *räumlich* in front of what **2.** *rel* (*fig*) what ... of; *räumlich* in front of which

wozu [vo'tsuː] *adv* **1.** *interrog* ~ **soll**

W

das gut sein? what's the purpose of that?; ~ hast du das gemacht? what did you do that for? 2. *rel* (*Zweck*) for which reason

Wrack <-[e]s, -s> [vrak] *nt* wreck

wringen <wrang, gewrungen> ['vrɪŋən] *vt* to wring

Wucher <-s> ['vuːxɐ] *m kein pl* extortion

wucherisch ['vuːxərɪʃ] *adj* extortionate

wuchern ['vuːxɐn] *vi* 1. *sein o haben* HORT to grow rampant 2. *sein* MED to proliferate

Wucherpreis *m* (*pej*) extortionate price

Wuchs <-es> [vuːks] *m kein pl* 1. growth 2. (*Gestalt*) stature

Wucht <-> [vʊxt] *f kein pl* force; **mit voller ~** with full force

wuchtig ['vʊxtɪç] *adj* forceful

wühlen ['vyːlən] I. *vi* **in etw** *dat* ~ to rummage through sth (**nach** for) II. *vr* (*fam*) **sich durch etw** *akk* ~ to burrow one's way through sth

Wühlmaus *f* vole

Wulst <-[e]s, Wülste> [vʊlst] *m o f* bulge

wulstig ['vʊlstɪç] *adj Lippen* thick

wund [vʊnt] *adj* sore

Wunde <-, -n> ['vʊndə] *f* wound

Wunder <-s, -> ['vʊndɐ] *nt* miracle; **wie durch ein ~** miraculously

wunderbar ['vʊndɐbaːɐ̯] I. *adj* wonderful II. *adv* wonderfully

wundern [vʊndɐn] I. *vt* **jdn ~** to surprise sb; **das wundert mich** [**nicht**] I'm [not] surprised at that; **es wundert mich, dass ...** I am surprised that ... II. *vr* **sich ~** to be surprised (**über** at)

wunderschön ['vʊndɐ'ʃøːn] *adj* wonderful

wundervoll *adj s.* **wunderbar**

Wundsalbe *f* ointment

Wundstarrkrampf *m kein pl* tetanus

Wunsch <-[e]s, Wünsche> [vʊnʃ] *m* wish; (*stärker*) desire; **haben Sie sonst noch einen ~?** would you like anything else?; **auf jds ~** [**hin**] at/on sb's request; **mit besten Wünschen** best wishes

wünschen ['vʏnʃn] I. *vt* 1. (*als Geschenk*) **sich** *dat* **etw ~** to ask for sth; **was wünschst du dir?** what would you like? 2. (*erhoffen*) to wish; **jdm etw ~** to wish sb sth; **~, dass ...** to hope for ...; **jdm zum Geburtstag alles Gute ~** to wish sb a happy birthday; **jdm eine gute Nacht ~** to wish sb good night 3. (*haben wollen*) **sich** *dat* **etw ~** to want sth; **jemand wünscht Sie zu sprechen** somebody would like to speak with you; **was ~ Sie?** how may I help you? II. *vi* (*geh*: *wollen*) to want; **wie Sie ~** just as you wish; **nichts/viel zu ~ übrig lassen** to leave nothing/much to be desired

wünschenswert *adj* desirable

Würde <-, -n> ['vʏrdə] *f kein pl* dignity

würdelos *adj* undignified

Würdenträger(in) *m(f)* dignitary

würdevoll *adj* dignified

würdig ['vʏrdɪç] I. *adj* (*wert*) **einer S.** *gen* [**nicht**] ~ **sein** to be [not] worthy of sb/sth II. *adv* with dignity

würdigen ['vʏrdɪgn] *vt* to acknowledge; **etw zu ~ wissen** to appreciate sth

Wurf <-[e]s, Würfe> [vʊrf] *m* throw

Würfel <-s, -> ['vʏrfl] *m* 1. (*Spielwürfel*) dice 2. (*Kubus*) cube; **etw in ~ schneiden** to dice sth

Würfelbecher *m* shaker **würfelförmig** *adj* cube-shaped **Würfelspiel**

nt game of dice **Würfelzucker** *m* *kein pl* sugar cube[s]

Wurfpfeil *m* dart

würgen ['vʏrgŋ] I. *vi* to choke II. *vt* **jdn ~** to throttle sb

Wurm <-[e]s, Würmer> [vʊrm] *m* worm

wurmstichig ['vʊrmʃtɪçɪç] *adj Apfel* maggoty; *Holz* full of woodworm

Wurst <-, Würste> [vʊrst] *f* sausage

Würze <-, -n> ['vʏrtsə] *f* seasoning

Wurzel <-, -n> ['vʊrtsl̩] *f* root; **die ~ allen Übels** the root of all evil

würzen ['vʏrtsŋ] *vt* to season

würzig ['vʏrtsɪç] *adj* tasty

wüst [vy:st] *adj* 1. (*öde*) waste 2. (*unordentlich*) chaotic

Wüste <-, -n> ['vy:stə] *f* desert

Wüstling <-s, -e> ['vy:stlɪŋ] *m* debauchee

Wut <-> [vu:t] *f kein pl* rage; **seine ~ an jdm/etw auslassen** to take one's anger out on sb/sth; **eine ~ bekommen** to get into a rage; **~ haben** to be furious (**auf** with); **vor ~ kochen** to seethe with rage

Wutausbruch *m* outburst of rage

wüten ['vy:tŋ] *vi* to rage

wütend I. *adj* furious; **~ auf jdn sein** to be furious with sb II. *adv* furiously

X

X, x <-, -> [ɪks] *nt* 1. (*Buchstabe*) X, x 2. (*unbekannter Namen*) x; **Herr/Frau ~** Mr/Mrs X; **der Tag X** the day X 3. (*eine unbestimmte Zahl*) x amount of; **~ Bücher** x number of

books 4. MATH (*unbekannter Wert*) x

X-Beine ['ɪksbainə] *pl* knock-knees; **~ haben** to be knock-kneed

x-beinig *adj* knock-kneed

x-beliebig [ɪksbə'li:bɪç] *adj* (*fam*) any old

x-mal ['ɪksma:l] *adv* (*fam*) umpteen times

Xylophon <-s, -e> [ksylo'fo:n] *nt* Xylohone

Y

Y, y *nt* Y, y

Yacht <-, -en> [jaxt] *f* yacht

Yachthafen *m* marina

Yoga <-[s]> ['jo:ga] *m o nt* yoga

Yuppie <-s, -s> ['jʊpi] *m* yuppie

Z

Z, z *nt* Z, z

zaghaft ['tsa:khaft] *adj* timid

zäh [tsɛ:] *adj* tough

zähflüssig *adj* thick

Zahl <-, -en> [tsa:l] *f* number

zahlen ['tsa:lən] *vt, vi* to pay; [**bitte**] **~!** the bill please!

zählen ['tsɛ:lən] I. *vt* to count; (*dazurechnen*) **jdn zu etw** *dat* **~** to regard sb as belonging to sth II. *vi* 1. count 2. (*gehören*) to belong (**zu** to) 3. (*sich verlassen*) **auf jdn ~** to count on sb

zahlenmäßig I. *adj* numerical II. *adv*

in number **Zahlenschloss**^RR *nt* combination lock

Zähler <-s, -> *m* TECH meter

zahllos *adj* countless

zahlreich *adj* numerous

Zahltag *m* payday

Zahlung <-, -en> *f* payment

Zählung <-, -en> *f* count; (*Volkszählung*) census

Zahlungsanweisung *f* giro transfer order **Zahlungsempfänger(in)** *m(f)* HANDEL payee **Zahlungsfrist** *f* deadline (*period allowed for payment*)

Zahlwort <-wörter> *nt* numeral

zahm [tsa:m] *adj* tame

zähmen ['tsɛ:mən] *vt* to tame

Zähmung <-, -en> *f* taming

Zahn <-[e]s, Zähne> [tsa:n] *m* tooth; **fauler ~** rotten tooth; **mit den Zähnen knirschen** to grind one's teeth; **die zweiten Zähne** one's second set of teeth; **sich** *dat* **die Zähne putzen** to brush one's teeth; **sich** *dat* **einen ~ ziehen lassen** to have a tooth pulled

Zahnarzt, -ärztin *m, f* dentist **Zahnbelag** *m kein pl* plaque **Zahnbürste** *f* toothbrush

zahnen ['tsa:nən] *vi* to teethe

Zahnersatz *m* dentures *npl* **Zahnfleisch** *nt* gum[s *npl*] **Zahnfüllung** *f* filling

zahnlos *adj* toothless

Zahnlücke *f* gap between the teeth **Zahnmedizin** *f kein pl* dentistry *no pl* **Zahnpasta** *f* toothpaste **Zahnpflege** *f kein pl* dental hygiene **Zahnrad** *nt* cogwheel **Zahnradbahn** *f* rack railway **Zahnschmerzen** *pl* toothache *no pl* **Zahnseide** *f* dental floss **Zahnspange** *f* braces *npl* **Zahnstein** *m kein pl* tartar

Zahnstocher <-s, -> *m* toothpick **Zahnwurzel** *f* root [of a tooth]

Zange <-, -n> ['tsaŋə] *f* pliers *npl*

Zank <-[e]s> [tsaŋk] *m kein pl* quarrel

zanken ['tsaŋkn̩] *vi, vr* to quarrel

zänkisch ['tsɛŋkɪʃ] *adj* quarrelsome

Zäpfchen <-s, -> ['tsɛpfçən] *nt* **1.** ANAT uvula **2.** MED suppository

zapfen ['tsapfn̩] *vt* to draw; **gezapftes Bier** draught beer

Zapfen <-s, -> ['tsapfn̩] *m* **1.** BOT cone **2.** (*Eiszapfen*) icicle

Zapfhahn *m* tap **Zapfsäule** *f* petrol [*or* AM gas] pump

zappelig ['tsapəlıç] *adj* fidgety

zappeln ['tsapln̩] *vi* to wriggle; [mit etw *dat*] ~ to fidget [with sth] ▶ **jdn ~ lassen** (*fam*) to keep sb in suspense

Zar(in) <-en, -en> [tsa:ɐ̯] *m(f)* tsar *masc,* tsarina *fem*

zart [tsa:ɐ̯t] *adj* delicate; *Fleisch* tender

zärtlich ['tsɛ:ɐ̯tlıç] I. *adj* tender II. *adv* tenderly

Zärtlichkeit <-, -en> *f* **1.** *kein pl* tenderness **2.** *pl* (*Liebkosung*) caresses *npl*

Zauber <-s, -> ['tsaubɐ] *m* **1.** (*Magie*) magic; **fauler ~** humbug **2.** *kein pl* (*Reiz*) charm

Zauberei <-, -en> [tsaubə'rai] *f kein pl* magic

Zauberer, Zauberin <-s, -> ['tsaubɐ, 'tsaubərɪn] *m, f* **1.** sorcerer *masc,* sorceress *fem* **2.** (*Zauberkünstler*) magician

zauberhaft *adj* enchanting

Zauberkunststück *nt* magic trick

zaubern ['tsaubɐn] I. *vt* to conjure [up] II. *vi Magier* to perform magic; *Zauberkünstler* to do magic tricks

Zauberspruch *m* magic spell **Zauberstab** *m* wand

Zauderer, Zauderin <-s, -> ['tsau-dərə, 'tsaudərɪn] *m, f* ditherer

zaudern ['tsaudən] *vi* to hesitate

Zaum <-[e]s, Zäume> [tsaum] *m* **etw/jdn in ~ halten** to keep sth/sb in check

zäumen ['tsɔymən] *vt* **ein Tier ~** to bridle an animal

Zaun <-[e]s, Zäune> [tsaun] *m* fence

Zaunkönig *m* wren

z.B. *Abk von* **zum Beispiel** e.g.

Zebra <-s, -s> ['tse:bra] *nt* zebra

Zebrastreifen *m* zebra [*or* AM pedestrian] crossing

Zeche[1] <-, -n> ['tsɛçə] *f* BERGB coal mine

Zeche[2] <-, -n> ['tsɛçə] *f* (*Rechnung für Verzehr*) bill

zechen ['tsɛçn̩] *vi* (*fam*) to booze

Zechgelage *nt* (*fam*) carouse

Zecke <-, -n> ['tsɛkə] *f* tick

Zeder <-, -n> ['tse:dɐ] *f* BOT cedar

Zeh <-s, -en> [tse:] *m*, **Zehe** <-, -n> ['tse:ə] *f* toe

Zehennagel *m* toenail **Zehenspitze** *f* tip of the toe; **auf** [**den**] **~n gehen** to tiptoe

zehn [tse:n] *adj* ten; *s.a.* **acht**[1]

Zehner <-s, -> ['tse:nɐ] *m* MATH ten

zehnjährig, 10-jährig[RR] ['tse:njɛːrɪç] *adj* **1.** (*Alter*) ten years old *pred*, ten year old *attr* **2.** (*Zeitspanne*) ten-year *attr*

Zehnkampf ['tse:nkampf] *m* decathlon

zehnmal, 10-mal[RR] ['tse:nma:l] *adv* ten times

zehntausend ['tse:n'tauznt] *adj* ten thousand; **Z~e von ...** tens of thousands of ...

zehnte(r, s) ['tse:ntə, 'tse:ntɐ, 'tse:ntəs] *adj* tenth, 10th; *s.a.* **achte(r, s)**

Zehntel <-s, -> ['tse:ntl̩] *nt o* SCHWEIZ *m* **ein ~** a tenth

zehren ['tse:rən] *vi* **1. an jdm/etw ~** to wear sb/sth out; **an jds Nerven ~** to ruin sb's nerves **2. von Erinnerungen ~** to live in the past

Zeichen <-s, -> ['tsaiçn̩] *nt* **1.** (*Symbol*) symbol **2.** (*Markierung*) sign **3.** (*Hinweis*) sign **4.** (*Signal*) signal; **jdm ein ~ geben** to give sb a signal

Zeichenblock *m* sketch pad

Zeichensetzung <-> *f kein pl* punctuation

Zeichensprache *f* sign language **Zeichentrickfilm** *m* cartoon

zeichnen ['tsaiçnən] *vt* to draw

Zeichner(in) <-s, -> *m(f)* draughtsman *masc*, draughtswoman *fem*

Zeichnung <-, -en> *f* drawing

Zeigefinger *m* index finger

zeigen ['tsaign̩] **I.** *vt* to show **II.** *vi* **auf jdn/etw ~** to point at sb/sth **III.** *vr* **sich** [**jdm**] **~** to show oneself [to sb]; **sich von seiner besten Seite ~** to show oneself at one's best

Zeiger <-s, -> ['tsaigɐ] *m* (*Uhrzeiger*) hand; (*Messnadel*) needle

Zeile <-, -n> ['tsailə] *f* line; **jdm ein paar ~n schrieben** to drop sb a line

zeit [tsait] *präp* **~ meines/seines Lebens** all my/his life

Zeit <-, -en> [tsait] *f* **1.** (*zeitlicher Ablauf*) time; **mit der ~** in time; **~ raubend/sparend** time-consuming/-saving **2.** (*Zeitraum*) time; **haben Sie einen Augenblick ~?** have you got a moment to spare?; **einige/längere ~ dauern** to take some/a long time; **die ganze ~** [**über**] the whole time; **eine ~ lang** for a while; **sich** [**mit etw** *dat*] **~ lassen** to take one's time [with sth]; **in letzter ~** lately; **in nächster ~** in the near future; **sich**

Z

dat ~ **für jdn/etw nehmen** to devote time to sb/sth; **auf unbestimmte** ~ for an indefinite period **3.** (*Zeitpunkt*) time; **es ist höchste Zeit, dass ...** it's high time ...; **von** ~ **zu** ~ from time to time; **zur** ~ at the moment; **zu jeder** ~ at any time **4.** (*Epoche*) age; **mit der** ~ **gehen** to move with the times **5.** LING tense

Zeitalter *nt* age; **in unserem** ~ nowadays **Zeitarbeit** *f kein pl* temporary work **Zeitbombe** *f* time bomb **Zeitdruck** *m kein pl* time pressure **Zeiteinteilung** *f* time management

Zeitenwende *f* (*geh*) turning point [in history]

Zeitgeist *m kein pl* Zeitgeist

zeitgemäß *adj* up-to-date

Zeitgenosse, -genossin ['tsaitgənɔsə, -gənɔsɪn] *m, f* contemporary **zeitgenössisch** ['tsaitgənœsɪʃ] *adj* contemporary

zeitig ['tsaitɪç] *adj, adv* early

Zeitlang^ALT *f s.* **Zeit 2**

zeitlebens [tsait'le:bn̩s] *adv* all one's life

zeitlich I. *adj* chronological **II.** *adv* **etw** ~ **abstimmen** to synchronize sth; ~ **begrenzt** for a limited time

zeitlos *adj* timeless; ~**er Stil** style that doesn't date

Zeitlupe *f kein pl* slow motion *no art* **Zeitlupenwiederholung** *f* slow-motion replay **Zeitmangel** *m kein pl* lack of time **Zeitplan** *m* schedule **Zeitpunkt** *m* time **Zeitraffer** <-s> *m kein pl* time-lapse photography **Zeitraum** *m* period of time **Zeitrechnung** *f* calendar

Zeitschrift ['tsaitʃrɪft] *f* magazine

Zeitsoldat *m* regular soldier (*serving for a fixed term*) **Zeitspanne** *f* period of time **Zeittakt** *m* unit length

Zeitung <-, -en> ['tsaitʊŋ] *f* newspaper **Zeitungsartikel** *m* newspaper article **Zeitungsbeilage** *f* newspaper supplement **Zeitungspapier** *nt* newspaper **Zeitungsverkäufer(in)** *m(f)* person selling newspapers **Zeitverschwendung** *f kein pl* waste of time **Zeitvertreib** <-[e]s, -e> *m* pastime; **zum** ~ to pass the time

zeitweilig ['tsaitvailɪç] **I.** *adj* **1.** (*gelegentlich*) occasional **2.** (*vorübergehend*) temporary **II.** *adv s.* **zeitweise**

zeitweise *adv* **1.** (*gelegentlich*) occasionally **2.** (*vorübergehend*) temporarily

Zeitwort *nt* verb **Zeitzünder** *m* time fuse

zelebrieren [tsele'bri:rən] *vt* to celebrate

Zelle <-, -n> ['tsɛlə] *f* cell

Zellgewebe *nt* cell tissue **Zellkern** *m* nucleus **Zellstoff** ['tsɛlʃtɔf] *m* cellulose **Zellteilung** *f* cell division

Zellulitis <-, Zellulitiden> [tsɛlu'li:tɪs] *f* MED cellulitis

Zellulose <-, -n> [tsɛlu'lo:zə] *f* cellulose

Zelt <-[e]s, -e> [tsɛlt] *nt* tent; **ein** ~ **aufschlagen** to pitch a tent

zelten ['tsɛltn̩] *vi* to camp

Zeltlager *nt* camp **Zeltstange** *f* tent pole

Zement <-[e]s, -e> [tse'mɛnt] *m* cement

zementieren [tsemɛn'ti:rən] *vt* to cement

Zenit <-[e]s> [tse'ni:t] *m kein pl* zenith

zensieren [tsɛn'zi:rən] *vt* **1.** to censor **2.** SCH to mark

Zensor(in) <-s, -en> ['tsɛnzo:ɐ̯, tsɛn'zo:rɪn] *m(f)* censor

Zensur <-, -en> [tsɛnˈzuːɐ̯] *f* **1.** *kein pl* censorship **2.** SCH grade

Zentimeter [tsɛntiˈmeːtɐ] *m o nt* centimetre

Zentner <-s, -> [ˈtsɛntnɐ] *m* [metric] hundredweight, 50 kg; ÖSTERR, SCHWEIZ 100 kg

zentral [tsɛnˈtraːl] I. *adj* central II. *adv* centrally

Zentrale <-, -n> [tsɛnˈtraːlə] *f* ÖKON head office; (*Militär, Polizei*) headquarters + *sing/pl vb*

Zentralheizung *f* central heating

zentralisieren [tsɛntraliˈziːrən] *vt* to centralize

zentrieren [tsɛnˈtriːrən] *vt* to centre

Zentrifugalkraft *f* centrifugal force

Zentrifuge <-, -n> [tsɛntriˈfuːgə] *f* centrifuge

Zentrum <-s, Zentren> [ˈtsɛntrʊm] *nt* centre

Zepter <-s, -> [ˈtsɛptɐ] *nt* sceptre

zerbeißen [tsɛɐ̯ˈbaisn̩] *vt irreg* to chew [through *sep*]

zerbrechen *irreg* I. *vt haben* **etw ~** to break sth into pieces II. *vi sein* **1.** to break into pieces **2.** (*seelisch*) **an etw** *dat* **~** to be destroyed by sth

zerbrechlich *adj* fragile; (*zart*) frail

zerbröckeln *vi, vt* to crumble

zerdrücken *vt* to crush; *Kartoffeln* to mash

Zeremonie <-, -n> [tseremoˈniː] *f* ceremony

Zeremoniell <-s, -e> [tseremoˈnjɛl] *nt* ceremonial

Zerfall *m kein pl* decay

zerfallen *vi irreg sein* to decay

Zerfallsprodukt *nt* NUKL daughter product

zerfetzen *vt* **jdn/etw ~** to tear sb/sth to pieces

zerfetzt *adj Kleidung* ragged

zerfleischen [tsɛɐ̯ˈflaiʃn̩] I. *vt* **jdn/ein Tier ~** to tear sb/an animal to pieces II. *vr* **sich ~** to torture oneself

zerfließen *vi irreg sein* **vor Mitleid ~** to be overcome with compassion

zergehen *vi irreg sein* to melt (**in in**)

zerhacken *vt* to chop up

zerkleinern [tsɛɐ̯ˈklainɐn] *vt* to cut up *sep*

zerknirscht [tsɛɐ̯ˈknɪrʃt] *adj* remorseful

zerknittern *vt* to crease

zerknüllen *vt* to crumple up *sep*

zerkratzen *vt* to scratch

zerlegen *vt* to take apart *sep*

zermürben [tsɛɐ̯ˈmʏrbn̩] *vt* to wear down *sep*

zerquetschen *vt* **1.** *Bein* to squash **2.** *Kartoffeln* to mash

zerreiben *vt irreg* to crush

zerreißen *irreg* I. *vt haben* **1.** (*in Stücke*) **etw ~** to tear sth to pieces **2.** (*durchreißen*) to tear II. *vi sein* to tear; *Seil* to break

zerren [ˈtsɛrən] I. *vt* to drag II. *vi* to tug (**an at**); **an den Nerven ~** to be nerve-racking III. *vr* MED **sich** *dat* **etw ~** to pull sth

zerrinnen *vi irreg sein* to melt away

Zerrung <-, -en> *f* MED pulled muscle

zerschellen *vi sein* to be smashed to pieces

zerschlagen¹ *irreg* I. *vt* **1. etw ~** to smash sth to pieces **2.** (*fig*) to break up *sep; Angriff* to crush II. *vr* **sich ~** to fall through

zerschlagen² *adj pred* shattered

zerschmettern *vt* to shatter

zerschneiden *vt irreg* to cut up *sep*

zersetzen I. *vt* to corrode II. *vr* **sich ~** to decompose

zersplittern I. *vt haben* to shatter

Z

II. *vi sein* to splinter

zerspringen *vi irreg sein* **1.** (*in Stücke gehen*) to shatter **2.** (*einen Sprung bekommen*) to crack

Zerstäuber <-s, -> *m* atomizer

zerstören *vt* to destroy

zerstörerisch *adj* destructive

Zerstörung <-, -en> *f kein pl* destruction

zerstreuen I. *vt Sorgen, Zweifel* to dispel **II.** *vr* sich ~ *Menge* to disperse

zerstreut *adj* **1.** (*gedankenlos*) absent-minded **2.** (*weit verteilt*) scattered

Zerstreuung <-, -en> *f* diversion

zertrampeln *vt* to trample

zertreten *vt irreg* to crush

zertrümmern [tsɛɐˈtrʏmən] *vt* to smash

zerzaust *adj Haar* tousled

zetern [ˈtseːtən] *vi* to nag

Zettel <-s, -> [ˈtsɛtl̩] *m* piece of paper

Zeug <-[e]s> [tsɔyk] *nt kein pl* **1.** (*fam*) stuff; **altes ~** junk **2.** (*fam: Quatsch*) crap; **dummes ~ reden** to talk a load of nonsense

Zeuge, Zeugin <-n, -n> [ˈtsɔygə, ˈtsɔygɪn] *m, f* witness

zeugen¹ [ˈtsɔygn̩] *vt* (*geh*) **jdn ~** to father sb

zeugen² [ˈtsɔygn̩] *vi* **von etw** *dat* ~ to show sth

Zeugenaussage *f* testimony

Zeugnis <-ses, -se> [ˈtsɔyknɪs] *nt* **1.** SCH report **2.** (*Arbeitszeugnis*) reference

zeugungsfähig *adj* fertile

zeugungsunfähig *adj* sterile

z.H(d). *Abk von* **zu Händen** attn.

Zickzack [ˈtsɪktsak] *m* zigzag; **im ~ gehen/fahren** to zigzag

Ziege <-, -n> [ˈtsiːgə] *f* goat

Ziegel <-s, -> [ˈtsiːgl̩] *m* **1.** (*Ziegelstein*) brick **2.** (*Dachziegel*) tile

Ziegenbock *m* billy goat **Ziegenkäse** *m* goat's cheese **Ziegenleder** *nt* kidskin

ziehen <zog, gezogen> [ˈtsiːən] **I.** *vt haben* **1.** to pull; **zieh bitte die Vorhänge vor die Fenster** please draw the curtains; **die Rollläden nach oben ~** to pull up the blinds; **jdn an den Haaren ~** to pull sb's hair **2.** (*herausziehen*) *Fäden, Zahn* to take out; *Los, Revolver* to draw **3.** (*züchten*) *Pflanzen* to grow; *Tiere* to breed **4.** *Linie* to draw **5.** (*anziehen*) **etw auf sich ~** to attract sth; **jdn ins Gespräch ~** to draw sb into the conversation **6.** (*zur Folge haben*) **etw nach sich** *dat* ~ to have consequences **II.** *vi* **1.** *haben* (*zerren*) to pull (**an** on) **2.** *sein* (*umziehen*) **nach München ~** to move to Munich; **sie ist zu ihrem Freund gezogen** she moved in with her boyfriend **3.** *sein* (*irgendwohin gehen*) *Menschenmenge* to march; **in den Krieg ~** to go to war; **durch die Stadt ~** to wander through the city **4.** *haben* **an der Zigarette ~** to pull on one's cigarette **5.** *haben: Tee* to brew **6.** SCHACH to move **III.** *vi impers haben* **es zieht** there is a draught **IV.** *vt impers haben* **mich zieht es stark zu ihm** I feel very attracted to him **V.** *vr haben* **sich ~** *Gespräch* to drag on

Ziehharmonika *f* concertina

Ziehung <-, -en> *f* draw

Ziel <-[e]s, -e> [tsiːl] *nt* **1.** goal; **am ~ sein** to be at one's destination; **sich** *dat* **ein ~ setzen** to set oneself a goal **2.** SPORT, MIL target; **ins ~ treffen** to hit the target **3.** (*Rennen*) finish;

durchs ~ **gehen** to cross the finishing line **4.** (*Reiseziel*) destination

zielen ['tsi:lən] *vi* to aim (**auf** at)

Zielgruppe *f* target group

ziellos I. *adj* aimless **II.** *adv* aimlessly

Zielort *m* destination **Zielscheibe** *f* target **zielsicher** *adj* unerring **zielstrebig** ['tsi:lʃtre:bɪç] **I.** *adj* single-minded **II.** *adv* single-mindedly

ziemlich ['tsi:mlɪç] **I.** *adj attr* considerable **II.** *adv* **1.** (*weitgehend*) quite **2.** (*beinahe*) almost; **so ~** more or less; **so ~ alles** just about everything; **so ~ dasselbe** pretty much the same

zieren ['tsi:rən] **I.** *vr* **sich ~** to make a fuss; *Mädchen* to act coyly **II.** *vt* to adorn

zierlich ['tsi:ɐlɪç] *adj* dainty

Zierpflanze *f* ornamental plant

Ziffer <-, -n> ['tsɪfɐ] *f* (*Zahlzeichen*) digit; (*Zahl*) figure

Zifferblatt *nt* face

zig [tsɪç] *adj* (*fam*) umpteen; **~mal** umpteen times

Zigarette <-, -n> [tsiga'rɛtə] *f* cigarette

Zigarettenautomat *m* cigarette machine **Zigarettenpackung** *f* cigarette packet [*or* AM pack]

Zigarillo <-s, -s> [tsiga'rɪlo] *m o nt* cigarillo

Zigarre <-, -n> [tsi'garə] *f* cigar

Zigarrenkiste *f* cigar-box

Zigeuner(in) <-s, -> [tsi'ɡɔynɐ] *m(f)* Gypsy

Zikade <-, -n> [tsi'ka:də] *f* cicada

Zimmer <-s, -> ['tsɪmɐ] *nt* room

Zimmerkellner(in) *m(f)* room service waiter/waitress **Zimmermädchen** *nt* chambermaid **Zimmermann** <-leute> *m* carpenter **Zimmerpflanze** *f* house plant **Zimmertemperatur** *f* room temperature **Zimmervermitt-**

lung *f* accommodation [*or* AM accommodations] service

zimperlich ['tsɪmpɐlɪç] *adj* **sei nicht so ~** don't be such a sissy

Zimt <-[e]s, -e> [tsɪmt] *m* cinnamon

Zink <-[e]s> [tsɪŋk] *nt kein pl* zinc

Zinke <-, -n> ['tsɪŋkə] *f Rechen* tooth; *Gabel* prong

zinken ['tsɪŋkn̩] *vt* KARTEN to mark

Zinn <-[e]s> [tsɪn] *nt kein pl* tin

zinnoberrot *adj* vermilion

Zinnsoldat *m* tin soldier

zinslos *adj* interest free

Zinssatz *m* rate of interest

Zipfel <-s, -> ['tsɪpfl̩] *m* corner; *Hemd, Jacke* tail

Zipfelmütze *f* pointed cap

zirka ['tsɪrka] *adv* about

Zirkel <-s, -> ['tsɪrkl̩] *m* **1.** pair of compasses **2.** (*Gruppe*) group

Zirkulation <-, -en> [tsɪrkula'tsjo:n] *f* circulation

Zirkus <-, -se> ['tsɪrkʊs] *m* circus

Zirkuszelt *nt* big top

zischen ['tsɪʃn̩] *vi* to hiss

Zitadelle <-, -n> [tsita'dɛlə] *f* citadel

Zitat <-[e]s, -e> [tsi'ta:t] *nt* quotation

Zither <-, -n> ['tsɪtɐ] *f* zither

zitieren [tsi'ti:rən] *vt* to quote

Zitrone <-, -n> [tsi'tro:nə] *f* lemon

Zitrusfrucht ['tsi:trʊs-] *f* citrus fruit

zitterig ['tsɪtərɪç] *adj* shaky

zittern ['tsɪtɐn] *vi* to tremble; **vor Angst ~** to quake with fear

Zitze <-, -n> ['tsɪtsə] *f* teat

zivil [tsi'vi:l] *adj* civilian

Zivil <-s> [tsi'vi:l] *nt kein pl* civilian clothes *npl*

Zivilbevölkerung *f* civilian population **Zivilcourage** *f* courage [of one's convictions] **Zivildienst** *m kein pl* *community service as alternative to*

Z

military service

Zivilisation <-, -en> [tsiviliza'tsi̯oːn] *f* civilization

Zivilisationskrankheit *f illness caused by civilization*

zivilisiert I. *adj* civilized **II.** *adv* civilly

Zivilist(in) <-en, -en> [tsivi'lɪst] *m(f)* civilian

Zivilrecht *nt* civil law

Zobel <-s, -> ['tsoːbl̩] *m* sable

zögern ['tsøːgən] *vi* to hesitate; **ohne zu ~** without hesitation

Zölibat <-[e]s, -e> [tsøli'baːt] *nt o m* celibacy *no pl*

Zoll[1] <-[e]s, -> [tsɔl] *m (Maß)* inch

Zoll[2] <-[e]s, Zölle> [tsɔl] *m* **1.** customs duty; **für etw ~ bezahlen** to pay duty on sth **2.** *kein pl (Zollverwaltung)* customs *npl*

Zollabfertigung *f* customs clearance

Zollamt *nt* customs office **Zollerklärung** *f* ÖKON customs declaration

zollfrei *adj* duty-free **Zollkontrolle** *f* customs check

zollpflichtig *adj* dutiable

Zollstock *m* ruler

Zombie <-[s], -s> ['tsɔmbi] *m* zombie

Zone <-, -n> ['tsoːnə] *f* zone

Zoo <-s, -s> [tsoː] *m* zoo

Zoologie <-> [tsoolo'giː] *f kein pl* zoology

Zopf <-[e]s, Zöpfe> [tsɔpf] *m* plait, AM *usu* braid

Zorn <-[e]s> [tsɔrn] *m kein pl* anger; **im ~** in anger; **in ~ geraten** to fly into a rage

Zornesausbruch *m* fit of anger [*or* rage]

zornig ['tsɔrnɪç] *adj* angry (**auf** with)

Zote <-, -n> ['tsoːtə] *f* dirty joke

zottelig ['tsɔtəlɪç] *adj (fam)* shaggy

zu [tsuː] **I.** *präp* +*dat* to **1.** (*örtlich: Richtung*) to; **ich muss ~m Arzt** I must go to the doctor's; **setz dich ~ uns** [come and] sit with us; **~m Meer/zur Stadtmitte hin** towards the sea/city centre; **~r Tür herein/hinaus** in/out the door **2.** (*örtlich: Lage*) at; **~ Hause** at home; **~ Fuß/Pferd** on foot/horseback; **~ seiner Rechten/Linken** on his right/left [hand side] **3.** *zeitlich* at; **bis ~m Montag** until Monday; **~m Monatsende kündigen** to give in one's notice for the end of the month; **~ Ostern/Weihnachten** at Easter/Christmas **4.** (*anlässlich*) **jdn ~m Essen einladen** to invite sb for a meal; **etw ~m Geburtstag/~ Weihnachten bekommen** to get sth for one's birthday/for Christmas **5.** (*für etw bestimmt*) **Wasser ~m Trinken** drinking water; **das Zeichen ~m Aufbruch** the signal to leave **6.** (*Veränderung*) **jdn/etw ~ etw machen** to make sb/sth into sth; **~ etw werden** to turn into sth **7.** (*Beziehung*) **aus Freundschaft ~ jdm** because of one's friendship with sb; **Liebe ~ jdm** love for sb **8.** (*Verhältnis*) **im Verhältnis 1 ~ 4** in the ratio of one to four; SPORT **sie gewannen mit 5 ~ 1** they won five-one; **sechs [Stück] ~ fünfzig Cent** six for fifty cents; **wir sind ~ fünft in den Urlaub gefahren** five of us went on holiday together; **~m halben Preis** at half price **9.** (*als*) **~m Beispiel** for example; **~r Belohnung** as a reward; **~m Glück** luckily; **~r Strafe/Warnung** as a punishment/warning **II.** *adv* **1.** (*allzu*) too; **~ sehr** too much; **ich wäre ~ gern mitgefahren** I would have loved to have gone along **2.** (*ge-*

schlossen) closed; **Tür ~!** shut the door!; **die Geschäfte haben sonntags ~** stores are closed on Sundays **III.** *konj* **1.** *mit infin* to; **etw ~ essen** sth to eat; **sie hat ~ gehorchen** she has to obey; **ohne es ~ wissen** without knowing it **2.** *mit Partizip* **der ~ Prüfende** the candidate to be examined; **nicht ~ unterschätzende Probleme** problems [that are] not to be underestimated

Zubehör <-[e]s, -e> ['tsu:bəhø:ɐ̯] *nt o m* equipment *no pl*

zu|bereiten *vt* [jdm] **etw ~** to prepare sth [for sb]

Zubereitung <-, -en> *f* preparation

zu|billigen *vt* **jdm etw ~** to grant sb sth

zu|binden *vt irreg* to tie; **die Schuhe ~** to lace up shoes

zu|bringen *vt irreg* *Zeit* to spend

Zucchini <-, -> [tsʊ'ki:ni] *f meist pl* courgette BRIT, zucchini AM

Zucht <-> [tsʊxt] *f kein pl* (*Pflanzenzucht*) cultivation; (*Tierzucht*) breeding

Zuchtbulle *m* breeding bull

züchten ['tsʏçtn̩] *vt Pflanzen* to grow; *Tiere* to breed

Züchter(in) <-s, -> *m(f)* (*Tierzüchter*) breeder; (*Pflanzenzüchter*) grower

Zuchthaus *nt* HIST prison

Zuchthengst *m* stud horse

zucken ['tsʊkn̩] *vi* **1.** to twitch; **mit den Achseln ~** to shrug one's shoulders; **ohne mit der Wimper zu ~** without batting an eyelid **2.** *Blitz* to flash

zücken ['tsʏkn̩] *vt Messer* to draw

Zucker[1] <-s, -> ['tsʊkɐ] *m* sugar *no pl*

Zucker[2] <-s> ['tsʊkɐ] *m kein pl* MED diabetes

Zuckerdose *f* sugar bowl **Zuckerguss**[RR] *m* icing *no art*

zuckerig ['tsʊkərɪç] *adj* sugary

zuckerkrank *adj* diabetic

Zuckerkranke(r) *f(m)* *dekl wie adj* diabetic **Zuckerrohr** *nt* sugar cane *no art, no pl* **Zuckerrübe** *f* sugar beet *no art, no pl*

Zuckung <-, -en> *f meist pl* twitch

zu|decken *vt* to cover [up *sep*]

zudem [tsu'de:m] *adv* furthermore

zu|drehen I. *vt* **1.** *Wasserhahn* to turn off *sep* **4.** (*zuwenden*) **jdm den Rücken ~** to turn one's back on sb **II.** *vr* **sich jdm ~** to turn to[wards] sb

zudringlich ['tsu:drɪŋlɪç] *adj* pushy

zueinander [tsu?ai'nandɐ] *adv* to each other; **~ passen** *Menschen* to suit each other; *Farben, Kleider* to go well together

zuerst [tsu'?e:ɐ̯st] *adv* **1.** (*als erster*) the first; (*als erstes*) first **2.** (*anfangs*) at first **3.** (*erstmals*) for the first time

Zufahrt ['tsu:fa:ɐ̯t] *f* entrance

Zufahrtsstraße *f* (*zur Autobahn*) approach road

Zufall *m* coincidence; (*Schicksal*) chance; **das ist ~** that's a coincidence

zufällig I. *adj* chance **II.** *adv* by chance; **rein ~** by pure chance; **jdn ~ treffen** to happen to meet sb

Zuflucht <-, -en> ['tsu:flʊxt] *f* refuge

zufolge [tsu'fɔlgə] *präp* +*dat* according to

zufrieden [tsu'fri:dn̩] **I.** *adj* (*befriedigt*) satisfied; (*glücklich*) contented **II.** *adv* with satisfaction; (*glücklich*) contentedly

zufrieden|geben[RR] *vi* **sich** [**mit etw** *dat*] **~** to be satisfied/content[ed] [with sth]

Zufriedenheit <-> *f kein pl* satisfac-

Z

tion *no art;* (*Glücklichsein*) content-
edness *no art*

zu|frieren *vi irreg sein* to freeze [over]

zu|fügen *vt* to cause; **jdm eine Ver-
letzung** ~ to harm sb; **jdm Unrecht**
~ to do sb an injustice

Zug¹ <-[e]s, Züge> [tsuːk] *pl m* (*Bahn*)
train

Zug² <-[e]s, Züge> [tsuːk] *m* **1.** (*inha-
lierte Menge*) puff (**an** on/at); **einen**
~ **machen** to have a puff **2.** *kein pl*
(*Luftzug*) draught **3.** (*Spielzug*) move;
am ~ **sein** to be sb's move **4.** (*Kolonne*) procession **5.** (*Gesichtszug*)
feature **6.** (*Charakterzug*) characteristic **7.** (*Schritt*) ~ **um** ~ step by step;
im ~**e einer S.** *gen* in the course of
sth

Zugabe [ˈtsuːgaːbə] *f* MUS encore

Zugang <-[e]s, -gänge> [ˈtsuːgaŋ] *m*
1. (*Eingang*) entrance **2.** *kein pl* (*Zutritt, Zugriff*) access (**zu** to)

zugänglich [ˈtsuːgɛŋlɪç] *adj* **1.** accessi-
ble; **nicht** ~ inaccessible **2.** *Mensch*
approachable; **für etw** *akk* ~ **sein** to
be receptive to sth

Zugbrücke *f* drawbridge

zu|geben *vt irreg* to admit

zu|gehen *irreg vi sein* **1.** *Tür* to shut
2. (*zubewegen*) **auf jdn/etw** ~ to approach sb/sth **3.** (*sich versöhnen*)
aufeinander ~ to become reconciled

zugehörig [ˈtsuːgəhøːrɪç] *adj attr* ac-
companying

Zügel <-s, -> [ˈtsyːgl̩] *m* reins *npl*

zugelassen I. *pp von* **zulassen**
II. *adj* authorized; *Kfz* licensed; *Arzt*
licensed, registered

zügellos *adj* unrestrained

Zügellosigkeit *f* unrestraint

zügeln [ˈtsyːgl̩n] *vt* **1.** *Pferd* to rein in
sep **2.** (*zurückhalten*) **jdn/sich** ~ to

restrain sb/oneself

Zugeständnis [ˈtsuːgəʃtɛntnɪs] *nt* concession

zu|gestehen *vt irreg* to grant

Zugführer(in) *m(f)* guard BRIT, conductor AM

zugig [ˈtsuːgɪç] *adj* draughty

zugleich [tsuˈglaɪç] *adv* **1.** (*ebenso*)
both **2.** (*gleichzeitig*) at the same
time

Zugluft *f kein pl* draught

zu|greifen *vi irreg* **1.** (*sich bedienen*)
to help oneself **2.** INFORM **auf etw** *akk*
~ to access sth

Zugrestaurant *nt* dining car

zugrunde, zu Grunde^{RR} [tsuˈgrʊndə]
adv ~ **gehen** to be destroyed (**an** by);
jdn/etw ~ **richten** to destroy sb/sth;
etw *dat* ~ **liegen** to form the basis of
sth

zugunsten, zu Gunsten^{RR} [tsu-
ˈgʊnstn̩] *präp* +*gen* in favour of

zugute|kommen [tsuˈguːtə-] *vi* **jdm/
etw** ~ to be for the benefit of sb/
sth

Zugverbindung *f* train connection

Zugvogel *m* migratory bird

zu|halten *irreg vt* **etw** ~ to hold sth
closed

Zuhälter(in) <-s, -> [ˈtsuːhɛltɐ] *m(f)*
pimp

Zuhause <-s> [tsuˈhauzə] *nt kein pl*
home *no art*

zu|hören *vi* to listen (+*dat* to)

Zuhörer(in) *m(f)* listener

zu|jubeln *vi* to cheer

zu|knöpfen *vt* to button up *sep;* **sich**
dat **etw** ~ to button up *sep* one's sth

zu|kommen *vi irreg sein* **1.** (*sich nä-
hern*) **auf jdn/etw** ~ to come towards sb/sth **2.** (*bevorstehen*) **auf
jdn** ~ to be in store for sb; **die Dinge**

auf sich ~ lassen to take things as they come

Zukunft <-> ['tsu:kʊnft] f kein pl future

zukünftig ['tsu:kʏnftɪç] I. adj future II. adv in future

Zukunftsmodell nt model for the future **Zukunftsperspektive** f meist pl future prospects npl

zu|lächeln vi jdm ~ to smile at sb

Zulage <-, -n> ['tsu:la:gə] f bonus [payment]

zu|lassen vt irreg 1. (dulden) to allow 2. (fam) Tür to keep shut sep 3. (anmelden) to register

zulässig ['tsu:lɛsɪç] adj permissible

Zulassung <-, -en> f 1. (Lizenz) licence; die ~ entziehen to revoke sb's licence 2. (Anmeldung) registration

zuleide, zu LeideRR [tsu'laidə] adv jdm etwas ~ tun to harm sb

zuletzt [tsu'lɛtst] adv 1. (als Letzter) ~ eintreffen to be the last to arrive; ~ durchs Ziel gehen to finish last 2. (endlich) in the end; bis ~ until the end 3. (letztmalig) last; nicht ~ not least [of all]

zuliebe [tsu'li:bə] adv jdm/etw ~ for sb['s sake]

Zulieferer <-s, -> m supplier

zum [tsʊm] = s. zu dem s. zu

zumindest [tsu'mɪndəst] adv at least

zumute, zu MuteRR [tsu'mu:tə] adv mir ist so merkwürdig ~ I feel so strange

zu|muten ['tsu:mu:tn̩] vt jdm etw ~ to expect sth of sb; sich dat etw ~ to undertake sth; jdm zu viel ~ to expect too much of sb

Zumutung f unreasonable demand; das ist eine ~! it's just too much!

zunächst [tsu'nɛːçst] adv 1. (anfangs) initially 2. (vorerst) for the moment

Zunahme <-, -n> ['tsu:na:mə] f increase

Zuname ['tsu:na:mə] m surname

zünden ['tsʏndn̩] vi, vt TECH to fire

Zünder <-s, -> ['tsʏndɐ] m detonator

Zündholz <-es, -hölzer> nt match **Zündholzschachtel** f matchbox

Zündkabel nt plug lead **Zündkerze** f spark plug **Zündschlüssel** m ignition key **Zündschnur** f fuse **Zündstoff** m kein pl inflammatory stuff no art

Zündung <-, -en> f AUTO ignition no pl

zu|nehmen irreg vi 1. (Gewicht) to gain weight 2. (anwachsen) to increase (an in)

Zuneigung f affection

Zunft <-, Zünfte> [tsʊnft] f HIST guild

zünftig ['tsʏnftɪç] adj (fam) proper

Zunge <-, -n> ['tsʊŋə] f tongue; die ~ herausstrecken to stick out one's tongue

Zungenbrecher <-s, -> m tongue twister **Zungenfertigkeit** f kein pl eloquency no pl **Zungenkuss**RR m French kiss **Zungenspitze** f tip of the tongue

zunichte|machenRR [tsu'nɪçtə-] vt to wreck; jds Hoffnungen ~ to dash sb's hopes

zunutze, zu NutzeRR [tsu'nʊtsə] adv sich dat etw ~ machen to make use of sth

zu|ordnen ['tsu:ʔɔrdnən] vt etw etw dat ~ to assign sth to sth

zu|packen vi (bei einer Arbeit) [mit] ~ to lend a [helping] hand

zupfen ['tsʊpfn̩] vt to pull (aus out of); sich dat die Augenbrauen ~ to

Z

pluck one's eyebrows

zur [tsuːɐ̯, tsʊr] = *s.* **zu der** *s.* **zu**

zurechnungsfähig *adj* JUR responsible for one's actions *pred*

zurecht|finden [tsuˈrɛçtfɪndn̩] *vr irreg* **sich in einer Großstadt ~** to find one's way around a city

zurecht|kommen *vi irreg sein* (*mit Person*) to get on (**mit** with); (*mit Sache*) to cope (**mit** with)

zurecht|weisen *vt irreg* to reprimand

zu|reden [ˈtsuːreːdn̩] *vi* **jdm** [**gut**] **~** to encourage sb

Zurschaustellung *f* (*meist pej*) flaunting

zurück [tsuˈrʏk] *adv* back; [**von etw** *dat*] **~ sein** to be back [from sth]; **hin und ~ oder einfach?** single or return?

zurück|bekommen *vt irreg* to get back *sep*

zurück|bleiben *vi irreg sein* to stay behind; (*leistungsmäßig*) to fall behind

zurück|blicken *vi* to look back (**auf** on)

zurück|bringen *vt irreg* to bring back *sep*

zurück|drängen *vt* to force back *sep*

zurück|erstatten *vt* [**jdm**] **etw ~** to refund [sb's] sth

zurück|fahren *irreg* I. *vi sein* to go/come back II. *vt* 1. to drive back *sep* 2. (*reduzieren*) to cut back *sep*

zurück|fallen *vi irreg sein* 1. **in etw** *akk* **~** to lapse back into sth 2. (*darunter bleiben*) **hinter etw** *akk* **~** to fall short of sth

zurück|finden *vi irreg* to find one's way back

zurück|fordern *vt* **etw** [**von jdm**] **~** to demand sth back [from sb]

zurück|führen *vt* **etw auf etw** *akk* **~** to attribute sth to sth

zurück|geben *vt irreg* [**jdm**] **etw ~** to return sth [to sb]

zurückgeblieben *adj* slow

zurück|gehen *vi irreg sein* 1. to return 2. (*abnehmen*) to go down

zurückgezogen *adj, adv* secluded

zurück|halten *irreg* I. *vr* **sich ~** 1. (*sich beherrschen*) to restrain oneself 2. (*reserviert sein*) to be reserved II. *vt* 1. (*aufhalten*) to hold up *sep* 2. (*abhalten*) **jdn** [**von etw** *dat*] **~** to keep sb from doing sth

zurückhaltend *adj* reserved

Zurückhaltung *f kein pl* reserve *no art*

zurück|holen *vt* 1. to fetch back *sep* 2. (*in seinen Besitz zurückbringen*) [**sich** *dat*] **etw ~** to get back *sep* sth

zurück|kommen *vi irreg sein* 1. to return; **aus dem Ausland ~** to return from abroad 2. (*erneut aufgreifen*) **auf etw** *akk* **~** to come back to sth; **auf jdn ~** to get back to sb

zurück|lassen *vt irreg* to leave behind *sep*

zurück|legen *vt* 1. to put back *sep* 2. (*reservieren*) **jdm etw ~** to put sth aside for sb 3. (*hinter sich bringen*) **35 Kilometer kann man pro Tag leicht zu Fuß ~** you can easily do 35 kilometres a day on foot 4. (*sparen*) to put away *sep*

zurück|nehmen *vt irreg* to take back *sep*

zurück|schauen *vi* to look back (**auf** on)

zurück|schicken *vt* to send back *sep*

zurück|schlagen *irreg vt* 1. to beat back 2. (*umschlagen*) to turn back *sep*

zurück|schrecken *vi irreg sein*
1. (*Bedenken haben*) to shrink (**vor**
from); **vor nichts ~** (*skrupellos sein*)
to stop at nothing; (*keine Angst haben*) to not flinch from anything
2. (*erschrecken*) to start back
zurück|sehnen *vr* sich nach Hause ~
to long to return home
zurück|stellen *vt* 1. to put back *sep*
2. *Heizung* to turn down *sep; Uhr*
to turn back *sep; Wünsche* to put
aside
zurück|treten *vi irreg sein* 1. to step
back 2. (*vom Amt*) to resign
zurück|verlangen *vt* (*zurückfordern*)
to demand back
zurück|versetzen *vr* sich ~ to be
transported back
zurück|weichen *vi irreg sein* [**vor**
etw *dat*] ~ to fall back [before sth]
zurück|weisen *vt irreg* jdn ~ to turn
away sb *sep;* **etw ~** to reject sth
zurück|zahlen *vt* [jdm] etw ~ to repay
[sb] sth
zurück|ziehen *irreg* I. *vt* 1. to pull
back *sep* 2. (*widerrufen*) to withdraw
II. *vr* sich ~ to withdraw
zu|rufen *vt irreg* jdm etw ~ to shout
sth to sb
zurzeit [tsʊr'tsait] *adv* at present
Zusage ['tsuːzaːgə] *f* assurance
zu|sagen I. *vt* to promise (+*dat* to)
II. *vi* 1. to accept 2. (*gefallen*) jdm
~ to appeal to sb
zusammen [tsu'zamən] *adv* 1. (*gemeinsam*) together (**mit** with); **mit**
jdm ~ **sein** to be with sb 2. (*ein Paar
sein*) ~ **sein** to be going out [with
each other] 3. (*insgesamt*) altogether
Zusammenarbeit *f kein pl* cooperation *no art*
zusammen|arbeiten *vi* mit jdm ~ to

work [together] with sb
zusammen|bauen *vt* to assemble
zusammen|bleiben *vi irreg sein* to
stay together; **mit** jdm ~ to stay with
sb
zusammen|brechen *vi irreg sein* to
collapse
Zusammenbruch *m* collapse
zusammen|drücken *vt* 1. (*zerdrü-
cken*) to crush 2. (*aneinanderdrü-
cken*) to press together
zusammen|falten *vt* to fold [up *sep*]
zusammen|fassen *vt* 1. to summa-
rize; **etw in wenigen Worten ~** to
put sth in a nutshell 2. (*vereinigen*)
jdn/etw in etw *dat* ~ to unite sb/
sth into sth; **etw unter etw** *dat* ~ to
class[ify] sth under sth
Zusammenfassung *f* summary
zusammen|fügen *vt* to assemble
zusammen|führen *vt* to bring to-
gether; *eine Familie* to reunite
zusammen|gehören *vi* 1. (*zueinan-
der gehören*) to belong together
2. (*ein Ganzes bilden*) to go together
Zusammengehörigkeitsgefühl *nt
kein pl* sense of togetherness
zusammengesetzt *adj* compound
zusammen|halten *irreg* I. *vi* (*Freun-
de*) to stick together II. *vt* to hold together
Zusammenhang <-[e]s, -hänge> *m*
connection; (*Verbindung*) link (**zwischen** between); **im ~ mit etw** *dat*
in connection with sth; **jdn/etw mit
etw** *dat* **in ~ bringen** to connect sb/
sth with sth
zusammen|hängen *vi irreg* (*in Zu-
sammenhang stehen*) **mit etw** *dat*
~ to be connected with sth
zusammenhängend I. *adj* coherent
II. *adv* coherently

Z

zusammenhang(s)los I. *adj* incoherent II. *adv* incoherently

zusammenklappbar *adj* folding *attr; Stuhl, Tisch* collapsible

zusammen|klappen I. *vt haben* to fold up *sep* II. *vi sein* (*a. fig fam*) to collapse

zusammen|kommen *vi irreg sein* 1. (*sich treffen*) to come together; **mit jdm ~** to meet sb; **zu einer Besprechung ~** to get together for a discussion 2. *Umstände* to combine 3. *Schulden* to mount up

Zusammenleben *nt kein pl* living together *no art*

zusammen|nehmen *irreg* I. *vt* to summon [up *sep*]; **alles zusammengenommen** all in all; **seinen ganzen Mut ~** to summon up all one's courage II. *vr* **sich ~** to control oneself

zusammen|passen *vi* 1. *Menschen* to suit each other; **gut/schlecht ~** to be well-suited/ill-suited 2. *Kleidungsstücke* to match

Zusammenprall *m* collision

zusammen|prallen *vi sein* to collide

zusammen|rechnen *vt* to add up *sep;* **alles zusammengerechnet** all in all

zusammen|reißen *irreg vr* (*fam*) **sich ~** to pull oneself together

zusammen|rücken I. *vi sein* to move up closer II. *vt haben* **etw ~** to move sth closer together

zusammen|schließen *irreg vr* **sich** [**zu etw** *dat*] **~** to join together [to form sth]

Zusammenschluss^RR *m* union; (*von Firmen*) merger

Zusammensein <-s> *nt kein pl* get-together; **ein geselliges ~** a social [gathering]

zusammen|setzen I. *vt* to assemble II. *vr* 1. **sich ~** to sit together; (*um etw zu besprechen*) to get together 2. (*bestehen*) **sich aus etw** *dat* **~** to be composed of sth

Zusammensetzung <-, -en> *f* composition

Zusammenspiel *nt kein pl* 1. SPORT teamwork 2. MUS ensemble playing 3. THEAT ensemble acting 4. (*fig: Wechselwirkung*) interplay

zusammen|stellen *vt* 1. (*aufstellen*) to compile; *Delegation* to assemble 2. (*auf einen Fleck*) **die Betten ~** to place the beds side by side

Zusammenstoß *m* 1. collision 2. (*Auseinandersetzung*) clash

zusammen|stoßen *vi irreg sein* to collide; **mit jdm ~** to bump into sb

zusammen|treffen *vi irreg sein* 1. (*sich treffen*) to meet; **mit jdm ~** to meet sb; (*unverhofft*) to encounter 2. *Umstände* to coincide

Zusammentreffen *nt* 1. (*Treffen*) meeting 2. *Umstände* coincidence

zusammen|tun *irreg* I. *vt* to put together II. *vr* **sich** [**zu etw** *dat*] **~** to get together [in sth]

zusammen|wirken *vi* (*vereint wirken*) to combine

zusammen|zählen *vt* to add up *sep;* **alles zusammengezählt** all in all

zusammen|ziehen *irreg* I. *vi sein* to move in together II. *vr* **sich ~** 1. (*sich verengen*) to contract 2. *Sturm, Unheil* to be brewing; *Wolken* to gather III. *vt* **die Augenbrauen ~** to knit one's brows

Zusatz ['tsu:zats] *m* 1. (*zugefügter Teil*) appendix 2. (*Nahrungszusatz*) additive; **ohne ~ von Farbstoffen** without the addition of artificial colouring

Zusatzgerät *nt* attachment; INFORM peripheral [device]

zusätzlich ['tsu:zɛtslɪç] **I.** *adj* additional **II.** *adv* in addition

zu|schauen *vi s.* zusehen

Zuschauer(in) <-s, -> *m(f)* **1.** SPORT spectator; TV viewer **2.** FILM, THEAT **die ~** the audience

Zuschauerraum *m* auditorium

Zuschlag <-[e]s, Zuschläge> *m* **1.** (*zum Preis*) supplementary charge **2.** (*zum Fahrpreis*) extra fare **3.** (*zusätzliches Entgelt*) bonus

zu|schließen *irreg vt* to lock

zu|schreiben *vt irreg* **jdm etw ~** to ascribe sth to sb

Zuschrift *f* (*geh*) reply

zuschulden, zu Schulden[RR] [tsu-ˈʃʊldn̩] *adv* **sich** *dat* **etwas/nichts ~ kommen lassen** to do something/nothing wrong

Zuschuss[RR], **Zuschuß**[ALT] <-sses, -schüsse> ['tsu:ʃʊs] *m* subsidy

zu|sehen *vi irreg* **1.** to watch; **tatenlos musste er ~, wie ...** he could only stand and watch, while ... **2.** (*dafür sorgen*) **~, dass ...** to see [to it] that ...

zu|sichern *vt* **jdm etw ~** to assure sb of sth; **jdm seine Hilfe ~** to promise sb one's help

zu|sperren *vt* to lock

zu|spielen *vt* **1. jdm den Ball ~** to pass the ball to sb **2.** (*zukommen lassen*) **etw der Presse ~** to leak sth [to the press]

Zuspruch *m kein pl* **1. sich großen ~s erfreuen** to be very popular **2.** (*Worte*) **ermutigender/tröstender ~** words of encouragement/comfort

Zustand <-[e]s, -stände> ['tsu:ʃtant] *m* **1.** (*Verfassung*) state, condition;

das ist doch kein ~! it's a disgrace! **2.** *pl* (*Verhältnisse*) conditions

zustande, zu Stande[RR] [tsuˈʃtandə] *adv* **etw ~ bringen** to achieve sth; **eine Einigung ~ bringen** to reach an agreement; **es ~ bringen, dass jd etw tut** to [manage to] get sb to do sth; **nicht ~ kommen** to fail

zuständig ['tsu:ʃtɛndɪç] *adj* responsible; **der ~e Beamte** the official in charge; **dafür ist er ~** that's his responsibility

zu|stimmen *vi* **jdm/etw ~** to agree with sb/to sth

Zustimmung *f* agreement

Zustrom *m kein pl* **1.** METEO inflow **2.** (*Zuwanderung*) influx

zutage, zu Tage[RR] [tsuˈta:gə] *adj* **etw ~ bringen** to bring sth to light; **~ treten** to come to light

zu|teilen *vt* **jdm etw ~** to assign sth to sb

zutiefst [tsuˈti:fst] *adv* deeply; **~ verärgert** furious

zu|trauen *vt* **das hätte ich dir nie zugetraut!** I would never have expected that from you!; **dem traue ich alles zu!** I wouldn't put anything past him!; **sich** *dat* **nichts ~** to have no self-confidence; **sich** *dat* **zu viel ~** to take on too much

Zutrauen <-s> *nt kein pl* confidence (**zu** in)

zutraulich ['tsu:traulɪç] *adj* trusting; *Hund* friendly

zu|treffen *vi irreg* **1.** (*richtig sein*) to be correct; (*wahr sein*) to be true; **es trifft zu, dass ...** it is true that ... **2.** (*anwendbar sein*) **auf jdn/etw [nicht] ~** to [not] apply to sb/sth

Zutritt *m kein pl* admission (**zu** to); **~ verboten!** [*o* **kein ~!**] no admit-

Z

tance!; [keinen] ~ zu etw haben to [not] be admitted to sth

zuverlässig ['tsuːfɛɐ̯lɛsɪç] *adj* reliable

Zuverlässigkeit <-> *f kein pl* reliability

Zuversicht <-> ['tsuːfɛɐ̯zɪçt] *f kein pl* confidence; **voller** ~ full of confidence

zuversichtlich *adj* confident

zuvor [tsuˈfoːɐ̯] *adv* before; (*zunächst*) beforehand; **im Jahr** ~ the year before; **noch nie** ~ never before

zuvor|kommen *vi irreg sein* **jdm** ~ to beat sb to it; **etw** *dat* ~ to forestall sth

zuvorkommend I. *adj* (*gefällig*) accommodating; (*höflich*) courteous II. *adv* courteously

Zuvorkommenheit <-> *f kein pl* courtesy

Zuwachs <-es, Zuwächse> ['tsuːvaks] *m* increase

zuwege, zu WegeRR [tsuˈveːgə] *adv* **etw** ~ **bringen** to achieve sth; **es** ~ **bringen, dass jd etw tut** to [manage to] get sb to do sth

zuweilen [tsuˈvaɪlən] *adv* occasionally

zu|weisen *vt irreg* **jdm etw** ~ to assign sb sth

zu|wenden *irreg* I. *vt* **jdm das Gesicht/den Rücken** ~ to turn one's face towards/one's back on sb II. *vr* **sich jdm/etw** ~ to devote oneself to sb/sth

Zuwendung *f* 1. *kein pl* (*Hinwendung*) love and care 2. (*Geld*) contribution

zuwider[1] [tsuˈviːdɐ] *adv* **jdm ist jd/etw** ~ sb loathes sb/sth

zuwider[2] [tsuˈviːdɐ] *präp* **etw** *dat* ~ contrary to sth

zuzüglich ['tsuːtsyːɡlɪç] *präp* ~ **einer S.** *gen* plus sth

Zwang <-[e]s, Zwänge> [tsvaŋ] *m* 1. (*Gewalt*) force; (*Druck*) pressure; **unter** ~ under duress; **gesellschaftliche Zwänge** social constraints 2. (*Notwendigkeit*) compulsion; **aus** ~ out of necessity

zwängen ['tsvɛŋən] *vt* **etw in etw** *akk* ~ to force sth into sth; **sich durch/in etw** *akk* ~ to squeeze through/into sth; **sich durch die Menge** ~ to force one's way through the crowd

zwanglos I. *adj* (*ungezwungen*) casual; (*ohne Förmlichkeit*) informal II. *adv* (*ungezwungen*) casually; (*ohne Förmlichkeit*) informally

Zwangsarbeit *f kein pl* hard labour **Zwangsarbeiter(in)** *m(f)* sb sentenced to hard labour **Zwangsehe** *f* forced marriage **zwangseinweisen** *vt* **jdn in eine [psychiatrische] Klinik** ~ to commit sb to [a mental] hospital against their wishes **Zwangseinweisung** *f* involuntary commitment **Zwangslage** *f* predicament; **in eine** ~ **geraten** to get into a predicament

zwangsläufig I. *adj* inevitable II. *adv* inevitably

zwangsweise I. *adj* compulsory II. *adv* compulsorily

zwanzig ['tsvantsɪç] *adj* twenty; *s.a.* **achtzig**

zwanzigfach *adj* twentyfold, twenty times; *s.a.* **achtfach**

zwanzigjährig, 20-jährigRR ['tsvantsɪçjɛːrɪç] *adj* 1. (*Alter*) twenty-year-old *attr*, twenty years old *pred* 2. (*Zeitspanne*) twenty-year *attr*

zwanzigste(r, s) ['tsvantsɪçstə, -stə, -stəs] *adj attr* twentieth; *s.a.* **achte(r, s)**

zwar [tsvaːɐ̯] *adv* **sie ist** ~ **47, sieht aber wie 30 aus** although she's 47, she looks like 30; **das mag ~ stimmen, aber ...** that may be true, but ...; **und ~** namely

Zweck <-[e]s, -e> [tsvɛk] *m* **1.** (*Verwendungszweck*) purpose; **einem bestimmten ~ dienen** to serve a particular aim; **seinen ~ erfüllen** to serve its/one's purpose; **ein guter ~** a good cause; **zu welchem ~?** for what purpose? **2.** (*Sinn*) point; **das hat doch alles keinen ~!** there's no point in any of that

zweckentfremden *vt* **etw als etw** *akk* **~** to use sth as sth

zwecklos *adj* futile

zweckmäßig *adj* **1.** (*geeignet*) suitable **2.** (*sinnvoll*) appropriate

zwecks [tsvɛks] *präp* (*geh*) **~ einer S.** *gen* for the purpose of sth

zwei [tsvai] *adj* two; *s.a.* **acht**[1]

Zweibettzimmer *nt* double room

zweideutig ['tsvaidɔytɪç] *adj* ambiguous; (*anrüchig*) suggestive

zweidimensional *adj* two-dimensional **Zweidrittelmehrheit** *f* two-thirds majority; **mit ~** with a two-thirds majority

zweierlei ['tsvaiɐ'lai] *adj attr* two [different]; **mit ~ Maß messen** to apply double standards

zweifach, 2fach ['tsvaifax] *adj* **die ~e Menge** twice as much; **in ~er Ausfertigung** in duplicate

Zweifel <-s, -> ['tsvaifl̩] *m* doubt; **darüber besteht kein ~** there can be no doubt about that; **sich** *dat* **[noch] im ~ sein** to be [still] in two minds; **jdm kommen ~** sb begins to doubt; **außer ~ stehen, dass ...** to be beyond [all] doubt that ...

zweifelhaft *adj* **1.** doubtful **2.** (*dubios*) dubious

zweifellos ['tsvaifl̩loːs] *adv* undoubtedly

zweifeln ['tsvaifl̩n] *vi* **an jdm/etw ~** to doubt sb/sth; **[daran] ~, ob ...** to doubt whether ...

Zweig <-[e]s, -e> [tsvaik] *m* **1.** (*Ast*) branch; (*kleiner*) twig **2.** (*Sparte*) branch

Zweigstelle *f* branch office

zweihundert ['tsvai'hʊndɐt] *adj* two hundred

zweijährig, 2-jährig[RR] ['tsvaijɛːrɪç] *adj* **1.** (*Alter*) two-year-old *attr,* two years old *pred* **2.** (*Zeitspanne*) two-year *attr*

Zweikampf *m* duel

zweimal, 2-mal[RR] ['tsvaimaːl] *adv* twice, two times

zweimalig ['tsvaimaːlɪç] *adj* two times over **zweipolig** *adj* bipolar; *Schalter* double-pole; *Stecker* two-pin **zweischneidig** ['tsvaiʃnaidɪç] *adj* two-edged ▸ **ein ~es Schwert** a double-edged sword **zweisprachig** ['tsvaiʃpraːxɪç] **I.** *adj* bilingual **II.** *adv* **~ erzogen sein** to be brought up speaking two languages

zweit [tsvait] *adv* **wir sind zu ~** there are two of us

zweitbeste(r, s) ['tsvait'bɛstə, -'bɛstə, -'bɛstəs] *adj* second best; **Z~[r] werden** to come second best

zweite(r, s) ['tsvaitə, 'tsvaitə, 'tsvaitəs] *adj* second, 2nd; **die ~ Klasse** second form BRIT, second grade AM *s.a.* **achte(r, s)**

zweitens ['tsvaitn̩s] *adv* secondly

zweitklassig *adj* second-rate

Zwerchfell ['tsvɛrçfɛl] *nt* diaphragm

Zwerg(in) <-[e]s, -e> [tsvɛrk] *m(f)* dwarf

Zwetschge <-, -n> ['tsvɛtʃgə] *f* damson

Z

zwicken ['tsvɪkn̩] I. *vi* to pinch II. *vt* **jdn [in etw** *akk]* ~ to pinch sb['s sth]

Zwickmühle *f* ▶ **in der** ~ **sein** (*fam*) to be in a dilemma

Zwieback <-[e]s, -e> ['tsvi:bak] *m* rusk

Zwiebel <-, -n> ['tsvi:bl̩] *f* onion; (*Blumenzwiebel*) bulb

Zwiegespräch *nt* tête-à-tête

Zwielicht ['tsvi:lɪçt] *nt kein pl* twilight; (*morgens a.*) half-light

zwiespältig ['tsvi:ʃpɛltɪç] *adj* (*geh*) *Charakter* ambivalent; *Gefühle* mixed

Zwietracht <-> ['tsvi:traxt] *f kein pl* discord

Zwilling <-s, -e> ['tsvɪlɪŋ] *m* **1.** *meist pl* twin; **eineiige** ~e identical twins; **siamesische** ~e Siamese twins; **zweieiige** ~e fraternal twins **2.** *pl* ASTROL Gemini

Zwillingsbruder *m* twin brother **Zwillingsschwester** *f* twin sister

Zwinge <-, -n> ['tsvɪŋə] *f* [screw] clamp

zwingen <zwang, gezwungen> ['tsvɪŋən] I. *vt* **jdn [zu etw** *dat]* ~ to force sb [do sth]; **gezwungen sein, etw zu tun** to be forced into [doing] sth II. *vr* **sich zu etw** *dat* ~ to force oneself to do sth

zwingend I. *adj* compelling II. *adv* **sich** ~ **ergeben** to follow conclusively

Zwinger <-s, -> ['tsvɪŋɐ] *m* cage

zwinkern ['tsvɪŋkɐn] *vi* to blink

Zwirn <-s, -e> [tsvɪrn] *m* thread

zwischen ['tsvɪʃn̩] *präp* **1.** +*dat* (*Position: zwischen 2 Personen, Dingen*) between; (*zwischen mehreren: un-* ter) among[st] **2.** +*akk* (*Richtung: zwischen zwei*) between; (*zwischen mehrere: unter*) among[st] **3.** +*dat* (*zeitlich*) between

Zwischenaufenthalt *m* stopover

Zwischendeck *nt* 'tween decks *npl*

zwischendurch [tsvɪʃn̩'dʊrç] *adv* in between times

Zwischenergebnis *nt* interim result; *Untersuchung a.* interim findings *npl*

Zwischenfall *m* incident **Zwischenhändler(in)** *m(f)* middleman *masc,* middlewoman *fem* **zwischenlanden** *vi* to stop over (**in** in) **Zwischenlandung** *f* stopover **Zwischenmahlzeit** *f* snack [between meals] **zwischenmenschlich** *adj* interpersonal **Zwischenprüfung** *f* intermediate exam **Zwischenraum** *m* **1.** (*Lücke*) gap **2.** TYPO **ein** ~ **von anderthalb Zeilen** a space of one-and-a-half lines **Zwischenruf** *m* interruption; ~e heckling **Zwischenstation** *f* stop; **in einer Stadt** ~ **machen** to stop off in a town **Zwischenstopp** *m* LUFT stopover **Zwischenzeit** *f* **in der** ~ [in the] meantime **zwischenzeitlich** *adv* meanwhile **Zwischenzeugnis** *nt* SCH end of term report

Zwist <-es, -e> [tsvɪst] *m* strife *no indef art*

zwitschern ['tsvɪtʃɐn] *vi* to twitter

Zwitter <-s, -> ['tsvɪtɐ] *m* hermaphrodite

zwölf [tsvœlf] *adj* twelve; *s.a.* **acht**[1]

Zwölffingerdarm [tsvœlf'fɪŋɐdarm] *m* duodenum

Zwölfkampf *m* SPORT twelve-exercise event

zwölfte(r, s) ['tsvœlftə, 'tsvœlftɐ, 'tsvœlftəs] *adj attr* twelfth, 12th; **die** ~ **Klasse** sixth form BRIT, twelfth grade AM *s.a.*

achte(r, s)

Zyankali <-s> [tsyˈaːnkaːli] *nt kein pl* potassium cyanide

zyklisch [ˈtsyːklɪʃ] *adj* cyclic

Zyklon <-s, -e> [tsyˈkloːn] *m* cyclone

Zyklus <-, Zyklen> [ˈtsyːklʊs] *m* cycle; **ein ~ von Vorträgen** a series of lectures

Zylinder <-s, -> [tsiˈlɪndɐ] *m* cylinder; (*Hut*) top hat

Zylinderkopf *m* cylinder head

Zyniker(in) <-s, -> [ˈtsyːnikɐ] *m(f)* cynic

zynisch [ˈtsyːnɪʃ] I. *adj* cynical II. *adv* cynically; **~ grinsen** to give a cynical grin

Zypern [ˈtsyːpɐn] *nt* Cyprus

Zypresse <-, -n> [tsyˈprɛsə] *f* cypress

zyprisch [ˈtsyːprɪʃ] *adj* Cypriot

Zyste <-, -n> [ˈtsʏstə] *f* cyst

Z

Übersicht über die wichtigsten unregelmäßigen englischen Verben

Infinitiv	Präteritum	Partizip Perfekt
abide	abode, abided	abode, abided
arise	arose	arisen
awake	awoke	awaked, awoken
be	was *sing*, were *pl*	been
bear	bore	borne
beat	beat	beaten
become	became	become
beget	begot	begotten
begin	began	begun
behold	beheld	beheld
bend	bent	bent
beseech	besought	besought
beset	beset	beset
bet	bet, betted	bet, betted
bid	bade, bid	bid, bidden
bind	bound	bound
bite	bit	bitten
bleed	bled	bled
blow	blew	blown
break	broke	broken
breed	bred	bred
bring	brought	brought
build	built	built
burn	burned, burnt	burned, burnt
burst	burst	burst
buy	bought	bought
can	could	–
cast	cast	cast

catch	caught	caught
chide	chided, chid	chided, chidden, chid
choose	chose	chosen
cleave[1] (*cut*)	clove, cleaved	cloven, cleaved, cleft
cleave[2] (*adhere*)	cleaved, clave	cleaved
cling	clung	clung
come	came	come
cost	cost, costed	cost, costed
creep	crept	crept
cut	cut	cut
deal	dealt	dealt
dig	dug	dug
do	did	done
draw	drew	drawn
dream	dreamed, dreamt	dreamed, dreamt
drink	drank	drunk
drive	drove	driven
dwell	dwelt	dwelt
eat	ate	eaten
fall	fell	fallen
feed	fed	fed
feel	felt	felt
fight	fought	fought
find	found	found
flee	fled	fled
fling	flung	flung
fly	flew	flown
forbid	forbad(e)	forbidden
forget	forgot	forgotten
forsake	forsook	forsaken
freeze	froze	frozen

get	got	got, *Am* gotten
gild	gilded, gilt	gilded, gilt
gird	girded, girt	girded, girt
give	gave	given
go	went	gone
grind	ground	ground
grow	grew	grown
hang	hung, *jur* hanged	hung, *jur* hanged
have	had	had
hear	heard	heard
heave	heaved, hove	heaved, hove
hew	hewed	hewed, hewn
hide	hid	hidden
hit	hit	hit
hold	held	held
hurt	hurt	hurt
keep	kept	kept
kneel	knelt	knelt
know	knew	known
lade	laded	laden, laded
lay	laid	laid
lead	led	led
lean	leaned, leant	leaned, leant
leap	leaped, leapt	leaped, leapt
learn	learned, learnt	learned, learnt
leave	left	left
lend	lent	lent
let	let	let
lie	lay	lain
light	lit, lighted	lit, lighted
lose	lost	lost

make	made	made
may	might	–
mean	meant	meant
meet	met	met
mistake	mistook	mistaken
mow	mowed	mown, mowed
pay	paid	paid
put	put	put
quit	quit, quitted	quit, quitted
read	read	read
rend	rent	rent
rid	rid	rid
ride	rode	ridden
ring	rang	rung
rise	rose	risen
run	ran	run
saw	sawed	sawed, sawn
say	said	said
see	saw	seen
seek	sought	sought
sell	sold	sold
send	sent	sent
set	set	set
sew	sewed	sewed, sewn
shake	shook	shaken
shave	shaved	shaved, shaven
shear	sheared	sheared, shorn
shed	shed	shed
shine	shone	shone
shit	shit, *hum* shat	shit, *hum* shat
shoe	shod	shod

shoot	shot	shot
show	showed	shown, showed
shrink	shrank	shrunk
shut	shut	shut
sing	sang	sung
sink	sank	sunk
sit	sat	sat
slay	slew	slain
sleep	slept	slept
slide	slid	slid
sling	slung	slung
slink	slunk	slunk
slit	slit	slit
smell	smelled, smelt	smelled, smelt
smite	smote	smitten
sow	sowed	sowed, sown
speak	spoke	spoken
speed	speeded, sped	speeded, sped
spell	spelled, spelt	spelled, spelt
spend	spent	spent
spill	spilled, spilt	spilled, spilt
spin	spun	spun
spit	spat	spat
split	split	split
spoil	spoiled, spoilt	spoiled, spoilt
spread	spread	spread
spring	sprang	sprung
stand	stood	stood
stave	stove, staved	stove, staved
steal	stole	stolen
stick	stuck	stuck

sting	stung	stung
stink	stank	stunk
strew	strewed	strewed, strewn
stride	strode	stridden
strike	struck	struck
string	strung	strung
strive	strove	striven
swear	swore	sworn
sweep	swept	swept
swell	swelled	swollen
swim	swam	swum
swing	swung	swung
take	took	taken
teach	taught	taught
tear	tore	torn
tell	told	told
think	thought	thought
thrive	throve, thrived	thriven, thrived
throw	threw	thrown
thrust	thrust	thrust
tread	trod	trodden
wake	woke, waked	woken, waked
wear	wore	worn
weave	wove	woven
weep	wept	wept
win	won	won
wind	wound	wound
wring	wrung	wrung
write	wrote	written

Deutsche unregelmäßige Verben
Irregular German Verbs

Zusammengesetzte oder präfigierte Verben, deren Formen denen des Grundverbs entsprechen, sind auf der deutsch-englischen Seite mit *irreg* markiert. Die Vergangenheitsformen dieser Verben lassen sich durch das jeweilige Grundverb erschließen; Für **ab|brechen** ist z. B. unter **brechen** nachzuschauen.

Compound or preterite verbs, whose conjugated forms correspond to those of the base verb are marked *irreg* on the German-English side. The conjugated forms of these verbs can be found by referring to the simple verb. In the case of **ab|brechen** for instance, see **brechen**.

Infinitiv infinitive	Präteritum Simple past	Partizip Perfekt past participle
backen	backte *o alt* buk	gebacken
befehlen	befahl	befohlen
beginnen	begann	begonnen
beißen	biss	gebissen
bergen	barg	geborgen
bersten	barst	geborsten
bewegen	bewog	bewogen
biegen	bog	gebogen
bieten	bot	geboten
binden	band	gebunden
bitten	bat	gebeten
blasen	blies	geblasen
bleiben	blieb	geblieben
bleichen	bleichte *o alt* blich	gebleicht *o alt* geblichen
braten	briet	gebraten
brechen	brach	gebrochen
brennen	brannte	gebrannt
bringen	brachte	gebracht
denken	dachte	gedacht
dreschen	drosch	gedroschen
dringen	drang	gedrungen

Infinitiv infinitive	Präteritum Simple past	Partizip Perfekt past participle
dürfen	durfte	dürfen, gedurft
empfangen	empfing	empfangen
empfehlen	empfahl	empfohlen
empfinden	empfand	empfunden
essen	aß	gegessen
fahren	fuhr	gefahren
fallen	fiel	gefallen
fangen	fing	gefangen
fechten	focht	gefochten
finden	fand	gefunden
flechten	flocht	geflochten
fliegen	flog	geflogen
fliehen	floh	geflohen
fließen	floss	geflossen
fressen	fraß	gefressen
frieren	fror	gefroren
gären	gärte *o* gor	gegärt *o* gegoren
gebären	gebar	geboren
geben	gab	gegeben
gedeihen	gedieh	gediehen
gefallen	gefiel	gefallen
gehen	ging	gegangen
gelingen	gelang	gelungen
gelten	galt	gegolten
genesen	genas	genesen
genießen	genoss	genossen
geraten	geriet	geraten
geschehen	geschah	geschehen
gestehen	gestand	gestanden
gewinnen	gewann	gewonnen

Infinitiv infinitive	Präteritum Simple past	Partizip Perfekt past participle
gießen	goss	gegossen
gleichen	glich	geglichen
gleiten	glitt	geglitten
glimmen	glimmte *o selten* glomm	geglimmt *o selten* geglommen
graben	grub	gegraben
greifen	griff	gegriffen
haben	hatte	gehabt
halten	hielt	gehalten
hangen	hing	gehangen
hängen	hing (hängte)	gehangen, (gehängt)
heben	hob	gehoben
heißen	hieß	geheißen
helfen	half	geholfen
kennen	kannte	gekannt
klimmen	klimmte *o* klomm	geklommen *o* geklimmt
klingen	klang	geklungen
kneifen	kniff	gekniffen
kommen	kam	gekommen
können	konnte	können, gekonnt
kriechen	kroch	gekrochen
laden	lud	geladen
lassen	ließ	gelassen *nach Infinitiv* lassen
laufen	lief	gelaufen
leiden	litt	gelitten
leihen	lieh	geliehen
lesen	las	gelesen
liegen	lag	gelegen
lügen	log	gelogen

Infinitiv infinitive	Präteritum Simple past	Partizip Perfekt past participle
mahlen	mahlte	gemahlen
meiden	mied	gemieden
melken	melkte *o veraltend* molk	gemolken
messen	maß	gemessen
misslingen	misslang	misslungen
mögen	mochte	mögen, gemocht
nehmen	nahm	genommen
nennen	nannte	genannt
pfeifen	pfiff	gepfiffen
preisen	pries	gepriesen
quellen	quoll	gequollen
raten	riet	geraten
reiben	rieb	gerieben
reißen	riss	gerissen
reiten	ritt	geritten
rennen	rannte	gerannt
reichen	roch	gerochen
ringen	rang	gerungen
rinnen	rann	geronnen
rufen	rief	gerufen
salzen	salzte	gesalzen *o selten* gesalzt
saufen	soff	gesoffen
saugen	sog *o* saugte	gesogen *o* gesaugt
schaffen	schuf	geschaffen
schallen	schallte *o* scholl	geschallt
scheiden	schied	geschieden
scheinen	schien	geschienen
scheißen	schiss	geschissen
schelten	schalt	gescholten
scheren	schor	geschoren

Infinitiv infinitive	Präteritum Simple past	Partizip Perfekt past participle
schieben	schob	geschoben
schießen	schoss	geschossen
schinden	schindete	geschunden
schlafen	schlief	geschlafen
schlagen	schlug	geschlagen
schleichen	schlich	geschlichen
schleifen	schliff	geschliffen
schließen	schloss	geschlossen
schlingen	schlang	geschlungen
schmeißen	schmiss	geschmissen
schmelzen	schmolz	geschmolzen
schnauben	schnaubte *o veraltet* schnob	geschnaubt *o veraltet* geschnoben
schneiden	schnitt	geschnitten
schrecken *vt* *vi*	schreckte schrak	geschreckt geschrocken
schreiben	schrieb	geschrieben
schreien	schrie	geschrie[e]n
schreiten	schritt	geschritten
schweigen	schwieg	geschwiegen
schwellen	schwoll	geschwollen
schwimmen	schwamm	geschwommen
schwinden	schwand	geschwunden
schwingen	schwang	geschwungen
schwören	schwor	geschworen
sehen	sah	gesehen
senden	sandte *o* sendete	gesandt *o* gesendet
sieden	siedete *o* sott	gesiedet *o* gesotten
singen	sang	gesungen
sinken	sank	gesunken

Infinitiv infinitive	Präteritum Simple past	Partizip Perfekt past participle
sinnen	sann	gesonnen
sitzen	saß	gesessen
sollen	sollte	sollen, gesollt
spalten	spaltete	gespalten *o* gespaltet
speien	spie	gespie[e]n
spinnen	spann	gesponnen
sprechen	sprach	gesprochen
sprießen	spross *o* spießte	gesprossen
springen	sprang	gesprungen
stechen	stach	gestochen
stecken	steckte *o geh* stak	gesteckt
stehen	stand	gestanden
stehlen	stahl	gestohlen
steigen	stieg	gestiegen
sterben	starb	gestorben
stieben	stob *o* stiebte	gestoben *o* gestiebt
stinken	stank	gestunken
stoßen	stieß	gestoßen
streichen	strich	gestrichen
streiten	stritt	gestritten
tragen	trug	getragen
treffen	traf	getroffen
treiben	trieb	getrieben
treten	trat	getreten
triefen	triefte *o geh* troff	getrieft *o geh* getroffen
trinken	trank	getrunken
trügen	trog	getrogen
tun	tat	getan
verbieten	verbot	verboten
verbrechen	verbrach	verbrochen

Infinitiv infinitive	Präteritum Simple past	Partizip Perfekt past participle
verderben	verdarb	verdorben
vergessen	vergaß	vergessen
verlieren	verlor	verloren
verraten	verriet	verraten
verstehen	verstand	verstanden
verwenden	verwendete *o* verwandte	verwendet *o* verwandt
verzeihen	verzieh	verziehen
wachsen	wuchs	gewachsen
waschen	wusch	gewaschen
weben	webte *o geh* wob	gewebt *o geh* gewoben
weichen	wich	gewichen
weisen	wies	gewiesen
wenden	wendete *o geh* gewandt	gewendet *o geh* gewandt
werben	warb	geworben
werden	wurde	worden, geworden
werfen	warf	geworfen
wiegen	wog	gewogen
winden	wand	gewunden
winken	winkte	gewinkt *o dial* gewunken
wissen	wusste	gewusst
wollen	wollte	wollen, gewollt
wringen	wrang	gewrungen
ziehen	zog	gezogen
zwingen	zwang	gezwungen

Zahlwörter

Numerals

1. Grundzahlen

Cardinal numbers

null	0	nought, zero, cipher
eins	1	one
zwei	2	two
drei	3	three
vier	4	four
fünf	5	five
sechs	6	six
sieben	7	seven
acht	8	eight
neun	9	nine
zehn	10	ten
elf	11	eleven
zwölf	12	twelve
dreizehn	13	thirteen
vierzehn	14	fourteen
fünfzehn	15	fifteen
sechzehn	16	sixteen
siebzehn	17	seventeen
achtzehn	18	eighteen
neunzehn	19	nineteen
zwanzig	20	twenty
einundzwanzig	21	twenty-one
zweiundzwanzig	22	twenty-two
dreiundzwanzig	23	twenty-three
dreißig	30	thirty
einunddreißig	31	thirty-one
zweiunddreißig	32	thirty-two
dreiunddreißig	33	thirty-three

vierzig	40	forty
einundvierzig	41	forty-one
fünfzig	50	fifty
einundfünfzig	51	fifty-one
sechzig	60	sixty
einundsechzig	61	sixty-one
siebzig	70	seventy
einundsiebzig	71	seventy-one
achtzig	80	eighty
einundachtzig	81	eighty-one
neunzig	90	ninety
einundneunzig	91	ninety-one
(ein)hundert	100	a (or one) hundred
hundert(und)eins	101	hundred and one
hundert(und)zwei	102	hundred and two
hundert(und)zehn	110	hundred and ten
zweihundert	200	two hundred
dreihundert	300	three hundred
vierhundert(und)einundfünfzig	451	four hundred and fifty-one
(ein)tausend	1000	a (or one) thousand
zweitausend	2000	two thousand
zehntausend	10 000	ten thousand
eine Million	1 000 000	a (or one) million
zwei Millionen	2 000 000	two million
eine Milliarde	1 000 000 000	a (or one) billion
eine Billion	1 000 000 000 000	a (or one) trillion

2. Ordnungszahlen   Ordinal numbers

erste	1.	first
zweite	2.	second
dritte	3.	third
vierte	4.	fourth
fünfte	5.	fifth
sechste	6.	sixth
sieb(en)te	7.	seventh
achte	8.	eighth
neunte	9.	ninth
zehnte	10.	tenth
elfte	11.	eleventh
zwölfte	12.	twelfth
dreizehnte	13.	thirteenth
vierzehnte	14.	fourteenth
fünfzehnte	15.	fifteenth
sechzehnte	16.	sixteenth
siebzehnte	17.	seventeenth
achtzehnte	18.	eighteenth
neunzehnte	19.	nineteenth
zwanzigste	20.	twentieth
einundzwanzigste	21.	twenty-first
zweiundzwanzigste	22.	twenty-second
dreiundzwanzigste	23.	twenty-third
dreißigste	30.	thirtieth
einunddreißigste	31.	thirty-first
vierzigste	40.	fortieth
einundvierzigste	41.	forty-first
fünfzigste	50.	fiftieth
einundfünfzigste	51.	fifty-first
sechzigste	60.	sixtieth

einundsechzigste	61.	sixty-first
siebzigste	70.	seventieth
einundsiebzigste	71.	seventy-first
achtzigste	80.	eightieth
einundachtzigste	81.	eighty-first
neunzigste	90.	ninetieth
hundertste	100.	(one) hundredth
hundertunderste	101.	hundred and first
zweihundertste	200.	two hundredth
dreihundertste	300.	three hundredth
vierhundert(und)einund-fünfzigste	451.	four hundred and fifty-first
tausendste	1000.	(one) thousandth
tausend(und)einhundertste	1100.	thousand and (one) hundredth
zweitausendste	2000.	two thousandth
einhunderttausendste	100 000.	(one) hundred thousandth
millionste	1 000 000.	millionth
zehnmillionste	10 000 000.	ten millionth

Bruchzahlen

Fractional numbers

ein halb	$^1/_2$	one (*or* a) half
ein Drittel	$^1/_3$	one (*or* a) third
ein Viertel	$^1/_4$	one (*or* a) fourth (*or* a quarter)
ein Fünftel	$^1/_5$	one (*or* a) fifth
ein Zehntel	$^1/_{10}$	one (*or* a) tenth
ein Hundertstel	$^1/_{100}$	one hundredth
ein Tausendstel	$^1/_{1000}$	one thousandth
ein Millionstel	$^1/_{1000000}$	one millionth
zwei Drittel	$^2/_3$	two thirds
drei Viertel	$^3/_4$	three fourth, three quarters
zwei Fünftel	$^2/_5$	two fifths
drei Zehntel	$^3/_{10}$	three tenths
anderthalb	$1\,^1/_2$	one and a half
zwei(und)einhalb	$2\,^1/_2$	two and a half
fünf drei achtel	$5\,^3/_8$	five and three eighths
eins Komma eins	1,1	one point one (1.1)

Vervielfältigungszahlen

Multiples

einfach	single
zweifach	double
dreifach	threefold, treble, triple
vierfach	fourfold, quadruple
fünffach	fivefold
hundertfach	(one) hundredfold

Britische und amerikanische Maße und Gewichte
British and American measures and weights

Längenmaße – Linear measures

1 inch (in) 1"		= 2,54 cm
1 foot (ft) 1'	= 12 inches	= 30,48 cm
1 yard (yd)	= 3 feet	= 91,44 cm
1 furlong (fur)	= 220 yards	= 201,17 m
1 mile (m)	= 1760 yards	= 1,609 km
1 league	= 3 miles	= 4,828 km

Nautische Maße – Nautical measures

1 fathom	= 6 feet	= 1,829 m
1 cable	= 608 feet	= 185,31 m
1 nautical sea mile	= 10 cables	= 1,852 km
1 sea league	= 3 nautical miles	= 5,550 km

Feldmaße – Surveyors' measures

1 link	= 7,92 inches	= 20,12 cm
1 rod, perch, pole	= 25 links	= 5,029 m
1 chain	= 4 rods	= 20,12 m

Flächenmaße – Square measures

1 square inch		= 6,452 cm^2
1 square foot	= 144 sq inches	= 929,029 cm^2
1 square yard	= 9 sq feet	= 0,836 m^2
1 square rod	= 30,25 sq yards	= 25,29 m^2
1 acre	= 4840 sq yards	= 40,47 Ar
1 square mile	= 640 acres	= 2,59 km^2

Raummaße – Cubic measures

1 cubic inch		= 16,387 cm³
1 cubic foot	= 1728 cu inches	= 0,028 m³
1 cubic yard	= 27 cu feet	= 0,765 m³
1 register ton	= 100 cu feet	= 2,832 m³

Britische Hohlmaße – British measures of capacity

Flüssigkeitsmaße – Liquid measures of capacity

1 gill		= 0,142 l
1 pint (pt)	= 4 gills	= 0,568 l
1 quart (qt)	= 2 pints	= 1,136 l
1 gallon (gal)	= 4 quarts	= 4,546 l
1 barrel	= *(für Öl)* 35 gallons	= 159,106 l
	(Bierbrauerei) 36 gallons	= 163,656 l

Trockenmaße – Dry measures of capacity

1 peck	= 2 gallons	= 9,092 l
1 bushel	= 4 pecks	= 36,368 l
1 quarter	= 8 bushels	= 290,935 l

Amerikanische Hohlmaße – American measures of capacity

Flüssigkeitsmaße – Liquid measures of capacity

1 gill		= 0,118 l
1 pint	= 4 gills	= 0,473 l
1 quart	= 2 pints	= 0,946 l
1 gallon	= 4 quarts	= 3,785 l
1 barrel	= *(für Öl)* 42 gallons	= 159,106 l

Handelsgewichte – Avoirdupois weights

1 grain (gr)		= 0,0648 g
1 dram (dr)	= 27,3438 grains	= 1,772 g
1 ounce (oz)	= 16 drams	= 28,35 g
1 pound (lb)	= 16 ounces	= 453,59 g
1 stone	= 14 pounds	= 6,348 kg
1 quarter	= 28 pounds	= 12,701 kg
1 hundredweight (cwt)	= (BRIT *long cwt*) 112 pounds	= 50,8 kg
	(AM *short cwt*) 100 pounds	= 45,36 kg
1 ton	= (BRIT *long ton*) 20 cwt	= 1016 kg
	(AM *short ton*) 2000 pounds	= 907,185 kg

Temperaturumrechnung – Temperature conversion

Fahrenheit – Celsius		Celsius – Fahrenheit	
°F	°C	°C	°F
0	−17,8	−10	14
32	0	0	32
50	10	10	50
70	21,1	20	68
90	32,2	30	86
98,4	37	37	98,4
212	100	100	212
zur Umrechnung 32 abziehen und mit $5/9$ multiplizieren		zur Umrechnung mit $9/5$ multiplizieren und 32 addieren	
To convert subtract 32 and multiply by $5/9$		To convert multiply by $9/5$ and add 32	

Amtliche deutsche Maße und Gewichte – Official German measures and weights

Längenmaße Linear measures	Zeichen Symbol		
Seemeile	sm	1852 m	*nautical mile*
Kilometer	km	1000 m	*kilometre*
Meter	m	Grundeinheit	*metre*
Dezimeter	dm	0,1 m	*decimetre*
Zentimeter	cm	0,01 m	*centimetre*
Millimeter	mm	0,001 m	*millimetre*

Flächenmaße Square measures	Zeichen Symbol		
Quadratkilometer	km^2	1000000 m^2	*square kilometre*
Hektar	ha	10000 m^2	*hectare*
Ar	a	100 m^2	*are*
Quadratmeter	m^2	1 m^2	*square metre*
Quadratdezimeter	dm^2	0,01 m^2	*square decimetre*
Quadratzentimeter	cm^2	0,0001 m^2	*square centimetre*
Quadratmillimeter	mm^2	0,000 001 m^2	*square millimetre*

Kubik- und Hohlmaße Cubic measures and measures of capacity	Zeichen Symbol		
Kubikmeter	m^3	1 m^3	*cubic metre*
Hektoliter	hl	0,1 m^3	*hectolitre*
Kubikdezimeter	dm^3	0,001 m^3	*cubic decimetre*
Liter	l		*litre*
Kubikzentimeter	cm^3	0,000 001 m^3	*cubic centimetre*

Gewichte Weights	Zeichen Symbol		
Tonne	t	1000 kg	*ton*
Doppelzentner	dz	100 kg	–
Kilogramm	kg	1000 g	*kilogram(me)*
Gramm	g	1 g	*gram(me)*
Milligramm	mg	0,001 g	*milligram(me)*